GW00393145

COMMENTAIRE

SUR

LE CODE CIVIL.

TROISIÈME EXAMEN.

se trouve aussi :

A		*Chez*
Aix.	⎰	Aubin.
	⎱	Richaud.
Caen.	⎰	Mancel..
	⎱	Rupalley.
Dijon.	⎰	Lamarche.
	⎱	Decailly.
Grenoble. . . .		Ch. Vellot et comp.
Lyon.		Gourdon.
Poitiers. . . .	⎰	Bources.
	⎱	Fradet.
Rennes.	⎰	Blin, libr., place du Palais.
	⎱	Verdier.
Strasbourg. . .	⎰	Lagier.
	⎱	Drach.
Toulouse. . .	⎰	Lebon.
	⎱	Ginet.

PARIS.—IMPRIMERIE DE FAIN ET THUNOT,
IMPRIMEURS DE L'UNIVERSITÉ ROYALE DE FRANCE,
Rue Racine, 28, près de l'Odéon.

COMMENTAIRE

SUR

LE CODE CIVIL

CONTENANT

L'EXPLICATION DE CHAQUE ARTICLE SÉPARÉMENT,

L'énonciation, au bas du commentaire, des questions qu'il a fait naître,

LES PRINCIPALES RAISONS DE DÉCIDER *POUR* ET *CONTRE*,

L'INDICATION DES PASSAGES DES DIVERS OUVRAGES OU LES QUESTIONS SONT AGITÉES,

ET LE RENVOI AUX ARRÊTS;

Par J. M. BOILEUX,

Docteur en droit, Juge au tribunal civil de Vendôme.

Précédé d'un Précis de l'histoire du droit civil

PAR M. F. F. PONCELET,

Avocat à la Cour royale, Professeur à la Faculté de droit de Paris.

Cinquième édition,

CONSIDÉRABLEMENT AUGMENTÉE.

TOME TROISIEME.

PARIS.

JOUBERT, LIBRAIRE DE LA COUR DE CASSATION,

RUE DES GRÈS, 14, PRÈS DE L'ECOLE DE DROIT.

MÊME MAISON, place Dauphine, 29, près le Palais-de-Justice.

—

1844

COMMENTAIRE

SUR

LE CODE CIVIL.

————⊶◦◦◦⊷————

TITRE V.

DU CONTRAT DE MARIAGE.

(Déc. le 10 fév. 1804, prom. le 10.)

———

On entend par *contrat de mariage* (1) l'ensemble des conventions faites en vue de régler les conditions d'un futur mariage quant aux biens.

Ce contrat a donc pour unique objet de constater des conventions d'intérêt purement pécuniaire, de déterminer le régime sous lequel les époux seront mariés et les effets de leur association. De ce principe il résulte : que, si le mariage est annulé, les conventions matrimoniales étant également anéanties, les contractants sont censés avoir été dans une espèce de communauté de fait, sauf le tempérament apporté par les art. 201 et 202 ; dès-lors, toutes les questions que fait naître la liquidation de cette communauté se décident suivant les règles de la gestion d'affaires (1371-1375).

Ce titre est divisé en trois chapitres :

Le premier renferme des dispositions générales,

Le second traite de la communauté ,

Le troisième concerne le régime dotal.

———————

CHAPITRE PREMIER.

Dispositions générales.

———

Les parties peuvent régler leurs conventions matrimoniales comme elles le jugent à propos (1387); la faveur due au mariage a même fait établir qu'elles jouiraient à cet égard d'une liberté plus étendue que dans les transactions ordinaires (*voy.* 947, 1398, 1837) : la loi ne leur interdit que les clauses qui portent atteinte aux bonnes mœurs ou à l'ordre public (1387).

———

(1) Cette expression peut être prise en outre dans deux autres sens : 1° pour le mariage lui-même , c'est-à-dire pour le lieu qui unit les époux; 2° pour l'acte notarié qui constate les conventions matrimoniales.

Au nombre des clauses proscrites comme contraires à l'ordre public, la loi mentionne : 1° celles qui dérogeraient aux droits résultant de la puissance maritale, à ceux qui appartiennent au mari comme chef, ou à l'autorité conférée au survivant des époux par le titre de la puissance paternelle et par le titre de la minorité, de la tutelle et de l'émancipation (1388); — 2° les pactes sur les successions non ouvertes et les donations faites à ceux qui ne sont pas conçus (1389, 906, 1081); — 3° enfin les stipulations qui tendraient à faire revivre d'anciennes règles abrogées par les lois nouvelles (1390). — Du reste, les époux peuvent librement se référer d'une manière générale à l'un des *régimes* tracés par le Code.

On nomme *régime* la réunion des règles qui gouvernent une matière quelconque.

Quatre régimes principaux et essentiellement distincts s'offrent au choix des époux :

1° Le régime de la communauté *légale* (1399, 1496) ou *conventionnelle* (1497, 1529) : sous ce régime, les époux ont des biens en commun (1401, 1420); le mari les administre, et lors de la dissolution, si la femme accepte la communauté, ces biens se partagent. — La communauté jouit en outre des biens personnels aux époux; le mari, par suite, est chargé d'administrer ceux qui appartiennent à la femme (1421, 1428).

2° Le régime *exclusif de communauté*, sans séparation de biens (1529, 1535) : sous ce régime, la femme ne peut réclamer aucune part dans les bénéfices que son mari a faits durant le mariage; elle conserve tous ses biens personnels; mais le mari en a l'administration et la jouissance (1530, 1531) (1).

3° Le régime de *séparation de biens* (1536, 1539) : la femme conserve ses biens meubles ou immeubles; elle en a de plus l'administration et la jouissance (2).

Ces deux derniers régimes sont compris dans la section 9.

4° Le régime *dotal* (1540, 1581) : ce régime, puisé dans le droit romain, est ainsi nommé à cause des rapports particuliers sous lesquels la dot y est envisagée : il se constitue de principes particuliers et vraiment exorbitants. — Le mari a la jouissance et l'administration des biens que la femme s'est constitués ou qu'on lui a constitués en dot; ces biens sont *en général* frappés d'inaliénabilité (1554); — la femme conserve l'administration et la jouissance des biens paraphernaux, c'est-à-dire, de ceux qui ne sont pas compris dans la constitution de dot.

Afin de prévenir à cet égard toute interprétation arbitraire, la loi prend soin de déclarer que l'emploi du mot *dot*, sans autre explication, ne suffit point pour faire présumer que les parties ont prétendu se soumettre au régime dotal, et que cette intention ne résulterait même pas de ce qu'elles auraient déclaré vouloir se marier sans communauté (1392).

Du reste, ces divers régimes peuvent être modifiés par des conventions (*voyez* 1197, 1534, 1539, 1575, 1581).

Le régime de la communauté légale forme le droit commun de la France (1393) : les parties sont censées vouloir l'adopter, lorsqu'elles n'ont pas manifesté la volonté de s'en écarter.

---

(1) Les biens de la femme sont dotaux, à la vérité, mais seulement quant à la jouissance.

(2) Sous ce régime, c'est le mari qui supporte les charges du ménage, sauf la contribution de la femme; cette contribution est réglée soit par le contrat, soit par la loi.

Comme les conventions matrimoniales n'intéressent pas seulement les contractants, mais encore les tiers, la loi prescrit des mesures pour assurer leur inviolabilité : elle veut que ces conventions soient constatées par un acte notarié, et défend d'apporter aucuns changements à cet acte après la célébration (1395) ; mais jusqu'alors, elles peuvent être modifiées et même détruites en totalité ou en partie.—Toutefois, pour que ces changements produisent leur effet vis-à-vis des époux, la loi exige qu'ils aient eu lieu avec le concours et le consentement simultané de toutes les personnes qui ont été parties au contrat de mariage (1396) ; —pour qu'ils puissent être opposés aux tiers, elle veut, de plus, qu'ils aient été rédigés à la suite de la minute du contrat : cette condition accomplie, les parties ont fait tout ce que l'on pouvait attendre d'elles; s'il arrive que le notaire néglige de faire mention des changements à la suite des grosses ou expéditions qu'il délivre, il est passible de dommages-intérêts envers les tiers (1397).

En général, toute personne capable de se marier est habile à régler ses conventions matrimoniales; la loi exige seulement, pour le mineur, qu'il soit assisté des personnes dont le consentement est requis pour la validité de son mariage (1398).

1387 — La loi ne régit l'association conjugale, quant aux biens, qu'à défaut de conventions spéciales, que les époux peuvent faire comme ils le jugent à propos, pourvu qu'elles ne soient pas contraires aux *bonnes mœurs* (1), et en outre, sous les modifications qui suivent.

= On admet, dans les contrats de mariage, certaines clauses qui, dans tout autre contrat, seraient frappées de nullité : par ex., les futurs époux peuvent convenir que leurs immeubles à venir tomberont en propriété dans la société conjugale (1526) : les sociétés ordinaires ne peuvent comprendre les biens à venir que pour la jouissance (1837).—Dans une société ordinaire, toute clause qui attribuerait à l'un des associés la totalité des bénéfices serait nulle (1855); les époux peuvent valablement convenir que la communauté entière appartiendra à l'un d'eux seulement (1525). —Comparez encore, pour d'autres exemples, les articles 1086, 944, 945, 1082, 943, 946, 1086, 1398, 903, 904, 1095, 1309.

La loi se borne à interdire aux époux les conventions contraires aux bonnes mœurs : ils ne pourraient convenir, par ex., qu'ils auront le droit de se séparer de corps quand bon leur semblera, ou que le mari exercera une industrie déshonnête : ces conventions seraient nulles.

La fin de l'art. 1387 indique des prohibitions spéciales au contrat de mariage (*voy.* art. 1399, 1443, 1483, 1521, 1595).

A défaut de conventions particulières, les époux sont censés vouloir se référer aux règles tracées par le Code.

1388 — Les époux ne peuvent déroger ni aux droits résultant de la puissance maritale sur la personne de la femme et

---

(1) Cette expression est employée ici dans un sens large; elle comprend aussi les conventions qui sont contraires à l'ordre public.

4

des enfants, ou qui appartiennent au mari comme chef (1),
ni aux droits conférés au survivant des époux par le titre
de la puissance paternelle et par le titre de la minorité, de
la tutelle et de l'émancipation, ni aux dispositions prohibitives du présent Code (2).

= La puissance maritale, la puissance paternelle et la tutelle légitime
sont des droits établis dans l'intérêt public ; les époux ne peuvent donc y
porter atteinte.

Ainsi, la femme ne pourrait se réserver la faculté de vivre séparée de
son mari (204), en cas d'incompatibilité de caractère ; car cela serait contraire à la *puissance maritale.*

La convention qui l'autoriserait à ester en jugement, à disposer de ses
immeubles sans autorisation, ou qui lui conférerait l'administration de
la communauté, serait également nulle ; car ces droits ne peuvent être
détachés de la personne du mari : *ils lui appartiennent comme chef* (215
et suiv., 1528 et 1570).

Toutefois, nous verrons que la femme peut se réserver la libre disposition de quelques biens (art. 1534) ; — le mari peut même la charger,
par une procuration postérieure au mariage, d'administrer la communauté.

On stipulerait encore inutilement que la femme *survivante* ne sera pas
tutrice ; car ces droits sont *attachés à sa qualité de mère ;* le mari peut
seulement lui nommer un conseil.

On ne pourrait convenir que le survivant des père et mère n'aura pas la
jouissance que l'article 384 lui défère ; car cette jouissance est un attribut
de la *puissance paternelle.*

Enfin, les époux ne peuvent déroger aux dispositions prohibitives du
présent Code (*voy.* entre autres les art. 1399 et 1521, 1453 et 2140, 791,
1130, 906, 1081, 1595, 1483, 1443 et 1563, 311 et 1441, 1096).

— La clause qui interdirait au mari le droit d'aliéner, à titre onéreux, des immeubles de la communauté sans le consentement de la femme, serait-elle valable?⁕⁕⁕.1. (Toullier, n. 109 ; Dur., n. 266).

Les futurs époux pourraient-ils valablement renoncer à la faculté de s'avantager pendant le mariage? ⁕⁕⁕ *N.* Point de stipulation valable sans intérêt (Toullier, n. 18 ; Bellot des Minières, p. 16,
t. 1 ; Dur., n. 30 ; Merlin, Renonciation, § 1, n. 3 ; — *Cass.*, 31 juillet 1809 ; S., 9, 1, 408).

Peut-on valablement convenir que les enfants seront élevés dans telle ou telle religion? ⁕⁕⁕ *N.* Ce
serait porter atteinte à la puissance paternelle ; le mari seul a le droit de diriger l'éducation de ses
enfants : d'ailleurs, pour avoir une religion, il faut être susceptible de la comprendre ; or l'enfant
n'est pas dans ce cas ; on considérerait cette convention comme un engagement d'honneur : à leur majorité, les enfants auraient la faculté de choisir un culte (Dur., n. 24) (*Val.*).

1589 — Ils ne peuvent faire aucune convention ou renonciation dont l'objet serait de changer l'ordre légal des successions, soit par rapport à eux-mêmes dans la succession
de leurs enfants ou descendants, *soit par rapport à leurs*

---

(1) Il suffisait de parler de la puissance maritale, car cette puissance comprend tout.
(2) Les auteurs du Code ont voulu faire une énumération, mais elle est incomplète : en effet, on pourrait induire des termes de l'article que la mère n'a de droits que lorsqu'elle est survivante, ce qui serait
inexact, car il y a des cas ou son autorité est égale à celle du père ; voy., par ex., les art. 354, 356 et 367,
relatifs à l'adoption et à la tutelle officieuse.—Lorsque le mari est incapable, bien que vivant, la femme
est appelée à donner son consentement au mariage des enfants.—Remarquons en outre que l'obligation
réciproque de se fournir des aliments n'est pas mentionnée dans l'article.—Mieux valait se borner à
dire qu'on ne peut porter atteinte aux lois qui concernent l'état et la capacité des personnes, et que
les droits pécuniaires seuls peuvent être réglés par le contrat de mariage.

enfants entre eux (1), sans préjudice des donations entre-vifs ou testamentaires qui pourront avoir lieu selon les formes et dans les cas déterminés par le présent Code.

= Notre ancienne jurisprudence admettait en faveur du mariage ces sortes de conventions ; mais le Code les proscrit formellement, comme contraires à la règle qui prohibe les stipulations sur une succession future (791, 1130), ainsi que les donations faites à ceux qui ne sont pas conçus (906, 1081). — Ces conventions seraient d'ailleurs incompatibles avec la législation qui nous régit, en ce qu'elles permettraient de changer l'ordre légal des successions : soit *par rapport aux époux*, dans la succession de leurs enfants ou descendants ; par exemple : si l'on convenait que la succession des enfants appartiendra exclusivement à l'un des époux, ou que la succession de l'un des époux appartiendra en tout ou en partie à l'un des enfants : une semblable disposition serait nulle même pour la quotité disponible (Delv., p. 5, n. 5) ; les époux ne peuvent disposer par contrat de mariage que l'un au profit de l'autre, et seulement de leur propre succession : — soit *par rapport aux enfants entre eux ;* ce qui aurait lieu si l'on convenait qu'en cas de prédécès de l'un des enfants, l'aîné ne succéderait pas ou succéderait seul à l'exclusion de ses autres frères ou sœurs ; qu'il aurait une part plus considérable que les autres ; que les filles n'auraient rien à prétendre, ou qu'elles auraient une somme pour tout droit de succession.

Observez que la loi ne parle que de la succession des époux aux enfants et des enfants entre eux : par conséquent, elle permet de déroger à l'ordre légal des successions par des institutions contractuelles au profit des époux et des enfants à naître ; sans préjudice des conventions autorisées par la loi sur les substitutions (*voy.* 1527, 1081, 1091 et suivants).

— Peut-on stipuler que le survivant aura tous les biens meubles et immeubles, à l'exception, par exemple, de ceux qui viendraient du côté de la mère, lesquels retourneraient aux héritiers maternels ? ∼∼ *N.* Ce serait changer l'ordre des successions ; l'art. 732 ne considère pas l'origine des biens pour en régler la dévolution (Dur., n. 27. — *Bruxelles*, 16 mars 1824 ; S., 25, 2, 377).

Les époux, prévoyant le cas de séparation de corps, pourraient-ils s'obliger à laisser leurs biens en commun après la séparation prononcée ? ∼∼ *N.* Cette clause serait contraire aux dispositions de la loi qui règlent les effets de la séparation de corps (Dur., n. 29 ; — *Bruxelles*, 28 mars 1810 ; S., 10, 2, 362).

1590 — Les époux ne peuvent plus stipuler d'une manière générale que leur association sera réglée par l'une des coutumes, lois ou statuts locaux qui régissaient ci-devant les diverses parties du territoire français, et qui sont abrogés par le présent Code.

= Cette règle est une suite nécessaire de l'uniformité de la législation : permettre de se référer d'une manière générale à d'anciennes lois ou coutumes, c'eût été perpétuer leur existence.

Les parties ne pourraient même déclarer qu'elles adoptent *tel article* de

_____

(1) Phrase amphibologique : on peut comprendre les mots « *soit par rapport aux enfants entre eux* » ou en ce sens, que les enfants viennent simultanément à la succession de leurs père et mère ; ou en ce sens, que l'un des enfants succède aux autres. Il est certain que les père et mère ne peuvent, dans l'un ni dans l'autre cas, changer l'ordre des successions.

telle coutume, sans autre énonciation; car ce serait retomber indirectement dans l'inconvénient qu'on a voulu prévenir (1).

Mais rien ne s'opposerait à ce que les époux fissent insérer dans leur contrat de mariage des dispositions coutumières ; pourvu, bien entendu, que ces dispositions n'eussent rien de contraire à la loi actuelle.

1391 — Ils peuvent cependant déclarer, d'une manière générale, qu'ils entendent se marier ou sous le régime de la communauté ou sous le régime dotal.

Au premier cas, et sous le régime de la communauté, les droits des époux et de leurs héritiers seront réglés par les dispositions du chapitre II du présent titre.

Au deuxième cas, et sous le régime dotal, leurs droits seront réglés par les dispositions du chapitre III.

== Cette disposition pourrait faire croire qu'il n'existe chez nous que deux régimes ; cependant, nous verrons que le Code en admet deux autres, qui diffèrent essentiellement et du régime de la communauté et du régime dotal, savoir : le régime d'*exclusion de communauté* et celui de *séparation de biens* (2).

1392 — La simple stipulation que la femme se constitue ou qu'il lui est constitué des biens en dot ne suffit pas pour soumettre ces biens au régime dotal s'il n'y a dans le contrat de mariage une déclaration expresse à cet égard.

La soumission au régime dotal ne résulte pas non plus de la simple déclaration faite par les époux, qu'ils se marient sans communauté, ou qu'ils seront séparés de biens.

=L'expression *dot* est générique ; elle indique tout ce que la femme apporte au mari, sous quelque régime qu'elle soit mariée (3), soit en propriété, soit en jouissance seulement, pour l'aider à supporter les charges du ménage. La soumission au régime dotal ne résulte donc pas de l'emploi de cette expression : *constitution de dot;* il n'est même pas de l'essence du régime dotal qu'il existe des biens dotaux (4). — Vainement la femme aurait-elle stipulé que ses biens seront inaliénables; cette clause serait insuffisante : la soumission au régime dotal ne peut être tacite ; la loi exige une déclaration expresse. Toutefois le Code ne détermine pas de termes sacramentels, il suffirait aux époux de manifester clairement leur

---

(1) Cette clause serait nulle (Dur., n. 32; D., t. 10. p. 162, n. 6; *Cass.*, 28 août 1833 ; S. 33. 1, 744, *Val.*). ᴀᴀ Se référer simplement a un article d'une coutume abrogée, ce n'est pas stipuler, *d'une manière générale*, que l'association sera réglée par cette coutume. — Arg. d'un arrêt de cassation, du 19 juillet 1810, S., 10, p. 20, 345 et 361, qui a déclaré valable, dans le même cas, une institution testamentaire (Toullier. n. 12; Bellot, p. 19, t. 1 ; *Gand.* 6 juillet 1833; D., 34, 2, 132).

(2) Les auteurs du Code ont adopté cette division générale en deux régimes principaux, parce qu'elle était admise dans l'ancien droit : les conventions dont nous venons de parler n'étaient connues que dans les pays soumis au régime de la communauté ; on les considérait comme des accessoires de ce régime.

(3) Sous le régime de la communauté, la dot est plus spécialement appelée *apport*. Cette dénomination s'applique également aux biens du mari.

(4) La femme a une dot même lorsqu'elle est séparée de biens ou lorsque, étant mariée sous le régime dotal, elle ne s'est rien constitué, car on peut dire que la quotité pour laquelle elle contribue aux charges du ménage est sa dot.

volonté.—Sous le régime dotal, les biens que la femme ne se constitue pas en dot se nomment *paraphernaux*.

La seconde disposition de notre article ne donne lieu à aucune difficulté : la stipulation qu'on se marie sans communauté, ou qu'on sera séparé de biens, ne constitue pas le régime dotal ; elle soumet uniquement les époux à l'un des régimes compris dans la section 9.

— Pour que les époux fussent mariés sous le régime dotal, suffirait-il que la femme eût stipulé des paraphernaux ? ⁓ *A*. Argt. de la deuxième partie de l'article 1392, laquelle ne prévoit pas le cas dont il s'agit (Bellot, t. 3, p. 256) (*Val.*).

1393—A défaut de stipulations spéciales qui dérogent au régime de la communauté ou le modifient (1), les règles établies dans la première partie du chapitre II formeront le droit commun de la France.

= Une partie de la France était autrefois régie par des coutumes, et l'autre par le droit romain.

Le régime de la communauté formait le droit des *pays coutumiers;* le régime dotal, celui des *pays de droit écrit :* après une longue discussion, les auteurs du Code ont adopté pour notre droit commun le régime de la communauté, tel qu'il se trouvait organisé par la coutume de Paris, en y apportant seulement quelques modifications (2).

De ces observations, nous déduirons deux conséquences :

1° Les règles sur la communauté doivent être interprétées d'après le droit coutumier, et celles relatives au régime dotal d'après le droit romain.

2° Les clauses d'un contrat de mariage par lequel les époux établissent une communauté de biens ne dérogent aux règles de la communauté légale, qu'autant que les parties ont manifesté l'intention de s'en écarter.

A ces règles d'interprétation, nous ajouterons que les dispositions des articles 1530 à 1535, 1549 à 1573, relatives au cas où le mari a l'administration et la jouissance des biens de la femme, doivent en général être interprétées les unes par les autres. Même observation à l'égard des dispositions des articles 1448 à 1450, 1536 à 1539 sur la séparation de biens, et de celles que contiennent les articles 1526 à 1529, et 1574 à 1580, sur l'hypothèse où la femme conserve l'administration et la jouissance de ses biens : la position des époux est en effet la même sous ce rapport, qu'ils soient mariés sous le régime dotal ou sous un régime simplement exclusif de communauté.

—L'étranger admis par le roi à établir son domicile en France, et qui s'y est marié sans faire de contrat de mariage, est-il censé avoir voulu adopter le régime de la communauté ? ⁓ *A*. C'est là une question d'intention ; l'étranger jouit de tous les droits civils tant qu'il continue d'y résider (18) : il est donc censé, en se mariant en France, vouloir adopter la loi française quant à ses droits matrimoniaux ; il reste seulement soumis aux lois de son pays en ce qui concerne sa capacité (Dur., n. 83 et suivants; Toullier, n. 91, t. 12 ; Merlin, Rép., Divorce, sect. 4, § 10).

(1) Ajoutons : *Ou qui l'excluent entièrement.*

(2) Le projet du Code était muet sur le régime dotal ; cette lacune fut signalée par les méridionaux dans la discussion au conseil d'État; malgré tous leurs efforts pour faire adopter ce régime comme droit commun de la France, le régime de la communauté fut préféré ; il a paru plus propre que les autres à cimenter l'union conjugale. Cependant on est forcé de reconnaître qu'il n'est plus en harmonie avec nos mœurs, à raison de l'importance que les meubles ont acquise. Ajoutons qu'il entraîne des résultats contraires à l'équité, car l'un des époux peut avoir un mobilier considérable, tandis que la fortune entière de l'autre peut consister en immeubles ; il fait naître d'ailleurs de graves difficultés pour la fixation des récompenses.

Quid s'il n'a pas été admis à établir son domicile en France ? ⟶ Comme il n'a pas de domicile de droit, mais seulement une résidence, le droit commun de son pays régit ses conventions matrimoniales; la femme, même Française, est censée s'y être soumise (Dur., *ibid*).

Quid à l'égard de la femme étrangère qui épouse hors de France un Français ? ⟶ Elle est censée vouloir adopter les lois qui régissent le pays de son futur mari (Dur., n. 88).

Quid si le Français a perdu, lors de son mariage, sa qualité de Français ? ⟶ A défaut de conventions particulières, les époux sont censés vouloir adopter le droit commun du pays où ils se marient (Dur., n. 88, 89).

1394 — Toutes conventions matrimoniales seront rédigées, avant le mariage, par acte devant notaire.

= Deux conditions sont requises pour la validité des conventions matrimoniales; il faut :

1° Qu'elles aient été arrêtées avant la célébration (1) : d'abord parce qu'elles sont un accessoire, une condition du mariage; ensuite, parce qu'après le mariage les époux ne jouissent plus d'une liberté entière.

2° Qu'elles aient été rédigées par acte devant *notaires* (2) : ce contrat n'est pas seulement authentique; il est *solennel*. Si l'acte pouvait être passé sous seing-privé, il serait facile de le supprimer, et de retomber sous le régime de la communauté légale : l'enregistrement n'obvierait pas à cet inconvénient, car il ne relate pas la teneur de l'acte.

Les mêmes raisons ont fait décider que le contrat doit être passé avec minute et non en brevet (loi du 25 ventôse an 11, art. 68).

Si le contrat est déclaré nul, les époux sont mariés sous le régime de la communauté légale : les donations qu'ils ont reçues et celles qu'ils se sont faites l'un à l'autre, soit simples, soit réciproques, sont comme non avenues.

— Un contrat de mariage, passé par acte sous seing-privé et déposé chez un notaire avant la célébration, est-il valable? ⟶ *A*. L'acte de dépôt équivaut à un contrat de mariage passé devant notaires, lorsqu'il énonce que les parties ont déclaré vouloir adopter toutes les stipulations portées dans l'acte sous seing-privé (Dur., n. 43. — *Rouen*, 11 janvier 1826; S., 26, 2, 217; D., 26, 2, 104).

L'art. 68 de la loi de ventôse, et l'art. 1318 C. c., sont-ils applicables aux contrats de mariage ? ⟶ *N*. Ce contrat est solennel (Dur., n. 45).

Le contrat de mariage sous seing-privé, passé à l'étranger, est-il valable, si telle est la forme légale de ce pays? ⟶ *A. Locus regit actum* (*Paris*, 22 nov. 1828; D. 29, 2, 60).

1395 — Elles ne peuvent recevoir aucun changement après la célébration du mariage.

= Cette disposition est une conséquence de celle qui précède.

Les changements postérieurs au mariage sont interdits à la fois dans l'intérêt des époux eux-mêmes et dans celui des tiers :

Dans l'intérêt des époux ; car on devait craindre que l'un d'eux n'abusât de son influence sur l'autre pour lui faire souscrire des clauses désavantageuses.

Dans l'intérêt des tiers ; car les époux, après avoir adopté le régime

---

(1) Cependant, la Cour de cassation a décidé, le 31 janvier 1833, S., 33, 1, 171, que le contrat passé durant le mariage est inattaquable après sa dissolution; elle a considéré qu'il ne s'agit plus alors d'un intérêt public, mais d'un intérêt privé.

(2) Le concours de deux notaires est indispensable, car ce contrat est solennel; il peut contenir des donations; il emporte hypothèque (Bellot, p. 32. t. 1; Toullier, n. 71). ⟶ La présence d'un second notaire n'est pas de rigueur si ce n'est dans les testaments par acte public. — La disposition de la loi de ventôse à cet égard n'a pas été suivie dans la pratique (Dur., n. 47; *Riom*, 28 mai 1824; S., 26, 2, 98).

de la communauté, régime sous lequel les biens sont aliénables, pourraient, après le mariage, stipuler le régime dotal, et frapper ainsi d'inaliénabilité les immeubles apportés par la femme ; en sorte que les créanciers du mari n'auraient plus la faculté de se faire payer sur des biens qu'ils ont dû cependant considérer comme leur gage (art. 2093).

La prohibition de modifier les conventions matrimoniales frappe même les changements que voudraient faire les époux avec des tiers qui auraient été parties au contrat, même les modifications qui seraient apportées au contrat de mariage par un testament.

Mais rien ne s'oppose à ce que les personnes qui ont fait à l'un des époux une donation, par son contrat de mariage, donnent ensuite une garantie, par exemple, une hypothèque ; à ce que ceux qui ont parlé d'une manière obscure et ambiguë expliquent leur intention : ce ne seraient pas là des changements faits aux conventions matrimoniales (1).

Les actes par lesquels les époux modifient leurs conventions matrimoniales, pendant le mariage, sont nuls. La nullité, à la vérité, n'est pas formellement prononcée, mais elle résulte de l'esprit de la loi (2).

— Des conventions peuvent-elles être annulées bien que le mariage soit maintenu ? ⟶ *A.* Le mariage tient à l'ordre public ; les conventions ne sont réglées que par les lois civiles ; le mariage et les conventions matrimoniales ne sont liés intimement par aucune loi (*Cass.*, 28 décembre 1831 ; S., 32, 1, 358).

Deux époux séparés de biens pourraient-ils contracter ensemble une société ? ⟶ *A.* Mais seulement comme des étrangers pourraient le faire ; la direction de la société n'appartiendrait pas de droit au mari ; le tout serait réglé par les clauses du contrat (Delv., p. 5, n. 9 ; Dur., n. 307, t. 15).

1596 — Les changements qui y seraient faits avant cette célébration doivent être constatés par acte passé dans la même forme que le contrat de mariage.

Nul changement ou contre-lettre (3) n'est, au surplus, valable sans la présence et le consentement simultané de

(1) Bellot, t. 1, p. 41. Battur, t. 1, n. 51.

(2). Vainement prétendrait-on que la loi n'a pas employé ces mots : *à peine de nullité*, ainsi qu'elle l'a fait dans plusieurs dispositions, notamment dans les art. 1453, 1521, 1576 et 1597 : on répondrait qu'elle n'a pas mis cette sanction dans les art. 1388, 1389, 1390 et 1394, et que personne cependant n'hésiterait à la prononcer, si les dispositions de ces articles avaient été méconnues. L'art. 1030, Pr., il est vrai, déclare qu'il n'y a nullité qu'autant qu'elle est prononcée par la loi ; mais le code civil ne contient aucune disposition semblable : ces mots, *ne peuvent recevoir aucun changement après la célébration*, sont suffisamment explicites. — En matière civile, quand la loi prohibe certains actes, elle prononce par cela même la nullité. — Vainement dit-on que les changements apportés aux conventions matrimoniales doivent, aux termes de l'art. 1096, être considérés seulement comme des avantages sujets à révocation. Nous répondons : 1° que ce système est inapplicable, lorsqu'il s'agit de changements qui produisent un avantage mutuel et réciproque, car l'art. 1097 ne permet pas aux époux de se faire des donations réciproques par un seul et même acte ; 2° qu'il existe d'ailleurs une différence marquée entre les donations et les changements apportés aux conventions matrimoniales ; 3° enfin, nous tirerons un argument de l'art. 1451 : Il résulte de cet article, quatrième alinéa, que la communauté dissoute par la séparation de biens ne peut être rétablie sous des conditions différentes de celles qui la réglaient antérieurement ; or, dans le système de Toullier, si les époux changeaient les clauses de leur régime primitif, il ne devrait pas y avoir nullité (D., t. 10, p. 171, n. 13 ; Dur., n. 38). ⟶ Les changements postérieurs à la célébration du mariage n'ont été prohibés dans l'ancien droit, qu'à raison de la défense faite aux époux de s'avantager durant le mariage ; les motifs qui avaient principalement déterminé cette prohibition n'existent plus sous le Code : aujourd'hui les époux peuvent toujours, pendant le mariage, se faire des donations ; or, tout changement à des conventions matrimoniales contient un avantage pour l'un des époux ou pour l'un et l'autre ; l'avantage est seulement révocable à la volonté des donateurs, conformément à l'art. 1096. — La loi ne prononce pas formellement la nullité (Toullier, n. 24 et suivants).

(3) Le *changement* a pour objet, en général, d'ajouter à l'acte ou de modifier ses dispositions ; il s'opère sur l'acte même.

La *contre-lettre* forme un acte séparé ; elle est faite contre la disposition, pour la détruire en tout ou en partie par une abrogation expresse. — *Lettre*, dans l'ancienne jurisprudence, désignait tous les actes publics ; de là, le mot *contre-lettre* ; c'est-à-dire, *acte contre le contrat*.

toutes les personnes qui ont été parties dans le contrat de mariage.

== Jusqu'à la célébration du mariage, les époux ont la faculté de modifier et même de détruire en tout ou en partie leurs conventions matrimoniales; seulement, la loi exige, pour la validité de ces modifications :

1o Que l'acte qui les constate soit passé dans la même forme que le contrat de mariage ; car elles font partie de ce contrat.

2o Que toutes les personnes qui ont été *parties* au contrat de mariage donnent leur consentement *simultané* à ces changements ; ce qui ne peut avoir lieu qu'autant qu'elles sont *présentes* à la rédaction de l'acte.

La loi comprend sous la dénomination de *parties* les personnes qui ont constitué une dot ou fait une donation quelconque aux époux.

Que faut-il décider à l'égard de celles qui pourraient, par leur volonté, mettre obstacle au mariage? Par exemple, à l'égard des ascendants d'un époux, quoiqu'ils n'aient point constitué de dot? Aucun doute ne s'élève, lorsque les futurs époux sont mineurs; mais il y a plus de difficultés lorsque les ascendants sont uniquement appelés à donner leur conseil, ce qui a lieu lorsque l'homme a plus de vingt-cinq ans et la femme plus de vingt-un ans : Nous pensons néanmoins qu'il faut également les considérer comme parties, car les clauses du contrat ont pu les déterminer à donner leur consentement au mariage : opérer ensuite, sans leur concours, des modifications, ce serait méconnaître leur autorité. L'ancienne jurisprudence exigeait même le concours des collatéraux qui avaient été présents au contrat (1).

Mais il n'est pas nécessaire d'appeler les personnes qui sont intervenues au contrat, *honoris tantùm causâ*, pour donner leur signature.

La loi exige le *consentement simultané* des parties, parce que des consentements séparés pourraient être extorqués par dol : il importe d'ailleurs aux époux et à leurs familles, que les changements soient discutés et appréciés; toutes les dispositions du contrat de mariage sont la condition l'une de l'autre; elles s'enchaînent et ne forment qu'un tout indivisible.

Elle exige leur *présence* : il ne suffirait donc pas de les appeler. Il est plus facile, en effet, de circonvenir une seule personne, et de l'amener à donner son consentement à un acte, que d'influencer une réunion d'individus; les petites résistances, en se coalisant, acquièrent de la force. Ainsi, la maxime *qui tacet consentire videtur*, n'est point applicable dans l'espèce (2).

Du reste, rien ne s'oppose à ce que les parties se fassent représenter par un fondé de pouvoir : plusieurs pourraient même valablement choisir le même mandataire.

En cas d'absence, de décès ou de refus de l'une des parties, ou si

---

(1) Delv., sur l'art. 1396; Toullier, t. 12, p. 151 et suiv.; Bellot, t. 1, p. 42; Duranton, n. 57. ʌʌʌ Lorsque les époux ont atteint l'âge de vingt-et-un ans accomplis, ils peuvent faire des conventions matrimoniales sans le concours de leurs parents; car ces conventions ne sont qu'un règlement d'intérêts pécuniaires : par conséquent, ils doivent pouvoir opérer de simples changements. — Les ascendants ont seulement la faculté de refuser leur consentement au mariage (Locre, Législ., t. 13, p. 472. n. 12).

(2) Un membre du conseil d'État avait proposé d'ajouter ces mots : *ou celles dûment appelées*; cette rédaction fut rejetée (Bellot, 154; Delv., sur l'art. 1396; Dur., n. 53 et 54). ʌʌʌ La personne appelée par une notification à consentir aux changements, et qui ne se présente pas à la réunion, est censée consentir (Toullier. n. 27 et suiv. 80; Malleville. sur l'art. 1396).

l'une d'elles a été mise en état d'interdiction, les époux sont alors réduits à passer un nouvel acte, dans lequel figureront seulement les personnes appelées à donner leur consentement au mariage et celles qui veulent faire des donations aux époux ; en sorte que le premier contrat sera abrogé.

Nos observations sur les changements s'appliquent aux contre-lettres.

Quid si le mariage ayant été rompu, les parties se rapprochent ensuite ? nous ne pensons pas que les conventions matrimoniales reprennent leur effet.

— Doit-on considérer comme changements aux conventions matrimoniales les donations ou les ventes faites par l'un des époux à l'autre avant la célébration ? ⁓ Ce sont là de véritables changements, puisque la position des parties ne sera plus la même ; les vues du père peuvent être trompées. Vainement argumenterait-on de l'art. 1096 : les avantages faits avant le mariage sont irrévocables (Dur., n. 51, 59, 60 et suiv. ; Delv., sur l'art. 1395, Cass., 29 juin 1813 ; S. 13, 1, 378 ; 31 juin 1837 ; S. 37, 1, 523). ⁓ *N.* Aujourd'hui, les époux peuvent s'avantager pendant le mariage ; ils doivent pouvoir faire la veille du mariage ce qu'ils peuvent faire le lendemain et cela sans le concours de ceux qui ont été parties au contrat (Toullier, n. 58 et suiv. ; Bellot, p. 56, t. 1).

Si le mari, depuis le contrat de mariage, fait remise à son beau-père de l'action qu'il a contre lui en payement de la dot, considérera-t-on cette remise comme un changement ?⁓*A.* La remise ne sera pas valable ; le mari a pu céder à la crainte de voir manquer le mariage ; ses père et mère, d'un autre côté, n'ont peut-être donné leur consentement qu'en considération de la dot (Dur., n. 61, 62 ; *voy.* cep. Delv., p. 6, n. 5).

Quid à l'égard de la remise que le fils ferait à son père, sans le consentement de toutes les personnes qui auraient été parties au contrat, de tout ou partie de ce que celui-ci lui aurait promis ? ⁓ Elle ne produirait aucun effet ; autrement, rien ne serait plus facile que de tromper la femme et sa famille (Dur., n. 63).

Quid à l'égard des remises consenties pendant le mariage ? ⁓ Elles ont leur effet d'après le droit commun ; car le mari était parfaitement libre (Dur., n. 64).

Quid si la remise ne portait que sur les intérêts ou arrérages sans diminuer le capital ?⁓Elle serait nulle (Toullier, n. 64).

Doit-on considérer comme changement aux conventions matrimoniales les donations que des tiers voudraient faire aux futurs époux ou à l'un d'eux après le contrat et avant la célébration ? ⁓ *N.* Toutefois, s'il s'agit d'une donation de *biens à venir*, ou d'une autre donation qui, à raison des conditions, ne puisse valablement avoir lieu que par contrat de mariage, il faut qu'elle soit rédigée à la suite de la minute du contrat ; ce qui nécessite la présence et le consentement de toutes les parties (Dur., n. 65, Toullier, n. 63, t. 14).

Doit-on considérer comme *partie* le débiteur qui, dans le contrat de mariage, a reconnu sa dette ?⁓ *N.* Il n'a aucun intérêt aux changements ; par conséquent il n'est pas nécessaire de l'appeler (Dur., n. 56).

1397 — Tous les changements et contre-lettres, même revêtus des formes prescrites par l'article précédent, seront sans effet à l'égard des tiers, s'ils n'ont été rédigés à la suite de la minute du contrat de mariage, et le notaire ne pourra, à peine des dommages et intérêts des parties, et sous plus grande peine s'il y a lieu, délivrer ni grosses ni expéditions du contrat de mariage sans transcrire à la suite le changement ou la contre-lettre.

= Les conventions matrimoniales intéressent non-seulement les parties, mais encore les tiers qui pourront par la suite traiter avec elles : il importe, dès-lors, qu'on ne puisse dissimuler les changements apportés au contrat primitif.

Afin de prévenir de semblables fraudes, la loi veut que les nouvelles conventions soient rédigées à la suite de la minute du contrat de mariage, et que le notaire en donne copie à la suite des grosses ou expéditions qu'il délivre : si la première condition avait été négligée, les changements ne pourraient être opposés aux *tiers ;* mais lorsque les parties ont veillé à son accomplissement, l'omission de la transcription à la suite des grosses ou expéditions rend seulement le notaire passible de dommages-intérêts envers les tiers (Delv., p. 6, n. 7 ; Dur., n. 60 ; *voy.* cep. Toullier, n. 68).—Indépendamment des dommages-intérêts, le notaire peut, suivant les cas, encourir des peines disciplinaires, telles que la suspension et même la destitution s'il y échet ; mais il ne pourrait être poursuivi comme faussaire.

Au résumé, les changements qui ne sont point revêtus des formes prescrites par l'article 1396, sont nuls, non-seulement à l'égard des tiers, mais encore à l'égard des parties.

Ceux qui sont revêtus de ces formes, mais qui n'ont pas été rédigés à la suite de la minute du contrat, sont valables pour les personnes qui les ont signés ; mais ils ne peuvent être opposés aux tiers.

Enfin, les changements rédigés à la suite de la minute du contrat sont valables à l'égard de tous, bien que le notaire n'en ait pas délivré expédition, sauf le recours des tiers contre le notaire.

La loi prescrit pour les commerçants une plus grande publicité (*V.* art. 67, 68, 69, 70, Code de comm.).

1398 —Le mineur habile à contracter mariage est habile à consentir toutes les conventions dont ce contrat est susceptible, et les conventions et donations qu'il y a faites sont valables, pourvu qu'il ait été assisté, dans le contrat, des personnes dont le consentement est nécessaire pour la validité du mariage.

= La loi permettrait vainement au mineur de se marier, si elle ne l'autorisait à consentir des conventions qui, souvent, sont la condition du mariage.

Néanmoins, il ne peut disposer de ses biens sans le concours de plusieurs conditions ; il faut :

1° Qu'au moment de la confection de l'acte, il soit habile à contracter mariage ; c'est-à-dire, qu'il ait atteint l'âge compétent (144, 145, C. c.), ou qu'il ait obtenu des dispenses.

Avant cet âge, si le mineur avait souscrit à des conditions désavantageuses, il pourrait se faire restituer, lors même qu'il aurait agi avec l'assistance des personnes dont le consentement lui était nécessaire.

Il est bien entendu que le mineur ne peut scinder le contrat, c'est-à-dire, accepter les clauses qui lui sont utiles et répudier celles qui lui paraissent onéreuses : il doit prendre l'acte tel qu'il est, ou le répudier pour le tout.

2° Il faut qu'il soit assisté des personnes dont le consentement est requis pour la validité de son mariage : ainsi, le père, bien que destitué de la tutelle, et la mère survivante, bien que non maintenue dans cette charge, ne seront pas moins appelés à assister le mineur (*V.* 1095). Si l'on eût exigé le concours du conseil de famille, ce conseil aurait pu, par un refus, rendre illusoire l'un des principaux attributs de la puissance paternelle.

Si le père et la mère sont morts, ce sont les autres ascendants qui doivent, dans l'ordre où la loi les appelle à consentir au mariage, assister le mineur (148, 149, 150, 160).

Enfin, à défaut d'ascendant, c'est le conseil de famille.

La présence du conseil à la rédaction de l'acte n'est pas essentielle : ordinairement il approuve le projet et autorise le tuteur ou le curateur à signer le contrat, ou commet un de ses membres à cet effet. C'est en ce sens qu'il faut entendre le mot *assistance*.

Cette délibération approbative n'a pas besoin d'être homologuée : en effet, l'art. 160 ne soumet pas le consentement du conseil de famille à l'homologation du tribunal, son approbation doit suffire dès-lors pour la validité des conventions matrimoniales.

L'art. 1398 ne distingue pas si les mineurs sont émancipés ou non émancipés; sa disposition s'applique aux uns et aux autres.

Quant aux prodigues, l'assistance de leur conseil leur confère une capacité suffisante.

Observons, surtout, que l'art. 1398 ne permet au mineur que les conventions qui ont trait au régime matrimonial et non celles qui seraient relatives à une affaire spéciale : par ex., si une fille mineure donnait, par contrat de mariage, mandat à son futur époux, à l'effet de procéder seul, et sans observer les formalités prescrites, au partage définitif des biens indivis entre elle et d'autres personnes, cette clause serait réputée non écrite (*Bordeaux*, 25 janvier 1826; D., 26, 2, 176; 1er *février* 1826; D., 27, 2, 24).

— *Quid* si le prodigue, bien qu'assisté de son conseil, a fait des donations entre-vifs de biens présents, excessives quant à sa fortune? ∿Elles peuvent être annulées; autrement il serait à craindre qu'une famille avide ne spéculât sur les passions d'un prodigue pour le dépouiller. On doit décider autrement quant aux donations excessives de biens à venir; parce qu'elles ne dépouillent pas le donateur, mais ses héritiers (Dur., n. 13).

De ces mots : *Les parties majeures*, qui se trouvent dans l'art. 2140, doit-on conclure que le législateur ait prétendu établir une exception à la règle de l'article 1398, que la femme mineure ne pourrait pas restreindre à certains biens de son époux l'hypothèque légale que le Code lui accorde? ∿*N*. Ce serait interpréter trop judaïquement l'art. 2140 : en effet, pour ses conventions matrimoniales, le mineur est tellement assimilé au majeur, qu'on peut soutenir qu'il est majeur. Les rédacteurs de l'art. 2140 ont entendu parler des *parties capables* (*Val.*).

La femme mineure qui, par son contrat, se soumet au régime dotal, peut-elle, avec l'assistance des parents, dont le consentement lui est requis, autoriser son mari à aliéner le fonds dotal? ∿A. Elle peut donner ses biens, pourquoi ne pourrait-elle autoriser son mari à les aliéner (Bellot, p. 21, t. 1; D., t. 10, n. 1, p. 178)? ∿*N*. Les mots dotalité et aliénabilité se repoussent; s'il y a adoption du régime dotal, il y a par cela même exclusion de la faculté d'aliéner hors des cas prévus par la loi (Battur, n. 43; *Riom*, 19 nov. 1809; D., *ibid.*).

Si la nullité du mariage vient à être couverte, les conventions matrimoniales produisent-elles leur effet? *Quid*, par exemple, lorsqu'une femme s'est mariée sans dispense d'âge avant d'avoir accompli sa quinzième année, si la nullité du mariage est venue à se couvrir par l'une des causes exprimées à l'art. 185? ∿Les dispositions faites à son profit, soit par le mari, soit par des tiers, ainsi que les conventions matrimoniales, sont maintenues, car la condition tacite, sous laquelle le contrat s'est formé, *si nuptiæ fuerint consecutæ*, s'est réalisée; mais la femme ne sera liée ni quant aux avantages qu'elle aura faits à son mari, ni quant aux autres conventions qui lui seraient désavantageuses, quand même elle aurait été dûment assistée; car elle n'était point, au moment du contrat, habile à se marier (1398). Cependant elle ne pourrait scinder le contrat, c'est-à-dire accepter les conditions qui lui seraient avantageuses et répudier les autres; elle devrait prendre l'acte en son entier (Dur., n. 9).

Quid lorsque la femme, quoique ayant l'âge compétent, a contracté sans le consentement de ceux sous l'autorité desquels elle se trouvait, si le mariage a été ratifié par ceux-ci? ∿Le mari, en le supposant majeur ou dûment assisté, ne pourra demander la nullité des conventions matrimoniales ni celle des avantages par lui faits à sa femme (1125); mais la femme pourra demander la nullité des conventions qui la léseraient, 1095, 1305, 1398, analysés (Dur., n. 10).

Quid si c'est le mari qui a contracté le mariage sans le consentement de ses parents, lorsqu'il en avait besoin comme mineur de vingt-cinq ans? ∿Il faut distinguer : s'il avait moins de vingt-un ans au moment où l'acte a été passé devant le notaire, on doit appliquer ce que nous avons dit quant à la femme mineure et non assistée. Mais s'il était majeur de vingt-un ans à l'époque du contrat, il ne pourrait attaquer les conventions matrimoniales, quoiqu'elles fussent désavantageuses, puisqu'il était alors capable de les faire comme majeur (Dur., n. 11).

CHAPITRE II.

Du régime en communauté.

La communauté est une *société* (1) de biens entre époux.

On la considère comme un être moral ; comme une tierce personne qui a des droits et des obligations distincts de ceux des époux 2).

Cette société est régie par des principes exorbitants du droit commun : c'est la seule, en effet, dans laquelle on puisse faire entrer en pleine propriété les biens meubles et immeubles qui pourront échoir par succession, donation ou legs, à l'un des coassociés (1526, 1837) ; dans laquelle un des associés soit de plein droit administrateur ; enfin, dans laquelle l'un d'eux puisse être admis à prendre part aux bénéfices s'il y en a, et à retirer sa mise en cas de perte (*V.* 1514, 1515, 1855).

Du principe qu'elle est exorbitante du droit commun, il résulte :

1° Qu'elle ne peut avoir lieu qu'entre époux ;

2° Qu'elle cesse d'exister à la dissolution du mariage ;

3ᶜ Qu'elle ne peut précéder le mariage, ni être établie pendant sa durée.

Le mari administrateur a des droits fort étendus ; car il peut vendre, hypothéquer, et même jusqu'à un certain point, disposer, à titre gratuit, sans le concours de sa femme, des biens communs ; mais, à côté de ce pouvoir donné au mari, la loi place, pour la femme, la faculté de renoncer à la communauté, et même, si elle veut accepter, de n'être tenue, en faisant inventaire, que jusqu'à concurrence de son émolument ; ce qui est contraire à ce grand principe de droit : *Quem sequuntur commoda, eumdem sequuntur incommoda* (*Voyez* art. 1456).

1399 — La communauté, soit légale, soit conventionnelle, commence du jour du mariage contracté devant l'officier de l'état civil : on ne peut stipuler qu'elle commencera à une autre époque.

= Suivant notre ancienne jurisprudence, la communauté ne commençait que le lendemain du mariage ; il fallait qu'il y eût lieu de présumer que le mariage avait été consommé : on pouvait même, en vertu d'une clause particulière, la reculer à un terme fixe. Le Code consacre d'autres principes : aujourd'hui la communauté commence nécessairement du jour du mariage, c'est-à-dire, au moment où le mariage est célébré (3) ; une autre époque ne pourrait être stipulée avec effet (*voy.* cep. Toullier, n. 75 à 83) (4).

---

(1) Cependant on peut dire que la communauté n'est pas une société dans la véritable acception du mot ; car le but principal qu'on se propose, quand on contracte une société proprement dite, c'est d'obtenir des bénéfices (1332) ; or, le but principal de la communauté entre époux, c'est la vie commune.

(2) Ce système est repoussé par Toullier, n. 82 ; par Bellot, p. 150, et par D., t. 10 p. 180. n. 3 : baser des droits et des obligations sur une fiction, c'est, disent ces auteurs, s'appuyer sur le vide ; c'est substituer l'imagination à la logique ; c'est confondre les règles de l'usufruit et celles du contrat de mariage.

(3) Dans quelques coutumes, la communauté datait du commencement de la journée ; dans d'autres, elle datait de la dernière heure du jour.

(4) Suivant cet auteur, il n'y a point de communauté pendant le mariage ; le mari est seul proprié-

Cependant on pense généralement que l'on peut faire dépendre la communauté d'une condition qui ne doit se réaliser qu'après la célébration : si cette condition s'accomplit, la communauté sera censée avoir existé à partir du mariage (1179); dans le cas contraire, les époux se trouveront soumis, soit au régime de la communauté conventionnelle, soit au régime sans communauté, soit au régime dotal, suivant leurs stipulations (Dur., n. 97, t. 14 et 15, n. 5; Delv., p. 9, n. 3, t. 3; *voy*. cep. Bellot, p. 85, t. 1; p. 5, t. 3).

Mais la condition purement potestative de la part de l'un des époux ne produirait aucun effet : telle serait la clause qui réserverait à l'un d'eux le droit d'établir la communauté au cas où cela lui conviendrait (Dur., n, 99; *voy*. cep. Toullier, n. 86) (1).

De quelle époque commence la communauté lorsqu'il y a mariage putatif? Du jour de la célébration, si les époux ou l'un d'eux sont de bonne foi ; si, toutefois, l'un d'eux seulement est de bonne foi, il dépendra de lui qu'il y ait ou qu'il n'y ait pas de communauté ; s'ils sont l'un et l'autre de mauvaise foi, ils n'auront jamais été soumis au régime de la communauté ; ils seront censés avoir été dans une communauté de fait.

— Lorsque les époux ont fait dépendre la communauté d'une condition qui ne doit se réaliser qu'après le mariage, on demande sous quel régime ils seront mariés, si cette condition ne s'accomplit pas ? ∿∿A défaut de stipulations spéciales, quelques-uns veulent qu'ils soient mariés sans communauté, parce que, disent-ils, ce régime est l'opposé de la communauté ; nous ne voyons pas que le régime sans communauté soit plus l'opposé de la communauté que la séparation de biens ou le régime dotal ; il nous semble qu'on ne peut se marier sous ces trois régimes sans une stipulation expresse : lorsque les époux n'ont point stipulé qu'ils seront mariés sous tel régime, nous pensons qu'ils retombent, au cas de non réalisation de la condition, sous le régime de la communauté légale. ∿∿ Ils seront mariés sous le régime sans communauté (1530, *Val.*).

PREMIÈRE PARTIE.

La communauté est légale ou conventionnelle :

La communauté *légale* est celle qui forme le droit commun de la France, et dont les effets ne sont dès-lors réglés que par la loi.

Elle est dite *légale*, non parce qu'elle est imposée par la loi, mais parce que les parties sont censées, en ne faisant pas de contrat de mariage, ou en déclarant qu'elles se marient sous le régime de la communauté, adopter tacitement les règles qu'elle a tracées.

La communauté est *conventionnelle*, lorsque les parties ont modifié les règles de la communauté légale par quelque clause particulière.

Cette première partie est divisée en six sections.

---

taire et maître des biens qui entrent dans ce qu'on appelle communauté ; la femme est seulement apte à devenir commune par son acceptation : *Non est propriè socia, sed speratur fore*. La communauté ne commence pas du jour de la célébration du mariage, mais bien du jour où le Code la déclare formellement dissoute (1441). ∿∿ Ce système, puisé dans l'ancien droit, n'est plus admissible aujourd'hui, car le Code refuse formellement au mari la faculté de disposer à titre gratuit des immeubles de la communauté ou d'une universalité de meubles, et ne lui laisse que celle de donner des meubles isolés ; encore faut-il qu'il ne s'en réserve pas l'usufruit. D'ailleurs, en déclarant le mari *seigneur et maître*, les anciens auteurs ne voulaient pas dire que la communauté n'existait pas pendant le mariage : leur seul but était de faire entendre qu'il avait sur les biens un droit de disposition tellement étendu, qu'on pouvait le considérer comme maître propriétaire : mais cela ne détruisait pas le droit que la femme avait, en sa qualité de commune, voy. page 48, note.

(1) Cet auteur pense que les époux peuvent soumettre la communauté à une condition potestative de la part de l'un ou de l'autre.

Nous verrons dans la première de quels biens se compose l'actif de la communauté légale, et quelles sont les charges auxquelles elle est assujettie. — Les règles relatives à l'administration sont comprises dans la deuxième. — Les causes de dissolution sont déterminées dans la troisième. — Les effets de la dissolution sont réglés dans les sections quatre, cinq et six.

De la communauté légale.

1400 — La communauté qui s'établit par la simple déclaration qu'on se marie sous le régime de la communauté, ou à défaut de contrat, est soumise aux règles expliquées dans les six sections qui suivent.

   = Ainsi, la loi met sur la même ligne le défaut de contrat et la déclaration qu'on se marie sous le régime de la communauté.

Observons que le régime de la communauté légale est fondé sur la volonté des parties : la communauté est légale, en ce sens seulement que ses règles sont déterminées par la loi.

SECTION I.

De ce qui compose la communauté activement et passivement.

La communauté, comme toute société, a un *actif* et un *passif*.

L'actif comprend la masse des biens, droits et avantages quelconques qui profitent à la communauté.

Le passif se compose des dettes et charges qu'elle doit acquitter.

L'actif et le passif ne sont autre chose qu'une balance de profits et de pertes, de recettes et de dépenses.

La loi détermine, dans les art. 1401, 1402 et 1403 (premier alinéa), les biens qui composent l'actif de la communauté; et dans les art. 1403 (dernier alinéa), 1404 et suivants, ceux qui restent propres aux époux.

---

§ I. — De l'actif de la communauté.

La communauté comprend trois classes de biens :

1º Le mobilier *présent* des époux et leur mobilier *futur*.—Il faut toutefois excepter les objets mobiliers donnés ou légués à l'un des époux avant ou pendant le mariage, sous la condition expresse qu'ils n'entreront pas en communauté, — les rentes ou pensions viagères constituées par un tiers à titre d'aliments au profit de l'un des époux (arg. des art. 581 et 1004, Pr.),—les pensions de retraite ou traitements de réforme,—les objets mobiliers qui, durant le mariage, sont tirés ou proviennent d'un immeuble propre à l'un des époux, sans cependant être considérés comme fruits, car la communauté ne doit pas être avantagée aux dépens des propres de l'un des conjoints, — enfin, l'argent provenant de l'aliénation d'un propre, l'intérêt seulement appartient à la communauté (433).

2° Les fruits des biens personnels aux époux. — Les règles de l'usufruit reçoivent ici leur application : toutefois, afin d'empêcher les avantages indirects entre époux, la loi déroge, en ce qui concerne les coupes de bois et les produits des mines et carrières, au principe qui n'accorde de droits à l'usufruitier que sur les fruits perçus (*voyez* art. 1403).

3° Les immeubles acquis pendant le mariage avec les deniers communs.—Ainsi, demeurent propres à chacun des époux : 1° les immeubles qu'il possédait au jour de la célébration, sauf le cas où ces biens ont été acquis dans l'intervalle du contrat à la célébration, avec des deniers qui devaient tomber dans la communauté ; — 2° ceux qui leur échoient pendant le mariage à titre de succession (1404) ou de donation (1405) ; — 3° les immeubles acquis pendant le mariage en échange d'un propre (1407) ; —4° les objets mobiliers placés à perpétuelle demeure, soit avant, soit après le mariage sur un fonds propre ; — 5° les acquisitions faites à titre de licitation ou autrement, de portions d'un immeuble dont l'un des époux était propriétaire par indivis (1408). Si le mari s'est rendu acquéreur ou adjudicataire d'un immeuble appartenant par indivis à la femme, celle-ci conserve, lors de la dissolution, le choix ou de le reprendre sauf récompense, ou de se contenter de la portion qui lui revient dans le prix. — Enfin, la loi déclare propre, l'immeuble abandonné ou cédé par père, mère ou autre ascendant à l'un des époux, soit pour le remplir de ce qu'il lui doit, soit à la charge de payer les dettes du donateur, bien que la disposition en ce cas soit réellement à titre onéreux (1406).

Du reste, comme la communauté est en possession des biens, puisqu'elle en a la jouissance, c'est à celui des époux qui se prétend propriétaire à établir son droit (1402).

1401 — La communauté se compose activement,

1° De tout le mobilier que les époux possédaient au jour de la célébration du mariage, ensemble de tout le mobilier qui leur échoit pendant le mariage à titre de succession ou même de donation (1), si le donateur n'a exprimé le contraire ;

2° De tous les fruits, revenus, intérêts et arrérages, de quelque nature qu'ils soient, échus ou perçus pendant le mariage, et provenant des biens qui appartenaient aux époux lors de sa célébration, ou de ceux qui leur sont échus pendant le mariage à quelque titre que ce soit ;

3° De tous les immeubles qui sont acquis pendant le mariage.

⸺ La communauté n'est point une société universelle de tous biens (1837) : la loi prend soin de faire l'énumération de ceux dont elle se compose activement.

L'actif comprend :

1° Le *mobilier*, présent et futur des époux : l'expression *mobilier* est

---

(1) Le législateur n'a point prétendu restreindre les droits de la communauté au mobilier qui adviendra aux époux par succession ou donation ; il s'est exprimé formellement sur ces deux causes d'acquisition,

prise ici dans son acception la plus large : elle embrasse non-seulement les meubles corporels, mais encore les meubles incorporels ; en un mot, tout ce qui n'est pas immeuble (*voy.* 529, 539) (1).

Les objets mobiliers placés sur le fonds de l'un des époux, pour le service et l'exploitation du fonds, seraient cependant propres à cet époux, à la charge toutefois d'une récompense envers la communauté (1437).

Une créance, quoique garantie par une hypothèque, doit tomber dans la communauté ; car l'hypothèque, malgré sa nature de droit réel, n'est qu'une sûreté, un accessoire de la dette : or, l'accessoire suit le sort du principal.

L'origine et la cause de la créance sont indifférentes ; on ne considère que son objet : qu'il s'agisse d'un prêt, d'un louage, d'une donation, d'une vente, cette créance ne tombera pas moins dans la communauté.

Ainsi, le prix de la vente d'un immeuble, consentie avant le mariage, tombe dans la communauté sans récompense, lors même que ce prix serait encore dû ; car l'action de l'époux vendeur est mobilière.

Si la créance est à la fois d'une chose mobilière et d'une chose immobilière ; par exemple, si j'ai acheté une maison avec tout ce qui s'y trouve, elle ne tombe dans la communauté que pour ce qui est meuble.

Si la créance est alternative ; par exemple, si elle est d'une chose mobilière *ou* d'une chose immobilière, le payement seul déterminera les droits de la communauté : soit que le choix ait été laissé au débiteur, soit qu'il appartienne à l'époux propriétaire, il ne sera dû récompense, ni à cet époux, ni à la communauté.

Quid, si l'époux est créancier d'un immeuble, avec *simple faculté*, pour le débiteur, de se libérer par le payement d'une somme d'argent : si le débiteur use de cette faculté, la somme tombera-t-elle dans la communauté sans récompense ? Nous ne le pensons pas ; cette somme n'était pas due ; elle était seulement *in facultate solutionis;* elle représentait un droit immobilier (Dur., n. 115, 347, 348).

Vice versâ : s'il était créancier d'une somme, avec *simple faculté*, pour le débiteur, de livrer une maison à la place, et que cette maison eût été livrée, elle tomberait dans la communauté.

Les fonds de commerce et les marchandises qui s'y trouvent, étant des choses mobilières, tombent dans la communauté.

La propriété des compositions littéraires ou scientifiques, le droit résultant des brevets d'invention, ainsi que les charges pour lesquelles le titulaire a le droit de présenter un successeur à l'agrément du roi (2), tombent également dans la communauté comme choses mobilières.

Le droit de l'un des époux, acquéreur, avant son mariage, d'une coupe de bois, ou d'une récolte à faire sur le fonds d'un tiers, tombe dans la com-

---

parce que seules elles auraient pu faire naître des doutes, les donations et les successions étant personnelles aux époux : évidemment les meubles acquis à titre onéreux tombent *à fortiori* dans la communauté.

(1) Nos anciennes coutumes déclaraient les époux communs *en biens meubles et conquêts immeubles :* cela était raisonnable ; car les meubles corporels n'avaient alors que peu de valeur, le prêt à intérêt était prohibé, et l'on considérait les rentes, même viagères, comme immeubles : mais aujourd'hui que le prêt à intérêt est permis, que les rentes sont classées parmi les meubles, et que les meubles corporels, ont souvent un prix élevé, rien ne justifie le maintien de cette règle ; tout au plus pourrait-on dire, en ce qui concerne ces derniers biens, que le législateur a voulu prévenir les difficultés inextricables qui se seraient élevées pour reconnaître l'origine du mobilier, confondu de fait dans la communauté pendant sa durée.

(2) Dur., n. 130, 131 et 132. *V.* aussi Toullier, n. 115 et 116. Ce dernier auteur décide bien que le produit des éditions faites durant le mariage tombe dans la communauté comme choses mobilières échues pendant le mariage ; mais il pense, contrairement à l'opinion de Duranton, n. 132, que le droit de propriété non cédé n'y tombe pas.

munauté ; car ce droit est considéré comme meuble vis-à-vis de l'acquéreur, bien que le bois sur pied ou la récolte à faire, soit immeuble par rapport au propriétaire.

Il en doit être de même à l'égard des indemnités qui seraient dues à l'un des époux, possesseur du fonds d'un tiers, pour les améliorations qu'il aurait faites.

Les dons ou legs *pour aliments*, faits à l'un des époux, soit avant le mariage, soit pendant le mariage, lui demeurent propres, *quant au fond du droit;* le donateur est présumé avoir voulu restreindre son bienfait à l'époux donataire. — A l'égard des revenus, ils tombent dans la communauté.

Lorsque le disposant a manifesté la volonté de rendre propres à l'époux les meubles par lui donnés, la communauté profite sans aucun doute des fruits : mais, nonobstant cette déclaration devient-elle propriétaire des biens? Anciennement, il en était ainsi ; l'époux donataire n'avait qu'une créance sur la communauté. De nos jours, quelques personnes proposent encore cette opinion; elles argumentent de cette expression : *la valeur*, qui se trouve dans l'article 1505 : mais nous ne saurions l'admettre ; elle nous semble avoir pour résultat de méconnaître l'intention du disposant : évidemment, il a voulu donner des objets, et non une créance; or, il est permis à tout donateur de mettre à sa libéralité telle condition que bon lui semble ; seulement, si elle est illicite, on la répute non écrite (900) : celle dont il s'agit ici n'ayant rien que de licite et de raisonnable, il faut décider que si les choses données existent encore en nature, lors de la dissolution de la communauté, elles doivent être rendues à la femme. — Puisque la femme est propriétaire, elle profite des améliorations et supporte les pertes.

Nous irons plus loin : suivant nous, le donateur ou le testateur peut valablement déclarer que la jouissance des meubles donnés n'appartiendra pas à la communauté, et même réserver à la femme l'administration de ces meubles : une pareille clause ne déroge point aux effets des conventions matrimoniales (1).

Que faut-il décider, lorsque l'un des époux a des meubles propres qui se consomment par l'usage? La communauté se trouve comme l'usufruitier ordinaire, soumise à la disposition de l'art. 587 : en conséquence, elle devient propriétaire ; mais à charge de restituer, lors de la dissolution, des choses de même nature, quantité et bonté, ou leur valeur.

2° Tous les *fruits* (2), *revenus, intérêts et arrérages échus ou perçus* (3) *pendant le mariage*, soit qu'ils proviennent des biens communs, ou des propres de chaque époux (4).

Les dispositions des articles 585 et 586 sur l'usufruit, s'appliquent au contrat de mariage, quoiqu'elles n'y soient pas rappelées :

Ainsi, les loyers et fermages, étant des fruits civils, appartiennent à la communauté à proportion de sa durée.

Les fruits naturels et industriels pendants par branches ou par racines

---

(1) Dur., n. 134; Toullier, n. 142. ⁓ L'époux aura seulement, lors de la dissolution, un droit de reprise des fruits et revenus perçus durant la communauté (Delv., p. 10, n. 3 ; Bellot, p. 298, t. 1).

(2) *Fruits*, s'entend des fruits naturels et industriels, — *revenus*, des loyers ou fermages, — *intérêts*, du produit des sommes placées, — *arrérages*, du produit des rentes, — le mot *fruit* suffisait ; on a copié la coutume.

(3) *Échus*, si ce sont des fruits civils, — *perçus*, s'il s'agit des fruits naturels.

(4) Cette règle souffre-t-elle exception à l'égard de la portion attribuée par l'art. 127 à l'époux qui a opté pour la continuation de la communauté ? Voy. cet article.

au moment du mariage, lui profitent également, et cela sans qu'il y ait lieu de rechercher par qui ont été payés les frais de culture. — Ceux qui sont dans le même état, au moment de la dissolution de la communauté, appartiennent à l'époux propriétaire ; mais il doit récompense à raison des frais de culture faits par la communauté (1).

Pourquoi cette différence ? Si les terres sont ensemencées au jour du mariage, de deux choses l'une : les frais ont été payés ou ils sont encore dus : au premier cas, on a employé des sommes qui devaient entrer dans la communauté ; au deuxième cas, ces frais sont tombés à la charge de la communauté ; ils ont dû être acquittés par elle. — Au contraire, si elles se trouvent ensemencées au jour de la dissolution, les frais de culture ont dû nécessairement être payés pendant le mariage ; le conjoint qui recueillerait seul les fruits de ces terres s'enrichirait donc aux dépens de la communauté ; or, en ce cas, il est dû récompense : l'art. 1413 n'admet pas d'exception (2).

Les intérêts et arrérages étant des meubles, font par cela même partie de l'actif : quelle est alors l'utilité de cette nouvelle disposition ? Comme les fruits sont destinés aux charges du ménage, il pourrait arriver qu'ils entrassent dans la communauté, bien que le mobilier restât propre aux époux : par exemple, si le contrat contient une clause de réalisation, ou si une donation ou un legs a été fait avec condition que les choses données ne tomberont pas en communauté (3). — *Voyez* aussi l'art. 1498.

Les produits de l'industrie de l'un et de l'autre époux, et même ce que l'un d'eux aurait gagné dans une profession déshonnête, telle que la contrebande, entreraient également dans la communauté comme fruits industriels.

3º Tous les immeubles *acquis (à titre onéreux)* : pendant le mariage ces acquisitions sont censées provenir des économies faites en commun (4).

Quant aux immeubles dont l'un ou l'autre époux était propriétaire lors de la célébration, quelle que soit leur nature, ils demeurent propres à cet époux, quand même ils auraient été payés avec les deniers de la communauté (1414).

Afin de rendre plus sensible l'utilité de l'énumération faite par le Code, nous allons indiquer, en terminant, quelques-unes des exceptions au principe que les meubles tombent dans la communauté : ces exceptions ont pour but de prévenir tout avantage indirect entre époux.

Au nombre des choses exclues de la communauté, la loi comprend celles qui, bien que provenant à l'un des conjoints de son héritage, ne sont

---

(1) Le Code a établi pour le régime dotal un système plus rationnel (1571).

(2) Dur., n. 131 et 132 Toullier, n. 140, t. 2 et t. 12, n. 124 ; D., t. 10, p 186, n. 26 ; ⋏⋏⋏ Il n'est dû récompense de part ni d'autre pour les labours et semences. Arg. de l'art. 585 C. c.—La communauté, qui perçoit les fruits pendants par racines, au moment de la célébration, aurait dû être également astreinte au payement des frais de labours et semences ; cependant elle ne l'est pas ; or, il doit y avoir réciprocité. — On avait demandé au conseil d'état une exception pour la communauté ; cette demande a été rejetée.—Le régime dotal est soumis à un système différent ; la même disposition n'est point appliquée à la communauté ; on s'est contenté de dire, d'une manière générale, qu'il fallait suivre les règles de l'usufruit. (Delv., p. 10, n. 6.)

(3) La disposition qui nous occupe est, quant aux arrérages, une tradition de l'ancienne jurisprudence, suivant laquelle les rentes, même viagères, étaient considérées comme immeubles.

(4) Par cette disposition, la loi exclut en outre implicitement de la communauté : l'acquisition faite par l'un des conjoints d'un immeuble dont il était copropriétaire par indivis ; les immeubles acquis en contre-échange d'un immeuble propre ; ceux qui sont acquis en remploi ; enfin tout ce qui vient accroître, soit naturellement, soit artificiellement aux immeubles, tels que les objets mobiliers qui ont été placés, pendant le mariage, sur un bien propre, à perpétuelle demeure ; sauf récompense envers la communauté s'il y a lieu (1437).

pas considérées comme fruits : tels sont les arbres de haute futaie, lorsqu'on les abat *pendant le mariage* : ces arbres, quoique meubles dès qu'ils sont séparés du sol, conservent, vis-à-vis des époux, leur qualité d'immeubles, lorsqu'ils n'ont pas été mis en coupe réglée (591), et sauf les exceptions prévues en l'article 592 : s'ils avaient été abattus *avant le mariage*, ils tomberaient comme choses mobilières dans la communauté ; — les matériaux provenant de la démolition d'un bâtiment ; — les produits des mines et carrières ouvertes pendant le mariage ; — enfin, les meubles qui sont substitués, durant le mariage, à quelque propre de communauté ; par exemple, les sommes provenant d'un héritage appartenant à l'un des époux.

—Que doit-on décider à l'égard du trésor trouvé par l'un des époux sur le fonds d'un tiers ?⋘La moitié seulement. que la loi lui attribue comme inventeur, tombe dans la communauté (Dur., n. 133, t. 14, 308 et suiv.; t. 3).

Quid si l'époux a trouvé le trésor sur son fonds ou sur le fonds de son conjoint ? ⋙ Point de difficulté pour la portion que l'époux garde en sa qualité d'inventeur, mais que faut-il décider quant à l'autre portion?⋘L'époux propriétaire, est censé avoir cédé à la communauté, par contrat de mariage, tous ses droits à des meubles : le trésor doit donc appartenir à la communauté comme don de fortune. — L'art. 716 n'est pas applicable ici ; car son seul but est de prévenir une contestation : il règle les droits de l'inventeur vis-à-vis du propriétaire ; il s'occupe de la question de savoir à qui doit appartenir le trésor, et non des suites de la propriété acquise.—Le trésor ne procède pas de l'immeuble ; ce n'est autre chose qu'un meuble acquis durant la communauté (Val.).⋘Le trésor appartient en totalité à l'époux qui l'a trouvé dans son propre fonds.— Arg. de l'art. 716. — La propriété du sol emporte la propriété du dessus et du dessous (Toullier, n. 129 ; Bellot, p. 150. t. 1 ; Merlin. Commun.. § 2. n. 4).⋘ La moitié demeure propre à l'époux propriétaire ; l'autre moitié tombe dans la communauté *jure inventionis..* — Sans doute, le trésor n'est ni un fruit ni un produit du fonds : le propriétaire y a droit comme à une sorte d'accession du fonds ; parce que c'est son fonds qui l'a conservé (598). — L'opinion suivant laquelle le trésor appartiendrait en totalité à l'époux qui l'aurait trouvé sur son propre fonds, ne saurait non plus être admise : en effet, ce n'est pas à raison de ce que la propriété emporte le dessus et le dessous, que le propriétaire recueille la moitié du trésor ; autrement il faudrait le lui attribuer en totalité, quoique ce fût un tiers qui l'eût trouvé ; mais, par une faveur de la loi : le trésor n'appartient à personne (716), pas plus que les bêtes sauvages qui se trouvent sur le sol (Dur., n. 133 ; Delv., p. 10, n. 1 ; D., t. 10, p. 186, n. 30).

Une créance conditionnelle entre dans la communauté comme espérance : cela ne fait aucun doute ; mais en est-il de même à l'égard des legs de meubles faits à l'un des époux sous une condition qui était encore en suspens à la dissolution de la communauté, lorsque cette dissolution provient, bien entendu. d'une cause autre que celle du décès de l'époux légataire ? ⋙ A. L'époux légataire pourrait vendre son espérance ; or, la communauté est cessionnaire des droits mobiliers de chaque époux (Dur., n. 110; Toullier, n. 109 ; D., t. 10, p. 183, n. 10).

Avant son mariage l'un des époux a vendu un immeuble à vil prix; il exerce l'action en rescision pendant le mariage; mais l'acheteur, usant de la faculté qui lui est accordée par l'art. 1686. retient l'immeuble, en offrant le supplément de prix : ce supplément tombera-t-il dans la communauté ?⋘N. Ce n'est qu'éventuellement que l'acheteur garde l'immeuble. puisque le supplément ne peut pas même être demandé : ce supplément représente l'action en rescision; or, cette action est un droit immobilier ; on réclame l'immeuble et non le supplément ; le supplément est facultatif pour l'acheteur; l'objet du droit n'est pas déterminé par ce qui est *in facultate solutionis* (Dur., n. 114; Toullier, n. 187 et suiv.; D., t. 10, p. 188, n. 42).⋘Le supplément est une partie du prix : de même que tout le prix serait entré dans la communauté, de même la partie doit y tomber (Delv., t. 3, p. 10.— *Cass.*, 28 prairial an 12 ; S., t. 4, p. 369).

Quid si l'époux, demandeur en rescision, au lieu de la faire juger, rentre en possession par transaction ? ⋙ On se déterminera par les termes du traité et par les circonstances (Toullier, n. 193 et 196, t. 1 ; n. 159, t. 2). ⋙ L'immeuble sera propre, sauf récompense à la communauté.⋙ Si l'immeuble était soumis à une condition résolutoire, il serait propre sans aucun doute ; mais, dans l'espèce, on doit voir une revente, une acquisition faite à titre onéreux pendant le mariage; le fisc prélèverait un droit de mutation. — Arg. des art. 711, 1138, 1583 (Dur., n. 174)(Val.).

Quid à l'égard du supplément de lot qui serait offert en numéraire à l'un des époux, sur l'action en rescision pour cause de lésion de plus du quart, dans un partage d'immeubles ? ⋙ Même décision (Dur., *ibid.*; D., t. 10, p. 184, n. 17).

Quid, dans les deux hypothèses précédentes, si l'action ayant été intentée avant le mariage, le défendeur a offert également, avant le mariage, le supplément du prix ?⋙Le droit de l'époux se serait trouvé déterminé à cet objet; en conséquence, la somme entrerait dans la communauté (Dur., *ibid.*; Toullier, n. 111, t. 12; D., t. 10, p. 184, n. 17).

Dans le cas d'un legs fait sous une alternative à l'un des époux, par ex., d'une maison ou de 6000 fr., nous avons décidé que le payement seul déterminera les droits de la communauté ; mais *quid* si le débiteur du legs ayant fait périr la maison, l'époux légataire demande le prix?⋙On distingue : si la maison a péri avant le mariage, comme le prix seul était dû à l'époque de la célébration, ce prix tombe dans la communauté ; c'est comme si l'époux eût vendu un de ses fonds avant le mariage : mais si la perte est survenue pendant le mariage, le prix ne tombe pas dans la communauté ; car il est représentatif d'un droit immobilier perdu pour lui durant le mariage (Dur., n. 116).

Un héritage a été acquis par l'un des époux avant le mariage ; la vente est rescindée pour cause de lésion ; le prix restitué tombe-t-il en communauté ? ⋙ N. (Toullier. n. 189 et suiv. Dur., n. 245 et 346).

Les soultes payées à l'un des époux dans un partage d'immeubles fait pendant le mariage tombent-elles dans la communauté? ∼ *N.* Cette créance, quoique mobilière, n'est point un effet mobilier de la succession : elle est provenue à l'époux d'un droit immobilier qu'il a aliéné pendant le mariage (Dur., n. 118).

Lorsque, par l'effet du partage, l'époux ne reçoit que des créances, ou en reçoit plus qu'il ne lui en revient, tandis que son cohéritier reçoit des immeubles, ces créances sont-elles propres de communauté? ∼ On doit appliquer ici dans toute son étendue l'art. 883 : l'héritier est censé avoir succédé seul et immédiatement aux objets tombés dans son lot, et n'avoir jamais eu la propriété des autres objets (Toullier, n. 119 ; Dur., n. 117 ; voy. cep. *Rennes*, 31 juillet 1811 ; D., t. 10, p. 185, n. 23).

Quid si le lot de l'époux n'est formé que d'immeubles? ∼ Ils sont également exclus de la communauté (883). ∼ Si l'immeuble eût été vendu à un tiers, l'époux n'aurait eu en propre que sa portion dans le prix et sa part dans les créances : pourquoi déciderait-on autrement parce que ce serait lui qui aurait eu cet immeuble en totalité? Les créances ne se divisent pas moins de plein droit. — C'est comme si l'époux eût acheté de son cohéritier la part que celui-ci avait dans l'immeuble, moyennant la sienne dans les créances. — C'est comme s'il eût sorti une somme de sa bourse pour lui faire un payement (Dur., n. 119).

Les rentes viagères, les rentes, soit sur l'État, soit sur particuliers, ainsi que les droits d'usufruit sur des choses mobilières tombent-ils dans la communauté, tant pour le fond du droit que pour les arrérages? ∼ *A.* Aux termes de l'art. 529, ces droits sont meubles ; s'ils subsistent encore lors de la dissolution de la communauté, ils doivent donc entrer dans la masse commune ; en sorte que si la femme renonce, bien que les apports viennent de son chef, l'émolument futur du droit appartiendra au mari. Quant aux rentes viagères, il est si peu vrai qu'elles soient de leur nature un droit exclusivement attaché à la personne, que si le créancier vient à être frappé de mort civile, elles ne continuent pas moins de subsister. — Cette décision, ne peut, bien entendu, s'appliquer aux rentes viagères constituées pour aliments; car le droit, dans ce cas, est inaliénable, insaisissable ; ces rentes restent propres à l'époux pour le fond du droit ; les arrérages seuls tombent dans la communauté (Bellot, p. 115 et suiv. ; Dur., n. 125 et 126; D. t. 10, p. 183.—n. 8.—*Montpellier*, 3 février 1830 ; D. 30, 1, 106).∼∼Les arrérages perçus pendant le mariage tombent seuls dans la communauté ; le fond du droit n'y tombe pas : en conséquence, si la rente subsiste encore lors de la dissolution de la communauté, l'époux seul a droit aux arrérages futurs —La rente ou l'usufruit est un droit inhérent à la personne (Toullier, n. 110).

La règle qui fait entrer dans la communauté tout le mobilier que les époux possèdent, souffre exception à l'égard des choses données ou léguées à l'un des époux, sous la condition expresse qu'elles ne tomberont pas dans la communauté : mais si la donation était faite par un ascendant, la condition portait aussi sur la portion que l'époux aurait eue à titre de réserve, recevrait-elle son effet quant à cette portion? ∼ *N.* On ne peut, en général, imposer de conditions que pour les choses dont on peut disposer.—Le donateur et le donataire ne peuvent, par leur seule volonté, enlever à la communauté un droit qu'elle a véritablement acquis: en effet, par le mariage, chacun des époux s'est engagé à mettre sa réserve dans la communauté; or, la réserve n'est pas seulement introduite au profit des héritiers réservataires, mais encore au profit de leurs ayants cause.— La réserve est une portion de la succession ; or, les créanciers peuvent accepter une succession du chef de leur débiteur ; ils sont cessionnaires tacites des droits du réservataire.—Toutefois, si c'était par contrat de mariage que la condition dont nous parlons eût été mise à une libéralité portant même sur la réserve, on la respecterait : les époux ne doivent pas déroger aux clauses du contrat de mariage (Delv., p. 10, n. 2) (*Val.*). ∼ On ne doit pas rétorquer contre l'époux le droit de réserve établi en sa faveur. — L'action en réduction, pour obtenir la réserve, n'appartient qu'à ceux-là mêmes au profit desquels la réserve a été établie, leurs héritiers et ayants cause (921) ; or, le mari n'est pas un ayant cause ; la communauté n'a pas de droit *à priori* à la réserve ; elle ne peut donc invoquer celui dont il s'agit, qu'autant qu'il s'est réalisé préalablement sur la tête de l'époux ; elle ne peut prétendre qu'à ce qui lui est advenu ; le mari devra s'imputer de ne pas avoir pris ses précautions lors du contrat de mariage. — La femme aurait pu stipuler comme propre le montant de la donation ; or, qu'importe que ce soit son père donateur qui ait fait la stipulation ou que ce soit elle?—Ainsi, la déclaration sera valable pour toute la donation (Dur., n. 135 ; Toullier, n 114).

Le prix de l'immeuble, encore dû par l'acheteur au jour de la dissolution de la communauté, entre-t-il dans la communauté? ∼ *N.* Il demeure propre à la femme, comme subrogé à son immeuble (Dur., n. 359).

L'art. 529 déclare *meubles* les actions ou intérêts dans les compagnies de finance, de commerce ou d'industrie, encore que des immeubles dépendant de ces entreprises appartiennent aux compagnies ; des lors, ces actions ou intérêts tombent dans la communauté : mais la part que l'associé prendra dans les immeubles, lors du partage, y tombe-t-elle également? ∼ *N.* Le droit est censé meuble vis-à-vis des associés seulement tant que dure la société ; les immeubles qui échoient, par l'effet du partage, à l'un des associés lui restent propres 883, 1872 (Dur., n. 121 et 122). ∼ *A.* Les art. 883 et 1872 ne sont relatifs qu'aux rapports des cohéritiers ou des associés entre eux ; ils sont étrangers aux conventions qu'un coassocié ou un cohéritier a faits avec les tiers ; or, la communauté doit être considérée comme un tiers, en ce qui la concerne ; le partage est donc attributif et non déclaratif de propriété. — Les art. 883 et 1872 n'établissent qu'une fiction, en vue de prévenir les cohéritiers ou les coassociés.—Dans l'espèce il s'agit d'une interprétation, il s'agit de rechercher ce que les époux ont entendu mettre dans la communauté.—Le système contraire procurerait aux époux la facilité de s'avantager indirectement (*Val.*).

1402 — Tout immeuble est réputé acquêt (1) de commu-

(1) Il importe de bien fixer le sens de ces mots : *acquêts*, *conquêts* et *propres de communauté* : — Le mot *acquêt* exprimait autrefois toute espèce d'acquisition d'immeubles qui ne profitait pas à la communauté. — On entendait par *conquêt* tous les immeubles acquis durant le mariage, et qui tombaient dans la communauté ; les acquisitions faites en commun. — On appelait *propre de communauté*, les biens meubles ou immeubles qui ne tombaient pas en communauté.

Le Code emploie indifféremment les mots *acquêts* et *conquêts* (1408).

nauté, s'il n'est prouvé que l'un des époux en avait la propriété ou possession légale antérieurement au mariage, ou qu'il lui est échu depuis à titre de succession ou donation (1).

= La présomption est en faveur de la communauté : dès qu'il y a doute sur la propriété d'une chose qui se trouve mêlée à d'autres choses communes, on doit croire, en effet, que cette chose a été acquise avec les deniers communs ; d'ailleurs, la communauté possède les biens des époux puisqu'elle en a la jouissance, c'est donc à celui qui se prétend propriétaire à établir son droit (*voy.* 1408).

La présomption que l'immeuble est acquêt de la communauté, fléchit non-seulement devant la preuve faite par l'un des époux, qu'il était propriétaire de cet immeuble lors du mariage, mais encore, devant la preuve qu'il en avait une *possession légale*, c'est-à-dire, une possession de nature à produire avec le temps l'action possessoire (23, Pr.) et à servir de base à la prescription (2229) : ainsi, par cela seul que l'époux établit qu'il possédait un immeuble à l'époque du mariage, bien que la prescription ne se soit accomplie que pendant le mariage, cet immeuble lui reste propre ; car la prescription a un effet rétroactif au jour où la possession a commencé.

En un mot, pour qu'un immeuble soit propre, il suffit que l'acquisition ait eu un germe, un principe antérieur au mariage.

Appliquez cette règle au cas où un immeuble aliéné avant le mariage a été recouvré depuis par l'effet d'une action en réméré, en rescision, ou en résolution.

Il faut assimiler aux immeubles échus par succession, ceux qui sont acquis par l'exercice du retrait successoral (841).

— La possession légale de l'immeuble, antérieure au mariage, n'est qu'une présomption de propriété qui cède à la preuve que l'époux l'a acheté pendant le mariage ; ce point n'est pas contesté : mais l'immeuble serait-il propre, si c'était une transaction qui fût intervenue pendant le mariage, sur un titre douteux ? ◆◆ A. C'est toujours au principe de la possession qu'il faut se reporter ; c'est là le principe de l'acquisition : or, la transaction suppose que l'époux avait des droits ; qu'il possédait *pro suo* (Dur., n. 181 ; Toullier, n. 176 ; D., t. 10, p. 187, n. 34).

Quid à l'égard de la ratification d'un acte rescindable, survenue pendant le mariage ? ◆◆ Elle produit le même effet que la transaction (Dur., n. 182 ; D., t. 10, p. 187, n. 35).

Quid si c'est un acte d'*achat* que l'époux a passé relativement à un immeuble qu'il possédait avant le mariage ? ◆◆ Comme l'époux était possesseur avant le mariage, cet immeuble sera propre (Toullier, t. 12, n. 176 et suiv. ; D., t. 10, p. 187, n. 33 et 36). ◆◆ Toutes les fois que l'acte fait par l'époux a le caractère d'une transaction, on considère l'immeuble comme propre : mais cet immeuble est réputé conquêt, lorsqu'il existe un acte véritable d'acquisition ; c'est aux choses qu'il faut s'attacher et non aux mots. — En cas de contestation, les tribunaux apprécieront la nature de l'acte (Dur., n. 181).

Si l'un des conjoints qui avait vendu un immeuble avant son mariage, le recouvre pendant le mariage en vertu d'une convention par laquelle l'acheteur se désiste purement et simplement de la vente, cet immeuble tombe-t-il dans la communauté ? ◆◆ A. L'acheteur était devenu propriétaire par l'effet du concours des consentements.[art. 711, 1138 et 1583 ; le désistement est donc une véritable rétrocession (Dur., n. 174 ; Toullier, n. 193. t. 1 ; 159, t. 2).◆◆Un désistement n'est ni une rétrocession ni une nouvelle vente ; c'est plutôt *distractus quàm novus contractus*. Il en serait autrement, si le désistement avait eu lieu moyennant une augmentation de prix, sous de nouvelles conditions ; ou si, après le payement intégral de son prix, l'acquéreur rétrocédait l'immeuble à l'époux, pour le même prix et aux mêmes conditions (D., t. 10, p. 188, n. 40 ; p. 109, n. 44 ; Pothier, n. 189).

1405 — Les coupes de bois et les produits des carrières et

(1) Article incomplet ; il fallait ajouter : *ou dans les cas prévus par les articles 1404 à 1408.* — En effet toutes les causes de propres ne sont pas énumérées dans l'art. 1402

mines tombent dans la communauté pour tout ce qui en est considéré comme usufruit, d'après les règles expliquées au titre *de l'Usufruit, de l'Usage et de l'Habitation* (1).

Si les coupes de bois qui, en suivant ces règles, pouvaient être faites durant la communauté, ne l'ont point été, il en sera dû récompense à l'époux non propriétaire (2) du fonds ou à ses héritiers.

Si les carrières et mines ont été ouvertes pendant le mariage, les produits n'en tombent dans la communauté que sauf récompense ou indemnité à celui des époux à qui elle pourra être due.

= La communauté est usufruitière des propres de chaque époux; on doit donc appliquer à cette matière les principes de l'usufruit(*voy.* art. 590-598).

Cependant, la règle qui soumet l'acquisition des fruits à la perception, souffre exception, en matière de communauté, lorsqu'il s'agit de coupes de bois : l'article 1403, déclare, en effet, que si les coupes de bois qui devaient être faites pendant la communauté ne l'ont point été, il en sera dû récompense : or, cette disposition est contraire à celle de l'art. 590.

Pourquoi cette dérogation? Le législateur a voulu empêcher les *fraudes* et les *avantages indirects* entre époux (1099). — *Les fraudes :* par exemple, un mari voyant que la communauté est sur le point de se dissoudre, aurait pu différer les coupes à faire sur sa propriété, afin de profiter seul de leur produit. — *Les avantages indirects :* par exemple, le mari, prévoyant sa mort prochaine, et voulant frustrer ses propres héritiers, aurait pu retarder les coupes à faire sur un fonds appartenant à la femme, afin qu'elle en profitât seule (3).

Pour régler l'indemnité, on ne considère pas la valeur des coupes à l'époque de la dissolution de la communauté, mais celle qu'elles avaient à l'époque où elles devaient être faites.

La loi ne parle que des coupes de bois; mais il est certain qu'il serait également dû récompense à la communauté, à raison des produits d'une mine ou d'une carrière déjà *ouverte lors du mariage*, qui n'au-

---

(1) On aurait pu, sans inconvénient, omettre cette première disposition, car les coupes sont considérées comme fruits, quand les bois sont mis en coupe réglée (V. 590 et 592). Même observation à l'égard des mines et carrières que l'on exploite au moment où s'ouvre le droit d'usufruit.

(2) La loi parle de l'époux non propriétaire : cette rédaction paraît inexacte, car l'époux n'a droit à une récompense que pour moitié; c'est à la communauté que l'indemnité est due. — Cette observation est importante, car les créances de la communauté, à la différence de celles des époux (1473), portent intérêts sans demande à partir du jour de la dissolution (1473).—Bien plus, si les coupes étaient à faire sur un fonds du mari, la femme ou ses héritiers n'auraient droit à aucune indemnité, s'ils renonçaient à la communauté; tandis qu'ils auraient ce droit, si l'indemnité était personnelle aux époux.

(3) Vainement dira-t-on que les avantages entre époux étant aujourd'hui permis dans une certaine mesure (1094), celui résultant de ce que les coupes n'ont pas été faites, doit être maintenu dans cette mesure : d'une part, on ne sait si telle a été l'intention du mari, puisque sa négligence peut tenir à toute autre cause; il est difficile de prouver des donations indirectes;—d'autre part, les avantages faits pendant le mariage étant toujours révocables à la volonté du donateur, sont de plein droit caducs par le prédécès de l'époux donataire.—La question ne présenterait d'intérêt qu'autant que la communauté serait dissoute par le prédécès du mari, et qu'il s'agirait de coupes qui n'auraient pas été faites sur les biens de la femme; or, dans ce cas même, il serait dû indemnité à la communauté; l'art. 1404 ne distingue pas (Dur., n. 148 et 373).

raient pas été extraits pendant le mariage : en effet, l'usufruitier jouit de la même manière que le propriétaire, des mines et carrières qui sont en exploitation à l'ouverture de l'usufruit(598); or, la communauté est usufruitière : si elle a été privée des fruits, on doit donc l'indemniser.

Quid, à l'égard des produits tirés des mines et carrières ouvertes *pendant le mariage?* Ces matériaux sont propres; mais la communauté en est quasi-usufruitière (587, 596). Lors de la dissolution, l'époux propriétaire prélèvera donc une valeur égale à celle des produits dont elle aura profité. L'art. 1433 contient une application de ce principe (Toullier, n. 128; D., t. 10, p. 186, n. 29; Bellot, p. 146, t. 1 ; *voy.* cep. Delv., p. 10, n. 7).

Quid, à l'égard des matériaux qui n'ont pas encore été vendus lors de la dissolution? Ils appartiennent à la communauté; elle est seulement débitrice du prix.

Si la communauté a fait des avances pour ouvrir les carrières et mines, ou si les travaux lui ont causé quelque dommage, elle doit être indemnisée par le conjoint propriétaire du fonds (*voy.* art. 1437) (Bellot, p. 148; D., *ibid.*).

1404 — Les immeubles que les époux *possèdent* au jour de la célébration du mariage, ou qui leur échoient pendant son cours à titre de succession, n'entrent point en communauté.

Néanmoins, si l'un des époux avait acquis un immeuble depuis le contrat de mariage, contenant stipulation de communauté, et avant la célébration du mariage, l'immeuble acquis dans cet intervalle entrera dans la communauté, à moins que l'acquisition n'ait été faite en exécution de quelque clause du mariage, auquel cas elle serait réglée suivant la convention.

= Le mot *possèdent*, qui se trouve dans la première partie de l'article, reçoit ici le sens que lui donne l'art. 1402 : il exprime ce dont les époux avaient la propriété ou la possession légale, antérieurement au mariage.

Par possession légale, nous entendons la détention qui peut conduire à la prescription : la loi n'exige pas que la possession soit annale; il suffit, pour rendre l'immeuble propre, qu'elle ait eu un seul jour les caractères déterminés par l'art. 2229.

Rappelons-nous, en effet, ce principe déjà établi sous l'art. 1402, qu'un immeuble est propre, lorsque l'un des époux a eu dans son patrimoine le germe du droit, avant la célébration du mariage.

Appliquez cette règle au cas où l'un des époux était propriétaire sous une condition suspensive : nous savons que cette condition a un effet rétroactif au jour où la convention a été conclue (1179). — Au cas où un immeuble, aliéné avant le mariage, serait recouvré par l'effet d'une action en nullité, en rescision, ou en résolution (1). — Aux acquisitions d'immeubles faites

(1) Cette opinion est contestée : suivant quelques personnes, lorsque l'un des époux qui a vendu un immeuble avant son mariage, exerce l'action résolutoire (1184, 1654) pour défaut de payement du prix, cet immeuble tombe dans la communauté. L'époux n'avait personnellement plus de droits disent-elles,

durant le mariage par retrait successoral (841); le tout, bien entendu, sauf récompense à la communauté, si elle a fait des avances de deniers.— Enfin, aux simples créances immobilières, par exemple, à celles qui auraient pour objet tant d'hectares de terres labourables.

Les démembrements de la propriété sont soumis sous ce rapport aux règles que nous venons d'exposer.

Si l'un des futurs conjoints avait, dans l'intervalle du contrat à la célébration, converti frauduleusement des choses mobilières en immeubles, ces immeubles tomberaient dans la communauté; car l'acquisition serait faite avec des deniers que les parties auraient considérés, lors du contrat, comme devant faire partie de l'actif.

Du reste, la loi permet aux époux de se réserver la faculté d'employer une certaine somme en acquisition d'immeubles : l'immeuble acquis reste alors propre; la convention fait loi; la fraude ne peut exister.

Nous avons supposé jusqu'ici l'existence d'un contrat de mariage : *quid*, s'il n'y a pas eu de contrat? L'immeuble sera nécessairement propre; car les conjoints n'apportent en communauté que les meubles qu'ils possèdent au moment du mariage.

Il faut étendre la décision du deuxième alinéa de l'art. 1404, au cas où le futur époux, au lieu d'acheter des immeubles, ferait bâtir sur l'un de ses propres : assurément, les constructions seraient propres; mais une indemnité serait due à la communauté.

Quant aux immeubles acquis, par succession ou donation, ils ne tombent pas en communauté (1407). — Il faut en dire autant, à l'égard des immeubles acquis en contre-échange d'un bien propre : si cet immeuble était plus considérable que l'immeuble propre, l'époux acquéreur devrait indemniser la communauté des sommes qu'elle aurait fournies pour la soulte.

— Le donateur peut-il valablement imposer à son héritier à réserve, la condition que l'immeuble donné entrera en communauté? ⁓ Cette condition sera valablement imposée pour la quotité disponible; mais elle ne produira point d'effet sur la réserve, car le réservataire tient ses droits de la loi et non de la libéralité du disposant.

Peut-il donner des biens meubles sous la condition qu'ils n'entreront pas en communauté? ⁓ La condition n'est valable que jusqu'à concurrence de la quotité disponible.

Si l'un des époux avait, depuis le contrat, aliéné un de ses immeubles, le prix tomberait-il dans la communauté? *N.* Si la communauté ne doit pas être appauvrie par suite des acquisitions, elle ne doit pas être enrichie par suite des aliénations faites dans le temps intermédiaire du contrat à la célébration; par conséquent, elle doit récompense à l'époux auteur de l'aliénation, et cela par application de l'art. 1396 (Dur., n. 184). ⁓ *A.* Le prix tombe dans la communauté sans récompense. — Il n'y a pas lieu d'appliquer par analogie l'art. 1404; car le futur époux ne trompe personne en recevant à la place de ses immeubles, des meubles ou de l'argent; l'exception établie par l'art. 1404, pour un cas particulier, ne doit pas recevoir d'extension; il est peu à craindre qu'on emploie ce moyen (Delv., p. 9, n. 5; Dur., n. 184; Pothier, n. 381; Toullier, n. 171) *l'al.*

Un immeuble dépendant d'une succession acceptée sous bénéfice d'inventaire est adjugé à l'un des époux; cet immeuble sera-t-il propre? ⁓ *A.* (Delv., p. 11, n. 2).

Deux époux ont donné à leur enfant un immeuble de la communauté; cet immeuble rentre dans leurs mains en vertu de l'art. 747 : est-il propre pour moitié à chacun d'eux? ⁓ *A.* Ce n'est point la un droit de retour, mais un droit de succession; les époux se sont dépouillés d'une manière irrévocable : c'est une véritable succession qu'ils acquièrent; l'immeuble a été définitivement perdu pour la communauté; les époux lui ont fait en quelque sorte un emprunt; ils devront lui en tenir compte; la communauté a perdu ses droits sur l'immeuble; elle est devenue créancière d'une somme d'argent : que l'enfant donataire dissipe ou aliène l'immeuble, cela ne doit entraîner désormais aucune perte pour la communauté; elle n'aura pas moins droit à la valeur que l'immeuble avait à l'époque de

---

sur cet immeuble; il avait transporté ses droits à la communauté, c'est donc à elle seule que la résolution doit profiter, puisque c'était à elle seule que le prix était dû. L'action en résolution pour défaut de payement du prix n'est qu'un moyen de faire valoir la créance résultant du contrat de vente, cette créance appartient à la communauté (Dur., n. 173).

la donation—Arg. des art. 747, 1404 1438, 1469 combinés.—Il en serait autrement, si la donation avait été faite avec stipulation du droit de retour : l'immeuble reviendrait alors au même titre dans la communauté (Dur., n. 187) (*Val.*). ⟶ *N.* L'immeuble est conquêt, la donation a été faite sous la condition résolutoire du prédécès du donataire ; la communauté n'a donc pas cessé d'être propriétaire. —L'art. 747 constitue un droit sous condition au profit de l'ascendant donateur (Delv., p. 11, n. 2; Bellot, p. 163).

1405 — Les donations d'immeubles qui ne sont faites pendant le mariage qu'à l'un des époux, ne tombent point en communauté, et appartiennent au donataire seul, à moins que la donation ne contienne expressément que la chose donnée appartiendra à la communauté.

⟹ Cette expression : *donation*, est énergique; elle comprend toute espèce d'acquisition à titre gratuit, entre vifs ou testamentaire. Il est à remarquer, que la volonté expresse du donateur produit ici l'effet inverse de celui qui est exprimé par l'article 1401.

La loi ne parlant que des dispositions faites au profit de l'un des époux, on demande si l'immeuble donné pendant le mariage à l'un et à l'autre conjointement, tombe dans la communauté? Il est propre à chacun pour moitié : pour que la communauté en profitât, il faudrait que le donateur eût manifesté sa volonté à cet égard; l'article 1401 ne statue que pour les biens que les époux ont acquis avec leurs économies (1).

— En disposant au profit d'un héritier à réserve, le donateur peut-il mettre valablement pour condition que l'immeuble donné entrera en communauté? ⟶ Oui, sauf réduction lors de la mort du donateur.

1406 — L'immeuble abandonné ou cédé par père, mère, ou autre ascendant, à l'un des deux époux, soit pour le remplir de ce qu'il lui doit, soit à la charge de payer les

(1) L'art. 849, 2°, suppose évidemment que la donation est faite aux deux époux, puisqu'il impose au successible l'obligation de rapporter la moitié de l'immeuble donné.—L'art 1404 exclut de la communauté ce qui échoit à titre de succession aux deux époux ; de là il faut conclure, que les époux qui succèdent conjointement, ont en propre chacun pour moitié les biens de l'hérédité.—Lorsque le donateur est un ascendant commun (ce qui a lieu quand les époux sont cousins germains), l'immeuble est sans aucun doute réputé donné comme avancement d'hoirie, et cependant, il faudrait, dans le système opposé voir dans cette donation un conquêt.—Il résulte de l'art. 1406 que ces expressions de l'art. 1405 : *à l'un des époux*, ne doivent pas être prises à la lettre : en effet, il s'agit, dans cet article, non d'une donation, mais d'une aliénation à titre onéreux faite par un ascendant ; or, si l'on considère comme propre l'immeuble aliéné à plus forte raison doit-on déclarer tel celui qui a été réellement donné. — Arg. de l'art. 1438 : Si la donation faite aux deux époux, dans le cas de l'art. 1405 était un acquêt il faudrait dire aussi que la donation faite par les époux, dans le cas de l'art. 1438, est prise sur la communauté, et cependant l'art. 1438 déclare formellement que la femme doit supporter personnellement la moitié de la dot. — Les époux prouvent que l'immeuble leur est advenu par donation; donc il doit leur rester propre, aux termes de l'art. 1402 —Si les deux époux ne représentent pas la communauté lorsqu'ils disposent, ils ne doivent pas être censés la représenter lorsqu'ils reçoivent (Dur., n. 189 ; Toullier. n. 335 et 437 ; Delv., p. 11, n. 1. — *Toulouse*, 23 août 1827; S., 28, 2, 211 ; D., 28, 2, 172) (*Val.*). ⟶ L'immeuble est conquêt : dans l'ancienne jurisprudence, on ne considérait comme propres à l'époux donataire, que les immeubles donnés par un ascendant; les immeubles donnés par d'autres étaient des acquêts de communauté. — L'art. 1405 ne parle que des donations faites à l'un des époux seulement, et non de celles qui sont faites à tous deux conjointement : il laisse ces dernières sous l'empire de la règle générale établie art. 1401.—Vainement veut-on tirer argument de l'article 1402 : cet article ne décide qu'une question de preuve, il ne résout pas la question de savoir quand un immeuble aura la qualité de propre ; —l'art. 849 a pour seul objet de déterminer celui des deux époux qui doit rapporter ; il suppose que les deux époux sont donataires, et c'est précisément là ce qui est en question dans l'art. 1405 : il s'agit, en effet, de savoir, si l'on a voulu donner à la communauté ou si l'on a voulu avantager les deux époux (Bellot, p. 176 ; Toullier, n. 135).

dettes du donateur à des étrangers, n'entre point en communauté; sauf récompense ou indemnité.

= Si la cession était purement gratuite, elle constituerait une véritable donation; par conséquent, l'immeuble serait propre.

Mais lorsque le cédant impose la charge de payer ses dettes, ou lorsque la cession a pour but de remplir le cessionnaire de ce qui lui est dû (*datio in solutum*), alors on distingue : cette cession est faite par un ascendant, ou elle est faite par tout autre qu'un ascendant.

Si le cédant est un ascendant, la loi considère l'abandon (sauf stipulation contraire), comme un arrangement de famille, comme un avancement de succession : en effet, en mettant pour condition que l'on payera ses dettes, l'ascendant ne fait que prévoir et avancer ce qui arrivera lors de son décès; — en abandonnant l'héritage pour demeurer quitte envers son fils de ce qu'il lui doit, par exemple, pour compte de tutelle, l'ascendant agit dans la même pensée, car la dette, à la mort du cédant, se serait éteinte par confusion, et le fils aurait recueilli dans la succession ce même héritage.

L'immeuble serait propre, bien que l'époux ne fût pas héritier présomptif au jour de l'abandon ou même au jour du décès : la loi parle des ascendants en général; elle ne distingue pas.

Au surplus, l'époux donataire doit indemniser la communauté de la somme dont l'ascendant était débiteur, ou de celle qu'elle a fournie pour acquitter les dettes de ce dernier.

Ce que dit l'art. 1496, à l'égard de l'un des époux, doit recevoir son application au cas où l'immeuble aurait été abandonné ou cédé aux deux époux conjointement; cet immeuble resterait propre à chacun pour moitié.

Si la cession était faite par tout autre qu'un ascendant, par ex., par un collatéral dont l'époux serait héritier présomptif, ou même par un descendant à un ascendant, on ne la considérerait plus comme le résultat d'arrangements de famille, mais comme une acquisition à titre onéreux; en conséquence, l'héritage profiterait à la communauté : notre article est exceptionnel, il faut le restreindre au cas prévu (Dur., n. 192; Toullier, n. 143; *voy.* cep. Delv., p. 11, n. 6).

Si la valeur de l'immeuble cédé était supérieure au montant de la créance ou des charges moyennant lesquelles l'abandon aurait été fait, nous pensons que cet abandon pourrait, suivant les circonstances, être considéré comme une libéralité.

— Si l'abandon est fait sous toute autre charge que celle de payer les dettes, par ex., pour remplir le fils de ce qui lui est dû, à charge de rente viagère, ou moyennant un prix stipulé l'art. 1406 est-il applicable ? ~~~ A. L'art. 1406 est purement énonciatif; on doit toujours voir avec faveur la position d'un ascendant qui dispose peut-être d'un immeuble considérable sous la condition d'acquitter des charges légères. L'abandon est toujours présumé dissimuler un avancement d'hoirie. ~~~ Les termes restrictifs de l'art. 1406 ne permettent pas de décider que l'immeuble sera propre au descendant; les arrérages d'une rente viagère ne sont pas des capitaux; ce sont des intérêts passifs qui, conformément à l'art. 1409, 2°, doivent être à la charge de la communauté. D'un autre côté l'exagération de ces intérêts, quand ils sont la représentation véritable du prix d'acquisition ne permet pas de laisser la communauté sans indemnité. C'est probablement la difficulté de faire ce règlement qui a porté les rédacteurs à considérer l'immeuble cédé à un descendant, à charge de rente viagère, comme un conquêt de communauté 1401, 3° (*Val.*).

1407 — L'immeuble acquis pendant le mariage à titre d'é-
change contre l'immeuble appartenant à l'un des deux
époux, n'entre point en communauté, et est subrogé au
lieu et place de celui qui a été aliéné; sauf la récompense
s'il y a soulte (1).

= La loi nous donne, dans cet article, un exemple de subrogation
réelle.

L'immeuble acquis en contre-échange, prend la qualité et la place de
celui qui a été aliéné. Cet immeuble serait propre pour le tout, quand
même il aurait une valeur plus considérable: mais alors il serait dû récompense à la communauté de la somme qu'elle aurait fournie pour payer la
soulte, car les époux ne doivent pas s'enrichir à ses dépens.

En thèse générale, il faut s'en tenir, pour l'échange, à la déclaration des
époux : néanmoins, si la soulte était considérable eu égard à la valeur de
l'immeuble donné en échange, on pourrait considérer l'opération comme
un véritable achat déguisé : l'immeuble acquis tomberait alors dans la
communauté, sauf récompense envers l'époux qui aurait livré son fonds.—
La maxime : *Major pars trahit ad se minorem*, doit recevoir ici son application. —Dans le doute, il va de soi qu'on supposerait l'échange (2).

Ce que l'art. 1407 dit des immeubles, s'étend à tout ce qui est acquis
en échange d'un propre : si donc un époux aliène un meuble qu'il s'était
réservé propre, la créance qu'il acquerra contre l'acheteur sera propre,
mais la communauté aura l'usufruit de cette créance, puisqu'elle était
usufruitière de l'objet mobilier. Si l'on échange un immeuble contre un
meuble, ce meuble doit aussi avoir la qualité de propre.

— Si un propre était échangé contre toute autre chose, cette chose serait-elle subrogée au propre? ⁓
N. Notre article n'a pas prétendu consacrer le principe de la subrogation ; il n'a voulu qu'offrir une exception de plus à la règle suivant laquelle les immeubles acquis durant le mariage tombent dans la communauté (Bellot, p. 208 et suiv.).

La réunion d'une maison ou d'une pièce de terre contiguë à celle de l'un des époux, peut-elle, par argument de l'art. 1019, former un propre ? ⁓ *N.* Il ne s'agit pas ici d'une question d'intention; on ne voit,
dans cette addition, qu'un accroissement réel : un autre sol, un autre bâtiment est ajouté au premier ;
la communauté est régie par d'autres principes que les legs (Dur., n. 167).

1408 — L'acquisition faite pendant le mariage, à titre de
licitation ou autrement, de portion d'un immeuble dont
l'un des époux était propriétaire par indivis, ne forme point
un conquêt; sauf à indemniser la communauté de la somme
qu'elle a fournie pour cette acquisition.

Dans le cas où le mari deviendrait seul, et en son nom

(1) L'art. 1407 eût été mieux placé après l'art. 1408, car il suppose un cas de remplacement de propre.
Cette disposition présente cela de remarquable, que la subrogation, qui, sous certaines conditions, s'applique même à l'immeuble acquis à prix d'argent (1414, 1435), est de droit, en cas d'échange, et ce
quand même l'acquisition par échange n'aurait eu lieu que moyennant une soulte ; seulement, la communauté doit être indemnisée pour la soulte qu'elle a payée.

(2) Bellot, p. 213 ; Dur., n. 195. ⁓ L'immeuble est conquêt pour le tout, sauf récompense à l'époux
d'une somme égale à la valeur de son fonds (Delv., p. 12, n. 1). ⁓ L'immeuble est propre, quelque
considérable que soit la soulte. — La distinction de Pothier a été tacitement rejetée ; l'art. 1407 ne
distingue pas ; la récompense est toujours due à la communauté ;—au reste les juges auront à examiner
si l'on a fait un échange véritable (Toullier, n. 149 et suivants; D., t. 10, p. 196, n. 59). ⁓ Il y aura
une opération mixte : d'une part acquisition d'un propre au profit de l'époux; d'autre part, acquisition d'un conquêt au profit de la communauté; l'époux se trouvera propriétaire indivis avec la communauté (Pothier, n. 197 ; Battur, n. 208).

personnel, acquéreur ou adjudicataire de portion ou de la
totalité d'un immeuble appartenant par indivis à la femme,
celle-ci, lors de la dissolution de la communauté, a le choix
ou d'abandonner l'effet à la communauté, laquelle devient
alors débitrice envers la femme de la *portion* appartenant à
celle-ci dans le prix (1), ou de retirer l'immeuble, en remboursant à la communauté le prix de l'acquisition (2).

= Cet article contient deux dispositions :

La première suppose que l'un des époux était avec un étranger propriétaire indivis d'un immeuble à un titre quelconque (que la cause de
l'acquisition ait été antérieure ou postérieure au mariage, peu importe); que pour opérer le partage de cet immeuble, les parties ont eu
recours à la licitation ou à tout autre mode d'aliénation qui tend au
même but, par exemple, à une transaction ou à une vente amiable,
et que l'immeuble a été adjugé en entier, soit à l'époux propriétaire,
soit aux deux époux conjointement. Conformément au principe que le
partage n'est pas *translatif*, mais *déclaratif* de propriété, la loi déclare
l'immeuble licité, propre à l'époux acquéreur, quelque faible que fût
la part indivise qu'il avait dans la propriété de cet immeuble, à charge
toutefois d'indemniser la communauté des sommes qu'elle a fournies
pour cette acquisition (883 et 888) (3). L'intervention de l'époux non propriétaire serait considérée comme ayant eu lieu à raison de la jouissance
de l'immeuble acquis; elle n'enlèverait point à l'acte le caractère de partage (Pothier, n. 150 et suiv.).

Il est bien entendu, que la règle ne pourrait s'appliquer au cas où, l'immeuble ayant été partagé, l'époux se serait ensuite rendu acquéreur des
portions échues à ses copropriétaires : les portions acquises formeraient
un conquêt.

On suppose, dans la seconde partie de l'article, que le mari s'est rendu
acquéreur, soit à l'amiable, soit par suite d'une adjudication, de la portion du copropriétaire de la femme, ou même de la totalité de l'immeuble,
l'acquisition tombe alors dans la communauté; mais dans la crainte
que le mari n'ait abusé de son autorité sur son épouse, pour l'empêcher
d'acquérir ou de se rendre adjudicataire, la loi réserve à celle-ci, lors de
la dissolution (et ce quand même elle aurait concouru à l'adjudication),
le choix ou de reprendre l'immeuble comme propre, en remboursant à
la communauté, non la valeur actuelle de cet immeuble, mais *le prix de
l'acquisition*, ainsi que les frais et loyaux coûts que la communauté a
payés; ou d'abandonner, c'est-à-dire, de délaisser cet immeuble, en se
bornant à recevoir la part qui lui revient dans le prix.

Du principe que l'option de la femme ne s'exerce qu'après la dissolution,

---

(1) Mieux valait dire : d'une partie du prix proportionnelle à la part qu'elle avait dans l'immeuble.
(2) Il est inéquitable de renvoyer cette option a la dissolution de la communauté. La règle : *quem
sequuntur commoda sequi debent incommoda*, devait l'emporter : en effet, si l'immeuble augmente
de valeur, la femme ne manquera pas d'opter pour la position de propriétaire; s'il se détériore, elle
optera pour celle de créancière.
(3) Selon quelques jurisconsultes, les art. 883 et 888 doivent être restreints aux successions; ces
articles sont inapplicables en matière de communauté : en ne plaçant pas les époux dans un état
d'indivision avec la communauté, la loi a voulu prévenir les fraudes qu'il eût été facile de commettre;
elle a voulu se montrer bienveillante envers l'époux copropriétaire et lui laisser un immeuble qui
le plus souvent sera patrimonial (*Val.*).

il résulte, que le mari ne peut aliéner ni même hypothéquer l'immeuble que sous la réserve tacite des droits de la femme : la femme était propriétaire sous condition ; le mari n'a pu transmettre, pendant le mariage, plus de droits qu'il n'en avait lui-même.

Comment fixera-t-on la portion du prix à payer, si le mari a acquis successivement en son propre nom, de gré à gré et à des prix différents, les parts des copropriétaires? Il faudra prendre un terme moyen et régler, d'après ce terme, la créance de la femme.

La femme pourrait-elle retenir l'immeuble, si son copropriétaire avait donné ou légué ses droits à son mari? Non : d'une part, toute présomption d'abus d'autorité serait écartée : d'autre part, il n'y aurait pas de prix à restituer.

La femme jouit de l'option que lui réserve notre article, soit qu'elle accepte, soit qu'elle renonce à la communauté; il y a dans l'un et l'autre cas même raison de décider (Dur., n. 210).

Le droit de la femme passe à ses héritiers (724) ; ils ont, en effet, le même intérêt qu'elle, à prévenir les abus d'autorité que le mari pourrait commettre.

Les créanciers de la femme n'ont pas la faculté d'attaquer la renonciation qu'elle a faite à ce droit ; car il constitue un privilége ; il est attaché à la personne (*Cass.*, 14 juillet 1834; D., 34, 1, 281 ; S., 34, 1, 534).

Lorsque le mari a acquis, durant le mariage, la totalité de l'immeuble, par suite d'un legs ou d'une donation que lui a faite son copropriétaire, ou lorsque, étant lui-même copropriétaire indivis de la femme, il est devenu adjudicataire de la totalité de l'immeuble, la femme ne peut invoquer le bénéfice de la deuxième partie de l'art. 1408 : dans le premier cas, il n'y a pas eu de prix ; dans le deuxième, on ne voit pas de raison pour priver le mari du droit que lui attribue la première partie de l'article ; il n'y a pas eu d'abus d'autorité.

La loi ne fixant pas de délai fatal, la femme ou ses héritiers peuvent exercer pendant trente ans, à partir de la dissolution de la communauté, le droit d'option dont il s'agit.

— Si un héritier bénéficiaire se rend adjudicaire d'un immeuble vendu, soit sur sa poursuite, soit sur celle des créanciers, cet immeuble est-il propre ? ⁓ *A.* Le bénéfice de l'inventaire est en faveur de l'héritier ; cela n'empêche pas qu'il ne soit copropriétaire ; la saisie ne le dépouille pas de sa propriété (Dur., n. 200; Toullier, n. 157).

La femme pourrait-elle, avant la dissolution de la communauté, exercer l'option que lui confère la deuxième partie de l'article 1408? ⁓ *N.* Le choix ne serait pas libre. — L'article 1408 est formel : *lors de la dissolution.* ⁓ *A.* Il s'agit d'un bien de famille. — Arg. *à fortiori* de l'article 1435 : puisqu'elle peut accepter le remploi pendant la communauté, elle doit pouvoir opter.

Quid, si c'est au contraire la femme qui s'est rendue adjudicataire d'un bien appartenant par indivis au mari ? ⁓ Si la femme a été autorisée par son mari, le bien sera commun : il en est de même si elle a été autorisée par la justice (1401, 1402) ; mais alors, elle ne sera tenue du prix de l'adjudication que sur la nue propriété de ses propres (1426). — La règle de l'article 1408 est rigoureuse; il faut l'entendre étroitement.

§ II. — *Du passif de la communauté, et des actions qui en résultent contre la communauté.*

Toutes les choses qui formeraient l'actif de la communauté, si elles étaient dues à l'un des époux, composent le passif lorsqu'elles sont dues par lui : Le passif et l'actif sont corrélatifs.

Le passif ne comprend réellement que les charges qui pèsent définiti-vement sur la communauté ; c'est-à-dire, celles qui réduisent d'autant son actif : néanmoins, comme la communauté dispose de tous les capitaux mobiliers, soit à titre de propriétaire, soit à titre d'usufruitière, il a paru naturel de mettre à sa charge toutes les dettes mobilières personnelles aux époux ; sauf son recours, lors de la liquidation, si ces dettes sont relatives à leurs propres, ou si elles sont contractées dans leur intérêt personnel.— Le législateur envisage ici le passif de la communauté sous le point de vue le plus général, ainsi que l'indique la rubrique de ce paragraphe : néan-moins, nous verrons qu'il distingue avec soin les dettes qui sont à la charge définitive de la communauté, c'est-à-dire, les dettes qu'elle paye sans récompense (1411, 1413, al. 1, 1414) de celles dont le payement peut seu-lement être poursuivi contre elle, et qu'elle ne paye que sauf récompense (1412, al. 3, 1413, 1416) (1) ;

On peut diviser en quatre classes les dettes de la communauté :

1° Celles dont les époux étaient grevés au moment de leur mariage (1409) ; sauf récompense à la communauté, lors de la dissolution, à raison des dettes relatives à leurs propres qu'elle a été obligée d'acquitter. Et par dettes relatives aux immeubles propres, nous entendons ici celles dont l'acquittement a pour effet spécial d'assurer l'acquisition, la conservation, le recouvrement ou l'affranchissement d'un propre (1437).

Lorsque c'est la femme qui est débitrice, quand même par suite de sa renonciation à la communauté, elle se trouverait déchargée de toute con-tribution aux dettes, elle ne reste pas moins tenue envers ses créanciers des dettes qui proviennent originairement de son chef, le tout sauf son re-cours contre le mari ou ses héritiers (1494). —Afin que la femme ne puisse rendre illusoires les droits du mari, la loi déclare que la communauté ne peut être poursuivie, pour les dettes de la femme, qu'autant qu'elles ont une date certaine antérieure au mariage (1410) ;

2° Celles qui sont contractées pendant le mariage (1409). — La commu-nauté doit acquitter toutes les dettes que le mari a contractées ; sauf ré-compense, lors de la dissolution, pour celles qui concernent exclusivement ses immeubles propres, ou qui résultent de ses délits (1424). — Quant aux dettes contractées par la femme, on peut distinguer quatre cas : lorsqu'elle s'est obligée *conjointement* avec son mari, sans solidarité, les créanciers ne peuvent la poursuivre *personnellement* que pour moitié ; mais la com-munauté est tenue de la dette pour le tout, sauf récompense s'il y a lieu. Lorsqu'elle s'est obligée seule, en son propre nom, avec autorisation du mari, elle peut être poursuivie personnellement pour le tout ; ce qui ne prive pas les créanciers du droit d'agir également pour le tout contre le mari, sauf ensuite récompense due à la communauté lors de la dissolution, si la dette a été contractée dans l'intérêt personnel de la femme (1419). Observons surtout que la femme ne s'oblige point personnellement, lors-

---

(1) Une dette peut être à la fois personnelle à l'un des époux, et dette de la communauté ; aussi les expressions dettes de la communauté et dettes personnelles se prennent-elles dans une acception tantôt plus étendue, tantôt plus restreinte.

On entend par *dettes de la communauté*, *sensu lato*, toutes celles dont le payement peut être pour-suivi soit sur les biens de la communauté, soit sur les biens propres de l'un des époux ; — *sensu stricto*, celles qui ne peuvent l'être que sur les biens de la communauté. — On nomme dettes per-sonnelles, *sensu lato*, celles qui peuvent être poursuivies sur les biens propres des époux et sur ceux de la communauté ; *sensu stricto*, celles qui ne peuvent l'être que sur les propres des époux et non sur ceux de la communauté.

qu'elle contracte comme mandataire du mari (1420). — A défaut d'autorisation du mari, si la femme avait agi comme autorisée de justice, les créanciers ne pourraient la poursuivre que sur la nue propriété de ses propres (1429), à moins que la communauté n'eût profité de l'obligation, ou qu'on ne se trouvât dans un des cas exceptionnels prévus par l'art. 1427 ; la communauté serait alors engagée. — Lorsque la femme s'est obligée *solidairement* avec son mari, elle peut être actionnée pour le tout ; sauf ensuite son recours contre la communauté (1431).

La femme qui a contracté des obligations est tenue envers les créanciers, lors même qu'elle renonce à la communauté, sauf ensuite son recours contre son mari ou ses héritiers (1499), à moins que la dette ne la concerne personnellement.

3° Celles qui grèvent les successions échues aux époux pendant le mariage : —lorsque le droit est échu au mari, les créanciers peuvent agir pour le tout contre la communauté, sans qu'il y ait lieu de considérer la nature des biens qui composent la succession ; mais, lors de la dissolution, le mari devra-t-il récompense ? *Non*, si la succession était purement *mobilière ; Secùs*, si elle était *purement immobilière* (1412). — Si elle était à la fois *mobilière* et *immobilière*, la communauté aurait droit à une indemnité, en raison de l'importance des immeubles (lesquels sont restés propres) comparée à celle des meubles (dont elle a profité) (1414). Cette portion contributoire se réglerait d'après l'inventaire auquel le mari a dû faire procéder. — Si le mari a négligé de faire inventaire, la femme ou ses héritiers sont admis à faire preuve, par titres, par témoins, et même par commune renommée, de la consistance et valeur du mobilier non inventorié (1415).

Lorsque la succession est échue à la femme, il faut distinguer : la femme a accepté, comme autorisée de son mari, ou elle a eu recours à la justice. — Supposons d'abord le premier cas : si la succession est purement *mobilière*, la communauté est tenue des dettes pour le tout ; ce qui ne prive pas les créanciers du droit d'agir également sur les biens personnels de la femme ; sauf ensuite à elle à se faire indemniser par la communauté lors de la dissolution. — Si la succession est purement *immobilière*, les créanciers n'ont aucune action contre la communauté ; ils peuvent seulement poursuivre leur payement, tant sur les biens de la succession que sur la pleine *propriété* des biens personnels de la femme (1413). — Si la succession est à la fois *mobilière* et *immobilière*, les créanciers peuvent, à raison de la réunion des meubles aux immeubles, poursuivre la communauté pour le tout, sauf ensuite l'action en récompense contre la femme ; car les dettes qui grèvent la succession recueillie, ne sont à la charge de la communauté que jusqu'à concurrence de l'importance du mobilier : cette portion contributoire se règle d'après l'inventaire auquel le mari est tenu de faire procéder (1414). A défaut d'inventaire, la femme peut, comme dans le cas où la succession est échue au mari, faire preuve, même par commune renommée, de la consistance et valeur du mobilier non inventorié (1415).—Supposons maintenant que la femme ait accepté avec autorisation de justice : si la succession est *immobilière*, les créanciers n'ont aucune action contre la communauté ; ils ne peuvent poursuivre leur payement que sur les biens de la succession, et en cas d'*insuffisance*, sur la *nue propriété* des biens personnels de la femme : ainsi, la communauté conserve la jouissance de ces derniers biens (1413). — Il en est de même lorsque la succession est *purement mobilière*, ou lorsqu'elle est à la fois *mobilière* et *immobilière* (1417); toutefois, si le mobilier avait été confondu dans celui de la communauté, sans un inventaire préalable, les créanciers pourraient agir pour le tout contre la communauté, sauf ensuite récompense due par la femme, à raison des dettes que la communauté justifierait avoir acquittées (1416).

4° Enfin, la communauté, comme propriétaire du mobilier et usufruitière de tous les propres des époux, est tenue sans recours, de toutes les charges usufructuaires (1409).

Remarquons, en terminant, que les créanciers personnels du mari peuvent (sauf récompense dans les cas prévus par la loi) poursuivre leur payement sur les biens de la communauté, et que, par une juste réciprocité, les créanciers de la communauté, c'est-à-dire, tous ceux qui peuvent la poursuivre, ont le droit d'agir pour le tout sur les biens personnels du mari (*voy.* 1419).

Nous verrons, art. 1482 et suiv., qu'après la dissolution, le mari n'est plus tenu que pour moitié des dettes de la femme antérieures au mariage; et que l'action accordée contre la communauté, aux créanciers des époux, ne les prive pas du droit d'agir pour le tout, sur les biens personnels de l'époux qui s'est obligé.

Il nous reste à faire observer que, dans les cas même où la communauté n'est tenue d'une dette à aucun des titres que nous venons d'examiner, les créanciers peuvent toujours la poursuivre *quatenùs locupletior facta est*, et même *in solidum*, s'il y a eu confusion des biens de leur débitrice avec ceux de la communauté.

La loi détermine, art. 1409 et 1410, les charges qui composent le passif; — les art. 1411 jusques et y compris l'art. 1418, sont relatifs aux successions qui échoient aux époux pendant le mariage. — Les art. 1419 et 1420 concernent les dettes contractées par la femme pendant le mariage.

———

1409 — La communauté se compose passivement :

1° De toutes les dettes mobilières dont les époux étaient grevés au jour de la célébration de leur mariage, *ou dont se trouvent chargées les successions qui leur échoient durant le mariage* (1), sauf la récompense pour celles relatives aux immeubles propres à l'un ou à l'autre des époux (2);

2° Des dettes, tant en *capitaux* (3) *qu'arrérages ou inté-*

———

(1) Cette rédaction pèche par trop de généralité : Lorsqu'il y a des immeubles dans la succession, nous verrons (1414) que la communauté ne supporte en définitive qu'une quotité de dettes corrélative à la valeur du mobilier comparée à l'importance de la succession. — D'un autre côté, on pourrait croire que la loi fait tomber les dettes mobilières de la succession dans la communauté et qu'elle exclut les dettes immobilières; ce qui serait une erreur. — Il faut donc retrancher du 1° de l'art. 1409 cette proposition : *ou dont se trouvent chargées les successions qui leur échoient durant le mariage*, et renvoyer tout ce qui a trait aux successions à des explications ultérieures.
Pourquoi établit-on des systèmes différents pour les dettes présentes et pour les dettes futures? (Voy. art. 1414).
(2) La loi n'est pas conséquente : puisqu'elle fait entrer dans l'actif de la communauté, sans récompense pour l'époux créancier, les créances provenant d'immeubles aliénés antérieurement au mariage, elle devrait lui faire supporter en définitive le montant des dettes dont il s'agit.
(3) Le mot *capital*, exprime ici toute espèce de dettes mobilières ou immobilières.

rêts (1), contractées par le mari pendant la communauté, ou par la femme du consentement du mari, sauf la récompense dans les cas où elle a lieu ;

3° Des arrérages et intérêts seulement des rentes ou dettes passives qui sont personnelles aux deux époux ;

4° Des réparations usufructuaires des immeubles qui n'entrent point en communauté (2) ;

5° Des aliments des époux, de l'éducation et entretien des enfants, et de toute autre charge du mariage.

= Cet article contient des principes dont on trouve l'application, le développement et la modification dans les diverses dispositions de ce paragraphe.

Il établit, en règle générale, que cinq espèces de charges forment le passif de la communauté ; savoir :

1° *Les dettes mobilières antérieures au mariage*, etc. (3).

Une dette mobilière est celle qui a des meubles pour objet, *quæ tendit ad quid mobile* : telle est l'obligation de payer une somme d'argent, ou de servir une rente (529) ; cette obligation ou cette rente fût-elle garantie par une hypothèque. — C'est la nature de l'objet, par rapport au créancier, plutôt que par rapport au débiteur, qui fixe la qualité mobilière ou immobilière de la dette :

Une dette est immobilière lorsqu'elle a pour objet un immeuble, *tendit ad quid immobile* : telle est l'obligation principale de livrer, soit un immeuble déterminé que l'on possède, soit un immeuble indéterminé ; par exemple : 40 hectares de terre (*in genere*). Telle est également celle qui a pour objet la constitution d'une servitude ou d'une hypothèque.

Si la dette est alternative, de deux choses, l'une mobilière, l'autre immobilière, c'est le choix qui déterminera la nature de la dette.

Lorsque ce choix appartient à l'époux, doit-il récompense à la communauté, s'il paye la chose mobilière ; ou lui en est-il dû une, s'il livre l'immeuble ? Dans aucun cas il n'y a lieu à récompense ; car la dette n'était point partie mobilière, partie immobilière ; elle était mobilière ou immobilière, et c'était le payement qui devait déterminer sa nature.

Mais gardons-nous de confondre les dettes alternatives avec les dettes dites *facultatives* : dans ce dernier cas, c'est la nature de la chose due et non la nature de celle payée à sa place, qui fait que la dette tombe ou non à la charge de la communauté.

Les dettes mobilières dont les époux se trouvent grevés au jour de la

---

(1) Puisque la communauté est tenue du capital des dettes, il est bien évident qu'elle doit supporter les arrérages et les intérêts.

(2) Cette disposition nous renvoie aux articles 605 et 606 ; il faut la compléter par celles des articles 608 et 615.

(3) Résultat bizarre de cette disposition : un époux riche en immeubles, et qui est grevé de dettes mobilières, ne mettra que des charges dans la communauté : si c'est la femme, elle pourra même, en renonçant, rejeter toutes ces charges sur son mari ; — du reste, le Code abandonne ce principe lorsqu'il s'agit de dettes qui grèvent les successions échues pendant le mariage ; il revient alors à la règle de l'art. 2093, et prescrit une répartition proportionnelle des dettes, eu égard à l'importance comparée des meubles et des immeubles laissés par le défunt.

célébration de leur mariage, sont à la charge de la communauté ; ainsi, l'actif et le passif sont corrélatifs : l'universalité des meubles tombant dans la société conjugale, on a pensé que toutes les dettes mobilières devaient y tomber également. — Il en serait ainsi, quand même ces dettes excéderaient la valeur de l'actif mobilier, et même la valeur de tous les biens du conjoint débiteur (1).

La loi ne distingue pas entre les dettes du mari et celles de la femme, si les dettes ont précédé le contrat de mariage, ou si elles ont été contractées dans le temps intermédiaire du contrat à la célébration : dans tous les cas, la communauté en est tenue (2).

Toutefois, nous verrons (1410) que les créanciers de la femme n'ont le droit de poursuivre la communauté qu'autant que leur titre a acquis date certaine antérieure au mariage (1328) : en l'absence de cette condition, ils ne peuvent se faire payer que sur la nue propriété des biens propres de leur débitrice.

Toutes les dettes de la communauté sont personnelles au mari, en ce sens, que le payement de ces dettes peut être poursuivi sur ses biens propres, sauf ensuite, s'il y a lieu, son recours contre la communauté ou contre la femme, suivant les cas (1419 et 1426).—Il est bien entendu que le mari n'est pas contraignable par corps pour les dettes dont la communauté se trouve grevée du chef de la femme, bien que celle-ci soit soumise à cette voie d'exécution.

Il faut observer, que la loi ne charge la communauté que des dettes mobilières dont les époux sont *débiteurs personnels*, et non de celles dont ils ne sont tenus qu'*hypothécairement* : l'hypothèque étant un droit réel immobilier, ses conséquences doivent être des charges immobilières. Si donc, par suite de l'action hypothécaire, une dette est acquittée, durant le mariage, avec les deniers de la communauté, le conjoint dont l'immeuble se trouve libéré, doit récompense à la communauté, sauf son propre recours contre le débiteur (3).

En principe, il n'est point dû récompense à raison des dettes mobilières dont les époux étaient grevés au jour de la célébration du mariage, et que la communauté a acquittées. Cette règle souffre exception, lorsque les dettes ont été contractées pour l'acquisition, la conservation, l'amélioration, le recouvrement ou l'affranchissement d'un propre de communauté (meuble ou immeuble) (4) : la communauté peut alors être poursuivie par le vendeur, car il s'agit d'une dette mobilière ; mais le conjoint propriétaire doit rembourser à la communauté la somme qu'elle a fournie (1437) ; la rédaction de l'art. 1409 est claire sur ce point : d'une part, en effet, il est dit que *toutes les dettes* mobilières sont à la charge de la communauté ; d'autre

---

(1) Cette règle, puisée dans les anciens principes, est malheureuse ; il eût mieux valu faire l'évaluation du mobilier et procéder pour les dettes existantes lors du mariage comme on le fait pour celles dont sont grevées les successions qui échoient aux époux pendant la communauté.

(2) Dur. n. 219 ; Bellot, p. 222, t. 1. ᴀᴠᴠ Lorsqu'il y a eu un contrat, les dettes contractées dans l'intervalle de ce contrat à la célébration, quoique non relatives aux propres de l'époux qui s'est obligé, ne tombent à la charge de la communauté que sauf récompense. (Delv., p. 9. n. 51). ᴀᴠᴠ De pareilles dettes ne peuvent être poursuivies ni contre le mari ni à son préjudice. (Battur ; t. 1, p. 290.)

(3) On peut encore donner pour exemple, le cas où une personne, en léguant son mobilier à l'un des époux, sous la condition qu'il ne tombera pas dans la communauté, chargerait cet époux de délivrer à un tiers un objet désigné ou de lui payer une somme.

(4) La loi, il est vrai, ne réserve littéralement la récompense que pour les dettes relatives aux immeubles ; mais elle prévoit le cas le plus fréquent : les meubles, en effet, ne sont propres que par exception : *Ubi eadem ratio idem jus esse debet.*

part, on trouve ces mots : *sauf la récompense pour celles relatives aux immeubles propres à l'un ou à l'autre époux* (1435).

Exemple : avant mon mariage, j'ai fait l'achat d'un immeuble ; le prix n'est pas encore payé : ma dette est mobilière, puisqu'elle a pour objet une somme d'argent ; néanmoins, la communauté n'en sera pas tenue définitivement : si elle paye, je lui devrai récompense, car cette dette m'est personnelle.

Autre exemple : lors de mon mariage, j'étais débiteur d'une certaine somme, pour un retour de partage d'un immeuble dépendant d'une succession ; la communauté paye cette soulte : je devrai lui en tenir compte, car elle a pour cause un bien qui me reste propre.

Nous supposons, bien entendu, dans les exemples ci-dessus, que le conjoint possède encore, lors de son mariage, l'héritage dont il doit le prix : s'il avait disposé de cet héritage, les avances ne seraient plus relatives à ses immeubles propres, mais à des immeubles *qu'il aurait eus ;* en conséquence, la communauté serait tenue de la dette comme de toutes les autres dettes mobilières, et cela, sans récompense, lors même que le prix aurait été employé à l'acquisition d'un autre immeuble (Dur., n. 214, 215 et 218 ; Toullier, n. 210.)

Du reste, les relations des époux avec la communauté sont indifférentes au créancier : ce dernier ne jouit pas moins du droit de poursuivre sur ses propres l'époux qui est tenu d'une dette mobilière, car il reste personnellement obligé ; mais alors, au moment de la liquidation, la communauté devra l'indemniser, nonobstant son mariage.

2° *Dettes contractées pendant le mariage*, etc.

Le mari peut, en sa qualité d'administrateur de la communauté, contracter, sans le concours de sa femme, des obligations indéfinies ; et même s'obliger pour des tiers, sans que la communauté y ait intérêt.

Mais il doit récompense à la communauté, lorsque les dettes ont été contractées pour des affaires qui le concernent personnellement, et dont il profite seul ; car l'un des époux ne doit pas s'enrichir au préjudice de l'autre (*voy.* 1437, 1438, 1424 et 1495).

Par cette raison on décide, que la communauté n'est pas tenue définitivement des dettes qu'il a contractées pour ses enfants d'un premier lit ; car, en matière d'incapacité, le père et le fils sont réputés une même personne.

A l'égard des dettes contractées par la femme, elles obligent *en général* la communauté, lorsque le mari a donné son autorisation ; la femme exerce alors, par délégation, le pouvoir d'administrer ; c'est comme si le mari agissait par lui-même : cette règle est développée dans l'art. 1419. — Les articles 1413, 1427, 1431 et 1433 déterminent des cas exceptionnels où la femme ne peut être censée agir par délégation.

Cette autorisation peut être donnée expressément ou tacitement : elle est tacite, par exemple : lorsque le mari concourt à l'acte ; lorsque la femme contracte, comme marchande publique, pour le fait de son commerce (1426) ; enfin, lorsqu'elle accepte une succession avec l'autorisation de justice, si le mari néglige de faire inventaire (1417).

Quant à l'autorisation de justice, son seul effet est de relever la femme de son incapacité, et de conférer aux créanciers le droit de se faire payer sur la nue propriété des biens de leur débitrice (1426, 1427).

La communauté supporte, aux termes de l'article 1409, les dettes qui grèvent les successions mobilières échues aux époux durant leur mariage ;

que ces dettes soient mobilières ou immobilières, la loi n'admet pas la distinction qu'elle a établie pour les dettes existantes au jour du mariage ; chaque époux est censé avoir fait à la communauté une cession anticipée de ses droits à venir ; la communauté doit en conséquence, comme cessionnaire, supporter les charges héréditaires : *non sunt bona nisi deducto ære alieno.* Quant aux successions immobilières, comme elles ne tombent pas dans la communauté, les dettes, soit mobilières soit immobilières, dont elles sont grevées, sont supportées par l'époux héritier.

Lorsque les successions sont en partie mobilières et en partie immobilières, les dettes ne tombent à la charge de la communauté que jusqu'à concurrence de la portion pour laquelle le mobilier doit y contribuer, eu égard à sa valeur comparée à celle des immeubles.

Nous reviendrons sur ces principes en expliquant les articles 1411 et suivants.

3° *Des arrérages et intérêts* des rentes et capitaux qui sont à la charge personnelle des époux : la communauté étant usufruitière des biens propres, doit supporter toutes les charges de la jouissance. La loi ne distingue pas si les rentes sont perpétuelles ou viagères ; elle s'exprime en termes généraux (584 et 588). Ainsi, lorsque l'un des époux est débiteur d'une somme ou d'une rente, pour prix d'un immeuble qu'on lui a vendu avant son mariage, la communauté recueillant tous les fruits de cet héritage, supporte les intérêts du prix qui reste dû, ou les arrérages des rentes qui représentent ce prix. — Si des acquisitions en remploi d'immeubles aliénés pendant le mariage, se trouvent grevées de rentes ou de soultes, la communauté supporte également les arrérages ou intérêts : mais est-il dû récompense ? (*Voy.* Quest.).

4° *Des réparations usufructuaires des propres de chaque époux :* la communauté est même tenue de celles qui étaient à faire au moment où le mariage a été célébré ; la loi ne distingue pas : d'ailleurs, les réparations d'entretien sont une charge des fruits ; à ce titre, elles doivent être supportées par la communauté. Les grosses réparations restent à la charge de l'époux propriétaire(*voy.* art. 605), à moins qu'elles n'aient été occasionnées par le défaut de réparation d'entretien ; auquel cas, il a un recours contre la communauté.

5° *Des aliments,* etc. Il est évident que la communauté doit fournir des aliments aux enfants communs.

A l'égard des enfants issus d'un précédent mariage, s'ils ont des biens personnels dont le revenu suffise à leur entretien, la communauté ne leur doit rien. — S'ils n'ont pas de biens, la communauté pourvoit à leurs besoins, et cela sans récompense ; car cette obligation est une charge annuelle, une charge des fruits.

Par la même raison, la communauté est tenue des aliments que l'un ou l'autre époux doit à ses ascendants et même à ses enfants naturels reconnus avant le mariage.

On comprend aussi, dans les charges de la communauté, les frais d'inventaire, de scellés, de liquidation, enfin, tous ceux qui sont relatifs au partage.

Mais les frais funéraires du conjoint prédécédé sont supportés par sa succession ; car ces dépenses n'ont lieu qu'après la dissolution de la communauté.

Nous ferons à notre article les additions suivantes :

6° La communauté est tenue, *de in rem verso,* toutes les fois qu'elle a profité d'une opération, faite par la femme, avec la simple autorisation de justice (1804 et 1516, 2°).

7° Les frais faits pour arriver à la liquidation, font partie du passif.

8° Enfin, la communauté supporte les contributions et autres prestations annuelles que l'on considère comme charges des fruits (608 et 613).

— La communauté doit-elle payer sans récompense les arrérages d'une rente viagère due pour l'acquisition d'un immeuble, faite en remploi, par l'un des époux ? ⁓A. Argt. des termes absolus du 3° de l'art. 1409 et des art. 584 et 588 : ces articles ne soumettent l'usufruitier à aucune restitution.—Argt. de l'art. 610, qui met formellement les arrérages des rentes viagères à la charge de l'usufruitier.—Vainement objecterait-on, que dans ce système la communauté se trouverait dans la même position que si elle était elle-même débitrice de la rente viagère : si la rente était à la charge de la communauté, elle se diviserait entre les deux époux, lors de la dissolution, sauf récompense; or, cela n'a pas lieu : la communauté était usufruitière ; lorsqu'elle cesse d'exister, le service de la rente retombe à la charge de l'époux qui en était tenu. (Val.) ⁓ N. Il faut considérer les arrérages d'une rente viagère comme une série de capitaux, comme un remboursement successif et imperceptible d'une partie du capital.

Les obligations de faire ou de ne pas faire, tombent-elles à la charge de la communauté ? ⁓ A. Ces obligations se résolvent en dommages-intérêts (Pothier). ⁓ Les obligations de faire ou de ne pas faire ne sont pas des obligations de dommages-intérêts ; elles se résolvent seulement en dommages-intérêts ; la transformation de la dette en objets mobiliers n'est pas absolument nécessaire ; elle n'a lieu qu'autant que l'exécution effective est impossible : Je m'oblige à démolir un mur qui vous gêne ; vous aurez la faculté de faire abattre ce mur; l'obligation dans ce cas ne se résoudra pas en dommages-intérêts.—Avec le système de Pothier on arriverait facilement à décider, contre Pothier lui-même, que l'obligation de faire ne peut être indivisible, puisque cette obligation consiste, suivant lui, en des dommages-intérêts. — Il est plus vrai de dire, que la loi, n'ayant rangé ni dans la classe des meubles, ni dans celle des immeubles, on doit uniquement s'attacher à l'intention des parties. Ex. : Je me suis engagé envers un tiers à faire un voyage: évidemment, notre intention commune a été de mettre définitivement les dommages-intérêts à la charge de la communauté en cas d'inexécution.—Je me suis obligé à abattre des arbres qui se trouvent sur un de mes biens propres : la dette de dommages-intérêts résultant de ce que je n'aurai pas abattu ces arbres, ne sera pas supportée définitivement par la communauté; car en ne remplissant pas mes obligations, j'aurai augmenté la valeur d'un fonds qui m'était propre (Val.).

L'obligation contractée par l'un des époux avant son mariage, de délivrer, par exemple, un arpent de vignes, lorsque l'époux n'en avait pas, est-elle à la charge de la communauté ? ⁓ A. Il s'agit, en effet, d'acheter un arpent de vignes pour le livrer au légataire; l'obligation est, au fond, de la valeur d'un arpent de vignes (Dur., n. 225). ⁓ N. Il n'y a pas eu novation ; pour que la dette fût à la charge de la communauté, il faudrait qu'on eût stipulé la valeur d'un arpent de vignes. (Toullier ; Delv.). (Val.).

Un des époux a vendu successivement, avant son mariage, un même immeuble à deux personnes ; toutes deux ont payé le prix de leur acquisition ; la dernière dette reste-t-elle à la charge personnelle de l'époux ? ⁓ N. Elle tombe à la charge de la communauté ; il ne s'agit, en réalité, que d'une obligation en dommages-intérêts ; ou plutôt d'une action en répétition d'une chose non due (Dur., ibid.).

Avant mon mariage, j'ai vendu à Paul une maison qui a été brûlée par ma faute, et après que j'en ai eu reçu le prix : quid juris ? ⁓ Même décision (Dur., ibid.).

1410—La communauté n'est tenue des dettes mobilières contractées avant le mariage par la femme, qu'autant qu'elles résultent d'un acte authentique antérieur au mariage, ou ayant reçu avant la même époque une date certaine, soit par l'enregistrement, soit par le décès d'un ou de plusieurs signataires dudit acte (1).

Le créancier de la femme, en vertu d'un acte n'ayant pas de date certaine avant le mariage, ne peut en poursuivre

_____

(1) Disposition trop générale : Elle ne peut évidemment s'appliquer aux dettes qui procèdent de la loi, d'un quasi-contrat, d'un délit, ou d'un quasi-délit. l'art. 1410 contient une application de l'article 1328 ; or, cet article ne statue que pour le cas où les parties ont pu passer un acte. — On décide même généralement qu'elle n'est point applicable, lorsque l'objet de la convention ne dépasse pas la valeur de 150 fr. (Dur., n. 230).

D'un autre côté, cette disposition est incomplète ; ajoutez : ou lorsqu'il a été relaté dans un acte authentique antérieur au mariage (1328).

contre elle le payement que sur la nue propriété de ses immeubles personnels (1).

Le mari qui prétendrait avoir payé pour sa femme une dette de cette nature, n'en peut demander la récompense ni à sa femme ni à ses héritiers.

= Les dettes mobilières de la femme, antérieures au mariage, sont, comme celles du mari, à la charge de la communauté; il faut, dès lors, prendre des mesures, pour empêcher que la femme ne puisse, au moyen de reconnaissances antidatées, imposer à la communauté des dettes consenties *pendant* le mariage, et ne rende par suite illusoires les droits du mari : on atteint ce résultat, en ne mettant les dettes de la femme à la charge de la communauté, qu'autant qu'elles ont acquis une date certaine *antérieure* au mariage (*voy.* art. 1328) (2).

Au reste, quoique privés d'action contre la communauté, les créanciers ont le droit de poursuivre leur payement sur la *nue propriété des biens* personnels de la femme; ce qui ne porte aucune atteinte aux droits de la communauté, usufruitière de ces biens (3).

Quelques personnes pensent que la deuxième disposition est en contradiction avec la première; mais c'est à tort, selon nous : en effet, le mari, administrateur, refuse de payer : pourquoi? parce que la communauté est un tiers exposé au concert frauduleux des parties (1328) : mais la femme n'est point un tiers, elle est partie dans l'acte; donc cet acte peut lui être opposé (1322), sauf ensuite à elle à prouver qu'il a été souscrit pendant le mariage (225 et 1125).

Si le mari a payé, bien que la dette n'eût pas date certaine, on lui refuse, avec raison, le droit de demander récompense; car il est censé avoir reconnu qu'elle était antérieure au mariage.

— Si la dette est relative aux propres de la femme, ou s'il y a seulement communauté réduite aux acquêts ou séparation de dettes, la dernière disposition de l'article 1410. qui refuse au mari tout recours contre la femme, est-elle applicable? ⁓ *N.* Autrement, la femme s'enrichirait aux dépens du mari (Dur., n. 107, t. 13 et t. 14, n. 229 et 230).
Si le titre qui constitue la femme débitrice est en forme exécutoire, peut-on agir *de plano* contre le mari? ⁓ *A.* Mais seulement huitaine après signification: argt. de l'art. 877 (Delv., p. 14, n. 1).
Si la femme, en se mariant, s'est réservé le droit de toucher une partie de ses revenus pour son entretien et ses besoins personnels, les créanciers dont les titres n'ont pas date certaine antérieure au mariage, peuvent-ils saisir cette partie des revenus? ⁓ *N.* (Delv., p. 14, n. 2). ⁓ *A.* La communauté aurait dû subvenir aux besoins de la femme ; or, les revenus dont il s'agit ont cette destination. Toutefois, en cas d'excès, il n'est pas douteux que les créanciers pourraient les saisir en partie.

1411 —Les dettes des successions purement mobilières qui sont échues aux époux pendant le mariage, sont pour le tout à la charge de la communauté.

(1) Cette règle est rigoureuse ; car, souvent, la dette n'est constatée que par un simple billet.
(2) Quelquefois on pose ce dilemme : La communauté ne paye pas : pourquoi? parce qu'on suppose qu'il y a eu anti-date : mais s'il y a anti-date, la femme a contracté pendant le mariage ; or, elle était alors incapable (1135); donc l'acte est nul. Mais on répond : Ce n'est pas l'article 1328 qui est applicable ; mais l'article 1322; la femme n'est pas, comme la communauté, un tiers ; l'acte fait foi contre elle lorsqu'elle ne dénie pas son écriture.—Au surplus, s'il est prouvé que l'acte a été réellement antidaté, l'art. 1125 doit recevoir son application.
Lorsque le créancier a un commencement de preuve par écrit, peut-il être admis à la preuve testimoniale d'une dette qui excède 150 fr.? ⁓ *A.* Pourvu que ce commencement de preuve ait acquis date certaine antérieure au mariage (*Val.*).
(3) Quoi qu'il en soit, la femme n'aura pas moins la faculté de faire, sous la forme d'un acte onéreux, sans le concours de son mari, des libéralités qui s'exécuteront sur la nue propriété de ses biens ; car la preuve de la simulation est le plus souvent impossible à établir.

= Tout l'actif des successions mobilières tombant dans la communauté, il est juste de mettre le passif à sa charge, et cela sans récompense.

Lorsque la succession est échue au mari, aucune difficulté ne se présente; car il est libre d'accepter ou de renoncer, et d'imposer des charges à la communauté. — Lorsque la succession est échue à la femme, on distingue : si elle a été acceptée avec autorisation du mari, les dettes sont supportées par la communauté; si elle a été acceptée avec autorisation de justice, les créanciers, après avoir épuisé les biens de la succession, ne peuvent, en cas d'insuffisance, poursuivre leur payement durant la communauté que sur la nue propriété des biens personnels de la femme (1417). Toutefois, si le mobilier de la succession avait été confondu dans la communauté, sans un inventaire préalable, les créanciers, se trouvant dans l'impossibilité de reconnaître celui qui était primitivement affecté à leur gage, auraient le droit d'agir contre la communauté, pour la totalité de leur créance (1416, 2°).

Il n'est pas inutile de rappeler ici, que les créanciers de la communauté peuvent poursuivre leur payement sur les biens personnels du mari.

Le mari peut, sans le concours de la femme, accepter une succession mobilière qui est échue à celle-ci. Il n'a pas même besoin de se faire autoriser en justice (488), car il n'agit pas comme exerçant les droits et actions de l'un de ses débiteurs (1166), mais en qualité de chef de la communauté : l'acceptation rentre dans ses pouvoirs d'administrateur, puisque la succession toute mobilière profite à la communauté (1).

La loi met les dettes qui grèvent les successions mobilières à la charge définitive de la communauté, sans distinguer si ces dettes sont mobilières ou immobilières. La communauté doit supporter toutes les conséquences de la cession anticipée que chaque époux est censé lui avoir faite : ainsi, elle serait tenue sans récompense de la dette de 20 hectares de terre que le défunt aurait contractée.—Il n'est pas inutile de rappeler, que la règle est différente, lorsqu'il s'agit de dettes existantes au moment du mariage : on recherche alors leur nature pour ne mettre à la charge de la communauté que celles qui sont mobilières.

1412 — Les dettes d'une succession purement immobilière (2) qui écheoit à l'un des époux *pendant* (3) le mariage, ne sont point à la charge de la communauté, sauf le droit qu'ont les créanciers de poursuivre leur payement sur les immeubles de ladite succession.

· Néanmoins, si la succession est échue au mari, les créanciers de la succession peuvent poursuivre leur payement soit sur tous les biens propres au mari, soit même sur ceux de la communauté, sauf, dans ce second cas, la récompense due à *la femme ou à ses héritiers* (4).

= La communauté ne recueillant pas les immeubles, ne doit pas

---

(1) La femme ne peut donc renoncer au préjudice de la communauté.
(2) L'article 1412 ne sera que rarement applicable, car il y a bien peu de successions qui ne comprennent pas un seul meuble,
(3) Il en est de même, *à fortiori*, si la succession est échue *avant* le mariage.
(4) Mauvaise rédaction ; la récompense est due à la communauté.

être tenue du capital des dettes qui grèvent une succession purement immobilière, ces dettes fussent-elles mobilières : les époux devront, lors du partage, indemniser la communauté des sommes qu'elle aura payées en leur acquit.

Néanmoins, les intérêts et arrérages de ces dettes sont, jusqu'au payement, à la charge de la communauté; car ils se compensent avec les fruits des immeubles, lesquels tombent dans la communauté.

Mais contre qui les créanciers de la succession agiront-ils? On distingue :

Si la succession est échue au mari, ils poursuivront leur payement, même sur les biens de la communauté (1); sauf à lui, lors du partage, à tenir compte à la communauté des sommes qu'elle aura fournies.

Si la succession est échue à la femme (*Voy.* 1413).

1415 — Si la succession purement immobilière est échue à la femme, et que celle-ci l'ait acceptée du consentement de son mari, les créanciers de la succession peuvent poursuivre leur payement sur tous les biens personnels de la femme ; mais si la succession n'a été acceptée par la femme que comme autorisée en justice au refus du mari, les créanciers, en cas d'insuffisance des immeubles de la succession, ne peuvent se pourvoir que sur la nue propriété des autres biens personnels de la femme.

= Ainsi, la loi distingue : si la femme a été autorisée par son mari, les créanciers peuvent poursuivre leur payement, non-seulement sur les biens de la succession, mais encore sur les biens personnels de leur débitrice, sans être tenus de réserver au mari la jouissance de ces derniers biens; car, en donnant son autorisation, il a renoncé à cette jouissance, il a relevé la femme de l'état d'incapacité où elle s'était placée en se mariant (2).

Mais la loi refuse aux créanciers, nonobstant l'autorisation du mari, le droit de se faire payer sur les autres biens de la communauté, quoiqu'elle leur accorde formellement ce droit (1416) lorsque la succession est en partie mobilière et en partie immobilière (3) : l'art. 1413 contient, sous ce rapport, une exception à la règle de l'art. 1419 (4).

---

(1) En sorte que les créanciers se trouveront avoir trois débiteurs : la succession, le mari et la communauté.

(2) Si la femme avait accepté antérieurement à son mariage, les créanciers de la succession auraient la faculté de poursuivre leur payement contre la communauté, sauf ensuite récompense lors de la dissolution.

(3) Suivant Toullier, n. 282 et 283, lorsque la femme a accepté cette succession avec le consentement de son mari, les créanciers peuvent poursuivre leur payement sur les biens de la communauté et par voie de conséquence, sur les biens personnels du mari, sauf récompense (Arg. de l'art. 1419).—Cet auteur rejette, dans l'espèce, l'application de la maxime *qui auctor est non se obligat.* — Il ajoute, que cette maxime n'est vraie qu'à l'égard des tuteurs qui autorisent le mineur à traiter. ⁓⁓⁓ On oppose à ces raisons le texte formel de l'art. 1413 : la loi entend accorder moins de force à l'engagement résultant d'un quasi-contrat, qu'à celui qui naît d'un contrat véritable.—La charge dont il s'agit ne peut d'ailleurs être supposée avoir son principe dans l'intérêt commun (Dur., n. 235 et 236 ; Delv., p. 16, n. 1 ; Bellot, p. 279 et 302, D., t. 10. p. 203, n. 29).

(4) Quelques personnes considèrent la disposition de l'article 1413 comme une conséquence du principe général que nous avons exposé en note p. 39. Suivant elles, l'article 1419 suppose que le mari doit profiter de l'opération faite par la femme ; l'article 1413 suppose, au contraire, qu'il ne doit pas en profiter. Dans le cas prévu par ce dernier article, la présomption d'un avantage pour la communauté, la présomption *de in rem verso* est impossible. — Les mêmes considérations auraient dicté les dispositions des articles 1431 et 1432.

Si l'acceptation a eu lieu avec autorisation de justice, les créanciers n'ont pour gage que la nue propriété des biens personnels de la femme.

La loi n'impose pas au mari l'obligation de faire inventaire, puisque la succession n'est composée que d'immeubles; la confusion des biens de la succession avec ceux de la communauté est impossible; les créanciers ne peuvent être fraudés. Il en serait autrement, dans le cas prévu par l'art. 1414.

Que peut faire le mari, lorsque la femme refuse d'accepter une succession immobilière à elle échue? Si la femme a des cohéritiers, il peut demander un partage provisionnel (818); si elle est seule héritière, il peut accepter, afin de recueillir les fruits auxquels il a droit: les créanciers n'ont alors d'action que contre lui; la femme, en refusant son concours, s'est mise à l'abri de leurs poursuites.

— Faut-il conclure de ces mots: en cas d'*insuffisance*, que les créanciers doivent faire vendre les immeubles de la succession, avant d'exercer un recours sur les biens personnels de la femme? ››› N. Argt. de l'art. 2092. — Pour déroger à ce principe, il faudrait une disposition plus précise. — Ce droit est pour eux facultatif.

1414 — Lorsque la succession échue à l'un des époux est en partie mobilière et en partie immobilière, les dettes dont elle est grevée ne sont à la charge de la communauté que jusqu'à concurrence de la portion contributoire du mobilier dans les dettes, eu égard à la valeur de ce mobilier comparée à celle des immeubles.

Cette portion contributoire se règle d'après l'inventaire auquel le mari doit faire procéder, soit de son chef, si la succession le concerne personnellement, soit comme dirigeant et autorisant les actions de sa femme, s'il s'agit d'une succession à elle échue.

= Nous verrons, art. 1416, comment les créanciers peuvent agir, lorsque la succession est en partie mobilière et en partie immobilière: la disposition qui nous occupe et celle qui suit, règlent seulement les droits des époux entre eux.

La communauté n'est tenue des dettes qui grèvent ces sortes de successions, qu'en proportion de l'importance du mobilier qu'elle recueille, comparée à celle des immeubles: si le mobilier, par ex., forme le tiers ou le quart des biens, elle doit supporter le tiers ou le quart des dettes; cette disposition est en rapport avec celle de l'article 1698 (1).

On n'examine pas si telle ou telle dette est relative à un immeuble de la succession: cette distinction n'a lieu que par rapport aux dettes dont les époux sont tenus lors du mariage, ou par rapport à celles qu'ils ont contractées depuis. Nous voyons, en effet, que l'art. 1414 ne fait pas de restrictions comme l'article 1409, pour les dettes relatives aux immeubles; il établit uniquement une contribution, sans parler de l'origine ni de la cause des dettes.

(1) Pourquoi les dettes de la succession ne sont-elles pas mises pour le tout à la charge de la communauté, comme celles dont les époux sont tenus au jour de la célébration du mariage? parce qu'en matière de biens présents, les époux, qui peuvent tout prévoir, sont à même de modifier les régles de la communauté légale, si ces regles ne leur conviennent pas; tandis que leur prévoyance ne peut s'étendre aux biens futurs; le législateur a dû, en ce cas, se baser sur l'équité.

Pour établir cette contribution, comme aussi pour empêcher la confusion du mobilier de la succession avec celui de la communauté, il importe de faire un inventaire ; c'est le mari, en qualité d'administrateur, qui doit accomplir cette formalité.

— S'il y a dans la succession des immeubles dont la propriété n'appartenait pas incommutablement au défunt, ou qui sont détenus par des tiers, ces immeubles doivent-ils être compris dans la masse pour régler définitivement la portion contributoire aux dettes ? ⟨⟨⟨ N. Les époux feront un règlement provisoire et conditionnel, à moins qu'ils ne préfèrent traiter comme à forfait par un règlement définitif (Dur.', n. 242).

1415 — A défaut d'inventaire, et dans tous les cas où ce défaut préjudicie à la femme, elle ou ses héritiers peuvent, lors de la dissolution de la communauté, poursuivre les récompenses de droit, et même faire preuve, tant par titres et papiers domestiques que par témoins, et au besoin par la commune renommée, de la consistance et valeur du mobilier non inventorié.

Le mari n'est jamais recevable à faire cette preuve.

= Le défaut d'inventaire peut préjudicier à la femme, non-seulement lorsque la succession lui est échue, mais encore lorsqu'elle est échue à son mari.

Lorsqu'elle lui est échue : par ex., le mobilier composait les trois quarts de la succession ; le mari prétend qu'il n'excédait pas la moitié, et que la communauté ne doit, en conséquence, contribuer aux dettes que pour cette portion ; — *lorsqu'elle est échue au mari* : par ex., dans l'hypothèse inverse, la femme prétend que la succession échue au mari se composait pour moitié d'objets mobiliers ; le mari soutient que le mobilier était de plus de moitié.

La femme est admise à suppléer à l'inventaire, en prouvant, tant par titres et papiers domestiques, que par témoins, et au besoin par commune renommée, la consistance et valeur du mobilier non inventorié ; — *par titres*, en représentant des obligations, des quittances ou des baux, qui établissent le versement des sommes dans la communauté ; — *par papiers domestiques*, tels que des registres ou papiers du défunt qui déterminent la valeur du mobilier ; — *par témoins*, et enfin *par commune renommée* : quelle différence y a-t-il entre ces deux genres de preuves ? Dans la première, les témoins affirment avoir vu ; dans la deuxième, ils déclarent avoir entendu dire.

Nous pensons que la faculté accordée à la femme, pour le cas de succession, doit s'étendre à tous les cas où le défaut d'inventaire peut lui préjudicier (Comp. 1499 et 1504 C. c. ; 546, Code de comm.).

Quid à l'égard du mari ? Bien qu'il n'ait pas été dressé d'inventaire, on doit l'admettre, suivant nous, à réclamer une indemnité, s'il a payé, avec les deniers de la communauté, les dettes d'une succession mobilière et immobilière échue à la femme : mais il ne peut prouver la valeur des meubles non inventoriés, comparée à celle des immeubles, que d'après les règles ordinaires (*voy.* 1341, 1347 et 1348) ; tandis que la femme est admise à la preuve même par commune renommée.

Si donc la consistance et valeur du mobilier de la succession étaient clairement établies par un acte authentique, par ex., par un acte de partage, cet acte pourrait tenir lieu d'inventaire (Arg. des art. 1499 et 1504) (Dur., n. 239).

Lorsque le mari a négligé de constater l'état et la valeur des immeubles, il est censé les avoir reçus en bon état ; mais on ne pourrait induire de cette négligence aucune acceptation.

Du reste, les principes exposés dans les articles 1411-1416, ne font point obstacle à ce que les époux communs en biens acceptent sous bénéfice d'inventaire les successions qui s'ouvrent à leur profit.

— Les héritiers du mari sont-ils, comme leur auteur, privés du droit de prouver par commune renommée la consistance et la valeur du mobilier non inventorié ? ⁓ A. Toutefois, s'ils prétendent que le défaut d'inventaire a eu pour but d'avantager indirectement la femme, on doit les admettre à prouver cette fraude par tous les moyens possibles (1099 et 1353) (Val.).

1416—Les dispositions de l'article 1414 ne font point obstacle à ce que les créanciers d'une succession en partie mobilière et en partie immobilière poursuivent leur payement sur les biens de la communauté, soit que la succession soit échue au mari, soit qu'elle soit échue à la femme, lorsque celle-ci l'a acceptée du consentement de son mari, le tout sauf les récompenses respectives.

Il en est de même si la succession n'a été acceptée par la femme que comme autorisée en justice, et que néanmoins le mobilier en ait été confondu dans celui de la communauté sans un inventaire préalable.

= Lorsqu'une succession est en partie mobilière et en partie immobilière, on distingue : si cette succession est échue au mari, le payement des dettes qui la grèvent peut être poursuivi même sur les biens de la communauté ; car en s'obligeant, il oblige la communauté. — Si elle est échue à la femme, faut-il appliquer ce que la loi établit art. 1413, pour le cas où la succession est purement immobilière, et limiter les poursuites des créanciers à la pleine propriété des biens personnels de la femme ? Lorsque la femme a obtenu, pour accepter, l'autorisation de son mari, les créanciers de la succession ont des droits plus étendus ; ils peuvent, aux termes de notre article, poursuivre leur payement même sur les biens de la communauté, sauf ensuite les récompenses respectives, conformément à l'art. 1414. Pourquoi cette différence ? Dans le cas de l'art. 1413, on affranchit la communauté de toutes poursuites, parce qu'elle ne recueille rien : mais, dans le cas de l'article 1416, elle est chargée nécessairement d'une partie des dettes ; or, les créanciers peuvent ne pas connaître cette quotité. D'ailleurs, comme la communauté absorbe en ce cas la partie des biens susceptible d'être le plus facilement convertie en argent, il était équitable de lui imposer la charge de faire l'avance de la somme nécessaire pour acquitter les dettes. Ajoutons, que les créanciers n'étant pas admis comme parties à l'inventaire, il eût été injuste de faire servir cet acte au règlement de leurs droits.

Lors même que la femme aurait accepté avec autorisation de justice, si le mari a négligé de faire inventaire (1417), les créanciers jouissent du droit de le poursuivre sur les biens de la communauté, et par conséquent sur ses biens personnels ; il doit s'imputer de ne pas avoir accompli la seule formalité légale qui pouvait empêcher la confusion du mobilier de la succession avec celui de la communauté.

Nous ne parlons ici que de l'action des créanciers : les époux, au moment du partage de la communauté, règlent ensuite leurs droits respectifs. Il est clair que l'époux héritier doit, dans l'espèce, tenir compte à la communauté, de la somme dont il était tenu dans la dette, eu égard à l'importance des immeubles qu'il a recueillis (1414).

1417 — Si la succession n'a été acceptée par la femme que comme autorisée en justice au refus du mari, et s'il y a eu inventaire, les créanciers ne peuvent poursuivre leur payement que sur les biens tant mobiliers qu'immobiliers de ladite succession, et, en cas d'insuffisance, sur la nue propriété des autres biens personnels de la femme.

1418 — Les règles établies par les articles 1411 et suivants régissent les dettes dépendantes d'une donation, comme celles résultant d'une succession.

= Le mot *donation*, comprend ici les legs à titre universel (1009-1012) ainsi que les institutions contractuelles.

1419 — Les créanciers peuvent poursuivre le payement des dettes que la femme a contractées avec le consentement du mari, tant sur tous les biens de la communauté, que sur ceux du mari ou de la femme, sauf la récompense due à la communauté, ou l'indemnité due au mari.

= Le payement des dettes contractées par la femme, avec l'autorisation du mari, peut être poursuivi contre la communauté, que ces dettes aient eu pour cause l'intérêt commun ou l'intérêt personnel de la femme : les articles 1409 n° 2 et 1419 ne distinguent pas. Le législateur, par cette disposition, s'est proposé un double but : il a voulu prévenir la fraude que le mari aurait pu commettre, en engageant sa femme à contracter dans un intérêt qui serait celui de la communauté, évitant ainsi de s'obliger personnellement; et en outre, empêcher les créanciers de porter un regard curieux dans les arrangements des époux (1).

Déjà nous avons vu que le mari est tenu personnellement, toutes les fois que la communauté est obligée; la loi décide, en conséquence, que les créanciers peuvent le poursuivre pour le tout, même sur ses biens personnels; sans préjudice du droit qu'ils ont d'agir contre la femme comme si elle était obligée solidairement; car elle a contracté en son nom toute la dette.

Lorsque le mari s'est vu forcé, par suite de l'action dirigée contre lui, d'acquitter une dette personnelle à la femme (ce que suppose notre article), la femme doit tenir compte de la somme payée pour elle, soit

(1) Lorsque l'opération est uniquement relative à la femme, quelques personnes pensent que le mari ne s'oblige pas en se bornant à donner son autorisation; car le double danger dont nous parlons ne peut s'élever : tel serait le cas où la femme, après avoir causé du tort à quelqu'un, par suite d'un délit ou d'un quasi-délit, promettrait, à titre de transaction et avec la simple autorisation du mari, une somme à la partie lésée. Tel serait encore celui où le mari, sans se soumettre à la garantie, autoriserait la femme à vendre (1432), à traiter avec un architecte pour la construction d'une maison, etc. *Voyez* en outre le cas prévu par l'art. 1413 : l'art. 1419 parle *de eo quod plerumque fit.*

à la communauté, si c'est la communauté qui a fait l'avance des fonds; soit au mari, si c'est lui qui a payé sur ses propres.

Lorsque le mari et la femme se sont obligés conjointement, la femme ne peut être poursuivie que pour la moitié de la dette, par application de l'article 1202 : il suit de là, que les créanciers sont placés dans une position plus avantageuse lorsque la femme s'oblige simplement avec l'autorisation de son mari que lorsqu'elle s'oblige avec son mari conjointement, car dans le premier cas, les deux époux sont tenus personnellement pour la totalité de la dette ; tandis que dans le deuxième, la femme n'est personnellement obligée que pour moitié (1419).

Le principe que l'autorisation du mari engage la communauté, souffre exception, lorsqu'il s'agit d'une autorisation donnée, soit pour aliéner des biens propres de la femme, soit pour accepter une succession immobilière qui lui est échue (1413) : la communauté n'est tenue, dans ces cas, ni de l'obligation de garantie contractée par la femme, ni des dettes qui grèvent la succession : la présomption sur laquelle est fondée la disposition de l'article 1419, ne s'applique point aux actes dont nous parlons ; l'autorisation a pour seul effet de permettre à l'acquéreur ou aux créanciers de poursuivre leurs droits, durant la communauté, sur la pleine propriété des biens de la femme.

1420 — Toute dette qui n'est contractée par la femme qu'en vertu de la procuration générale ou spéciale du mari, est à la charge de la communauté, et le créancier n'en peut poursuivre le payement ni contre la femme ni sur ses biens personnels (1).

== La femme ne peut être engagée personnellement, qu'autant qu'elle contracte en son propre nom : or, elle agit comme mandataire du mari, et par conséquent de la communauté lorsqu'elle achète les provisions du ménage. S'il est dû quelque chose pour cette cause lors de la dissolution de la communauté, les fournisseurs n'ont donc pas d'action personnelle contre elle, mais seulement contre le mari (1998), à moins qu'elle n'ait accepté la communauté ; auquel cas, elle supporte la moitié des dettes.

Le mari ne serait pas tenu des dettes dont il s'agit, dans le cas où, sans être séparé de corps, il ne vivrait pas avec sa femme (Toullier, n. 272).

La femme ne contracte pas d'obligation personnelle, lorsqu'elle est dans l'habitude de signer pour son mari des effets de commerce, des quittances, des règlements de comptes. — Mais elle est, comme son mari, personnellement obligée, lorsqu'elle agit comme marchande publique (220, 1426 C. c. ; 5 Code de comm.).

La femme qui contracte en vertu de la procuration de son mari, est-elle tenue envers lui comme le serait un mandataire ordinaire ? Rendre la femme responsable des fautes qu'elle commettrait comme fondée de pouvoirs, ce serait laisser au mari la faculté de se décharger des obligations que lui impose sa qualité d'administrateur. — Il faut cependant excepter le cas où la femme aurait commis quelque délit à l'occasion des objets dont l'administration lui aurait été confiée ; par ex., en les retenant frauduleu-

(1) Article inutile . quand la femme agit comme mandataire, il est évident qu'elle ne contracte point pour elle-même.

sement; il n'est pas douteux qu'elle devrait en ce cas indemniser son mari, car elle est responsable des conséquences de son dol (*Val.*).

— *Quid* si le créancier peut prouver que c'est la femme qui a profité de la dette? ∿∿ Il peut la poursuivre ; il aurait même ce droit, d'après l'article 1166, comme créancier de la communauté.
Suivant l'art. 7 du Code de comm., les femmes, marchandes publiques, peuvent engager, hypothequer et même aliéner leurs immeubles pour le fait de leur commerce, sans avoir besoin pour cela d'être autorisées par leur mari : mais qu'arrivera-t-il si la somme payée est employée à un autre usage ? ∿∿ La présomption est en faveur de l'acheteur : sauf ensuite au mari à prouver que la vente n'a pas eu pour objet le commerce de la femme, et que l'acheteur n'était pas de bonne foi. Le juge est appreciateur des circonstances (Dur., n. 284 ; voyez cep. Toullier, n. 252).

SECTION II.

De l'administration de la communauté, et de l'effet des actes de l'un ou de l'autre époux relativement à la société conjugale.

Dans cette section, la loi détermine l'étendue des pouvoirs du mari sur les biens de la communauté (1421 à 1425), et sur les propres de la femme (1428 à 1430), elle fixe la position de la femme (1426 à 1427), trace des règles sur les récompenses (1431 à 1437), et s'occupe de la constitution de dot (1438 à 1440).

La communauté, *dans ses rapports avec les époux*, est un être moral, une tierce personne qui a ses intérêts particuliers (Dur., n. 96 et 271 ; Bellot, 511 (1).

Le mari est de plein droit chef et administrateur de la communauté : en se plaçant sous sa protection sans passer de contrat, la femme lui confère tacitement le mandat de faire prospérer les affaires communes; elle est censée confirmer tous les pouvoirs que lui attribue la loi.

On n'assimile point le mari à un administrateur ordinaire ; car il peut aliéner et hypothéquer (1421) les biens de la communauté : il ne doit aucune indemnité à la femme lorsqu'il dissipe ou laisse périr ces biens ; il jouit même du droit de donner entre-vifs des *effets mobiliers*, mais seulement à *titre particulier* et sous la condition *qu'il ne s'en réservera pas l'usufruit* (2).

Mais il dépasserait les limites de son mandat, s'il disposait à titre gratuit, sans le consentement de sa femme, d'une *quotité* du mobilier ou d'un immeuble de la communauté; la loi ne lui accorde ce droit que lorsqu'il s'agit de l'établissement des enfants communs (1422).

Du reste, rien ne s'opposerait à ce qu'il donnât par testament tout ou partie

(1) Suivant Toullier, n. 75 à 89, la femme n'est point associée durant le mariage : *non est proprie socia, sed speratur fore;* le mari est maître absolu des biens de ce qu'on appelle *communauté* : la communauté ne commence qu'à la dissolution du mariage.
(2) Les coutumes de Paris (art. 225) et d'Orléans (art. 193) déclaraient le mari seigneur et maître de la communauté et lui reconnaissaient, en conséquence, le droit de disposer des biens à titre gratuit, pourvu que ce fût sans fraude : elles ne le soumettaient même à aucune récompense lorsqu'il avait acquitté, avec les deniers de la communauté, des dettes résultant des délits ou des quasi-délits qu'il avait commis.—Pothier (n. 468) n'accordait pas au mari des droits aussi étendus : suivant cet auteur, les donations frauduleuses pour la femme, ainsi que les actes qui avaient pour résultat d'avantager le mari, devaient être privés d'effet; ainsi, le mari n'était pas, suivant lui, seigneur absolu, la communauté considérée comme être moral existait plutôt *in habitu* que *in actu.*—Le Code restreint davantage encore les droits du mari : l'art. 1421 le déclare *administrateur*. Cependant, il faut reconnaître qu'il conserve quelques-uns des anciens pouvoirs que lui attribuait sa qualité de seigneur et maître : en effet, en s'obligeant ou en accordant à sa femme l'autorisation de s'obliger, il oblige en général la communauté ; il peut encore disposer à titre gratuit et particulier des effets mobiliers de la communauté ; enfin, la communauté est tenue d'acquitter les amendes qu'il a encourues et de payer les dettes qui grèvent les successions, même immobilières, qu'il a acceptées, sauf récompense à la vérité, lors de la dissolution (1412-1424). Voyez art. 1399, note.

de la part qu'il est appelé à prendre dans la communauté ; car cet acte de dernière volonté ne recevra d'exécution qu'à une époque où la société conjugale aura cessé d'exister.

Le mari, avons-nous dit, est chargé d'administrer dans l'intérêt commun : tous les actes qu'il fait, sont même censés tendre à ce but ; il est toujours présumé agir comme administrateur : aussi, accorde-t-on à ses créanciers personnels, la faculté de poursuivre sur les biens de la communauté le payement de ce qui leur est dû (1412, 1419). Réciproquement à raison de ce que les biens communs se trouvent confondus avec ceux du mari, nous verrons que la loi accorde aux créanciers de la communauté le droit de poursuivre leur payement sur les biens de ce dernier; sous ce rapport, le mari est entièrement assimilé à un associé en nom collectif.

Si le mari a encouru des amendes pendant le mariage, la communauté peut être forcée de les acquitter : mais alors, au moment de la dissolution, elle doit être indemnisée; car perdre par des délits, ce n'est point administrer (1424).

Si le crime était de nature à emporter mort civile, comme les condamnations pécuniaires ne pourraient être poursuivies qu'après la dissolution de la communauté, elles ne s'exécuteraient que sur la part du mari et sur ses biens personnels (1425).

Au nombre des biens qui composent l'actif de la communauté, se trouvent, comme nous l'avons vu, art. 1401, les fruits produits par les biens personnels des époux; aussi, l'administration des propres de la femme est-elle confiée au mari : mais ses pouvoirs sont renfermés, à cet égard, dans les bornes d'une simple administration : il ne peut ni aliéner ni hypothéquer ; son mandat est limité à la perception des fruits (sous la condition d'acquitter toutes les charges usufructuaires), et à l'exercice des actions mobilières et possessoires; il est soumis, en ce qui concerne les biens dont il s'agit, aux obligations qui pèsent sur tout administrateur de la fortune d'autrui. Il répond de leur perte ou de leur dépérissement lorsqu'il a négligé d'apporter des soins convenables à leur conservation, notamment de la perte résultant de l'accomplissement d'une prescription dont il aurait négligé d'interrompre le cours.

Puisque le mari administre, puisqu'il a le droit de jouir, il doit avoir celui de louer et d'affermer : mais afin qu'il ne puisse lier indéfiniment la femme ou ses héritiers après la dissolution de la communauté, la loi le soumet, pour la durée des baux qu'il peut consentir, aux règles établies par les articles 481 et 565 : ainsi, les baux qu'il a passés pour un temps excédant neuf années, ne sont obligatoires que pour la période de neuf ans commencée au moment de la dissolution (1429). — Lorsque les baux ont été renouvelés avant leur expiration, ils sont obligatoires pour la femme, pourvu que ce renouvellement ait eu lieu dans les deux années qui ont précédé l'expiration du bail courant, quand il s'agit de maisons ; et dans les trois ans, quand il s'agit de biens ruraux (1430).

A l'égard de la femme, la soumission au régime de la communauté lui fait perdre, ainsi que nous venons de le dire, l'administration de ses biens personnels (1424). Comme elle n'a reçu, au moment du mariage, aucun mandat légal ; comme ses biens propres ne sont pas confondus avec les biens communs, le payement des dettes qu'elle a contractées pendant le mariage sans l'autorisation (1) de son mari (1419), ne peut être poursuivi

_____

(1) Ainsi, *en règle générale*, lorsque cette autorisation est intervenue, la communauté est engagée, et la présomption que l'opération a été contractée dans son intérêt, reprend toute sa force. — Nous di-

que sur la nue propriété de ses propres ; la loi ne fait pas même exception pour les amendes qu'elle a encourues. — L'autorisation de justice ne suppléerait pas à celle du mari : cette autorisation relève la femme de son incapacité, mais elle ne lui confère pas le pouvoir d'engager la communauté, si ce n'est dans deux cas : 1° lorsqu'il s'agit de tirer le mari de prison ; 2° lorsqu'il s'agit de l'établissement des enfants communs (1427).

Après avoir déterminé les droits du mari et la position de la femme, il nous reste à parler des récompenses dont les époux peuvent être tenus envers la communauté, et de celles dont la communauté peut être tenue envers eux.

La loi prohibe tout avantage indirect entre époux : libre à eux, assurément, de se faire des donations ; mais ils doivent disposer de manière à lever toute espèce de doute sur leur volonté ; car ces rapports mutuels d'affection et de dépendance, cette confiance réciproque qui règne dans le ménage, amènent souvent les associés à recevoir, ou à s'engager les uns pour les autres ; en sorte qu'il est difficile de reconnaître si l'acte renferme une libéralité, ou s'il ne renferme qu'une simple avance ; d'ailleurs, il importe de prémunir les époux contre leur propre faiblesse. Ajoutons, qu'on a dû veiller au maintien de la règle qui soumet les donations de biens à venir à la condition de survie du donataire (1093).

De là, le principe des récompenses ou indemnités :

Sur ce point, nous établirons les règles suivantes : toutes les fois que la communauté s'est enrichie aux dépens de l'un des époux, ou l'un des époux aux dépens de la communauté, il est dû récompense (1437).

Or, les époux s'enrichissent, lorsqu'ils tirent de la communauté une somme, soit pour se libérer d'une dette dont ils étaient personnellement tenus ; soit pour payer tout ou partie du prix d'un immeuble propre ; soit pour le recouvrement, la conservation ou l'amélioration de leurs biens personnels ; soit même pour faire une spéculation (1437). — Dans ces divers cas, la récompense est toujours du montant de la somme prêtée. — Lorsque les avances ont servi à des impenses voluptuaires, la récompense se réduit à la mesure du profit retiré.

Réciproquement lorsque la communauté s'est enrichie aux dépens de l'un des époux, cet époux doit être indemnisé (1433). La récompense se règle d'après les mêmes principes (1).

La récompense suppose qu'il y a dette : or, la communauté cesse d'être débitrice, lorsqu'un bien propre ayant été vendu, le remploi du prix a eu lieu.

Mais comme le mari est toujours présumé agir dans l'intérêt de la communauté, des conditions sont requises pour que les acquisitions soient censées faites en remploi : si l'immeuble vendu appartenait au mari, il suffit qu'il y ait, dans l'acte d'acquisition, une déclaration de l'origine des

sons *en règle générale*, parce que la loi établit, suivant nous, des exceptions dans les art. 1413, 1432 et 1438. Toutefois, quelques personnes pensent que la règle est absolue ; elles considèrent les art. 1413, 1432 et 1438 comme des conséquences d'une autre règle qu'elles formulent ainsi : toutes les fois que l'acte de la femme, autorisée de son mari, emporte, par sa nature propre, l'idée que cet acte ne profite pas et qu'il n'a pu profiter à la communauté, la femme est seule obligée : or, comme les opérations dont il est question dans les art. 1413, 1432 et 1438 ne sont pas évidemment pour le compte de la communauté et ne peuvent tourner à son avantage, il est clair qu'elles ne sauraient l'engager (*Val.*).

(1) Cette doctrine n'est point admise par tous les auteurs (voy. art. 1437, note). L'un d'eux établit la distinction suivante : si l'époux enrichi a agi pour son propre compte en empruntant des deniers dans la communauté, l'indemnité doit être de toute la somme fournie. Si c'est au contraire la communauté qui a fait l'opération par le ministère de son chef, l'indemnité doit se réduire à la mesure du profit que ce dernier a retiré. Cet auteur ne trace aucune règle pour reconnaître les cas où les époux sont censés avoir agi pour leur propre compte.

deniers, jointe à l'expression d'une intention formelle (1434). — S'il appartenait à la femme, il faut de plus qu'elle accepte le remploi (1435).

Comment s'exercent les récompenses dues par la communauté aux époux? Aux termes de l'art. 1436, la femme peut, en cas d'insuffisance des biens communs, recourir sur les biens personnels du mari : le mari, au contraire, est privé de ce recours sur les biens personnels de la femme.

Quid lorsqu'il s'agit d'engagements personnels contractés par les époux? La femme, qui s'est obligée avec son mari, même solidairement, pour les affaires de la communauté, et *à fortiori* pour les affaires du mari, est présumée, vis-à-vis de celui-ci, ne s'être engagée que comme caution, et avoir seulement voulu présenter aux créanciers une sûreté de plus (1438, 1494).

Quant au mari, il ne peut être réputé caution, qu'autant qu'il s'est obligé pour les affaires personnelles de la femme; ce que la loi présume avec raison, lorsqu'il garantit solidairement ou autrement la vente faite par celle-ci de l'un de ses propres (1432). Mais il n'est point obligé personnellement, quand il s'est borné, dans cette hypothèse, à donner une simple autorisation, car les tiers acquéreurs n'ont alors eu en vue que la translation de propriété; par conséquent ils n'ont pu considérer l'intervention du mari à l'acte que comme une simple forme, à l'effet de valider l'engagement de la femme.

Il nous reste à parler de la constitution de dot : un époux est censé avoir tiré un profit personnel des biens de la communauté, toutes les fois qu'il a doté avec ces biens un enfant de son premier lit. — Si les époux ont doté conjointement des enfants communs, la dette existe alors pour l'un et pour l'autre; en conséquence, ils sont réputés s'être obligés personnellement chacun pour moitié, sauf manifestation d'une volonté contraire (1438). — Si la dot a été constituée par le mari seul, en effets de la communauté, la femme en supporte nécessairement la moitié, lorsqu'elle accepte la communauté, à moins que le mari n'ait expressément déclaré qu'il s'en chargeait pour le tout, ou pour une portion plus forte que la moitié (1439).

Comme la dot est destinée à subvenir aux charges du ménage, le constituant est soumis à la garantie; de plus, en cas de retard dans le payement, il doit de plein droit les intérêts à partir du mariage (1440).

Pour contre-balancer les pouvoirs exorbitants du mari, la femme, au moment de la dissolution, jouit du droit d'accepter ou de répudier la communauté : si elle accepte, on la considère comme ayant été commune, à partir du jour de la célébration ; si elle renonce, elle est censée n'avoir jamais eu cette qualité. — La femme a par conséquent des droits sur les biens de la communauté ; elle est associée sous une condition résolutoire. Sa position est semblable à celle d'un associé en commandite, car elle ne court que le risque de sa mise : il en est ainsi, même quand elle accepte la communauté, pourvu qu'elle ait eu la précaution de faire inventaire (1453 et suiv.). — Telle est la faveur qui lui est accordée, qu'elle peut se réserver la reprise de ses apports, en cas de renonciation à la communauté (*Voy.* 1514).

1421 — Le mari administre seul les biens de la communauté.

Il peut les vendre, aliéner et hypothéquer sans le concours de la femme.

⟫ Le mari administre les biens de la communauté; ses pouvoirs ne sont pas bornés à de simples actes d'administration : il peut aliéner les biens communs et les grever de droits réels, sans avoir de compte à rendre de sa gestion ; la loi réserve seulement à la femme le droit de renoncer à la communauté (1483).

— Si le mari vend un acquêt de la communauté, l'hypothèque légale de la femme subsiste-t-elle sur la part de cet acquêt qui revient au mari ? ∿∿ La femme ne peut avoir un droit de suite, puisqu'elle est censée avoir donné mandat d'aliéner cet immeuble (*Val.*).

Quid, lorsque le mari a aliéné un de ses propres ? ∿∿ L'hypothèque subsiste, car la femme n'est pas censée avoir donné à son mari mandat pour cette aliénation ; le mari n'a disposé que de ce qui lui appartenait (*Val.*).

Peut-il être convenu que le mari ne pourra vendre les immeubles de la communauté sans le consentement de la femme ? ∿∿ A. Cette convention n'est contraire ni aux mœurs ni aux dispositions prohibitives de l'art. 1388 (Dur., n. 266 et 269 ; Toullier, n. 309). ∿∿ N. Arg. de l'art. 1388.—Inconvénients qui en résulteraient pour les tiers (D., t. 10, p. 206, n. 4).

La prohibition d'aliéner sans le concours de la femme, emporte-t-elle celle d'hypothéquer ? ∿∿ N. L'hypothèque n'est point une aliénation, mais une simple sûreté. — Par une telle convention, le mari ne s'interdit pas le pouvoir d'emprunter : or, s'il ne paye pas la dette, le créancier peut obtenir jugement et prendre hypothèque, ce qui conduit au même résultat que si le mari avait hypothéqué lui-même (Dur., n. 269).

1422 —Il ne peut disposer entre-vifs à titre gratuit des immeubles de la communauté, ni de l'universalité ou d'une quotité du mobilier, si ce n'est pour l'établissement des enfants communs.

Il peut néanmoins disposer des effets mobiliers à titre gratuit et particulier, au profit de toutes personnes, pourvu qu'il ne s'en réserve pas l'usufruit (1).

= Le mari peut disposer librement, à titre onéreux, des biens de la communauté, car il reçoit alors quelque chose en échange : la chance de gagner balance la chance de perdre.

Mais on lui refuse, dans l'intérêt de la femme, le droit de disposer à titre gratuit, des immeubles ou d'une quotité du mobilier ; car donner ce n'est pas *administrer*, c'est *perdre*. — Toutefois, cette règle souffre exception, lorsqu'il s'agit d'établir les enfants communs ; le mari est alors censé agir avec l'assentiment de la mère : doter est un devoir paternel.

On entend ici par *établissement*, un établissement par mariage ou autrement (204) : le mari, par exemple, pourrait donner seul un immeuble à l'un des enfants communs, pour mettre cet enfant à même d'exercer une industrie.

(1) Cette distinction faite entre les meubles et les immeubles est une innovation assez malheureuse du Code ; aujourd'hui le mari peut donner 100,000 francs de rentes sur l'Etat, un diamant d'une valeur considérable, ou même;vendre un immeuble et faire ensuite donation du prix, sans que la femme ait le droit de s'y opposer : les coutumes lui refusaient d'une manière absolue, la faculté de disposer a titre gratuit des biens de la communauté ; il est à présumer que les rédacteurs ont mal exprimé leur pensée, et qu'ils n'ont eu en vue que ces cadeaux d'usage, d'une faible importance, dont il est parlé dans l'art. 1083 et autres.

Nous pensons que les tribunaux annuleraient comme frauduleuse pour la femme, la disposition par laquelle le mari se constituerait débiteur d'une somme et donnerait, pour se libérer, un immeuble en payement ; ils verraient, dans ce fait, un moyen employé par le mari pour éluder la prohibition de l'art. 1422.

Observons ici, qu'il est difficile de se faire l'idée d'une donation à titre universel du mobilier : en effet, la loi exige, pour la validité des donations d'objets mobiliers, qu'un état estimatif des objets donnés soit dressé ; or, s'il y a un état, la donation sera composée non d'une universalité ; mais d'une serie d'objets particuliers : D'un autre côté, comment dresser inventaire d'une partie de l'universalité des meubles ? Ne peut-il pas arriver que le disposant ne connaisse pas tous les meubles dont il est propriétaire ; ce qui arrive, lorsqu'une succession qu'il n'a pas encore acceptée lui est échue ? suivant nous, la disposition de l'art. 1422 a pour unique objet d'autoriser une recherche de fait, et de déclarer que si des meubles ont été successivement donnés, ces donations séparées peuvent être annulées lorsque leur ensemble embrasse une quotité du mobilier : c'est ainsi que devait nécessairement l'entendre Pothier, lorsqu'il déclarait que la donation en cas d'excès devait être considérée comme frauduleuse, comme nuisible à la femme.

A l'égard de *toutes personnes* autres que les enfants communs, il ne peut, *sans le concours* de la femme, disposer gratuitement que du mobilier et seulement à *titre particulier ;* encore faut-il qu'il *ne s'en réserve pas l'usufruit.*

Nous disons à l'égard de *toutes personnes* (1) : toutefois, s'il dotait avec les effets de la communauté un enfant de son premier lit (1468), bien que ce fût à titre particulier, il devrait récompense ; car, en donnant à cet enfant, il se donnerait à lui-même. — On déciderait autrement, si la donation était faite au profit d'un enfant du premier lit de la femme.

Sans le concours de la femme : l'incapacité du mari n'est établie que dans l'intérêt de la femme ; avec son concours, il peut disposer gratuitement de l'universalité des biens de la communauté, ou se réserver l'usufruit de l'objet donné, quel que soit le donataire.

A titre particulier : il ne peut disposer du mobilier à titre universel, par exemple, du tiers, du quart : mais rien ne l'empêche de disposer d'un objet déterminé, *quelle que soit la valeur de cet objet :* il peut même épuiser tous les meubles; sauf aux réclamants à prouver ensuite, d'après les circonstances, que la disposition est une donation à titre universel déguisée. D'ailleurs, l'objet particulier que donnera le mari sera presque toujours d'une faible valeur.

Pourvu qu'il ne s'en réserve pas l'usufruit : on ne veut pas qu'il puisse nuire à la communauté sans se préjudicier à lui-même. Si le mari pouvait faire à son profit une réserve d'usufruit, il se déterminerait trop facilement à donner, car il se dirait : Si la communauté vient à se dissoudre par la mort de ma femme, j'aurai la chance de voir tomber dans mon lot l'usufruit que je me suis réservé ; si je prédécède, l'usufruit s'éteindra; les héritiers de ma femme ne pourront y prétendre. Ainsi les chances ne seraient pas égales entre le mari et la femme.

Il est bien entendu, que les prohibitions prononcées par l'article 1422 ne produisent d'effet, qu'autant que la femme n'a pas consenti à la donation. Si son consentement est intervenu, le défaut de pouvoirs du mari cesse.

Quid si le mari réserve l'usufruit à lui et à sa femme? Si la femme accepte cette réserve, elle est censée approuver la donation.

— Le mari pourrait-il valablement se réserver l'usufruit d'un objet mobilier particulier qu'il donnerait pour l'établissement d'un enfant commun? ⁂ *A.* S'il a le droit d'aliéner une universalité de meubles pour cette cause (1422, 1°), *à fortiori* a-t-il celui de disposer en se réservant l'usufruit, puisque la femme profitera de l'usufruit pendant la durée de la communauté. (*Val.*).

Si la femme ou ses héritiers acceptent la communauté, les donations défendues au mari sont-elles nulles pour le tout, même pour la part qui lui revient dans les objets donnés? ⁂Il y a contravention à la loi tant de la part du donateur que de la part du donataire ; par conséquent, la donation est nulle ; on doit, dans l'espèce, appliquer la disposition de la loi 8 *de conditione ob turpem causam : in turpi causâ meliori est causa possidentis;* si le tiers a reçu l'immeuble, il ne rend rien ; s'il ne l'a pas reçu, sa demande ne peut être admise (Delv., p. 90, n. 1). ⁂ On ne connaîtra que par le partage (883) si le mari est devenu propriétaire, et par conséquent, s'il a pu disposer ; tant que le partage n'a pas eu lieu, un copropriétaire ne peut aliéner que conditionnellement, pour le cas seulement où l'objet aliéné tombera dans son lot ; le partage, en effet, est déclaratif de la propriété; le mari a été irrévocablement dépouillé de sa part dans l'immeuble, la femme, à la dissolution de la communauté, se trouve dans l'indivision avec le donateur (Toullier, n. 314 et 315 ; Bellot, p. 420). ⁂La loi 8 *de conditione ob turpem causam*, statue sur le cas où il existe une cause honteuse tant de la part de celui qui a livré ou payé, que de la part de celui qui a reçu; or, il n'y a rien de honteux dans les donations dont il s'agit.—Elles étaient interdites, il est vrai, mais uniquement dans l'intérêt de la femme et de ses héri-

(1) Les coutumes excluaient les personnes dont le mari était héritier présomptif ; mesure fort sage : Le Code n'admet pas ce principe, il procure ainsi au mari le moyen de se créer des propres. Mais il nous semble que l'on doit ramener ici la question de fraude par personnes interposées et appliquer les art. 911 et 1100. Cependant tout dépendra des circonstances : il est possible que la donation ait eu pour objet de secourir un père ou un oncle infirme ou malheureux; les tribunaux ne devront pas user d'une trop grande rigueur.

tiers ; le mari a été irrévocablement dépouillé des objets par lui librement donnés (894) ; il retiendrait, *sine causa*, ces objets ou leur valeur, s'il n'était soumis à aucune restitution envers le donateur ; il profiterait ainsi du droit d'autrui. — Tout donateur n'est-il pas garant de ses faits? Toute personne qui a constitué une dot, n'est-elle pas tenue de garantir la propriété des objets donnés (1440, 1547)? La donation doit donc avoir son effet par rapport au mari et a ses héritiers ; soit que l'objet donné tombe dans leur lot, soit qu'il tombe dans celui de la femme : seulement, dans ce dernier cas , ce sera la valeur de la chose qu'aura le donateur (Dur. , n. 275; D. , t. 10, p. 207, n. 9 et 10).—La première opinion ne peut être admise : en effet, la donation dont il s'agit est licite en principe ; la prohibition n'est établie que dans l'intérêt de la femme et de ses héritiers.—Il faut également repousser la deuxième, car elle pourrait avoir pour résultat de jeter la femme dans un état de gêne, provenant de l'indivision, de l'entraîner dans une série de partages et peut-être de procès. — L'art. 883 n'a été introduit que pour éviter les recours entre copartageants ; il n'est nullement applicable aux tiers ni par conséquent aux donataires du mari ; on ne peut admettre que l'effet du tirage au sort puisse procurer un avantage au mari ou à ses héritiers. Il faut en conséquence décider, que si le donataire ne conserve pas l'immeuble, il aura une action en indemnité contre le donateur ou ses héritiers ; vainement opposerait-on que l'art. 1423 ne statue ainsi que pour les legs : on répondrait, que cet article a été copié dans Pothier ; or, cet auteur ne pouvait parler que des legs, car de son temps le mari avait le droit de donner tous les biens de la communauté pourvu qu'il ne se procurât pas un avantage personnel.—Ajoutons, que le mari peut même, en sa qualité d'administrateur, évincer le donataire ; car la communauté est intéressée à recueillir l'usufruit de l'immeuble donné (1561, 2°), sauf à payer personnellement à ce donataire des dommages-intérêts, attendu qu'il ne doit pas bénéficier de ce que la chose est tombée dans le lot de la femme.—Néanmoins, si le mari n'a pas revendiqué pendant le mariage, la femme ne peut élever lors de la dissolution aucune réclamation contre le donataire pour les fruits par lui perçus, car le mari avait qualité pour les aliéner, et son silence équivaut à une aliénation tacite (*Val.*)

Le mari doit-il récompense, comme il en devrait une, dans le cas où ce serait un enfant de son premier mariage qui aurait été doté, s'il a doté seul sa nièce en effets de la communauté ? ⁂ *N.* La loi l'autorise à disposer des effets mobiliers à titre particulier au profit *de toutes personnes*, pourvu qu'il ne s'en réserve pas l'usufruit, sans l'assujettir à aucune récompense ; tandis qu'elle le soumet formellement à cette obligation lorsqu'il dote en effets de la communauté un enfant du premier lit. — En dotant un de ses enfants, il remplit un devoir ; en dotant une nièce , il fait une libéralité ; or, il ne doit pas de récompense pour les dons faits a un étranger (Dur., n. 283).

Quid, si le mari a doté conjointement avec sa femme, en effets de la communauté, l'enfant d'un premier lit, soit de sa femme soit de lui? ⁂ Chacun d'eux est réputé avoir doté l'enfant pour moitié ; mais cette portion de la dot sera censée avoir été donnée au conjoint ; en conséquence, on l'imputera sur la quotité disponible entre époux , 1094 , 1098 (Dur., 289).

1423—La donation testamentaire faite par le mari ne peut excéder sa part dans la communauté.

S'il a donné en cette forme un effet de la communauté, le donataire ne peut le réclamer en nature , qu'autant que l'effet, par l'événement du partage, tombe au lot des héritiers du mari ; si l'effet ne tombe point au lot de ses héritiers, le légataire a la récompense de la valeur totale de l'effet donné , sur la part des héritiers du mari dans la communauté et sur les biens personnels de ce dernier.

= Les dispositions testamentaires ne produisent d'effet qu'à une époque où la société conjugale a cessé d'exister : le mari ne peut donc léguer au delà de sa part dans la communauté, ni disposer , à titre d'institution contractuelle, d'une quotité supérieure à cette part.

Si la disposition est d'un objet déterminé (d'un domaine, par exemple), il semble , au premier abord , qu'elle doive être comme non avenue , lorsque la chose léguée tombe dans le lot de l'époux survivant : en effet, l'article 1021 déclare que le legs de la chose d'autrui est nul ; or, suivant l'art. 883, le testateur est censé n'avoir jamais eu la propriété des objets tombés dans le lot de la femme.

Cependant, la loi , prévoyant que les héritiers du prédécédé pourraient s'entendre avec le survivant pour faire comprendre l'objet légué dans le lot de ce dernier , fait une espèce d'exception à la règle établie art. 1021 , en décidant que le légataire aura la récompense de la valeur totale de l'effet donné, sur la part de l'époux prédécédé (1).

_____

(1) L'art. 1423 a été souvent opposé à l'art. 1021, lequel déclare *nul le legs de la chose d'autrui* ; or,

Notre article suppose que la disposition testamentaire est faite par le mari ; mais il est de toute évidence que l'art. 1423 régirait également celle qui serait faite par la femme (1).

— Notre article prévoit deux hypothèses : le mari a légué une part ; la chose léguée tombe dans le lot de la femme : mais *quid*, si la chose doit être divisée par l'effet du partage ? ᜇ Question d'interprétation : si le testateur n'a entendu léguer que sa part, cette part seule profitera au légataire ; s'il a entendu léguer l'objet en totalité, le légataire pourra prétendre en outre à l'estimation de l'autre part. — Argument *à fortiori* de l'art. 1423.

1424—Les amendes (2) encourues par le mari pour crime (3) n'emportant pas mort civile, peuvent se poursuivre sur les biens de la communauté, sauf la récompense due à la femme (4) ; celles encourues par la femme ne peuvent s'exécuter que sur la nue propriété de ses biens personnels, tant que dure la communauté.

= Le mari pouvant aliéner les biens de la communauté, ses créanciers personnels sont en droit de le forcer à faire usage de cette faculté. Les amendes qu'il a encourues pour crime n'emportant pas mort civile, peuvent même être poursuivies sur les biens communs, car ils sont confondus, avec ceux du mari, pendant la durée de la communauté.

Mais, au moment de la dissolution, lorsqu'il s'agira de régler les intérêts des époux, la femme acceptante pourra exiger une récompense ; car, perdre par des délits, ce n'est pas administrer.

Bien que la loi ne parle que des *amendes*, il nous semble qu'il faut appliquer la même décision aux réparations civiles ainsi qu'aux frais de procès (5).

A l'égard des amendes encourues par la femme, elles ne peuvent s'exé-

---

dit-on. si l'objet légué par le mari ne tombe pas dans son lot. Il se trouve avoir légué la chose d'autrui : mais il faut observer, que l'art. 885 n'a pas pour objet que d'empêcher les recours entre copartageants, et qu'il n'est nullement applicable aux tiers ; on pourrait donc soutenir que le mari n'a pas légué la chose d'autrui, mais une chose qu'il possédait dans l'indivision ; ou plutôt, la part qu'il avait dans cette chose. — L'art. 1021 ne peut s'expliquer que par le motif intentionnel qu'a eu le législateur d'empêcher qu'on ne soulevât la question de savoir si le testateur savait que l'objet légué lui appartenait. — Cet article suppose que le disposant a été dans l'erreur, ce qui ne peut se présumer quand il s'agit du legs d'un objet de la communauté : le testateur, dans ce dernier cas, fait une disposition sérieuse ; il dispose dans l'espérance que la chose tombera, par l'effet du partage, dans le lot de ses héritiers.

(1) Si l'article 1423 ne parle pas de la femme, c'est que, dans l'ancien droit, le doute ne s'était élevé qu'en ce qui touchait le mari ; la loi a voulu trancher une question qu'on avait élevée autrefois : celle de savoir si le mari, en sa qualité de seigneur et maître, pouvait léguer tous les biens communs. On ne s'était pas occupé de la femme, parce qu'il n'existait aucun doute à son égard ; — vainement dirait-on que la femme n'a pas le droit de disposer des objets de la communauté ; vainement argumenterait-on de l'art. 1424 : nous répondrions, que le mari qui peut disposer des biens de la communauté pendant qu'elle dure, n'a pas plus de pouvoir que la femme lorsqu'il s'agit de dispositions testamentaires.

(2) L'amende est une peine qui consiste à payer au fisc une certaine somme d'argent ; or, les peines sont personnelles :—au reste, en soumettant le mari à une récompense pour toutes les amendes qu'il a encourues, la loi nous semble aller trop loin, car le plus souvent il se sera rendu coupable en administrant, et la communauté aura profité de la contravention.

(3) Ce mot est ici générique ; il embrasse toutes les infractions à la loi pénale : telle était la règle admise dans l'ancien droit.

(4) Autrefois, les amendes encourues par le mari étaient payées définitivement par la communauté, comme conséquence du principe qui proclamait le mari seigneur et maître des biens communs pendant le mariage.

(5) (Delv, p. 19, n. 6 ; Duc., n. 298, Vaz : *Mariage*, t. 2, p. 371 ; Bellot, t. 1, p. 433 et 457).ᜇTToutes les dettes contractées par le mari pendant le mariage sont à la charge de la communauté, sans récompense pour la femme ; or, les condamnations civiles sont des dettes ; l'art. 1424 doit s'expliquer par l'art. 1425 — Les condamnations civiles ne sont pas des peines, mais des indemnités.—En présence de l'art. 2, du Code d'instruction criminelle, on ne peut assimiler les frais de procès et les réparations civiles aux amendes : l'amende ne frappe que le coupable ; elle n'est jamais prononcée contre ses héritiers. — Les

cuter que sur la nue propriété de ses biens personnels ; car l'usufruit ne lui appartient pas (1).

— Les amendes encourues par le mari pour simples contraventions sont-elles définitivement à la charge de la communauté ? ⋙ *A.* Ces sortes de peines ne doivent pas être assimilées à celles qui sont prononcées pour des délits (*Val.*)

Dans le cas où le mari est civilement responsable des délits de la femme, ce qui a lieu lorsqu'il s'agit de faits relatifs à la police rurale, la femme doit-elle indemniser, si la communauté paye les amendes ? ⋙ *N.* La femme est sous la puissance de son mari ; le mari doit continuellement veiller sur elle ; il se rend complice en ne l'empêchant pas de faire le mal : sauf à lui à prouver qu'il n'a pu prévenir le délit (Bellot, p. 436 et suiv.).

Quid, si le mari a été condamné à des dommages-intérêts à raison des délits commis par ses enfants ? ⋙ La communauté est tenue de ces dommages, sans récompense. — Il n'y a point à distinguer si les enfants sont issus du mariage ou s'ils sont issus du premier lit, soit du mari, soit de la femme (Bellot, p. 448 et suiv.).

Les créanciers d'une succession immobilière échue au mari, ou ceux qui demandent la réparation d'un délit, peuvent-ils, après la dissolution du mariage, poursuivre la femme pour la part qu'elle a prise dans la communauté ? ⋙ Ils n'ont le droit d'agir que pendant la durée de la communauté ; les créanciers se présentent, en quelque sorte, en vertu du droit qui appartient à leur débiteur, *constante matrimonio,* d'aliéner les biens communs (1166). ⋙ Les créanciers auront le droit de se faire payer sur la part que la femme aura prise dans la communauté ; car l'art. 1409, 2° met à la charge de la communauté les dettes que le mari s'est imposées par des contrats ou des quasi-contrats (Arg. des termes des art. 1413 et 1425).—La circonstance qu'il y aura lieu à récompense, n'empêche pas que le mari ne contracte une dette et que cette dette ne puisse être poursuivie contre la communauté.—Si l'on restreignait l'action des créanciers à la durée de la communauté, ils poursuivraient à outrance ; ce qui serait fâcheux : peut-être ferons-nous une exception pour le cas de délit ou de quasi-délit ; on peut, en effet, dire alors, que le mari n'ayant pas contracté de dette, il n'y a pas lieu à l'application de l'art. 1409, 2° (*Val.*).

1425 — Les condamnations (2) prononcées contre l'un des deux époux pour crime emportant mort civile, ne frappent que sa part de la communauté et ses biens personnels.

= Prochainement les condamnations prononcées contre le mari, pour crime emportant mort civile, devant être suivies de la mort civile, le Code

dommages-intérêts résultant d'un quasi-délit tomberaient sans aucun doute à la charge de la communauté même sans récompense, car le mari ne se serait pas pas enrichi ; il n'aurait pas augmenté ses propres aux dépens de la communauté (1409, 2°).—Si la loi voulait mettre sur la même ligne les réparations civiles et les amendes, elle emploierait le mot *condamnation* comme dans l'art. 1425.—Sous l'ancienne jurisprudence, les amendes encourues par le mari, pour crime qui n'emportait pas mort civile, étaient même définitivement à la charge de la communauté.—En règle générale, le mari peut encore disposer à son gré des biens communs : le Code déroge à ce principe ; cette dérogation est restreinte aux amendes ; on ne peut donc l'étendre aux réparations civiles : *exceptio est strictissimæ interpretationis.*—Vainement objecterait-on que le mari n'a pas reçu mandat pour délinquer : de ce qu'il n'a pas reçu de mandat résulte-t-il que par ses délits il n'oblige pas la communauté ? D'ailleurs l'art. 1421 ne confère-t-il pas au mari le droit de dissiper les biens communs ?—Appliquez cette décision même au cas où le mari aurait été condamné à des réparations civiles envers la femme (Toullier, n. 232). (*Val.*)

(1) Si le crime ou le délit était antérieur au mariage, les condamnations, quoique prononcées depuis le mariage, resteraient à la charge de la communauté sans récompense, car ce serait là une dette qui aurait une date antérieure au propres des époux.

(2) Le mot *condamnation,* comprend ici les amendes comme les réparations civiles.—La disposition de l'art. 1425 confirme une règle qui nous vient de Dumoulin ; voici à quelle occasion elle fut introduite : suivant notre ancienne jurisprudence, la confiscation prononcée contre le mari s'appliquait à toute la communauté.— Dumoulin s'éleva contre une pareille conséquence, et pensa que la confiscation ne devait frapper que la part échue au mari, car le jugement qui prononçait cette peine avait pour effet de dissoudre la communauté ; — plus tard, en vue de favoriser la femme, on étendit aux amendes, dans le cas de mort civile, la théorie de Dumoulin admise en matière de confiscation. — Les anciens auteurs ne s'expliquaient pas sur le cas de contumace ; mais il est présumable qu'ils auraient décidé comme pour le cas de condamnations contradictoires ; — ce système pouvait être critiqué, surtout en ce qui concernait les réparations civiles ; car on pouvait dire que l'obligation de réparer le dommage avait pris naissance avant la sentence et par conséquent durant la communauté : sous l'empire du Code, rien ne le justifie : en effet, l'art. 26 déclare que la mort civile ne résulte pas de la condamnation, mais de l'exécution ; qu'elle est la conséquence d'une peine : mais les amendes et les réparations civiles sont indépendantes de la peine corporelle, puisqu'elles résultent du jugement : pourquoi dès lors renvoyer leur payement après la mort civile encourue ? Pourquoi ne pas avoir décidé qu'elles donneraient lieu à des poursuites sur les biens de la communauté, sauf ensuite récompense ? L'art. 1425, il faut le reconnaître, est tout à fait en dehors du système résultant de l'art. 26 ; les rédacteurs ont copié à tort l'ancien droit.

a pu, sans inconvénients, décider qu'elles ne frapperaient que la part du mari dans la communauté, ainsi que ses biens personnels.

Toutefois, si la condamnation était par contumace, comme la communauté continuerait pendant les cinq ans de grâce, les créanciers ne seraient pas tenus d'attendre la dissolution de la communauté pour exercer leurs poursuites, sauf ensuite récompenses.

Observons que notre article ne parle pas seulement des *amendes*, comme l'article 1424, mais encore des *condamnations*; expression qui comprend nécessairement les réparations civiles.

1426 — Les actes faits par la femme sans le consentement du mari, et même avec l'autorisation de la justice, n'engagent point les biens de la communauté, si ce n'est lorsqu'elle contracte comme marchande publique (1) et pour le fait de son commerce.

= La femme ne peut engager les biens de la communauté, ni par conséquent l'usufruit de ses biens personnels. Vainement aurait-elle recours à l'autorisation de la justice : cette autorisation lui conférerait uniquement la capacité de s'obliger *personnellement* ; mais elle ne l'autoriserait pas à obliger la communauté.

Le consentement donné par le mari à sa femme, pour être marchande publique, implique l'autorisation pour chacun des actes qu'elle fait touchant son commerce. La femme, marchande publique, qui contracte pour le fait de son commerce, est dès lors censée agir pour le compte de la communauté ; le mari doit, en conséquence, participer aux pertes (*voy.* art. 1419); cependant il n'est pas soumis à la contrainte par corps (2).

Nous croyons que c'est au tiers, à prouver que la femme a contracté pour *faits de sous-commerce;* car il s'agit ici d'une capacité spéciale.

1427 — La femme ne peut s'obliger (3) ni engager les biens de la communauté, même (4) pour tirer son mari de prison, ou pour l'établissement de ses enfants en cas d'absence du mari, qu'après y avoir été autorisée par justice.

= En principe, la femme ne peut s'obliger (217 et 219) sans l'autorisation de son mari ou de justice ; elle ne peut engager les biens de la communauté sans le consentement de son mari.

Par exception, l'autorisation de justice peut suppléer à celle du mari dans deux circonstances urgentes, savoir : 1o lorsqu'il s'agit de tirer le mari de prison, qu'il soit emprisonné pour crime, pour délit ou pour

---

(1) La loi ne consacre pas ici une exception, puisque la femme ne peut devenir marchande publique sans le consentement exprès ou tacite de son mari.

(2) Vainement dit-on que le mari, par cela seul qu'il autorise la femme à faire l'acte entraînant la contrainte par corps, est censé avoir fait lui-même cet acte, on répond : que la règle est rigoureuse ; qu'elle ne peut dès lors s'appliquer hors des cas déterminés par la loi (2063) ; or, il n'existe aucune loi formelle qui prononce la contrainte par corps contre le mari.

(3) Le législateur sort ici de la matière : en effet, la femme est incapable de s'obliger, sous quelque régime qu'elle soit mariée. (*Voy* les articles 217 et 219.) Les rédacteurs ont copié Pothier, sans remarquer que cet auteur ayant fait des traités spéciaux sur chaque matière, envisageait cumulativement la position de la femme et sous le rapport de sa qualité de commune et sous le rapport de son incapacité.

(4) Le mot *même*, ne porte pas sur l'autorisation de justice, mais sur les cas dignes de faveur.

dettes, peu importe; mais la femme ne pourrait se faire autoriser à s'obliger ou à disposer des biens communs, pour tirer de prison un autre que son mari, même un enfant commun; — 2° en cas d'absence (présumée ou déclarée) du mari, lorsqu'il s'agit de procurer aux enfants communs un établissement par mariage ou autrement : dans le premier cas, la femme, en s'engageant, remplit un devoir; d'ailleurs, le mari profite indirectement de cet engagement; dans le deuxième cas, la femme acquitte une obligation naturelle dont elle est tenue avec son mari.

L'expression, *même pour tirer*, permet de supposer que d'autres cas peuvent se présenter : nous croyons que le juge doit donner à la femme l'autorisation d'engager les biens communs, si le mari néglige de faire certains actes dont il est tenu ; par exemple : de réparer les propres de la femme ; lui refuser cette faculté, ce serait la mettre dans la nécessité de recourir au moyen extrême de la séparation de biens. Nous donnerons encore pour exemple, le cas où il faudrait payer des amendes et des frais auxquels le mari aurait été condamné (Dur., n. 305).

Notre article supposant l'existence du mari, comment se fait-il que la femme ait besoin de recourir à la justice ? Le mari peut être atteint d'une maladie grave qui ne lui permette pas de manifester sa volonté ; il est possible qu'il veuille se sacrifier par délicatesse : la femme peut alors le délivrer malgré lui ; des pirates peuvent le retenir en captivité, etc.—Pour obtenir l'autorisation de justice, il n'y a pas lieu de suivre les formes prescrites par l'art. 219 : un simple exposé à la justice est suffisant (Vazeille, Mariage, n. 351 et 352).

La disposition de l'article 1427 n'est point applicable au cas d'interdiction du mari ; lorsqu'il s'agit de l'établissement des enfants de l'interdit, il faut recourir aux règles spéciales déterminées par l'art. 511. Ce dernier article reçoit son application sous quelque régime que les époux soient mariés.

— Une femme, non marchande publique, tire une lettre de change sur son mari ; le mari accepte, est-elle obligée? ⁓ *A.* Les deux époux sont obligés : le *mari*, en vertu de son acceptation ; la *femme*, parce que le mari, en acceptant, est censé avoir approuvé l'obligation qu'elle a contractée (Bellot, p. 408 ; Delv., p. 21, n. 10).

La femme, dans le cas de notre article, pourrait-elle hypothéquer les biens de la communauté ? Pourrait-elle les vendre ? ⁓ *A.* La loi veut réserver à la femme un moyen de crédit, d'emprunt; si elle peut, en engageant la communauté, donner aux créanciers le droit de saisir les biens qui en dépendent, comment lui refuser la faculté de payer directement ces créanciers?

Si le mari est interdit pour cause de démence, et qu'il s'agisse de marier un enfant commun, la mère peut-elle constituer une dot ou un avancement d'hoirie en biens de la communauté? ⁓ Elle doit se faire autoriser par une délibération du conseil de famille, homologuée par le tribunal (Dur., n. 302).

1428 —Le mari a l'administration de tous les biens personnels de la femme.

Il peut exercer seul toutes les actions mobilières et possessoires (1) qui appartiennent à la femme.

Il ne peut aliéner les immeubles personnels de sa femme sans son consentement (2).

(1) Il eût peut-être mieux valu décider que le mari ne pourrait agir au possessoire que pour la jouissance, comme cela est établi pour l'usufruitier; car l'action possessoire est la seule ressource de la femme, lorsqu'elle n'a pas de preuve suffisante pour agir au pétitoire; le mari peut compromettre ainsi la fortune de sa femme.

(2) Mauvaise rédaction; le mari ne peut jamais aliéner les biens de la femme. Il fallait dire : *la femme ne peut aliéner sans autorisation du mari ou de justice.*—L'article 1435 reproduit textuelle-

Il est responsable de tout dépérissement des biens personnels de sa femme, causé par défaut d'actes conservatoires.

= L'article 1428 détermine les droits du mari sur les biens personnels de la femme commune ; c'est-à-dire, sur ses immeubles propres et sur ses meubles réalisés.

Le mari administre ces biens, puisque la communauté en a l'usufruit : mais les pouvoirs dont il est revêtu ne sont autres que ceux d'un administrateur ordinaire ; sa position est sous quelques rapports semblable à celle du tuteur vis-à-vis de son pupille.

Ainsi, cette administration lui donne le droit d'exercer seul toutes les actions mobilières ; c'est-à-dire, de réclamer les meubles qui ne sont point entrés en communauté (soit parce que la femme les a stipulés propres, soit parce qu'on les lui a donnés ou légués, avec déclaration qu'ils ne tomberont pas en communauté) : ce qui sera jugé avec le mari, sera censé jugé avec la femme, quoiqu'elle n'ait pas été mise en cause.

Le mari peut également exercer les actions *possessoires ;* réclamer, par exemple, dans l'an et jour, l'immeuble dont un tiers se serait emparé (23, Pr.); car ces actions tendent à faire cesser le trouble apporté à la jouissance. Mais il ne pourrait intenter, sans le concours de la femme, une action *pétitoire :* ni défendre à une action de cette nature : la règle *inclusio unius fit alterius exclusio*, reçoit ici son application ; c'est la femme qui doit être en nom au procès; le mari se borne à l'assister (25, Pr.) (1).

Par la même raison, on lui refuse la faculté de répondre ou d'acquiescer à une demande relative à des droits immobiliers ; car ces actes touchent à la propriété (Arg. des art. 464 et 382).

Si la femme refuse d'agir, le mari peut exercer seul les droits qui lui compètent pour sa jouissance ; (par exemple, revendiquer l'usufruit, puisque la communauté en est propriétaire :) sous ce rapport, il a l'exercice des actions pétitoires (2). Sauf ensuite au tiers détenteur à mettre la femme en cause (*Cass.*, 14 nov. 1831; S., 32, 1, 388).—En cas d'inaction du mari, nous pensons que la femme pourrait se faire autoriser par la justice à exercer les actions possessoires ; autrement, sa fortune se trouverait compromise si le mari devenait insolvable.—Nous pensons même qu'en se faisant autoriser par le juge, elle aurait la faculté d'intervenir dans l'instance

---

ment l'article 253 de la coutume de Paris.—Les pouvoirs d'un administrateur ne vont pas jusqu'à l'exercice des actions relatives a la propriété des immeubles propres ; — il serait bizarre que l'on prétendit déroger à cette règle fondamentale, sans le déclarer formellement.—Vainement invoque-t-on le dernier alinéa de l'art. 1428 : la femme peut éprouver des pertes autres que celles résultant de prescriptions acquises. Par ex. : si le mari a laissé dépérir les biens, s'il n'a pas intenté les actions possessoires, s'il a négligé, au nom de la communauté usufruitière (614), d'avertir la femme des usurpations commises sur ses immeubles. — L'article 1428 ne parle pas de la prescription spécialement; — l'argument tiré de l'article 2254 ne signifie rien, car le mari est responsable d'avoir laissé prescrire, non-seulement sous le régime de la communauté, mais encore sous le régime dotal (1554) lorsque les biens ont été déclarés aliénables (1561).

(1) Dur., n. 316 (*Val.*). ⁓ Le mari, étant responsable du dépérissement des propres de la femme, causé par défaut d'actes conservatoires, doit avoir l'exercice des actions immobilières. — Arg. de l'art. 1428 dernier alinéa et de l'art. 2254.—L'opinion contraire est inconciliable avec le droit de jouissance accordé au mari. (Toullier, 384 et suiv.; D., t. 10, p. 214, n. 22 ; Carré, compétence, t. 2, n. 255 ; b., contrat de mariage, p. 214. n. 22 ; Bellot. t. 1ᵉʳ, p. 484; Battur, t. 2, n. 552.—*Colmar*, 17 avril 1817, S. 18. 2. 277 ; Cass. 15 mai 1832, S. 32, 1, 390.)

(2) Il faut donc bien distinguer les actions pétitoires relatives à la propriété, de celles qui ont pour objet l'usufruit.

au possessoire, si elle avait lieu de craindre que son mari ne colludât avec des tiers.

L'action intentée par le mari préserve la femme de la prescription (2236); car la femme possède par le mari.

Pour les partages, *voy.* l'art. 818.

La dernière disposition de l'art. 1428 est une conséquence de la première : puisque le mari administre la fortune de la femme, il doit veiller à la conservation des biens qui la composent : s'il a négligé, par ex., de faire des réparations nécessaires, ou d'interrompre une prescription même commencée avant le mariage, il est juste de le rendre passible de dommages-intérêts. Le juge est appréciateur des circonstances.

— Le mari peut-il aliéner les meubles qui sont demeurés propres à sa femme ? ⁓⁓ S'il s'agit de choses qui se consomment, comme la communauté en est devenue propriétaire (587), le mari peut, sans aucun doute, les aliéner ; il en est de même si le mobilier, qui ne se consomme point par l'usage, a été livré au mari sur estimation, sans déclaration que l'estimation ne fait pas vente : hors ces cas, le mobilier propre de la femme ne peut être ni vendu (1551) par le mari, ni saisi par ses créanciers ; il serait contraire à la raison et aux principes, de reconnaître au mari la faculté de disposer d'une créance donnée à la femme, avec déclaration que la chose n'entrera pas dans la communauté. — Si les créanciers du mari ou ceux de la communauté faisaient saisir les objets mobiliers stipulés propres, la femme pourrait, en vertu de l'art. 608 pr., les revendiquer et obtenir qu'ils fussent distraits de la saisie. — La maxime *en fait des meubles* ne peut être invoquée que par le possesseur de bonne foi. Arg. de l'art. 554, Code de comm. — De ce qu'on a le droit d'intenter une action, il ne s'ensuit pas qu'on ait celui de disposer des choses que cette action a pour objet : le tuteur peut intenter, avec la seule autorisation du conseil de famille, une action immobilière ; mais il ne pourrait, en vertu de cette autorisation, aliéner un immeuble. — La communauté est assimilée à un usufruitier ordinaire ; or, un usufruitier ne peut vendre les meubles sur lesquels porte son droit, à moins qu'ils ne se consomment *primo usu* (589); il doit restituer les meubles qui ne se consomment point par l'usage non détériorés par son dol ou par sa faute.—Arg. *à contrario* des articles 1532, 1551 et 1566 ; lesquels déclarent le mari propriétaire des meubles qui ont été estimés ; donc, s'ils ne l'ont pas été, la propriété reste à la femme ; donc le mari ne peut les aliéner. — Arg. de l'article 818, lequel refuse au mari l'action en partage des successions mobilières échues à la femme ; or, le partage est quelque chose de moins qu'une aliénation proprement dite. — L'argument tiré de l'article 1503 n'est pas solide : pour le réfuter, il suffit d'observer que cet article ne se réfère pas au cas où il s'agit d'exclusion ordinaire d'un objet particulier, mais à celui où il s'agit d'exclusion extraordinaire totale ou partielle ; il suppose que les époux ont fait entrer leurs meubles dans la communauté jusqu'à concurrence d'une certaine somme ; ce qui revient à dire, que la communauté peut vendre les meubles pour se procurer d'une certaine somme ; ce qui revient à dire, que la communauté peut vendre les meubles pour se procurer *à contrario* de l'article 1428 *in fine*, est également dénué de force : si les rédacteurs n'ont parlé que des immeubles, c'est qu'il est rare que les meubles ne tombent pas dans la communauté. (Toullier, n. 378 et suiv.; Dur., n. 318.—*Nancy*, 20 août 1827 ; S., 27.2,59 (*Val.*). ⁓⁓ Les meubles réalisés sont réputés immeubles : cependant, il y a une grande différence entre les véritables immeubles, qui sont propres réels, et les propres conventionnels : les meubles réalisés se confondent avec les biens de la communauté ; la réalisation de ces meubles ne consiste que dans une créance de reprise de leur valeur ; c'est à cette créance de reprise, que la qualité de propre conventionnel est attachée ; le conjoint n'est pas créancier *in specie* des meubles réalisés, il ne l'est que de leur valeur ; car on ne peut jouir des meubles d'une manière complète sans les altérer ou les dénaturer.—Arg. *à contrario* du 3ᵉ alinéa de l'article, lequel refuse au mari le pouvoir d'aliéner les immeubles : donc il peut aliéner les meubles. — Le mari peut intenter les actions mobilières de la femme ; ce pouvoir renferme implicitement celui d'aliéner. — Arg de l'art. 1503 placé sous la rubrique de la réalisation : cet article accorde à chaque époux le droit de prélever la valeur de ce dont le mobilier excédait sa mise en communauté ; donc le mari peut convertir les meubles en argent (Pothier, n. 325). ⁓⁓ Delvincourt ajoute : S'il est vrai que la clause de réalisation ne produise d'effet qu'à la dissolution de la communauté, ce n'est qu'entre les époux et leurs héritiers seulement, et non vis-à-vis des créanciers du mari.

Quid, si la femme a stipulé la reprise de ses apports pour le cas où elle renoncerait à la communauté ? ⁓⁓ Cette stipulation n'a pas empêché les objets d'entrer dans la communauté. — Son effet se borne à donner à la femme le droit de reprendre les choses en nature, si elles existent encore à la dissolution de la communauté ; ou leur valeur dans le cas contraire. — Elle est censée avoir une créance alternative, par suite de la condition sous-entendue : *si les objets existent encore à la dissolution de la communauté* ; au lieu que, dans le cas de réalisation, il y a exclusion des objets réalisés ou donnés.— La stipulation de reprise d'apports se restreint, dans ses effets, aux personnes et aux choses convenues (Dur., n. 319).

Si le mari a vendu un immeuble de sa femme, il n'est pas douteux que celle-ci peut, quand elle n'a pas donné son consentement. revendiquer l'immeuble, lorsqu'elle renonce à la communauté ; mais *quid* lorsqu'elle accepte ? ⁓⁓ La femme doit être déclarée non recevable dans sa demande en revendication : *quem de evictione tenet actio, eumdem agentem repellit exceptio.* ⁓⁓ Elle peut revendiquer pour le tout, mais en restant tenue envers l'acquéreur, comme femme commune. de sa portion dans les restitutions et *les dommages-intérêts* ; par conséquent avec facilité de se soustraire à cette obligation en abandonnant ce qu'elle a eu dans la communauté, pourvu qu'il ait été fait bon et fidèle inventaire. — Les dommages-intérêts sont une charge de la communauté (Dur., n. 321.—*Amiens*, 18 juin 1814; S., 13, 2 40) ⁓⁓ La femme peut revendiquer l'immeuble en totalité, à la charge de restituer à l'acheteur sa part dans le prix qu'il a payé ; ou même simplement de lui abandonner sa part dans la communauté , sauf le recours de ce dernier contre le mari ou ses héritiers pour ses dommages-intérêts (Pothier, n. 253).

1429 — Les baux que le mari seul a faits des biens de sa femme pour un temps qui excède neuf ans, ne sont, en cas de dissolution de la communauté, obligatoires vis-à-vis de la femme ou de ses héritiers que pour le temps qui reste à courir soit de la première période de neuf ans, si les parties s'y trouvent encore, soit de la seconde, et ainsi de suite, de manière que le fermier n'ait que le droit d'achever la jouissance de la période de neuf ans où il se trouve.

= Le droit d'administrer emporte celui de louer et d'affermer : il est clair, dès lors, que les baux consentis par le mari doivent subsister pour tout le temps de la communauté.

Mais en cas de dissolution, que deviennent les baux non encore expirés ? On ne pouvait, d'une part, permettre au mari de lier indéfiniment la femme ou ses héritiers; d'autre part, en bornant exclusivement leur terme à la durée toujours incertaine de la communauté, on eût placé le mari dans l'impossibilité de louer avantageusement : il a donc fallu l'autoriser à faire, dans de certaines limites, des baux obligatoires pour la femme (595, 1718).

De là, cette division en périodes de neuf ans; de telle sorte que le fermier ou le locataire n'ait que le droit d'achever la période de neuf ans où il se trouve : par exemple, si le bail est de dix-huit ans, et que la femme meure quatre ans après le bail commencé, ce bail ne sera plus obligatoire que pour cinq ans. — Si le mari a reçu un pot-de-vin, ce pot-de-vin doit être réparti sur les dix-huit années ; car les prestations périodiques seront d'autant moins fortes que le pot-de-vin aura été plus considérable : ainsi, dans notre espèce, le mari serait tenu de restituer au locataire la moitié de la somme payée; autrement, il prolongerait sa jouissance au delà du temps fixé par la loi (Dur., n. 312; *voy.* cep. Bellot, p. 403).

On ne distingue pas, si les baux ont pour objet des biens de ville ou des biens de campagne.

Observez que la loi parle des baux *que le mari seul a faits :* si la femme avait fait conjointement avec son mari un bail de ses biens personnels pour un temps qui excédât neuf ans, ce bail serait donc obligatoire tant pour elle que pour ses héritiers.

Il est bien entendu, que le fermier ou le locataire ne peut demander la résiliation du bail ; la loi restreint cette faculté à la femme et à ses héritiers.

— Les baux à longues années peuvent-ils être faits également trois ou deux ans avant l'expiration du bail courant ? ⟶ *A.* Il y a même raison que pour ceux de neuf ans et au-dessous (Bellot, p. 498).

1430 — Les baux de neuf ans ou au-dessous que le mari seul a passés ou renouvelés des biens de sa femme, plus de trois ans avant l'expiration du bail courant, s'il s'agit de biens ruraux, et plus de deux ans avant la même époque, s'il s'agit

de maisons, sont sans effet, à moins que leur exécution n'ait
commencé avant la dissolution de la communauté.

= Le droit accordé au mari, de renouveler par anticipation les baux
des biens de la femme, est une conséquence de la règle qui lui confère
l'usufruit de ces biens : il importe, en effet, d'assurer à l'avance leur rapport.

La loi prévoit le cas où la communauté viendrait à se dissoudre avant
l'expiration du bail courant ; elle distingue : si les renouvellements ont
eu lieu dans les trois ans qui ont précédé l'expiration de ce bail, lorsqu'il s'agit de biens ruraux, ou dans les deux ans, lorsqu'il s'agit de
maisons, ils sont obligatoires pour la femme.

Dans le cas contraire, c'est-à-dire, si le renouvellement a une date plus
reculée, par exemple, s'il a été consenti quatre ans avant l'expiration du
bail courant, on ne peut l'opposer à la femme : nous avons fait connaître,
sous l'article précédent, la cause de ces restrictions. Toutefois si le nouveau bail avait commencé avant la dissolution de la communauté, son
exécution le validerait.

Il résulte des articles 1429 et 1430 combinés, que si le mari meurt après
avoir renouvelé un bail, conformément à l'article 1430, la femme sera soumise au premier bail pour le temps qui restera à courir ; et, de plus, au
deuxième bail, pour neuf années ; de telle sorte qu'elle pourra se trouver
liée pour douze ans, s'il s'agit de biens ruraux ; et pour onze ans, s'il s'a-
git de maisons.

Ces mots : *sont sans effet*, doivent être entendus en ce sens, que la
femme ou ses héritiers ont seuls le droit d'invoquer le bénéfice de cette
disposition : quant aux fermiers ou aux locataires, ils ne peuvent se refuser à l'exécution du bail renouvelé ; ils sont liés.

— Le mari qui a passé des baux pour un temps excédant neuf années est-il, en cas de résiliation du
bail, passible de dommages-intérêts envers le fermier ou le locataire ? ∾∾ Oui, s'il a loué ces immeubles comme étant ses biens propres ou ceux de la communauté ; *secùs*, si le fermier a su qu'ils appartenaient à la femme ; le mari et le fermier sont alors censés avoir entendu traiter éventuellement. — Du
reste, les dommages-intérêts étant nécessairement une dette de la communauté, la femme ou ses héritiers doivent en supporter une part s'ils acceptent (Dur., n. 814).

1431 — La femme qui s'oblige solidairement avec son mari
pour les affaires de la communauté ou du mari, n'est réputée, à l'égard de celui-ci, s'être obligée que comme caution ; elle doit être indemnisée de l'obligation qu'elle a contractée (1).

= La confusion d'intérêts qui existe entre les époux, pourrait devenir
une source d'avantages indirects, si l'on ne rétablissait l'égalité du partage
au moyen de récompenses ou d'indemnités.

Les époux, assurément, peuvent se faire des donations réciproques pendant le mariage ; mais la volonté de donner ne doit pas se présumer, sur-

(1) L'art. 1431 prouve que la maxime *nemo potest esse auctor in rem suam*, maxime qui s'applique
fort bien, quand il s'agit de personnes qui sont, à raison de la faiblesse de leur esprit, soumises, pour
s'obliger, à la nécessité d'une autorisation, n'est point applicable à la femme ; pour elle, l'autorisation
n'est exigée qu'à raison de la subordination maritale.

La disposition finale de l'article aurait pu être retranchée : Il va de soi que le débiteur solidaire qui a
payé une dette contractée dans l'intérêt de son codébiteur, doit être indemnisé par ce dernier (1213,
1214, 1216).

tout lorsqu'on peut supposer à l'une des parties l'intention de faire à l'autre une simple avance.

La loi détermine successivement divers cas dans lesquels il y a lieu à récompense : lorsque la femme s'oblige solidairement avec son mari, pour les affaires de la communauté ou pour les affaires personnelles du mari, par ex., pour sûreté du payement des dettes qui grèvent une succession immobilière qui lui est échue, la solidarité produit son effet à l'égard du créancier; il peut agir indifféremment pour la totalité de la dette contre le mari ou contre la femme, sans que la femme puisse invoquer le bénéfice de l'art. 2021 et demander que l'on commence par discuter les biens du mari. Mais vis-à-vis de son mari, la femme est réputée simple caution; en conséquence, lors de la dissolution, elle aura le droit de se faire indemniser.—Observons, toutefois, que la position de la femme est plus favorable lorsqu'elle s'est obligée dans l'intérêt de son mari, que lorsque l'obligation a été contractée dans l'intérêt de la communauté : en effet, elle ne supportera pas une part dans la récompense, puisque la dette n'était pas à la charge de la communauté; un recours lui sera accordé pour le tout contre son mari (1482); la communauté ne se trouvera pas diminuée d'autant.—Au surplus, la présomption est que l'engagement a été contracté dans l'intérêt de la communauté (Arg. des art. 1409, 2°, et 1419, lesquels déclarent que la dette contractée par la femme avec le consentement de son mari, est à la charge de la communauté). La femme doit prouver qu'elle s'est obligée dans l'intérêt personnel du mari.

Lorsque le mari et la femme se sont obligés conjointement, sans expression de solidarité, le créancier peut, à son choix, poursuivre le mari pour le tout, ou l'un et l'autre époux chacun pour moitié (1487) : s'il a opté pour ce dernier parti, la femme aura un recours pour moitié contre son mari; si elle renonce à la communauté (1493-1495), ou si la dette le concernait personnellement, ce recours aura lieu pour le tout.

— Lorsqu'un tiers s'est joint au mari et à la femme comme débiteur solidaire, le créancier peu assurément, en ce cas, exercer des poursuites individuelles contre chacun d'eux; mais dans leurs rapports avec le tiers, codébiteur solidaire, le mari et la femme doivent-ils être considérés comme cobligés solidaires ou ne comptent-ils que pour une seule tête ? ⁓ Le créancier ne s'est pas inquiété des rapports qui existent entre le mari et la femme; il a considéré l'un et l'autre comme débiteurs solidaires : Pourquoi n'en serait-il pas de même à l'égard du tiers qui a payé la dette; sauf ensuite à la femme, si le recours a été exercé contre elle, à invoquer le bénéfice des articles 1216 et 1431 (Val.) ? ⁓ Il n'y a qu'un seul débiteur, la communauté : le mari et la femme ne sont que des répondants.

Si le mari, en aliénant un immeuble propre de sa femme, se porte fort qu'elle ratifiera, l'obligation de garantie par lui contractée est-elle une dette de la communauté ? ⁓ A. (Delv., p. 23, n. 2).

Si la dette concerne les affaires d'un tiers, par ex. si la femme et le mari ont cautionné solidairement ce tiers, considérera-t-on cette dette comme une charge de la communauté ? ⁓ A. Le cautionnement tient du contrat de bienfaisance; il est gratuit dans son essence; il se fait toujours en considération de la personne (Bellot, p. 585; V. cep. Delv., p. 23, n. 1).

Il est certain que la femme doit être indemnisée, si ses deniers ont servi à payer directement une dette de la communauté : l'indemnité se prélève même sur la masse, avant partage ; en conséquence, si la femme veut user du bénéfice de l'art. 1483, la restitution qu'elle doit faire aux créanciers se borne à la portion qu'elle est appelée à prendre dans le surplus; mais en est-il de même si les deniers ont été délégués par le mari à ses propres créanciers? ⁓ N. Les deniers n'ont pas été versés dans la communauté; si la femme veut user du bénéfice de l'art. 1483, elle doit restituer aux créanciers tout ce qu'elle a perçu. Elle jouit seulement d'une action contre son mari personnellement, action qui peut devenir inutile en tout ou en partie s'il est devenu insolvable (Delv., p. 23, n. 2). ⁓ A. Dans ce cas aussi, le prix de l'immeuble de la femme est entré dans la communauté. — Dès que le mari déléguait le prix à ses propres créanciers, il se l'appropriait; il le versait ainsi dans la communauté : la communauté est donc devenue débitrice envers la femme (Dur., n. 359).

En cas d'obligation solidaire contractée par la femme, avec autorisation de justice, le créancier est-il subrogé tacitement à l'hypothèque légale, si la femme a hypothéqué ses biens conjointement avec son mari ? ⁓ A. L'affectation par hypothèque a pour unique objet de mieux assurer l'obligation que les époux contractent solidairement (Cass., 2 avril 1829; S., 29, 1, 194. — Bourges, 4 mars 1831 ; S., 32, 2, 654).

La femme est-elle simplement engagée comme caution, lorsqu'elle s'oblige avec son mari pour le remplacement de son fils? ⁓ N. Le rachat du service militaire a lieu dans l'intérêt commun des époux ; le principe établi par l'art. 1431 n'est qu'une présomption juris, qui s'efface devant la preuve contraire. (Lyon, 11 juin 1833; S., 33, 2, 654).

1432 — Le mari qui garantit solidairement ou *autrement* (1) la vente que sa femme a faite d'un immeuble personnel, a pareillement un recours contre elle, soit sur sa part dans la communauté, soit sur ses biens personnels, s'il est inquiété.

= Le mari agit évidemment ici dans l'intérêt de la femme. Ex. : la femme aliène un de ses immeubles; le mari garantit le remboursement du prix, pour le cas d'éviction totale ou partielle; l'événement arrive : si l'acquéreur actionne le mari (1630), ce dernier aura un recours contre la femme.

Mais quand pourra-t-il exercer ce recours? devra-t-il attendre la dissolution de la communauté? Nous le pensons (Arg. de l'art. 1478) : il serait contraire à l'ordre public qu'un mari plaidât contre sa femme pendant la communauté (*voy.* cep. Bellot, p. 507).

La disposition de cet article s'applique à la garantie solidaire comme à la garantie non solidaire.

Il ne faut pas confondre la garantie, avec la simple autorisation donnée par le mari : l'autorisation aurait pour seul effet, dans l'espèce, de rendre la femme habile à contracter : à la vérité, l'acquéreur ne serait point tenu de réserver au mari la jouissance de l'immeuble; mais il y a loin de là à l'obligation de garantie (Dur., n. 308) (2).

1433 — S'il est vendu un immeuble appartenant à l'un des époux, de même que si l'on s'est rédimé en argent de services fonciers dus à des héritages propres à l'un d'eux, et que le prix en ait été versé dans la communauté, le tout sans remploi, il y a lieu au prélèvement de ce prix sur la communauté, au profit de l'époux qui était propriétaire, soit de l'immeuble vendu, soit des services rachetés (3).

= La théorie des récompenses est fondée sur le principe que les avantages indirects entre époux sont prohibés.

Les articles 1433-1436 règlent le cas où la récompense est due à l'un des époux par la communauté, et l'article 1437, le cas inverse où la récompense est due à la communauté par l'un des époux.

La créance provenant de la vente d'un bien propre, ou du rachat d'une servitude, est propre; la communauté a seulement l'usufruit de cette créance. Si le prix consiste en une rente constituée, il y a conversion de propres : lors de la dissolution, l'époux retrouve son droit; la communauté ne doit rien puisqu'elle ne touche rien.

Lorsque le prix a été payé, la communauté devient propriétaire des deniers, comme quasi-usufruitière, sauf à rendre à l'époux propriétaire une

---

(1) C'est-à-dire, *conjointement.*

(2) Quelques personnes considèrent cette disposition comme une conséquence de la théorie que nous avons exposée. p. 49, note. La communauté, disent-elles, ne profite pas, dans le cas prévu, de l'opération faite par la femme : quel intérêt, en effet, peut-elle avoir à l'aliénation d'un propre de la femme? Serait-ce de réaliser une somme? Mais ne devra-t-elle pas la rembourser ou justifier de son emploi? ⁎⁎⁎ Selon d'autres personnes, le cas prévu par l'article 1413 diffère essentiellement de celui qui est régi par l'art. 1432 : l'art. 1413 suppose qu'il y a quasi-contrat ; l'art. 1432 suppose qu'il y a contrat : dès lors, puisque l'autorisation du mari est intervenue, la communauté se trouve engagée; le mari est personnellement obligé ; sauf à lui, à se faire indemniser lors de la dissolution, s'il y a lieu.

(3) Cet article est extrait des articles 232 de la coutume d'Orléans et 192 de la coutume de Paris.

valeur semblable. Ainsi, pour que la communauté soit comptable, pour qu'il y ait lieu à récompense, il ne suffit pas que le patrimoine de l'époux ait été diminué ; il faut de plus, que la communauté se soit enrichie.

La loi décide avec raison que l'époux ne peut prétendre à une récompense lorsqu'il y a eu remploi :

On nomme remploi, l'acquisition d'un nouveau propre, pour tenir lieu de celui qui a été vendu.

Le remploi suppose donc une espèce de subrogation, de substitution de propre, comme au cas d'échange.

Lorsque la communauté fait des acquisitions, elle acquiert pour elle-même, elle n'est pas censée *de plano* opérer un remploi ; le remploi suppose nécessairement la réunion de certaines conditions : quelles sont ces conditions? (*Voy.* art. 1434 et 1435.)

Ce que la loi établit pour les immeubles, s'applique aux meubles propres qui ont été aliénés; aux rentes données à l'un des époux, sous la condition qu'elles ne tomberont pas dans la communauté, si cette rente a été remboursée sans qu'on ait fait emploi du prix; aux immeubles qui deviennent meubles, après avoir été détachés du sol, et qui ne sont pas considérés comme fruits; aux produits des mines et carrières qui ont été ouvertes pendant le mariage; en un mot, à tous les propres qui ont été aliénés.

—Lorsque des coupes de bois ont été faites contrairement aux règles de l'usufruit, comment s'opère la récompense ?∿∿ S'il y a eu seulement interversion dans l'ordre des coupes, on fait compensation, jusqu'à due concurrence, de la valeur de celles qui auraient dû être faites, avec la valeur de celles qui ne devaient pas l'être ; — à l'égard des coupes de bois qui ne devaient pas être faites, et qui l'ont été , on déduit du montant de leur produit ce que peut valoir pour l'époux le nouveau bois suivant son âge.—Si les coupes étaient à faire sur le fonds de la femme, on distingue : si la femme a donné son consentement, la récompense n'a lieu que sur le pied de la vente ; si la femme n'a pas consenti, l'indemnité est de la valeur réelle qu'auraient eue les coupes lors de la dissolution de la communauté, défalcation faite de la valeur qu'aurait alors le nouveau bois : — quant au mari, si les coupes ont été faites sur un de ses fonds, il ne peut exiger une indemnité supérieure au prix de la vente (Dur., n. 336 et 337).

1434 — Le remploi est censé fait à l'égard du mari, toutes les fois que, lors d'une acquisition, il a déclaré qu'elle était faite des deniers provenus de l'aliénation de l'immeuble qui lui était personnel, et pour lui tenir lieu de remploi.

= Le mari est toujours censé agir au nom de la communauté : toutes les acquisitions qu'il fait pendant le mariage , même avec les deniers provenant de l'aliénation d'un propre , deviennent donc, en général, choses communes : mais, alors, comment peut-on reconnaître celles qui sont destinées à remplacer les propres aliénés? La loi distingue : l'immeuble appartenait au mari, ou il appartenait à la femme :

Pour que le remploi soit censé fait à l'égard du mari, il suffit qu'il manifeste formellement son intention à cet égard, dans l'acte d'acquisition, soit en déclarant que cette acquisition est faite avec les deniers provenant de l'aliénation , soit en se bornant à déclarer qu'elle a pour but de lui tenir lieu de remploi (1).

Le mari doit faire connaître sa volonté dans l'acte même d'acquisition; autrement, comme il serait censé avoir agi au nom de la communauté,

_____

(1) La copulative *et* .doit, suivant nous, être prise pour la disjonctive *ou*.

l'immeuble acquis serait devenu conquêt; il n'aurait plus la faculté de le rendre *propre*. D'ailleurs, on ne pouvait admettre, qu'après avoir donné à l'immeuble une augmentation de valeur, le mari pût ensuite se l'approprier (1).

Dans tous les cas où la valeur de l'immeuble acquis en remploi n'égale pas celle du propre aliéné, la communauté doit indemniser l'époux propriétaire. — Si l'immeuble acquis en remploi est d'un prix supérieur, c'est l'époux propriétaire qui doit récompense à la communauté (2).

1435 — La déclaration du mari que l'acquisition est faite des deniers provenus de l'immeuble vendu par la femme et pour lui servir de remploi, ne suffit point, si ce remploi n'a été formellement accepté par la femme : si elle ne l'a pas accepté, elle a simplement droit, lors de la dissolution de la communauté, à la récompense du prix de son immeuble vendu.

= La déclaration faite par le mari, dans l'acte d'acquisition, ne suffit pas pour opérer le remploi lorsque l'immeuble aliéné appartenait à la femme. Il faut, indépendamment de cette déclaration, que la femme ait accepté formellement le remploi : c'est une somme d'argent qui lui est due par la communauté, et non un immeuble ; or, il ne peut dépendre du mari de forcer la femme à recevoir une chose autre que celle qui lui est due ; de substituer un corps certain à une créance.

Remarquez ce mot *formellement* : l'acceptation tacite serait donc insuffisante ; il faut que la femme agrée le remploi : d'où nous concluons, que si elle vient à mourir avant d'avoir accepté, ses héritiers ne peuvent prétendre qu'à la valeur en argent de son propre aliéné.

La femme doit accepter par un acte authentique, ou du moins, par une notification faite au mari.

Du reste, la déclaration d'emploi, faite par le mari, confère tacitement à la femme l'autorisation nécessaire pour accepter.

Mais l'acceptation doit-elle avoir lieu *incontinenti*, dans l'acte même d'acquisition? La femme pourrait-elle ratifier après un intervalle? Cette question était controversée sous l'ancienne jurisprudence ; elle n'a pas été résolue au conseil d'État : il résulte seulement de la discussion, que la femme ne peut accepter le remploi *après la dissolution ;* d'où l'on peut conclure, qu'elle peut accepter jusqu'à ce moment. Toutefois, sa déclaration postérieure à l'acquisition, ne nuirait pas aux tiers qui, dans l'intervalle, auraient acquis des droits sur l'immeuble (3). En effet, jusqu'à l'acceptation, la déclaration du mari n'est qu'une offre ; il peut librement se rétracter.

---

(1) Quelques personnes contestent cette opinion : il serait bien singulier, disent-elles, que le mari pût donner un immeuble qui lui est propre, en payement de la dette de la communauté, et qu'il ne pût disposer d'un bien de celle-ci : il est plus naturel que la dation en payement soit faite par celui qui doit, que par tout autre ; —argument *à fortiori* de l'art. 1595, 2°. — D'ailleurs, tant que la femme n'a pas accepté, l'immeuble est conquêt ; or, le mari peut librement disposer des biens de la communauté (*Val.*).

(2) Suivant Pothier, n. 198, lorsque l'excédant est considérable, une partie de l'immeuble devient même conquêt : il est de principe, en effet, que les époux ne peuvent se faire de propres hors des cas prévus par la loi.

(3) Dur., n. 393 ; Toullier, n. 360 ; Bellot, p.516 ; *voy.* cep. Delv., p. 35, n. 2, et Pothier. Suivant ces auteurs, le bien appartient à la femme sous une condition suspensive.

La loi ne prescrit que la déclaration du mari et l'acceptation de la femme ; elle n'exige pas, comme dans le cas de subrogation conventionnelle, que l'origine des deniers soit déclarée : cette formalité n'est donc pas nécessaire (*voyez* Bellot, p. 518).

Si le prix de l'immeuble acquis est inférieur à celui de l'immeuble aliéné, il y a lieu à récompense pour le surplus ; s'il est supérieur, l'époux est tenu d'indemniser la communauté ; ainsi que nous l'avons dit dans nos explications sur l'article 1434.

— S'il a été stipulé, dans le contrat de mariage, que le remploi des sommes qui sont propres à la femme aura lieu sur le premier acquêt fait depuis le mariage ou depuis l'aliénation des propres, cette stipulation s'exécutera-t-elle de plein droit, même sans déclaration de remploi ? ⋙ A l'égard du mari l'affirmative n'est pas douteuse ; car il ne peut rester le maître d'exécuter ou non son contrat de mariage ; à l'égard de la femme, elle n'est liée que par son acceptation (Toullier, n. 362 et 347 ; Bellot, p. 522).

Peut-on faire un remploi *in futurum*, c'est-à-dire, déclarer, en achetant un immeuble, que l'acquisition est faite pour remplacer un autre immeuble propre qu'on vendra ? ⋙ N. Il est défendu aux époux de s'avantager par anticipation ; ce serait mettre la communauté à la discrétion du mari, car il s'empresserait toujours de faire pour lui, d'avance, une bonne opération. — Le remploi doit avoir une cause préexistante.

1436 — La récompense du prix de l'immeuble appartenant au mari ne s'exerce que sur la masse de la communauté ; celle du prix de l'immeuble appartenant à la femme s'exerce sur les biens personnels du mari, en cas d'insuffisance des biens de la communauté. Dans tous les cas, la récompense n'a lieu que sur le pied de la vente, quelque allégation qui soit faite touchant la valeur de l'immeuble aliéné.

= Dans cet article, la loi détermine le *quantum* et le mode de perception de la récompense due par la communauté.

Aux termes de l'art. 1433, en cas de vente, pendant le mariage, d'un immeuble appartenant à l'un des époux, sans qu'il y ait eu remploi, cet époux doit être indemnisé, lors de la dissolution de la communauté : mais comment s'exerce l'indemnité ? On distingue :

Si l'immeuble appartenait au mari, la récompense ne se prélève que sur la masse ; car en dissipant ses biens personnels et ceux de la communauté, le mari ne pouvait espérer de recours subsidiaire sur les biens de sa femme.

La femme, au contraire, en cas d'insuffisance des biens de la communauté, aurait un recours, sur les biens personnels de son mari, pour le prix de ses propres aliénés : cette règle est conforme aux principes exposés art. 1473 et 1483 : en effet, le mari est tenu personnellement de toutes les dettes de la communauté ; or, le prix de l'immeuble vendu fait partie de ces dettes.

Le *quantum* de la récompense ne peut excéder la somme dont la communauté s'est enrichie, ni par conséquent le montant du prix de la vente ; les sommes payées par l'acheteur, sous le nom d'épingles, de pots-de-vin, etc., sont comprises dans le prix.

On n'a point égard à la valeur réelle de l'immeuble vendu, quelque allégation qui soit faite à ce sujet : si l'immeuble appartenait au mari, il doit s'imputer de l'avoir aliéné pour un prix inférieur à sa valeur : s'il appartenait à la femme, elle doit se reprocher d'avoir donné son consentement (1428).

Mais faut-il conclure de là, que le prix de la vente soit *irrévocablement* fixé par l'énonciation portée au contrat ? Non , s'il y a eu fraude de la part du mari ; par ex. : si le prix porté au contrat est inférieur à celui qui a été payé réellement , la femme peut sans aucun doute établir la preuve de ce fait; le cas de fraude est toujours excepté.

Quid si le prix est supérieur ? Même décision

— Comment règle-t-on l'indemnité si le mari a vendu un immeuble de la femme sans le consentement de celle-ci? ↝ On s'attache à la valeur réelle de l'immeuble lors de la dissolution de la communauté , suivant ce qui a été dit pour le cas ou le mari a vendu mal à propos des bois de sa femme (*Voy.* 1484, quest.) (Dur., n. 338).

Lorsqu'un immeuble propre a été aliéné moyennant un droit personnel , tel qu'un droit d'usufruit, d'usage ou une rente viagère ; ou lorsqu'un propre viager a été converti en un propre perpétuel, comment règle-t-on la récompense? (La difficulté est ici dans la circonstance , qu'il y aura perte soit pour la communauté, soit pour l'époux, et cela de toute la différence des revenus du droit perpétuel sur les revenus viagers.) ↝ Il faut appliquer purement et simplement l'article 1433, sans faire aucune distinction entre les revenus, sans examiner si le droit temporaire était un produit plus ou moins considérable pour la communauté.—La communauté ne doit que le prix de vente sauf le cas de fraude ; elle a d'une manière générale et non individuelle l'usufruit de tous les propres des époux ; par conséquent, on ne doit pas se préoccuper de la nature des biens, de leur puissance de production : la communauté jouira de l'objet ou du droit acquis en échange, comme elle jouissait de la chose échangée ; il y aura subrogation de propre : ainsi donc, lorsqu'un droit viager aura été reçu en échange, la communauté profitera, sans être tenue à aucune restitution, des revenus de l'usufruit ou de la rente viagère, quelque considérables qu'ils soient, et l'époux reprendra le droit, lors de la dissolution, tel qu'il sera. Si, au contraire, c'est un droit perpétuel qui ait été reçu en échange, la communauté, bien qu'elle n'ait reçu que de faibles revenus, ne pourra prétendre à aucune récompense. Vainement objecte-t-on que ce système a l'inconvénient de favoriser les donations indirectes : on peut répondre, que la loi ne s'est jamais occupée de la jouissance ; qu'elle n'a établi d'indemnité que pour les capitaux, et que c'est plutôt l'origine que le *quantum* de la chose qu'il faut considérer. ↝ Dans le cas où le droit temporaire, appartenant à l'un des époux, a été par cet époux converti en un droit perpétuel, il est dû récompense à la communauté de la différence de revenus que le droit temporaire, ainsi converti, aurait produite pendant tout le temps écoulé depuis la vente jusqu'à la dissolution de la communauté, en sus des intérêts de la somme reçue pour prix ; car la communauté ne profite de la chose reçue pour prix que sous cette déduction. Ainsi, supposons qu'un droit d'usufruit (propre à l'un des époux) dont le produit était de 1,000 fr. par an, ait été, par cet époux, vendu 12,000 fr. , et que la communauté ait duré 10 ans : comme cette dernière somme n'aura produit que le pied de 5 p. 0/0 que 600 fr. par an, la communauté aura été privée chaque année de 400 fr., ce qui fera pour 10 ans 4,000 fr., que l'on déduira, lors de la dissolution, sur la somme de 12,000 fr. qui devra être rendue à l'époux propriétaire , à titre de récompense, pour son propre vendu. — Cette théorie doit être appliquée sans qu'il y ait lieu de distinguer si la dissolution est arrivée par le prédécès de celui des conjoints à qui appartenait le droit aliéné ou par celui de l'autre conjoint ; la reprise se règle de la même manière dans les deux cas (Pothier, n. 592, chap. 1, partie 4 ; Toullier, n. 348 ; D., t. 10, p. 216, n. 33). ↝ Le premier système simplifie tout, mais il a l'inconvénient de favoriser les avantages indirects entre époux ; car, souvent il y aura fraude dans la métamorphose d'un droit temporaire en un droit perpétuel. — Le deuxième système a l'inconvénient de conduire à un résultat contraire à la règle de l'art. 1433 ; en effet, dans ce système, il peut arriver que la communauté ait duré assez longtemps pour que la différence entre les revenus de l'usufruit et ceux du droit perpétuel finisse par absorber la valeur de ce dernier droit, puisqu'à la dissolution de la communauté, la récompense, pour le prix de l'aliénation , ne s'opère que sous la déduction de ce dont la communauté se trouve appauvrie par l'opération. — Bien plus , il peut arriver que le conjoint propriétaire, au lieu de pouvoir prétendre à une indemnité, se trouve, au contraire, lors de la dissolution, débiteur de la communauté. On s'éloigne alors singulièrement de la disposition de l'art. 1433, laquelle pose en principe qu'il est dû récompense à l'époux propriétaire.—L'erreur de Pothier vient de ce qu'il considère la communauté comme ayant un droit *à priori* sur les biens des époux, tandis que son droit est *à posteriori* —En cas d'éviction, elle ne peut prétendre à une indemnité, pour la jouissance qu'elle a perdue.—La communauté n'acquiert pas un droit d'usufruit fixe, déterminé ; elle n'a qu'un droit d'usufruit sur les propres, droit subordonné aux opérations que peuvent faire les époux. — L'époux avait, sans aucun doute, la faculté de disposer de la nue propriété de son droit, puisque la communauté n'était qu'usufruitière ; or, s'il eût usé de cette faculté, point de doute que la communauté lui devrait récompense si elle avait reçu les deniers : comment admettre qu'il ne lui soit rien dû lorsqu'il a disposé de la pleine propriété ? Une fois la vente consommée, l'existence incertaine de la chose vendue ne regarde plus l'époux.—Ou nous conduirait le système de Pothier, en cas d'échange? il faudrait établir une compensation d'annuités.—Mieux vaut décider que, lors de la dissolution , on devra rechercher quelle part aura été, dans le prix de vente , la portion afférente au capital et la portion afférente à l'usufruit , et tenir compte à la communauté de ce qui aura été donné pour la jouissance, sans considérer ce que le droit peut valoir au moment de la dissolution (*Val.*). ↝ Il faut distinguer : si la dissolution de la communauté est arrivée par le prédécès du conjoint de l'usufruitier , ou par la séparation de corps ou de biens , comme l'époux vendeur aurait eu un droit d'usufruit ou une rente viagère qu'il n'a plus, il lui est dû récompense, suivant les règles tracées par Pothier ; mais, si elle est arrivée par le prédécès de l'époux à qui appartenait l'usufruit, ses héritiers ne peuvent réclamer à titre de récompense , que ce dont la communauté s'est enrichie : or, dans l'espèce, l'époux vendeur n'aurait rien transmis à ses héritiers : ni les fruits qui appartenaient à la communauté , ni le droit lui-même, puisqu'il se serait éteint par la mort de cet époux.—Pothier, au n. 639, fait cette distinction, pour le cas ou c'était, au contraire, un tiers qui avait sur le fonds de l'un des époux un droit d'usufruit dont cet époux s'est rédimé (Dur., n. 341).

Quid si l'un des époux a constitué, pendant le mariage, par vente ou autre acte qui ait profité à la communauté, un usufruit sur l'un de ses immeubles ? ↝ Si l'usufruitier est mort au jour de la dissolution de la communauté, il n'est dû aucune récompense. Si, au contraire , l'usufruit subsiste encore, il

est dû indemnité à l'époux ; on calcule cette indemnité suivant la règle tracée par Pothier (*Voy.* la question précédente) (Dur., n. 341).

Quid si l'un des époux a reçu le remboursement d'une rente viagère qui lui était demeurée propre ? ᴧᴧᴧDans le cas où la rente se serait trouvée éteinte, lors de la dissolution, il ne serait dû aucune récompense ; *secùs* si elle eût encore subsisté après la dissolution : la récompense se réglerait alors suivant le mode tracé par Pothier. Toutefois le conjoint pourrait offrir de servir la rente pour moitié à l'autre époux jusqu'à la mort du rentier, et si la rente appartenait à la femme et qu'elle renonçât à la communauté, le mari ou ses héritiers , en servant cette rente jusqu'à la même époque , se libéreraient (*Voy.* deuxième question, Dur., n. 342).

Quid si la rente viagère a été constituée pour prix de l'aliénation d'un immeuble , faite par l'un des époux pendant le mariage ? ᴧᴧᴧIl est dû indemnité aux héritiers de cet époux : l'indemnité sera de la somme dont les arrérages de la rente , perçus depuis l'aliénation de l'immeuble jusqu'à la dissolution de la communauté , excéderont les revenus annuels de cet immeuble (Dur., n. 343 ; D., t. 10, p. 217, n. 35).

Quid si la rente appartenant à l'un des époux, et remboursée pendant la communauté, était perpétuelle ? ᴧᴧᴧ La récompense serait du prix du remboursement lui-même : car les intérêts de ce prix se compenseraient avec les arrérages que la communauté aurait retirés de la rente (Dur., n. 344).

L'époux acheteur, dont le contrat d'acquisition a été rescindé pendant le mariage, a-t-il droit à une indemnité , si le vendeur lui a restitué le prix? ᴧᴧᴧ *N.* La rescision a détruit l'acquisition ; un contrat rescindé est censé n'avoir jamais existé; l'époux est réputé avoir été créancier, comme ayant payé en vertu d'un contrat nul : or, cette créance est mobilière; elle tombe en conséquence dans la communauté sans aucune reprise (Pothier, n. 597 et 598). ᴧᴧᴧ Pothier est en contradiction avec lui-même, puisqu'il donne à l'époux acheteur, dépossédé par suite d'une action en réméré, une indemnité sur la communauté , pour la somme que le tiers a été obligé de lui rembourser. — Une indemnité est due à l'époux par la communauté. — Intention des parties. — Lors du mariage , elles ont évidemment voulu ne mettre dans la communauté que le mobilier qu'elles possédaient ; — ce qui a été payé durant le mariage est la représentation d'un droit immobilier : à la vérité , le droit est anéanti, mais seulement par rapport aux tiers; vis-à-vis des conjoints, il ne subsiste pas moins (Dur. , n. 345 et 346).

Quid, si l'héritage de l'un des conjoints ayant été vendu pour un seul et même prix, avec les fruits pendants , la communauté a duré au delà de l'époque où ces fruits ont été récoltés ? ᴧᴧᴧOn doit déduire du prix de la vente la valeur de ces mêmes fruits , attendu que la communauté qui les aurait recueillis , ne profite pas de la somme pour laquelle ils sont entrés dans le prix (Pothier, n. 587; Dur., n. 339; Dur., t. 10, p. 216, n. 33).

1437 — Toutes les fois qu'il est pris sur la communauté une somme soit pour acquitter des dettes ou charges personnelles à l'un des époux , telles que le prix ou partie du prix d'un immeuble à lui propre ou le rachat de services fonciers, soit pour le recouvrement , la conservation ou l'amélioration de ses biens personnels, et généralement toutes les fois que l'un des deux époux a tiré un profit personnel des biens de la communauté , il en doit la récompense.

= Les art. 1431 et suivants, règlent le cas où la communauté est tenue d'une récompense envers l'un des époux : celui qui nous occupe, suppose au contraire que la récompense est due à la communauté; il est fondé, comme l'article 1433 , sur le principe que l'un des époux ne doit pas s'enrichir aux dépens de l'autre.

Deux systèmes sont proposés sur la fixation du *quantum* des récompenses dues à la communauté ; suivant celui que nous adoptons , on distingue :

Si la somme empruntée a été employée à des spéculations ; par ex., à des acquisitions ou à des améliorations, la récompense doit être de la somme intégrale prise dans la caisse de la communauté, sans égard à l'emploi plus ou moins utile , plus ou moins avantageux qui en a été fait : elle ne peut excéder cette somme , elle ne doit pas être moindre (1) ;

(1) En effet, aucun texte ne dispense l'époux de rembourser le prix lorsque l'opération a été désavantageuse; Arg. de l'art. 1433 : cet article veut que la communauté rembourse la valeur intégrale qu'elle a reçue ; la position doit être réciproque. Arg. de la fin du 1er al. de l'art. 1408, où il est parlé du prix qui a été tiré de la communauté et non du prix limité au bénéfice que l'époux a fait. Arg. des art. 1406

Si les impenses ont été purement voluptuaires, on ne peut plus voir dans l'emploi des deniers une spéculation , mais le résultat d'un penchant au luxe : comme l'époux ne s'est pas enrichi , il ne doit pas de récompense.

Appliquons ces règles aux cas prévus par notre article.

Dettes ou *charges personnelles :* si l'un des conjoints acquitte avec les deniers de la communauté une dette qui lui est personnelle , par ex., une dette qui grevait une succession immobilière (1413, 1414) ; s'il prélève une somme pour doter un enfant du premier lit (1469) ou pour doter personnellement un enfant commun ; si la communauté a supporté les frais d'une action pétitoire relative à un propre , il est dû récompense de la somme intégrale qui a été prêtée (1439).

La loi nous donne encore pour exemple le cas où l'époux recevrait de la communauté les deniers nécessaires pour payer un héritage qui lui serait propre ou pour acquérir un propre ; dans ces cas il y aurait également lieu au remboursement intégral du prix : s'il en était autrement , des procès nombreux surgiraient.

Quid , si l'héritage dont le prix est encore dû en tout ou en partie, ne se trouve plus en la possession de l'époux au moment du mariage ? la dette est à la charge de la communauté sans récompense : en effet , cet héritage n'a jamais été propre ; or, l'article 1409 ne réserve la récompense due à la communauté, à raison des dettes de l'époux antérieures au mariage, qu'autant que ces dettes étaient relatives aux immeubles propres : ainsi , supposons que l'un des époux soit débiteur d'une somme de 2,000 francs pour restant du prix d'un immeuble qu'il avait acheté et revendu avant son mariage : il ne doit aucune récompense. Vainement prouverait-on qu'il a payé, avec les deniers provenant de la vente d'un immeuble, le prix d'un autre immeuble qu'il a acheté depuis et qu'il possédait lors du

---

et 1407 *in fine* et de l'art. 1412. — Si l'un des époux échange un immeuble contre un autre immeuble d'une valeur supérieure, il doit payer une soulte : si cette soulte a été fournie par la communauté, dispensera-t-on l'époux, en présence des art. 1407 et 1408, de rembourser intégralement à la communauté le montant de la soulte ? si l'opération n'est pas avantageuse, dira-t-on que l'époux n'est tenu qu'au remboursement de ce dont il s'est enrichi ?—Même observation pour les cas prévus par l'art. 1409, 1°.—Reconnaissons donc l'inexactitude de la théorie générale qui limite à la plus-value, la récompense due à la communauté.—Notre système ne souffre de restriction que pour le cas particulier où les deniers auraient été employés à des impenses voluptuaires ; dans ce cas il ne serait pas dû récompense (*Val.*). Suivant Pothier, n. 613, trois principes régissent la matière qui nous occupe : 1° toutes les fois que l'un des époux s'est enrichi aux dépens de la communauté ou la communauté aux dépens de l'un des époux, il est dû récompense ;—2° la récompense n'est pas nécessairement de ce qu'il en a coûté à la communauté pour les affaires de l'époux ou à l'époux pour les affaires de la communauté ; elle est limitée au profit que la communauté ou l'époux a fait (Arg. de l'art. 1437 *in fine*). Il y a seulement exception pour le cas où la dépense était nécessaire : dans ce cas, on rembourse la somme intégrale ; — 3° la récompense ne doit jamais excéder ce qu'il en a coûté à l'époux ou à la communauté, quelque considérable qu'ait été le bénéfice que l'époux ou la communauté a fait.—Appliquant ces principes aux espèces prévues par l'art. 1437, on décide que les sommes prises dans la communauté pour acquitter les dettes ou charges personnelles à l'un des époux , pour payer un héritage qui lui est propre, pour le rachat de services fonciers ou pour le recouvrement de ses biens personnels, doivent être rapportées en totalité; car l'époux s'est enrichi d'autant.—A l'égard des impenses faites sur les biens propres : celles qui sont nécessaires , doivent toujours être restituées intégralement, puisqu'elles ont empêché la perte de la chose : l'époux est devenu plus riche , *quatenus pecuniæ propriæ pepercit.*—Lorsque les impenses sont utiles, on distingue : si c'est le mari qui a fait l'opération sur un de ses propres, il doit rendre le capital, car il a agi pour lui seul et non pour la communauté ; autrement, la communauté pourrait être victime des mauvaises opérations du mari ; il ne risquerait rien.—Lorsque les impenses ont été faites sur un immeuble de la femme, on distingue encore : si la femme a consenti, elle doit le montant de la dépense; si le mari a agi sans le concours de la femme , la doctrine de Pothier devient applicable : en effet, le consentement du propriétaire n'est point intervenu ; il n'est point auteur de l'acte : pourquoi le soumettrait-on à ses conséquences? Ainsi, la femme n'est tenue , dans ce cas, qu'en raison seulement de la plus-value existante *au moment de la dissolution de la communauté.*—Quant aux impenses voluptuaires, comme elles n'augmentent pas la valeur de l'immeuble, elles ne donnent pas lieu à récompense. Au résumé, la femme se trouve dans la même position que le propriétaire d'un fonds sur lequel un possesseur de bonne foi a fait des travaux (555, 3°) : on applique la même théorie et les mêmes distinctions au cas inverse où la récompense est due par la communauté à l'un des époux (1433).

mariage : aucune récompense ne serait due.—Ce que l'article 1437 dit pour le prix ou partie du prix d'un immeuble propre est applicable au cas d'une soulte de partage d'immeubles due avant le mariage (1407).

On demande si l'époux serait admis, pour se dispenser de payer la récompense, à faire l'abandon de l'immeuble à la communauté ? Lui reconnaître cette faculté, ce serait lui accorder la chance favorable de l'augmentation de valeur de l'immeuble, tout en laissant à la charge de la communauté la chance désavantageuse ; il faut donc appliquer la maxime *is quem sequuntur commoda , eumdem* : l'époux doit s'imputer de ne pas avoir fait de réserve dans son contrat de mariage.

Celui des époux qui a racheté, avec les deniers de la communauté, une rente foncière dont il était débiteur, est tenu de continuer le service de la rente, si mieux il n'aime restituer le capital : cet époux, en effet, n'ayant été libéré que d'une rente, ne doit à la communauté que la continuation de cette rente.

Mais que deviendra la rente, après la dissolution de la communauté ? On distingue : la récompense est due par le mari ou elle est due par la femme. Au premier cas, si la femme accepte, le mari ne doit continuer la rente que pour moitié ; si elle renonce, il s'opère, dans la main du mari, une entière confusion, et par conséquent une extinction totale de la rente. — Au deuxième cas, si la femme accepte, le mari ne peut prétendre qu'à la moitié de la rente ; si elle renonce, il peut en exiger le payement total ; car les biens de la communauté lui appartiennent.

Rachat de services fonciers : si l'on a racheté, avec les deniers de la communauté, une servitude qui existait sur un fonds propre à l'un des époux, la récompense est de la somme déboursée par la communauté.

Recouvrement des biens personnels : ex. : l'un des époux a intenté, pour vilité du prix, l'action en rescision d'une vente consentie avant le mariage ; si la communauté a fourni la somme à restituer, on lui en doit récompense.

Conservation ou amélioration des biens personnels : il ne peut être question ici des avances faites pour impenses de simple entretien ; car l'entretien est une charge de la jouissance, et par conséquent une charge de la communauté (1409, 4°) : il s'agit des grosses réparations, des améliorations, des dépenses faites dans un esprit de spéculation ; ce qui donne lieu à la restitution de la somme intégrale prise dans la communauté.

Quant aux impenses voluptuaires, ainsi que nous l'avons déjà dit, elles ne donnent pas lieu à récompense, car elles ne sont pas faites dans un esprit de spéculation, mais dans des vues de luxe ou de dissipation ; elles ne produisent pas d'augmentation de patrimoine.

— *Quid* lorsqu'il s'agit d'un droit d'usufruit ou autre servitude personnelle dont l'héritage de l'un des conjoints était grevé et qui a été racheté avec les deniers de la communauté ? ⋙ On distingue : si le tiers qui avait ce droit est mort avant la dissolution de la communauté, il n'y a pas lieu à récompense, quelle que soit la somme employée pour le rachat, lors même qu'elle excéderait la valeur des fruits que la communauté a retirés de l'immeuble ; car le conjoint dont l'héritage était grevé, ne s'est point personnellement enrichi par ce rachat.—Si le tiers a survécu, il y a lieu à récompense, en effet, au moment de la dissolution de la communauté, l'époux reprend, par suite du rachat, la pleine propriété de son bien, propriété qu'il n'aurait eue, sans le rachat, qu'après la mort de l'usufruitier. — En quoi consiste cette récompense ? Le conjoint a le choix, ou de restituer à la communauté la somme qui en a été tirée, sous la déduction de ce qu'elle a reçu de la jouissance de l'héritage au delà de l'intérêt de cette somme, ou d'abandonner au mari (si c'est la femme et qu'elle accepte) la moitié de la jouissance de l'héritage, pendant la vie de celui à qui appartenait l'usufruit racheté (Dur., n. 371.) *Voy.* art. 1436, 2me quest.

Quid si une rente viagère, due relativement à un propre, a été rachetée pendant la communauté ? ⋙

L'époux doit récompense a la communauté de l'intégralité de la somme qu'elle a déboursée. ∼∼∼ Si l'époux devait rembourser la somme intégrale, la communauté serait avantagée à son détriment : en effet, la communauté aurait dû payer chaque année les arrérages de la rente.—D'ailleurs, comme a l'époque de la dissolution, le rentier aurait moins de temps a vivre, l'époux débiteur aurait pu racheter a moins de frais la rente qu'il devait servir.—Il faut admettre la distinction suivante : si la personne sur la tête de laquelle était constituée la rente, meurt avant la dissolution du mariage, aucune récompense n'est due à la communauté ; car l'époux ne s'est point personnellement enrichi. — Secùs si cette personne existe encore a l'époque de la dissolution de la communauté : comme l'époux qui devait servir la rente profite alors du remboursement, il est soumis à une récompense ; et cette récompense consiste dans la continuation du service d'une semblable rente, en proportion de la part à laquelle le conjoint peut prétendre dans les biens de la communauté, jusqu'à la mort de la personne sur la tête de laquelle la rente avait été constituée, si mieux n'aime, l'époux débiteur, rembourser au conjoint sa part dans la somme qui a été tirée de la communauté pour le rachat, sous la déduction toutefois du profit que la communauté a fait, c'est-à-dire de ce dont les arrérages de la rente auraient excédé les intérêts de la somme pour laquelle a eu lieu le rachat, pendant le temps écoulé depuis le rachat jusqu'à la dissolution de la communauté (Pothier, n. 668 ; D., t. 10, p. 222, n. 49 ; Dur., n. 367). ∼∼∼Il faut distinguer la propriété de la jouissance et rechercher quelle somme la communauté aurait déboursée, si elle n'avait racheté que le service de la rente ; on reconnaîtra peut-être alors, que l'époux ne doit rembourser à la communauté, que la moitié de la somme avancée par elle.—Appliquez la théorie établie sous l'art. 1436, quest. 2e (Val.).

Un époux, donataire d'une somme d'argent, devient héritier du donateur : voulant prendre part dans les immeubles de la succession, il accepte, et par suite se trouve soumis au rapport : devra-t-il récompense 1 la communauté de la somme qu'il a été tenu de rapporter ? ∼∼∼ A. Cette somme a été acquise par la communauté ; mais il déduira le mobilier recueilli dans la succession (Dur., n. 381). ∼∼∼ Le rapport doit avoir lieu, si la donation a précédé le mariage : secùs si elle a été faite pendant le mariage ; car la somme donnée n'est entrée dans la communauté que conditionnellement (Pothier , n. 630).

Quid, si l'époux. qui a été institué, pendant le mariage, légataire d'une chose mobilière, renonce au legs pour prendre part dans les immeubles : doit-il récompense ?∼∼∼N. L'époux est considéré comme créancier , sous une alternative, d'une chose mobilière ou d'une chose immobilière. — Vice versâ , s'il renonce à la succession pour s'en tenir au legs, il n'a droit à aucune indemnité (Dur., n. 382 ; Pothier, n. 608).

Un des époux devrait-il une indemnité à raison des dépens auxquels il aurait été condamné, par suite d'une action en revendication intentée par lui, et dans laquelle il aurait succombé ? ∼∼∼ N. Ce n'est point là une dépense nécessaire , mais une dépense utile dont il ne profite pas : il en serait autrement, s'il eût gagné le procès ou s'il l'eût perdu comme défendeur ; car la dépense aurait eu réellement pour objet la conservation d'un immeuble qui lui était propre (1402).—Cette dépense eût été nécessaire (Dur., n. 377 ; Bellot, p. 477).

1458—Si le père et la mère ont doté conjointement l'enfant commun, sans exprimer la portion pour laquelle ils entendaient y contribuer, ils sont censés avoir doté chacun pour moitié, soit que la dot ait été fournie ou promise en effets de la communauté. soit qu'elle l'ait été en biens personnels à l'un des deux époux.

Au second cas, l'époux dont l'immeuble ou l'effet personnel a été constitué en dot, a, sur les biens de l'autre, une action en indemnité pour la moitié de ladite dot, eu égard à la valeur de l'effet donné, au temps de la donation.

= Nous n'avons point à examiner ici la question de savoir si un époux doit récompense à la communauté lorsqu'elle a fourni quelques biens pour doter un enfant d'un premier lit ; l'affirmative n'est pas douteuse, car la communauté n'est tenue de subvenir qu'aux frais d'éducation et d'entretien de cet enfant : la loi suppose que c'est un enfant commun qui a été doté (1).

L'obligation de doter étant une dette naturelle, les enfants n'ont contre leurs père et mère aucune action pour les contraindre à l'acquitter (204).

_____

(1) Dans notre article, le mot *dot* s'applique aussi bien a la donation faite au fils, qu'a celle qui est faite à la fille.

De ce principe on déduit les conséquences suivantes :

1º Si la dot a été constituée par l'un des époux seul, l'autre n'en est pas tenu ;

2º Les époux peuvent donner en dot à leur enfant commun des parts inégales ;

3º S'ils constituent une dot conjointement, même en effets de la communauté, la femme est obligée personnellement ; en sorte qu'on pourra toujours la poursuivre sur ses biens personnels pour sa part, lors même qu'elle renoncerait à la communauté ; car ce n'est point en qualité de communs en biens que les époux ont doté, mais comme père et mère, sauf manifestation d'une volonté contraire (1).

4º S'ils dotent conjointement, sans fixer les parts pour lesquelles ils veulent contribuer, on doit présumer qu'ils entendent s'obliger personnellement chacun pour moitié ;

5º Si la dot constituée conjointement, a été fournie en biens personnels à l'un des époux, cet époux a une action en indemnité sur les biens de l'autre ; car en donnant un effet qui lui est personnel, il est censé avoir fait un prêt à son conjoint.

Remarquez ces mots : *sur les biens personnels de l'autre* : pourquoi l'action ne s'exerce-t-elle pas, au moment du partage, sur les biens de la communauté et par prélèvement? Parce que l'obligation de doter même les enfants communs, n'est pas une dette de la communauté ; la communauté est seulement tenue de les nourrir, entretenir et élever (1409).

On estime l'effet donné selon sa valeur au temps de la donation; car c'est cette valeur que les parties ont considérée ; c'est là ce qui a été donné.

Le rapport est dû à la succession du constituant : en conséquence, lorsque les père et mère ont doté conjointement l'enfant commun, sans exprimer la portion pour laquelle ils entendaient contribuer, le rapport est dû pour moitié à la succession de chacun d'eux. — Si la dot a été constituée en effets de la communauté, par le père seul, la mère en est tenue pour moitié si elle accepte ; dès lors, le rapport sera dû à sa succession dans cette proportion (2). Mais si elle renonce, comme elle ne supporte pas les dettes de la communauté, elle n'est pas tenue de la dot ; par suite, on ne rapportera rien à sa succession (3).—Il en serait autrement, si elle avait doté avec son mari conjointement : sa renonciation ne pourrait, en ce cas, changer la position de l'enfant ; le rapport serait toujours dû pour moitié à la succession de chacun des constituants.

---

(1) Concluons de là, que toutes les valeurs qui ont été tirées par l'un des époux, pour doter personnellement un enfant commun, doivent être, par cet époux ou par ses héritiers, rapportées à la communauté. Cette observation est importante en ce qui concerne le mari : car, aux termes de l'art. 1472, il ne peut exercer ses reprises que sur les biens de la communauté. — Quant à la femme, il lui importe peu que le mari indemnise la communauté par la voie de compensation ou par la voie du rapport, puisqu'à défaut d'actif dans la communauté, elle peut exercer ses reprises sur les biens personnels du mari (1472, 2º).

La dot mobilière que l'un des époux aurait constituée avant son mariage à un enfant de son premier lit, serait supportée par la communauté sans récompense. Arg. de l'art. 1409.

(2) Mais l'enfant n'aura pas moins une action pour le tout contre son père, car il s'est obligé personnellement ; d'ailleurs, les dettes de la communauté peuvent être poursuivies sur les propres du mari.

(3) D. t. 10, p. 209. n. 54 ; Dur., n. 291.—La renonciation de la mère ne peut, par un effet rétroactif, faire entrer dans la succession du père la dot qui avait été irrévocablement distraite de la communauté (Toullier, n. 522).

—La mère a fourni, sur ses biens personnels, la dot qui a été constituée par elle et par son mari conjointement, mais sans détermination de part ; elle décède avant son mari : l'enfant doté devra-t-il rapporter la dot en totalité à la succession de la mère ? ⵜⵜⵜ N. La dot est due pour moitié à la succession du père, car c'est un prêt qui lui a été fait (Bellot, n. 868).

Lorsque le mari déclare se charger de la dot pour les 2/3 ou pour les 3/4, la femme est évidemment tenue pour l'autre part, si elle accepte la communauté; mais dans quelle proportion est-elle obligée, lorsque le mari a simplement dit qu'il se chargeait de la moitié de la dot? ⵜⵜⵜ il est naturel de penser que le mari a entendu se charger de la dot pour la portion qu'il savait devoir prendre dans la communauté au cas où la femme accepterait (Dur., n. 294).

1439 — La dot constituée par le mari seul à l'enfant commun, en effets de la communauté, est à la charge de la communauté ; et dans le cas où la communauté est acceptée par la femme, celle-ci doit supporter la moitié de la dot, à moins que le mari n'ait déclaré expressément qu'il s'en chargeait pour le tout, ou pour une portion plus forte que la moitié.

= Dans l'article précédent, la loi prévoit le cas où la constitution de dot serait faite par l'un et l'autre époux conjointement ; elle suppose maintenant que la dot a été constituée par le mari seul.

Lorsque le mari, dans cette hypothèse, a disposé de ses biens personnels, la dot est évidemment supportée par lui pour le tout sans récompense ; la loi n'avait point à statuer sur ce point.

Mais lorsqu'il livre des effets de la communauté, sa position n'est plus la même ; agit-il comme empruntant à la communauté, pour acquitter une dette qui lui est personnelle, ou comme chef de la société conjugale ? Une discussion s'était élevée à cet égard entre les anciens auteurs ; la loi tranche ici la question : le mari ayant le droit de disposer des biens de la communauté, il est naturel de penser qu'il entend agir principalement, en qualité de chef de la société conjugale, comme acquittant une dette commune (1). En conséquence, au moment de la dissolution, la femme *acceptante* supportera la dot en proportion de la part qu'elle prendra dans l'actif.

Le cas où le mari aurait *expressément* déclaré qu'il se chargeait de la dot pour le tout, ou pour une part plus forte que la moitié, est excepté; mais cette volonté ne se présume pas.

Si la femme renonce, il est clair qu'elle n'est tenue d'aucune part dans la dot; car elle n'a point contracté d'engagement personnel.

Observons surtout, que trois conditions sont requises, pour que la dot soit à la charge de la communauté : il faut qu'elle ait été constituée *à l'enfant commun*, *par le mari seul*, *en effets de la communauté*. Hors ce cas, soit qu'elle ait été constituée au profit d'un enfant du premier lit, soit qu'elle ait été constituée par le mari seul en effets qui lui étaient propres ; soit qu'elle l'ait été en effets de la communauté, mais par les deux époux conjointement, la dette est personnelle aux constituants.

— Que faut-il décider dans le cas où la dot a été constituée en une somme d'argent *in genere?* ⵜⵜⵜ Il s'agit ici d'une dette ; or, les dettes contractées par le mari sont à la charge de la communauté, con-

---

(1) La rigueur des principes nous paraît ici méconnue : puisqu'il s'agit d'une dette naturelle, la femme ne devrait pas être obligée de l'acquitter, et cependant, si elle accepte la communauté, elle sera tenue de la dot pour moitié.

formément à l'art. 1408, 2°. Cependant, il eût mieux valu décider que le mari, dans ce cas, devait récompense à la communauté (Val.).

Il arrive souvent que les père et mère, en dotant conjointement un enfant commun, stipulent que la dot sera imputée en entier sur la succession du premier mourant; le prédécédé est alors censé avoir doté seul : mais qu'arrive-t-il, lorsque la communauté est mauvaise, si la succession ne peut fournir la dot promise? L'enfant est-il admis à demander la moitié de la dot au survivant? ∾ N. (Toullier, n. 340 et 341; Bellot, n. 567; D., t. 10, p. 214, n. 19.)

Peut-on stipuler, en constituant une dot, que l'enfant doté laissera jouir le père ou la mère survivant de la portion qui, par le fait du partage, tombera dans le lot du prédécédé? ∾ N. Cette clause serait nulle comme contraire aux bonnes mœurs (Toullier, n. 338).

Quid si le mari a doté un enfant de sa femme en effets de la communauté? ∾ On distingue : s'il a donné des objets mobiliers, à titre particulier, sans réserve d'usufruit, la dot est à la charge de la communauté (1422); mais s'il a donné des immeubles, ou une quotité du mobilier, ou des meubles dont il s'est réservé l'usufruit, la femme n'est point liée, car le mari ne peut, sans le consentement de la femme, faire de dispositions de cette nature qu'au profit de l'enfant commun; cette constitution pèse tout entière sur lui. — Néanmoins, ce sera toujours un avantage fait à la femme; avantage imputable, par conséquent, sur la portion disponible; mais il ne sera pas révocable comme le sont ceux dont l'art. 1096 fait mention (Dur., n. 289 et 295).

Quid si la dot est constituée par la femme, avec autorisation du mari, en effets de la communauté? ∾ Quand le mari intervient pour autoriser et non pour constituer, il annonce l'intention de ne pas doter lui-même, et de ne pas engager la communauté; la femme est supposée agir pour son compte; la communauté est censée faire une avance (Val.).

Quid si elle a constitué la dot avec autorisation de justice? ∾ Elle ne peut engager la communauté; elle n'est tenue, pendant la communauté, que sur la nue propriété de ses biens personnels (Val.).

1440 — La garantie de la dot est due par toute personne qui l'a constituée; et ses intérêts courent du jour du mariage, encore qu'il y ait terme pour le payement, s'il n'y a stipulation contraire (1).

= En règle générale, le donataire n'a point d'action en garantie contre le donateur, en cas d'éviction de la chose donnée; mais il ne s'agit pas ici d'une donation ordinaire : la dot n'est pas constituée à titre purement gratuit, puisqu'elle est destinée principalement à subvenir aux charges du ménage; il suit de là :

1° Que toute personne qui constitue une dot est soumise à la garantie, non-seulement envers le mari, mais encore envers la femme; la loi ne distingue pas.

Il est bien entendu, qu'on ne pourrait appliquer cette règle au cas d'éviction d'un objet individuel compris dans une constitution de dot à titre universel, car les donations d'universalités ne comprennent que les choses qui appartiennent réellement au donateur. Il faudrait cependant excepter le cas où il y aurait eu détermination particulière de chacun des objets donnés.

2° Que les intérêts de la dot courent de plein droit du jour du mariage : cette disposition forme exception aux principes généraux des obligations, suivant lesquels les intérêts ne courent que du jour de la sommation faite au débiteur (1153) : on a voulu épargner au donataire le désagrément de recourir à des voies judiciaires contre son bienfaiteur.

Il est bien évident, que si la donation avait pour objet une créance non productive d'intérêts, le disposant ne serait pas tenu d'en payer, sauf stipulations contraires.

---

(1) Cette disposition n'est pas spéciale au régime de la communauté; elle reçoit son application sous tous les régimes. Mais elle devait naturellement prendre place après les articles 1438 et 1439.

SECTION III.

De la dissolution de la communauté, et de quelques-unes de ses suites.

La loi détermine dans cette section les diverses causes de dissolution de la communauté (1441).

Sous certaines coutumes, le principe de la dissolution par la mort naturelle ou civile, recevait exception, lorsque l'époux avait négligé de faire inventaire ; mais comme cette règle entraînait d'innombrables difficultés, le Code l'a formellement proscrite : il se borne à frapper le survivant d'une sorte de peine, en conférant aux intéressés le pouvoir d'établir, même par commune renommée, la consistance des biens non inventoriés ; et lorsqu'il y a des mineurs, en le privant de l'usufruit légal de leurs biens. — La loi punit également le subrogé tuteur négligent, en le déclarant solidairement responsable (1442).

Le reste de la section est consacré à la séparation de biens.

La faculté de demander la séparation de biens est accordée à la femme, sous quelque régime qu'elle soit mariée, comme un correctif nécessaire de l'étendue des pouvoirs du mari ; toutefois, elle ne peut en user que dans certains cas (1443).

Voyez, sur la manière d'introduire l'action en séparation, les articles 865-869, Pr. — La femme doit, comme de raison, établir la preuve des faits sur lesquels elle fonde sa demande ; — l'aveu du mari serait insuffisant (870, Pr.), car la séparation de biens ne peut être volontaire (1443).

Le droit de demander la séparation de biens est exclusivement attaché à la personne de la femme ; les créanciers peuvent seulement, en cas de faillite ou de déconfiture du mari, exercer les droits de leur débitrice (1166) jusqu'à concurrence du montant de leur créance (1446).

La séparation de biens devant préjudicier aux créanciers présents et même futurs du mari, puisqu'elle les réduit à ne pouvoir poursuivre leur payement que sur ses biens personnels, tout en lui laissant l'apparence de la richesse, la loi prescrit, dans leur intérêt, diverses mesures (1444 et 1445).

Au surplus, ils peuvent, conformément aux principes généraux (1167), attaquer la séparation frauduleuse, et même, sans attendre que la fraude soit consommée, intervenir dans l'instance, en se conformant, bien entendu, aux règles de la procédure (1447, C. c.,871, Pr.) (1).

Les effets de la séparation de biens sont déterminés dans les articles (1448 à 1452).

1441 — La communauté se dissout, 1° par la mort naturelle; 2° par la mort civile ; 3° par le divorce ; 4° par la séparation de corps ; 5° par la séparation de biens.

= Aux causes de dissolution énumérées dans cet article, il faut ajouter suivant nous, *l'absence*, qui dissout également la communauté, soit au

---

(1) En matière de séparation de corps, l'intervention des créanciers n'est pas autorisée (Carré, Pr. t. 3, p. 244, n. 1968).

moment de la déclaration d'absence, si l'époux présent opte pour la dissolution provisoire ; soit lors de l'envoi définitif, s'il opte pour la continuation de la communauté (*Voyez*, à cet égard, les art. 124 et 129) (1).

1442 — Le défaut d'inventaire après la mort naturelle ou civile de l'un des époux, ne donne pas lieu à la continuation de la communauté ; sauf les poursuites des parties intéressées, relativement à la consistance des biens et effets communs, dont la preuve pourra être faite tant par titres que par la commune renommée.

S'il y a des enfants mineurs, le défaut d'inventaire fait perdre en outre (2) à l'époux survivant la jouissance de leurs revenus ; et le subrogé tuteur qui ne l'a point obligé à faire inventaire, est solidairement tenu avec lui de toutes les condamnations qui peuvent être prononcées au profit des mineurs.

= Sous l'empire des coutumes, le défaut d'inventaire pouvait donner lieu, au préjudice du survivant, à la continuation de la communauté : les unes admettaient cette continuation en faveur des enfants mineurs seulement ; les autres étendaient ce bénéfice aux enfants majeurs (3), et quelques-unes même aux collatéraux : en sorte qu'une personne qui contractait successivement plusieurs mariages, pouvait mourir avec deux ou trois communautés. On entrevoit toutes les difficultés que présentait la liquidation d'une telle succession.

Aujourd'hui, le défaut d'inventaire ne donne plus lieu à la continuation de la communauté : mais comme la négligence de l'époux survivant ne doit pas rester impunie, les tribunaux *peuvent* autoriser les parties intéressées (majeures ou mineures), héritiers, successeurs universels de l'époux prédécédé et autres, à prouver la consistance des biens et effets communs, même par *commune renommée* (4).

Toutefois, dans notre opinion, ils doivent, avant d'autoriser ce dernier genre de preuves, apprécier les circonstances et prendre en considération la bonne ou la mauvaise foi du survivant.

S'il y a des enfants mineurs, la loi prive en outre le survivant de la

(1) Quelques jurisconsultes ne voient dans l'option du conjoint que du provisoire : pour déterminer la liquidation de la communauté, il faut, suivant eux, se reporter au décès, comme pour le règlement de la succession : en effet, il pourra se faire que le conjoint ait opté pour la continuation, et que, cependant, la communauté soit dissoute en réalité ; et *vice versâ*, qu'il ait opté pour la dissolution, et que cependant la communauté ait continué : ainsi le provisoire n'aura été qu'un état apparent ; donc, la communauté n'est pas dissoute en droit. On ne doit pas plus ranger la déclaration d'absence parmi les manières de dissoudre la communauté qu'on ne doit la mettre au nombre des causes d'ouverture des successions.

(2) Selon quelques personnes, l'expression : *en outre*, indique une corrélation entre la première et la deuxième partie de l'article ; dans ce système la deuxième peine est une conséquence de la première ; l'une ne marche jamais sans l'autre : de telle sorte que, si l'on n'avait pas eu recours à la commune renommée, pour rétablir la consistance du mobilier, le survivant ne serait pas privé de la jouissance légale.

(3) Sous la coutume de Paris, art. 240, il fallait que la continuation fût requise par les enfants. Sous la coutume d'Orléans, elle avait lieu de plein droit ; elle était *taisible, tacite* (art. 219).

(4) C'est là une peine grave ; car *fama crescit eundo*. Il est juste de punir le survivant, lorsque les enfants sont mineurs, puisqu'il a méconnu les devoirs que lui imposait sa qualité de tuteur ; mais elle est trop rigoureuse, lorsque les intéressés sont majeurs, car ils ont à s'imputer de ne pas avoir veillé à leurs intérêts. Quoi qu'il en soit, la loi ne distingue pas ; elle accorde aux majeurs comme aux mineurs le droit de recourir à la preuve par commune renommée (D., t. 10, p. 226, n. 3). ✻✻✻ Cette disposition n'est faite que dans l'intérêt des enfants mineurs, pour le cas où le défaut d'inventaire donnait autrefois lieu à la continuation de la communauté (Toullier, n. 50).

jouissance accordée par l'art. 384, aux père et mère : cette déchéance est
encourue de plein droit ; la loi parle impérativement ; elle dit : le défaut
d'inventaire *fait perdre*, etc., et non *pourra faire perdre* : il n'est donc
pas nécessaire qu'elle soit prononcée.

Il faut assimiler au cas où il n'a pas été fait inventaire, celui où l'inventaire est irrégulier ou incomplet.

La déchéance n'est pas bornée aux revenus des biens que les enfants
possèdent au moment de la dissolution ; elle s'étend à ceux qui pourront
leur échoir par la suite : les termes de la loi sont généraux (Proudhon,
Usuf., t. 1, p. 221 ; Dur., t. 10, p. 227, n. 7 ; *voy.* cep. Toullier, n. 8 et 9).

Le Code impose au subrogé tuteur l'obligation de veiller à la confection de l'inventaire, sous peine d'être tenu *solidairement* (c'est-à-dire
in solidum) (1) de toutes les condamnations qui pourront être prononcées au profit des mineurs ; sauf ensuite, bien entendu, son recours
contre l'époux.

— Si les père et mère étaient mariés sous tout autre régime que celui de la communauté, le défaut
d'inventaire ferait-il perdre à l'époux survivant la jouissance des biens des enfants mineurs ? ⋀⋀ *A.*
Vainement dirait-on que le Code contient une disposition pénale et exceptionnelle : on répondrait, que
la loi ne prononce point une peine, mais qu'elle établit une condition potestative, à l'exécution de
laquelle est subordonnée la jouissance des biens des enfants (Toullier, n. 10 ; Bellot, p. 84, t. 2 ; D.,
t. 10, p. 227, n. 8. *Voyez* cep. Dur., n. 400, t. 14 ; n. 389 et suiv., t. 3 ; Proudhon, Usuf., t. 1, p. 221).
  Dans quel délai l'inventaire doit-il être fait ? ⋀⋀ Il faut appliquer l'art. 451, C. c. ⋀⋀ Il serait trop
rigoureux d'obliger le survivant à procéder à cette opération douloureuse dans les dix jours du décès
de son conjoint. — Le délai convenable est le délai ordinaire de trois mois (1456) : ce délai était accordé par l'art. 141 de la coutume de Paris. — Lorsque c'est la femme qui a survécu, elle doit accepter ou répudier la communauté ; pour cela, trois mois et quarante jours lui sont accordés ; la
loi ne peut vouloir l'assujettir à faire deux inventaires : l'un, en qualité de tutrice, l'autre, en qualité
de survivante. — Si la femme a un délai, pourquoi le mari serait-il privé de cette faveur ? N'oublions
pas que le débat s'élève entre le survivant et ses enfants : or, *inter personas conjunctas*, etc. (Bellot,
p. 91 ; Toullier, n. 17) (*Val.*).

1445 — La séparation de biens ne peut être poursuivie qu'en
justice par la femme dont la dot est mise en péril, et lorsque
le désordre des affaires du mari donne lieu de craindre que
les biens de celui-ci ne soient point suffisants pour remplir les
droits et reprises (2) de la femme.

Toute séparation volontaire est nulle.

= La séparation de biens est contractuelle ou judiciaire :

Contractuelle, lorsqu'elle est stipulée dans le contrat de mariage (1536
et suiv.).

Judiciaire, lorsqu'elle est ordonnée par *jugement* : la séparation judiciaire est une ressource accordée à la femme, contre les dangers auxquels peuvent l'exposer la mauvaise administration et le désordre des
affaires de son mari. — Comme elle opère une dérogation aux conventions
matrimoniales, on ne peut l'obtenir que sous les conditions déterminées
par la loi ; ces conditions sont :

1° *Le péril de la dot.* — Le mot *dot* comprend tout ce que la femme
apporte pour subvenir aux charges du ménage ; que les époux soient mariés sous le régime dotal, ou sous le régime de la communauté.

La femme qui n'a pas de biens réalisés et qui n'a pas fait d'apports, peut-

---

(1) En effet, la solidarité suppose une espece d'association (1206-1207) ; ce qui n'existe pas dans
l'espece.
(2) Les mots *Droits et reprises* comprennent ce qui peut motiver une action, et par conséquent
la reprise de la dot elle-même.

elle obtenir la séparation de biens ? L'affirmative est généralement décidée : il lui reste à sauver ses biens à venir. Elle peut, d'ailleurs, avoir des talents qui équivalent à une dot ; il lui importe dès lors de soustraire son gain à la prodigalité du mari, afin de se ménager les moyens de subvenir aux charges du ménage.

2° *Que le désordre des affaires du mari donne lieu de craindre*, etc. Ainsi, quel que soit le désordre des affaires du mari, s'il n'y a point lieu de craindre que ses biens ne soient insuffisants pour remplir les droits et reprises de la femme, le juge doit rejeter la demande en séparation. On donne pour exemple, le cas où le mari posséderait des immeubles d'une valeur au moins égale aux reprises apparentes de la femme : les droits de la femme seraient alors suffisamment garantis par l'hypothèque légale (1). —Le tribunal doit également apprécier les pertes que le mari a faites et la nature des opérations auxquelles il se livre habituellement ; le plus ou le moins de danger qu'elles présentent, etc.

D'un autre côté, pour que la femme puisse faire admettre sa demande, il n'est pas nécessaire que le mari soit devenu insolvable, autrement, la séparation ne présenterait plus qu'un remède inutile ; il suffit qu'il commence à le devenir, et qu'il y ait lieu de craindre qu'il ne le devienne de plus en plus.

Le juge n'a point à examiner si l'inconduite du mari est cause du mauvais état de ses affaires ; car ce serait reconnaître à la femme le droit de censurer indirectement les actes de son mari : le seul point à considérer, est de savoir si elle est exposée à perdre.

Au nombre des circonstances qui peuvent déterminer le juge, il ne faut pas comprendre les aveux du mari (870, Proc.) : la séparation de biens ne peut être volontaire, puisqu'elle doit modifier les conventions matrimoniales ; le juge doit toujours exiger que la femme fournisse la preuve des faits avoués.

Observons, que le droit de demander la séparation n'est accordé qu'à la femme ; le mari ne jouit pas de cette faculté : chef de la communauté, il dispose librement des biens qui la composent, et s'oblige même sur ses propres au payement des dettes qu'il contracte ; il n'a dès lors aucun intérêt à demander la séparation.

— Si la femme, en apportant une dot mobilière, stipule que cette dot sera employée en acquisition d'immeubles, le défaut d'emploi sera-t-il un motif suffisant de séparation ? ⸿⸿ *A*. La stipulation d'emploi est une condition sans laquelle la femme ou ses parents n'auraient pas doté (Toullier, n. 31, t. 2).

Après avoir échoué dans une première demande en séparation de biens, la femme pourrait-elle en former une seconde? ⸿⸿ *A*. Si, dans l'intervalle de l'une et l'autre action, le mari a fait des actes tels que ses biens ne soient plus suffisants pour remplir la femme des droits et reprises (Toullier, n. 35, t. 2).

Les héritiers de la femme peuvent-ils poursuivre une demande en séparation commencée par elle avant son décès? ⸿⸿ *N*. L'action en séparation est purement personnelle (*Douai*, 23 mars 1831 ; S., 31, 2, 243).

1444 — La séparation de biens, quoique prononcée en justice, est nulle si elle n'a point été exécutée par le payement réel des droits et reprises de la femme, effectué par acte authentique, jusqu'à concurrence des biens du mari, ou au moins par des poursuites commencées dans la quin-

---

(1) Le péril, assurément, est rare en ce cas ; cependant il est encore possible, car, la femme n'a pas d'hypothèque pour sa part de la communauté. En outre, elle peut avoir, par la suite, des reprises plus considérables à exercer.

zaine qui a suivi le jugement, et non interrompues depuis.

⹀ La loi ne devait pas laisser aux époux la facilité de s'entendre, pour faire prononcer la séparation, sauf à ne faire valoir le jugement que dans une occasion favorable : si les affaires du mari sont réellement en désordre, la femme doit se hâter de faire liquider ses reprises : lorsqu'elle ne fait point exécuter le jugement dans le délai fixé, il y a lieu de présumer que le désordre n'était qu'apparent.

Cette rigueur est fondée sur les préventions que soulèvent ces sortes de procédures : « L'expérience nous apprend, disait Bourjon, qu'elles sont » presque toutes collusoires entre le mari et la femme à l'oppression des » créanciers ; ce sont des moyens dont les débiteurs se servent pour mettre » leurs meubles à couvert de toute saisie. »

Afin que les époux ne puissent éluder cette disposition en antidatant des quittances, la loi exige que le payement réel des droits de la femme soit constaté par un *acte authentique* : nous pensons, néanmoins, qu'un acte privé ayant date certaine suffirait.

A défaut de payement, elle veut qu'il y ait eu au moins, dans la quinzaine *qui a suivi le jugement*, des poursuites commencées, et non interrompues depuis : ainsi, c'est du jour du jugement, et non du jour de la signification que court le délai de quinzaine. Le législateur n'a pas voulu laisser aux époux la faculté de prolonger indéfiniment ce délai, en retardant la signification du jugement. Il n'y a point à distinguer si le jugement est contradictoire ou s'il est par défaut.

La question de savoir si les poursuites commencées par la femme ont été continuées sans interruption, est abandonnée à l'appréciation des tribunaux.

La nullité de la séparation de biens, résultant du défaut d'exécution dans la quinzaine de la prononciation du jugement, peut être opposée par les créanciers du mari, et suivant nous, par le mari lui-même (1) : mais la femme n'aurait pas cette faculté, car la nullité n'est pas absolue (2).

On entend par *poursuites*, tout acte qui tend à liquider la communauté ; par exemple, un inventaire et même une signification de jugement de séparation avec commandement d'y satisfaire ou sommation de se présenter chez un notaire pour procéder à la liquidation (3).

En disant que les poursuites de la femme ne doivent pas être interrompues, la loi ne prétend pas lui interdire la faculté d'accorder à son mari un délai, un répit pour se libérer : il suffit que les poursuites n'aient pas été abandonnées.

Le défaut de poursuites commencées dans la quinzaine entraîne non-seulement la nullité du jugement, mais encore celle de l'instance ; en sorte que, pour faire prononcer de nouveau la séparation, il faudra recommencer toute la procédure.

Le délai de quinzaine est fatal ; les poursuites commencées le seizième jour seraient nulles.

Cette décision a fait naître plusieurs questions : on a demandé si l'article 872, Proc., qui accorde une année, déroge à l'art. 1444 ? Il est évident

---

(1) On prétendrait à tort, que la nullité dont il s'agit est uniquement établie dans l'intérêt des créanciers du mari : la séparation de biens modifie les droits de ce dernier ; dès lors, il lui importe de savoir si la femme prétend ou non profiter du jugement ; on ne peut le laisser dans une incertitude indéfinie sur sa position (Toullier, n. 76, t. 2.—Amiens, 19 février 1824 ; S., 24, 2, 84 ; 9 décembre 1825 ; S., 26, 2, 256.— Bordeaux, 17 juillet 1833 ; S. 34, 2, 83. Voy. cep. Cass., 11 avril 1837 ; S., 37, 1, 989).
(2) Rouen, 9 novembre 1836 ; D., 37, 2, 101 (Val.).
(3) Dur., n. 411, Battur, n 642.

que non ; on peut commencer les poursuites dans la quinzaine, sauf à consommer l'exécution dans l'année (1) ; rien ne s'oppose à l'accomplissement simultané des formalités prescrites par ces deux articles.

Mais comment concilier notre article avec l'art. 174, Proc., qui accorde à la femme un délai de trois mois et quarante jours pour faire inventaire et délibérer ? La femme peut commencer des poursuites dans la quinzaine, par exemple, signifier le jugement, former une demande en payement de frais ou en récompense pour l'aliénation d'un propre, etc., sauf à accepter ou à renoncer dans les trois mois et quarante jours.

Il résulte de ce qui précède, que les tiers ne peuvent traiter en sécurité avec la femme qu'après l'exécution pleine et entière du jugement.

Remarquons surtout, qu'il est uniquement question ici de la séparation de biens judiciaire et non de celle qui est la suite de la séparation de corps (311) : on ne peut, en effet, supposer que des époux séparés de corps demeurent communs en biens (Arg. de l'art. 1463) (2).

— La simple signification du jugement qui a prononcé la séparation, peut-elle être considérée comme un commencement de poursuites ? ⁕ *N*. Il faut pour cela qu'elle contienne un commandement (Toullier, n. 77 ; Bellot, p. 116, t. 2 ; Battur, n. 642 ; *voyez* cep. Cass., 2 mai 1831 ; S. 31, 1, 161 ; 23 mars 1819 ; S., 19, 1, 354).

L'exécution amiable du jugement de séparation serait-elle suffisante ? ⁕ *A*. Aucune loi n'interdit l'exécution amiable. — Cette exécution ne peut être assimilée à une séparation volontaire (*Poitiers*, 4 mars 1830 ; S., 30, 2, 156).

1445 — Toute séparation de biens doit, avant son exécution, être rendue publique par l'affiche sur un tableau à ce destiné, dans la principale salle du tribunal de première instance, et de plus, si le mari est marchand, banquier ou commerçant, dans celle du tribunal de commerce du lieu de son domicile ; et ce, à peine de nullité de l'exécution.

Le jugement qui prononce la séparation de biens remonte, quant à ses effets, au jour de la demande.

= L'art. 1445 détermine les moyens à employer pour donner de la publicité au jugement de séparation de biens. Cette publicité a pour but de prévenir les personnes qui pourront contracter par la suite avec les époux, et d'avertir les tiers, qui auraient un intérêt actuel à contester la séparation.

Le jugement doit, aux termes de l'art. 1445, être affiché dans la principale salle du tribunal civil.

L'art. 872, Pr., complète cette disposition en exigeant que ce jugement

(1) On remarque, il est vrai, dans la disposition finale de l'article 872, Pr., ces mots : *Sans que, néanmoins, il soit nécessaire d'attendre l'expiration du délai d'une année,* etc. Au premier abord, on pourrait croire que la femme peut attendre l'expiration d'une année, pour mettre le jugement à exécution : mais alors il faudrait décider que l'article 872 déroge à l'article 1444, ce que l'on ne saurait admettre. Le législateur a seulement voulu faire entendre que la femme pourrait agir avant l'expiration d'une année, depuis l'apposition des affiches : il a craint qu'on ne tirât cette conséquence, que l'exécution du jugement ne devait commencer qu'après l'accomplissement de toutes les formalités prescrites pour rendre le jugement public. — Comment supposer que le législateur ait pu vouloir, par les expressions si vagues de l'art. 872, Pr., abroger la disposition formelle de l'art. 1444, C. c. ? (Dur., n. 411. Cass., 11 juin 1818 ; S., 18, 1, 285 ; 13 août 1818 ; S., 19, 1, 287. *Rouen*, 27 avril 1816 ; S., 16, 2, 216) ⁕ On dit, pour l'affirmative, que les mots : *sans que, néanmoins* etc., qui terminent la première partie de l'art. 872, Pr., ne peuvent s'allier avec la disposition de l'art. 1444, qui déclare déchue du bénéfice du jugement la femme qui n'a pas commencé de poursuites dans le délai de quinzaine (*Limoges*, 24 décembre 1811 ; S., 14, 2, 12).

(2) Dur., n. 412 ; Battur, n. 641 ; *Bordeaux*, 4 juin 1811 ; S., 11, 2, 163.

soit affiché dans l'auditoire du tribunal de commerce, quand même le mari ne serait pas commerçant.

Les articles 866-869 prescrivent la publication, non-seulement du jugement de séparation, mais encore de la demande, car les effets de la séparation remontent au jour où cette demande a été formée (1449); les jugements sont simplement déclaratifs du fait et du droit. — Il ne peut être statué sur la demande qu'un mois après l'observation des formalités prescrites pour la rendre publique (869 Pr.).

Extrait du jugement contenant la date, la désignation du tribunal où il a été rendu, les noms, prénoms, profession et demeure des époux doit être inséré sur un tableau à ce destiné et exposé pendant un an dans l'auditoire des tribunaux de première instance et de commerce du domicile du mari, et s'il n'y a pas de tribunal de commerce, dans la principale salle de la maison commune du domicile du mari. Pareil extrait doit être inséré au tableau exposé en la chambre des avoués et notaires s'il y en a. La femme ne peut commencer l'exécution du jugement que du jour où les formalités ci-dessus ont été accomplies sans que néanmoins il soit nécessaire d'attendre l'expiration du susdit délai d'une année (872, Pr.).

L'art. 1445 prononce la nullité de la séparation en cas d'inobservation des formalités qu'il prescrit; les dispositions du Code de procédure sont, suivant nous, soumises à la même sanction (1).

Du principe que la dissolution remonte quant à ses effets au jour de la demande, il résulte, que la femme peut prétendre, à partir du jour où cette demande a été formée, à la restitution des fruits et des intérêts de ses biens propres; que les successions mobilières qui lui sont échues durant l'instance, lui appartiennent exclusivement; qu'elle n'est point tenue, lors même qu'elle accepterait la communauté, des dettes contractées par le mari pendant l'instance en séparation, si ce n'est jusqu'à concurrence du profit qu'elle a fait; qu'elle n'est point liée, quant aux biens qui lui sont personnels, par les actes, même de simple administration, consentis par le mari depuis la demande; en ce qui concerne les biens communs, que les actes d'aliénation peuvent être annulés, s'ils préjudicient à la femme; mais les actes d'administration sont maintenus lorsqu'ils ont été faits sans fraude.

La rétroactivité, au jour de la demande, est un effet commun à tous les jugements; mais le législateur a cru devoir s'expliquer spécialement en matière de séparation de biens, parce que ces sortes de procédures étant par-dessus toutes vexatoires pour le mari, on avait à craindre qu'il ne prolongeât l'instance par de mauvaises chicanes, afin de pouvoir, dans cet intervalle, consommer la ruine de la femme.

Pendant le procès, la femme peut, avec permission du juge, prendre des mesures conservatoires; par exemple, faire des saisies, requérir l'apposition des scellés, etc.

Comme il s'agit d'intérêts pécuniaires et nullement de l'état des personnes, les héritiers de la femme peuvent, sans aucun doute, continuer l'instance en séparation de biens. Il leur importe, d'ailleurs, d'obtenir un jugement 1° afin de ne pas être tenus des frais; 2° afin de pouvoir se faire

---

(1) On peut dire cependant que cette sanction est rigoureuse ; qu'il faut en conséquence la restreindre aux cas prévus ; que l'inobservation des formalités prescrites par l'art. 872, Pr., autorisent seulement les créanciers à attaquer, pendant 30 ans, par voie de tierce opposition, le jugement de séparation (*Val.*).

restituer contre les aliénations que le mari aurait consenties depuis la demande ; 3° afin d'exercer la reprise des apports de la femme, lorsqu'elle s'est réservé ce droit.

— A quelle époque remontent les effets de la séparation de biens, lorsque cette séparation résulte de la séparation de corps ?⟶Au jour de la demande, Arg. de l'art. 272, C. c. ; s'il en était autrement, le mari pourrait, dans l'intervalle, consommer la ruine de la femme.—La liquidation des reprises de la femme est une suite nécessaire de la séparation de biens ; il doit y avoir parité d'effets avec le cas où la séparation de biens est demandée principalement (Toullier, n. 86, 87 et 776 ; Dur., n. 622 ; Merlin, Séparat. de corps, § 4, n. 4 ; Bellot, p. 139). ⟶ La séparation de corps n'entraîne la séparation de biens que par conséquence ; la femme qui se plaint des violences de son mari, n'a peut-être pas à se plaindre de son administration ; elle n'a dès lors aucun intérêt pécuniaire à ce que le jugement rétrogradisse — Arg. de l'art. 271. C. c. : il résulte de cet article, que les aliénations consenties par le mari ne sont nulles que lorsqu'elles sont faites en fraude des droits de la femme. — Au surplus, comme la femme peut demander en même temps la séparation de corps et la séparation de biens, elle doit s'imputer de ne pas avoir usé de ce droit (*Val.*).

Aux termes des articles 872 et 873, Pr., le droit accordé aux créanciers du mari, de former tierce opposition au jugement de séparation, est restreint à une année : on demande si la déchéance s'appliquerait également à la liquidation des reprises de la femme, faite par le jugement ?⟶Le délai pour former tierce opposition est en général de 30 années ; l'art. 873, Pr., déroge au droit commun ; il faut en conséquence l'interpréter restrictivement ; or, il est relatif à la séparation et non au partage.—Le législateur n'a eu en vue, dans l'art. 873, Pr., que le cas le plus ordinaire où le jugement prononce simplement la séparation, et non le cas exceptionnel où ce jugement fixe en même temps les reprises de la femme.—L'action en séparation de biens et celle en liquidation des reprises sont distinctes par leur nature et leur objet : on conçoit que le législateur ait restreint à un bref délai l'exercice de la tierce opposition au jugement de séparation de biens ; car ce jugement modifie la position respective des époux, puisqu'il enlève au mari l'administration des biens de la femme ; mais ce motif ne peut s'appliquer à la liquidation des reprises.—Après l'expiration d'une année, il est encore facile de prouver la fraude qui s'est glissée dans un partage ; il est difficile de reconnaître celle qui a conduit à la séparation de biens, de savoir, par ex., si la dot était en péril.—L'annulation du jugement de séparation a des effets bien plus graves que l'annulation d'un partage.—Les articles 1445, C. c., et 872, Pr., prescrivent la publication de la partie du jugement qui prononce la séparation et non de celle qui liquide les reprises de la femme.—L'intention du législateur n'a pu être de restreindre à une année le droit de former tierce opposition à cette dernière partie du jugement (Cass. , 11 novembre 1835 ; S., 36, 1, 116 , *voyez* cep. Toullier, n. 86 ; Dur. , n. 418).

La nullité du jugement de séparation doit-elle être nécessairement proposée avant toute défense ? ⟶ N. (*Caen*, 15 juillet 1828 ; S., 30, 2, 189.—*Bordeaux*, 22 janvier 1834 ; S. 34, 2, 540.)

Lorsque le mari a laissé exécuter le jugement après le délai de quinzaine, ou lorsqu'il a reconnu à sa femme la qualité de séparée de biens, peut-il proposer la nullité fondée sur le défaut d'exécution dans la quinzaine ?⟶N. La nullité est couverte (*Colmar*, 8 août 1820 ; S., 21 , 2, 266.—*Grenoble*, 8 avril 1825 , *Nîmes*, 4 juin 1835 ; S. 87, 2, 136. — Cass., 11 août 1837; D., 1837, 1, 295 ; *voyez* cep. *Rouen*, 9 novembre 1836 ; S., 37, 2, 135).

En quel sens l'art. 66 du Code de comm. permet-il aux créanciers du mari de s'opposer au jugement de séparation de corps, si ce jugement n'a pas été affiché ? ⟶ Ils peuvent s'y opposer en ce qui touche leurs intérêts ; or, la liquidation seule les intéresse.

1446 — Les créanciers personnels de la femme ne peuvent, sans son consentement, demander la séparation de biens.

Néanmoins, en cas de faillite ou de déconfiture du mari, ils peuvent exercer les droits de leur débitrice jusqu'à concurrence du montant de leurs créances.

= La femme peut avoir des créanciers personnels ; par exemple , lorsqu'elle a emprunté pour réparer ses biens propres, ou lorsqu'elle a été condamnée personnellement pour un délit (1425 , 1437) : il semblerait que ces créanciers dussent avoir la faculté de demander, en vertu de l'article 1166, la séparation de biens ; et cependant, l'article 1446 leur refuse formellement ce droit : la loi ne veut pas, que pour des intérêts purement pécuniaires, on puisse venir jeter le trouble dans un ménage ; il n'appartient qu'à la femme seule, en sa qualité d'épouse ou de mère, d'examiner si elle doit user de ce moyen extrême.

Cependant, les créanciers peuvent, mais seulement en cas de faillite ou de déconfiture (1) du mari, exercer les droits de leur débitrice jusqu'à

(1) La *déconfiture* résulte de la preuve d'insolvabilité après discussion de tous les biens meubles et immeubles. — Dans les deux cas de faillite et de déconfiture , il eût été trop rigoureux de refuser aux créanciers de la femme le droit dont il s'agit.

concurrence du montant de leurs créances (437 du Code de commerce); par exemple, intervenir, faire liquider ses droits, la faire colloquer au rang qu'elle doit avoir, et se faire attribuer le montant de la collocation; en un mot, faire ce que ferait la femme elle-même, s'il y avait dissolution de la communauté.

Mais nonobstant ces actes, la femme ne cessera pas d'être commune en biens avec son mari, car la faillite ou la déconfiture n'opère pas de plein droit la séparation; elle ne peut être que le résultat d'une demande formelle : en conséquence, les sommes qui ne seront pas allouées aux créanciers de la femme, profiteront aux créanciers du mari (1).

Observons, que le règlement des droits de la femme peut être modifié par l'état de faillite du mari (voy. art. 544 à 557 du Code de comm.).

— Les créanciers de la femme, dont le mari est en faillite ou en déconfiture, peuvent incontestablement poursuivre leur payement sur la nue propriété des immeubles de leur débitrice, et sur celle des objets mobiliers qu'elle s'est réservés propres ; mais sont-ils obligés de conserver au mari la jouissance de ces biens ? ⋙ A. La communauté n'est point dissoute : il en est autrement lorsque les créanciers de la femme sont en même temps ceux du mari, soit parce que la dette de la femme, antérieure au mariage, est tombée à la charge de la communauté, soit parce que la femme s'est obligée pendant le mariage avec le consentement du mari ; les créanciers, dans ces divers cas, ne sont pas tenus de réserver la jouissance au mari (Dur., n. 420 et 421). ⋙ N. S'il était vrai que les créanciers ne pussent se faire payer que sur la nue propriété des biens de la femme, la faillite ou la déconfiture de leur débiteur ne leur conférerait aucun droit particulier. — Les créanciers peuvent exercer les droits et actions de la femme (1166) ; tous ses biens sont affectés à leur gage ; ils peuvent même invoquer le bénéfice de l'hypothèque légale (2135).—Au surplus, lors de la dissolution, la femme devra, si elle accepte, tenir compte à la communauté de ce que les créanciers auront prélevé (Val.).

Dans le cas où la femme a stipulé la reprise de ses apports, en renonçant à la communauté, ses créanciers, lorsque le mari est tombé en faillite ou en déconfiture, peuvent-ils poursuivre leur payement sur les objets qui sont sujets à cette reprise ? ⋙ A. On peut dire, il est vrai, que la femme ne doit user de cette faculté qu'après la dissolution de la communauté (1453), et que les créanciers ne viennent qu'en vertu de l'article 1166 : néanmoins, il serait injuste d'interdire aux créanciers de la femme le droit d'agir avant la dissolution, parce qu'il plairait à leur débitrice de ne pas demander la séparation de biens. — Du reste, ce ne sera la qu'un parti provisoire, la femme, lors de la dissolution réelle de la communauté, n'aura pas moins le droit de l'accepter, en renonçant au bénéfice de la clause de reprise (Dur., n. 421). ⋙ Ce serait supposer que la femme renonce, ce qui ne peut avoir lieu qu'après la dissolution de la communauté (1453).

Lorsque le mari est en faillite ou en déconfiture, la femme a-t-elle besoin d'un jugement de séparation pour exercer ses reprises ? ⋙ A. Autrement, comme la communauté subsiste encore, les objets réclamés retomberaient immédiatement au pouvoir du mari.

1447 — Les créanciers du mari peuvent se pourvoir contre la séparation de biens prononcée et même exécutée en fraude de leurs droits : ils peuvent même intervenir dans l'instance sur la demande en séparation pour la contester.

= Après avoir déterminé les droits des créanciers personnels de la femme, en matière de séparation de biens, la loi règle ceux des créanciers du mari.

La demande en séparation étant principalement formée contre leur intérêt, on devait les autoriser à intervenir dans l'instance : il est possible, en effet, que cette demande soit le résultat d'un concert frauduleux entre la femme et son mari; qu'elle n'ait d'autre but que d'empêcher la saisie des revenus de la femme, lesquels appartiennent à la communauté; enfin que les reprises ne soient exposées à aucun danger. — Cette faculté leur est refusée en matière de séparation de corps (voy. art. 311).

Afin de favoriser l'intervention des créanciers, le Code de procédure veut que la demande en séparation soit publiée (866, 867 et 868), et que le jugement sur cette demande ne soit rendu qu'un mois après l'observation des formalités prescrites pour la rendre publique (869). Ces

—————————————

(1) On trouve dans le 2° de l'article 788 une disposition à peu près semblable.

formalités sont prescrites à peine de nullité; la nullité peut être invoquée par le mari lui-même dans son intérêt.

Les créanciers, toujours en supposant le cas de fraude, peuvent même se pourvoir *par les voies de droit*, c'est-à-dire, par tierce opposition (1) contre le jugement exécuté (873, Pr.); leur action, comme de raison, n'a d'effet qu'en leur faveur : à l'égard de tous autres, les époux ne sont pas moins réputés séparés de biens; car la demande des créanciers n'anéantit pas le jugement.

L'art. 873, Proc, confère aux créanciers le droit d'attaquer, par tierce opposition, le jugement de séparation, pendant le délai d'une année, fixé par l'art. 872, Proc. (*voy*. 1445) : cette limitation à une année modifie, ou plutôt développe l'art. 1447, lequel n'avait déterminé aucun délai péremptoire.

Quid si les formalités prescrites par les art. 865 et suivants, Pr., n'avaient pas été accomplies? les créanciers pourraient former opposition en quelque temps que ce fût; leur action ne se prescrirait que par trente ans; l'art. 873, Pr., ne serait plus applicable (2).

— La femme séparée peut-elle, sans autorisation, s'obliger pour des causes étrangères à l'administration de ses biens? ⁓ *N*. (Dur., n. 428 et 492, t. 2).

Il est possible que le jugement soit régulier en la forme, et injuste au fond; ce qui a lieu, par ex., lorsqu'il a été rendu en fraude des droits des créanciers : on demande si les créanciers peuvent, en tout temps, exercer l'action révocatoire fondée sur le dol personnel des époux? ⁓ *N*. L'art. 873, Pr., est général; il ne fait aucune distinction (Toullier, n. 92 et suiv.; Bellot, p. 138, t. 2).

1448 — La femme qui a obtenu la séparation de biens, doit contribuer, proportionnellement à ses facultés et à celles du mari, tant aux frais du ménage qu'à ceux d'éducation des enfants communs.

Elle doit supporter entièrement ces frais, s'il ne reste rien au mari.

= Les effets de la séparation de biens sont déterminés dans cet article et dans ceux qui le suivent.

Comme la séparation n'entraîne pas la dissolution du mariage, la femme doit contribuer, suivant ses facultés, aux charges du ménage; si le mari devient insolvable, elle est même tenue de les supporter en totalité.

Notre article ne parlant que des enfants communs, on demande si la femme est obligée de subvenir aux frais d'éducation et d'entretien des enfants que le mari a eus d'un précédent mariage, lorsqu'ils n'ont pas de biens personnels suffisants?

Nous ne le pensons pas; ces enfants sont pour la femme des étrangers (3);

(1) Les créanciers sont en général représentés par leur débiteur; mais comme on ne donne pas de mandat pour se faire frauder, il est juste de les admettre à former tierce opposition. La tierce opposition est pour les créanciers, contre les jugements, ce que l'action révocatoire (1167) est contre les actes.

Mais n'ont-ils que la voie de tierce opposition? ⁓ Oui, si le jugement est passé en force de chose jugée; s'il est encore susceptible d'appel ou d'opposition, ils peuvent agir en vertu de l'article 1166.

(2) Quelques auteurs n'accordent que dix années par application de l'art. 1304 (Battur, n. 643, t. 2); mais on répond, que l'article 1304 n'est applicable que dans le cas ou l'action est formée par une personne qui a été partie dans le contrat; or, dans l'espèce, les personnes trompées n'ont pas été parties au contrat; il faut donc se conformer à la règle de l'article 2262.

(3) Si l'art. 1409 impose à la communauté la charge annuelle des enfants du premier lit d'un époux, c'est comme dette personnelle de cet époux. — Mais quand la communauté cesse, il faut faire cesser les conséquences qu'elle entraîne (*Cass*., 13 août 1818; S., 19, 1, 287.—*Bordeaux*, 22 janvier 1834; S. . 34, 2, 540.

l'art. 1448 n'est que l'application de l'art. 203 : ces deux articles sont assez précis pour qu'on ne puisse étendre leur bénéfice aux enfants d'un premier lit.

La femme doit remettre au mari les sommes qu'elle destine aux frais du ménage : en faisant elle-même ces dépenses, elle porterait atteinte au pouvoir qui appartient au mari comme chef (1).

Appliquez à la séparation judiciaire, la disposition de l'art. 1539, bien qu'elle se trouve sous la rubrique de la séparation contractuelle ; ainsi que les articles 1577, 1578 et 1579.

— Peut-on raisonner ici par analogie de l'art. 1537, et décider que les dépenses du ménage doivent être réglées de manière que la portion que la femme doit fournir n'excède pas le tiers de ses revenus ? ⸎ *N.* L'article 1537 suppose que le ménage s'établit ; il ne présume pas que le mari soit ruiné ; l'art. 1448 suppose, au contraire, qu'il ne lui reste rien : dès lors, le *quantùm* de la contribution n'est point applicable. — L'art. 1448 qui concerne la séparation judiciaire, se borne à dire que la femme doit contribuer en proportion de ses revenus (*Val.*).

Qui ordonnancera la dépense ? ⸎C'est le mari, puisqu'il reste chef, maître du logis ; cependant, il est équitable d'admettre la modification des pouvoirs du mari par les tribunaux ; la position est exceptionnelle, il est possible que le mari soit dissipateur.

1449 — La femme séparée soit de corps et de biens, soit de biens seulement, en reprend la libre administration.

Elle peut disposer de son mobilier, et l'aliéner (2).

Elle ne peut aliéner ses immeubles sans le consentement du mari, ou sans être autorisée en justice à son refus.

= La séparation de biens (3) produit deux effets principaux :

1° Elle dissout la communauté,

2° Elle donne à la femme l'administration et jouissance de ses biens personnels, ainsi que le droit de disposer de son mobilier (4) corporel ou incorporel (535), et de l'aliéner. Toutefois, la femme encore mineure, ne peut valablement donner décharge d'un capital, qu'autant qu'elle est assistée de son mari, son curateur légitime ; s'il refuse son concours, le tribunal doit statuer (482, C. c.).

Malgré la séparation de biens, la femme reste soumise à la puissance maritale : par conséquent, elle doit se faire autoriser de son mari ou de justice pour passer des actes autres que ceux d'administration ; par ex., pour aliéner ses immeubles, pour les grever de servitudes ou d'hypothèques, pour accepter une succession ou une donation, pour disposer entre-vifs, à titre gratuit (5), même de son mobilier (Argt. des articles 217, 219,

---

(1) La Cour de cassation décide que la femme peut, suivant les circonstances, être autorisée à faire elle-même les dépenses du ménage, par exemple, si le mari administre mal (*Cass.*, 6 mai 1835 ; S., 35, 1, 515).

(2) En déclarant que la femme séparée ne peut aliéner ni acquérir, à titre onéreux, sans le consentement du mari, l'article 217 va donc trop loin. C'est à tort que les tribunaux donnent des autorisations à des femmes séparées pour recevoir un capital mobilier.

(3) Quelques auteurs assimilent la femme séparée de biens au mineur émancipé (Dur., n. 426) : cette assimilation est inexacte ; car le mineur, quoique émancipé, ne peut aliéner un capital mobilier : ce droit est formellement conféré à la femme (*voy.* 1449). — La femme peut recevoir seule un capital mobilier : ce droit est refusé au mineur émancipé (481, 482) —La femme a la *libre* administration, une administration *large*, *étendue* ; le mineur n'a que la *pure* administration, expression restreinte.

(4) Cette disposition n'est plus en harmonie avec les besoins de l'époque, vu la grande importance que les fortunes mobilières ont acquise ; le mobilier, en effet, peut comprendre des rentes, des actions industrielles, etc.

(5) En conférant à la femme la faculté de *disposer* de son mobilier et de l'*aliéner*, l'art. 1449 déroge, il est vrai, à l'art. 217 : mais on ne doit pas conclure de ces expressions, qu'elle peut aller jusqu'à faire des donations : l'article 217 distingue fort bien les aliénations des donations ; or, il n'est question, dans l'article 1449, que des aliénations. En aliénant à titre gratuit, la femme dispose sans rien recevoir, en disposant à titre onéreux, elle reçoit l'équivalent de ce qu'elle donne.—La morale veut que le mari ait connaissance des donations faites par la femme.—Vainement argumenterait-on de ces deux expressions : disposer et aliéner, qui sont employées cumulativement dans le deuxième alinéa de l'art. 1449 : cette interprétation mettrait l'art. 1449 en opposition avec l'art. 905 (Dur., n. 425, t. 14 ; 206, t. 8) (*Val.*). ⸎Le deuxième alinéa de l'art. 1449 n'est qu'un développement du principe établi dans le premier ; il

905), enfin, pour ester en justice, soit en demandant, soit en défendant.

— La femme qui a obtenu la séparation de biens, peut-elle encore, après la dissolution, accepter la communauté et en demander le partage? ⁓ *A.* En demandant la séparation, son seul but a été de conserver une partie de ses biens, mais non de renoncer au bénéfice que peut présenter la communauté (Pothier, 519; Bellot, p. 147, t. 2) (*Val.*).

La femme pourrait-elle consentir seule des baux qui excéderaient neuf années? ⁓ *A.* Mais ces baux ne seraient obligatoires pour elle que pendant neuf années, suivant les règles tracées par les art. 1429 1430 et 1778 (Dur., n. 427; *voy.* cep. Delv., p. 29, n. 9).

Peut-elle souscrire des obligations, qui s'exécuteront nécessairement sur tout son mobilier présent et futur, si leur cause est étrangère à l'administration de ses biens? ⁓ *A.* Cette faculté ne lui est pas interdite par l'art. 217: elle peut sans autorisation aliéner son mobilier, même le détruire; or, ce qu'elle peut faire directement, elle doit pouvoir le faire indirectement.—Au reste, les engagements contractés par la femme ne peuvent s'exécuter que sur son mobilier et sur les fruits de ses immeubles (*Cass.*, 16 mars 1813; S., 14, 1, 160; 18 mai 1819; S., 19, 1, 339.—*Paris*, 3 mars 1830; D., 1833, 2. 81). ⁓ *N.* La femme ne peut s'obliger que pour l'administration de ses biens; par ex., pour l'entretien de ses immeubles; or il s'agit ici d'actes qui ne rentrent pas dans cette catégorie.—Ancienne Jurisprudence.—A la vérité, l'art. 217 garde le silence sur les obligations contractées pour la femme; mais en combinant les articles 219, 221, 222 et 224, qui énumèrent les cas où la femme peut s'obliger, on reconnaît que ce droit lui est refusé en principe.—La faculté d'aliéner est une concession très-étendue; il faut la restreindre.—Lorsque la femme aliène, elle ne dispose que de ce qu'elle possède actuellement; elle sait ce qu'elle fait; elle connaît l'importance de ses actes; elle se dépouille volontairement de tel objet, de telle valeur; tandis qu'en s'obligeant, elle aliène même les biens qu'elle pourra acquérir par la suite (2092), et l'expérience démontre que l'on est plus réservé pour aliéner ses biens actuels que pour engager ses biens à venir.—Trop souvent on se fait illusion sur ses facultés.—Vainement dirait-on que l'art. 217 ne peut avoir en en vue que le cas de séparation conventionnelle, puisqu'il place la femme séparée sur la même ligne que la femme commune: les termes généraux dont le législateur s'est servi, repoussent cette distinction.—Vainement chercherait-on à tout concilier en disant que le gage du créancier sera restreint au mobilier que la femme possédait au moment du contrat: on répondrait, qu'un pareil système ferait naître des procès interminables; qu'il faudrait tout au moins, pour les prévenir, dresser un inventaire du mobilier que la femme possède actuellement, ce qui serait arbitraire.—Le mineur émancipé peut aussi faire des actes d'administration et engager son mobilier, et cependant il ne peut faire d'emprunts.—Si les mots *contracter* et *s'obliger* se trouvent dans les articles 217 et 218, c'est comme développement de la règle exposée dans l'article 217 (*Val.*).

Le payement des dettes contractées par la femme, dans les limites d'une simple administration, peut-il être poursuivi sur ses immeubles, après la dissolution du mariage? ⁓ *A.* Les engagements contractés valablement par la femme, affectent la masse des biens (2092) (Dur., n. 492). ⁓ Ils ne frappent que le mobilier et les revenus des immeubles.—Argument de l'art. 1449, alinéa 3: celui qui ne peut aliéner certains biens, ne peut les engager.—L'argument tiré de l'art. 2092 n'est au fond qu'une pétition de principe; car cet article suppose un engagement qui frappe tout le patrimoine, et la question est précisément de savoir si la femme séparée peut contracter un pareil engagement (Dur., n. 428, t. 4, 492, t. 2; Delv., p. 26, n. 7; Vazeille, *Traité du Mariage*, n. 218.—*Cass.*, 3 janvier 1831; S. 31, 1, 22.—*Montpellier*, 10 juin 1832; S., 32, 2, 104) (*Val.*).

1450—Le mari n'est point garant du défaut d'*emploi* ou de *remploi* du prix de l'immeuble que la femme séparée a aliéné sous l'autorisation de la justice, à moins qu'il n'ait concouru au contrat, ou qu'il ne soit prouvé que les deniers ont été reçus par lui, ou ont tourné à son profit.

Il est garant du défaut d'emploi ou de remploi, *si la vente a été faite en sa présence et de son consentement* (1): il ne l'est point de l'utilité de cet emploi.

= La femme séparée pouvant disposer librement de son mobilier, le mari ne doit pas être responsable du défaut d'emploi ou de remploi du prix de l'immeuble aliéné (2). Toutefois, à raison de l'ascendant qu'il exerce dans le ménage, le législateur a fait exception à cette règle dans quatre cas:

1º Lorsque la vente a eu lieu en *présence du mari* et *de son consentement*

doit être entendu dans le sens de ce principe: dès lors, cette expression: *dispose*, est restreinte aux aliénations à titre onéreux, faites dans les limites de l'administration (Dur., n. 208, t. 8, et 1125, t. 14; *voy.* cepend. Delv. sous l'art. 905).

(1) Il y a *emploi* quand le prix a été seulement placé; *remploi* quand ce prix a été employé à l'acquisition d'objets semblables à celui qui a été vendu.

(2) Vice de rédaction: on pourrait conclure de cette phrase que le mari n'est garant qu'autant qu'il a concouru au contrat, ce qui serait une erreur.

on présume alors qu'il s'est approprié le prix de la vente, sauf ensuite à lui à prouver que la femme a perçu et dissipé ce prix.

Remarquons surtout , que le consentement du mari ne suffit pas pour faire naître la présomption dont il s'agit; la loi exige, de plus, qu'il ait été présent au contrat (*voy.* cep. Bellot , p. 158);

2° Au cas d'autorisation de justice , lorsqu'il a concouru au contrat de vente : on présume également qu'il s'est emparé du prix ;

3° Lorsque les deniers ont été reçus par lui ;

4° Lorsqu'il est prouvé qu'ils ont tourné à son profit.

Dans aucun cas, le mari n'est responsable de l'*utilité* de l'emploi, car la femme est maîtresse de son mobilier; d'ailleurs, la garantie qui pesait sur le mari avait justement pour but d'enchaîner ses penchants dissipateurs ; or, dès le moment où l'emploi a eu lieu, aucun soupçon de ce genre ne peut s'élever contre lui.

Il en serait toutefois autrement, si le mari, après avoir touché le prix, avait fait, sans le concours de sa femme et sans pouvoir de sa part, le placement des deniers.

Les règles établies par l'article 1450, pour la séparation de biens judiciaire, s'étendent à la séparation de biens contractuelle, et au cas où la femme mariée sous le régime dotal a des paraphernaux.

Appliquez à la séparation de biens judiciaire, les dispositions des articles 1538 et 1539 qui se trouvent sous la rubrique de la séparation de biens contractuelle.

1451 — La communauté dissoute par la séparation soit de corps et de biens, soit de biens seulement, peut être rétablie du consentement des deux parties.

Elle ne peut l'être que par un acte passé devant notaires et avec minute, dont une expédition doit être affichée dans la forme de l'article 1445.

En ce cas, la communauté rétablie reprend son effet du jour du mariage; les choses sont remises au même état que s'il n'y avait point eu de séparation, sans préjudice néanmoins de l'exécution des actes qui, dans cet intervalle, ont pu être faits par la femme en conformité de l'art. 1449 (1).

Toute convention par laquelle les époux rétabliraient leur communauté sous des conditions différentes de celles qui la réglaient antérieurement, est nulle.

= La séparation *contractuelle* diffère principalement de la séparation *judiciaire*, en ce que l'une est irrévocable, tandis que l'autre peut être détruite par le consentement des parties (311) : pourquoi cette différence ? La loi permet à la femme de demander, en certains cas, la séparation judiciaire, par commisération pour son état de dépendance, et afin de la soustraire au danger d'une ruine complète ; mais elle voit toujours avec faveur le retour aux conventions matrimoniales.

---

(1) L'article 1451 ne parle que des actes faits par la femme, parce qu'il a été copié dans Pothier ; or, d'après cet auteur, le mari étant seigneur et maître de la communauté , pouvait disposer librement des biens qu'elle comprenait , pourvu que ce fût sans fraude.

Le jugement de séparation peut être anéanti de deux manières :

1º Lorsque la femme ne le met pas à exécution dans un certain délai (*voy.* art. 1444);

2º Par le consentement mutuel des parties : mais alors, deux conditions sont requises ; il faut : — 1º Que ce consentement soit consigné dans un acte passé devant notaires, *avec minute*, et *affiché* suivant les formes déterminées pour le jugement de séparation : la loi veut qu'il reste *minute* de cet acte, afin d'ôter aux époux la faculté de faire paraître et disparaître à leur gré la preuve du rétablissement de leur communauté, et de passer pour communs ou séparés suivant les circonstances : elle exige qu'il soit *affiché*, afin de rendre publique l'incapacité de la femme. — 2º Il faut que cet acte ne contienne aucun changement aux dispositions du contrat de mariage ; car le rétablissement sous de nouvelles conditions ne serait plus un retour au contrat, on le considérerait comme un moyen indirect de changer les conventions matrimoniales (1395).

A l'égard des époux entre eux, la communauté rétablie est censée avoir toujours duré sans interruption : ainsi, les biens meubles qu'ils ont acquis, et les dettes qu'ils ont contractées pendant la séparation, tombent dans la masse commune : mais le rétablissement de la communauté ne doit pas léser les tiers ; il ne produit d'effets à leur égard, qu'à partir de l'accomplissement des formalités prescrites par l'art. 1451 ; en conséquence, les actes d'administration que la femme a consentis durant la séparation sont maintenus sans indemnité de sa part (1). — La loi ne distingue pas entre la séparation de biens principale, et la séparation de biens, conséquence de la séparation de corps ; lors même que les époux séparés de corps se sont rapprochés, le rétablissement de la communauté n'a donc lieu, qu'autant qu'un acte a été dressé et publié dans la forme prescrite par l'article 1451.

— Si les époux rétablissaient leur communauté sous des conditions autres que celles qui se trouvent dans le contrat de mariage, resteraient-ils séparés? ⋀⋀ *N*. La loi ne dit pas que l'acte de rétablissement de la communauté est nul ; la nullité ne tombe que sur la disposition, sur ce que le législateur a voulu prohiber : *utile per inutile non vitiatur*. Le mot *convention* est pris ici comme synonyme de clause : si la loi voulait frapper de nullité l'acte lui-même, elle dirait : La convention, et non pas toute convention. — Il faut, bien entendu, excepter le cas où les époux auraient subordonné le rétablissement de la communauté à l'exécution des clauses portant dérogation aux conditions primitives de la communauté ; il y aurait là une question de fait à examiner (Dur., n. 43) (*Val.*). ⋀⋀ Les époux resteraient séparés ; les termes de l'art. 1451 sont absolus : *Toute convention ;* c'est donc la convention même du rétablissement de la communauté qui est nulle.—Les époux n'ont peut-être consenti à rétablir leur communauté que parce qu'ils croyaient pouvoir le faire sous des conditions différentes. Argt. de l'art. 1172 ; (Delv., t. 3, p. 46; Battur, t. 2, n. 660).

1452 — La dissolution de communauté opérée par le *divorce* ou par la séparation soit de corps et de biens, soit de biens seulement, ne donne pas ouverture aux droits de survie de la femme (2) ; mais celle-ci conserve la faculté de les exercer lors de la mort naturelle ou civile de son mari.

(1) Vainement argumenterait-on de l'art. 1451 pour prétendre que les choses doivent être rétablies rétroactivement dans leur état primitif : nous répondrions que ce système mettrait des entraves au rétablissement de la communauté, car la femme pourrait s'y refuser dans la crainte de s'imposer des charges : la communauté reprend ce qu'elle trouve, rien de plus ; seulement, si la femme a profité de ce dont la communauté est privée, par exemple, si elle a converti son mobilier en immeuble, elle doit récompense.

(2) Disposition inutile ; il va de soi que la femme ne peut prétendre au préciput qu'autant qu'elle survit à son mari.

= La dissolution de la communauté n'entraîne pas l'ouverture des droits de survie, tels que le préciput ou la donation faite au survivant; il faut attendre l'événement de la condition sous laquelle ces droits ont été constitués; c'est-à-dire, le décès de l'un des conjoints.

Bien qu'il ne soit question que de la femme dans l'art. 1452, cet article doit s'appliquer également au mari; il statue seulement *de eo quod plerùmque fit* (1). Évidemment, l'intention du législateur n'a pu être de conférer au mari, en cas de séparation, l'exercice du droit de survie stipulé à son profit; sous ce rapport, le mari ne saurait avoir plus de droits que la femme.

Nous verrons, art. 1518, que l'époux est privé de son droit au préciput, lorsque la séparation a été obtenue contre lui (2).

SECTION IV.

De l'acceptation de la communauté, et de la renonciation qui peut y être faite, avec les conditions qui y sont relatives.

La communauté dissoute, il semble qu'il ne reste plus qu'à en opérer le partage, et que chacun des associés doive supporter personnellement une part égale dans le passif : cependant, il n'en est pas ainsi; à raison de la dépendance où la femme se trouvait placée et des pouvoirs exorbitants dont le mari a joui, la loi lui réserve la faculté d'accepter la communauté ou d'y renoncer. Cette faculté est étendue à ses héritiers et autres successeurs à chacun dans la proportion de sa part héréditaire; toute convention qui tendrait à la rendre illusoire serait privée d'effet (1453). — Quant au mari et à ses héritiers, ils ne peuvent, dans aucun cas, renoncer à la communauté.

La femme ou ses héritiers peuvent accepter expressément ou tacitement.

Expressément, en manifestant leur volonté dans un acte (1455).

Tacitement, par des faits qui ne peuvent émaner que d'un propriétaire (1453, 1454, 1460, 1477). — Il est bien entendu, que les actes conservatoires n'emportent point immixtion (1453).

Ils peuvent accepter purement et simplement; c'est-à-dire, en s'imposant l'obligation de payer, même *ultrà vires*, toutes les dettes de la communauté pour leur part héréditaire, — ou ne se soumettre au payement des dettes que *jusqu'à concurrence* de l'émolument recueilli. Pour jouir de cette dernière faveur, ils doivent faire inventaire dans les trois mois;

---

(1) Le projet ne statuait que pour le cas de séparation de biens; or, cette séparation ne peut être demandée que par la femme seule. En supposant qu'elle eût triomphé dans sa demande, la question de savoir si elle avait droit au gain de survie aurait pu s'élever à son égard; il devenait donc indispensable de prévenir cette difficulté : aucun doute ne pouvait exister en ce qui concernait le mari; par conséquent, il n'était point nécessaire de parler de lui; — comme les cas de divorce, de séparation de corps et de séparation de biens ont été insérés dans la rédaction définitive, il faut considérer l'article comme général, et l'appliquer au mari comme à la femme; d'ailleurs, la séparation n'augmente ni ne diminue les attributions du mari.

(2) Sous ce rapport, l'article est trop général.

leur position est alors à peu près semblable à celle de l'héritier bénéficiaire : toutefois on remarque ces différences :

1° Que si la femme meurt avant d'avoir pris qualité, laissant des héritiers qui diffèrent sur le parti à prendre, au sujet de la communauté, la
part des renonçants ne se réunit pas à celle des acceptants; elle reste au
mari ou à ses héritiers.

2o Que la femme qui a fait bon et fidèle inventaire, n'est pas tenue des
dettes *ultrà vires* (1483), lorsqu'elle dispose, sans observer aucune formalité, des biens qui lui sont échus par le partage.

3° Que la veuve devient propriétaire des biens qu'elle a recueillis; tandis que les biens de la succession ne se confondent pas avec ceux de l'héritier bénéficiaire.

4° Que nonobstant l'inventaire, la femme peut être poursuivie sur ses
propres biens, tandis que les poursuites dirigées contre l'héritier bénéficiaire sont restreintes aux biens de la succession.

5° Enfin, qu'elle n'a point, comme l'héritier, de déclaration à faire au
greffe, pour n'être tenue que jusqu'à concurrence de son émolument.

L'effet de l'acceptation de la communauté remonte au jour de la dissolution (777 et 883).

En conséquence, les aliénations, ainsi que les hypothèques que le
mari a consenties depuis cette époque, sur les biens communs, s'évanouissent, si par l'effet du partage, les biens aliénés ou hypothéqués ne
tombent pas dans son lot.

La femme est-elle réputée acceptante ou renonçante? Lorsque la dissolution arrive par le prédécès du mari, la femme est réputée acceptante ;
elle doit donc, par un acte, manifester la volonté de renoncer.—C'est le
contraire lorsque la communauté se dissout par l'effet de la séparation de
corps ou de biens; la femme est alors réputée renonçante.

Supposons d'abord le cas de prédécès du mari : tant que la femme n'a
pas renoncé, elle est, avons-nous dit, réputée acceptante : de ce principe, il résulte, que les créanciers de la communauté peuvent immédiatement la poursuivre pour moitié, sauf à elle à suspendre l'effet de ces
poursuites pendant trois mois et quarante jours à partir de la dissolution,
en leur opposant l'exception dilatoire pour faire inventaire et délibérer
(174, Pr.).

L'inventaire a pour effet, non-seulement de ne soumettre la veuve au
payement des dettes que jusqu'à concurrence de son émolument; mais
encore, de lui réserver la faculté de renoncer (1).

La renonciation se fait au greffe, dans la même forme que la renonciation aux successions ; elle est inscrite sur les mêmes registres (1457).

La loi réserve aux tribunaux la faculté d'accorder à la femme une
prorogation de délai, pour faire inventaire et délibérer (174, Pr.). La
femme conserve même, après l'expiration de ce dernier délai, le droit de
renoncer, pourvu qu'il existe un inventaire et qu'elle n'ait point fait d'acte
emportant acceptation pure et simple; mais elle supporte alors les frais
de poursuites dirigées contre elle : sa position sous ce rapport est la même
que celle de l'habile à succéder.

Si la veuve qui avait d'abord survécu, meurt avant l'expiration de
trois mois, sans avoir fait ou terminé l'inventaire, les héritiers ont

---

(1) La faculté de renoncer à la communauté, accordée d'abord, à l'occasion des croisades, aux veuves
des nobles seulement, fut étendue plus tard aux veuves des roturiers (Pothier, n. 550 et 552).

pour faire ou terminer l'inventaire un nouveau délai de trois mois, à compter du décès de la veuve, et de quarante jours pour délibérer après la clôture de l'inventaire. — Si la veuve meurt ayant terminé l'inventaire, ses héritiers ont pour délibérer un nouveau délai de quarante jours, à compter de son décès (1461).

Puisque la femme, qui a fait bon et fidèle inventaire des biens de la communauté après la mort de son mari n'est tenue des dettes que jusqu'à concurrence de ce qu'elle a recueilli, on demande quel intérêt elle peut avoir à renoncer? Cet intérêt se présente, lorsqu'elle a stipulé la reprise de ses apports pour le cas où elle renoncerait; en l'absence de toute clause, il peut d'ailleurs lui importer, de se décharger d'une liquidation qui ne doit présenter aucun avantage.

La loi consacre, art. 1465, en faveur de la femme survivante, une faveur qui se justifie par l'intérêt que mérite sa position; elle en jouit pendant les délais qui lui sont accordés pour faire inventaire et délibérer.

Jusqu'ici, nous avons raisonné dans l'hypothèse où la femme serait appelée à prendre parti en cas de prédécès du mari : *Quid* si la dissolution résulte d'une autre cause? On distingue: si la femme prédécède, la loi applique à ses héritiers la présomption d'acceptation (1466), et semble même les soumettre, s'ils veulent renoncer, à l'observation des formes prescrites à la femme survivante.

Lorsque la dissolution résulte de la séparation de corps (ou de biens), comme la possession des effets communs reste, en ce cas, au mari (1), la femme est réputée renonçante, si elle n'accepte pas dans les trois mois et quarante jours après la séparation (2) définitivement prononcée : en conséquence, à la différence de la femme survivante, elle n'a pas de déclaration à faire au greffe. — Le juge peut toutefois proroger ce délai, le mari entendu ou appelé (3), si la femme forme sa demande à cet égard avant l'expiration des délais fixés (*voyez* art. 1463).

1453 — Après la dissolution de la communauté, la femme ou ses héritiers et ayants cause ont la faculté de l'accepter ou d'y renoncer : toute convention contraire est nulle.

= Après la dissolution de la communauté, la femme peut accepter ou renoncer.

En cas de prédécès de la femme, ses héritiers ou ayants cause jouissent du même droit.

La femme ne peut s'interdire la faculté de renoncer; elle conserve cette faculté dans tous les cas, nonobstant conventions contraires : mais elle peut se priver du droit d'accepter (*voy.* art. 1522 et suiv.).

— Les créanciers de la femme peuvent-ils demander que la part qui lui revient dans les biens communs soit séparée de son patrimoine propre? ∿ *N*. L'art. 878, qui crée un bénéfice d'une nature toute particulière, ne doit pas être étendu au delà de l'hypothèse sur laquelle il statue; il n'existe pas sous ce rapport d'analogie parfaite entre l'acceptation de la communauté et celle d'une succession. ∿ *A*. Argument de l'art. 878 (Bellot, p. 461).

1454 — La femme qui s'est immiscée dans les biens de la communauté, ne peut y renoncer.

---

(1) Par suite des mêmes principes, Pothier réputait renonçante la femme qui était en voyage : cette décision est sans doute conforme à l'esprit de la loi; mais elle est contraire au texte de l'article 1456, lequel ne distingue pas.

(2) *Cass.*, 2 décembre 1834; S., 34, 1, 774. — *Colmar*, 8 août 1833; S., 34, 2, 229.

(3) *Cass.*, 8 novembre 1830; S., 30, 1, 384.

Les actes purement administratifs ou conservatoires n'emportent point immixtion.

= Lorsque la femme a fait un acte de propriété ; par exemple, lorsqu'elle a disposé, sans observer les formes prescrites, d'un objet qu'elle croyait appartenir à la communauté ; lorsqu'elle a diverti ou recélé des effets qui en dépendaient ; lorsqu'elle a vendu les droits qu'elle avait dans la communauté, soit à un étranger, soit même aux héritiers de son mari ; enfin, en cas de prédécès de son mari, lorsqu'elle a laissé passer trois mois et quarante jours sans prendre qualité, elle est privée de la faculté de renoncer.

Quant aux actes purement conservatoires, ils ne peuvent évidemment emporter immixtion : ainsi, la femme ne se prive pas de la faculté de renoncer, lorsqu'elle fait apposer les scellés, lorsqu'elle paye des frais funéraires, lorsqu'elle fait des réparations urgentes, etc. Toutefois, s'il y a doute sur la nature de l'acte, elle doit prudemment se faire autoriser par ordonnance du président.

1455 — La femme majeure qui a pris dans un acte la qualité de commune ne peut plus y renoncer ni se faire restituer contre cette qualité, quand même elle l'aurait prise avant d'avoir fait inventaire, s'il n'y a eu dol de la part des héritiers du mari.

= La femme majeure ne peut revenir sur son acceptation, si ce n'est en cas de dol de la part des héritiers du mari (783) ; par ex., lorsqu'ils ont employé des moyens frauduleux pour faire croire que l'actif excédait le passif, afin de la détourner de faire un inventaire qui l'eût mise à l'abri des poursuites *ultrà vires* (1483) (1).—Tel serait encore le cas où la femme, ayant stipulé la reprise de ses apports, en cas de renonciation, les héritiers auraient employé des manœuvres pour empêcher la réalisation de cette condition.

De ce que la loi parle seulement des héritiers, ne concluons pas que le dol pratiqué par les créanciers ne puisse donner lieu à restitution ; l'art. 1455 n'exclut pas l'application de l'art. 1116.

Bien que l'art. 1452 suppose le cas d'acceptation expresse, il faut étendre sa décision au cas d'acceptation tacite.

La femme mineure ne peut accepter la communauté qu'en observant les formalités prescrites pour l'acceptation. Dans l'un et l'autre cas, elle peut se faire restituer pour cause d'incapacité.

1456 — La femme survivante qui veut conserver la faculté de renoncer à la communauté, doit, dans les trois mois du jour du décès du mari, faire faire un inventaire fidèle et exact de tous les biens de la communauté, contradictoirement avec les héritiers du mari, ou eux dûment appelés.

Cet inventaire doit être par elle affirmé sincère et véritable, lors de sa clôture, devant l'officier public qui l'a reçu (2).

---

(1) La restitution a lieu même contre les créanciers de la communauté.—Il n'en est pas ainsi en matière d'obligation : nous savons, en effet, que le dol, pour être une cause de rescision, doit émaner de la personne avec laquelle on a contracté.
(2) Cette disposition eût été mieux placée dans le Code de procédure.

= Les règles relatives à la renonciation de la femme, varient, suivant que la dissolution résulte du prédécès du mari (1456 et 1459), de celui de la femme (art. 1466), ou de la séparation, soit de corps, soit de biens (1463).

Occupons-nous d'abord du premier cas.

La femme survivante étant saisie des biens, la loi décide :

1º Que jusqu'à sa renonciation elle est présumée acceptante ;

2º Qu'elle ne peut se soustraire aux poursuites *ultrà vires*, qu'en prouvant qu'elle ne retient aucuns biens (1483): l'inventaire est donc à la fois, pour la femme survivante, un moyen de s'éclairer et une condition de sa renonciation ;

3º Que les créanciers peuvent la poursuivre immédiatement comme commune, sauf à elle à leur opposer l'exception dilatoire pour faire inventaire et délibérer.

Trois mois sont accordés à la veuve pour faire inventaire ; elle peut même obtenir, du tribunal, une prorogation à cet effet (174, Pr.).

Un délai de quarante jours, à partir de la clôture définitive de l'inventaire, lui est accordé pour délibérer ; pendant cet espace de temps, elle ne peut être contrainte à prendre qualité. La veuve qui a fait inventaire avant l'expiration du délai de trois mois, conserve incontestablement la faculté de renoncer, pourvu qu'elle ne se soit pas immiscée dans l'administration, et qu'il n'existe pas contre elle de jugement passé en force de chose jugée qui la condamne en qualité de commune en biens. Mais *quid* si elle n'a pas fait inventaire dans les délais prescrits, peut-elle encore, comme l'héritier (800), renoncer à la communauté ? Non, l'accomplissement de cette formalité était une condition de sa renonciation ; l'article 1456 est impératif : *elle doit*. Le délai de trois mois écoulé sans que l'inventaire ait été fait, la femme est de droit commune (1); les créanciers de la communauté peuvent la poursuivre même *ultrà vires* (pour sa part). Pourquoi cette différence ? la veuve se trouve dans une position autre que celle de l'héritier : l'héritier n'est pas en possession des biens ; la distraction du mobilier est peu à craindre de sa part ; tandis que la femme, au contraire, a cette possession ; c'est déjà beaucoup de lui donner trois mois pour faire inventaire.

Le délai de quarante jours accordé à la veuve pour délibérer, courrait

---

(1) Cependant, quelques personnes pensent, d'après Pothier, qu'il n'existe pas de différence entre la femme et l'héritier (800) ; que la femme conserve, après l'expiration du délai de trois mois et quarante jours, et même de ceux qui lui auraient été accordés par le juge (174, Pr.), la faculté de faire inventaire, pourvu qu'elle n'ait pas accepté ou qu'il n'existe pas de jugement qui la condamne en qualité de commune en biens ; que la loi ne lui impose, pour peine de sa négligence, que l'obligation de payer les frais des poursuites qui seront dirigées contre elle ; que l'art. 1458 se combine avec l'art. 174, Pr.—Il est même de jurisprudence, que la veuve n'est point déchue de la faculté de renoncer, quoiqu'elle n'ait fait procéder à l'inventaire qu'après les trois mois, si ce retard ne peut lui être imputé ; par exemple, si les scellés n'ont pu être levés, à raison des contestations suscitées par des prétendants droit à la succession du défunt. D'ailleurs la veuve peut ne pas avoir eu connaissance du décès de son mari. Argt. des articles 795 et 800, C. c. (Cellot. t. 2, p. p. 272 ; D., t. 10, p. 155, n. 16.—*Metz*, 24 juillet 1824 ; S. 24, 2, 334.—*Paris*, 10 janvier 1835 ; S. 24, 2. 473. — *Bordeaux*, 24 février 1829 ; S., 30, 2, 72).

ᴧᴧᴧ La femme ne peut obtenir de prorogation pour faire inventaire. L'art. 1458 qui prescrit aux tribunaux d'accorder une prorogation, et l'art. 1459 ne sont relatifs qu'à la renonciation : ils supposent, en conséquence, que l'inventaire a été fait dans les délais. — L'art. 1461, le seul qui règle l'hypothèse où une prorogation peut être accordée pour faire inventaire a n'est relatif qu'au cas ou la femme viendrait à mourir *avant* l'expiration du délai de trois mois et quarante jours, sans avoir accompli cette formalité ; il ne prévoit pas celui ou elle serait décédée postérieurement ; d'où il faut conclure, qu'elle est déchue de la faculté de renoncer lorsqu'elle n'a pas fait inventaire dans le délai de trois mois.

à partir de l'inventaire, s'il avait été terminé avant l'expiration du délai de trois mois

L'inventaire doit être fait contradictoirement avec les héritiers du mari, ou eux dûment appelés ; — il doit être affirmé sincère et véritable, devant le notaire (943, Pr.).

Le seul but de l'inventaire étant de mettre la femme à même de prendre une détermination et de justifier de la représentation de tous les biens de la communauté, on doit décider, que celui qui aurait été fait par les héritiers du mari, servirait à la veuve, comme s'il était fait à sa requête.

En cas de contestation avec les héritiers sur le choix du notaire, ce choix appartient à la femme ; car c'est à elle que l'obligation est imposée.

S'il n'y a rien dans la communauté, la femme doit faire dresser un procès-verbal de carence.

La loi ne prescrit du reste ni à la veuve ni à ses héritiers, aucun délai particulier pour accepter ou pour renoncer ; en conséquence, ils ont trente ans à partir du jour de la dissolution, pourvu qu'ils aient fait inventaire dans les délais prescrits.

— Peut-on valablement stipuler, par contrat de mariage, que la femme aura, pour faire inventaire, un délai plus long que celui de trois mois ? ⁂ *A*. Mais l'excédant de délai ne peut être invoqué que contre les héritiers du mari ; à l'égard des créanciers, cette clause ne peut leur préjudicier (Bellot, t. 2, p. 277 ; Delv., p. 99, n. 6).

1457 — Dans les trois mois et quarante jours après le décès du mari, elle doit faire sa renonciation au greffe du tribunal de première instance dans l'arrondissement duquel le mari avait son domicile ; cet acte doit être inscrit sur le registre établi pour recevoir les renonciations à succession.

= La renonciation de la veuve se fait dans la même forme que la renonciation aux successions : l'acte est inscrit sur les mêmes registres.

Si l'inventaire a été terminé avant l'expiration de trois mois, le délai de quarante jours, accordé pour délibérer, court du jour où il a été parachevé (1459 C. c).

1458 — La veuve peut, suivant les circonstances, demander au tribunal de première instance une prorogation du délai prescrit par l'article précédent pour sa renonciation ; cette prorogation est, s'il y a lieu, prononcée contradictoirement avec les héritiers du mari (1), ou eux dûment appelés.

= La veuve peut obtenir une prorogation de délai pour faire inventaire, en justifiant que le délai de 3 mois ne lui a pas suffi. L'art. 1458 se combine sous ce rapport avec l'art. 174 Pr.

1459 — La veuve qui n'a point fait sa renonciation dans le délai ci-dessus prescrit, n'est pas déchue de la faculté de renoncer si elle ne s'est point immiscée et qu'elle ait fait

---

(1) Ajoutez ou les héritiers qui l'actionnent ; les créanciers peuvent également intervenir pour la conservation de leurs droits.

inventaire ; elle peut seulement être poursuivie comme commune jusqu'à ce qu'elle ait renoncé, et elle doit les frais faits contre elle jusqu'à sa renonciation.

Elle peut également être poursuivie après l'expiration des quarante jours depuis la clôture de l'inventaire, s'il a été clos avant les trois mois.

= Après l'expiration des trois mois et quarante jours, et de ceux qui auraient été accordés conformément à l'art. 1458, les créanciers peuvent poursuivre la veuve et la faire condamner comme commune.

Mais elle conserve encore, en renonçant, la faculté de se soustraire à leurs poursuites, pourvu 1° qu'elle ait fait inventaire dans les délais prescrits (1450, 1462) (1), 2° qu'elle ne se soit pas immiscée dans les affaires de la communauté; en d'autres termes, qu'elle n'ait accepté ni expressément ni tacitement (2).

Du reste, les frais faits jusqu'à la renonciation sont à sa charge, puisqu'ils ont été occasionnés par le retard qu'elle a mis à renoncer (499, C. c.).

Ce que nous disons de la veuve s'applique à ses héritiers; l'art. 1461 leur accorde même de nouveaux délais.

— La femme déclarée commune à l'égard d'un créancier, peut-elle encore renoncer à la communauté à l'égard des autres ? ∼∼ *A. Res inter alios acta aliis neque prodesse neque nocere potest* : appliquez ici ce que nous avons dit sur l'art. 800 (*Val.*).

1460 — La veuve qui a diverti ou recélé quelques effets de la communauté, est déclaré commune, nonobstant sa renonciation ; il en est de même à l'égard de ses héritiers.

= La renonciation doit avoir lieu de bonne foi : le divertissement (3) ou le recel faisant défaillir cette condition, emporte déchéance du bénéfice de la renonciation : en conséquence, la veuve, déclarée commune, peut être contrainte à payer les dettes *ultrà vires*. Vainement aurait-elle fait inventaire : la loi ne distingue pas.

Si elle a pour mari un commerçant (555, Code de commerce), on peut en outre la poursuivre comme complice de banqueroute frauduleuse.

Au surplus, cette déchéance étant prononcée dans l'intérêt des héritiers du mari, rien ne les empêche d'y renoncer, et de se borner à demander la restitution des objets divertis ou recélés, (Dur., n. 443; Toullier, t. 13, n. 216; D., t. 10, p. 257, n. 20).

Notre article suppose évidemment que le détournement est antérieur à la renonciation : s'il était postérieur, ce fait ne rendrait pas la femme commune ; il constituerait un vol (4).

— La mineure *doli capax*, peut-elle être frappée de la déchéance prononcée par cet article ? ∼∼

---

(1) Vainement opposerait-on l'art 800 : l'art. 1459 est formel; la femme doit être moins favorisée que l'héritier, car elle a plus de facilité pour détourner les objets de la communauté.

(2) Observons, que les héritiers peuvent accepter la succession de la veuve sans accepter la communauté ; il faut étendre la disposition de l'art. 1161 aux héritiers de la femme séparée de biens ; il y a même raison de décider. *Quid* si les héritiers ont accepté la succession de la veuve avant l'expiration du délai accordé pour faire inventaire et délibérer? Le délai de quarante jours, pour prendre partie sur la communauté, court à partir de cet acte (Dur., n. 455).

(3) Il y a *divertissement* lorsque la femme détourne ou dissipe de mauvaise foi les biens de la communauté, en vue de préjudicier aux intérêts du mari. — *Recel*, lorsqu'elle omet sciemment et de mauvaise foi de comprendre dans l'inventaire fait à sa requête ou à la requête des héritiers du mari, des effets de la communauté.

(4) Dur., n. 443 ; Bellot, p. 287 ; *voyez* Battur. n. 702.

N, Le recel est un délit ; ce délit impose à la femme l'obligation de réparer le tort qui en est résulté ; mais la déchéance de la faculté de renoncer est bien moins une conséquence du recel que de l'acceptation tacite ; il ne peut dépendre de la femme mineure, de se priver indirectement d'un bénéfice auquel elle est incapable de renoncer directement. Vainement invoque-t-on l'art. 1310 : il ne s'agit point ici d'apprécier l'effet d'une obligation naissant d'un délit, mais de savoir si un incapable peut, en renonçant, se soumettre à des engagements plus ou moins onéreux (Bellot, p. 284. ⁓⁓ *A*. La faculté de renoncer est un bénéfice tout à fait exceptionnel. — Arg. de l'art. 1310 (Delv., sur l'art. 792 ; Battur, n. 703).

1461 — Si la veuve meurt avant l'expiration des trois mois, sans avoir fait ou terminé l'inventaire, les héritiers auront, pour faire ou pour terminer l'inventaire, un nouveau délai de trois mois, à compter du décès de la veuve, et de quarante jours pour délibérer, après la clôture de l'inventaire.

Si la veuve meurt ayant terminé l'inventaire, ses héritiers auront, pour délibérer, un nouveau délai de quarante jours à compter de son décès.

Ils peuvent, au surplus, renoncer à la communauté dans les formes établies ci-dessus ; et les articles 1458 et 1459 leur sont applicables.

= L'inventaire de la communauté fait connaître les forces de la succession de la veuve, car l'importance des reprises à exercer par chacun des époux, et la nature de leurs propres, s'y trouvent ordinairement déterminées ; si la veuve meurt ayant terminé l'inventaire, il suffit, par conséquent, d'accorder à ses héritiers un nouveau délai de quarante jours, à compter de son décès, pour délibérer ; — si elle décède avant l'expiration des trois mois, sans avoir accompli cette formalité, il est juste d'accorder aux héritiers un nouveau délai de trois mois, à compter du décès de la veuve, et de quarante jours pour délibérer après la clôture de l'inventaire.

Ne perdons pas de vue, que la loi statue ici dans la supposition que tous les biens de la veuve ont été compris dans l'inventaire qu'elle a fait de ceux de la communauté : si elle avait acquis des biens depuis la mort de son mari ou depuis la clôture de l'inventaire, ses héritiers, assurément, ne seraient pas tenus de prendre parti quant à la communauté, dans les quarante jours, à partir de son décès ; car cet acte emporterait de leur part acceptation de la succession : on ne les priverait pas du délai de trois mois qui leur est accordé par l'art 795 pour faire inventaire ; mais ils n'auraient, pour délibérer sur la succession et sur la communauté, qu'un seul et même délai de quarante jours (Dur. n. 455).

— *Quid* si la femme est morte après les trois mois sans avoir fait inventaire ?⁓⁓ Appliquez l'art. 800. — Les héritiers peuvent encore faire inventaire et délibérer : mais s'ils sont poursuivis, ils supporteront les frais de poursuites.⁓⁓Elle a perdu le droit de renoncer (1456) ; par conséquent, elle ne saurait transmettre ce droit à son héritier (1456 et 1459).

1462 — Les dispositions des articles 1456 et suivants sont applicables aux femmes des individus morts civilement, à partir du moment où la mort civile a commencé.

1463 — La femme *divorcée* ou séparée de corps, qui n'a point, dans les trois mois et quarante jours après le divorce ou la séparation définitivement prononcés, accepté la com-

munauté, est censée y avoir renoncé, à moins qu'étant
encore dans le délai, elle n'en ait obtenu la prorogation en
justice, contradictoirement avec le mari, ou lui dûment
appelé.

= Le mari, dans l'espèce, est existant; il conserve la possession des
effets de la communauté; aussi, la femme n'est-elle pas présumée acceptante, comme dans le cas de prédécès du mari (1456) : on la considère
comme renonçante si elle n'accepte pas dans les délais pour faire inventaire et délibérer (1), à moins qu'elle n'ait obtenu en justice, avant l'expiration de ces délais, une prorogation; le terme est fatal.

Nonobstant le silence de la loi, la disposition de cet article doit s'appliquer au cas de séparation de biens; car il y a parité de raison (2).

Il en serait de même, si les époux, vivant séparés, les héritiers du
mari s'étaient emparés des effets de la communauté; le silence de la
femme, en ce cas, emporterait, suivant nous, renonciation.

— L'acceptation peut-elle précéder le jugement de séparation ? ⁓ *A.* L'art. 1463 n'établit qu'une
présomption fondée sur le silence de la femme; son but est uniquement, d'empêcher la femme d'accepter tardivement; cet article ne défend pas l'acceptation anticipée (*Cass.*, 21 juin 1831; S., 31,
1, 268).

Le délai accordé à la femme pour faire inventaire et délibérer, ne court-il que du jour où le jugement de séparation cesse d'être attaquable par les voies ordinaires? Peut-il être prolongé à raison de,
discussions dont l'objet serait de fixer le montant de la communauté ? ⁓ *A.* (*Cass.*, 2 décembre 1834 ;
D., 35, 1, 97.)

1464 — Les créanciers de la femme peuvent attaquer la renonciation qui aurait été faite par elle ou par ses héritiers
en fraude de leurs créances, et accepter la communauté
de leur chef.

= Cette disposition est une application du principe que les créanciers peuvent, en leur nom personnel, attaquer les actes faits par leur débiteur en fraude de leurs droits (1167).

L'action révocatoire dure dix ans (1304); le délai ne court que du jour
où l'insolvabilité du débiteur a été reconnue (Bellot, p. 347).

Lorsque les créanciers sont complétement désintéressés, s'il reste quelques biens, cet excédant appartient au mari (Arg. de l'art. 788).

— Faut-il que les créanciers prouvent, que la femme, en renonçant, a eu l'intention de les frauder ?
⁓ *N.* Il suffit qu'elle leur ait préjudicié. — Arg. de l'art. 788. — Le mot fraude s'est glissé ici par inadvertance (Dur., n. 462; Toullier, n. 202). ⁓ Les créanciers de la femme ne peuvent attaquer la renonciation par elle faite, qu'autant qu'il y a eu concert frauduleux entre elle et le mari ou ses créanciers
(Bellot, p. 342).

Les créanciers de la femme ou ceux de la communauté peuvent-ils attaquer la renonciation tacite que
la femme séparée est censée avoir faite, en n'acceptant pas dans le délai que la loi prescrit ? ⁓ *N.* Il
est évident qu'il n'y a pas eu collusion entre la femme et son mari (Bellot. p. 342).

Les créanciers peuvent-ils attaquer l'acceptation de la femme, si cette acceptation a eu lieu en fraude
de leurs droits ? ⁓ *A.* (*Voyez* art. 788, ce que nous avons dit sur l'acceptation des successions ; Bellot, *ibid.*)

---

(1) Cependant, il a été jugé, que le délai court seulement du jour dela reddition du compte et non du
jour de la dissolution de la communauté. si l'état de la communauté ne peut être connu qu'après un
compte à rendre par le mari. — (*Cass.*, 29 janv. 1818 ; D., 18. 1, 658 ; 21 juin 1831 ; D., 31, 1, 245.)
(2) En effet, la femme séparée de corps n'est déclarée renonçante que parce qu'elle n'a pas les biens
en sa possession ; — il y a même un *à fortiori* pour la femme séparée de biens ; car elle n'acceptera que
rarement la communauté. — (Merlin, vᵒ Inventaire, § 5, n. 3; Toullier, n. 130; Dur., n. 459; Rouen, 10
juill. 1826 ; S. 27, 2, 84; Grenoble, 12 févr. 1830; S., 32, 2, 537.) ⁓ Dans le silence de la loi, il ne faut pas
admettre la présomption rigoureuse de renonciation ; la présomption contraire semble même résulter
de l'art. 874. Pr. — Entre associés, la présomption est que chacun veut accepter sa part; donc la
femme est censée. jusqu'à preuve contraire, vouloir accepter (Bellot, p. 342.)

1465 — La veuve, soit qu'elle accepte, soit qu'elle renonce, a droit, pendant les trois mois et quarante jours qui lui sont accordés pour faire inventaire et délibérer, de prendre sa nourriture et celle de ses domestiques sur les provisions existantes, et, à défaut, par emprunt au compte de la masse commune, à la charge d'en user modérément.

Elle ne doit aucun loyer à raison de l'habitation qu'elle a pu faire, pendant ces délais, dans une maison dépendante de la communauté, ou appartenant aux héritiers du mari ; et si la maison qu'habitaient les époux à l'époque de la dissolution de la communauté, était tenue par eux à titre de loyer, la femme ne contribuera point, pendant les mêmes délais, au payement dudit loyer, lequel sera pris sur la masse.

= Cette faveur est justifiée par l'intérêt qu'inspire la position pénible d'une femme, après la mort de son mari.

Observons, que la loi ne prend pas pour limite le terme de trois mois et quarante jours ; mais le temps qui est accordé *pour faire inventaire et délibérer.*

Il suit de là : 1° que si le tribunal accorde à la femme une prorogation de délai pour délibérer, la jouissance continue pendant ce nouveau délai (1).

2° Que si elle prend qualité immédiatement après avoir terminé l'inventaire, elle est déchue de la faveur dont il s'agit.

La femme peut, en cas d'insuffisance des provisions existantes, emprunter au *compte de la masse commune ;* mais il ne lui est pas permis d'emprunter au *compte des héritiers du mari :* si ces héritiers renoncent à la succession, ou s'ils acceptent sous bénéfice d'inventaire, ils ne seront donc tenus de rien.

Quid s'ils acceptent purement et simplement ? Il est évident qu'ils supporteront indirectement cet emprunt, lors même qu'il n'y aurait rien dans la communauté ; car l'emprunt fait par la femme est une dette de la communauté ; or, les dettes de la communauté se trouvent comprises dans la succession du mari (*voy.* cep. Bellot, t. 2, p. 350).

Parlons maintenant du droit d'habitation.

La femme ne doit aucun loyer à raison de l'habitation qu'elle a faite dans une maison dépendante de la communauté, *ou appartenant aux héritiers du mari :* ainsi, les héritiers ne pourraient prélever sur la masse, le montant des loyers d'une maison à eux appartenant que la femme aurait habitée.

Si la maison habitée par les époux, à l'époque de la dissolution, était

_____

(1) Vainement opposerait-on que l'art. 1465 détermine le nombre de jours pendant lequel la femme est admise à jouir du droit dont il s'agit ; que ce temps, dès lors, ne peut être ni augmenté ni abrogé : nous répondrions par le texte précis de l'art. 1465 ; dans cet article, il n'est pas dit d'une manière absolue : *pendant 3 mois et 40 jours,* mais *pendant les 3 mois et 40 jours qui sont accordés pour faire inventaire et délibérer* (Pothier, n. 570 ; Dur., n. 466 ; Bellot, p. 358 ; Malleville, D. t. 10, p. 250, n. 30, Battur, n. 686).

tenue par eux à titre de loyer, la femme ne contribuerait point au payement dudit loyer.

Nous croyons même que les héritiers du mari sont tenus de lui remettre, pour ses loyers, et cela sans indemnité, somme suffisante, s'ils ne possèdent pas de maison dans laquelle la femme puisse habiter.

Il est bien entendu qu'ils ne doivent rien à la femme, s'ils renoncent à la succession du mari (Bellot, p. 354).

Appliquez au droit d'habitation ce que nous avons dit sur le délai pendant lequel la femme peut exiger sa nourriture.

Il n'est pas question de la nourriture et de [l'éducation des enfants: on a sans doute pensé que cette mention était superflue; car les enfants sont nécessairement héritiers lorsqu'ils sont issus du mariage. — S'ils provenaient du premier lit du survivant, leur nourriture ne serait point au compte de la masse commune; le survivant supporterait seul cette charge.

1466 — Dans le cas de dissolution de la communauté par la mort de la femme, ses héritiers peuvent renoncer à la communauté dans les délais et dans les formes que la loi prescrit à la femme survivante.

= Nous avons vu, art. 1461, que dans le cas de prédécès du mari, la femme transmet à ses héritiers le droit d'accepter ou de renoncer, lorsqu'elle meurt sans avoir pris qualité.

Dans l'article 1466, la loi règle le cas où la dissolution résulterait du prédécès de la femme : elle accorde aux héritiers la faculté de renoncer, à charge par eux de manifester leur volonté dans les délais et dans les formes qu'elle prescrit à la femme survivante : ainsi, on les comprend dans la présomption d'acceptation.—Cette disposition déroge au principe qui a dicté l'art. 1463 : suivant ce principe, en effet, les héritiers ne devraient pas être présumés acceptants, puisqu'ils ne sont pas saisis des biens (1).

Il est clair, au surplus, qu'ils ne sont point, comme la femme survivante, obligés de faire inventaire pour renoncer, car il n'y a point de divertissement à craindre de leur part : le mari conservant la possession de tous les biens, c'est lui qui doit remplir cette formalité, pour constater la force de la communauté et se mettre à l'abri des recherches.

— La femme devrait-elle être réputée acceptante, si elle n'avait pas fait inventaire dans le délai de trois mois, lors même qu'elle se serait trouvée en voyage au moment du décès de son mari ? ⹂⹂ L'art. 1456 ne distingue pas.

SECTION V.

Du partage de la communauté après l'acceptation.

1467 — Après l'acceptation de la communauté par la femme ou ses héritiers, l'actif se partage, et le passif est supporté de la manière ci-après déterminée.

➞ Cette section se divise en deux paragraphes : l'un est relatif au partage de l'actif, l'autre, au partage du passif.

---

§ I. — *Du partage de l'actif.*

Lorsque la femme ou ses héritiers acceptent, il y a lieu de procéder au partage des biens de la communauté.

Mais plusieurs opérations doivent précéder le partage :

Il faut d'abord former une masse : cette masse se compose des biens meubles et immeubles qui se trouvent dans la communauté, auxquels on réunit fictivement ce que lui doivent les époux à titre de récompense ou d'indemnité (1468, 1469).

Il est bien entendu, que les biens personnels des époux, qui ne sont pas entrés en communauté, doivent être distraits avant le partage (1470).

La masse composée, on procède à la liquidation des indemnités qui peuvent être dues par la communauté.

Ici s'élève la question de savoir dans quel ordre les créanciers de la communauté pourront se faire payer : cette question est sans intérêt lorsque le passif n'excède pas l'actif ; que les époux viennent pour leurs prélèvements avant ou après les créanciers, cela importe peu. Mais *quid*, lorsque l'actif est au-dessous du passif ? comment doit on procéder en ce cas ? Aucune difficulté ne s'élève par rapport au mari : puisqu'il est tenu des dettes de la communauté, même sur ses biens personnels, il ne doit venir, pour ses prélèvements, qu'après les créanciers. — A l'égard de la femme, il n'est pas moins évident qu'elle vient par préférence, sur le prix des immeubles, en vertu de son hypothèque légale (2121) : mais quels sont ses droits sur le prix des biens meubles? Nous croyons qu'il faut distinguer : s'il existe des créanciers opposants, la femme vient avec eux au *prorata* de sa créance ; s'il n'en existe pas, elle peut exiger immédiatement le payement intégral de ce qui lui est dû (Arg. de l'art. 808) : la femme, en effet, bien que commune, est réellement créancière quant à ses prélèvements ; on doit donc la placer sur la même ligne que tous autres créanciers.

Du principe que la femme est créancière, il résulte, que ses droits s'exercent avant ceux du mari, et même, qu'elle peut recourir sur les biens personnels de ce dernier, en cas d'insuffisance des biens de la communauté (1471).

Les récompenses dues par la communauté aux époux ou par les époux à la communauté, emportent intérêt de *plein droit*, à partir du jour de la dissolution de la communauté (1473) ; c'est là une dérogation au droit commun.

Les prélèvements opérés, on procède au partage par moitié entre les époux ou ceux qui les représentent (1474). — Toutes les règles des successions, concernant la capacité des personnes, la forme du partage, ses effets, la licitation des immeubles quand il y a lieu, la garantie, les soultes et la rescision, reçoivent ici leur application (1476).

Dans les articles 1478 et suivants, la loi suppose que l'un des époux est créancier personnel ou donataire de l'autre ; elle place cet époux dans la même position que tous autres créanciers.

Les créances que les époux ont à exercer l'un contre l'autre (à la différence des récompenses dues par les époux à la communauté, ou par la communauté aux époux) ne portent intérêts que de jour de la demande (1479).

———

1468 — Les époux ou leurs héritiers rapportent à la masse des biens existants, tout ce dont ils sont débiteurs envers la communauté à titre de récompense ou d'indemnité, d'après les règles ci-dessus prescrites, à la section II de la Iʳᵉ partie du présent chapitre.

1469 — Chaque époux ou son héritier *rapporte* (1) également les sommes qui ont été tirées de la communauté, ou la valeur des biens que l'époux y a pris pour doter un enfant d'un autre lit, ou pour doter personnellement l'enfant commun.

= En dotant un enfant, on acquitte une dette personnelle; par conséquent il est dû récompense à la communauté si elle a fourni le montant de la dot (2).

Ainsi la femme doit rapporter ce qu'elle a pris dans la communauté même avec l'autorisation de son mari pour doter un enfant commun; en se bornant à donner son autorisation, le mari a suffisamment manifesté l'intention de ne pas doter; — il faut cependant excepter le cas prévu par l'article 1427.

Quid si la dot a été constituée au profit d'un enfant d'un autre lit, avant la célébration du deuxième mariage? bien qu'elle ait été acquittée depuis, l'époux donateur ne doit aucune récompense; car la dot est tombée, comme dette mobilière, à la charge de la communauté.

— Si les deux époux dotent conjointement l'enfant commun, en effets de la communauté, sont-ils tenus de rapporter ? ⋙ *N.* Puisqu'ils ont un droit égal à la communauté, à quoi bon les soumettre au rapport ? ⋙ *A.* Outre l'opération du partage, il y a celle des prélèvements, lesquels ne s'exercent pas simultanément : la femme vient par préférence; dès lors, le mari a intérêt au rapport, afin de grossir la masse. (Dur. n. 189 et 295).

1470 — Sur la masse des biens, chaque époux ou son héritier prélève (3) :

1° Ses biens personnels qui ne sont point entrés en communauté, s'ils existent en nature, ou ceux qui ont été acquis en remploi ;

2° Le prix de ses immeubles qui ont été aliénés pendant la communauté, et dont il n'a point été fait remploi ;

3° Les indemnités qui lui sont dues par la communauté.

———

(1) Il faut donc bien se garder de croire que ce qui est dû aux époux par la communauté se compense avec ce qu'elle leur doit ; ce n'est point par voie de compensation que l'on procède, mais par la voie du rapport. Exemple : la communauté doit 15,000 fr. au mari, et 10,000 fr. à la femme ; chacun des époux est tenu envers elle de 10,000 fr. : si l'on procède par compensation, et que la communauté soit pauvre, le mari n'obtiendra pas de récompense; il en sera autrement si le rapport a lieu.

(2) Cet article modifie un peu, sous ce rapport, l'art. 1422. On a sans doute craint qu'il n'y eût abus de la part du mari.

(3) Ce mot est impropre, car il ne peut s'appliquer au 1° de l'article.

= Avant d'opérer le partage, il faut nécessairement fixer la masse partageable, et par conséquent déduire les choses qui n'appartiennent pas à la communauté : ainsi, chaque époux ou son héritier prélève :

1° *Ses biens personnels*, qui ne sont point entrés dans la communauté, s'ils existent en nature; ou ceux qui ont été acquis en remploi.

2° *Le prix de ses propres* aliénés : le prix doit s'entendre, non-seulement du prix principal, mais encore de tous les accessoires; en un mot, de tout ce qui a été reçu par la communauté, même de ce qui a été payé pour pot-de-vin, soit en argent, soit en effets mobiliers.

3° *Les indemnités, etc.* : il est dû indemnité, par exemple, si l'un des époux a payé une dette de la communauté, ou si des charges ont été imposées sur un héritage propre, lorsque la communauté a profité de ces charges.

Il y aurait encore lieu à indemnité, si le mari avait laissé prescrire quelques droits de la femme, ou s'il avait négligé d'opposer la prescription aux demandes dirigées contre elle (1).

— Si le mari donne l'un de ses propres à titre purement gratuit, doit-il récompense à la communauté pour la perte de la jouissance ? ⁓ *N.* Il ne retire aucun profit personnel de la donation (Bellot, p. 387).

Quid si la femme donne un de ses propres, avec autorisation de son mari ; doit-elle récompense à la communauté pour la perte de la jouissance de ce propre ? ⁓ *N.* Le mari, en intervenant, s'est interdit le droit de rien répéter quant à la perte de la jouissance des effets mobiliers (Bellot, p. 390).

1471 — Les prélèvements de la femme s'exercent avant ceux du mari.

Ils s'exercent, pour les biens qui n'existent plus en nature, d'abord sur l'argent comptant, ensuite sur le mobilier, et subsidiairement sur les immeubles de la communauté : dans ce dernier cas, le choix des immeubles est déféré à la femme et à ses héritiers.

= Les prélèvements ont pour objet des sommes d'argent; dès lors, ils doivent s'exercer d'abord sur l'argent comptant, puis sur les meubles (corporels ou incorporels), et subsidiairement sur les immeubles.

Toutefois, la condition des époux n'est pas égale quant aux prélèvements :

A raison de la dépendance où la femme s'est trouvée pendant la durée de la communauté, et en outre, par cette considération qu'elle est créancière du mari, on lui accorde l'avantage d'exercer ses droits avant ce dernier.

Lorsqu'à défaut d'argent comptant, la femme prélève des biens en nature, elle a la faculté de choisir parmi les immeubles et *à fortiori* parmi les meubles : cette faculté n'est pas accordée au mari.

Cependant, gardons-nous de croire que la femme ait un droit sans limite : elle ne pourrait, par exemple, prendre un meuble ou un immeuble d'une valeur très-supérieure à sa créance, sauf à fournir une soulte en argent.

Le mari est tenu indéfiniment des dettes de la communauté; or, au nombre de ces dettes, se trouvent les reprises de la femme : en cas

---

(1) L'énumération de l'art. 1470 est semblable à celle de l'art. 1483 : en effet, au cas de renonciation, la femme ne fait que *reprendre* ce qu'elle *prélève* au cas d'acceptation.

d'insuffisance des biens de la communauté, la femme peut donc agir subsidiairement sur les biens personnels du mari (1472).

Une grave question se présente ici : les créanciers de la communauté
peuvent-ils s'opposer à ce que la femme excerce des prélèvements en nature, et prétendre qu'elle doit venir avec eux comme simple *créancière*,
par contribution, sur le prix des meubles ; en d'autres termes, les copartageants d'une masse ont-ils, pour leur reprises, une simple créance ou un
droit de propriétaire? Nous pensons que les copartageants ne peuvent se
prévaloir, que l'un vis-à-vis de l'autre, du droit de faire des prélèvements ;
et que, à l'égard des tiers, la femme doit être placée sur la même ligne que
tous autres créanciers ; autrement, on créerait en sa faveur un privilége
que la loi n'établit nulle part (1).

— Lorsqu'un époux a choisi un immeuble pour se payer de ce qui lui est dû par la communauté, doit-il
un droit de mutation ? ⁓ *N*. On ne peut voir dans cette reprise une aliénation ; la loi ne considère
comme actif que ce qui reste après les prélèvements ; les époux ne prennent rien ; ils conservent ce qui
est à eux.

Le mari pourrait-il aussi, après la femme, exercer ses reprises par des prélèvements à son choix ?
⁓ *A*. Ce bénéfice est accordé à tous les copartageants. — Arg. de l'art. 1470 (Pothier). ⁓ C'est là
un privilége particulier à la femme, et non un effet de la propriété. Le Code ne parle pas du mari.

1472 — Le mari ne peut exercer ses reprises que sur les
biens de la communauté.

La femme et ses héritiers, en cas d'insuffisance de la
communauté, exercent leurs reprises sur les biens personnels du mari.

= Cette disposition est une conséquence de la précédente : le mari
n'étant point créancier de la femme, mais de la communauté, ne peut
exercer ses reprises que sur les biens de la communauté : il n'en est pas
de même de la femme, elle est créancière du mari.

Remarquons surtout que la femme, en cas d'insuffisance des biens de la
communauté, ne peut exercer ses reprises *en nature* sur les biens du mari
(1470) ; par rapport au mari elle n'est qu'un créancier ordinaire, sauf que
ses droits sont garantis par une hypothèque légale (2121, 2135).

— *Quid* dans l'espèce : la femme, chargée par son mari de toucher une somme provenant, par exemple, de la vente d'un propre du mari, a dissipé cette somme : le mari peut-il exercer un recours sur les
biens de la femme ? ⁓ *A*. Tout mandataire est comptable et responsable sur ses biens personnels (Bellot, p. 446, t. 1).

1473 — Les remplois et récompenses dus par la communauté
aux époux, et les récompenses et indemnités par eux dues
à la communauté, emportent les intérêts de plein droit du
jour de la dissolution de la communauté.

= Les biens à rapporter font partie de la masse, et ceux qui doivent
être prélevés en sont exclus à partir du jour de la dissolution ; il est donc
juste que les intérêts augmentent ou diminuent cette masse, selon que
les biens qui les produisent en font ou non partie.

Les intérêts courent de plein droit de part et d'autre : la mise en de-

(1) Angers, 2 décembre 1830, S. 31, 2, 101.

meure serait d'ailleurs impossible, puisque la communauté n'ayant plus de chef, aucune action ne peut être dirigée ni par elle ni contre elle.

— Les intérêts dont il s'agit se prescrivent-ils par cinq ans ? ⁓ *N*. (Bellot, p. 448).

1474 — Après que tous les prélèvements des deux époux ont été exécutés sur la masse, le surplus se partage par moitié entre les époux ou ceux qui les représentent.

1475 — Si les héritiers de la femme sont divisés, en sorte que l'un ait accepté la communauté à laquelle l'autre a renoncé, celui qui a accepté ne peut prendre que sa portion virile et héréditaire dans les biens qui échoient au lot de la femme.

Le surplus reste au mari, qui demeure chargé, envers l'héritier renonçant, des droits que la femme aurait pu exercer en cas de renonciation, mais jusqu'à concurrence seulement de la portion virile héréditaire (1) du renonçant (2).

⸺ Si les héritiers de la femme ne peuvent s'accorder, la loi ne leur impose pas, comme en matière de succession, l'obligation d'accepter ou de répudier la communauté pour le tout : pourquoi cette différence ? Le législateur suppose dans les articles 781 et 782, que le droit d'accepter ou de renoncer s'est ouvert au profit d'une personne qui est morte sans avoir encore pris parti ; que le droit s'est réalisé sur la tête de cette personne, mais qu'elle n'a pu l'exercer : ce droit était donc indivisible ; nul, en effet, ne peut à la fois renoncer et accepter ; or les héritiers continuent la personne de leur auteur ; dès lors, ils doivent se trouver dans la position où il serait, s'il eût survécu. — Au contraire, dans le cas de l'art. 1475, le droit est né par la mort de la femme ; il s'est divisé entre ses héritiers ; on le considère comme une sorte de créance ; en conséquence, chaque héritier doit à son gré pouvoir accepter ou renoncer pour sa part. Les héritiers acceptants prennent dans les biens échus à la femme une part proportionnelle à celle qu'ils sont appelés à prendre dans sa succession, et les portions des renonçants restent au mari par droit de non décroissement : — le mari conserve toute la communauté, lorsqu'elle n'est pas acceptée par la femme ou par ses héritiers (*voy.* art. 1463).

—Une femme commune fait son testament : elle lègue ses meubles à Pierre, et ses immeubles à Paul ; elle ne laisse d'autres meubles que ceux qui se trouvent dans la communauté ; le légataire des meubles a par conséquent intérêt à ce que la communauté soit acceptée ; mais le légataire des immeubles, qui n'a pas le même intérêt, refuse son concours : que décider ? ⁓ Les tribunaux examineront *quid utilius*. — Il ne doit pas dépendre d'un légataire de porter atteinte aux droits de l'autre (Pothier, n. 580). ⁓ Il est libre au légataire des immeubles de dire qu'il ne veut ni de la communauté ni de ses conséquences : c'est comme s'il renonçait à la communauté en ce qui le concerne ; ses droits sont indépendants de ceux du légataire des meubles.

La disposition de l'article 1475 semble faite pour le cas où la communauté s'est dissoute par la mort de la femme ; car elle suppose le mari survivant : pourrait-on l'appliquer au cas où la femme survivante serait

(1) Le mot *virile*, qui se trouve placé deux fois à côté du mot *héréditaire*, est inutile. Il faut se borner à lire : *sa part héréditaire*. Avoir une part *virile*, c'est, pour chaque héritier, avoir une part égale à celle de son cohéritier. Les parts *héréditaires* peuvent ne pas être égales ; par exemple, si le défunt laisse pour héritiers son père et un frère.

(2) Ce deuxième alinéa ne peut s'appliquer à la communauté légale, 1470 et 1475 ; il faut supposer une clause de communauté conventionnelle ; par exemple, que la femme a stipulé pour elle ou ses héritiers, dans son contrat de mariage, la faculté d'exercer la reprise de ses apports, en cas de renonciation à la communauté (1514).

morte avant d'avoir pris parti ꞁꞁꞁ *N.* La femme n'a pu se diviser entre l'acceptation et la renonciation; elle n'a transmis à ses héritiers que les droits qu'elle avait elle-même. — L'indivisibilité doit être, pour la qualité de commune, la même que pour la qualité d'héritier. ꞁꞁꞁ *A.* Droit romain : *in legato magis corpora quàm jura continentur.* — Le legs n'est pas un *nomen juris.* — Si le légataire meurt *postquàm dies legati cesserit,* ses hériers peuvent, les uns accepter, les autres renoncer. —Il n'est pas ici question d'une qualité indivisible (Pothier, n. 577 et suiv.).

ᴄ.

1476 —Au surplus, le partage de la communauté, pour tout ce qui concerne ses formes, la licitation des immeubles quand il y a lieu, les effets du partage, la garantie qui en résulte, et les soultes, est soumis à toutes les règles qui sont établies au titre *des Successions* pour les partages entre cohéritiers.

= La loi soumet le partage de la communauté à toutes les règles des successions, en ce qui concerne ses formes, ses effets, les garanties qui en résultent et les soultes.

Ses formes : lorsque, parmi les héritiers de l'un des époux, il y a des mineurs, des interdits ou des non présents, le partage doit donc être fait en justice (823 et suiv.).

Ses effets : ainsi, le partage de la communauté est déclaratif et non translatif de propriété ; mais comment appliquer cette règle à la matière qui nous occupe? à quelle époque remontera l'effet rétroactif du partage? au moment où l'indivision a commencé ; or, elle a commencé au moment de la dissolution de la communauté : chacun des époux sera donc censé avoir été propriétaire des choses tombées dans son lot, à partir de la dissolution de la communauté.

La garantie et les soultes, etc. Appliquez en conséquence les règles des successions, sur les évictions, la rescision, les soultes et les priviléges (884 et suiv.; 2103, 2109).

Le partage de la communauté est également soumis, suivant nous, aux règles sur la rescision des partages de successions (1).

— L'hypothèque judiciaire, résultant de condamnations, prononcées contre le mari *avant le mariage*, s'étend-elle aux conquêts de communauté tombés par le partage dans le lot de la femme ? ꞁꞁꞁ L'hypothèque ne peut frapper que la part du mari, et non celle de la femme ; le jugement a été obtenu à une époque où le mari n'avait pas encore mandat de sa femme (Delv., p. 34, n° 5). ꞁꞁꞁ La part de la femme doit être grevée de cette hypothèque ; les créanciers, en effet, ne pourraient-ils pas poursuivre le mari pendant le mariage, même sur les conquêts ? Le mari ne pouvait-il pas vendre l'immeuble pour acquitter sa dette personnelle ? Pourquoi dès lors refuserait-on à l'hypothèque judiciaire la même force qu'à l'hypothèque conventionnelle consentie pendant le mariage (Bellot, p. 479 ; Dur., n. 498 et 499) ?

Pourrait-on appliquer au partage de la communauté les règles des successions autres que celles qui sont énumérées dans l'art. 1476 ? ꞁꞁꞁ *N.* Notre article est limitatif (Toullier, n. 207; voy. cep. Bellot, t. 2, p. 460).

L'un des conjoints pourrait-il exiger la vente des meubles, sous le prétexte que cette vente est nécessaire pour l'acquittement des dettes et charges de la communauté (art. 826) ? ꞁꞁꞁ *N.* (Bruxelles 13 novembre 1810 ; S., 12, 2, 153).

La femme, propriétaire indivis avec les héritiers du mari, peut valablement transférer ses droits à un acquéreur, et de cette cession, résulte nécessairement une acceptation tacite ; mais on demande si cet acquéreur pourrait être écarté du partage par l'autre partie, en vertu de l'art. 841 ? ꞁꞁꞁ *N.* La disposition de cet article est exceptionnelle : on ne peut donc l'étendre d'un cas à un autre; elle ne touche en rien à la forme, en cas de partage de la communauté.—Il est beaucoup moins grave d'acheter des parts de communauté que des parts d'une hérédité (Toullier, n. 204 et suiv.; Bellot, p. 480[Merlin, Rép. *Paris,* 21 mai 1813; D., t. 12, p. 499, n. 5. — *Bordeaux,*19 juillet 1826; D. 27, 2, 17.— *Bourges,* 12 juillet 1831; D., 32, 2, 71. — *Voyez* cep. Delv., p. 36, n. 3 et 4).

Les créanciers de la communauté pourraient-ils, conformément à l'art. 878, demander la séparation des patrimoines ? ꞁꞁꞁ *N.* Le Code établit, pour les dettes de la communauté, des règles particulières (Toullier, n. 211; Bellot, p. 460, t. 2).

_____

(1) *Cass.,* 8 avril 1807; S., 7, 1, 189 ; *Paris,* 21 mai 1813; S., 14, 2, 269 ; *Bourges,* 21 mai 1830; S., 30, 2, 297).

1477 — Celui des époux qui aurait diverti ou recélé quelques effets de la communauté, est privé de sa portion dans lesdits effets.

= Application de la règle exposée art. 792. Il faut étendre cette disposition pénale à l'époux, même mineur, car la privation prononcée par l'article 1477, est une pénalité directement attachée au recel ou au divertissement.

Si la femme commet cette action après avoir renoncé, elle se rend coupable de vol, mais elle n'encourt pas de déchéance.

— L'époux qui rapporterait spontanément l'effet par lui détourné éviterait-il la peine ?⁓⁓A. Le rapport spontané résulte ou de l'absence primitive d'intention frauduleuse, ou du repentir : or, si la détournement n'a pas été frauduleux, la peine n'est pas applicable; si l'époux se repent, le repentir est toujours favorable (Pothier, n. 691).

Si le mari offre, dans le cours d'une instance, de rapporter une créance qu'il a divertie de la communauté, conserve-t-il sa portion dans ladite créance ? ⁓⁓ N. (Cass., 10 décembre 1835; D., 36, 1, 30).

1478 — Après le partage consommé, si l'un des deux époux est créancier personnel de l'autre, comme lorsque le prix de son bien a été employé à payer une dette personnelle de l'autre époux, ou pour toute autre cause, il exerce sa créance sur la part qui est échue à celui-ci dans la communauté ou sur ses biens personnels.

= Il est important de savoir si l'époux est créancier de la communauté ou s'il est créancier de l'autre époux : en effet, dans ce deuxième cas, l'époux débiteur supporte l'indemnité entière sur son patrimoine propre.

Durant le mariage, l'un des époux peut devenir, par diverses causes, débiteur de l'autre; par exemple, lorsque des créances propres à l'un des époux sont employées directement, au moyen d'une dation en payement ou d'une délégation, à l'acquittement des dettes personnelles de l'autre époux lorsque les époux, ayant doté conjointement un enfant commun, la dot est fournie sur les biens personnels de l'un d'eux; lorsqu'il échoit à l'un des époux une succession immobilière envers laquelle l'autre époux est tenu d'une dette immobilière; enfin, lorsque l'un des époux ayant garanti conjointement ou solidairement avec l'autre, la vente passée par ce dernier, d'un bien à lui propre, vient à être recherché à raison de cette garantie (1432).

— Peut-on comprendre le cas de *soulte* dans cette expression : *ou par toute autre cause?* ⁓⁓ N. Car il résulterait de là, par application de l'art. 1479. que la soulte ne produirait pas intérêt; or, il semble beaucoup plus équitable d'appliquer les principes de la vente; suivant ces principes les intérêts sont la compensation de la jouissance de la chose. — L'art. 1478 n'est pas contraire à cette idée : dans sa généralité, il ne semble pas comprendre les dettes nées du partage, mais celles qui étaient à la charge de la communauté. — La soulte n'est que l'indemnité de ce que l'un a de plus que l'autre; or, pour que les co-partageants soient placés dans une position égale, il faut que le créancier de la soulte ait la jouissance de cette soulte à compter du partage, et cela sans demande. — La créance, en ce cas, se rattache au partage; la soulte représente, pour l'époux créancier, les biens en nature. — Le partage est un véritable échange.

1479 — Les créances personnelles que les époux ont à exercer l'un contre l'autre, ne portent intérêt que du jour de la demande en justice.

= Il semble, au premier abord, qu'il y ait contradiction entre la disposition de cet article et celle de l'art. 1473, qui fait courir les intérêts de plein droit; mais cette contradiction n'est qu'apparente : dans le cas de l'art. 1473, la communauté a cessé d'exister; aucune demande ne peut dès lors être formée ni par elle ni contre elle : au contraire, dans le cas prévu par notre article, il s'agit de créances de particulier à particulier ; par conséquent, il n'y a pas de raison pour s'écarter de la règle générale, qui ne fait courir les intérêts que du jour de la demande (1153).

— L'art. 1479 comprend-il le cas où la créance de l'un des époux provient d'une soulte ? ⟶ *Inter personas conjunctas*, etc. L'immeuble rapporte des fruits à partir du partage : ces fruits profitent à celui auquel il est échu ; il est juste, dès lors, que l'autre copartageant reçoive les intérêts de la soulte à partir du partage. — Arg. des articles 1153 et 1652.

1480 — Les donations que l'un des époux a pu faire à l'autre, ne s'exécutent que sur la part du donateur dans la communauté, et sur ses biens personnels.

= Les droits du donataire ne s'exécutent point par simple prélèvement : ces droits sont au nombre des créances personnelles de l'un des conjoints contre l'autre ; sauf le cas où le donateur a manifesté une volonté contraire.

1481 — Le deuil de la femme est aux frais des héritiers du mari prédécédé.
La valeur de ce deuil est réglée selon la fortune du mari.
Il est dû même à la femme qui renonce à la communauté.

= Le deuil est dû à la veuve, soit qu'elle accepte, soit qu'elle renonce ; il est dû même à la femme séparée de corps, car la séparation de corps n'a pas dissous le mariage.
Le deuil est censé faire partie des frais funéraires ; la femme est créancière du mari pour cette cause : on doit, en conséquence, le prélever sur la succession du mari et non sur la masse commune : *Mulier non debet, propriis sumptibus, lugere maritum* (1).
Quant au mari, la loi ne lui accorde pas la même faveur sur les biens de la femme.
Le deuil doit être fourni en argent ; les héritiers ne seraient pas recevables à le donner en nature.

— *Quid* si le mari est insolvable ? ⟶ A la vérité, l'article dit : selon la fortune du mari ; mais il faut considérer qu'il s'agit ici d'une affaire de convenance publique : ainsi, malgré l'insolvabilité, on devra prélever, sur la masse, au détriment des créanciers, une somme pour le deuil de la femme.

§ II. — *Du passif de la communauté, et de la contribution aux dettes.*

On distingue l'*obligation* aux dettes, c'est-à-dire, la manière dont les époux sont tenus des dettes communes envers les créanciers ; de la *contribution* aux dettes, c'est-à-dire, de la manière dont les époux sont tenus, l'un à l'égard de l'autre, au payement de ces dettes.
Occupons-nous d'abord de l'obligation aux dettes :
Obligations du mari. — Le mari est tenu, pour le tout, envers les créanciers :
1° Des dettes qu'il a contractées, soit avant, soit pendant le mariage ;

_____

(1) Il est cependant un cas exceptionnel où les frais de deuil sont supportés par la personne qui le porte (*Voy.* art. 285).

2° De celles qui grèvent les successions qu'il a recueillies.

3° Des dettes contractées par lui et sa femme conjointement pendant le mariage, même sans solidarité; car, en faisant intervenir la femme, l'intention des créanciers a été d'augmenter leurs sûretés, et non de les diminuer (1419). — On peut même le poursuivre, après la dissolution de la communauté, pour le montant de ces dettes, sauf ensuite son recours contre la femme ou ses héritiers, pour ce qu'ils en doivent supporter (1).

A l'égard des dettes qui procèdent du chef de la femme, si elles ont été contractées avec l'autorisation expresse ou tacite du mari (1419) ou avec l'autorisation de justice, dans les cas prévus par l'art. 1427 (2), les créanciers peuvent en poursuivre le payement pour le tout contre lui, sauf ensuite son recours contre la femme (3).—Néanmoins, par suite d'une dérogation à cette règle, on décide qu'il n'est tenu que pour moitié, après la dissolution de la communauté, des dettes de la femme antérieures au mariage, et de celles qui grèvent les successions ou les donations mobilières, à elle échues (1485). — Quant aux dettes qui grèvent les successions immobilières, elles donnent action sur la pleine propriété des biens

---

(1) Quelques jurisconsultes appliquent en ce cas l'art. 1202 ; le mari, suivant eux, est tenu d'abord personnellement pour la moitié ; la femme pour l'autre moitié ; et comme la communauté doit, par suite d'une présomption *de in rem versò*, la moitié des dettes personnelles de la femme, le mari est, en sa qualité de commun en biens, tenu pour moitié de cette moitié ; en conséquence, il supporte les trois quarts de la dette.

(2) Bien que ce principe ne soit établi par l'art. 1484 que relativement aux dettes contractées par le mari, il résulte suffisamment des art. 1409 et 1419, 1426 et 1427 combinés, que l'on doit assimiler les dettes contractées par la femme avec l'autorisation de son mari, ou avec l'autorisation de justice, dans les cas prévus par l'art. 1427, à celles que le mari lui-même a contractées ; cela est tellement vrai, que le tribunat avait demandé la suppression des mots : *par lui contractées*, qui se trouvent dans l'art. 1484, dans la crainte qu'ils ne fissent naître des erreurs (Locré , *Lég.* , t. 13, p. 254 ; Dur. , n. 493).

(3) Quelques jurisconsultes proposent la théorie suivante : l'actif comme le passif de la communauté se partagent de plein droit par moitié (1482) , sauf l'application de l'article 1483. Par cette expression , *pour moitié* , la loi entend régler l'obligation comme la contribution aux dettes ; car en poursuivant celui qui doit contribuer, on ne lui demande que ce qu'il doit en définitive. — Mais toutes les dettes que la communauté était tenue d'acquitter pendant sa durée doivent-elles , même après sa dissolution, être considérées comme dettes communes? Si le créancier a dû compter sur la communauté ; si la communauté a tiré avantage de l'opération, la dette est à la charge de l'un et de l'autre époux. Dans le cas contraire, la partie que la dette concerne reste seule engagée. Ainsi, la dette contractée antérieurement au mariage ne peut être poursuivie, après la dissolution , que contre l'époux débiteur ; car la communauté n'était tenue , pendant sa durée, que comme détentrice des capitaux et des revenus ; — à l'égard des dettes contractées durant la communauté : si l'affaire a été faite par le mari, chacun des époux est obligé pour moitié, car le créancier a pu croire que l'engagement intéressait la communauté ; il a pu compter sur elle. — Si l'engagement a été contracté par la femme avec l'autorisation de son mari , cet engagement ne donne action , après la dissolution de la communauté , que contre la femme, car le mari n'est intervenu que pour lui conférer la capacité de contracter; il ne s'est pas imposé d'obligation personnelle : dès lors, après la dissolution de la communauté, le mari ne peut être tenu que *de in rem verso*, et seulement pour la moitié de la dette. Si l'on admettait que les créanciers pussent agir contre le mari pour le tout, à raison de l'autorisation qu'il aurait donnée à sa femme, il faudrait accorder le même droit aux créanciers d'une succession mobilière acceptée par la femme avec autorisation du mari , et même aux créanciers antérieurs au mariage , lorsqu'il s'agit de dettes mobilières , car ces dernières dettes auraient été acceptées tacitement par le mari ; or, de pareilles conséquences ne sauraient être admises. — La femme est tenue pour moitié des dettes qu'elle a contractées avec son mari ; elle est obligée, en ce cas, personnellement, sauf son recours contre le mari, si elle a renoncé à la communauté ou si elle a payé au delà de son émolument. — Si le mari a commis un délit, la dette résultant de ce délit lui est personnelle : *nec obstat* l'article 1424 ; cet article ne statue que pour le cas où la communauté est poursuivie pendant sa durée. — La dot constituée par l'un des époux, même au profit d'un enfant commun, ne donne action , après la dissolution de la communauté, que contre cet époux. — Si le mari s'est porté garant de la vente d'un immeuble faite par la femme, il n'est tenu que pour moitié envers l'acquéreur : *nec obstat* l'article 1484 ; on suppose, dans cet article, que la dette concerne la communauté ; tandis qu'il s'agit ici d'un propre de la femme ; c'est le cas de l'article 1485 ; en décidant ainsi, on ne fait aucun tort aux créanciers : ils conservent leur action contre le débiteur qu'ils ont accepté ; ils ont pu agir accidentellement contre la communauté, parce qu'elle détenait momentanément la fortune mobilière de leur débiteur ; lorsqu'elle se dissout, la communauté recouvre son mobilier ; tout rentre dans son état naturel. — Au résumé, il y a des dettes qui tombent dans la communauté définitivement, d'autres accidentellement, c'est-à-dire qui donnent lieu de sa part à de simples avances ; d'autres enfin que la communauté doit payer quand elle existe, mais dont l'époux non débiteur n'est pas tenu après la dissolution.

de la femme, si elle a accepté avec l'autorisation du mari (1413), et seulement sur la nue propriété, si elle n'a été autorisée que par justice.

Obligations de la femme. — Après la dissolution de la communauté, la femme continue d'être débitrice pour le tout, de ses dettes mobilières antérieures au mariage; des dettes mobilières ou immobilières dont se trouvent grevées les successions ou les donations mobilières qui lui sont échues durant la communauté et qu'elle a acceptées avec l'autorisation du mari; enfin, des dettes qu'elle a contractées, avec l'autorisation de son mari ou même avec l'autorisation de justice dans les cas exceptionnels prévus par l'art. 1427, sauf son recours contre le mari ou ses héritiers, pour ce qu'ils en doivent supporter; c'est-à-dire pour moitié, si elle accepte, et pour le tout, si elle renonce (1494, 2°).

Ce recours n'aurait pas lieu, bien entendu, si la dette était relative à un propre de la femme.

Lorsque, pendant le mariage, la femme s'est obligée conjointement avec son mari, sans expression de solidarité, elle ne peut être poursuivie que pour moitié (1487); mais elle doit cette portion personnellement, en son propre nom; rien ne pourrait la dispenser de la payer, pas même la nullité du mariage. Ce qui ne prive pas les créanciers du droit d'agir pour le tout contre le mari, savoir: pour sa part comme directement obligé; et pour la part de sa femme, en vertu de l'art. 1419.

La femme n'est tenue que pour moitié des dettes de la communauté dans lesquelles elle n'est pas intervenue. — Si elle a fait inventaire dans les délais prescrits, on ne peut la poursuivre que jusqu'à concurrence de son émolument (1483). — En renonçant, elle se dégagerait de toute obligation. — Les créanciers ont un recours contre le mari, pour le surplus; en sorte qu'il arrivera souvent que ce dernier sera tenu, en définitive, d'une part plus forte que la moitié.

Pour déterminer le montant de l'émolument, on estime les biens, eu égard à leur valeur au jour du partage; la femme ne doit compte des détériorations survenues depuis la dissolution qu'autant qu'elles ont été occasionnées par sa faute (Arg. de l'art. 1483); hors ce cas exceptionnel, les événements postérieurs ne peuvent modifier la position des parties.

Remarquons ici, que l'obligation de faire un inventaire bon et fidèle, n'est imposée à la femme que dans ses rapports avec les créanciers; mais que cet acte est sans utilité dans les rapports de la femme avec son mari; l'acte de partage établit suffisamment entre les époux que les effets mobiliers se trouvaient dans la communauté.

Par exception, l'époux peut être poursuivi pour la totalité d'une dette commune, lorsque cette dette est indivisible ou lorsqu'elle est garantie par une hypothèque qui affecte un immeuble dont il se trouve détenteur.

Contribution aux dettes. — Chacun des époux doit contribuer pour moitié au payement de toutes les dettes communes (1482).

Celui qui, volontairement ou forcément, paye au delà de la moitié d'une dette commune, a pour l'excédant un recours contre son conjoint (1490 al. 2).

Il existe cependant, quant à ce recours, quelques différences entre la position du mari et celle de la femme.

Le recours du mari ne peut avoir lieu qu'autant que la communauté a été acceptée du chef de la femme (1494); la femme, au contraire, soit qu'elle accepte, soit qu'elle renonce, a un recours contre le mari, savoir : pour moitié, dans le premier cas; pour le tout, dans le deuxième.

— Le mari est tenu d'indemniser la femme, même sur ses biens personnels, en cas d'insuffisance de ceux qu'il a recueillis.

La femme n'est tenue de contribuer aux dettes communes que jusqu'à concurrence de son émolument, si elle a fait dresser un inventaire fidèle et exact (1483). Elle jouit de ce bénéfice, quelles que soient la nature et l'origine des dettes communes, même pour celles qui procédaient de son chef.

Du reste, rien ne s'oppose à ce que l'un des époux soit chargé, par le partage, de payer une dette commune au delà de sa moitié, ou même de l'acquitter entièrement; mais cette convention ne peut, en aucune manière, être opposée aux créanciers; elle est à leur égard *res inter alios acta* (1490).

1482 — Les dettes de la communauté sont pour moitié à la charge de chacun des époux ou de leurs héritiers : les frais de scellé, inventaire, vente de mobilier, liquidation, licitation et partage, font partie de ces dettes.

= *Sont à la charge*, porte l'art. 1482, et non *sont tenus :* c'est qu'en effet, on a voulu distinguer l'*obligation*, de la *contribution aux dettes :* les époux contribuent entre eux pour moitié; mais ils peuvent être obligés différemment envers les créanciers; il ne dépend pas d'un débiteur de se substituer, sans le consentement du créancier, un autre débiteur.

— La femme est-elle censée, en acceptant la communauté, ratifier la vente d'un de ses propres qui aurait été faite par le mari? ⁓ *N*. Vainement dirait-on qu'en acceptant elle ratifie tacitement tout ce qu'a fait le mari : ce principe souffre exception dans le cas particulier qui nous occupe; car la vente ne se présume pas. La responsabilité de la femme est bornée aux actes que le mari a le pouvoir de faire; elle pourrait, en conséquence, agir en revendication, sans s'exposer à être poursuivie en garantie comme commune. Toutefois, si le prix de la vente a été versé dans la communauté, la femme doit compte de la moitié du prix. — Quant aux dommages-intérêts auxquels l'acheteur peut prétendre, la femme n'en est pas tenue, car ils sont la conséquence d'un acte pour lequel elle n'a donné aucun pouvoir (Bellot, p. 510, t. 2). ⁓ *A* Elle est tenue comme commune de ce que fait le mari; dès lors, elle ne peut revendiquer, car elle est forcée de garantir, si elle accepte la communauté (Pothier).

1483 — La femme n'est tenue des dettes de la communauté, soit à l'égard du mari, soit à l'égard des créanciers, que jusqu'à concurrence de son émolument, pourvu qu'il y ait eu bon et fidèle inventaire, et en rendant compte tant du contenu de cet inventaire que de ce qui lui est échu par le partage.

= Notre article n'est évidemment applicable que dans le cas où la femme est purement tenue comme *commune*, sans qu'il y ait de sa part d'obligation personnelle.

La faveur qu'on lui accorde, a beaucoup de rapport avec le bénéfice d'inventaire (*voy.* 793 et 802); toutefois, il existe quelques différences (*voy.* sect 4).

La femme qui veut user du bénéfice de l'art. 1483, doit tenir compte aux créanciers du montant de ce qu'elle a recueilli dans la communauté, fût-ce même à titre de préciput, et de ce dont elle s'est enrichie par suite du partage.

La loi dit, *jusqu'à concurrence de son émolument :* ces expressions n'ont pas tout à fait ici le même sens que dans les art. 802 et suiv. : en effet, l'héritier bénéficiaire ne confond pas ses biens personnels avec ceux de la succession ; sauf le cas où il est en faute, on ne peut le poursuivre sur ses propres (805) ; la femme, au contraire, devient propriétaire des biens et se trouve obligée personnellement (1482) : il suit de là, qu'elle a le droit, à la différence de l'héritier, de disposer, sans s'obliger *ultrà vires*, des objets tombés dans son lot : et qu'*en rendant compte du contenu en l'inventaire*, elle se met à l'abri des poursuites (1). Toutefois, ne concluons pas de ces dernières expressions, que la femme puisse retenir les objets en nature, et se borner à rendre compte de leur valeur : l'estimation portée à l'inventaire n'est que pour mémoire ; les créanciers ne sont point tenus de s'en contenter ; ils peuvent provoquer une estimation contradictoire, qu'il s'agisse d'objets mobiliers ou d'immeubles (2).

D'un autre côté, les créanciers de la communauté peuvent indistinctement poursuivre leur payement sur les objets tombés dans le lot de la femme et sur ses biens propres ; la femme ne peut arrêter ces poursuites, en offrant d'abandonner les biens tombés dans son lot ; par son acceptation, elle s'est liée personnellement ; par suite, tous ses biens sont affectés jusqu'à concurrence de son émolument.

La femme doit même tenir compte de la valeur des fruits qu'elle a recueillis, déduction faite des frais.

Lorsque la femme s'est trouvée créancière d'une somme, pour ses reprises, elle n'est point obligée de se charger en recette de ce qu'elle a prélevé sur les biens de la communauté, pour se payer de cette somme ; car elle n'a reçu que ce qui lui était dû. — Elle doit seulement tenir compte de ce qu'elle devait à la communauté.

Le chapitre des dépenses comprend : ce qu'elle a payé des frais de scellés, inventaire, vente du mobilier, liquidation, licitation et partage ; — ce qu'elle a payé à d'autres créanciers ; — ce qu'elle s'est payé à elle-même. — Enfin les frais du compte.

Il résulte de l'art. 1483, que la femme ne court jamais aucun danger à accepter : à quoi bon, dès lors, lui réserver la faculté de renoncer ? La renonciation est toujours précieuse pour la femme, notamment lorsqu'elle a stipulé la reprise de ses apports pour le cas où elle renoncerait.

— La femme qui n'a pas fait inventaire, ou qui en a fait un infidèle, n'est-elle tenue que de la moitié des dettes, lorsqu'elle ne s'est pas obligée personnellement et solidairement? ∿∿ *A.* Arg. de l'art. 873 (*Cass.*, 21 déc. 1830 ; S. , 31, 1, 152).

La femme pourrait-elle se refuser au payement de la moitié d'une dette contractée par son mari, sous le prétexte que l'acte qui constate cette dette n'aurait pas acquis date certaine antérieure à la dissolution de la communauté? ∿∿ *N.* (*Bordeaux* , 24 janv. 1827 ; S. , 28 , 2, 61 ; *Cass.*, 28 nov. 1833 ; S. , 33 , 1, 830 ; *voy.* cep. *Cass.* , 8 sept. 1807 ; S. , 7, 2 , 455).

---

(1) D'ailleurs, la loi emploie cette expression *rendre compte ;* or, *rendre compte* n'est pas synonyme d'*abandonner* (Toullier, n. 241).

Ces termes de la loi , *en rendant compte tant du contenu de cet inventaire que de ce qui lui est échu par partage*, doivent être entendus ainsi : tant de celui qui a été inventorié que de celui qui ne l'a pas été ; ce qui s'applique principalement aux immeubles sortis de biens dont on ne fait mention que rarement dans l'inventaire. (*Voy.* sur ce point Pothier, n. 747, et Dur., n. 489.)

(2) Selon quelques personnes, les créanciers peuvent exiger que les meubles soient vendus, et même priver la femme , en faisant saisir, du droit de vendre librement.

A l'égard des immeubles : si la femme les a vendus malgré l'opposition des créanciers, elle doit leur tenir compte de la différence qui existe entre l'estimation portée dans l'acte et la valeur réelle de l'héritage, d'après une estimation contradictoire. — Si la vente a eu lieu sans opposition de la part des créanciers, la femme ne leur doit compte que du prix qu'elle a retiré en sus de l'estimation.

Les créanciers pourraient-ils exiger que la femme leur abandonnât les immeubles tombés dans son lot? ⟿ *A.* Arg. de ces mots de l'article : *en rendant compte* (Dur. , n. 489). ⟿ *N.* La femme est devenue leur débitrice personnelle; tous ses biens sont affectés à leur gage. — S'ils ne veulent se contenter du prix d'estimation fixé par l'inventaire, ils peuvent seulement provoquer une estimation contradictoire.

La femme aurait-elle la faculté d'abandonner aux créanciers les meubles tombés dans son lot? ⟿ *N.* Elle est tenue personnellement ; sa part dans les biens communs se trouve confondue avec son propre patrimoine (Toullier, n. 245 à 247; Pothier, n. 747).

Quid à l'égard des immeubles? ⟿ Même décision. ⟿ Elle a ce pouvoir, sauf à tenir compte des dégradations qui procèdent de son fait (Pothier, *ibid.*; Bellot, p. 522; Dur., n. 489).

1484 — Le mari est tenu, pour la totalité, des dettes de la communauté par lui contractées; sauf son recours contre la femme ou ses héritiers pour la moitié desdites dettes.

= Il est bien entendu, qu'indépendamment de ce droit les créanciers ont celui d'agir directement contre la femme, pour la moitié des dettes (1483), lorsqu'elle a accepté la communauté.

1485 — Il n'est tenu que pour moitié, de celles personnelles à la femme et qui étaient tombées à la charge de la communauté (1).

= Ainsi, le mari n'est tenu que pour moitié, des dettes de la femme, antérieures au mariage, et de celles qui grevaient les successions ou les donations mobilières qui lui sont échues durant la communauté; mais la femme ne demeure pas moins obligée pour le tout, car elle est obligée personnellement; sauf ensuite son recours contre le mari pour moitié (1486).

— Les créanciers de la femme auraient-ils, en cas d'insuffisance des biens qui lui échoient par le partage, une action récursoire contre le mari? ⟿ *N.* Les termes de l'article 1485 sont trop absolus pour qu'il soit permis d'admettre cette modification à la reg e. Vainement prétendrait-on que l'art. 1485 est modifié par l'art. 1483 : ces deux articles n'ont aucun rapport : dans le premier, il est question de dettes personnelles à la femme; dans le second, il est question de celles qui concernent la communauté (Delv., p. 38, n. 1; Battur, n. 799). ⟿ L'art. 1485 est modifié par l'art. 1483 (Bellot, p. 543 ; Toullier, n. 240, et 241).

Le porteur d'un acte exécutoire résultant d'un contrat intervenu entre lui et le mari, ou résultant d'un jugement obtenu contre le mari, peut-il exercer contre la femme l'acte qu'il aurait pu exécuter contre la communauté ? ⟿ *N.* Le mari n'a pas représenté sa femme comme il l'aurait représentée en vertu d'un mandat. — La femme est un peu dans la position d'un héritier : or, autrefois, pour exécuter contre l'héritier un acte exécutoire contre le défunt, il fallait obtenir un jugement contre l'héritier. — Il était logique, de n'exécuter un acte contre une personne, qu'après avoir fait mettre cet acte au nom de cette personne (*Val.*).

1486 — La femme peut être poursuivie pour la totalité des dettes qui procèdent de son chef et étaient entrées dans la communauté, sauf son recours contre le mari ou son héritier, pour la moitié desdites dettes.

1487 — La femme, même personnellement obligée pour une dette de communauté, ne peut être poursuivie que pour la moitié de cette dette, à moins que l'obligation ne soit solidaire.

---

(1) C'était autrefois une question que de savoir si le mari pouvait être poursuivi pour le tout, après la dissolution de la communauté, à raison des dettes dont il s'agit. On disait, pour l'affirmative, que la dette était devenue dette de la communauté ; Pothier avait adopté la négative; son opinion a été consacrée par le Code.

1488—La femme qui a payé une dette de la communauté au delà de sa moitié, n'a point de répétition contre
le créancier pour l'excédant, à moins que la quittance n'exprime que ce qu'elle a payé était pour sa moitié.

= Ainsi, pour que la femme puisse répéter contre un créancier ce
qu'elle a payé au delà de sa moitié, il faut 1° qu'il résulte des termes de la
quittance, qu'elle n'a entendu payer que sa part ; l'erreur est alors manifeste. — 2° Que le créancier n'ait pas supprimé son titre par suite du
payement : lorsque le titre a été détruit, la femme n'a de recours que
contre son mari.

Si la quittance ne contient aucune expression qui puisse faire découvrir
l'intention de la femme, on doit présumer qu'elle a voulu payer la dette
du mari, son cobligé, sauf à régler ensuite avec lui (1236, 1490).

Les mêmes règles sont applicables au mari, pour les dettes qui ne sont
à sa charge que pour moitié : le Code parle seulement de la femme, parce
qu'il a suivi Pothier, lequel ne traitait la question que relativement à la
femme (1484).

1489—Celui des deux époux qui, par l'effet de l'hypothèque exercée sur l'immeuble à lui échu en partage, se
trouve poursuivi pour la totalité d'une dette de communauté,
a, de droit, son recours pour la moitié de cette dette contre
l'autre époux ou ses héritiers.

— Aucune difficulté ne s'élève quant aux hypothèques pour dettes contractées pendant le mariage par
les deux époux, ou même par le mari seul : mais *quid*, quant aux dettes contractées par le mari avant
le mariage, et qui emportaient hypothèque sur les biens à venir, comme serait la dette résultant d'un
jugement rendu contre lui avant le mariage ? ~~~ Le créancier ne doit pas pouvoir exercer cette hypothèque sur la portion de conquêts échue à la femme ; car le mari n'a pu hypothéquer ces biens qu'en
qualité de propriétaire ; or, il n'était, lors de l'établissement de l'hypothèque, que chef de la communauté (Poth., n. 353 ; Delv., p. 36, n. 4). ~~~ L'hypothèque subsiste, même sur la portion échue à
la femme. — L'article 1489 est conçu en termes généraux : les biens du mari se confondent avec
ceux de la communauté, — l'hypothèque n'est qu'un accessoire de la dette (Dur., n. 498 ; Toullier,
n. 263).

Quid à l'égard des dettes particulières de la femme antérieures au mariage, avec hypothèques qui
s'étendent aux biens à venir ? ~~~ Dans aucun cas les créanciers n'ont pu considérer les biens de la
communauté comme leur gage ; l'hypothèque des créanciers particuliers de la femme ne peut frapper
que la portion de leur débitrice dans les conquêts, telle que cette portion lui écherra par le partage. La
position de la femme diffère en cela de celle du mari (Dur., n. 499 ; Pothier, n. 354).

Lorsqu'on agit hypothécairement contre la femme à raison d'un immeuble qu'elle détient, doit-on la
désintéresser, s'il lui est dû par la communauté quelque reprise ou indemnité ? ~~~ *A.* A partir du mariage, la femme a une hypothèque pour ses droits ; par conséquent, cette hypothèque est antérieure à
celle du demandeur (Pothier, n. 355 et suiv.). ~~~ Lorsque l'hypothèque des tiers a été constituée
pendant le mariage, la femme est censée faire, en qualité de commune, tout ce que fait son mari en
qualité de chef de communauté (Dur., n. 503).

1490—Les dispositions précédentes ne font point obstacle
à ce que, par le partage, l'un ou l'autre des copartageants
soit chargé de payer une quotité de dettes autre que la
moitié, même de les acquitter entièrement.

Toutes les fois que l'un des copartageants a payé des
dettes de la communauté au delà de la portion dont il était

tenu, il y a lieu au recours de celui qui a trop payé contre l'autre (1).

= L'un des copartageants peut être chargé de payer une quotité de dettes autre que la moitié, et même d'acquitter une dette entièrement.

Mais cette convention ne peut être opposée aux créanciers; elle est, à leur égard, *res inter alios acta* (*voy.* les art. 1482 à 1489 inclusivement).

Cependant, nous pensons que les créanciers pourraient, en vertu de l'article 1166, se prévaloir de la convention, pour faire payer à chacun des copartageants la portion de dettes dont il se serait chargé.

1491 — Tout ce qui est dit ci-dessus, à l'égard du mari ou de la femme, a lieu à l'égard des héritiers de l'un ou de l'autre; et ces héritiers exercent les mêmes droits et sont soumis aux mêmes actions que le conjoint qu'ils représentent.

SECTION VI.

De la renonciation à la communauté, et de ses effets.

En renonçant, la femme se dépouille de ses droits sur les biens qui dépendent de la communauté, même sur ceux qui y sont entrés de son chef; par des considérations d'humanité, on lui accorde seulement la faculté de retirer les linges et hardes à son usage. — Quant à ses biens propres, elle peut évidemment en exercer la reprise, puisqu'ils n'étaient pas tombés dans la communauté; d'ailleurs, elle aurait eu ce droit, en cas d'acceptation; — par la même raison, elle peut poursuivre contre le mari les indemnités qui lui sont dues par la communauté.

La renonciation dégage la femme de toute *contribution* et de toute *obligation* aux dettes; cependant, elle reste soumise *envers le mari*, au payement des créances qu'il peut avoir contre elle, soit comme chef de la communauté, soit en son nom personnel.

Elle demeure également tenue, envers les tiers, de ses dettes antérieures au mariage, de celles qui grevaient les successions mobilières à elle échues, et de celles qu'elle a contractées durant la communauté avec l'autorisation de son mari, ou avec l'autorisation de justice dans les cas indiqués par

---

(1) On peut distinguer onze espèces de dettes :
    1° Dettes du mari avant le mariage ;
    2°   — de la femme ;
    3°   — du mari seul pendant le mariage ;
    4°   — de la femme seule, autorisée de son mari ;
    5°   — de la femme autorisée de justice dans les cas de l'article 142 ;
    6°   — des époux conjointement ;
    7°   — contractées par les époux solidairement ;
    8°   — de successions mobilières échues au mari ;
    9°   — de successions mobilières échues à la femme ;
    10° — hypothécaires ;
    11° — de la femme marchande publique (1426).

l'art. 1427; mais elle a un recours en indemnité contre son mari pour le montant de la somme qu'elle a été obligée de payer; sauf au mari à repousser ce recours en prouvant qu'il s'agit d'une dette contractée dans l'intérêt personnel de la femme.

A la différence de l'héritier (790), la femme renonçante ne peut revenir sur sa renonciation.

Les règles que nous venons d'exposer s'appliquent aux héritiers de la femme et à ceux du mari.

Les héritiers de la femme ne jouissent pas du bénéfice des articles 1465 et 1492; la femme seule peut l'invoquer (1495).

1492 — La femme qui renonce, perd toute espèce de droit sur les biens de la communauté, et même sur le mobilier qui y est entré de son chef.

Elle retire seulement les linges et hardes à son usage.

= Ces expressions de l'art. 1492 : *perd toute espèce de droit*, etc., prouvent suffisamment, que le mari n'est plus, comme anciennement, réputé *chef* et *maître* de la communauté : assurément la femme renonçante est traitée comme si elle n'avait jamais eu aucun droit sur les biens de la communauté; même sur ceux qui y étaient entrés de son chef; ces biens restent au mari ou à ses héritiers; mais si elle accepte, elle est censée avoir toujours été copropriétaire du mari.

La femme renonçante est privée même du préciput qu'elle avait stipulé, à moins que ce préciput n'ait été convenu aussi pour le cas où elle renoncerait; alors, elle agit comme créancière (1) (1515).

Elle retire seulement les linges et hardes à son usage : mais cette faveur, commandée par l'humanité, est restreinte à sa personne; la loi ne l'étend pas à ses héritiers (1495).

Ces mots : *à son usage,* ne doivent pas être pris dans un sens trop restreint; ils embrassent tout ce qui sert à l'habillement de la femme, toute sa garde-robe, quelle que soit sa valeur (2).

A l'égard des *joyaux*, *diamants*, *montres*, etc., ils restent au mari. *Voy.*, pour les faillis, l'article 529 du Code de comm.

1495 — La femme renonçante a le droit de reprendre :

1° Les immeubles à elle appartenant, lorsqu'ils existent en nature, ou l'immeuble qui a été acquis en remploi;

2° Le prix de ses immeubles aliénés dont le remploi n'a pas été fait et accepté comme il est dit ci-dessus;

3° Toutes les indemnités qui peuvent lui être dues par la communauté.

---

(1) *Cass.*, 22 nov. 1837; D., 37, 1, 468.
(2) La plupart des coutumes n'accordaient à la femme qu'un seul habillement : *non debet abire nuda ;* le Code est plus libéral.

= Observons, que la femme n'exerce pas ici un droit de *prélèvement*, puisqu'il n'y a pas de partage; elle ne jouit donc pas du bénéfice accordé à la femme acceptante par l'art. 1471; elle *reprend* seulement ce dont elle était propriétaire ou créancière : sous ce dernier rapport, elle n'est qu'un tiers; en conséquence, on doit la traiter comme tout créancier, sauf le droit de préférence résultant de son hypothèque sur les biens du mari, laquelle frappe également les biens de la communauté.

1494—La femme renonçante est déchargée de toute contribution aux dettes de la communauté, tant à l'égard du mari qu'à l'égard des créanciers. Elle reste néanmoins tenue envers ceux-ci lorsqu'elle s'est obligée conjointement avec son mari, ou lorsque la dette, devenue dette de la communauté, provenait originairement de son chef; le tout sauf son recours contre le mari ou ses héritiers.

= La femme renonçante est déchargée de toute contribution aux dettes; elle n'est même pas tenue envers les créanciers de la communauté.

Il faut toutefois excepter le cas où elle serait obligée personnellement; ainsi, nonobstant sa renonciation, la femme doit acquitter ses dettes antérieures au mariage, celles qui grèvent les successions mobilières à elle échues, et celles qu'elle a contractées durant la communauté, avec l'autorisation de son mari ou avec l'autorisation de justice, dans les cas prévus par l'article 1427.

Mais, comme ces dettes mobilières étaient tombées à la charge de la communauté, la femme a un recours contre son mari pour le tout; elle ne supporte pas le passif, puisqu'elle ne prend aucune part dans l'actif.

Il est bien entendu que ce recours n'a pas lieu, lorsque la dette contractée par la femme avant ou pendant le mariage, doit, pour une cause quelconque, être supportée en définitive par la femme (*Voyez* les articles 1424, 1438 et 1469).

— La femme renonçante a-t-elle hypothèque sur les conquêts de la communauté aliénés par le mari pendant le mariage? ∾ *A.* Au moyen de sa renonciation, elle devient étrangère à la communauté, et par suite aux dettes; elle est censée ne pas avoir pris part aux actes que le mari a faits pendant le mariage : les biens de la communauté sont considérés comme ayant toujours fait partie des propres du mari. — Sans doute, il y a eu communauté, mais sous condition résolutoire; c'est la renonciation de la femme qui a opéré cette résolution.—Arg. de l'art. 551 du Code de comm.; cet article porte, que lorsque la femme épouse un commerçant, son hypothèque est restreinte aux immeubles qui appartenaient au mari à l'époque de la célébration; de là il faut conclure que, de droit commun, la femme a hypothèque sur les biens acquis depuis le mariage, et par conséquent sur les conquêts (Dur., n. 518.—*Cass.*, 16 fructidor an 12; S., 6, 1, 17. — *Angers*, 26 août 1812; S., 13, 2, 38. — *Paris*, 12 déc. 1816; S., 17, 2, 128; 4 nov. 1817; S., 19, 2, 216). ∾ *N.* Si la femme a vendu les conquêts avec son mari conjointement, elle a, par cela même, contracté personnellement l'obligation de garantir; or, *eum quem de evictione*, etc. — Bien plus, elle serait privée de son hypothèque, lors même que le mari aurait vendu seul; autrement, le droit accordé à ce dernier, de disposer des biens de la communauté, se trouverait anéanti. — Il est de principe que tout ce que fait le mari pendant le mariage, est censé fait par la femme, en vertu du mandat légal qu'elle a conféré;—*nec obstat* l'art. 551 du Code de comm.; cet article est particulier aux commerçants.—La faculté de renoncer, a été accordée à la femme, uniquement pour la dispenser de contribuer sur ses propres biens aux dettes contractées par le mari (Delv., p. 38, n. 4 Persil, n. 10, art. 2121).

1495—Elle peut exercer toutes les actions et reprises ci-dessus détaillées, tant sur les biens de la communauté que sur les biens personnels du mari (1).

---

(1) Il eût suffi de dire sur les biens du mari, puisque les biens communs sont devenus sa propriété.

Ses héritiers le peuvent de même, sauf en ce qui concerne le prélèvement des linges et hardes, ainsi que le logement et la nourriture pendant le délai donné pour faire inventaire et délibérer; lesquels droits sont purement personnels à la femme survivante.

= Le mari devenant propriétaire de la communauté, et les biens communs se trouvant confondus avec ceux qui lui sont propres, il est naturel d'accorder à la femme le droit d'exercer indistinctement ses reprises sur les biens de la communauté et sur les biens personnels du mari.

Ses héritiers ont le même droit; seulement, ils ne jouissent pas des avantages conférés par les art. 1465 et 1492; ces avantages sont personnels à la femme.

— Doit-on appliquer ici l'art. 1471, et décider que la femme renonçante peut exercer en nature ses actions et reprises sur tous les biens de la communauté? ⁓ N. Ce ne sont plus ici des prélèvements; la femme n'est plus qu'une créancière ordinaire : or, un créancier ne peut s'attribuer en nature les biens de son débiteur. L'art. 1471 suppose un partage et des reprises a exercer (Val.).

Les créances portent-elles intérêt sans demande? ⁓ N. Arg. de l'art. 1153.— La femme qui renonce est censée n'avoir jamais été commune. — Nec obstat l'art. 1573; il y a, dans le régime dotal, des dispositions très-équitables qui ne sauraient s'appliquer à la communauté (voy. 1571). — La femme renonçante n'a pas moins été commune jusqu'à la dissolution de la communauté.

La femme séparée de corps ou de biens jouirait-elle des mêmes droits que la femme survivante? ⁓ N. Les termes et les motifs de l'art. 1492 s'appliquent à la femme séparée comme à la femme survivante; mais l'art. 1495 parle seulement de la veuve; la veuve, en effet, mérite plus d'intérêt que la femme séparée (Val.).

Quid si la femme survivante est morte dans les délais pour faire inventaire et délibérer? ⁓ Nous ne pensons pas que les héritiers renonçants puissent prétendre aux linges et hardes; car la femme n'a pas acquis de droit sur ses biens, puisqu'elle n'a pu renoncer (Val).

Disposition relative à la communauté légale, lorsque l'un des époux ou tous deux ont des enfants de précédents mariages.

1496 —Tout ce qui est dit ci-dessus sera observé même lorsque l'un des époux ou tous deux auront des enfants de précédents mariages.

Si toutefois la confusion du mobilier et des dettes opérait, au profit de l'un des époux, un avantage supérieur à celui qui est autorisé par l'article 1098, au titre *des Donations entre-vifs et des Testaments*, les enfants du premier lit de l'autre époux auront l'action en retranchement.

= Bien que la confusion du mobilier, des dettes et des revenus, résultant de l'établissement de la communauté, puisse produire un avantage pour l'un des époux et un préjudice pour l'autre, la loi ne considère pas en général ce bénéfice comme une donation indirecte, imputable sur la portion disponible.

Mais, plus sévère pour les libéralités faites à un deuxième époux, elle accorde aux enfants du premier lit l'action en retranchement, si de la confusion du capital mobilier ou de celle des dettes, il résulte un avantage supérieur à celui qui est autorisé par les art. 1098 et 1099.

Exemple : l'un des époux apporte en mariage 40,000 francs d'actif et 10,000 francs de dettes : si le partage devait s'opérer par moitié, l'avantage indirect que retirerait ce dernier, de l'apport de son conjoint, excéderait évidemment celui que la loi permet de faire (1099) : les enfants pourront, en conséquence, demander la réduction.

Lorsque les apports sont stipulés dans le contrat de mariage, l'avantage est facile à prouver :—lorsqu'il n'y a point eu de contrat de mariage, les enfants sont admis à la preuve par titres, par témoins et même par commune renommée. On ne peut argumenter de ce que nous disons article 1498 ; car il ne s'agit plus ici de l'intérêt de la femme, mais de régler les droits des enfants (Bellot, p. 567, t. 2).

En prenant à la lettre l'art. 1496, on pourrait croire que les économies faites sur les revenus doivent également subir une réduction ; mais l'art. 1527 sert à expliquer l'art. 1499 : il nous apprend, que l'avantage résultant de la confusion des capitaux est seul réductible et qu'on ne peut porter atteinte aux revenus capitalisés ; cette décision est juste, car les époux auraient pu dissiper les revenus sans que les enfants eussent été en droit de s'en plaindre.

— L'action en retranchement n'étant introduite qu'en faveur des enfants d'un premier lit, on demande si le produit de cette action ne doit profiter qu'à eux seuls, en sorte qu'ils puissent avoir un avantage réel sur leurs frères du deuxième mariage ? ⁓ N. Les libéralités excessives, faites au nouvel époux, ne doivent pas nuire aux enfants du premier lit, mais elles ne doivent pas non plus leur profiter : or, elles leur profiteraient, si le produit de l'action devait être pris par eux seuls. — Tous les enfants doivent avoir des avantages égaux. — Le retranchement fait rentrer dans la succession la valeur retranchée, et comme la succession doit se partager également entre les enfants des différents lits, les enfants du deuxième en profitent (Dur., n. 524) (Val.).

Si les enfants du premier lit répudient la succession, ceux du deuxième peuvent-ils intenter l'action en réduction ? ⁓ N. La renonciation fait considérer les enfants du premier lit comme n'ayant jamais existé ; il serait bizarre, dès lors, que l'on pût de leur chef intenter l'action en réduction (Val.)..

Quid s'ils se bornent à garder le silence ? ⁓ Les enfants prennent part à la masse ; or, la masse comprend les biens dont il s'agit (Val.).

DEUXIÈME PARTIE.

De la communauté conventionnelle, et des conventions qui peuvent modifier ou même exclure la communauté légale.

1497—Les époux peuvent modifier la communauté légale par toute espèce de conventions non contraires aux articles 1387, 1388, 1389 et 1390.

Les principales modifications sont celles qui ont lieu en stipulant de l'une ou de l'autre des manières qui suivent ; savoir :

1° Que la communauté n'embrassera que les acquêts ;

2° Que le mobilier présent ou futur n'entrera point en communauté, ou n'y entrera que pour une partie ;

3° Qu'on y comprendra tout ou partie des immeubles présents ou futurs, par la voie de l'ameublissement ;

4° Que les époux payeront séparément leurs dettes antérieures au mariage ;

5° Qu'en cas de renonciation, la femme pourra reprendre ses apports francs et quittes ;

6° Que le survivant aura un préciput;

7° Que les époux auront des parts inégales;

8° Qu'il y aura entre eux communauté à titre universel.

== Les époux peuvent, sans adopter le régime dotal, déroger aux règles de la communauté légale : lorsqu'ils ont modifié ces règles par quelques clauses particulières, la communauté est dite conventionnelle. — Ces clauses sont des exceptions : or, les exceptions ne peuvent s'étendre d'un cas à un autre ; on rentre dans le droit commun, toutes les fois qu'on ne s'en est pas écarté ; quelles que soient les modifications introduites par les époux, la communauté conventionnelle a donc toujours pour base la communauté légale (1407 et 1528).

Ainsi, le mari administre les biens de la communauté, — il est tenu personnellement envers les créanciers de la communauté, — la communauté conventionnelle est tenue des frais et charges mentionnés aux nos 2, 3, 4 et 5 de l'art. 1409. — Les règles établies sur les récompenses, par les articles 1433 à 1437, reçoivent leur application ; — la femme peut demander la séparation de biens ; — elle n'est tenue des dettes de la communauté que jusqu'à concurrence de son émolument, — lorsqu'elle a eu la précaution de faire bon et fidèle inventaire, elle peut, à son choix, accepter la communauté ou y renoncer ; — elle a le droit de prendre, sur la masse commune, sa nourriture et celle de ses domestiques, pendant les délais qui lui sont accordés pour faire inventaire et délibérer. — Enfin, tout immeuble est réputé conquêt, s'il n'est prouvé que l'un des époux en avait la propriété ou du moins la possession légale avant le mariage.

Le législateur a tracé les règles des huit principales clauses que l'usage a consacrées : mais ne concluons pas de là qu'il ait voulu limiter à ces clauses et à ces règles, les stipulations que peut embrasser la communauté conventionnelle.

Les sections 1, 2, 3, 4 et 8 traitent de quelques conventions relatives à la composition active ou passive de la communauté. — Les sections 5, 6 et 7, de certains droits que l'un ou l'autre époux peut se réserver la faculté d'exercer lors de la dissolution. — Enfin la section 9 est spécialement consacrée aux conventions exclusives de la communauté.

— Les conventions conciliables avec les principes d'ordre, et qui, cependant, détruisent les principes essentiels de la communauté sont-elles valables ? ∿ Elles sont licites et obligatoires ; mais c'est alors aux juges, à saisir, par la combinaison des différents pactes du contrat, le régime sous lequel les époux ont entendu se marier : ainsi, sous le régime de la communauté, l'administration du mari, comme chef, est essentielle : la clause qui l'en priverait ferait déclarer qu'il n'y a pas communauté (*Val.*).

Les époux peuvent-ils, en se soumettant au régime de la communauté, stipuler l'aliénabilité de la dot ? ∿ *A.* Cette stipulation n'a rien de contraire aux lois ni aux mœurs ; elle peut se concilier avec les règles essentielles de la communauté (Toullier, n. 292; D., t. 10, p. 265, n. 2).

SECTION I.

***

De la communauté réduite aux acquêts (1).

On entend ordinairement par *acquêts*, les biens que les époux acquièrent à titre gratuit pendant le mariage; on désigne plus spécialement sous le nom de *conquêts*, les acquisitions qui tombent dans la communauté. — Quoi qu'il en soit, la loi donne ici au mot *acquêt*, le sens réservé au mot *conquêt* (2).

La communauté réduite aux acquêts, n'est pas une convention particulière et distincte de celles qui vont suivre ; elle est composée de deux clauses : celle de *réalisation* (*voy.* section 2), et celle de *séparation* de dettes (*voy.* section 4).

En effet, elle comprend uniquement les acquisitions mobilières et immobilières faites durant la communauté par les époux, à l'aide des ressources provenant, soit de l'industrie de chacun d'eux, soit des économies faites sur les fruits et revenus de leurs propres respectifs. — Les biens meubles et immeubles que les époux possèdent au jour du mariage, les fruits et revenus des propres, échus ou perçus, qui leur sont dus à cette époque, ainsi que les biens qu'ils recueillent, pendant le mariage, à titre de succession ou de donation, en sont exclus.

L'actif ne comprenant que les acquêts, la communauté ne doit évidemment supporter que les dettes contractées pendant sa durée, par le mari ou par la femme dûment autorisée. Les époux restent personnellement chargés de celles dont ils sont tenus au jour de leur mariage, et de celles qui grèvent les successions et les donations qui leur sont échues depuis.

Du reste, cette clause n'apporte aucun changement à l'administration de la communauté.

Lors de la dissolution, il y a lieu à des prélèvements, qui réduisent aux acquêts la masse partageable. Les époux ne peuvent exercer ces prélèvements qu'en justifiant de leurs apports ; cette justification se fait en général par un inventaire.

La communauté d'acquêts peut être convenue de deux manières : *expressément*, c'est le cas de l'art. 1498 ; *tacitement*, lorsqu'il y a exclusion de tout le mobilier présent et futur (1500).

***

1498 — Lorsque les époux stipulent qu'il n'y aura entre eux qu'une communauté d'acquêts, ils sont censés exclure de la communauté et les dettes de chacun d'eux actuelles et futures, et leur mobilier respectif présent et futur.

En ce cas, et après que chacun des époux a prélevé ses apports dûment justifiés, le partage se borne aux acquêts

***

(1) La communauté réduite aux acquêts était en usage dans les pays de droit écrit ; on lui donnait le nom de *Société d'acquêts.* Aujourd'hui encore cette société peut être stipulée sous le régime dotal (1581).

(2) Le mot *conquêt*, est, suivant toute apparence, un souvenir de la conquête des Francs : le mari donnait à sa femme une part du butin fait en commun. *De omni quam simul collaboraverint* (*voy.* l. des Ripuaires, liv. 37, art. 102)

faits par les époux ensemble ou séparément durant le mariage, et provenant tant de l'industrie commune que des économies faites sur les fruits et revenus des biens des deux époux.

= L'actif ne comprenant que les acquêts, la communauté ne doit évidemment supporter que les dettes dont la cause est réellement née pendant sa durée : les époux restent personnellement chargés de celles dont ils sont tenus au moment de leur mariage, et de celles qui grèvent les successions et les donations qui leur sont échues depuis ; en un mot, la stipulation de simple communauté d'acquêts exclut l'application de l'art. 1401, 1°, et celle de l'art. 1409, 1°.

A l'égard des fruits, on distingue : ceux qui sont échus ou qui ont été perçus avant la célébration, ne font point partie de la masse commune ; ils sont compris dans le mobilier présent.

Mais la communauté profite de ceux qui sont pendants par branches ou par racines au moment du mariage ; puisqu'elle a l'usufruit des biens de l'un et de l'autre conjoint. Elle n'est même pas tenue d'indemniser l'époux propriétaire du fonds, des frais de semence et de culture (585) ; en contractant, les époux sont censés avoir considéré les biens dans l'état où ils étaient alors (Dur., n. 13).

Réciproquement, les fruits qui se trouvent dans le même état, à l'époque de la dissolution du mariage, profitent à l'époux propriétaire du fonds ; mais à charge, par cet époux, de tenir compte des frais de labours et de semences, autrement il serait avantagé aux dépens de la communauté (Dur., n. 11, t. 15 ; t. 14, n. 151 et 152).

Avant de passer à l'opération du partage, chacun des époux prélève le mobilier qu'il possédait au jour du mariage, et celui qui lui est advenu depuis à titre gratuit ; mais il faut, bien entendu, que l'origine du mobilier réclamé soit constatée d'une manière certaine : la présomption est en faveur de la communauté.

Lorsque les meubles existent encore, ce prélèvement s'opère en nature (1510) (1). — Lorsqu'il s'agit de meubles qui se consomment par le premier usage, qui se détériorent facilement, ou même lorsqu'il existe un état estimatif, le prélèvement a lieu en argent ; la communauté, devenue propriétaire des objets apportés, est débitrice de leur valeur.

Il est bien entendu que l'époux ne peut réclamer d'indemnité, lorsque les meubles dont il a conservé la propriété ont péri par cas fortuit ; si la perte n'est que partielle, la communauté se libère en livrant ce qui reste.

Comment établit-on l'origine du mobilier ? On distingue : le mobilier existait lors du mariage, ou il a été recueilli pendant le mariage :

Le mobilier existant lors du mariage, qu'il appartienne à la femme ou qu'il appartienne au mari, doit être constaté par un inventaire, ou par un état en bonne forme ; par exemple, par un acte de partage, une donation : un

---

(1) Ainsi, nous rejetons le système qui consiste à considérer la communauté comme propriétaire du mobilier apporté. Vainement argumenterait-on de cette expression : *la valeur*, qui se trouve dans l'art. 1503 ; cet article est relatif à la clause d'apport ; c'est-à-dire, à la clause par laquelle l'un des époux met son mobilier dans la communauté jusqu'à concurrence d'une certaine somme ; il est inapplicable au cas de communauté réduite aux acquêts ; c'est-à-dire, au cas d'exclusion totale du mobilier, puisqu'il n'y a pas eu d'aliénation.—D'ailleurs, dans ce système, on méconnaît l'intention des parties, qui, évidemment, a été de ne mettre dans la communauté que la jouissance.

testament dans lequel seraient constatés les meubles que chacun des époux avait en se mariant, pourrait également tenir lieu d'inventaire.

Si cette formalité n'avait pas été remplie, l'époux ne serait pas admis à justifier de ses apports (1499) : toute réclamation lui serait interdite ; le mobilier serait réputé acquêt ; la femme aurait à s'imputer de n'avoir pas pris ses mesures, à une époque où elle n'était pas encore placée sous la puissance maritale ; le mari est en quelque sorte coupable.

Quant au mobilier recueilli pendant le mariage, le mari ne peut, à défaut d'inventaire ou autre acte en bonne forme, en exercer la reprise. — Mais la femme est admise, conformément à l'art. 1415, à prouver par titre, par témoins, ou même par commune renommée, la consistance du mobilier qui lui est échu (Arg. de l'art. 1504). Ses créanciers personnels ont le même droit (1166) (1).

Le mari peut-il aliéner le mobilier de la femme ? Sa qualité d'administrateur lui impose le devoir de vendre les meubles susceptibles de dépérir ; mais, hors ce cas, les tiers acquéreurs ne seraient protégés que par la maxime *en fait de meubles*, etc. (2279), maxime que le possesseur de bonne foi peut seul invoquer (2).

Quels sont les droits des créanciers de la communauté ou du mari, sur les biens meubles de la femme ? A défaut d'inventaire ou autre acte en bonne forme, ils peuvent faire vendre tout le mobilier qui se trouve entre les mains du mari, sauf le recours de la femme, suivant les règles que nous venons d'établir (Arg. *à contrario* de l'art. 1510) (3). — Ils ne peuvent saisir les meubles meublants, pierreries et autres objets dont la propriété n'a pas été transférée au mari, c'est-à-dire, qui ont été livrés sans estimation, ou qui ont été estimés avec déclaration que cette estima-

---

(1) On admet généralement que l'inventaire ne peut être opposé aux tiers, lorsqu'il a été fait après le mariage ; l'article 1510 est positif (Dur., n. 20, et Toullier, n. 309). Mais les opinions sont divisées sur la question de savoir s'il peut être opposé entre époux : on invoque pour la négative les termes absolus de l'article 1499, ainsi que les art. 1504 et 1515, lesquels n'accordent qu'à la femme la faculté de faire la preuve dont il s'agit, et seulement relativement au mobilier qui lui est échu par succession ou donation pendant le mariage (Dur., n. 18 ; Bellot, t. 7 et suiv.). ⋀⋀ Le mari ne peut prouver la consistance de son mobilier que par un inventaire fait antérieurement au mariage, ou par un acte en bonne forme ; mais la femme est autorisée à faire cette preuve durant le mariage, même par commune renommée. — Arg. de ces expressions générales de l'art. 1415 : *A défaut d'inventaire, et dans tous les cas où ce défaut préjudicie à la femme*. — L'article 1514 ne contient qu'une application de la règle établie par l'article 1415 (Toullier, n. 305 et 306 ; D., t. 10. p. 170, n. 10). ⋀⋀ Le mari et la femme sont admis à prouver la consistance de leurs apports mobiliers, même par commune renommée. — Le juge doit se borner à fixer la quotité jusqu'à concurrence de laquelle cette preuve sera reçue, et dans cette fixation, il doit se montrer plus bienveillant pour la femme et ses héritiers que pour le mari (Pothier, n. 300).

Quid si l'inventaire fait par des tiers avant le mariage est revêtu de la signature des parties ? ⋀⋀ Les époux ne peuvent méconnaître leur signature ; ils ne sont pas recevables à attaquer l'acte. — On leur accorde seulement la faculté de faire ajouter à l'inventaire les articles que l'on aurait omis (Pothier, n. 298 et suiv.). ⋀⋀ Tout dépend des circonstances de fait ; les juges auront à examiner, si la signature de la femme n'a pas été obtenue par surprise (Dur., n. 18. — *Cass.*, 18 août 1825; D., 25, 1, 412, 3 août 1831; S., 32; S., 219).

(2) Quelques personnes reconnaissent néanmoins au mari le droit d'aliéner le mobilier dont il s'agit : les époux, disent-elles, sont censés vouloir accepter les règles de la communauté légale, lorsqu'ils n'y ont pas dérogé : or, suivant ces règles, le mari peut aliéner le mobilier (1428) ; elles invoquent en outre l'art. 1428, lequel confère au mari l'exercice des actions mobilières de la femme ; elles concluent de là qu'il peut aliéner, car celui qui possède compromet et souvent aliène. ⋀⋀ Mais on répond qu'en principe, un administrateur ne peut aliéner, à moins qu'il n'y ait urgence ; que la loi n'a établi d'exception à cette règle que pour le tuteur et la femme séparée ; que l'art. 1510 interdit implicitement au mari la faculté d'aliéner, puisqu'il refuse à ses créanciers la faculté de saisir les meubles personnels de la femme ; que l'art. 1532 ne soumet le mari à l'obligation de dresser un état estimatif, que lorsqu'il s'agit de choses qui se consomment par l'usage ; enfin, qu'on ne peut argumenter de l'article 2279 : sans doute l'aliénation sera maintenue, si le tiers est de bonne foi ; mais le mari sera passible de dommages-intérêts.

(3) Toullier, n. 326 ; Dur., n. 318, t. 14, et n. 20, t. 15. — *Paris*, 23 févr. 1835; S., 35, 2, 68. — *Cass.*, 9 juin 1836 ; D., 36, 1, 356. ⋀⋀ La communauté devient propriétaire des meubles réalisés, quelle que soit leur nature ; le droit de l'époux ne consiste que dans une créance de reprise de la valeur de ces objets (Pothier, n. 325; Dely., t. 3, p. 78 ; Battur, n. 382. t. 2. — *Paris*, 21 janv. et 15 avril 1837; S., 37, 2, 305 et 306.)

tion ne vaudrait pas vente (Arg. de l'art. 1551) : — mais ils ont des droits sur les choses qui se consomment par l'usage, ou qui ont été livrées au mari après estimation, sans déclaration que l'estimation ne vaudrait pas vente (1); car la femme, en ce cas, ne conserve qu'une simple créance sur la communauté.

Les créanciers de la femme ne peuvent, s'il y a eu inventaire, poursuivre leur payement que sur les biens de leur débitrice : en livrant ces biens, le mari s'affranchit de leurs poursuites.

Si le mobilier a été confondu dans la communauté sans un inventaire préalable, les créanciers de la femme ont le droit, conformément à l'article 1510, de poursuivre leur payement sur les biens de la communauté : le mari doit subir les conséquences de sa faute; sauf ensuite son recours contre la femme.

— Les gains de fortune, comme la découverte d'un trésor, etc., tombent-ils dans la communauté réduite aux acquêts? ∧∧∧ *Oui*, si la fortune a joué le principal rôle dans le gain obtenu, car on reconnaît toujours le fait de la personne, une sorte d'industrie dans l'action de trouver (Dur., n. 12, t. 15 Toullier, n. 319, 321, 323; D., t. 10, p. 270. n. 3) (*Val.*). ∧∧∧ Les gains de fortune profitent à la communauté, si elle a fait les avances, car elle a couru la chance de perdre ; *secùs* dans le cas contraire (Pothier, n. 325).

Quid à l'égard du gain fait au jeu ? ∧∧∧ Il tombe dans la communauté; car c'est le fait, l'industrie, la prévoyance des époux qui procure ce bénéfice (Dur., *ibid.*, Val.).

Quid à l'égard du gain fait à la loterie ? ∧∧∧ Même décision (Dur., *ibid*). ∧∧∧ C'est là un pur don de fortune. — Il faut cependant excepter le cas où il serait prouvé que les billets ont été payés avec les deniers de la communauté (Pothier. n. 329).

Quid à l'égard des productions de l'esprit ? ∧∧∧ Les compositions faites pendant le mariage tombent dans la communauté ; les ouvrages déjà composés lors du mariage restent propres à l'époux qui les a composés; mais le produit des éditions tirées durant le mariage tombent dans la communauté comme produit de l'industrie (Dur., n. 83).

Quid à l'égard de la valeur vénale d'un office conféré gratuitement au mari pendant le mariage ? ∧∧∧ La nomination à un office peut être considérée, jusqu'à un certain point, comme le fruit de l'industrie des époux ou de l'un d'eux : en effet, cette nomination n'est, ni un don de fortune, ni une libéralité ; mais bien le prix du mérite de la personne ou la récompense des services qu'elle a rendus (*Douai*, 15 novembre 1833; S., 34, **2**, 189. — *Agen*, 2 décembre 1836; S., 37; **2**, 309 ; *voy.* cependant *Metz*, 25 décembre 1835; S., 36, 2, 255).

Pour que la communauté soit réduite aux acquêts, faut-il nécessairement que les époux aient déclaré *qu'il n'y aura entre eux qu'une communauté d'acquêts?* ∧∧∧ N. L'exclusion de communauté peut être tacite ; on ne peut rien conclure de l'art. 1498 (Dur., n. 8, t. 15). ∧∧∧ Il ne suffit pas de mentionner, dans le contrat de mariage, qu'il y aura une communauté d'acquêts ; le Code exige la stipulation qu'il n'y aura qu'*une* communauté d'acquêts (Toullier, n. 317, t. 13 ; Merlin, Rép., v° *Réalisation*, § 1er, n. 2 ; D., t. 10, p. 264, n. 2).

Quel est le sens de la clause portant : *Les futurs conjoints seront communs dans tous les biens qu'ils acquerront ?* Cette clause exclut-elle le mobilier présent ? ∧∧∧ *A.* Dire que la communauté sera composée des biens que les époux acquerront, c'est dire que ceux qu'ils ont déjà n'y entreront pas (Dur., n. 9, t. 13; Pothier, n. 317). — ∧∧∧ Une loi claire et précise fait entrer de plein droit les biens dont il s'agit dans la communauté ; il faut donc, pour les en exclure, une dérogation positive (Merlin, *Réalisation* ; Toullier, n. 320).

Les créanciers pourraient-ils, dans le cas où le mobilier aurait été confondu dans la communauté sans un inventaire préalable, poursuivre (1410) leur payement sur les biens de la communauté ?∧∧∧*A.* Le mari a commis une faute, il doit en subir les conséquences (Dur., n. 29).

Si l'on stipule que les meubles que l'on acquerra à titre gratuit pendant le mariage, entreront dans la communauté, les meubles antérieurs au mariage y tombent-ils ? ∧∧∧ *A.* Pour empêcher les effets de la loi claire et précise qui les y fait entrer, il faut que l'exclusion soit expresse (Merlin, Rép., *Réalisation*. t. 10. § 1. n. 2, p. 223; Toullier, n. 317). ∧∧∧ N. Il y a en ce cas réalisation tacite (Pothier, n. 317).

1499 — Si le mobilier existant lors du mariage, ou échu depuis, n'a pas été constaté par inventaire ou état en bonne forme, il est réputé acquêt.

= Ainsi, l'inventaire peut être fait sous seing privé : il suffit qu'il ait été enregistré et déposé chez un notaire, avant le mariage (D., t. 10, p. 266, n. 9).

(1) Toullier, n. 381, ne pense même pas que l'estimation soit suffisante pour attribuer en ce cas la propriété au mari ; cette opinion est réfutée par Dur., n. 21.

On entend ici par *état en bonne forme*, un compte de tutelle ou autre analogue, tel qu'une donation, etc.

Il faut, au surplus, combiner cette disposition avec celle de l'art. 1504.

SECTION II.

De la clause qui exclut de la communauté le mobilier en tout ou partie (1).

Les époux ont la faculté d'exclure en tout ou en partie leur mobilier de la communauté.

On donne à cette convention le nom de *clause d'exclusion de communauté*, de *réalisation*, de *stipulation de propres*.

On nomme *propres conventionnels*, par opposition aux immeubles, qui sont des *propres légaux*, les meubles que les parties se sont ainsi réservés.

Les conjoints ne sont pas tenus d'apporter une égale quantité de meubles : l'un peut se réserver propre tout son mobilier ; l'autre laisser en commun tout ce qu'il possède : ces clauses ne mettent pas obstacle au partage par moitié, à moins de stipulations contraires.

La convention dont il s'agit, dérogeant au droit commun, ne peut être étendue d'une chose à une autre ; il faut l'interpréter restrictivement. De là plusieurs conséquences : lorsque les conjoints n'ont parlé de leur *mobilier*, en général, la clause ne comprend que le mobilier *présent*. — *Vice versâ*, la clause sur le mobilier *futur*, ne s'étend pas au mobilier *présent*. — S'ils ont stipulé qu'ils seront communs en *tous les biens qu'ils acquerront*, cette clause emporte réalisation de tout leur mobilier actuel ; mais les biens à venir, meubles ou immeubles, tombent dans la communauté.

La clause qui exclut de la communauté ce que les époux acquerront par donation, comprend les legs, mais non les successions.

S'ils ont seulement parlé des biens qui leur adviendront par *succession*, ceux qu'ils acquerront par donation ou legs tomberont dans la communauté, à moins que la donation ne soit faite par un ascendant ; car la donation du père au fils est regardée comme un avancement d'hoirie.

L'exclusion du mobilier peut être *expresse* ou *tacite* :

Elle est *expresse*, lorsque les époux déclarent exclure de la communauté leur mobilier présent ou futur (2), ou seulement une partie de leur mobilier, ou certains meubles désignés.

Elle est *tacite*, par exemple, lorsque l'un des époux déclare mettre dans la communauté un corps certain ou une somme déterminée (1511) : cette clause oblige l'époux, lors de la dissolution, à justifier de son apport (1501). — Lorsque l'un des époux stipule qu'une certaine somme appartenant à l'un d'eux sera employée à son profit en acquisition d'immeubles (convention appelée par les commentateurs, *clause d'emploi*), cet époux a le droit, lors de la dissolution, de prélever, si l'emploi n'a pas eu lieu, le

---

(1) Cette clause a tellement de rapport avec celle qui précède, que Toullier a réuni les deux sections en une seule ; cependant il n'était pas inutile de régler ses effets ; elle a principalement pour but d'égaliser les mises.

(2) On nomme mobilier *futur*, celui qui adviendra aux époux, par succession, donation ou legs.

montant de la somme réalisée. — Enfin, il y a exclusion tacite, lorsque l'un des époux déclare mettre tout son mobilier dans la communauté, jusqu'à concurrence d'une certaine somme ou d'une valeur déterminée (1500, 2ᵉ alin.). La limitation de l'apport du mobilier à cette valeur, emporte réalisation tacite du surplus: *qui dicit de uno, negat de altero.*—Cette deuxième clause se nomme *convention d'apports.*

La *convention d'apports* rend l'époux qui s'y soumet, débiteur, envers la communauté, de la somme ou de la valeur qu'il a promis d'y apporter. Au moment du partage, il doit faire raison de cette dette à la masse commune; ou, comme tout débiteur, justifier du payement, s'il se prétend libéré (1501).

La clause d'apport a cela de particulier, qu'elle ne met pas obstacle à ce que tout le mobilier tombe dans la communauté : les époux ont seulement le droit, lors de la dissolution, de prélever l'excédant de valeur de leur mobilier tant présent que futur, sur la somme à laquelle ils ont fixé le montant de leurs apports : ainsi, dans le cas de clause d'apport, la communauté est réputée cessionnaire, par l'effet d'une dation en payement, de tout le mobilier des époux.

Il suit de là, que les créanciers de la communauté peuvent poursuivre sur ce mobilier le payement de ce qui leur est dû ; que les améliorations et les pertes sont pour le compte de la communauté ; enfin, que les époux ne peuvent, à la dissolution de la communauté, exiger la restitution en nature d'une partie de leur mobilier (1).

Il existe, quant à la justification des apports, quelques différences entre la position du mari et celle de la femme : le mari, chef de la communauté, ne pouvant se donner quittance à lui-même, on se trouve forcé d'ajouter foi à sa déclaration, portée au contrat de mariage : en ne contestant pas cette déclaration, la femme ou ses parents reconnaissent d'ailleurs qu'elle est sincère.—Quant à la femme, son mari peut lui donner quittance; aussi, rentre-t-on dans la règle générale : la simple déclaration de la femme ne suffit donc pas pour constater son apport.

L'exclusion totale ou partielle du mobilier entraîne exclusion des dettes mobilières (1498) dans la même proportion :

Ainsi, lorsqu'on exclut le mobilier présent, les dettes mobilières actuelles se trouvent également exclues; — l'exclusion du mobilier futur emporte exclusion des dettes futures. — Enfin, lorsque la mise en communauté consiste dans un objet certain ou dans une somme déterminée, toutes les dettes présentes et futures sont exclues : il est de principe, en effet, que les dettes sont des charges de l'universalité (2); or, l'apport, dans l'espèce, est à titre particulier.

Du reste, comme la communauté n'est pas moins usufruitière des biens propres, elle supporte l'intérêt des dettes qui ne sont point à sa charge.

Lors de la dissolution de la communauté, chaque époux prélève l'excédant de sa mise en communauté : ce prélèvement se fait en nature, à l'égard du mobilier, dont il a conservé la propriété; dans les autres cas, il s'opère en argent. — Le mari doit justifier, par un inventaire ou par un acte équi-

---

(1) Arg. de l'art. 1503. Cet article, en effet, n'accorde à chaque époux, lors de la dissolution, que le droit de prélever *la valeur* de ce dont son mobilier excédait sa mise en communauté.

(2) Suivant quelques personnes, nonobstant la réalisation de tout le mobilier, les dettes mobilières sont à la charge de la communauté. — S'il en était autrement, disent-elles, on tomberait dans un double emploi, car il n'existerait plus aucune différence entre la communauté d'acquêts et la clause d'apports. Elles ajoutent, que les époux, en se bornant à établir des règles relativement à l'actif, laissent le passif soumis au droit commun (Delv., p. 42, nᵒ 1).↠Mais on répond, que ce double emploi n'aurait rien d'étonnant, car les auteurs du Code ont copié Pothier : or, nous savons que cet auteur compilait à la fois le droit romain et le droit coutumier.

valent, du mobilier qu'il réclame en propre. Quant à la femme, si le mobilier qu'elle veut reprendre lui est échu pendant le mariage, elle est admise, à défaut d'inventaire, à la preuve, même par commune renommée.

1500 — Les époux peuvent exclure de leur communauté tout leur mobilier présent et futur.

Lorsqu'ils stipulent qu'ils en mettront réciproquement dans la communauté jusqu'à concurrence d'une somme ou d'une valeur déterminée, ils sont, par cela seul, censés se réserver le surplus.

= Dans sa première disposition, notre article règle le cas de réalisation *expresse*.

Il suppose dans la deuxième, un cas de réalisation tacite : *la clause d'apport.*

Occupons-nous d'abord de la réalisation expresse.

Lorsque cette convention porte sur l'universalité du mobilier présent et futur, elle équivaut à une stipulation expresse de communauté réduite aux acquêts. — Lorsqu'elle ne comprend qu'une partie de l'universalité, les règles de la communauté réduite aux acquêts ne sont applicables que pour cette quotité. — Enfin, lorsque les époux n'ont réalisé que des objets déterminés, ces objets restent au propriétaire. S'il s'agit de choses qui se consomment par l'usage, ou de choses qui soient comprises dans un état estimatif, l'époux devient créancier de la communauté pour le montant de leur valeur (1).

Passons à la convention d'apport.

Il ne faut pas confondre cette clause, avec celle dont il est question dans l'art. 1511 : la clause d'apport renferme une véritable dation en payement; c'est comme si un débiteur disait à son créancier : Voici des meubles, vous les vendrez pour vous payer sur le prix, et vous me rendrez l'excédant.

Bien que notre article ne parle que d'apports réciproques, il n'est pas douteux que l'apport pourrait être fait par l'un des époux seulement : dans les sociétés ordinaires, en effet, l'un des associés peut apporter des capitaux, l'autre son industrie, et cependant, les bénéfices ne se partagent pas moins par égales portions, sauf conventions contraires.

Mais quel est le sens de ces mots : ils sont *censés se réserver le surplus ?* Est-ce le surplus de la valeur du mobilier présent, ou bien aussi celui du mobilier futur ? Le mobilier futur se trouve également compris dans cette clause d'exclusion ; chacune des parties est censée limiter à la somme déterminée, ce qui entrera dans la communauté de son chef, et vouloir se réserver en propre l'excédant de valeur. Il en est ainsi, à plus forte raison, dans le cas de réalisation expresse (2).

Nous déterminerons, art. 1501 et 1502, les effets de la clause d'apport.

Quels sont les droits du mari sur le mobilier ainsi exclu ? Ses créanciers pourraient-ils le faire saisir et vendre, malgré l'opposition de la femme,

---

(1) Pothier, n. 301. Cet auteur avait placé la disposition dont il s'agit dans la section relative à la séparation de biens.

(2) Dur., n. 25; Toullier, n. 311. ⁓⁓ Les époux n'ont pu prévoir, que des successions ou des donations leur écherraient; par conséquent ils n'ont pu avoir en vue que leur mobilier présent (Pothier n. 319; Delv., p. 43, n. 3; Battur, n. 388).

comme les autres biens de la communauté? Nous le pensons : la communauté est devenue cessionnaire, par l'effet d'une dation en payement, de tout le mobilier des époux ; les créanciers du mari doivent donc avoir la faculté de se faire payer sur ce mobilier (Bellot, p. 102 et 109, t. 3 ; Toullier, n. 332 ; Delv., p. 43, n. 1 ; *voy.* cep. Dur., n. 24, t. 15, et 348, t. 14).

— Les mots *ou autrement*, que l'on ajouterait à ceux-ci : *par dons ou legs*, comprendraient-ils les gains de fortune? ⟶ *A.* (Dur., n. 12 et 41 ; Toullier, n. 323 ; Bellot, p. 61 t. 3.)

Excluraient-ils une acquisition faite moyennant une rente viagère? ⟶ *Oui*, si la rente est assez forte pour être considérée comme le véritable prix de l'immeuble ; *secùs*, dans le cas contraire (Dur., n. 42 ; Bellot, p. 62, t. 3 ; D., t. 10, p. 270, n. 4).

Lorsqu'il est dit, qu'une somme à prendre sur le mobilier apporté par l'un des époux ou donné à l'un des époux par un ascendant, par un parent collatéral, ou même par un étranger, sera employée en achat d'immeubles ou de rentes sur l'état, cette somme est-elle censée réalisée? ⟶ *A.* Le surplus du mobilier présent et à venir tombe, en ce cas, dans la communauté (Dur., n. 37).

Cette clause : *les futurs époux seront communs en tous les biens qu'ils acquerront*, fait-elle entrer dans la communauté même les immeubles qui leur adviendront par succession ou donation? ⟶ *A.* (Dur., n. 37).

Quel est l'effet de la clause : *les futurs époux seront communs en biens meubles et immeubles qu'ils acquerront?* Renferme-t-elle réalisation du mobilier présent? ⟶ *N.* Cette clause est susceptible de deux sens : suivant l'un, les termes *qu'ils acquerront*, se rapportent tant aux meubles qu'aux immeubles ; suivant l'autre, ils se rapportent *aux immeubles* seulement : on doit préférer le deuxième sens, comme plus conforme au droit commun de la communauté (Pothier). ⟶ *A.* Pas d'ambiguité ; — les mots *qu'ils acquerront*, se rapportent à tout ce qui précède ; les meubles présents sont réalisés (Dur., n. 38).

Quid s'il a été dit : *que tout ce qui adviendra aux époux par succession leur demeurera propre?* ⟶ Les dons ou legs ne sont pas exclus (Dur., n. 39).

Quid s'il a été dit : *ce qui adviendra aux futurs conjoints par donation leur sera propre?* ⟶ La clause ne comprend pas ce qui leur adviendra par succession ; mais elle comprend ce qu'ils acquerront à titre de legs ou de substitution (Dur., n. 40).

Lorsqu'il a été dit que telle somme d'argent sera employée en acquisition d'héritages, la réalisation de cette somme est-elle tacite? ⟶ *A.* La réalisation aurait lieu lors même que la somme n'aurait pas été employée (Toullier, n. 318 ; Pothier, n. 316 et 327).

1501 — Cette clause rend l'époux débiteur envers la communauté, de la somme qu'il a promis d'y mettre, et l'oblige à justifier de cet apport.

= Un des effets de la convention d'apports, est de rendre le conjoint qui s'oblige, débiteur envers la communauté, de la somme qu'il a promis d'y mettre : au moment du partage, il doit donc faire raison de cette somme à la masse ; ou, comme tout débiteur, justifier du payement, s'il se prétend libéré. La femme ne pourrait, en renonçant, s'affranchir de cette obligation.

Nous verrons, art. 1502, comment on justifie de l'apport.

Pour payer valablement, il faut être propriétaire de la chose livrée : l'époux est donc garant de la validité du payement. Dans la communauté légale, au contraire, comme chacun n'apporte que ce qu'il a, la garantie n'a pas lieu.

Les meubles que le conjoint apporte à la communauté s'imputent sur sa dette, pour leur valeur au temps de l'apport ; car c'est toujours au moment du payement que l'on considère la valeur de la chose livrée.

Dans ce même cas de convention d'apports, la communauté n'est pas tenue des dettes de l'époux antérieures au mariage ; il est de principe, en effet, que les dettes sont une charge de l'universalité : or, la communauté, dans l'espèce, ne reçoit que des objets déterminés.

1502 — L'apport (1) est suffisamment justifié, quant au mari,

_____

(1) Il ne faut pas entendre ici par *apport*, que l'apport actuel ; ce qui le prouve, c'est la distinction que fait l'art. 1504.

par la déclaration portée au contrat de mariage que son mobilier est de telle valeur.

Il est suffisamment justifié, à l'égard de la femme, par la quittance que le mari lui donne, ou à ceux qui l'ont dotée.

= Le mari, chef de la communauté, ne peut se donner quittance à lui-même, et personne ne peut lui en délivrer : il fallait donc établir, quant à la justification des apports, quelques différences entre sa position et celle de la femme :

La loi dispense le mari de produire une quittance ; il lui suffit, pour constater ses apports, de déclarer, dans le contrat de mariage, la valeur de son mobilier : en ne contestant pas cette déclaration, la femme reconnaît qu'elle est sincère ; or, la femme habile à contracter mariage, peut consentir toutes les clauses dont le contrat de mariage est susceptible : si l'on allègue la fraude, il faut la prouver.

Remarquez ces mots : *suffisamment justifié ;* d'autres moyens de justification peuvent donc exister : un compte de tutelle, un partage en bonne forme, doivent, en effet, valoir entre le mari et la femme comme justification.

A l'égard de la femme, la simple déclaration que son mobilier est de telle valeur, ne suffit pas pour constater son apport ; car rien n'empêche le mari de lui donner quittance : il faut que ce dernier reconnaisse, soit dans le contrat de mariage, soit par acte séparé, qu'il a reçu l'apport promis (*voy.* cep. Bellot, p. 68, t. 3).

La femme a-t-elle d'autres moyens de preuve ? on ne saurait les lui interdire, car le mari, s'il est de mauvaise foi, a pu abuser de sa confiance ou refuser de lui donner quittance (1).

Il est bien entendu, que le mobilier des époux ne s'impute sur la somme qu'ils ont promise, que déduction faite du montant de leurs dettes mobilières, payées par la communauté, et de la valeur des biens dont la communauté a été évincée. S'il en était autrement, l'apport des époux ne serait pas réel.

— Les créances appartenant aux époux ne sont imputables sur la somme promise pour apport qu'autant qu'elles ont été payées durant la communauté ; tout le monde est d'accord sur ce point : mais n'existe-t-il pas une différence entre la position du mari et celle de la femme ? la déclaration faite par le mari, dans le contrat de mariage, que son mobilier est de telle valeur, suffit-elle pour constater le versement effectif de sa mise ? ⁓ *N.* Le mari doit faire constater, d'une manière quelconque, le payement qu'il a reçu ; ou justifier de sa mise effective dans la communauté. Si c'est la femme qui a fait son apport en créances, elle n'a pas besoin de faire cette justification ; c'était au mari à poursuivre les débiteurs (Toullier, n. 310 ; Pothier, n. 290). ⁓ Le mari n'est pas tenu de prouver la réalisation de sa mise, s'il a apporté dans la communauté les créances elles-mêmes. Il en est de même si l'apport de créances a été fait par la femme ; le mari n'est tenu que de lui restituer les contrats non dépréciés par sa faute. — S'il y a eu faute de la part du mari, par exemple, s'il a négligé de demander, à l'échéance, le payement des créances appartenant à la femme, la perte sera supportée par la communauté ; si les créances appartiennent au mari, la communauté ne devra pas souffrir de cette perte (Dur., n. 45, t. 15 ; Bellot, p. 94, t. 3).

Le mari ou ses héritiers peuvent-ils être admis à prouver que la quittance donnée à la femme est fausse ? ⁓ Le mari n'a pas cette faculté : *nemo ex suo delicto potest consequi actionem.* Mais ses héritiers peuvent critiquer cette quittance comme renfermant un avantage indirect.

La simple déclaration portée au contrat de mariage que le mari demeure chargé des apports de la femme, équivaut-elle à une quittance ? ⁓ *N.* Ces mots : *qui en demeure chargé,* supposent évidemment que le mari a reçu (Dur., n. 46).

Quid s'il est dit : qui en demeure chargé *dès à présent ou par le fait de la célébration ?* ⁓ Cette déclaration constitue le mari débiteur (Dur., *ibid.*).

_____

(1) L'art. 1502 ne s'y oppose pas ; la justification qu'il indique est *suffisante,* mais elle n'est pas essentielle ; il faut à cet égard appliquer le droit commun : par exemple, l'apport pourrait être justifié par un état dressé par les époux durant le mariage. Si cet état est suspect de fraude, il faut le prouver ; la loi veut seulement exclure la commune renommée. — Ce que nous [disons pour la femme doit s'appliquer au mari.

La présomption légale, établie art. 1569 (quoique placée sous le régime dotal), est-elle applicable sous le régime de la communauté avec exclusion de tout ou partie du mobilier? ⁓⁓ *N.* Cette présomption est exorbitante; on doit la restreindre au cas pour lequel elle a été créée (Dur., n. 47).

1503 — Chaque époux a le droit de reprendre et de prélever, lors de la dissolution de la communauté, la valeur de ce dont le mobilier qu'il a apporté lors du mariage, ou qui lui est échu depuis, excédait sa mise en communauté (1).

= Les époux doivent justifier, lors de la dissolution de la communauté, suivant les distinctions établies par nous sous l'article 1498, de l'apport du mobilier qu'ils réclament : cette preuve faite, chacun d'eux prélève l'excédant de ses apports. Ces prélèvements s'opèrent conformément aux articles 1471 et 1472 : ainsi, la femme est préférée au mari ; en cas d'insuffisance, elle peut se faire payer même sur les propres de ce dernier : quant au mari, il ne peut exercer ses reprises que sur les biens de la communauté. Le surplus des biens se partage.

1504 — Le mobilier qui échoit à chacun des époux pendant le mariage, doit être constaté par un inventaire.

A défaut d'inventaire du mobilier échu au mari, ou d'un titre propre à justifier de sa consistance et valeur, déduction faite des dettes, le mari ne peut en exercer la reprise.

Si le défaut d'inventaire porte sur un mobilier échu à la femme, celle-ci ou ses héritiers sont admis à faire preuve, soit par titres, soit par témoins, soit par commune renommée, de la valeur de ce mobilier.

= Nous avons vu, art. 1502, comment les époux peuvent justifier de la consistance du mobilier qu'ils avaient au moment du mariage.

A l'égard de celui qu'ils ont acquis depuis, la loi distingue : le mobilier est échu au mari, ou il est échu à la femme.

Pour que le mari puisse exercer la reprise dont il s'agit, il faut que la valeur de son mobilier se trouve constatée dans un inventaire ou autre acte équivalent, tel qu'un partage, un compte de tutelle, etc.

Si le mobilier est échu à la femme, et qu'il n'ait pas été dressé d'inventaire, on applique la règle générale établie art. 1415.

— La loi ne parlant que du mari et non de ses héritiers, on demande, s'ils sont comme lui, à défaut d'inventaire ou autre titre, déchus du droit d'exercer leurs reprises? ⁓⁓ Ils ne peuvent avoir plus de droits que leur auteur ; on les admet seulement à prouver la fraude ou les avantages indirects : le législateur n'a pas eu besoin de s'expliquer à leur égard, comme il l'a fait à l'égard de la femme, dans l'*alinéa* 3, parce qu'il s'est borné à appliquer au mari le droit commun.

SECTION III.

De la clause d'ameublissement.

La clause de réalisation, restreint la communauté ; la clause d'ameublissement lui donne au contraire plus d'extension.

Ameublir un immeuble, c'est lui supposer la qualité de meubles, afin de le faire tomber dans la communauté.

La clause d'ameublissement est donc une convention, par laquelle les

(1) Cet article sert d'argument à ceux qui pensent que les meubles, quoique exclus de la communauté, y tombent cependant en nature, malgré la clause d'exclusion de communauté, malgré la clause de communauté réduite aux acquêts (*voy.* art. 1498, note 6).

époux font tomber dans la communauté tout ou partie de leurs immeubles présents ou futurs (1505).

Les ameublissements sont généraux ou particuliers : *généraux*, lorsqu'ils comprennent l'universalité des immeubles présents et futurs des époux, leurs immeubles présents, leurs immeubles futurs, ou une quotité soit de leurs immeubles présents, soit de leurs immeubles futurs (1526) (1). — *Particuliers*, lorsqu'on ameublit certains immeubles spécialement désignés, ou une quote-part de ces immeubles.

L'ameublissement est déterminé ou indéterminé (1506).

L'ameublissement est déterminé dans deux cas : 1° lorsque l'un des époux déclare ameublir et mettre en communauté tel immeuble : la communauté devient alors propriétaire ; 2° lorsqu'il déclare ameublir tel immeuble, *jusqu'à concurrence d'une certaine somme*. En ce cas, le mari ne peut, sans le consentement de sa femme, aliéner les immeubles qui en sont l'objet ; on lui accorde uniquement le droit de les hypothéquer jusqu'à concurrence de la somme convenue (1507).

La loi réserve à l'époux qui a ameubli l'immeuble, la faculté de le reprendre, lors du partage de la communauté, en le précomptant sur sa part, pour le prix qu'il vaut alors (1509).

L'ameublissement est *indéterminé*, quand on ne peut dire quel immeuble tombe dans la communauté.

L'ameublissement indéterminé produit deux effets : il donne au mari le droit d'hypothéquer tous les immeubles de la femme, jusqu'à concurrence de la somme promise ; il oblige l'époux propriétaire, à tenir compte de cette somme lors du partage, ou à faire ce payement, en comprenant dans la masse, lors de la dissolution de la communauté, un ou plusieurs immeubles (1507).

Ne perdons pas de vue, que la clause d'ameublissement, dérogeant au droit commun, doit être restreinte, comme celle de réalisation, à ses effets directs et légaux, et qu'on ne peut l'étendre d'un cas à un autre (1528) (2) ; ainsi, lorsque les époux déclarent ameublir *tous leurs immeubles*, ils ne sont présumés avoir en vue que leurs immeubles présents. — L'un des époux peut fort bien ameublir ses immeubles sans que l'autre ameublisse les siens, ce qui ne mettra pas obstacle à ce que la communauté se partage ensuite par moitié, sauf toute stipulation contraire : l'ameublissement, en effet, peut avoir pour but d'égaliser les apports. — Enfin, si les parties n'ont pas clairement exprimé leur volonté, la clause d'ameublissement doit s'interpréter, comme la clause de réalisation, dans le sens du droit commun ; c'est-à-dire, dans le sens de la communauté légale.

Remarquons surtout, que l'ameublissement, soit déterminé, soit indéterminé, ne produit d'effet qu'entre les parties : vis-à-vis des tiers, les immeubles conservent leur nature propre ; par ex., dans le cas d'ameublissement déterminé, l'immeuble ameubli serait sans aucun doute compris dans le legs d'immeubles que ferait le mari, au cas, bien entendu, où cet immeuble tomberait dans son lot. Un immeuble, bien qu'ameubli, ne pourrait être saisi que dans les formes prescrites pour la saisie immobilière ; le mari ne pourrait en disposer à titre gratuit que pour l'établissement de ses enfants communs, etc.

---

(1) L'art. 1526 se lie à la clause d'ameublissement ; en effet, toute communauté à titre universel constitue un ameublissement général.
(2) Dur., n. 57 ; *voy.* cep. Toullier, n. 333.

Lorsque l'ameublissement est général, les dettes dont l'époux serait resté chargé, sous le régime de la communauté légale, tombent dans le passif de la communauté ; mais l'ameublissement particulier laisse les époux, en ce qui concerne leurs dettes, soumis aux règles de la communauté légale.

1505 — Lorsque les époux ou l'un d'eux font entrer en communauté tout ou partie de leurs immeubles présents ou futurs, cette clause s'appelle *ameublissement*.

= Il est évident, qu'en employant ces mots : *immeubles futurs*, la loi n'entend parler que des biens acquis à *titre gratuit ;* car ceux qui sont acquis à titre onéreux, tombent de plein droit dans la communauté.

Toute personne majeure peut ameublir ; le mineur lui-même a ce droit, en se conformant à l'art. 1398.

— L'ameublissement de *tous les biens* comprend-il les biens à venir ? ⋙ Il ne comprend que les biens présents (Dur., *ibid.* ; Pothier, n. 304 ; Delv., t. 3, p. 44, n. 2). ⋙ Il comprend les biens à venir. — Généralité des termes de la clause (Toullier, n. 330 et suiv.).
Dans le contrat on ameublit tous les immeubles présents, le conjoint qui a fait l'ameublissement, acquiert ensuite, à titre gratuit, un immeuble avant la célébration du mariage : cet immeuble tombera-t-il dans la communauté ? ⋙ A. L'expression : *tous les biens présents*, comprend tous les biens qui existeront au jour du mariage (Bellot, p. 112, t. 3).

1506 — L'ameublissement peut être déterminé ou indéterminé.

Il est déterminé quand l'époux a déclaré ameublir et mettre en communauté un tel immeuble (1) en tout ou jusqu'à concurrence d'une certaine somme.

Il est indéterminé quand l'époux a simplement déclaré apporter en communauté ses immeubles, jusqu'à concurrence d'une certaine somme (2).

1507 — L'effet de l'ameublissement déterminé est de rendre l'immeuble ou les immeubles qui en sont frappés, biens de la communauté comme les meubles mêmes (3).

Lorsque l'immeuble ou les immeubles de la femme sont ameublis *en totalité* (4), le mari en peut disposer comme des autres effets de la communauté, et les aliéner en totalité.

Si l'immeuble n'est ameubli que pour une certaine somme, le mari ne peut l'aliéner qu'avec le consentement de la femme (5), mais il peut l'hypothéquer sans son consentement,

---

(1) Ajoutez : *ou tels immeubles.*
(2) Pothier distinguait l'ameublissement *général* de l'ameublissement particulier : les auteurs du Code n'ont pas maintenu cette division : comme Pothier avait puisé ses exemples d'ameublissement indéterminé dans l'ameublissement général, ils se sont imaginé que l'ameublissement général était nécessairement indéterminé.
(3) Ce qui ne veut pas dire cependant que le mari pourrait faire donation d'un immeuble ameubli.
(4) Le mot *totalité*, est employé ici par opposition à l'expression : *jusqu'à concurrence* d'une certaine somme. On appliquerait la même disposition à l'ameublissement d'une quote-part d'immeubles.
(5) Mauvaise rédaction : de même que dans l'art. 1428. c'est la femme qui aliène avec l'autorisation du mari ; la communauté se borne à prendre, sur le prix, le montant de la somme assignée.

jusqu'à concurrence seulement de la portion ameublie (1).

= Ainsi, l'ameublissement est déterminé dans deux cas :

1° Quand l'époux déclare ameublir et mettre en communauté tel immeuble : l'immeuble devient en ce cas la propriété de la communauté, comme le deviendrait un meuble (2).

Il ne faut pas croire, toutefois, que ces termes soient sacramentels : ce n'est pas une formule que le Code a prétendu consacrer; il suffit que l'intention des parties soit clairement exprimée.

On peut ameublir une partie seulement d'un immeuble ; par exemple, la moitié, le tiers, le quart ; il s'établit alors une copropriété entre l'époux et la communauté. Vainement argumenterait-on de ces termes : en *totalité*, pour induire que l'ameublissement partiel ne peut avoir lieu; il est évident qu'ils sont employés ici par opposition aux mots : jusqu'à concurrence d'une certaine somme, qui se trouvent à la fin du dernier alinéa.

Le mari pourrait-il non-seulement hypothéquer, mais encore aliéner la portion ameublie par la femme? Nous le pensons : cette portion est devenue la chose de la communauté. Il est à remarquer, d'ailleurs, qu'en bornant le droit du mari à la simple faculté d'hypothéquer, la loi prévoit uniquement le cas où l'immeuble aurait été ameubli jusqu'à concurrence d'une certaine somme ; d'où l'on doit conclure, qu'elle lui laisse des droits plus étendus, lorsque l'immeuble est ameubli quant à la propriété elle-même (3).

En cas d'éviction d'un héritage ameubli, qui supporte cette perte? On distingue : si la cause est postérieure au mariage, la perte est pour le compte de la communauté. — Si elle est antérieure, il faut encore distinguer : l'ameublissement est général ou particulier : s'il est général, il n'y a pas lieu à garantie, car les parties sont censées avoir apporté à la communauté leurs droits tels qu'ils étaient alors. Si l'ameublissement n'est pas d'une universalité d'immeubles, mais d'un bien particulier, l'époux est soumis à l'action en garantie; il est débiteur de ce même héritage ; s'il n'en transfère pas la propriété, il manque à son obligation. Les conventions matrimoniales sont considérées chez nous comme constituant un contrat à titre onéreux.

2° Lorsqu'on ameublit *un* ou *plusieurs* immeubles désignés, jusqu'à concurrence d'une certaine somme.

En ce cas, le mari peut bien, pour se procurer la somme convenue, hypothéquer l'héritage ; mais il ne peut l'*aliéner*, sans le consentement de la femme. — On se demande alors en quoi l'ameublissement déterminé diffère de l'ameublissement indéterminé? L'un est un assignat *limitatif*, c'est-à-dire, limité à tel immeuble; tandis que l'autre est un assignat *indéterminé* (4). — Dans l'ameublissement déterminé jusqu'à concurrence d'une certaine somme, la communauté est déchue de tout droit si

---

(1) Ainsi cet ameublissement ne donne qu'une créance ; mais il faut convenir que c'est une singulière créance que celle qui permet d'hypothéquer l'immeuble ameubli ; ici, le droit de la communauté est plus qu'une créance, et moins qu'une propriété ; c'est un droit bâtard, anormal.

(2) Ce qui ne veut pas dire cependant que le mari puisse donner un immeuble ameubli comme il pourrait donner un meuble.

(3) Dur., n. 63, 64 et 68 ; Toullier, n. 330 ; Bellot, p. 133. ⁓⁓ Si l'immeuble vient à périr, la communauté perd tout espoir (Delv., p. 44, n. 5).

(4) Toullier, n. 329, regarde cet ameublissement comme déterminable même quant à la propriété, au moyen d'une prisée de l'immeuble et d'une délimitation partielle de cet immeuble jusqu'à concurrence de la somme convenue ; cette partie tombe dans la communauté, dès lors le mari peut la vendre sans avoir besoin du consentement de sa femme. Cette opinion est combattue par Dur., n. 63.

l'immeuble vient à périr ameubli. Il en est autrement dans le cas d'ameublissement indéterminé ; car on ignore, dans ce dernier cas, quels immeubles sont ameublis. Dans le cas d'ameublissement indéterminé, l'époux doit lors de la dissolution, comprendre dans la masse quelques-uns de ses immeubles, jusqu'à concurrence de la somme promise. Enfin, dans l'ameublissement déterminé de la deuxième espèce, comme dans l'ameublissement d'un immeuble en propriété, il est dû garantie à la communauté en cas d'éviction, du moins jusqu'à concurrence de la somme promise ; car l'assignat constitue un apport de corps certains, qui rend la société créancière sur l'immeuble ameubli.

La définition donnée par le Code n'est donc pas fautive comme on l'a prétendu ; toutefois elle est *incomplète* : en effet, pour que l'ameublissement soit déterminé, il n'est pas nécessaire d'indiquer *tel immeuble* : l'ameublissement peut être fait d'une manière générale ; par exemple, tous les immeubles que je possède dans tel département : de même qu'un legs conçu dans ces termes est censé fait à titre particulier, de même un tel ameublissement est réputé déterminé (Dur., n. 62).

Il ne faut pas confondre la clause d'ameublissement (déterminé ou indéterminé), avec la promesse d'apport d'une somme à prendre *sur le prix* d'un immeuble déterminé (1500) ; par exemple, la moitié du prix à provenir de la vente de tel immeuble : cette dernière clause n'opère point d'ameublissement : en effet, ce n'est pas l'immeuble qui est affecté ; mais une partie de la somme pour laquelle il sera vendu : tant que la vente n'a pas eu lieu, le conjoint continue d'être débiteur de la communauté. Si donc il arrive que cet immeuble ait péri par cas fortuit, l'époux n'est pas libéré. Il en est autrement dans le cas d'ameublissement déterminé ; car ce sont alors les biens, plutôt que l'époux, qui se trouvent obligés : l'effet de la promesse est restreinte à ces mêmes biens. — Si la perte n'est que partielle, l'immeuble reste, jusqu'à due concurrence, affecté à la communauté ; de même qu'un héritage hypothéqué reste grevé d'hypothèque, quoiqu'il ait péri en partie (Pothier, n. 305 ; Dur., n. 69) (1).

Mais, d'un autre côté, l'ameublissement a des effets plus étendus que la promesse d'apporter une certaine somme : l'une donne au mari le droit d'hypothéquer, sans le consentement de la femme ; l'autre ne lui confère pas cette faculté : dans le cas de cette dernière clause, le mari peut seulement obtenir condamnation et faire vendre les biens jusqu'à concurrence de la somme qui lui est due.

Nous examinerons, dans l'art. 1508, les effets de l'ameublissement *indéterminé*.

— Il est certain qu'il n'est pas dû garantie pour le cas d'éviction, lorsque c'est par l'effet d'une stipulation de communauté universelle que les immeubles ont été ameublis ; mais *quid*, dans le cas d'éviction d'un ou plusieurs immeubles, compris dans l'ameublissement de biens situés, par exemple, dans tel département ? ∿∿ Il n'y a pas lieu à garantie, car l'ameublissement n'est point, à proprement parler, une promesse d'apport ; il renferme un avantage au profit du conjoint ; l'époux a ameubli l'immeuble tel qu'il le possédait ; avec les droits qu'il avait, ni plus ni moins. ∿∿ Il y a lieu à garantie, mais seulement jusqu'à concurrence de la valeur des apports de l'autre époux ; l'égalité, en effet, est de l'essence de la communauté entre époux. ∿∿ La garantie a lieu dans toute son étendue, c'est-à-dire suivant la valeur de l'immeuble au jour de l'éviction, ou pour la somme convenue, parce que c'est en cela que consiste le préjudice souffert par la communauté. — Sans doute l'égalité est de l'essence de la communauté ; mais les talents, l'industrie, la profession relevée de l'un des époux entrent en compensation avec la mise plus considérable de l'autre. — Lorsque l'ameublissement est spécial, comme dans l'espèce, il prend le caractère d'un apport véritable, et donne lieu, par conséquent, à garantie (Pothier, n. 311 ; Dur., n. 70 et suiv.).

(1) Suivant Toullier, n. 340, la femme est toujours débitrice de cette somme envers la communauté, car la propriété de l'immeuble n'a pas été transférée.

1508 — L'ameublissement indéterminé ne rend point la communauté propriétaire des immeubles qui en sont frappés ; son effet se réduit à obliger l'époux qui l'a consenti, à comprendre dans la masse, lors de la dissolution de la communauté, quelques-uns de ses immeubles jusqu'à concurrence de la somme par lui promise (1).

Le mari ne peut, comme en l'article précédent, aliéner en tout ou en partie, sans le consentement de sa femme, les immeubles sur lesquels est établi l'ameublissement indéterminé ; mais il peut les hypothéquer jusqu'à concurrence de cet ameublissement.

= L'ameublissement indéterminé, ne porte pas plus sur tel immeuble que sur tel autre ; la communauté n'acquiert la propriété d'aucun des biens qui en sont frappés. Quels sont donc ses effets ? Il en produit deux :

1º La communauté a une action pour contraindre le conjoint, lors de la dissolution, à faire raison de la somme qu'il a promise ; ou à comprendre dans la masse quelques-uns de ses immeubles, jusqu'à concurrence de cette somme.

Le choix des immeubles appartient à ce conjoint (Arg. de l'art. 1190) ; faute par lui d'avoir fait son option, le juge fixe un délai passé lequel ce choix sera référé à l'autre conjoint ou à ses héritiers.

2º Il donne au mari le droit d'hypothéquer les immeubles de la femme, sans son consentement, jusqu'à concurrence de la somme stipulée ; mais ce consentement lui serait nécessaire pour les aliéner.

Observons, cependant, qu'en accordant au mari le droit d'hypothéquer, on lui laisse indirectement le droit d'aliéner et de rendre ainsi déterminé l'ameublissement indéterminé : en effet, à défaut de payement, les créanciers poursuivront l'expropriation ; il faudra bien alors que la femme vende ou qu'elle laisse vendre ses immeubles.

Toutefois, nous pensons qu'elle pourrait, en ce cas, rendre son ameublissement déterminé, et faire restreindre les poursuites à tel ou tel immeuble ; car il serait arbitraire que la femme pût être dépouillée de toute sa fortune immobilière, pour une dette qui n'en affecte qu'une partie.

Le mari n'aurait pas le pouvoir de contraindre la femme à fixer l'ameublissement sur tel immeuble, pour avoir ensuite le droit de vendre cet immeuble sans autorisation : assurément, l'hypothèque pourra conduire à ce résultat ; mais il est possible que la femme trouve moyen de le prévenir.

On peut concevoir un ameublissement indéterminé sans limitation de sommes ; mais alors, ce n'est plus que l'établissement d'une communauté à titre universel.

— La clause ainsi conçue : le futur époux apportera à la communauté une somme de ....., à prendre sur ses biens meubles et immeubles, forme-t-elle un ameublissement ? ʌʌʌ N. Ces expressions signifient seulement que l'époux affecte tous ses biens à la garantie de la somme qu'il promet ; par conséquent, il ne devrait pas moins cette somme, bien que tous ses immeubles eussent péri (Dur., n. 84).

Quid s'il est dit : le futur apportera à la communauté ses biens meubles ou immeubles jusqu'à concurrence do ....., ou encore : apportera en communauté une certaine somme, à prendre d'abord sur ses meubles, et pour ce qui manquera sur ses immeubles ? Il y a ameublissement (Dur., n. 85).

(1) L'époux n'est pas soumis à cette obligation lorsque l'ameublissement est déterminé.

1509 — L'époux qui a ameubli un héritage, a, lors du partage, la faculté de le retenir (1) en le précomptant sur sa part pour le prix qu'il vaut alors; et ses héritiers ont le même droit.

= L'héritage ameubli appartient à la communauté; néanmoins, eu égard au prix d'affection que l'on attache souvent à un bien de famille, la loi permet à l'époux de le *reprendre*, lors de la dissolution de la communauté.

On estime alors l'immeuble suivant sa valeur à cette époque et non suivant celle qu'il avait au moment de la célébration; car la communauté en est devenue propriétaire.

Toutefois, l'époux ne le recouvre qu'autant qu'il existe encore dans la communauté, et dans l'état où il se trouve, c'est-à-dire, sans préjudice des servitudes et autres droits réels dont il a été grevé pendant le mariage.

Puisque l'on accorde à l'époux le droit de reprendre l'immeuble, au cas d'ameublissement déterminé *en propriété;* on doit, *à fortiori,* lui reconnaître ce droit, lorsque l'héritage est ameubli jusqu'à concurrence d'une certaine somme.

— La femme renonçante peut-elle reprendre l'immeuble qu'elle a ameubli, en faisant raison de la valeur actuelle de cet immeuble au mari ou à ses héritiers ? ⁂ *A.* Elle jouit de ce droit, soit qu'elle en ait stipulé la reprise, soit qu'elle n'ait fait aucune réserve (Dur., n. 78; Delv., p. 45, n. 1). ⁂ *N.* Elle n'a pas de compte à faire avec le mari ou ses héritiers (Toullier, n. 345; Bellot, p. 120, t. 3).

SECTION IV.

De la clause de séparation des dettes.

Comme il pourrait arriver qu'une trop grande inégalité dans les dettes respectives des époux devînt un obstacle au mariage, la loi permet de stipuler la séparation des dettes.

La clause de *séparation des dettes* est une convention, par laquelle les époux stipulent, que la communauté ne sera pas chargée de leurs dettes antérieures au mariage (2).

Les époux ont en outre la faculté d'exclure de la communauté leurs dettes futures; c'est-à-dire, celles qui grèveront les successions ou les donations qui pourront leur échoir; mais cette exclusion ne peut jamais être l'objet d'une clause spéciale; elle est toujours la conséquence de celle qui exclut de la communauté l'actif des successions et des donations (Arg. des art. 1411, 1412, 1414, 1521 et 1865): la communauté court les chances de gain, elle doit courir les chances de perte.

Nonobstant la séparation des dettes, la communauté est chargée des intérêts et arrérages qui ont couru depuis le mariage (1512).

La séparation des dettes est expresse ou tacite:

Expresse, lorsque les époux stipulent qu'ils payeront séparément leurs dettes personnelles;

(1) Expression impropre; il faut lire : *de le reprendre.*
(2) L'art. 1497, 4°, qui fait allusion à cette clause, ne parle que des dettes antérieures au mariage ; donc la clause dont il s'agit dans cette section n'a trait qu'aux dettes antérieures au mariage, et ne modifie point sous tous les rapports l'art. 1409, 1°.

Tacite, dans les cas de communauté réduite aux acquêts et d'exclusion de communauté.

Les effets de la clause de séparation des dettes sont différents, suivant qu'on l'applique aux époux entre eux, ou aux créanciers (*voy.* art. 1510).

Le Code parle, dans cette section, d'une autre espèce de convention appelée clause de *franc et quitte :*

On désigne ainsi, la convention par laquelle le futur époux est déclaré, par contrat de mariage, exempt de toutes dettes. Cette clause renferme implicitement celle de séparation des dettes; elle en diffère cependant sous plusieurs rapports (*voy.* 1513).

1510 — La clause par laquelle les époux stipulent qu'ils payeront séparément leurs dettes personnelles, les oblige à se faire, lors de la dissolution de la communauté, respectivement raison des dettes qui sont justifiées avoir été acquittées par la communauté à la décharge de celui des époux qui en était débiteur.

Cette obligation est la même, soit qu'il y ait eu inventaire ou non : mais, si le mobilier apporté par les époux n'a pas été constaté par un inventaire ou état authentique antérieur au mariage, les créanciers de l'un et de l'autre des époux peuvent, sans avoir égard à aucune des distinctions qui seraient réclamées, poursuivre leur payement sur le mobilier non inventorié, comme sur tous les autres biens de la communauté.

Les créanciers ont le même droit sur le mobilier qui serait échu aux époux pendant la communauté, s'il n'a pas été pareillement constaté par un inventaire ou état authentique.

= Nous verrons : 1° quel est l'effet de la clause de séparation des dettes à l'égard des conjoints; 2° quel est son effet à l'égard des tiers.

Par rapport aux époux , cette clause les oblige , lors de la dissolution de la communauté , à se faire respectivement raison de leurs dettes personnelles , qui sont justifiées avoir été acquittées par la communauté : il en serait ainsi, quand même le mobilier des époux n'aurait pas été inventorié : on lui a fait un emprunt, il faut l'indemniser. La femme ne pourrait se libérer en renonçant à la communauté.

Mais qui doit faire cette justification? Le mobilier présent et futur des époux étant tombé dans la communauté, on présume qu'elle a payé la dette; c'est donc à l'époux qui prétend se garantir des réclamations de la communauté, à prouver qu'il a lui-même fait ce payement (Dur., 104).

Comment doit-elle se faire? Par la représentation d'un acte relatant les dettes de l'époux existantes au jour du mariage; par la production des titres de propriété; par un acte sous seing privé ayant date certaine antérieure au mariage (1) ou de toute autre manière. Toutefois la preuve testimoniale n'est admise qu'autant qu'il existe un commencement de preuve.

A l'égard des créanciers, on distingue : la dette est personnelle au mari, ou elle a été contractée par la femme.

Les créanciers du mari, nonobstant la clause de séparation des dettes, ont le droit de poursuivre leur payement, non-seulement sur ses biens personnnels, mais encore sur ceux de la communauté ; cette clause ne peut leur être opposée. — Le mari sera seulement tenu, lors de la dissolution, de faire raison à la masse, du montant de ses dettes personnelles antérieures au mariage, qu'il aura payées avec les deniers de la communauté.

Nous pensons néanmoins que les créanciers du mari ne pourraient se faire payer sur le mobilier inventorié de la femme (2).

Lorsque c'est la femme qui est débitrice, si l'importance de son mobilier a été constatée par un inventaire, ses créanciers personnels ne peuvent agir contre la communauté que *de in rem verso* : par conséquent le mari a la faculté de se soustraire à leurs poursuites en abandonnant ce mobilier (3). S'il a été confondu avec les biens de la communauté, sans un inventaire préalable ou autre acte en bonne forme, les créanciers personnels de la femme ont le droit de se faire payer, tant sur le mobilier non inventorié, que sur les autres biens de la communauté.

---

(1) Selon quelques personnes, il n'est même pas nécessaire que l'acte soit antérieur au mariage ; il suffit qu'il ne puisse être soupçonné de fraude : *nec obstat* l'art. 1410, 3e al. La disposition de cet article a pour unique objet de déterminer les dettes de la femme qui tombent dans le passif de la communauté légale ; elle est établie dans l'intérêt du mari. D'ailleurs, les actes souscrits par la femme ont date certaine à son égard, indépendamment de l'enregistrement.

(2) Suivant une autre opinion, les créanciers du mari ont ce droit, lors même que le mobilier apporté par la femme a été constaté par un inventaire ; seulement, on admet qu'ils ne peuvent venir en concours avec les créanciers de celle-ci ; car, dit-on, ce mobilier n'a passé dans la communauté que grevé de dettes. On ajoute que les termes de cet article ne sont pas assez formels pour que l'on puisse induire, par argument *à contrario*, qu'il renferme une dérogation a ce principe fondamental en matière de communauté, que les créanciers du mari peuvent poursuivre leur payement sur les biens de la communauté : or le mobilier de la femme est tombé d'une manière absolue dans la masse commune ; comme tel, il est à la disposition du mari ; il peut l'employer a payer ses dettes (Dur., n. 110; Pothier, t. 3, p. 128 ; Delv., t. 3, p. 87). ⁓⁓ On répond que la loi ne distingue pas ; elle dit : *Les créanciers de l'un ou l'autre.* — Vainement objecte-t-on que l'article ne suppose que le cas où il n'y a pas eu inventaire : en tirant des expressions de cet article un argument *à contrario*, on doit donner toutes les conséquences qu'il entraîne. — L'opinion contraire est bizarre : Quoi, dans cette opinion, lorsqu'il y a eu inventaire, les créanciers de la femme ne pourraient poursuivre la communauté, tandis que les créanciers du mari auraient ce droit quand même le mobilier de la femme serait constaté par un inventaire ! Où voit-on qu'il y ait lieu de faire cette distinction ? Pourquoi ne pas admettre toutes les conséquences de l'argument *à contrario* que l'on adopte volontiers pour partie, dans l'opinion contraire, à l'égard de la femme ? Il faut une règle absolue : il faut tout prendre ou tout laisser. — Vainement dit-on que le mari peut disposer des biens de communauté, et par conséquent du mobilier de sa femme, lors même qu'une clause de séparation de dettes a été stipulée ; on répond : que c'est la, poser en principe ce qui est en question ; qu'en présence de cette clause et d'un inventaire qui constate les apports, on peut nier que le mari puisse prendre pour payer ses dettes le mobilier de sa femme : le but de l'inventaire n'est-il pas précisément de mettre la mise des époux à l'abri des poursuites de leurs créanciers réciproques, de conférer a la femme le droit de soustraire son mobilier a l'action des créanciers du mari ? Remarquons, d'ailleurs, qu'en décidant comme il le fait, pour le cas où il n'y a pas eu inventaire, l'article raisonne plutôt en fait qu'en droit ; car on ne peut, dans cette hypothèse, justifier de ce qui est tombé dans la communauté ; et c'est précisément a cause de cela qu'il autorise les poursuites contre la communauté. — Prenons donc l'article tel qu'il est ; appliquons-le aux deux époux, et décidons que, lorsqu'il existe, dans le contrat de mariage, une clause de séparation de dettes, les créanciers, soit du mari, soit de la femme, ne deviennent pas créanciers de la communauté ; que la communauté n'est tenue envers eux que *de in rem verso*, et seulement jusqu'à concurrence de ce dont elle s'est enrichie. — Les créanciers du mari n'éprouveront aucun préjudice, puisqu'ils auront toujours pour gage la fortune de leur débiteur.

(3) Vainement argumenterait-on de l'art. 2092 pour prétendre que les biens d'un débiteur ne sont le gage des créanciers que jusqu'à l'aliénation : le droit accordé par l'art. 1510 aux créanciers, de suivre dans la communauté le mobilier entré du chef de leur débiteur donne lieu a l'action *de in rem verso* ; la communauté n'a pu s'enrichir sans payer les dettes : l'entrée en communauté n'est pas une aliénation parfaite.

— Les dettes d'une succession mobilière échue à l'un des époux lors du mariage, et qui n'était point encore acceptée par lui à cette époque, sont-elles à la charge de la communauté ? ∾ On doit supposer que l'époux n'a entendu mettre le mobilier de cette succession dans la communauté, au cas où il se porterait héritier, que sous la déduction des dettes dont elle se trouverait chargée (Dur., n. 92).

Après la dissolution, les créanciers personnels des époux peuvent-ils encore, à défaut d'inventaire, poursuivre leur payement sur le mobilier de la communauté ? ∾ La confusion cessant, soit qu'il y ait eu inventaire ou non, ils ne peuvent plus se faire payer que sur la portion dévolue à leur débiteur (Pothier, n. 364).

Les créanciers de la femme ne sont pas plus en état après la dissolution de la communauté, qu'ils ne l'étaient auparavant, de déterminer la portion de meubles que la communauté a absorbée ; par conséquent, ils doivent avoir le droit de poursuivre le payement de leur créance sur la communauté, et même sur les propres du mari, sauf ensuite bien entendu le recours du mari contre la femme (Delv., t, 3, 587; Bellot, p. 186, t. 3) (*Val.*).

Quid à l'égard de la femme renonçante ? ∾ Comme elle a perdu tout droit sur les biens entrés de son chef en communauté (1492), les créanciers de la communauté ne peuvent la poursuivre.

1511 — Lorsque les époux apportent dans la communauté une somme certaine ou un corps certain, un tel apport emporte la convention tacite qu'il n'est point grevé de dettes antérieures au mariage ; et il doit être fait raison par l'époux débiteur à l'autre (1), de toutes celles qui diminueraient l'apport promis.

= La clause d'apport d'une certaine somme, ou d'un corps certain, produit deux effets principaux : elle emporte, pour l'époux qui fait cet apport, réalisation tacite du surplus de ses biens ; elle lui impose l'obligation de payer ses dettes *antérieures au mariage :* or, l'époux n'accomplirait pas cette obligation, s'il faisait entrer dans la communauté des dettes qui diminueraient l'apport promis : *bona non intelliguntur nisi deducto œre alieno*. — L'article 1511 contient donc une clause tacite de séparation de dettes.

On entend par dettes *antérieures au mariage*, celles dont la *cause* a précédé la célébration, notamment, les dettes à terme ou condition- nelles, quoique le terme ou l'événement prévu ne soit arrivé que depuis le mariage ; les obligations contractées avant le mariage et renouvelées depuis ; les condamnations prononcées contre les époux pendant le ma- riage, à raison d'un procès intenté avant la célébration, etc. — Toutefois, la communauté doit acquitter les dettes qui grèvent les successions mobi- lières ouvertes avant le mariage, bien qu'elles n'aient été acceptées que depuis, car ces dettes ont été contractées durant le mariage.

— La clause d'apport équivaut-elle, à l'égard des créanciers, à la séparation des dettes ? ∾ La loi, il est vrai, parle seulement d'un recours contre l'époux débiteur ; mais reconnaître qu'il doit être fait raison à la communauté, par l'époux débiteur, c'est reconnaître virtuellement qu'il y a séparation de dettes.

1512 — La clause de séparation des dettes n'empêche point que la communauté ne soit chargée des intérêts et arré- rages qui ont couru depuis le mariage.

= Les intérêts et arrérages qui ont couru jusqu'au jour du mariage, sont compris dans les dettes antérieures au mariage ; la communauté, dès lors, n'en est pas tenue : mais elle supporte ceux qui ont couru depuis le mariage, car ils sont une charge des fruits qu'elle perçoit.

Cette disposition s'applique aux cas prévus par les deux articles précé- dents ; la place qu'elle occupe l'indique suffisamment : mais, de là, nous tirons cette conséquence, qu'elle ne domine pas l'art. 1513 : en effet,

_____

(1) Cet article serait mieux placé dans la section 2.

la stipulation de franc et quitte serait un leurre si la communauté souffrait en aucune manière des dettes du conjoint.

— Pourrait-on convenir que les intérêts et arrérages qui courront pendant le mariage, ne tumberont pas dans la communauté ? ~~ *A.* Le contrat de mariage admet toutes les conventions qui ne sont contraires ni aux bonnes mœurs ni aux dispositions de l'art. 1387 (Delv., p. 46, n. 6 ; Dur., n. 99).

1513 — Lorsque la communauté est poursuivie pour les dettes de l'un des époux, déclaré, par contrat, franc et quitte de toutes dettes antérieures au mariage, le conjoint a droit à une indemnité qui se prend, soit sur la part de communauté revenant à l'époux débiteur, soit sur les biens personnels dudit époux ; et, en cas d'insuffisance, cette indemnité peut être poursuivie par voie de garantie contre le père, la mère, l'ascendant ou le tuteur qui l'auraient déclaré franc et quitte.

Cette garantie peut même être exercée par le mari durant la communauté, si la dette provient du chef de la femme ; sauf, en ce cas, le remboursement dû par la femme ou ses héritiers aux garants, après la dissolution de la communauté.

= La clause de séparation de dettes ne met pas la communauté à l'abri de tout danger : sans doute, elle conserve son recours contre l'époux débiteur ; mais ce recours devient inutile lorsqu'il est insolvable : cette considération a fait admettre la clause de *franc et quitte.*

La clause de *franc et quitte* est celle par laquelle le père, la mère, l'ascendant, le tuteur ou même un étranger (1), déclare, par contrat de mariage, que le futur ou la future n'a pas de dettes (2).

Sous l'ancienne jurisprudence, on considérait la *clause de franc et quitte*, comme distincte de celle de séparation des dettes : l'une, disait-on, intervient principalement entre le futur époux et les parents du conjoint déclaré franc et quitte ; l'autre intervient entre les futurs époux seulement.

Le Code a totalement changé ces principes : la clause de franc et quitte n'est plus considérée aujourd'hui comme une convention entre l'un des époux et les parents de l'autre ; elle est commune à celui-ci, puisqu'il a implicitement adhéré à la déclaration (3) ; elle oblige cet époux à indemniser son conjoint du montant des dettes dont il se trouvait grevé, et que la communauté a acquittées à sa décharge ; dès lors, elle renferme implicitement la convention de séparation des dettes.

Toutefois elle diffère de cette clause sous plusieurs rapports :

Lorsqu'il y a séparation de dettes, le mari ne peut être poursuivi par les créanciers de la femme antérieurs au mariage, si les biens qu'elle a apportés ont été dûment constatés : la clause de franc et quitte, au con-

---

(1) Le Code ne parle que des père et mère ou ascendants ; mais sa disposition s'applique à toute personne qui a fait une pareille déclaration, car il y a identité de raison ; la loi statue *de eo quod plerùmque fit.*

(2) Cette clause peut être stipulée, lors même que le contrat de mariage porte exclusion de communauté ; lors même que les époux sont mariés sous le *régime dotal* proprement dit ; car le mari, ayant le droit de percevoir tous les revenus des biens dotaux de sa femme, est intéressé à ce qu'aucune dette ne diminue ces revenus.

(3) D'ailleurs, l'art. 1513 ne distingue pas entre le cas où la déclaration dont il s'agit a été faite à la fois par l'époux et un tiers, et celui où elle a été faite par un tiers seulement.

traire, laisse le mari exposé à leurs poursuites; ses effets sont bornés aux parties; elle n'en produit aucun contre leurs créanciers (1).

La clause de séparation des dettes laisse à la charge de la communauté les intérêts qui ont couru depuis le mariage (1512); la clause de franc et quitte oblige l'époux à tenir compte à la communauté, non-seulement du capital de la dette, mais encore des intérêts payés en son acquit (2).

La clause de franc et quitte diffère encore de celle par laquelle les parents de l'un des époux s'obligent à payer ses dettes antérieures au mariage, ou garantissent à la femme la reprise de ses apports : dans ces espèces, les parents font une véritable donation ; ils sont obligés principalement (3) : quant à l'époux, il n'est point obligé envers la communauté comme il le serait s'il avait été déclaré franc et quitte ; ses dettes étaient tombées à la charge de la communauté ; la promesse faite par ses auteurs n'emporte point de sa part exclusion de ces mêmes dettes.

Il faut également se garder de la confondre avec celle par laquelle une personne se serait portée caution du mari, pour la garantie de la dot et des conventions matrimoniales ; cette promesse n'est point une déclaration de franc et quitte.

Revenons à notre article.

Le conjoint déclaré franc et quitte, est considéré comme le principal obligé ; et ceux qui ont fait cette déclaration, comme ses cautions, comme s'obligeant subsidiairement, en cas d'insuffisance des biens de ce conjoint, à indemniser l'autre époux.

Ordinairement, ce sont les parents du mari qui s'obligent par cette clause ; or, les dettes antérieures au mariage, dont il est grevé, peuvent préjudicier à la femme de deux manières :

1º En l'empêchant de trouver, dans les biens du mari, de quoi se remplir de sa dot, reprises et conventions matrimoniales (*voy.* les exemples rapportés par Dur., n. 124 et suiv.).

2º En diminuant la communauté, qui aurait été plus riche : la femme doit donc établir, que sans ses dettes, la communauté lui eût présenté quelque avantage : la clause de franc et quitte produit son effet dans la mesure du préjudice éprouvé.

Dans l'un et l'autre cas, il est dû récompense.

Lorsque c'est la femme qui a été déclarée franche et quitte, la clause produit son effet au profit du mari, quel que soit l'état de la communauté, dans la mesure de ce que la communauté a payé de ces mêmes dettes.

Comment s'exerce l'action en indemnité? Si c'est le mari qui a été déclaré franc et quitte, la femme ne peut évidemment le poursuivre ; elle n'a d'action que pour la moitié des dettes acquittées, et seulement après la dissolution de la communauté ; encore faut-il, qu'elle ait accepté.

Mais lorsque la dette vient du chef de la femme, la loi accorde au mari le droit de réclamer immédiatement le capital, ainsi que les intérêts ou arrérages qu'il a payés ; et comme il ne pourrait, durant le mariage, agir utilement contre la femme, elle lui permet de poursuivre de suite et

_____

(1) Toutefois, quelques personnes contestent cette opinion : puisque la clause de franc et quitte, disent-elles, renferme la convention de séparation de dettes, on ne peut reconnaître aux créanciers le droit de venir se faire payer sur les biens de la communauté : les créanciers n'ont pu compter que sur les biens de leur débiteur : la communauté n'a jamais été tenue envers eux.

(2) Il n'est donc pas inutile d'ajouter à la clause de séparation de dettes celle de franc et quitte. Cette dernière clause a des effets plus étendus que la séparation de dettes.

(3) Loin de pouvoir exercer aucun recours contre l'époux, ils doivent tenir compte à la communauté du montant des dettes qu'elle a payées pour lui.

directement les garants ; sauf le recours de ceux-ci contre la femme ou ses héritiers, tant pour le capital que pour les intérêts de la somme avancée (2001, 2028), mais seulement après *la dissolution de la communauté*.

Pourquoi ne permet-on pas aux garants d'exercer en ce cas leur recours durant la communauté, au moins sur la nue propriété des biens personnels de la femme ? Parce que l'action réfléchirait indirectement contre le mari : en effet, il se trouverait réduit au simple droit d'usufruitier, tandis qu'il peut, avec le consentement de sa femme, exercer tous ceux de propriétaire.

— Peut-on cautionner le mari, non-seulement pour ses dettes antérieures au mariage, mais encore pour toutes les causes qui, après la dissolution, peuvent empêcher la femme d'exercer ses reprises : en d'autres termes, les dettes de l'époux déclaré franc et quitte, qui n'auraient pas acquis date certaine antérieure au mariage, peuvent-elles être opposées à celui qui l'a déclaré franc et quitte ? ⁓⁓ *N.* Il serait trop facile d'aggraver la garantie au moyen d'antidates (Pothier, n. 567 ; Dur., n. 130). ⁓⁓ On appliquerait alors les principes généraux du cautionnement.

La garantie des dettes de la femme déclarée franche et quitte, s'applique sans aucun doute aux dettes dont elle était tenue envers ceux qui ont fait cette déclaration : mais ces dettes sont-elles éteintes à l'égard de la femme elle-même ? La déclaration dont il s'agit emporte-t-elle remise de ces dettes? ⁓⁓ *N.* L'obligation n'est contractée qu'envers l'autre conjoint ; la femme devra même tenir compte, à celui qui a fait la déclaration, des arrérages ou intérêts qui auront couru depuis le mariage, sauf la prescription pour ceux qui remontent à plus de cinq ans (Dur., n. 132).

L'époux qui a été déclaré franc et quitte, et dont la communauté a payé les dettes antérieures au mariage, doit-il, lors de la dissolution, une indemnité à son conjoint, à raison des intérêts des sommes déboursées pour le libérer ? ⁓⁓ *A.* Arg. de l'art. 1846. — La prescription de cinq ans, établie par l'art. 2277, ne court même pas entre époux (2253) ; l'action dure trente ans. — D'ailleurs, la prescription ne peut être opposée à celui qui a payé pour le débiteur ; car il est considéré comme mandataire, ou du moins, comme *negotiorum gestor* (Dur., n. 136).

SECTION V.

De la faculté accordée à la femme de reprendre son apport franc et quitte.

En renonçant à la communauté, la femme, que la loi considère jusque-là comme *associée* sous une condition résolutoire, perd toute espèce de droit, même sur les biens qui proviennent de son chef ; telle est la règle générale. La loi permet cependant de déroger en tout ou en partie à cette règle, par la *clause de reprise d'apport*.

La clause de reprise d'apport, en d'autres termes, la convention en vertu de laquelle la femme peut prendre part au gain si la communauté prospère, sans rien supporter de la perte dans le cas contraire, déroge aux principes des sociétés ordinaires (1855) : on ne peut donc l'étendre au delà des choses formellement exprimées, ni au profit de personnes autres que celles désignées ; il faut l'interpréter à la rigueur. — Du reste, elle ne modifie, sous aucun autre rapport, la communauté légale : le mobilier que possèdent les époux au moment du mariage, tombe dans la communauté ; les dettes contractées pendant sa durée par le mari ou par la femme dûment autorisée y tombent également ; le mari conserve l'administration, etc.

Il faut même observer que la femme ne peut revendiquer, contre les tiers détenteurs, les immeubles qu'elle a fait entrer dans la communauté par voie d'ameublissement ou par l'effet d'une communauté universelle (1507, 1526) ; car la communauté étant devenue propriétaire de ces biens, le mari a pu les aliéner valablement (1421).

Ainsi, la femme, qui n'est pour ainsi dire qu'une associée en commandite (puisqu'elle n'est exposée à aucun danger au moyen de la faculté qu'on lui accorde de renoncer à la communauté, ou de n'être tenue, en faisant inventaire, que jusqu'à concurrence de ce qu'elle a recueilli), peut encore se réserver la faculté de reprendre ses apports en renonçant. Elle court, il est vrai, les risques de l'insolvabilité du mari, car elle ne pourra user de son droit que lorsque les créanciers de la communauté seront désintéressés ; mais une ressource lui reste : la séparation de biens.

Remarquons surtout, qu'il ne s'agit point ici d'un gain de survie, mais d'une convention de mariage ; convention qui consiste, pour la femme, dans la reprise de ses apports, si elle renonce à la communauté.

1514 — La femme peut stipuler qu'en cas de renonciation à la communauté, elle reprendra tout ou partie de ce qu'elle y aura apporté (1), soit lors du mariage, soit depuis ; mais cette stipulation ne peut s'étendre au delà des choses formellement exprimées, ni au profit de personnes autres que celles désignées.

Ainsi la faculté de reprendre le mobilier que la femme a apporté lors du mariage, ne s'étend point à celui qui serait échu pendant le mariage.

Ainsi la faculté accordée à la femme ne s'étend point aux enfants ; celle accordée à la femme et aux enfants ne s'étend point aux héritiers ascendants ou collatéraux.

Dans tous les cas, les apports ne peuvent être repris que déduction faite des dettes personnelles à la femme, et que la communauté aurait acquittées (2).

= La clause de reprise d'apport est exorbitante du droit commun ; de là les conséquences suivantes :

1° Si la femme stipule qu'elle reprendra son apport franc et quitte, sans autre explication, le droit est borné à sa personne ; si elle prédécède, ses héritiers n'en jouissent pas.

2° La faculté accordée aux enfants (terme générique qui comprend les petits-enfants), ne s'étend pas aux *ascendants*.

3° Celle accordée aux *ascendants*, ne profite pas aux *collatéraux*.

Mais si la clause porte, *la femme et ses héritiers collatéraux*, les enfants et même, suivant nous, les *ascendants* (*voy.* cep. Dur., n. 159), s'y trouvent compris : il n'est pas probable, en effet, que la femme ait eu pour ses collatéraux une affection plus grande que pour ses enfants et ses ascendants.

----

(1) Doit-on voir une différence entre ces deux rédactions : la femme a le droit de reprendre *ce qu'elle a apporté*, et celle-ci, *ce qu'elle aura apporté*? ᴧᴧ *A*. Dans le premier cas, on se réfère à l'apport fait lors du contrat ; dans le deuxième, on comprend les apports présents et futurs (Pothier).

(2) Il ne faut pas confondre la clause de réalisation, avec celle de *reprise d'apports* : dans cette dernière clause, tous les objets qui sont de nature à entrer dans la communauté y tombent effectivement et s'y confondent d'une manière définitive : en outre, la femme ne reprend ses apports que sous la condition de renoncer à la communauté. — La clause de réalisation, au contraire, donne à la femme le droit de reprendre, même en cas d'acceptation, ses biens réalisés. Sous ce point de vue, cette clause est plus favorable que celle de reprise d'apport.

Au reste, la femme transmet son droit à ses héritiers ou autres successeurs, s'il s'est ouvert en sa personne.

4° La simple stipulation dont il s'agit, ne comprend que le mobilier apporté lors du mariage, et ne s'étend pas à celui qui est échu à la femme, pendant la communauté, par succession ou donation.

5° La faculté de reprendre le mobilier qu'elle recueillera pendant le mariage, ne comprend pas celui qu'elle avait à l'époque du mariage.

6° La clause qui autorise la femme à reprendre le mobilier qui lui écherra par *succession*, ne comprend pas celui qui lui adviendra par *donation*, et *vice versâ*.

Au moment de la reprise, il doit être tenu compte à la communauté des dettes personnelles à la femme qu'elle a payées : la femme, en effet, n'a réellement apporté à la communauté que ce qui restait, déduction faite de ses dettes : si elle reprend, par exemple, le mobilier qui lui est échu par succession, elle doit indemnité des dettes dont ces successions étaient grevées ; si elle reprend tout ou partie du mobilier qu'elle a apporté lors du mariage, elle doit faire raison, dans la même proportion, des dettes qu'elle avait à cette époque.

En un mot, en dérogeant aux règles de la communauté légale en ce qui concerne la reprise des apports, on déroge implicitement à ces règles en ce qui concerne les dettes.

Quant aux dettes que la femme a contractées durant la communauté, avec l'autorisation du mari, elles restent à la charge définitive de ce dernier, et donnent lieu contre lui à un recours, si la femme a été tenue de les payer.

En obligeant la femme qui fait une reprise à tenir compte des dettes que la communauté a payées, la loi suppose que cette reprise est de l'universalité ou d'une quote-part de l'universalité des biens meubles : si la reprise est d'une certaine somme ou d'un objet particulier ; par exemple, s'il a été dit : La future, en cas de renonciation, reprendra 6,000 francs ou l'argenterie qu'elle aura apportée, la femme retire son apport sans déduction de dettes.

Les intérêts des sommes dues à la femme, en vertu de son droit de reprise, ne courent qu'à partir de la demande ; car la créance ne prend naissance que par le fait de la renonciation ; dès lors, elle est régie, en ce qui concerne les intérêts, par l'art. 1479, et non par l'art. 1473, puisque la dette devient alors personnelle au mari (1).

On décide généralement, que la reprise des effets mobiliers apportés par la femme ne se fait pas en nature, et que le mari est débiteur de leur valeur. — Toutefois, si leur identité était parfaitement constatée, nous ne voyons pas ce qui s'opposerait à ce que la femme les reprît en nature.

Appliquez ici ce que nous avons dit, art. 1498, sur la justification des apports (Toullier, n. 378).

La femme ou ses héritiers peuvent reprendre en nature les héritages ameublis, lorsqu'ils se trouvent en la possession du mari (1509). — Le mari, en ce cas, est tenu des détériorations que ces héritages ont éprouvées par sa faute.

Quid s'il a fait des améliorations ? On distingue : si la femme a donné son consentement, le mari peut réclamer le montant de ses avances ;

_____

(1) Nancy, 29 mai 1828, S., 29, 2, 231.

dans le cas contraire, il ne peut prétendre qu'à la plus-value (Pothier, n. 390).

— La reprise *accordée aux enfants qui naîtront du mariage*, s'étend-elle aux enfants d'un précédent mariage ? ⚶ *A.* (Toullier, n. 385). ⚶ *N.* (Dur., n. 157).

La clause ainsi conçue : *La future survivante pourra renoncer à la communauté, et ce faisant, reprendre ses apports*, donne-t-elle à la femme le droit d'exercer cette reprise, si la communauté vient à se dissoudre par la séparation de corps ou de biens ? ⚶ *A.* Les parties sont censées avoir voulu dire que la femme seule, en cas de *prédécès* du mari, pourra exercer la reprise (Dur., n. 150 et 151 ; Poth., n. 381).

Quid de la clause ainsi conçue : *Advenant dissolution de la communauté, reprise sera faite de tout ce que la femme y aura apporté ?*⚶Elle ne concerne que la femme ; ses enfants ne pourront exercer la reprise : c'est comme si la femme avait été nommée purement et simplement (Dur., n. 155 ; Poth., n. 385).

Nous avons vu , que la clause de reprise d'apports ne peut s'étendre au delà des personnes désignées ; mais, qu'arrivera-t-il si la femme laisse des héritiers compris dans la clause, et d'autres qui n'y soient pas compris ; par exemple, des ascendants dans une ligne, et des collatéraux dans l'autre ? Le droit s'ouvrira-t-il pour le tout ? ⚶ Il faut adopter la doctrine de l'art. 1475 ; le droit ne s'ouvre que pour les parents compris dans la clause, et seulement pour leur part héréditaire. C'est ce qui arriverait, si la clause comprenant tous les héritiers, les uns acceptaient, et les autres renonçaient.

Quid si la femme a laissé un enfant ou un parent compris dans la clause et un légataire universel, ou à titre universel qui n'y ait pas été compris?⚶ Si l'héritier accepte la succession, c'est réellement lui qui recueille les biens pour les remettre au légataire (Poth., n. 397). ⚶ Si le parent compris dans la clause n'est ni descendant ni ascendant, comme il ne lui est pas dû de réserve (916), le légataire universel est saisi de plein droit (1006) : or, celui-ci ne peut exercer la reprise, puisqu'il n'a pas été compris dans la clause. — A l'égard du légataire à titre universel, pour qu'il profite de la disposition, il suffit que le parent compris dans la clause accepte l'hérédité (Dur., n. 165).

Quid, si la femme laisse deux légataires à titre universel ? ⚶ Même décision.

La femme conserve-t-elle son hypothèque légale sur les immeubles ameublis que le mari a vendus, lorsqu'elle n'a pas concouru à la vente ? ⚶ *A.* Dès qu'ils sont entrés en communauté, ils appartiennent au mari (Dur. n. 171)

La reprise stipulée au profit de la femme et de ses héritiers, s'étend-elle aux enfants naturels ? ⚶*N.* L'enfant naturel n'est pas héritier (Dur., n. 162; Delv., t. 3, p. 92; voy. cep. Bellot, p. 234).

Quid si l'on a employé l'expression : *enfant ?* ⚶ Cette expression comprend les enfants naturels.

La femme qui a obtenu la séparation de corps, peut-elle invoquer le bénéfice de la clause de reprise d'apports ? ⚶ *N.* La reprise des apports n'a été stipulée que pour le cas où la femme survivrait; en cas de séparation, il n'y a pas survie; donc il n'y a pas lieu à l'exercice de la reprise. ⚶ *A.* La femme séparée peut reprendre ses apports : bien plus, si elle meurt, son droit passe à ses successeurs ; sa position est la même que celle du légataire qui décède avant d'avoir accepté, peu de temps après le testateur ; bien que le Code ne parle que du cas de dissolution par décès, il est évident qu'il prévoit tous les cas de dissolution. D'ailleurs, la clause dont il s'agit ne constitue pas un gain de survie, mais une reprise d'apports.

SECTION VI.

Du préciput conventionnel.

Le préciput (*præ capere*) est la clause par laquelle les futurs époux conviennent que le survivant, ou l'un d'eux, prélèvera sur la masse commune, avant tout partage, une portion de biens ou certains objets déterminés.

La clause de préciput a pour but d'indemniser l'un des époux de la perte de son mobilier, ou de lui épargner la douleur de se voir dépouillé de certains biens auxquels il attache un prix d'affection.

La loi déclare que le préciput n'est point sujet aux formalités des donations : nous examinerons, sous l'article 1516, la question de savoir si on doit le considérer comme une donation quant au fond, ou comme une convention de mariage.

Le préciput peut-être stipulé, soit en argent, soit en effets de la communauté (meubles ou immeubles), au profit de l'un des conjoints seulement, ou en faveur de l'un et de l'autre.

Cette clause, dérogeant au droit commun, ne reçoit pas d'extension ; elle se renferme rigoureusement dans ses termes.

Le préciput ne s'ouvre que par la mort naturelle ou civile de l'un des époux (1517); — en cas de dissolution par suite de la séparation de corps ou de biens, les droits des époux se liquident provisoirement, sans égard à la clause de préciput : par conséquent, si la femme accepte la communauté, le partage a lieu comme à l'ordinaire ; si elle renonce, les objets qui constituent le préciput restent au mari avec la communauté entière.

La·loi autorise la femme (bien entendu lorsque c'est elle qui a obtenu la séparation) à exiger du mari une caution pour la conservation de ses droits, au cas où elle survivrait (*voy.* art. 1518) ; et faute par lui de fournir cette caution, elle peut l'obliger à déposer à la caisse des consignations une somme suffisante ; le mari touche les intérêts de cette somme.

Nous pensons que le mari peut également, lorsque la clause existe à son profit, exiger caution de sa femme pour la moitié du préciput, au cas où elle accepte la communauté.

Du reste, les parties peuvent valablement convenir, que la séparation de corps ou de biens donnera lieu à l'ouverture du droit.

1515 — La clause par laquelle l'époux survivant est autorisé à prélever, avant tout partage, une certaine somme ou une certaine quantité d'effets mobiliers en nature, ne donne droit à ce prélèvement, au profit de la femme survivante, que lorsqu'elle accepte la communauté, à moins que le contrat de mariage ne lui ait réservé ce droit, même en renonçant.

Hors le cas de cette réserve, le préciput ne s'exerce que sur la masse partageable, et non sur les biens personnels de l'époux prédécédé.

= La clause de préciput, comme toutes les conventions matrimoniales, peut être modifiée de plusieurs manières : notre article, en supposant le cas de survie, ne nous donne qu'un exemple ; il statue pour ce qui arrive le plus fréquemment : rien n'empêcherait les époux de convenir que, la dissolution de la communauté arrivant par la séparation de corps ou de biens, l'un d'eux prélèvera telle chose ou telle somme avant le partage.

Mais si les parties n'ont pas formellement dérogé à la disposition du Code ; si elles ont dit, par exemple : *le cas de la dissolution de la communauté arrivant*, etc., elles sont censées avoir adopté la disposition de l'article 1515 comme règle générale, et par conséquent avoir entendu parler du cas de survie.

Le préciput étant un prélèvement sur la masse partageable, la femme n'en profite qu'autant qu'il y a lieu à partage; c'est-à-dire, qu'autant qu'elle accepte la communauté.

Cependant, elle peut stipuler qu'elle en jouira même en renonçant ; alors, cette réserve ne constitue plus un *préciput* proprement dit, mais une créance, dont la femme peut exercer le recouvrement sur la communauté, et même sur les biens personnels du mari ; car la succession du mari se trouve chargée de toutes les dettes qu'il a contractées à l'occasion du mariage.

— Pourrait-on stipuler, qu'en cas de mort de l'un des époux, ses héritiers prélèveront une somme, par préciput, sur les biens de la communauté? ⋀⋀⋀ *A*. Le préciput, par lui-même, n'est point un avantage, mais une convention de mariage (Bellot, p. 256, t. 3).

Lorsque les époux ont péri ensemble, les présomptions de survie tirées de l'âge ou du sexe, reçoivent-elles leur application? ⋀⋀⋀ *N*. (Pothier, n. 154; Dur., n. 193).

1516 — Le préciput n'est point regardé comme un avantage sujet aux formalités des donations, mais comme une convention de mariage.

= Le préciput constitue au profit de l'époux qui est appelé à en profiter un véritable avantage : mais doit-on considérer cet avantage comme une libéralité soumise aux règles des donations? Nous pensons que les auteurs du Code ont voulu reproduire les principes de Pothier, n. 442. En conséquence, nous distinguerons : *Par rapport aux héritiers autres que les enfants d'un premier mariage*, le préciput n'est point, quant au fond, une donation qui doive être imputée sur la portion disponible fixée par les articles 913 et 915, mais une convention de mariage, encore qu'il ait été stipulé par la femme pour le cas où elle renoncerait (1). — *Mais par rapport aux enfants d'un précédent mariage* laissés par le conjoint du stipulant, le préciput est une donation véritable quant au fond; dès lors, il doit être pris en considération dans le calcul de la portion disponible fixée par les art. 1098 et 1527; en cas d'excès, il est sujet à réduction.

Le préciput est également considéré, par l'art. 1518, comme un avantage quant au fond, par rapport à l'époux contre lequel le divorce ou la séparation de corps a été prononcée.

1517 — La mort naturelle ou *civile* (2) donne ouverture au préciput.

1518 — Lorsque la dissolution de la communauté s'opère par le divorce ou par la séparation de corps, il n'y a pas

---

(1) Vainement argumenterait-on des termes de l'article, pour conclure que la loi n'entend dispenser le préciput que des formalités ordinaires de l'acceptation et de l'état estimatif : nous répondrions, que le préciput est soumis aux mêmes formalités que les donations portées dans le contrat de mariage ; que la signature au bas du contrat est une acceptation suffisante et que l'état estimatif est sans utilité, puisque le préciput ne doit se prélever que sur des biens à venir (Dur., n. 190; Bellot, t. 2, n. 470) (*Val.*). ⋀⋀⋀ Le préciput constitue, au profit de l'époux qui est appelé à l'exercer, une véritable donation : nous voyons en effet, art. 1518, que le défendeur en séparation est privé de cet avantage. — On peut même argumenter de l'art. 1525 : dans cet article, la loi prend soin de déclarer, que le droit accordé à la femme, de reprendre son apport, n'est point réputé un avantage sujet aux règles relatives aux donations, *soit quant au fond, soit quant à la forme; mais simplement une convention de mariage et entre associés* : or, notre article dispense uniquement la disposition par préciput, des *formalités* des donations. — Les formalités des donations dont le préciput est dispensé, sont celles de l'acceptation, et de l'état estimatif (948). — Puisque le préciput est une donation, on doit décider qu'il est imputable sur la portion disponible (Toullier, n. 422; Delv., sur l'art. 1516). ⋀⋀⋀ Des auteurs expliquent cet article par des données historiques : l'ordonnance de d'Aguesseau, en date de 1731, soumettait les donations d'objets mobiliers à la formalité de l'insinuation, mais il y avait exception pour celles qui étaient faites par contrat de mariage : on conçoit dès lors que l'efficacité du préciput ne pouvait dépendre de cette formalité ; c'est ce que le Code a voulu déclarer.

(2) Bizarrerie : n'est-il pas étonnant de dire que l'un des époux survit, quand l'autre est encore vivant? d'ailleurs, les époux ont-ils considéré le cas de mort civile ? Ont-ils plutôt prévu cette hypothèse que celle du divorce ou de la séparation de corps? Pothier, n. 443, n'accordait pas le préciput, dans le cas de mort civile ; la disposition de l'article 1517 ne peut se justifier qu'en l'envisageant comme ayant pour but d'accorder une espèce de dédommagement à l'époux dont le conjoint a encouru la mort civile.

lieu à la délivrance actuelle du préciput ; mais l'époux qui a obtenu soit le divorce, soit la séparation de corps, conserve ses droits au préciput en cas de survie. Si c'est la femme, la somme ou la chose qui constitue le préciput reste toujours provisoirement au mari, à la charge de donner caution.

= Cet article contient deux dispositions :

La première est applicable à l'un et à l'autre époux, au mari comme à la femme ;

La deuxième est spéciale à la femme (1).

La loi garde le silence sur le cas où le préciput aurait été stipulé au profit seulement de l'époux contre lequel serait prononcée la séparation de corps ; car il est évident que ce conjoint ne pourrait user de son droit et que la communauté, nonobstant la clause, se partagerait par moitié (299).

Cette décision résulte implicitement des termes de la première partie de notre article ; elle est conforme à cette règle de droit : *qui de uno dicit negat de altero.*

La loi suppose que le préciput a été stipulé au profit de celui qui a obtenu la séparation de corps, ou qu'il a été convenu réciproquement au profit du survivant ; elle décide, que la dissolution de la communauté, causée par la séparation de corps, ne donne pas plus ouverture au préciput qu'à tout autre droit de survie.

Mais comment assure-t-on la conservation du préciput ? S'il doit être prélevé par la femme, on distingue : elle accepte ou elle renonce à la communauté : en cas d'acceptation, le partage se fait provisoirement par égales portions ; en conséquence, la femme prend moitié dans les objets qui forment le préciput ; le mari prend l'autre moitié et donne caution pour cette portion (2). — Si la femme renonce (ce que suppose la dernière disposition de l'article), et que, par contrat de mariage, elle ait stipulé le préciput, *même en renonçant*, le mari, restant alors maître de toute la communauté, garde le préciput, mais à charge de donner caution pour en assurer la restitution au cas où il prédécéderait.

Supposons maintenant que la séparation ait été obtenue par le mari, et qu'il ait droit au préciput : si la femme accepte, le préciput se partage par moitié, sauf à celle-ci à garantir la restitution à son mari pour le cas où il survivrait (3). — Si la femme renonce, il est clair que le mari n'est pas tenu de donner caution.

Si le préciput a été stipulé indistinctement au profit du survivant, la

---

(1) Suivant cette disposition, la somme ou la chose qui constitue le préciput reste *toujours provisoirement au mari* ; nous nous bornons à exposer le sens qui convient, dans notre opinion, a ces expressions.

(2) Quelques personnes pensent, que la femme acceptante ne peut demander caution au mari ; suivant elles, le législateur a envisagé principalement le cas de renonciation. Prenons un exemple, et voyons ce qui arriverait si l'on prenait l'article à la lettre : La communauté liquidée offre 100.000 francs de capital ; le préciput à exercer par la femme est de 20,000 francs ; 80,000 francs resteront donc a partager. Le mari et la femme prendront chacun 40,000. Si l'on admet que le préciput doive rester au mari, il jouira, moyennant caution, de 20,000 francs en sus de sa part pendant toute sa vie. Ce résultat blesserait l'équité : en effet, si la femme n'avait droit à aucun préciput, elle aurait pris 50 000 francs au lieu de 40.000 francs, puisque la communauté se serait partagé en deux portions égales ; or, une clause stipulée en sa faveur, ne peut tourner a son préjudice : il faut donc rejeter cette manière d'opérer.

(3) A la vérité, la loi ne l'exige pas ; mais il serait par trop bizarre de ne soumettre que le mari a la nécessité de donner caution ; il y a identité de position, identité de raison (Dur., n. 194 : Heliot, p. 279) (*Val.*).

somme ou les objets qui le constituent se partagent, sauf aux parties à prendre des arrangements pour sûreté de la restitution au survivant.

On procède de la même manière, lorsque la communauté vient à se dissoudre par la séparation de biens (1452). — Il faut seulement observer, que le défendeur en séparation de biens, comme le demandeur, conserve ses droits au préciput : il n'y a pas lieu, dans l'espèce, à la peine que la loi prononce pour le cas de séparation de corps (299).

L'article 1518 nous place dans l'hypothèse où le préciput aurait été stipulé pour le cas de survie : s'il a été stipulé pour toute autre cause, par exemple, pour le cas de séparation de corps, le mari ne conserve pas provisoirement la chose qui constitue le préciput lorsque cet avantage a été stipulé au profit de la femme ; elle doit être délivrée immédiatement à la femme (Dur., n. 194 ; Merlin, v° *Préciput* conv., § 1, n. 1).

1519 — Les créanciers de la communauté ont toujours le droit de faire vendre les effets compris dans le préciput, sauf le recours de l'époux, conformément à l'art. 1515.

= Le mobilier qui doit être prélevé par préciput est compris dans la masse active ; les créanciers de la communauté peuvent en conséquence le faire saisir et vendre. Si le préciput est stipulé au profit de la femme, et qu'elle se soit réservé le droit de l'exercer même en renonçant, elle a un recours sur les biens personnels de son mari prédécédé (1515).

SECTION VII.

Des clauses par lesquelles on assigne à chacun des époux des parts inégales dans la communauté.

Le partage de la communauté se fait ordinairement par moitié, sans égard aux apports de chacun des conjoints ; mais la supériorité des talents, de l'industrie, des espérances et de la mise de l'un des époux peut motiver une dérogation au principe de l'égalité. On ne doit donc pas voir dans cette dérogation une donation, mais une convention de mariage.

Le Code énonce trois sortes de dérogations, dont il prend soin de tracer les règles : il détermine, dans l'art. 1521, les effets de la première ; dans les art. 1522, 3 et 4, ceux de la deuxième ; l'art. 1525 est relatif à la troisième. — Il est bien entendu, que cette énumération n'est pas limitative (1).

1520 — Les époux peuvent déroger au partage égal établi par la loi, soit en ne donnant à l'époux survivant ou *à ses héritiers* (2), dans la communauté, qu'une part moindre que la moitié, soit en ne lui donnant qu'une somme fixe pour tout droit de communauté, soit en stipulant que la

---

(1) Par exemple on pourrait valablement assigner à l'une des parties les immeubles, à l'autre les meubles de la communauté (*Cass.*, 16 avril 1830 ; S.. 33, 1, 371).

(2) Vice de rédaction : il faut lire *aux héritiers du prédécédé* ; la communauté, en effet, doit se partager entre le survivant et les héritiers du prédécédé.

communauté entière, en certains cas, appartiendra à l'époux
survivant, ou à l'un d'eux seulement.

= Le Code réunit, dans l'article qui nous occupe, trois clauses bien
distinctes : toutes dérogent au principe de l'égalité du partage.

Les règles particulières à chacune d'elles sont exposées dans les articles
qui suivent. Bornons-nous à remarquer, qu'il n'est pas question dans la
troisième clause, de l'époux survivant ou de ses héritiers, comme dans les
deux premières : nous ferons connaître la cause de ce silence en expliquant
l'article 1525.

— *Quid*, dans le cas de stipulation faite au profit du survivant, si les deux époux périssent ensemble
dans le même événement, sans qu'on puisse prouver, par les circonstances du fait, lequel des deux a
survécu ? Doit-on appliquer les dispositions des art. 721 et 722 ?... A. La condition de survie a manqué ;
neuter alteri supervexit. — Il faut restreindre les articles précités aux cas pour lesquels ils ont été
faits (Dur., n. 216).

1521 — Lorsqu'il a été stipulé que l'époux ou ses héritiers
n'auront qu'une certaine part dans la communauté, comme
le tiers ou le quart, l'époux ainsi réduit ou ses héritiers
ne supportent les dettes de la communauté que proportionnellement à la part qu'ils prennent dans l'actif (1).

La convention est nulle si elle oblige l'époux ainsi réduit
ou ses héritiers à supporter une plus forte part, ou si elle
les dispense de supporter une part dans les dettes égale à
celle qu'ils prennent dans l'actif.

= Cette disposition a pour but de prévenir les avantages indirects entre
époux : or, le mari serait indirectement avantagé, s'il était dit, par
exemple, que la femme prendra le tiers de l'actif, et qu'elle acquittera
la moitié des dettes ; car il pourrait, en achetant des biens, qu'il ne
payerait pas immédiatement, faire supporter par la femme la moitié du
prix, quoiqu'elle ne recueillît que le tiers de ces acquisitions.

Vice versâ : si le contrat portait que la femme n'aura que le tiers dans
l'actif, mais qu'elle l'aura franc de dettes, une telle convention permettrait au mari d'avantager indirectement son épouse, en faisant des acquisitions dont il devrait encore le prix lors de la dissolution du mariage.

L'époux ou les héritiers qui sont appelés à prendre des parts inégales
dans la communauté, ne sont tenus des dettes entre eux, qu'à proportion
de la part qu'ils prennent dans l'actif ; la loi ne veut pas qu'on fasse deux
règlements, l'un pour l'actif l'autre pour le passif. Néanmoins, ils doivent
acquitter intégralement celles qui procèdent de leur chef, sauf leur
recours contre l'autre époux ou ses héritiers.

Toute convention qui déroge à cette égalité proportionnelle entre l'actif et le passif est nulle ; la nullité atteint la convention tout entière ;
la loi est trop explicite pour qu'on puisse supposer qu'elle veuille,
en pareil cas, laisser subsister le partage de l'actif ; on revient alors
au partage égal par moitié, suivant les règles de la communauté légale (2).

(1) Dans le contrat de société, on peut mettre à la charge de l'un des associés une part supérieure à
celle qu'il prend dans l'actif (1855), parce que l'on considère moins le gain ou la perte que l'on pourra
faire, que l'importance des mises.
(2) Si l'on rétablissait l'égalité proportionnelle, les époux ne se trouveraient soumis ni au droit commun ni à leurs propres conventions ; la clause est indivisible (Pothier, n. 440; Delv., p. 50, n. 1 ; Battur,

Du reste, les époux ont la faculté de fixer des parts inégales, proportionnelles ou non à la mise : ces dispositions ne pourraient être réduites, sauf peut-être le cas où il y aurait des enfants d'un premier lit.

— L'époux qui n'a droit, d'après la clause dont il s'agit, qu'à une part inférieure à la moitié et qui a fait des apports plus considérables que le conjoint, peut-il, avant partage, prélever l'excédant de ses apports, de manière que le partage inégal ne tombe que sur les bénéfices? ∼ *A*. Arg. de l'art. 1525; ce que notre article décide pour le cas où l'un des époux recueille la totalité des biens, doit s'appliquer, proportion gardée, pour le cas où il n'en a qu'une quote-part; ∼ *N*. Silence du Code. — L'art. 1525 est exorbitant. — Arg. des art. 1528 et 1855. — Il n'est pas défendu d'établir une communauté entre un conjoint riche et un conjoint pauvre (Dur., n. 203).

1522 — Lorsqu'il est stipulé que l'un des époux ou ses héritiers ne pourront prétendre qu'une certaine somme pour tout droit de communauté, la clause est un forfait qui oblige l'autre époux ou ses héritiers à payer la somme convenue, soit que la communauté soit bonne ou mauvaise, suffisante ou non pour acquitter la somme.

= On donne à cette clause le nom de *forfait de communauté*, parce que, moyennant une somme déterminée, l'un des époux renonce au droit de venir au partage.

Si le *forfait* de communauté est stipulé au profit de la femme, la somme doit être payée par le mari, quand même il n'y aurait rien dans la communauté ; s'il est stipulé au profit du mari, nous pensons que la femme conserve toujours, au moment de la dissolution, le choix d'accepter ou de renoncer à la communauté ; car elle n'a pu, par aucune clause, s'interdire cette option (1453).

Lorsque le mari ou ses héritiers retiennent la totalité de la communauté, la femme reste débitrice des récompenses ou indemnités dont elle est tenue, et demeure obligée envers les créanciers au payement des dettes qui procèdent de son chef, sauf son recours contre le mari ; en un mot, sa position est la même que lorsqu'elle renonce à la communauté légale.

— Doit-on considérer comme un *forfait*, la *faculté* accordée à l'une des parties, de retenir tous les biens, en payant une certaine somme? ∼ *N*. Cette stipulation ne confère qu'une simple faculté; celui au profit de qui elle est intervenue, conserve le droit de s'en tenir à sa part ordinaire.

1523 — Si la clause n'établit le forfait qu'à l'égard des héritiers de l'époux, celui-ci, dans le cas où il survit, a droit au partage légal par moitié.

= Le *forfait* peut être établi en faveur de l'un des époux seulement, ou en faveur de l'un des époux et de ses héritiers, ou en faveur des héritiers de l'un des époux.

Dans cette dernière hypothèse, celle que suppose notre article, il est évident que l'époux stipulant, s'il survit, peut exiger le partage légal par moitié ; la clause est sans effet à son égard : il s'agit uniquement d'une convention, par laquelle un des époux réserve à ses héritiers, sous la condition de son prédécès, le forfait de communauté.

n. 480). ∼ Il est évident que les époux ont uniquement voulu modifier leur communauté ; dans le doute, on doit présumer qu'ils ont l'intention d'opérer la modification permise par la loi : *utile per inutile non vitiatur* (Dur., n. 206).

— Pourrait-on convenir que le survivant aura la faculté ou d'exécuter le forfait stipulé par la femme, ou de partager la communauté ? ⁓ Cette clause serait illicite, seulement elle ne constituerait pas un forfait ; la loi ne s'est expliquée que pour le cas où le survivant s'imposerait une obligation.

Mais considérerait-on cette clause comme un avantage indirect ? ⁓ En général, non ; car la somme à recevoir peut être supérieure à la mise en communauté ; il y a une chance ; le contrat est aléatoire, et par conséquent à titre onéreux ; dès lors il n'est pas sujet à réduction. Toutefois, si la somme était stipulée pour tel époux déterminément, on pourrait voir dans la clause une libéralité sujette à réduction, pour le cas où il existerait des enfants d'un premier lit (1527). Il s'agit, au surplus, d'une question de fait.

1524 — Le mari ou ses héritiers qui retiennent, en vertu de la clause énoncée en l'article 1520, la totalité de la communauté, sont obligés d'en acquitter toutes les dettes.

Les créanciers n'ont, en ce cas, aucune action contre la femme ni contre ses héritiers.

Si c'est la femme survivante qui a, moyennant une somme convenue, le droit de retenir toute la communauté contre les héritiers du mari, elle a le choix ou de leur payer cette somme, en demeurant obligée à toutes les dettes, ou de renoncer à la communauté, et d'en abandonner aux héritiers du mari les biens et les charges.

= Il est naturel que l'époux qui retient toute la communauté, supporte toutes les dettes.

Si c'est le mari ou *ses héritiers*, les créanciers n'ont aucune action contre la femme (1), à moins qu'elle ne se soit obligée personnellement ; (1486 et 1528), sauf ensuite son recours, s'il y a lieu, contre le mari ou ses héritiers.

Indépendamment de la somme convenue pour le forfait, le mari ou ses héritiers sont tenus de payer à la femme ce qui lui est dû pour ses reprises ; car la communauté est débitrice de leur montant.

Si c'est la femme, la loi lui réserve la faculté de se soustraire au payement de la somme promise, en renonçant (1453).

Les créanciers ne sont pas privés, bien que la femme ait accepté, de leur action contre le mari, toujours personnellement obligé envers eux (1483, 1485) ; sauf ensuite le recours du mari contre la femme, mais celle-ci n'est tenue, lorsqu'elle a rempli les formalités prescrites par l'article 1483, que jusqu'à concurrence de son émolument, à moins qu'elle ne se trouve personnellement obligée (2).

Observons, que la femme n'a que deux alternatives : renoncer à la communauté ou payer la somme convenue ; elle ne pourrait donc prétendre au partage de la communauté.

La loi suppose que le forfait a été stipulé au profit du mari ou de la

---

(1) Les créanciers ne pourraient dire à la femme : vous n'êtes point étrangère à la communauté, puisque vous prélevez une somme de ..... en vertu de la clause de *forfait ;* c'est comme si vous vendiez vos droits au mari ; votre position est la même que celle de l'héritier qui vend ses droits successifs (780), donc il y a eu acceptation de votre part ; par conséquent vous êtes tenue envers nous jusqu'à concurrence de ce que vous prenez dans la communauté.—Assimiler ces deux positions, ce serait commettre une erreur : sans doute une femme veuve qui dispose de ses droits est censée acceptante ; mais ici la veuve ne vend rien : si elle prend une somme, c'est en vertu du droit qui existait pour elle avant la dissolution de la communauté ; c'est en vertu d'un droit qui lui a été accordé par son contrat de mariage ; dès lors, on prétendrait à tort qu'elle est soumise aux poursuites des créanciers jusqu'à concurrence de cette somme. L'art. 780 n'est pas applicable ; le forfait n'est pas *pretium venditæ societatis* ; les créanciers ont contracté avec la communauté ; ils ont connu la clause ; ils ne peuvent dire qu'on les a surpris : la loi leur refuse formellement toute action contre la femme ou ses héritiers.

(2) L'art. 1524 n'est pas assez explicite pour que l'on puisse supposer que le législateur ait voulu déroger à l'art. 1438 (Bellot, p. 297).

femme : *quid* s'il a été stipulé au profit du survivant ? Mêmes décisions.

— Pourquoi la loi ne réserve-t-elle pas d'une manière expresse, aux héritiers de la femme, la faculté qu'elle accorde à cette dernière ? ⁓⁓⁓ La loi ne suppose pas que cette stipulation soit faite en faveur des héritiers ; mais si elle a eu lieu, la convention doit recevoir son effet.

1525 — Il est permis aux époux de stipuler que la totalité de la communauté appartiendra au survivant ou à l'un d'eux seulement (1), sauf aux héritiers de l'autre à faire la reprise des apports et capitaux tombés dans la communauté, du chef de leur auteur.

Cette stipulation n'est point réputée un avantage sujet aux règles relatives aux donations, soit quant au fond, soit quant à la forme, mais simplement une convention de mariage et entre associés (2).

= Ces conventions ne doivent recevoir leur exécution qu'après la mort de l'un des conjoints.

Le survivant qui prend toute la communauté, en vertu de cette clause, est obligé de payer toutes les dettes. — Quant à la femme, elle peut toujours renoncer si elle ne trouve pas la communauté avantageuse (1453).

Les héritiers du prédécédé exercent la reprise des apports et capitaux tombés du chef de leur auteur dans la communauté : cette faculté résulte suffisamment pour eux de la clause qui attribue au survivant la totalité de la communauté ; elle est indépendante de toute stipulation : en effet, les libéralités, ne se présument pas ; or, le survivant recevrait une véritable libéralité, si la reprise des apports du prédécédé n'avait pas lieu. Assurément, on peut valablement attribuer au survivant les apports dont il s'agit ; cette clause est licite : mais alors, il y a lieu à réduction, si le prédécédé laisse des enfants du premier lit (1527).

Bien que la femme recueille la communauté entière, les créanciers ont une action contre le mari, toujours personnellement obligé, à raison des dettes qu'il a contractées durant la communauté.

La loi considère la clause qui attribue la communauté entière au survivant comme une pure convention matrimoniale, ne renfermant aucune donation, soit quant au fond, soit quant à la forme : de là il résulte, 1° que cette convention (à la différence de la clause de préciput) recevrait son effet, même au profit de l'époux contre lequel aurait été prononcée la séparation de corps ; elle est réputée à titre onéreux, parce qu'il y a encore là une chance : cette chance est, pour l'un ou l'autre époux, celle de ne reprendre que ses apports; — 2° qu'en cas de deuxième mariage, on ne doit pas considérer cette convention comme un avantage fait au préjudice des enfants du premier lit (1527); la clause est un forfait : d'ailleurs, il n'y a

_____

(1) Dans l'art. 1525, il n'est question que du survivant des époux : pourquoi la loi ne permet-elle pas de faire une pareille stipulation au profit des héritiers ? Parce que cette clause détruirait entièrement le principe de la communauté. Prenons un exemple : le mari survit ou il prédécède ; s'il survit, il prend toute la communauté ; s'il prédécède, ses héritiers ont le même droit ; en sorte que, dans aucun cas, la femme n'est appelée à prendre part dans la communauté ; la position est la même que si les époux n'avaient jamais été communs en biens. Mais tout change lorsque le droit n'est réservé qu'au profit du survivant ; une chance existe alors pour chacun des époux, on ne sait lequel des deux survivra. — Au surplus cette convention serait valable : mais, nous le répétons, elle exclurait toute idée de communauté.

(2) Ces derniers mots sont impropres ; car l'art. 1855, loin d'admettre une pareille clause, porte que la convention qui donnerait à l'un des associés la totalité des bénéfices, ou qui affranchirait de toute contribution aux pertes les sommes ou effets mis dans le fonds de la société par l'un des associés est nulle. Il est plus vrai de dire, que, dans l'espèce, il n'y a pas eu de communauté.

eu que profit de revenus, d'économies et non pas de capitaux (1). S'il était permis de critiquer cette clause, il faudrait dire également qu'il y a un avantage réductible, lorsque la femme se remarie sans communauté ou sous le régime dotal, en se constituant tous ses biens en dot.

Si la communauté vient à se dissoudre par une cause autre que celle de la mort de l'un des conjoints, quelles mesures provisoires doit-on prendre dans les cas prévus par les articles 1522 et 1525? La loi garde le silence sur ce point, sans doute parce qu'elle envisage les clauses dont il s'agit comme de pures conventions de mariage; mais l'article 1452 établit suffisamment qu'il n'y a pas lieu à l'ouverture actuelle des droits de survie, et qu'il faut attendre la dissolution du mariage; — voici comment on doit opérer : Si la clause est en faveur du mari seulement, et que ce soit lui qui ait obtenu la séparation, il garde provisoirement toute la communauté, à la charge de rendre à la femme ses apports, ou la somme convenue en vertu de l'article 1522; mais sans être tenu de fournir caution pour sûreté du droit de la femme au partage égal de la communauté, au cas où il ne lui survivrait pas. Si la séparation a été prononcée contre le mari, il doit donner caution à la femme, par argument de l'art. 1518, et lui restituer immédiatement, ainsi que nous venons de le dire, ses apports ou le forfait stipulé. — Si la clause est en faveur de la femme, et que ce soit elle qui ait obtenu la séparation, elle peut exiger immédiatement la moitié de la communauté, puisque cette portion doit lui revenir à tout événement, si elle accepte; et le mari doit lui donner caution pour le surplus de ce qui lui reviendra, au cas où la condition de survie se réalisera. Si la séparation a été prononcée contre la femme, le partage s'opère également par moitié; mais le mari ne lui doit pas caution pour la portion qu'il recueille, puisqu'à tout événement cette portion lui appartiendra. — Lorsque la clause a été stipulée au profit du survivant indistinctement, si c'est le mari qui a obtenu la séparation, il garde provisoirement la communauté (1452), sans caution, pour le bénéfice éventuel de la clause en faveur de la femme. Si la séparation a été obtenue par la femme, le mari retient bien encore la communauté, mais il doit donner caution à la femme pour sûreté du bénéfice éventuel de la clause. Dans l'un et l'autre cas, il est tenu de rendre à la femme ses apports ou de lui payer la somme stipulée pour tous droits de la communauté.

Dans aucun cas, la reprise que la femme fait de ses apports ou la réception de la somme stipulée comme forfait de communauté, ne doit être considérée comme une renonciation au droit d'obtenir, le cas de survie échéant, la totalité de la communauté (Dur., n. 217.).

— Si les deux époux périssent ensemble dans le même événement sans qu'on puisse connaître celui qui a survécu, les présomptions de survie établies par les art. 721 et 722 ont-elles lieu ? xxx *N.* Il faut restreindre les dispositions de ces articles aux successions légitimes : *Neuter alteri supercixit* (Dur., n. 216 et 192; t. 15. n. 48 et 49, t. 6).

SECTION VIII.

De la communauté à titre universel.

1526 — Les époux peuvent établir par leur contrat de mariage une communauté universelle de leurs biens tant meu-

(1) Quelques personnes pensent qu'en cas de deuxième mariage, on doit considérer la convention autorisée par l'art. 1525, comme un avantage fait au préjudice des enfants du premier lit ? — Arg. de l'art 1527. — Défaveur des deuxièmes mariages.

bles qu'immeubles, présents et à venir, ou de tous leurs biens présents seulement, ou de tous leurs biens à venir seulement.

= La loi, toujours en faveur du mariage, permet aux époux de mettre en commun leurs immeubles à venir, *même en propriété* (1).

Cette clause ne se présume pas, car elle est exorbitante des règles ordinaires des sociétés, lesquelles prohibent toute stipulation de cette nature (1839) : elle doit être formellement stipulée ; de plus, il faut la restreindre aux termes dans lesquels elle est conçue ; il faut l'expliquer dans un sens restrictif.

Ainsi, lorsque les époux ont parlé de *leurs biens*, ou lorsqu'ils ont simplement déclaré vouloir constituer une communauté universelle, sans autre addition ni explication, *leurs biens présents* tombent seuls dans la société conjugale (Arg. de l'art. 1542).

Si la clause ne fait mention que des immeubles à échoir par succession ou donation, les immeubles présents n'y sont pas compris.

Si les époux n'ont parlé que des immeubles qu'ils recueilleront par succession, ceux qui leur seront donnés ou légués, ne tomberont pas en communauté, à moins que la disposition n'ait été faite par un ascendant (Arg. de l'art. 1406).

On considère la communauté à titre universel, comme une espèce d'ameublissement général ou partiel : le mari devient, en sa qualité de chef de cette société, maître de tous les immeubles de son épouse ; il peut les aliéner sans qu'elle y consente.

Cette communauté est tenue de toutes les dettes qui réduisent la valeur des biens apportés, savoir : des dettes actuelles, si elle reçoit les biens actuels ; des dettes futures, si elle reçoit les biens à venir, même celles relatives aux immeubles. Cependant, elle ne supporte ni les amendes ni les réparations civiles auxquelles la femme peut avoir été condamnée, à moins qu'elle n'ait profité du délit.

Il n'est pas de rigueur que les clauses dont il s'agit soient bilatérales : l'un des époux peut apporter tous ses immeubles, l'autre conserver les siens, et cependant, la communauté ne se partagera pas moins par égales portions, sauf toutes stipulations contraires.

Malgré la clause de communauté universelle, les principes de la communauté légale régissent les rapports des époux, soit entre eux, soit avec les tiers.

— Dans le cas de communauté universelle, doit-on appliquer le dernier article de la clause d'ameublissement qui laisse la faculté de reprendre l'immeuble pour sa valeur actuelle ? ᴠᴠᴠ On dit, pour la négative, que l'art. 1509 établissant une exception à l'esprit de nos lois, puisqu'il autorise la recherche de l'origine des biens, doit être entendu restrictivement, et que les immeubles sont en conséquence sujets au partage : cette décision serait cependant trop rigoureuse ; on peut appliquer l'art. 1509 sans inconvénient. D'ailleurs, la recherche de l'origine des biens n'est interdite qu'en matière de succession (732).

La clause par laquelle les époux déclarent mettre en commun leurs biens présents, exclut-elle le mobilier à venir ? ᴠᴠᴠ N. Cette clause a seulement pour objet de faire entrer les immeubles présents dans la communauté. — Arg. de l'art. 1158 (Dur., n. 228).

Quid de la clause par laquelle les époux déclarent *établir une communauté de leurs biens présents ?* ᴠᴠᴠ Le mobilier futur est réservé ; la communauté est réduite aux biens présents ; *qui dicit de uno negat de altero* (Dur., *ibid.*; Bellot, p. 318).

Quid si les époux ont simplement déclaré mettre dans la communauté *leurs biens à venir ?* ᴠᴠᴠ L'effet de cette clause est de faire entrer dans la communauté les immeubles *futurs*, sans exclure pour cela le mobilier présent (Dur., n. 229).

Quid de la clause par laquelle ils déclarent établir une communauté de leurs biens à venir ? ᴠᴠᴠ Le mobilier présent est exclu (Dur., n. 230).

(1) Ainsi, la société *universorum bonorum* des Romains est permise entre époux. — La communauté légale est à titre universel, puisqu'elle comprend tout le mobilier des époux.

Dispositions communes aux huit sections ci-dessus.

1527 — Ce qui est dit aux huit sections ci-dessus, ne limite pas à leurs dispositions précises les stipulations dont est susceptible la communauté conventionnelle.

Les époux peuvent faire toutes autres conventions, ainsi qu'il est dit à l'article 1387, et sauf les modifications portées par les articles 1388, 1389 et 1390.

Néanmoins, dans le cas où il y aurait des enfants d'un précédent mariage, toute convention qui tendrait dans ses effets à donner à l'un des époux au delà de la portion réglée par l'article 1098, au titre *des donations entre-vifs et des testaments*, sera sans effet (1) pour tout l'excédant de cette portion ; mais les simples bénéfices résultant des travaux communs et des économies faites sur les revenus respectifs, quoique inégaux, des deux époux, ne sont pas considérés comme un avantage fait au préjudice des enfants du premier lit.

= En règle générale, les époux peuvent faire telles conventions qu'ils jugent à propos : l'avantage qui en résulte, quelque considérable qu'il soit, n'est pas sujet aux règles des donations, et par conséquent ne doit pas être imputé sur le disponible fixé par l'art. 1094 : d'ailleurs, les enfants retrouveront dans la succession de l'époux qui profite de la clause, les biens qu'ils auraient recueillis dans la succession du prédécédé.

Mais la disposition trop fréquente d'un époux qui se remarie à dépouiller les enfants de son précédent mariage, pour enrichir l'objet de ses nouvelles affections, fait que ce qui n'est pas un avantage dans les cas ordinaires, peut être considéré comme tel à l'égard des enfants d'un autre lit.

Toutefois, il ne faut pas voir, dans l'art. 1527, une prohibition plus sévère que celle qui est établie par l'art. 1496 pour le cas de communauté légale, et conclure des termes dans lesquels il est conçu, que la convention serait nulle *de plein droit*, pour l'excédant de la quotité disponible fixée par l'article 1098 ; la convention s'exécutera, si elle n'est pas attaquée.

Bien plus, il n'y a pas avantage au préjudice des enfants du premier lit, par cela seul que l'époux qui convole fait une mise supérieure à celle de son nouveau conjoint : car l'infériorité de la mise de ce dernier peut être compensée par son industrie ou par les chances de l'avenir ; le juge est appréciateur des circonstances.

Observons surtout, que la loi ne conserve aux familles que les biens qui constituent le patrimoine ; que l'aliénation des capitaux peut seule

---

(1) Expression trop forte ; il fallait employer le mot *réduction, retranchement*.

être critiquée par les enfants. Quant aux fruits et aux simples bénéfices résultant des travaux communs et des économies faites sur les revenus respectifs, on ne les considère pas comme un avantage sujet à réduction ; il serait d'ailleurs impossible de connaître celui des époux qui les aurait procurés.

Le droit de demander la réduction ou l'imputation, appartient aux enfants du premier lit, puisqu'il est établi en leur faveur.

Si tous prédécèdent sans laisser de descendants, s'ils renoncent à la succession, ou s'ils sont déclarés indignes, la disposition exceptionnelle établie en leur faveur cesse évidemment d'être applicable : alors, le patrimoine doit être également partagé entre tous les enfants, encore qu'ils soient issus de mariages différents.

— L'époux qui a des enfants d'un premier lit peut-il donner à son nouveau conjoint toute la communauté, en se bornant à leur réserver ses apports et capitaux ? ∼∼ *A.* Cette disposition de l'art. 1527 est déjà bien assez favorable aux enfants du premier lit ; il ne faut pas l'étendre. D'ailleurs, l'époux stipulant avait la chance de survivre à son conjoint (*Val.*).

Si les enfants issus du premier lit n'agissent pas en réduction, ceux du deuxième mariage ont-ils le droit de la demander pour leur part ? ∼∼ *A.* Une fois ouverte au profit des enfants du premier mariage, l'action en réduction est ouverte dans l'intérêt de tous ; ils viennent par portions égales ; c'est un des cas où l'on acquiert, par le moyen d'un autre, un droit que l'on n'a point par soi-même. Vainement objecte-t-on, que s'il n'y avait pas d'enfants du premier lit, les autres ne pourraient agir : ce n'est pas le seul cas où l'on se trouve avoir l'exercice d'un droit à raison de l'existence d'un fait.—On prévient, en admettant cette décision, la collusion qui pourrait avoir lieu entre les enfants du premier lit et le conjoint avantagé, au préjudice des enfants du [deuxième mariage. — Arg. de la loi, 10, § 6 ; ff. de Don., poss., contra tab. (Dur., n. 247). La réduction est prononcée en faveur des enfants du premier lit, seulement, à eux seuls appartient le droit de la demander (Bellot, p. 325 et suiv.).

1528 — La communauté conventionnelle reste soumise aux règles de la communauté légale, pour tous les cas auxquels il n'y a pas été dérogé implicitement ou explicitement par le contrat.

SECTION IX.

Des conventions exclusives de la communauté.

Le législateur, voulant présenter dans un même titre tout ce qui concerne la communauté, termine cette deuxième partie, en traçant les règles de certaines conventions qui tendent à modifier et même à exclure entièrement ce régime (1).

1529 — Lorsque, sans se soumettre au régime dotal, les époux déclarent qu'ils se marient sans communauté, ou qu'ils seront séparés de biens, les effets de cette stipulation sont réglés comme il suit.

= Ainsi, l'exclusion de communauté peut résulter : 1° de la simple

---

(1) Sous ce rapport, cette classification est vicieuse ; — on reproche en outre aux rédacteurs du Code d'avoir compris de telles conventions dans une même section ; car elles n'ont rien de commun, si ce n'est d'exclure la communauté.

Ces régimes ont été puisés dans les pays de droit coutumier ; il faut en conséquence décider par les règles de la communauté, les questions qui peuvent se présenter.

déclaration faite par les époux qu'ils se marient sans communauté ; 2º de la clause de séparation de biens.

---

§ Iᵉʳ. — De la clause portant que les époux se marient sans communauté.

Ce régime tient le milieu entre le régime *dotal* et le régime de la *communauté*.

Il diffère principalement de ces deux régimes :

Du premier, en ce que les immeubles de la femme ne sont point de droit inaliénables : elle peut en disposer avec le consentement de son mari ou de justice (1535). Cette différence, au surplus, n'est pas essentielle ; car, de même que les immeubles dotaux peuvent devenir aliénables en vertu d'une convention ; de même on peut stipuler, sous le régime qui nous occupe, que les biens de la femme seront inaliénables : l'aliénation n'est alors permise, que dans les cas déterminés par les articles qui établissent des exceptions à la règle de l'inaliénabilité du fonds dotal.

La femme n'a pas, sous ce régime, l'option que l'art. 1570 lui confère lorsqu'elle est mariée sous le régime dotal.

Ses immeubles ne sont pas imprescriptibles pendant le mariage, sauf son recours contre le mari (2254).

Le mari ne jouit point, pour la restitution de la dot, du délai déterminé par l'article 1565 ; les tribunaux peuvent seulement, aux termes de l'article 1244, lui accorder des délais modérés.

Enfin, la loi n'accorde pas à la femme, comme sous le régime dotal, de droit à l'habitation, pendant l'an de deuil.

Mais nous pensons qu'elle peut exiger des habits de deuil ; car la succession du mari doit les fournir, même en cas de communauté réduite aux acquêts, régime sous lequel la femme a la moitié des bénéfices, encore qu'elle n'ait fait aucun apport.

Le régime qui nous occupe diffère du régime de la communauté, en ce qu'il n'établit pas de société entre les conjoints : les époux mariés sans communauté conservent la propriété de leurs biens meubles et immeubles, présents et à venir ; leurs dettes ne se confondent pas ; les acquisitions qu'ils font pendant le mariage, à titre gratuit ou à titre onéreux, leur restent propres ; le mari n'est pas responsable des détériorations que les biens de la femme ont éprouvées, à moins qu'il ne soit établi qu'elles proviennent d'un fait qui peut lui être imputé ; les créanciers ne peuvent saisir le mobilier de la femme, si la consistance de ce mobilier est établi par un inventaire ou par un état en bonne forme ; la femme n'a aucune part dans les bénéfices que le mari a faits durant le mariage ; et par suite comme elle n'a pas à opter entre l'acceptation et la renonciation, la disposition de l'article 1465 ne lui est pas applicable.

Lorsque l'importance du mobilier de la femme a été constatée par un inventaire ou par un état en bonne forme, ses créanciers n'ont d'action que sur ce mobilier, et ne peuvent demander au mari plus qu'il n'a reçu. Bien plus, si leur titre n'a pas une date certaine antérieure au mariage, leur droit est restreint durant le mariage à la nue propriété des biens qu'elle a apportés.

S'il est fait une donation au mari et à la femme conjointement, la donation profite à chacun pour moitié : les choses qui en sont l'objet, ne pourraient, en effet, tomber dans la communauté, puisqu'elle n'existe pas.

A l'égard des acquisitions que le mari a faites durant le mariage, elles lui appartiennent exclusivement; par cette raison, il est seul tenu des dettes qu'il a contractées.

Du reste, rien n'est changé aux dispositions de la communauté légale, relatives à la jouissance, ni par conséquent à l'administration des biens de la femme : ainsi, le mari profite seul des produits du travail et de l'industrie de son épouse; il doit pourvoir aux besoins du ménage; il peut poursuivre les débiteurs quelconques, etc.

L'exercice des actions possessoires lui appartient également : mais il ne peut seul agir au pétitoire, car il n'est pas propriétaire (*voy.* cep. Delv., p. 51, n. 1). On lui refuse, par la même raison, le droit de provoquer le partage *définitif* d'une succession, même purement mobilière, qui serait échue à la femme; il pourrait seulement demander un partage *provisionnel* (Arg. de l'art. 818).

La femme peut, avec l'autorisation de son mari ou de justice, aliéner ses immeubles personnels et les grever de servitudes ou d'hypothèques; mais les aliénations faites avec la seule autorisation de justice ne portent aucune atteinte à la jouissance du mari, à moins qu'elles n'aient eu lieu pour l'une des causes exprimées par l'article 1427.

1530 — La clause portant que les époux se marient sans communauté, ne donne point à la femme le droit d'administrer ses biens, ni d'en percevoir les fruits : ces fruits sont censés apportés au mari pour soutenir les charges du mariage.

⹀ Application des principes de l'article. 1428.

Sous ce régime, tous les biens de la femme sont *dotaux*, en ce sens qu'ils sont apportés *ad sustinenda onera matrimonii*.

La loi ne trace aucune règle, pour le cas où, arrivant la dissolution du mariage, il y a lieu au partage des fruits de la dernière année : faut-il se référer à l'article 1571 ou à l'article 1401, 2ᵉ alin.? La disposition de l'article 1401 2° est applicable. — Cette question était décidée ainsi en pays coutumier (Pothier, n. 462).

— Les acquisitions faites par la femme, durant le mariage, en vertu d'une clause du contrat, pour emploi des deniers par elle apportés au mari, lui appartiennent ; cela n'est pas douteux. Mais en est-il de même des acquisitions faites en l'absence d'une condition d'emploi ? ⸿ *A.* (Dur., n. 204).

Quid si elle ne justifie pas qu'elle avait ou qu'elle a eu des deniers suffisants pour payer le prix de cette acquisition ? ⸿ L'immeuble acquis lui reste propre ; mais elle doit récompense au mari du montant du prix : il y a créance du mari contre la femme. L. 51, *de don. inter vir. et uxor.* (Dur., n. 272 et 265) (*Val.*).

La femme, ayant des enfants d'un premier lit, peut, sans aucun doute, se marier sans communauté ; mais les avantages qu'elle procure à son mari par la grande importance de ses revenus, doivent-ils, conformément à l'art. 1527, s'imputer sur la quotité disponible fixée par l'art. 1098 ? L'excédant serait-il sujet à réduction sur la demande des enfants du premier lit ? ⸿ *A.* Pour que la réclamation des enfants du premier lit fût admise, il suffirait même que les revenus excédassent la moitié des besoins du ménage ; mais il faut, bien entendu, que ces revenus aient enrichi le mari : s'il les avait dissipés, les prétentions des enfants devraient être repoussées (Dur., n. 272; Delv., p. 52, n. 1).

Le mari est-il garant du défaut d'emploi ou de remploi du prix des immeubles que la femme a vendus avec son autorisation, s'il n'a pas concouru à la vente ? ⸿ *A.* C'est lui qui devait toucher le prix comme usufruitier. — Arg. *à fortiori* de l'art. 1450 ; — mais il n'est pas responsable, si la femme, au refus du mari, a obtenu l'autorisation de justice ; à moins qu'il ne soit établi qu'il a concouru au contrat, qu'il a touché les deniers, ou que ces deniers ont tourné à son profit (Dur., n. 205 ; Besançon

27 févr. 1811; S., 11, 2, 356. — *Limoges*, 22 juin 1828; S., 29, 2, 20 ; *voy.* cep. *Toulouse*, 15 mai 1834 ; S., 33. 2, 17).

Si la femme fait le commerce du consentement exprès ou tacite de son mari, celui-ci peut-il être poursuivi, à raison des obligations qu'elle a contractées ? ◌◌◌ *A.* C'est le mari qui, en réalité, a les bénéfices du commerce de sa femme ; ces bénéfices, résultant de l'industrie , sont assimilés aux fruits (Dur., n. 295).

Le mari gagnerait-il le trésor que trouverait la femme ? ◌◌◌ L'invention d'un trésor est une acquisition nouvelle et non une perception de fruits (*Val.*).

Gagnerait-il les augmentations qui résulteraient, pour les capitaux de la femme, d'opérations commerciales qu'elle aurait faites ? ◌◌◌ *N.* Il arrivera seulement que les capitaux s'étant accrus, le mari profitera de l'augmentation de fruits qui en résultera (*Val.*).

Serait-il tenu des obligations contractées par la femme marchande publique ? ◌◌◌ *N.* Le mari ne gagnant pas les capitaux, ne doit pas être tenu des dettes (*Val.*).

A la dissolution du mariage, si la femme trouve sur ses biens une récolte à faire, doit-elle au mari ou à ses héritiers une indemnité à raison des frais de semences et de culture ? ◌◌◌ *A.* (Dur., n. 278).

En sens inverse, le mari doit-il, à la dissolution du mariage, une indemnité à raison des frais faits pour une récolte qu'il a trouvée sur le fonds de sa femme ? ◌◌◌ *N.* (Dur., *ibid.*).

1531 — Le mari *conserve* (1) l'administration des biens meubles et immeubles de la femme, et, par suite, le droit de percevoir tout le mobilier qu'elle apporte en dot, ou qui lui échoit pendant le mariage, sauf la restitution qu'il en doit faire après la dissolution du mariage, ou après la séparation de biens qui serait prononcée par justice.

⹀ Cette administration peut finir par toutes les causes qui entraînent la dissolution de la communauté.

La femme, sous ce régime comme sous celui de la communauté, a le droit de demander la séparation de biens ; car sa dot peut être mise en péril, par suite du mauvais état des affaires du mari, ou d'une mauvaise gestion.

1532 — Si, dans le mobilier apporté en dot par la femme , ou qui lui échoit pendant le mariage, il y a des choses dont on ne peut faire usage sans les consommer, il en doit être joint un état estimatif au contrat de mariage , ou il doit en être fait inventaire lors de l'échéance, et le mari en doit rendre le prix d'après l'estimation.

⹀ Les distinctions faites par les articles 1502 et 1504 reçoivent ici leur application : il faut ajouter, que si les choses mobilières apportées par la femme sont de nature à se consommer par l'usage, le mari, comme quasi-usufruitier (589), en devient nécessairement propriétaire, et ne doit rendre que leur valeur ; par conséquent, si elles périssent, la perte est supportée par lui. — La même règle doit s'appliquer, lorsque des meubles qui ne se consomment point par l'usage, sont livrés sur estimation, sans déclaration que l'estimation n'en fait pas vente (1551).

Notre article détermine certaines formalités, pour assurer la restitution du mobilier dont il s'agit : cette restitution doit avoir lieu en argent , sur le pied de la valeur qu'il avait au moment de l'apport (2).

A l'égard de tous autres objets mobiliers , la femme en conserve la propriété : dès lors, on doit décider que, s'ils périssent sans la faute du mari

---

(1) *Terme impropre* : on ne conserve pas une administration qui ne fait que commencer.

(2) *Voy.* cep. Dur., n. 282 : Si l'on devait, dit cet auteur, considérer la valeur au jour de l'apport, la femme serait évidemment avantagée.

ou de ceux dont il est responsable, elle supporte cette perte ; que le mari n'est tenu de les rendre, à la fin de l'usufruit, que dans l'état où ils se trouvent, non détériorés par son dol ou par sa faute (589) ; enfin, que ses créanciers ne peuvent ni les saisir ni les vendre, s'il existe un inventaire ou un état en bonne forme (Arg. de l'art. 1510). — Quant aux dettes de la femme, le mari est obligé de les payer jusqu'à concurrence des biens qu'il a recueillis (*voy.* toutefois la distinction que nous avons faite, art. 1504).

La disposition de l'art. 1419, qui porte que les créanciers peuvent poursuivre, tant sur les biens de la communauté que sur ceux du mari ou de la femme, le payement des dettes que la femme a contractées avec le consentement de son mari, n'est point applicable sous le régime exclusif de communauté ; car il n'y a pas, en ce cas, présomption légale que l'obligation de la femme ait eu pour but de procurer un avantage au mari.

— Le mari doit-il donner à sa femme caution de jouir en bon père de famille (601) ? ⁓ *N*. La caution que l'usufruitier doit fournir est une opération antérieure à la jouissance, et non une charge de la jouissance. — Si le mari est dispensé de fournir caution de la dot sous le régime dotal, régime favorable à la femme (1550), à plus forte raison doit-il en être dispensé sous le régime d'exclusion de communauté. — Comme le disait Dumoulin, les mariages sont si nombreux, que si tous les maris devaient donner caution, la moitié de la société cautionnerait l'autre (*Val.*).

Doit-on restituer la dot sans délai, immédiatement après la dissolution de la communauté ? ⁓ Appliquez les dispositions des art. 1564 et 1565 (Toullier, n. 28, t. 14).

Les intérêts de la dot, sous le régime exclusif de la communauté, courent-ils de plein droit, à partir de la dissolution du mariage ? ⁓ *A*. Il y a même motif que sous le régime dotal. ⁓ *N*. Ils ne courent qu'à partir de la demande (1153 et 1479) ; aucune disposition spéciale ne les fait courir de plein droit (Dur., n. 123 et 301).

Les personnes auxquelles le mari aurait vendu les objets mobiliers appartenant à la femme, pourraient-elles, nonobstant leur bonne foi, être poursuivies par la femme ? ⁓ *N*. En fait de meubles, la possession vaut titre, lorsqu'elle est de bonne foi (1141) ; et la bonne foi se présume toujours, jusqu'à preuve contraire (2268) (Delv., p. 52, n. 3 ; Dur., n. 285 et 286). ⁓ La maxime en fait de meubles, etc. signifie seulement que celui qui possède un meuble est dispensé de produire un titre d'acquisition ; mais il ne peut pas moins être évincé pendant trois ans (2279) par celui qui justifie de son droit de propriété, quoique le meuble n'ait été ni perdu ni volé (Toullier, n. 30, t. 14).

1533 — Le mari est tenu de toutes les charges de l'usufruit.

= Cet article soumet le mari aux mêmes charges que l'usufruitier : toutefois, on ne peut le contraindre à donner caution (1559 *à fortiori*).

1534 — La clause énoncée au présent paragraphe ne fait point obstacle à ce qu'il soit convenu que la femme touchera annuellement, sur ses seules quittances, certaine portion de ses revenus pour son entretien et ses besoins personnels (1).

= La femme peut se réserver l'administration d'une partie de ses biens. — Les acquisitions qu'elle a faites, en ce cas, lui restent propres ; elle est censée avoir fait emploi de ses économies ; on ne l'oblige même pas à prouver l'origine des deniers.

1535 — Les immeubles constitués en dot, dans le cas du présent paragraphe, ne sont point inaliénables (2).

Néanmoins, ils ne peuvent être aliénés sans le consen-

_____

(1) Cette clause peut se rencontrer sous le régime de la communauté et sous le régime dotal.
(2) Ainsi, la clause qui nous occupe présente à la femme tous les inconvénients du régime dotal, sans lui en procurer les avantages : c'est un régime d'égoïsme pour le mari.

tement du mari, et, à son refus, sans l'autorisation de la justice.

= La clause d'exclusion de communauté n'emportant pas soumission au régime dotal, les immeubles de la femme ne sont pas de droit frappés d'inaliénabilité; mais il est bien entendu, que la femme doit obtenir, pour aliéner, l'autorisation de son mari ou de justice. Lorsque la femme a eu recours à la justice, le mari conserve la jouissance des biens aliénés. (*Voy.* art. 1417, 1426, 1555).

§ II. — De la clause de séparation de biens.

On nomme *séparation de biens*, l'état dans lequel vivent deux époux, qui administrent séparément leurs biens.

Des différences essentielles existent entre la séparation judiciaire et la séparation contractuelle :

La séparation judiciaire n'est qu'un remède, une dérogation au contrat de mariage; la séparation contractuelle est le statut matrimonial lui-même.

Les époux séparés judiciairement peuvent faire cesser les effets de séparation; la séparation contractuelle ne peut être modifiée.

Dans la séparation judiciaire, la contribution aux charges du ménage est proportionnelle aux facultés des époux (1448, alin. 1er); dans la séparation contractuelle, la loi fixe la contribution de la femme au tiers de ses revenus lorsque les époux n'ont fait aucune stipulation à cet égard (1538).

Sous le régime de la séparation de biens, la femme conserve la jouissance et l'administration de ses biens; il en est autrement dans le cas d'exclusion de communauté.

Nonobstant la clause de séparation, les époux doivent avoir la précaution de faire constater par un inventaire, l'importance de leur mobilier; autrement, les créanciers se trouvant dans l'impossibilité de distinguer celui qui serait propre à leur débiteur, pourraient, à raison de cette confusion, faire saisir et vendre le mobilier possédé en commun, sauf ensuite, bien entendu, les indemnités respectives entre époux (1510).

1536—Lorsque les époux ont stipulé par leur contrat de mariage qu'ils seraient séparés de biens, la femme conserve l'entière administration de ses biens meubles et immeubles, et la jouissance libre de ses *revenus* (1).

= La femme séparée peut même aliéner ses meubles, car elle a la pleine administration; le droit d'administrer emporte généralement celui de disposer du mobilier.

— La femme pourrait-elle, sans le consentement de son mari, s'obliger pour des causes étrangères à l'administration de ses biens ? ⁓ *N.* Si la femme était condamnée, le jugement emporterait hypo-

_____

(1) C'est-à-dire de ses biens ; on jouit des biens.

theque judiciaire ; et. par suite, ses immeubles se trouveraient engagés sans l'autorisation du mari (Dur., n. 315, t. 15 ; t. 2, n. 492).

1557 — Chacun des époux contribue aux charges du mariage, suivant les conventions contenues en leur contrat ; et, s'il n'en existe point à cet égard, la femme contribue à ces charges jusqu'à concurrence du tiers de ses revenus.

= Le montant de la contribution de la femme doit être versé entre les mains du mari (1448).

Le juge peut, en beaucoup de cas, s'écarter de la fixation faite par la loi, et obliger la femme à contribuer pour une somme plus considérable. Il peut même, s'il ne reste rien au mari, imposer à la femme, la totalité des charges.

1558 — Dans aucun cas, ni à la faveur d'aucune stipulation, la femme ne peut aliéner ses immeubles sans le consentement spécial de son mari, ou, à son refus, sans être autorisée par la justice.

Toute autorisation générale d'aliéner les immeubles, donnée à la femme, soit par contrat de mariage, soit depuis, est nulle.

= La femme ne peut, à la faveur d'aucune clause, se soustraire à la puissance maritale ; elle doit, en conséquence, pour aliéner ses immeubles, obtenir l'autorisation spéciale de son mari ou de justice ; toute autorisation générale est nulle.

Il faut appliquer ici la disposition de l'art. 1450 ; car l'influence du mari, sous la séparation de biens conventionnelle, peut s'exercer comme sous la séparation judiciaire.

Les articles 1577, 1579 et 1580, relatifs aux paraphernaux, s'étendent par analogie, à la séparation de biens.

— Considérerait-on comme autorisation générale, celle d'aliéner les immeubles situés dans tel département ? ⁓ *N.* (Dur., n. 311).

Quid à l'égard de l'autorisation générale donnée à la femme d'ester en jugement ? ⁓ Même décision (Dur., n. 312).

La femme séparée de biens pourrait-elle, sans être autorisée de son mari ou de justice, disposer de son mobilier, par acte entre-vifs, à titre gratuit ? ⁓ *N.* Arg. de l'art. 905 (Dur., n. 314, t. 15 ; et t. 8, n. 208).

1559 — Lorsque la femme séparée a laissé la jouissance de ses biens à son mari, celui-ci n'est tenu, soit sur la demande que sa femme pourrait lui faire, soit à la dissolution du mariage, qu'à la représentation des fruits existants, et il n'est point comptable de ceux qui ont été consommés jusqu'alors.

= La femme qui laisse la jouissance de ses biens à son mari, peut mettre fin à cette jouissance quand bon lui semble : le mari doit représenter les fruits existants ; mais il n'est point comptable de ceux qui ont été consommés : on présume qu'il a employé ces fruits, du consentement de sa femme, aux charges du ménage ; ou qu'il les lui a remis au fur et à mesure : *Inter conjuges res non sunt amarè tractandæ.*

Si le mari n'a joui qu'en vertu d'un mandat, il est tenu, vis-à-vis de la femme, comme tout mandataire (Arg. de l'art. 1578).

Il faut compléter l'art. 1539 par les articles 1577, 1579 et 1580, car ces articles contiennent des règles du droit commun : nous signalerons même, comme obligation éventuelle du mari, celle qui est exprimée dans l'article 1450 *in fine.*

— Comment les époux séparés de biens contractuellement, peuvent-ils établir l'importance de leur mobilier, lorsqu'il a été confondu sans un inventaire préalable ? ⟶ Le mari et la femme, sans distinction, sont admis à la preuve par témoins et par commune renommée (Bellot, t. 3, p. 389 ; Dur., t. 10, p. 284, n. 5).

CHAPITRE III.

Du régime dotal (1).

Les règles du régime dotal ont été puisées dans la législation romaine et dans la jurisprudence des pays de droit écrit : sous ce régime, la dot est soumise à des règles particulières (*voyez* art. 1543, 1554, 1569 et 1573); c'est là ce qui le caractérise.

Du principe que le régime dotal est exceptionnel, il résulte : 1° que l'intention de s'y soumettre ne se présume pas. — Si les époux ont gardé le silence, ou même, si leur contrat ne contient que des termes équivoques, ils sont censés avoir voulu adopter les règles de la communauté légale.

2° Qu'il faut déterminer, d'une manière précise, les biens de la femme qui seront affectés d'un caractère *dotal.* — On distingue, en effet, deux sortes de biens sous le régime dotal : les uns, appelés *dotaux*, sont administrés par le mari et ordinairement inaliénables; les autres, connus sous le nom de *paraphernaux*, sont administrés par la femme : or, la paraphernalité est le droit commun; dès lors, il n'y a de dotal que ce qui est régulièrement constitué en dot (2) (Arg. des art. 1574 et 1575) : bien plus, il peut y avoir régime dotal sans qu'il y ait de dot (3); le régime dotal ne suppose pas nécessairement une constitution de dot.

En se soumettant au régime dotal, les époux peuvent stipuler une société d'acquêts : les effets de cette société sont régis par les principes de la communauté conventionnelle (1581).

Ce chapitre est divisé en quatre sections : la première est relative à la constitution de dot, elle contient des règles d'interprétation.

Dans la deuxième, la loi détermine le caractère du régime dotal.

Elle s'occupe dans la troisième de la restitution de la dot.

La quatrième est consacrée aux biens paraphernaux.

(1) Il n'était pas question du régime dotal dans le projet du Code, ce régime ne fut consacré que sur les réclamations des provinces méridionales.

(2) Si le système contraire était admis, on ne verrait aucune différence entre le régime dotal et le régime sans communauté.

(3) Lorsque la femme n'a que des paraphernaux, elle se trouve à peu près dans la même position que si elle était séparée de biens.

SECTION I.

De la constitution de dot.

La constitution de dot est *expresse* ou *tacite :* — *expresse*, lorsque le constituant manifeste formellement la volonté de soumettre les biens donnés au régime dotal ; que ce soit la femme qui se dote elle-même, ou qu'elle soit dotée par un étranger ; — *tacite*, quand la donation est faite par contrat de mariage, sans aucune déclaration précise (1541).

Lorsque la femme se dote elle-même, un contrat synallagmatique et intéressé de part et d'autre se forme entre elle et son mari : ce dernier s'engage à subvenir seul à toutes les charges du ménage, et la femme lui apporte, pour l'aider à les supporter, la jouissance de ses biens dotaux.

Lorsque c'est un tiers qui constitue la dot, le contrat est complexe : il est de bienfaisance par rapport à la femme ; il est à titre onéreux par rapport au mari : la femme devient propriétaire des biens donnés ; mais elle consent tacitement à laisser au mari la jouissance pleine et entière de ces biens pour l'aider à supporter les charges du ménage. Ainsi, la constitution de dot renferme une aliénation de fruits faite par la femme à son mari ; le mari ne reçoit rien du constituant ; il tient directement ses droits de son épouse : mais comme la femme n'a pu conférer sur la chose plus de droits qu'elle n'en avait elle-même, les causes qui donnent lieu à la révocation de la donation (à l'exception toutefois de l'ingratitude) (959), entraînent l'extinction de la jouissance concédée au mari (*voy.* 954 et 960).

De ces principes découlent les conséquences suivantes :

La constitution de dot donne lieu à l'action en garantie contre le constituant (1547).

Les intérêts de la dot courent de plein droit du jour du mariage (1548).

Si la dot ayant été constituée par un ascendant, la femme se trouve soumise au rapport en nature, les droits du mari sur l'immeuble donné s'évanouissent.

Si l'importance de la dot excède la quotité disponible, les réservataires doivent, avant d'attaquer le mari, discuter au préalable, conformément à l'art. 930, les biens paraphernaux (930).

Lorsque le donateur a disposé en fraude de ses créanciers, la constitution de dot peut être rescindée vis-à-vis de la femme, quoiqu'elle ait été de bonne foi ; mais elle est maintenue par rapport au mari, si sa mauvaise foi n'est pas prouvée (1167).

Enfin, les enfants d'un premier lit de la femme ne peuvent attaquer la constitution de dot, car l'avantage qu'elle procure au mari ne porte que sur la jouissance et non sur les capitaux (1496 et 1527).

La dot peut être constituée sous une alternative ; par ex., une somme d'argent *ou* un héritage : le choix de la femme ou celui du donateur détermine alors la chose qui deviendra dotale. Si le choix a été déféré au mari, tout dépendra de l'option qu'il fera.

La femme peut également apporter en dot une chose avec faculté de pouvoir livrer à la place une autre chose : on observe alors les règles établies pour les obligations facultatives ; par ex., si c'est un immeuble qui ait été promis et que la femme se soit réservé la faculté de donner au mari une somme d'argent, l'immeuble est l'objet de la dot ; en sorte que si la femme livre la somme qui est *in facultate solutionis*, le mari doit faire emploi de cette somme ; de même que, dans le cas de vente d'un immeuble, il est tenu, comme nous le verrons art. 1549, de faire emploi du prix (Dur., n. 365 ; Toullier, n. 91).

Lorsque les époux ont manifesté formellement la volonté de se soumettre au régime dotal, tous les biens que la femme se constitue ou qui lui sont constitués en dot, deviennent dotaux, sauf toute stipulation contraire ; les autres biens sont paraphernaux (1540, 1541) (1).

La dot peut avoir pour objet des choses, meubles ou immeubles, corporelles ou incorporelles ; des biens présents comme des biens à venir (1542).

Mais elle ne peut être constituée ni augmentée pendant le mariage (1540, 1395)

Les art. 1544 à 1546 renferment des dispositions qui ne se lient pas nécessairement au régime dotal ; ces dispositions sont relatives à des questions qui étaient apparemment plus fréquentes dans les pays de droit écrit que dans les autres : le législateur trouvant des solutions bien fondées les a consacrées.

1540 — La dot, sous ce régime comme sous celui du chapitre II, est le bien que la femme apporte au mari pour supporter les charges du mariage (2).

1541 — Tout ce que la femme se constitue ou qui lui est donné en contrat de mariage, est dotal, s'il n'y a stipulation contraire.

= Le législateur suppose, dans l'article 1541, que les époux se sont mariés sous le régime dotal, et que le contrat de mariage contient à cet égard une stipulation formelle (1396). Ce point de départ établi, il s'occupe du sort des biens que la femme s'est constitués ou qui lui sont donnés par contrat de mariage, et décide que ces biens sont de plein droit dotaux ; on doit présumer, en effet, que telle est la volonté des parties. Tout ce qui n'est pas compris dans la constitution de dot est paraphernal (1574) (3).

La loi réserve du reste au donateur le droit de repousser, par une déclaration, la présomption qu'elle consacre.

La chose donnée en dot doit être *déterminée* : si l'on a promis vaguement

----

(1) Néanmoins, dans le langage judiciaire, le mot *dot* exprime plus particulièrement les apports de la femme soumise au régime dotal. Sous les autres régimes, on emploie de préférence le mot *apport*. — Les mots *constituer*, *constitution de dot*, ne sont pas sacramentels ; l'emploi du mot *dot* n'est pas même nécessaire.

(2) La définition donnée par l'article 1540 n'offre pas toute la précision désirable : elle est vicieuse sous plusieurs rapports : 1° on pourrait conclure des termes dans lesquels elle est conçue, que la propriété des biens apportés par la femme, se trouve définitivement transmise au mari, tandis qu'en réalité, la jouissance seule lui est accordée ; à la dissolution du mariage, il doit rendre le fonds ou le capital qu'il a reçu ; 2° le législateur assimile la dot sous le régime dotal, à la dot apportée sous le régime de la communauté : nous verrons cependant, que les droits du mari sont différents ; 3° l'article semble dire que la femme contribue aux charges du ménage par l'apport de sa dot : on pourrait inférer de là, que la constitution d'une dot est l'unique élément de secours que la femme doit au mari ; or, nous verrons qu'elle contribuerait aux charges du ménage lors même que tous ses biens seraient paraphernaux (1575).

Peut-être la définition suivante serait-elle préférable : « La dot est le bien que la femme s'est dotalement » constitué, et dont le mari a la jouissance pour supporter les charges du ménage. »

(3) Même ce que la femme acquiert au moyen de son industrie personnelle ; par ex., en exerçant la profession de marchande publique (*Toulouse*, 2 août 1826, S, 28. 2, 21).

une dot, sans exprimer en quoi elle consistera, la constitution est nulle.

Toutefois, si la quotité peut être déterminée, par exemple, si la femme a promis telle dot qui sera jugée convenable, cette clause recevra son effet; car les parties seront censées avoir voulu s'en rapporter à l'arbitrage d'un tiers.

Les conditions contraires aux lois ou aux mœurs, mises à une constitution de dot faite par la femme, annulent le contrat (1172); mais on considère ces conditions comme non écrites, lorsque la dot est constituée par un tiers parent ou autre (art. 900) : par exemple, si une fille, en acceptant une dot, s'impose l'obligation de renoncer à la succession de son père, lorsque cette succession s'ouvrira, le constituant ne pourra se refuser au payement de cette dot, sous prétexte que la constitution dépend d'une condition contraire aux bonnes mœurs.

Mais en est-il de même, si la future s'est interdit le droit de demander au constituant un compte de tutelle? Sera-t-elle déchue de la dot si elle demande ensuite ce compte? *Non :* les circonstances sont différentes; la femme, dans l'espèce, traite sur des droits acquis (Dur., n. 343; *voy.* cep. Merlin, Rép., v° *Dot*).

— Quels sont les droits du mari sur les gains que la femme mariée sous le régime dotal a faits par une industrie qui lui est personnelle; par ex., par ses talents dans la musique et la peinture? ✎ Il faut distinguer; si la constitution de dot embrasse les biens présents et à venir, les gains faits par la femme entrent dans la catégorie des biens à venir, et dès lors le mari les perçoit; mais comme les produits de l'industrie ou des talents ne peuvent être assimilés à un revenu, le mari ne peut les consommer sans répétition; il devient comptable des sommes par lui touchées annuellement; les bénéfices de la femme doivent être considérés comme de véritables capitaux.—Arg. de l'art. 387.—Évidemment, cet article distingue les produits de l'industrie des produits des biens, puisqu'il ne les fait pas tomber dans l'usufruit appartenant aux parents; or, les droits du mari sont généralement assimilés à ceux d'un usufruitier. — On peut ajouter, que la femme s'est créé une source de profit spéciale et indépendante comme le ferait une femme marchande publique (229). En effet, il s'agit d'une exploitation qui lui est personnelle, d'un établissement séparé; toutefois, comme les dépenses de la vie commune doivent être supportées par les produits des revenus et du travail, une répartition doit avoir lieu; les tribunaux en détermineront les bases; ils auront égard à l'état des époux et à leur condition. — Ainsi, lorsque les travaux de la femme balancent uniquement sa dépense quotidienne et viennent se confondre avec le labeur du mari, indispensable au soutien de la vie commune, l'épargne est évidemment impossible; l'obligation de capitaliser ne saurait, sans une véritable iniquité, être mise à la charge du mari. Mais lorsque la quotité du gain obtenu n'a pas motivé un emploi immédiat; lorsqu'il a été possible à la femme d'exiger du mari une reconnaissance distincte, de constater la perception qu'il a faite, la décision précédente reçoit son application, le mari doit restituer les gains capitalisés de la femme; il profite uniquement des intérêts.—Ne perdons pas de vue, surtout, que la règle contenue dans l'article 387, n'est applicable que dans l'hypothèse où la femme a un travail ou une industrie distincts et séparés : si le mari n'est pas étranger aux sources du profit réalisé par la femme, ou si la femme a consacré son industrie à un établissement appartenant au mari, comme elle lui doit sa collaboration, il n'y a pas lieu à restitution (Proudhon, Usuf., n. 149; Seriziat, sur l'art. 1540. — *Toulouse*, 17 décembre 1831; S., 32, 2, 186).

Quid, lorsque la constitution de dot a été restreinte aux biens présents? ✎ Les gains obtenus plus tard par la femme prennent le caractère de paraphernaux; le mari n'en a la jouissance que sous les conditions énumérées par l'art. 1578 (Seriziat, sur l'art. 1541).

Si les époux laissent écouler, depuis le contrat, un temps prolongé, sans célébrer le mariage, le constituant est-il contraint de rester toujours dans l'incertitude, et de tenir toujours disponible le montant de la dot? ✎ On doit résoudre la question par les principes généraux des obligations conditionnelles : il faut avoir égard aux circonstances (Toullier, n. 57; Dur., n. 342).

Lorsqu'une femme commune déclare qu'elle se constitue en dot telle somme, ou tous ses biens présents, est-elle censée avoir voulu faire une clause d'apport à la communauté, ou une clause de réalisation du surplus de ses biens? ✎ La constitution de dot n'est qu'une *clause d'apport* : et comme il y a communauté, faute de soumission à un autre régime, l'apport est censé fait à la communauté; les autres biens ne sont pas pour cela réalisés (Dur., n. 323 et 328; Toullier, n. 43).

Quid si la clause porte que tous les biens apportés par la femme lui *demeureront dotaux*? ✎ Les époux ne sont pas censés mariés sous le régime dotal; mais ces mots emportent suffisamment réalisation du mobilier présent de l'un et de l'autre époux; il y a communauté pour les biens à venir seulement (1162); par conséquent, chacun doit payer séparément ses dettes présentes (Dur., 328 et 329, t. 13; Toullier, n. 43) (*Val.*).

Si la femme se constitue *tels biens en dot*, ou stipule que ses biens seront inaliénables, est-elle censée mariée sous le régime dotal? ✎ N. L'inaliénabilité des immeubles dotaux n'est pas un caractère essentiel et distinctif du régime dotal (Dur., n. 331, 332; D., t. 10, p. 294, n. 4). ✎ J. Les parties ne peuvent se méprendre sur la portée de cette stipulation (Bellot, p. 3, t. 4).

Quid si le contrat porte que tels biens de la femme seront *dotaux*, et que ses autres biens seront *paraphernaux*? ✎ La femme est censée avoir voulu faire un contrat mixte, afin d'avoir l'administration et la jouissance de certains biens. La soumission au régime dotal ne peut résulter que d'une stipulation expresse (Dur., n. 332. — *Cass.*, 11 juillet 1820; D., t. 10, p. 293, n. 3). ⟶ Quoiqu'il n'y ait pas déclaration expresse de soumission au régime dotal, aucun doute ne peut s'élever sur l'intention des parties (Dellot, p. 3, t. 4) (*Val.*).

La constitution de dot peut-elle être tacite? Par ex., si la femme déclare se réserver comme paraphernal tel immeuble, le surplus est-il dotal? ⟶ *A.* La volonté des parties est manifeste, il suffirait même qu'elle se fût réservé la jouissance de cet immeuble : toutefois, dans le doute, les biens de la femme devraient être réputés paraphernaux (Dur., n. 337. — *Cass.*, 7 juin 1836; S., 36, 1, 721.—*Lyon*, 3 janvier 1838; S., 38, 2, 160).

1542 — La constitution de dot peut frapper tous les biens présents et à venir de la femme, ou tous ses biens présents seulement, ou une partie de ses biens présents et à venir, ou même un objet individuel.

La constitution, en termes généraux, de tous les biens de la femme, ne comprend pas les biens à venir.

= Malgré le silence de la loi, il est évident que la femme peut apporter en dot ses biens à venir seulement en tout ou en partie, sans parler de ses biens présents (1091) (1).

Si la constitution de dot est universelle ou à titre universel; par exemple, si la femme s'est constitué tous ses biens présents, ou tous ses biens à venir, ou une partie seulement de ses biens présents et à venir, la dot ne comprend que ce qui reste, déduction faite des dettes actuelles, des dettes futures, ou des dettes actuelles et futures.

Si la constitution est d'une quote-part de biens, par exemple, d'une moitié, cette portion est grevée d'une quotité de dettes correspondante.

Mais ne perdons point de vue que, pour donner lieu à des poursuites, les créances doivent avoir acquis date certaine antérieure au contrat de mariage (1558) (2).

Ces poursuites doivent être dirigées contre le mari, comme détenteur des biens de la femme.

La loi ne suppose pas facilement, que la femme ait eu l'intention de soumettre ses biens à venir au régime dotal; sous ce régime, la constitution de dot s'interprète restrictivement; il faut une explication formelle. D'ailleurs, aux termes de l'art. 1162, lorsqu'il y a doute, on doit décider en faveur du débiteur : ainsi, la constitution, faite en termes généraux, de tous les biens de la femme, ne comprend pas les biens à venir.

La femme, qui a un droit d'usufruit, peut se constituer en dot soit le droit lui-même (1568), soit le produit à retirer de ce droit pendant la durée du mariage : dans ce dernier cas, le mari jouit des intérêts des produits capitalisés successivement; et lors de la dissolution du mariage, ou de la séparation de biens prononcée en justice, c'est ce capital qu'il doit restituer (Dur., n. 352 et 360; Toullier, n. 274; *voy.* cep. Merlin, D., t. 15, p. 3).

_____

(1) La femme peut, sans aucun doute, se constituer en dot ses biens à venir en général; mais elle ne pourrait se constituer spécialement les biens qu'elle recueillera dans la succession de telle personne encore vivante; car ce serait traiter sur une succession future (1130) : cette constitution de dot serait nulle; les biens seraient paraphernaux; ce n'est que par exception, qu'il est permis à la femme de se constituer ses biens à venir, d'une manière générale.

(2) Néanmoins, si la femme est marchande publique, les tribunaux peuvent ordonner l'exécution des obligations qu'elle a contractées antérieurement au mariage, bien que ces obligations n'aient pas acquis date certaine (*Cass.*, 17 mars 1830; S., 30, 1, 134).

1543 — La dot ne peut être constituée ni même augmentée pendant le mariage.

= Cette disposition est une conséquence de celle de l'art. 1395 : les conventions matrimoniales ne peuvent recevoir aucun changement après la célébration du mariage ; or, ce serait méconnaître cette règle, que d'autoriser la constitution ou l'augmentation (1) d'une dot pendant le mariage. Cette prohibition s'appliquerait, non-seulement aux dispositions entre époux, mais encore à celles qui émaneraient d'un tiers (2).

Si la dot ne peut être augmentée, il faut décider, par la raison contraire, qu'elle ne peut être diminuée pendant le mariage.

Les époux ne peuvent, par des conventions faites entre eux ou avec des tiers, enlever aux biens le caractère de dotalité qui leur a été donné par contrat de mariage.

— Si la constitution de droit ne comprend pas les biens à venir, peut-on valablement stipuler, pendant le mariage, en donnant un immeuble à la femme, que le bien donné sera inaliénable ? ⁓ *A.* Chacun peut mettre à sa libéralité telle condition qui lui plaît. — La condition dont il s'agit n'a rien de contraire aux bonnes mœurs. — L'immeuble ne devient pas pour cela dotal. — Sous le régime de la communauté ou d'exclusion de communauté, on peut valablement stipuler que les immeubles de la femme seront inaliénables : les tiers ne peuvent être trompés, puisque la condition est insérée dans le contrat (Dur., n. 360). ⁓ *N.* On éluderait facilement, au moyen d'une pareille clause, la règle que la dot ne peut être augmentée durant le mariage. — Les tiers qui ont acquis ces biens se sont contentés

----

(1) Il faut toutefois distinguer ici la nature des augmentations : l'article n'a aucun trait à celles qui résultent de la loi ou de la nature des choses.

(2) Lorsque la femme s'est constitué en dot ses biens présents et futurs, qu'on lui interdise la faculté de prendre sur ses paraphernaux pour augmenter sa dot pendant le mariage, cela se conçoit : mais pourquoi ne pas permettre à un tiers, de disposer, sous la condition que les biens donnés seront dotaux ? Quel inconvénient cela présente-t-il ? en quoi les conventions matrimoniales seront-elles violées ? n'est-il pas libre à chacun de disposer comme il le juge convenable ? La loi n'a inscrit nulle part cette prohibition ; il n'existe pas de raison pour la réputer illicite ; annulerait-on la disposition par laquelle un tiers donnerait la nue propriété d'un immeuble à la femme et la jouissance du même immeuble au mari sous la condition que les fruits seront appliqués aux charges du ménage ? — On comprendrait la rigueur de l'art. 1543, si la disposition de Justinien, qui accordait à la femme un privilège pour sa dot, avait été maintenue : mais ce système est formellement abrogé par l'article 1572 ; — dans l'opinion des auteurs qui admettent le principe de l'inaliénabilité de la dot, elle peut, à la vérité, se justifier jusqu'à un certain point, par cette considération d'intérêt social, qu'il ne faut point augmenter la masse de biens soustraits à la circulation ; mais les auteurs qui admettent la règle contraire de l'inaliénabilité ne peuvent s'en rendre compte. — Quoi qu'il en soit, la loi est formelle, il faut s'y soumettre : mais on doit restreindre ses effets à ce qu'elle présente de raisonnable, et ne l'appliquer, en conséquence, qu'autant que la constitution ou l'augmentation de dot présente des dangers. — Ainsi, dans notre opinion, il faudrait maintenir la constitution d'une dot même immobilière ; seulement, les immeubles ne seraient pas frappés d'inaliénabilité ; cette condition serait réputée non écrite.

En sens inverse, si la dotalité doit, aux termes du contrat de mariage, s'étendre aux biens à venir, le donateur peut-il, en donnant un immeuble à la femme, stipuler que cet immeuble sera paraphernal ? ⁓ *A.* Celui qui peut ne pas donner, doit pouvoir mettre à sa disposition telle condition qu'il juge convenable. — Déclarer la libéralité nulle, ce serait admettre que la femme, en se constituant en dot tous ses biens présents et futurs, a voulu écarter d'elle toute donation qui lui serait faite sous la condition dont il s'agit ; cette clause n'a rien d'illicite (D., t. 10, p. 299, n. 8). ⁓ Aux termes des articles 934 et 217, tous les actes à l'aide desquels la femme peut acquérir, sont soumis à l'autorisation maritale : si donc l'objet donné à la femme, avec la condition qu'il aura la nature de bien paraphernal, a été accepté par elle avec le consentement de son mari, tout est consommé ; la transmission de propriété doit s'accomplir sous la condition qu'elle renferme ; le mari avait seul qualité pour s'opposer à ce que la volonté du donateur fût exécutée ; en donnant son adhésion, il a créé contre lui une fin de non-recevoir. — *Quid*, si au refus du mari, la femme a accepté avec l'autorisation de justice ? il est certain que le donateur aurait pu interdire au mari la jouissance des biens ; car cette condition n'est contraire ni aux lois ni aux mœurs ; le législateur a même prévu son existence dans l'art. 387. — L'art. 1401 permet au disposant d'exclure de la communauté le mobilier donné ; or, l'analogie, dans l'espèce, est évidente : — mais d'un autre côté, ne perdons pas de vue, que les conventions matrimoniales ne doivent, pendant le mariage, recevoir aucune atteinte : si la constitution de dot embrasse les biens présents et à venir, la clause dont il s'agit ne peut donc recevoir d'exécution ; autrement, les prévisions du contrat de mariage ne seraient plus suivies : le mari peut aux termes de ce contrat s'opposer à ce que la femme exploite la jouissance des biens qui lui sont advenus. — Un seul moyen se présente pour tout concilier : c'est de déclarer que la donation recevra son effet, en ce sens, que le mari n'en jouira pas, et que les revenus seront capitalisés, pour former une somme qui ne sera payable à la femme qu'après la dissolution du mariage : par cette combinaison, les époux resteront sous l'empire de leurs conventions matrimoniales, et la volonté du donateur sera respectée (Serizial sur l'art. 1542).

de la représentation du contrat de mariage ; ils ont] traité de confiance, on ne peut les rendre victimes d'une fraude (Bellot, p. 37, t. 4).

Si la propriété d'un immeuble affecté du caractère dotal est indivise avec un tiers, et que la femme se rende adjudicataire de cet immeuble, la portion du copropriétaire devient-elle également dotale ? ⁓ *A.* Arg. des art. 883, 1408 et 1872 combinés. Les conventions primitives ne peuvent être modifiées par des événements postérieurs dépendant du fait des parties (*Val*). ⁓ *Oui*, si la femme s'est constitué en dot tous ses biens présents. et si l'immeuble faisait partie d'une succession ouverte lors du mariage, ou si elle s'est constitué en dot tous ses biens à venir. — *Secùs*, si elle a déclaré se constituer en dot l'immeuble dont il s'agit, pour la part qu'elle peut y avoir, par exemple, le tiers ou le quart (Dur., n. 361. — *Cass.*, 6 déc. 1826 ; S., 27, 1, 171).

Quid si c'est le mari qui s'est rendu seul adjudicataire de l'immeuble en son nom personnel : doit-on appliquer la disposition de l'art. 1408 ? ⁓ *A.* Cette disposition est générale : la femme peut, à son choix, se borner à retenir sa part ou exiger l'immeuble en totalité, encore que le mari ait depuis vendu l'immeuble (Dur., n. 363. — *Limoges*, 12 mars 1828 ; D., 29, 2, 127).

1544 — Si les père et mère constituent conjointement une dot, sans distinguer la part de chacun, elle sera censée constituée par portions égales (1)..

Si la dot est constituée par le père seul pour droits paternels et maternels, la mère, quoique présente au contrat, ne sera point engagée, et la dot demeurera en entier à la charge du père.

= Cet article contient deux dispositions : la première est une application des principes ordinaires des conventions ; la deuxième est dictée par l'intérêt que mérite la femme, dans l'état de dépendance où elle est placée.

Déjà nous avons vu que l'obligation de doter est une obligation naturelle ; que la dot peut être constituée par le père ou par la mère seulement, ou par l'un et l'autre conjointement.

La loi déclare que les père et mère sont tenus de la dot par égales portions, quand ils l'ont constituée conjointement, sans déterminer la part pour laquelle ils ont prétendu s'obliger : en effet, chaque débiteur ne doit que sa part dans la chose promise ; la solidarité ne se présume pas ; il faut qu'elle soit stipulée : tels sont les principes généraux des conventions (1202).

Si la dot est constituée par le père seul, la présence de la mère au contrat, le silence qu'elle garde, sa signature même apposée au bas de l'acte, ne suppléent pas à l'expression de sa volonté ; on suppose qu'elle comparaît *honoris causâ :* pour qu'elle soit engagée, il faut, de sa part, une déclaration formelle.

Vainement le mari emploierait-il ces mots : *pour droits paternels et maternels :* on ne peut promettre ni stipuler en son propre nom que pour soi-même.

La loi suppose, dans cet article, que les père et mère sont mariés sous le régime dotal ou sous le régime exclusif de communauté : s'ils étaient communs en biens, et que la dot fût constituée en effets de la communauté, la femme, quoique ne s'étant pas obligée, supporterait nécessairement la dot pour moitié, en cas d'acceptation (*voy.* 1438, 1439, 1440) ;

---

(1) L'article 1438 contient une disposition semblable, la première partie de l'article 1544 est dès lors inutile ; mais la deuxième contient une règle particulière au régime dotal. Sous le régime de la communauté, le mari peut seulement constituer une dot pour droits paternels et maternels, mais la femme, si elle accepte la communauté, supporte la moitié de la dot (1439).

Au surplus, les articles 1544, 1545, 1546 et 1547 devraient être compris dans une section particulière ; car, sauf peut-être le deuxième alinéa de l'article 1544, ils contiennent des règles communes à tous les régimes.

tandis que sous le régime dotal, le mari profitant seul des économies, doit être présumé seul fournir à l'établissement des enfants.

— Lorsque la constitution de dot ne comprend qu'une partie aliquote, telle qu'une moitié, un tiers, etc., des difficultés peuvent s'élever quant à l'aliénation de la portion restée en dehors de la dot : comment y remédier? ⁓ Les époux doivent, par un acte authentique fait de bonne foi, déterminer les biens qui seront dotaux en totalité ; cet acte doit être présenté à l'homologation du tribunal (Dur., n. 354).

1545 — Si le survivant des père ou mère constitue une dot pour biens paternels et maternels, sans spécifier les portions, la dot se prendra d'abord sur les droits du futur époux dans les biens du conjoint prédécédé, et le surplus sur les biens du constituant (1).

== En cas de prédécès de l'un des époux, la déclaration faite par le survivant, que la dot est constituée pour biens *paternels et maternels*, est d'une haute importance : à défaut de stipulations contraires, on suppose qu'il ne prétend s'engager que subsidiairement, pour le cas seulement où les biens que l'enfant doit recueillir ne compléteraient pas le montant de la dot, et qu'il n'a rien voulu donner avant d'être libéré. Par ex., si la dot est de 100,000 francs, et que les biens laissés par le défunt n'excèdent pas 80,000 fr., le survivant ne sera tenu d'ajouter que 20,000 fr.

Si la dot, au lieu d'être constituée en argent, consistait en corps certains et déterminés, notre article ne serait plus applicable; leur désignation indiquerait suffisamment la portion pour laquelle le survivant prétendrait s'obliger.

Lorsque le constituant n'a point ajouté ces mots : *pour droits paternels et maternels*, la dot doit s'imputer en entier sur ses biens, et non sur ceux du prédécédé.

— Lorsqu'une dot est constituée par le survivant des père et mère, *pour droits paternels et maternels*, il est certain que la portion de la dot qu'il doit payer est frappée d'un caractère de dotalité ; mais en est-il ainsi quant à la portion de la dot qui reste à la charge de la fille, et qui doit être prise sur les biens à elle échus dans la succession du prédécédé des père et mère? Par ex.. la mère de Titia est décédée laissant une fortune qui s'élève à 50,000 francs ; Titia se marie sous le régime dotal : Claudius, son père, intervient. et lui constitue en dot une somme de 60,000 francs pour droits paternels et maternels : la somme constituée sera-t-elle dotale ou paraphernale? ⁓ Si la fille est mineure, elle acquiert, par le concours de ses père et mère, la capacité suffisante pour faire des conventions matrimoniales (1398) : si elle est majeure. elle adhère à la constitution faite par son père ou sa mère ; en ne la contredisant pas. elle l'approuve par sa signature au contrat de mariage (Dur., n. 373). ⁓ La valeur des biens propres à la fille sera paraphernale ; le surplus sera dotal : ainsi, sur la somme de 60,000 francs , 50.000 francs seront paraphernaux , et 10,000 francs seront dotaux.
Un père constitue une dot en stipulant que cette dot sera prise sur les biens de la mère prédécédée : en cas d'insuffisance, sera-t-il tenu de payer le complément? ⁓ A. (Toullier, n. 89). ⁓ Oui : si le père a sciemment grossi la fortune de sa fille ; il doit alors réparer le préjudice qu'il a causé à son gendre ; *secus* dans le cas contraire (Seriziat, n. 40).

1546 — Quoique la fille dotée par ses père et mère ait des biens à elle propres dont ils jouissent, la dot sera prise sur les biens des constituants, s'il n'y a stipulation contraire (2).

(1) Ordinairement, le survivant ayant été tuteur, a conservé l'administration et la jouissance de fait jusqu'à l'établissement des enfants ; il est rare que l'on fasse deux comptes dans la même maison.
L'origine de cette disposition se trouve dans les constitutions des empereurs de Constantinople (*V*. L. 7, Cod. *de Jure dotium*). Suivant l'empereur Claude. si le père était riche, la dot devait être prise sur ses biens ; sinon elle se prélevait sur les biens de l'époux prédécédé. — L'empereur Léon (nov. 21) mettait la dot pour moitié à la charge de chacun des constituants sans égard à leur fortune. — Les auteurs du Code se sont écartés de l'une et de l'autre décision. pour suivre celle du parlement de Paris ; aujourd'hui la clause s'interprète conformément aux principes généraux (1162) en faveur des débiteurs.
(2) Disposition insignifiante : Puisque la constitution de dot faite par un tiers est une libéralité . évidemment elle doit être prise sur les biens de ce tiers , sauf toutes stipulations contraires : l'article 1023 contient une règle semblable.

= Hors le cas prévu dans l'article précédent, toutes les fois que les père et mère constituent une dot à leur enfant, on présume qu'ils veulent exercer une libéralité : s'ils sont tenus envers lui de quelque dette, ils ne demeurent donc pas moins obligés, sauf stipulation contraire.

Peu importe que les père et mère aient la jouissance de certains biens de leur fille ; ce qui arrive, par exemple, quand une donation lui a été faite : la dot ne sera pas moins prise sur les biens du constituant. Vainement dirait-on que les père et mère renoncent implicitement à cette jouissance ; on répondrait que c'est le mariage qui y met fin, puisqu'il entraîne l'émancipation, et que la jouissance eût également cessé, lors même que la dot n'aurait pas été constituée.

1547 — Ceux qui constituent une dot, sont tenus à la garantie des objets constitués (1).

= Nous envisagerons la garantie sous deux rapports : à *l'égard du mari*, et à *l'égard de la femme.*

Par rapport au mari, la constitution de dot est une véritable disposition à titre onéreux, puisqu'il reçoit les biens pour soutenir les charges du ménage ; on doit, dès lors, lui reconnaître le droit de poursuivre en garantie le constituant.

Lorsque la dot a été constituée par un tiers, le mari agit en une double qualité : en son nom personnel, comme usufruitier, et au nom de sa femme, comme exerçant ses actions pétitoires.

Lorsque la femme s'est dotée elle-même, le mari peut également la poursuivre en garantie, et la contraindre sur ses paraphernaux. La garantie qui résulte de l'art. 1547 comprend, comme celle qui dérive du contrat de vente, la possession paisible de la chose, et les défauts cachés de cette chose (1625).

La garantie consiste à indemniser le mari de la privation de jouissance pendant le mariage ; car ce préjudice est le seul qu'il éprouve. Mais sur quel pied se calcule l'indemnité due au mari, si la propriété de la chose lui a été transférée ? Faut-il appliquer l'art. 1631 ? Non, car il n'y a pas de prix : on considère la valeur de la chose au moment de l'éviction. Il s'agit, en effet, de réparer un dommage ; par conséquent, c'est au moment où il a lieu, qu'il faut en apprécier l'étendue. — Par suite, nous déciderons que le mari dépossédé doit être indemnisé des dépenses qu'il a faites eu égard à la plus value qui en est résultée ; et que si une créance contre un tiers a été constituée en dot, il faut considérer, pour fixer la garantie de la solvabilité, la situation du débiteur, non au moment du mariage, mais au moment de l'exigibilité.

Si la constitution de dot a pour objet non une chose déterminée, mais une généralité de biens, il est évident que la garantie n'est pas due, en cas d'éviction de tel ou tel fonds ; car, en faisant une pareille disposition, le constituant ne spécifie rien, il transporte ses droits tels qu'ils sont.

La femme ou le tiers donateur sont admis à donner au mari un autre immeuble à la place ; le mari ne pourra se plaindre, puisqu'il n'avait droit qu'à la jouissance de l'immeuble dont il a été évincé.

A l'égard de la femme, nous pensons qu'elle peut, en cas d'éviction,

_____

(1) Les articles 1547 et 1548 reproduisent la disposition de l'article 1440.

exercer, dans tous les cas, après la dissolution du mariage, l'action en ga·
rantie. Vainement dirait-on que la dot est pour elle une véritable libéralité,
et que la garantie n'est pas due en matière de donation : on répondrait
que la femme ne reçoit pas la dot à titre purement gratuit, mais bien pour
faire face aux charges du ménage ; pour nourrir, entretenir, élever ses enfants, et pour les établir un jour ; en un mot, pour une cause onéreuse,
onerosâ causâ : sans cette constitution de dot, peut-être n'aurait-elle pas
contracté mariage ; d'ailleurs], les art . 1440 et 1547 ne distinguent pas (1).

Pour savoir en quoi consiste cette garantie, il faut recourir aux dispositions du Code sur la garantie ordinaire (*voy.* 162, 1630, 1693 à 1695).

— *Quid* dans le cas d'éviction d'un immeuble dotal, si la femme ou le tiers constituant en a livré un
autre au mari, pour lui tenir lieu du premier : ce nouvel immeuble est-il de plein droit subrogé à l'immeuble évincé ? ⚋ *N.* Il doit être rendu a la femme, en nature ou valeur, lors de la dissolution du mariage ; mais il n'est pas dotal quant à l'inaliénabilité : le mari peut même aliéner seul cet immeuble,
sans le concours de la femme, car il l'a reçu à titre de dation en payement (Delv., p. 55 , n. 8). ⚋
L'immeuble donné en payement est parfaitement dotal, parfaitement inaliénable : il a pris la place du
premier ; on doit présumer que telle est l'intention de la femme. — C'est l'art. 1559 et non l'art. 1553 qui
est applicable ; il s'agit, en effet, dans l'art. 1553, d'une dot constituée en argent ; tandis qu'il est question ici d'une dot constituée en immeuble (Toullier, n. 91). ⚋ Le nouvel immeuble reste paraphernal
quant à la propriété ; le mari ne peut en disposer sans le concours de la femme ; ce sera l'immeuble
lui-même que le mari devra restituer (Dur., n. 433). ⚋ Les tribunaux doivent considérer les termes du
contrat : si la femme a purement et simplement substitué un nouvel immeuble à celui dont un tiers a
repris la possession , il y a subrogation ; la dotalité frappe cet immeuble ; il est inaliénable : mais si la
femme, au lieu de traiter de la sorte, règle en argent le montant de l'indemnité et cède ensuite d'autres
immeubles pour acquitter cette indemnité, alors le mari devient réellement propriétaire de l'héritage
qui lui a été remis ; en conséquence, il peut l'aliéner à son gré, sans le consentement de la femme : la
dation en payement doit engendrer le même résultat que le payement lui-même (Seriziat, n. 55 et suiv).

Une dot a été promise en argent ; le constituant meurt ; le mari a-t-il le droit, pour obtenir le payement de la dot, de faire vendre les immeubles paraphernaux que son épouse a recueillis dans cette succession ? ⚋ *N.* Il peut seulement réclamer l'intérêt légal du montant de la dot promise, ou obliger la
femme à se constituer un usufruit d'immeubles, suffisant pour produire ce même intérêt (*Riom,* 11 févr.
1809 ; S., 10, 2, 72 ; D., t. 10, p. 303, n. 3). ⚋ *A.* C'était une somme d'argent qui était due ; un commerçant
ne pourrait pas faire ses affaires avec de simples intérêts. — La femme héritière est tenue des mêmes
obligations que son auteur (Dur., n. 379).

Une somme a été constituée en dot ; au moment de la dissolution, cette somme n'a pas encore été
fournie : le mari a-t-il encore le droit d'en exiger le payement, sous prétexte qu'il a un an pour restituer ? ⚋ La loi accorde au mari le délai d'une année , parce qu'elle suppose qu'il ne peut restituer
la dot immédiatement et qu'il a placé la somme ; mais rien de semblable n'existe dans l'espèce (*Val.*).

1548 — Les intérêts de la dot courent de plein droit, du jour du mariage, contre ceux qui l'ont promise, encore qu'il y ait terme pour le payement, s'il n'y a stipulation contraire.

= *Voyez* 1440 le motif de cette disposition.

— Si la femme se constitue en dot une créance non productive d'intérêts qu'elle a sur un tiers, doit-
elle tenir compte à son mari des intérêts de cette créance ? ⚋ *N.* Ce cas est le même que si elle apportait des terres en friche. — Elle apporte sa créance telle qu'elle est ; en sorte que , si le débiteur devient insolvable, elle perd son capital, et le mari sa jouissance (Dur., n. 382 ; Delv., p. 55, n. 5) (*Val.*). ⚋
Termes rigoureux de l'art. 1548. — Il faudrait, pour que les intérêts ne courussent pas, une stipulation
contraire (Toullier, n. 97).

Les intérêts de la dot se prescrivent-ils par cinq ans (2277) ? ⚋ *N.* On ne peut assimiler la disposition de notre article à une convention (Bellot, p. 55; voy. cep. Dur., n, 383.—*Cass.*, 10 décembre 1817 ;
S., 18, t. 97).

Peut-on valablement stipuler, que les intérêts de la dot seront payés au-dessus du taux légal ? ⚋ *A.*
On considère cette convention comme une condition de mariage ; de même que dans la rente viagère ,
la stipulation d'intérêts au-dessus du taux légal est considérée comme une condition de la rente
(*Riom*, 12 mars 1828 ; S., 32, 2, 16).

(1) Dur., n. 385 ; Toullier, n. 92. ⚋ Le Code, au chapitre des donations, n'a point créé, en faveur du
mariage , une règle qui place la libéralité faite en faveur du mariage dans une catégorie particulière
si la donation était faite directement au mari, dans le contrat de mariage, oserait-on prétendre qu'il a
droit à la garantie ? (Delv., p. 55, n. 3 ; D., t. 10, p. 301, n. 16 ; Seriziat, n. 52.)

SECTION II.

Des droits du mari sur les biens dotaux, et de l'inaliénabilité du fonds dotal.

———

La dot est apportée au mari pour l'aider à supporter les charges du ménage; il est naturel, dès lors, qu'il ait l'administration des biens dont elle se compose.

Comme administrateur, il doit veiller en bon père de famille à la conservation de ces biens; il peut changer à son gré le mode de jouissance, donner aux immeubles une destination nouvelle et même faire les démolitions qui seraient commandées par les circonstances ou par l'intérêt de la femme, à charge toutefois de restituer les matériaux ou leur valeur lors de la dissolution. — On s'accorde même à lui accorder l'exercice des actions pétitoires relatives aux biens dotaux (1549). Sous ce dernier rapport, les pouvoirs du mari sont plus étendus que ceux qui lui sont conférés sous le régime de la communauté : en déclarant que l'administration appartient au mari seul pendant le mariage, le législateur lui reconnaît implicitement, pour tous les actes qui s'y réfèrent, le pouvoir d'agir comme maître absolu, sans le concours de la femme; s'il abuse de ce pouvoir, la femme a la ressource de la séparation de biens (1443).

Comme ayant le droit de jouir des biens de la femme, il profite, à partir de la célébration du mariage, de tous les fruits naturels, industriels ou civils des biens dotaux : l'étendue de sa jouissance est en général soumise aux règles de l'usufruit. Toutefois, les fruits de la dernière année se partagent entre le mari et la femme ou leurs héritiers, à proportion du temps que le mariage a duré pendant cette année, et l'année commence à partir du jour de la célébration (1571).

Les obligations du mari sont en général les mêmes que celles de l'usufruitier; on observe, néanmoins, qu'il n'est pas tenu de donner caution, et qu'il ne perçoit les fruits pendants par branches ou par racines au moment de l'ouverture de son droit, qu'à charge de tenir compte à la femme des frais de labours et de semences (548); obligation qui n'est point imposée à l'usufruitier (585).

Parmi les biens qui composent la dot, il en est qui se détériorent ou se perdent par la jouissance; il en est d'autres qui n'éprouvent aucune altération; le mari a-t-il, en certains cas, la propriété de ces biens? La loi distingue :

A l'égard des objets mobiliers corporels : s'ils consistent en choses qui se consomment par l'usage, ou qui sont destinées à être vendues, le mari en devient nécessairement propriétaire : lors de la dissolution du mariage, ou lors de la séparation de biens (587 et 1532), il ne doit compte que de leur valeur. — S'ils ne sont pas de nature à se consommer par l'usage, ou s'ils ne sont pas destinés à être vendus, il faut encore distinguer : lorsqu'ils ont été estimés sans déclaration que l'estimation ne vaudrait pas vente, la dot est censée constituée en argent; le mari est uniquement tenu du montant de l'estimation, que les objets aient diminué ou qu'ils aient augmenté de valeur. — Lorsqu'ils n'ont pas été estimés ou lorsqu'il a été stipulé que l'estimation ne vaudrait pas vente, la femme conserve son droit de propriété sur ces objets, le mari en a seulement la jouissance (1551).

Il est clair que les apports de la femme peuvent seuls être considérés comme dotaux : par conséquent , s'il a plu au mari d'acquérir un immeuble avec les deniers dotaux , il ne doit pas moins, lors de la dissolution , restituer le montant de la somme apportée ; sauf, bien entendu, l'effet de la clause d'emploi. — Par la même raison, s'il a consenti à recevoir un immeuble en payement de la dot constituée en argent, cet immeuble ne devient pas dotal (1553).

A l'égard des meubles incorporels : la femme reste propriétaire des *rentes* qu'elle s'est constituées ou qu'on lui a constituées en dot ; par conséquent, si elles ont éprouvé des retranchements qu'on ne puisse imputer à la négligence du mari, il se libère en restituant les titres.

Quant aux immeubles, le mari n'en acquiert pas la propriété, lors même qu'ils ont été estimés; il faudrait pour cela une stipulation expresse : la loi se borne à lui en conférer l'administration et la jouissance.

Voyons maintenant quelle est la position de la femme : il est évident que les créanciers du mari ne peuvent saisir les meubles dont la femme a conservé la propriété ; s'ils avaient été saisis, elle pourrait en demander la distraction , conformément aux articles 608, 726 et suiv. Pr.—Elle supporte les pertes et les détériorations, à moins qu'elles ne soient survenues par la faute ou par la négligence du mari (1566, 1567). — Les créanciers n'ont le droit d'agir, même sur la nue propriété des biens dotaux, qu'autant que le titre qui constate leur droit a acquis date certaine, antérieure au contrat de mariage ; encore, faut-il faire certaines distinctions (*voy.* 1558, 3°).—Quant aux dettes postérieures au contrat de mariage , elles n'affectent point en général les immeubles dotaux ; le payement ne peut en être poursuivi , même après la dissolution, ni sur la propriété, ni sur l'usufruit de ces immeubles. Cette règle souffre toutefois certaines exceptions , notamment en ce qui concerne les dettes contractées par la femme avec autorisation du mari ou de justice, pour l'établissement des enfants ou pour l'une des causes énoncées en l'art. 1558. — Nous examinerons , art. 1554 , la question de savoir si les dettes contractées par la femme durant le mariage peuvent être poursuivies sur sa dot mobilière.

Les créanciers antérieurs ou postérieurs au contrat de mariage peuvent, sans aucun doute, agir sur la pleine propriété des biens paraphernaux.

Après la dissolution de mariage ou la séparation de biens, la femme reprend l'exercice de ses actions; toutefois, dans ce dernier cas, elle doit obtenir l'autorisation de son mari ou de justice.

Un des caractères du régime dotal, est de frapper d'inaliénabilité les immeubles dotaux (1554).— La prohibition s'applique à tous les actes de disposition entre-vifs ; mais elle ne s'étend point aux actes de dernière volonté.

Du principe que l'immeuble dotal est inaliénable pendant le mariage , il résulte:

1° Qu'il ne peut être grevé d'hypothèques ni engagé indirectement par suite d'obligations personnelles.

2° Que le mari peut, jusqu'à la dissolution du mariage ou la séparation de biens, provoquer l'annulation des aliénations faites par la femme hors des cas prévus par la loi, même de celles qu'il aurait consenties, encore qu'il se soit soumis envers l'acquéreur à la garantie pour le cas d'éviction. —La femme jouit de la même faculté lorsqu'elle a recouvré l'exercice de ses droits ; son action se prescrit par dix ans , lorsqu'elle a concouru à l'acte, et par le laps de temps requis pour la prescription , lorsqu'elle n'y est pas intervenue. La nullité est relative, puisque la prohibition est introduite uniquement dans l'intérêt de la femme, des enfants et du mari, chef de l'union conjugale : elle ne peut être proposée par l'acquéreur, quand même il aurait ignoré que l'immeuble fût dotal.

3° Que la prescription des immeubles dotaux ne peut commencer à courir pendant le mariage, à moins qu'ils n'aient été déclarés aliénables ; toutefois, la prescription court, après la séparation de corps ou de biens, à partir du jour où le jugement est devenu définitif, pourvu que l'action en revendication ne doive réfléchir contre le mari, autrement la prescription ne commencerait qu'après la dissolution du mariage.

4° Que la clause qui déclare l'immeuble inaliénable, doit être interprétée restrictivement.

La règle qui frappe d'inaliénabilité les biens dotaux, souffre exception :

1° Lorsqu'il s'agit de l'établissement des enfants. — La femme peut même, avec autorisation de justice, au refus du mari, ou lorsqu'il est dans l'impossibilité de manifester sa volonté, donner ses biens dotaux pour l'établissement des enfants qu'elle a eus d'un mariage antérieur (155). Toutefois, quand elle n'a obtenu que l'autorisation de justice, le mari conserve la jouissance des biens donnés.

2° Lorsque l'aliénation des biens dotaux a été permise par le contrat de mariage (1557). — Il est bien entendu que nonobstant cette clause, l'aliénation ne peut avoir lieu sans l'autorisation du mari.

3° Dans les divers cas prévus par l'art. 1558 ; mais alors, deux conditions sont requises : l'autorisation de justice, et la vente aux enchères après trois affiches.

4° Enfin, lorsqu'il s'agit d'opérer un échange : ce qui ne peut avoir lieu qu'avec le consentement de la femme et sous certaines conditions.

Hors ces cas exceptionnels, l'immeuble dotal ne peut être aliéné ; l'aliénation qui aurait eu lieu serait révocable.

Nous verrons art. 1549 à 1555, quels sont les droits et obligations du mari ; — art. 1554 à 1560 et 1561, quels sont les principaux caractères du régime dotal ; — art. 1555 à 1559, quelles sont les exceptions au principe de l'irrévocabilité.

——————

1549 — Le mari seul a l'administration des biens dotaux pendant le mariage.

Il a seul le droit d'en poursuivre les débiteurs et détenteurs, d'en percevoir les fruits et les intérêts, et de recevoir le remboursement des capitaux.

Cependant il peut être convenu, par le contrat de mariage, que la femme touchera annuellement, sur ses seules quittances, une partie de ses revenus pour son entretien et ses besoins personnels.

= Le mari n'est pas usufruitier : cela est si vrai, qu'il est formellement dispensé de fournir caution (1550) ; que des pouvoirs plus étendus que ceux de l'usufruitier lui sont conférés : en effet, il provoque et reçoit le remboursement des capitaux ; on s'accorde même à lui reconnaître l'exercice des actions pétitoires (1550, 1571) ; qu'il est soumis à certaines obligations qui ne sont point imposées à l'usufruitier, notamment à celle de faire les grosses réparations ; ajoutons, qu'il ne peut percevoir les fruits pendants par branches ou par racines au moment de la célébration du mariage, qu'à charge de tenir compte des frais de labours et de semences (comp. 548 et 585); que lors de la dissolution, les fruits naturels ou industriels se partagent comme les fruits civils, à proportion du temps que le mariage a duré pendant la dernière année, à partir du jour où il a été célébré (1571); qu'il peut se faire indemniser à raison de la plus-value pour les dépenses utiles qu'il a faites (1); enfin, qu'il a droit à une indemnité pour les coupes qu'il a négligé de faire, car les avantages indirects entre époux sont prohibés : à ces différences près, sa position est semblable à celle de l'usufruitier ; il jouit des mêmes droits ; il est soumis aux mêmes obligations (*voy.* 1560).

Revenons à notre article : la loi romaine déclarait le mari propriétaire ; le Code lui reconnaît seulement la qualité d'administrateur : à ce titre, il doit apporter à la conservation des biens dotaux tous les soins d'un bon père de famille ; par conséquent, il est responsable envers la femme de la perte et des détériorations qui sont le résultat de sa négligence, notamment de la prescription des créances dotales, lorsqu'il n'en a pas interrompu le cours ; il peut faire valoir les biens dotaux, ou les donner à bail sous les restrictions indiquées par les art. 1420 et 1430, augmenter, s'il est possible, les émoluments qu'ils procurent; changer le mode de jouissance, en un mot, faire tout ce que commande l'intérêt de la femme, pourvu qu'il n'y ait pas atteinte à la propriété.

Cette administration est conférée au mari *seul* ; il agit, pour tous les actes qui s'y réfèrent, comme maître absolu, sans avoir besoin du concours de la femme; s'il abuse de ses pouvoirs, s'il fait des actes susceptibles de compromettre la dot, la femme n'a d'autre ressource que la séparation de biens.

Lors de la dissolution, il a droit au remboursement intégral des impenses nécessaires qu'il a faites; — Mais il ne peut prétendre qu'à la plus value existant à cette époque, lorsqu'il s'agit d'impenses utiles : en effet, les travaux ne constituent un acte de bonne gestion qu'autant que la chose a été réellement améliorée; et l'utilité qu'ils procurent ne peut être considérée qu'au moment où la gestion cesse.

Le mari a droit aux fruits naturels, industriels ou civils des biens dotaux, à partir du jour de la célébration du mariage : par suite on décide, que si la femme s'est constitué en dot une créance productive d'intérêts qu'elle avait sur son mari, les intérêts de cette créance cesseront de courir à partir du mariage.

Ses droits étant calqués sur ceux de l'usufruitier, il doit jouir des biens de la femme de la même manière et dans les mêmes limites que si l'usufruit lui appartenait : il profite des coupes à faire dans les forêts qui ont été mises en coupes réglées, ainsi que des produits des mines et carrières qui étaient en exploitation au moment où la dot a été constituée ; mais il devrait compte du produit des arbres de haute futaie qu'il aurait abattus, et de celui des mines et carrières ouvertes pendant le mariage

---

(1) Ainsi, nous ne pensons pas que l'article 599 soit applicable : sous ce rapport, le mari, suivant nous, ne peut être assimilé à un usufruitier ; car, non-seulement il a la jouissance des immeubles dotaux, mais encore, il est administrateur : dès lors, les constructions qu'il a élevées ou autres améliorations qu'il a faites sont considérées comme la conséquence de son administration. D'ailleurs un sacrifice purement gratuit ne se présume pas.

(arg. des art. 599 et 1403). — Remarquons toutefois la différence qui existe entre la position du mari et celle de l'usufruitier : le premier, par une conséquence de l'administration qui lui appartient, peut mettre en exploitation des mines et carrières ou abattre des arbres de haute futaie, tandis que l'usufruitier n'a pas ce droit.

La loi devait conférer au mari *seul*, le droit de recevoir le remboursement des capitaux ; car on ne peut en jouir qu'en les possédant : c'est donc entre ses mains, que les débiteurs doivent payer ; lui seul a qualité pour donner quittance (1) ; le débiteur qui effectue un payement, n'a pas même le droit d'exiger du mari la justification d'un emploi (Dur., n. 403 ; Aix, 25 janv. 1825 ; D., 26, 2, 195) (2).

La règle qui attribue au mari la totalité des fruits, reçoit exception lorsque la femme s'est réservé le droit de toucher une portion de ses revenus : mais cette clause ne change pas le caractère des biens ; ces biens étant compris dans la constitution de dot, ne sont pas moins dotaux, et comme tels, soumis au principe de l'inaliénabilité : une semblable réserve est considérée comme une restriction apportée aux droits du mari.

Lorsque la femme est autorisée à toucher une portion de ses revenus les tiers se libèrent valablement en payant sur ses seules quittances ; car elle a capacité suffisante pour recevoir.

Hors ce cas, le mari seul ayant le droit de recevoir, il est conséquent de n'accorder qu'à lui seul le droit de former les demandes en payement et en délivrance des biens dotaux (meubles ou immeubles), et de le rendre responsable de l'insolvabilité des débiteurs ainsi que des prescriptions acquises, lorsqu'il a négligé de poursuivre en temps utile (1562) ; ainsi, ce qui est jugé contre le mari, est censé jugé contre la femme, sauf à elle, lorsque la dissolution du mariage lui aura rendu l'exercice de ses droits, à attaquer le jugement obtenu, par voie de tierce opposition et même par requête civile s'il y a eu collusion.

Le mari n'ayant d'autre intérêt que celui de percevoir les fruits, on a demandé s'il pouvait agir au *pétitoire* ou seulement au *possessoire;* en d'autres termes, si le droit d'administrer était plus étendu sous le régime dotal que sous celui de la communauté (1428), ou même d'exclusion de communauté ? L'affirmative est généralement décidée; elle résulte des termes formels de l'article.

Par suite des mêmes principes, il faut admettre, que durant le mariage, la femme est sans qualité pour agir, à moins qu'elle n'ait été autorisée de son mari (3); auquel cas on la considère comme ayant agi en vertu de la procuration de celui-ci (4).

---

(1) Il a même été jugé, que les poursuites contre les débiteurs de sommes dotales, doivent, à peine de nullité, être dirigées par le mari ; de telle sorte qu'une saisie faite à la requête de la femme, serait nulle, encore que le mari eût paru dans l'acte de saisie pour donner son autorisation (*Limoges*, 4 février 1822; D., t. 10, p. 303, n. 2. — *Montpellier*, 22 mai 1807; D., t. 10, p. 303, n. 3).

(2) On a même jugé, que la clause qui, dans un contrat de mariage et sous le régime dotal, oblige le mari à *faire emploi* des *deniers dotaux*, est étrangère aux débiteurs : que ceux-ci ne sont pas tenus de surveiller l'emploi ; qu'ils doivent se libérer entre les mains du mari sans exiger aucune justification (*Paris*, 4 juin 1831 ; D., 31, 2, 220; S., 312, 211). — Mais il ne faudrait pas étendre cette décision aux créanciers d'une *somme prêtée sur le fonds dotal*, en vertu d'une autorisation judiciaire : ces derniers seraient tenus de surveiller l'emploi (*Aix*, 10 février 1832 ; D., 33, 2, 72).

(3) La loi, en effet, ne se borne pas à dire que le mari peut exercer *seul*, elle dit : *il a seul*, etc.; d'où il faut conclure, qu'il est investi, sous le régime dotal, d'un mandat beaucoup plus étendu que sous tout autre régime.

(4) C'est alors comme si le mari avait agi par lui-même. — Arg. de l'art. 83 Pr. Cet article ne distingue pas (Toullier, n. 151 ; Bellot, p. 65 ; Serizial, n. 82. — *Dijon*, 16 janvier 1834 ; S., 35, 2, 52). L'article porte : *Il a seul le droit*, etc.; il n'est pas seulement dit, il a le droit de *poursuivre seul.* — Ce serait pour le mari un moyen de décliner la responsabilité qui pèse sur lui ; la femme s'est dessaisie du droit

— Si le mari refuse de poursuivre, la femme peut-elle se faire autoriser à agir elle-même ? ⟑ *A.* La jurisprudence du parlement de Paris lui accordait ce droit. — Opinion de Domat. — Le Code n'apas dérogé à cette décision (Bellot, t. 4, p. 165 ; D., t. 10, p. 305, n. 7) *(Val.).*

Le mari a-t-il qualité pour provoquer, sans le concours de la femme, un partage définitif des biens dotaux, ou pour défendre à une demande en partage formée contre lui ? ⟑ *N.* La loi fait une grande différence entre le droit d'agir en revendication et celui de provoquer un partage : le partage est une véritable aliénation. Cette vérité devient plus sensible encore lorsqu'il y a lieu à licitation : alors, en effet, les colicitants transmettent, moyennant un prix, leur droit de propriété à celui qui se rend adjudicataire. — Le tuteur exerce, sans l'autorisation du conseil de famille, les actions mobilières de son pupille (464) ; et cependant, aux termes de l'article 465, il doit obtenir cette autorisation pour provoquer le partage d'une succession même mobilière. — Si l'on argumentait de l'art. 818 pour prétendre que le droit qu'il accorde au mari de provoquer le partage est restreint aux biens qui doivent tomber dans la communauté ; que cet article n'a pas été fait dans la prévision du régime dotal, nous répondrions, que l'esprit de la loi se manifeste par la disposition qui refuse au mari l'exercice de l'action en partage d'une succession même mobilière, lorsque cette succession ne doit pas tomber dans la communauté. — *Nec obstat* la disposition de l'art. 1549 ; cette disposition établit des règles générales sur les pouvoirs du mari, quant à l'administration des biens dotaux, tandis que celle de l'art. 818 est spéciale (Bellot, t. 4, p. 135 à 415 ; Proudhon, Usuf., n. 1245 ; Chabot, Successions sur l'article 88. n. 4 ; Toullier, n. 156 et 215 ; Dur., n. 396) *(Val.).* ⟑ *A.* Termes généraux de l'article 1549, comparés à ceux de l'art. 1428. — Arg. des art. 1558 et 1559, desquels il résulte, que le concours de la femme n'est pas exigé, lorsque l'aliénation n'est jugée nécessaire. — L'article 818 n'est applicable qu'à la communauté. — Le partage n'est pas une aliénation ; il est seulement déclaratif de la propriété : dès lors, on peut fort bien être habile à partager, sans avoir le droit d'aliéner. — Le droit romain permettait le partage provoqué contre la femme. — Il serait contradictoire d'accorder au mari le pétitoire, et de lui refuser l'action en partage (Delv., p. 57, n. 9. — *Aix*, 9 Janvier 1810 ; S., 11, 2, 468).

Le mari mineur peut-il également poursuivre seul les débiteurs et détenteurs de la dot, ou recevoir seul le remboursement des capitaux apportés en dot par sa femme ? ⟑ *A.* Le mineur émancipé peut être choisi pour mandataire (1990). ⟑ *N.* Le mandant n'a d'action contre le mineur, son mandataire, que d'après les règles relatives aux obligations des mineurs ; or, cette disposition est inconciliable avec la garantie dont le mari doit être tenu envers sa femme : il faut donc rejeter l'art. 1990, et s'en tenir à l'art. 482 (Bellot, t. 4, p. 61 ; D., t. 10, p. 306, n. 10 ; Dur., 397).

Le mari peut-il consentir un droit d'usufruit sur le fonds dotal ? ⟑ *A.* Arg. de l'art. 595 ; mais le droit de l'usufruitier cessera lors de la dissolution du mariage (Proudhon, Usuf., t. 1er, n. 365 : D., t. 10, p. 306, n. 14).

1550 — Le mari n'est pas tenu de fournir caution pour la réception de la dot, s'il n'y a pas été assujetti par le contrat de mariage.

☞ Il eût été contraire à la confiance mutuelle que se doivent les époux, de soumettre le mari à l'obligation de fournir caution pour sûreté de la dot ; d'ailleurs, la multiplicité des cautions qu'une mesure générale entraînerait, aurait des inconvénients qu'il importait de prévenir.

Au surplus, la loi ne défend ni à celui qui constitue la dot, ni à la femme elle-même, d'exiger cette garantie ; mais il faut alors que le contrat de mariage contienne à cet égard une stipulation expresse : hors ce cas, le constituant ne pourrait se refuser à payer, quand même les affaires du mari seraient tombées en désordre depuis le mariage ; à moins que son état d'insolvabilité ne fût légalement constaté ; par ex., s'il était en faillite ou en déconfiture : il pourrait alors se faire autoriser à placer les deniers dotaux pour en assurer la conservation.

Il est bien entendu, que le retard ou l'impuissance de donner caution n'empêcherait pas le mari d'avoir droit au payement des intérêts : le cautionnement n'est fourni que pour le capital ; il ne saurait l'être pour les intérêts, puisqu'ils appartiennent au mari.

1551 — Si la dot ou partie de la dot consiste en objets mobiliers mis à prix par le contrat, sans déclaration que l'estimation n'en fait pas vente, le mari en devient propriétaire, et n'est débiteur que du prix donné au mobilier.

d'agir elle-même. — Vainement oppose-t-on l'art. 83 Pr. ; cet article doit s'entendre du cas où la femme est séparée de biens (Dur., n. 402. — *Limoges*, 4 février 1822 ; S., 22, 2, 247).

= La mise à prix transfère en certains cas au mari la propriété des choses constituées en dot. — A cet égard, on distingue : les objets estimés sont meubles ou immeubles.

Lorsqu'il s'agit de choses mobilières (1), le mari devient propriétaire des objets constitués en dot et débiteur du montant de l'estimation ; c'est le prix, qui est réputé dotal ; c'est comme si la dot avait été constituée en argent.

Si l'estimation est faite avec déclaration qu'elle ne vaut pas vente, la dot est censée constituée en objets certains; la propriété n'est pas transférée; elle continue de résider sur la tête de la femme. L'estimation est alors censée avoir eu pour but unique de fixer le montant des dommages et intérêts, au cas où la perte arriverait *par la faute du mari*. Les créanciers du mari ne pourraient, en conséquence, saisir le mobilier dont il s'agit ; la femme aurait toujours la faculté de s'y opposer en justifiant de son droit de propriété (608, Pr.).

Le mari doit faire constater, par un inventaire, la consistance et valeur des meubles dotaux qui échoient durant le mariage; s'il n'a pas accompli cette formalité, la femme ou ses héritiers sont admis à prouver cette consistance et valeur, par titres, par témoins et même par commune renommée. (Arg. de l'art. 1504).

Que faut-il décider lorsque la dot a pour objet des immeubles? (*Voyez* l'art. 1552.)

— Lorsque la propriété des immeubles constitués en dot a été transférée au mari, cette donation est-elle sujette à rescision pour cause de lésion de plus des sept douzièmes ? ⸱⸱⸱ *A*. (Dur., n. 423 et 424 ; Toullier, n. 129 : Bellot, p. 72). ⸱⸱⸱ La vente peut être rescindée, quand même la lésion ne serait pas des sept douzièmes (Merl., Rép., v° Dot, § 7, n. 1). ⸱⸱⸱ L'estimation n'est pas précisément une vente ; elle se lie au contrat de mariage ; la femme est censée avoir entendu faire a son mari donation de la plus-value sur l'estimation ; — la nature du contrat de mariage explique fort bien toutes les libéralités que les époux peuvent se faire ; — il n'y a point d'assimilation possible entre la femme qui constitue un immeuble en dot et une personne qui, pressée par le besoin, vend un immeuble à vil prix. — L'opinion contraire a l'inconvénient de laisser incertaine, pendant un temps indéfini, la propriété de l'immeuble estimé : en vue de mettre un terme à cette position précaire, le législateur a limité à deux ans le droit de faire rescinder la vente en cas de lésion; or comme le délai ne pourrait courir pour la femme qu'a partir de la dissolution du mariage, le but de loi se trouverait méconnu ; l'action en rescision pour lésion n'aurait pas de limite déterminée. — L'estimation ne peut être critiquée que par les enfants du premier lit, comme renfermant un avantage indirect : les époux ou leurs représentants ne peuvent alléguer que le dol ou l'erreur (D., t. 10, p. 307, n. 26) (*Val.*).

1552 — L'estimation donnée à l'immeuble constitué en dot n'en transporte point la propriété au mari, s'il n'y en a déclaration expresse.

= L'estimation donnée à l'immeuble peut être faite dans toute autre intention que celle de transférer la propriété; par ex., pour déterminer la fortune des conjoints et la somme que l'enregistrement doit percevoir. Dans le doute, et à raison de l'importance des biens de cette nature, la loi décide que l'estimation ne rend pas le mari propriétaire : ainsi, la constitution de dot n'a pas pour objet le montant de l'estimation, mais l'immeuble lui-même. Cette observation a de l'importance eu égard au principe de l'inaliénabilité.

(1) Qui ne se consomment point par l'usage, bien entendu ; car si elles sont de nature a se consommer, le mari en devient toujours propriétaire ; il a le choix ou de restituer leur valeur, ou de rendre une égale quantité de choses de pareille qualité.

Lorsque la propriété est transférée au mari, l'immeuble n'est point inaliénable : la dot a seulement pour objet le montant de l'estimation ; la stipulation équivaut à une vente véritable ; la dot change de nature ; le mari devient débiteur du prix ; l'action ouverte à la femme lors de la dissolution ne peut avoir pour objet que le remboursement de capital. — Bien plus, en cas d'éviction de l'immeuble constitué en dot avec déclaration que l'estimation vaut vente, le mari a un recours en garantie contre les constituants. Les effets de cette garantie sont réglés en touts points par l'art. 1630. — Nous pensons en outre, que la femme jouit, pour sûreté de la restitution du montant de l'estimation, du privilége du vendeur ; et même, qu'elle est autorisée à réclamer, contre les tiers détenteurs, l'immeuble qu'elle s'est constitué, si le mari ne laisse pas de biens suffisants pour la désintéresser.

L'estimation donnée à l'immeuble est irrévocable; on ne peut la critiquer sous prétexte d'une prétendue inexactitude : d'abord, parce que les biens subissent, dans leur valeur, des variations si grandes, qu'il est pour ainsi dire impossible, après une longue période, de retrouver le chiffre qui a servi de point de départ, et de déterminer la marche de la progression : ensuite, parce que l'estimation portée au contrat de mariage forme l'une des stipulations de cet acte ; or, nous savons qu'il n'est pas permis de déroger à une clause arrêtée par le consentement mutuel des parties, et que cette règle générale s'applique plus rigoureusement encore au pacte nuptial (1395).

— Nous avons décidé, que l'estimation d'un immeuble dépendant de la constitution dotale devait être considérée comme irrévocable ; mais *quid*, si les évaluations présentent une exagération tellement évidente, tellement disproportionnée avec la réalité, qu'on reconnaisse l'intention de porter atteinte aux prescriptions de la loi sur la quotité disponible ? ⁓⁓ Si la preuve de ce fait est établie, l'évaluation doit, sans aucun doute, être réduite au prix réel (Seriziat, n. 105).

Si l'immeuble dotal a souffert des dégradations qui rendent le mari passible d'une indemnité, la quotité de cette indemnité doit-elle être réglée sur le pied de l'estimation primitive, ou sur le pied de la valeur réelle à l'instant de la dissolution ? ⁓⁓ Le mari ne s'est soumis à la responsabilité dont il s'agit que parce qu'il a connu les bornes dans lesquelles cette responsabilité se renfermait ; la possibilité d'un bénéfice était placée pour la femme à côté de la possibilité d'une perte ; l'estimation doit être considérée comme un véritable forfait, qui tantôt profite et tantôt nuit aux époux. Ainsi, la base empruntée à l'estimation contenue dans le contrat de mariage, doit avoir la préférence : par exemple, si la femme est privée de son immeuble pendant une année, on l'indemnisera, non en recherchant l'état actuel du revenu, mais en lui tenant compte, pendant le même temps, des intérêts du prix suivant l'estimation (Seriziat, n. 110).

Le mari, évincé de l'immeuble qui a été constitué en dot avec déclaration que l'estimation vaudrait vente, a sans aucun doute un recours en garantie ; mais ne peut-il exercer ce recours que pour l'estimation ? ⁓⁓ Le mari est acheteur véritable ; ce titre lui donne le droit de réclamer toutes les indemnités énumérées dans l'art. 1630.

1555 — L'immeuble acquis des deniers dotaux n'est pas dotal si la condition de l'emploi n'a été stipulée par le contrat de mariage.

Il en est de même de l'immeuble donné en payement de la dot constituée en argent.

= Après la célébration du mariage, les parties ne peuvent apporter de changements à leurs conventions matrimoniales : si la dot a été constituée en argent, et qu'un immeuble soit donné en payement même par un ascendant, cet immeuble n'est donc pas dotal, car il représente des deniers, qui, aux termes du contrat, devaient tomber dans le do-

maine du mari : la loi ne considère comme dotal que l'immeuble réellement constitué en dot (1).

Par la même raison, le mari ne peut changer la nature de ses obligations : s'il a reçu de l'argent, il doit, à la dissolution du mariage, restituer
de l'argent; l'immeuble qu'il aurait acquis avec les deniers dotaux lui resterait propre, quand même la femme aurait concouru au contrat.

Qu'arriverait-il, cependant, si la condition d'emploi avait été stipulée
dans le contrat de mariage? l'immeuble acquis deviendrait dotal, pourvu
que le mari eût fait la déclaration d'emploi dans l'acte d'acquisition, et
que la femme eût accepté cet emploi. Toutefois, si le mari avait agi comme
fondé de pouvoir de la femme, sa déclaration suffirait.

Du reste, il n'est pas de rigueur que la femme accepte l'emploi dans
l'acte même d'acquisition (1435); mais tant qu'elle n'a pas accepté, l'immeuble appartient au mari (2).

En cas de séparation de biens, si la femme consent à recevoir un immeuble en payement de la dot constituée en argent, cet immeuble n'acquiert pas le caractère dotal; il devient paraphernal : la subrogation, en
effet, n'a pu avoir lieu, car elle est de droit étroit; on doit la restreindre
aux cas déterminés par la loi.

Lorsqu'un immeuble dotal soumis à la condition de vente avec remploi
a été aliéné, l'obligation du remploi, stipulée dans le contrat de mariage, réfléchit-elle contre les tiers, de telle sorte que la femme puisse
les rendre garants de l'infraction que le mari aurait commise à cette obligation? Si le mari dissipe les deniers provenant de la vente de l'héritage, la femme, à la dissolution du mariage, peut-elle revendiquer cet
héritage? Cette question était vivement controversée sous l'ancienne jurisprudence; aujourd'hui, nul ne refuse à la femme une action récursoire contre les tiers. Ainsi, l'acquéreur n'est libéré durant le mariage
qu'au moment où le remploi est effectué; les deniers ne doivent sortir
de ses mains que pour passer dans celles du vendeur de l'immeuble acquis
en remploi; de telle sorte que le mari n'en ait pas un seul instant le
maniement.

— Le remploi pourrait-il encore avoir lieu après la dissolution du mariage ou après la séparation de
biens? le tiers acquéreur se mettrait-il à l'abri de toute recherche en tenant à la disposition de la femme les
deniers nécessaires pour opérer le remploi? ↳ Le prix provenant de la vente du fonds dotal représente
ce même fonds; le prix et le fonds sont placés sur la même ligne; la fin du contrat de mariage se
trouve dès lors réalisée, par cela seul que le prix est conservé intact, qu'il est affranchi des périls qui
pourraient le compromettre; peu importe, dès lors que le remploi ait lieu avant ou après la dissolution
de mariage, avant ou après la séparation de biens (Serizlat, n. 119).

Le mari, évincé de l'immeuble dotal, peut-il exiger un autre immeuble à la place? ↳ L'événement ayant prouvé que l'immeuble n'était pas devenu dotal, et la loi n'établissant pas, dans l'espèce,
de subrogation d'un immeuble à un autre, il faut décider que le mari ne peut prétendre qu'à des dommages-intérêts. D'ailleurs le principe de l'inaliénabilité est de droit étroit; dès lors on ne peut l'étendre
à des immeubles autres que celui qui a été constitué en dot. ↳ Silence de la loi : le mari peut, à son
choix, exiger un autre immeuble ou une somme qu'il emploiera à l'acquisition d'un immeuble : l'immeuble reçu ou acquis pour tenir lieu de celui dont il a été évincé, devient alors dotal, et par conséquent inaliénable, à moins de stipulation contraire. Il est de principe, en effet, que la personne évincée
doit recevoir l'équivalent de la perte qu'elle a faite, mais qu'elle ne doit rien recevoir au delà; or,
le mari avait simplement droit à un immeuble inaliénable; l'inaliénabilité est avantageuse à toute la
famille, — nec obstat l'article 1553 : il s'agit, dans ce dernier article, d'objets qui étaient aliénables ab

(1) Ainsi, la disposition de l'art. 1406 ne reçoit pas ici d'application, car elle repose sur des considérations particulières au régime de la communauté : ces considérations ne se représentent pas sous
le régime dotal. D'ailleurs, tout ce qu'on pourrait conclure de cet article, c'est que la femme acquiert la
propriété de l'immeuble; mais il ne résulterait pas de là que cet immeuble devînt dotal (Dur., n. 433).
↳ L'immeuble donné par un ascendant, en payement de la dot constituée en argent, est dotal, indépendamment de toute stipulation insérée au contrat de mariage.

(2) Dur., n. 427 et suiv; Bellot, p. 74; Delv., p. 57, n, 1 : voy. cep. Toullier, n. 141 et 152; Merlin,
v° Dot, § 10. Suivant ces auteurs, l'art. 1435 n'est point applicable au cas en question. — Par cela seul
que l'emploi a été stipulé dans le contrat de mariage, le mari reçoit de la femme un mandat tacite.

initio, que l'on voudrait convertir en choses inaliénables. — Dans l'espèce, il y aurait véritablement dérogation aux conventions matrimoniales, si l'immeuble pouvait être aliéné. — L'art. 1559 vient à l'appui de cette décision (*Val.*).

1554 — Les immeubles constitués en dot ne peuvent être aliénés ou hypothéqués pendant le mariage, ni par le mari, ni par la femme, ni par les deux conjointement, sauf les exceptions qui suivent (1).

= L'inaliénabilité, principal caractère du régime dotal, est fondée sur des considérations d'ordre public; son but est de protéger la femme contre l'influence de son mari, et de la prémunir contre sa propre faiblesse, afin de lui réserver, ainsi qu'à ses enfants, une ressource dans le malheur.

L'immeuble reste inaliénable même après la séparation de biens (2).

L'immeuble dotal étant inaliénable, on ne peut le grever d'aucune servitude; ni même l'hypothéquer, car l'hypothèque est un moyen indirect de parvenir à l'aliénation. Par la même raison, les jugements obtenus contre le mari ou contre la femme, pour dettes contractées pendant le mariage, ne peuvent s'exécuter sur cet immeuble (3). La femme

---

(1) Le principe de la prohibition du fonds dotal se trouve dans la loi *Julia*, comme on peut le voir dans les Sentences de Paul (Lib. 2, tit. 21).

Le système du droit romain, sur la dot, ne s'est développé que lentement, par la suite du temps. Dans le principe, la dot n'était pas plus que la donation entre-vifs, au nombre des contrats : les choses apportées en dot étaient livrées au mari au moyen des actes d'aliénation reconnus par le droit civil; il en devenait propriétaire, sans restriction; lors de la dissolution du mariage, il n'était soumis qu'à une simple action personnelle. — Ce droit de propriété se trouva modifié successivement : d'abord, par l'obligation de rendre en nature, après la dissolution du mariage, les objets particuliers qui n'avaient pas été estimés; et plus tard, depuis la loi *Julia*, par la défense d'aliéner les immeubles dotaux sans le consentement de la femme. Toutefois, si les immeubles avaient été estimés lors de leur apport, et que le choix eût été laissé au mari, de rendre, à la dissolution du mariage, ou les immeubles ou leur estimation, le mari avait le droit de les aliéner.

Le but de la loi *Julia* était uniquement d'assurer à la femme la restitution de son immeuble dotal, et pas encore de garantir cet immeuble contre la femme elle-même, en le frappant d'inaliénabilité aussi avait-elle permis les aliénations faites avec le consentement de la femme, pourvu que ce consentement eût été donné à bon escient, sachant bien qu'il s'agissait d'une aliénation, et non d'une manière indirecte. C'est sur cette considération que l'on se fondait pour décider que l'immeuble ne pourrait être hypothéqué, même avec le consentement de la femme; l'hypothèque, en effet, aurait pu conduire indirectement à une aliénation non prévue.

La loi *Julia* ne s'appliquait toutefois qu'aux immeubles, et seulement aux immeubles situés en Italie, parce que ces biens étaient considérés comme les plus importants. Quant aux fonds dotaux, situés dans les provinces, et quant aux choses mobilières, la loi *Julia* leur était étrangère : le mari, en sa qualité de maître de la dot (*dominus dotis*) pouvait les aliéner et les hypothéquer sans le consentement de sa femme, faculté dont il jouissait également à l'égard du fonds situé en Italie, qui lui avait été livré sur estimation; car l'estimation valait vente, s'il n'avait pas été convenu que le fonds lui-même serait restitué à la dissolution du mariage. — Cependant, sous Gaïus, la question de savoir si la loi *Julia* s'appliquait aux provinces, était déjà controversée; sous le système de Justinien, tous les doutes disparurent : la prohibition de la loi *Julia* fut étendue aux fonds dotaux situés dans les provinces : de plus, il fut décidé, que le mari ne pourrait, même avec le consentement de sa femme, aliéner ni hypothéquer le fonds dotal en quelque lieu qu'il fût situé, lorsqu'il ne lui aurait pas été livré sur estimation. Le but de ce système était non-seulement d'assurer à la femme la restitution de son immeuble, mais encore de la garantir contre sa propre faiblesse.

Si contrairement à la prohibition, l'aliénation de l'immeuble dotal avait eu lieu, la nullité n'était relative qu'à la femme ou à ses héritiers.

Voilà par quelle gradation on s'est trouvé conduit à ce principe de l'inaliénabilité du fonds dotal.

Il est à remarquer, que Justinien n'avait pas étendu la prohibition d'aliéner au cas où la dot avait pour objet des choses mobilières; seulement, le mari ne pouvait aliéner, sans le consentement de la femme, les objets dont elle avait conservé la propriété.

Ces principes étaient suivis dans les pays de droit écrit; seulement, dans quelques parlements, notamment dans celui de Toulouse, la femme ne pouvait aliéner même sa dot mobilière avec l'autorisation de son mari.

(2) Dur., n. 319; Bellot, p. 106, 171; D., t. 10, p. 346, n. 49; roy. Mariage, n. 320; Grenier, *Hyp.*, 21, p. 35; cap. 9 août 1819; S., 20, 1, 19, 9 nov. 1826; S., 27; S., 14; *voy.* cep. Toullier, n. 253 et 277; Belv., t. 3, p. 58, n. 10. — *Nîmes*, 23 avril 1813; D., t. 10, p. 346.

(3) *Pau*, 5 mars 1833; S., 33, 2, 423.

doit le recouvrer, après la dissolution du mariage, franc et quitte de toutes charges soit directes, soit indirectes. — Les fruits ne peuvent même être saisis pour dettes contractées durant le mariage ; autrement la femme pourrait se trouver privée des moyens d'existence que le principe de l'inaliénabilité a pour but de lui assurer (1). — Ainsi, les effets de l'inaliénabilité subsistent après la dissolution du mariage ; ils s'appliquent à tous les actes qui ont été souscrits pendant sa durée.

Les mêmes motifs nous portent à décider, que si des délégations de fruits faites par les époux duraient encore lors de la dissolution ou même lors de la séparation de biens, les tribunaux pourraient en ordonner la cessation : en effet, les fruits sont l'accessoire du fonds dotal ; ils ne sauraient avoir un sort différent de ce fonds. — Sans préjudice de l'exécution pleine et entière des baux ordinaires faits de bonne foi (1429 et 1430) (2).

Mais il faut observer, que les immeubles dotaux ne sont frappés d'inaliénabilité que *pendant* le mariage ; *après sa dissolution*, ils deviennent aliénables comme tous les autres biens de la femme.

Le principe de l'inaliénabilité reçoit exception, lorsque l'immeuble est estimé avec déclaration que l'estimation vaut vente (1552), et dans plusieurs autres cas, déterminés par les articles 1555, 6, 7, 8 et 9.

La dot mobilière est-elle aliénable ? (*Voyez* Quest.)

— **La dot mobilière est-elle aliénable ?** Aucune difficulté ne s'élève lorsqu'il s'agit de sommes constituées en dot, ou de meubles estimés (1551) ; le mari peut, sans aucun doute, en disposer, puisqu'ils lui appartiennent. Lors même que les meubles corporels n'auraient pas été estimés, s'ils se trouvaient entre les mains d'un tiers qui les eût reçus de bonne foi, ce tiers ne pourrait être inquiété, puisqu'il serait protégé par la maxime de l'article 2279 : *en fait de meubles*, etc. Mais les époux auraient-ils la faculté de céder leurs créances dotales par voie de transport, ou de les donner en nantissement ? les dettes contractées par la femme pendant le mariage, avec autorisation du mari ou de justice, pourraient-elles être poursuivies, après la dissolution du mariage, sur la dot mobilière et sur les fruits et revenus de cette dot ? ⟶ N. L'ancienne jurisprudence considérait unanimement la dot mobilière comme inaliénable. — Arg. des termes généraux de l'art. 1541. — L'expression : *biens dotaux*, dont se servent les articles 1555 et 1556, expression qui embrasse dans sa généralité les meubles comme les immeubles, démontre suffisamment, que l'art. 1554, qui ne parle que des immeubles, ne doit pas être pris dans un sens restrictif. — Deux raisons ont motivé le silence de l'art. 1554 en ce qui concerne les meubles : 1° cette prohibition eût été inefficace à l'égard des tiers, car ils se trouvent placés sous la protection de la maxime : *en fait de meubles*. etc. (art. 2279) ; 2° elle eût été inutile, car la femme se trouve dans l'impossibilité d'aliéner elle-même directement ses meubles dotaux, puisqu'elle ne les a pas en sa possession. — La femme a d'autant plus besoin de protection, que sa dot peut être plus facilement dissipée. — Si les meubles dotaux étaient aliénables, on ne comprendrait pas la disposition de l'art. 1543, qui interdit même aux tiers la faculté d'augmenter la dot pendant le mariage.—Arg. de l'art. 83, Proc., qui déclare que toute clause concernant la dot de la femme doit être communiquée au ministère public ; il suit de là, que la dot mobilière ne peut être l'objet d'un compromis, et par conséquent qu'elle ne peut être aliénée (1004) ; (Delv., t. 3, p. 110 ; Bellot, t. 4, p. 88 ; Grenier, Hyp., t. 1, p. 34 ; Teissier, t. 1, p. 288 et suiv. ; Rolland, Rép., v° Rég. dotal, n. 101 ; D. Mariage, n. 50). Ce système est généralement adopté par la jurisprudence de la cour de cassation et par celle des cours royales. ⟶ A. La loi romaine ne concernait que le *fundus dotalis* ; elle ne parlait pas des meubles.—L'ancienne jurisprudence n'était pas aussi unanime qu'on le prétend : il existe, au contraire, une foule de décisions contradictoires. Domat., n. 15, sect. I, tit. 9, prouve que les parlements modifiaient le droit romain par des arrêts de règlement ; il remarque même, comme une singularité, que dans quelques pays, la dot mobilière ne pouvait être aliénée. — Mais en supposant même que l'ancienne jurisprudence eût été unanime, est-ce à dire que la cour de cassation soit investie du pouvoir qu'avaient les parlements de corriger le droit ? La discussion au conseil d'État ne prouve-t-elle pas jusqu'à l'évidence, qu'il n'est pas entré dans la pensée des rédacteurs, d'étendre la règle de l'inaliénabilité à la dot mobilière ? (Locré, leg., t. 13, p. 206, n. 35) Tout nous démontre que pénétrés des règles coutumières, ils n'ont admis le régime dotal que comme contraints et forcés : les

---

(1) *Cass.*, 26 août 1828 ; S., 29, 1, 30 ; 26 février 1834 ; S., 34, 1, 176.

(2) Par suite du principe que la dot est inaliénable, on décide que, si la femme ne possède pas de paraphernaux au moment du mariage, les biens qu'elle acquerra durant le mariage seront réputés achetés avec les deniers du mari (*Riom*, 22 février 1809 ; D., t. 10, p. 336, n. 2.—*Toulouse*, 2 août 1825 ; D., 26, 2, 22 ; 17 décembre 1831 ; S., 32, 2, 585. — *Aix*, 2 mars 1832 ; D., 33, 2, 102).

Quid si l'immeuble n'a été acquis qu'en partie avec les deniers dotaux ? Il n'est dotal que jusqu'à concurrence du montant de ces deniers ; car l'inaliénabilité est exorbitante.

dispositions du Code, relatives à ce régime, doivent dès lors être entendues d'une manière restrictive : or, l'art. 1554 est le seul qui ait eu pour objet de poser le principe de l'inaliénabilité, et il ne parle que des immeubles; donc *à contrario* les meubles sont aliénables. — Les articles 1555 et 1556 se réfèrent nécessairement à l'article 1554; les termes dont ils se servent, ne peuvent avoir une portée plus grande que ceux de ce dernier article. — D'ailleurs, par ces articles, le législateur déroge à la prohibition établie par l'article 1554; leur but est de la restreindre; or ne serait-il pas contraire à toute logique d'y voir une extension de cette même prohibition; de prétendre que des dispositions qui s'annoncent comme des dérogations, soient au contraire extensives du principe de l'inaliénabilité? — L'intitulé de la section et les articles 1557, 1558 et 1559 prouvent suffisamment, que dans les articles 1555 et 1556 les rédacteurs ont employé les termes biens dotaux, comme synonymes d'immeubles dotaux ou de fonds dotal. Ajoutons, que les articles 1555 et 1556 règlent l'incapacité de la femme (incapacité qui la frappe sous tous les régimes), et le droit du mari à la jouissance. — La femme mariée sous le régime dotal n'est frappée d'aucune incapacité nouvelle; sous ce régime comme sous tous les autres, elle peut valablement s'obliger avec l'autorisation de son mari ou de justice : dès lors cette obligation doit affecter tous ses biens, à l'exception de ses immeubles dotaux : défendre d'aliéner, ce serait défendre de s'obliger. — On a dû employer le mot *biens*, car lorsqu'il s'agit de donner, la femme est aussi incapable relativement aux meubles que relativement aux immeubles. En outre, ces articles renferment une exception au principe d'après lequel la femme, même autorisée de son mari, ne peut aliéner l'immeuble dotal. — Vainement dit-on, que la femme qui n'a que des meubles, ne se trouverait pas mariée sous le régime dotal, si la dot était aliénable : cette objection est sans force; en effet, l'immeuble dotal lui-même peut être déclaré aliénable, et cependant nous voyons que la loi accorde une grande faveur aux immeubles : certes, dans cette hypothèse nul n'oserait prétendre que les époux ne sont pas soumis au régime dotal. — Le raisonnement de la cour de cassation pourrait être considérée simplement comme une critique de la législation; encore cette critique ne serait-elle pas fondée : nous savons, en effet, qu'indépendamment de l'inaliénabilité, le régime dotal a des règles qui lui sont propres. — L'argument tiré de l'article 1541 n'est qu'une pétition de principe : cet article, il est vrai, déclare dotal tout ce que la femme se constitue en dot; mais on ne peut conclure de là, que tout ce qui est dotal soit inaliénable. — Quant à l'objection tirée de l'art. 83 Proc., elle n'est pas sérieuse, car il existe une grande différence entre la faculté de compromettre et celle d'aliéner : dans un compromis, la bonne foi de la femme peut être facilement surprise : — la jurisprudence n'a pas été, nonobstant l'art. 1561, jusqu'à déclarer imprescriptibles les meubles dotaux; et cependant, pour être conséquent, il faudrait admettre cette extension. — Enfin, nous ferons une dernière observation : si le législateur avait voulu étendre le principe de l'inaliénabilité à la dot mobilière, il aurait certainement appliqué aux créances dotales la suspension de prescription qu'il admet cependant pour les immeubles (Toullier, n. 76 et suiv.; Dur., n. 542 et suiv.; Troplong, Hyp., t. 3, n. 923. *Voy.* n. 320 et 330. — *Caen*, 4 juillet 1821; S., 26, 2, 25. — *Paris*, 28 mars 1829; S., 29, 2, 142. — *Douai*, 21 janvier 1834; S. 37, 1, 97).

La femme, marchande publique, peut-elle engager ses biens dotaux pour les actes relatifs à son négoce? ⁓ *N.* S'il était permis à la femme de vendre le fonds dotal quand elle fait un commerce, les époux emploieraient ce moyen indirect pour se soustraire au principe de l'inaliénabilité (Bellot, *ibid.*; Merlin, vᵒ Dot, § 8).

La femme a des droits contre son mari pour la restitution de sa dot; ces droits sont même garantis par une hypothèque légale (2121 et 2122) : peut-elle subroger un créancier à l'hypothèque légale qui lui compète à raison de sa dot? En cas d'expropriation, la femme sera-t-elle primée par les créanciers dans la distribution du prix? aura-t-elle aliéné sa dot? en d'autres termes, aura-t-elle perdu le bénéfice de son hypothèque légale? ⁓ *A.* Mais on doit, bien entendu, restreindre cette décision a la dot mobilière; il ne faut pas l'étendre au cas ou la subrogation tendrait à compromettre la répétition qu'elle peut avoir à exercer à raison de ses immeubles dotaux. — *Voy.* la Question 1ʳᵉ (Toullier, n. 176 et suiv.; Dur., n. 541 et suiv.; Bellot, p. 174; Troplong, Hyp., n. 432, 597, 598; 635, 640 et 923; Vaz., Mariage, n. 330. — *Caen*, 4 juillet 1821; S., 26, 2, 25. — *Paris*, 28 mars 1829; S., 29, 2, 142. — *Douai*, 21 janvier 1834; S. 37, 2, 97). ⁓ Les obligations que contracte la femme durant le mariage, ne peuvent s'exécuter que sur ses paraphernaux (*Limoges*, 18 juin 1808 et 8 avril 1809; S., 9, 2, 326 et 386. — *Rouen*, 34 juin 1824; D., 23, 2, 21. — *Cass.*, 1ᵉʳ février 1819; S., 19, 1, 146; — 9 avril 1823; S., 23, 1, 331. — 26 mai 1836; D., 1836, 1, 375, — 2 janvier 1837; D. 37, 1, 65. — *Amiens*, 9 avril 1837; D., 37, 2, 135. — *Paris*, 10 avril 1831, S., 31, 2, 289.

Le mari peut-il céder les rentes ou créances dotales de son épouse? ⁓ *N.* (Bellot, p. 70, 173 et suiv., 441. — *Cass.*, 30 avril 1830; D., 30, 1, 246.) ⁓ *A.* Le mari a la libre disposition des droits mobiliers dotaux de son épouse (Vazeille, n. 320, Mariage). *Voyez* la 1ʳᵉ Question.

La femme peut-elle, par acte entre-vifs, donner ses biens dotaux à son mari? ⁓ *A.* Ces sortes de donations étant essentiellement révocables, prennent le caractère de dispositions à cause de mort (Dur., n. 536; Garnier, Don., t. 1ᵉʳ, p. 23; — *Cass.*, 1ᵉʳ décembre 1824 ; S., 25, 1. 135. — *Riom*, 5 décembre 1825; S., 26, 2, 43; D., 26, 2, 112).

La femme, mariée sous le régime dotal, peut-elle valablement contracter avec l'autorisation de son mari? ⁓ *A.* La loi ne la déclare pas incapable. ⁓ *N.* La dot mobilière étant inaliénable, il faut décider que la femme est incapable de s'obliger dans la mesure de ses biens dotaux (*Rouen*, 14 novembre 1828; D., 29, 2, 158, *voyez* 1ʳᵉ Question).

Si le mari vend des meubles dotaux, sans aucun motif d'utilité, et uniquement dans des vues de dissipation, la femme peut-elle former opposition a leur délivrance? ⁓ *A.* Elle aurait même, en cas de fraude, une action en restitution et en dommages-intérêts contre les tiers qui achèteraient ces meubles (Dur., n. 416).

1555 — La femme peut, avec l'autorisation de son mari, ou, sur son refus, avec permission de justice, donner ses biens dotaux pour l'établissement des enfants qu'elle aurait

d'un mariage antérieur ; mais, si elle n'est autorisée que par justice, elle doit réserver la jouissance à son mari.

= La mauvaise volonté d'un beau-père ne doit pas priver les enfants *d'un premier lit* de tous moyens d'établissement.

Par ce mot *établissement*, on n'entend pas seulement un établissement par mariage, mais encore tout autre établissement de nature à assurer le sort de l'enfant (art. 1422) ; par. ex., l'achat d'une étude, d'un fonds de commerce.

Les immeubles dotaux peuvent, en cas de refus du mari (ajoutons, s'il est incapable, ou dans l'impossibilité de donner son autorisation), être aliénés pour cette cause, avec permission de justice ; mais le mari, qui ne doit pas, malgré lui, être dépouillé d'un droit, conserve en ce cas l'usufruit des biens aliénés.

Pour que la justice puisse intervenir, il faut même supposer que les enfants du premier lit n'ont pas de biens suffisants ; car la dot ne doit être engagée que dans le cas de nécessité (*voy.* cep. Toullier, n. 193).

Le droit d'aliéner emporte celui d'hypothéquer (Dur., 492).

La faculté accordée à la femme de donner ses biens dotaux à ses enfants, s'étend évidemment à ses petits-enfants.

— L'engagement des biens dotaux est-il permis pour exempter un fils du service militaire ? ⁓⁓ A. Ce fils est peut-être le soutien de sa famille : d'ailleurs la libération du service militaire est la première condition d'un établissement (Dur., n. 495. — *Rouen*, 25 février 1828 ; S., 28, 2, 189 ; D., 28, 2, 88. — *Grenoble*, 21 janvier 1835 ; S., 35, 2, 310. — *Nîmes*, 10 août 1837 ; S., 38, 2, 112). ⁓⁓ Le régime dotal appartient au droit étroit ; pour déroger à ce droit il faut se trouver dans un cas d'exception ; or, l'affranchissement du service militaire ne peut-être considéré comme un établissement véritable. Le jeune soldat acquiert sa liberté ; mais sa position reste toujours précaire ; il n'a pas encore pris place dans la société.

La faculté accordée par l'article 1555, s'épuise-t-elle par l'usage qui en est fait ? Après une première libéralité pour un établissement qui n'aurait pas réussi et aurait absorbé qu'une portion des biens dotaux, la femme pourrait-elle encore donner le surplus ? ⁓⁓ L'article 1555 n'apporte aucune limitation au pouvoir de donner ; on ne comprendrait pas que la femme ne pût faire en deux fois ce qu'il lui était permis de faire en une seule, et qu'elle anéantit son droit en divisant l'usage qu'elle en aurait fait. Certains établissements, par leur nature, s'accomplissent dans un ordre successif ; en certains cas, il est même indispensable que l'un ait précédé l'autre ; par exemple, un fils est racheté du service militaire, on lui donne de l'argent pour établir un commerce ; il reçoit une libéralité qui lui facilite un mariage (Sorixiat, n. 148).

1556 — Elle peut aussi, avec l'autorisation de son mari, donner ses biens dotaux pour l'établissement de leurs enfants communs.

= Ainsi, lorsqu'il s'agit d'établir les *enfants communs*, la justice ne peut intervenir : comme le mari doit avoir pour ces enfants la même affection que la mère, on présume que son refus est fondé sur de justes raisons. D'ailleurs, il importe de ne pas laisser à la mère la faculté de procurer à ses enfants le moyen de se marier sans le consentement de leur père.

L'immeuble dotal peut être donné en dot pour le tout, même pour la part du mari, sauf ensuite le recours contre lui, recours pour lequel la femme jouit d'une hypothèque légale (2135).

— Peut-on autoriser la femme à hypothéquer ses biens dotaux pour l'établissement d'un enfant commun ? ⁓⁓ N. L'art. 1556 est spécial ; il autorise à donner, mais non à hypothéquer (*Bordeaux*, 11 août 1836 ; D., 1837, 2, 182 ; *voy.* cep. *Rouen*, 23 juin 1835 ; D., *ibid.*).

Si le père refuse de constituer une dot à un enfant commun, *majeur* pour le mariage, la femme peut-elle se faire autoriser en justice à donner ses biens dotaux, à charge d'en réserver la jouissance à son mari ? ⁓⁓ N. Arg. des articles 1360 et 1556 combinés. Il importe de ne pas rendre les enfants indépendants de leur père (Delv., p. 59, n. 4, Bellot, p. 110). ⁓⁓ A. L'art. 1556 est en harmonie avec l'art.

148, lequel declare, que la volonté du père est prépondérante lorsqu'il s'agit du mariage d'un enfant, mineur pour le mariage; elle est donc sans application lorsque les enfants sont majeurs. — Il ne serait pas juste que le caprice ou l'humeur du père contre l'enfant, empêchât celui-ci de s'établir. — Lorsque la puissance paternelle n'existe plus, il n'y a point de raison pour refuser à la femme la faculté dont il s'agit (Dur., n. 497).

Si le mari est absent, la femme peut-elle, avec autorisation de justice, donner ses biens dotaux pour l'établissement des enfants communs? ∿ *A*. La loi suppose, art. 1556, que le mari a de bonnes raisons pour refuser son autorisation; lorsqu'il est absent, cette présomption n'existe plus. — Au reste, il conserve la jouissance des biens donnés en dot.

Quid, si le mari est interdit? ∿ Appliquez l'art. 511.

L'aliénation des biens dotaux, pour l'établissement d'un enfant, est-elle valable, si les père et mère ne peuvent procurer une dot pareille aux autres enfants? ∿ *N*. La position des enfants doit être égale (*Grenoble*, 4 août 1832; S, 33, 2, 427).

Si postérieurement a la donation consentie par la femme, la chose rentre dans ses mains par suite de la révocation de la donation, l'objet donné redevient-il dotal? ∿ *A*. Le mari recouvre alors la jouissance perdue par l'autorisation qu'il avait accordée; la dérogation au contrat de mariage n'avait eu lieu que sous la condition de l'établissement de l'enfant : la cause cessant, l'effet ne doit pas lui survivre (Seriziat, n. 151).

Les frais d'éducation peuvent-ils être considérés comme des frais d'établissement pour lesquels il soit permis à la femme d'aliéner ses biens dotaux ∿ *N*. Le but de l'éducation est uniquement de rendre apte à se procurer un état; le résultat n'est pas déterminé; le but manque du caractère spécial qui pourrait le faire considérer comme étant un établissement réel; l'enfant qui a reçu l'éducation la plus complète, n'est pas pour cela nanti de la possession d'un état qui puisse faire considérer sa position comme fixée (Seriziat, n. 155).

1557 — L'immeuble dotal peut être aliéné lorsque l'aliénation en a été permise par le contrat de mariage.

= Les époux peuvent faire, dans leur contrat de mariage, telles stipulations qu'ils jugent convenable; par conséquent, ils doivent avoir la faculté de déroger au principe de l'inaliénabilité, — la faculté d'aliéner l'immeuble dotal ne déplace point la propriété; c'est toujours sur la tête de la femme qu'elle continue de résider.

En cas de vente, le prix prend la place de l'immeuble, et le mari devient débiteur de ce prix; mais alors, à quoi se réduit le régime dotal? L'inaliénabilité est un des caractères de ce régime; mais il n'est pas le seul : on peut en énumérer six autres : 1° action pétitoire accordée au mari (1549); 2° présomption en faveur de la paraphernalité (1541 et 1594); 3° délais de restitution (1564); 4° règles au cas d'estimation des meubles transportés au mari (1156); 5° partage particulier des fruits, lors de la dissolution (1571); 6° faveur accordée à la femme (1570); 7° enfin l'aliénabilité peut frapper certains immeubles et ne pas subsister sur d'autres. — On retrouve donc ainsi, nonobstant l'aliénabilité, les principaux caractères du régime dotal.

L'intention de rendre l'immeuble dotal aliénable en tout ou en partie, peut résulter d'une clause expresse du contrat, ou d'une estimation avec déclaration que l'estimation vaut vente.

Il existe cependant, quant aux effets, des différences notables entre ces deux clauses :

L'estimation avec déclaration transfère la propriété au mari : celui-ci peut dès lors aliéner l'immeuble, même sans le consentement de son épouse; tandis que la clause d'aliénabilité a pour seul effet de rendre l'immeuble aliénable, d'inaliénable qu'il était; elle ne donne pas au mari le droit de vendre sans le consentement de la femme; la propriété ne change pas de main; elle reste à la femme.

Du reste, il est certain que le mari est garant de l'emploi, puisque c'est lui qui doit toucher les deniers; mais il ne l'est pas de l'utilité de l'emploi (Arg. de l'art. 1450; Dur., n. 482) (1).

L'acquéreur de l'immeuble dotal *déclaré aliénable*, n'est point garant

---

(1) Cette opinion est combattue par Bellot, p. 117 : le mari, dit cet auteur, est plutôt débiteur du prix que de l'immeuble même.

du défaut d'emploi du prix; il ne peut donc, sous aucun prétexte, refuser de payer, quand même le mari serait devenu complétement insolvable (1).

Cette règle souffre exception, lorsque le contrat porte *qu'il sera fait emploi du prix* : l'acquéreur est alors soumis à l'action en garantie; il a dû se faire représenter le contrat de mariage, pour connaître les droits de son vendeur; cette clause n'a pu lui échapper; il a su que la validité de son acquisition était subordonnée à l'accomplissement de cette condition; s'il se libère sans exiger d'emploi, la femme ou ses héritiers peuvent, soit après la séparation de corps ou de biens, soit après la dissolution du mariage, provoquer l'annulation de la vente ou le contraindre à payer une deuxième fois, en cas d'insolvabilité du mari (2).

Bien plus, si le contrat porte que l'emploi sera fait de *telle* ou *telle* manière, l'acquéreur doit veiller à ce qu'il ait lieu suivant le mode indiqué; tout autre mode ne le préserverait pas de l'action en garantie. — Du reste, il n'est garant, ni de la sûreté, ni de l'utilité de l'emploi.

Ne perdons pas de vue, surtout, que l'obligation de surveiller l'emploi n'est imposée qu'à l'acquéreur de l'*immeuble* dotal : la déclaration que des deniers constitués en dot seront employés en acquisition d'immeubles, n'autoriserait pas les débiteurs de ces deniers à refuser de payer, sous prétexte qu'on ne leur justifierait pas d'un emploi (*voy.* art. 1549).

Il est bien entendu, que la femme seule peut aliéner, puisqu'elle est propriétaire, et qu'elle doit obtenir l'autorisation de son mari ou de justice.

— Dans le cas d'une constitution dotale, comprenant les biens à venir, sans déclaration qu'ils seront aliénables, peut-on faire une donation à la femme, sous la condition que les biens donnés pourront être aliénés avec l'autorisation du mari? ⁎⁎⁎ *A.* Celui qui peut ne pas donner doit pouvoir mettre à sa libéralité une condition qui n'a rien de contraire aux lois ni aux mœurs. Il en serait autrement, si le testateur déclarait donner, sous la condition que les autres biens de la femme seront aliénables (Dur., n. 490; Bellot, p. 30;. ⁎⁎⁎ Cette disposition serait nulle, comme contraire aux dispositions du contrat de mariage (900) (*Nîmes*. 18 janvier 1830; S., 30, 2, 141).

Si le contrat de mariage laisse à la femme et au mari le droit d'aliéner, peuvent-ils hypothéquer? ⁎⁎⁎ *N.* L'art. 1554 établit une règle générale; pour déroger à cette règle, il faut une exception; or, l'art. 1557, ne parle que des aliénations; les exceptions se renferment dans leurs termes. — En aliénant, la femme ne vend pas sans recevoir; en hypothéquant elle peut compromettre et perdre sa dot par des cautionnements, et cela sans rien recevoir : la femme se prêtera plus facilement à une hypothèque qu'à une aliénation. — Arg. de la loi *Julia* et de la loi 15 au Code : *De rei uxoriœ actione*, — Il résulte des art. 217, 1449, 1554, 1557 et 1558, C. c., que les deux facultés n'ont pas été confondues comme identiques; l'hypothèque déprécie l'immeuble, il n'y a pas de remploi possible. Il en est autrement lorsqu'il s'agit d'aliénation, tout doit être, en pareille matière, entendu restrictivement (Bellot, 116; Dur., n. 479 et suiv. — *Cass.*, 25 janvier 1830; D., 30, 1, 92; S., 30, 1, 68; 22 juin 1836; D., 36, 1, 201; 31 janvier et 16 août 1837; D., 37, 1, 106 et 401 (*Val.*) Lorsque le remploi du prix de la vente a été stipulé, la négative n'est pas douteuse; mais on doit adopter l'affirmative, lorsqu'il n'existe pas de clause de remploi. — Celui qui peut aliéner la totalité de l'immeuble, doit pouvoir faire une aliénation partielle : qui peut le plus, peut le moins. — L'hypothèque et l'aliénation sont placées sur la même ligne : l'hypothèque est une aliénation indirecte; dès l'instant où une femme est autorisée à aliéner, elle acquiert le pouvoir de disposer de la propriété entière (Teissier, p. 390; Seriziat, n° 140).

La faculté d'hypothéquer emporte-t-elle celle d'aliéner? ⁎⁎⁎ *N.* Arg. des art. 1507 et 1508 (Dur., n. 480; Bellot, *ibid.*)

La faculté réservée à la femme, d'aliéner et d'hypothéquer, emporte-t-elle celle de compromettre sur des contestations relatives à ces mêmes biens? ⁎⁎⁎ *N.* Arg. de l'art. 1989, C. c.; 1004, Pr. (Dur., n. 481. — *Lyon*, 20 août 1828; S., 29, 2, 68. — *Montpellier*. 15 novembre 1830; S., 31, 2, 318).

La femme peut-elle valablement se réserver, par contrat de mariage. la faculté de vendre sans autorisation? ⁎⁎⁎ *A.* Le Code ne prohibe que l'autorisation générale d'aliéner les immeubles; or, il s'agit ici d'une autorisation spéciale (223) (Dur., n. 473).

Pourrait-elle faire cette stipulation si elle était créancière? ⁎⁎⁎ *A.* Arg. de l'art. 1398 (Dur., n. 476).

Celui qui donne un immeuble en dot, et qui le déclare aliénable, peut-il stipuler que l'aliénation n'aura lieu qu'avec le consentement de lui donateur? ⁎⁎⁎ *A.* Cette condition n'a rien de contraire aux lois; mais si le donateur meurt avant la dissolution du mariage, les époux pourront librement aliéner (Dur.. n. 477.)

La femme mineure peut-elle consentir à ce que son immeuble dotal soit aliénable, et donner, soit au

(1) *Rouen*, 21 mars 1829; S., 30, 2, 238. — *Turin*, 25 janvier 1811; S.. 12. 2. 285.
(2) *Rouen*, 24 avril 1828; S., 28, 2, 190. — *Cass.*, 23 août 1830; S., 30, 1, 394. — *Paris*, 9 juillet 1828; S., 1828, 2, 281.

mari, soit à un tiers le pouvoir de le vendre? ⁓ *A*. Arg. des art. 1557 et 1398. — Arg. des mots de ce dernier article ; *toutes les conventions* (Dur., n. 478).

Le mari, qui ne fait qu'autoriser sa femme à aliéner l'immeuble dotal, est-il garant de l'éviction? ⁓ *N*. Son autorisation a pour seul effet de valider l'acte ; mais il est garant, envers l'acquéreur évincé, du prix par lui touché, à moins qu'il ne justifie qu'il en a fait emploi au profit de la femme (Dur., n. 485).

Lorsque la séparation de biens a été prononcée, le tiers détenteur d'un bien du mari, poursuivi hypothécairement par la femme pour le recouvrement de sa dot, peut-il se refuser à payer, sur le seul motif du défaut d'emploi? ⁓ *N*. La séparation de biens a rendu à la femme la libre administration de ses biens (Dur., n. 489. — *Montpellier*, 22 juin 1819 ; S., 20, 2, 310).

Lorsque le contrat de mariage porte, qu'en cas de vente, le mari pourra faire emploi, cet emploi doit-il être accepté par la femme? ⁓ Le mari a reçu, par son contrat de mariage, un mandat suffisant (Dur., n. 489).

La faculté d'aliéner les biens dotaux emporte-t-elle celle de les échanger? ⁓ *A*. L'échange est une sorte d'aliénation (*Cass.*, 25 avril 1831 ; S. 32, 1, 623). ⁓ Les clauses qui autorisent la vente doivent être restreintes dans leurs termes (*Toulouse*, 7 février 1832 ; S., 32, 2, 464).

La femme qui s'est réservé, par son contrat de mariage, la faculté de vendre ses biens dotaux à la charge de remploi, peut-elle revendiquer l'immeuble vendu, tant que le remploi n'a pas eu lieu? ⁓ *N*. (*Grenoble*, 17 décembre 1835 ; D., 37, 2, 6).

1558 — L'immeuble dotal peut encore être aliéné avec permission de justice, et aux enchères, après trois affiches ,

Pour tirer de prison le mari ou la femme;

Pour fournir des aliments à la famille dans les cas prévus par les articles 203, 205 et 206, au titre *du Mariage ;*

Pour payer les dettes de la femme ou de ceux qui ont constitué la dot, lorsque ces dettes ont une date certaine antérieure au contrat de mariage ;

Pour faire de grosses réparations indispensables pour la conservation de l'immeuble dotal ;

Enfin, lorsque cet immeuble se trouve indivis avec des tiers, et qu'il est reconnu impartageable.

Dans tous ces cas, l'excédant du prix de la vente au-dessus des besoins reconnus restera dotal, et il en sera fait emploi comme tel au profit de la femme.

= Dans les deux cas exceptionnels prévus par les art. 1555—1557, la loi ne prescrit, pour l'aliénation de l'immeuble dotal, aucune forme particulière ; car la cause de l'aliénation étant toujours connue, on n'avait point à craindre de collusions entre les époux, pour violer les règles de la dotalité ; mais il n'en est pas de même dans les cinq cas que nous allons examiner (1) : la nécessité d'aliéner est fondée sur l'impossibilité de remédier, par les voies ordinaires, à certains besoins mal définis ; aussi, la loi prescrit-elle, sous peine de nullité (2), pour que l'aliénation ait lieu, les conditions suivantes : 1° la justice doit intervenir pour examiner si l'aliénation est réellement utile, et si les circonstances sont telles qu'il y ait lieu de l'autoriser ; 2° la vente doit être précédée d'affiches : la loi ne déterminant ni dans quels lieux ni à quels intervalles les affiches doivent être apposées, nous pensons qu'il faut se conformer à l'article 459, C. c.; 3° enfin, la vente doit avoir lieu aux enchères. — A ces conditions, nous ajouterons que le ministère public doit être entendu (83, Pr.).

Il est superflu de dire, que l'autorisation d'aliéner doit être demandée par la femme, puisqu'elle est propriétaire (3).

_____

(1) Le mari, par exemple, pourrait s'entendre avec un créancier vrai ou simulé qui obtiendrait contre lui la contrainte par corps.

(2) Merlin, Rép. ; Dot., § 8 ; Teissier, p. 419 ; Toullier, n. 199 ; Dur., n. 509. — *Caen*, 4 juillet 1820 ; S., 27, 2, 150. — *Rouen*, 16 janvier 1808 ; S., 38, 2, 104. — *Grenoble*, 25 mars 1833 ; D., 30, 2, 114.

(3) Bellot, p. 122 ; D., t. 10, p. 342, n. 29. ⁓ Silence de la loi. — Arg. de cette expression de l'article 1559, *mais avec le consentement*, etc. (Delv., p. 57, n. 9).

Suivant notre article, l'immeuble dotal peut être aliéné, savoir :

1° *Pour tirer de prison le mari ou la femme*, quelle que soit d'ailleurs la cause de la détention ; qu'elle ait une origine civile, commerciale ou criminelle, peu importe, pourvu qu'elle soit pécuniaire (1). On ne doit pas interdire à l'un des époux la faculté de venir au secours de son conjoint : c'est même là une des obligations du mariage.

Mais il ne suffirait pas qu'un jugement emportant contrainte par corps eût été rendu : la loi est positive ; elle exige que l'époux soit incarcéré, ou du moins, qu'il soit déjà saisi et prêt à être conduit en prison ; autrement, on pourrait facilement, en se concertant avec un tiers, éluder la prohibition d'aliéner (2).

Cependant, l'aliénation devrait être autorisée, bien que l'époux eût la facilité d'obtenir sa liberté en faisant cession de biens ; car la cession de biens est une ressource extrême et déshonorante ; d'ailleurs, la loi ne distingue pas.

L'immeuble dotal peut-il être aliéné pour tirer de prison l'un des ascendants du mari ou de la femme ? Le Code ne mettant pas ce cas au nombre de ceux qui, par exception, peuvent motiver l'aliénation de la dot, on décide que l'autorisation ne doit pas être accordée.

Nous pensons, par la même raison, que les tribunaux ne pourraient l'accorder même pour tirer les enfants de prison (Toullier, n. 203 et suivants ; *voyez* cep. Bellot, p. 228).

Le consentement de la femme est nécessaire lorsqu'elle n'est pas personnellement obligée.

2° *Pour fournir des aliments*, etc. L'autorisation ne peut être accordée que dans les cas prévus par les art. 203, 205 et 206 ; c'est-à-dire, lorsqu'il y a obligation de la part des époux.

Il ne suffit pas que les personnes désignées se trouvent dans le besoin ; il faut encore que les revenus de la dot ou les autres biens personnels des époux soient insuffisants.

Ici, le consentement de la femme n'est point essentiel pour aliéner ; car elle est obligée légalement (3).

Nous pensons que les tribunaux pourraient autoriser l'aliénation de l'immeuble dotal, si les époux eux-mêmes, vieux et infirmes, ne pouvaient subvenir à leurs besoins (4).

3° *Pour payer les dettes*, etc. Voyons d'abord quels sont les droits des créanciers de la femme ; nous nous occuperons ensuite des créanciers du constituant.

Les créanciers hypothécaires conservent évidemment leurs droits sur les biens dotaux. — A l'égard des créanciers chirographaires, ils peuvent également agir contre le mari, si la constitution de dot est d'une généralité de biens (5) : mais *quid*, si la disposition est à titre particulier ? La

---

(1) Par exemple, en matière de délits, la réparation civile peut être un motif de continuer l'emprisonnement.

(2) Caen, 4 juillet 1826 ; S., 27, 2, 150 ; D., 27, 2, 47.

(3) L'obligation imposée aux deux époux. par ces articles, est solidaire : ainsi. nonobstant l'art. 1448. la femme séparée doit. en cas d'insolvabilité du mari, payer intégralement les avances faites par un tiers pour l'éducation de leurs enfants, antérieurement même au jugement de séparation (*Paris*, 12 juin 1836, D., 36, 2. 134).

(4) Dur., n. 510.

(5) Cette opinion est rejetée par Toullier, n. 817, t. 5. Le débiteur, dit cet auteur, est la pour répondre à l'action personnelle que les créanciers ont contre lui : quelle raison dès lors pour transférer une action d'une personne a une autre ?

décision dépend de la question de savoir si la constitution de dot est une aliénation : or, il faut au moins convenir qu'il y a aliénation pour l'usufruit. Cette aliénation étant à titre onéreux, ne peut être résolue qu'autant qu'il y a eu fraude de la part du mari ; il faut établir qu'il a connu avant le contrat, l'existence des dettes dont il s'agit. (Arg. de l'art. 1167, Dur., n. 512). — Lorsque le mari a été de bonne foi au moment de l'acquisition, en d'autres termes, lorsqu'il n'a pas eu connaissance de ces dettes, les créanciers ne peuvent faire vendre que la nue propriété des biens.

Pour que les dettes de la femme puissent motiver l'aliénation de l'immeuble dotal, il faut :

1° Qu'il n'y ait pas d'autre moyen de les acquitter : si la femme a des paraphernaux, on doit au préalable les faire vendre ;

2° Qu'elles soient établies par un titre ayant acquis date certaine antérieure au contrat de mariage.

Remarquez ces mots, au contrat de mariage : le titre ne produirait donc pas d'effet, s'il avait acquis date certaine dans l'intervalle du contrat à la célébration ; autrement, il serait facile de modifier la constitution de dot (1) (1396).

Les créanciers, porteurs d'un titre n'ayant pas date certaine, ne pourraient donc, comme lorsque la femme est mariée en communauté (1410), poursuivre leur payement pendant le mariage sur la nue propriété des immeubles dotaux ; mais rien ne s'opposerait à ce qu'ils exerçassent leurs droits sur les paraphernaux.

L'autorisation de justice n'est pas nécessaire aux créanciers pour exercer leurs poursuites, puisque cette autorisation ne peut leur être refusée : mais la femme devrait être autorisée si c'était elle-même qui voulût, avec le concours de son mari, faire vendre ses biens dotaux pour payer ses dettes.

Au reste, les époux n'ont la faculté d'aliéner les immeubles dotaux, pour payer les dettes de la femme antérieures au mariage, qu'autant qu'elle s'est dotée avec ses propres biens : les immeubles qui lui auraient été donnés par des tiers, ne pourraient évidemment être saisis, puisqu'ils n'auraient jamais constitué le gage des créanciers : par conséquent, il n'y aurait pas lieu de les vendre pour éviter une saisie.

Quant aux dettes contractées par la femme, durant le mariage, elles n'affectent point, en général, les immeubles dotaux. Il y a cependant exception, lorsque la dette procède d'un délit ou d'un quasi-délit (2), d'un

---

(1) Dur., n. 514 ; Bellot, p. 94. — Montpellier, 7 janvier 1830 ; S., 30, 2, 169. ⁓⁓ Distinction sans motif. — Arg. des termes généraux de l'art. 1410 : cet article parle des dettes qui ont acquis date certaine antérieure au mariage ; il n'est pas dit au contrat de mariage. — Si la femme mariée sous le régime de la communauté contracte des dettes dans l'intervalle du contrat à la célébration, ces dettes seront à la charge de la communauté ; mais les conventions matrimoniales ne seront pas pour cela modifiées : or, l'art. 1410 est en parfaite harmonie avec l'art. 1558. — Il n'est pas vrai de dire, qu'en s'obligeant, la femme modifie les conventions matrimoniales : en quoi se trouvent-elles modifiées par le fait que l'un des époux se place dans certains rapports avec des tiers ? — Les mots : contrat de mariage, sont employés abusivement dans ce dernier article ; ils signifient le mariage. — Comment concevoir que les personnes qui traiteront avec la femme après le contrat de mariage, contrat qui n'est pas connu, et qui peut précéder d'un grand nombre d'années la célébration du mariage, n'auront aucune sûreté, quel que soit d'ailleurs l'empressement qu'elles mettront à faire enregistrer le contrat qui constate leur droit ? — Ajoutons que la femme aurait fort bien pu vendre ses immeubles avant la célébration du mariage, à celui envers qui elle s'est obligée ; dès lors, comment pourrait-on refuser à ce dernier le droit de gage dont il est parlé dans l'art. 2092 ? — Les mots : contrat de mariage ne se trouvent là que par suite d'une erreur (Bellot, p. 133 et 410 ; Toullier, n. 310 (Val.)

(2) De ce que la femme se trouve frappée, sous le régime dotal, d'une incapacité plus grande que sous d'autres régimes, il ne faut pas conclure que les tiers ne puissent être protégés contre les délits ou les quasi-délits qu'elle a commis : l'incapacité de la femme n'a jamais été prise en considération en matière

emprunt que la femme a fait avec permission de justice pour l'une des causes énoncées en l'article 1558, ou pour l'établissement des enfants. Enfin, lorsque la femme, séparée de biens, s'est obligée dans les limites d'une bonne administration. — Au surplus, nous le répétons, les créanciers ont, dans tous les cas, le droit de poursuivre la femme sur la pleine propriété des biens paraphernaux. Mais pourraient-ils se faire payer sur la dot mobilière? cette question dépend de celle de savoir si la dot mobilière est aliénable (*voy.* art. 1554, Question 1re) (1).

Lorsqu'il s'agit des dettes de ceux qui ont constitué la dot, les mêmes distinctions doivent être admises : — si les créanciers chirographaires invoquent l'art. 1167, ils auront à prouver la fraude, non-seulement de la part du constituant et de la femme, mais encore de la part du mari.

Dans les divers cas où les créanciers des constituants auraient le droit de saisir les biens, l'immeuble dotal peut être aliéné pour éviter une saisie.

Le fonds dotal pourrait-il être aliéné volontairement pour acquitter généreusement les dettes du donateur? Nous le pensons : dans notre opinion, il s'agit plutôt ici d'une question de délicatesse, que d'une question rigoureuse de droit; les époux peuvent tenir à faire honneur aux engagements d'un père ou d'un proche parent (2114). Toutefois, le juge ne doit pas autoriser l'aliénation, par cela seul que la femme veut être reconnaissante; il faut qu'il y ait absolue nécessité, et que le constituant soit hors d'état de payer ses dettes.

4° *Pour faire de grosses réparations indispensables*, etc. : ainsi, l'urgence des réparations et leur utilité, conditions essentiellement distinctes, doivent concourir; la loi exige que les grosses réparations soient indispensables pour la conservation de l'immeuble; le juge peut alors autoriser l'aliénation totale ou partielle d'un immeuble dotal :—si les grosses réparations étaient causées par le défaut de réparations d'entretien, elles seraient à la charge du mari, comme provenant de sa négligence.

Néanmoins, le juge ne peut permettre l'aliénation de l'immeuble dotal, qu'autant que le mari se trouve dans l'impossibilité de faire les avances; car sa qualité d'administrateur lui impose le devoir d'effectuer les réparations, sauf ensuite son recours contre la femme.

5° *Lorsque l'immeuble se trouve indivis*, etc. L'énonciation de cette prétendue exception était inutile : il suffisait d'avoir déclaré, art. 815, que nul ne peut être tenu de rester dans l'indivision; la justice n'a point de permission à accorder; par cela seul que l'immeuble est impartageable, il y a lieu à licitation.

Le partage peut être demandé par la femme sous l'autorisation du mari, ou par les tiers (2).

Le tribunal peut autoriser le partage, lorsqu'il est demandé par les époux; il doit l'ordonner, lorsque la demande est formée par le tiers co-

---

de délit ou de quasi-délit; on ne peut faire à celui qui souffre d'un délit commis par la femme, le reproche que l'on adresse à la personne qui a contracté avec elle sans s'assurer de sa capacité.

(1) Dans le système de l'aliénabilité, le payement des dettes que la femme a contractées, durant le mariage, avec l'autorisation de son mari, peut être poursuivi, soit pendant, soit après la dissolution du mariage, sur la pleine propriété de la dot mobilière; si elles n'ont été contractées qu'avec l'autorisation de justice, elles ne peuvent être poursuivies que sur la nue propriété de cette dot. — Dans le système opposé, les dettes n'affectent pas même la nue propriété; sous ce rapport, les meubles sont en tout point assimilés aux immeubles.

(2) Quant au mari, peut-il, sans le concours de sa femme, le provoquer (voy. art. 1549, deuxième question)?

propriétaire (1). — Le partage doit être poursuivi au nom de la femme.

Si l'immeuble licité est adjugé à la femme, sera-t-il dotal pour le tout? Les parts des copropriétaires deviendront dotales ou paraphernales, selon que la constitution de dot sera générale ou qu'elle sera restreinte à la part indivise que l'époux avait dans l'immeuble (Arg. de l'art. 1408) (2).

Si l'immeuble indivis a été adjugé à l'un des copropriétaires, la part qui revient à la femme dans le prix, sera substituée à la portion qu'elle avait dans l'immeuble; il sera fait emploi de ce prix.

Si le mari s'est rendu seul et en son nom personnel acquéreur ou adjudicataire de cet immeuble, on doit appliquer la dernière disposition de l'article 1408 : ainsi, lors de la dissolution, la femme aura le choix, ou d'abandonner l'immeuble au mari, lequel deviendra débiteur de la portion appartenant à la femme dans le prix, ou de retirer cet immeuble, en remboursant au mari le prix de l'acquisition (Dur., n. 363).

L'acquéreur de l'immeuble dotal n'est point tenu de garantir l'emploi du prix, à moins que le cahier des charges ne le soumette à cette obligation (*voy.* art. 1557).

La disposition finale et générale de l'art. 1558 reçoit son application toutes les fois que les immeubles dotaux ont été aliénés en vertu des dispositions exceptionnelles que nous venons d'examiner.

Il nous reste à faire observer que, dans tous les cas où le tribunal a le droit d'autoriser l'aliénation du fonds dotal, il peut, *à fortiori* permettre de l'hypothéquer : la voie d'emprunt semble même beaucoup plus conforme au vœu de la loi; car les époux conserveront l'immeuble, s'il leur survient des deniers suffisants pour payer la dette (3).

L'aliénation d'un immeuble dotal, même autorisée par le tribunal, sans qu'il existe une juste cause, est nulle (4).

Quel est le tribunal qui doit autoriser l'aliénation? est-ce le tribunal du domicile des époux ou celui de la situation de l'immeuble? Dans les quatre premiers cas, c'est évidemment celui du domicile des époux; dans la cinquième, on doit rechercher la cause de l'indivision : si l'immeuble provient d'une succession encore indivise, c'est le tribunal du lieu de l'ouverture de la succession (59, Pr.) : dans tous autres cas, c'est le tribunal du domicile des époux, car il s'agit d'une question de capacité.

Il est à regretter que la loi n'ait pas apporté d'exceptions plus nombreuses au principe général de l'inaliénabilité; mais ces exceptions sont de droit strict, on ne peut les étendre.

— L'article 1550 suppose que l'immeuble est impartageable; s'il y avait possibilité de le diviser, l'intervention de la justice serait-elle indispensable? ⁓ L'article 1558 s'appliquant uniquement à l'hypothèse d'une licitation, l'argument tiré du principe : *qui de uno dicit de altero negat*, peut être valablement opposé. — Argument de l'article 818 qui autorise les époux à provoquer le partage, pourvu que leur action soit simultanée. — L'art. 819 déclare que le partage peut être fait dans telle forme et par tels actes que les parties jugent convenable lorsque tous les héritiers sont présents et majeurs. — Argument *à contrario*

(1) C'est ainsi qu'il faut concilier la disposition générale du premier alinéa de l'article 1558 avec le § 5 relatif au cas d'indivision (*Cass.*, 23 août 1830; S., 301, 394). ⁓ Le juge doit ordonner la licitation par cela seul qu'elle est provoquée, quand même la demande émanerait des époux (Dur., n. 505).

(2) D'ailleurs, c'est par un titre nouveau, que l'excédant de la portion qui n'était pas dotale, arrive à la femme : vainement exciperait-on de l'article 883; cet article concerne les héritiers dans leurs rapports entre eux; il ne peut être invoqué quand il s'agit de droits créés par le contrat de mariage (Bellot, p. 139; Delv., t. 3.p. 57, n. 10; D., t. 10, p. 341, n. 25). ⁓ Voy. la distinction faite par Dur., n. 3 1 et 363).

(3) Dur., n, 507, *Bordeaux*, 1er août 1834. S., 34, 2, 685; *Rouen*, 17 janvier 1837 et 10 mars 1838; S., 38, 2, 102 et 450. Voy. cep. 12 janvier 1838; S., 18, 2, 103.

(4) *Grenoble*, 4 août 1832; S., 33, 2, 427.

de l'art. 803. — Enfin, l'art. 1558 ne semble exiger la permission de justice que pour le cas de licitation. — Arg. de l'art. 883, qui déclare que chaque héritier est censé avoir succédé seul et immédiatement; dès lors, nulle aliénation n'est censée avoir été faite; par conséquent la femme ne s'est point trouvée sous le coup de la prohibition qui frappe ses biens dotaux (*Cass.*, 29 janvier 1838; S., 1. 38, 751. ⁓⁓ La position de la femme est moins favorable que celle du mineur; dès lors, comment lui reconnaître le droit de procéder sans le concours de la justice, à un acte de la plus haute importance, quand le tuteur est en pareil cas tenu de se soumettre aux formalités judiciaires ? — Tout partage constitue un acte de propriété (Serizlat, n. 169).

Les *créanciers* de la femme, porteurs d'un titre ayant date certaine antérieure au contrat de mariage, pourraient-ils poursuivre leur payement sur la nue propriété des immeubles constitués en dot par un tiers? ⁓⁓ *A.* Ils ne nuisent pas aux droits du mari, puisqu'il n'a que la jouissance de ces biens (Dur., n. 513; Delv., p. 57, n. 8). ⁓⁓ Ils n'ont jamais dû compter sur ces immeubles (Toullier, n. 209).

Les créanciers porteurs de titres n'ayant pas acquis date certaine au jour de la célébration du mariage, pourraient-ils agir sur les biens dotaux après la dissolution? ⁓⁓ *N.* On présumera toujours que les obligations ont été contractées pendant le mariage (1410) (Dur., n. 514; Bellot, p. 95). ⁓⁓ Dans l'art. 1410 on a craint uniquement la possibilité d'une antidate qui aurait nui au mari, lequel, en ce cas, est considéré comme un tiers, par rapport à la femme; mais la femme n'est point un tiers, quant à ses propres obligations.

Nous avons vu, que dans les cas prévus par l'art. 1558, les biens dotaux ne peuvent être aliénés qu'avec permission de justice; mais cette autorisation peut-elle être accordée au mari, nonobstant le refus de la femme? ⁓⁓ *N.* Ce serait violer le droit de propriété. — Il faut excepter, bien entendu, le cas où la femme peut être contrainte à l'aliénation (Bellot, p. 122; D., t. 10, p. 342, n. 29). ⁓⁓ *A.* Silence de la loi. Arg. de cette expression de l'art. 1559 : *mais avec le consentement*, etc. (Delv., t. 3, p. 57, n. 9.).

Quid, dans le cas inverse, si l'aliénation étant demandée par la femme, le mari s'y oppose, le juge doit-il accorder l'autorisation? ⁓⁓ *A.* Mais l'usufruit de l'immeuble dotal devra être réservé au mari, si la clause de l'aliénation ne constitue pas une obligation pour lui. (Bellot, t. 4, p. 371; D., t. 10, p. 343, n. 30).

L'immeuble dotal peut-il être aliéné, lorsque les époux sont vieux et infirmes, s'ils n'ont pas d'autre moyen d'existence? ⁓⁓ *A.* Si l'immeuble peut être aliéné pour fournir des aliments à un beau-père, il doit pouvoir l'être, à plus forte raison, pour que la femme puisse s'en fournir à elle-même. — La nécessité d'obtenir l'autorisation de justice est d'ailleurs une garantie (Dur., n. 510; D., t. 10, p. 339, n. 13).

Les meubles dotaux peuvent-ils être aliénés pour les causes exprimées dans l'article 1558? ⁓⁓ *A.* Il y a même raison (*Bordeaux*, 22 novembre 1833; S., 33, 2, 584).

L'emploi doit-il avoir lieu nécessairement en immeuble? ⁓⁓ *A.* (*Paris*, 26 février 1833; S., 33, 2, 230).

Quid s'il s'agit de remplir les obligations résultant d'une adition d'hérédité ou d'une condamnation judiciaire aux dépens; les immeubles dotaux deviennent-ils aliénables? ⁓⁓ *N.* Cette cause n'est pas comprise dans les exceptions au principe de l'inaliénabilité (*Agen*, 26 janvier 1833; S., 33, 2, 159.—*Cass.*; 2 janvier 1826; D,, 1825, 1, 3; 38 février 1834; S., 34, 1, 208).

Doit-on observer, pour la licitation d'un immeuble indivis avec une femme mariée sous le régime dotal, les formes prescrites par notre article? ⁓⁓ *A.* (*Cass.*, 28 août 1830; S., 30, 1, 394).

1559— L'immeuble dotal peut être échangé, mais avec le consentement de la femme, contre un autre immeuble de même valeur, pour les quatre cinquièmes au moins, en justifiant de l'utilité de l'échange, en obtenant l'autorisation en justice, et d'après une estimation par experts nommés d'office par le tribunal.

Dans ce cas, l'immeuble reçu en échange sera dotal; l'excédant du prix, s'il y en a, le sera aussi, et il en sera fait emploi comme tel au profit de la femme.

☰ L'échange peut présenter aux époux de grands avantages; par ex., en leur procurant le moyen de substituer un bien situé dans l'arrondissement qu'ils habitent, à un immeuble dotal, qui se trouve dans un arrondissement éloigné : on ferait donc tourner contre la femme un principe établi en sa faveur, si l'on n'admettait, pour le cas d'échange, une nouvelle exception au principe de l'inaliénabilité.

La demande doit être portée devant le tribunal du domicile des époux, quoique les immeubles à échanger soient situés dans un autre ressort; car elle tend à obtenir l'autorisation de souscrire un contrat, et par conséquent elle est personnelle; cette demande doit être formée par la femme avec l'autorisation de son mari : — si la femme, au refus du mari, avait eu recours à la justice pour se faire autoriser, ce dernier conserverait la jouissance des biens.

Pour que la demande soit accueillie, la loi n'exige pas qu'il y ait *nécessité*, comme dans le cas de vente; il suffit qu'il y ait simple *utilité :* si le tribunal reconnaît cette utilité, il nomme d'office, après avoir entendu le ministère public, trois experts, pour constater la valeur des immeubles.

S'il résulte du rapport des experts, que l'immeuble dotal excède de plus d'un cinquième la valeur de celui qu'il s'agit d'acquérir, l'autorisation est refusée : dans le cas contraire, c'est-à-dire, si la différence est moindre, on l'accorde; l'immeuble acquis en contre-échange devient de plein droit dotal, et le mari est tenu de faire emploi de l'excédant du prix. — Le coéchangiste doit surveiller cet emploi.

La loi ne statue pas sur le cas où la valeur du fonds acquis en contre-échange serait supérieure à celle du fonds dotal; nous pensons qu'elle a voulu, dans cette hypothèse, s'en rapporter à la prudence du juge.

Il nous reste à faire observer, que l'article 1559 dispose sur l'échange qui s'opère d'héritage à héritage, et non sur celui qui aurait pour objet des droits immobiliers, tels que ceux dont il est fait mention dans l'article 526 : ainsi, quoiqu'une servitude soit assimilée à un immeuble, la femme ne pourrait échanger le fonds dotal contre un droit de cette nature.

Le mari ne supporte pas les frais de l'échange; ces frais doivent concerner la femme seule, puisqu'il ne s'agit pas d'un acte d'administration, mais d'un acte qui touche à la propriété.

— Lorsque la valeur du fonds reçu en contre-échange est supérieure à celle du fonds dotal, l'excédant de valeur est-il dotal? ⁓ *N.* Il n'y a de dotal que la valeur correspondante à celle de ce dernier immeuble; parce qu'il est défendu, aux termes de l'art. 1543, d'augmenter la dot pendant le mariage (Toullier, n. 223 ; *voy.* cep. Bellot, p. 147).

En cas d'éviction du fonds reçu en contre-échange, le mari peut-il, à son choix, en exerçant l'action en garantie dans l'intérêt de la femme, conclure à des dommages-intérêts, ou répéter le fonds donné en échange? ⁓ *A.* Vainement alléguerait-on que le mari, en concluant à des dommages-intérêts, enfreindrait le principe de l'inaliénabilité : on répondrait qu'il n'aliène rien, puisque le fonds donné en échange a cessé d'être dotal dès le moment où l'échange a été consommé avec l'autorisation de justice : refuser ce droit à la femme, ce serait la dépouiller d'une option qui peut lui être avantageuse. — L'art. 1705 est général, il ne distingue pas. — Sous la dénomination de dommages-intérêts, l'article 1705 comprend réellement deux choses; 1° la valeur de l'immeuble dont l'échangiste a été privé : 2° l'indemnité qui lui est due par suite de cet événement : or l'indemnité se confond avec le prix de l'immeuble ; c'est donc en réalité l'équivalent de l'héritage qui est alloué, et par conséquent un prix de vente. Le jugement qui accorde des dommages-intérêts doit en prescrire l'emploi; l'échangiste ne peut dès lors se libérer qu'en veillant à ce que ce remploi ait lieu; il s'agit d'une véritable subrogation (Toullier, n. 223 ; Serizlat, n. 180).

Dans le cas inverse, c'est-à-dire, si l'échangiste qui a reçu l'immeuble de la femme vient à en être évincé, peut-il, à son choix, exciper de l'art. 1705, et réclamer le payement des dommages-intérêts au lieu de revendiquer l'immeuble? ⁓ *A.* Le contrat d'échange passé en exécution de l'art. 1559, est aussi régulièrement cimenté que s'il était intervenu entre personnes dont la capacité n'était gênée par aucune entrave (Serizlat, n. 181).

1560 — Si, hors les cas d'exception qui viennent d'être expliqués, la femme ou le mari, ou tous les deux conjointement, aliènent le fonds dotal, la femme ou ses héritiers pourront faire révoquer (1) l'aliénation après la dissolution du mariage, sans qu'on puisse leur opposer aucune prescription pendant sa durée : la femme aura le même droit après la séparation de biens.

Le mari lui-même pourra faire révoquer l'aliénation pen-

_____

(1) Le projet déclarait l'aliénation radicalement *nulle* : cette rédaction fut changée sur la proposition du tribunat : pourquoi ne pas l'avoir maintenue pour le cas où l'aliénation a été consentie par le mari ?

dant le mariage (1), en demeurant néanmoins sujet aux dommages et intérêts de l'acheteur, s'il n'a pas déclaré dans le contrat que le bien vendu était dotal (2).

= Cet article contient la sanction de la disposition de l'art. 1554 ; il distingue trois cas :

L'immeuble dotal a été aliéné par le mari seul, par la femme seule sans autorisation , ou par le mari et la femme conjointement.

Première hypothèse : si l'immeuble a été aliéné par le mari, il est d'abord évident (et cette observation s'applique à tous les cas), que la femme ne peut demander la révocation de l'aliénation qu'après la dissolution du mariage ou la séparation de biens prononcée par jugement ; car elle recouvre seulement alors l'administration de ses biens (3). D'ailleurs, les poursuites qu'elle exercerait pendant le mariage réfléchiraient contre son mari par l'effet de la garantie. Aussi, par cette considération , l'art. 2256, conforme sous ce rapport à celle de l'art. 1561 , suspend-il , en faveur de la femme , le cours de la prescription, pendant le mariage ; il applique la règle : *contrà non valentem agere non currit præscriptio.* — L'action se prescrit par le laps de temps ordinaire ; c'est-à-dire , par dix et vingt ans , si l'acheteur a juste titre et bonne foi , et par trente ans dans le cas contraire. Le délai court du jour de la dissolution du mariage ; et en cas de séparation de biens , du jour où la séparation a été prononcée (4).

Quant au mari , l'exercice de l'action rentre dans ses pouvoirs, disons mieux, dans ses devoirs d'administrateur : il est clair, dès lors, qu'il peut agir, mais seulement pendant le mariage ou jusqu'à la séparation de corps ou de biens. — Vainement opposerait-on la règle : *cum quem de evictione tenet actio, eumdem agentem repellit exceptio :* on répondrait, qu'en accordant au mari cette faculté, la loi a eu principalement en vue l'intérêt de la femme et celui des enfants ; et qu'en attaquant l'aliénation d'un immeuble dotal , il agit bien moins en son nom personnel qu'en qualité de chef de l'union conjugale et de mandataire légal de la femme.

Le mari est-il passible de dommages-intérêts envers l'acheteur ? On distingue : s'il a fait connaître, dans le contrat, le caractère du bien vendu ,

(1) Cette expression est trop générale ; après la séparation de biens , la femme reprend l'administration de ses biens , et par conséquent c'est à elle seule qu'appartient le droit d'agir en nullité, après avoir obtenu , comme de raison , l'autorisation préalable de son mari ou de justice.

(2) L'art. 1560 devrait être placé après l'art. 1561.

(3) Nîmes , 4 janvier 1835 ; S., 36, 2, 50. ⋀⋀ Les immeubles restant inaliénables , même après la séparation de biens , la femme ne peut confirmer l'aliénation qu'après la dissolution du mariage ; par conséquent la prescription ne doit courir contre elle qu'à dater de cette époque (Dur., n. 529).

(4) En effet , la femme reprenant alors la libre administration de ses biens , peut agir contre les héritiers détenteurs ; il n'est point à craindre que l'action réfléchisse contre le mari. — L'article 1560 , il est vrai , semble supposer que la prescription de l'action en nullité , fondée sur l'inaliénabilité de l'immeuble dotal , ne peut commencer à courir qu'après la dissolution du mariage ; mais il faut remarquer, que les rédacteurs étaient alors sous l'influence de cette pensée, que les biens aliénables ne pourraient se prescrire ; puis, quand ils se sont occupés de l'article 1561 2° , ils ont modifié , sur la demande du tribunal, le principe consacré par l'art. 1560 , en décidant que l'immeuble serait prescriptible après la séparation de biens. — Dire que l'immeuble dotal n'est prescriptible qu'autant qu'il est aliénable, c'est porter une atteinte directe à l'article 1561, lequel permet la prescription de l'immeuble dotal à une époque cependant où l'aliénation ne peut avoir lieu. — Évidemment, l'art. 1560 ne prévoit pas le cas de séparation de biens : ce qui le prouve , c'est qu'il suppose que le mari peut exercer les actions de la femme ; or , certes, cela est impossible lorsque la séparation de biens a été prononcée ; ce qui le prouve encore, c'est que dans la dernière partie du premier alinéa de l'article 1560 , le législateur , songeant tout à coup au cas de séparation de biens, dit : « la femme aura le même droit après la séparation de biens ». Enfin, nous ne comprendrions pas que dans une matière qui a été vue avec défaveur , les rédacteurs eussent enchéri sur le système de l'ancienne jurisprudence. — Un dernier argument se tire de l'article 2255, qui renvoie à l'article 1561, et que l'on corrige à tort , selon nous, en renvoyant à l'article 1560 : il est bien vrai que le renvoi primitif était à l'article 1560 ; mais on doit plutôt présumer que l'erreur se trouvait dans la rédaction provisoire que dans la rédaction définitive (Dur., n. 521) (*Val.*). ⋀⋀ L'action ne court qu'à partir de la dissolution du mariage ; le texte est formel.

toute action que l'on dirigerait contre lui à cet égard serait mal fondée (1599), même pour les frais et loyaux coûts, à moins qu'il ne se fût porté fort de faire ratifier la vente par la femme ou par les héritiers de celle-ci (1120) (Dur., n. 524, t. 15, n. 218, t. 10 ; *voy.* cep. Delv., p. 58, n. 8). —*Secùs* dans le cas contraire ; car le mari s'est rendu, par cette dissimulation, coupable de dol ; il est même soumis à la contrainte par corps, comme stellionataire (2059).

Du reste, l'acquéreur peut, dans tous les cas, exiger la restitution du prix, à moins qu'il n'ait acheté à ses risques et périls (1629).

La loi exige impérativement que la déclaration soit faite dans le *contrat de vente :* néanmoins, nous croyons que le mari doit être admis, pour s'affranchir de l'indemnité, à prouver, par tout autre moyen, que l'acquéreur connaissait le vice de l'aliénation (1).

Dans l'hypothèse qui nous occupe, le tiers qui s'est rendu acquéreur du fonds dotal, peut-il demander la résolution de la vente ? Il n'a pas ce droit, si le mari a fait la déclaration prescrite ; *secùs* dans le cas contraire : l'acheteur peut alors invoquer la nullité de la vente contre le mari vendeur (1499, 1599), sans préjudice, comme nous venons de le dire, de plus amples condamnations. — La nullité, dans le premier cas, est donc relative ; dans le deuxième elle est absolue (Dur., n. 522 ; Merlin, Dot, § 59 ; *voy.* cep. Toullier, n. 230 et suivants ; Bellot, p. 195).

Mais si le mari était décédé, et que la femme offrît de ratifier la vente, l'acheteur pourrait-il intenter l'action en résolution ? Nous ne le pensons pas : cette action n'est fondée que sur le danger de l'éviction ; or, elle n'a plus de cause, dès le moment où ce danger a cessé (2).

Deuxième cas : si c'est la femme qui a vendu le fonds dotal, sans l'autorisation de son mari, la vente est nulle à double titre : pour défaut de capacité (217 et 1125) et pour inaliénabilité de la chose ; mais elle ne peut agir que pendant dix ans à partir de la dissolution du mariage ou de la séparation de biens(3) : en effet, la femme ne vient plus, comme dans l'hypothèse précédente, réclamer le délaissement d'un immeuble vendu sans aucun titre par le mari ; elle demande, en alléguant son défaut de capacité, la nullité d'une vente qu'elle a librement consenti : or, dans tous les cas où l'action en nullité n'est pas fixée à un moindre temps, elle dure dix ans (1304) ; et les dix ans ne peuvent courir que du jour où la femme a recouvré l'exercice de ses droits.

Cette nullité est relative à la femme ; l'acquéreur ne peut l'invoquer :

---

(1) Dur., n. 523 ; Delv., p. 58, n. 7 ; Bellot, n. 190 et 450. ⁕⁕⁕ L'acquéreur pourrait exercer un recours contre le mari lors même qu'il aurait connu cette circonstance. Arg. de l'art. 1560, 2ᵉ alinéa (Malleville).

(2) *Grenoble*, 26 décembre 1828 ; S., 29, 2, 15. — *Cass.*, 25 avril 1831 ; S., 31, 1, 623.

(3) Ainsi, la prescription court, suivant nous, à partir de la séparation de biens ; l'argument tiré de l'art. 1304 est dénué de fondement ; cet article, en effet, s'applique uniquement à des espèces où la ratification qui interviendrait avant l'époque déterminée, serait entachée du même vice que celui qu'il s'agit de faire disparaître ; mais dans les cas prévus par l'article 1560, la femme une fois séparée de biens a toute liberté d'action, liberté dont elle manque complétement, si l'on se place dans l'hypothèse de l'article (1304) (Toullier, n. 228). ⁕⁕⁕ Il n'y a pas lieu de prétendre, par application de l'article 1561, que les dix ans peuvent courir à partir de la séparation de biens ; car cet article, tout à fait exorbitant, ne statue que pour la prescription ; or, le cas qui nous occupe est régi par les articles 1304 et 1560. — L'acheteur prescrit, non l'immeuble, mais l'action en nullité ; d'où la conséquence, qu'il n'est pas nécessairement tenu d'avoir la possession telle qu'elle est caractérisée par l'art. 2229 ; et cela est très-important relativement aux servitudes discontinues ou non apparentes, servitudes qui ne sont pas susceptibles d'une prescription à l'effet d'acquérir. De telles servitudes, concédées par la femme, ne pourraient être prescrites, quant à la propriété ; mais l'acheteur pourrait invoquer, quant à l'action, la prescription libératoire. — L'art. 1561, qui déclare l'immeuble prescriptible après la séparation de biens, quelle que soit l'époque à laquelle la prescription a commencé, suppose que le possesseur tient ses droits d'un étranger, ou qu'il s'est mis spontanément en possession (Dur., n. 526. — *Voy.* p. 198, note 4).

il doit s'imputer d'avoir traité avec un incapable. Bien plus, pour avoir droit à la restitution des sommes payées, il est tenu de prouver qu'elles ont tourné au profit de la femme (1312).

Troisième cas : lorsque la vente a été faite par les deux époux conjointement ou par la femme autorisée de son mari, la nullité peut être demandée par le mari, durant le mariage, en demeurant toutefois sujet à des dommages-intérêts, comme nous l'avons vu plus haut, s'il n'a pas déclaré que l'immeuble vendu était dotal.

Mais la contrainte par corps ne peut être prononcée contre lui, comme dans le cas où il a vendu seul ; car il est censé intervenir, plutôt pour autoriser la vente que comme vendeur.

Après la dissolution du mariage, la femme peut également agir en nullité, lors même qu'elle a renoncé dans l'acte à la faculté de révoquer : l'immeuble dotal doit rentrer dans ses mains, franc et quitte de toutes charges, soit directes, soit indirectes. Sa position est la même, sous tous les rapports, que si elle avait vendu seule.

Quant à l'acquéreur, il ne pourrait, dans l'espèce, demander la nullité de la vente, encore qu'il eût ignoré que le fonds fût dotal ; il doit s'imputer de ne pas avoir exigé la représentation du contrat de mariage : il ne peut invoquer les règles de la vente sur la chose d'autrui, car il ne tient pas seulement ses droits du mari, comme dans notre première hypothèse, mais du propriétaire lui-même (1).

La femme qui poursuit la nullité de l'aliénation n'est point passible de dommages-intérêts envers l'acheteur, par cela seul qu'elle lui a laissé ignorer que l'immeuble vendu fût dotal (Arg. *à contrario* de l'art. 1560, alin. 2) (2).

On décide même, que l'acquéreur n'est admis à réclamer le remboursement du prix qu'il a payé, qu'en prouvant que ce prix a tourné au profit personnel de la femme (1312) ; auquel cas, il peut agir, mais seulement sur les biens paraphernaux (3).

L'action en rescision accordée à la femme qui a concouru à la vente, ne dure que dix ans, comme lorsqu'elle a vendu seule ; ce délai ne court, bien entendu, qu'à partir de la dissolution du mariage ou de la séparation de biens (1304) (4).

Dans les deuxième et troisième cas, la nullité étant relative, on décide généralement, que la femme, devenue capable, peut ratifier expressément ou tacitement l'aliénation ; et que celui qui cautionne la vente de l'immeuble est valablement engagé, comme lorsque le cautionnement intervient pour l'obligation d'un mineur (2012) (5).

---

(1) Dur., n. 528, Troplong, Vente. t. 1ᵉʳ, p. 488, et t. 2, p. 625. — *Grenoble*, 24 déc. 1828, S.., 29, 2, 150 ; D.. 29, 2, 162. — *Paris*, 26 février 1835, D., 33, 2, 144. — *Cass.*, 11 déc. 1815 ; S., 16, 1, 161, D., t. 12, p. 958 ; 25 avril 1831 ; S., 31, 1, 623 ; voy. cep. Toullier. t. 14, n. 239.

(2) Permettre d'employer contre la femme des moyens coercitifs. ce serait la contraindre a abandonner l'immeuble dotal pour éviter d'être poursuivie sur ses paraphernaux, et par conséquent lui ravir la liberté d'action (*Val.*).

(3) Dur., n. 530. — *Grenoble*, 16 janvier 1826 ; S., 26, 2, 315.

(4) Ainsi, la décision qui rend prescriptible, apres la separation de biens, l'immeuble dotal, quoique l'inaliénabilité soit maintenue, s'étend suivant nous, dans la généralité de ses termes, à la prescription de l'action en nullité, lorsque la femme a concouru a l'aliénation. — L'article 2255 comprend d'ailleurs tous les cas de prescription, sans distinguer si l'acheteur a été mis en possession par un tiers ou par la femme ; or, l'art. 2255 se réfère à l'art. 1561. — Dans ce systeme, il n'y a pas lieu de corriger l'art. 2255 comme on le fait évidemment en substituant l'art. 1560 : tout est concordant ; on doit se montrer peu favorable à l'imprescriptibilité. — Tout le monde voit avec regret, que l'interruption de la prescription ait lieu en faveur du mineur et de la femme mariée : il faut donc restreindre cette disposition lorsqu'il s'agit du régime dotal (Teissier, t. 2. p. 107 et suiv. — *Nimes*, 4 janvier ; S., 36, 2. 50. — *Voy*. p. 197, note 3).

(5) En s'obligeant, la caution a volontairement couru le risque d'etre poursuivie (Merlin, Rep.

— La femme a-t-elle la faculté d'opter entre la revendication du fonds dotal et la répétition contre le mari, d'une indemnité qui lui tiendrait lieu de l'immeuble? ⁓ *N*. En cas de réclamation de la part des créanciers du mari, la femme est tenue d'exercer son action en nullité contre l'acquéreur; elle ne peut revenir sur la succession que subsidiairement, en cas d'insolvabilité de ce même acquéreur. — Ajoutons que par suite d'une fiction, la femme est toujours réputée propriétaire de l'héritage indûment vendu; il faut dès lors qu'elle le reprenne partout où elle le retrouve; le mari est représenté par le détenteur, il doit donc être traité de la même manière; or, les créanciers peuvent se prévaloir des moyens que le mari pourrait opposer lui-même. — L'équité souscrit à cette doctrine; car l'acquéreur a commis une faute grave (Seriziat, n. 191). ⁓ La femme n'est pas forcée d'agir contre l'acquéreur? — Elle doit opter entre l'action révocatoire et l'action hypothécaire sur les biens du mari. — Arg. de l'art. 2135. — Droit romain, *de jure dotium* (Merlin, Quest., Remploi, § 9, p. 670; D., t. 10, p. 345, n. 44; Troplong, Hyp., t. 2. p. 249). ⁓ Elle peut exercer son action en indemnité provisoirement, et se faire par suite colloquer sur les biens de son mari, à son rang, mais sous la condition que le montant de la collocation restera dans les mains de l'acquéreur, ou que si elle reçoit ce montant, elle donnera caution, ou fera emploi valable. — (Amiens, 24 juillet 1826; D., t. 9, p. 141. — Rouen, 28 mars 1833; S., 24, 2, 130. — Cass., 27 juillet 1826; D., 26, 1, 431; S., 27, 1, 146. — Aix, 1ᵉʳ février 1826; D., 27, 2, 172. — Bordeaux, 28 mai 1830; D., 31, 2, 120; S., 30, 2, 246. — Cass., 24 juillet 1821; S., 21, 1, 142).

Le mari pourrait-il vendre par anticipation les fruits de l'immeuble dotal; par ex., pour 10 ou 20 années? ⁓ *N*. Mais évidemment, il peut vendre des fruits même sur pied, dans les limites de son administration, et les soustraire ainsi, pour l'époque de leur perception, à une saisie de la part des créanciers : il est même certains fruits dont on ne peut jouir qu'en les vendant; par ex., lorsqu'il s'agit d'une coupe de bois (*Val.*).

Les obligations de la femme, provenant d'un crime, d'un délit ou d'un quasi-délit, peuvent-elles être poursuivies sur l'immeuble dotal? ⁓ *A*. On ne peut supposer que le législateur ait prétendu assurer l'impunité de la femme; — le mineur n'est point restituable contre les obligations qui naissent de son délit ou de son quasi-délit (1310); pourquoi la femme jouirait-elle d'une plus grande faveur? Toutefois, la jouissance doit être réservée au mari; autrement, il serait puni pour le crime de sa femme (Dur., n. 533; Bellot, p. 200 et 99. — Proudhon, Usuf., t. 4, n. 1780, D., t. 10, p. 357, n. 56. — Cass., 3 janvier 1825; S., 23, 1, 160. — Riom, 12 janvier 1822; S., 22, 2, 162. — Nimes, 28 août 1827; D., 28, 2, 198; S., 28, 2, 201. — Limoges, 17 juin 1835; D., 36, 2, 61). ⁓ *N*. Termes absolus de l'art. 1554 (Cass., 28 février 1834; D., 34, 1, 90).

Quid à l'égard des condamnations aux dépens? ⁓ Même décision (Dur., n. 534 et 535. — Nimes, 20 brumaire an 13; D., t. 10, p. 357, n. 1. — Toulouse, 20 janvier 1822; D. t. 10, p. 455, n. 1. — Toulouse, 20 mars 1833; D., 33, 2, 115; voy. cep. Agen, 11 mai 1833; D., 34, 2, 47. — Cass., 28 février 1834; D., 34, 1, 93).

La femme peut-elle, en obtenant l'autorisation de justice, intenter, pendant le cours du mariage l'action révocatoire de l'aliénation de ses biens dotaux? ⁓ *N*. Arg. de ces termes absolus de l'art 1549 : *Il a seul le droit*, etc. — Pendant le mariage, la femme est privée tout à la fois de l'administration et de la jouissance de ses biens dotaux; on ne peut donc lui reconnaître le droit de revendiquer un immeuble qu'elle n'est pas admise à posséder (Seriziat, n. 184; voy. cep., Toullier, n. 188, t. 14).

Lorsque, sur l'action intentée par le mari ou par la femme, un acquéreur est obligé d'abandonner l'immeuble dotal, doit-il restituer les fruits par lui perçus? ⁓ Le mari ne peut jamais être admis à obtenir des restitutions de fruits, quand même la dotalité de l'objet aurait été révélée à l'acquéreur durant le mariage : il était propriétaire des revenus, par conséquent il a pu en disposer; — s'il a pu transmettre les fruits par un contrat qui n'est au fond qu'une vente de fruits, pourquoi l'aliénation des fruits ne serait-elle pas maintenue quand elle a lieu avec le fonds? *Utile per inutile non vitiatur.* — Lorsque l'action est intentée par la femme, on distingue : si l'acquéreur a ignoré que le fonds fût dotal, il ne doit restituer les fruits qu'à compter du jour de la demande; s'il a connu la dotalité, il est comptable envers la femme de tous les fruits perçus depuis la séparation de biens, ou depuis la dissolution du mariage (Seriziat, n. 186).

Les créanciers de la femme peuvent-ils demander la nullité de la vente qu'elle a consentie? ⁓ *A*. Arg. des art. 1166 et 1167. ⁓ *N*. L'acte d'aliénation est vrai et sincère. — La révocation a lieu dans l'intérêt exclusif de la femme (1560). — La loi parle uniquement de la femme et de ses héritiers (Nimes, 2 avril 1832; S., 22, 2, 519).

Si le mari est donataire ou héritier de la femme, peut-il, en cette qualité, évincer, après la dissolution du mariage, l'acquéreur qu'il doit garantir? ⁓ *N*. L'acquéreur lui opposerait avec raison la règle *eum quem de evictione*, etc. Mais si c'était la femme qui fût devenue héritière du mari, elle pourrait toujours revendiquer son bien, en payant toutefois les dommages-intérêts que le mari aurait dus lui-même (Bellot., p. 160 et 209; D., t. 10, p. 345, n. 42; Delv., t. 3, n. 8; D., t. 10, p. 343, n. 34; Seriziat, n. 189).

Le mari est-il passible de dommages-intérêts, s'il a seulement autorisé sa femme à donner tout ou partie de ses biens sans déclarer leur caractère? ⁓ *N*. La loi parle seulement de l'aliénation du fonds dotal par le mari. — (Grenoble, 14 mai 1829; S., 32, 2, 151).

Mais le mari, par cette autorisation, renonce-t-il du moins aux fruits de la chose donnée? ⁓ *N*. La donation est nulle (Grenoble, *ibid.*).

1561 — Les immeubles (1) dotaux non déclarés aliénables par le contrat de mariage sont imprescriptibles pendant le

---

vᵒ Dot., § 8, n. 5; Dur., n. 525; Bellot, p. 200; Riom, 31 janvier 1838; S., 28, 2. 251. — Bordeaux, 3 août 1825; D., 25, 2, 387.

(1) Ici se manifeste une différence notable entre la dot mobilière et la dot immobilière : il est évident que l'article 1561 crée l'imprescriptibilité pour les immeubles dotaux seulement.

mariage, à moins que la prescription (1) n'ait commencé
auparavant.

Ils deviennent néanmoins prescriptibles après la séparation de biens, quelle que soit l'époque à laquelle la prescription a commencé (2).

= Durant le mariage, les immeubles dotaux ne peuvent être aliénés
ni directement ni indirectement; par conséquent, ils ne sont pas susceptibles d'être prescrits : mais s'ils avaient été déclarés aliénables, il n'est pas
douteux qu'ils deviendraient prescriptibles, comme les paraphernaux.

La loi, favorable au possesseur, ne suspend pas la prescription pendant
le mariage, lorsqu'elle a commencé auparavant : on ne pouvait, en effet,
permettre à la femme, de priver, par l'adoption du régime dotal, le tiers
possesseur, de l'avantage du droit commun : or, nous verrons que la prescription a un effet rétroactif au jour où elle a commencé, — Mais le mari,
qui n'a point interrompu la prescription, est responsable de tous dommages-intérêts envers la femme (1562).

La loi modifie, dans la deuxième partie de l'article, le principe établi
dans la première, en déclarant que l'immeuble dotal devient prescriptible
après la séparation de biens, *quelle que soit l'époque à laquelle la prescription a commencé;* c'est-à-dire, soit que le point de départ remonte à une
époque antérieure au mariage, soit qu'il date de la séparation de corps
ou de biens (3).

Lorsque la séparation est devenue définitive, la femme, recouvrant
alors l'administration, doit veiller à la conservation de ses droits : toutefois, il faut entendre la disposition exceptionnelle qui nous occupe avec
cette réserve, que l'action en revendication, formée par la femme, ne devra
pas réfléchir contre le mari ; autrement, la prescription ne commencerait à
courir qu'à partir de la dissolution du mariage : tel serait le cas où le mari
aurait vendu seul un immeuble de la femme ; ou même en cas de vente
faite par cette dernière, se serait soumis à la garantie.

Au premier abord, cette disposition semble contredire celle de l'article 2255, laquelle déclare formellement que la prescription ne court point
pendant le mariage ; mais comme on a eu soin d'ajouter ces mots : *conformément à l'art.* 1561, les deux dispositions se concilient aisément.

Il n'est pas aussi facile de concilier cette deuxième partie de l'art. 1561,
avec le principe de l'inaliénabilité pendant le mariage (1554) : on pense
généralement que le législateur a voulu modifier ce principe, en considération des droits que la séparation de biens confère à la femme (4).

(1) Vice de rédaction, c'est la *possession* qu'il faut dire, car la prescription a un effet rétroactif au
jour où la possession a commencé.

(2) Cet article eût été mieux placé avant l'article 1560, il reproduit la disposition de la loi 16 ff., *de
fundo dotali.* Sa deuxième partie ne se trouvait pas dans le projet ; elle fut ajoutée sur la proposition du tribunat, lequel s'appuya sur l'ancienne jurisprudence qui admettait généralement que l'immeuble dotal devenait prescriptible après la séparation de biens, quoiqu'il restât inaliénable.

(3) Et même, suivant quelques jurisconsultes, soit qu'il se place pendant le mariage ; seulement,
dans ce dernier cas, on ne comprend pas, dans le calcul, le temps qui s'est écoulé avant la séparation :
ils pensent que par ces expressions, *quelle que soit l'époque, etc.*, la loi veut seulement repousser
l'application de la règle Catonienne.

(4) Il est facile de s'en convaincre en remontant à l'historique de la rédaction : le projet présenté au
conseil d'État ne contenait pas le 2ᵉ § de l'art. 1561 : le tribunat observa qu'il était bien naturel de rétablir la prescription, puisque la femme avait recouvré l'administration de ses biens ; il proposa donc
l'al. 2 de l'art. 1561 : cette proposition fut adoptée. De la, on doit tirer la conséquence, qu'il a été dérogé
au système établi par les art. 1560 et 1561, al. 1ᵉʳ. Ce qui vient confirmer cette opinion, c'est que l'art. 2255
renvoie à l'art. 1561, tel qu'il fut adopté par le tribunat, mais garde le silence sur l'art. 1560 ; ainsi,
comme on le voit, il existe une idée de suite dans le nouveau système ››› La raison donnée par le

La loi ne parlant que des immeubles dotaux et nullement des créances constituées en dot, on décide, qu'à l'égard de ces créances, la prescription peut commencer même pendant le mariage, au profit des débiteurs.

La nullité du mariage n'empêcherait pas que les immeubles de la femme ne fussent considérés comme imprescriptibles, si le mariage avait été contracté de bonne foi ; car il produirait en sa faveur tous les effets civils.

— L'immeuble dotal devient-il aliénable après la séparation de biens ? ⋀⋀ N. La séparation de biens ne dissout pas le mariage. — Arg. de l'art. 1449. — Même après la séparation de biens, le mari conserve sur la femme une certaine influence qu'il importe de paralyser. — Enfin, aux termes de l'article 1451, les époux séparés judiciairement peuvent revenir à leur contrat de mariage ; or, ce retour au contrat primitif qui est dans le vœu de la loi, deviendrait impossible, si l'immeuble dotal avait été aliéné depuis la séparation de biens. — L'article 1558 détermine les différentes exceptions au principe de l'inaliénabilité ; la numération qu'il a établie, prouve que nulle autre n'y peut être ajoutée. — La séparation de biens a pour objet unique de déplacer l'administration, de la retirer au mari : les effets du jugement ne sauraient en conséquence dépasser les bornes assignées à l'administration ; aucun changement n'est apporté aux prévisions du contrat de mariage, sauf quant à la gestion des biens. — La stipulation du régime dotal a pu être la condition du mariage ; l'avenir ne doit pas tromper la confiance des époux (1393). — Nec obstat l'art. 1561, la disposition de cet article n'est qu'une inconséquence dans la loi ; elle ne peut recevoir d'extension (Dur., n. 519 et 540 ; Serizlat, n. 204. — Aix, 18 février 1813 ; S., 13, 2, 273. — Rouen, 25 juin 1818 ; S., 18, 2, 287. — Cass. ; 1er février 1819 ; S., 19, 1, 146 ; 19 août 1819 ; S., 20, 1, 19. — Montpellier, 22 juin 1819 ; S., 20, 2, 310, 1er février 1828 ; S., 28, 2, 194. — Paris, 30 juin 1834 ; S., 34, 2, 473. — Grenoble, 14 juin 1825 ; S., 26, 2, 38). ⋀⋀ A. L'imprescriptibilité est, dans la première partie de l'article, une conséquence de l'inaliénabilité ; or, si elle cesse dans le cas du 2e §, c'est que la cause qui la produisait a également cessé. — Arg. de l'art. 1561, 2e al. (Delv., p. 56, n. 11 ; Toullier. — Nîmes, 28 avril 1812, S., 13, 2, 209).

En admettant que l'immeuble dotal devienne aliénable après la séparation de biens, l'autorisation du mari est-elle suffisante ? ⋀⋀ A. Arg. de l'art. 1449. ⋀⋀ N. La femme doit de plus obtenir l'autorisation de justice. — On argumente à tort de l'art. 1449 : cet article se réfère uniquement au régime de la communauté ; dans le cas prévu par cet article, l'autorisation du mari suffit, car l'incapacité de la femme résulte uniquement de la subordination maritale ; mais sous le régime dotal, l'incapacité tient principalement à ce que l'immeuble est inaliénable : il faut dès lors une formalité de plus pour balancer cette nouvelle entrave à l'aliénabilité.

1562 — Le mari est tenu, à l'égard des biens dotaux, de toutes les obligations de l'usufruitier (1).

Il est responsable de toutes prescriptions acquises et détériorations survenues par sa négligence.

= La loi trace en quelques mots les devoirs du mari, en ce qui concerne la gestion des biens que la femme s'est constitués en dot : il est tenu des obligations de l'usufruitier : par conséquent, il faut lui appliquer, en général, les règles qui concernent celui qui détient à ce titre, sauf les cas où il en est formellement affranchi.

Mais on signale entre la position du mari et celle de l'usufruitier, les différences suivantes :

Sa qualité d'administrateur lui impose le devoir de faire les grosses réparations, sauf à exiger, lors de la dissolution du mariage, le remboursement de ses avances, par imputation sur la dot ou autrement. — Nous pensons même, qu'il peut agir immédiatement sur les paraphernaux, comme ayant acquitté les obligations de la femme.

Le mari est relevé formellement, par l'art. 1550, de l'obligation de fournir caution ;

Il n'est pas obligé de faire dresser un inventaire des meubles et un état

tribunat n'est pas bien puissante ; car la femme ne peut aliéner ses immeubles même après la séparation de biens ; or, nous savons que l'imprescriptibilité est une conséquence de l'inaliénabilité ; il n'était pas logique de décider, que l'immeuble dotal, qui demeure toujours inaliénable après la séparation de biens, pourrait être prescrit ; en effet, le mariage subsiste nonobstant la séparation de biens.

(1) Il est à remarquer, que l'article 1562 emploie des expressions plus générales que l'article 1558 ; ce dernier article, en effet, soumet bien le mari aux charges de l'usufruit, mais non à toutes les obligations de l'usufruitier.

des immeubles apportés en dot par la femme au moment du mariage ·
toutefois, il a le plus grand intérêt à ce que l'importance des apports soit
régulièrement déterminée (1) ; surtout, lorsque le contrat de mariage ne
contient pas l'estimation du mobilier actuel, et lorsqu'il s'agit de valeurs
mobilières advenues à la femme pendant le mariage. On comprend, en
effet, l'embarras dans lequel on se trouverait à défaut d'inventaire, si
le mari voulait effectuer sa libération en nature.

Il est responsable de toutes prescriptions acquises, quand il a négligé
d'en interrompre le cours. Toutefois, il ne répondrait ni de la prescription des créances qui lui étaient inconnues, ni de celles qui se seraient
opérées avant qu'il eût pu prendre connaissance des titres de la femme,
car on ne pourrait lui reprocher aucune faute (ff., l. 16, *de fundo
dotali*).

Enfin, il peut réclamer, jusqu'à concurrence de la plus-value, le
remboursement des impenses utiles qu'il a faites : — ainsi, l'obligation
de la femme, quant à ce remboursement, est déterminée par les profits
réels qu'elle a retirés : le mari, à la différence de l'usufruitier, a toujours
un juste motif pour agir ; il a en quelque sorte mandat tacite pour faire
des améliorations.

— Pendant le cours du mariage, la femme pourrait-elle seule, en son nom personnel et sans être munie
de l'autorisation de son mari ou de justice, interrompre le cours de la prescription ? ⸺ Cela n'est pas
douteux, lorsque la prescription est susceptible d'être interrompue au moyen d'une signification pure et
simple ; par exemple, par un commandement · mais *quid*, lorsque l'interruption de la prescription
exige une demande judiciaire ? ⸺ Le défendeur ne saurait être contraint à soutenir un procès dans lequel les chances ne seraient pas égales ; s'il accepte l'instance sans proposer la nullité, l'autorisation
survenue après la demande fait disparaître le vice originaire : mais une fois la nullité de la demande
invoquée, il y a droit acquis en faveur du défendeur ; on ne peut lui ravir l'avantage de sa position ;
il faut bien alors annuler la demande ; par conséquent, on ne peut, en pareil cas, se soustraire à l'application de l'article 2247 ; (Ser.ziat, n. 218 ; Troplong, *Presc.*, n. 599, t. 2).

On décide généralement, par argument de l'article 600, que l'omission de l'inventaire entraîne
pour l'usufruitier la perte des fruits et autres avantages qu'il est appelé à recueillir, jusqu'à ce que
cette négligence ait été réparée ; doit-on appliquer au mari cette même décision ? ⸺ N. Sans doute le
mari est soumis aux mêmes obligations que l'usufruitier ; mais il s'agit ici d'une peine ; or, en matière
pénale, le juge doit absoudre lorsque la loi garde le silence. — La sanction de l'omission de l'inventaire,
en ce qui concerne le mobilier advenu pendant le mariage, se trouve, pour le mari, dans l'article 1504
(Seriziat, n. 209).

1563 — Si la dot est mise en péril, la femme peut poursuivre la séparation de biens (2), ainsi qu'il est dit aux articles 1443 et suivants.

= Ainsi, la loi réserve à la femme, comme sous le régime de la
communauté, la ressource de la séparation des biens.—La femme séparée
reprend l'administration et la jouissance de ses biens dotaux ; elle contribue proportionnellement à ses facultés et à celles de son mari, tant
aux frais du ménage qu'à ceux de l'éducation des enfants communs ; elle
doit supporter entièrement ces frais, s'il ne reste rien au mari, etc. Du
reste, c'est au mari seul qu'appartient le droit d'ordonner la dépense et de
présider à tout ce qui la concerne ; son autorité dans la maison n'a pas été
amoindrie. — Cependant, la séparation de biens ne produit pas, sous le
régime dotal, des effets aussi étendus que sous le régime de la communauté : la femme, mariée en communauté, qui a obtenu la séparation de

(1) Il ne faut pas confondre la preuve de l'apport de la dot avec la preuve de la consistance de la dot
(*Voyez* p. 205).
(2) Locution impropre, puisqu'il n'y a pas de communauté : elle exprime l'action que la femme peut
intenter pour reprendre l'administration de ses biens

biens, acquiert le droit de disposer de son mobilier; tandis que sous le régime dotal, elle n'a (dans l'opinion de ceux qui considèrent la dot mobilière comme inaliénable) que l'administration de ses meubles dotaux; — quant à la dot immobilière, elle reste inaliénable.

La femme séparée peut recevoir le remboursement des capitaux compris dans sa dot, sans être assujettie à justifier d'un emploi, ni à fournir caution; des conditions de cette nature ne se suppléent pas.

Les immeubles dotaux étant inaliénables, comment peuvent-ils être mis en péril? Le mari peut les dégrader; par ex., abattre des futaies, démolir des édifices, etc. — La dot est également mise en péril, lorsque les revenus sont fréquemment saisis par les créanciers du mari; car elle n'atteint plus alors le but pour lequel on l'a constituée.

La femme pourrait demander la séparation, lors même qu'elle n'aurait pas de biens, afin de conserver le fruit de son travail.

Elle peut renoncer au bénéfice de la séparation; car la mesure était uniquement dictée par son intérêt: on procède, lorsqu'il s'agit de revenir au contrat primitif, dans la forme déterminée par l'article 1451.

SECTION III.

De la restitution de la dot.

Les causes qui donnent lieu à la restitution de la dot, sont: la dissolution du mariage (1554, 1555 et 1570); la séparation de biens (311, 1441 et 1563); l'absence déclarée de l'un ou de l'autre époux (123).

Les revenus, fruits ou intérêts des biens dotaux sont attribués au mari pour l'aider à supporter les charges du ménage (1540); il est donc sans titre pour se les approprier, et par suite, pour conserver la possession des biens, lorsqu'il est dégagé de ces charges: ainsi, la femme ou ses héritiers ont droit aux fruits naturels ou civils des biens dotaux, à partir, de la dissolution du mariage, de la séparation de biens, ou du jugement d'envoi en possession provisoire si le mari est déclaré absent.

Les fruits de la dernière année, de quelque nature qu'ils soient, se partagent entre le mari ou ses héritiers, et la femme ou ses héritiers, en proportion du nombre de jours qui se sont écoulés depuis le jour anniversaire de la célébration du mariage jusqu'à celui de la cessation de l'usufruit (1571). Les frais de semence, de culture et de récolte se prélèvent sur les fruits.

Si le mariage a été dissous par la mort naturelle ou civile du mari, la femme peut, au lieu d'exiger les intérêts de sa dot pendant l'année qui suit la dissolution du mariage, se faire fournir des aliments pendant ledit temps, aux dépens de la succession du mari. — Du reste, quelle que soit sa résolution, l'habitation, durant cette année, ainsi que les habits de deuil, doivent lui être fournis sur la succession et sans imputation sur les intérêts auxquels elle a droit (1570).

Les biens dotaux, dont la femme a conservé la propriété, doivent être restitués dans leur état actuel; le mari n'est pas responsable de la perte de ces biens, lorsqu'il prouve qu'elle a été le résultat d'un cas fortuit ou d'une force majeure: s'il ne peut établir cette preuve, il doit payer la valeur des objets qu'il ne représente pas, ou du moins, si la vente a été utile, le prix qu'il a reçu. — Enfin, il est tenu compte au mari ou à ses héritiers du montant intégral des impenses nécessaires et de la plus-value résultant des impenses utiles.

Le mari ou ses héritiers doivent restituer l'estimation des objets mobiliers mis à prix par le contrat, — lorsqu'il s'agit de choses qui se consomment par l'usage, ou qui, par leur nature, sont destinées à être vendues, la restitution se fait, à défaut d'estimation, soit au moyen de la remise d'une pareille quantité d'objets de la même qualité, soit en remboursant une valeur représentative au moment où cesse la jouissance légale.

Par exception, la femme peut exiger la remise en nature de ses linges et hardes actuels, quand même le mari serait devenu propriétaire de ceux qu'elle aurait apportés en dot; quand même ces derniers biens auraient une valeur supérieure (1566).

Si la dot comprend des créances, le mari se libère en restituant les titres qui constatent leur existence; il n'est pas tenu de la dépréciation que ces créances ont éprouvée (1567).

Si elle comprend un usufruit, il doit restituer le droit lui-même (1568).

Lorsque la femme s'est dotée avec ses propres biens, elle ne peut exiger la restitution de sa dot qu'en prouvant qu'elle en a fait l'apport. Cette preuve doit se faire d'après les principes du droit commun : ainsi, lorsque l'apport excède 150 fr., il doit être établi, en ce qui concerne les biens présents, au moyen d'une quittance donnée par le mari. La preuve testimoniale n'est admise qu'autant qu'il existe un commencement de preuve par écrit.

Ne confondons pas la preuve de l'apport de la dot, avec la preuve de la consistance de la dot : c'est au mari, comme usufruitier, à faire dresser un inventaire des meubles et un état des immeubles constitués en dot (600) : s'il n'a pas accompli cette obligation, la femme ou ses héritiers sont autorisés à prouver contre lui par témoins et même par commune renommée l'importance du mobilier dotal non inventorié (1).—Lorsque la dot a été constituée par un tiers, le mari est censé, après l'expiration de dix années, à partir du jour où la dot est devenue exigible, ne pas avoir fait les diligences nécessaires pour en obtenir le payement; en conséquence, la femme ou ses héritiers sont dispensés de prouver qu'elle a été payée, sauf à lui, à établir qu'il n'est pas en faute.

Les biens dont la femme a conservé la propriété doivent être restitués sans délai, après la cessation de l'usufruit. — Si la propriété a été transférée au mari, la restitution ne peut être exigée avant l'expiration d'une année (1564 et 1565).

La restitution doit être faite à la femme; en cas de prédécès, à ses enfants, à ses père, mère, ascendants ou collatéraux, suivant l'ordre des successions. — Mais lorsque la dot a été constituée par un ascendant, si cet ascendant survit à la femme et à ses descendants, il la recueille seul, à l'exclusion de tous autres (747).

La loi détermine (art. 1564 et 1565), eu égard à la nature des biens dotaux, et aux termes dans lesquels la constitution est conçue, le délai dans lequel la dot doit être restituée.

Les articles 1572 et 1573 contiennent quelques dispositions particulières.

_____

(1) Benoit, n. 167; Battur, n, 503. ••• A défaut d'inventaire, la preuve par témoins ou par commune renommée, n'est admise que relativement au mobilier dotal échu à la femme pendant le mariage (Dur., n. 412).

1564 — Si la dot consiste en immeubles ,

Ou en meubles non estimés par le contrat de mariage ,
ou bien mis à prix, avec déclaration que l'estimation n'en
ôte pas la propriété à la femme (1),

Le mari ou ses héritiers peuvent être contraints de la restituer sans délai, après la dissolution du mariage.

= La dot étant destinée à supporter les charges du ménage , il est
naturel que le mari la restitue après la dissolution du mariage , ou après
la séparation des biens

Dans quel délai la restitution doit-elle être faite?

Lorsque les époux ont fixé un délai par leur contrat de mariage , il faut
suivre les termes du contrat ; à défaut de convention, la loi distingue :
si la femme a conservé la propriété des biens dotaux, en d'autres termes,
si l'obligation du mari a pour objet des corps certains, la restitution doit
avoir lieu immédiatement; la femme agit alors comme exerçant une véritable revendication. — S'il a vendu ces biens, l'aliénation est nulle quant
aux immeubles (1560). A l'égard des meubles , l'aliénation est valable , car
en fait de meubles la possession vaut titre (2279); mais le mari , qui a fait
ce qui lui était défendu, ne doit pas moins restituer le prix immédiatement :
Nemo ex delicto suo debet consequi emolumentum.

Si le mari a eu le droit de vendre les biens dotaux en vertu de son contrat de mariage , on le considère comme débiteur d'une quantité ; en conséquence , il jouit du délai d'une année , à partir de la dissolution , pour
restituer la dot. — Même décision, s'il a reçu d'un tiers , qui a fait périr le
bien dotal, une somme à titre de dommages-intérêts ;— mais si la transformation des corps certains en une quantité , avait eu lieu par sa faute , la
restitution devrait être immédiate ; car il ne doit pas dépendre du mari ,
d'aggraver la position de la femme.

Un délai de faveur a été accordé au mari par l'article 1564 , pour la
restitution des capitaux qu'il peut ne pas avoir immédiatement à sa disposition : la loi ne veut pas qu'il soit pris à l'improviste ; mais , nous le
répétons , il ne jouit pas de ce délai pour les choses qui doivent exister
en nature entre ses mains ; il est tenu de les restituer sur-le-champ. La
femme agit alors , non pas en exigeant un payement proprement dit,
mais comme exerçant une véritable revendication.

S'il s'agit d'un usufruit, la chose, en cas de dissolution du mariage ,
doit être immédiatement remise au propriétaire.

Que faut-il décider si la dot comprend des créances qui n'aient pas été
payées pendant le mariage ? Le mari doit restituer les titres, immédiatement
après la dissolution ; car ces titres sont des corps certains. Si les créances
avaient été soldées, il jouirait, pour en restituer le montant, du délai d'une
année (1564).

Rien ne s'oppose , au surplus, à ce que la femme ou ses héritiers accordent au mari d'autres délais que ceux qui résultent, soit du contrat , soit de
la loi ; car ils disposent alors d'un droit qui leur est acquis, d'une créance
qui leur est propre.

— Le mari peut-il d'avance, et par anticipation, recevoir le montant des termes de loyer successivement viendront à échoir, de telle sorte que le preneur puisse se trouver libéré envers la femme ,

---

(1) Il eût été plus simple, d'employer, dans cet article l'expression : *corps, certain*, et dans l'article suivant, celle de *quantité.*

rentrée en possession de son immeuble, en produisant les quittances qui lui ont été remises ? ᴧᴧ N. Les fruits s'acquièrent jour par jour ; le preneur a dû prévoir que la propriété changerait de mains ; il a dû savoir que son titre était précaire ; par conséquent, il a commis une faute, en soldant d'avance une redevance qui n'était pas encore acquise. — Le mari n'a pu transmettre une faculté qui excédait ses pouvoirs, et constituer à son profit, une anticipation abusive, un avantage dont il n'était pas sûr que la jouissance lui appartînt (Serlziat, n. 238).

Peut-il stipuler un pot-de-vin ? ᴧᴧ Une allocation de cette nature tend à diminuer la prestation annuelle payée par le preneur ; car elle a été calculée sur la durée de bail. Si le mariage vient à se dissoudre , la femme est donc fondée a se plaindre de ce que le mari a retiré un profit s'appliquant a une époque où sa jouissance a cessé ; en conséquence, elle peut demander, soit au mari, soit au preneur, une différence proportionnelle pour le temps qui reste à courir ; sauf au preneur, si c'est lui qui a payé, son recours en garantie contre le mari (Serlziat, n. 239).

Si le mari habitait un immeuble appartenant à la femme , les héritiers de celle-ci devraient-ils lui accorder le temps déterminé pour les congés, en matière de location verbale ? ᴧᴧ N. Le mari ne peut être assimilé à un preneur ; la loi est formelle ; elle exige l'abandon immédiat de l'immeuble (1564) .(Serlziat , n. 241).

Mais le juge pourrait-il, en vertu de la disposition de l'art. 1244, accorder un nouveau délai au mari ? ᴧᴧ Oui , si le mari ne jouit pas de la faveur de l'art. 1565; secùs , dans le cas contraire (Bellot, p. 241).

Si le mari faisait avec la femme une convention pour lui rendre sa dot *constante matrimonio* et par anticipation , cette convention serait-elle valable? Le mari serait-il libéré en l'exécutant ? ᴧᴧ N. La séparation de biens judiciaire peut seule, pendant le mariage, donner ouverture à ce remboursement ; la femme , lors de la dissolution du mariage, pourrait se faire restituer sa dot une seconde fois (Toullier , n. 262).

Nous avons décidé , que l'inventaire peut être supplée par un acte sous seing privé, dans lequel le mari reconnaîtrait la consistance des biens de la femme : mais cet acte peut-il être opposé aux créanciers hypothécaires du mari ? ᴧᴧ Oui, s'il a date certaine antérieure à l'hypothèque (Bellot , p. 21 et suiv.).

1565 — Si elle consiste en une somme d'argent (1),

Ou en meubles mis à prix par le contrat , sans déclaration que l'estimation n'en rend pas le mari propriétaire,

La restitution n'en peut être exigée qu'un an après la dissolution.

= Si la dot consiste en argent, le mari a dû en faire le placement ; si elle a été constituée en objets mobiliers mis à prix par le contrat, on suppose qu'il a vendu ces objets, pour faire emploi du prix : dans l'un et l'autre cas, la loi doit lui accorder un délai pour se procurer des fonds.

Mais si le mari a légué à la femme sa dot, la délivrance du legs peut être exigée sur-le-champ : c'est là, l'unique avantage que la disposition testamentaire lui procure.

Nonobstant ce délai , les héritiers de la femme reçoivent l'intérêt légal à partir de la dissolution du mariage ou du jugement de séparation (1570).

D'ailleurs, comme l'ajournement de la restitution de la dot ne résulte pas de la convention, mais bien de la loi , la femme a le droit de faire des actes conservatoires , notamment celui de demander la séparation des patrimoines à l'effet d'empêcher la confusion qui s'opérerait entre la fortune des héritiers et les valeurs dépendant de l'hoirie.

Les héritiers du mari peuvent également réclamer le bénéfice de l'article 1565.

La loi ne semble statuer que sur le cas où le mariage est dissous ; mais il nous paraît évident que le mari aurait droit au même délai, dans le cas de séparation de corps, ou d'un jugement d'envoi en possession en cas d'absence ; car , bien que très-solvable , il peut ne pas avoir entre ses mains des deniers suffisants (2).

----

(1) La disposition de l'article 1565 s'appliquerait également au cas ou la dot consisterait en denrées ; en effet , pour se procurer des denrées , il faut que le mari trouve de l'argent.

(2) On objecte contre notre opinion que les dispositions des art. 1564 et 1565 étant toutes de faveur, il faut les restreindre aux termes dans lesquels elles sont conçues ; or , dit-on , elles ne prévoient que le cas de dissolution du mariage.

Si la dot comprend des choses de nature à se consommer par l'usage, et non estimées, le mari est tenu de rendre, à l'époque de la dissolution, une pareille quantité de choses de même qualité et valeur. Bien que la restitution ne porte plus alors sur une somme d'argent, on pense généralement que le mari jouit du délai déterminé par l'article 1565; car il a besoin des facilités qui lui sont accordées pour le cas où la dot a été constituée en argent.

Les circonstances qui, suivant l'art. 1181, entraînent la déchéance du bénéfice du terme, doivent avoir également pour effet de priver le mari du délai qui lui est accordé par l'article 1565; la règle est générale.

Si la restitution de la dot est la suite d'un jugement qui prononce la séparation de biens, le mari doit être privé non-seulement du terme déterminé par notre article, mais encore de celui qui pourrait lui avoir été accordé par contrat de mariage; il y a *periculum in morâ*. Le motif même de la séparation de biens écarte l'application des articles 1565 et 1566 : la dot est en péril, il faut la soustraire de suite au danger (Arg. des art. 1444 et 1563) (1).

— Si la dot consiste en un fonds de commerce estimé par le contrat de mariage, et que la dissolution ait eu lieu par suite du décès du mari, ses héritiers peuvent-ils retenir la possession de ce fonds pendant le délai d'une année ? ⁓ C'est le droit de jouir du fonds de commerce qui a été donné, plutôt que le fonds de commerce lui-même ; or, lorsque le mari cesse d'exploiter, c'est pour ainsi dire un usufruit qui s'éteint ; la chose retourne naturellement au propriétaire, et par conséquent la femme en reprend immédiatement la possession. ⁓ Les meubles, considérés avec un caractère d'universalité, ne sont pas régis par les règles ordinaires ; ils constituent une espèce de biens mixtes ; ils sont alors censés avoir une valeur plus importante que s'ils étaient réduits à leur spécialité. ⁓ Il faut distinguer si le fonds de commerce a été estimé : ce fonds, par suite de l'estimation sans réserve qui lui a été donnée, est devenu la propriété du mari ; le mari est devenu débiteur du prix : c'est une somme d'argent qu'il doit rendre ; par conséquent il doit jouir du délai accordé pour la restitution du capital. Il en serait autrement si le fonds de commerce n'avait pas été estimé, bien que les marchandises eussent été évaluées : dans ce cas, la femme reprendrait immédiatement le fonds de commerce dont elle aurait retenu la propriété (Seriziat, n. 252).

⁋ Si le mariage avait été dissous par la mort de la femme, les héritiers pourraient-ils être admis à pratiquer des saisies, avant l'expiration de l'année, au préjudice du mari ? ⁓ N. A l'exception de la faveur de l'hypothèque, la femme se trouve placée dans la catégorie des créanciers ordinaires. — La saisie-arrêt est placée par la loi, au nombre des voies qui appartiennent à l'exécution forcée des jugements et actes ; or, l'usage de ces moyens n'est jamais admis avant l'échéance du délai ; d'ailleurs la saisie-arrêt priverait le mari du maniement de sa fortune ; le bienfait de la loi tournerait contre lui (Seriziat, n. 247).

Le mari, poursuivi en restitution de la dot, peut-il demander aux héritiers de la femme une pension alimentaire ? ⁓ A. (Delv., p. 59, n. 2). ⁓ Silence de la loi (D., t. 10, p. 369, n. 47).

Si l'immeuble dotal, estimé dans le contrat de mariage avec déclaration que l'estimation vaut vente, existe en nature, après la dissolution, la femme ou ses héritiers peuvent-ils en exiger la restitution? ⁓ N. L'estimation a dépouillé la femme de tout droit de propriété (Bellot, t. 4, p. 243 et suiv.; D., t. 10, p. 361, n. 19).

Les époux peuvent-ils stipuler un délai moins long ou plus étendu que celui qui est fixé par l'article 1565? ⁓ A. Cette stipulation n'a rien de contraire aux mœurs (Bellot, t. 4, p. 240; Delv., t. 3, p. 116; D., t. 10, n. 2).

Le juge pourrait-il accorder une prorogation de délai (1244)? ⁓ A. L'article 1244 est conçu en termes généraux (D., t. 10, p. 361, n. 13; *voy.* cep. Bellot, t. 4, p. 241).

1566 — Si les meubles dont la propriété reste à la femme ont dépéri par l'usage et sans la faute du mari, il ne sera tenu de rendre que ceux qui resteront, et dans l'état où ils se trouveront.

Et néanmoins la femme pourra, dans tous les cas, retirer

(1) Il serait illusoire d'accorder au mari une année pour effectuer la restitution. Ajoutons, que l'article 1563 renvoie à l'article 1444 ; et qu'aux termes de l'article 1444, le jugement de séparation de biens doit être exécuté dans la quinzaine de la prononciation du jugement ; par conséquent, dans les divers cas où le débiteur est privé du bénéfice du terme, la disposition de l'article 1565 doit cesser d'être applicable. — Les expressions finales de l'art. 1565 : « *une année après la dissolution du mariage,* » annoncent d'ailleurs suffisamment que l'application de cet article est restreinte au cas de mort naturelle ou civile.

les linges et hardes à son usage actuel, sauf à précompter leur valeur, lorsque ces linges et hardes auront été primitivement constitués avec estimation.

= Le mari doit, comme débiteur de corps certains, apporter à la conservation des meubles dont la propriété ne lui a pas été transférée, tous les soins d'un bon père de famille : mais s'il établit que les meubles ont péri ou se sont détériorés sans sa faute, la perte est supportée par la femme (1136, 1147, 1148, 1245, 1302) (1).

A l'égard des immeubles, s'ils ont augmenté *naturellement* de valeur pendant le mariage, cet accroissement profite à la femme. Si le mari prétend avoir fait quelques dépenses pour les améliorer, la femme ne doit l'indemniser qu'en raison de la plus-value (*voy.* 1260 *in fine*).

Dans la deuxième partie de l'article 1566, la loi, guidée par un principe d'humanité, accorde à la femme le droit de reprendre *les linges et hardes* (2) à son usage *actuel*, et cela *dans tous les cas* : c'est à-dire, soit que le trousseau ayant été estimé par le contrat, soit devenu, par cette estimation, la propriété du mari ; soit que l'estimation n'ayant pas eu lieu, la femme en ait conservé la propriété : dans cette dernière hypothèse, on doit voir une espèce de subrogation des linges et hardes acquis pendant le mariage, à ceux qui ont été apportés en dot par la femme (3)

Ainsi, le mari ne serait pas recevable à dire à la femme : les linges et hardes à votre usage actuel, ont été achetés avec les revenus de la dot ; ces revenus m'appartenaient ; vos linges et hardes doivent donc m'appartenir. L'article 1566 repousse une pareille conséquence : la femme est toujours admise à reprendre son trousseau en nature. On comprend aisément la convenance de cette disposition : des habitudes quotidiennes rendent précieux pour la femme les vêtements dont elle se sert ; leur transmission serait blessante pour sa susceptibilité.

A la vérité, il peut arriver que les linges et hardes *actuels* soient plus considérables que ceux qui ont été apportés par la femme ; mais le mari n'est pas recevable à prouver ce fait : les linges et hardes *actuels* sont toujours réputés l'équivalent approximatif de ceux que la femme avait au moment du mariage (4).

Il est bien entendu, que la femme ne pourrait conserver en même temps les linges et hardes à son usage actuel, et prétendre à la valeur estimative du trousseau par elle apporté : on ferait, sur cette dernière somme, déduction de la valeur des choses qu'elle conserverait à la dissolution du mariage.

---

(1) On décide même généralement, que le mari est déchargé de toute responsabilité, bien qu'il ne puisse rapporter aucuns vestiges des choses qu'il a reçues, si ces choses sont de nature à se consommer tellement par l'usage, que leurs restes finissent par disparaître (Serizlat, n. 257; *voy.* cep. Proudhon, *Usuf.*, n. 2652 sur l'art. 589).

(2) *Le linge*, c'est-à-dire, celui qui est consacré à l'usage du corps. Cette expression ne comprend pas celui qui est employé pour le service de la table, du lit, etc. ; — *les hardes*, c'est-à-dire, les vêtements extérieurs.

(3) Lorsque la propriété des linges et hardes a été estimée, la femme doit compte de la valeur actuelle de ceux qu'elle retire ; dans le cas contraire, elle n'est tenue de faire aucune bonification à son mari. Cette distinction résulte de la rédaction restrictive de la disposition finale du 2e alinéa de l'article 1566, opposée aux mots : *dans tous les cas*, lesquels sont placés au commencement de ce même alinéa (Toullier, n. 268; Bellot, p. 247 et suiv.). ᗺᗺ La femme ne peut reprendre ses linges et hardes à son usage actuel, qu'à charge de payer la valeur de ceux qu'elle n'a pas apportés en dot, et qui ont été acquis pendant le mariage (Dur., n. 558).

(4) Au premier abord, ce résultat paraît injuste : en effet, lorsque le trousseau a été constitué avec estimation, le mari doit restituer une valeur égale à celle qu'il a reçue; s'il existe une différence en moins, il doit avec ses deniers, combler le déficit : pourquoi ne pas lui tenir compte de la différence

Toutefois, nous pensons que les héritiers du mari ou ses créanciers seraient admis à prouver la fraude : — *ses héritiers*, lors même qu'ils n'auraient pas droit à une réserve ; car les avantages indirects sont interdits entre époux ; — *ses créanciers*, parce qu'ils peuvent attaquer tous les actes faits par leur débiteur en fraude de leurs droits. — Du reste, la réduction ne peut avoir lieu qu'autant qu'il se trouve une disproportion évidente entre la valeur des linges et hardes actuels et celle des objets apportés.

Les mots *linges et hardes* comprennent tout ce qui est nécessaire pour l'habillement, tout ce qui fait partie de la garde-robe, tout ce qui est destiné à l'usage de la femme, même les vêtements qui ne seraient pas encore taillés, et qui existeraient en pièces.

On ne peut considérer comme objets d'habillement, les diamants et pierreries ; ce sont là des choses d'ornement : la femme ne peut donc les reprendre.

Notre article n'accordant à la femme que les *linges et hardes* à son usage *actuel*, on demande si elle peut retirer le linge mis en réserve et ses robes d'une autre saison, en un mot toute sa garde-robe; ou si son droit est restreint aux choses dont elle se servait lors de la mort de son mari? Le mot *actuel* indique tout ce qui se trouve existant à l'époque de la dissolution du mariage : la femme peut donc retirer sans distinction les *linges et hardes* à son usage personnel.

Le droit de la femme du failli est restreint aux objets nécessaires pour l'usage de sa personne, d'après un état dressé par les syndics (529, Code de commerce).

— La preuve que la perte ou le retranchement de la créance ou de la rente résulte d'une force majeure, est-elle à la charge du mari? ⁓ *N.* Le mari ne doit restituer que le titre ; c'est aux parties intéressées, à prouver qu'il est en faute ; or, la faute ne se présume pas. Si ce sont les fruits qui ont été constitués en dot, comme ils sont capitalisés dans la constitution, le mari doit les rendre ; il ne profite que des intérêts qu'ils ont produits.

1567 — Si la dot comprend des obligations ou constitutions de rentes qui ont péri, ou souffert des retranchements (1) qu'on ne puisse imputer à la négligence du mari, il n'en sera point tenu, et il en sera quitte en restituant *les contrats* (2).

= La loi fait aux créances et aux constitutions de rente, l'application du principe qui laisse aux risques de la femme les objets dotaux dont la propriété n'a pas été transférée au mari. L'article 1567 ne contient qu'une application pure et simple de l'article 589.

À l'égard des constitutions de rente, aucune difficulté ne peut s'élever; puisque la femme conserve la propriété de son titre.

Quant aux créances, bien qu'elles aient pour objet des sommes d'argent, elles ne se confondent avec les biens du mari qu'au moment où les de-

en plus? Mais il faut observer, que le mari est grevé de la restitution intégrale, parce qu'il ne doit pas laisser dépérir les effets appartenant à la femme ; qu'il ne peut répéter les augmentations survenues, parce que lui-même a apprécié les exigences de son état dans le monde ; parce qu'il les a combinées avec ses facultés, selon le vœu de l'art. 214.— Dans une situation analogue, l'usufruitier est traité de la même manière.

(1) Les retranchements dont il est parlé dans l'art. 1567, s'appliquent surtout à des objets incorporels d'une valeur considérable qui ont subi des retranchements à différentes époques : ainsi, les rentes sur l'État ont été réduites à un tiers (ce tiers ayant été consolidé), le mari se libère en restituant l'inscription.

(2) C'est-à-dire *les écrits*.

niers lui sont comptés ; jusqu'alors elles restent propres à la femme, et par conséquent elles sont à ses risques.

Cependant, comme le mari doit veiller à la conservation de la dot, on met à sa charge les pertes ou retranchements imputables à sa faute : par exemple, il devrait indemniser la femme, s'il avait négligé de former une opposition, de renouveler une inscription ; ou s'il avait accordé un nouveau terme, au lieu d'exiger le payement d'une créance constituée en dot, et que le constituant fût devenu insolvable.

Toutefois, dans ce dernier cas, on prendrait en considération la qualité du constituant : si c'était le père, la mère ou l'un des ascendants de la femme, le mari serait excusable de ne pas avoir poursuivi à la rigueur.

Lorsque le contrat de mariage porte transport ou cession au mari, des contrats eux-mêmes, les risques sont à sa charge ; la femme répond uniquement de l'existence de la créance au jour du mariage (1692).

— Peut-on appliquer au cas prévu par l'article 1567, la présomption dont il est parlé dans l'article 1569? ››› L'art. 1569 attache une présomption à certains faits spéciaux ; il s'agit de la preuve du payement de la dot. — Dans l'article 1567, on est d'accord que le mari a reçu la dot ; seulement il s'agit d'apprécier les faits de négligence. — La preuve des faits imputés incombe à la femme ou à ses héritiers comme demandeurs.

1568 — Si un usufruit a été constitué en dot, le mari ou ses héritiers ne sont obligés, à la dissolution du mariage, que de restituer le droit d'usufruit, et non les fruits échus durant le mariage.

= La constitution de dot, lorsqu'elle a pour objet un usufruit, consiste dans le droit lui-même ; les fruits sont le produit de ce droit ; ils doivent être employés aux besoins du ménage ; ordinairement, on ne capitalise pas les fruits ; il est probable que la femme les aurait annuellements dépensés.

Appliquez ces mêmes principes à la rente viagère constituée en dot : Les arrérages d'une rente viagère, dans le système du Code, sont considérés comme des fruits (584 et 588) ; le mari ne doit, en conséquence, restituer que le titre de la rente.

Bien qu'un usufruit ait été constitué en dot, la femme reste toujours personnellement obligée, comme usufruitière, envers le nu propriétaire : ses obligations, à la vérité, se reportent sur le mari ; mais elle n'est point pour cela dégagée des siennes.

Le partage des fruits de la dernière année s'opère conformément à la règle de l'article 1571.

Les frais d'inventaire sont supportés par le mari ; c'est là une charge qui pèse sur les fruits.

Il est bien entendu, que les fruits perçus sont toujours en dehors de l'évaluation de la quotité disponible.

— Le mari doit-il réellement, comme semble le dire notre article, profiter indistinctement de tous les frais échus pendant le mariage? ››› Il en est bien ainsi quant aux fruits civils ; mais quant aux fruits naturels, on doit appliquer la règle de l'art. 1521 (Dur., n. 561)
Quid si la dot comprend un bail à ferme, ou la location d'une maison? Les bénéfices du bail, s'ils sont considérables, doivent-ils appartenir en totalité au mari? ››› N. Le droit de bail n'est pas un droit d'usufruit, mais un droit de créance. — Le juge peut, suivant les circonstances, répartir les bénéfices entre les époux (Dur., n. 563).

1569 — Si le mariage a duré dix ans depuis l'échéance des termes pris pour le payement de la dot, la femme ou ses héritiers pourront la répéter contre le mari après la *disso-*

lution du mariage (1), sans être tenus de prouver qu'il l'a reçue, à moins qu'il ne justifiât de diligences inutilement par lui faites pour s'en procurer le payement.

= Régulièrement, le mari n'est tenu de restituer la dot qu'autant qu'il l'a reçue, à moins qu'il ne soit en faute, et l'obligation de prouver la faute est à la charge de la femme demanderesse.

Cependant, par exception, notre article admet que la femme ou ses héritiers peuvent le poursuivre en restitution, après la dissolution du mariage, lorsqu'il s'est écoulé dix ans depuis l'échéance des termes pris pour le payement.

Sur quelles considération cette dispositions est-elle fondée? sur la présomption, non que le mari a reçu le payement de la dot, mais bien qu'il n'a pas fait les diligences nécessaires pour l'obtenir ; c'est ce que nous démontre suffisamment la restriction apportée par la dernière partie de l'art. 1569 (2).

Cette présomption donne à la femme, ou à ses héritiers, le droit de répéter la dot, sans être tenus de prouver le payement; sauf au mari à justifier de poursuites faites *inutilement* en temps opportun.

Il résulte de ces mots : *des termes*, que le délai de dix ans ne court qu'à partir de l'expiration de chaque terme, si la dot a été stipulée payable par fractions.

En quoi doivent consister les *diligences* dont parle la loi? Cette expression : *inutilement*, indique suffisamment qu'il faut les avoir poussées jusqu'à la contrainte; une demande formée, un jugement même obtenu, ne suffiraient pas : des poursuites, en effet, ne peuvent être regardées comme inutiles, quand on n'a pas mis à exécution le titre que l'on s'est procuré (3).

Au surplus, la présomption qui s'élève contre le mari, n'établit pas, en faveur des débiteurs de la dot, une preuve de libération ; cette preuve ne peut se faire que d'après les règles du droit commun : ainsi, lorsque la dot excède 150 fr., la femme doit produire un titre; elle n'est admise à établir ses apports par témoins, qu'autant qu'elle a un commencement de preuve par écrit.

Quant au mobilier dotal qui n'a pas été inventorié, sa consistance peut être prouvée par témoins, sans commencement de preuve et même par commune renommée.

---

(1) Cette expression est purement énonciative : évidemment, l'article 1569 doit recevoir son application toutes les fois qu'il y a lieu à la restitution de la dot.

(2) Suivant quelques personnes, la disposition de l'article 1569 est fondée sur la présomption que le mari a reçu la dot : elles se fondent sur l'interprétation de la fin de l'article, laquelle impose au mari la nécessité de prouver qu'il a fait des diligences inutiles pour toucher le montant de la dot : il importe de bien distinguer ces deux théories, car elles conduisent à des résultats différents : s'il y a présomption de payement, les constituants sont libres envers le mari, de telle sorte que si la femme s'est dotée *de suo* cette négligence, aura tourné à son avantage, loin de lui préjudicier. S'il y a présomption de négligence, le mari est seulement tenu d'indemniser la femme, sauf son recours contre les constituants. — Nous pensons que l'article 1569 n'a pas pour objet de soumettre l'action en payement de la dot à une prescription spéciale ; mais de décharger la femme ou ses héritiers, dans l'hypothèse qu'il prévoit, de l'obligation de prouver que si le mari n'a pas touché la dot, c'est par sa faute. — Ce principe a été puisé dans la loi 33, ff. *de jure dot.*, et non, comme on l'a dit à tort, dans la Novelle 100. Cette Novelle, qui modifie la loi dernière au Code, *de dote cautâ non numeratâ*, a eu pour but unique, de restreindre dans certaines limites l'exception *dotis cautæ non numeratæ*, au moyen de laquelle le mari pouvait, en alléguant la non réception de la dot, neutraliser l'effet de la quittance par lui donnée; elle est donc étrangère au cas où le mari n'a pas donné quittance de la dot.

(3) Telle est l'opinion généralement reçue ; on peut dire cependant que l'expression *diligences*, plus douce que celle de *poursuites*, semble indiquer que le mari doit aux constituants des égards ; que l'on assujettit le mari à justifier de diligences par lui faites inutilement, parce qu'il faut vérifier l'absence de toute faute de sa part ; mais que l'idée de diligences n'emporte pas nécessairement celle d'une poursuite judiciaire : il peut même arriver qu'il ne soit pas possible de l'entreprendre.

Aux termes de l'article 1251, 3°, le mari est subrogé aux droits de la femme, lorsqu'il a été obligé de l'indemniser.

Les poursuites peuvent être dirigées pendant trente ans contre les débiteurs de la dot, soit par le mari, soit par la femme elle-même (Bell., p. 225).

— Si c'est la femme elle-même qui s'est constitué la dot, admettra-t-on la prescription établie par cet article ? ᴧᴧᴧ N. C'est la femme qui est obligée personnellement ; elle doit donc présenter la preuve de l'exécution de son engagement. L'esprit se révolte à la pensée que la femme puisse tirer avantage de ce que le mari, usant de ménagements, se serait, par convenance, abstenu de la poursuivre. Arg. de l'article 2253, lequel n'admet pas la prescription entre époux (Delv., p. 59, n. 7 ; D., t. 10, p. 363, n. 28 ; Bellot, p. 256 ; Serixiat, voy. cep. Dur., n. 566).

1570— Si le mariage est dissous par la mort de la femme, l'intérêt et les fruits de sa dot à restituer courent de plein droit au profit de ses héritiers depuis le jour de la dissolution.

Si c'est par la mort du mari, la femme a le choix d'exiger les intérêts (1) de la dot pendant l'an du deuil, ou de se faire fournir des aliments pendant ledit temps aux dépens de la succession du mari ; mais, dans les deux cas, l'habitation durant cette année, et les habits de deuil, doivent lui être fournis sur la succession, et sans imputation sur les intérêts à elle dus.

= Dans cet article, la loi ne se propose pas d'établir un règlement de fruits (ce règlement est fait ailleurs ; voy. art. 1571), mais de fixer, dans les deux hypothèses de survie de la femme ou de son prédécès, les droits qu'elle ou ses héritiers peuvent exercer.

Si le mariage est dissous par la mort de la femme, la dot doit être restituée à ses héritiers ; les fruits courent à leur profit du jour de la dissolution.

S'il est dissous par le prédécès du mari, la loi établit, en faveur de la femme, ce qu'on appelait, dans certains pays de droit écrit, *droit de viduité au cas de dot mobilière ;* c'est-à-dire, que la femme survivante peut, à son choix, exiger les intérêts de sa dot pendant l'an de deuil, ou se faire fournir des aliments durant ce temps, aux dépens de la succession du mari (2).

L'option une fois faite, tout est consommé : la femme n'est point admise à rétracter sa volonté ; le lien existe ; il constitue un droit acquis.

La fixation de la somme allouée à la femme dépend des circonstances ; elle se détermine par le genre de vie des époux, par la condition que le mari occupait dans la société, et par la fortune dont il était pourvu. Si la succession est grevée de dettes, comme la pension doit être, en définitive, supportée par les créanciers, on doit la restreindre aux plus étroites limites.

Cette provision alimentaire se divise par termes ; elle est payable davance, car elle a pour objet de subvenir à des besoins quotidiens.

Si la succession du mari n'est pas encore liquidée au moment où la femme réclame le payement de son année de viduité, une provision doit lui être accordée par le juge.

(¹) Le mot *intérêts* est employé ici dans le sens générique attaché au mot *revenus* ; par conséquent la femme doit être traitée de la même manière, quelle que soit la nature de sa fortune, qu'elle consiste en meubles ou en immeubles.

(2) Si la femme avait des paraphernaux par suite des revenus propres, ces revenus seraient pris en considération pour la détermination des aliments (208) à prester par les héritiers du mari

Quid si la dot ne produit pas d'intérêts, ou s'il n'a pas été apporté de dot ? La femme peut toujours exiger des aliments : en effet, le droit dont il s'agit est accordé, non-seulement comme équivalent de l'intérêt des deniers dotaux, mais encore, dans cette pensée toute morale, que la femme qui vient de perdre son mari ne doit pas être tout à coup privée de secours (1).

Quant au droit d'habitation et aux habits de deuil, la succession du mari en est chargée, que la femme opte pour les intérêts ou pour les aliments.

Sous le régime de la communauté, le droit d'habitation est borné à trois mois et quarante jours (1465) ; sous le régime dotal, il se prolonge pendant une année.

La pensée dominante du législateur, en accordant le droit d'habitation, a été de conserver à la femme, durant les premiers temps de son veuvage, une existence calquée sur son existence précédente.

Dès lors, il faut proscrire tout changement qui ne serait pas commandé par les circonstances. Ainsi, l'habitation ne doit pas être bornée à ce qui est rigoureusement nécessaire pour le logement de la femme (*voy.* art. 632) ; ordinairement, on lui assigne le logement que le mari occupait, — les héritiers auraient cependant le droit de remettre à la femme une somme suffisante pour qu'elle pût se loger convenablement.

Le règlement des habits de deuil se fait d'après les mêmes bases ; on doit, pour le fixer, prendre en considération la condition des époux, leurs habitudes et leur fortune.

L'article 1570 porte que les habits de deuil sont fournis sur la succession : ne concluons pas de là que la délivrance doit avoir lieu nécessairement en nature ; le texte, il faut le remarquer, n'est point impératif. Suivant l'usage, le deuil est toujours fourni en argent.

L'année de viduité, ainsi que le droit d'habitation et les habits de deuil, sont garantis protégés par l'hypothèque légale qui est accordée à la femme sur les immeubles du mari (2121).

Supposons maintenant que ce soit la séparation de corps qui donne lieu à la restitution de la dot : de quel jour courront au profit de la femme les intérêts et les fruits ? Du jour du jugement définitif ; car le mari a supporté, jusqu'alors, les charges du ménage : il faut appliquer le premier alinéa de l'article 1570.

Quid en cas de séparation de biens prononcée principalement ? La restitution doit avoir lieu immédiatement : le désordre des affaires du mari ne permet pas de retard. — Nous pensons même que le mari devrait compte des intérêts et des fruits à partir du jour de la demande en séparation (Arg. de l'art. 1445), sous la réserve de la quotité pour laquelle la femme aurait contribué aux charges du ménage, si la séparation eût été prononcée à cette époque (2) (Arg. des articles 1445, al. 2 ; 311 et 1563).

Quid en cas d'absence ? Il y a lieu à la restitution des fruits à partir du jugement d'envoi en possession provisoire, sauf l'application de l'art. 127.

---

(1) Suivant Merlin, Rép., v° *Viduité*, la femme qui n'a point apporté de dot peut exiger son deuil et l'habitation pendant l'année, mais elle est alors déchue du droit d'exiger des aliments. Cet auteur argumente de l'alternative établie par l'article 1570.

(2) *Limoges*, 17 juin 1835, S., 36, 2, 271. ∾ L'usufruit du mari ne cesse qu'à partir du jugement qui prononce la séparation (Dur., n 570, Teissier, p. 256, t. 2).

— La femme peut-elle prétendre à une année de viduité, lorsqu'elle a reçu de son mari une libéralité par testament? ∿∿ Si la disposition est universelle, le droit de viduité disparaît, puisque la femme ne peut se payer elle-même ; il en est de même si la libéralité comprend seulement un usufruit universel, car l'année de viduité représente véritablement une pension alimentaire réduite à une année ; or, le légataire universel est tenu des pensions alimentaires (608 et 610).

1571 — A la dissolution du mariage, les fruits des immeubles dotaux se partagent entre le mari et la femme ou leurs héritiers, à proportion du temps qu'il a duré, pendant la dernière année.

L'année commence à partir du jour où le mariage a été célébré.

= En principe, chaque récolte est destinée à couvrir les dépenses de l'année ; en conséquence, les fruits naturels et industriels, ainsi que les fruits civils irréguliers, sont, en ce qui concerne la répartition à faire lors de la cessation de l'usufruit entre le mari ou ses héritiers, et la femme ou ses héritiers, entièrement assimilés aux fruits civils réguliers (*voy.* 582). Ainsi, les fruits des biens dotaux, de quelque nature qu'ils soient, perçus ou à percevoir dans l'année pendant laquelle cesse l'usufruit du mari, forment une seule masse, laquelle se partage en trois cent soixante-cinq jours, à partir du jour anniversaire de la célébration du mariage. Appliquons ces principes :

Les fruits purement *civils*, tels que les arrérages des rentes, les intérêts des capitaux, les loyers et fermages, se percevant jour par jour (586), la femme conserve ceux qui sont échus à l'époque du mariage, et profite de ceux à échoir à partir de la dissolution.

A l'égard des fruits civils *irréguliers*, tels que le produit des manufactures, des mines, des carrières, des canaux, chemins de fer, etc., on ne peut appliquer inflexiblement la règle ; car il y aurait souvent injustice d'un côté ou de l'autre. L'exploitation de l'établissement doit être continuée en commun, même après la dissolution du mariage, entre le survivant des époux et les héritiers de l'autre, jusqu'à l'expiration de la dernière année : alors, la distribution a lieu au *prorata*, entre le mari ou ses héritiers, conformément à l'art. 1571.

A l'égard des fruits naturels ou industriels, comme le mari profite de ceux qui sont pendants par branches ou par racines sur les immeubles dotaux, au moment de la célébration (584 et 535), il semblerait, toujours en appliquant les règles ordinaires en matière d'usufruit, que les fruits pendants lors de la dissolution dussent appartenir en totalité à la femme ou à ses héritiers : cependant, il n'en est pas ainsi ; le partage de ces sortes de fruits a lieu, comme lorsqu'il s'agit des fruits civils, à proportion du temps que le mariage a duré pendant la dernière année : ainsi, on forme la somme totale de tous les fruits, comme pour les fruits civils irréguliers, et on les distribue au *prorata*.

Exemple : supposons que le mariage ait été célébré le 30 juin 1827, et que la dissolution ait eu lieu le 31 décembre 1830 : le mari profitera des fruits des années 1827, 1828 et 1829 ; mais il ne conservera que la moitié des fruits de 1830 ; car le mariage n'a duré que six mois pendant la dernière année.

Si le mariage n'a duré que pendant les saisons stériles où l'on ne fait point de récoltes, le mari aura, dans les fruits recueillis par les héritiers de la femme, une part proportionnée à la durée du mariage pendant la dernière année : mais comme on ne peut savoir quelle sera l'importance de cette portion (que le mari peut prélever, même en nature), il faut attendre l'époque de la récolte.

S'il s'agit de fruits qui ne se recueillent pas tous les ans; par exemple, de coupes dans les bois et forêts, le mari aura une part proportionnée à la durée du mariage, comparée à l'intervalle qu'on laisse entre les coupes, d'après l'aménagement : par exemple, si la coupe a lieu tous les quinze ans, et que, pendant le mariage, qui a duré cinq ans, il en ait été fait une, le mari ne conservera que le tiers de la valeur de cette coupe, et rendra le surplus aux héritiers de la femme. — *Vice versâ*, s'il n'a pas été fait de coupe pendant les cinq ans, le mari pourra prétendre, lorsqu'elle se fera, au tiers du prix qui en proviendra.

On procède de la même manière pour les poissons des étangs et autres produits périodiques non annuels.

Bien qu'il soit uniquement question dans cet article du cas de dissolution du mariage, il n'est pas douteux que les mêmes règles s'appliqueraient aux autres causes de restitution.

— Un texte de Papinien a donné lieu à de graves difficultés : le jurisconsulte suppose l'espèce suivante : le mari a reçu en dot le 1er octobre, une vigne ; il fait la vendange le 1er novembre, et donne la vigne à bail ; puis, le mariage se dissout à la fin de janvier par le divorce : *quid juris?* ⁓ On fera une masse des produits de la vendange recueillie par le mari, et du prix de 3 mois de bail, et le mari prendra le tiers de la valeur trouvée à 4 mois pendant lesquels le mariage a duré (*Papinien*, § 1er, tit. *soluto matrimonio*). ⁓ En procédant ainsi, le mari toucherait au delà de ce qui lui reviendrait ; car par le fait, on lui attribuerait 5 mois de fruits au lieu de 4 pendant lesquels le mariage a duré : en effet, le mari ferait ses calculs sur une année de 15 mois (12 mois de récolte en nature et 3 mois de bail); il opérerait par exemple, sur 15,000 fr. au lieu de 12,000 que produirait une année. Mieux vaut décider, que le mari prendra le produit d'un mois de vendange et les revenus de 3 mois de bail. — Papinien a seulement voulu faire entendre que le mari doit profiter du bail avantageux qu'il a fait ; et afin d'atteindre ce résultat, le jurisconsulte propose de remplacer 3 mois de vendange par le montant de 3 mois de bail. — Les mots *confundi debebunt* ne signifient pas que l'on doit former une masse de la vendange d'une année, et du prix de 8 mois de bail ; mais bien, que l'on doit compenser 3 mois du prix du bail avec 3 mois de la vendange (Duharène). ⁓ Quelquefois, il est vrai, le mot *confundere* se trouve employé au Digeste dans le sens de compenser ; mais dans l'espèce, il n'a pas ce sens : Papinien semble bien établir que 8 mois de bail doivent être réunis à toute l'année de vendange ; mais il ne faut pas s'attacher à ce texte ; il est inexplicable : on doit uniquement rechercher si la vendange faite par le mari était destinée à couvrir les dépenses de la première année du mariage, et décider conformément au principe de l'art. 1471, que si le mariage n'a duré que 4 mois, le mari devra compte à la femme ou à ses héritiers, des deux tiers de la vendange, et en outre de la totalité du prix du bail (*Val*).

Si la dot consiste en immeubles affermés ou non affermés au jour de la célébration, et que le mari continue le même mode de jouissance jusqu'au moment de la dissolution, aucune difficulté ne se présente : mais *quid*, si ce mode change dans le temps intermédiaire? Par exemple, si le mari, au lieu de continuer d'affermer en argent a cultivé lui-même les immeubles : comment s'opèrera la liquidation? Prendra-t-on toujours pour point de départ le jour de la célébration ou le jour de l'expiration du bail que la femme avait passé avant son mariage? ⁓ Le Code est positif : « L'année, porte l'art. 1571, court du jour du mariage. » (Toullier, n. 308 et suiv.; Delv., p. 60, n. 2; Dur., 450 et suiv.; *voy.* cep. Proudhon. Usuf., n. 273²).

L'art. 1503, qui donne une récompense au mari, pour les coupes de bois qu'il pouvait faire pendant la communauté et qu'il n'a point faites, est-il applicable au régime dotal? ⁓ A. (Toullier, n. 314).

Si le mari a négligé de faire produire aux biens dotaux des fruits civils ; par ex., de renouveler un bail, la femme ou ses héritiers ont-ils le droit d'intenter contre le mari une action en indemnité, lorsque le mari se trouve encore sans locataires au moment de la dissolution? ⁓ A. Le mari est tenu de sa faute (D., t. 10, p. 369, n. 7).

La disposition qui fait courir la dernière année à partir du mariage, reçoit-elle exception, lorsque le mari n'est entré en jouissance de l'immeuble dotal que plusieurs mois après la célébration? ⁓ A. Droit romain, *ff*, loi. 3, *Solut. matr.* — Néanmoins, le mari ne pourrait opposer cette exception, s'il avait été convenu, lors du contrat de mariage, qu'il n'entrerait en jouissance de l'immeuble qu'à l'époque où il lui serait livré ; ou si sa mise en possession avait été causée par sa négligence à poursuivre les détenteurs du fonds (Dur., n. 451 ; D., t. 10, p. 367, n. 55).

Si le mari a vendu à une personne insolvable tout ou partie des récoltes à partager, par qui doit être supportée la perte résultant de cette insolvabilité? ⁓ Par le mari, si l'insolvabilité de l'acquéreur existait au moment de la vente ; dans le cas contraire, elle doit être supportée en commun (D., t. 10, p. 368 n. 63).

Lorsque la femme s'est constitué en dot tous ses biens présents et à venir, peut-on lui faire une donation d'immeubles sous la condition que le mari n'en aura pas l'usufruit? ⁓ A. Le donateur doit avoir la liberté de mettre des conditions à sa libéralité (Proudhon, t. 1, n. 286 ; Merlin, Rép. Dot., § 2, n. 10; D., t. 10, p. 306 n. 16). ⁓ Néanmoins, si la donation était faite par un ascendant, la prohibition d'usufruit serait sans effet à l'égard des biens formant lo montant de la réserve (Proudhon , t. 1, n. 286).

1572 — La femme et ses héritiers n'ont point de *privilège* (1) pour la répétition de la dot sur les créanciers antérieurs à elle en hypothèque.

= Les Romains poussaient tellement loin la faveur attachée à la dot, qu'ils donnaient à la femme, par une espèce de rétroactivité, le droit de répéter le montant de ses créances sur le prix des biens de son mari, par préférence aux créanciers antérieurs à elle en hypothèque (2).

Le Code ne refuse pas à la femme une hypothèque légale (2121, 2135 , 2137); mais il rejette la disposition injuste de la loi romaine relative à la rétroactivité.

1573 — Si le mari était déjà insolvable, et n'avait ni art ni profession lorsque le père (3) a constitué une dot à sa fille, celle-ci ne sera tenue de rapporter à la succession du père que l'action qu'elle a contre celle de son mari, pour s'en faire rembourser.

Mais si le mari n'est devenu insolvable que depuis le mariage,

Ou s'il avait un métier ou une profession qui lui tenait lieu de bien,

La perte de la dot tombe uniquement sur la femme (4).

= La constitution de dot étant pour la femme une véritable donation, les biens qui en sont l'objet doivent être rapportés à la succession du constituant (843). Toutefois, comme les biens passent directement des mains du père dans celles du mari, sans qu'il y ait, de la part de la femme, aucune manifestation de volonté ; sans qu'elle puisse même s'y opposer, la loi établit quelques modifications à ce principe : elle dispense la femme de rapporter, si le mari était déjà insolvable et sans état à l'époque de la donation : il serait injuste, en effet, de la rendre victime de l'imprudence, disons mieux, de la faute de son père; le poids de la faute qu'il a commise doit retomber sur sa succession.

Mais lorsque l'insolvabilité du mari n'est survenue que depuis le mariage, la femme est soumise au rapport; elle doit se reprocher de ne pas avoir poursuivi la séparation de biens en temps utile. La circonstance que le donataire a subi des pertes, ne le libère pas de l'obligation de rapporter.

Bien que l'art. 1573 ne parle que de la dot constituée par le père, on doit, par identité de raison, l'appliquer au cas où elle a été constituée par la mère ou autre parent; il n'existe point de motif pour distinguer (5).

— L'article 1573 est-il applicable à la fille mariée sous le régime de la communauté ou sous un régime

_____

(1) C'est-à-dire *de priorité.*
(2) Loi *Assiduis Cod.* : qui *potiores in hypothec.*
(3) L'expression *père*, vient ici *De eo quod plerumque fit* : il faut l'étendre à tout *constituant.*
(4) Cet article est mal placé , il devrait se trouver sous la rubrique du rapport.
(5) L'art. 1573 est tiré de la Novelle 97 , chap. 6 , et de l'Authentique *de Collationibus.*

exclusif de communauté comme à celle qui est mariée sous le régime dotal? ⚬⚬ A. La disposition de cet article est uniquement fondée sur la négligence du père ou de la mère qui a constitué la dot; elle ne peut être considérée comme la conséquence d'un principe particulier au régime dotal (Vaz. Delv. sur l'art. 1573). ⚬⚬ L'art. 1573 a été tiré de la Novelle 97, chap. 6. Les dispositions de cette Novelle n'étaient admises que dans les pays de droit écrit, on ne les observait pas dans les pays coutumiers. — En plaçant l'art. 1573 dans le chapitre qui traite du régime dotal, les rédacteurs du Code ont évidemment manifesté l'intention de restreindre son application à ce régime (Chabot, sur l'art. 848; Grenier, Donations, t. 2, p. 529; Dur., n. 416 à 420).

Le montant de la dot doit-il être compris dans le calcul de la quotité disponible, comme le serait tout autre don? ⚬⚬ N. On doit considérer ce don comme une simple charge de la succession, devant venir en déduction de l'actif; c'est la masse de la succession tout entière qui doit subir une diminution; il ne s'agit plus, en effet, d'une donation; mais d'une disposition qui, à raison de l'imprudence commise par son auteur, se trouve frappée de nullité et considérée comme si elle n'avait pas existé (Seriziat, n. 314).

SECTION IV.

Des biens paraphernaux (1).

La loi pose en principe, que la paraphernalité forme le droit commun et la constitution de dot l'exception; par conséquent, tout ce qui n'a pas été constitué en dot est paraphernal (1574). Il peut donc arriver que la femme, quoique mariée sous le régime dotal, n'ait point de dot (1575) (2): elle se trouve alors dans la même position que si elle était séparée de biens contractuellement (3).

Les articles compris dans cette section ne sont qu'un développement de ceux que nous avons vus sur la séparation de biens.

On nomme *paraphernaux*, ou extra-dotaux, les biens de la femme mariée sous le régime dotal, qui ne font point partie de la constitution de dot (1541).

1574 — Tous les biens de la femme qui n'ont pas été constitués en dot, sont paraphernaux.

= Lorsque la femme, qui a déclaré vouloir se marier sous le régime dotal, n'a fait aucun apport, ses biens sont-ils dotaux ou paraphernaux? Cette question, qui était controversée sous l'ancienne jurisprudence, ne peut plus naître aujourd'hui : le Code porte qu'ils sont paraphernaux. Le régime dotal perd alors son effet caractéristique : celui de donner au mari la jouissance des biens de la femme; l'association conjugale n'est plus qu'une espèce de séparation contractuelle (*voy.* 1536 et suiv., 1775).

— Si la femme qui possède des biens paraphernaux fait un commerce distinct et séparé de celui de son mari, comment réglera-t-on le sort des bénéfices qu'elle sera dans le cas de recueillir? ⚬⚬ Si la constitution s'applique à la généralité des biens à venir, les bénéfices obtenus par la femme sont soumis à

---

(1) L'expression paraphernal vient de deux mots grecs : παρὰ φέρνη : l'un signifie *au delà* et l'autre *dot*.

(2) Sous le régime de la communauté, on suit une règle contraire : les biens de la femme sont tous dotaux; c'est-à-dire soumis à la jouissance du mari, à moins qu'il n'y ait une convention contraire (comparez 1530 à 1574).

(3) Cependant, on peut signaler la différence suivante : aux termes de l'art. 1450, lorsque la femme a aliéné un de ses immeubles, le mari est en certains cas garant du défaut d'emploi : cette disposition ne se retrouve pas dans la section 4 relative aux biens paraphernaux. — Sous l'ancienne jurisprudence, il y avait d'autres différences; entre autres, celle-ci : que la femme mariée sous le régime dotal pouvait aliéner ses paraphernaux sans le consentement de son mari, faculté dont elle ne jouissait pas lorsqu'elle était séparée de biens : aujourd'hui, la femme doit, sous tous les régimes, obtenir l'autorisation de son mari.

l'action du mari sur les biens dotaux, lors même que ces bénéfices prendraient leur source dans la fortune paraphernale. Dans le cas, au contraire, où la dot porte uniquement sur les biens présents, sans
s'étendre aux biens à venir, les bénéfices se rangent dans la classe des paraphernaux. — Si le commerce de la femme n'était pas distinct de celui de son mari, la 2ᵉ disposition de l'article 220 reprendrait son empire, la femme agirait sous la seule qualité que lui attribuerait cet article : celle de mandataire de son mari (Seriziat, n. 321).
    La stipulation d'emploi des biens paraphernaux leur imprime-t-elle le caractère de dotalité ? ∿∿
A. (*Cass.*, 7 juin 1836 ; D., 1836, 1, 262).

1575 — Si tous les biens de la femme sont paraphernaux, et s'il n'y a pas de convention dans le contrat pour lui faire supporter une portion des charges du mariage, la femme y contribue jusqu'à concurrence du tiers de ses revenus.

= Cette disposition est conforme à celle de l'art. 1537 : la femme est considérée comme séparée de biens.

1576 — La femme a l'administration et la jouissance de ses biens paraphernaux ;

Mais elle ne peut les aliéner ni paraître en jugement à raison desdits biens, sans l'autorisation du mari, ou, à son refus. sans la permission de la justice.

= Le point de départ de l'art. 1576 se trouve dans les art. 215 et 217.
L'article 1576 ne dit pas formellement que la femme peut aliéner ses meubles; mais l'article 1449 nous prouve, que l'aliénation des meubles rentre dans les limites d'une large administration (1). Ajoutons, que le but de l'article 1576 est uniquement de décider qu'il y a dérogation aux prin-cipes du droit écrit, suivant lesquels, la femme pouvait aliéner les im-meubles paraphernaux, même sans l'autorisation de son mari, et non de restreindre la capacité de la femme mariée sous le régime dotal : aussi, doit-on, selon nous, compléter l'article 1576 par l'article 1449.

— Le mari a-t-il qualité pour demander la nullité des actes concernant les biens paraphernaux dans
lesquels la femme a excédé les limites de ses pouvoirs ? ∿∿ A. Par cela seul que la femme a agi sans
être munie d'autorisation, il y a véritable oubli d'un pouvoir qu'elle devait reconnaître : cette infraction
doit être réprimée; d'ailleurs le mari a un intérêt réel à la conservation des biens paraphernaux.
Nous avons vu, en effet, dans l'art. 1575, que la femme est tenue dans plusieurs cas, de les consacrer
au profit du ménage (Seriziat, n. 346).

1577 — Si la femme donne sa procuration au mari pour ad-ministrer ses biens paraphernaux, avec charge de lui rendre compte (2) des fruits, il sera tenu vis-à-vis d'elle comme tout mandataire.

= Ainsi, le mari n'est point tenu, quoique mandataire, de rendre compte des fruits, à moins que cette charge ne lui soit imposée formel-lement dans le mandat. Notre article établit sur ce point une exception à la règle de l'article 1993 (Toullier, n. 362).

---

(1) Argument des art. 1449 et 1528 : le droit d'aliéner le mobilier est considéré comme le résultat
d'une large administration. Telle était la règle du droit romain. — Vainement argumenterait-on de
l'expression générale *biens* (comprise dans l'article 1576) : cette expression est employée pour le mot *immeuble*. — Il est bien entendu, que la femme ne pourrait disposer, a titre gratuit, de ses immeubles paraphernaux ; l'art. 905 s'y oppose formellement (Seriziat, n. 325) (*Val.*).
    (2) Mauvaise rédaction : celui qui use des pouvoirs qui lui sont donnés, s'expose implicitement aux
conséquences de la reddition du compte

1578 — Si le mari a joui des biens paraphernaux de sa femme, sans mandat, et néanmoins sans opposition de sa part, il n'est tenu, à la dissolution du mariage, ou à la première demande de la femme, qu'à la représentation des fruits existants, et il n'est point comptable de ceux qui ont été consommés jusqu'alors.

= La loi ne prescrivant aucune forme spéciale pour l'opposition énoncée dans l'art. 1578, on doit décider, que tout écrit ou document, au moyen duquel la femme ferait connaître ses intentions, motiverait l'application de cet article. L'âpreté des formes judiciaires est toujours entre époux une nécessité fâcheuse.

Distinguons avec soin l'opposition apportée à cette jouissance, de l'action en reddition de compte : dans le premier cas, la femme n'a pas besoin d'autorisation, puisqu'il s'agit d'un acte d'administration ; dans le deuxième, comme il y a lieu d'introduire une instance, on doit suivre les règles ordinaires, et par conséquent, recourir à l'autorisation de justice.

On entend par fruits existants, tout ceux qui n'ont pas encore été consommés. Cette expression comprend non seulement les fruits qui, détachés du sol, se trouvent encore en nature ; mais encore, l'argent provenant de la vente qui en a été faite, si cet argent n'a pas été confondu avec les espèces qui appartiennent personnellement au mari.

1579 — Si le mari a joui des biens paraphernaux malgré l'opposition constatée de la femme, il est comptable envers elle de tous les fruits tant existants que consommés.

= Le mari est alors considéré comme possesseur de mauvaise foi.

— Le mari pourrait-il s'excuser, en alléguant qu'il a employé les fruits aux dépenses communes ? ⁓ N. La femme contribue à la dépense, jusqu'à concurrence seulement du tiers de ses revenus (Toullier, n. 367).

1580 — Le mari qui jouit des biens paraphernaux est tenu de toutes les obligations de l'usufruitier.

———

Disposition particulière.

1581 — En se soumettant au régime dotal, les époux peuvent néanmoins stipuler une société d'acquêts, et les effets de cette société sont réglés comme il est dit aux art. 1498 et 1499 (1).

= La loi permet de combiner le régime dotal avec la société d'acquêts ; en d'autres termes, de réunir aux principaux avantages que présente le régime dotal, la participation aux bénéfices que peut amener la bonne direction des affaires communes : la dotalité, mesure essentiellement pro-

———

(1) Article inutile : l'art. 1387 ne laisse-t-il pas aux époux la plus grande latitude en ce qui concerne leurs conventions matrimoniales.

tectrice, assure soit aux époux eux-mêmes, soit aux enfants, une ressource en cas de revers; la communauté engage la femme à déployer, dans l'administration intérieure, l'ordre et l'économie.

Lorsque cette combinaison existe, la femme n'administre pas ses biens paraphernaux; cette administration appartient au mari (*voyez* art. 1498 et 1499); en un mot, on applique sous tous les rapports les règles de la communauté d'acquêts : mais alors, que reste-t-il du régime dotal? Les immeubles dotaux sont inaliénables; les règles des articles 1541, 1549, 1565, 1569 et 1573 reçoivent leur application.

— Le mari doit-il donner caution ? ∿ *N.* L'usufruitier seul est passible de cette charge; le mari, dans l'espèce, n'a qu'une simple jouissance essentiellement temporaire, révocable à volonté, et ne lui transférant aucune espèce de participation à la propriété (Seriziat, n. 374) (*Val.*).

Doit-il faire inventaire ? ∿ *A.* L'inventaire est l'unique moyen de fixer d'une manière précise et certaine, la consistance des valeurs mobilières remises au mari. La femme, quant à ses biens paraphernaux, est placée vis-à-vis de son mari dans la même position que vis-à-vis d'un étranger (Seriziat, n. 374).

Les baux passés par le mari pendant qu'il jouit des biens paraphernaux, sont-ils assimilés aux baux souscrits par l'usufruitier ? Doivent-ils être déclarés valables pour la période de temps déterminée par l'art. 1429? ∿ L'art. 1580 grève passivement le mari des obligations de l'usufruitier; mais il ne lui confère pas activement les mêmes droits; dès lors, il semblerait juste de décider que le mari n'a pu transmettre un droit qu'il n'avait pas lui-même, et d'appliquer la maxime : *resoluto jure dantis resolvitur jus accipientis.* Cependant l'intérêt public et la sûreté de transactions ont fait considérer les actes d'administration comme se rattachant plutôt au fait qu'au droit; comme procédant d'un mandat tacite du propriétaire de l'héritage; par conséquent les baux sont maintenus dans les limites de l'article 1429 (Seriziat, n. 375).

TITRE VI.

DE LA VENTE.

Déc. le 6 mars 1804 (prom. le 16).

La vente doit son origine au contrat d'échange; aussi verrons-nous, que ces contrats sont en général soumis aux mêmes règles.

Le contrat de vente est à la fois *consensuel*, *synallagmatique* et *commutatif* :

Consensuel, car il se forme par le seul consentement. — *Synallagmatique*, car il contient des engagements réciproques. — *Commutatif*, puisque chacune des parties reçoit l'équivalent de ce qu'elle donne.

La vente doit réunir trois éléments : *le consentement des parties, une chose, un prix.*

Le consentement doit porter à la fois sur la chose, sur le prix, sur les modalités, et, bien entendu, sur le but final du contrat.

La promesse de vendre moyennant un prix déterminé, équivaut à une vente, lorsqu'il y a promesse réciproque d'acheter.

Toute personne capable de disposer est, en général, capable de vendre; toute personne capable de s'obliger, est, en général, capable d'acheter (*voy.* chap. II). Ces principes souffrent cependant quelques exceptions.

Le prix doit consister en *une somme d'argent :* il doit être *sérieux;* de plus, il doit être *certain dès le principe.* Cependant, les parties peuvent convenir qu'il sera fixé par un ou plusieurs experts désignés, ou qui seront nommés ultérieurement par le tribunal.

On peut vendre tout ce qui est dans le commerce : la chose qui forme l'objet du contrat doit actuellement exister, ou, du moins, être de nature à pouvoir exister un jour (*voy.* le chap. III).

Lorsque ces trois conditions essentielles se trouvent réunies, la vente est parfaite, c'est-à-dire, définitivement conclue, encore qu'on l'ait qualifiée de promesse de vente : les parties sont définitivement liées ; l'une ne peut résilier le contrat sans le consentement de l'autre, qu'autant qu'elle s'est réservé ce droit, soit expressément, soit tacitement. Cette réserve résulte suffisamment du fait de la remise et de la réception d'arrhes : dans ce cas, chacun des contractants peut se désister ; celui qui a donné les arrhes en les perdant, et celui qui les a reçus en les restituant au double (1).

Lorsque la chose vendue est déterminée dans son individualité, la propriété, et par suite les risques passent à l'acheteur par le seul effet de la conclusion du contrat.

Lorsqu'elle est indéterminée, les risques continuent d'être à la charge du vendeur, puisque la propriété ne sera transmise que par la livraison, et même, lorsqu'il s'agit de choses qu'on est dans l'usage de goûter avant d'en faire l'achat, que lorsqu'elles auront été goûtées et même agréées par l'acheteur ; les parties sont même censées, en général, avoir considéré le goût particulier de ce dernier, à moins que le contraire ne résulte des termes du contrat, de la nature du marché ou de l'usage des lieux.

Pareillement, la vente à l'essai est présumée faite sous une condition suspensive ; mais à la différence de celle qui a pour objet des choses sujettes à dégustation, elle n'est pas, en général, soumise au pur caprice de l'acheteur : s'il refuse de recevoir, on décide que le vendeur peut provoquer la nomination d'experts, à l'effet de vérifier si la chose est recevable.

Du reste, la vente n'est pas moins parfaite (qu'elle ait pour objet des choses qui se vendent au poids, au compte ou à la mesure, ou qu'elle soit faite à l'essai), en ce sens que le vendeur peut être actionné, pour satisfaire à ses engagements par la délivrance ; et l'acheteur pour prendre livraison.

Le vendeur est tenu de délivrer la chose vendue et de garantir :

La délivrance s'opère de différentes manières, suivant que la chose vendue est mobilière, immobilière, ou qu'il s'agit d'un bien incorporel (1604 et suiv.). — *La garantie* a deux objets : la paisible possession de la chose (1626 et suiv.) et les vices rédhibitoires (1641 et suiv.).

L'acheteur doit prendre livraison et payer le prix au lieu et à l'époque déterminée par la convention ; à défaut de stipulation, au lieu et au moment où doit s'effectuer la délivrance. — Le prix porte intérêt dans trois cas, savoir : lorsque le contrat contient une clause à cet égard, lorsque l'acheteur a été sommé de payer, enfin, lorsque la chose produit des fruits (1650 et suiv.).

Il ne faut pas confondre la *vente* avec la *dation en payement* :

La *dation en payement* a lieu, quand le débiteur se libère en livrant une chose autre que celle qu'il doit ; ce qui ne peut s'opérer, bien entendu, sans le consentement du créancier.

---

(1) Nous supposons qu'il s'agit d'arrhes proprement dites (*arrha quæ ad jus pœnitendi pertinet*). Nous verrons qu'il ne faut pas les confondre avec les arrhes que l'on donne en signe de la conclusion définitive du contrat (on *denier à Dieu*) *arrha in signum consensus interpositi data*. Ce cas ne se présente que rarement dans la pratique.

Ce contrat renferme *d'ordinaire* les trois éléments constitutifs de la vente : *res*, *pretium*, *consensus* : — il est également translatif de propriété; mais il diffère principalement de la vente, en ce qu'il suppose une obligation préexistante qu'il a pour objet d'éteindre, et non l'intention de faire une transaction indépendante. De là, des différences essentielles : dans la vente, les clauses obscures ou ambiguës s'interprètent contre le vendeur (1602); dans la dation en payement, elles s'interprètent contre l'acquéreur, puisque celui-ci n'est autre que le créancier (1162). — Dans la vente, l'acquéreur évincé a le droit de réclamer des dommages-intérêts illimités, à raison de la plus value que la chose a éprouvée entre ses mains; dans la dation en payement, le créancier évincé ne peut exiger une somme supérieure à celle qui a motivé la cession et aux intérêts de cette somme depuis le payement effectué. — Enfin, celui qui a donné une chose en payement, peut la répéter, s'il découvre qu'il n'était pas débiteur (1235).

La loi détermine dans le chapitre I la nature et la forme de la vente.

Dans le chapitre II, les personnes qui peuvent acheter ou vendre.

Dans le chapitre III, les choses qui peuvent être vendues.

Elle règle ensuite, dans les chapitres IV et V, les obligations du vendeur et celles de l'acheteur.

Le chapitre VI renferme des règles sur certaines causes de résolution particulières à la vente : savoir le réméré (1658 et suiv.) et la vilité du prix (1674 et suiv.).

Le chapitre 7 est relatif à la licitation.

Enfin, le chapitre 8 est consacré au transport des créances et de certains droits (1).

CHAPITRE PREMIER.

De la nature (2) et de la forme de la vente.

1582 — La vente est une convention par laquelle l'un s'o-

---

(1) Le Code n'a pas eu la prétention d'énumérer toutes les modifications dont le contrat de vente est susceptible; par exemple il ne parle pas de la faculté *d'élire*, sorte de contrat qui consiste dans le droit réservé à l'acquéreur, de désigner, dans un certain délai, un command, c'est-à-dire une personne inconnue du vendeur, qui prendra le marché pour elle. Lorsque cette déclaration est faite dans le temps déterminé, l'acquéreur est totalement délié : il est censé n'avoir jamais acquis : mais s'il n'a pas fait sa déclaration, il demeure acquéreur définitif. Entre parties, le délai peut varier; il peut être de six mois, un an, deux ans et plus; pendant ce temps l'acquéreur fait tous les actes de propriétaire. Mais, à l'égard du fisc, il faut que la déclaration soit faite dans les vingt-quatre heures (loi du 14 thermidor an 4, et 24 frimaire an 7). — L'acquéreur peut nommer plusieurs commands; il peut distribuer entre chacun le prix et les parts de la chose (*Cass.*, 15 avril 1815; D., Enreg., p. 171).

On donne le nom de *command* à la personne élue, parce qu'elle est censée donner commandement d'acheter. L'acheteur ostensible se nomme *commandé*.

Ne confondons pas avec la faculté *d'élire command*, les ventes faites à l'audience des criées, au profit d'un avoué (709, Pr.). L'avoué n'est pas censé acquérir en son nom, mais pour son client : la loi ne le répute adjudicataire, qu'autant qu'il n'a pas fait connaître dans le délai de trois jours le nom du client : encore peut-il échapper à cette responsabilité et fournir son acceptation, en représentant ses pouvoirs (*Cass.*, 23 avril 1816; D., Eureg, p. 173).

(2) Le mot *nature*, qui se trouve dans la rubrique de notre chapitre, n'est pas exact, car il n'est question dans ce chapitre que des règles qui sont de l'essence de la vente.

blige à livrer (1) une chose, et l'autre à la *payer* (2).

Elle peut être faite par acte authentique ou sous seing privé.

= Il résulte clairement de la définition donnée dans la première partie de notre article et de la disposition de l'article 1583, que le contrat de vente se forme par le seul consentement.

Gardons-nous, par conséquent, de conclure, des termes du deuxième alinéa, que la rédaction d'un acte soit essentielle : l'écriture n'est qu'un moyen de preuve et non le contrat même. Sans doute, un écrit est utile, lorsque la vente porte sur une valeur de plus de 150 fr. (1341 et suiv.) ; mais à défaut d'un écrit, le demandeur aurait la ressource de l'aveu de la partie et celle du serment (3).

Toutefois, comme rien peut-être n'est plus dans nos mœurs qu'un écrit, on peut justement prétendre, surtout lorsqu'il s'agit de la vente d'un immeuble, que dans l'intention des parties, à moins de preuves catégoriquement contraires (4), la rédaction d'un écrit est la condition de la conclusion définitive du contrat.

Il y a même quelques ventes qui par exception sont soumises à la formalité de l'écriture publique (*voy.* notamment l'article 195, Code de commerce, et la loi du 25 mai 1791, titre 2, article 15, sur les brevets d'invention).

Les ventes publiques sont soumises à des formes particulières (*voy.* les titres 8, 9, 10, 12 du Code de procédure).

— Lorsqu'il est certain que les parties ont voulu faire dépendre le contrat de la rédaction d'un acte, la vente doit-elle être réputée conditionnelle ? ⁓ *A.* La condition est suspensive (Troplong, n. 19). ⁓ *N.* La confection de l'acte n'est pas un événement futur et incertain ; il y a tout au plus une condition potestative de la part du vendeur et de l'acheteur ; ce qui est nul, aux termes de l'art. 1174. Le contrat n'existera qu'à partir du jour où la volonté des parties se manifestera de nouveau d'une manière efficace (Duvergier, n. 167.)

La vente peut-elle avoir lieu par lettres missives ? ⁓ *A.* Arg. de l'art. 109 du Code de comm. ;—puisqu'il est dans l'esprit du Code de considérer comme valables les ventes verbales, on doit attribuer cet effet aux ventes faites par correspondances.—L'art. 1325 n'a en vue que les actes en forme, *instrumenta* (Troplong, n. 21.— *Cass*, 14 frimaire an 14; Merlin, Rép., t. 16; Double cens., p. 210 et suiv.; Pothier, Oblig., n. 4; Duvergier, n. 168; Toullier, n. 325, t. 8, note. ⁓ *N.* Arg. de l'art. 1325, qui exige

(1) *Livrer* c'est mettre en possession ; lever tous les obstacles qui s'opposent à ce que l'on possède. Aussi, cette expression a-t-elle fait penser à plusieurs jurisconsultes, notamment à Toullier, t. 14, n. 240 et suiv., que le vendeur ne s'oblige pas à transférer la propriété, mais bien à procurer la possession paisible de la chose, à faire jouir comme propriétaire. En rapprochant l'art. 1582 des art. 1583, 711, 1118, 1599, 2181 et 2182, il est facile de voir que cette opinion n'est pas fondée. — Le mot *livrer*, nous le répétons, exprime à la fois la délivrance matérielle et la transmission de la propriété. Ce mot doit être pris ici dans un sens très-large.

Notre article est incomplet ; en effet, l'obligation de livrer n'est pas la seule qui soit imposée au vendeur ; il doit en outre garantir.

(2) Le mot *payer* est employé ici à dessein pour faire entendre que c'est de l'argent que doit donner l'acheteur.

(3) A la vérité le deuxième alinéa de l'article pourrait faire naître quelques doutes sur ce point ; mais tout s'explique en remontant à l'historique de cette disposition : le tribunat avait demandé au conseil d'Etat qu'un acte notarié fût exigé pour les ventes d'immeubles d'une certaine importance ; cette proposition fut rejetée, et l'on décida qu'un simple acte sous seing privé suffirait dans tous les cas. Cette pensée du rédacteur se manifeste suffisamment par les termes de l'article ; il n'est pas dit que *la vente ne peut être faite que par acte authentique ou par acte privé*, mais *qu'elle peut être faite par acte authentique ou par acte privé*, ce qui est bien différent. — Au surplus, M. Portalis déclara formellement au conseil d'Etat, que la rédaction d'un écrit, dans le cas de vente, n'aurait d'utilité que comme moyen de preuve. D'ailleurs est-il possible d'admettre que la loi exige un écrit pour constater cette multitude de ventes qui ont lieu chaque jour ? Les articles 1583 et 1703 complètent cette démonstration, en déclarant, l'un que la vente est parfaite par le seul consentement des parties, l'autre que l'échange, comme la vente, s'opère par la seule volonté des échangistes.

(4) Ainsi, la convention connue sous le nom de *contrat pignoratif*, ne constitue pas une vente, mais un prêt à intérêt.

que les actes privés contenant des conventions synallagmatiques soient faits doubles. — L'art. 109 est une exception ; du reste, le serment peut être déféré. Les lettres missives sont d'ailleurs un commencement de preuve par écrit. (Dur., n. 44).

A quel moment la vente est-elle parfaite, lorsqu'elle a lieu par lettres ? ∿ Il y a vente parfaite à partir de l'acceptation, quand même l'auteur de la proposition aurait changé de volonté, serait mort ou tombé en démence depuis cette adhésion. On ne considère point l'époque à laquelle la réponse contenant acceptation est parvenue (Pothier, Vente , n. 32 ; Duvergier, n. 59 et suiv. — *Poitiers*, 11 ventôse, an 10 ; D., Vente, p. 843, n. 1). ∿ Celui qui a fait les offres peut se dédire tant que la réponse contenant acceptation ne lui est point parvenue ; jusque-là on considère les offres, comme une proposition *in mente retenta* (Troplong, n. 25 et suiv. ; Pardessus, Droit comm. , t. 2, n. 250 ; Dur., n. 45 ; Delv., p. 69, n. 2). — *Caen*, 27 avril 1812 ; S., 12, 2, 94 :

Quid à l'égard de celui à qui les offres sont faites ? ∿ Il n'est lié qu'à partir du moment où la lettre contenant acceptation est parvenue à celui qui fait les offres ; jusqu'alors il peut changer d'avis (Troplong , n. 26).

§ Son acceptation ne peut-elle résulter que d'une lettre missive ? ∿ Un fait d'exécution peut suffire (Troplong , n. 29).

Si celui à qui les offres sont faites meurt avant d'avoir accepté, ses héritiers peuvent-ils accepter eux-mêmes ? ∿ N. Le proposant ne considère que la personne de celui à qui les offres sont faites (Duvergier, n. 69 et suiv.).

Les mots : *je veux vous vendre telle chose* pour tel prix, suivis de cette réponse : *je le veux bien*, forment-ils un contrat de vente ? ∿ A. Vainement dira-t-on que ces mots n'indiquent qu'une simple intention et non la volonté de vendre actuellement : il est évident qu'ils expriment un [consentement parfait de part et d'autre (Dur., n. 46).

1583 — Elle est parfaite entre les parties, et la propriété est acquise de droit à l'acheteur à l'égard du vendeur, dès qu'on est convenu de la chose et du prix, quoique la chose n'ait pas encore été livrée ni le prix payé (1).

= La propriété passe à l'acheteur, et par suite la chose est à ses risques, dès que le contrat a reçu perfection : il importe en conséquence de bien préciser cette époque :

A Rome, la vente était parfaite par le seul consentement des parties sur la chose et sur le prix, en ce sens que des actions compétaient au vendeur et à l'acheteur : de là cette conséquence que la chose était aux risques de l'acheteur, devenu créancier de corps certain.

Le Code civil va plus loin : l'art. 1583 innove, ou plutôt confirme l'innovation introduite d'abord par l'art. 711, puis par l'art. 1138.

Aujourd'hui, la tradition n'est pas nécessaire pour que la propriété soit transférée (1138) ; l'acquéreur est investi de la propriété par le seul effet du consentement, encore que la chose n'ait pas encore été livrée ni le prix payé (2) ; d'où il résulte, que si la chose périt sans la faute du vendeur, elle périt pour le propriétaire.

Le consentement, pour former le contrat, doit intervenir sur la chose et sur le prix.

---

(1) Observons que les mots *acheteur* et *acquéreur* ne sont pas synonymes, bien que l'article semble les confondre : l'acheteur est celui qui est obligé par le contrat de vente ; l'acquéreur acquiert la propriété. — Vendre n'est pas nécessairement aliéner.

(2) Sauf résolution, comme dans tout contrat synallagmatique, la vente est donc chez nous sous condition résolutoire, tandis qu'à Rome elle était sous condition suspensive, jusqu'au payement du prix et jusqu'à la tradition de l'objet.

La constitution de l'an VII avait remplacé la tradition en ce qui concernait les immeubles, par la transcription ; ainsi chaque vente se révélait comme l'hypothèque, par des signes certains, et les tiers ne pouvaient jamais être trompés ; mais le Code civil n'a pas conservé cette règle ; elle ne se retrouve que dans le Code de procédure (834).

Quelques personnes prétendent encore aujourd'hui que la tradition a été conservée ; elles argumentent des articles 1238 et 1303, mais on leur répond d'une manière concluante par les articles 711, 1138 et 1583 (*Voy.* Troplong, n. 46).

Sur la chose : par ex., si l'une des parties voulait vendre une montre et l'autre acheter une pendule, l'erreur vicierait le consentement ; mais si l'erreur n'atteignait qu'une qualité accidentelle, la vente subsisterait (*voy.* 1110), à moins que la considération de cette qualité n'eût été la cause principale de la convention.

Sur le prix : il y aurait nullité, si le vendeur comptait recevoir une somme supérieure à celle que l'acheteur avait l'intention de donner.

Mais dans le cas inverse, par exemple, si par erreur l'acheteur croit le prix plus élevé qu'il ne l'est réellement, le contrat est valable ; car le moins est compris dans le plus.

Du principe que la vente est parfaite par cela seul que les parties sont d'accord sur la chose et sur le prix, il résulte, qu'elle ne peut plus, comme autrefois, se résoudre par le seul consentement : pour que la propriété revînt au vendeur, il faudrait lui faire une revente, et par conséquent payer un nouveau droit de mutation.

Il nous reste maintenant à déterminer le sens de ces mots : *à l'égard du vendeur ;* la loi veut-elle faire entendre, que nonobstant l'accord des parties sur la chose et sur le prix, l'acheteur ne sera pas encore réputé propriétaire *à l'égard des tiers ;* en d'autres termes, qu'entre deux acquéreurs, la préférence sera réglée, non par la date du contrat, mais par la priorité de possession ou de transcription ?

En ce qui concerne les meubles, la propriété est bien transférée par le seul consentement ; mais si le même meuble a été vendu et livré à un deuxième acheteur, ce dernier doit être maintenu en possession, car en fait de meubles, possession vaut titre ; *nec obstat* la disposition qui termine l'art. 2279 : on ne peut, dans l'espèce, reconnaître les caractères du vol (1).

Mais la difficulté augmente lorsqu'il s'agit d'immeubles : assurément, la propriété de ces sortes de biens se transfert *à l'égard de tous* par le seul consentement : ainsi, celui qui achèterait sciemment la chose déjà vendue à un autre, ne deviendrait pas propriétaire de cette chose, lors même qu'il aurait été mis en possession, lors même qu'il aurait titre authentique : mais que faut-il décider, lorsque les deux acheteurs successifs sont de bonne foi ? Si les droits de l'un et de l'autre sont constatés par des actes ayant date certaine, celui qui a en sa faveur l'antériorité de la date devient propriétaire : son titre l'emporterait même sur l'acte authentique postérieur. Il serait indifférent, quant à la question de propriété, que le porteur de ce dernier acte l'eût fait transcrire au bureau des hypothèques ; le vendeur n'a pu conférer des droits qu'il n'avait plus (Arg. des art. 711, 1138, 1140, 1141, 1585, 2181, 2182 C. c., et 834 Pr.). Nous ajouterons, que l'art. 1582, 2ᵉ alinéa, contenait le mot *transcription*, et que ce mot, lors de la rédaction définitive, a été remplacé par l'expression *vente* (2).

Ainsi, par ces mots : *à l'égard du vendeur*, la loi veut seulement faire entendre, que la vente ne nuit pas aux tiers qui avaient sur l'immeuble des droits antérieurs à l'aliénation ; et que le vendeur ne peut, dans aucun cas, demander l'éviction, car il ne doit pas se prévaloir du droit des tiers (Dur., n. 19 et 20 ; Troplong, n. 4 et suiv.; Duvergier, n. 13 et suiv.) (3).

---

(1) En effet, un *vol* est le détournement de la chose d'autrui.

(2) Merlin, Questions de droit, vᵒ Tiers, § 2; Dur., t. 13, n. 132 ; t. 16, n. 20 ; Duvergier, n. 35 ; voy. cep. Toullier, t. 8, n. 245; t. 10, Add., p. 576 et suiv.

(3) Deux opinions se sont élevées au conseil d'État, l'une pour que la disposition de la loi de brumaire qui faisait de la transcription une condition de la transmission de propriété *à l'égard des tiers,*

1584—La vente peut être faite purement et simplement, ou sous une condition soit suspensive, soit résolutoire.

Elle peut aussi avoir pour objet deux ou plusieurs choses alternatives.

Dans tous ces cas, son effet est réglé par les principes généraux des conventions.

= La propriété se transfère par le seul effet du consentement lorsque la vente est pure et simple ; mais rien ne s'oppose à ce qu'elle ait lieu sous une alternative ou sous une condition soit suspensive, soit résolutoire : on observe alors les règles générales des obligations (1168 à 1184 et suiv. ; 1186 à 1196).

— Le vendeur peut-il interdire à l'acheteur la [faculté d'aliéner l'objet vendu ? ∿∿ *N*. Dans les actes de libéralité, cette prohibition est réputée non écrite (900) ; dans les actes à titre onéreux, elle annule la convention (1172) (Duvergier, n. 116).

La vente, subordonnée à la condition qu'il ne se présentera pas, dans un délai déterminé, de nouvel acquéreur offrant un prix plus avantageux que le premier (clause qui était connue à Rome sous le nom d'*addictio in diem*), est-elle encore permise sous le Code? ∿∿ *A*. Elle n'est contraire ni aux lois ni aux mœurs (Duvergier, n. 77 et suiv. ; Troplong, n. 82 ; Delv., t. 3, p. 60, n. 3 ; D., t. 12, p. 832, n. 19).

1585 —Lorsque des marchandises ne sont pas vendues en bloc, mais au poids, au compte ou à la mesure, la vente n'est point parfaite, en ce sens que les choses vendues sont aux risques (1) du vendeur jusqu'à ce qu'elles soient pesées, comptées ou mesurées ; mais l'acheteur peut en demander ou la délivrance ou des dommages-intérêts, s'il y a lieu, en cas d'inexécution de l'engagement.

= Lorsque la vente a pour objet des marchandises qui se vendent au poids, au compte ou à la mesure, qui doit supporter les risques de la chose, est-ce le vendeur ou l'acheteur ? On distingue : si la vente est faite en bloc (*per aversionem*), moyennant un seul prix, elle est parfaite par le seul consentement, indépendamment de tout compte, pesage et mesurage, comme s'il s'agissait d'un objet particulier ; par conséquent, si les choses vendues périssent, la perte est supportée par l'acheteur.

Mais si la vente, au lieu d'être faite en bloc, a lieu au poids, au compte ou à la mesure, les règles sont différentes : assurément, le contrat est par-

___

fût maintenue, comme cela est encore exigé en matière de donation d'immeubles (939 et 941) ; l'autre pour que la transmission de la propriété fût indépendante de la transcription. Lorsqu'on discuta l'article 1140, la question fut réservée et renvoyée au titre de la vente. Parvenu au titre de la vente, le législateur se borne à consacrer, dans l'art. 1583, ce qui était incontestable, c'est-à-dire, que la vente est parfaite à l'égard du vendeur par le seul consentement, et renvoie encore au titre des hypothèques, la solution de la question de savoir si la transcription sera nécessaire pour que la propriété soit transmise à *l'égard des tiers* (*Voyez* la note 2 de la page 306 sur l'art. 1140). On oppose, il est vrai, l'article 1303 : si le débiteur, dit-on, était dépouillé par l'obligation de *livrer*, les actions en indemnité n'appartiendraient-elles pas immédiatement au créancier ? Aurait-il besoin d'une cession d'action ? On répond que l'article 1303 est le reste d'une théorie qu'on a voulu renverser, et que cet article s'est glissé par erreur dans le Code. — Au reste, ces mots : *à l'égard du vendeur*, sont disparates ; il ne aut pas y avoir égard.

(1) L'article 1585 ne parle que des risques ; mais il est certain qu'il ne peut y avoir transmission de risques, tant que la chose vendue n'est pas déterminée dans son individualité.

fait, en ce sens qu'il subsiste à partir du jour où le consentement des parties est intervenu ; que l'acheteur a une action contre le vendeur pour se faire livrer la quantité de choses promises, ou obtenir des dommages-intérêts ; et que le vendeur peut également agir contre l'acheteur, en offrant de réaliser la vente : mais les choses vendues ne passent aux risques de l'acheteur qu'après avoir été comptées, pesées ou mesurées ; le compte, le pesage ou le mesurage forment une condition suspensive (1182) de la vente. D'ailleurs les risques ne peuvent tomber que sur un objet déterminé : or, jusqu'au mesurage, la chose est indéterminée, *lors même que les marchandises sont désignées par l'indication du lieu où elles se trouvent ;* car on ne sait pas précisément ce qui a été vendu ; *quid, quale, quantum venierit.*

Exemple : Je vous vends 50 hectolitres de blé, contenus dans mon grenier, à raison de 15 fr. l'hectolitre : le vendeur, suivant nous, supportera la perte, qu'elle soit totale ou partielle, car la vente était subordonnée à la condition du mesurage (ff. L. 35, 55 et suiv., titre *De contrah. empt.*) (1).

Cette règle souffre exception, lorsque l'acheteur était en demeure de prendre livraison au moment où la chose a péri : nonobstant la perte totale ou partielle, il doit alors payer le prix (1139).

Quid, s'il a été dit : Je vous vends la moitié ou le quart du grain qui se trouve dans mon grenier ? une espèce de communauté s'établit alors entre le vendeur et l'acheteur ; en conséquence, ils supporteront proportionnellement les risques de la chose (*voy.* cep. Dur., n. 88).

— *Quid,* dans cette espèce : Pierre achète à Paul dix pièces de vin qu'il paye comptant ; avant de les avoir livrées, Paul fait faillite ; Pierre pourra-t-il revendiquer les dix pièces de vin ? ⁓⁓ Il n'a qu'une simple action personnelle, lorsque la vente est d'un genre illimité ; lorsqu'elle est d'un genre limité, la revendication peut avoir lieu (Troplong, n. 84 ; Duvergier, n. 83 et suiv. ; D., t. 12, p. 883, n. 27 ; Pothier, n. 86). ⁓⁓ .l. L'acheteur était propriétaire ; la livraison ne faisait pas commencer le contrat (Delv., p. 64, n. 6 ; Merlin, Vente, § 4, n. 2).

1586 — Si, au contraire, les marchandises ont été vendues en bloc, la vente est parfaite, quoique les marchandises n'aient pas encore été pesées, comptées ou mesurées.

= Exemple : Je vous vends tout le blé qui se trouve dans mon grenier, moyennant 500 fr. : la quotité est certaine, la vente n'est suspendue par aucune condition ; elle a réellement pour objet une chose déterminée : les marchandises sont dès lors aux risques de l'acheteur, puisqu'il est devenu

(1) Arg. de l'art. 1182. — *Res perit domino* (Troplong, n. 36). ⁓⁓ Le pesage, le mesurage ou le compte ne forment pas une véritable condition suspensive, dans le sens des articles 1181, 1182 et suiv. ; l'opération n'est point un événement futur et incertain ; elle ne constitue point un fait dépendant de la volonté du vendeur, puisque l'art. 1585 donne à l'acheteur le droit d'exiger qu'elle soit accomplie : le Code n'emploie pas le mot *condition* ; la règle *res perit domino*, sainement entendue, n'est pas toujours un guide infaillible lorsqu'on recherche où réside la propriété ; en droit romain, la vente ne transférait pas la propriété, et cependant, la chose périssait pour l'acheteur, bien qu'elle ne lui eût pas été livrée. Assurément, s'il est impossible de désigner les choses comprises dans la vente, l'acheteur ne sera pas propriétaire dès le moment du contrat ; mais il le sera, non parce que le pesage, le compte ou le mesurage aura été stipulé, mais parce que les choses vendues seront absolument indéterminées. La vente n'opère pas moins la transmission de propriété lorsque les marchandises sont suffisamment désignées ; par ex. : si l'on a vendu tant de pièces de vin renfermées dans telle cave. — En disant que la vente n'est point parfaite en ce sens que jusqu'au mesurage la chose est aux risques de l'acheteur, la loi décide implicitement qu'elle est parfaite à tous autres égards (Dur., n. 92 ; Merlin, note p. 526 ; Pardessus, t. 2, p. 321 et 322 ; Duvergier, n. 82 et suiv. — *Cass.*, 11 novembre 1812 ; D., Vente, p. 883, n. 1 ; S., 13, 1, 52).

propriétaire (1138) : mais le vendeur supporterait la perte arrivée même par cas fortuit (1302) , s'il était en demeure de faire la délivrance.

1587 — A l'égard du vin, de l'huile-, et des autres choses que l'on est dans l'usage de goûter avant d'en faire l'achat, il n'y a point de vente tant que l'acheteur ne les a pas goûtées et agréées.

— Il est des choses que l'on goûte ordinairement avant d'en faire l'achat ; la loi cite pour exemple le vin et l'huile : la *dégustation* et l'*agrément* de l'acheteur, sont alors la condition tacite du marché ; ce qui produit ce double effet : 1º de laisser la chose aux risques du vendeur jusqu'au moment de l'acceptation (1182) ; 2º d'autoriser l'acheteur à refuser les marchandises lorsqu'elles ne lui conviennent pas (1).

Tant que les marchandises n'ont pas été agréées, il n'y a d'engagement que de la part du vendeur ; toutefois il faut faire une distinction :

Lorsque les marchandises achetées sont pour la propre consommation de l'acheteur, on s'en rapporte en général à son appréciation : ainsi, l'acheteur n'est point lié ; le consentement qu'il a donné avant la dégustation ne l'oblige en aucune manière ; on ne peut même le sommer de déguster, que pour le contraindre à déclarer s'il entend ou non procéder à la vente (2).

Quid, si un délai a été fixé pour faire la dégustation ? Les risques ne cessent pas de plein droit d'être à la charge du vendeur ; mais il recouvre après l'expiration de ce délai, le droit de disposer des choses vendues (1657).

S'il résulte des circonstances que l'acheteur a moins considéré son goût particulier que le goût général du commerce ; par exemple, si un habitant de Paris écrit à un marchand de vin établi à Bordeaux , de lui envoyer du vin de telle qualité, ou donne ordre à un vigneron de lui envoyer tant de pièces de vin de son crû, il est censé renoncer à la dégustation, et vouloir s'en rapporter au goût du vendeur : il suffira que le vin soit de bonne qualité, pour qu'il ne puisse le refuser, pour que le marché soit conclu (3).

En cas de contestation, le tribunal prononce, à dire d'experts.

Appliquez ces exemples au cas où la vente a pour objet du sucre ou autres denrées.

Remarquez ces mots, *qu'on est dans l'usage de goûter* : *l'usage* doit donc être principalement considéré ; par exemple : on goûte ordinairement le vin qu'on achète sur le port : l'acheteur, après avoir dégusté, peut donc se dégager, en disant qu'il n'agrée pas. *Contrà* : lorsqu'on

_____

(1) C'est là une preuve que la promesse de vendre peut être unilatérale.

(2) En matière de commerce , la perte des marchandises expédiées est supportée par l'acquéreur (art. 100). les ventes commerciales sont en général parfaites sans dégustation.

Il ne faut donc pas considérer une pareille vente comme conditionnelle , et l'assimiler à la vente faite à l'essai ; la loi dit qu'il n'y a pas vente tant que la dégustation et l'acceptation n'ont pas eu lieu.

Cette distinction était admise par Pothier ; mais quelques personnes la rejettent comme contraire au texte et à l'esprit du Code : suivant elles, tant que l'acheteur n'a pas dégusté , il n'y a qu'un projet : le marché commence par la dégustation.

(3) Voy. cep. Troplong ; n. 108 et Duvergier , n. 96 et 97.

achète dans un magasin des bouteilles de vin cachetées, la vente est parfaite dès le moment du contrat, sans dégustation.

— Plusieurs pièces de vin ont été expédiées sur l'ordre de l'acheteur; pendant le voyage, les marchandises périssent entièrement par cas fortuit: qui supportera cette perte? ⚬⚬⚬ Ce sera l'acheteur. On doit présumer que le vendeur avait loyalement exécuté son engagement (Pardessus, n. 283; Duvergier, n. 106).

Lorsque l'acheteur, après avoir dégusté, refuse les choses que le vendeur lui a fournies, peut-il exiger que ce dernier lui en livre d'autres de meilleure qualité? ⚬⚬⚬ *Non*, si l'acheteur n'a entendu consulter que son goût personnel; *secus*, s'il résulte des circonstances, qu'il a entendu s'en rapporter à la dégustation d'experts (Duvergier, n. 109).

1588 — La vente faite à l'essai est présumée faite sous une condition suspensive.

= Il est des choses qu'on ne se décide à acheter qu'après les avoir essayées; nous donnerons pour exemple, une montre, un cheval, une pendule, etc. : mais, à la différence de la vente faite sous condition de dégustation, celle qui est faite à l'essai ne dépend pas, en général, du pur caprice de l'acheteur : il ne lui suffit pas de dire, la chose n'est pas de mon goût; il doit justifier de bonnes raisons pour ne pas prendre l'objet.

Cette différence, au surplus, n'est pas absolue : si le mérite tout relatif de la chose vendue à l'essai ne peut être reconnu que par l'acheteur, ce dernier n'a pas besoin de justifier des causes de son refus (Duvergier, n. 101).

En droit romain, on considérait la condition d'essai comme résolutoire (1) : de là, on concluait, que la perte survenue avant l'essai était supportée par l'acheteur. Sous l'empire du Code, cette condition est suspensive; par conséquent, la perte est pour le vendeur (1182).

Rien ne s'oppose, au surplus, à ce que la vente soit faite sous condition résolutoire; par ex., on peut dire : je vous vends mon cheval dès à présent; s'il vous convient, vous le garderez, sinon vous me le rendrez : le marché, dans ce cas, ne sera pas suspendu, mais rompu par l'événement de la condition; de telle sorte que, si la chose vient à périr, elle périra pour l'acheteur, puisqu'il était devenu propriétaire.

Dans le doute, la vente faite à l'essai est censée soumise à une condition suspensive.

Il est bien entendu, que le vendeur serait passible de dommages-intérêts, si c'était par sa faute que la chose eût péri.

Lorsque la convention fixe un délai pour l'essai, le traité s'évanouit, si l'acheteur le laisse écouler sans prendre un parti; le vendeur est alors dégagé de son obligation. Lorsqu'aucun délai n'a été déterminé, on a recours à la justice pour le faire fixer.

— Pourrait-on faire une vente résoluble, sous la condition *si emptori displicuerit?* ⚬⚬⚬ *N.* La perfection du contrat serait laissée, d'une manière indéfinie, au pur arbitre de l'acheteur; on ne peut argumenter de l'article 1808; car la vente faite à l'essai a toujours lieu *avec fixation d'un terme;* elle est circonscrite dans un temps fixé (Dur., n. 69).

Mais l'acheteur pourrait-il se réserver la faculté de résoudre la vente, en formant sa demande *dans un temps donné?* ⚬⚬⚬ *A.* Pourvu que ce temps n'excédât pas cinq années (Arg. de l'art. 1660). Toutefois, comme les risques sont à sa charge, la condition est résolutoire (Dur., n. 73 et 76).

(1) *Voyez* l. 3, ff. *De contrah. empt.* : un texte des Institutes, décide cependant, que la vente faite à l'essai est toujours sous condition suspensive. Instit., § 4, tit. de *empt. vend.*

La faculté d'éprouver la chose donnée à l'essai, passe-t-elle aux héritiers ou aux creanciers de l'acheteur ? ⟶ *A.* Cette faculté n'est pas personnelle à l'acquéreur (Troplong, n. 112).

1589 — La promesse de vente vaut vente, lorsqu'il y a consentement réciproque des deux parties sur la chose et sur le prix (1).

⟶ Il peut y avoir promesse de vendre sans promesse d'acheter, et *vice versâ* : ces conventions ne produisent que des obligations unilatérales. Si la promesse de vendre concourt avec celle d'acheter, la convention est alors synallagmatique.

Occupons-nous d'abord des promesses unilatérales.

La promesse de vendre (qu'il ne faut pas confondre avec la simple manifestation d'intention de vendre, laquelle ne renferme jamais d'obligation) diffère de la vente sous plusieurs rapports (2) :

Celui qui promet de vendre ne vend pas encore ; il contracte seulement une obligation de faire.—Lorsqu'il y a simple promesse, le promettant seul s'engage ; la vente impose aux deux parties des obligations réciproques. — Lorsqu'il n'y a que promesse, les risques sont pour le vendeur ; lorsqu'il y a vente, la chose passe aux risques de l'acheteur.

Peut-on contraindre une personne à tenir sa promesse, ou a-t-on seulement le droit de la poursuivre en dommages-intérêts ? Le promettant peut être contraint : on peut obtenir un jugement qui ordonnera, que, faute par lui de vouloir passer au contrat, le jugement vaudra pour contrat (Pothier, n. 480) (3).

La promesse de vente peut être faite avec limitation de temps ou sans limitation de temps ; au premier cas, on distingue :

Si la limitation de temps a été considérée par les parties comme rigoureusement limitative, le promettant est dégagé de plein droit à l'expiration du délai convenu (1657) (4).

Si cette intention n'est pas manifeste, ou s'il n'y a pas eu de limitation de temps, il doit faire sommation à l'autre partie de passer acte dans un certain délai (1139); après ce terme, le promettant se trouve dégagé.

Au reste, lorsqu'un temps considérable s'est écoulé depuis la promesse, on présume facilement que les parties se sont désistées de leurs conventions.

Pendant les délais, le promettant peut louer la chose promise, puisqu'elle lui appartient; sauf à l'autre partie à faire annuler l'acte s'il est frauduleux. Comme il continue d'être propriétaire, les risques sont à sa charge ; il y a lieu à une diminution de prix, s'il a été cause des détériorations que la chose a éprouvée (1182) (Dur., n. 54).

---

(1) Cette disposition obscure, doit être entendue en ce sens, que par cela seul qu'il y a consentement sur la chose et sur le prix, la vente existe, lors même que l'écrit que l'on constate qu'une vente *in futurum*; les mots : *promesse de vente* ou *vente* ont une même signification.

(2) Il n'y a pas seulement, dans une telle convention, un pourparler; mais bien une vente qui est soumise à la volonté de l'acheteur prétendu : la loi ne proscrit pas ce contrat, car il réunit toutes les conditions exigées : capacité du vendeur et du futur acheteur, un objet déterminé, un prix, une cause et le consentement des parties. ⟶ Sous le Code Civil, *toute promesse de vente est nulle si elle n'est pas accompagnée de la promesse d'acheter, cette promesse n'est pas obligatoire pour celui qui l'a faite* (Toullier, t. 3, n. 91. Merlin. Rép., Vente, § 8, n. 5 et Add., t. 15, 1° *non bis in idem*, p. 505. — *Lyon*, 22 juin 1832; D., 32, 2, 95; S., 33, 2, 285. — *Angers*, 27 août 1829; D., 30, 2, 74).

(3) Le promettant pourra même être condamné, *rectà vià*, à délivrer la chose (Troplong, n. 115 et suivants. — *Paris*, 10 mai 1826, D., 27, 2, 186; Dur., n. 49, t. 16).

(4) Pothier, Vente, n. 481, Troplong, n. 117, Duvergier, n. 127.

Les règles que nous venons d'établir sur la promesse de vendre, s'appliquent en sens inverse à la promesse d'acheter : par exemple, si je contracte l'obligation d'acheter tous les meubles qui se trouvent dans une maison, je suis obligé : quant au propriétaire, s'il n'a pas contracté d'obligation, il est libre de ne rien vendre.

Les promesses d'acheter sont même ordinaires dans les ventes aux enchères : en effet, l'enchère est une véritable promesse d'acheter; l'enchérisseur s'engage à prendre, s'il n'y a pas de surenchère.

Passons aux promesses synallagmatiques, les seules auxquelles s'appliquent la disposition qui nous occupe et celle de l'article suivant, ainsi que l'indiquent ces derniers mots de notre article 1589 : *consentement réciproque des deux parties;* et ces premiers mots de l'article 1590 : *chacun des deux contractants* (1).

La vente étant parfaite par le seul consentement, lorsque les parties sont d'accord, l'une pour vendre, l'autre pour acheter, il importe peu que la convention ait été qualifiée de vente ou de promesse de vente : on ne doit voir dans ces promesses réciproques qu'une véritable vente; en conséquence la propriété de la chose, ainsi que les risques, passent à l'acheteur (2).

Cependant, la promesse de vente ne vaut pas vente dans tous les cas : les parties peuvent subordonner la vente à la condition d'un écrit, ou manifester l'intention de n'être liées qu'après l'événement d'une condition (3); les risques continuent alors d'être à la charge du promettant.

S'il y a un terme indiqué, la convention est résolue de plein droit après son expiration (4); dans le cas contraire, on observe pour obtenir la réalisation du contrat, la marche que nous avons exposée pour les promesses unilatérales.

— Les actes translatifs de propriété, faits par l'auteur d'une promesse de vente unilatérale, quoique postérieurement à cette promesse, seraient-ils irrévocables relativement au tiers de bonne foi, lors même que celui à qui la promesse est faite manifesterait ensuite l'intention d'acquérir ? ᴀᴠᴠ *N.* Arg. de

(1) *Paris*, 10 mai 1826 ; D., 27, 2, 186.
Ces mots de notre article : *promesse de vente, vaut vente,* s'expliquent historiquement : Sous l'ancienne jurisprudence, des auteurs soutenaient que la personne qui s'engageait à vendre, promettant un fait et non une chose, ne pouvait être condamnée qu'a des dommages-intérêts (1140), si elle refusait de transférer la propriété de cette chose. D'autres jurisconsultes convenaient que dans beaucoup de cas, celui qui s'était obligé à faire une chose n'encourait que des dommages-intérêts; mais ils ajoutaient, qu'il en devait être autrement si le fait pouvait être accompli par un tiers : alors il était indifférent que l'exécution eût lieu par la force publique ou par le débiteur. Cette dernière opinion avait été admise dans la pratique: aussi, toutes les fois que le débiteur refusait d'accomplir le contrat de vente, les tribunaux intervenaient et déclaraient transférer au créancier la propriété de la chose que le débiteur avait promis de vendre. — Le Code civil a supprimé la nécessité d'un jugement : en décidant que la promesse de vente vaudrait vente, il a justement apprécié la convention; car celui qui promet de vendre ne peut dire, sans une singulière subtilité, qu'il ne consent pas à vendre.

(2) Duvergier, n. 124 ; Favard, Vente, Rolland, Rép., Promesse de vente, n. 13 ; Dur., n. 51. — Cass., 28 août 1813. — Grenoble, 23 mai 1829; S., 13, 1, 421 ; S., 29, 2, 177) (*Val.*). ᴀᴠᴠ En déclarant que la promesse de vente vaut vente, le Code ne veut pas dire que la translation de propriété a lieu de plein droit comme dans la vente, et qu'elle met par suite la chose aux risques de l'acheteur; le législateur ne prétend attribuer à la promesse dont il s'agit d'autre effet que celui qu'elle avait dans l'ancien droit ; or cette promesse était obligatoire, en ce sens seulement, que le vendeur pouvait être contraint par jugement à livrer la chose, et l'acquéreur à solder le prix. L'opinion contraire serait d'ailleurs opposée à l'intention des parties; car celui qui promet seulement de vendre est uniquement tenu d'un fait ; il n'a pas la volonté de se dépouiller actuellement ; il n'est pas encore débiteur de cette chose; il s'oblige seulement à transférer la propriété ; un nouveau contrat est nécessaire pour opérer cette translation (Toullier, t. 9, n. 91; Troplong, n. 125 et suivants. — Cass, 22 déc. 1813 ;D., Enreg., p. 543, Vente, p. 548).

(3) Duvergier, n. 124 et suiv. ; D., Enreg, ch. 1, sect. 3, art. 1, n. 20.

(4) Le débiteur, en effet, est placé sous une condition onéreuse; il peut craindre de la voir s'aggraver par la prolongation du temps fixé.

l'art. 1179. — Le nouvel acquéreur ne peut avoir plus de droits que son vendeur (2182) (Dur., n. 63). ⁓⁓
.1. Il n'y a de vente que lorsque le consentement de l'acquéreur concourt avec celui du vendeur. — La rétroactivité n'a lieu que lorsqu'il y a contrat. — Celui à qui la promesse a été faite n'aura qu'une action en dommages-intérêts (Troplong, n. 113; Toullier, n. 93, t. 9; Duvergier, n. 123 et 126).

Nous avons décidé, que la vente peut être subordonnée à une condition, à un terme, ou à un événement quelconque; mais si dans l'intervalle le promettant a disposé de la chose, le deuxième acquéreur peut-il être troublé lorsqu'il a été de bonne foi? ⁓⁓ N. La propriété ne devait cesser de résider entre les mains de l'auteur de la promesse, qu'après l'événement de la condition ou après l'expiration du terme; le vendeur s'est réservé la propriété de la chose et le droit d'en disposer jusqu'à l'époque fixée : si donc il a vendu la chose à un tiers, le créancier ne peut prétendre qu'à des dommages-intérêts. La promesse synallagmatique, pas plus que la promesse unilatérale, n'est en ce cas translative de propriété (Toullier, n. 9, p. 163; Duvergier, n. 126). ⁓⁓ A. Sans doute, la promesse de vendre, sans réciprocité, ne confère pas immédiatement la propriété de la chose; car une telle promesse est conditionnelle : mais le propre de la condition accomplie est de rétroagir dans ses effets au jour de la convention; or, dans l'espèce, la condition s'accomplit, par la demande de la personne à qui la promesse de vendre a été faite, de passer acte de vente : peu importe que la chose ne soit plus dans la main de l'auteur de la promesse; il ne dépend pas d'un débiteur conditionnel d'empêcher par son fait la condition de s'accomplir. — Jusqu'à l'événement de la condition, il est bien entendu que les risques sont pour le vendeur (Dur., n. 55) (Val.).

La promesse de vendre, faite sans fixation d'un prix, est-elle valable? ⁓⁓ Une telle promesse contient la convention implicite que le prix sera fixé par des experts (Pothier, Vente, n. 481 et 482). ⁓⁓ Il n'y a pas de lien de droit. — Le vendeur peut avoir eu en vue une somme plus forte que celle à laquelle le futur acquéreur pensait. — A défaut de prix, la promesse synallagmatique ne vaudrait pas vente; par la même raison, la promesse unilatérale de vendre ne pourra être exécutée lorsque la promesse d'acheter surviendra; — cependant, quand il s'agit de choses qui ont un prix commun, comme des denrées, il suffit que le prix ne puisse varier au gré de l'une des parties (Troplong, n. 118; Duvergier, n. 128; Dur., n. 57).

1590 — Si la promesse de vendre (1) a été faite avec des arrhes, chacun des contractants est maître de s'en départir, Celui qui les a données, en les perdant, Et celui qui les a reçues, en restituant le double (2).

= Pour faire une juste application de cette disposition, il faut distinguer, comme nous l'avons fait sous l'article précédent, les promesses unilatérales des promesses synallagmatiques :

Dans le cas de promesses unilatérales, si la partie qui s'oblige donne des arrhes, elle est censée se réserver la faculté de se dégager en les perdant; c'est une modification qu'elle est censée mettre à son obligation. Quant à l'autre partie, comme elle n'a contracté aucune obligation, il est évident qu'on ne peut lui demander l'équivalent des arrhes, si elle refuse de passer au contrat (3).

Lorsque les promesses sont synallagmatiques (ce que suppose l'article), on distingue : les arrhes ont été données lors du contrat seulement projeté, ou après le contrat conclu et arrêté :

Au premier cas, les arrhes sont considérées comme primes d'un dédit, comme fixation de dommages-intérêts : la promesse est censée faite sous

---

(1) Bien que l'art. 1590 ne parle que des promesses de vente, il est certain que la règle s'applique aux ventes actuelles et même à d'autres contrats, notamment au louage.

(2) Article obscur. — Les arrhes ne se donnent que bien rarement sous *promesse de vente;* le plus souvent elles se donnent pour conclure le marché.

(3) Duvergier, n. 133, observe que la loi ne parle d'arrhes que par rapport aux promesses de vente synallagmatiques; dans les autres cas, lors même que les promesses de vente sont unilatérales, il refuse la qualification d'arrhes proprement dites à toutes sommes données dans des circonstances à peu près semblables, si la nature du contrat ou l'intention des parties repousse la faculté réciproque de résolution; il y a, suivant lui, *dédit, clause pénale, à-compte sur le prix, denier adieu, épingles, pot de vin,* mais il n'y a pas d'*arrhes.* — On répond, que cette décision aurait pour résultat de n'admettre que des contrats synallagmatiques : pourquoi gêner les parties dans leurs conventions? Vainement argumente-t-on de l'art. 1174 : dans cet article, l'obligation n'est déclarée nulle que lorsqu'elle est potestative de la part du débiteur; or, dans l'espèce, elle est potestative de la part du créancier (Val.).

la condition que chacun des contractants pourra se refuser à réaliser la vente : celui qui a donné les arrhes, en les perdant ; celui qui les a reçues, en les restituant au double : ainsi notre article reçoit son application.

Si elles ont été données après le contrat conclu et arrêté ; en d'autres termes, si elles sont symboliques (ce que l'on présume facilement, lorsque leur importance est faible comparativement à la valeur de la chose qui fait l'objet de la vente), elles sont considérées comme à-compte, et s'imputent sur le prix que l'acheteur doit payer : les deux parties sont alors engagées ; la chose passe aux risques de l'acheteur ; en un mot, la vente est parfaite. Les arrhes reçoivent, en ce cas, le nom de *denier adieu*, parce qu'elles consistent dans une pièce de monnaie que l'acheteur remet au vendeur, lorsque les parties, après avoir conclu le marché, se séparent et se disent *adieu* (1).

Mais comment peut-on savoir si les parties ont prétendu faire une vente ou une simple promesse ? Le juge est appréciateur des circonstances (2) : les parties peuvent d'ailleurs avoir recours à l'interrogatoire sur faits et articles, au serment et même à la preuve testimoniale dans les divers cas où elle est admise.

Que deviennent les arrhes, lorsque la chose s'est détériorée ou a péri par cas fortuit ? Si elles sont symboliques, évidemment la perte est pour le compte de l'acheteur ; il n'est pas dispensé de payer le prix. — Mais *quid*, si les arrhes ont été considérées comme prime d'un dédit ; doivent-elles être restituées ? Nous pensons que le vendeur peut les retenir comme cause des risques qu'il a courus, et de l'obligation qu'il a contractée de les restituer au double s'il disposait de la chose ; les arrhes, en effet, ne sont pas sans cause entre ses mains (Dur., n. 51).

Les arrhes consistent ordinairement dans une somme d'argent : mais rien n'empêche de donner autre chose ; par ex., des marchandises, et même un corps certain.

— Dans le doute, doit-on considérer les arrhes comme signes du contrat ou comme prime d'un dédit ? Le plus souvent elles sont données comme gage de la promesse de vendre ; il faut donc interpréter la convention en ce sens (Merlin, Rép., *Denier adieu* ; Pothier, n. 510 ; Duvergier, n. 137 ; Troplong, n. 141).

1591 — Le prix de la vente doit être déterminé et désigné par les parties.

= Le prix doit réunir plusieurs caractères, il faut : 1° que les parties

---

(1) Pardessus, t. 2, n. 184 et 295 ; Malleville, sur l'art. 1590 ; Pothier, Vente, n. 508 ; Delv., t. 3, p. 69, n. 5 ; Dur., t. 16, n. 50 ; Rolland, v° arrhes, n. 21 ; Favard, v° arrhes. — *Colmar*, 19 juin 1814 : S., 15, 2, 10. Cette opinion est vivement combattue par Troplong, n. 138 et suiv., et par Duvergier, n. 136 et suiv. ; ces auteurs se fondent sur la décision de plusieurs interprètes du droit romain, entre autres sur celle de M. Ducaurroy, Inst., t. 3, n. 1036, et notamment sur un passage du discours de Grenier, tribun au corps législatif ; ce passage est ainsi conçu : « La délivrance et la réception des arrhes déterminent le caractère et l'effet de l'engagement, en le réduisant à une simple promesse de vendre, dont on pourra se désister sous les conditions établies dans l'acte. » De là ils concluent, que les arrhes ne sont pas considérées sous le Code comme preuve de la vente, mais comme signe qu'une promesse a été faite ; chacune des parties peut, suivant eux, se départir de la vente : l'une en perdant ce qu'elle a donné, l'autre en restituant au double ce qu'elle a reçu. — Dans leur opinion, lorsqu'il est prouvé, soit par des écrits, soit par témoins, soit par des aveux, que la vente a effectivement eu lieu, il faut distinguer : si la vente est soumise à une condition suspensive, les arrhes ne sont qu'un dédit. — Si elle est soumise à une condition résolutoire potestative, les arrhes ne représentent que des dommages-intérêts. — Si elle est pure et simple, les arrhes ne sont qu'à-compte sur le prix.
(2) Il recherche l'intention des parties, il a égard à l'usage des lieux et à la nature des choses.

s'accordent sur son montant ; 2° qu'il soit sérieux ; 3° qu'il soit certain dès le principe ; 4° qu'il consiste en argent monnayé.

Les parties doivent s'accorder sur le prix : si l'une, par ex., croit vendre pour 100 fr., et l'autre acheter pour 50, il n'y a pas de vente.

Pour que cet accord existe, il faut nécessairement que les deux parties concourent à la détermination du prix : on ne verrait pas de vente, dans la convention qui chargerait l'une d'elles de le fixer. Mais elles peuvent s'en rapporter à un tiers désigné, ou à la fixation du tribunal (1592).

Le prix doit être *sérieux* : s'il avait été mentionné avec arrière-pensée de ne pas l'exiger ; ou, s'il était dans une extrême disproportion avec la valeur de la chose, il n'y aurait pas vente, mais donation : tel serait le cas où l'on stipulerait, pour prix de la vente, une portion des fruits de la chose (1). Cependant la loi n'exige pas que le prix soit absolument égal à la valeur de l'objet vendu (*Voy.* 1674).

Il ne faut pas considérer comme faite moyennant un prix simulé, la vente consentie pour un prix réel, dont le vendeur a fait ensuite remise à l'acheteur ; il suffit qu'un prix ait été déterminé dans le principe avec intention de l'exiger : dans l'espèce, on ne verrait qu'une remise de la dette ; il y aurait donation du prix ; ce qui n'est pas la même chose que s'il y avait donation de l'objet primitivement vendu : nous savons, en effet, que le rapport d'un immeuble se fait en nature, tandis que le rapport d'une somme d'argent se fait en moins prenant.

Gardons-nous également de confondre le prix *vil*, avec le prix *non sérieux* : il y a *vilité* du prix, lorsque la lésion est de plus des sept douzièmes ; mais la vente ne conserve pas moins son caractère.

Le prix *doit être certain dès le principe :* s'il pouvait varier au gré de l'une des parties, le concours des volontés n'existerait pas.

Mais il suffirait, pour que le prix fût considéré comme certain, qu'il pût le devenir par relation à une circonstance déterminée ; en d'autres termes, que les parties eussent posé invariablement des bases qui pussent servir à le fixer : par exemple, lorsqu'il s'agit de denrées, on adopte souvent le prix du premier marché ; dans les pays vignobles, beaucoup de propriétaires vendent leur vin au prix auquel tel voisin vendra le sien.

On peut vendre une chose *pour ce qu'elle vaut :* les parties, en employant cette expression, sont censées convenir du prix qui sera fixé par des experts ; les conventions, en effet, doivent être interprétées, *magis ut valeant quàm ut pereant* (2).

Enfin, il doit consister *dans une somme d'argent :* s'il avait pour objet toute autre chose, ce ne serait plus une vente, mais un échange (3).

Néanmoins, la vente ne serait pas nulle, si l'acheteur s'obligeait à donner ou à faire quelque chose comme supplément du prix : il suffirait que la somme d'argent surpassât de plus de moitié la valeur de cette

---

(1) Dans le cas où la vente serait faite a bas prix, il faudrait voir la un contrat mêlé de libéralité, et considérer ce contrat comme dispensé des formes solennelles de la donation ; mais la vente ne serait pas nulle pour cela. — D'apres la jurisprudence de la Cour de cassation, les ventes pour un prix simulé produisent leur effet dans la mesure du disponible, quand les parties sont d'ailleurs capables de recevoir l'une de l'autre.

(2) Pothier, Vente, n. 23 ; D., t. 12, p. 856, n. 47. ... La détermination du prix n'est pas possible. — On ne peut induire de ces termes, que les parties aient voulu s'en rapporter à l'arbitrage d'un tiers (Duvergier, n. 161 ; Troplong, n 159).

(3) Cependant, s'il arrive que l'acheteur, ne pouvant payer, donne en payement une autre chose, le contrat ne perdra pas son caractère.

chose ; autrement, le contrat ne constituerait qu'un échange (Dur.,
n. 118).

Le prix peut consister aussi bien en une rente constituée ou en une rente
viagère, qu'en une somme principale une fois payée (1).

Sous la dénomination de *prix*, on comprend tout ce qui est déboursé par
l'acheteur, à titre de principal, d'intérêts, de pot-de-vin, etc.

— Doit-on considérer comme une vente, la cession d'un immeuble moyennant une certaine quantité
de denrées ? ∿ *A.* Les denrées dont le prix est fixé par les mercuriales, comme le blé, sont facilement
assimilées par la loi à du numéraire (Dur.. n 119 ; Troplong. n. 148 ; Delv., p. 65, n. 5. — *Cass.*, 25 thermidor au 13 ; S., 5, 1. 506). ∿ *N.* Il n'existe de vente que la ou une certaine quantité de monnaie, signe
commun de toutes les valeurs, est donnée pour se procurer une chose (Duvergier, n. 147).

Quid si l'on est convenu que le payement aura lieu en choses mobilières ? ∿ Le contrat n'est plus
alors qu'un échange (Duvergier, n. 48).

Pourrait-on considérer comme prix, l'obligation contractée par l'acheteur, de nourrir et entretenir le
vendeur ? ∿ *A.* C'est là un prix certain ; il peut être déterminé par la justice (*Agen.*, 17 février 1830 ;
S., 32, 2, 109).

Pourrait-on convenir que le prix sera converti en capital d'une rente rachetable à volonté par le débiteur ? ∿ *A.* Cette condition n'a rien de contraire aux lois (*Cass.*, 31 décembre 1834 ; D., 1835, 1, 62).

Si la vente a été faite moyennant une rente viagère dont le montant n'excède pas le revenu du bien
vendu, peut-on considérer ce prix comme sérieux ? ∿ *A.* Tout ce que l'on peut dire, c'est que les conditions sont désavantageuses. Toutefois, les héritiers à réserve pourraient faire réduire la rente à la
mesure du disponible, ou même l'attaquer, si l'acquéreur, donataire dissimulé, était incapable de recevoir (Troplong, n. 148 et 150). ∿ Les tribunaux devront prendre en considération les circonstances
qui ont accompagné le contrat. Pour qu'il y ait prix, il faut que l'acheteur prenne dans son patrimoine ;
ce qui n'a pas lieu, lorsque l'on vend un immeuble, moyennant une rente viagère égale aux revenus.
Mais s'il y a des chances contre l'acheteur, alors il y a prix (Duvergier, n. 149 ; Delv., p. 65 , n. 5 ; D.,
t. 12, p. 855, n. 41.)

1592 —Il peut cependant être laissé à l'arbitrage d'un tiers :
si le tiers ne veut ou ne peut faire l'estimation, il n'y a
point de vente.

= Le prix est déterminé, sous certains rapports, lorsqu'il est laissé à
l'arbitrage d'un tiers convenu : dans ce cas, il y a vente conditionnelle ; la
condition est censée défaillie, si le tiers ne peut ou ne veut faire l'estimation.

Du reste, les parties peuvent désigner plusieurs arbitres qui pourront
procéder l'un au défaut de l'autre ; en sorte qu'il ne suffirait pas que l'un
refusât, pour que la vente fût privée d'effet.

Elles peuvent également convenir de s'en rapporter au tribunal pour la
nomination des experts ; mais il est bien entendu, que le tribunal ne pourrait prononcer, si le contrat ne lui conférait pas ce droit.

— La vente faite au prix qui sera déterminé par des experts dont les parties conviendront, est-elle valable ? ∿ Elle est nulle, car chacune d'elles est libre de choisir ou de ne pas choisir d'experts : mais si
elles ont ajouté, qu'à défaut par elles de s'accorder sur le choix, les arbitres seront nommés par le juge ;
ou si, après avoir nommé, par exemple, deux arbitres, elles les ont autorisés à choisir un tiers, en cas
de dissentiment, la convention est valable. — Si les parties n'avaient pas confié aux arbitres le droit de
faire ce choix, et qu'il y eût dissentiment, il n'y aurait pas de vente (Delv., p. 65, n. 7 ; Dur., n. 111 , 112
et suiv. ; Troplong, n. 157. — *Limoges*, 4 avril 1826 ; D. 27 , 2. 19. — *Toulouse*, 5 mars 1827 ; S., 27, 2,
10 et 125). ∿ Si l'une des parties refuse de procéder à cette nomination, elle est de mauvaise foi ; le
tribunal peut alors faire choix d'un expert — Arg. de l'art. 55 du Code de comm. (Duvergier, n. 153. —
Cass., 14 février 1809. — *Poitiers*, 18 juillet 1820. — *Montpellier*, 13 février 1828 ; S., 28, 2, 238 ;
D. 28, 2, 232).

L'une des parties pourrait-elle faire remplacer l'expert qu'elle aurait choisi de concert avec l'autre
partie, par un expert dont elle provoquerait la nomination en justice ? ∿ *N.* (Troplong, n. 156 ; Duvergier, n. 151 et 152). ∿ Dans le cas où l'appréciation n'exige pas de connaissances spéciales, il y a
lieu de croire que l'intention des parties a été de s'en rapporter à un expert nommé d'office par le
tribunal, si l'arbitre désigné par les parties refuse (*Paris*. 18 novembre 1831 ; S. 32 , 2 , 134 et 239).

Dans le cas ou la décision du tiers, touchant le prix, serait manifestement inique, la partie lésée
pourrait-elle demander que cette décision fût réformée ? ∿ *N.* La loi assimile la fixation du prix par
un tiers, à celle que les parties font elles-mêmes, puisqu'elle n'établit aucune différence : ainsi l'estima-

(1) Pothier, Traité des Retraits, n. 29 ; Troplong, n. 148 ; *coy. cep.* Merlin, Rente viagère, n. 18.

tion de l'expert, quelque exagérée qu'elle soit, ne peut être réformée que pour cause de lésion de plus des sept douzièmes, et seulement, lorsqu'elle a des immeubles pour objet (Dur., n. 116; Delv., p. 65, n. 8; Pothier, Vente, n. 24). ⁓ *N.* — Justinien. — C'est la une décision arbitrale. — L'action en rescision est une ressource laissée au vendeur, qui, pressé par le besoin, a pu vendre à vil prix ; cette considération ne se présente pas ici (Troplong, n. 158 ; Duvergier, 157).

Entre le moment où le contrat a eu lieu et celui où les tiers procèdent à l'estimation, un temps quelconque doit nécessairement s'écouler : on demande si le prix doit être fixé suivant la valeur de la chose au jour du contrat, ou d'après sa valeur au jour de l'estimation ? ⁓ Le tiers est censé avoir manifesté son opinion le jour même où le contrat a été passé ; la chose doit donc être estimée suivant sa valeur à cette époque (Duvergier, n. 156). ⁓ Les parties sont censées avoir voulu que l'immeuble fût estimé suivant sa valeur au moment de l'estimation (Troplong, n. 160).

La vente, subordonnée à l'estimation d'un tiers, est-elle conditionnelle ? Aux risques de qui sera la chose dans l'intervalle ? ⁓ La condition est ici suspensive : la chose périt en conséquence pour le vendeur ; les dispositions de l'art. 1182 reçoivent ici leur application. — La vente ne doit recevoir sa perfection qu'au moment où le prix sera déterminé ; — du reste, ce n'est là qu'une question d'interprétation ; il est permis de déroger à cette règle, en ce sens, que l'objet peut être mis aux risques de l'acheteur, quoique le prix ne soit pas encore déterminé (Duvergier, n. 162 ; Troplong, *ibid*.; Dur. n. 110).

Quid, si l'on a vendu au cours d'un jour à venir ? ⁓ La vente sera également conditionnelle : si la chose périt avant le jour désigné, elle périra pour le vendeur (Duvergier, *ibid*).

Quid, si le contrat est mêlé de donation et de vente ? ⁓ Il y aura vente, si la somme surpasse ou vaut la chose que l'acheteur s'est obligé de livrer ; dans le cas contraire, il y aura échange. En cas de doute, on penchera pour la vente, car ce contrat est le plus usité (Dur., n. 118; D., t. 12, p. 856, n. 5; Troplong, n. 147 et 148).

1593 — Les frais d'actes et autres accessoires à la vente sont à la charge de l'acheteur.

= Cette règle est fondée sur l'intention présumée des parties : comme les actes sont indispensables à l'acheteur pour justifier de ses droits, il est juste qu'il en supporte les frais. D'ailleurs, l'acheteur est réellement débiteur du prix (1248) (1).

Nonobstant les termes de notre article, il faut reconnaître, que le notaire peut agir solidairement, contre les deux parties (2002), car il est en réalité mandataire de chacune d'elles.

CHAPITRE II.

Qui peut acheter ou vendre.

Toute personne capable de disposer de ses biens, est en général capable de vendre. Cette règle souffre plusieurs exceptions (*Voy.* art. 472 et 1554 du Code civil ; 446 et 447 du Code de commerce, 692 et 693 Code de procédure, 176 Code pénal, et l'art. 31 de l'Ordonnance du 1er août 1827, relatif aux agents forestiers).

Toute personne capable de s'engager, est en général capable d'acheter (1594) ; ce principe reçoit également plusieurs exceptions (*Voy.* art. 1596, 1597 Code civil ; 713 Code de procédure).

Le contrat de vente ne peut avoir lieu entre époux que dans trois cas (*Voy.* art. 1595).

1594 — Tous ceux auxquels la loi ne l'interdit pas, peuvent acheter ou vendre.

1595 — Le contrat de vente ne peut avoir lieu entre époux que dans les trois cas suivants :

---

(1) La cour de cassation a néanmoins décidé, que les frais d'enregistrement peuvent être mis à la charge du vendeur, s'il est constaté que l'enregistrement a eu lieu à cause du procès injustement fait par le vendeur (9 février 1832 ; S., 32, 1, 844).

1° Celui où l'un des deux époux cède des biens à l'autre, séparé judiciairement d'avec lui, en payement de ses droits;

2° Celui où la cession que le mari fait à sa femme, même non séparée, a une cause légitime, telle que le remploi de ses immeubles aliénés, ou de deniers à elle appartenant, si ces immeubles ou deniers ne tombent pas en communauté;

3° Celui où la femme cède des biens à son mari en payement d'une somme qu'elle lui aurait promise en dot, et lorsqu'il y a exclusion de communauté.

Sauf, dans ces trois cas, les droits des héritiers des parties contractantes, s'il y a avantage indirect.

= En principe, la vente est interdite entre époux : 1° parce qu'elle deviendrait une source d'avantages indirects; 2° parce qu'elle procurerait aux conjoints un moyen infaillible de rendre irrévocables des donations que la loi soumet comme les testaments à une condition perpétuelle de révocabilité; 3° parce qu'elle leur permettrait de frauder leurs créanciers; 4° enfin, parce qu'elle aurait l'inconvénient de rendre le mari juge et partie, puisque la femme ne peut faire aucun acte sans autorisation.

Cette prohibition souffre trois exceptions (1) :

La première est commune aux deux époux : elle comprend la cession que l'un d'eux ferait à l'autre, en payement des droits auxquels la *séparation judiciaire* donne ouverture. Le plus souvent, cette cession est faite par le mari; mais il peut arriver aussi qu'il devienne cessionnaire; par exemple, s'il a fait des dépenses pour conserver les biens de sa femme, ou si la femme a promis un apport qu'elle n'a point encore effectué.

La deuxième exception est particulière à la cession que le mari ferait à sa femme, même non séparée : elle comprend tous les cas où cette cession *a une cause légitime;* c'est-à-dire, tous ceux où elle est destinée à éteindre une créance préexistante et exigible de la femme contre son mari; par exemple, lorsqu'elle a pour cause le remploi de deniers provenant de l'aliénation d'un propre, la restitution de deniers réalisés et versés dans la communauté (1500), ou autres cas analogues (2).

On peut encore donner pour exemple, le cas où le mari est tenu de

_____

(1) On peut dire, cependant, que l'opération dont il est parlé dans le 1°, le 2° et le 3° de l'art. 1595 est une dation en payement, car dans ces trois cas, il s'agit d'un débiteur qui se libère d'une dette mobilière en aliénant un immeuble; que le 1°, ainsi que le 3°, emploient les expressions : *céder en payement;* enfin, qu'il n'est pas sans intérêt de distinguer entre la vente et la dation en payement : en effet, s'il y a vente, l'acheteur évincé peut demander au vendeur des dommages-intérêts qui pourront excéder le prix de vente (1633); s'il y a dation en payement, le créancier, en cas d'éviction, ne peut que reprendre sa créance. Dans le cas de vente, le vendeur qui ne s'est fait payer peut exiger le prix de son immeuble; dans le cas de dation en payement, si l'on vient à découvrir qu'il n'existait pas de dettes, celui qui a payé ne peut que demander son immeuble et non le montant de la prétendue dette qu'il a voulu éteindre. — Néanmoins, cette opinion ne peut être admise; il n'est pas probable que le législateur ait voulu parler d'un contrat différent de la vente lorsqu'il traitait précisément de la vente; qu'il ait prétendu soustraire aux conséquences sur lesquelles il s'étend longuement dans tout l'opération qu'il qualifiait de vente. D'ailleurs, peut-on voir autre chose qu'une vente dans la convention par laquelle l'un des époux cède un immeuble en payement d'une somme qu'il doit à son conjoint? Cela peut-il être soutenu dans notre droit où l'on s'attache moins aux mots qu'aux faits? Si l'époux vendeur n'a pas reçu une somme d'argent de l'époux acheteur, il a reçu la quittance, ce qui revient au même : si l'on vient à découvrir plus tard que la créance n'existait pas, on annulera toute l'opération. Ainsi, dans les trois cas exceptionnels prévus par notre article, il y a qu'une vente proprement dite (*Val.*).

(2) Duvergier, t. 1, n. 179. — Grenoble], 24 janvier 1826 ; D., 26, 2, 155', 8 mars 1831 ; S., 32, 2, 55. —*Bordeaux*, 1er décembre 1829 ; S., 30, 2, 66. *Voy. cep. Cass.,* 23 août 1825 ; S., 26, 1, 379.

dommages-intérêts à raison des dégradations qu'il a commises sur les immeubles de sa femme ; celui où il a payé une dette qui lui est particulière, au moyen d'une délégation faite à ses créanciers personnels, par la femme, d'une créance qu'elle s'était réservée propre ; celui où les époux, ne s'étant pas mariés sous un régime qui fait tomber les créances dans la communauté, le mari s'est trouvé débiteur de sa femme avant le mariage. Dans ces diverses hypothèses, il y a cause légitime de *cession*, aussi bien que lorsqu'il s'agit d'un remploi à faire des propres de la femme.

Il faut observer, que l'art. 1595 2° ne prévoit que le cas où la cession serait faite par le mari à sa femme ; il n'accorde pas le même droit à la femme : celle-ci ne peut passer vente à son mari que dans les circonstances indiquées par les nᵒˢ 1 et 3 de l'art. 1595. On a sans doute craint que le mari n'usât de son influence sur la femme pour l'amener à vendre ses immeubles ; au surplus, il est difficile de se rendre compte de cette restriction.

Le mari peut-il céder à sa femme, en remploi, un bien de la communauté ? nous le pensons : la communauté peut remplir la femme de ce qu'elle lui doit, par la cession d'un objet, sans qu'il y ait pour cela *vente prohibée* : c'est elle qui est débitrice, c'est à elle que l'on viendra, jusqu'à la dissolution, réclamer la dette ; pourquoi donc ne lui serait-il pas permis de se libérer par une cession ?

La troisième exception est relative au cas unique où la cession peut être faite par la femme à son mari, lorsque les époux ne sont pas séparés de biens judiciairement.

Observons d'abord, que la loi ne permet la vente que pour le payement de la dot ; si la femme était débitrice de son mari même pour une cause antérieure au mariage, on ne se trouverait donc plus dans ce cas exceptionnel (1).

Hors le cas de séparation judiciaire, la femme ne peut faire une vente à son mari, même pour lui tenir lieu d'une somme qu'elle s'est constituée en dot, qu'autant qu'elle est séparée de biens contractuellement, ou que, mariée sous le régime dotal, elle a des paraphernaux (sortes de biens qu'elle administre, et dont elle perçoit les revenus ainsi que nous l'avons vu) : dans ces deux cas, on comprend, qu'il soit important pour le mari, de recevoir en payement un immeuble d'une valeur égale à la somme qui lui a été promise, et de n'en restituer le prix qu'à la dissolution du mariage, ou lors de la séparation de biens judiciaire, de manière à gagner les intérêts du prix, comme il gagnerait les intérêts de la dot.

Le 3° de notre article ne peut recevoir d'application, lorsque les époux sont communs en biens ; car sous le régime de la communauté, tous les biens de la femme sont dotaux ; le mari les administre ; il applique aux charges du ménage les fruits qu'ils produisent ; dès lors, il n'a pas d'intérêt à ce que la femme lui vende un immeuble, pour tenir lieu de la somme qui constituait son apport.

---

(1) Les termes que la loi emploie sont restrictifs (Troplong, n. 182; Dur., n. 153; voy. cep. Duvergier, n. 182).

Cette dernière disposition a été ajoutée sur les observations du tribunal d'appel de Grenoble : les membres de ce tribunal, imbus des règles du droit écrit, connaissaient mal les principes de la communauté : dans le langage des pays de dotalité, *l'exclusion de communauté* était le régime dotal : aussi, pense-t-on généralement que l'intention du législateur a été de restreindre la disposition qui nous occupe, au cas où la femme, mariée sous le régime dotal, a des paraphernaux, et au cas où elle est séparée de biens.

Il ne serait même pas applicable au régime appelé *sans communauté*, car sous ce régime le mari a la jouissance et l'administration des biens de la femme.

La loi réserve aux héritiers le droit de critiquer la vente, si elle contient un avantage indirect (1167, 1595 *in fine* combinés).

— Quel est le sort de la vente faite entre époux hors des cas autorisés ? ⟿ Elle est maintenue, s'il apparaît que l'intention des époux ait été de faire une donation déguisée ; seulement elle serait révocable comme le serait une donation entre époux (1096), ou réductible si elle excédait le disponible. S'il apparaît que les époux aient voulu frauder leurs créanciers ou faire une véritable vente, la nullité de l'acte est absolue (Troplong. n. 185 ; Duvergier, n. 183). ⟿ Si la loi avait voulu que la vente pût valoir comme donation, elle s'en serait formellement expliquée ; elle n'aurait pas employé des termes aussi prohibitifs et aussi généraux que ceux de notre article. Il ne faut pas que les tribunaux voient s'élever devant eux une controverse. difficile d'ailleurs à trancher, sur la nature de l'acte fait entre époux : il vaut mieux déclarer le contrat annulable, et permettre en conséquence aux créanciers, comme à chacun des époux, d'agir en nullité. — L'action doit être intentée dans les dix ans qui suivent la dissolution du mariage ; le contrat peut être ratifié (Dur., n. 153 et 154. — *Grenoble*, 24 janvier 1826 ; D., 28, 2, 155, 8 mars 1831 ; D. 32, 2, 80) (*Val.*).

Dans le cas où la vente est autorisée par l'art. 1595, le droit de l'attaquer comme renfermant des avantages indirects, n'appartient-il qu'aux héritiers à réserve ? A-t-il seulement pour objet de faire réduire les avantages à la quotité disponible ? ⟿ *A.* La prohibition porte seulement sur ce que les époux ne pouvaient se donner ; l'incapacité n'existe que pour cet excédant : or, lorsqu'il n'y a pas d'héritiers à réserve, les époux peuvent disposer de tous leurs biens ; donc, ces héritiers seuls ont le droit d'attaquer les avantages indirects ; voy. 913 et suiv., 1094 et 1098 (Dur., n. 151 et 152 ; Toullier, t. 12, p. 64, n. 41). ⟿ L'article 1595 parle des héritiers en général ; il ne distingue pas. — Le même droit appartiendrait, nonobstant le silence de la loi, aux créanciers de l'époux donateur et même à l'époux. — Vainement dirait-on qu'il est d'usage de maintenir les donations déguisées sous la forme d'un contrat onéreux : lorsque les époux simulent une vente, ils n'ont pas la faculté de révocation que la loi tient à leur réserver (1085).

En supposant que l'acte doive être déclaré nul, par qui peut être invoquée cette nullité ? ⟿ Elle peut être invoquée par l'un et l'autre époux, par leurs héritiers, et par leurs créanciers, fussent-ils porteurs d'un titre postérieur en date à cette vente ; la nullité est absolue. — Hors des cas prévus par l'art. 1595, la qualité des parties fait présumer la fraude (*Bordeaux*, 1er décembre 1829 ; S., 30, 2, 66). ⟿ Les créanciers de l'un des époux, qui voudront faire annuler la vente par lui consentie, auront à prouver qu'elle a été faite en fraude de leurs droits (Duvergier, n. 184).

1596. — Ne peuvent se rendre adjudicataires, sous peine de nullité, ni par eux-mêmes, ni par personnes interposées,

Les tuteurs (1), des biens de ceux dont ils ont la tutelle ;

Les mandataires, des biens qu'ils sont chargés de vendre ;

Les administrateurs, de ceux des communes ou des établissements publics confiés à leurs soins ;

Les officiers publics, des biens nationaux dont les ventes se font par leur ministère (2).

= Les personnes dont il est parlé dans cet article, étant chargées d'agir pour le vendeur, doivent veiller à ce que les biens soient portés au prix le plus élevé : or, si la loi leur eût permis de se rendre adjudicataires, elles auraient pu négliger leurs devoirs et même chercher, par de faux renseignements, à écarter les enchérisseurs, ou employer des manœuvres frauduleuses pour avoir les biens à un bas prix.

---

(1) Ce que la loi dit pour le tuteur, s'applique au mari cotuteur : la prohibition de l'art. 1596 lui est applicable (Limoges, 4 mars 1822 ; S., 22, 2, 63).

(2) Doit-on voir une différence entre un jugement sur licitation et un jugement sur une chose litigieuse ? ⟿ *A.* En cas de licitation, il n'y a pas de procès ; il faut seulement faire déclarer la licitation : puisqu'il n'y a pas procès, droit litigieux, la décision qui intervient ne peut être qualifiée jugement ; dès lors on a dix ans pour se pourvoir en nullité. ⟿ Toutes les décisions du juge sont des jugements.

Cette disposition prohibitive est générale ; elle s'applique aux meubles comme aux immeubles ; aux ventes publiques comme aux ventes de gré à gré.

Il faut ajouter aux incapacités prononcées par l'article 1596, celle des membres du tribunal devant lequel se poursuit la vente : ces fonctionnaires ne peuvent se rendre adjudicataires, sous peine de nullité et de dommages-intérêts. — Et celle de l'individu sur qui se poursuit la saisie (713, Pr.).

Les ventes sont déclarés nulles, soit qu'elles aient été faites directement aux incapables, soit que les incapables se soient rendus adjudicataires par personnes interposées.

Mais la nullité n'a pas lieu de plein droit : comme toutes celles qui résultent d'une incapacité, elle est relative ; elle doit être proposée, et elle ne peut l'être que par ceux dont le législateur a voulu défendre les intérêts ; c'est-à-dire, par les mineurs, les interdits, les mandants, les communes, les établissements publics et l'État : l'acquéreur n'aurait pas cette faculté, car nul ne doit se faire un titre de sa propre faute : *Nemo potest ex suo delicto rationem consequi.* — Nous pensons que cette action dure dix ans (1).

— Doit-on étendre au cas de l'art. 1596, les présomptions légales d'interposition dont il est parlé art. 911 ? ⟶ *N.* Les présomptions légales sont toujours spéciales ; on doit les restreindre à leurs espèces (1350) : ce serait aller trop loin, que d'empêcher les parents d'un tuteur, d'acheter les biens du pupille ; l'interposition est entièrement abandonnée à l'appréciation du juge ; c'est une pure question de fait ; la pensée du juge se portera naturellement sur les personnes désignées dans l'art. 911 (Duvergier, n. 193 ; Dur., n. 138) (*Val.*) ; *voy.* cep. *Toulouse*, 16 mars 1833 ; D., 33, 2, 214.

La prohibition s'appliquerait-elle aux curateurs des mineurs émancipés ? ⟶ *A.* Le mineur émancipé est assimilé au mineur non émancipé pour tout ce qui concerne l'aliénation des immeubles (Delv., p. 66, n. 5). ⟶ *Oui*, si la vente est volontaire : *secùs*, si elle a lieu par expropriation forcée (Troplong, n. 187). ⟶ *N.* les incapacités sont des exceptions ; il faut en conséquence les restreindre (Duvergier, n. 188 ; Dur., n. 133 et suiv.).

Quid à l'égard du subrogé tuteur ? ⟶ Si la vente est volontaire, comme il doit y assister, il ne peut se rendre adjudicataire : *secùs* si la vente est forcée ; car le subrogé tuteur, en ce cas, n'est point en cause (Delv., *ibid* ; Troplong, n. 187). ⟶ Il peut se rendre adjudicataire même lorsque la vente a lieu en vertu d'une délibération du conseil de famille ; car il ne représente pas le mineur, et ce n'est point à lui que l'on s'adresse pour avoir des renseignements (Dur., n 134 ; Duvergier, *ibid.*) (*Val.*).

L'avoué chargé de poursuivre une vente, est-il, dans le sens de l'art. 1596, un mandataire chargé de vendre, et par cela même incapable d'acheter ? ⟶ Il faut distinguer : l'avoué poursuit la vente sur licitation des biens d'un mineur au nom du tuteur, ou il poursuit, au nom d'un créancier, la saisie immobilière des biens du débiteur : au premier cas, il ne peut acheter, car il a véritablement mandat de vendre : au deuxième cas, il peut se rendre personnellement adjudicataire, car le créancier au nom duquel il agit n'est point un mandataire chargé de vendre : le saisissant n'est point vendeur ; il provoque seulement la vente (709 Pr.) (Troplong, n. 188 ; Duvergier, n. 189 ; Delv., p. 68, n. 8 ; Merlin, v° *Vente*, § 1. art. 1, p. 10. — *Toulouse*, 16 mars 1833 ; D., 33, 2, 214 ; S., 33, 2, 521. — *Cass.*, 2 août 1813 ; S., 13, 1 445. — *Rouen*, 6 mai 1815 ; S., 15. 2, 243. — *Cass.*, 10 et 26 mars 1817 ; S., 17, 1, 208 et 267. — *Bourges*, 15 février 1815 ; D., Saisie mobilière, p. 757, n. 1. — *Poitiers*, 10 mai 1833 ; D., 33. 2, 208).

Le tuteur ou l'administrateur copropriétaire d'un bien du mineur ou de l'administré, peut-il se rendre adjudicataire de l'immeuble licité ? ⟶ *A.* La licitation n'est pas une vente, mais un partage (839 et 883 combinés), en tant que l'adjudication a lieu au profit de l'un des copartageants. La prohibition ne doit pas recevoir d'exécution (*Val.*).

Quid à l'égard du conseil judiciaire ? ⟶ Il ne pourrait acheter de gré à gré ; mais rien ne s'oppose à ce qu'il se rende adjudicataire sur expropriation forcée (Dur., n. 136 ; Troplong, n. 187). ⟶ La prohibition ne l'atteint pas. (Duvergier, *ibid.*). (*Val.*)

Si le mari est intervenu pour autoriser sa femme à agir dans la saisie d'un immeuble à elle appartenant, peut-il, nonobstant cette intervention, se rendre acquéreur ? ⟶ *A.* Il n'intervient pas comme partie, mais pour autoriser son épouse (Delv., p. 66, n. 10). (*Val.*)

Quid dans le cas de communauté ? Si c'était le mari qui fût saisi, la femme pourrait-elle se rendre

---

(1) Cependant quelques personnes distinguent quand il y a un jugement d'adjudication au profit de l'une des personnes que la loi frappe ici d'incapacité, on ne peut l'attaquer que par voie d'appel et dans les délais d'appel ; en effet, disent-elles, un jugement a ses voies de réformation ; ce sont l'appel, la cassation, la requête civile ; or ces voies ne restent ouvertes que pendant un certain temps, après l'expiration de ce temps, il y a force de chose jugée. Mais lorsque l'adjudication a eu lieu par-devant notaire, comme il ne s'agit plus alors d'un jugement, on peut attaquer cette adjudication comme les contrats, pendant dix années. L'intervention des notaires, en effet, est une forme de contracter.|

adjudicataire ? ᷉ N. Si on lui donnait cette faculté, l'immeuble tomberait dans la communauté ; en conséquence, il appartiendrait au mari comme chef ; or cette décision serait incompatible avec la disposition de l'art. 713, Pr., laquelle déclare le saisi insolvable et ne permet pas aux avoués de se rendre adjudicataires pour lui (Delv., *ibid.* — *Bruxelles*, 26 mars 1812; D., Saisie immobilière, p. 758). ᷉ *A.* Les incapacités sont de droit étroit (Troplong, n. 192. — *Besançon*, 12 mars 1811. — *Aix*, 27 avril 1809, et 23 février 1807; *ibid.*).

L'héritier bénéficiaire peut-il se rendre adjudicataire des biens de la succession ? ᷉ N. L'héritier bénéficiaire est un mandataire chargé de vendre (D., Saisie immobilière, p. 386 et suiv.). ᷉ *A.* Si l'héritier bénéficiaire est administrateur dans l'intérêt du créancier, il est aussi propriétaire des biens de la succession ; il est mandataire *in rem suam :* ce n'est pas, à proprement parler, une vente qui a lieu, lorsque les immeubles lui sont adjugés (Duvergier, n. 190; Delv., p. 66, n. 8).

Quid à l'égard du curateur à la succession vacante ? ᷉ Sa position diffère essentiellement de celle de l'héritier bénéficiaire, puisqu'il n'a aucun droit sur la succession ; en conséquence, la prohibition lui est applicable (Duvergier, n. 191).

Quid à l'égard de l'envoyé en possession des biens d'un absent sur lequel on vend un immeuble par suite de l'action hypothécaire? Peut-il se rendre adjudicataire des biens vendus ? ᷉ *A.* (Delv., *ibid.*).

1597 — Les juges, leurs suppléants, les magistrats remplissant le ministère public, les greffiers, huissiers, avoués, *défenseurs officieux* (1) et notaires, ne peuvent devenir cessionnaires des procès, droits et actions litigieux qui sont de la compétence du tribunal dans le ressort duquel ils exercent leurs fonctions (2), à peine de nullité, et des dépens, dommages et intérêts (3).

= Le Code contient deux dispositions relatives aux cessions des procès et des droits litigieux (1597 et 1699) : celle qui nous occupe, a pour but de prévenir les abus d'autorité, et de mettre certaines professions à l'abri des soupçons de cupidité ou de mauvaise foi, qui pourraient blesser leur dignité : le devoir de ceux qui en sont investis, consiste à terminer les contestations, et non à en profiter.

Toutefois, la loi n'interdit à ces fonctionnaires que l'achat des droits litigieux qui sont de la compétence du tribunal auquel ils sont attachés : rien ne s'oppose à ce qu'ils se rendent cessionnaires de semblables droits portés devant un autre tribunal, quoique ce tribunal ressortît de la même cour.

Il résulte de ces mots : *près duquel ils exercent*, que l'incapacité des fonctionnaires énumérés dans notre article, est plus ou moins étendue, suivant que leur compétence a plus ou moins d'extension : ainsi, les avocats et les avoués, qui exercent près d'une cour royale, ne peuvent acquérir de droits litigieux susceptibles d'être jugés par cette cour. — Les conseillers et les avocats attachés à la cour de cassation, sont frappés d'une incapacité absolue ; car la juridiction de la Cour suprême s'étend sur toute la France.

La loi emploie ces mots : *procès, droits* et *actions litigieux :* aucune difficulté ne s'élève sur la première expression; elle est claire par elle-

(1) Lorsque ce titre a été rédigé, l'ordre des avocats n'avait pas encore été rétabli. La loi ne reconnaît plus aujourd'hui le titre de défenseur officieux.

(2) Il n'existait pas de cours à l'époque où cet article a été rédigé.

(3) Le principe de cette disposition se trouve dans plusieurs ordonnances de nos rois (Charles V, an 1430; François I⁰ʳ, 1535, et 1560; ordonnances d'Orléans, janvier 1639). Ces ordonnances privaient le cédant de ses droits, et soumettaient le cessionnaire aux dépens et à l'amende : c'était le *cédé* qu'elles avaient pour but de protéger contre un adversaire trop puissant. — Pertinax (Inst.) avait en vue le même but, lorsqu'il déclarait qu'il n'accepterait pas le legs d'un droit litigieux.

même ; mais il n'en est pas ainsi des deux autres (1) : doit-on les interpréter par l'art. 1700, et décider que la prohibition ne comprend que les droits cédés alors qu'il y a procès et contestation sur le fond? Tous les auteurs se prononcent pour la négative : il est hors de doute que le législateur a voulu comprendre dans la prohibition, les droits non reconnus, incertains, sujets à contestation, et de nature à mener les parties devant les tribunaux : l'art. 1597 a évidemment un sens plus large que l'art. 1700 ; il est rédigé dans des termes moins limitatifs. Si l'on eût entendu, comme dans l'art. 1700, que le droit ne serait censé litigieux qu'autant qu'il y aurait *procès*, il eût été inutile d'ajouter ces mots : *droits et actions* (2).

La loi sanctionne cette disposition prohibitive, en déclarant la cession nulle, mais nous pensons que le cédant et le débiteur peuvent seuls invoquer cette nullité : *Le cédant*, car ayant disposé à vil prix d'un droit plus ou moins fondé, il a intérêt à le recouvrer. — *Le débiteur*, car il peut lui importer de s'affranchir d'un créancier trop rigoureux : mais alors, le cédant est réintégré dans ses droits : — quant au cessionnaire, nous lui refusons cette faculté, car il est en faute ; or, *nemo ex delicto suo actionem consequi debet* (3).

Le débiteur peut, en certains cas, se soustraire aux poursuites dirigées contre lui, en usant du bénéfice de l'art. 1699 ; mais il faut pour cela, que les choses soient encore entières : si la nullité de la cession avait été prononcée, il resterait soumis à l'action du cédant.

Bien que l'art. 1597 ne répète pas la disposition de l'art. 1596, relative à l'interposition des personnes, évidemment elle reçoit ici son application, car il y a toujours droit et devoir de déjouer la fraude employée pour éluder la loi.

— L'article 1597 est-il applicable aux agréés? ⁓ A. Ils remplissent près du tribunal de commerce les fonctions de défenseurs officieux.

Pour que le droit soit censé litigieux, suffit-il que celui contre lequel on l'a cédé prétende que ce droit est sujet à contestation ? ⁓ Il faut que la contestation ait commencé immédiatement après la cession, et que la vente ait eu lieu en vue de la contestation future (Delv., p. 67 n. 3). ⁓ Les tribunaux sont appréciateurs des circonstances : ils maintiendront ou annuleront la cession, suivant qu'ils reconnaîtront que la résistance que prépare ou qu'oppose le débiteur cédé, est une chicane imaginée pour différer l'exécution ou une contestation sérieuse (Duvergier, n. 199. — Cass., 9 juin 1825 ; S., 26, 1, 142 ; D., 25, 1, 338; Rép., Droits litigieux , n. 3).

Si le cessionnaire se trouve dans l'un des cas prévus par l'art. 1701. la cession doit-elle être maintenue ? ⁓ N. L'art. 1597 est plus absolu que l'art. 1701 : il est fondé principalement sur des considérations d'ordre public , et sur la crainte de l'influence du cessionnaire (Dur., n. 142).

(1) *Droit litigieux* , contestation non encore portée devant le juge. — *Action litigieuse*, contestation dont les tribunaux se trouvent saisis. — *Procès*, cette expression nous semble employée ici dans le sens d'*action litigieuse* ; a moins qu'on ne veuille désigner ainsi, la *vente des pièces d'un procès*.

(2) Dur., n. 141 et 143 ; Delv., n. 3, p. 67 ; Troplong, n. 200 ; (*Val*). *Voy. cep. Rouen*, 7 juillet 1808 ; D., Vente , p. 927, n. 2. — *Bruxelles*, 30 janvier 1828 ; S., 28, 2, 461.

(3) Troplong , n. 196 ; Dur., n. 145. — *Cass.*, 14 nivôse an 5 ; D., Vente, p. 927. ⁓ Il est en faute d'avoir fait la cession ; la nullité est prononcée au profit seulement de celui contre qui le droit a été cédé ; le débiteur peut même invoquer le bénéfice de l'art. 1599, et se faire tenir quitte , en remboursant au cessionnaire le prix de la cession, sans être obligé de lui payer les frais et loyaux coûts du contrat : ces frais sont perdus pour le cessionnaire. ⁓ A.[Cette nullité est fondée sur des considérations d'ordre public ; elle peut même être proposée d'office par le ministère public (Duvergier, n. 200).

CHAPITRE III.

Des choses qui peuvent être vendues.

1598 — Tout ce qui est dans le commerce peut être vendu, lorsque des lois particulières n'en ont pas prohibé l'aliénation.

= En général, tout ce qui est susceptible d'une propriété privée peut être l'objet d'une vente (*voy.* 538, 540, 1126, 1127, 1128).

On peut vendre même les choses futures, c'est-à-dire, celles qui n'existent qu'en espérance ; par exemple, une récolte à venir, le produit d'un coup de filet.

Des dispositions spéciales prohibent ou soumettent à des conditions particulières la vente de certaines choses, susceptibles, cependant, d'une propriété privée : ainsi, on ne peut vendre les successions des personnes vivantes (1600), les biens qui ont été reçus pour la formation d'un majorat, les blés submergés ou en vert (1), les animaux morts de maladie (C. pén., 475, 477), les poisons, les armes cachées et prohibées, les vins falsifiées, les livres condamnés, les biens des mineurs, ceux des absents ; — les immeubles dotaux ne peuvent être vendus que sous certaines conditions. — Le débit de certaines denrées ou marchandises, telles que le tabac (2), les cartes à jouer (3), la poudre à canon, n'est permis qu'à certaines personnes. (*Voyez* au surplus, Merlin, Rép., v° Vente, § 21 ; § 1er, art. 1er, n. 15 *bis*, 5 *ter* et 6.)

— Un fonctionnaire peut-il vendre sa démission, en ce sens que l'avantage d'une démission puisse être la matière d'un engagement tacite ? ∿ *A.* Autrefois, les charges mêmes de *judicature* étaient vénales ; on les avait créées moyennant finances, pour les besoins du trésor, surtout, à l'occasion des guerres d'Italie ; le titulaire était créancier de l'État ; il cédait ses droits, et le gouvernement nommait (*Bourges*, 5 juillet 1825 ; D., 26 . 2. 52. — *Cass.*, 2 mai 1824 ; D., 25, 1, 151). ∿ *N.* De pareils traités sont nuls et contraires aux bonnes mœurs. — Droit canonique. — Anciennes ordonnances. — Préjudice porté à l'intérêt public, qui se trouverait à la merci de la médiocrité et de l'intrigue. — Atteinte portée à la prérogative royale. — On ne doit excepter de cette décision que les offices dont la résignation *in favorem* a été autorisée par l'art. 91 de la loi du 28 avril 1816 : dans ces offices, ce qui est vendu, ce n'est pas le titre, mais la clientèle, l'achalandage, le choix que le titulaire actuel fait de son successeur — Le titulaire présente son successeur. — Le droit de présentation fut introduit, en échange d'un supplément de cautionnement qu'on demanda à ces officiers publics (Dur., n. 182 ; Troplong, n. 220. — *Nancy*, 23 juillet 1824. — *Paris*, 8 nov. 1825 ; D., 26, 2, 44 ; 12 nov. 1829 ; D., 30. 2, 52).

Le droit de présenter un successeur peut-il être saisi et mis aux enchères ? ∿ *N.* L'art. 91 de la loi de 1816 n'accorde qu'au titulaire le droit de vendre. — La saisie exécution ne peut d'ailleurs s'exécuter que sur les meubles corporels. — Ordre public (*Limoges*, 10 nov. 1830 ; S., 31, 2, 216).

Peut-on vendre un droit à des aliments ? ∿ *Non* : s'ils sont dus *jure sanguinis* ; car le titre est alor créé par la nature ; *secùs* s'ils sont conventionnels ou dus en vertu d'un testament (Troplong, n. 227. — *Cass.*, 31 mai 1826 ; D. 26, 1, 292).

Le vendeur est-il recevable à demander la nullité d'une vente qu'il a consentie ? ∿ *Oui*, s'il a été de bonne foi en vendant (Duvergier, n. 220). ∿ Le vendeur est tenu d'employer tous ses efforts pour assurer la propriété à son acheteur (Troplong).

---

(1) La disposition générale de notre article laisse subsister les lois prohibitives qu'elle n'abroge pas ; l'art. 484 du Code pén., maintient les lois particulières aux matières non prévues ; la loi du 6 messidor an 3 a eu pour but de prévenir la ruine des cultivateurs et de prévenir les accaparements ; cependant, la loi du 23 messidor an 3 a dérogé à cette dernière loi pour le cas où le grain en vert s'est trouvé faire partie d'autres récoltes en maturité. ∿ Le Code, en gardant le silence sur cette espèce de vente, l'a placée dans la catégorie des ventes ordinaires. — Silence du Code pénal (*Agen*, 2 août 1830 ; S., 32. 2, 126).

(2) *Voy.* la loi du 6 et 23 messidor an 3.

(3) Loi du 28 avril 1816, art. 160 à 171.

1599 — La vente de la chose d'autrui est nulle (1) : elle peut donner lieu à des dommages-intérêts lorsque l'acheteur a ignoré que la chose fût à autrui.

= On dispose de la chose d'autrui, toutes les fois qu'on vend une chose dont on n'a pas la propriété : ainsi, le propriétaire indivis qui vend non-seulement sa part, mais encore celle de son communiste (2); l'héritier apparent qui dispose des choses de l'hérédité; enfin, l'usufruitier qui aliène la nue propriété du bien sur lequel repose son droit, disposent de la chose d'autrui ; — mais celui qui vend un bien sur lequel il n'a qu'un droit résoluble n'est pas dans le même cas : tel est le donataire, lorsqu'il aliène les immeubles qu'il a reçus en avancement d'hoirie, ou qui sont grevés de fidéicommis. — Ce n'est pas non plus vendre la chose d'autrui, que de disposer, sous condition, d'une chose dont on n'est pas encore propriétaire, mais qu'on se propose d'acquérir : la validité de la vente est seulement soumise à la condition qu'on acquerra.

En droit romain, le vendeur ne s'obligeait pas précisément à rendre l'acheteur propriétaire (3), mais seulement à le faire jouir librement de la chose vendue, à le défendre en cas de trouble, et à le garantir de toute éviction; en un mot, à lui faire avoir la possession paisible. Dès lors, on ne pouvait prétendre, qu'en ne transférant pas la propriété, le vendeur de bonne foi ne remplissait pas ses obligations.

Par suite, on décidait, que la vente de la chose d'autrui était valable (en ce sens, que le vendeur se libérait en livrant la chose) et que l'acheteur ne pouvait demander la nullité du contrat avant d'être troublé, à moins toutefois que le vendeur ne fût de mauvaise foi.

Sous l'empire du Code, le vendeur est dans l'obligation de conférer la propriété des choses vendues. Ces mots de l'article 1583 : *la vente est parfaite.... la vente est acquise de droit* à l'acheteur..... et cette expression énergique contenue dans l'article 1604, *puissance* et *possession*, ne laissent aucun doute sur ce point : on a dû réprimer, par une innovation immense, un abus qui mettait non-seulement l'acheteur dans une cruelle incertitude; mais encore, qui nuisait à l'intérêt public : aujourd'hui, la vente de la chose d'autrui est nulle, sans qu'il y ait lieu de distinguer si le vendeur a été de bonne foi ou de mauvaise foi; dans l'un et l'autre cas, l'acheteur, qui n'a prétendu s'engager que pour devenir propriétaire,

---

(1) Puisque la vente de la chose d'autrui est nulle, pourquoi l'article 1599 suppose-t-il qu'il existe un vendeur? Le mot vendeur est pris ici dans un sens large, pour éviter les périphrases.—On dit également, en parlant d'un testament nul, le *testateur*.

(2) Si les parts des copropriétaires indivis sont de telle importance qu'il soit évident que l'acheteur n'aurait pas acquis celle du vendeur isolément, la nullité peut être prononcée pour le tout (Poitiers, 16 août 1822; S., 23, 2, 321).

(3) Suivant quelques personnes, ce n'est point là la véritable motif de la disposition romaine : des qu'il s'agit d'obligations, rien ne s'oppose a ce que le débiteur se lie d'une manière plus ou moins étroite : cela est si vrai que l'on pouvait, en droit romain, s'obliger à procurer la propriété de la chose d'autrui ; — si le vendeur n'était pas tenu, en droit romain, de rendre l'acheteur propriétaire, c'était uniquement parce qu'on n'attachait pas au mot *emptio venditio* le sens que nous lui attribuons : les Romains voyaient dans l'*emptio venditio* un échange de créances ; l'acheteur avait contre le vendeur une action pour obtenir la possession paisible de la chose vendue; le vendeur avait contre l'acheteur une créance dont l'objet était le prix : comme il s'agissait de part et d'autre d'obtenir une créance par l'effet du contrat, l'obligation de chacune des parties avait nécessairement une cause. Chez nous, l'acheteur entend non-seulement acquérir une créance contre le vendeur, mais encore devenir propriétaire de la chose vendue. On conçoit dès lors que l'obligation que l'acheteur a contractée manque de cause, si le vendeur n'est pas propriétaire de la chose vendue, et partant, que la vente soit nulle.

peut demander la nullité, dès qu'il découvre le vice de son titre, refuser de payer le prix, et même le répéter (1).

Cependant, la vente de la chose d'autrui n'est pas absolument sans effet (2) : les règles du Code ne dérogent pas, sous d'autres rapports, aux principes de la législation romaine : ainsi, le vendeur est lié (3) ; la vente est valable à son égard ; et comme il ne peut exciper de son dol, l'acheteur peut, en offrant le montant du prix, se faire livrer la chose. Cette délivrance peut être d'une haute utilité pour lui, car il en tire le droit d'acquérir par la prescription de dix et vingt ans ; de faire les fruits siens ; enfin, en cas d'éviction, de se faire indemniser du dommage qu'il a éprouvé, s'il a ignoré, au moment de la vente, que la chose appartînt à autrui.

L'article 1630 détermine les intérêts que l'acheteur peut exiger.

Selon nous, si le vendeur est devenu propriétaire avant que la demande en nullité ait été formée, l'acheteur n'est même pas admis à réclamer ; car il ne peut plus être inquiété, et la loi ne prétend lui épargner que cette appréhension d'éviction : tel serait le cas où le vendeur aurait recueilli la succession du propriétaire. Toute réclamation lui serait également interdite, s'il se trouvait avoir prescrit l'immeuble par l'effet de sa possession, jointe à celle du vendeur (4).

Quid, si le propriétaire devient héritier du vendeur ? il ne peut revendiquer, à cause de la règle : *eum quem de evictione*, etc.

C'est avec ces modifications, qu'il faut entendre le principe établi par notre article.

Nous avons supposé jusqu'ici l'acheteur de bonne foi, parce que ce cas est le seul qui puisse présenter un doute : *quid*, si l'on prouve que l'acheteur savait que la chose appartenait à autrui, bien que le vendeur fût de bonne foi : ce dernier peut-il demander la nullité de la vente ? Nous le pensons : nul ne doit profiter de son délit : or, dans l'espèce, le vendeur aurait in-

---

(1) Delv., p. 68, n. 2 ; Merlin, Quest., Vente, 611, n. 1, Troplong, n. 231. ⚹⚹⚹ Quelques personnes imbues des anciens principes, persistent encore à penser que la propriété ne se transmet point par le seul consentement (*voy.* art. 1138 et 1583) : elles argumentent de l'article 1653, lequel porte que lorsque l'acheteur a juste sujet de craindre d'être troublé, il peut suspendre le payement du prix, jusqu'à ce que le trouble ait cessé : l'acheteur, disent-elles, ne peut donc refuser de payer, lors même qu'il a lieu de craindre une éviction ; mais seulement, suspendre le payement, jusqu'à ce que la vente ait fait cesser le trouble. Bien plus, même en ce cas, le vendeur peut immédiatement exiger le payement, en offrant une caution solvable, de telle sorte que l'acheteur sera tenu de garder la chose, encore qu'il se trouve menacé de revendication : donc, le vendeur n'est pas tenu de transférer la propriété. — Argument des art. 1704 et 1707 combinés. — L'article 1704 exige que la propriété soit transférée en matière d'échange ; or, si le législateur n'avait pas prétendu établir pour l'échange une règle exceptionnelle, il n'aurait pas pris soin de faire cette déclaration formelle. ⚹⚹⚹ Cette opinion ne peut être admise : les art. 1599 et 1653 se concilient aisément : l'article 1599 suppose le cas où la chose d'autrui étant vendue, la revendication n'est pas à craindre ; l'article 1653 n'a pour objet que d'assurer à l'acheteur la possession paisible ; il suppose que le trouble est fort léger ou peu à craindre ; que la revendication est mal fondée ; que l'acheteur n'a pas à redouter une éviction, mais qu'il veut faire cesser des inquiétudes peu dangereuses. — A l'argument tiré des articles 1704 et 1707 combinés, on répond, que la disposition de l'article 1704 est surabondante, que cette disposition s'explique d'ailleurs, par des données historiques : autrefois, le vendeur n'était pas tenu, ainsi que nous venons de le dire, de conférer la propriété ; dans l'échange, il en était autrement ; les auteurs du Code ont copié à tort l'ancien droit (*Cass.*, 16 janvier 1810 ; S., 10, 1, 204).

(2) Loin de là, le chapitre de la garantie suppose nécessairement le cas de vente de la chose d'autrui.

(3) *Cass.*, 23 janvier 1832 ; D., 32, 1, 377.

(4) Vainement dit-on que la vente a été nulle, *ab initio* ; qu'il ne doit pas être au pouvoir du vendeur, selon qu'il lui plaira ou non, de prendre des arrangements avec le véritable propriétaire ; d'effacer ou de laisser subsister la nullité dont la vente se trouve entachée : cette opinion aurait souvent pour résultat de procurer à une personne la facilité de se désister d'une vente qui ne la satisferait plus. Il faut cependant excepter le cas où l'acheteur aurait intérêt à ce que la propriété de la chose lui eût été transférée à une époque plutôt qu'à une autre : par exemple, si l'on suppose que son but, en acquérant un immeuble, a été de se procurer le cens électoral, et qu'un an ne se soit pas encore écoulé depuis que le vendeur est devenu propriétaire. (*Voy.* cep., *Cass.*, 16 janvier 1810 ; S., 10, 1, 204 : *Rennes*, 20 novembre 1813 ; S., 13, 2, 361).

térêt à demander la nullité, d'abord, pour éviter tous débats avec le propriétaire ; ensuite, pour empêcher que l'acheteur de mauvaise foi ne dégradât la chose vendue (1) ; — quant à l'acheteur, il pourrait seulement réclamer la restitution du prix, sans dommages-intérêts ; l'action en nullité lui serait refusée (Duvergier, n. 218).

Quid, si le vendeur ne dispose pas de la chose comme sienne, mais comme se portant fort de faire ratifier ; ce qui arrive, par exemple, lorsqu'un père, voulant éviter des frais et des lenteurs, vend un immeuble appartenant à ses enfants, en promettant qu'ils ratifieront la vente à leur majorité ? L'acheteur ne peut refuser d'exécuter le contrat ; comme de son côté, le vendeur ne peut se soustraire aux dommages-intérêts, si les mineurs refusent de ratifier (1120) (2).

En disant que la vente de la chose d'autrui est nulle, l'article 1599 suppose évidemment qu'elle a pour objet un corps certain ; on ne saurait appliquer sa disposition au cas de vente d'objets *in genere*.

— La vente d'une chose dependant d'une succession non ouverte, peut-elle donner lieu à des dommages-intérêts au profit de l'acheteur de bonne foi ? ⟿ *N*. La cause illicite d'une pareille convention empêche qu'elle puisse être garantie par une obligation accessoire (D., Obligation, p. 461, n. 9). ⟿ *A*. L'acheteur de bonne foi puise son action dans l'article 1382, C. clv. (Troplong, n. 245. — *Cass.*, 17 mars 1825 ; D., 25, 1, 205).

L'acheteur pourrait-il demander la nullité de la vente, s'il avait la faculté de repousser la revendication que l'on exercerait contre lui ? Par ex. : une personne a acheté de bonne foi un meuble dont le vendeur n'était pas propriétaire ; elle apprend ensuite que le meuble vendu n'appartenait pas a ce dernier : si le propriétaire véritable revendique, elle pourra, sans aucun doute, lui opposer la règle de l'article 2279 ; mais elle préfère demander la nullité, en se fondant sur la règle de l'article 1599 : le vendeur aura-t-il le droit de repousser cette demande en disant : puisque vous ne pouvez être inquiété, vous n'avez point de réclamations à élever ? ⟿ L'art. 2279 est dans l'intérêt de l'acheteur ; il ne doit pas être rétorqué contre lui ; on ne peut se faire a l'idée qu'une personne soit tenue de conserver une chose qu'elle sait consciencieusement ne pas avoir le droit de garder (*Val.*).

Peut-on opposer la prescription de dix ans (1304) à l'action en nullité de la vente de biens héréditaires, faite avant l'ouverture de la succession ? ⟿ *A*. L'article 1304 embrasse tous les cas (Toullier, n. 599). ⟿ *N*. Il s'agit ici d'une nullité absolue, engendrée par une cause illicite : l'art. 1304 n'a de portée qu'autant qu'il s'agit d'un acte annulable ou rescindable (Troplong, n. 246 ; Dur., t. 12, n. 523 et 524 ; Duvergier, n. 221. — *Bordeaux*, 23 janvier 1832 ; D. 32, 1, 377).

Quid, si le vendeur, étant devenu propriétaire par un moyen légal, vend à un tiers l'immeuble qu'il avait déja vendu à un premier acquéreur? ⟿ Ce dernier sera préféré ; la consolidation de la propriété a purgé de plein droit le vice originaire de la vente (Troplong, n. 246 ; D., Hyp., chap. 2, § 4).

Le vendeur peut-il opposer la prescription de dix ans (1304), à partir du jour du contrat, a l'action en nullité dirigée contre lui par l'acheteur? ⟿ *A*. L'art. 1304 est général. — Mais l'acheteur ne pourrait opposer cette prescription au véritable propriétaire ; car l'action de ce dernier est une revendication ; il ne perd son droit que par la prescription de 10, 20 ou 30 ans

En cas de vente faite par un tiers qui se porte fort pour le propriétaire, de quelle époque cette vente est-elle censée parfaite quant aux risques de la chose? ⟿ Du jour de la ratification. — *Secùs* si la vente faite par le propriétaire incapable avait été ratifiée depuis : en ce cas, la vente serait parfaite du jour du contrat, car il y aurait eu vente véritable (Delr., p. 68, n. 2; Duvergier, n. 219. *Riom*, 12 janvier 1827 : S., 29, 2, 79; D., 27, 2, 65. — *Cass.*, 6 janvier 1831 ; S., 31, 1, 308).

Le propriétaire indivis qui aliène la totalité de l'immeuble, dispose-t-il valablement pour sa moitié ? ⟿ *A*. Mais l'acquéreur a le droit de demander la nullité pour le tout (*Cass.*, 3 août 1819 ; S., 19, 1, 350. *Poitiers*, 16 avril 1822 ; S., 25, 2, 331).

Un héritier apparent vend les biens de la succession : cette vente est-elle valable? ⟿ *Oui*, si la vente a eu pour objet, non l'hérédité même, le titre d'héritier, mais certains objets faisant partie de la succession : en raison de sa bonne foi, l'acquéreur doit être maintenu. — *Secùs*, si c'est le titre même d'héritier qui a été vendu, car une telle vente suppose nécessairement la réalité du titre d'héritier sur la tête du vendeur, lequel est obligé de garantir (*Cass.*, 26 août 1833 : S., 33, 1, 737. — *Rouen*, 16 juillet 1835 ; S., 34, 2, 443. — *Orléans*, 27 mai 1836 ; D., 36, 2, 149 ; Merlin, Héritier, quest., § 3. — *Cass.*, 3 août 1815; S., 15, 1, 286. — *Paris*, 18 mai 1830 ; S., 30, 2, 299; D., 33, 1, 307. — *Toulouse*, 5 mars 1843. — *Montpellier*, 11 janvier 1830 ; D., 33, 2, 206 et 225. — *Cass.*, 5 août 1825 ; S., 25, 2, 218 ; 26 juillet 1826 ; S., 27, 1, 102 ; D., 26, 1, 429 .— *Limoges*, 27 décembre 1833 ; D., 36, 2, 105). (*Voyez* nos questions sur les art. 137 et 772).

Le mineur doit-il, pour vendre en majorité l'immeuble qu'il avait déja vendu en minorité, faire au préalable prononcer la nullité de cette dernière vente. ⟿ *A*. Les obligations contractées par le mineur ne sont pas nulles de droit, mais seulement rescindables ; elles ne peuvent être rétractées que par l'intervention et l'autorité de la justice (*Riom*, 28 mars 1833 ; S., 33, 2, 344. — *Cass.*, 46 janvier 1837).

---

(1) Duvergier, n. 220 (*Val.*). ⟿ La nullité de la vente de la chose d'autrui est purement relative, elle ne peut jamais être invoquée par le vendeur (Merlin, Quest. Hyp., § 4 bis, n. 6).

(2) *Riom*, 12 janvier 1827 ; D., 29, 65 ; S., 29, 2, 77. — *Cass.*, 6 juillet 1831 ; S., 31, 1, 308.

1600 — On ne peut vendre la succession d'une personne vivant, même de son consentement (1).

= Pour qu'il y ait vente d'une succession future, il n'est pas nécessaire qu'on ait stipulé sur l'universalité ou sur une quote-part de l'universalité d'un droit successif; il suffit que le contrat ait pour objet une chose individuelle à laquelle on ne puisse prétendre qu'en qualité d'héritier; l'art. 1600 doit se combiner avec les articles 791 et 1130 : or, ces derniers articles embrassent dans leur généralité toute cession de droits éventuels dans une succession. S'il en était autrement, on pourrait facilement, en vendant séparément les objets de la succession, éluder la prohibition de la loi (Troplong, n. 246; *voyez* cep. *Cass.*, 23 janvier 1832; D., 32, 1, 377).

Au surplus, la règle de notre article souffre plusieurs exceptions, *voyez* les articles 918 *in fine*, 1082, 1093, et l'art. 761 relatif à la faculté de réduire l'enfant naturel à la moitié de la part qui lui est attribuée par les art. 757 et 758, dans la succession du père.

1601 — Si au moment de la vente la chose vendue était périe en totalité, la vente serait nulle.

Si une partie seulement de la chose est périe, il est au choix de l'acquéreur d'abandonner la vente, ou de demander la partie conservée, en faisant déterminer le prix par la ventilation (2).

= Comme il ne peut y avoir de vente sans une chose qui en soit l'objet, il est clair que si la chose vendue a cessé d'exister (1128), le contrat ne peut se former; en conséquence, le prix payé doit être restitué comme chose non due (1376).

Si la perte n'est que partielle, l'acheteur a le choix, ou de maintenir le marché en réduisant le prix par ventilation (3), ou de se départir du contrat.

Toutefois, ce serait une erreur de croire, que la perte d'une partie de la chose, quelque faible qu'elle fût, pût toujours donner lieu à résolution; la disposition de l'art. 1601, doit être combinée avec celles des art. 1636 et 1638 : pour que la résolution ait lieu, il faut que la portion perdue soit d'une telle conséquence relativement au tout, qu'il soit évident, que sans cette portion, l'acheteur n'aurait pas contracté; les tribunaux sont appréciateurs des circonstances (Arg. de l'art. 1822) (4).

---

(1) Gardons-nous de confondre la vente de droits successifs non ouverts, avec la vente d'une créance soumise à la condition de prédécès du débiteur : le vendeur n'agit plus, dans ce dernier cas, en qualité d'héritier; mais comme créancier. Par ex. : si l'un des époux promet à son conjoint, par contrat de mariage, un gain de survie, le donataire peut disposer de son droit, soit par cession, soit de toute autre manière : ce n'est pas là un usage immoral de la qualité d'héritier, mais un contrat sur une créance conditionnelle *Cass.*, 22 février 1831 : D, 31, 1, 102).

(2) On appelle *Ventilation*, l'estimation particulière de chacune des choses comprises dans une même vente, eu égard au prix total.

(3) Le Code met le vendeur entièrement à la discrétion de l'acheteur : il est injuste de ne pas donner également au vendeur la faculté de se dédire : l'acheteur est trop favorisé.

(4) Duvergier, n. 237; Troplong, n. 254; Delv sur l'art. 1601. ▲▲▲ La vente d'une partie de la chose, donne lieu, dans tous les cas, à la résiliation du contrat : cette décision est rigoureuse; mais elle résulte des termes de la loi. Du reste, l'article 1601 est en harmonie avec les articles 1641 et 1644; ces articles donnent à l'acheteur une large prérogative.

Appliquez la même distinction au cas où deux choses ont été vendues par un même contrat et pour un seul prix : si l'une vient à périr avant la vente, le contrat peut être résilié.

L'action en répétition du prix, quoique fondée sur une nullité, n'est pas limitée à dix ans (1304), puisqu'il n'y a pas de contrat ; elle ne s'éteint que par la prescription ordinaire (trente ans).

— L'art. 1601 est-il applicable aux matières commerciales ? ⁓ *A.* Le Code de commerce ne déroge pas, sous ce rapport, à l'art. 1601 (Troplong , n. 155 : Duvergier, n. 240. — *Cass.*, 5 frimaire an 14 ; S., 6, 2, 783 ; Merlin, Répertoire, v° Vente, § 1ᵉʳ, art. 1ᵉʳ, n. 1).

Quid , si la perte partielle était connue du vendeur au moment de la vente ? ⁓ L'acheteur aurait *à fortiori* l'option que lui accorde l'article 1601, et le vendeur serait en outre soumis à des dommages-intérêts,

Quid , si l'acheteur a eu seul connaissance de cette perte ? ⁓ Il ne peut répéter le prix par lui sciemment payé. S'il ne s'était pas encore libéré, le vendeur de bonne foi pourrait le contraindre au payement intégral , soit en punition de son dol, soit parce qu'il serait censé avoir voulu gratifier le vendeur (Dur., n. 133 ; Troplong, n. 253).

Quid si le vendeur et l'acheteur , connaissant la perte totale ou partielle, ont cherché réciproquement à se tromper ? ⁓ Ce qui a été donné ne peut être répété ; la cause illicite prive les parties de l'action qu'elles ont l'une contre l'autre (Dur., *ibid.;* Troplong, n. 253). ⁓ Lorsque la chose a péri, la vente n'existe pas; si le prix n'est pas payé , il ne peut être exigé ; s'il l'a été , on peut le répéter ; lorsque l'une ou l'autre partie ou toutes deux se sont rendues coupables de dol, les art. 1382 et suiv., 1146 et suiv., donnent le droit de demander une juste réparation du dommage éprouvé (Duvergier, n. 239).

CHAPITRE IV.

Des obligations du vendeur.

Ce chapitre est divisé en trois sections : la première renferme des dispositions générales , la deuxième est relative à la délivrance, et la troisième à la garantie.

SECTION I.

DISPOSITIONS GÉNÉRALES.

1602 — Le vendeur est tenu d'expliquer clairement ce à quoi il s'oblige.

Tout pacte obscur ou ambigu s'interprète contre le vendeur.

= Les conditions de la vente étant ordinairement dictées par le vendeur, il est juste d'interpréter contre lui les clauses obscures ou ambiguës, il doit s'imputer de ne pas s'être expliqué plus clairement (1650).

Cette disposition est d'ailleurs équitable , car le vendeur connaît exactement l'état de la chose vendue, tandis que l'acheteur court des chances d'erreur.

Quand nous disons que les clauses obscures et ambiguës s'interprètent contre le vendeur, nous entendons qu'il s'agit de la chose même, du prix, et des deux obligations principales de délivrance et de garantie : mais si le pacte concerne les obligations personnelles de l'acheteur, s'il s'agit d'interprêter une clause relative à quelque droit particulier qu'il s'est réservé, par exemple, si la clause qui lui accorde un terme pour le payement présente quelque ambiguïté ou obscurité, elle s'interprète en faveur du vendeur. — Au surplus, la seconde disposition de l'article 1602 ne recevra que rarement son application ; car le juge ne doit y recourir qu'après avoir épuisé tous les modes ordinaires d'interprétation (*voy.* l. 21 et 33, ff., *Tit. de Contrah. nupt.*, et l. 39 *de Pactis*) (1).

Jusqu'au moment de la délivrance, le vendeur doit apporter à la conservation de la chose, les soins ordinaires d'un bon père de famille (*voy.* 1137, 1881, 1882, 1927, 1928 et 1992).

1603 — Il a deux obligations principales, celle de délivrer et celle de garantir la chose qu'il vend.

= *Délivrer*, c'est mettre la chose en la puissance et possession de l'acheteur ; c'est mettre l'acheteur à même d'en jouir et d'en disposer librement.

Garantir, c'est maintenir l'acheteur en possession paisible : la garantie est une sorte de perpétuité de la délivrance.

Du reste, le vendeur, dans notre droit, est tenu de transférer la propriété : si l'art. 1603 n'est pas conçu dans des termes d'où cette obligation puisse être inférée, c'est uniquement parce qu'il a été copié à tort dans Pothier.

SECTION II.

De la délivrance.

Nous avons vu, dans le chapitre 1er, comment se transfère la propriété de la chose vendue : la délivrance n'est plus aujourd'hui qu'une affaire d'exécution.

Pour opérer ce transport, il n'est donc pas nécessaire que le vendeur se dessaisisse de la chose (art. 1604).

Le mode de délivrance varie, suivant que les choses vendues sont corporelles ou incorporelles ; à l'égard des choses corporelles on distingue :

Lorsqu'il s'agit d'immeubles, la délivrance s'opère par le délaissement qu'en fait le vendeur : la loi n'exige, de la part de ce dernier, aucun signe symbolique propre à manifester sa volonté ; la remise des titres et des clefs n'est qu'une conséquence du principe que le vendeur doit délivrer la chose avec ses accessoires.

L'article 1606 indique trois manières d'opérer la délivrance des effets mobiliers :

---

(1) Ainsi, l'interprétation sera défavorable, tantôt à l'acheteur, tantôt au vendeur, selon qu'il s'agira des obligations de l'un ou de l'autre. (Dur., Troplong, n. 258). ××× Termes absolus de l'art. 1602 ; la balance penche toujours contre le vendeur (Merlin, Quest., Vente, § 10 ; Delv., p. 69, n. 7, et p. 70, n. 1).

1° La tradition *réelle;* c'est-à-dire, la remise directe de la chose, entre les mains de l'acheteur : elle n'a lieu ordinairement que pour les choses mobilières d'un poids léger.

2° La remise des clefs de l'endroit où ils sont enfermés.

3° Le seul consentement; ce qui a lieu : 1° lorsque le vendeur désigne la chose à l'acheteur en lui permettant de l'enlever; 2° lorsque la chose endue se trouve en la possession de l'acheteur; 3° lorsque le vendeur s'est constitué détenteur, pour le compte de l'acheteur, par suite d'une clause de *constitut* ou par une *réserve d'usufruit* (1696).

Les deux derniers modes de délivrance s'appliquent aux immeubles comme aux meubles.

La délivrance des choses incorporelles s'opère ou par l'usage que l'acquéreur en fait du consentement du vendeur, ou par la remise des titres (1607).

Remarquons, au surplus, qu'en déterminant, pour chaque nature de biens, certains modes de délivrance, la loi ne prétend pas exclure les autres; il suffit que les principes ne s'opposent pas à leur admission; elle se borne à indiquer les modes de tradition qui sont plus particulièrement mis en usage. Toutefois, il faut observer, que la délivrance des immeubles, de quelque manière qu'elle ait lieu, établit en faveur de l'acheteur une présomption de propriété; tandis que le *constitut possessoire* n'investit pas l'acheteur, de la possession des meubles vendues, à l'égard d'un second acquéreur de bonne foi : l'acheteur n'acquiert une possession *réelle*, dans le sens de l'article 1141, qu'autant que la délivrance a eu lieu, suivant l'un des modes indiqués par l'article 1606 ou par des actes analogues.

La chose doit être livrée dans le délai fixé par la convention; au lieu où elle se trouvait au temps de la vente; dans l'état où elle était à cette époque (1609, 1614); avec tous ses accessoires et tout ce qui est destiné à son usage perpétuel (1615). — Les frais de délivrance sont, à la charge du vendeur, sauf toute stipulation contraire (1608); ceux d'enlèvement, sont, en général, à la charge de l'acheteur.

Faute par le vendeur d'opérer la délivrance dans le temps convenu, l'acquéreur peut demander, à son choix, conformément à la règle de l'article 1184, la résolution du contrat ou sa mise en possession : toutefois, le retard ne peut, en général, motiver la résolution du contrat ou une demande en dommages-intérêts, qu'autant qu'il provient du fait du vendeur (1610, 1611).

Lorsque la vente est pure et simple, la loi dispense le vendeur de délivrer la chose, si l'acheteur ne paye pas immédiatement le prix (1612); lorsque l'acheteur a obtenu un terme pour payer, il est privé de ce bénéfice, s'il est tombé en faillite ou en déconfiture depuis sa mise en jouissance; mais il peut, en donnant caution suffisante pour assurer le payement au terme convenu, exiger la délivrance immédiate (1613).

En général, le vendeur doit délivrer la contenance telle qu'elle est portée au contrat (1616) : l'application de ce principe souffre peu de difficultés à l'égard des meubles. — Quant aux immeubles, la loi n'avait pas à statuer sur le cas où la vente aurait pour objet un certain nombre de mesures à prendre dans tel domaine, dans tel champ, à raison de tant la mesure; ou un immeuble déterminé, à raison de tant la mesure, sans indication de la contenance totale : aucune difficulté ne peut en effet s'élever sur ces deux points; elle règle le seul cas qui puisse présenter quelques difficultés : celui de vente d'un immeuble, moyennant un prix fixe, avec indication de la contenance : assurément, la propriété de l'immeuble est transférée; mais il peut arriver que l'opération du mesurage démontre un excédant ou un déficit; alors elle prévoit trois cas : la vente a été faite avec indication de la contenance et à raison de tant la mesure (1617); — elle a été faite avec indication de la contenance, mais non à raison de tant la mesure (1619); — plusieurs héritages ont été vendus pour un seul prix, mais avec indication de la mesure de chacun, et il se trouve plus de contenance dans l'un et moins dans l'autre (1623).

Au premier cas, on distingue : si la contenance réelle est moindre que celle qui est déclarée, le vendeur doit souffrir une diminution proportionnelle du prix, quelque faible que soit la différence. — Si elle est supérieure, l'acquéreur doit fournir le supplément du prix; mais il peut se désister du marché, lorsque la différence est d'un vingtième au-dessus de la contenance déclarée (1618).

Au deuxième cas, la différence ne donne lieu à augmentation ou à diminution du prix, qu'autant que la différence de la mesure réelle, à celle indiquée au contrat, est d'un vingtième en plus ou en moins eu égard à la valeur totale des objets vendus; c'est-à-dire, du prix fixé par le contrat (1619). — S'il y a lieu à augmentation, notre article réserve à l'acquéreur, comme dans le cas précédent, et par la même raison, le choix, ou de se désister du contrat, ou de fournir le supplément du prix. Il doit en outre, s'il garde l'immeuble, payer les intérêts de ce supplément (1652); car il ne peut avoir à la fois et la chose et le prix (1620).

Au troisième cas, on calcule ce que vaut l'excédant ou le déficit; on compare les sommes; on compense l'une avec l'autre, et cette compensation faite, l'action, soit en supplément, soit en diminution de prix, a lieu suivant la règle établie par l'article 1619.

Dans les trois cas que nous venons d'exposer, l'acheteur qui use de la faculté de se désister du contrat, peut exiger, outre la restitution du prix, celle des frais du contrat; sans préjudice des dommages-intérêts s'il y a lieu (1621).

Ces règles peuvent être modifiées ou neutralisées par des stipulations particulières; elles s'appliquent aux ventes forcées comme aux ventes volontaires.

1604 — La délivrance est le transport de la chose vendue en la puissance et possession de l'acheteur.

= La remise pleine et entière de la chose au pouvoir de l'acheteur, de manière que le vendeur n'ait plus aucun moyen d'exercer ou de faire valoir pour son propre compte le droit qu'il a vendu, est ce qui constitue la délivrance.

La chose doit passer en la *puissance* de l'acheteur : expression qui indique ce qu'il y a de plus éminent, de plus absolu dans les rapports de l'homme avec l'objet vendu; c'est-à-dire, le *droit de propriété* : elle doit passer en sa *possession*, afin qu'il puisse en jouir.

La tradition n'a pas chez nous l'importance qu'on lui attribuait à Rome, puisqu'elle n'est plus nécessaire pour transférer la propriété; cependant, il importe toujours de déterminer les actes qui la constituent, soit pour savoir quand le vendeur se libère de son obligation, soit pour fixer l'époque à laquelle commencent pour l'acheteur les avantages de la possession (2235, 549).

1605 — L'obligation de délivrer les immeubles est remplie de la part du vendeur lorsqu'il a remis les clefs, s'il s'agit d'un bâtiment, ou lorsqu'il a remis les titres de propriété.

= Ne concluons pas des termes de l'art. 1605, que le vendeur ait accompli l'obligation de livrer, par cela seul qu'il a remis les titres et les clefs : il doit se dessaisir de tout ce qui peut être utile à l'acheteur pour jouir et disposer librement de la chose; par exemple, le vendeur ne peut-être considéré comme ayant effectué la délivrance, s'il se maintient en possession de l'immeuble vendu :

Que doit-on entendre ici par la remise des titres? La loi veut-elle uniquement parler du titre en vertu duquel le vendeur cède sa propriété? Le vendeur doit se dessaisir de tous les titres qui sont pour l'acquéreur une garantie : l'acte de vente prouve seulement la vente; les autres titres établissent le droit de propriété.

1606 — La délivrance des effets mobiliers s'opère,

Ou par la tradition réelle (1),

Ou par la remise des clefs des bâtiments qui les contiennent.

Ou même par le seul consentement des parties, si le transport ne peut pas s'en faire au moment de la vente, ou si l'acheteur les avait déjà en son pouvoir à un autre titre (2).

⇒ La délivrance est réputée accomplie, lorsque l'acheteur est mis à même de jouir et de disposer librement de la chose vendue; tel est le principe.

La délivrance des meubles s'opère :

1o Par la tradition *réelle*; ce qui ne veut pas dire que la tradition manuelle soit la seule réelle : en employant cette expression *réelle*, les auteurs du Code n'ont pu vouloir reproduire la distinction que faisaient les interprètes du droit romain entre la tradition *réelle* et la tradition *feinte* : les mots *tradition feinte*, ne se retrouvent pas dans notre article; on ne pourrait dès lors soutenir, par un argument *à contrario*, toujours périlleux, que le système de l'ancienne école a été maintenu. Le mot *réel* a uniquement pour but de faire entendre, que la possession ne doit pas être équivoque à l'égard des tiers (en effet, il y a différents degrés dans la possession : elle est plus ou moins complète, plus ou moins évidente);

_____

(1) C'est-à-dire de la main à la main.
(2) Les auteurs du Code ont été sous l'influence de cette ancienne division tripartite : traditio *brevis manus*, *longæ manus* et *symbolique*; il eût été plus simple de dire pour les meubles comme pour les immeubles, qu'il y a tradition, lorsque tous les obstacles qui s'opposent à l'occupation de la chose sont levés.

qu'entre deux possessions, celle qui est pleine, évidente et certaine, doit être préférée à celle qui ne réunit pas ces caractères (1141).

2° *Par la remise des clefs* : d'après ce que nous venons de dire, il est évident que la délivrance opérée par la remise des clefs est réelle ; l'acheteur a désormais la chose en sa puissance, puisqu'elle ne peut lui être enlevée sans effraction ; le vendeur lui-même commettrait un vol, s'il s'en emparait (1). La loi n'exige même pas que cette remise ait lieu devant le magasin (2).

3° *Par le seul consentement*, etc. Ce genre de tradition doit prévaloir sur tous ceux que le vendeur pourrait faire ensuite, car l'acheteur est en possession réelle, dans le sens de l'article 1141, lorsqu'il détient la chose au moment de la vente qui lui est faite. — Peut-on en dire autant du cas où la délivrance ne pouvant se faire au moment de la vente, le vendeur donne seulement ordre de délivrer ? Non : sans doute à l'égard de l'acheteur, il y a possession réelle ; mais comme une possession matérielle est plus apparente pour les tiers qu'une possession qui repose sur des actes de volonté, le nouvel acheteur, qui aurait été saisi effectivement de la chose, serait préféré (Dur., n. 192) (3).

4° *Par la remise des titres* : A la vérité, l'article 1606 ne parle pas de ce mode de tradition ; mais sa disposition n'est pas limitative : la remise des titres prouve que le vendeur abandonne tous ses droits sur la chose.

La variété des circonstances qui peuvent se présenter ne permet pas d'indiquer tous les actes qui constituent la tradition.

— Lorsqu'après la délivrance opérée par le seul consentement, la chose vendue demeure sous la clef du vendeur, celui-ci n'est-il pas tenu de veiller à la conservation de cette chose ? ↝ Il est tenu de cette obligation, sinon comme vendeur, du moins comme dépositaire ou mandataire : l'obligation de livrer est remplie en ce sens, qu'il peut demander le payement du prix.

1607 — La tradition des droits incorporels se fait, ou par la remise des titres, ou par l'usage que l'acquéreur en fait du consentement du vendeur.

= La loi détermine deux manières d'opérer la délivrance des biens incorporels : l'usage que l'acquéreur en fait du consentement du vendeur, et la remise des titres.

L'usage du droit, lorsqu'il a lieu avec l'acquiescement du propriétaire et du débiteur, est une tradition positive et palpable. Au surplus, ce mode de délivrance n'est pas le seul ; il suffit, pour que l'obligation du vendeur soit accomplie, que l'acheteur ait été mis à même de jouir librement de la chose vendue.

Pour transférer cette faculté d'user d'un droit, les articles 1607 et 1689

---

(1) On oppose à notre décision, l'article 1141 ; mais c'est attacher trop d'importance au mot *réel*, contenu dans cet article : malgré l'antithèse apparente que l'article 1606 lui-même fait entre la délivrance réelle et la délivrance qui résulte de la remise des clefs, nous pensons que le possesseur des clefs doit être réputé possesseur *réel* ; la remise des clefs est une tradition qui n'a rien de fictif, et qui n'établit pas un constitut possessoire.

(2) Cependant, ce serait une question assez délicate, que celle de savoir si le vendeur qui aurait remis à Paris, entre les mains d'un acheteur, les clefs d'un immeuble, situé, par exemple, à Bordeaux, commettrait un vol en écrivant à son intendant de vendre le blé contenu dans cet immeuble : peut-être pourrait-on prétendre, que le premier acheteur a été mis en possession ; peut-être ne lui accorderait-on pas le droit de revendication contre le deuxième acheteur (*Voy.* Troplong, n. 281).

(3) Lorsque la délivrance ne pouvant s'opérer au moment de la vente, le vendeur donne ordre de l'effectuer, la dépossession du vendeur n'est pas complète ; il détient réellement la chose ; il peut la déplacer et la mettre dans les mains d'un tiers ; il peut retirer l'ordre qu'il a donné (Arg. des art. 576 557 et 578. C. comm.).

indiquent la remise des titres ; et le titre dont le législateur entend parler, n'est pas seulement celui qui constate la cession intervenue entre le cédant et le cessionnaire; mais encore celui dont le cédant est investie contre le tiers débiteur (1).

Ainsi, on conclurait à tort, de la disjonctive *ou*, contenue dans l'art. 1607, que l'usage du droit *ou* la remise du titre suffirait pour opérer la délivrance; ces deux moyens peuvent et doivent même être cumulés, s'il est possible : l'acheteur aurait sans aucun doute le droit de se plaindre, si en lui délivrant les titres, on l'empêchait d'user de la chose, ou si en lui laissant l'usage libre, on refusait de lui remettre ces titres : la remise des titres est un signe de délivrance, mais elle ne constitue pas la délivrance elle-même : nous ne saurions trop le répéter, la délivrance consiste dans le transport de la chose vendue en la puissance et possession de l'acheteur.

1608 — Les frais de la délivrance sont à la charge du vendeur, et ceux de l'enlèvement à la charge de l'acheteur, s'il n'y a eu stipulation contraire.

 = Le vendeur est tenu de livrer la chose ; il doit donc faire tout ce qui est nécessaire pour la mettre en état d'être enlevée : par exemple, si elle est de nature à se vendre au poids ou à la mesure, il doit supporter les frais de pesage et de mesurage; si elle est engagée, il doit la dégager à ses frais.

Cette obligation accomplie, comme la chose n'a pas besoin d'être déplacée pour être remise au pouvoir de l'acheteur, l'enlèvement est à la charge de ce dernier (1248).

Au surplus, la disposition qui nous occupe ne reçoit d'application que sauf conventions et usages contraires.

On peut induire des termes dans lesquels elle est conçue et de l'article 1609, qu'en général, la chose mobilière vendue est quérable.

1609 — La délivrance doit se faire au lieu où était, au temps de la vente, la chose qui en a fait l'objet, s'il n'en a été autrement convenu.

 = La loi fait ici l'application du principe général établi art. 1247.

— *Quid*, si l'objet de la vente était une chose indéterminée : par exemple, cent setiers de blé ? On doit présumer que le vendeur avait ce blé chez lui au moment de la vente; le délivrance doit donc se faire dans ce lieu (Delv., p. 71, n, 3).

1610 — Si le vendeur manque à faire la délivrance dans le temps convenu entre les parties, l'acquéreur pourra, à son choix, demander la résolution de la vente, ou sa mise en possession, si le retard ne vient que du fait du vendeur.

 = Dans les contrats synallagmatiques, la partie envers laquelle l'engagement n'a pas été exécuté, a le choix, ou de forcer l'autre à l'exécution de la convention, lorsqu'elle est possible, ou d'en demander la résolution (1184).

Notre article applique ce principe au cas où le vendeur manque à faire la délivrance dans le temps convenu : l'acheteur peut alors demander ou

---

(1) On ne peut entendre par la remise des titres, la délivrance d'un grosse a l'acheteur.

la résolution, ou sa mise en possession *manu militari* : s'il opte pour ce dernier moyen, le juge lui donne l'autorisation, lorsqu'il s'agit d'un meuble, de saisir et d'enlever la chose ; lorsqu'il s'agit d'un immeuble, il condamne le vendeur, même par corps, à désemparer (2061).

Observons toutefois, que l'acheteur ne peut user de l'action dont il s'agit, qu'autant que le retard vient du fait du vendeur : si ce dernier s'est trouvé, par suite d'une force majeure ou d'un accident particulier, dans l'impossibilité de faire la délivrance, le tribunal peut lui accorder un délai.

— Quel est le caractère de l'action accordée au vendeur par l'art. 1610? ⁓ Cette action est personnelle (D., t. 12, p. 864, n. 9). ⁓ Elle est personnelle contre le vendeur, et réelle contre les tiers (Duvergier, n. 258). ⁓ Elle est mixte.

1611 —Dans tous les cas, le vendeur doit être condamné aux dommages et intérêts, s'il résulte un préjudice pour l'acquéreur, du défaut de délivrance au terme convenu.

= Ainsi, quel que soit le parti que prenne l'acquéreur, soit qu'il demande la résolution, soit qu'il opte pour sa mise en possession, il a droit à des dommages-intérêts si le retard lui porte préjudice, à moins que le défaut de délivrance ne résulte d'une force majeure (*voy.* les articles 1147 et 1148), ou d'une cause étrangère qui ne puisse être imputée au vendeur : la résolution ne devrait pas même être prononcée en ce cas (Pothier, n. 49).

La loi semble faire dépendre de la seule expiration du terme, le droit de réclamer des dommages-intérêts; cependant, il faut toujours mettre le débiteur en demeure, sauf le cas où l'on serait convenu que la mise en demeure résulterait de la seule expiration du terme (1139), et celui où la chose ne pourrait, à raison des circonstances, être livrée utilement après un certain temps (1146).

1612 —Le vendeur n'est pas tenu de délivrer la chose, si l'acheteur n'en paye pas le prix, et que le vendeur ne lui ait pas accordé un délai pour le payement.

= L'acheteur ne peut demander que le vendeur remplisse ses engagements, s'il n'est, de son côté, prêt à remplir les siens.

Pour obtenir la délivrance, il doit donc offrir le prix en entier : en offrant un à-compte, il ne pourrait exiger même la moindre partie de la chose.

Au surplus, le contrat n'est pas moins parfait; l'acheteur est propriétaire; mais la chose reste entre les mains du vendeur comme nantissesement : *quodam pignoris jure.*

Il est clair que le vendeur ne peut refuser de livrer, s'il a consenti pour le payement un terme qui n'est pas expiré (1186); sauf l'exception portée dans l'article suivant et dans l'article 1188.

Cette décision ne doit pas s'étendre au délai de grâce : le seul effet de ce délai est de soustraire l'acheteur à des poursuites.

— Dans le cas où la vente a été faite sans terme, si l'acheteur vient à mourir avant la délivrance, laissant plusieurs héritiers, l'un d'eux pourra-t-il se faire délivrer sa portion dans la chose vendue, en offrant sa part dans le prix? ⁓ *N.* Il doit offrir tout le prix, sauf ensuite son recours contre ses cohéritiers (Dur, n. 205; Delv., n. 7, p. 71 ; Troplong).

Quid, dans l'espèce précédente, si la chose étant parfaitement *divisible*, un délai non encore expiré a été accordé à l'acheteur; l'un des héritiers pourra-t-il se faire remettre sa portion dans la chose, en offrant sa part dans le prix? ⁓ *A.* Le vendeur, en accordant un terme, a pu prévoir que l'acheteur pourrait venir à mourir laissant plusieurs héritiers; c'était à lui à faire ses stipulations en conséquence (Dur., n. 206).

Lorsque la vente a pour objet un immeuble, l'acheteur n'est tenu de payer le prix qu'après l'expiration du délai nécessaire pour payer: peut-il se prévaloir de ce délai, pour demander la délivrance de la propriété? ⁓ *N.* Ce n'est pas le vendeur qui a accordé le terme; on ne peut dire qu'il a suivi la foi de l'acheteur; c'est la loi qui donne un terme qu'elle juge nécessaire pour les précautions à prendre. Notre article règle uniquement le cas où le vendeur aurait accordé à l'acheteur un délai pour l'acquittement du prix.

1613 — Il ne sera pas non plus obligé à la délivrance, quand même il aurait accordé un délai pour le payement, si, depuis la vente, l'acheteur est tombé en faillite ou en état de déconfiture, en sorte que le vendeur se trouve en danger imminent de perdre le prix; à moins que l'acheteur ne lui donne caution de payer au terme.

= Ainsi, lors même qu'un terme aurait été accordé, le principe exposé dans l'article précédent reprendrait toute sa force, si depuis la vente, le mauvais état des affaires de l'acheteur exposait le vendeur au danger imminent de perdre le prix (1).

Toutefois, des craintes vagues ne suffiraient pas pour dispenser le vendeur de livrer la chose; les termes de la loi sont formels, il faut qu'il y ait *faillite* ou *déconfiture* (2).

Remarquez en outre ces mots: *depuis la vente;* si l'état de faillite ou de déconfiture existait lors de la vente, le vendeur ne pourrait donc refuser de livrer la chose; il aurait à se reprocher d'avoir traité avec un homme insolvable. On excepte, bien entendu, le cas de dol; par exemple, si l'on avait fait briller aux yeux du vendeur un crédit imaginaire, en lui présentant comme florissant un état de fortune tombant en ruine, il pourrait se dispenser de livrer.

L'offre d'une caution solvable, donnant au vendeur toute sécurité, suffirait, nonobstant la faillite ou la déconfiture, pour conserver à l'acheteur le droit d'exiger la délivrance de la chose vendue.

Pendant le délai accordé à l'acheteur pour purger les hypothèques, le vendeur reste nanti de la chose.—Ce délai ne doit pas être confondu avec le terme qui aurait été accordé par le vendeur: dans l'espèce, l'acheteur attend une épreuve qui peut amener la résolution de la vente; ce cas n'est pas compris dans la disposition de l'article 1612; le vendeur n'a pas suivi la foi de l'acheteur.

— L'art. 1188 prive le débiteur du bénéfice du terme, non-seulement lorsqu'il a fait faillite, mais encore lorsqu'il a diminué par son fait les sûretés promises par le contrat; cette disposition est-elle applicable à la vente? ⁓ L'art. 1188 exprime un principe sur lequel repose toute sage législation (Duvergier, n. 269).

1614 — La chose doit être délivrée en l'état où elle se trouve au moment de la vente (3).

Depuis ce jour, tous les fruits appartiennent à l'acquéreur.

= Le vendeur est débiteur de la chose, à partir du contrat, si la vente

___
(1) L'art. 1613 ne va donc pas aussi loin que l'art. 1188.
(2) De nombreux articles supposent la déconfiture organisée; et l'on ne trouve nulle part de règle à cet égard.
(3) Rédaction insignifiante: le législateur veut dire, que le vendeur ne pourra, par son fait, modifier la chose.

est pure et simple, et à partir de l'événement de la condition, si elle est conditionnelle : il doit donc la livrer dans l'état où elle se trouve à l'époque de l'exigibilité, et apporter à sa conservation tous les soins d'un bon père de famille. Dans le premier cas, l'acquéreur peut en outre exiger la restitution des fruits que le vendeur a recueillis depuis le contrat; mais dans le deuxième, il ne lui est pas tenu compte de ceux qui ont été perçus *pendente conditione*; car la condition ne produit pas d'effet rétroactif en ce qui concerne les fruits.

Quant à la question des risques, elle doit, aux termes de l'article 1624, se résoudre d'après les principes généraux des obligations (*V.* 1138 et 1301).

— *Quid*, si les semences ont été faites par un tiers ? ⌇⌇⌇ Quand c'est le vendeur qui a ensemencé, il ne peut prétendre à aucune indemnité : en vendant, il a assuré à l'acheteur la récolte franche de toutes chances (voy. 541). Si les semences ont été faites par un tiers, ce tiers peut invoquer le bénéfice de l'art. 2102, sauf ensuite le recours de l'acquéreur contre son vendeur.

Quid, si les fruits eux-mêmes sont dus à un fermier, à un colon partiaire, ou à un acquéreur de récoltes sur pied ? ⌇⌇⌇ En ce qui concerne le fermier et le colon partiaire, appliquez les art. 1773, 585 et 586. — L'acquéreur des fruits pourrait, s'il était de bonne foi, opposer au tiers qui aurait acquis les fruits, les art. 1141 et 2279; s'il n'était pas de bonne foi, l'acquéreur de la récolte aurait non-seulement une action personnelle contre le vendeur, mais encore une action réelle contre l'acheteur du fonds, pour obliger ce dernier à souffrir l'enlèvement de la récolte.

1615 — L'obligation de délivrer la chose comprend ses accessoires et tout ce qui a été destiné à son usage perpétuel.

⟹ Ainsi, la vente d'un immeuble comprend les clefs des bâtiments et les actes de propriété ; les animaux attachés à la culture, les instruments aratoires et tous autres objets devenus immeubles par destination ; le jardin, les glaces placées sur parquet faisant corps avec la boiserie, etc.

1616 — Le vendeur est tenu de délivrer la contenance telle qu'elle est portée au contrat, sous les modifications ci-après exprimées.

⟹ Le vendeur est débiteur de la contenance portée au contrat; il ne peut, en général, se dispenser de la délivrer, même en consentant une réduction sur le prix. L'acheteur, de son côté, ne peut en exiger une supérieure, en offrant un prix plus élevé.

Lorsque la vente a eu des meubles pour objet, on distingue : si elle a été faite au poids, au compte ou à la mesure, la règle de notre article est d'une application facile : elle doit s'interpréter à la rigueur.

Lorsqu'elle a été faite en bloc, on ne doit pas juger le vendeur avec autant de sévérité; par exemple, l'acheteur ne serait pas fondé à se plaindre de la tare ou du déficit causé par la compression des marchandises (Pardessus, n. 285, t. 3).

En ce qui concerne les immeubles, il peut arriver que le vendeur ait déclaré, dans le contrat, une contenance plus ou moins forte que la contenance réelle : cette différence donnera lieu, suivant les cas, à l'augmentation ou à la diminution du prix et même à la résiliation du marché; comme aussi, elle pourra être négligée, à raison de son peu d'importance; à cet égard on distingue : la vente est faite à tant la mesure (1617 et 1618); ou elle est faite pour un seul prix (1619, 1620 et 1623).

— A quelle mesure les denrées et marchandises sont-elles censées vendues quand le contrat ne contient aucune explication sur ce point ? ⌇⌇⌇ Les parties sont présumées avoir voulu adopter la mesure du lieu où doit se faire la délivrance (Dur., n. 218 ; Troplong, n. 325).

Quid, dans les ventes de fonds de terre , lorsque les parties ont négligé de désigner la contenance par l'emploi des mesures décimales , doit-on s'attacher a la mesure du lieu de la situation des biens? ⟶ *A.* On présume que le vendeur a prétendu se référer à cette mesure ; l'acheteur devait la connaître (Dur., n. 119).

1617 — Si la vente d'un immeuble a été faite avec indication de la contenance, à raison de tant la mesure, le vendeur est obligé de délivrer à l'acquéreur, s'il l'exige, la quantité indiquée au contrat ;

Et si la chose ne lui est pas possible, ou si l'acquéreur ne l'exige pas, le vendeur est obligé de souffrir une diminution proportionnelle du prix (1).

= Lorsque la vente est faite à tant la mesure, chaque unité de mesure amène son unité de prix ; aucune difficulté ne peut s'élever en ce cas.

Mais telle n'est pas l'hypothèse que prévoient les articles 1617 et 1618 : dans ces articles la loi ne suppose pas le cas de vente d'une chose qui ne peut être individualisée que par le mesurage ; mais bien, qu'un immeuble, un corps certain, a été vendu avec indication de sa contenance et à raison de tant la mesure : assurément, la propriété de cet immeuble est transmise, et par suite, les risques sont pour le compte de l'acheteur à partir du contrat ; la perte survenue entre cette époque et celle du mesurage ne donnerait lieu par conséquent à aucune diminution de prix (2). Mais il peut arriver qu'indépendamment de toute perte, le mesurage révèle un déficit ou un excédant de contenance, alors on distingue :

Lorsque la contenance réelle est moindre que celle qui est énoncée dans le contrat, l'acquéreur peut exiger la contenance déclarée. — Si cela est impossible, le vendeur doit souffrir une diminution proportionnelle du prix, quelque faible que soit la différence ; car en vendant à tant la mesure, il fait autant de ventes qu'il y a de mesures effectives (Arg. *à contrario* de l'art. 1618). Exemple : vous me vendez, à raison de 1,000 fr. l'arpent, un champ contenant, suivant votre déclaration, dix arpents ; sa contenance réelle ne se trouve être que de neuf arpents : je ne devrai que 9,000 fr.; autrement, je vous payerais un arpent que vous ne m'auriez point livré ; il y aurait, à cet égard, une vente sans objet. Cette différence peut même, suivant les cas, entraîner la résolution de la vente, si l'acquéreur prouve que la contenance réelle ne remplit pas le but qu'il se proposait ; on rentre alors dans les principes généraux.

Aux frais de qui a lieu le mesurage? Aux frais du vendeur ; car cette opération tient à la délivrance.

Nous déciderons, par une conséquence des mêmes principes, que l'acheteur peut exiger une réduction du prix, lorsque la chose vendue n'est pas de la qualité exprimée au contrat ; par ex., s'il est dit qu'un bois est âgé de vingt ans, et qu'il n'en ait que dix.

— Le premier alinéa de l'art. 1617 est-il applicable à tout immeuble vendu à tant la mesure? *Quid*, par ex. , en cas de vente d'un enclos entouré de murs? ⟶ Pour appliquer cette disposition, il faut distinguer entre les limites variables et les limites précises qu'il est impossible de franchir. Dans l'espèce

_____

(1) On comprend dans le mesurage, tout ce qui sert à la clôture et à l'exploitation, fossés, haies, murs , chemins.

(2) Ainsi la vente n'est pas conditionnelle ; la condition de mesurage n'est prescrite que comme moyen de contrôle ; le prix existe ; il a une certitude provisoire ; la vente est parfaite : seulement, elle est sujette à modification : ainsi, la perte survenue avant le mesurage serait pour le compte de l'acheteur ; quand même on ne procéderait pas au mesurage, l'acheteur n'aurait pas moins le droit de prendre possession de la chose : un premier mesurage ne serait point un obstacle à ce qu'on en fît un deuxième, à moins que l'année de grâce (1622) ne fût écoulée (Troplong , n. 329). ⟶ La vente est conditionnelle jusqu'au mesurage (Dur., n. 226).

déterminée, il serait évidemment impossible de livrer la contenance portée au contrat ; mais si les limites sont arbitraires ; par ex., si elles sont de tel arbre jusqu'à tel fossé, et qu'il existe encore des terres au delà de l'arbre ou du fossé, le vendeur pourra, sans aucun doute, être contraint à compléter ce qui manquera de mesures.

Lorsque la vente est, non d'un immeuble déterminé, mais d'un certain nombre de mesures à prendre dans tel domaine, dans tel champ, à raison de tant la mesure, la propriété est-elle transmise avant le mesurage ? ∼∼ N. Incertitude sur l'objet vendu ; dès lors pas de transmission de propriété (Duvergier, n. 284).

Quid, si la vente est d'un immeuble déterminé sans indication de la contenance, et à raison de tant la mesure ? ∼∼ L'objet vendu est certain : la propriété est donc sur-le-champ transférée ; toutefois, les risques resteront à la charge du vendeur jusqu'au mesurage. — L'art. 1617 ne statue que pour le cas où la vente a eu lieu avec indication de la contenance. — Toutes les fois que par exception les ventes d'immeubles présentent le caractère de ventes de marchandises, on doit appliquer l'article 1585 (Duvergier, ibid.).

Quid, si le contrat de vente à tant la mesure, avec indication de la contenance, portait ces mots : ou environ ? ∼∼ Il y aurait lieu de payer la contenance réelle ni plus ni moins ; mais l'acheteur ne pourrait se désister du contrat, à moins que l'excédant ne fût très-considérable (Dur., n. 225).

1618 — Si, au contraire, dans le cas de l'article précédent, il se trouve une contenance plus grande que celle exprimée au contrat, l'acquéreur a le choix de fournir le supplément du prix, ou de se désister du contrat, si l'excédant est d'un vingtième au-dessus de la contenance déclarée.

= Après avoir statué sur le cas où il y a *déficit*, la loi s'occupe du cas où il y a excès dans la contenance : elle refuse à l'acquéreur la faculté de réduire le marché au nombre de mesures indiquées, et l'oblige à payer un supplément de prix, quelque modique que soit la différence (Arg. de l'art. 1617). Toutefois, si l'excédant se trouve être d'un vingtième au-dessus de la contenance déclarée, il a le choix, mais seulement alors, ou de fournir ce supplément ou de rompre le marché ; il a paru injuste de le contraindre à un sacrifice pécuniaire qui dépasserait peut-être ses moyens. — Ex : vous m'avez vendu un champ contenant, d'après votre déclaration, vingt arpents, à raison de 1,000 fr. l'arpent ; il en contient vingt et un : j'aurai le choix ou de payer cet excédant, ou de résilier le contrat.

Pourquoi n'accorde-t-on pas à l'acquéreur la même faculté lorsqu'il y a déficit ? On ne restitue l'acquéreur, en cas d'excédant, que dans la crainte de le soumettre à de trop grands sacrifices ; or, lorsque la contenance est moindre, les mêmes raisons n'existent pas, puisque l'acquéreur se trouvera soumis à des charges moins fortes que celles qu'il voulait s'imposer (1).

1619 — Dans tous les autres cas,
Soit que la vente soit faite d'un corps certain et limité,
Soit qu'elle ait pour objet des fonds distincts et séparés,
Soit qu'elle commence par la mesure, ou par la désignation de l'objet vendu suivie de la mesure (2),
L'expression de cette mesure ne donne lieu à aucun sup-

(1) Puisque la vente subsiste lorsque le vendeur se trouve dans l'impossibilité de délivrer la contenance promise, comment concilier cette disposition avec celle de l'art. 1601, qui, en cas de perte d'une partie de la chose, accorde à l'acheteur le choix, ou d'abandonner la vente, ou de demander la partie conservée en faisant déterminer un prix inférieur par ventilation, si au moment de la vente une partie de la chose est périe ? ∼∼ Dans le cas de l'art. 1617, l'acheteur a voulu traiter à raison de tant la mesure. — Dans le cas de l'art. 1601, la vente porte sur une chose certaine promise à l'acheteur (Troplong, n. 331).

(2) Sous l'ancienne jurisprudence cette distinction était importante : quelques-uns voulaient que l'acheteur payât tout ce qu'il recevait, si la vente commençait par l'indication de la mesure ; par ex., s'il était dit : je vous vends cent arpents qui constituent tel immeuble ; — au contraire, il n'y avait pas lieu à augmentation de prix si la désignation commençait par le domaine ; la mesure était considérée comme un accessoire inutile. — Le Code a tari la source de ces difficultés qui, le plus souvent, roulaient sur des mots ; il n'a plus égard à la construction de la phrase.

plément de prix, en faveur du vendeur, pour l'excédant de mesure, ni en faveur de l'acquéreur, à aucune diminution du prix pour moindre mesure, qu'autant que la différence de la mesure réelle à celle exprimée au contrat est d'un vingtième en plus ou en moins, eu égard à la valeur de la totalité des objets vendus, s'il n'y a stipulation contraire.

= Dans tous les autres cas, c'est-à-dire, si le prix est calculé sur le total de la propriété, si l'immeuble a été vendu avec indication de contenance, mais pour un seul prix, et non à raison de tant la mesure, l'excédant ou le déficit ne donne lieu à augmentation ou à diminution du prix, qu'autant qu'il produit une différence *d'un vingtième* en plus ou en moins, eu égard à la *valeur* de la totalité des objets vendus. Ainsi, le vingtième ne se calcule pas, comme dans le cas de l'article précédent, sur le nombre effectif de mesures, mais sur l'augmentation ou la diminution que cet excédant ou ce déficit doit opérer *dans le prix* porté au contrat.

Exemple : Je vous vends, moyennant 40,000 fr., un héritage contenant quarante arpents : ce fonds contient vingt arpents de terre labourable et vingt arpents de vignes. L'arpent de vignes vaut 1,500 fr.; l'arpent de terre vaut 500 fr.; il manque trois arpents de terre : ces trois arpents, assurément, forment plus du vingtième de la contenance déclarée; cependant, comme leur valeur n'égale pas le vingtième du prix, il n'y a pas lieu à diminution. — Au contraire, la réduction devrait s'opérer, s'il manquait seulement deux arpents de vignes.

Au reste, la loi ne dispose qu'à défaut de stipulations particulières; ainsi les parties peuvent valablement convenir, que la différence, quelque faible qu'elle soit, donnera lieu à réduction, à augmentation, et même à la résiliation du contrat; de telles clauses sont un appel à la vigilance de l'acheteur.

Dans cet article, la loi suppose qu'il y a seulement erreur dans la désignation de mesure : en cas d'éviction d'une portion, quelque minime qu'elle fût, ce ne serait plus l'art. 1619 que l'on appliquerait, mais les règles de la garantie.

Supposons maintenant que l'on ait vendu plusieurs héritages pour un seul prix, mais avec désignation de la mesure de chacun, et qu'il se trouve moins de contenance en l'un et plus en l'autre, comment réglera-t-on ce cas? (*Voy.* 1623).

—*Quid*, si la contenance n'a été indiquée au contrat que d'une manière approximative, par exemple, s'il a été dit ou *environ* ou *à peu près?* ⌁ On ne pourra changer le prix pour plus grande ou moindre contenance, à moins qu'elle ne soit très-considérable : on ne peut argumenter de l'art. 1619, car cet article statue dans la supposition d'une déclaration précise de contenance (Dur., n. 229 et 230). ⌁ Les tribunaux apprécieront, suivant les circonstances, jusqu'où la limite légale du vingtième se trouve reculée par l'effet de la convention (Duvergier, n. 290), ⌁ Cette clause n'est pas suffisante pour dégager de l'obligation imposée par l'art. 1619; l'article 1619 doit recevoir son application toutes les fois que la différence est d'un vingtième (Troplong, n. 340. — *Paris*, 16 juin 1807; D., Vente, p. 870, n. 7).

Quid à l'égard de la clause sans aucune garantie *de contenance?* Cette clause contient-elle une dérogation à l'art. 1619? ⌁ N. Elle n'a d'effet qu'autant que la différence n'excède pas un vingtième (*Paris*, 16 juin 1807. — *Bourges*, 12 juillet 1808; D., *ibid.*). ⌁ A. Ces termes expriment suffisamment la volonté de soustraire la quotité du prix à l'influence de l'opération du mesurage (Duvergier, n. 305; Troplong, n. 341. — *Cass.*, 16 nov. 1828; D., 29, 1, 18; S., 29, 1, 119. — *Bourges*, 31 août 1831; D., 33, 2, 9).

1620—Dans le cas où, suivant l'article précédent, il y a

lieu à augmentation de prix pour excédant de mesure, l'acquéreur a le choix ou de se désister du contrat ou de fournir
le supplément du prix, et ce, avec les intérêts, s'il a gardé
l'immeuble.

= Lorsqu'il y a lieu d'augmenter le prix pour excédant de mesure,
cas prévu par les articles 1617 et 1619, l'acheteur a le choix ou de payer
le supplément du prix avec les intérêts, depuis le jour de sa mise en
jouissance, ou de se désister de la vente (1).

Nonobstant le silence de la loi, il n'est pas douteux, que l'acheteur jouirait de la même option, pour cause de déficit dans la contenance, quelque
minime que fût ce déficit, s'il avait acquis l'immeuble pour une certaine
destination à laquelle il serait devenu impropre (2).

— Dans le cas de l'art. 1618, l'acheteur ne doit-il pas également payer les intérêts ? ⟶ Oui; il y a
même raison de décider que dans le cas prévu art. 1620 (Duvergier. n. 290).

1621 — Dans tous les cas où l'acquéreur a le droit de se désister du contrat, le vendeur est tenu de lui restituer, outre
le prix, s'il l'a reçu, les frais de ce contrat.

= L'acheteur a été induit en erreur par le fait du vendeur; il est
juste qu'il soit remis par ce dernier, au même état que s'il n'avait pas
contracté.

Il peut même, outre le prix et les frais du contrat, exiger, s'il y a lieu,
des dommages-intérêts (1184 et 1382 combinés).

— Que deviennent les intérêts du prix et les fruits du bien vendu ? ⟶ Les intérêts du prix représentent les fruits de la chose vendue, comme le prix représente la chose : si l'acheteur a perçu des fruits,
le vendeur gardera les intérêts; s'il n'a rien perçu, il devra les restituer. Arg. de l'art. 1652.

1622 — L'action en supplément de prix de la part du vendeur, et celle en diminution de prix ou en résiliation du
contrat de la part de l'acquéreur, doivent être intentées
dans l'année, à compter du jour du contrat, à peine de
déchéance.

= Le législateur n'a pas voulu prolonger trop longtemps l'incertitude des propriétés (3).

D'ailleurs, il est facile de découvrir les différences qui existent dans la
contenance.

Quid, si les parties avaient fixé un jour pour le mesurage ? Le délai d'un
an ne commencerait à courir qu'à partir de ce jour (Dur., n. 238; Duvergier, n. 301).

— L'article 1622 serait-il applicable, si les parties étaient convenues, par le contrat, de se tenir compte
de la différence, stipulation que suppose l'art. 1619; l'action alors ne devrait-elle pas durer 30 ans ? ⟶
Les principales raisons qui ont motivé la disposition de l'art. 1622, se retrouvent ici : il faut faire cesser
l'incertitude des propriétaires : d'ailleurs, le législateur a posé dans l'art. 1622, une règle générale; on
doit supposer qu'il a apprécié toute la portée de cette règle (*Val.*).

(1) Nonobstant les termes généraux de l'article, quelques personnes établissent, quant aux intérêts,
la distinction suivante : *Oui*, l'acheteur doit les intérêts, si l'immeuble a produit des fruits; *Secùs* dans
le cas contraire (Arg. de l'art. 1652).
(2) Dur., n. 223; Duvergier, n. 286; Delv., p. 72, n. 4; *voy. cep.*, Troplong, n. 330.
(3) Cette prescription n'est point applicable aux ventes d'effets mobiliers : en pareille matière, l'action dure trente ans (Dur., n. 241; Troplong, n. 352; Duvergier, n. 304).

Peut-on, par des stipulations particulieres, étendre ou restreindre la limite de l'action en supplément ou en diminution du prix? ⋀ N. Ces stipulations ne changent pas le caractère de l'action ; par conséquent, elles ne doivent pas influer sur sa durée (Troplong, n. 350 ; Duvergier, n. 303 ; *Cass.*, 22 juillet 1834 ; S., 34, 1, 500 ; *voy.* cep. Delv., p. 73, n. 4 ; *Montpellier*, 5 juillet 1827 ; S., 28, 2, 210.— *Bordeaux*, 19 mars 1811 ; S., 11, 2, 166).

Le délai court-il contre les mineurs? ⋀ A. Sauf leur recours contre leur tuteur (Dur., n. 237 ; Troplong, n. 349).

La prescription annale a-t-elle lieu, lorsque l'action en supplément ou en diminution de prix prend sa source dans les conventions qui ont dérogé aux art. 1616, 1617, 1618, 1619, 1620, 1621? ⋀ A. La loi ne distingue pas (Troplong, n. 351. — *Colmar*, 29 mai 1817.— *Agen*, 7 juillet 1832 ; D., Vente, p. 872).⋀ N. La prescription annale ne peut être invoquée que dans le cas ou l'obligation de parfaire la contenance ou le prix prend sa source dans les dispositions de la loi : — Lorsque cette obligation a été réglée par des clauses spéciales et dérogatoires, on doit agir par l'action *ex empto* ou *ex vendito*, laquelle n'est prescriptible que par trente ans (Delv., p. 73, n. 4.— *Bordeaux*, 10 mars 1811 ; D., Vente, p. 870 n. 7.— *Montpellier*, 5 juillet 1827 ; D., 28, 2, 170).

L'acquéreur et le vendeur pourraient-ils convenir entre eux, par un pacte dérogatoire d'une prescription autre que celle de l'art. 1622? ⋀ A. (Troplong, n. 351. —*Cass.*, 25 mai 1830 ; D., 30, 1, 253).⋀ N. Il n'est pas permis de renoncer à une prescription acquise dans les termes de la loi (*Val.*).

La restriction du délai à un an s'appliquerait-elle au cas ou l'on agirait par voie de défense , c'est-à-dire par voie de demande réconventionnelle? ⋀ N. *Quæ temporalia sunt ad agendum perpetua sunt ad excipiendum.*

1623 —S il a été vendu deux fonds par le même contrat, et pour un seul et même prix, avec désignation de la mesure de chacun, et qu'il se trouve moins de contenance en l'un et plus en l'autre, on fait compensation jusqu'à due concurrence ; et l'action, soit en supplément, soit en diminution du prix, n'a lieu que suivant les règles ci-dessus établies (1).

= Lorsque deux fonds ont été vendus par le même contrat et pour un même prix, avec désignation d'une seule mesure, on applique l'article 1619 ; mais que faut-il décider, si la mesure de chacun ayant été désignée, il se trouve plus de contenance en l'un et moins en l'autre ? Aux termes de notre article, on calcule ce que vaut l'excédant ou le déficit de chaque fonds ; on compare les sommes, et l'on compense l'une avec l'autre : cette compensation faite, il n'y a lieu à augmentation ou à diminution de prix, et par conséquent, aux réclamations du vendeur ou de l'acheteur, qu'autant qu'il se trouve une différence d'un vingtième en plus ou en moins entre la valeur réelle et le prix déclaré au contrat : ainsi, la compensation ne se fait pas entre les contenances, mais entre les prix qui les représentent (*voy.* art. 1619).

Exemple : Je vous vends un pré et un bois, moyennant la somme de 20,000 fr., en déclarant que le pré et le bois ont chacun vingt mesures : il se trouve que le pré en a vingt-deux, et que le bois n'en a que quatorze : on ne pourra demander la diminution qu'autant que la différence en moins formera la vingtième partie du *prix* porté au contrat.

Ne perdons pas de vue, que la compensation dont il s'agit ne peut être proposée qu'autant que les deux fonds sont compris dans une seule et même vente, et qu'il n'y a qu'un seul prix.

L'art. 1623 et ceux qui le précèdent sont applicables aux ventes forcées comme aux ventes volontaires ; les règles posées par ces articles ne sont pas arbitraires ; elles se déduisent de la nature même du contrat. On ne peut voir, dans l'accomplissement des formalités prescrites par le Code de pr., une renonciation des parties à réclamer le bénéfice des dis-

_____

(1) Article inutile, car il consacre une conséquence qu'on peut bien tirer de l'art. 1619.

positions qui assurent à l'une le prix selon la chose, à l'autre, la chose selon le prix (1).

— L'art. 1623 serait-il applicable, si, au lieu d'une vente faite moyennant un prix fixe et avec indication de contenance, la vente avait eu lieu à raison de tant la mesure? ⁓⁓ *N*. L'art. 1623 ne se lie qu'à l'hypothèse prévue par l'art. 1619 ; il est étranger au cas de l'art 1617 (Troplong). ⁓⁓ Dans le cas de l'article 1617, la compensation aura lieu plutôt comme conséquence naturelle de la convention, que par application de l'art. 1623 (Duvergier, n. 295).

1624 — La question de savoir sur lequel, du vendeur ou de l'acquéreur, doit tomber la perte ou détérioration de la chose vendue avant la livraison, est jugée d'après les règles prescrites au titre *des Contrats ou des Obligations conventionnelles en général.*

= *Voy.* 1138—1182.

SECTION III.

De la garantie (2).

Garantir, c'est prendre sous sa responsabilité l'exécution d'une promesse. — En matière de vente, la garantie est l'obligation imposée au vendeur, de réparer les pertes occasionnées par suite du défaut de droit dans sa personne et de répondre de certains défauts cachés qui rendent la chose impropre à l'usage auquel on la destine, ou qui diminuent considérablement sa valeur.

Nous disons du *défaut de droit dans sa personne* : ce qui exclut la garantie des cas fortuits, et de ceux qui tiennent à la nature de l'objet, tels que le retrait successoral et l'expropriation pour cause d'utilité publique.

On distingue deux sortes de garanties : la garantie *de droit* et la garantie *de fait.*

La garantie *de droit* (ainsi appelée, parce que le vendeur en est tenu, encore que le contrat n'en fasse pas mention), est celle qui concerne la propriété de la chose, ou certaines qualités non apparentes et tellement capitales, que sans elles cette chose ne pourrait servir à son usage naturel.

La garantie *de fait* (ainsi appelée, parce qu'elle ne subsiste qu'autant qu'elle a été promise), est celle qui ajoute à l'obligation imposée par la loi.

Le Code règle dans un premier paragraphe la garantie de la paisible possession ; il détermine dans un deuxième, certains défauts cachés qui peuvent entraîner la résolution de la vente, et que l'on désigne, pour cette raison, sous le nom de *vices rédhibitoires.*

1625 — La garantie que le vendeur doit à l'acquéreur, a deux objets : le premier est la possession paisible de la chose ven-

---

(1) Duvergier, n. 300. — Riom, 12 février 1818 ; S., 19. 2, 25 ; D., 18, 2, 11.—Arg. *à contrario* d'un arrêt de cass. du 18 novembre 1828 ; S., 29. 1, 119 ; D., 29. 1, 28. — *Liège*, 20 février 1812 ; S., 13, 2, 37 ; D., 13, 2, 28 ; voy. cep. Troplong, n. 345, note 2.— *Agen*, 22 mars 1811. — *Besançon*, 4 mars 1813, D., Saisie immobilière, p. 800.

(2) Cette expression dérive de *garer*, vieux mot français, qui signifie mettre en sûreté.

due; le second, les défauts cachés de cette chose ou les vices rédhibitoires.

§ I. De la garantie en cas d'éviction.

Le vendeur est tenu par la nature même du contrat, d'assurer à l'acheteur la paisible possession de la chose; il est dès lors garant de l'éviction et des charges réelles qui pourraient troubler l'acquéreur (1626).

On entend par *éviction*, toute perte totale ou partielle que souffre l'acheteur, par suite d'un droit dont le principe est antérieur à la vente, ou qui, bien que postérieur, procède du fait du vendeur (1).

Ainsi, il y a éviction : 1° lorsque le délaissement de tout ou partie de la chose vendue est ordonné en justice contre l'acheteur.

2° Lorsque l'acheteur, sans soutenir le procès en revendication, délaisse la chose vendue : tel serait le cas où la vente aurait été consentie par une personne qui tenait le bien vendu par l'effet d'une donation émanée d'un individu auquel il serait survenu un enfant depuis la donation (960).

3° Lorsqu'il ne conserve la chose que par un sacrifice d'argent : c'est ce qui arrive, lorsqu'il paye une créance hypothécaire pour éviter le délaissement.

4° Lorsqu'il conserve la chose en vertu d'une cause autre que la vente : par exemple, vous m'avez vendu la chose d'autrui; quand même cette chose me serait léguée par le propriétaire, je ne serais pas moins, par rapport à vous, considéré comme évincé (2).

5° Lorsqu'il succombe dans une action en revendication dirigée contre un tiers possesseur.

Par extension, on donne aussi ce nom, dans l'usage, au *jugement* qui ordonne l'abandon, et même à la *demande* qui a pour but de le faire prononcer.

Le mot *éviction*, s'entend même du cas où il y a eu simple *trouble*.

On appelle *trouble*, tout ce qui met en question le droit de l'acheteur, soit en totalité, soit en partie; ce qui comprend à la fois et la demande en délaissement que formerait un tiers, et le refus que ferait le détenteur, de délaisser l'objet vendu.

L'apparition de servitudes non apparentes, dont il n'a pas été fait de déclaration lors de la vente, ou l'impossibilité d'exercer les servitudes actives de l'héritage vendu, est considéré comme une éviction partielle (1638) : En conséquence, l'indemnité à laquelle l'acheteur peut prétendre se règle par les mêmes principes (*voy.* art. 1637).

L'éviction et le trouble donnent naissance à l'*action en garantie* : cette action a pour but de forcer le vendeur à procurer à l'acheteur la propriété libre et la jouissance paisible de la chose, ou à l'indemniser du préjudice qu'il éprouve.

Abstraction faite de toute éviction, l'acheteur peut appeler le vendeur en garantie, s'il découvre que ce dernier n'était pas propriétaire de la chose vendue (Arg. des articles 1599 et 1630).

---

(1) Par ex., s'il vend et livre à un deuxième acheteur des meubles qu'il avait déjà vendus à un premier ; s'il vend par acte authentique un immeuble qu'il avait vendu a un premier acquéreur par un acte privé, non encore enregistré : dans ces deux cas, le premier acheteur pourra se faire indemniser par le vrai leur.

(2) *Paris*, 17 prairial, an 12, D., Vente, p. 875, n. 1.

L'acheteur a même le droit de faire résilier la vente, quand le préjudice est d'une telle importance, qu'il n'aurait pas acheté, s'il eût pu le prévoir (1636 et 1638).

Lors même que le vendeur parvient à faire cesser le trouble, il est tenu d'indemniser l'acheteur des frais qu'il a faits pour se défendre ; sauf ensuite son recours contre le demandeur ou le défendeur au principal, qui a succombé.

L'action en garantie peut être formée, soit au moment du trouble, afin que le tribunal saisi de la demande originaire puisse prononcer sur le tout par un même jugement; soit par action principale, après l'éviction opérée, et cela pendant trente ans : mais, dans ce dernier cas, la position de l'acheteur est bien moins favorable : il doit, non-seulement porter sa demande devant le juge du domicile du vendeur; mais encore, établir, vis-à-vis du garant, le droit du tiers qui l'a évincé (*voy.* 175, Proc.; 1630, C. c.).

L'acheteur peut repousser, par l'*exception de garantie*, l'action en revendication dirigée contre lui par une personne qui réunit en elle la double qualité de vendeur et de propriétaire ; c'est ce qu'on exprime, par cette maxime : *Quem de evictione tenet actio eumdem agentem repellit exceptio.* Tel est le cas où le véritable propriétaire est devenu héritier ou successeur à titre universel du vendeur; tel est encore celui où il est obligé, envers l'acheteur, comme caution du vendeur, ou bien encore comme héritier de la caution.

Il y a lieu à garantie, que la vente soit volontaire ou qu'elle soit forcée.

La loi détermine, art. 1630, l'étendue de la garantie : les parties peuvent, par des conventions, en augmenter ou en diminuer l'effet (1627); elles ont même la faculté de convenir, que le vendeur ne sera pas soumis à cette obligation (1628 et 1629); mais dans aucun cas, il ne peut être affranchi de celle qui résulterait d'un fait qui lui serait personnel.

Au nombre des restitutions que doit faire l'acheteur, se trouve notamment celle du *prix.*—Il est tenu de le rembourser intégralement, encore qu'à l'époque de l'éviction, la chose vendue ait perdu considérablement de sa valeur, même par la faute de l'acheteur (1631); à moins que ce dernier n'ait tiré profit des dégradations : auquel cas, le vendeur peut retenir sur le prix une somme égale à ce profit (1632).

Par suite de ces principes, il semblerait que l'éviction partielle dût donner lieu à une restitution proportionnelle du prix payé; cependant, il n'en est pas ainsi : la valeur de la partie dont l'acquéreur se trouve évincé, lui est remboursée, aux termes de l'article 1637, eu égard à l'estimation *à l'époque de l'éviction.*

Le vendeur doit restituer le prix, lors même qu'il a stipulé qu'il ne sera pas garant : pour qu'il en soit dispensé, l'art. 1629 semble exiger, indépendamment de cette clause, ou que l'acquéreur ait connu le danger de l'éviction, ou qu'il ait acheté à ses risques et périls.

Les dommages-intérêts auxquels le vendeur peut être condamné, sont plus ou moins étendus, suivant qu'il a été de bonne foi ou de mauvaise foi.—Au premier cas, il est tenu de payer ce que la chose vaut au-dessus du prix de la vente, indépendamment même du fait de l'acquéreur; les impenses nécessaires en totalité, et les impenses utiles, jusqu'à concurrence de la plus-value (1632 et 1634).—Au deuxième cas, il est tenu en outre de tous les dommages-intérêts qui sont une suite immédiate et directe de l'inexécution de la convention, et par conséquent même des impenses voluptuaires (1635).

Comme on le voit, il ne faut pas confondre l'obligation de restituer le prix, avec celle de réparer le dommage : la restitution du prix n'est pas exigée à titre de dommages-intérêts, mais comme chose non due (*condictione sine causâ*).

Le vendeur cesse d'être soumis dans trois cas à l'obligation de garantie, tant pour la restitution du prix que pour les dommages-intérêts :

1° Lorsque l'éviction procède d'un fait qui lui est personnel.

2° Lorsqu'il a laissé consommer l'éviction par sa faute; par exemple, si le vendeur, qui n'a pas été mis en cause, prouve, lorsque l'acheteur agit ensuite contre lui, qu'il existait des moyens suffisants pour faire rejeter la demande originaire (1640).

3° Lorsque le vendeur ayant stipulé la *non-garantie*, l'acquéreur a *connu* le danger d'éviction ou a acheté à ses *risques et périls*.—Ainsi, dans cette troisième hypothèse, pour que le vendeur soit déchargé d'une manière absolue de l'obligation de garantir, la loi semble exiger le concours de deux conditions.—De là nous concluons, que la stipulation de non-garantie, isolée de toute autre circonstance, aurait pour seul effet d'affranchir le vendeur des dommages-intérêts.

L'obligation de garantie cesse, mais seulement quant aux dommages-intérêts.

1° Lorsque l'acheteur a expressément renoncé à la garantie; toutefois, nonobstant cette renonciation, le vendeur est soumis à la garantie des faits qui lui sont personnels.

2° Lorsque l'acheteur a connu au moment de la vente, le danger de l'éviction. — S'il y avait eu clause de non-garantie, le vendeur serait affranchi même de la restitution du prix.

1626 — Quoique lors de la vente il n'ait été fait aucune stipulation sur la garantie, le vendeur est obligé de droit à garantir l'acquéreur de l'éviction qu'il souffre dans la totalité ou partie l'objet vendu, ou des charges prétendues sur cet objet, et non déclarées lors de la vente.

= Les clauses qui sont de la nature de la vente, se suppléent, lorsque les parties n'en ont point parlé; c'est en ce sens que doivent être entendus ces mots : la *garantie est de droit*; c'est-à-dire, que le vendeur contracte cette obligation de garantie, par le fait seul de la vente.

Il est bien entendu, que les personnes qui sont intervenues pour consentir ou pour autoriser, ne sont point obligées : *aliud est vendere, aliud vendenti consentire*.

L'expropriation forcée est un véritable contrat judiciaire (1); comme la vente volontaire, elle donne lieu à garantie.

L'action en garantie est donnée contre le saisi, même pour les frais et loyaux coûts de l'adjudication, tout le monde est d'accord sur ce point.— Que faut-il décider à l'égard des créanciers qui ont poursuivi l'adjudication ? Il est évident que l'adjudicataire ne peut agir contre eux en dommages-in-

---

(1) Dur., n. 265; Duvergier, n. 345 et 346.— *Bruxelles*, 12 décembre 1807; D. Saisie. p. 803. n. 2 ᕽᕽᕽ C'est la justice qui vend ; l'acquéreur ne peut avoir d'actions en dommages-intérêts contre des personnes qui ne lui ont rien promis (Pothier. Proc., p. 288. Delv, p. 73 n. 7, Troplong, n. 432).

térêts, car ils se sont bornés à se faire aider de l'autorité judiciaire pour vendre les biens que leur débiteur présentait publiquement comme siens ; (2092) (1) ; ils ont seulement usé du mandat tacite qui leur a été conféré ; c'est en réalité le débiteur exproprié qui est le vendeur (2) ; — mais sont-ils soumis à la *condictio indebiti*, à raison de la part qu'ils ont reçue dans le prix ? Non, s'ils ont été de bonne foi : en effet, l'adjudicataire a payé *propter pignus*, *nomine debitoris;* or, celui qui paye au nom d'un autre ne peut répéter d'un créancier, qui n'a reçu que ce qui lui était dû ; c'est comme si les deniers avaient été versés par le débiteur lui-même. — Au surplus, quelle que soit l'opinion qu'on adopte sur ce dernier point, il faut reconnaître que si les créanciers avaient supprimé leurs titres par suite du payement, l'adjudicataire ne pourrait les inquiéter ; il n'aurait de recours que contre le vendeur.

La dépossession ne donne pas lieu à garantie, lorsqu'elle provient d'une simple voie de fait (3) ou d'une force majeure (4).

— L'obligation de garantie est-elle divisible ou indivisible ? ∼∼ Elle se convertit en une restitution du prix et en dommages intérêts, toutes choses divisibles ; en conséquence, si le vendeur est mort, chacun des héritiers ne peut être actionné que pour sa part héréditaire. Réciproquement, les héritiers de l'acheteur ne peuvent agir que pour leur part et portion ; — sans doute, on ne comprendrait pas la prestation de la moitié des moyens de défense ; mais on comprend fort bien qu'une personne se soumette à la garantie pour le cas d'éviction d'une certaine partie d'un fonds ; — de même que l'obligation de prester peut se diviser entre les héritiers (1217), de même, l'obligation de garantir peut se diviser ; car la garantie n'est autre chose que la permanence de la prestation : — on objecte, qu'aux termes de l'article 1221, le corps certain doit être presté en totalité ; mais évidemment, le législateur suppose, que le corps certain se trouve dans la succession du vendeur, et qu'il est tombé dans le lot de l'un des héritiers ; telle n'est pas notre hypothèse : — l'opinion contraire entraîne des conséquences trop rigoureuses : en effet, supposons que j'aie vendu le fonds de l'un de mes héritiers présomptifs, il faudra admettre que cet héritier ne pourra agir en revendication ; et qu'on le repoussera pour le tout. précisément, par ce qu'on aurait pu agir en garantie contre lui pour le tout.— Quoi qu'il en soit, il faut reconnaître, que l'obligation de garantie prendrait un caractère indivisible, si l'acheteur s'était proposé, lors de son acquisition, un but particulier que la totalité de l'immeuble pourrait seul procurer (Pothier, n. 104 107 et 175; Dur., n. 265, t. 11, n. 321, t. 14, n. 277 et 278, t. 16 — Cass., 11 août 1830 ; D., 30, 1, 343 ; S., 30, 1 395) (*Val.*). ∼∼ *N.* Cette obligation est indivisible ; on ne peut défendre une personne pour partie ; — s'il y a plusieurs vendeurs d'une même chose ou plusieurs héritiers du vendeur, chacun est tenu pour le tout de prendre fait et cause pour l'acheteur ; — le jugement qui interviendra contre l'un des vendeurs pourra être opposé même à ceux qui n'auront pas voulu entrer en cause. — Il ne faut pas, en effet, confondre l'obligation principale de garantir l'acheteur, avec l'obligation de restituer le prix et de payer des dommages-intérêts ; cette dernière obligation est divisible (Troplong, n 434, 438 et suiv., et 457 ; Pothier, n. 111; Duvergier. n. 345; Delv.. p. 73, n. 7 ; D., t. 12, p. 980, n. 50.—*Cass.*, 5 janvier 1815 ; S., 151, 231, 11 août 1830 ; S., 30, 1, 395 ; Bordeaux, 8 décembre 1831 ; S., 32, 2, 565).

La surenchère exercée conformément à l'article 2165 doit-elle être considérée comme une éviction donnant ouverture à garantie? ∼∼ *A.* Arg. des articles 2191 et 2192. Le créancier surenchérisseur avait, sur la chose, un droit dont l'existence a précédé la vente (Dur., n. 260 ; Duvergier, n. 321 ; Troplong, n. 426.— Cass., 4 mai 1808 ; S., 8. 1. 358.—*Bordeaux*. 27 février 1829 ; S., 29, 2. 271.— Toulouse, 27 août 1834 : S., 35, 2, 325 *Voyez* cep — *Metz*, 23 prairial an 12.— *Paris*, 31 mars 1821 ; D., 1° Vente, p. 873). Doit-on considérer comme fondée sur une cause antérieure à la vente, l'éviction que souffre l'acheteur, par suite d'une prescription commencée avant la vente, mais accomplie seulement depuis? ∼∼ *N.* Une éviction commencée n'est absolument rien : elle ne confère aucun droit ; elle n'est que le commencement d'une espérance vague, fugitive, féconde en déception, puisqu'à tout moment, le moindre acte d'interruption peut la faire évanouir : l'acheteur doit s'imputer d'avoir laissé convertir cette espérance incertaine, en un droit de propriété incommutable (Pothier, n. 94, Troplong, n. 423 ; Duvergier, n. 313. — *Bourges*, 4 février 1823 ; S., 23, 2, 203 : D., Vente, p. 873, n. 3. *Voyez* cep. — *Bordeaux*, 4 février 1831 ; D., 31, 2, 85).

Quid à l'égard de l'exception de garantie opposée contre la demande en revendication de l'immeuble

(1) Il est juste d'accorder à l'adjudicataire une action en garantie, contre le saisi ; car en se disant propriétaire lorsqu'il ne l'était pas, il a causé un dommage à l'acheteur (Dur. et Duvergier, *ibid.*; Pigeau, t. 2, p. 252. — Cass., 16 décembre 1828 ; S., 29, 1, 21). ∼∼ L'adjudicataire ne peut, exercer de recours même contre le saisi, car c'est la justice qui vend (Delv., t. 3, p. 144 ; Troplong, n. 432 ; Caen, 7 décembre 1807 ; S., 29, 2, 224. — *Toulouse*, 24 janvier 1826 ; S., 26, 2, 136).

(2) On peut dire que l'adjudicataire n'a pas eu l'intention de libérer le débiteur, et que les créanciers ne doivent pas s'enrichir à ses dépens, que si la qualité d'acquéreur s'évanouit, il ne reste plus qu'un payement fait par erreur (Persil, t. 2, p. 217 ; Troplong, n. 432 et 498; Duvergier. n. 346 ; Merlin, Rép., Saisie ; Favard, Rep. t. 5, p. 73 ; Dur., t. 13, n. 648 et t. 14, n. 266, Delv., t. 5, p. 144.—*Colmar*, 21 juillet 1812 ; S., 13, 2. 321).

(3) *Cass*, 25 juin 1832 ; S., 32, 1, 418.

(4) *Cass.*, 27 pluviôse an 11 ; S., 4, 1, 11. 18 août 1823 ; S. 28, 1, 328, 14 avril 1830 ; S., 30. 1, 280.

vendu formée par l'un des héritiers du vendeur ? ∿∿ Elle est indivisible (Delv., *ibid.*; Duvergier , *ibid.* — *Cass.*, *ibid.*, 19 février 1811 ; S., 11, 1, 188 ; 3 janvier 1815 ; S., 15, 1, 235 ; D., t. 12, p. 458). ∿∿ Elle est divisible (Troplong, *ibid.* ; Dur., t. 11, n. 263, t. 16. n. 255).

Si le vendeur a disposé de la chose de l'un de ses héritiers, ce dernier peut-il répéter cette chose, en offrant les dommages-intérêts pour sa part, lors même qu'il a accepté purement et simplement la succession de son auteur ? ∿∿ *A.* Les biens de l'héritier n'appartiennent pas au défunt ; celui-ci n'a pu vendre la chose de son héritier avec l'effet d'en conférer la propriété ; il n'a contracté par là qu'une obligation de dommages-intérêts ; or l'héritier offre de les payer (Dur., n. 255). ∿∿ *N.* Lorsque toutes les obligations du vendeur sont réunies sur une seule tête, c'est comme si le vendeur existait encore ; dès lors , l'exception de garantie peut être opposée. — Lorsqu'il existe plusieurs héritiers , on peut opposer au réclamant l'indivisibilité de l'exception (Duvergier, *ibid.* ; Troplong, *ibid.*)

Si un tuteur a vendu la chose de son pupille , non comme propriétaire de cette chose, mais en sa qualité de tuteur, sans observer les formalités légales, le mineur, devenu héritier du tuteur, peut-il faire révoquer la vente ? ∿∿ *A. Nec obstat* la règle *eum quem de evictione* : l'éviction ne procède que d'un vice de forme ; le tuteur n'a pas engagé sa responsabilité personnelle. — Il est de principe qu'il n'est pas dû garantie à raison des vices d'un acte (Troplong, n. 446 et suiv. ; Duvergier , n. 351. — *Cass.*, 19 floréal an 11 ; S., 4, 2, 376 *).*

Quid, si le tuteur a vendu , comme lui appartenant, le bien de son mineur ? ∿∿ L'exception de garantie peut être opposée au mineur devenu héritier du tuteur (Duvergier , *ibid.*).

L'acheteur évincé et subrogé aux droits du vendeur, peut-il exercer la garantie due à ce dernier , sans être obligé de faire participer au produit de l'action , les autres créanciers de son vendeur ? ∿∿ *A.* Ce n'est pas en vertu de l'art. 1166 , mais en vertu de l'art. 1692, qu'il agit alors (Dur., n. 273 et 274). ∿∿ Il ne peut exiger que le prix de sa propre acquisition et l'augmentation de valeur que l'immeuble a acquise depuis la vente (*Bourges*, 5 avril 1821 ; D., Vente, p. 882, n. 2).

La garantie a-t-elle lieu en matière de transaction ? ∿∿ *Oui*, si l'éviction tombe sur la chose qui est l'objet de la transaction : *secùs*, si elle tombe sur une chose donnée pour prix de la transaction (Delv., *ibid.* ; Troplong, n. 414).

Quid, si l'acquéreur évincé devient propriétaire de l'objet à un autre titre ; la garantie a-t-elle toujours lieu ? ∿∿ *A.* (Delv., *ibid.*).

Si l'acquéreur , menacé seulement d'éviction , transige avec le réclamant et conserve la chose , est-il recevable à intenter contre son vendeur l'action en garantie ? ∿∿ *N.* (D., Vente , p. 881, n. 53). ∿∿ *A.* Il y a éviction, par cela seul qu'une personne se trouve atteinte par une revendication ; et cela , encore que le jugement n'ait pas été prononcé. — Le mot *éviction* doit être pris dans un sens large ; il s'entend même d'un trouble qu'on n'a pu faire cesser qu'en donnant une somme d'argent.

1627—Les parties peuvent, par des conventions particulières, ajouter à cette obligation de droit ou en diminuer l'effet; elles peuvent même convenir que le vendeur ne sera soumis à aucune garantie.

= Les parties peuvent, par des conventions particulières, diminuer l'effet de la garantie ; par exemple , en convenant d'une somme moindre , ou en exceptant de la garantie l'un des objets vendus ; elles peuvent aussi ajouter à cette obligation , soit en stipulant pour dommages-intérêts une somme plus forte que celle à laquelle l'acquéreur aurait pu prétendre ; soit de toute autre manière.

— *Quid* dans l'espèce suivante : il était dû à l'héritage vendu une servitude ; le vendeur le savait ; il n'en a pas fait mention dans le contrat , et l'acquéreur , par suite de son ignorance , a perdu par le non-usage , cette servitude? ∿∿ Il n'y aura pas lieu à garantie : l'acquéreur, en effet, ne peut dire qu'il a été trompé (Delv., p. 25, n. 6).

1628—Quoiqu'il soit dit que le vendeur ne sera soumis à aucune garantie, il demeure cependant tenu de celle qui résulte d'un fait qui lui est personnel : toute convention contraire est nulle.

= Le vendeur ne peut se réserver le droit de troubler son acquéreur: *pacta quæ turpem causam continent, non sunt observanda.* Toute clause qui tend à lui en faciliter les moyens , doit donc être privée d'effets.

Les faits personnels dont le vendeur est tenu , ne sont pas seulement ceux qui sont postérieurs à la vente , mais encore ceux qui sont antérieurs : il est coupable de les avoir cachés (Pothier, n. 91). Ainsi, après avoir vendu un meuble à Paul ; si je vends une deuxième fois et livre ce même meuble à Pierre , Paul pourra m'appeler en garantie ; — j'ai fait deux ventes successives du même immeuble : la première par acte privé ; la deuxième par acte authentique : le deuxième acquéreur sera préféré, si le premier n'a pas encore fait enregistrer son acte : — je vends un immeuble, sachant que mon droit est résoluble pour cause de lésion ; si le fait de lésion donne lieu à rescision, on pourra m'appeler en garantie. — Je vends un immeuble grevé d'une hypothèque que j'ai consentie ; l'acquéreur est évincé, par l'effet de l'action hypothécaire : s'il n'a point contracté l'obligation de payer la dette, il pourra m'appeler en garantie ; car l'éviction résulte de mon fait ; je l'ai indirectement causée, en négligeant de me libérer. — Mais je ne serais pas soumis à la garantie, si la dette hypothécaire provenait d'un précédent propriétaire, à moins que je ne me fusse rendu coupable de dol lors de la vente, en dissimulant son existence (Arg. de l'art. 1626) (1).

Nous pensons qu'il faut considérer la stipulation de non-garantie comme non avenue, lorsque l'éviction résulte non du fait du vendeur, mais de celui de son auteur, quoique l'article 1628 paraisse s'occuper exclusivement de faits personnels au vendeur ; mais si le vendeur, en stipulant la non-garantie, avertissait l'acheteur de la cause d'éviction, il est évident que la stipulation serait respectée.

1629 —Dans le même cas de stipulation de non-garantie, le vendeur, en cas d'éviction, est tenu à la restitution du prix, à moins que l'acquéreur n'ait connu, lors de la vente, le danger de l'éviction, ou qu'il n'ait acheté à ses périls et risques (2).

= La clause de non-garantie a pour effet d'affranchir le vendeur de tous dommages-intérêts, même des frais et loyaux coûts du contrat ; mais elle ne le dispense pas de restituer le prix.

Toutefois, il est libre aux parties, d'affranchir le vendeur de cette restitution : la loi considère leur intention comme suffisamment démontrée, lorsqu'à la clause de non-garantie, se joint la circonstance que le vendeur a connu d'une manière quelconque, avant la vente, le danger de l'éviction, ou qu'il a pris sur lui tous les risques et périls (1964) (3) : le prix n'est plus alors l'équivalent de la chose, mais celui de la chance.

Que faudrait-il décider, si la non-garantie n'avait pas été stipulée ? l'acquéreur pourrait exiger la restitution du prix, bien qu'il eût connu le danger de l'éviction (Arg. des articles 995, 1626, 1638, 1642) (4).

Quid, dans la même hypothèse, si la vente a eu lieu *aux risques et périls* de l'acheteur ? Il est difficile de ne pas voir dans cette convention un contrat aléatoire. Au reste, c'est là une question d'inten-

---

(1) Dur., n. 262. ᴧᴧᴧ Troplong, n. 477, pense que l'acheteur ne peut avoir de recours en garantie contre le vendeur, s'il a connu, par un moyen quelconque, l'existence des hypothèques (bien entendu, lorsque ces hypothèques proviennent des propriétaires antérieurs au vendeur). ᴧᴧᴧ Duvergier, n. 319, combat l'une et l'autre opinion : suivant lui, le vendeur étant tenu au payement, soit en nom personnel, soit comme tiers détenteur, l'acheteur a dû penser qu'il n'existait plus aucune hypothèque sur l'immeuble : en ce cas, ajoute-il, le vendeur n'est affranchi de la garantie qu'autant qu'il a expressément déclaré ces hypothèques (*voyez*, dans le même sens, Merlin, Rép., Garantie, § 7, n. 2, et Pothier, n. 187).

(2) Article mal rédigé : on aurait dû scinder les deux dispositions.
Les auteurs du Code ont copié Pothier, qui, lui-même, avait puisé sa décision dans la loi 11, § 18, ff do *actionibus empti et venditi*.

(3) A quoi bon exiger, qu'à la clause de non-garantie, soit jointe celle que l'acheteur prend sur lui les risques et périls ? l'une des clauses ne suffirait-elle pas ? Le législateur a prescrit la réunion de ces deux clauses, pour mettre l'acheteur à l'abri des surprises, en plaçant sous ses yeux l'idée des risques et périls qu'il encourt, et en lui montrant qu'il fait un contrat aléatoire.

(4) Dur., n. 263 ; Troplong, n. 482 ; Duvergier, n. 339 (*Val.*).

tion : s'il résulte des circonstances, que l'acheteur n'a pas prétendu se priver du droit de réclamer le prix, le vendeur doit le restituer.

—Connaissant le danger d'éviction, si l'acheteur a stipulé la garantie, lui est-elle due, même pour les dommages-intérêts? ⟶ *A.* Le vendeur est soumis à toutes les conséquences de l'éviction (Dur., n. 264; v° Garantie, § 7 ; Duvergier, n. 335).

Si le prix a été payé à un concessionnaire ou à un délégataire du vendeur, le prix doit-il être répété contre ce cessionnaire ou ce délégataire, ou doit-il l'être contre le vendeur? ⟶ Le cessionnaire est *procurator venditoris* ; c'est donc au vendeur que le prix est censé avoir été payé (Delv., p. 74, n. 1).

Quid, si l'acquéreur, qui connaissait le danger d'éviction, achète, sans prévenir le vendeur qui l'ignorait? ⟶ Cette dissimulation est un dol ; l'acquéreur ne peut prétendre qu'à la restitution du prix ; il peut même être tenu de dommages-intérêts.

1630—Lorsque la garantie a été promise, ou qu'il n'a rien été stipulé à ce sujet, si l'acquéreur est évincé, il a le droit de demander contre le vendeur,

1° La restitution du prix ;

2° Celle des fruits, lorsqu'il est obligé de les rendre au propriétaire qui l'évince ;

3° Les frais faits sur la demande en garantie de l'acheteur, et ceux faits par le demandeur originaire ;

4° Enfin, les dommages et intérêts, ainsi que les frais et loyaux coûts du contrat (1).

═ Après avoir déterminé les diverses causes qui donnent lieu à garantie, le Code fixe l'étendue de cette obligation ; il règle d'abord le cas d'éviction totale.

La partie envers laquelle l'engagement n'a pas été exécuté, peut demander la résolution avec des dommages-intérêts (1184). Ainsi, à défaut de stipulations sur la garantie, le vendeur doit restituer à l'acquéreur évincé :

1° *Le prix* (ce qui comprend les pots-de-vin, épingles, etc.) que l'acheteur a payé en exécution de la convention. Il doit être restitué en totalité ; que la chose ait été détériorée, ou qu'elle ait péri en partie par force majeure ou même par la négligence de l'acheteur : *Qui quasi suam rem neglexit nulli querelæ subjectus est* (2).

Bien plus, si la chose vendue se trouve avoir augmenté de valeur à l'époque de l'éviction, même indépendamment du fait de l'acquéreur, le vendeur est tenu de lui payer ce qu'elle vaut au-dessus du prix de la vente (1631-1634) (3); tout s'interprète contre le vendeur.

2° *Les fruits perçus,* que l'acheteur lui-même est obligé de rendre. — L'acheteur est tenu de restituer ces fruits, à partir du jour où il a connu le vice de son titre, et au plus tard à partir du jour de la demande formée contre lui par le propriétaire (549, 550) : la loi exige la bonne foi à chaque perception de fruits ; l'acheteur qui a été de bonne foi lors de la vente, peut avoir cessé de l'être au moment où il a perçu les fruits.

_____

(1) Ne concluons pas des termes de l'article 1630, que la restitution du prix et les indemnités dues à l'acheteur, a raison des frais du contrat, des fruits et des dépens, soient placés sur la même ligne : nous verrons que l'acheteur peut exiger la restitution du prix comme chose non due, *conditione indebiti* ; tandis qu'il ne peut réclamer les indemnités dont il s'agit, qu'à titre de dommages-intérêts : le vendeur, en effet, n'a profité, ni des frais de contrat, ni des fruits, ni des dépens.

(2) Troplong, n. 487 et suiv.; Duvergier, n. 359. Dur., n. 284.

(3) Opinion de Dumoulin et de Pothier consacrée par le Code.

Mais le vendeur, assigné en garantie, peut se soustraire à cette dernière obligation, en déclarant qu'il ne peut repousser la demande originaire, en offrant à l'acquéreur de lui restituer le prix, ainsi que les frais et loyaux coûts du contrat, et en consignant faute d'acceptation : alors, si l'acheteur veut soutenir le procès, nonobstant ces offres, il perd le droit de réclamer du vendeur une indemnité pour les fruits perçus pendant le cours de l'instance, bien qu'il soit obligé d'en tenir compte au poursuivant.

3° *Les frais faits* contre l'acheteur, par le demandeur originaire (1), c'est-à-dire, par celui dont l'action a donné lieu à la demande en garantie; ainsi que les frais auxquels a donné lieu cette dernière demande (179), Pr.; 1149, Code civil). Le vendeur doit restituer ces frais parce qu'ils sont occasionnés par l'éviction.

Mais si le vendeur a fait la déclaration et les offres dont nous venons de parler, il est seulement tenu de rembourser les frais des exploits de la demande originaire et en garantie; l'acquéreur supporte le surplus.

4° *Les dommages-intérêts*, etc., à raison du préjudice que lui cause l'éviction. (*Voy.* art. 1433-1435).

Il est bien entendu, que les dommages-intérêts sont dus en sus du prix à restituer.

On décide avec raison, que les dommages-intérêts dont parle l'article 1630 4°, comprennent l'indemnité à raison de la plus-value (1633), ainsi que les frais d'actes et autres accessoires de la vente, tels que ceux occasionnés par la purge des hypothèques, et ceux d'enregistrement (1).

— Lorsque plusieurs ventes successives ont eu lieu, l'acheteur évincé peut-il s'adresser indifféremment à l'un des vendeurs? Peut-il franchir tous les acquéreurs intermédiaires pour arriver de suite jusqu'au vendeur originaire? ⁓ *N.* Il doit appeler en garantie son vendeur immédiat; puis celui-ci appellera le vendeur qui lui a transmis la chose, et ainsi de suite. — Les actions ne se transmettent que par l'effet de la cession. — L'action en garantie est personnelle : tout ce que le créancier peut faire, c'est d'agir contre le débiteur pour le forcer à lui céder ses actions. (L. *penult.*, C. de nov., *Oles, de cessione Jurium*, t. 4. Quest., 3, n. 5; ff., L. 59, tit. de *Evict.* Delv., t. 3, p. 145. — *Bruxelles*, 6 janvier 1808; S., 10, 2, 487; D., Vente, p. 882, n. 56. — *Paris*, 22 mars 1825; S., 26, 2, 227). ⁓ Les actions, qui, par le droit romain, ne pouvaient passer d'une personne à une autre que par la cession, peuvent aujourd'hui être exercées par tout créancier au nom de son débiteur (art. 1166) : la seule exception à cette règle, concerne les droits et actions attachés à la personne; or la garantie donne lieu à une action personnelle, mais elle n'est pas attachée à la personne; lorsqu'on vend une chose, on est censé vendre et transporter tous les droits et actions qui tendent à faire avoir cette chose, — *nec obstat*, la loi 59 précitée : le droit romain n'admettait pas facilement la cession tacite des actions; d'ailleurs il s'agit dans cette loi, de la stipulation du double. — La vente est un contrat de bonne foi. — Le sous-acheteur peut agir contre le vendeur primitif sans invoquer l'art. 1168 (Duvergier, n. 344; Troplong, n. 437; Pothier, Vente, n. 149. — *Bordeaux*, 5 avril 1826; S., 27, 2, 6; 4 février 1831; S., 31, 2 138; D., 26, 2, 177; 31, 2, 83).

Dans l'hypothèse précédente, l'acheteur évincé a-t-il le droit de réclamer le prix le plus élevé entre tous ceux moyennant lesquels la chose a été successivement vendue? ⁓ L'acheteur évincé ne peut réclamer que le prix par lui payé, sans préjudice de son action en dommages-intérêts, — l'acquéreur évincé ne peut que se faire indemniser des pertes qu'il a faites. Vainement exciperait-il de la subrogation légale aux droits de son vendeur : l'éviction ne peut être pour lui une cause de bénéfice; l'acquéreur est légalement subrogé aux actions réelles que le vendeur avait, à raison de la chose vendue, et aux actions personnelles que ce dernier aurait pu exercer pour l'avantage de cette chose; elles passent sur sa tête, pour éviter un circuit d'actions : le vendeur est censé les lui avoir cédées, *ad præstandum rem habere licere*; mais toutes les fois qu'un droit n'est pas nécessaire à l'acheteur pour acquérir ou pour conserver la chose, ce droit ne lui est pas dévolu sans cession; il est contre toute probabilité, que l'acheteur, qui n'a constitué pour son garant que son vendeur immédiat, ait entendu acheter une action en arrière-garantie. Si le dernier acheteur était vraiment acquéreur de cette action, il faudrait aller jusqu'à dire, qu'il pourrait d'une part se faire indemniser par son vendeur immédiat, en vertu de son contrat de vente; et de l'autre, exercer l'action de ce même vendeur contre le vendeur originaire, en vertu de la subrogation : ce résultat serait inique. Concluons donc que le recours de plein droit est limité aux répétitions que l'acheteur peut avoir à exiger de son débiteur direct : c'est la grande différence qui existe entre le droit que l'acheteur exerce en vertu d'une cession expresse, et celui qu'il exerce en verte de l'art. 1166 : en cas de cession expresse, l'acquéreur succède à tous les droits du cédant,

---

(1) On appelle *demandeur originaire*, celui qui revendique; la demande est dite *originaire* parce qu'elle donne naissance au procès. La demande en garantie est *incidente*.

et en profite pour le tout comme de sa propre chose (Dur., n. 273 et suiv,; Duvergier, n. 371; Troplong , n. 496 et suiv. — *Bourges*, 5 avril 1821 ; D., Vente, p. 882 et 883). ⁓ Le vendeur transmet sans subrogation expresse tous ses droits et actions sur la chose vendue (Pothier, n. 149).

Peut-il se faire indemniser , à raison des autres condamnations qu'il a encourues ? *Quid*, par exemple, s'il a été condamné à réparer les dégradations commises sur le bien revendiqué ? ⁓ A. Cette indemnité formerait une partie des dommages-intérêts ; mais il faut pour cela que les dégradations aient été commises par l'acheteur , pendant qu'il ignorait les vices de son titre ; si elles étaient postérieures, il n'aurait point de recours contre son vendeur (Duvergier, n. 370 ; Dur., n. 299; Proudhon, n. 2092). ⁓ Il a une action en dommages-intérêts , même pour les dégradations postérieures à l'époque où il a connu les vices de son titre , à moins qu'elles n'aient été faites par malice; le vendeur ne peut reprocher à l'acheteur d'avoir agi comme propriétaire (Pothier, n. 128).

Aux termes de l'art. 1631, en cas de *détérioration* de la chose , le vendeur n'est pas moins obligé de restituer le prix ; mais en est-il de même en cas de perte d'une portion de la chose ? ⁓ A. Argument de ces mots de l'art. 1631 : *se trouve diminué de valeur*, etc. : on ne peut tolérer que celui qui , de bonne ou de mauvaise foi, a disposé de la chose d'autrui ,! profite d'une partie du prix (Duvergier, n. 359; Troplong, n. 489).

Sur quelle base doit s'opérer la restitution du prix , lorsque l'objet vendu n'a pas une durée perpétuelle , comme un usufruit, un bail ? ⁓ Le vendeur ne doit rendre le prix qu'à proportion du temps qui reste à courir , et pendant lequel l'acheteur eût joui ; le droit de ce dernier n'est pas régi en ce cas par l'art. 1631 , mais par les art. 1637 et 1638 (Troplong, n. 494; Duvergier, n. 301) (*Val.*). ⁓ Il faut ressusciter autant que possible l'usufruit ; il y a là un aléatoire qu'il faut respecter ; on doit appliquer par analogie le système des art. 1977 et 1978.

Quid à l'égard de la vente d'animaux dont la vie est nécessairement limitée ? ⁓ Même décision (Pothier, n. 164 ; Duvergier, n. 362).

L'art. 2277 est-il applicable aux restitutions de fruits dont il est parlé dans cet article? ⁓ *N*. (Dur., n. 288).

L'acheteur peut-il exiger une indemnité , même à raison des fruits qu'il a négligé de percevoir , et que le propriétaire aurait vraisemblablement perçus ? ⁓ *A*. (Dur., *ibid.*).

L'acheteur , qui a reçu un prix supérieur à celui de son acquisition , peut-il agir en garantie contre son vendeur, à raison de cette augmentation de prix? ⁓ *A*. C'est là un gain dont il est privé. — Arg. des art. 1140, 1633, 1639, combinés. — Il n'y a même point à distinguer , si le premier vendeur a vendu de bonne foi ou de mauvaise foi , pourvu que la vente soit sérieuse (Dur., n. 296; Troplong, n. 495; Duvergier, n. 371. — *Douai*, 12 déc. 1826 ; D., 27, 2, 93. — *Cass.*, 12 décembre 1826, D., 27, 1, 93).

L'action en garantie appartient sans aucun doute à l'acheteur et à ses successeurs à titre universel ; mais appartient-elle également à ses représentants à titre particulier ? ⁓ *Oui*, si le titre par lequel l'acheteur a transmis la chose, l'assujettit lui-même à la garantie ; *secùs*, dans le cas contraire (Pothier, Vente , n. 98). ⁓ On ne doit pas subordonner l'exercice de l'action en garantie, à l'intérêt plus ou moins grand que peut avoir l'acheteur à protéger son représentant : l'acheteur a transmis tous ses droits dans la chose donnée ; il en a transféré la propriété *cum omni causâ* (Duvergier, n. 343; Delv., p. 73, n. 7 ; Dur., n. 212 et 276. — *Cass.*, 23 janvier 1820 ; S., 20, 1, 212). ⁓ L'action en garantie contre le vendeur appartient même au donataire d'un objet particulier ; le donataire , en effet , a un intérêt d'affection à ce que son donataire ne soit pas dépouillé (Troplong, n. 429 et 437).

On a vendu un animal , et l'éviction arrive lorsqu'il a vieilli , *quid*? ⁓ Le vendeur restituera la valeur actuelle de l'animal eu égard à la diminution produite par l'âge ; mais il n'y aura pas lieu à l'application de l'art. 1637.

Le juge peut-il , en certains cas, modérer les condamnations relatives à la garantie? ⁓ *A*. Le législateur a voulu , par l'art. 1630 , établir un principe ; mais il n'a pas prétendu imposer aux magistrats l'obligation de s'y conformer dans tous les cas (*Cass.*, 8 novembre 1820; D., 1821; 1, 377. — *Nîmes*, 12 mars 1833; S., 33, 2, 553).

1631—Lorsqu'à l'époque de l'éviction, la chose vendue se trouve diminuée de valeur, ou considérablement détériorée, soit par la négligence de l'acheteur, soit par des accidents de force majeure, le vendeur n'en est pas moins tenu de restituer la totalité du prix.

= Sous nos anciennes lois, le vendeur ne restituait à l'acquéreur évincé qu'une somme proportionnée à la valeur actuelle de l'immeuble; car , disait-on, ce dernier ne doit tirer aucun profit de l'éviction : aujourd'hui , on n'a pas égard à la diminution de valeur que la chose a éprouvée depuis le contrat ; on ne veut pas que celui qui a disposé de la chose d'autrui profite de sa faute ; le remboursement du prix s'opère toujours intégralement; l'éviction est donc une bonne fortune pour l'acheteur : non-seulement il ne payera aucune indemnité pour les détériorations provenues de son fait; mais encore , ce sera lui qu'on indemnisera. — Peu importe, en effet, que la diminution de valeur provienne de la négligence ou du fait de l'acquéreur : il était propriétaire ; le vendeur l'avait autorisé à considérer la chose comme sienne ; on ne peut donc lui reprocher d'avoir usé de son droit : *qui rem quasi suam neglexit, nulli querelœ subjectus est.*

Il en serait ainsi, quand même lui vendeur aurait été condamné à indemniser le propriétaire des dégradations commises par l'acheteur (1).

1652 —Mais si l'acquéreur a tiré profit des dégradations par lui faites, le vendeur a droit de retenir sur le prix une somme égale à ce profit.

= Par ex. : si l'acquéreur a demoli un bâtiment et vendu les matériaux, ou s'il a fait abattre un bois de futaie, il est juste d'imputer sur le prix qu'on doit lui rendre, le montant du bénéfice qu'il a retiré de ces dégradations ; autrement, il aurait une partie de la chose sans payer aucun prix.

Le vendeur ne serait même pas admis à dire, pour se dispenser de restituer la totalité du prix, que l'objet vendu était de nature à se détériorer avec le temps : l'art. 1631 ne distingue pas.

— L'appréciation du profit tiré des dégradations commises par l'acquéreur doit-elle faire suspendre la restitution du prix ? ⋙ *A.* Les parties doivent être remises dans l'état où elles étaient lors de la vente ; or, des restitutions réciproques doivent avoir lieu, car le vendeur se trouve débiteur d'une partie du prix qu'il a reçu, et créancier de l'importance des dégradations : une confusion jusqu'à due concurrence s'est opérée en sa personne (*Cass.*, 13 mai 1833 ; S., 33, 1, 668).
L'acquéreur est-il tenu de restituer, au propriétaire qui l'évince, le profit qu'il a tiré des dégradations ? ⋙ *Non* : si les dégradations consistent dans la destruction d'une amélioration faite par le vendeur ; car le propriétaire reprend alors la chose dans l'état où elle était au moment de la vente. — *Secùs*, si le profit résulte des dégradations commises sur le fonds ; par exemple, si ce profit provient d'une coupe de bois (Pothier, n. 125).

1653 — Si la chose vendue se trouve avoir augmenté de prix à l'époque de l'éviction, indépendamment même du fait de l'acquéreur, le vendeur est tenu de lui payer ce qu'elle vaut au-dessus du prix de la vente.

= Au premier abord, la disposition de l'article 1633 paraît en contradiction avec celle de l'article 1631 : en effet, lorsque la chose est diminuée de valeur, le vendeur ne doit pas moins restituer le prix en totalité ; tandis que, dans le cas inverse d'améliorations, il doit payer la plus-value résultant de ces améliorations : pourquoi cette différence ? Le législateur a pensé, que la règle : *qui rem quasi suam neglexit*, règle qui protége l'acheteur en cas de perte, ne devait pas être rétorquée contre lui en cas d'amélioration, et que les principes généraux devaient, en ce cas reprendre toute leur force (2). — La loi ne distingue pas si le vendeur a disposé de bonne foi, ou s'il a vendu sciemment la chose d'autrui sans prévenir l'acquéreur (3) ; si la plus-value de l'immeuble provient d'un

---

(1) Aux termes de l'art. 2175, les détériorations qui procèdent du fait ou de la négligence du tiers détenteur, donnent lieu contre lui à une action en indemnité : comment concilier cet article avec celui qui nous occupe ? ⋙ Dans le cas de l'art. 2175, le débat a lieu entre le tiers détenteur et les créanciers : or, à l'égard de ces derniers, le tiers détenteur ne peut regarder la chose comme sienne, tant qu'il n'a pas purgé les hypothèques ; au contraire, dans le cas de notre article, le tiers détenteur est en droit de se croire propriétaire (Delv., p. 75, n. 1).
(2) *Cass*, 12 décembre 1826 ; S., 27, 1, 244 ; D., 27, 1, 93.
(3) Quelques auteurs font cette distinction (*Foyez* Pothier, *Obligations*, n. 164, Vente, n. 183 ; Merlin, Garantie, § 3 art. 1er, n.5 ; Duvergier, n. 369). Mais c'est à tort, selon nous : la position du

événement casuel, ou si elle provient du fait de l'acheteur : dans tous les cas, ce dernier peut réclamer l'application de l'article 1633.

1634 — Le vendeur est tenu de rembourser ou de faire rembourser à l'acquéreur, par celui qui l'évince, toutes *les réparations* (1) et améliorations utiles qu'il aura faites au fonds (2).

= Si l'acheteur peut prétendre à une indemnité pour les améliorations fortuites, il peut en exiger une, à plus forte raison, pour celles qui proviennent de son fait.

Le vendeur qui a été de bonne foi, se libère en tenant compte, ou en faisant tenir compte à l'acheteur, des impenses utiles, eu égard à l'augmentation de valeur que le fonds a éprouvée (1150) (3). — *Quid*, s'il a été de mauvaise foi? (*Voy.* art. 1635).

— L'acheteur a fait pour 3,000 fr. de dépenses, et ces dépenses ont augmenté de 4,000 fr. la valeur du fonds; *quid juris?* ⟶ L'acheteur peut agir contre le vendeur pour 4,000 fr. (1633). — Si la plus-value ne s'élevait pas au montant des dépenses, il n'aurait rien à réclamer, puisqu'il n'éprouverait aucun préjudice.

Le propriétaire peut-il compenser ce qu'il doit à l'acheteur pour améliorations, avec les fruits perçus de bonne foi par ce dernier? ⟶ N. Le Code n'établit pas cette compensation : l'art. 1650 attribue les fruits au possesseur de bonne foi, et l'art. 1634 lui alloue une indemnité pour ses impenses; or, il n'y a de compensation qu'entre créanciers et débiteurs réciproques (Dur., n. 297).

Le vendeur doit-il, outre le prix et l'excédant de valeur, rendre à l'acheteur les frais et loyaux coûts du contrat? ⟶ N. Les frais et loyaux coûts sont déduits de l'excédant de valeur : on ne peut réclamer les bénéfices procurés par un contrat, sans payer les frais de ce contrat.

1635 — Si le vendeur avait vendu de mauvaise foi le fonds d'autrui, il sera obligé de rembourser à l'acquéreur toutes les dépenses, même voluptuaires ou d'agrément, que celui-ci aura faites au fonds.

= Le vendeur qui est de mauvaise foi, doit rembourser les impenses

---

vendeur de mauvaise foi, est réglée par l'article 1635; nous verrons qu'il doit non-seulement indemniser l'acheteur de ses pertes purement pécuniaires; mais encore lui tenir compte de la valeur d'affection que la chose avait pour lui. — Il existe, comme on le voit, des différences, entre les principes posés formellement au titre de la vente, et ceux établis au titre des obligations : en effet, aux termes des articles 1150 et 1151, les dommages-intérêts à fournir par le débiteur de bonne foi, ne doivent pas excéder ce que les parties ont pu prévoir lors du contrat : si donc les articles 1633 et 1634 n'avaient pas établi pour la vente une règle spéciale, nous aurions affranchi le vendeur de toute responsabilité, à raison de la plus-value résultant d'un événement imprévu comme l'établissement d'un canal, par ex. : a la vérité, l'interprétation que nous donnons des articles 1633, 1634 et 1635, est contraire au système de Pothier : ce jurisconsulte appliquait à la vente, la décision reproduite dans les art. 1150 et 1151 : il citait à l'appui de son opinion, la loi 43 *in fine* du titre *de actionibus empti et vendili*; mais elle est plus conforme à l'esprit des articles 1633, 1634 et 1635 : en combinant ces articles, on reconnaît que les auteurs du Code n'ont pas perdu de vue la différence qui existe entre la position du vendeur de bonne foi et celle du vendeur de mauvaise foi (Toullier, n. 285; Dur., n. 293; Troplong, n. 507)(*Val.*)

(1) C'est à tort que l'on a placé dans cet article le mot *réparations*; en effet, on ne considère pas, pour fixer l'indemnité, le montant des débours, mais la plus-value qu'ils ont produite.

(2) Disposition inutile : elle pouvait facilement s'induire de l'article 1633.

(3) Souvent l'acheteur se trouvera complétement indemnisé par les restitutions que le propriétaire est tenu d'effectuer, aux termes de l'art 555 : en effet, si le propriétaire tient compte au possesseur de la plus-value de l'immeuble, le vendeur n'aura rien à restituer à ce dernier : mais si l'immeuble ayant acquis une plus-value supérieure aux dépenses faites par l'acheteur, le propriétaire n'a restitué à celui-ci que le montant de ses impenses; ou bien encore, si l'acheteur ayant été de bonne foi, le revendiquant s'est borné à lui restituer ses impenses, sans égard à la plus-value de l'immeuble, le vendeur doit dans ces deux cas tenir compte de la différence à l'acheteur. — Les rapports du possesseur avec le propriétaire ne sont pas les mêmes, comme on le voit, que ceux du possesseur avec le vendeur.

même voluptuaires; ce dommage est une suite immédiate et directe de l'inexécution du contrat (1151).

1636 — Si l'acquéreur n'est évincé que d'une partie de la chose, et qu'elle soit de telle conséquence, relativement au tout, que l'acquéreur n'eût point acheté sans la partie dont il a été évincé, il peut faire résilier la vente (1).

= Nous avons supposé jusqu'ici le cas d'éviction totale : cet article et les suivants règlent le cas d'éviction partielle.

L'acheteur peut demander la résolution de la vente, si la partie dont il est évincé a pour lui une importance telle, qu'il soit évident qu'il n'aurait pas acheté s'il eût connu la cause d'éviction : l'acheteur peut prétendre à toutes les indemnités dont il est question dans les articles 1633 et suiv., car la résolution porte en ce cas sur l'ensemble du contrat. — Si la partie du domaine dont l'acheteur est évincé n'a pas une assez haute importance pour que la vente soit résiliée, ou si l'acquéreur n'use pas du droit de faire résilier la vente, et préfère conserver ce qui reste de la chose, on applique l'article 1637.

— L'art. 1636 est-il applicable à la vente sur adjudication? ⩕ A. Arg. de l'art. 729, Pr. — L'art. 1636 est général (Dur., n. 300).

1637 — Si, dans le cas de l'éviction d'une partie du fonds vendu, la vente n'est pas résiliée, la valeur de la partie (2) dont l'acquéreur se trouve évincé (3), lui est remboursée suivant l'estimation à l'époque de l'éviction, et non proportionnellement au prix total de la vente, soit que la chose vendue ait augmenté ou diminué de valeur.

= En cas d'éviction partielle, si le contrat n'est pas résilié, soit parce que l'acquéreur préfère conserver la chose, soit parce que la portion dont il souffre éviction n'est pas assez considérable pour motiver une demande en résolution, il y a lieu d'allouer une indemnité; mais sur quelle base la fixera-t-on? Si l'éviction est d'une *part* indivise, par ex, si l'acheteur est privé du tiers ou du quart de la propriété, on doit appliquer les dispositions des art. 1630 et 1631; car il y a même raison pour la partie que pour le tout (4) : en conséquence, le vendeur restituera le tiers ou le quart du prix de la vente ainsi que des frais et loyaux coûts, et tiendra compte de la plus-value, en proportion de la partie évincée (1633); de son côté, l'acheteur payera une indemnité, à raison des dégradations qu'il aura commises, s'il en a profité (1632). — Mais si l'éviction est d'une *partie* distincte et déter-

(1) Dans l'art. 1601, la loi s'en rapporte à l'acquéreur, tandis que dans l'art 1636, elle fait intervenir les tribunaux : pourquoi cette différence? Dans l'art. 1601, la résiliation étant demandée aussitôt après le contrat, lors de la délivrance, on ne peut craindre que cette demande soit faite purement *pœnitentiâ* comme cela pourrait arriver au cas de l'art. 1636.

(2) Le mot *partie*, s'entend d'une *partie déterminée*; le mot *part*, s'entend d'une portion *indéterminée, indivise*.

(3) C'est là une innovation du Code; dans l'ancien droit, on ne faisait point de différence entre l'éviction totale et l'éviction partielle.

(4) D'ailleurs, la loi ne parle pas d'une *part*, mais d'une *partie* : dès lors, la disposition ne peut s'appliquer à la part indivise. Cette décision est conforme aux anciens principes; une innovation telle que celle que consacre l'article 1637, doit être restreinte dans des limites étroites.

minée, par ex., si l'acquéreur de quatre arpents de terres labourables et
de deux arpents de vignes a perdu cette dernière portion, notre article reçoit son application : ce n'est plus alors le prix de la vente, qu'il faut prendre pour base ; mais la valeur réelle de la chose au temps de l'éviction. —
Pourquoi cette différence? l'éviction, dans la première hypothèse, est
d'une part aliquote ; elle porte sur le bon et sur le mauvais ; le tiers propriétaire et l'acheteur se trouvent en communauté : dans cet état de choses,
le vendeur conserve *sine causâ* dans sa main une portion du prix, correspondante à la partie évincée. Mais lorsque l'éviction est d'une partie
matérielle du fonds, elle peut porter sur la plus mauvaise ou sur la meilleure partie de ce fonds, en sorte que la restitution d'une quotité du prix
serait ou trop, ou trop peu (1).

Dans le cas d'éviction partielle, le vendeur doit indemniser l'acheteur
des condamnations prononcées contre lui, pour la restitution des fruits,
et lui payer des dommages-intérêts ; le tout, suivant les distinctions établies
par l'art. 1630.

On doit appliquer les règles fixées par les art. 1636 et 1637 combinés, au
cas où des droits réels auraient été déclarés faussement par le vendeur appartenir à l'héritage vendu : s'il est prouvé que l'existence de ces droits a
déterminé l'acquéreur, la résiliation peut être demandée (1636); dans le
cas contraire, il y a seulement lieu à des dommages-intérêts, lesquels seront calculés conformément à l'article 1637.

— L'art. 1637 est-il applicable à l'éviction qui a lieu après une vente sur expropriation forcée ? ⟶ A.
Argument des termes généraux de l'art. 1637 (*Toulouse*, 24 janvier 1826 ; S., 26, 2, 136. — *Dijon*,
8 août 1817 ; S., 18, 2, 107 ; D., Vente, p. 884). ⟶ N. L'acheteur n'a que l'action connue sous le nom de
conditio indebiti ; ayant payé par erreur, il n'a droit qu'à la répétition du prix. — L'art. 1637 ne statue
que sur des dommages-intérêts ; or, dans l'espèce, l'acheteur ne peut en réclamer (Troplong, n. 85).

Lorsque la clause suivante : *telle qu'elle se poursuit et comporte*, a été insérée, le vendeur est-il
affranchi de tout recours pour les servitudes occultes et non déclarées dans le contrat? ⟶ N. Cette
clause est devenue de style ; les parties n'y attachent aucune importance ; il faut rechercher l'intention
des parties (Troplong, n. 530, Duvergier, n. 379 ; Dur., n. 302).

Quid si l'on a joint à ces mots, ceux-ci : *et que l'acheteur a dit bien connaître ?* ⟶ Même décision
(Troplong, n. 530, Duvergier, *ibid.*).

1638 — Si l'héritage vendu se trouve grevé, sans qu'il en
ait été fait de déclaration, de servitudes non apparentes, et
qu'elles soient de telle importance, qu'il y ait lieu de présumer que l'acquéreur n'aurait pas acheté s'il en avait été
instruit, il peut demander la résiliation du contrat, si mieux
il n'aime se contenter d'une indemnité.

= Ainsi, l'apparition de ces sortes de charges est assimilée, sous certains rapports, à une éviction partielle ; la garantie doit produire les mêmes
effets dans les deux cas : par conséquent, si l'acheteur préfère laisser sub-

(1) Delv., t. 8, p. 149 ; Dur., n. 300. ⟶ Cette distinction n'est . ni dans les termes, ni dans l'esprit
de la loi : les rédacteurs du Code n'ignoraient pas qu'il existait des évictions *pro diviso* et *pro indi-
viso*. — D'ailleurs, on eût pu facilement estimer, par ventilation, à quelle part du prix correspondait la
part divise dont l'acheteur était évincé ; dès lors, l'art. 1631 aurait pu être appliqué : c'eût été le système
des lois 1 et 64, ff., *de evictionibus*. — Les rédacteurs se sont donc écartés avec intention de ce système.
— L'article 1637 ne distingue pas : que la partie dont l'acheteur est évincé soit divise ou indivise ; que
le domaine ait augmenté ou qu'il ait diminué de valeur, on recherche toujours quelle est la valeur
totale au moment de l'éviction, et l'on calcule sur cette valeur l'indemnité à laquelle l'acheteur peut
prétendre, eu égard à la portion dont il est évincé. — Au surplus, la disposition de l'article 1637 se justifie
jusqu'à un certain point : lorsque le contrat est résolu, il paraît juste d'obliger le vendeur à restituer
le prix en totalité, car il est sans cause entre ses mains ; mais lorsque le contrat continue de subsister,
on comprend que le montant de l'indemnité soit restreint à la perte réelle éprouvée par l'acheteur
(Troplong, n. 517 ; Duvergier, n. 374) (*Val*).

sister la vente, ou si les tribunaux décident, sur sa demande en résiliation, que le contrat n'éprouve pas une assez grave atteinte pour qu'il faille le résoudre, le vendeur devra payer une indemnité, et cette indemnité sera de la moins-value de l'héritage, suivant l'estimation à l'époque de l'éviction, et non proportionnellement au prix total de la vente (Arg. des art. 1636 et 1637). On donne pour exemple de servitudes non apparentes, la prohibition de bâtir. — Si les servitudes sont apparentes, l'acquéreur a dû les voir ; il ne peut dire qu'il a été trompé (1642).

Il est évident, que les charges naturelles et inhérentes à la propriété, telles que celles qui dérivent de la situation des lieux ou même les servitudes légales, ne peuvent motiver d'action en garantie : l'acquéreur est censé les connaître.

— L'adjudicataire sur saisie immobilière a-t-il une action en garantie, lorsque l'immeuble se trouve grevé d'une servitude non apparente et non déclarée ? ⁕ *A.* L'exercice de la servitude constitue une éviction partielle ; or, toute éviction donne lieu à garantie (Duvergier, n. 382).

Quid, si l'acquéreur connaissait les charges occultes, indépendamment de la déclaration ? ⁕ L'acquéreur n'a pas été trompé ; il doit s'imputer de ne pas avoir réclamé contre le défaut de déclaration. — On doit supposer qu'il a proportionné le prix qu'il a donné de l'objet, aux charges qu'il savait exister sur cette propriété ; il ne doit donc pas être recevable à demander une indemnité (Duvergier, n. 78. — *Cass.*, 7 février 1832 ; S, 32, 1. 690).

Que doit-on décider, si la servitude non apparente est énoncée dans les titres remis à l'acheteur ? ⁕ Le vendeur est tenu de garantir, si le contrat porte que la vente est franche et libre, ou si les titres ne sont remis à l'acheteur qu'après la passation de l'acte. — *Secùs*, si les titres ont été remis avant la passation de l'acte (Troplong, n. 532).

1639—Les autres questions auxquelles peuvent donner lieu les dommages et intérêts résultant pour l'acquéreur de l'inexécution de la vente, doivent être décidées suivant les règles générales établies au titre *des Contrats ou des Obligations conventionnelles en général.*

= *Voyez* art. 1126 à 1155.

1640—La garantie pour cause d'éviction cesse lorsque l'acquéreur s'est laissé condamner par un jugement en dernier ressort, ou dont l'appel n'est plus recevable, sans appeler son vendeur, si celui-ci prouve qu'il existait des moyens suffisants pour faire rejeter la demande.

= L'acheteur a le droit de demander protection et assistance à son vendeur ; il peut, en conséquence, agir en garantie, dès qu'il est menacé d'éviction. S'il a usé de ce droit dans le délai fixé par la loi (175, Pr.), le jugement n'est pas prononcé contre lui, mais contre le vendeur (182 et 185, Pr.) ; dès lors, il n'y a point lieu d'examiner, quant à la garantie, si ce jugement a été bien ou mal rendu.

Lorsque l'acheteur n'a pas mis le vendeur en cause (ce que suppose notre article), on distingue : s'il existait des moyens suffisants pour faire rejeter la demande, l'acheteur doit s'imputer de ne pas s'en être prévalu ; si les moyens opposés n'ont point été accueillis par le tribunal, l'acheteur conserve ses droits contre son garant.

Au surplus, dans l'un et l'autre cas, il y a présomption que le jugement est bien rendu ; par conséquent, c'est au vendeur à prouver que l'acheteur s'est mal défendu. Nous pensons qu'il peut invoquer, non-seulement les faits particuliers de la cause, par exemple, une transaction, la prescription, un acte de confirmation, mais encore une meilleure interprétation de la loi.

L'action en garantie dure trente ans : ce délai court du jour de l'éviction (2257), époque à laquelle l'acheteur est intéressé à agir.

— Le vendeur pourrait-il repousser l'action en garantie, si les moyens omis par l'acheteur consistaient uniquement dans des vices de formes? ꝏ N. La loi est conçue en termes généraux (Dur., n. 205).

Quid, si l'acquéreur a opposé sans succès, a la demande en revendication, les moyens qui devaient faire rejeter la demande, et que le tribunal n'ait pas prononcé ce rejet? ꝏ Le vendeur n'est pas responsable ; il n'est pas garant de l'éviction qui a lieu *per injuriam judicis*; c'est la un événement fortuit, dont la cause n'existait pas au temps de la vente (Dur., n. 304).

§ II. — De la garantie des défauts de la chose vendue (1).

Le vendeur doit non-seulement garantir l'acheteur de toute éviction, mais encore lui procurer la possession utile , c'est-à-dire, une possession qui atteigne le but qu'il s'est proposé : il est donc soumis à la garantie des *vices rédhibitoires;* c'est-à-dire, des vices cachés qui empêchent ou diminuent l'usage de la chose vendue.

Les vices rédhibitoires sont en général fixés par l'usage des lieux.

Pour que le vendeur soit responsable , trois conditions sont requises ; il faut :

1° Que les vices n'aient pu être connus de l'acheteur (1642).

2° Qu'ils aient existé au temps de la vente , ou au jour de l'événement prévu , si la vente est conditionnelle.

3° Qu'ils soient de telle importance , que l'acheteur n'eût pas acquis ou n'eût donné qu'un moindre prix s'il eût connu ces vices (1641) (2).

Deux actions naissent des vices rédhibitoires : *l'action rédhibitoire* (3) et l'action *quanti minoris* (4) (1664) : l'une tend à la résolution du contrat , l'autre tend à la réduction ou à la restitution d'une partie du prix.

La résolution remet les choses dans l'état où elles étaient avant la vente : ainsi , le vendeur restitue le prix; l'acheteur restitue la chose : le vendeur rembourse les frais occasionnés par la vente, et les intérêts du prix à partir du jour du payement; l'acheteur tient compte des détériorations qu'il a causées, lorsqu'il en a profité, et rend tous les accessoires de la chose.

La réduction du prix a lieu , d'après une estimation faite par experts.

L'acheteur peut, à son choix, intenter l'une ou l'autre action ; mais il n'a pas le droit de recourir à l'une après avoir succombé sur l'autre; on lui opposerait l'autorité de la chose jugée.

L'action rédhibitoire et l'action en diminution du prix doivent être intentées dans les délais fixés par l'usage du lieu où la vente a été faite; à défaut d'usage constant, ces délais sont laissés à la fixation du tribunal.

Le vendeur est tenu des vices rédhibitoires soit qu'il les ait connus ou dû connaître à raison de sa profession, soit qu'il les ait ignorés. Mais il y a cette différence que, dans le premier cas , il est tenu de tous les dom-

---

(1) La garantie , à raison des vices rédhibitoires , n'est guère applicable qu'aux choses mobilières. — A l'égard des immeubles , on ne les achète ordinairement qu'après les avoir vérifiés ou fait vérifier. — On remarque qu'il ne s'agit point ici d'une garantie proprement dite , mais d'une simple responsabilité. La garantie , en effet, suppose l'obligation de prendre le fait et cause de l'acheteur , ce qui ne peut avoir lieu dans l'espece , puisque l'acheteur n'est pas troublé.

(2) Ne confondons pas l'absence de certaines qualités , avec l'existence de défauts cachés : l'une peut entraîner la résolution de la vente , par exemple , lorsque les qualités ont été la cause déterminante du contrat : l'autre donne lieu à l'action rédhibitoire proprement dite.

(3) (*Rursus habere*).

(4) Qu'on appelait aussi *œstimatoriœ;* voy. ff . titre *de ediltio œdicto et de redhibitione et quanti minoris.*

(5) Les intérêts se compensent ordinairement avec les fruits.

mages-intérêts, qui sont une suite immédiate et directe de l'inexécution de la convention (1150 et 1151); tandis que dans le deuxième, ses obligations se bornent au remboursement du prix et des frais de la vente ; il n'est même soumis à aucune restitution s'il a stipulé qu'il ne sera pas garant (1643) (1).

La responsabilité du vendeur cesse :

1° Lorsque l'acheteur a renoncé à l'action en garantie; toutefois, nonobstant cette renonciation, il conserverait son action, si le vendeur avait eu connaissance des défauts (1643).

2° Lorsqu'avant la vente, l'acheteur a connu l'existence des vices de la chose (1641);

3° Enfin, lorsque la chose a péri par cas fortuit, et *à fortiori*, lorsqu'elle a péri par le fait de l'acheteur (2).

1641 — Le vendeur est tenu de la garantie à raison des défauts cachés de la chose vendue qui la rendent impropre à l'usage auquel on la destine, ou qui diminuent tellement cet usage, que l'acheteur ne l'aurait pas acquise, ou n'en aurait donné qu'un moindre prix, s'il les avait connus (3).

= Aux termes de notre article, la garantie, à raison des vices rédhibitoires, a lieu dans deux cas :

1° Lorsqu'ils rendent la chose impropre à l'usage auquel on la destine ;

2° Lorsqu'ils diminuent tellement cet usage, que l'acheteur ne l'aurait pas acquise, ou n'en aurait donné qu'un moindre prix s'il les eût connus.

Quels sont donc les vices qui produisent cet effet ? C'est là une question de fait, qui varie suivant la nature de l'objet vendu et suivant l'usage des lieux. On donne pour exemple des vices rédhibitoires qui peuvent être invoqués en tous lieux : le charbon pour les animaux ; un goût de fût pour les tonneaux ; des étoffes lorsqu'elles sont tarées.

Les vices rédhibitoires de l'une des choses comprises dans un marché, donnent-elles lieu à la résolution du contrat pour le tout ou seulement pour

---

(1) Sous ce dernier rapport, l'action résultant des vices rédhibitoires, diffère de l'action en garantie pour cause d'éviction : en effet, dans ce dernier cas, le vendeur doit, nonobstant sa bonne foi, restituer le prix, bien qu'il ait stipulé la non-garantie (1629).

(2) Sous l'ancienne jurisprudence et en droit romain, lorsque la chose vicieuse périssait par cas fortuit, l'acheteur conservait son action (L. 47, § 1er *de œdilitio edicto*) : le vendeur, disait-on, avait touché le prix, sans cause, en totalité ou en partie. — Lorsque la chose avait péri par le fait de l'acheteur, ce dernier ne conservait pas son action intacte ; il devait tenir compte au vendeur de la valeur de la chose au moment où elle avait péri (L. 31, *de œdilitio edicto*). — Les auteurs du Code, préoccupés de la maxime *res perit domino*, et des difficultés que présente l'appréciation de la chose qui a péri, ont abandonné le système du droit romain et celui de l'ancienne jurisprudence.

(3) La loi du 20 mai 1838, relative aux ventes et échanges des animaux domestiques, a modifié sous plusieurs rapports, le principe posé par l'article 1641 ; voici quels sont les principaux changements :

Les caractères des vices rédhibitoires, ne sont point abandonnés à l'appréciation des juges ; leur détermination est même indépendante de l'usage des lieux : la loi prend soin de les fixer, suivant les diverses espèces d'animaux qu'elle désigne (art. 1er).

L'action dite *quanti minoris*, est supprimé (art. 2).

La loi détermine le délai dans lequel l'action doit être intentée (art. 3 et 4), et celui dans lequel l'acheteur doit faire consister le vice (art. 5), cette formalité peut être accomplie avant comme après l'action intentée.

Le délai pour intenter l'action est dans deux cas de 30 jours, et dans tous les autres, de 9 jours ; il court du jour de la livraison, non compris ce jour (art. 3).

Le délai s'augmente d'un jour par 5 myriamètres (art. 4).

Le délai pour provoquer la constatation du vice est de 30 ou de 9 jours ; la loi laisse au juge de paix du lieu où se trouve l'animal, le soin de le fixer. — Le juge de paix doit immédiatement ordonner une expertise, il peut nommer un ou trois experts ; les experts doivent procéder dans un bref délai (art. 5).

Quant aux dispositions des articles 7 et 8 de cette loi, on doit les considérer comme des applications de la règle consacrée par l'article 1647.

cette chose ? On distingue , si le vice tombe sur la chose principale, il entraîne la rédhibition de toutes les choses accessoires : *secùs* , dans le cas
contraire ; car le principal peut subsister sans l'accessoire.

Mais l'acheteur peut-il se faire indemniser , en cas de vices rédhibitoires
des choses accessoires ? Oui : si ces choses ont été spécialement relatées dans
le contrat *tanquàm res singulæ;* non , si elles sont comprises dans une
disposition générale. — Ex. : je vous vends une métairie avec tel ou tel
cheval de labour ; je serai soumis à la garantie, si quelques-uns de ces chevaux sont atteints de vices rédhibitoires.—Je vous vends ma métairie avec
les douze chevaux qui s'y trouvent ; vous n'aurez pas d'action contre moi ,
car les chevaux ne sont pas vendus *tanquàm res singulæ.*

Si les choses sont également principales ; en d'autres termes , si elles ont
été vendues comme faisant ensemble un tout ; comme tellement liées , que
l'une n'aurait pas été vendue sans l'autre ; par exemple : deux chevaux ,
une couple de bœufs ; le vice de l'une donne lieu à la rédhibition de l'autre.
Si ces choses sont indépendantes l'une de l'autre , la garantie n'a lieu que
pour la chose entachée du vice rédhibitoire.

— L'action rédhibitoire est-elle divisible ou indivisible de la part de l'acheteur ? ⁓ Elle est indivisible : en conséquence elle ne peut être intentée que par tous les héritiers de l'acheteur , ou par tous les
acheteurs, si l'acquisition a eu lieu en commun (Troplong, n. 576 ; Pothier, n. 224 et 225 ; D., t. 12, p. 891).

Est-elle divisible ou indivisible contre les héritiers du vendeur ou contre les vendeurs. ⁓⁓ Elle est indivisible : ainsi , l'acheteur peut actionner un des héritiers du vendeur et le faire condamner pour sa part
et portion (Pothier , *ibid. ;* Troplong , *ibid,;* D., *ibid.*).

1642 — Le vendeur n'est pas tenu des vices apparents et dont l'acheteur a pu se convaincre lui-même.

= Ainsi , vous achetez une maison qui tombe en ruine , ou un cheval
aveugle : vous ne pourrez agir en garantie contre le vendeur ; car les vices
de la chose étaient évidents.

Mais si les vices n'étaient pas apparents, ou si l'acheteur n'avait pu se
convaincre de leur existence par une vérification exacte , le vendeur serait
responsable.

Dans beaucoup de cas, en effet , il arrive qu'un vice ne peut être connu
de l'acheteur, bien qu'il soit apparent : c'est ce qui a lieu , lorsque la chose
n'était pas sous ses yeux lors de la vente , ou lorsqu'elle lui a été vendue
dans un magasin obscur ou sous d'autres objets : le vendeur ne doit pas tirer avantage de sa mauvaise foi.

Nous déciderions de même , si la vente avait pour objet des marchandises
que l'acheteur ne vérifie que chez lui , d'après un usage constant ; le vendeur est alors censé avoir tacitement garanti toute espèce de défaut ,
même les vices apparents.

1643 — Il est tenu des vices cachés, quand même il ne les aurait pas connus , à moins que, dans ce cas, il n'ait sti- pulé qu'il ne sera obligé à aucune garantie.

= La garantie, à raison des vices cachés, produit des effets plus ou
moins étendus, suivant que le vendeur a connu les vices ou qu'il les a
ignorés : dans l'un et l'autre cas, assurément, la résolution de la vente
peut être prononcée ; mais il y a cette différence , que la mauvaise foi
soumet le vendeur à des dommages-intérêts (1645) , tandis qu'on ne
peut en exiger de lui, lorsqu'il a été de bonne foi (1646) : qu'il ne peut

se prévaloir de la clause de non-garantie, si l'on prouve qu'il connaissait les vices de la chose (1645 1628); cette preuve n'est pas établie, tandis qu'il peut invoquer cette clause, quand (1646) le texte de l'art. 1643 ne laisse aucun doute à cet égard.

— *Quid*, si le vendeur qui a ignoré les vices s'est porté garant envers l'acheteur qui les connaissait? Comme il y a eu dol de la part de ce dernier, il n'a point d'action en garantie.

1644 — Dans le cas des articles 1641 et 1643, l'acheteur a le choix de rendre la chose et de se faire restituer le prix, ou de garder la chose et de se faire rendre une partie du prix, telle qu'elle sera arbitrée par experts.

= Aux termes de l'article 1638, l'acheteur ne peut demander la résolution du contrat, qu'autant qu'il est constant qu'il n'eût pas acheté s'il avait connu l'existence des servitudes non apparentes; mais l'art. 1644 n'exige pas cette condition lorsque les vices sont rédhibitoires : par cela seul, qu'il y a simple diminution de l'usage de la chose, encore bien que l'action *quanti minoris* eût suffi pour réparer le dommage, la loi accorde à l'acheteur, indépendamment de cette action, l'action *rédhibitoire*. Pourquoi ne met-on pas à la résolution de la vente la même condition que l'article 1638? Parce qu'il est pour ainsi dire impossible de découvrir quelle eût été la détermination de l'acheteur, s'il eût connu les vices de la chose : telle personne achetera un cheval vicieux, telle autre n'en voudra à aucun prix. Cette difficulté ne se présente pas quand il s'agit de servitudes; car une servitude a pour seul effet de diminuer l'étendue du droit de propriété, et cette diminution peut être aisément appréciée (1).

1645 — Si le vendeur connaissait les vices de la chose, il est tenu, outre la restitution du prix qu'il en a reçu, de tous les dommages et intérêts envers l'acheteur.

= Si le vendeur connaît les vices de la chose, ou même, s'il a un motif suffisant de soupçonner leur existence, il doit en instruire l'acheteur : en gardant le silence, il se constitue en faute; cette dissimulation est un dol, qui le soumet, non-seulement à l'action rédhibitoire, mais encore aux dommages-intérêts prévus ou imprévus (1150 et 1151), lors même que le contrat contiendrait une clause de non-garantie (1643).

Mais est-ce à l'acquéreur à prouver que le vice existait lors de la vente, et que le vendeur en avait connaissance, ou au vendeur à établir que ce vice n'existait pas? On distingue : si la loi ou l'usage a fixé un délai pour l'exercice de l'action, par cela seul que cette action est intentée dans le délai prescrit, il y a présomption légale en faveur de l'acheteur; mais s'il n'y a pas de délai déterminé, la présomption est en faveur du vendeur : par conséquent l'acheteur doit prouver que le vice existait (Arg. de l'art. 1648).

1646 — Si le vendeur ignorait les vices de la chose, il ne sera tenu qu'à la restitution du prix, et à rembourser à l'acquéreur les frais occasionnés par la vente.

---

(1) *Rouen*, 11 décembre 1806; D., Vente, p. 888; *voy.* cep. *Bordeaux*, 25 avril 1828; S., 28, 2, 258.

= Ainsi, le vendeur ne doit pas de dommages-intérêts, à raison des vices rédhibitoires, lorsqu'il a été de bonne foi; il en est autrement dans le cas d'éviction (1630 et 1633) : pourquoi cette différence? La loi veut, autant que possible, restreindre les actions rédhibitoires ; trop de personnes auraient eu du penchant à intenter ces actions, si elles avaient eu l'espoir d'obtenir des dommages - intérêts, indépendamment du prix de la chose. Assurément, la restitution des frais est une sorte d'attribution de dommages-intérêts; mais les frais de vente sont tellement inhérents au prix de la chose, qu'on a pu ne pas les considérer comme des dommages-intérêts.

— *Quid*, si le vendeur était, à raison de son état, obligé de connaître les vices? ⁓⁓ Il a dû prévoir le dommage (Dur., n. 323; Troplong, n. 574; Duvergier, 412; D., t. 12; p. 890, n. 93).

1647 — Si la chose qui avait des vices, a péri par suite de sa mauvaise qualité, la perte est pour le vendeur, qui sera tenu envers l'acheteur à la restitution du prix, et aux autres dédommagements expliqués dans les deux articles précédents.

Mais la perte arrivée par cas fortuit sera pour le compte de l'acheteur (1).

= La perte arrivée pendant les délais, par suite des vices de la matière, est supportée par le vendeur : ainsi, l'acheteur peut réclamer la restitution du prix, bien que l'objet ait cessé d'exister.

Mais la perte est pour le compte de l'acheteur, lorsqu'elle est arrivée par cas fortuit, quand même la chose aurait des vices ; car il n'éprouve en réalité aucun dommage.—Lorsqu'il est en faute, on doit, *à fortiori*, rejeter sa demande.

1648 — L'action résultant des vices rédhibitoires doit être intentée par l'acquéreur, dans un bref délai, suivant la nature des vices rédhibitoires, et l'usage du lieu où la vente a été faite.

= La sûreté du commerce exigeait qu'on n'accordât qu'un bref délai pour exercer les actions *rédhibitoires* et *quanti minoris :* ce délai varie suivant la nature des vices rédhibitoires, et dans tous les cas, suivant les différents pays. L'usage qui doit servir de règle, est celui du lieu où la vente a été faite (2).

Le délai court du jour de la vente, à moins que l'usage n'indique la tradition comme point de départ.

Si l'usage des lieux n'était pas connu, les tribunaux décideraient.

La loi de 1838 a fixé un délai uniforme pour toute la France, lorsqu'il s'agit des ventes d'animaux (3).

— Le délai de la prescription court-il du jour de la vente ou du jour où le vice a été découvert? ⁓⁓ Il court de cette dernière époque (Troplong n. 587. — *Lyon*, 5 août 1825, D., 25, 2, 17). ⁓⁓ Il court du jour de la vente : faire partir ce délai du jour où le vice a été reconnu, ce serait donner à l'acheteur le moyen de prolonger indéfiniment la durée de l'action (Duvergier n. 405).

Quid, si la tradition n'a pas suivi immédiatement la vente? ⁓⁓ La prescription ne court que du jour

---

(1) A Rome, il en était autrement : la perte de la chose vicieuse était supportée par le vendeur, encore qu'elle eût péri par cas fortuit (L. 47, § 1, ff. *de œdil. edict.*).

(2) De ce que la loi se réfère aux usages des lieux en ce qui concerne le délai dans lequel l'action doit être intentée, il ne faut pas conclure qu'elle a t voulu maintenir les anciens usages en ce qui touche la question de savoir si tel vice est ou non rédhibitoire (Duvergier, u, 395; *voy.* cep., Dur.. n. 315).

(3) *Voyez* p. 279, note (3).

de la tradition (Troplong, n. 588). ⁓⁓ La vente est parfaite par le seul consentement sur la chose et sur le prix (Duvergier. *ibid*. — *Cass.*, 17 mars 1829 : D., 29, 1, 366 ; S., 29, 1, 139).

Suffit-il que le vice ait été constaté dans le délai fatal, sauf à intenter l'action plus tard, dans un terme assez bref ? ⁓⁓ *A.* (*Bourges*, 12 mars 1831 ; D., 31, 2, 194). ⁓⁓ Il n'y a pas de règle générale ; ce qu'il faut considérer avant tout , ce sont les usages (Troplong , n. 589 ; Duvergier , *ibid.* — *Cass.*, 5 août 1830 ; D., 30, 1, 197 ; 2 mars 1833 ; S., 33, 1, 277).

La prescription établie par les usages auxquels se réfère l'art. 1648 est-elle applicable à la garantie d'un vice qui n'est pas rédhibitoire de sa nature , mais qui l'est par la convention ? ⁓⁓ *A.* (Troplong, n. 590).
⁓⁓ *N.* La durée de la prescription n'a pas été arbitrairement fixée ; c'est la nature de chaque vice qui a servi à la déterminer ; il serait déraisonnable d'étendre la règle d'un cas à un autre (Duvergier, n. 407).

La brièveté du temps qui s'est écoulé entre la vente et la destruction de la chose , établirait-elle une présomption légale que le principe de destruction existait au temps de la vente ? ⁓⁓ Oui , s'il existe un délai spécial pour l'exercice de l'action rédhibitoire. — *Secùs* dans le cas contraire ; l'acheteur rentre alors dans le droit commun (Delv., t. 3, p. 152; Duvergier, n. 304 ; Dur., n. 314. — *Besançon* , 13 juillet 1808 ; D., Vente, p. 890, n. 1 et 2). ⁓⁓ Les faits postérieurs à la vente sont pour le compte de l'acheteur ; c'est donc à lui à prévoir que la chose avait des vices. Arg. de la loi du 20 mai 1838 , art. 7 (Troplong, n. 569. — *Bruxelles* , 29 messidor an 13 ; D., *ibid.* ; S., 5, 2, 538).

Après avoir constaté le vice rédhibitoire dans le délai voulu , est-on recevable à intenter plus tard l'action récursoire contre le premier vendeur ? ⁓⁓ *N.* La loi ne distingue pas entre l'action principale et l'action récursoire : l'une comme l'autre doivent être dirigées contre le premier vendeur dans le délai voulu par la coutume , ou le règlement intervenu à ce sujet (*Cass.*, 18 mars 1833 ; S., 33, 1, 277).

1649 — Elle n'a pas lieu dans les ventes faites par autorité de justice.

= Il y a moins de chance que l'acheteur soit trompé dans ces sortes de ventes , à cause de la publicité dont elles sont environnées. Ajoutons, que les ventes aux enchères étant ordinairement faites moyennant un prix peu élevé, et entraînant d'ailleurs des formalités et des frais plus considérables que les autres , on a dû se montrer plus difficile pour les anéantir.

Toutefois , nous pensons qu'il faut restreindre cette disposition aux ventes faites sur saisie : alors , en effet , à qui ferait-on payer le vice caché ? ce ne pourrait être à celui qui a poursuivi la saisie et la vente de la chose de son débiteur. — Bien moins encore pourrait-on réclamer une indemnité du débiteur lui-même.

— L'acheteur d'un immeuble par voie d'expropriation forcée, a-t-il une action , pour se faire indemniser d'une perte qui vient tout à coup diminuer la valeur de l'objet acheté? ⁓⁓ *N.* Dans ces sortes de ventes , il n'y a de vendeur que la justice., laquelle ne promet ni ne garantit rien : en effet , ce n'est pas le saisi qui vend , ce ne sont pas non plus ses créanciers ; car *suum receperunt ;* on ne peut leur faire rendre ce qui leur a été payé (Troplong, n. 584).

Si la vente non forcée a été faite par autorité de justice, l'art. 1649 peut-il être opposé ? ⁓⁓ *N.* La vente ne cesse pas d'être volontaire , quoique empruntant des formes plus solennelles (Troplong, n. 585 ; Duvergier, n. 408; Dur., n. 329).

———

CHAPITRE V.

Des obligations de l'acheteur.

L'acheteur est soumis à deux obligations principales ; il doit :

1° Enlever la chose et indemniser le vendeur des dépenses qu'il a faites pour la conserver.

L'enlèvement doit avoir lieu au moment de la vente ; et lorsqu'il existe un terme fixé par la convention ou par l'usage des lieux (1135), après l'expiration de ce terme.

Si l'acheteur est en retard de prendre livraison , le vendeur peut le mettre en demeure d'enlever la chose et se faire autoriser par la justice, à déposer cette chose dans le lieu que le tribunal désignera (1264).—A partir de la mise en demeure, le vendeur peut prétendre à des dommages-intérêts pour le préjudice que lui causera le défaut d'enlèvement.

2° Payer le prix (1650) : le payement doit se faire , à défaut de stipulations contraires, au lieu et au moment de la délivrance (1651). S'il a été accordé un terme, le prix est payable au domicile de l'acheteur.

En cas de retard, l'acheteur doit les intérêts du prix dans trois cas : 1° lorsque la convention contient à cet égard une clause expresse; 2° lorsque la chose produit des fruits : les intérêts courent alors de plein droit du jour de la mise en possession et jouissance; 3° lorsqu'il a été sommé de payer; les intérêts sont dus alors, non en vertu d'une convention, mais à titre de dommages-intérêts (1153). — Il est à remarquer, qu'une simple sommation suffit, nonobstant l'art. 1153, pour constituer l'acheteur en demeure (1652).

Les obligations du vendeur et de l'acheteur sont réciproquement cause l'une de l'autre : ainsi, le défaut de payement du prix, peut donner lieu, comme le défaut de délivrance, à la résolution du contrat.

A l'égard des meubles, la résolution a lieu de plein droit et sans demande, après l'expiration du terme convenu pour le retirement; quand même le contrat ne renfermerait aucune clause spéciale (1657).

A l'égard des immeubles, on distingue : s'il existe un *pacte commissoire*, c'est-à-dire, s'il a été stipulé que la vente sera résolue de plein droit, faute de payement du prix au terme convenu, la clause, il est vrai, est réputée comminatoire (car l'acheteur peut payer et prévenir la résolution tant qu'il n'a pas été mis en demeure) : mais une simple sommation de payer suffit pour le dépouiller (1656); la mise en demeure produit en ce cas l'effet d'une condition résolutoire dont l'événement arrive.—S'il n'existe pas de *pacte commissoire*, le vendeur doit, conformément au droit commun (1184), se pourvoir en justice, et le tribunal peut, suivant les circonstances, accorder à l'acheteur un délai pour se libérer : mais ce terme de grâce écoulé, la résolution doit être nécessairement prononcée.

La résolution de la vente des meubles ne peut être poursuivie, ni contre un tiers possesseur de bonne foi, ni contre un créancier qui a acquis sur la chose un privilège préférable à celui du vendeur.

La résolution de la vente des immeubles peut-être poursuivie contre tous ceux qui ont acquis des droits réels sur la chose vendue.

Le vendeur peut demander la résolution de la vente, bien qu'il n'ait pas rempli les formalités prescrites pour la conservation du privilège qui lui est conféré par les articles 2102, n. 4, et 2103, n. 1; bien qu'il ne se soit pas présenté à l'ordre ouvert pour la distribution du prix de l'immeuble affecté et qui a été revendu, soit volontairement, soit par expropriation forcée.

De même que le vendeur n'est point tenu de délivrer la chose, s'il est en danger de perdre le prix (1613), de même l'acheteur ne peut être forcé de payer le prix, s'il est menacé d'éviction : la loi n'exige même pas qu'il soit troublé; il suffit qu'il ait juste sujet de craindre le trouble.

Au reste, la suspension n'a plus de cause, si le vendeur donne caution; car elle est fondée uniquement sur le danger du trouble. — Il n'y a même pas lieu de différer le payement, lorsqu'il a été stipulé que l'acheteur payera nonobstant le péril apparent d'éviction (1653).

La résolution replace les parties dans l'état où elles se trouvaient au moment de la vente : le vendeur recouvre sa chose, libre de toutes charges et hypothèques; l'acheteur recouvre la portion du prix qu'il a payée.

Les baux passés sans fraude par l'acquéreur, sont maintenus.

La résolution de la vente (qu'elle ait eu pour objet une chose mobilière ou immobilière), peut être demandée pendant trente ans, si la chose vendue est restée dans les mains de l'acheteur ;—en cas de nouvelle aliénation, ce droit s'éteint au profit de l'acquéreur de bonne foi ; savoir : s'il s'agit d'une chose mobilière, par le fait même de l'aliénation ; s'il s'agit d'un immeuble, par la prescription de dix et vingt ans (1).

1650—La principale obligation de l'acheteur est de payer le prix au jour et au lieu réglés par la vente.

== Outre cette obligation principale, l'acheteur est tenu de payer les frais et loyaux coûts du contrat ; d'enlever la chose ; de rembourser au vendeur les dépenses qu'il a faites pour la conserver ; de l'indemniser du dommage qu'il a éprouvé par suite de la privation de l'usage de ses magasins, greniers, caves, etc., qui contenaient les marchandises.

A moins de conventions contraires, le payement du prix est indivisible ; les héritiers de l'acquéreur doivent se réunir ; ils ne peuvent forcer le vendeur à recevoir des à-compte.

Le mot *prix*, comprend tout ce que l'acheteur débourse pour obtenir la chose, pot-de-vin, épingles, etc.

1651—S'il n'a rien été réglé à cet égard lors de la vente, l'acheteur doit payer au lieu et dans le temps où doit se faire la délivrance.

= On suppose, dans cet article, le cas de vente faite au comptant : les parties, en traitant de cette manière, conviennent tacitement que le payement s'effectuera au moment de la délivrance, et par conséquent au lieu où elle doit se faire ; le vendeur court les risques du transport.

Si la vente est faite à terme, ou si le vendeur a volontairement délivré la chose sans en recevoir le prix, ce n'est plus alors dans le lieu même de la délivrance que doit se faire le payement, mais au domicile de l'acheteur : on rentre dans la règle générale (1247) (2).

Pour que l'acheteur soit tenu de payer le prix, il faut, bien entendu, que le vendeur ne soit point en retard de livrer la chose.

1652—L'acheteur doit l'intérêt du prix de la vente jusqu'au payement du capital, dans les trois cas suivants :

S'il a été ainsi convenu lors de la vente (3) ;

Si la chose vendue et livrée (4) produit des fruits ou autres revenus (5) ;

---

(1) La circonstance que le sous-acquéreur a su, au moment de son acquisition, que tout ou partie du prix reste dû au vendeur primitif, ne le constitue pas en mauvaise foi ; car il a pu croire que son auteur payerait le prix (Troplong, n. 662; *Orléans*, 14 décembre 1831 ; S., 33, 2, 373).

(2) Toullier, n. 92, Duvergier, n. 417. ⟶ Le vendeur, en renonçant à demander le prix au moment de la délivrance n'est pas censé pour cela renoncer au droit de se faire payer au lieu où s'est faite la délivrance : *renunciatio est strictissimæ interpretationis* (Dur., n. 331 ; Delv., t. 3, p. 153).

(3) Cela allait de soi.

(4) *Vendre et livrer :* pourquoi tenir à la livraison ? Le législateur avait sans doute oublié la dernière disposition de l'art. 1614, suivant laquelle, l'acquéreur a droit aux fruits à partir de la vente. Il y a même des cas où l'acheteur peut prétendre aux fruits perçus par son vendeur ; par ex., quand il s'agit d'une propriété immobilière, le vendeur retient l'objet tant que les formalités de la purge n'ont pas été observées ; mais à charge de tenir compte des fruits à l'acheteur.

(5) A quoi servent ces dernières expressions ? Le mot *fruit* ne comprend-il pas tout ?

Pourquoi n'accorder d'intérêts qu'autant que la chose produit des fruits ? L'acheteur n'a-t-il pas l'usage de la chose ? Les rédacteurs ont été sous l'influence d'idées peu favorables au cours des intérêts de sommes d'argent ; ils ont craint que l'acheteur ne se trouvât écrasé sous le poids d'intérêts cumulés,

Si l'acheteur a été sommé de payer.

Dans ce dernier cas, l'intérêt ne court que depuis la sommation (1).

= Toute dette d'argent peut produire des intérêts en vertu d'une stipulation expresse; la dette du prix est soumise à cette règle générale. Mais indépendamment de toute convention, l'acheteur doit payer des intérêts dans les deux cas suivants :

1° *Lorsque la chose vendue et livrée produit des fruits ou autres revenus.* — Les intérêts courent en ce cas de plein droit, indépendamment de toute convention, du jour où l'acheteur est entré en possession et jouissance; mais ils ne seraient pas dus, si l'entrée en jouissance (qui a lieu en général le jour du contrat), avait été retardée par une clause particulière.

Néanmoins, cette règle souffre exception, lorsque l'acheteur a obtenu un terme pour le payement : les intérêts ne courent alors qu'à partir de l'échéance du terme (Pothier, Vente, n. 287; Dur., n. 340)(2). On présume que le vendeur aura cherché à s'indemniser de la jouissance gratuite laissée à l'acquéreur en fixant un prix plus élevé.

2° *Si l'acheteur a été sommé de payer.* — Il faut nécessairement une sommation pour faire courir les intérêts, lorsque la chose ne produit point de fruits ou autres revenus; par ex., lorsqu'il s'agit d'une bibliothèque, d'une tapisserie, etc. Mais, nonobstant les termes de l'art. 1153, une demande en justice n'est pas nécessaire.

— La prescription de cinq ans est-elle applicable aux intérêts du prix de la vente? ⁓ *N.* Ces intérêts sont la compensation des fruits que perçoit l'acheteur (Dur., n. 433; voy. cep. *Cass,,* 7 février 1826 et 9 juin 1829; D., 27, 1, 162; 29. 1, 267).

Les intérêts sont-ils dus, si la chose vendue ne produit pas actuellement de fruits? ⁓ *Oui,* s'il s'agit d'un immeuble; les immeubles sont toujours réputés frugifères. *Secus* à l'égard des meubles ; pour que les intérêts soient dus, il faut qu'ils produisent réellement des fruits ; une table . par exemple, n'est pas destinée à produire des fruits.

Peut-on convenir, dans une vente, que l'acheteur payera, en cas de retard, un intérêt supérieur au taux légal? ⁓ *N.* Arg. de la loi du 3 septembre 1807. ⁓ *A.* La loi du 3 septembre 1807 n'est relative qu'au prêt, et nullement à la vente. Si le vendeur exagère le prix, l'acheteur est libre de ne pas s'engager ; en vendant la chose plus cher qu'elle ne vaut, on arrive au même résultat que si un intérêt supérieur au taux légal était stipulé.

1655 — Si l'acheteur est troublé ou a juste sujet de craindre d'être troublé par une action, soit hypothécaire, soit en revendication, il peut suspendre le payement du prix jusqu'à ce que le vendeur ait fait cesser le trouble, si mieux n'aime celui-ci donner caution, ou à moins qu'il n'ait été stipulé que, nonobstant le trouble, l'acheteur payera.

= Le vendeur et l'acheteur contractent des obligations réciproques (1613).

L'acheteur pourrait différer le payement, quand même le prix aurait été délégué à des créanciers du vendeur; quand même il aurait accepté

(1) Cette opinion admise par les anciens auteurs, est combattue par Troplong, n. 569. et par Duvergier, n. 240. Ces auteurs se fondent principalement sur ce que l'art. 1652 ne distingue pas. — L'ancienne doctrine avait uniquement pour but de prévenir l'usure ; or l'usure, chez nous, est moins dangereuse, puisqu'un taux légal est fixé. — Au surplus, c'est là une question d'interprétation ; il s'agit uniquement de savoir, si le vendeur entend ne recevoir d'intérêts qu'après l'échéance du terme.

(2) Il résulte de cette disposition, que le vendeur est mieux traité qu'un créancier de sommes d'argent ; en effet, l'article 1153 exige une demande judiciaire pour faire courir les intérêts.

les délégations ; car il les aurait acceptées en tant seulement qu'il serait débiteur : or, cette qualité est suspendue dans sa personne, lorsqu'il y a danger d'éviction (1).

Autrefois, pour que l'acheteur pût différer le payement, il fallait que le trouble existât : le vendeur, en effet, n'était pas tenu de transférer la propriété ; il devait seulement *præstare rem habere licere*. Le Code a changé ces principes : aujourd'hui, le vendeur doit rendre l'acheteur propriétaire (1599, 1583) ; dès lors, il doit suffire, pour motiver la rétention du prix, que l'acheteur ait juste sujet de craindre d'être troublé, ce qui a lieu, par exemple, si un tiers élève des prétentions sur la chose vendue, ou s'il existe des inscriptions hypothécaires (2) : — l'acheteur doit consigner le prix, quand il veut arrêter le cours des intérêts.

Dans tous les cas, si le vendeur donne caution, le danger cessant, la suspension n'a plus de cause.

Observez, qu'à la différence du cas d'éviction, la caution, dans l'espèce, n'est donnée que pour le prix et non pour les dommages-intérêts qui pourront être accordés.

Remarquez en outre, que l'acquéreur n'est pas admis à répéter, s'il a payé : la loi lui permet seulement de retenir.

Il est bien entendu, que le vendeur ne peut, en offrant caution, exiger le payement du prix, ni même arrêter l'action en garantie, si l'acheteur est réellement troublé, ou s'il est à même de prouver que la propriété de la chose ne lui a pas été transmise.

Les tribunaux sont appréciateurs des faits et des actes sur lesquels l'acheteur fonde la crainte de l'éviction ; ils ne doivent pas s'arrêter à des motifs dont la sincérité serait douteuse.

— L'acheteur qui, ayant payé le prix, se trouve en péril d'éviction, peut-il forcer le vendeur à le lui rendre? ᴧᴧᴧ *N*. Vainement argumenterait-on de l'art. 1653, qui donne à l'acheteur le droit de séquestrer le prix entre ses mains : le vendeur peut seulement être appelé en garantie ; il n'y a aucune analogie entre un droit de rétention et un droit de répétition ; — tant que l'acheteur qui a payé n'est pas évincé, son action se borne à forcer le vendeur à prendre fait et cause ; les répétitions ne s'ouvrent que lorsqu'il y a dépossession (Troplong, n. 614 ; Pothier, n. 283 ; Duvergier, n. 430).

L'acheteur qui a consigné le prix pour que les créanciers hypothécaires en disposent entre eux, peut-il retirer le montant de la consignation, s'il a juste sujet de craindre une éviction?ᴧᴧᴧ*A*. Le prix représente l'immeuble — L'acquéreur conserve sur ce prix, comme les créanciers inscrits, un droit de surveillance et de suite. — Il peut, s'il a juste sujet de craindre une éviction, se rendre intervenant à l'ordre, et s'opposer à la distribution du prix (*Metz*, 25 juin 1833). ᴧᴧᴧ L'acheteur qui s'est dessaisi du prix ne peut le répéter. — Si les créanciers avaient partagé ce prix, l'acheteur pourrait-il les forcer à restituer ? Il n'aurait évidemment de recours que contre son vendeur : or, quelle différence y a-t-il entre la consignation et le payement? — Les créanciers se voyant désintéressés, n'ont-ils pas pu supprimer leurs titres? (Troplong, n. 614 et 498 ; Duvergier, 431).

L'acheteur auquel on n'a pas accordé de terme a-t-il un délai pour purger les hypothèques légales? ᴧᴧᴧ *A*. Mais le vendeur peut le sommer de faire les diligences nécessaires, afin qu'il ne retarde pas indéfiniment le payement du prix (Dur., n. 349).

Si le trouble ne porte que sur une portion extrêmement minime de la chose, l'acheteur est-il en droit de refuser le payement? ᴧᴧᴧ L'acheteur peut retenir une portion du prix égale à la valeur de la partie sujette à éviction (Troplong, n. 612. — *Cass*. 24 décembre 1834 ; S., 35, 1, 280).

Au lieu de choisir l'expédient de retenir le prix, l'acheteur, menacé du trouble, peut-il demander la résolution de la vente? ᴧᴧᴧ *A*. La chose doit être mise en la puissance et possession de l'acheteur ; or cette condition n'est pas remplie (1134) (Troplong, n. 613 ; Dur., n. 178 ; Duvergier, n. 220, 309, 323, 426 ; *roy. cep. Bourges*, 21 déc. 1825 ; D., 27, 2, 122 et 33, 2, 148 ; S., 27, 2, 221).

(1) On argumente de ce texte, pour prétendre que le vendeur, même chez nous, n'est pas tenu de transférer la propriété : l'acheteur, dit-on, peut seulement, s'il est troublé, suspendre le payement ; donc il n'a pas le droit de résoudre la vente ; donc le vendeur n'est pas tenu de transférer la propriété, mais seulement de procurer une sorte de possession sans trouble. Cet argument est peu solide : on suppose, dans l'art. 1653, une simple appréhension de trouble, mais sans qu'il y ait de certitude réelle. L'acheteur sait qu'un tiers médite de le poursuivre, qu'il est menacé d'un trouble ou d'une éviction ; mais il ne peut prouver qu'on lui a vendu la chose d'autrui. L'art. 1599, au contraire, suppose que l'acheteur rapporte cette dernière preuve, pièces en mains.

(2) *Riom*, 2 janvier 1830 ; S., 33, 2, 41. — *Cass*., 7 mai 1837 ; D., 27, 1, 332. — *Cass*., 24 août 1831, S. 51, 1, 315.

1654 —Si l'acheteur ne paye pas le prix, le vendeur peut demander la résolution de la vente.

= La loi fait ici l'application du principe établi art. 1184. — Hors le cas prévu par l'art. 1653, le défaut de payement, constaté par une mise en demeure, peut, comme le défaut de délivrance, donner lieu à la résolution de la vente, si mieux n'aime le vendeur contraindre l'acheteur à payer.

Ainsi, le vendeur reçoit la protection la plus efficace; il a trois actions : 1° l'action en payement du prix, laquelle est garantie par un privilége sur la chose vendue; 2° la revendication, en certains cas expressément déterminés (2102, n. 4, C. c.; 826, Proc.; 576 et suiv., Code de comm.) : — 3° l'action en résolution : cette action remet les choses dans l'état où elles étaient lors de la vente, annule toutes les transmissions, efface les charges établies sur la chose, et rend la propriété libre et franche.

Lorsque la vente est résolue pour défaut de payement du prix, l'acquéreur doit restituer tous les fruits qu'il a perçus; autrement, il les retiendrait *sine causâ*. Néanmoins, s'il a payé une partie du prix, les fruits se compensent avec les intérêts.

La règle de l'art. 1654 reçoit une application différente, suivant que la vente a pour objet des immeubles ou des meubles (1655-1656).

— La résolution étant facultative pour le vendeur, peut-il varier dans sa demande? en d'autres termes, après avoir réclamé l'effet de la condition résolutoire, peut-il demander l'exécution de la convention, et *vice versâ?* ⁊⁊ *A*. Tant que l'acheteur, par un acte quelconque, n'a pas témoigné son adhésion à ce qu'a fait le vendeur, et qu'il n'est point encore intervenu de jugement, le pacte n'est point formé (Dur., n. 379).

Le vendeur peut-il exercer cumulativement l'action en résolution de la vente, et son privilége? *N.* ⁊⁊ (*Cass.*, 26 avril 1831 ; S., 31, 1, 198).

Des actes de licitation peuvent-ils donner lieu à l'action résolutoire? ⁊⁊ *N.* Les actes de licitation entre copartageants ne sont pas des actes d'aliénation; ils ne sont pas attributifs, mais déclaratifs de propriété (883) (*Cass.*, 9 mai 1832 ; S., 31, 1, 367).

¡ *Quid* à l'égard des droits successifs? ⁊⁊ Elle constitue une véritable vente, et donne lieu par conséquent à résolution (*Pau*, 14 juin 1831 ; S. 32, 2, 153).

La résolution pour non-payement du prix, consentie à l'amiable, produit-elle les mêmes effets à l'égard des tiers que la résolution qui est prononcée en justice? ⁊⁊ *A*. La résolution, en ce cas, ne procède pas moins d'une cause nécessaire et forcée. — Il résulte bien de l'art. 1184 et des art. 1655 et 1656, qu'il faut recourir à l'autorité du juge, quand la résolution demandée par le vendeur est contestée par l'acheteur ; mais nullement qu'il en soit ainsi, quand l'acheteur lui-même reconnaît ne pas avoir payé le prix. — *Nec obstant* les dispositions légales relatives à l'enregistrement : ces dispositions ne constituent que des exceptions ; elles doivent être restreintes à cette matière spéciale. — L'article 954, en matière de donations, décide formellement la question ; et il y a une grande analogie entre la résolution dont parle cet article, et celle dont nous nous occupons ici : on ne comprendrait pas que le vendeur qui, aux termes des articles 2103 et 2108, a un privilége, ne fût pas traité aussi favorablement que le donateur. — Arg. des articles 2125, 1664 C. c. et de l'art. 717 Pr. révisé ; ce dernier article fait exception au principe que nous établissons, en déclarant que la résolution n'est pas opposable à l'adjudicataire si le vendeur n'a pas notifié son droit par la voie du greffe (*Cass.*, 10 mars 1836 ; D., 1836, 1, 167). .

Entre les parties, l'exercice de l'action en payement laisse-t-il subsister l'action en résolution, et *vice versâ?* ⁊⁊ *A*. Autrement, ce serait induire l'abandon d'un droit, de l'accomplissement d'une condition de laquelle ce droit dépend (Toullier, t. 10, n. 170; Duvergier, n. 444; Merlin, Quest., Option, § 1ᵉʳ, n. 10, Résolution add. ; Dur., n. 379. — *Paris*, 11 mars 1816 ; S., 17, 2, 11. — *Montpellier*, 29 mai 1828; D., 28, 2, 209).

Quid, si le contrat porte que, faute de payement au terme convenu, la résolution aura lieu de plein droit? ⁊⁊ Même décision; l'action résolutoire a dû nécessairement être précédée d'une sommation (Duvergier, *ibid*; Merlin, *ib.d.* — *Cass.*, 2 décembre 1811; S., 12, 1, 56. — *Limoges*, 21 août 1811; S., 12, 2, 312).

Cette dernière raison est-elle applicable à la vente de meubles? ⁊⁊ *N.* La clause résolutoire produit en ce cas son effet, sans sommation (Duvergier, n. 45).

A l'égard des tiers, l'exercice de l'action en payement rend-il non recevable l'action en résolution? *Quid*, par ex., lorsque l'adjudication a eu lieu à la suite d'une saisie pratiquée, si le vendeur se présente à l'ordre, *sans réserve*, et demande à être colloqué? ⁊⁊ Il ne pourra plus demander la résolution ; son intervention équivaut à une ratification (*voy.* Duvergier, n. 447, et les arrêts qu'il rapporte ; Troplong, n. 659 et suiv. — *Cass.*, 16 juillet 1818 ; D, 18, 1, 598 ; t. 9, p. 245 : *voy.* cependant Merlin ; Quest., Option, § 1ᵉʳ, n 6. — *Agen*, 22 mai 1831 ; D., 33, 2, 48).

L'état de faillite de l'acheteur peut-il empêcher l'exercice de l'action résolutoire contre la masse des créanciers? ⁊⁊ *N.* Il ne faut pas confondre l'action en revendication autorisée par le Code de commerce, avec l'action en résolution proprement dite. Le vendeur d'objets mobiliers peut même demander la résolution contre les syndics de la faillite (*Cass.*, 7 avril 1830; S., 30, 1, 296. — *Paris*, 18 août 1829; S., 30, 2, 10; D, 29, 2, 281; 24 avril 1833; D., 33, 2, 148. — *Angers*, 11 juin 1816; S., 18, 2, 221).

Lorsque l'immeuble est passé en la puissance d'un tiers, est-il nécessaire d'obtenir une décision contre ce tiers pour l'obliger à délaisser? ⁓ *N. Nemo plus juris*, etc. (Dur., n. 361 et 362; Delv., p. 78, n. 1). ⁓ On doit assigner en même temps l'acheteur, en résolution, et le tiers détenteur, en délaissement, afin d'obtenir contre l'un et contre l'autre un jugement commun (Duvergier, n. 406). ⁓ Il faut distinguer : si les tiers ont été chargés, par leur contrat, de payer le prix au vendeur, l'action en résolution peut être dirigée directement contre eux ; car ils sont alors obligés personnellement. *Secùs* dans le cas contraire : il faut au préalable faire prononcer la résolution contre le vendeur originaire (Troplong, n. 633. — *Cass.*, 12 mars 1829; D., 29, 1, 77).

Devant quel tribunal doit-on porter la demande en résolution? ⁓ Le vendeur peut à son choix, et à raison de la connexité, saisir, ou le tribunal du domicile de l'acheteur, ou celui de la situation des lieux. — Il n'y a point d'action mixte (Duvergier, n. 467). ⁓ L'action en résolution contre l'acheteur est personnelle ; l'action contre le tiers détenteur est mixte (Carré, Comp., t. 1er, p. 470, 478, 510 à 520). ⁓ L'action contre le tiers est purement réelle, l'action contre l'acheteur est mixte ; — le vendeur n'a pas à s'enquérir de la cause qui a fait passer la chose entre les mains du possesseur ; il lui suffit de prouver que cette chose est la propriété de lui demandeur, pour qu'il puisse la prendre partout où elle se trouve (Troplong, n. 625 et suiv.).

Que deviennent, en cas de résolution, les baux consentis par l'acquéreur? ⁓ Ceux qui ont été faits sans fraude doivent être maintenus (Delv., p. 77, n. 6 ; Troplong, n. 631).

La clause résolutoire pourrait-elle être invoquée par l'acheteur contre le vendeur? ⁓ *N*. Elle n'a été introduite qu'en faveur de celui-ci (Troplong, n. 644 ; Duvergier, n. 473).

Les intérêts du prix de la vente résolue, peuvent-ils être accordés au vendeur, à tout autre titre que celui de dommages-intérêts? ⁓ *N*. En principe, c'est à la restitution des fruits, et non au payement des intérêts du prix, que l'acquéreur doit être condamné ; les intérêts ne peuvent lui être dus qu'à titre de dommages-intérêts (*Cass.*, 23 juillet 1834 ; S., 34, 1, 620 ; D., 34, 1, 424).

Le défaut de payement du prix peut-il donner lieu à la résolution de la vente d'un meuble, lorsque ce meuble est devenu immeuble par incorporation? ⁓ *N*. Le meuble, en ce cas, a changé de nature. — Arg. des art. 524 et suiv (*Cass.*, 9 décembre 1833 ; D., 1837, 1, 5).

1655 — La résolution de la vente d'immeubles est prononcée de suite, si le vendeur est en danger de perdre la chose et le prix.

Si ce danger n'existe pas, le juge peut accorder à l'acquéreur un délai plus ou moins long suivant les circonstances.

Ce délai passé sans que l'acquéreur ait payé, la résolution de la vente sera prononcée.

= L'expropriation d'une chose aussi importante qu'un immeuble, peut entraîner de graves conséquences ; elle donne lieu à des droits d'enregistrement considérables ; elle trouble de longues possessions ; elle peut porter atteinte aux intérêts de tous. Une telle perturbation ne doit pas s'opérer légèrement : la loi veut que la résolution de la vente d'immeubles soit prononcée par jugement, encore que l'acheteur n'ait pas été mis en possession. — Du reste, l'acheteur peut obtenir, pour se libérer, un délai plus ou moins long, suivant les circonstances ; mais il ne peut en obtenir *qu'un seul* : ce terme écoulé, la vente, à la vérité, n'est point résolue de droit, mais la résolution *doit être prononcée* ; ce qui a lieu par un deuxième jugement.

L'acheteur ne peut obtenir aucun délai, si le vendeur est en danger de perdre la chose et le prix ; par exemple, s'il s'agit d'une maison qu'un acquéreur insolvable fait démolir ; d'un bois qu'il fait abattre : en effet, en pareils cas, il ne jouirait pas même, pour se libérer, des termes qui lui auraient été accordés par le contrat (1613).

— Après l'expiration du délai, l'acheteur peut-il, tant que la résolution n'est pas prononcée par le jugement passé en force de chose jugée, éviter cette résolution, en payant le prix? ⁓ *N*. L'article est pusitif : le délai passé sans que l'acquéreur ait payé, la résolution de la vente doit être prononcée (Dur., n. 373 ; Duvergier, n. 437 et 492). ⚹ *A.* Il faut entendre le dernier paragraphe de l'art. 1655, en ce sens, que le juge ne peut plus accorder de délai après le terme expiré, mais non en ce sens, que l'acheteur n'est plus admis à se libérer. Bien plus. Il peut payer tant que le jugement prononcé est susceptible d'appel, tant qu'il n'est point passé en force de chose jugée.

1656 — S'il a été stipulé lors de la vente d'immeubles que, faute de payement du prix dans le terme convenu, la vente serait résolue de plein droit, l'acquéreur peut néanmoins payer après l'expiration du délai, tant qu'il n'a pas été mis en demeure par une sommation ; mais, après cette sommation, le juge ne peut pas lui accorder de délai.

= Souvent on stipule, qu'au terme fixé, la résolution de la vente aura lieu de plein droit, par le seul défaut de payement du prix : cette convention se nomme *pacte commissoire ;* les Romains l'observaient avec la plus grande rigueur : chez eux, l'expiration du délai emportait résolution de droit. — L'ancienne jurisprudence, moins sévère, exigeait un jugement ; jusqu'à l'intervention de ce jugement, on pouvait payer, même après le délai ; en sorte que le seul effet du pacte, était d'empêcher le juge d'accorder des délais. — Le Code n'a maintenu aucun de ces deux systèmes : d'un côté, l'expiration du terme n'emporte plus déchéance ; de l'autre, un jugement n'est plus nécessaire ; une simple sommation suffit ; le juge n'intervient que pour déclarer un fait accompli : mais il faut toujours recourir à lui, nonobstant la sommation, pour faire prononcer la résolution (1).

≯. Notre article suppose que la vente a pour objet un immeuble : *quid*, s'il s'agit d'effets mobiliers? (*Voy.* art. 1657.)

— Lorsque la clause résolutoire est exprimée, l'action en payement est-elle encore recevable après l'exercice de l'action en résolution ? ⚹ *N.* Par l'effet de cette clause, la résolution demandée est censée acceptée à l'instant même ; la sentence qui intervient ne fait que déclarer un fait accompli (Duvergier, n. 446).

Doit-on appliquer la disposition de cet article avec une rigueur telle, que si l'acquéreur ne paye pas à l'instant de la sommation, la déchéance sera encourue de plein droit? ⚹ La résolution doit toujours être demandée : si l'acquéreur fait des offres avant cette époque, elle ne sera pas prononcée ; la loi déclare seulement, qu'après la sommation, le juge ne peut plus accorder de délai (Dur., n. 377 ; Delv., p. 78, n. 3. — *Bruxelles*, 7 août 1811 ; Journal du Palais. 1812, p. 637). ⚹ L'acheteur ne peut purger la demeure, lorsqu'il a été sommé de payer. — Arg. de ces mots : *tant qu'il n'a pas été mis en demeure par une sommation ;* mais la sommation n'est que commissoire ; l'acheteur peut payer dans les vingt-quatre heures. — Il serait dérisoire de prescrire une sommation, s'il n'était plus permis de payer, après qu'elle a été signifiée (Troplong, n. 669 et suiv., Duvergier, n. 437 et 463 ; Toullier, n. 558, t. 6,—*Cass.*, 19 août 1824 ; D., *Obl. g.*, p. 516 ; S., 25, 1, 49 ; 16 juin 1818 ; S., 10, 1, 188).

Pourrait-on stipuler dans la convention que la résolution aura lieu de *plein droit et sans sommation ?* ⚹ *A.* La sommation n'est qu'une mise en demeure. — Arg. de l'art. 1139. — Ces deux clauses réunies font plus que le pacte commissoire simple — une semblable convention est très-licite ; l'art. 1656 n'a pas pour but de la prohiber ; il pose une simple règle d'interprétation (Toullier, n. 568 et 587 Troplong, n. 668). ⚹ Si l'on tolérait une semblable clause, il serait facile d'éluder le but que la loi se propose ; cette clause deviendrait de style (Dur., n. 376).

Il est incontestable que la résolution peut être demandée contre les tiers : *resoluto jure dantis, resolvitur jus accipientis :* mais pendant combien de temps la demande est-elle recevable? ⚹ Pendant trente ans contre l'acheteur (2262) ; pendant dix et vingt ans contre les tiers, s'ils possèdent la chose à juste titre et de bonne foi (2265) ; si l'acquéreur n'est pas de bonne foi, l'action dure également pendant trente ans contre lui (Troplong, n. 662. — *Cass.*, 25 mars 1828 ; D., 28, 1, 194. — *Limoges*, 19 janvier 1824).

1657—En matière de vente de denrées et effets mobiliers,

___

(1) Si un jugement était nécessaire, la résolution n'aurait pas lieu de plein droit. — La fin de l'article 1656, est ambiguë, mais elle se justifie aisément : le législateur a craint, qu'on ne vînt encore en alléguant des motifs graves, demander au juge un délai pour payer. — Cette convention n'a rien de contraire aux mœurs. — La sommation n'est que pour dire au débiteur d'exécuter le contrat ; il n'est pas besoin que cet ordre lui soit donné par un jugement ; — la sommation est un mode usité de mettre en demeure ; par conséquent il faut appliquer les principes de l'art. 1139.

la résolution de la vente aura lieu de plein droit et sans sommation, au profit du vendeur, après l'expiration du terme convenu pour le retirement.

= Ces objets pouvant être facilement soustraits, et leur prix pouvant baisser d'un instant à l'autre, c'eût été exposer le vendeur à un préjudice souvent irréparable, que de prolonger son incertitude (1).

Aussi, observe-t-on strictement les clauses du contrat : si les parties ont fixé des délais *pour le retirement*, la résolution a lieu de plein droit et sans sommation, après leur échéance ; il n'est pas permis au juge d'en accorder de nouveaux.

Concluons de ces derniers mots : *pour le retirement*, que le vendeur n'aurait plus, contre l'acheteur, qu'une action en payement du prix et un privilége sur les choses vendues, si ces choses avaient été livrées (art. 2102, n. 4), et qu'il ne pourrait, nonobstant les dispositions des art. 1184 et 1654 (2), demander la résolution du contrat.

Bien que le contrat ne porte aucun délai, si,. d'après l'usage des lieux, l'acheteur est constitué en demeure de retirer la chose, la résolution a également lieu de droit.—Si les coutumes sont muettes, le vendeur ne peut disposer de la chose sans avoir fait à l'acheteur une sommation de venir prendre livraison dans un délai déterminé : mais aux termes de l'art. 1139, l'expiration du délai fixé par cette sommation suffit ; il n'est pas nécessaire de faire prononcer la résolution en justice ; la mise en demeure résultant de la sommation faite par le vendeur doit produire les mêmes effets que celle qui s'opère par la seule expiration du terme fixé pour le retirement (3).

— L'art. 1657 est-il applicable aux ventes commerciales ? ∾ A. L'art. 1657 ne distingue pas, il est général. Le Code de commerce, promulgué après le Code civil, ne porte aucune exception. Le marchand a intérêt à ce que ses magasins soient rendus libres (Troplong, n. 680; Favard, Rép., Acheteur, n. 4, Vente, p. 896, n 14. — *Cass.*, 27 février 1828 ; S., 28, 1, 357 ; D., 1828, 1, 146. — *Paris*, 20 janvier 1831 ; S., 32, 2, 29 ; D. 31, 2, 238 ; 16 août 1832 et 10 juillet 1833 ; S., 33, 2, 472 et 474 ; *voy.* cep.; Pardessus, n. 288; Malleville sur l'art. 1657. — *Cass.*, 27 février 1828 ; D., 1828, 1, 146). La résolution aurait-elle lieu de plein droit, s'il s'agissait non de denrées et d'effets mobiliers placés dans un lieu d'où l'acquéreur pourrait les retirer, mais de marchandises qui ne seraient pas, lors du marché, dans les mains du vendeur, et qu'il se serait obligé à livrer dans un délai convenu ? ∾ N. (*Bourges*, 1er février 1837 ; D., 1837, 2, 123).

CHAPITRE VI.

De la nullité et de la résolution de la vente.

Les actions en *nullité* et en *résolution* aboutissent au même résultat, qui est de replacer les contractants dans l'état où ils se trouvaient avant

(1) Suivant Duvergier, n 436, la résolution doit toujours être demandée en justice ; cet auteur pense que le juge peut dans tous les cas, aux termes de l'art. 1184, accorder un délai pour prendre livraison.
(2) Delv., t. 3, n. 157 ; Dur., t. 16, n. 380. ∾ Cette interprétation est repoussée par Troplong, n. 645, et par Duvergier, n. 436. Ces auteurs pensent que, nonobstant la livraison, le vendeur conserve le droit de demander la résolution. *Voy.* en ce sens : pour la vente de meubles, *Paris*, 18 août 1829 ; S., 30, 2, 10 ; D., 29, 2. 281 ; 24 avril 1833 ; D., 33, 2. 148. — *Cass.*, 12 janvier 1831 ; S., 31, 1, 125. — Pour les ventes de créances : *Pau*, 24 juin 1831 ; D., 32, 2. 120.
(3) Troplong, n. 679 ; Duvergier, n. 474. ∾ Cette opinion s'écarte des principes généraux en matière de résolution (*voyez* 1184). La résolution de plein droit n'est pas une conséquence de la mise en demeure de l'acheteur, mais un effet de l'intention présumée des parties (Dur.. n. 383).

la vente ; cependant il existe des différences importantes entre ces deux causes de restitution :

La nullité suppose que le contrat n'a jamais été formé, que l'une des conditions essentielles à sa formation manque ; ainsi la prétendue convention n'est qu'un fait dépouillé de tout effet légal ; elle ne dépend pas de l'avenir ; elle n'est rien et ne sera jamais rien.

La *résolution*, au contraire, suppose que le contrat a existé valablement ; elle dépend de l'avenir ; elle est subordonnée à une condition qui pourra ne pas arriver. Ex. : je vous vends ma maison, mais le contrat sera résolu si tel navire arrive. La vente soumise à la faculté de rachat est réellement faite sous une condition résolutoire dépendant de la volonté du vendeur : en conséquence, si la chose périt, l'obligation de restituer ne naîtra pas faute d'objet ; celle de rendre le prix ne naîtra pas faute de cause (1).

La durée des actions en nullité ou en rescision est toujours fort restreinte ; tandis que celle des actions en résolution n'est ordinairement limitée que par trente ans (2).

Indépendamment des causes de nullité dont il est parlé dans les articles 1595 et suiv., 1599 et suiv. ; des causes de résolution énoncées aux articles 1590, 1184, 1610, 1618, 1620, 1636, 1638, 1644, 1654 et suivants ; et des causes de nullité et de résolution communes à tous les contrats, déterminées par les articles 1108, 1117, 1125, 1183, 1184, il existe, en matière de vente, deux causes de résolution qui ont paru assez importantes pour être comprises dans deux sections particulières : *la faculté de rachat* et la *vilité du prix*.

1658 — Indépendamment des causes de nullité ou de résolution déjà expliquées dans ce titre (3), et de celles qui sont communes à toutes les conventions, le contrat de vente peut être résolu (4) par l'exercice de la faculté de rachat et par la vilité du prix (5).

---

(1) Gardons-nous également de confondre la *nullité* proprement dite avec la *rescision* : la nullité n'a pas besoin d'être prononcée ; il ne peut y avoir déchéance par l'expiration d'aucun délai. — La rescision, au contraire, doit être demandée dans un certain temps, dix ans : elle est fondée sur l'incapacité, sur l'imperfection, en un mot sur certains vices du contrat ; la ratification peut en détruire la cause.

La *rescision* a cela de commun avec la *résolution*, qu'elle efface tout ce qui s'est passé, qu'il y a résolution en entier : mais elle en diffère, en ce qu'elle a sa source dans un fait antérieur, dans une circonstance qui vicie l'un des éléments constitutifs du contrat ; tandis que l'action en résolution trouve son principe dans un événement postérieur : de là, nous concluons, que la rescision peut s'exercer, nonobstant les événements postérieurs ; tandis qu'on ne peut demander la résolution, si les choses ne peuvent être remises au même état ; ex. : étant mineur, je vous ai vendu une maison ; cette maison périt : je ne serai pas privé du droit d'en réclamer le prix.

(2) *Voy.* en outre 1583, 1590, 1592, 1595, 1596, 1597, 1599, 1600, 1601,1641 et suiv.

(3) 1108 et suiv.

(4) La faculté du rachat est seule une cause de *résolution* : la vilité du prix est une cause de rescision.

(5) Gardons-nous de prendre cet article à la lettre : nous verrons, que la vente ne peut être rescindée pour vilité du prix, que lorsqu'elle a pour objet un immeuble.

SECTION I.

De la faculté de rachat.

—▸ Le mot *rachat*, n'exprime pas ici une revente, mais la faculté que s'est réservée le vendeur, par le contrat même, de reprendre la chose vendue (1).

Nonobstant le pacte de réméré, l'acheteur devient propriétaire; mais son droit est soumis à une condition résolutoire (1183), potestative de la part du vendeur: l'événement, est le remboursement fait par l'acheteur, du prix de la vente, du coût de l'acte et des autres frais accessoires. En recouvrant la chose, ce dernier ne l'acquiert pas de nouveau; il est censé n'avoir jamais cessé d'en être propriétaire.

Pour que le pacte de rachat produise cet effet, il faut, bien entendu, qu'il soit mentionné dans le contrat de vente: s'il était l'objet d'une convention postérieure, il ne constituerait qu'une revente faite au vendeur primitif; en conséquence, les charges que l'acheteur aurait créées antérieurement à la stipulation, continueraient de subsister.

On peut stipuler le réméré, non-seulement dans les ventes d'immeubles, mais encore dans les ventes d'objets mobiliers; le Code ne distingue pas: observons toutefois, que les effets de la résolution, qui, lorsqu'il s'agit d'immeubles, s'étendent jusqu'aux tiers, sont restreints, lorsqu'il s'agit de meubles aux parties contractantes (2279). — Bien plus, quand même l'objet mobilier se trouverait entre les mains de l'acquéreur, le réméré ne pourrait être exercé au préjudice d'un créancier qui aurait acquis un privilége préférable à celui du vendeur, à moins que le créancier n'eût connu le pacte de rachat. (Arg. de l'art. 2102).

Gardons-nous de confondre la vente de meubles à réméré avec la convention de gages: celui qui engage une chose, en conserve la propriété; celui qui la vend, tranfère à l'acheteur les droits qu'il a sur cette chose.

Il est permis aux parties, de fixer, pour le réméré, tel délai que bon leur semble; néanmoins, ce délai ne peut être étendu au delà de cinq années, à partir du jour du contrat (1660). La minorité n'en suspend même pas le cours (1663).

Le droit de réméré n'est pas exclusivement attaché à la personne du vendeur; il fait partie de ses biens: comme tel, il est activement et passivement transmissible. Ses créanciers peuvent en conséquence l'exercer (1166); mais l'acquéreur peut leur opposer le bénéfice de discussion (1666).

Le droit de réméré est divisible: ainsi, lorsque le vendeur a laissé plusieurs héritiers, ou lorsque des propriétaires ont vendu conjointement et par un seul contrat l'héritage commun, chacun d'eux ne peut exercer l'action en réméré que pour sa part (1668 et 1669). La loi réserve seulement à l'acquéreur, la faculté d'exiger, que tous les héritiers ou tous les covendeurs soient mis en cause, à l'effet de s'entendre pour la reprise

---

(1) Ce mot, vient de cette expression romaine: *pactum de retrò vendendo*. — Il n'est pas exact de dire qu'il y a rachat: s'il y avait rachat, s'il y avait une nouvelle vente faite par l'acheteur au vendeur primitif, celui-ci ne reprendrait l'objet que grevé des droits réels établis par le premier acheteur; il ne pourrait agir contre un sous-acquéreur, la loi fiscale exigerait un nouveau droit de mutation. Mais, comme il s'agit d'une véritable condition résolutoire, l'objet vendu revient au vendeur franc de toutes les charges dont l'acheteur l'a grevé; il peut être repris entre les mains d'un sous-acquéreur; de nouveaux droits ne sont pas prélevés par le fisc.

de l'héritage en entier ; (1670). — Remarquons surtout, que l'acquéreur ne jouirait pas de cette faculté, si les copropriétaires n'avaient pas vendu conjointement (1671).

De même que le réméré est activement divisible, de même il est passivement divisible : si donc l'acquéreur meurt, laissant plusieurs héritiers, on distingue : Lorsque la succession est encore indivise ou lorsqu'elle a été partagée entre eux, l'action ne peut être exercée contre chacun d'eux que pour sa part. Après le partage, elle peut être exercée pour le tout contre l'héritier dans le lot duquel est tombée la chose soumise au réméré (1672, 1221 3°).

Le vendeur qui veut user du pacte de rachat, est tenu, lorsque la vente a eu pour objet une portion encore indivise, de retirer l'héritage en entier, si l'acquéreur s'est rendu adjudicataire de cet héritage sur une licitation provoquée contre lui (1667, 1150).

Tant que le réméré n'est pas exercé, l'acquéreur est investi de tous les droits de propriété et de possession ; il prescrit contre ceux qui prétendraient des droits sur la chose vendue (1665, 1662).

Le droit de réméré s'éteint, comme toute autre créance : par la remise, par la novation, par la confusion, par la perte de la chose.—Spécialement, il s'éteint encore, par l'expiration du délai accordé pour l'exercer, et comme il ne s'agit pas, à proprement parler, de l'exécution d'un contrat, mais de l'accomplissement d'une condition, la déchéance a lieu de droit, sans jugement ; le terme fixé ne peut en aucun cas être prorogé par le juge (1661, 1176).

1659 — La faculté de rachat ou de réméré est un pacte par lequel le vendeur se réserve de reprendre la chose vendue, moyennant la restitution du prix principal, et le remboursement dont il est parlé à l'article 1673.

= Cette expression : *pacte*, a perdu chez nous le sens qu'elle avait en droit romain : elle indique seulement ici une clause qui fait partie d'un contrat.

Le réméré n'est pas une nouvelle vente, mais une résolution de la vente qui a été faite : l'acquéreur ne s'impose pas l'obligation de *revendre ;* le vendeur se réserve seulement la faculté de *reprendre*.

L'action du vendeur est cessible ; en effet, le réméré n'est pas purement personnel (1).

— Le vendeur peut-il valablement prendre l'engagement de rembourser une somme supérieure au prix de vente ? ⋙ *A.* Toutefois, si le contrat de vente à réméré présentait le caractère d'un prêt à usure, les tribunaux l'annuleraient : tel serait le cas où la vente à réméré dissimulerait un contrat pignoratif, fait en contravention des articles 2078 et 2088. Par exemple, une personne ayant besoin d'argent, donne, pour 20.000 francs, en simulant une vente à pacte de rachat, un objet d'une valeur de 40.000 francs : évidemment, le prêteur qui, après cinq ans, gagnerait cet objet, recevrait des intérêts supérieurs au taux légal (Duvergier, n. 12 ; Pothier, Vente, p. 414. — *Paris,* 9 mars 1808 ; D., Vente. p. 111). ⋙ Cette stipulation décèle la fraude et l'usure (Delv., p. 79, n. 9 ; Dur., n. 479 ; Troplong, n. 696).

L'acquéreur à réméré peut-il passer une deuxième vente subordonnée à la condition du réméré ?

---

(1) Mais alors, quelle opération se passe-t-il ? ⋙ Une véritable vente : le cessionnaire agit au nom du vendeur ; il est *procurator in rem suam.*

Quel droit l'enregistrement percevra-t-il ? ⋙ Le droit de mutation, non-seulement sur la cession, mais encore, sur tout ce que le cessionnaire sera obligé de payer pour exercer le réméré. ⋙ La revente n'existe pas plus à l'égard du cessionnaire, qu'à l'égard du cédant ; le cessionnaire est aux droits du cédant ; il n'agit pas en son nom personnel lorsqu'il exerce la faculté de rachat

↝ *N.* Vendre l'immeuble précédemment acquis a réméré, c'est vendre la chose d'autrui. — La résolution ultérieure de la première vente ne donne point force et effet à la deuxième. — La rétroactivité ne profite qu'aux parties contractantes ; elle ne peut être invoquée par les tiers. — A la vérité, le droit d'exercer le réméré est cessible ; mais autre chose est de vendre l'immeuble sujet à réméré, autre chose est de céder la faculté même d'exercer le réméré (Grenier, Hyp., n. 253. — *Cass.*, 4 août 1824 ; D , Vente, p. 906 ; 7 juillet 1829 ; S., 29, 1, 258 , D., 29. 1, 293). ↝ *A.* Il n'existe véritablement aucune différence au fond, entre la vente de l'immeuble rachetable et la cession du droit de réméré : c'est le droit de réméré, que l'on a en vue lorsqu'on achète l'immeuble ; et réciproquement, c'est l'immeuble, que l'on considère, lorsqu'on achète le droit de réméré (Troplong, n. 741 ; Hyp., n. 469 ; Duvergier, n. 29 ; Persil, Hyp., t. 1ᵉʳ, p. 276, n. 9, 3ᵉ édition ; Delv., t. 3, p. 292 ; Battur, Hyp., t. 2, n. 234 ; Dur., n. 408).

Dans les anciennes coutumes , le contrat pignoratif, c'est-à-dire , la convention par laquelle un débiteur vendait a réméré un héritage a ses créanciers, avec la clause que les intérêts de la créance se compenseraient avec les fruits, était prohibée, comme pouvant servir à masquer des conventions usuraires : cette prohibition existe-t-elle encore aujourd'hui ? ↝ *A.* L'art. 2088 défend au bailleur et au preneur à antichrèse de convenir que le preneur deviendra propriétaire de l'immeuble par le seul défaut de payement au terme convenu ; or, si le contrat pignoratif était toléré, rien ne serait plus facile que d'éluder cette prohibition (Delv., p. 79, n. 6 ; Dur., n. 430 et 431 ; Troplong, n. 695). ↝ Le contrat pignoratif, illicite sous l'empire des lois qui prohibaient le prêt à intérêt, permis à l'époque où aucune prohibition légale ne limitait le taux de l'intérêt, doit être aujourd'hui exécuté, comme toute autre convention, pourvu qu'il ne soit entaché ni de fraude ni d'usure. — On doit faire au contrat qui est reconnu avoir été dans l'intention des parties, l'application des règles qui concernent ce contrat ; par exemple, au lieu d'une vente, si l'on découvre un gage ou une antichrèse, ce seront les règles du gage ou de l'antichrèse qui devront être consultées et suivies (Duvergier, n. 11. — *Colmar,* 12 juillet 1816 ; D , t. 9, p. 50. — *Pau,* 17 mai 1830 , D., 30, 2, 265).

L'immeuble vendu a réméré peut-il être hypothéqué par le vendeur ? ↝ *A.* Le vendeur est propriétaire de l'immeuble vendu, sous la condition qu'il exercera le réméré ; or, on peut hypothéquer une propriété que l'on possède conditionnellement. — Arg. de l'art. 2125 (Delv., p. 79, n. 7 ; Troplong, Vente, n. 740. Hyp., t. 2, p 299 et suiv.; Duvergier, n. 29 et 31). ↝ *N.* Le vendeur s'est dépouillé de ses droits sur l'immeuble. (*Bordeaux,* 5 janvier 1833 ; D., 33, 2, 94 ; S., 33, 12, [188. — *Cass.*, 21 déc. 1825 , S., 26, 1, 275 ; D., 26, 1, 43).

L'amélioration que l'héritage a reçue par alluvion doit-elle être restituée au vendeur ? ↝ *N.* Elle demeure à l'acheteur : il faut, autant que possible, conserver l'égalité entre les parties : or, si le fonds était diminué de valeur, ce serait l'acheteur qui en souffrirait ; l'avantage doit lui profiter par compensation. — L'accrue n'a commencé à exister que depuis la vente ; en la séparant du fonds, l'acheteur ne retient donc rien de ce qui a été vendu (Pothier, Vente, n. 403) ↝ *A.* Arg. de l'art. 1183. — La position du vendeur est favorable , car la vente à réméré cache presque toujours un prêt sur gage immobilier — L'art. 1673, prévoyant le cas où la chose a augmenté de valeur, *pendente conditione,* n'oblige le vendeur à restituer que *les débours* qui ont procuré la plus-value (Troplong, n. 766 ; Dur., n. 425 ; Delv., p. 79, n. 8 ; Duvergier, n. 53. — *Cass.*, 24 avril 1812 , D., t. 12, p. 907, n. 27).

Quid à l'égard du trésor que l'acheteur aurait trouvé dans le fonds vendu : en cas de rachat, doit-il être restitué au vendeur ? ↝ *A.* Le trésor reste *sine causâ* dans sa main, lorsque la cause qui lui procurait la propriété de l'immeuble vient à défaillir (Dur., n. 425) ↝ L'acheteur conserve la moitié qui lui est attribuée comme inventeur ; mais il doit restituer celle qui lui est advenue comme propriétaire (Troplong, n. 767) ↝ Le trésor n'étant pas une portion du sol, doit appartenir à l'acheteur (Pothier, Vente, n. 405).

Le pacte de préférence, en d'autres termes, la clause par laquelle l'acheteur s'oblige à revendre la chose à l'ancien propriétaire plutôt qu'a tout autre , s'il se décide a vendre, est-il permis ? ↝ *A.* Mais de cette convention ne naît pas une cause de résolution du contrat, ni même une promesse de vente ; l'acheteur s'oblige uniquement à donner à prix égal la préférence au vendeur. — Ce dernier n'a pas le *jus in re* : son droit se borne à réclamer des dommages-intérêts en cas d'inexécution (Duvergier, n. 13. — *Grenoble,* 23 mai 1829 ; S., 29, 2, 177.— *Cass.*, 9 juillet 1834 ; S., 34, 1, 171 ; D., 34, 1, 300. — *Toulouse* 16 nov. 1825 ; D., 21, 2, 77).

1660 —La faculté de rachat ne peut être stipulée pour un terme excédant cinq années.

Si elle a été stipulée pour un terme plus long, elle est réduite à ce terme.

= La faculté de rachat place l'acheteur dans un état précaire qui peut, sous plusieurs rapports, nuire à l'agriculture et au commerce ; aussi la loi en restreint-elle l'exercice à cinq années : les parties sont libres, assurément, d'abréger ce terme ; mais elles ne peuvent en fixer un plus long : cinq années ont paru suffisantes, pour assurer au vendeur la faculté de se procurer les moyens de recouvrer la chose vendue.

Le délai court du jour du contrat ; mais les parties (en supposant, bien entendu, qu'elles aient réduit le terme fixé par la loi), peuvent déterminer un autre point de départ : il suffit, qu'entre le jour du contrat et celui où doit expirer la faculté d'exercer le réméré, il n'y ait point un intervalle de plus de cinq années (1).

— Le jour *à quo* doit-il être compté dans les délais? ⟿ *N*. Le jour *à quo* n'est qu'un point de départ (Duvergier , n. 23 ; Toullier , t. 13 , n. 52 et suiv.).

Quid à l'égard du jour *ad quem ?* ⟿ Il est compris dans le délai ; des offres faites le lendemain de l'échéance seraient tardives (Duvergier , *ibid.* ; Toullier , *ibid.* — *Cass.*, 7 mars 1831; S., 34, 1. 216 ; D., 34, 1. 187. — *Angers* , 5 mai 1830; D., 31, 2, 93. — *Besançon* , 20 mars 1809 ; D., *Vente* , p. 905).

Le jour *ad quem* doit-il être compté, lorsqu'il arrive un jour de fête légale ? ⟿ *A*. (Toullier *ibid.* ; Duvergier , *ibid.* Arrêts précités).

1661 — Le terme fixé est de rigueur, et ne peut être prolongé par le juge.

= Ainsi, l'exercice du droit du vendeur est renfermé dans les limites d'un seul jour ; la déchéance est encourue de plein droit ; il n'est pas nécessaire de la faire prononcer en justice (2).

— Pour saisir les tribunaux d'une action en réméré , faut-il un préliminaire de conciliation ? ⟿ *Oui*, si le vendeur débute par une sommation. — *Secùs* s'il fait des offres réelles (Troplong , n. 725).

Pourrait-on convenir que le vendeur n'exercera le réméré qu'après un certain temps ? ⟿ *A*. Pourvu que l'époque indiquée soit comprise dans les cinq années ; cette convention n'est point prohibée par le Code (Duvergier , n. 21 ; Dur., n. 406).

1662 — Faute par le vendeur d'avoir exercé son *action* (3) de réméré dans le terme prescrit, l'acquéreur demeure propriétaire irrévocable.

= Sous l'ancienne jurisprudence, la déchéance n'était pas encourue de plein droit, à l'expiration du terme ; elle devait être prononcée par jugement ; il fallait que l'acheteur fît prononcer la confirmation de sa propriété. Aujourd'hui, lorsque le vendeur n'a pas exercé son action dans le délai prescrit, la propriété se trouve transmise par la seule force de la loi. — Mais au moyen de quels actes le réméré doit-il avoir lieu? Faut-il former une demande en justice? Il suffit au vendeur, de manifester, par acte extrajudiciaire, dans le délai prescrit, l'intention d'user du pacte de rachat, avec soumission de rembourser tout ce qui peut être légalement dû (4); la loi voit favorablement l'exercice du réméré : mais il faut, bien entendu, que les offres soient sérieuses, et que le vendeur se trouve en possession de les réaliser immédiatement ; le tribunal est appréciateur des circonstances. —Ainsi, les mots : *faute d'avoir exercé son action* en réméré, sont synonymes de ceux-ci : *faute d'avoir usé du pacte de réméré* (Arg. des art. 1668 et 1669) ; le mot *action*, n'est pas employé ici dans son sens propre.—Du

(1) La loi ne peut vouloir laisser aux parties la faculté d'étendre sa disposition ; or nous savons qu'elle a limité à cinq années, par des considérations d'intérêt général, l'exercice du réméré, afin de ne pas laisser trop longtemps incertaine la position du nouvel acquéreur ; au surplus, rien ne s'oppose à ce qu'on fasse une vente sous une condition ainsi conçue : si le prix n'est pas payé dans dix , quinze ou vingt ans , etc. ⟿ La loi n'interdit qu'au juge la faculté de prolonger le terme (Dur., n. 397; Troplong , n. 711).

(2) *Cass.*, 5 décembre 1826 ; S., 27, 1. 308 ; D., 27, 1, 79.

(3) Cette expression impropre se retrouve dans plusieurs articles de notre section (1668, 1671, 1672), on pourrait conclure de là que le vendeur doit intenter une action , ce qui n'est pas : l'art. 1669 s'exprime plus exactement, en disant : « *user de la faculté de rachat* » (Troplong , n. 716 : Dur., n. 403; Duvergier , n. 28).

(4) En effet, on n'a pas à rechercher si le vendeur est obligé, car il ne s'agit pas ici d'un débiteur qui se libère ; mais si la condition résolutoire est accomplie : or, elle est accomplie , indépendamment de toute stipulation , par cela seul que le vendeur fait des offres à l'acheteur. — Toutes les fois que les parties doivent se faire des prestations réciproques , l'une ne peut être tenue de se dessaisir plutôt que l'autre. — Pour faire des offres , il faut que la somme soit liquide ; or, la somme à restituer se compose en partie d'indemnités pour impenses nécessaires et pour impenses utiles ; il faut donc établir un compte. — Arg. de l'art. 1673. — La volonté suffit pour déplacer la propriété. — Assurément, le vendeur ne sera pas libéré par des offres verbales; si l'acheteur refuse de recevoir, il devra lui faire des offres réelles et consigner ; mais cela ne touche en rien à la résolution du contrat. — Si des offres réelles suivies de consignation devaient être faites, l'omission de quelque formalité pourrait entacher l'acte de nullité

reste, l'acquéreur peut retenir la chose jusqu'au parfait remboursement (*voy.* art. 1673) (1).

1663 — Le délai court contre toutes personnes, même contre le mineur, sauf, s'il y a lieu, le recours contre qui de droit.

= Le délai de cinq années court contre toutes personnes, même contre celles que la loi entoure d'une protection spéciale ; car il est fondé sur l'intérêt public.

Ne concluons pas des termes de cette disposition, que les biens d'un mineur puissent être vendus à réméré : rappelons-nous, que l'aliénation de ces biens est assujettie à certaines formes qui repoussent une pareille stipulation : la loi suppose uniquement le cas où la faculté de réméré, stipulée par un majeur, aurait été transmise à un mineur par succession ou autrement (2).

— Le mineur peut-il acheter à réméré ? ⁓ *A.* Le contrat peut être avantageux au mineur, car les ventes à réméré se font ordinairement à bas prix (Duvergier, n. 47 ; Troplong, n. 701, Merlin ; Rép., Faculté de rachat, n. 3).

1664 — Le vendeur à pacte de rachat peut exercer son action contre un second acquéreur, quand même la faculté de réméré n'aurait pas été déclarée dans le second contrat.

= L'acquéreur à pacte de réméré, n'ayant que des droits résolubles, ne peut transférer sur l'immeuble vendu que des droits soumis à la même condition. Nous verrons, cependant, que l'art. 1673, dans sa disposition finale, fait une exception à ce principe pour le cas où il s'agit de baux.

Le vendeur qui exerce le rachat, ne doit restituer au deuxième acquéreur que le prix qu'il eût dû rembourser au premier, car ses obligations n'ont pu s'accroître par la transmission de la chose ; sauf ensuite le recours du deuxième acquéreur contre son propre vendeur, lorsqu'il a payé une somme plus forte. Si la somme est plus faible, il profite de la différence, sans être exposé à aucune réclamation ; car il a acheté la chose *cum omni causâ.*

Notre article suppose évidemment que la vente a des immeubles pour objet : sa disposition ne peut concerner la vente de meubles, car les meubles n'ont pas de suite (Arg. des art. 1141 et 2279).

— *Quid* si le détenteur possède comme donataire ? ⁓ C'est à lui que le prix doit être payé ; car en disposant d'une chose sujette au réméré, on se dépouille de tous les droits que l'on peut avoir en raison de cette chose : l'acquéreur la reçoit *cum omni causâ* (Delv., p. 89, n. 3 ; Dur., p. 405).

L'action peut-elle être formée directement contre les tiers, sans mettre en cause l'acquéreur ? ⁓ *A.*

et rendre le mal irréparable si le délai de cinq ans était expiré. *L.* 2, *Code de pactis inter emptor. et venditor. compositis ;* l'intervention d'un huissier n'est pas nécessaire (Troplong, n. 7, 21 et suiv. ; D., Vente, p. 905. — *Cass.,* 24 avril 1812 ; S., 13, 1, 30. — *Douai,* 17 décembre 1814 ; S., 16, 2, 36. — Besançon, 20 mars 1819 ; D., *ibid.* — *Colmar,* 1ᵉʳ mai 1811 ; S., 11, 2, 458 ; D., Vente, p. 905 (*Val.*). ⁓ La vente à réméré est résoluble sous condition (1168) : quelle est cette condition ? C'est le remboursement fait par le vendeur, dans le délai fixé, du prix principal et autres prestations (1659) : la condition est par conséquent défaillie, si le terme expire sans que le remboursement ait lieu (4176). Il est donc nécessaire de recourir aux actes que l'on considère comme équivalens au payement, c'est-à-dire de faire des offres réelles et de consigner (1257 et suiv.). La pensée que la représentation de l'argent peut seule résoudre le contrat, est d'ailleurs dans tous les esprits (Duvergier, n. 27 et 59).

(1) Dur., n. 403 ; Troplong, n. 718 ; Merlin, Retrait conventionnel. — *Cass.,* 25 août 1812 ; S., 13, 1, 230 ; D. Vente, p. 902 et 903. — *Douai,* 17 déc. 1814 ; D., t. 12, p. 904 et 905 ; S., 16, 2, 36. — *Besançon,* 20 mars 1819 ; D., *ibid.*).

(2) Aussi, l'article 1663 nous parait-il complètement inutile ; car il ne peut pas se faire que le mineur ne soit pas soumis au délai déterminé pour le pacte de rachat. L'héritier, qu'il soit mineur ou majeur, n'a d'autres droits que ceux de son auteur.

Il n'en est pas, de l'action en réméré , comme de la demande en résolution pour défaut de payement du prix : celle-ci est fondée sur une faute de l'acheteur ; celle-là est fondée uniquement sur la volonté du vendeur ; elle confère une action directe , réelle contre le détenteur, et une action personnelle contre l'acheteur originaire ; il n'est donc pas nécessaire d'assigner l'acheteur et le tiers acquéreur en jugement commun (Duvergier. n. 61 ; Troplong . n. 732 ; Merlin , Rep.. Faculté de rachat . n. 5).

Le vendeur à réméré peut-il être exproprié de son droit par ses créanciers? ⟶ *A.* (Dur., n. 400).

1665 — L'acquéreur à pacte de rachat exerce tous·les droits de son vendeur; il peut prescrire tant contre le véritable maître que contre ceux qui prétendraient des droits ou hypothèques sur la chose vendue.

= La condition résolutoire ne suspend pas l'effet de l'acte : l'acquéreur à pacte de rachat devient propriétaire dès le moment de la vente , si le vendeur était lui-même propriétaire ; et , dans tous les cas , il acquiert la possession à titre de propriétaire : en cette qualité , il prescrit, par dix et vingt ans, s'il est de bonne foi , contre ceux qui prétendraient avoir des droits sur l'immeuble (1) (2229, 2262, 2265 ; 2180, 2184), et même contre le véritable propriétaire , qui pourrait se présenter par la suite. — Il peut en outre passer des baux que le vendeur sera tenu de respecter , quelle que soit leur durée , après l'exercice du réméré , pourvu qu'ils aient été faits sans fraude (*voy.* 1673). — Enfin , il peut opposer le bénéfice de discussion aux créanciers de son vendeur (2).

— *Pendente conditione* , l'acquéreur prescrit-il contre le vendeur la liberté des héritages qui sont dans son patrimoine , et qui devaient des servitudes au fonds qu'il a acheté avec réserve de retrait? ⟶ *A.* Le vendeur avait des droits conditionnels sur la chose , et l'art. 1180 l'autorisait à faire des actes conservatoires (Dur., n. 411). ⟶ *N.* L'acheteur à réméré est propriétaire ; — le fonds dominant et le fonds asservi se sont trouvés réunis dans sa main. — Il y a eu extinction de la servitude par confusion (705). — Comment le vendeur aurait-il pu faire des actes conservatoires? On ne conserve que ce qui existe ; or , le vendeur n'était plus propriétaire du fonds dominant ; — la servitude ne lui appartient plus ; il l'avait aliénée avec la chose (Troplong, n. 737 ; Duvergier , n. 66).

1666 — Il peut opposer le bénéfice de la discussion aux créanciers de son vendeur.

= L'acquéreur poursuivi hypothécairement par des créanciers ayant hypothèque sur d'autres immeubles demeurés en la possession de leur débiteur, peut, comme tout autre tiers détenteur qui n'est point personnellement obligé à la dette, opposer aux poursuivants le bénéfice de discussion (2170 et 2171).

A l'égard des créanciers chirographaires, ils ne peuvent agir qu'en vertu de l'art. 1166, au nom du vendeur , et par conséquent sous la condition que le terme fixé pour le réméré ne sera pas encore expiré.—Nous pensons que l'aquéreur aurait également le droit de leur opposer le bénéfice de discussion , mais en observant les dispositions des articles 2022 et 2023 (*Val*).

1667—Si l'acquéreur à pacte de réméré d'une partie indivise d'un héritage, s'est rendu adjudicataire de la totalité sur une licitation provoquée contre lui , il peut obliger

---

(1) L'hypothèque peut disparaître , lorsque la créance est éteinte par prescription. — Elle peut même s'éteindre par prescription. la créance restant. — Enfin , le rang seulement peut se perdre par défaut de renouvellement (voy. le titre des Hypothèques).

(2) Durant les cinq années , la loi refuse à l'acheteur à pacte de rachat , le droit d'expulser le preneur qui n'a qu'un bail verbal , bien que ce droit ait appartenu au vendeur (*Voy.* art. 1751).

le vendeur à retirer le tout lorsque celui-ci veut user du pacte.

═ On ne peut, en général, contraindre le vendeur à étendre le rachat sur une chose autre que celle dont il a disposé; mais cette règle est modifiée dans l'espèce suivante, prévue par notre article :

Pierre et Paul sont copropriétaires d'un immeuble : Pierre vend à Jean, avec faculté de rachat, sa part indivise : Jean se trouve ainsi copropriétaire de Paul : ce dernier, qui ne peut être tenu de rester dans l'indivision, provoque la licitation ; Jean se rend adjudicataire de la propriété : quand Pierre voudra user du pacte, il pourra être contraint à racheter le tout. — Cette décision est juste : l'acquéreur a été forcé d'acheter la part de Paul, pour conserver la portion de Pierre ; il a fait ce que le vendeur aurait été forcé de faire lui-même pour conserver la portion qu'il a vendue : dès lors, il ne doit pas être tenu de conserver la part de Paul, si Pierre reprend la sienne (L. 7, § 13, *communi dividendo*).

Le vendeur pourrait-il forcer l'acquéreur à souffrir le retrait de la totalité? Non, à moins que le contrat de vente ne lui eût réservé ce droit ; on ne peut user contre ce dernier, d'une faculté établie en sa faveur.

En permettant à l'acquéreur d'exiger le rachat pour le tout, on suppose que la licitation a été provoquée contre lui : cette faculté lui serait donc refusée, si c'était lui qui l'eût provoquée ; car il se trouverait propriétaire par sa seule volonté.

— Quelle est la position de l'acheteur, dans le cas de licitation provoquée, soit par lui, soit contre lui, s'il n'est pas demeuré adjudicataire ? ⟿ Il doit au vendeur la restitution du prix qu'il a reçu. Vainement l'acheteur dirait-il, pour repousser l'action en réméré, que la chose n'existant plus entre ses mains, la résolution est devenue impossible : on répondrait, qu'il est tenu de restituer ce qui reste : or, il reste le prix : le vendeur aurait ce prix, si le réméré eût été exercé plus tôt ; le prix représente l'objet. — Le vendeur n'est pas en faute, puisqu'il avait tout le délai fixé par la loi ou par la convention.

Quid, si l'adjudicataire est copropriétaire de l'acheteur? ⟿ Il n'est pas soumis à l'action en réméré, puisque le partage est déclaratif de propriété (883) : or la licitation équivaut au partage.

Quid, s'il est étranger? ⟿ On le considère alors comme sous-acheteur (1664).

1668 — Si plusieurs ont vendu conjointement, et par un seul contrat, un héritage commun entre eux, chacun ne peut exercer l'action en réméré que pour la part qu'il y avait.

═ Le droit de réméré est divisible, lorsqu'il a pour objet une chose divisible : si plusieurs ont vendu un héritage conjointement et par un seul contrat, chacun des vendeurs ne peut donc exercer ce droit que pour sa part, sauf stipulations contraires.

Il est bien entendu, que les effets ordinaires de la divisibilité cessent, lorsque la vente a été faite solidairement ; chaque vendeur peut alors exercer le réméré pour le tout.

1669 — Il en est de même, si celui qui a vendu seul un héritage a laissé plusieurs héritiers.

Chacun de ces cohéritiers ne peut user de la faculté de rachat que pour la part qu'il prend dans la succession.

═ On suppose, dans cet article, ou que la succession est encore indivise, ou que le partage de l'immeuble sujet au réméré a eu lieu entre tous. — Il n'est pas douteux, que si le droit était échu à un seul, par l'effet du partage, cet héritier pourrait agir sans le concours de ses cohéritiers (883).

1670— Mais, dans le cas des deux articles précédents, l'acquéreur peut exiger que tous les covendeurs ou tous les cohéritiers soient mis en cause, afin de se concilier entre eux pour la reprise de l'héritage entier ; et, s'ils ne se concilient pas, il sera renvoyé de la demande (1).

= Cette disposition est dictée par un principe d'équité : peut-être a-t-on acheté l'immeuble pour un usage auquel il deviendrait impropre si on le morcelait ; ce serait souvent méconnaître les termes de la convention et le but que les parties se sont proposé.

En conséquence, on laisse à l'acquéreur le choix, ou d'exiger le retrait de la totalité de l'immeuble, ou de souffrir l'exercice partiel du réméré, et de conserver les autres portions.

Toutefois, pour faire une juste application de ce principe, il faut distinguer trois hypothèses :

1° Sur la demande de l'un des vendeurs ou de l'un des héritiers du vendeur, si l'acquéreur a exigé la mise en cause des autres, il se trouve lié ; il a renoncé à exciper de la divisibilité de l'action : peu lui importe dès lors que tous les vendeurs ou tous les cohéritiers du vendeur agissent ou non collectivement : par cela seul que l'un se présente et offre de rembourser en entier le prix et ses accessoires, l'acquéreur doit abandonner l'immeuble (2).

2° Si l'acquéreur n'a pas exigé que tous les covendeurs ou tous les cohéritiers du vendeur soient mis en cause, on ne peut dire qu'il a renoncé à exciper de la divisibilité de l'action ; par suite, comme chaque héritier ou chaque vendeur n'est saisi que pour sa part, il dépend de l'acheteur de conserver, s'il le juge à propos, les parts de ceux qui n'exercent pas le réméré.

3° Si tous les covendeurs ou tous les cohéritiers consentent à ce que l'un d'eux exerce le réméré pour le tout, l'acheteur ne peut pas plus s'opposer à l'exercice du droit, qu'il ne le pourrait, si un cessionnaire de toutes les parts se présentait pour racheter l'immeuble.

— Si l'un des héritiers a racheté le tout, du consentement de l'acquéreur, est-il tenu de rapporter à la masse l'objet racheté, à la charge par ses cohéritiers de lui rembourser chacun sa quote-part dans ce qu'il a déboursé pour le rachat ? ∿ S'il a sommé tous les autres héritiers de venir coopérer au rachat, et qu'ils aient refusé, ceux-ci n'ont aucun droit au rapport. *Secùs* dans le cas contraire (Delv., p. 81, n. 3 ; Dur., n. 415).

Lorsqu'il existe plusieurs acheteurs ou plusieurs héritiers de l'acheteur, peuvent-ils empêcher le vendeur d'user du rachat pour partie ? ∿ Celui qui a acheté seul de plusieurs, est censé vouloir conserver la chose entière ; au contraire, ceux qui ont fait en commun une acquisition, sont censés n'avoir acheté que pour partager : ils ne peuvent donc argumenter de l'intention, qui sert de base à la disposition de l'art. 1670. — Il faut toutefois excepter le cas où les circonstances démontreraient que l'héritage acheté par plusieurs, est destiné à un usage tel, que la privation d'une portion rendrait la possession du surplus inutile (Duvergier, n. 40).

Si le vendeur à réméré meurt et laisse un légataire universel en propriété et un en usufruit, doit-on appliquer l'art. 1669 ? ∿ N. Le nu propriétaire seul peut agir en réméré : l'usufruitier n'a pas un droit

_____

(1) Il résulte formellement des articles 1667, 1668 et 1669, que l'un des vendeurs ne peut exercer le droit de réméré pour le tout : pourquoi reconnaître à l'acquéreur la faculté d'exiger que le vendeur poursuivant reprenne toute la chose ? Cela n'implique-t-il pas contradiction ?

(2) A la vérité, l'article 1669 semble décider que, même en ce cas, l'un des vendeurs ne peut effectuer seul le rachat, car les créances des vendeurs sont divisibles : mais l'acheteur peut-il opposer à la fois les articles 1669 et 1670 ? Peut-il dire, d'une part : « je ne veux pas laisser exercer le rachat pour partie, » et d'autre part, « vous n'avez pas le droit de l'exercer pour le tout ? » Nous ne pensons pas qu'il puisse en être ainsi : si l'acheteur objecte que le rachat ne doit pas être partiel, il doit accepter le rachat pour le tout. La fin de l'article 1671 nous fournit un argument de texte : les derniers mots de cet article, en effet, semblent indiquer, que le droit de l'acheteur se borne à faire exercer un rachat total (*Val.*).

à priori ; il jouit seulement de ce qui se trouve dans la succession ; si le nu propriétaire exerce l'action, l'usufruitier doit souffrir l'application de l'art. 612, relativement à toutes les sommes qui seront restituées conformément à l'article 1673.

1671 — Si la vente d'un héritage appartenant à plusieurs n'a pas été faite conjointement et de tout l'héritage ensemble, et que chacun n'ait vendu que la part qu'il y avait, ils peuvent exercer séparément l'action en réméré sur la portion qui leur appartenait ;

Et l'acquéreur ne peut forcer celui qui l'exercera de cette manière, à retirer le tout.

= On doit voir, dans ce cas, autant de ventes qu'il y a de parts distinctes : dès lors, l'acheteur ne peut argumenter de l'indivisibilité de la condition résolutoire.

1672 — Si l'acquéreur a laissé plusieurs héritiers, l'action en réméré ne peut être exercée contre chacun d'eux que pour sa part, dans le cas où elle est encore indivise, et dans celui où la chose vendue a été partagée entre eux.

Mais s'il y a eu partage de l'hérédité, et que la chose vendue soit échue au lot de l'un des héritiers, l'action en réméré peut être intentée contre lui pour le tout.

= Après avoir considéré la divisibilité du droit de réméré, relativement aux covendeurs et aux héritiers du vendeur, la loi s'occupe du cas où il existe plusieurs héritiers d'un acheteur unique, ou, ce qui revient au même, plusieurs coacheteurs.

Lorsque plusieurs ont acheté en commun une chose divisible, le vendeur est libre de n'exercer le retrait contre chacun que pour sa part, et de ne pas user de son droit contre les autres.

Pareillement, si l'acquéreur a laissé plusieurs héritiers, et que le partage de la chose sujette au réméré, n'ait pas encore eu lieu, chacun des héritiers ne doit être actionné que pour sa part : le vendeur n'est pas lésé, puisqu'il peut mettre en cause tous les cohéritiers ; en ne le faisant pas, il manifeste l'intention de ne recouvrer qu'une partie de l'immeuble.

Par la même raison, le droit peut toujours se conserver, contre un héritier, au moyen d'une prorogation, par des actes faits en temps utile, et s'éteindre à l'égard des autres.

Si la chose est échue à un seul héritier, le vendeur peut diriger sa demande pour le tout contre cet héritier, ou diviser son action et reprendre la part de cet héritier seulement, sans être forcé de l'étendre sur les autres portions ; car chaque héritier n'est tenu que pour sa part, de l'obligation contractée par l'auteur commun.

— Indépendamment de l'action réelle contre les héritiers détenteurs, le vendeur a-t-il une action personnelle contre l'héritier dans le lot duquel le bien n'est pas tombé ? ... Il a cette action, s'il s'agit d'un dommage qui ait été commis par leur auteur : *secùs* si ce dommage est postérieur au partage ; car les héritiers, en les supposant débiteurs de corps certains, ne peuvent être tenus que des dommages qui résultent de leur fait.

1673 — Le vendeur qui use du pacte de rachat, doit rembourser non seulement le prix principal, mais encore les frais et loyaux coûts de la vente, les réparations nécessaires, et celles qui ont augmenté la valeur du fonds, jusqu'à concurrence de cette augmentation. Il ne peut entrer en possession qu'après avoir satisfait à toutes ces obligations.

Lorsque le vendeur rentre dans son héritage par l'effet du pacte de rachat, il le reprend exempt de toutes les charges et hypothèques dont l'acquéreur l'aurait grevé : il est tenu d'exécuter les baux faits sans fraude par l'acquéreur.

— L'exercice du réméré a pour effet de résoudre la vente ; on doit donc remettre les parties au même état que si elle n'avait pas eu lieu : ainsi, le vendeur est tenu de rembourser, outre le prix, toutes les dépenses que l'acheteur a faites par suite ou à l'occasion du contrat ; ce qui comprend : 1° les frais et loyaux coûts de la vente : c'est là une perte réelle qui tombe sur le vendeur ; — 2° les sommes qui ont été payées par forme de pot-de-vin ou d'épingles ; — 3° les impenses nécessaires, à quelque somme qu'elles puissent s'élever ; — 4° les impenses utiles, jusqu'à concurrence de la plus-value.

Le vendeur ne peut rentrer en possession qu'après avoir pleinement satisfait à ces obligations (1).

Cependant, l'acheteur ne pourrait exiger le prix des améliorations qui seraient excessives ; il aurait à se reprocher son imprudence : la loi entend uniquement parler des améliorations qui entrent dans les calculs prudents d'un bon père de famille. Du reste, l'acheteur peut enlever les ouvrages qu'il a faits, si leur enlèvement ne doit pas dégrader le fonds (*voy.* 599, C. c. ; l. 38, *ff. de rei vendicatione*).

L'acheteur ne peut exiger le remboursement des impenses de simple entretien ; ces impenses sont une charge des fruits que l'acheteur a perçus, et qu'il conserve (605).

Il n'est rien dû pour les impenses voluptuaires.

La loi ne parle pas des intérêts du prix, car évidemment, ces intérêts se compensent avec les fruits.

Comment se partagent entre les parties les fruits de la dernière année ? En proportion du nombre de jours qui se sont écoulés depuis le jour correspondant à celui de la vente, jusqu'au jour du retrait (2).

De son côté, l'acheteur doit faire raison des dégradations qu'il a commises ; elles se compensent jusqu'à due concurrence avec les améliorations.

Les biens rentrent dans les mains du vendeur, libres de toutes charges et hypothèques créées par l'acheteur : *resoluto jure dantis, resolvitur jus accipientis* (1184, 1664).

Mais l'intérêt commun des parties exige que le vendeur respecte les baux faits *sans fraude ;* autrement, il serait impossible à l'acquéreur de

---

(1) Cette disposition constitue pour l'acheteur un simple droit de rétention. Si donc, il s'était dessaisi, il ne jouirait, pour les améliorations, d'aucun privilège.

(2) Le vendeur a joui de l'intérêt du prix ; il doit donc renoncer à une portion correspondante de fruits, autrement, la balance serait inégale. Vainement objecterait-on, qu'en matière d'usufruit, les fruits pendants par racine au moment ou l'usufruit prend fin, appartiennent en totalité au propriétaire (585), et qu'autrefois, il en était de même, dans le cas de restitution d'un fidéicommis : il n'y a aucune parité entre ces cas et celui qui nous occupe : dans notre espèce, nous cherchons à arriver à l'égalité, à compenser l'une par l'autre les prestations que se doivent les deux parties (Duvergier, n. 56 et suiv. ; Delv., p. 80, n 6 *Voy.* sur cette question, qui était vivement controversée par les anciens auteurs, les développements donnés par Troplong, n. 770 et suiv., et par Dur., n. 524).

louer avantageusement ; le vendeur à réméré en souffrirait le premier. Il faut même observer, que les baux faits par le vendeur à pacte de rachat, ne sont pas soumis aux mêmes règles limitatives que les baux faits par le mari ou par l'usufruitier (595, 1429) : tout ce que la loi exige, c'est qu'ils aient été faits sans fraude ; l'article 1673 ne renvoie pas à l'article 1430.

— L'acheteur à réméré, qui restituerait l'immeuble avant d'être complétement désintéressé , aurait-il , pour ses répétitions, le privilége du vendeur? ⁄⁄⁄ N. Les priviléges sont de droit strict ; or la loi garde le silence sur ce point. — L'acquéreur n'avait que le droit de rétention ; il l'a perdu en se dessaisissant de la chose.

Quel est l'effet de la clause portant que l'acquéreur restituera une somme plus faible ? ⁄⁄⁄ Elle produit son effet entre personnes capables de s'avantager.

Le retrayant ne doit-il pas compte, en certains cas, des intérêts du prix ? ⁄⁄⁄ Les intérêts se compensent avec les fruits : il serait injuste , en effet , que la même partie eût les fruits et les intérêts. — Mais si la chose n'a pas produit de fruits, le retrayant doit les intérêts (Pothier, n. 418 ; Troplong, n. 774 ; D., t. 12, p. 908 , n. 21).

Le vendeur peut-il déduire , sur le prix qu'il est obligé de restituer, la valeur des fruits pendants lors de la vente et voisins de leur maturité. ⁄⁄⁄ N. Le vendeur devait faire ses stipulations en conséquence : s'il n'a fait aucune réserve quant à ces fruits, c'est qu'il n'y attachait aucune importance ; d'ailleurs, le doute doit s'interpréter contre lui ; si l'acheteur a profité des fruits, le vendeur a profité des intérêts (Dur., n. 424 ; Troplong , n. 769). ⁄⁄⁄ A. Ces fruits ont augmenté le prix de la vente. — La compensation entre les fruits et les intérêts doit s'opérer année par année, en prenant pour point de départ le jour de la vente ; les fruits se partagent entre l'acheteur et le vendeur , eu égard à la partie de l'année qui s'est écoulée. Arg de l'art. 1571 (Pothier , Vente , n. 408 ; Duvergier , n. 57).

Peut-on convenir , que le vendeur reprendra l'immeuble pour le prix qu'il vaudra alors , à dire d'experts ? ⁄⁄⁄ A. (Dur.. n. 428).

Peut-on convenir , qu'outre le prix et les frais de la vente , le vendeur sera tenu , s'il exerce le réméré , de payer telle somme à l'acheteur? ⁄⁄⁄ N. De semblables conventions dissimuleraient presque toujours des conventions usuraires (Dur., n. 429 ; Troplong, n. 696 ; D., t. 12, p. 907, n. 30) .⁄⁄⁄ Cette clause n'est prohibée qu'autant qu'elle élude la loi sur l'intérêt légal (Paris , 9 mars 1808 ; D., t. 12, p. 991).

De quel jour le retrayant a-t-il droit aux fruits ? ⁄⁄⁄ Du jour où il a remboursé à l'acheteur ce qu'il lui doit aux termes de l'art. 1670 , ou du jour de la consignation de la somme due (1259 , n. 2) (Delv., t. 3 , p. 261. — Toulouse , 14 mai 1807 ; D., t. 12, p. 904 et 908).

SECTION II.

De la rescision de la vente pour cause de lésion (1).

Pour que la vente puisse être rescindée, quatre conditions sont requises ; il faut :

1º Qu'elle ait eu pour objet un *immeuble corporel* : La rescision n'est pas admise en matière de vente de meubles, et cela pour plusieurs raisons : 1º Les meubles sont sujets à dépérir ; il est dès lors impossible de juger à leur aspect s'ils valaient, à l'époque de la vente, plus qu'on ne les a payés ; — 2º la règle de l'art. 2279 s'opposerait à ce que la rescision pût produire son effet contre les tiers ; ce qui est un des caractères de cette action ; — 3º enfin (et ce motif a été donné par le premier consul), la propriété immobilière est particulièrement digne de faveur.

2º Que l'immeuble soit *corporel :* en effet , les droits réels immobiliers ne sont pas susceptibles d'une estimation précise ; or, le législateur n'a admis l'action en rescision qu'en partant de l'idée que la lésion pourrait être établie d'une manière certaine.

La rescision n'a pas lieu dans les contrats aléatoires ; car dans ces sortes de contrats , il est impossible de déterminer, avec précision, la proportion du prix à la valeur de la chose vendue.

3º Que le vendeur soit lésé de plus des sept douzièmes : ainsi, la loi

_____

(1) La rescision pour vilité du prix fut autorisée , pour la première fois, par une constitution de l'empereur Gordien (Cod. *de rescindendâ venditione*).

n'abandonne pas 'aux magistrats le soin d'examiner si le prix est réellement l'équivalent de la chose : afin de prévenir les procès, elle prend soin de tracer des règles à cet égard.

4° Enfin, il faut que le délai déterminé pour intenter l'action ne soit pas expiré (1676).

Deux jugements doivent intervenir en matière de rescision pour lésion : l'un qui autorise le vendeur à établir la lésion (1667); l'autre qui prononce la rescision.

On ne peut prouver la lésion par témoins : la loi exige une expertise. Les experts doivent être au nombre de trois (1678) ; les parties ont la faculté de les choisir : si elles ne peuvent s'entendre pour les nommer tous les trois conjointement, le tribunal les désigne d'office (1680).

Pour juger s'il y a eu lésion, les experts doivent se référer à l'époque où elle a existé, c'est-à-dire, estimer l'immeuble, en égard à son état lors de la vente, sans considérer sa valeur actuelle (1679).

Le demandeur doit toujours conclure à la rescision du contrat, à l'obtention de l'immeuble : ainsi, le droit du vendeur est réel ; cependant, le respect que mérite la propriété acquise, a fait admettre, que l'acheteur aurait la faculté de garder l'immeuble, en payant le supplément du prix, sous la déduction du dixième du prix total (1681).

Si l'acheteur prend le parti de rendre la chose, les charges et hypothèques qu'il a consenties pendant sa jouissance sont anéanties (2125). Il doit compte des fruits, mais seulement à partir de la demande (1682). Il restitue tous les accessoires; la moitié du trésor, attribuée à la propriété, s'il en a trouvé un. Enfin, il doit indemniser le vendeur, des dégradations qu'il a occasionnées par sa faute (Arg. de l'art. 2175) (1).

De son côté, le vendeur doit rendre à l'acheteur le prix qu'il a reçu, ainsi que les intérêts, du jour de la demande (1682) et même du jour du payement, s'il a formé cette demande à une époque tellement rapprochée de la vente ; que l'acheteur n'ait encore perçu aucun fruit (Arg. de l'art. 1682). — Il doit rembourser les impenses nécessaires en capital et intérêts, à quelque somme qu'elles puissent monter. — Il est tenu des impenses utiles, en raison de la plus-value, pourvu, toutefois, que ces impenses soient modérées, et telles qu'un bon père de famille aurait pu les faire ; il ne doit pas celles qui sont excessives, et encore moins celles qui rendraient la revendication impossible. — Les impenses voluptuaires n'entrent pas en compte. — Toutefois, l'acheteur ne peut exiger la restitution des frais et loyaux coûts du contrat : les restitutions dont le vendeur lésé est tenu, se bornent à ce dont il a profité; or, il n'a retiré aucun avantage des frais que l'acheteur a faits : d'ailleurs, ce dernier a eu le tort de profiter de la gêne où se trouvait le vendeur. La règle est différente en matière de vente à réméré : le vendeur est présumé s'être obligé à rendre l'acheteur indemne.

---

(1) Delv., t. 3. p. 167 ; Duvergier, n. 121. ⁓ Suivant Troplong, n. 844, et Pothier, n. 361, l'acheteur ne doit faire raison au vendeur que des dégradations dont il a profité ; il n'est soumis a aucune indemnité pour celles qui ne l'ont pas enrichi, quand même elles proviendraient de sa faute, car il a pu, disent-ils, négliger de bonne foi un héritage dont il se croyait propriétaire. Mais cette distinction est contraire aux effets rétroactifs que la rescision entraine ; d'ailleurs l'acheteur connaissait les chances de rescision qui pesaient sur lui ; par conséquent, il ne peut être de bonne foi. Ajoutons que cette décision pourrait le porter a commettre des dégradations de nature à consolider son droit, en dégoûtant le vendeur de son action.

Tant que le vendeur n'a pas accompli ses obligations, l'acheteur conserve la chose, il a le droit de rétention.

L'action en rescision peut être dirigée même contre un tiers détenteur; ce dernier jouit alors des mêmes prérogatives que son vendeur; il peut notamment offrir le supplément du juste prix.

Cette action est refusée à l'acheteur (1683).

Elle ne peut jamais être invoquée dans les ventes qui ne doivent être faites que par autorité de justice (1684).

Les règles que nous avons exposées dans la section précédente, sur le cas où plusieurs ont vendu conjointement ou séparément, s'appliquent à la rescision pour lésion (1685).

On n'admet pas, en matière de lésion, les ratifications tacites dont il est parlé art. 1338 : ainsi, la réception du prix, la délivrance de l'immeuble, n'effaceraient pas le vice originaire ; car la contrainte morale s'appliquerait aussi bien à ces actes qu'à la vente elle-même.

———

1674—Si le vendeur a été lésé de plus de sept douzièmes dans le prix d'un immeuble, il a le droit de demander la rescision de la vente, quand même il aurait expressément renoncé dans le contrat à la faculté de demander cette rescision, et qu'il aurait déclaré donner la plus-value.

= Si le prix n'est pas sérieux, il n'y a pas de vente : mais le prix peut être sérieux, et cependant se trouver entaché de vilité : la loi accorde en ce cas au vendeur la faculté de faire rescinder la vente lorsqu'il n'a pas reçu les cinq douzièmes de la valeur de l'immeuble.

Le vendeur peut demander la rescision, nonobstant toutes clauses et stipulations contraires insérées dans le contrat; autrement, ces clauses deviendraient de style. On doit présumer, d'ailleurs, que cette renonciation a été imposée par la même nécessité qui a déterminé à vendre.

Quid, s'il résulte des termes de la clause, que le vendeur a voulu faire donation à l'acheteur, de l'excédant de valeur de l'immeuble? la convention sera maintenue.

Peut-on valablement renoncer à la rescision, par une convention postérieure à la vente? Oui, pourvu que l'acte contienne la substance du contrat, la mention du motif de l'action et l'intention de réparer le vice sur lequel on pouvait la fonder (1338) (1).

Mais, par exception à la règle de l'article 1338, l'exécution volontaire n'emporterait pas ratification de la vente : le secours de la loi deviendrait inutile au vendeur, si le fait seul de la réception des deniers élevait contre l'action en rescision une fin de non-recevoir.

Nous pensons même, que la renonciation obtenue du vendeur, moyennant une somme qui, jointe au prix porté au contrat, ne lui procurerait pas les cinq douzièmes de la valeur de l'immeuble, serait sans effet; car on pourrait toujours supposer qu'elle a été extorquée par le besoin (2).

———

(1) Dur., n. 436.
(2) Delv., t. 3, p. 165. ⋙ Suivant quelques personnes, la renonciation *ex intervallo* peut être considérée comme une ratification, s'il s'est écoulé un certain temps depuis le contrat, lors même qu'elle a été obtenue moyennant une somme qui, jointe à celle que le vendeur a reçue, n'égale pas les cinq douzièmes de la valeur de la chose.

Cette action est immobilière, puisqu'elle tend à revendiquer un immeuble : si elle appartient à un mineur, le tuteur ne peut donc l'exercer sans l'autorisation du conseil de famille. Par la même raison, si elle appartient à une femme mariée, le mari ne peut agir seul (Dur., n. 436).

Quid, si des meubles et des immeubles ont été vendus pour un seul et même prix? on déterminera par ventilation le prix de l'immeuble et la rescision pourra être prononcée en cas de lésion (1).

Quant aux ventes aléatoires, elles ne sont pas rescindables pour lésion; par exemple, on ne peut faire rescinder les ventes consenties moyennant une rente viagère (2).

— L'action en rescision serait-elle recevable si tout ou partie du prix consistait en une rente viagère? ∿∿ *A.* Autrement, il serait facile à un acheteur avide d'échapper à la rescision et d'éluder la loi : le vendeur, pressé par le besoin, consentirait facilement à la stipulation d'une rente dans le contrat (Dur., n. 441; Delv., p. 81, n. 6). ∿∿ *N.* Le contrat est alors aléatoire (Troplong, n. 791).

La rescision peut-elle avoir lieu, lorsque l'aliénation n'a eu pour objet que la nue propriété? ∿∿ *A.* La loi ne distingue pas (Dur., n. 442; Delv., p. 81, n. 6; Troplong, n. 792 et suiv.; D., t. 12, p. 909, n. 40). ∿∿ *N. L'alea* est manifeste (Duvergier, n. 75. — *Montpellier*, 6 mai 1831; S., 31, 3. 278; D., 31, 2, 214. — *Angers*, 21 février 1828; S., 30, 2,131. — *Toulouse*, 22 nov. 1831; S., 32, 2, 108; D., 32, 2, 34. — *Cass.*, 30 mai 1831; S., 31, 1, 217).

Quid dans le cas de vente d'un droit d'emphytéose? ∿∿ Elle peut être admise, car l'emphytéose est un droit réel immobilier (Dur., n. 443; Troplong, n. 793. — *Paris*, 10 mai 1831; S., 31, 2, 153; D., 31, 2, 121. — *Douai*, 18 déc. 1832; S., 33, 2. 65; D., 33, 2. 195, 296. — *Cass.*, 19 juillet 1832; S., 32, 1. 531; D., 32, 1. ∿∿ Il faut distinguer entre l'emphytéose à perpétuité, et l'emphytéose pour un temps déterminé : le premier peut être rescindé; le second ne peut l'être (Proudhon, Usufruit, n. 97; Duvergier, p. 113, note; Grenier, n. 143).

Quid cas de vente d'un droit d'usufruit? ∿∿ La rescision n'est pas admise : l'usufruit est un droit aléatoire dans ses effets; sa durée est incertaine. — Arg. de l'art. 859. — la loi ne dit pas au juge d'apprécier les chances, elle dit que dès le moment où il y a chance, la lésion ne peut exister (Dur., n. 444; Troplong, n. 793; Duvergier, n. 75; Proudhon, Usufruit, n. 899) (*Val*). ∿∿ *A.* les droits immobiliers sont des immeubles (526); l'usufruit, la nue propriété, une rente viagère, sont susceptibles d'évaluation (Delv., p. 81, n. 6).

Quid en cas de vente des biens d'une succession mobilière et immobilière? ∿∿ Si le vendeur s'oblige à payer les dettes de l'hérédité, quoique les objets mobiliers n'aient pas été spécifiés dans le contrat, la rescision pour lésion de plus de sept douzièmes peut avoir lieu. *Secùs*, si le vendeur ne s'est pas soumis à payer les dettes de l'hérédité, car le contrat devient aléatoire (Dur., n. 440; Troplong, n. 790).

La vente d'une hérédité peut-elle être annulée pour vilité du prix? ∿∿ *N.* La valeur actuelle n'a rien de positif; le contrat est aléatoire (Troplong, n. 790; Duvergier, n. 75. — *Grenoble*, 9 février 1814; D., t. 12, p. 609. n. 1).

Quid, si l'acheteur ne court point de chance, par ex.; si l'on est convenu qu'il ne payera pas le prix stipulé, au cas où il ne se trouverait rien de liquide dans l'hérédité? ∿∿ La lésion peut faire annuler le contrat (Troplong, n. 790; Dur., n. 440. — *Orléans*, 24 mai 1831; D., 31, 2, 236).

Quid, si le contrat repose sur des bases telles, que l'acheteur de la nue propriété, de l'usufruit, ou de la rente viagère n'ait aucune chance à courir? Par ex., si la rente est inférieure au revenu de l'immeuble? ∿∿ L'action en rescision peut être admise (Troplong, n. 791; Duvergier, n. 75. — *Grenoble*, 18 avril 1831; D., 32, 2, 88. — *Orléans*, 24 mai 1831; D., 31, 2, 226).

Pour que le tiers détenteur d'un immeuble sujet à rescision puisse être actionné, faut-il qu'un jugement passe en force de chose jugée ait au préalable annulé, contradictoirement avec l'acquéreur, l'acte de vente, et investi le vendeur de la propriété qu'il avait perdue? ∿∿ *A.* L'action en restitution a pour préliminaire indispensable la rescision du contrat. — La rescision est fondée sur une présomption d'erreur ou sur des faits personnels à l'acheteur; comment le tiers détenteur pourrait-il répondre, puisqu'il ignore les circonstances du contrat (Carré, Compét., p. 515; Troplong, n. 804)? ∿∿ *N.* La pratique des actions ne doit pas souffrir tant de subtilités; on peut admettre cette fiction que celui-là est déjà propriétaire, qui est sur le point d'être déclaré tel. — Ce sera au tiers détenteur, assigné directement, à mettre son vendeur en cause.

Quel sera le tribunal compétent pour connaître de la lésion? ∿∿ Le tribunal de la situation des biens (Troplong, n. 805). ∿∿ L'action est mixte : appliquez l'art. 59, Pr. (Duvergier, n. 93; Dur., n. 452. *Voyez* ce que nous avons dit sur la Résolution. — *Cass.*, 5 nov. 1806; D., Action, p. 227, 13 février 1832; D., 33, 2, 101).

1673 — Pour savoir s'il y a lésion de plus de sept douzièmes, il faut estimer l'immeuble suivant son état et sa valeur au moment de la vente.

(1) Dur., n. 439; Delv., p. 81, n. 6; Duvergier, n. 74.
(2) Duvergier, n. 75; Merlin, Rép., Lésion, § 1er; D., t. 12, p. 909, n. 41. — *Quid*, si la rente viagère forme à elle seule le prix de la vente? ∿∿ Il y a lieu à rescision : les tribunaux prennent en considération toutes les circonstances de la cause, le montant de la rente, l'âge de la personne sur la tête de laquelle elle a été constituée, les produits de l'immeuble, etc. (Dur., n. 441).

= C'est au moment de la vente qu'il y a eu lésion ; il faut donc se référer à cette époque pour la constater, et ne point considérer les améliorations ou les détériorations que la chose a pu éprouver depuis.

L'estimation doit être fixée, eu égard à la diversité des biens et des lieux : elle se règle sur la commune opinion, et non sur des affections individuelles.

— Pour juger s'il y a eu lésion, doit-on ajouter les frais du contrat au prix de la vente ? ⋙ *N.* Ces frais ne font point partie du prix (Delv., p. 82, n. 11 ; Dur., n. 445). ⋙ *A.* Dans la pensée du législateur, ceux qui ont fixé le prix, n'ont pas perdu de vue, qu'outre la somme payée au vendeur, l'acheteur doit acquitter les frais (Duvergier, n. 87).

Les experts doivent-ils prendre en considération les fruits pendants lors de la vente ? ⋙ *A.* Ils étaient immeubles ; leur valeur a été considérée dans le prix (Pothier, n. 360 ; Duvergier, n. 89. — Cass., 15 déc. 1830 ; D., 31, 1, 24 ; S., 31, 1, 33). ⋙ Si le contrat ne s'explique pas sur les fruits, ceux qui étaient pendants se compensent avec les intérêts du prix, — en laissant à l'acheteur tous les fruits, excepté ceux qui sont échus depuis la demande, la loi affranchit de toute restitution les fruits pendants lors du contrat (Troplong, n. 817, 789, 842).

Pour apprécier la lésion, doit-on ajouter au prix convenu la valeur de la chance d'un réméré que l'acheteur aurait promis de souffrir ? ⋙ *N.* Lorsqu'il y a lésion de plus des sept douzièmes, la charge de réméré est de nul effet, puisque le vendeur, quand même cette dernière clause ne serait pas ajoutée, n'aurait pas moins le droit de rentrer dans son héritage par l'action rescisoire (Pothier, n. 847 ; Troplong, n. 817). ⋙ Celui qui achète, avec la chance d'être dépouillé par l'exercice du réméré, ne donne pas le même prix que lorsqu'il s'agit d'une vente ordinaire (Duvergier, n. 92).

Doit-on comprendre dans l'estimation le prix des récoltes qui étaient pendantes par racines lors de la vente de l'immeuble ? ⋙ *A.* (Cass., 15 déc. 1830, S., 31, 1, 33).

1676 — La demande n'est plus recevable après l'expiration de deux années, à compter du jour de la vente.

Ce délai court contre les femmes mariées, et contre les absents (1), les interdits, et les mineurs venant du chef d'un majeur qui a vendu (2).

Ce délai court aussi et n'est pas suspendu pendant la durée du temps stipulé pour le pacte de rachat.

= L'action en rescision est exorbitante du droit commun ; elle entrave la circulation des biens, et nuit même jusqu'à un certain point à l'agriculture, par suite de l'incertitude où elle laisse les propriétaires. Il fallait donc en borner la durée à un court délai : la loi déclare qu'elle n'est plus recevable après l'expiration de deux années à compter du jour de la vente. Ce terme ne peut être ni prolongé ni restreint.

Il court : *contre les femmes mariées*, à l'égard des ventes qu'elles ont consenties avant le mariage, ou pendant le mariage avec l'autorisation de leur mari, ou lorsqu'elles ont succédé au vendeur.—*Contre les absents et contre les interdits*, bien entendu, lorsqu'il s'agit de ventes faites avant la disparition ou l'interdiction, ou lorsqu'ils ont succédé à un vendeur qui a disposé de cette manière ; car, les immeubles des absents et ceux des interdits ne peuvent être vendus qu'en justice.—Enfin il court *contre les mineurs* : lorsqu'ils agissent comme successeurs ou ayants cause du vendeur majeur (*voy.* ce que nous avons dit sous l'art. 1663). — Le délai n'est pas suspendu pendant les cinq années fixées pour l'exercice du réméré. D'un autre côté, lorsque la faculté de rachat n'a été réservée que pour un

_____

(1) On pourrait conclure de cet article, qu'en principe, les prescriptions ne courent ni contre les femmes mariées ni contre les absents, et que l'art. 1676 fait exception à cette règle ; rien ne serait moins exact (2251 et 2254) : toutes les prescriptions courent contre les absents ; et quant à la femme, elle n'est soustraite à la prescription que sous le régime dotal. Ainsi, l'article est inutile en ce qui concerne la femme et les absents.

(2) La loi n'avait point à régler le cas où la vente serait faite par le mineur lui-même, car des formalités sont prescrites en ce cas à peine de nullité. D'ailleurs, la rescision de ces sortes de ventes ne peut avoir lieu pour lésion.

an, le vendeur peut encore agir en rescision après son expiration ; cette action lui présente plus d'avantages que le réméré, car elle ne le soumet pas au payement des frais et loyaux coûts du contrat, la vente étant pour ainsi dire résolue par le fait de l'acquéreur, lequel a abusé de la situation du vendeur (1682). Ainsi, aucune relation n'existe entre l'action en rescision et celle de réméré.

Le jour *à quo* n'est pas compris dans le délai (Duvergier, n. 23 et 99).

— A partir de quelle époque court la rescision, si la vente est faite sous une condition suspensive? Est-ce du jour de la vente ou du jour de l'accomplissement de la condition (2257)? ⁓ Du jour de la vente : la loi ne distingue pas (Dur., n. 454).

Quid, si la chose vendue pour un prix lésionnaire est entièrement périe sans la faute de l'acheteur; l'action en rescision est-elle recevable ? ⁓ N. L'action a pour objet, non le payement d'un supplément de prix, mais la restitution de l'immeuble vendu. Le supplément de prix était *in facultate solutionis*; il n'était pas *in obligatione* (Troplong, n. 825 ; Duvergier, n. 102 ; Pothier, n. 349).

Quid, si l'acheteur avait revendu l'héritage, avant qu'il n'eût péri, pour un prix supérieur à celui qu'il avait payé? ⁓ Il importe dans ce cas au vendeur, de faire statuer sur la validité du contrat (Troplong, *ibid.*). ⁓ Nonobstant la lésion, la vente a été heureuse pour le vendeur, puisqu'il n'aurait rien s'il n'eût pas vendu. — L'action en rescision a principalement pour objet la restitution de la chose, et non le payement d'un supplément. — La perte rend presque impossible une expertise. ⁓ Dans le doute, on doit maintenir le contrat (Duvergier, n. 103).

L'acheteur, assigné en rescision dans le délai légal, peut-il prétendre que le vendeur est non recevable, par la raison que, au moment de la vente, il n'était pas propriétaire de la chose? ⁓ N. Tant que l'éviction n'a pas eu lieu, le droit du vendeur est réputé certain (Duvergier, n. 101).

1677 — La preuve de la lésion ne pourra être admise que par jugement, et dans le cas seulement où les faits articulés seraient assez vraisemblables et assez graves pour faire présumer la lésion.

= Deux jugements doivent être rendus en matière de rescision : le juge examine d'abord si les faits articulés dans la demande sont vraisemblables ; s'ils sont assez graves pour faire présumer la lésion; enfin si l'action réunit les conditions prescrites par les art. 1674 et 1676. — Lorsque la demande lui paraît mal fondée, il la rejette *de plano :* quand il pense, au contraire, que la rescision peut être prononcée, il autorise le vendeur, par un premier jugement, à prouver la lésion. — Ce jugement est interlocutoire, puisqu'il préjuge le fond; l'acheteur peut dès lors en interjeter appel avant le jugement définitif.

1678 — Cette preuve ne pourra se faire que par un rapport de trois experts, qui seront tenus de dresser un seul procès-verbal commun, et de ne former qu'un seul avis à la pluralité des voix.

= Les règles introduites par le Code, pour cette expertise, diffèrent de celles qui s'observaient autrefois : ces nouvelles règles ont pour but de prévenir des lenteurs et d'assurer l'indépendance des experts.

— Le tribunal peut-il prononcer la rescision, quand la lésion lui paraît évidente, avant qu'il ait été fait aucune preuve *ad hoc?* ⁓ A. La loi ne le défend pas. — Discussion au conseil d'État (Duvergier, n. 106; Troplong, n. 831. — *Limoges,* 14 février 1827, D., 31, 1, 24 ; S., 31, 1, 33). ⁓ N. Texte formel de l'article 1678. — Un article du projet (l'art. 101) accordait ce droit aux tribunaux ; cet article fut supprimé sur la demande du tribunat; — il résulte de la discussion, qu'un rapport d'experts doit toujours avoir lieu ; il s'agit ici d'une règle exceptionnelle (302, Pr.). — On conçoit la nécessité d'une expertise, si l'on considère, que l'acheteur peut arrêter l'action en rescision en fournissant le supplément du prix (Delv., t. 3, p. 166 (*Val.*).

La disposition de l'art. 1678 est-elle applicable à l'action en rescision du partage pour cause de lésion? ⁓ A. Il y a même raison dans l'un et l'autre cas. — Arg. de l'art 887. (*Montpellier*, 28 juillet 1830 ; S., 31, 2, 97).

Les parties pourraient-elles convenir qu'il sera procédé par un seul expert? ⁓ A. Arg. de l'art. 303, Pr. : on ne voit pas ce qui pourrait s'opposer à ce qu'une semblable convention reçût son exécution. Pourquoi le juge nommerait-il trois experts lorsque les parties, pour éviter des frais, consentent à ce qu'il n'en soit nommé qu'un seul (303, Pr.) (*Val.*).

1679 — S'il y a des avis différents, le procès-verbal en contiendra les motifs, sans qu'il soit permis de faire connaître de quel avis chaque expert a été.

= Ainsi, lorsqu'il y a des *avis différents*, cette dissidence doit être constatée dans le procès-verbal : mais dans la crainte de gêner la liberté des opinions on ne fait pas connaître l'avis particulier de chaque expert (*voy.* 303, 318, 196, 210, Pr.).

1680 — Les trois experts seront nommés d'office, à moins que les parties ne se soient accordées pour les nommer tous les trois conjointement.

= Si les parties ne s'accordaient que sur deux, la désignation serait donc sans effet ; le tribunal devrait nommer d'office les trois experts (*voy.* Pr., 303, 318, 196 et 210).

Au surplus, les juges ne sont jamais forcés d'adhérer à l'avis des experts quand leur conviction s'y oppose.

1681 — Dans le cas où l'action en rescision est admise, l'acquéreur a le choix ou de rendre la chose en retirant le prix qu'il en a payé, ou de garder le fonds en payant le supplément du juste prix, sous la déduction du dixième du prix total.

Le tiers possesseur a le même droit, sauf sa garantie contre son vendeur.

= Comme le rétablissement des parties dans l'état où elles étaient avant la vente est le véritable résultat de l'action en rescision (1), la loi rend hommage à la foi des contrats en laissant à l'acheteur l'option ou d'abandonner l'héritage, ou de le conserver en payant le supplément du juste prix avec les intérêts, à partir de la demande (1682). Ainsi, le tribunal ne condamne pas le défendeur à effectuer le payement ; il prononce la rescision de la vente, *si mieux n'aime l'acheteur garder le fonds en indemnisant le vendeur.*

Le rapport des experts n'étant pas susceptible d'une précision mathématique, la loi autorise l'acheteur à conserver le dixième sur le prix total. Il est présumable, d'ailleurs, que celui qui a vendu avec lésion de plus de sept douzièmes, aurait consenti à vendre avec perte d'un dixième.

Si l'acquéreur a disposé de l'héritage, l'action en rescision peut être formée contre le tiers détenteur, lequel jouit alors des mêmes droits que le premier acquéreur (2125). On décide, cependant que nonobstant sa bonne foi, il est tenu envers le vendeur originaire, non-seulement des dégradations par lui commises, mais encore de celles qui proviendraient du fait de son cédant, sauf ensuite à se faire indemniser par ce dernier (Pothier, n. 371).

La régie n'est point soumise, en cas de rescision de la vente, à la restitution des droits qu'elle a perçus (art. 60 de la loi du 22 nivôse an 7).

---

(1) *Voy.* cep., *Cass.*, 23 prairial an 12 et 14 mai 1806 ; S., 4, 1, 369 ; 6, 1, 331 ; D., Action, p. 215.

— *Quid* à l'égard des dégradations ? Certainement il y aura compte à faire à cet égard entre les parties ; mais faudra-t-il traiter l'acheteur comme ayant été de bonne foi ? ⋀⋀⋀ *A.* Silence de la loi. — L'acheteur n'est pas présumé s'être attendu a voir intenter l'action en rescision. ⋀⋀⋀ La loi ne statue que pour les fruits (1682) ; lorsqu'il s'agit d'impenses utiles ou de dégradations commises, le juge doit rechercher en fait pour déterminer les restitutions a faire si l'acheteur a été de bonne ou de mauvaise foi.

Quid, si le tiers possesseur a été de mauvaise foi, bien qu'il y ait eu bonne foi de la part de l'acheteur ? ⋀⋀⋀ Le tiers possesseur pourra réclamer du poursuivant le prix payé, mais ce dernier défalquera sur ce prix le montant des dégradations, sauf ensuite le recours du tiers possesseur contre son propre vendeur.

La rescision donne-t-elle lieu au droit de mutation ? ⋀⋀⋀ *A.* La rescision n'est pas une cause de nullité radicale (Dur., n. 572, t. 12 ; Merlin. Rép., Droit d'enreg., p. 677 ; D., Enreg., p. 181, n, 4) ⋀⋀⋀ *N.* La rescision anéantit le contrat attaqué ; le passé est effacé. — Arg. de l'art. 68, §7 de la loi du 12 février an 7, qui ne regarde comme mutations soumises au droit proportionnel, que les adjudications, ventes, reventes, cessions, rétrocessions, etc. (Pothier, Vente, n. 338 ; Toullier, t. 7, n. 541 et suiv. ; Troplong, n. 852 ; Duvergier, n. 132).

1682 — Si l'acquéreur préfère garder la chose en fournissant le supplément réglé par l'article précédent, il doit l'intérêt du supplément, du jour de la demande en rescision.

S'il préfère la rendre et recevoir le prix, il rend les fruits du jour de la demande.

L'intérêt du prix qu'il a payé, lui est aussi compté du jour de la même demande, ou du jour du payement, s'il n'a touché aucuns fruits.

= La loi considère la rescision comme imprévue : aussi voyons-nous, qu'elle traite l'acheteur comme possesseur de bonne foi, en ne l'obligeant à tenir compte des fruits ou des intérêts du supplément du prix (suivant qu'il opte pour le délaissement ou pour la conservation de l'héritage), qu'à partir de la demande.

L'acheteur soumis à la restitution des fruits peut également prétendre, à partir du jour de la demande, aux intérêts du prix qu'il a payé ; jusqu'alors, les fruits et les intérêts se compensent. Quand la chose n'a pas produit de fruits, comme la compensation est impossible, les intérêts courent au profit de l'acheteur, à partir du jour du payement.

1683 — La rescision pour lésion n'a pas lieu en faveur de l'acheteur.

= On peut vendre par besoin, mais on n'est jamais forcé d'acquérir : celui qui achète est ordinairement dans l'aisance. D'ailleurs, la chose pouvait avoir pour lui un prix d'affection, ce qui est inappréciable.

Mais l'acheteur peut toujours faire annuler la vente pour cause de fraude.

1684 — Elle n'a pas lieu en toutes ventes qui, d'après la loi, ne peuvent être faites que d'autorité de justice.

= La loi n'admet pas la rescision, à l'égard des ventes qui ne peuvent être faites que d'autorité de justice ; car les formalités qui les accompagnent écartent tout soupçon de fraude.

Toutefois, cette exception est bornée au seul cas où la vente *doit être nécessairement* faite en justice : par ex., lorsque l'immeuble appartient à une femme mariée, à un mineur, à un interdit ; ou lorsqu'il est vendu sur expropriation forcée, à la requête des créanciers — S'il plaît à des individus majeurs, ayant la libre disposition de leurs droits, de faire une vente devant le tribunal, la rescision pour lésion peut avoir lieu ; car étant maîtres de négliger certaines formalités, l'intervention de la justice ne présente plus les mêmes garanties (1).

Ainsi une licitation judiciaire, faite entre des cohéritiers majeurs et présents est sujette à rescision pour lésion.

— La licitation faite entre majeurs, par le ministère d'un notaire devant lequel le tribunal aurait renvoyé les parties, peut-elle être attaquée pour lésion ? ∿∿ *N.* 955 et 970, Pr. (Dur., n. 468). ∿∿ *A.* Les parties majeures peuvent avoir négligé quelques voies judiciaires (Troplong, n. 857 ; Delv., t. 3, p. 165 ; Merlin, Rép., Lésion, § 4. — *Paris*, 22 déc. 1832 ; S., 32, 2, 484).

1685 — Les règles expliquées dans la section précédente pour les cas où plusieurs ont vendu conjointement ou séparément, et pour celui où le vendeur ou l'acheteur a laissé plusieurs héritiers, sont pareillement observées pour l'exercice de l'action en rescision.

= *Voy.* articles 1668 à 1672.

— La loi ne renvoyant pas à l'art. 1667, on demande si cet article doit être appliqué à la rescision pour lésion ? ∿∿ *A.* L'acheteur a été forcé d'acheter sur licitation, pour conserver l'immeuble ; le vendeur se serait vu dans la même nécessité, s'il eût voulu le conserver ; il y a donc même motif dans les deux cas. ∿∿ *N.* Cet article est rigoureux, il ne faut pas l'étendre au vendeur à vil prix ; il est plus favorable que le vendeur à réméré.

CHAPITRE VII.

De la licitation.

Le mot *licitation* (de *licere, enchérir*) exprime en général toute vente aux enchères; mais en droit, on désigne spécialement ainsi, la mise aux enchères d'un objet appartenant par indivis à plusieurs, et qui ne peut se partager commodément (815).—Lorsque le partage d'une masse se fait de gré à gré, il suffit même qu'aucun des copartageants ne veuille ou ne puisse prendre un objet dans son lot, pour qu'il y ait lieu à la licitation de cet objet (1686) (2).

Quand une contestation s'élève entre les communistes sur le point de savoir s'il y aura partage ou licitation, les tribunaux sont appelés à prononcer.

La licitation est *volontaire*, ou *judiciaire :*

Volontaire, lorsqu'elle se fait devant un *notaire* choisi par les parties ; ce qui suppose que les copropriétaires sont tous majeurs, présents, et qu'ils ont le libre exercice de leurs droits. — Le refus ou l'incapacité de l'un d'eux suffirait pour nécessiter la licitation en justice (827).

Judiciaire, lorsqu'elle a lieu devant le tribunal : ses formes sont réglées dans les art. 815-842, C. c., et 966-985, Pr.

On peut liciter toute espèce de choses, meubles (575) ou immeubles ; même un simple droit de bail : la loi ne distingue pas (1686).

(1) Locré, Législ., t. 14, p. 129, n. 14, p. 254, n. 35; Dur., n. 468 ; Troplong, n. 856 et 857; Duvergier, n. 81. — *Paris*, 22 décembre 1832 ; S., 33, 2, 486.

(2) Deux hypothèses peuvent se présenter :

1° Lorsque l'objet indivis est *unique*, le partage a lieu en nature, si la division de cet objet est possible: on a recours à la *licitation*, s'il n'est pas susceptible de division. — Blâmons ici en passant le partage de maisons, par étage ou autrement; car ce sont là des sources de procès.

2° Lorsqu'il s'agit d'une universalité, il n'est pas nécessaire, pour que le partage ait lieu en nature, que chaque objet soit divisible ; il suffit qu'on puisse former des lots à peu près égaux, dût-on établir des soultes.

Les effets de la licitation sont différents, suivant que la chose est adjugée à l'un des copropriétaires ou à un étranger :

Dans le premier cas, elle tient lieu de partage, quoique des étrangers aient été admis à surenchérir; en conséquence, les règles relatives à la garantie, à la lésion et aux privilèges en matière de partage (art. 2109) reçoivent leur application : — ainsi, les hypothèques consenties pendant l'indivision par l'un des communistes sont anéanties. — Les colicitants n'ont point le privilége du vendeur, mais bien le privilége des copartageants (*voy.* 2103 et 2109); ils ne peuvent demander la résolution pour défaut de payement du prix; ils sont soumis à la garantie entre copartageants, et non à celle dont le vendeur est tenu. — Enfin, c'est la lésion de plus du quart, et non celle des sept douzièmes qui détermine la rescision.

Dans le deuxième cas, l'adjudication, par rapport à l'acquéreur, est une véritable vente que chacun des copropriétaires est censé faire de sa part indivise dans l'héritage (1) : la chose, en effet, passe entre les mains de ce nouvel acquéreur, avec toutes les charges dont elle a été grevée pendant l'indivision ; les copropriétaires n'ont pas pour le payement du prix le privilége des copartageants, mais celui du vendeur; il y a lieu d'appliquer les principes que nous avons étudiés sur la vente, sauf la réserve faite par les articles 1649 et 1684.

1686 — Si une chose commune à plusieurs ne peut être partagée commodément et sans perte ;

Ou si, dans un partage fait de gré à gré de biens communs, il s'en trouve quelques-uns qu'aucun des copartageants ne puisse ou ne veuille prendre,

La vente s'en fait aux enchères, et le prix en est partagé entre les copropriétaires.

⚊ Ainsi, deux cas dans lesquels la licitation doit avoir lieu :

1° Lorsqu'une chose ne peut être partagée commodément et sans perte ; mais des inconvénients légers n'empêcheraient pas le partage en nature : telle serait, par ex., l'obligation où l'on se trouverait, d'imposer une servitude à des portions de l'héritage à partager : — en un mot, ce qu'il faut considérer, pour savoir si la licitation doit avoir lieu, ce n'est pas l'inégalité de l'un des lots, ou l'incommodité que l'un des copartageants pourra éprouver; mais bien l'inconvénient du partage pour tous les copartageants; la perte que la division leur causera. ·

2° Lorsque dans un partage de gré à gré aucun des copartageants ne veut prendre dans son lot l'un des objets indivis, ou ne peut s'en charger : telle serait, par ex., une usine, que nul des communistes ne saurait faire valoir, c'est alors comme s'il y avait accord unanime pour mettre la chose en vente ; mais si l'un des copartageants s'opposait à la licitation, elle ne pourrait avoir lieu.

— La licitation conserve-t-elle son caractère de partage, lorsqu'elle a lieu entre quelques-uns des co-propriétaires seulement? ⁓ *A.* C'est toujours là un acte dans lequel le but des copartageants est de partager et non de vendre (Duvergier, n. 147). ⁓ *V.* Arg. de l'art. 883. — Cet article suppose que le

---

(1) Pour qu'il y ait licitation, il faut que la mise aux enchères soit poursuivie par l'un des copropriétaires ; si l'immeuble était vendu à la requête d'un étranger, il y aurait expropriation, quand même cet immeuble serait adjugé à l'un des copropriétaires ; sauf l'application de l'article 1166.

partage doit être fait entre tous les cohéritiers. — Cet acte est sujet à transcription (*Cass.*, 16 janvier 1827 ; S., 27, 1, 243 ; D., 27, 1, 118 , 24 août 1820 ; S., 29, 1, 421 ; D., 29, 1, 346 ; 18 mars 1829 ; S., 30, 1, 339 ; 31 janvier 1832 ; S., 32, 1, 160 ; D., 32, 1, 191 ; 16 mai 1832 ; S., 32, 1, 602).

1687 — Chacun des copropriétaires est le maître de demander que les étrangers soient appelés à la licitation ; ils sont nécessairement appelés lorsque l'un des copropriétaires est mineur.

= On entend ici par *étrangers*, toutes personnes autres que les copropriétaires.

La loi devait laisser à chacun des copropriétaires, le droit d'exiger que les étrangers fussent admis à surenchérir ; autrement, celui d'entre eux à qui l'objet ne conviendrait pas, ou qui n'aurait pas le moyen d'acquérir, se trouverait à la discrétion des autres : en admettant les étrangers, on évite cet inconvénient.

Lorsqu'il y a des mineurs ou autres incapables, les étrangers sont nécessairement admis ; car le concours des enchérisseurs tend à faire élever le prix de la vente (460).

1688 — Le mode et les formalités à observer pour la licitation sont expliqués au titre *des Successions* et au Code de Procédure.

CHAPITRE VIII.

Du transport des créances et autres droits (1).

Les choses incorporelles sont dans le commerce ; ce sont, disait M. Portalis, des êtres créés par nous, et dont nous pouvons trafiquer. — Un droit d'usufruit, de servitude, d'usage, d'habitation, peut donc être l'objet d'une vente, en ce sens que chacun peut constituer ces sortes de droits, à prix d'argent, sur sa propriété (*voy.* articles 579 , 625 , 639 , 686). — L'usufruitier peut même céder à un autre l'émolument (2) du droit constitué en sa faveur (596) ; mais les servitudes, étant par leur nature des droits attachés au sol, ne peuvent être transférées que par le propriétaire qui vend en même temps le fonds en faveur duquel elles sont établies (637). Quant à l'usager, comme l'étendue de son droit est réglé d'après ses besoins personnels, il ne peut le céder (631).

La loi s'occupe spécialement dans ce chapitre, du transport des créances, droits et actions (3) sur un tiers (1689 et 1695), et de la vente

---

(1) Le mot *transport* n'implique pas nécessairement l'idée de vente : il peut y avoir transport d'une créance ou d'un droit, aussi bien par donation que par vente ; mais dans tout notre chapitre, il n'est question que du transport a titre onéreux.

Quelquefois, le mot *cession* est employé comme synonyme du mot transport. On trouve même, dans les anciens auteurs, l'expression : *transport-cession*.

(2) Nous disons l'*émolument*, car le droit reste nécessairement sur la tête de celui au profit duquel il a été originairement constitué.

(3) Ces mots : *droits*, *créances*, *actions*, ne sont pas synonymes : le mot *droit* est un terme générique qui embrasse toute obligation active, même celles qui consistent à faire ou a ne pas faire. — Le mot *créance*, indique le rapport du droit avec la personne. Dans la pratique, il exprime une dette d'argent. Enfin , on nomme *action* la demande portée devant les tribunaux ; le droit en exercice. Il faut remarquer, que l'exercice du droit, n'opère pas de novation comme en droit romain ; il produit seulement une modification ; le droit devient alors *litigieux : il existe, relativement à la cession de ce droit, des règles particulières.

des droits héréditaires (1696 à 1698). — Elle consacre, dans les articles 1699, 1700 et 1701, des règles particulières sur la cession des droits litigieux.

On nomme *cédant*, celui qui transporte le droit; *cessionnaire*, celui à qui le droit est cédé.

La cession d'un droit, faite moyennant un prix déterminé en argent, est en général régie par les mêmes principes que la vente d'objets corporels : Ainsi, le transport du droit cédé est parfait dès le moment où les parties s'accordent sur la chose et sur le prix, même avant que la délivrance ait eu lieu; cette règle est commune aux trois sortes de cessions dont il est parlé dans ce chapitre : mais le cessionnaire est-il saisi vis-à-vis des tiers, par cela seul que les titres lui ont été remis? — Pour les droits héréditaires, *voyez* nos Questions sur l'article 1696. — A l'égard des créances et des droits litigieux, le cessionnaire n'est réputé saisi vis-à-vis des tiers et vis-à-vis du débiteur lui-même, que du jour où le transport a été signifié à ce dernier, ou du jour où il a accepté ce transport dans un acte authentique (1690). Ce sont là des règles particulières à l'aliénation des droits dont il s'agit.

Celui qui vend une créance, transporte par cela même au cessionnaire l'intégralité des droits que lui confère son titre, quelque différence qu'il y ait d'ailleurs entre le prix qu'il reçoit ou doit recevoir, et le montant de la somme qui lui est due (1694). — Il est soumis, comme tout vendeur, à l'obligation de garantie : or, rappelons-nous que l'on distingue deux sortes de garanties, l'une de droit et l'autre de fait.

La garantie *de droit*, ainsi appelée parce que le vendeur en est tenu par la nature même du contrat, consiste, dans l'espèce, à garantir l'existence du droit au temps du transport (1693), à moins qu'il ne soit fait dans l'acte, outre la convention expresse ou tacite de non-garantie, une mention spéciale de la cause qui peut donner lieu de craindre une éviction, ou du vice qu'on peut reprocher au titre; la cession n'est plus alors qu'une vente aléatoire de droits incertains ou litigieux (1693, 1628, 1629, 1163).

La garantie *de fait*, est relative à la solvabilité du débiteur; elle résulte de la volonté des parties (1694).

Cette garantie peut être plus ou moins étendue; en effet, on distingue :

1° La simple promesse de garantie : cette promesse emporte pour le cédant obligation de garantir la solvabilité actuelle.

2° La garantie de la solvabilité actuelle et future, ou clause de *fournir et faire valoir* (1) : cette clause doit être considérée comme un cautionnement; en conséquence, avant d'attaquer le cédant, le cessionnaire doit discuter au préalable les biens du débiteur (1695, 2011, 2021, 2024).

3° Enfin, le cédant peut s'obliger à payer après un simple commandement fait au débiteur : cette clause élève la garantie au plus haut degré; elle dispense le cessionnaire de discuter les biens du débiteur; le cédant n'est plus considéré comme obligé subsidiaire, mais comme obligé direct et principal (2).

---

(1) *Fournir*, c'est-à-dire, donner ce qui manque ; *faire valoir*, c'est-à-dire, se charger de procurer à la créance toute sa valeur, sans limitation de temps.

(2) Il est à remarquer, que la loi se montre peu favorable aux acheteurs de créances : elle ne décide plus, en effet, comme lorsqu'il s'agit de l'éviction d'un fonds ou d'un droit réel (1630 et 1633), que l'a-

Le cessionnaire est déchu de la garantie de fait, lorsqu'il a laissé périr par sa faute la créance ou les sûretés qui y étaient attachées.

Celui qui vend *un droit de succession*, est censé le transporter au cessionnaire tel qu'il lui est échu, avec tous les émoluments qui en dépendent, et toutes les charges qui y sont attachées.

Si le cédant avait déjà perçu quelques fruits, reçu le montant de quelque créance, donné, vendu, ou même consommé pour son usage quelque bien de l'hérédité, il serait donc obligé d'en tenir compte au cessionnaire, à moins qu'il n'eût fait des réserves expresses lors de la vente (1697).

L'acquéreur doit rembourser au vendeur ce que celui-ci a payé de ses propres deniers, pour éteindre les dettes et charges de la succession.

A moins de réserves expresses, l'acquéreur profite des améliorations faites par le vendeur, jusqu'à la cession ; car il est censé avoir considéré les choses dans l'état où elles se trouvaient à cette époque. Réciproquement, il ne peut exercer aucun recours contre ce dernier, à raison des dégradations qu'il a commises.

La vente d'une hérédité fait cesser tous les effets que la confusion avait produits.

Le cédant doit garantir la qualité en vertu de laquelle il est investi du droit qu'il transporte ; c'est là ce qui constitue la garantie de droit, en pareille matière : il n'est point garant de la libre possession des choses particulières auxquelles ce même droit s'applique, et qui n'ont pas été spécifiées dans la convention (1696).

Nonobstant la cession de ses droits héréditaires, le vendeur conserve sa qualité d'héritier ; comme tel, il peut être actionné par les créanciers de la succession, sauf ensuite son recours contre le cessionnaire.

Le cessionnaire est soumis au retrait successoral (841).

La cession *de droits litigieux* a pour objet non le droit même, mais l'événement incertain d'un procès (1700). Ce contrat étant purement aléatoire, ne donne pas lieu à garantie. — Du reste, dans cette cession, comme dans celles qui ont pour objet des créances non litigieuses, il y a délivrance du titre au cessionnaire (1689) et notification au débiteur (1690).

La cession de droits litigieux, faite à titre onéreux, est soumise à deux dispositions prohibitives : la première résulte de l'art. 1597. — La deuxième autorise contre le cessionnaire, quel qu'il soit, l'exercice du retrait de la chose cédée, à charge de lui rembourser le prix réel de la cession, avec les intérêts du jour du payement , ainsi que les frais et loyaux coûts du contrat (1699) : cette disposition ayant pour unique objet de réprimer de honteuses spéculations, on rentre dans le droit commun, quand la cession est fondée sur un motif légitime et nécessairement étranger aux idées que la loi réprouve (1701).

1689 — Dans le transport d'une créance, d'un droit ou d'une

cheteur sera indemnisé de la perte qu'il a éprouvée , et du gain qu'il a manqué de faire ; mais seulement (à moins de stipulations contraires), qu'il doit lui être tenu compte du prix qu'il a payé , des intérêts de ce prix , des frais et loyaux coûts du contrat , et des dépenses qu'il a faites. — Bien plus , lors même que le cédant s'est porté garant de la solvabilité du débiteur , la loi, toujours par suite de la même défaveur, présume qu'il n'a eu en vue que la solvabilité actuelle.

action sur un tiers, la délivrance s'opère entre le cédant et le cessionnaire par la remise du titre (1).

= *Entre le cédant et le cessionnaire* (2), la délivrance s'opère par la remise du titre : cette remise n'a pas pour but de procurer le transport, puisqu'il a eu lieu par le seul consentement ; mais bien, de faciliter à l'acquéreur le moyen de toucher la somme cédée ; car le débiteur pourra ne vouloir payer que sur le vu et la restitution du titre par lui souscrit.

S'il n'y a pas de titre, la délivrance s'opère par cela seul que le cessionnaire exerce le droit cédé, sans opposition de la part de ce dernier : en effet, l'art. 1689 ne peut être limitatif ; autrement, il serait impossible de faire la délivrance d'une créance qui ne serait pas constatée par un titre. Par ex., si la créance est moindre de 150 francs, il faudra bien que le cessionnaire puisse lui-même prouver par témoins l'existence de cette créance ; l'article 1689 n'est qu'une application pure et simple de l'art. 1607 (3).

Le transport peut se faire, comme les ventes ordinaires, par acte authentique ou par acte privé.

1690 — Le cessionnaire n'est saisi à l'égard des tiers que par la signification du transport faite au débiteur (4).

Néanmoins le cessionnaire peut être également saisi par l'acceptation du transport faite par le débiteur dans un acte authentique.

= Lorsque l'aliénation a pour objet une chose corporelle mobilière, la tradition rend l'acquéreur, propriétaire incommutable ; la loi ne devait prescrire aucune autre formalité : car d'une part, une deuxième alié-

---

(1) Le Code emploie indifféremment les mots *transport* et *cession*, pour indiquer la vente d'un droit. — Ces mots, en effet, sont parfaitement synonymes ; ils indiquent l'un et l'autre la transmission des droits d'une personne à une autre personne.

On trouve dans le transport tous les éléments essentiels de la vente : le consentement, une chose, un prix ; d'ailleurs, les textes des art. 1692 et 1693 emploient indifféremment les mots *transport, vente* ou *cession*.

On peut cependant concevoir une cession sans qu'il y ait vente ; par ex., nous avons vu, art. 1303, que le débiteur d'un corps certain est libéré lorsque la chose a péri par cas fortuit, à charge toutefois de *céder* au créancier les droits qu'il a contre un tiers relativement à cette chose (*voy.* aussi 1935). Il est évident que cette cession n'est point une vente. — Au contraire, la vente emporte nécessairement l'idée d'une *cession*.

La cession diffère également de la subrogation (*voy.* t. 2, p. 600).

Il faut se garder de confondre la *cession* avec la *délégation*, : le débiteur délégant est tacitement garant de la solvabilité du délégué, à moins que le créancier n'ait expressément déclaré qu'il entendait décharger ce débiteur ; auquel cas, il y a novation (1275) ; le cédant, au contraire, n'est pas garant de la solvabilité du débiteur ; il garantit seulement l'existence de la créance au temps du transport (1693 et 1694). (*Voy.* t. 2, p. 626, note).

Ne confondons pas non plus la cession avec la novation 1271, 3°. Cette dernière opération ne peut se faire qu'avec la volonté du débiteur et par un nouvel engagement.

(2) Peut-on valablement céder la qualité de créancier ? ⁓ *Non*, rigoureusement : le rapport de la créance avec la personne, ne peut s'éteindre que par un des modes d'extinction des obligations. — Le droit romain ne voyait dans le cessionnaire qu'un *procurator in rem suam* ; — on transporte le profit, mais le droit n'est pas moins resté dans la personne du cédant ; et cela est tellement vrai, que le cessionnaire, en rédigeant son ajournement, invoque le droit du cédant.

(3) La remise du titre prouve que le cédant veut mettre le cessionnaire en possession de la créance : mais ce n'est pas elle qui investit le cessionnaire de son droit ; c'est le transport.

(4) Sous l'ancienne jurisprudence, la signification était à la *cession* ce que la tradition était à la *vente* ; mais chez nous, la propriété se transférant par le seul consentement, on ne voit pas pourquoi ce consentement ne suffirait pas pour investir le cessionnaire : la notification ne devrait être utile que pour parer à l'application de l'art. 1240. Le projet de Code était conçu en ce sens, mais sur la réclamation des tribunaux, il fut modifié ; le système de l'ancienne jurisprudence prévalut. — Il est néanmoins bizarre de voir que la propriété corporelle soit soumise à moins de garantie, quant à sa transmission, que la propriété des objets incorporels : cela choque d'autant plus, qu'entre deux cessionnaires, quoiqu'il s'agisse d'une créance, il y a évidemment action en revendication, débat sur une propriété.

nation de cette chose par le vendeur est impossible; d'autre part, les créanciers ne peuvent la considérer comme leur gage, puisqu'elle est sortie des mains de leur débiteur.

Mais il importait de prescrire des formes spéciales pour les ventes de créances, droits ou actions sur un tiers : en effet, le débiteur à l'insu duquel s'opérerait cette aliénation, pourrait payer le cédant; d'un autre côté, les créanciers de ce dernier, n'ayant aucun moyen de la connaître, seraient fondés à croire que leur débiteur est encore propriétaire des droits cédés, et se trouver ainsi victimes de leur confiance. Afin de prévenir toutes fraudes, la loi décide, que le cessionnaire ne sera saisi à l'égard des tiers, c'est-à-dire, à l'égard des personnes qui n'ont pas été parties dans la cession (*voyez* 1322 et 1328), que par la signification du transport : cette signification peut être faite, soit par le cédant, soit par le cessionnaire.

Un autre moyen est offert au cessionnaire pour garantir ses droits : il peut faire accepter son transport par le débiteur; mais cette acceptation doit résulter d'un acte *authentique*; l'authenticité est exigée, afin qu'on ne puisse supprimer l'acte, et en outre, afin que le cessionnaire ait entre les mains un titre exécutoire qui lui permette d'exercer des poursuites, sans faire les frais d'un jugement.

Nous pensons néanmoins, que le débiteur ne pourrait plus, après une acceptation par acte sous seing privé, payer au cédant, ni compenser avec lui, au préjudice de la cession; mais il est certain que l'acceptation faite dans cette forme ne pourrait être opposée aux tiers.

Du principe que le cessionnaire n'est saisi à l'égard des tiers que par la signification du transport, on déduit les conséquences suivantes :

1° Jusqu'à la signification, le cédant peut recevoir le montant de la créance et donner quittance valable, ou transporter une deuxième fois cette créance à un tiers.

Le cessionnaire ne pourrait critiquer le payement fait par le cédé, lors même qu'il établirait que ce dernier avait connaissance de la cession : dès que la loi trace des moyens de porter à la connaissance du public, l'existence de certains faits, ces moyens ne peuvent être suppléés; le débiteur n'est sérieusement et légalement instruit du transport que par la notification qui lui en est faite, ou par son acceptation (1).

2° Tant que la signification n'a pas eu lieu, le cédant a seul qualité pour exercer contre le débiteur des poursuites tendantes à exécution (2).

Quant au cessionnaire, il ne peut faire, avant l'accomplissement de ces formalités, que des actes conservatoires.

3° Le débiteur cédé peut opposer au cessionnaire toutes les causes d'extinction de la créance antérieures à la notification ou à l'acceptation du transport, qu'il eût pu opposer au cédant (3); quant aux causes survenues depuis, il ne peut s'en prévaloir, puisque le cédant n'était plus son créancier.

4° Entre deux cessionnaires, celui qui le premier signifie son transport est préféré, lors même que l'une et l'autre signification ont été faites le

(1) Duvergier, n. 208. *Cass.*, 14 décembre 1827; D., 28, 1, 46; S., 28, 1, 42; *voy.* cep. Troplong, n. 900. — *Cass.*, 13 juillet 1831; D., 31, 1, 242. — *Grenoble*, 21 août 1828; D., 29, 2, 125.

(2) *Bordeaux*, 29 avril 1829; D., 29, 2, 227; S., 2, 92, 350. ✻ Duvergier, n. 206, pense néanmoins que celles faites par le cessionnaire avant la signification, doivent être maintenues, quand l'existence de la cession est sans influence sur les conséquences des actes, ou lorsqu'il est indifférent, pour leur validité et pour leurs suites, qu'ils aient été faits par le cédant ou par le cessionnaire.

(3) Lorsque le cédé a accepté la cession, il ne peut opposer les causes de compensation antérieures à l'acceptation; lorsque la cession lui a été seulement notifiée, on ne peut le considérer comme ayant renoncé à la compensation.

même jour. L'art. 2147 n'est pas applicable ici, car la disposition de cet article est fondée sur des motifs particuliers au régime hypothécaire; elle ne doit pas recevoir d'extension : — si les heures n'ont pas été mentionnées, les cessionnaires viennent concurremment (1).

5° Avant la signification, la compensation n'a pas lieu entre le cessionnaire et le débiteur.

6° Enfin, nous pensons que les créanciers du cédant, en formant opposition entre les mains du débiteur, auront le droit de se faire attribuer les sommes par eux arrêtées, à l'exclusion du cessionnaire qui n'aura point encore fait signifier son transport. Ainsi, la saisie pratiquée avant la notification ou l'acceptation, produira le même effet que si elle avait précédé le transport; le cessionnaire devra s'imputer sa négligence; les tiers, n'avaient pas acquis une connaissance légale de ses droits; ils sont fondés à prétendre que la cession est postérieure à la saisie, que le débiteur a transféré des droits dont il ne pouvait plus disposer. — Assurément, le cessionnaire pourra, s'il a payé le prix de cette cession, former une saisie-arrêt pour se remplir de ce qui lui sera dû en capital, intérêts et dommages-intérêts; la signification, si on le veut, vaudra saisie : mais alors, au lieu de lui attribuer exclusivement la totalité de la somme transportée, elle ne lui donnera que le droit de venir par contribution avec les autres créanciers qui auront fait des diligences en temps utile; il agira donc, non comme cessionnaire, mais comme créancier chirographaire. — Si la somme entière n'est pas absorbée par les saisissants, il est bien entendu, que le transport produira son effet pour le surplus.

Si la signification ne vaut que comme saisie, vis-à-vis des créanciers antérieurs, a-t-elle du moins un effet plus étendu vis-à-vis des saisissants postérieurs? quel sera l'effet du transport, si de nouvelles oppositions surviennent, la première subsistant toujours? si la première créance excède ou égale le montant de la somme saisie, aucune difficulté ne se présente : la signification du transport ne pouvant valoir que comme saisie, une répartition contributoire aura lieu entre tous les saisissants : mais que faudra-t-il décider si cette somme n'est pas entièrement absorbée : l'excédant sera-t-il transporté au cessionnaire à l'exclusion des saisissants survenus depuis? Nous le pensons, les saisissants retardataires ne peuvent se plaindre, car cette portion de la créance n'était plus dans le patrimoine de leur débiteur, quand ils se sont présentés; le cessionnaire en était devenu propriétaire; ils viendront seulement par contribution, sur la partie de la somme arrêtée par la première saisie, car cette fraction se trouve placée sous la main de la justice, et la priorité d'une saisie n'attribue point de droit de préférence (Arg. des art. 575 et 579, Pr.). Le Code de procédure (art. 886 et 687) admet une décision analogue pour le cas de saisie immobilière.

Toujours dans la même hypothèse : devra-t-on accorder aux saisissants antérieurs à la signification du transport une action contre le cessionnaire, à l'effet de se faire indemniser de ce qu'ils auront reçu de moins, par suite du concours des saisissants retardataires? Non : les saisies faites après la signification du transport, ne doivent pas nuire au cessionnaire; tout le monde est d'accord sur ce point : or, obliger ce dernier à indemniser les premiers

_____

(1) Dur., n. 503; Troplong. n. 903; Duvergier, n. 187 et 188. — *Nancy*, 18 juin 1833. — *Bruxelles*, 30 janvier 1808; S., 7, 1, 1253. — *Caen*, 10 février 1832; S., 32, 2, 394; D., 32, 2, 202. — *Bordeaux* 26 août 1831; D., 31, 2, 243.

saisissants du dommage que leur cause ce concours, ne serait-ce pas faire peser sur lui, du moins en partie, les conséquences des nouvelles saisies (1)?

Les dispositions de cet article ne sont applicables ni aux lettres de change, ni aux billets à ordre, dont la propriété se transporte à l'égard des tiers par l'endossement (136, C. de com.); ni aux actions dans les sociétés de commerce quand elles sont au porteur (*Ibid.*, art. 35, 36, 136, 187); ni aux actions de la banque de France (elles se transmettent par un transfert sur les registres, art. 4 du décret du 15 janvier 1808); ni enfin aux rentes sur l'État (un transfert sur les registres de la trésorerie est suffisant. *Voy.* la loi du 28 floréal an 7, et le décret du 13 thermidor an 13).

Lorsque le débiteur n'a pas transporté son droit, mais seulement la faculté de percevoir les fruits pendant un certain temps, un principe d'équité a fait admettre, que la signification de la cession ne transférerait la propriété des fruits qu'au fur et à mesure de leur perception : ainsi, les créanciers du cédant saisiront valablement les fruits à échoir, sans que le cessionnaire puisse s'y opposer; la signification du transport n'aura d'effet immédiat que pour les fruits échus ou perçus (*Cass.*, 5 novembre 1813).

— Le tiers débiteur ne peut-il opposer au cessionnaire les payements par lui faits, qu'autant que ces payements sont constatés par acte authentique ou par un acte sous signature privée ayant date certaine ? ⁓Ce système aurait des inconvénients graves : il existe en effet une foule de payements, tels que ceux pour loyers ou fermages, dont on ne tire pas de quittances authentiques; obliger ce débiteur à payer de nouveau, ce serait user d'une trop grande rigueur : il pourrait opposer ces payements s'il s'agissait d'une saisie-arrêt, pourquoi n'en serait-il pas de même en matière de cession? Seulement il doit les faire connaître au moment de la signification. — L'art. 593, Pr., exige du cédé une affirmation sous serment : s'il devait produire, pour établir sa libération, des actes qui eussent date certaine, à quoi servirait le serment? (Delv., p. 84, n. 1; Troplong, n. 919) (*Val.*). ⁓ Le juge est appréciateur de la sincérité des dates. — La production des quittances, au moment de la signification du transport, ne doit pas être exigée, car cette restriction serait souvent impossible (Dur., n. 504; Duvergier, n. 224).

Quid, si les tiers qui contestent au cessionnaire la propriété de la chose cédée, ont eu connaissance du transport antérieurement à l'époque où ils ont acquis leurs droits? ⁓ Cette circonstance les constitue en mauvaise foi; elle suffit pour que la saisie soit maintenue, bien qu'elle n'ait pas été notifiée (Duvergier, n. 209 et suiv.; Troplong, n. 900. — *Cass.*, 14 mars 1831; S., 35, 1, 719; voy. cep. Dur., n. 499).

Le cessionnaire peut-il surenchérir, avant d'avoir notifié son transport? ⁓ *A.* La propriété repo. e sur sa tête dès le moment du contrat (*Cass.*, 22 juillet 1828; D., 28, 1, 344). ⁓ *N.* Assurement, le cessionnaire peut, comme le cédant, faire des actes conservatoires; mais il y a loin de ces actes à une

(1) D'ailleurs, le premier saisissant ne pourrait prétendre à cette action récursoire, qu'en prouvant, par argument de l'article 1242, C. c., et de ce qui avait lieu sous l'ancienne jurisprudence, que la créance entière était frappée d'indisponibilité; qu'elle se trouvait placée sous la main de justice, même pour ce qui excédait les causes de l'opposition; que le saisi ne pouvait la céder, ni en totalité, ni en partie, et que le cessionnaire ne peut venir dès lors, que comme opposant, pour le prix qu'il a payé. mais cette prétention serait en opposition avec l'esprit de la loi, tel qu'il se manifeste par les articles 1292, 1298 C. c., et 559, Pr. Aux termes de ce dernier article notamment, toute saisie-arrêt doit énoncer, à peine de nullité, la somme pour laquelle elle est faite, ce qui n'était point prescrit par l'ordonnance de 1667 (voy. titre 33, art. 1er et suiv.). Or, si l'intention du législateur n'eût pas été d'empêcher que pour une somme de peu d'importance on pût rendre indisponible, par une saisie-arrêt, un capital considérable, pourquoi aurait-il exigé la mention des causes de la saisie? Évidemment, en formant une saisie-arrêt, on ne ne met plus comme autrefois la créance entière sous la main de la justice, mais seulement la quotité de la créance correspondante à la somme déterminée dans l'exploit d'opposition; le saisi a donc pu disposer valablement du surplus; dès lors, à quel titre le premier saisissant exercerait-il un recours contre le cessionnaire? La plupart des jurisconsultes modernes nous paraissent avoir mal interprété cette maxime puisée dans les anciens auteurs : *signification du transport vaut saisie;* ils ont conclu de là, que cette signification ne pouvait valoir que comme *saisie.* ⁓ Les oppositions survenues après la signification ou l'acceptation du transport sont comme non avenues (Duvergier, n. 199 et suiv., Troplong, n. 927; Dur, n. 500; Toullier, n. 205 (*Val.*). ⁓ Les premiers saisissants ont un recours contre le cessionnaire, recours qui consiste dans la bonification de la différence en moins, entre la somme qu'ils recevront par suite de la répartition contributoire et celle qu'ils auraient obtenue si la totalité de la créance avait été distribuée entre le cessionnaire et les derniers saisissants. (Dans ce système, il y a lieu de procéder à des calculs que nous croyons inutile de reproduire ici.) (Pigeau, t. 2, p. 63; Bioche et Goujet. — *Pau*, S., 35, 1, 232; D., 34, 1, 177. — *Paris*, 20 mai 1835; S., 35, 2, 386. — *Toulouse*, 7 décembre 1838; D., 39, 2, 45. — *Paris*, 14 mars 1833; D., 39, 2, 89.) ⁓ La saisie-arrêt a placé sous la main de la justice toutes les sommes que doit le saisi (1242, C. c.); la signification ou l'acceptation postérieure d'une cession, ne vaut que comme opposition, même à l'égard des saisissants postérieurs (*Paris*, 15 janvier 1814 et 28 mars 1820; S., 14, 2, 95; 23, 2, 47; D., Vente, p. 916, n. 2).

surenchère. — Le cessionnaire qui n'a pas signifié son transport, n'est qu'un étranger pour le détenteur de l'immeuble (Troplong, n. 893 ; Duvergier, n. 204 et suiv.).

Aux termes de l'art. 136 du Code de commerce, la propriété d'une lettre de change ou d'un billet à ordre, se transmet par la voie de l'endossement ; mais *quid*, si le titre se réfère à une créance munie d'une hypothèque valablement constituée : doit-on observer la disposition de l'art. 1690 ? ⁁⁁⁁ L'endossement est suffisant pour transmettre même la garantie hypothécaire (Troplong, n. 906 ; Duvergier, n. 212 ; Toullier, t. 7, n. 121. — *Cass.*, 10 août 1831 ; D., 31, 1, 303. — *Lyon*, 4 juin 1830 ; D., 33, 1, 353).

Quid, si le titre se réfère à des droits réels immobiliers ? ⁁⁁⁁ Danger de la mobilisation du sol. — On peut considérer une hypothèque comme accessoire de l'obligation de payer une somme énoncée dans un titre négociable, car elle tend à assurer ce payement ; mais des droits tels que ceux dont il s'agit, ne peuvent être considérés comme des accessoires : ainsi, lorsque le vendeur d'un immeuble paye en billets sur lesquels il est fait mention du privilège que la loi lui attribue, ce privilège se transmet par la voie d'endossement ; mais l'action en résolution, au cas de non-payement du prix, ne peut être transmise ; car cette action n'est pas accessoire du droit d'exiger le payement (Duvergier, n. 212).

Le cessionnaire d'une créance hypothécaire peut-il prendre inscription avant la signification ou l'acceptation ? ⁁⁁⁁ A. L'inscription ou le renouvellement d'inscription ne sont que des actes conservatoires. — Cette inscription ne peut préjudicier aux tiers, peu importe au détenteur du bien hypothéqué qu'une personne soit à la place d'une autre. Arg. de l'art. 1180. (*Cass.*, 25 mars 1816).

1691 — Si, avant que le cédant ou le cessionnaire eût signifié le transport au débiteur, celui-ci avait payé le cédant, il sera valablement libéré.

= Application de l'art. 1240.

1692 — La vente ou cession d'une créance comprend les accessoires de la créance, tels que caution, privilége et hypothèque.

= Le transport ne change pas la nature de la créance ; il donne seulement au débiteur un nouveau créancier.

— La vente ou transport d'une créance emporte-t-elle cession des arrérages échus et encore dus par le débiteur ? ⁁⁁⁁ A. Ce sont là des dépendances, des accessoires de la créance. Le vendeur doit s'imputer de ne pas avoir fait de réserve (Dur., n. 507 ; Troplong, n. 915 ; Duvergier, n. 221).

Si le cédant transporte en général tous ses droits et actions, ce transport comprend-il les actions en nullité ou en rescision qui peuvent lui compéter ? ⁁⁁⁁ A. Ce ne sont pas là des droits exclusivement attachés à la personne (Dur., n. 508 ; Troplong, n. 916 ; Duvergier, n. 222. — *Cass.*, 22 juin 1830 ; D., 30, 1, 367). ⁁⁁⁁ Le cédant peut avoir des raisons particulières pour ne pas demander la rescision ou la nullité de tel ou tel acte que lui ou son auteur a consenti : en conséquence, on doit présumer qu'il n'a pas voulu donner à un autre le droit de le faire (Delv., p. 84, n. 6. — *Limoges*, 27 novembre 1811 ; S., 1814, 2, 103).

1693 — Celui qui vend une créance ou autre droit incorporel, doit en garantir l'existence au temps du transport, quoiqu'il soit fait sans garantie (1).

= Dans la cession d'une créance, comme dans la vente de toute autre chose, la garantie *de droit* est toujours sous-entendue.

Le cédant doit garantir l'existence de la créance, et non pas seulement celle du titre : en conséquence, il serait soumis à un recours en garantie, si le titre existant matériellement et régulièrement, la créance se trouvait compensée au moment du transport.

La stipulation de non-garantie ne le dispenserait pas de la restitution du prix ; les articles 1629 et 1693 combinés ne laissent aucun doute sur ce point (2). Cette clause aurait pour seul effet d'affranchir le cédant de tous dommages-intérêts.

(1) *Quoiqu'il soit fait sans garantie* : expressions ambiguës : en effet, elles peuvent signifier à la fois, si l'on n'a rien dit relativement à la garantie, ou si l'on a expressément exclu la garantie.

(2) *Cass.*, 21 nov. 1825 ; S 26, 1, 86 ; D., 26, 1, 51 ; 9 février 1830 ; S., 30, 1, 268).

Observons que le cédant transfère la créance dans l'état où elle se trouve ; à moins de stipulations contraires, il ne répond donc pas de la solvabilité du débiteur même au temps du transport.

Si le droit cédé n'existe que pour partie, le cessionnaire peut demander la résiliation du contrat, lorsque la quotité non existante est d'une telle importance, qu'il n'eût point acheté s'il eût su en être privé. — Si la cession est maintenue, il peut exiger une restitution proportionnelle du prix (Arg. des art. 1630 et 1631).

La garantie *de droit* cesse, lorsque la vente a été faite aux risques et périls de l'acheteur, comme simple prétention, ou comme droit litigieux ; c'est un point de fait à établir.

La garantie de droit comprend : le prix du transport, les intérêts de ce prix, à partir du jour du payement ; les frais et loyaux coûts du transport ; les dépens faits tant sur la demande principale que sur celle en garantie ; enfin, les dommages-intérêts (1382), à raison des pertes que la cession peut avoir causées au cessionnaire ; mais il n'est pas dû d'indemnité pour la différence existante entre la valeur nominale de la créance cédée et le prix de la cession.

— Lorsque le transport est fait sans garantie, le prix doit-il être restitué, si le cessionnaire connaissait, au temps de la cession, l'incertitude du droit du cédant ? ⟶ *N*. Arg. de l'article 1629. — L'art. 1693 ne dispose que dans les termes du droit commun ; il n'a pas pour but d'établir un droit spécial qui dérogerait a l'art. 1629 (Dur., n. 511).

Si la créance est entachée d'un vice susceptible de faire annuler la vente ; par ex., à raison de ce qu'elle a été souscrite par un mineur ; le cessionnaire peut-il, avant que la demande en nullité ou en rescision soit formée, refuser le payement ou agir en garantie ? ⟶ *N*. Le cessionnaire doit attendre que la nullité ait été prononcée ; il mérite moins de faveur que le tiers qui a accepté la chose d'autrui, car il est soupçonné d'usure.

Lorsque la garantie est due, à raison de ce que le droit n'existait plus au temps de la cession ou qu'il n'a jamais existé, le vendeur doit assurément restituer le prix ; mais doit-il payer le montant intégral de la créance cédée ? ⟶ *N*. La loi ne contient aucune disposition à cet égard ; d'ailleurs, en admettant ce système, l'insolvabilité du débiteur deviendrait une bonne fortune pour le cessionnaire. — Argument de l'article 1629 (Dur., n 312 ; Troplong, n. 945 et 946 ; Duvergier, n. 269.).

1694 — Il ne répond de la solvabilité du débiteur que lorsqu'il s'y est engagé, et jusqu'à concurrence seulement du prix qu'il a retiré de la créance.

= Le cédant, avons-nous dit, doit garantir l'existence de la créance ; mais cette créance peut être bonne ou mauvaise ; il ne répond pas de son efficacité : *Præstat veritatem non bonitatem nominis :* parcela seul qu'elle existe, il est affranchi de toute responsabilité. — Le cédant peut se porter, par une disposition spéciale, garant de la solvabilité du débiteur : cette clause engendre, ce qu'on appelle, *la garantie de fait* ; elle oblige le vendeur à restituer le prix qu'il a retiré de la cession et à payer les intérêts de ce prix, à compter du jour où il l'a reçu. — Pourquoi n'est-il pas astreint à tenir compte de la valeur du droit incorporel qu'il a cédé ? On donne pour raison, que le vendeur doit indemniser l'acquéreur, mais qu'il n'est pas obligé de lui procurer un bénéfice ; or, la perte du prix est le seul préjudice qu'il éprouve (1). — Au sur-

---

(1) La position des cessionnaires est loin d'être aussi avantageuse que celle des délégataires ; en effet, suivant l'art. 1275, le délégataire est, de droit, garanti par le déléguant, de l'insolvabilité actuelle du délégué : pourquoi cette différence ? Cette rigueur de la loi pour les cessionnaires est établie en haine des acheteurs de créances, des usuriers. Or, on ne peut considérer les délégataires comme des spéculateurs ; car ils cherchent uniquement à se faire payer : — de là nous devons conclure, que toutes les fois qu'une créance a été donnée en payement, il y a *causa præcedens honesta* ; qu'il n'y a pas enfin de spéculation directe, on doit appliquer l'art. 1275 plutôt que l'art 1694. C'est là un point de fait à éclaircir.

plus, rien ne s'oppose à ce que le vendeur garantisse la solvabilité du
débiteur pour une somme supérieure à celle de la cession ; cette convention n'a rien de contraire aux lois ni aux mœurs (1134).—Les intérêts du
prix, le montant du coût de l'actif et des frais, sont compris dans la garantie
de fait ; en outre, des dommages-intérêts peuvent être dus, conformément
à la règle de l'art. 1382 (1).

Lorsque l'insolvabilité résulte du fait du cessionnaire ; par exemple, s'il
a donné mainlevée de l'hypothèque consentie par le débiteur, s'il a déchargé les cautions, et même s'il a, par négligence, laissé prescrire ou
purger une hypothèque qui garantissait la créance, il n'est pas recevable
à se plaindre (2).

—Lorsque la solvabilité du débiteur a été promise purement et simplement, si le cessionnaire n'a
pu retirer qu'une partie de la créance, par exemple la moitié, le cédant doit-il le remplir du surplus ? ⁓ N. Il doit seulement restituer une portion du prix de la cession, proportionnée a la partie
de la créance qui a été perdue par suite du défaut de solvabilité du débiteur (Dur., n. 514 ; Troplong .
n. 946).

En promettant la garantie de tous troubles et empêchements quelconques, le cédant se rend-il garant
de la solvabilité ? ⁓ Cette promesse ne comprend que la garantie de droit.—Par ces mots : *empêche-
chements quelconques*, il est à présumer que les parties n'ont pas voulu donner plus de force au mot
trouble, or, cette dernière expression ne peut s'appliquer qu'aux obstacles apportés par des tiers et non
à ceux résultant de l'insolvabilité du cédé.

Le cédant est-il garant, lorsque connaissant l'insolvabilité, il l'a dissimulée ? ⁓ A. Il y a eu dol de
sa part (Pothier , n. 573).

Le débiteur qui donne une créance en payement , se soumet-il de droit à la solvabilité actuelle ? ⁓
A. Il faut appliquer en ce cas l'article 1276 et non l'article 1649.

1695—Lorsqu'il a promis la garantie de la solvabilité du
débiteur, cette promesse ne s'entend que de la solvabilité
actuelle, et ne s'étend pas au temps à venir, si le cédant
ne l'a expressément stipulé (3).

= Par exemple, le cédant qui garantit la solvabilité du débiteur
d'une rente, ne répond pas du payement des arrérages futurs, car la chose
est aux risques de l'acheteur à partir du contrat (1138).

Si la créance était à terme ou sous condition, la garantie de la solvabilité devrait être entendue de la solvabilité au jour de l'expiration du
terme ou de l'accomplissement de la condition.: *Nec obstat* l'art. 1695 ;
cet article ne concerne que les cessions de rentes ou de créances exigibles
au moment du transport (Dur., n. 516)

Le cédant peut promettre valablement, par une convention spéciale, la
solvabilité future ; en d'autres termes, il peut s'imposer l'obligation de
fournir et faire valoir.

Dans tous les cas, le cessionnaire doit subir les conséquences de la négligence qu'il a mise à poursuivre le débiteur : il ne pourrait, par ex., exercer
aucun recours, si le débiteur, solvable à l'époque de l'exigibilité, était tombé
en déconfiture : alors, en effet, le cessionnaire aurait à s'imputer de ne pas
avoir agi en temps utile (*Cass.*, 26 février 1806 ; D., *Hyp.*, p. 90, n. 3 ;
Garantie des créances, n. 3 ; *voy.* cep. Toullier, t. 7, n. 172.)

---

(1) Pour soutenir que le cédant n'est tenu que du prix qu'il a retiré de la créance, on peut dire, cependant, qu'il n'a ni profité des frais ni des loyaux coûts, et que le contrat n'a pas été sans objet.

(2) Devenu propriétaire de la chose cédée , il devait veiller à la conservation de cette chose (Durer-
gier , n 275 et suiv ; Troplong , n 941 ; Delv., p. 146, n 6.— *Cass.* 26 février 1806 ; D., Hyp., p. 90 ;
Merlin, garant e des rentes, n. 3 ; 25 juillet 1827 ; S., 28, 1, 17, D., 27, 1, 439. — *Pau* , 3 janvier 1824 ;
S., 26 2, 57 ; D , 25, 2, 125. — *Toulouse*, 27 août 1829 ; S., 30,2, 89 ; D. 30, 2, 51. ⁓ Il faut distinguer *l'action* de *l'omission* ; Pothier faisait cette distinction : les auteurs du Code ont suivi sa doctrine (Toullier , n 172, t. 7).

(3) Cette disposition n'est qu'une explication du commencement de l'art. 1694 ; elle aurait pu figurer
dans cet article , comme phrase incidente.

Du reste, le cédant n'est obligé que subsidiairement, c'est-à-dire, après discussion préalable des biens du débiteur.

La clause de *fournir et faire valoir*, n'est pas la seule garantie que le cessionnaire puisse stipuler : le cédant s'oblige quelquefois à payer pour le débiteur après un *simple commandement* fait à ce dernier : il devient, par cette clause, obligé direct et principal, mais sous condition.

— Lorsque la clause de faire fournir et faire valoir existe, le cautionnement reste-t-il limité au remboursement du prix de la cession ? ∿ *A*. Celui qui promet de *fournir et faire valoir*, promet seulement *præstare nomen nomini* (Troplong, n. 948; Dur., n. 515).

Quid, si le cédant a promis de *payer lui-même après simple commandement ?* ∿ Comme il est alors débiteur, on peut le poursuivre immédiatement pour le total (Troplong, n. 949).

Le cessionnaire a-t-il contre son cédant la voie exécutoire ou seulement la voie d'action en garantie ? ∿ Il a la voie d'exécution parée, lorsque le cédant a promis de payer après simple commandement. Dans tous les autres cas, même lorsqu'il existe une clause de fournir et faire valoir, le cessionnaire n'a que la voie de garantie (Troplong, n. 950).

L'action en garantie est prescriptible, mais de quel moment court la prescription ? ∿ Celle de droit court du jour où il est constaté que le droit n'existait pas (2257). Et celle de fait, du jour où la dette cédée est devenue exigible (Delv., p. 85, n. 3 ; Dur., n. 517).

1696 —Celui qui vend une hérédité sans en spécifier en détail les objets, n'est tenu de garantir que sa qualité d'héritier.

= Celui qui vend une hérédité, n'aliène pas les objets qui composent la succession, mais la somme de droits attachés à sa qualité d'héritier ; dès lors, il n'est tenu de garantir que l'existence de ces droits, vus en masse (1693), que sa qualité d'héritier : l'acheteur n'est donc pas recevable à se plaindre, s'il vient à être évincé successivement des différents biens de l'hérédité.

Lorsque le vendeur a spécifié en détail les objets qu'il prétend transférer, ce ne sont plus les droits, mais les choses détaillées dans l'acte, qui deviennent l'objet de la vente : il doit alors garantir à l'acheteur la libre possession de chacune d'elles (1).

Celui qui vend ses droits héréditaires, ne cesse pas pour cela d'avoir la qualité d'héritier : cette qualité s'est attachée à sa personne, par le seul fait de son acceptation ; elle ne peut en être séparée (2).

Il suit de là, que l'héritier reste toujours exposé aux poursuites des créanciers de la succession et des légataires, sauf son recours en garantie contre l'acquéreur : la cession est à leur égard *res inter alios acta;*

Que les débiteurs de la succession peuvent payer valablement entre ses mains, tant que la vente ne leur a pas été notifiée ;

Que si l'héritier transige avec eux avant la notification, cette transaction peut être opposée à l'acquéreur, à moins qu'elle ne soit entachée de fraude.

Le transport ne porte que sur l'émolument et sur les charges pécuniaires: il ne comprend pas les choses qui, presque sans valeur intrinsèque, ont cependant une valeur d'affection pour l'héritier : tels sont d'ordinaire les papiers, les portraits, les mémoires, les décorations, etc.

Rappelons-nous ici, que l'art. 841 autorise le retrait successoral, lorsqu'une vente de droits successifs a eu lieu.

---

(1) Il faut se garder de confondre la vente d'une hérédité avec celle qui a pour objet de *simples prétentions* à une hérédité, un droit incertain : l'acheteur agit, dans ce dernier cas, à ses risques et périls ; le vendeur n'est pas soumis à la restitution du prix, si l'on découvre qu'il n'avait pas la qualité d'héritier.

(2) Dur., n. 528, Merlin, Questions, Héritier, 52, Malpel, n. 839.

— La cession d'une hérédité saisit-elle le cessionnaire à l'égard des tiers, sans notification et sans acceptation (1690)? ᚆᚆᚆLa loi ne prescrit la notification que pour les droits ou créances sur des tiers.—L'art. 1690 n'a fait que reproduire l'ancienne jurisprudence, laquelle appliquait exclusivement à la cession des créances les formalités dont il s'agit. — La disposition de l'article 1690 ne peut être appliquée à la transmission des biens d'une succession, car l'exercice des droits héréditaires est indépendante de toute action contre les tiers ; on rentre à cet égard dans le principe, que la propriété se transmet par le seul consentement des parties. — Quel serait le tiers débiteur à qui devrait être faite la notification ? ce ne pourrait être le cohéritier puisqu'il est copropriétaire ; les cohéritiers ne sont les uns à l'égard des autres ni débiteurs ni créanciers. — D'ailleurs, s'il n'y a qu'un seul héritier, comment faire la notification ? — Sans doute, le défaut de notification peut présenter des inconvénients; mais ces inconvénients sont moindres qu'on ne l'imagine : en effet, si l'hérédité comprend des droits ou des créances sur un tiers, il y aura nécessité de signifier le transport au débiteur ; si les biens sont mobiliers, la préférence sera accordée à l'héritier qui joindra la bonne foi à la possession; si l'hérédité comprend des immeubles, l'acheteur sera saisi par la seule force de la loi ; — au résumé, entre deux cessionnaires de droits successifs également de bonne foi, la préférence sera due au premier, bien qu'il n'ait pas notifié sa cession; les créanciers personnels du cédant ne pourront critiquer la cession, par cela seul qu'elle n'aura pas été notifiée. — Cependant, il faut reconnaître, que la notification sera toujours utile, bien qu'elle ne soit pas essentielle ; car si les cohéritiers du cédant, ignorant la cession, avaient procédé avec lui au partage, ils ne pourraient être, à raison de ce fait, soumis à aucune responsabilité (Duvergier, n. 351 ; Troplong, n. 907. — Cass., 18 novembre 1819 ; S., 21, 1, 321 ; 16 juin 1829, S., 29, 1, 161 ; D., 29, 1, 271. — Grenoble, 19 août 1825; S., 26, 2, 185 ; D., 26, 2, 163. — Toulouse, 24 novembre 1832 ; S., 33, 2, 316 ; D., 33, 2, 89; voy. cep. Cass., 23 juillet 1835 ; S., 33, 1, 481) (Val.).

Si l'héritier vend ses droits après avoir déclaré au greffe vouloir accepter sous bénéfice d'inventaire, l'acquéreur profite-t-il de ce bénéfice? ᚆᚆᚆ A. Mais à la charge, bien entendu, de remplir les conditions requises (Dur., n. 528, t. 16; n. 54, t. 7; Delv., p. 86, n. 2; Troplong, n. 974; Duvergier, n. 354 ; Merlin, Succ., p. 391 ; Questions, Héritier).

Quid, si le contrat de vente porte expressément que le vendeur vend ses droits avec le bénéfice d'inventaire? ᚆᚆᚆ Le vendeur transmet ses droits successifs avec le bénéfice que la loi y attachait (Dur., ibid.).

La restitution du prix doit-elle avoir lieu, si l'acheteur de l'hérédité a acquis avec stipulation de non-garantie, et avec connaissance du danger de l'éviction? ᚆᚆᚆ N. Arg. de l'art. 1629 (Dur., n. 520; voy. art. 1693, pareille question soulevée pour les créances).

La vente d'une hérédité, faite par celui qui n'est qu'héritier apparent, est-elle valable au regard du véritable héritier qui ne se présente pas. ᚆᚆᚆ N. (Troplong, n. 960, vente, t. 2; Hyp., n. 468; Duvergier, n. 303 et suiv.; Dur., t. 1ᵉʳ, n. 557, 558 et suiv. — Poitiers, 18 avril 1832; D., 32, 2, 51. — Cass. 26 août 1833; S., 33, 1, 737 : D., 33, 1, 307).

Les créanciers de la succession peuvent-ils actionner directement l'acheteur? ᚆᚆᚆ A. Arg. de l'art. 1166 (Troplong, n. 980). ᚆᚆᚆ N. Droit romain (Dur., n. 535).

Les ventes faites par l'héritier apparent, non de l'hérédité entière, mais d'un immeuble dépendant de la succession, doivent-elles être maintenues à l'égard des tiers? ᚆᚆᚆ N. Ces ventes sont nulles. Cependant, la jurisprudence, mue par un intérêt tout pratique, valide la vente faite par un héritier apparent (Duvergier, n. 305). — (Cass., 3 août 1815; S., 15, 1, 286. — Limoges, 27 décembre 1833 ; S., 34, 2, 444.) Voyez articles 1599, 137 et 772, Questions.

Les créanciers de l'hérédité peuvent-ils cautionner l'acheteur? ᚆᚆᚆ A. (Dur., n. 525).

1697 — S'il avait déjà profité des fruits de quelque fonds, ou reçu le montant de quelque créance appartenant à cette hérédité, ou vendu quelques effets de la succession, il est tenu de les rembourser à l'acquéreur, s'il ne les a expressément réservés lors de la vente.

= En disposant d'une hérédité sans aucune réserve, le vendeur transfère tous les droits attachés à sa qualité d'héritier ; tous ceux qu'il aurait eus s'il n'eût pas vendu, ni plus ni moins. Il doit dès lors tenir compte à l'acheteur du profit qu'il a fait en cette qualité : le montant des créances qu'il a touchées et la valeur des choses qu'il a données ou vendues viennent par conséquent en déduction du prix.

A l'égard des choses qui ont péri entre ses mains, on distingue : si la perte est survenue depuis la vente, le vendeur est tenu, lorsqu'il y a eu faute de sa part, comme tout débiteur de corps certain (1302). Si elle est arrivée avant la vente, la question ne peut se présenter ; car tant qu'il n'y a pas vente, l'héritier est seul propriétaire ; aucun devoir ne lui est imposé (1): *qui rem quasi suam neglexit nullæ culpæ subjectus est.*

---

(1) Toutefois, il en serait autrement, si l'héritier, qui se proposait de vendre, avait employé des manœuvres pour détourner secrètement à son profit la valeur des effets de la succession ; car il y aurait alors dol (Troplong, n. 966).

La vente d'une hérédité, détruit les effets de la confusion : si l'héritier était débiteur de celui dont il vend la succession, la créance éteinte revit ; si l'un de ses fonds était grevé d'une servitude au profit d'un fonds de la succession, l'acquéreur peut l'exercer.

Mais la convention intervenue entre l'héritier et l'acheteur ne fait pas renaître les obligations qui étaient imposées à des tiers et qui s'étaient trouvées éteintes par la confusion : ainsi, les hypothèques qui garantissaient la créance de l'héritier, les cautionnements, etc., ne revivent pas ; c'est seulement dans les rapports du cédant et du cessionnaire, que les effets de la confusion disparaissent.

— L'héritier doit-il rendre à l'acheteur ce qu'il a reçu d'une personne qui se croyait faussement débitrice de la succession? ～ N. En réalité, bien que l'héritier ait reçu cette somme à l'occasion de la succession, elle ne lui est pas provenue de la succession (Pothier, n. 538 ; Dur., n. 523). ～ A. Arg. de l'art. 1993 (Duvergier, n. 334).

Si, depuis la vente, un des cohéritiers du vendeur renonce, la part du renonçant accroît-elle au cessionnaire ou demeure-t-elle à l'héritier cédant? ～ On doit rechercher l'intention des parties : or, jusqu'à preuve contraire, le vendeur n'est censé disposer que de ce qui lui appartient au moment de la vente et non de ce qui pourra lui appartenir un jour (Delv., p. 86, n. 3 ; Dur., n. 524 ; Troplong, n. 972 ; Duvergier, n 339 et suiv.; Merlin, Rép., Droits successifs, § 6. — Cass., 8 février 1830 ; S., 30, 1, 46 ; 21 mai 1828 ; D., 28, 1, 252. — Besançon, 3 juillet 1828 ; S., 29, 2, 120).

1698 — L'acquéreur doit de son côté rembourser au vendeur ce que celui-ci a payé pour les dettes et charges de la succession, et lui faire raison de tout ce dont il était créancier, s'il n'y a stipulation contraire.

= La succession est vendue dans l'état où elle se trouve ; il suit de là :

Que si le vendeur avait été condamné en sa qualité d'héritier, le jugement serait opposable à l'acheteur, pourvu, bien entendu, qu'il n'eût pas été rendu par fraude ;

Que toutes les charges héréditaires doivent être supportées par l'acquéreur, sans excepter les frais de scellés, d'inventaire, de dernière maladie, ni même les frais funéraires ;

Que l'héritier a le droit d'exiger la représentation des quittances ; car, nonobstant la vente, il reste soumis aux poursuites des créanciers de la succession (1696). Par suite, on décide, qu'il peut contraindre l'acheteur à payer les dettes exigibles, encore que les créanciers n'aient commencé aucune poursuite.

En un mot, une réciprocité parfaite doit présider aux rapports du vendeur et de l'acquéreur d'une hérédité.

— Quid, si l'héritier a payé une somme non due? ～ Il faut distinguer : s'il a payé en vertu d'un jugement qui l'a condamné comme héritier, l'acquéreur est tenu de l'indemniser ; secùs dans le cas contraire (Pothier, n. 545 ; Delv., p. 86, n. 5 ; Dur., n. 523).

Quel est l'effet des transactions faites par l'héritier avant la vente? ～ Elles doivent être respectées par l'acheteur ; il peut seulement réclamer ce que le vendeur aurait reçu à cette occasion (Duvergier, n. 328).

Quid, si elles sont postérieures? ～ Elles seront maintenues à l'égard des tiers qui de bonne foi et dans l'ignorance de la cession consentie par l'héritier auront contracté avec lui (Duvergier, n. 329).

Les donations faites par le vendeur, avant la vente, donnent-elles lieu contre lui à un recours en garantie?～.I. Il s'est, en quelque sorte, enrichi du montant de la donation (Pothier, Vente, n. 535 ; Delv , p. 86, n. 3 ; Dur., n. 522 ; Troplong, n. 967).～Cette décision est trop rigoureuse : entre le cas où l'héritier a vendu et celui où il a donné, il existe une différence qu'on n'a pas appréciée : en effet, la valeur de la chose donnée n'existe pas entre les mains de l'héritier, puisqu'il n'a reçu aucun prix (Duvergier, n. 324).

1699 — Celui contre lequel on a cédé un droit litigieux peut s'en faire tenir quitte par le cessionnaire, en lui remboursant le prix réel de la cession avec les frais et loyaux coûts, ét avec les intérêts à compter du jour où le cessionnaire a payé le prix de la cession à lui faite.

= Une pareille cession a moins pour objet la créance, que l'événement incertain du procès entrepris : le cédant ne garantit pas l'existence de son droit ; il vend quelque chose d'aléatoire ; une prétention bien ou mal fondée ; l'acheteur se charge des risques et périls.

Il est bien entendu, que la cession de droits litigieux ne produit d'effets, à l'égard des tiers, qu'autant qu'elle a été notifiée au débiteur.

Revenons à la disposition de notre article :

Cette disposition, puisée dans la législation romaine (1), a pour but de mettre un frein à la cupidité des acheteurs de procès, et un terme aux contestations qu'ils pourraient vouloir prolonger (2).

Elle reçoit son application, soit qu'il s'agisse d'un droit, soit qu'il s'agisse d'une chose corporelle : on l'observe, par cela seul qu'il y a cession de procès (3).

Le débiteur doit rendre le cessionnaire complétement indemne ; il est donc tenu de lui rembourser : 1° le prix *réel* de la cession, 2° les intérêts de ce prix à partir du jour du payement, 3° les frais de passation et de signification de la cession, 4° enfin les frais et dépens faits depuis la signification du transport, jusqu'au moment de la demande en retrait.

La subrogation peut être demandée en tout état de cause ; même pour la première fois en appel (4) ; en un mot, tant que le droit conserve son caractère litigieux (5). Néanmoins, si les prétentions du créancier étaient sur le point d'être déclarées bien fondées, si l'instruction du procès avait établi jusqu'à l'évidence les droits du cessionnaire, on décide généralement, que la subrogation ne serait plus recevable ; car la dette aurait en réalité cessé d'être litigieuse.

Il n'est pas nécessaire que la demande en subrogation soit accompagnée d'offres réelles (6) (*voy.* l'art. 1673).

Notre article suppose le cas de *vente :* il ne serait donc point applicable, si la cession était gratuite : en effet, on ne pourrait supposer au donataire des sentiments de cupidité. Mais il faut que la donation soit sincère : si l'on parvient à prouver qu'elle dissimule une vente, on rentre dans le cas prévu.

L'article 841 contient une disposition semblable, fondée à peu près sur les mêmes considérations.

— Le retrait pouvait-il avoir lieu après une sentence en dernier ressort, si cette sentence était attaquee par voie de cassation ? ⋀⋀⋀ *A.* (*Cass.*, 3 mai 1833 ; S., 33, 1, 627).

La disposition de l'article 1699 s'appliquerait-elle à la vente d'un immeuble dont la propriété serait litigieuse, comme elle s'applique à la cession d'un droit de propriété litigieux ? ⋀⋀⋀ *A.* Les lois *per diversas et ab Anastasiano* entendaient en ce sens le principe dont il s'agit : on ne voit point de différence réelle entre la cession d'un droit de propriété litigieux, et la vente de l'immeuble même dont la propriété est contestée (Troplong, n. 1001 ; Duvergier, n. 379). ⋀⋀⋀ Cette disposition ne s'applique qu'aux droits, c'est-à-dire, aux choses incorporelles litigieuses, et non aux choses corporelles (Delv., p. 84, n. 7. — *Cass.*, 24 novembre 1818 ; S., 19, 1, 205).

Quid, si un cohéritier achète un droit litigieux contre la succession ? ⋀⋀⋀ Les cohéritiers peuvent l'o-

(1) Lois 22 et 23 au Code *mandati vel contra.*
(2) Observez, que la cession n'est pas invalidée ; on ne doit voir ici qu'une simple faculté pour le cédé : s'il a confiance dans sa cause, il peut accepter le cessionnaire pour adversaire et l'attendre au jugement.
(3) Troplong, n. 1001 ; voy cep. *Cass.*, 24 novembre 1818 ; S., 19, 1, 205.
(4) Rouen, 1ᵉʳ décembre 1826 ; D., 30, 3, 48. — *Caen*, 29 avril 1824 ; D., 44, 1, 179.
(5) Grenoble, 19 mai 1828 ; S., 29, 2, 203 ; D., 29, 2, 284. — Rouen, 1ᵉʳ déc. 1826 ; S., 30, 2, 132 ; D, 30, 2, 48. — *Metz*, 11 mai 1831 ; S., 32, 1, 446.
(6) *Cass.*, 8 frimaire an 12, et 23 brumaire an 7 ; S., 4, 1, 188. — *Besançon*, 31 janvier 1809 ; S., 13, 2, 362.

bliger au rapport, en lui tenant compte de ce qu'il a réellement payé (Delv., p. 84, n. 9 , Duvergier , n. 392 ; Troplong, n. 1005). ⟶ Dans l'un et l'autre cas, la cession a une juste cause (Dur., t. 16, n. 539).

Quid, lorsqu'il y a eu un prix payé , si le vendeur a déclaré vouloir donner le surplus ? ⟶ Cette dernière stipulation sera censée non écrite ; on appliquera l'art. 1699 (Delv., p. 84, n. 10). ⟶ Il faut rechercher l'intention des parties ; l'acte ne peut être scindé : si c'est une vente , le retrait pourra être exercé ; *secùs* si c'est une donation (Duvergier , n. 388 ; Troplong , n. 1009. — *Cass.*, 15 mars 1826 ; S., 26, 1, 397 ; D., 26, 1, 202. — *Caen* , 8 juillet 1824 ; S., 25, 2, 331 ; D., 26, 2, 201. — *Toulouse*, 13 déc. 1830 , S., 31, 2, 294 ; D., 31, 2, 251).

Quid, s'il y a eu échange ; c'est-à-dire , si l'acquéreur du droit litigieux a donné un corps certain en payement? ⟶ Le retrait peut s'opérer , puisque la cession n'a pas eu lieu à titre gratuit : mais que doit rendre le retrayant? Ce ne peut être la chose donnée en échange , puisqu'il ne l'a pas à sa disposition ; c'est donc le prix de cette chose (Delv., *ibid.* ; Troplong , n. 1003. — *Cass.*, 19 octobre 1813 ; D., Succ., p. 492 ; S., 15, 1, 112).

Peut-on exercer le retrait , lorsque la vente des droits litigieux a eu lieu aux enchères par autorité de justice? ⟶ *N.* (*Cass.*, 20 juillet 1337 ; D., 1837, 1, 466).

1700 — La chose est censée litigieuse dès qu'il y a procès et contestation sur le fond du droit.

= Suivant notre ancienne jurisprudence , pour que la chose fût censée litigieuse, il ne suffisait pas qu'il y eût procès : on devait examiner si le droit du cédant pouvait ou non donner matière à contestation ; en sorte qu'il fallait un nouveau procès , pour savoir s'il y avait réellement procès. — Aujourd'hui, la chose est censée litigieuse dès qu'il y a procès et contestation *sur le fond du droit ;* c'est-à-dire , dès qu'il y a procès commencé sur le mérite du titre en vertu duquel le possesseur se prétend propriétaire. — Ainsi, le concours de deux circonstances est exigé : 1° l'existence d'un litige engagé : la crainte ou la possibilité d'une contestation sur le droit vendu ne suffirait pas ; s'il était au pouvoir des tribunaux, de déclarer litigieux des droits dont le fond ne serait pas encore judiciairement contesté, les inconvénients qui existaient sous l'ancienne jurisprudence renaîtraient. 2° Ce litige doit faire planer des chances douteuses sur le droit , considéré dans son principe même et dans son existence ; le procès prend seulement alors un caractère particulier , une physionomie distincte. Il n'y a donc réellement contestation sur le fond du droit , que lorsque le défendeur a présenté , pour repousser la demande , des moyens au fond ou des exceptions péremptoires sur le fond. — Les autres exceptions ne pourraient imprimer au litige ce caractère (1) , puisque le droit du demandeur ne serait pas irrévocablement éteint par un jugement qui accueillerait de tels moyens de défense. — A plus forte raison, un préliminaire de conciliation serait-il insuffisant.

Gardons-nous de confondre les nullités de procédure , avec les vices de forme dont se trouverait atteint le titre constitutif : par ex. , le procès dans lequel on prétendrait qu'une donation est nulle pour ne pas avoir été faite devant notaires , ou qu'un testament est privé de l'une des conditions requises pour sa validité , serait une contestation sur le fond du droit ; il faut toujours se référer à ce point de vue unique : quel sera l'effet d'admission des moyens de défense ?

Il est bien entendu , que l'art. 1700 ne règle pas les cas prévus par l'art. 1597 : pour que la cession faite aux fonctionnaires dont il est parlé dans ce dernier article soit annulée , il n'est pas nécessaire que le procès ait été commencé au moment de la cession.

— Il peut arriver que de simples nullités de procédure aient pour résultat indirect l'extinction du droit même ; en ce cas , le droit doit-il être considéré comme litigieux? ⟶ *N.* Il faut toujours apprécier la contestation , d'après les éléments dont elle se compose , et d'après les moyens qui sont soumis au juge au moment présent (Duvergier , n. 370).

(1) *Cass.*, 27 juillet 1826 ; S., 27, 1, 262 ; D., 26, 1, 443 ; 5 juillet 1819 ; S., 20, 1, 33 ; D., Vente, p. 926 ; 5 juin 1826 ; S., 26, 1, 412.

Des droits successifs sont-ils litigieux , par cela seul qu'au moment de la cession il y avait une instance en partage ? ∾ N. L'intervention de la justice a plutôt pour but la surveillance des opérations,
que la décision des contestations (Duvergier, n. 372. — Lyon , 24 juillet 1828 ; S , 28, 2, 141 ; D.,
29, 2, 11).

Un droit est-il litigieux , bien qu'il y ait contestation , s'il a été antérieurement reconnu par une décision passée en force de chose jugée ? ∾ N. Admettre en ce cas la subrogation , ce serait laisser à un
débiteur la faculté de se jouer de la chose jugée (Duvergier , n. 373. — Cass., 4 mars 1823 ; S., 23, 1, 204)

La demande en subrogation doit-elle être admise , même après la fin du litige , si le cessionnaire a
tenu la cession cachée , pour prévenir l'exercice du retrait ? ∾ A. S'il en était autrement , ceux qui
achèteraient des droits litigieux , auraient toujours la précaution de dissimuler la vente ; ce qui rendrait inefficace la prévoyance de la loi (Pothier , n. 597; Duvergier , n. 378 ; Troplong , n. 988. — Rouen,
16 mars 1812 ; S,, 12, 2, 335 ; D., Vente, p. 925, note 2. — Montpellier , 3 janvier 1820 ; D., 20, 1, 92).

1701 —La disposition portée en l'article 1699 cesse ,

1° Dans le cas où la cession a été faite à un cohéritier ou
copropriétaire du droit cédé ;

2° Lorsqu'elle a été faite à un créancier en payement de
ce qui lui est dû ;

3° Lorsqu'elle a été faite au possesseur de l'héritage sujet
au droit litigieux.

= La loi fait exception à la disposition pénale de l'art. 1699, en faveur
de certaines personnes qui ont eu un juste motif d'acquérir le droit litigieux ; en d'autres termes, qui ont eu *justa causa prœcedens*, savoir :

Pour *le cohéritier* ou *le copropriétaire* : la cession est pour eux un
moyen de sortir d'indivision et de simplifier la procédure.

Pour *le créancier* : elle n'est qu'un mode de payement. La faveur due
à la libération motive cette exception.

Enfin , elle procure au *possesseur de l'héritage*, la faculté de se maintenir en paisible possession : ici encore , le procès se simplifie , ou plutôt,
deux procès se trouvent réunis en un seul.

Ex. : je possède un héritage ; Pierre le revendique ; Paul intervient
aussi pour en obtenir la propriété exclusive : je pourrai acheter le procès
de l'un d'eux, sans craindre que l'autre exerce le retrait. — Un créancier
hypothécaire de mon vendeur me poursuit en délaissement ; ce dernier
nie sa dette : il ne pourra user du retrait, si j'achète le droit du créancier
poursuivant. — Une personne qui était en contestation avec mon vendeur,
relativement à un droit de superficie sur l'immeuble qui m'a été vendu ,
me cède son droit : l'art. 1699 ne sera pas applicable.

A ces trois exceptions , il faut joindre : 1° le cas où le droit litigieux se
trouve cédé comme dépendance d'une autre chose non litigieuse : par ex.,
si vous avez vendu une terre avec toutes les créances que vous aviez contre
les fermiers ; s'il s'agit de la cession d'une succession dans laquelle se
trouve un procès ; de la cession d'une charge ou d'un office qui comprend
des recouvrements.—Dans ces diverses hypothèses , on ne peut dire qu'il y
ait spéculations de procès ; le droit litigieux est cédé par voie de conséquence. — Au surplus, les juges ont à examiner , si la cession n'a pas pour
objet principal le droit litigieux ; s'il n'y a pas dissimulation de la cause du
contrat : c'est un point de fait abandonné à leur appréciation (Pothier ,
n. 593 et 595).

2° Le cas où la cession a eu lieu à titre gratuit.

Nous pensons que l'article 1701 doit s'appliquer aux acquisitions faites
par les personnes mentionnées dans l'article 1597.

TITRE VII.

DE L'ÉCHANGE.

(Décrété le 7 mars 1804; promulgué le 17 du même mois).

La vente, conséquence du droit de propriété, n'est pas le plus ancien des contrats ; elle a été précédée par l'échange.

L'échange est un contrat synallagmatique, commutatif et à titre onéreux, par lequel chacun des contractants s'engage à transférer à l'autre la propriété (1) d'une chose autre que de l'argent monnayé.

Le contrat d'échange ne diffère principalement du contrat de vente que sous un seul rapport : au lieu d'argent monnayé, c'est une chose qui est livrée. Aussi, la loi ne distingue-t-elle pas, dans les dispositions que nous allons examiner, les obligations du vendeur de celles de l'acheteur : chacune des parties réunit en effet ces deux qualités.

De cette différence principale, il résulte : 1° que l'action en rescision, pour lésion de plus des sept douzièmes (1706) n'a pas lieu dans l'échange ; 2° que les frais d'actes sont supportés pour moitié par chacun des contractants (1707) ; 3° que l'article 1636 et les articles suivants, relatifs à la contenance, ne sont point applicables à l'échange ; sauf l'appréciation que le tribunal pourrait faire, dans le cas où la portion qui manque à l'objet donné en contre-échange serait de telle conséquence qu'on dût la considérer comme une éviction partielle.

1702 — L'échange est un contrat par lequel les parties se *donnent respectivement* (2) une chose pour une autre.

— Des denrées, de nature à être facilement converties en numéraire, peuvent-elles former un véritable prix et imprimer au contrat le caractère de vente ? ⟶ *N.* Le prix ne peut consister qu'en monnaie (Duvergier, n. 406).

Lorsque les parties, en qualifiant d'échange le contrat consenti, ont stipulé que l'une d'elles, outre la chose donnée en échange, payera une somme d'argent ; ou *vice versâ,* lorsqu'en stipulant qu'il y aura vente, elles conviennent que le prix ne consistera pas seulement en argent, quelle est la nature du contrat, est-ce une vente ou un échange ? ⟶ Certaines coutumes voulaient qu'il n'y eût jamais qu'échange ; d'autres admettaient la vente, dans les limites de la soulte. Pothier voulait, et sa décision doit encore être admise aujourd'hui, qu'il y eût plutôt échange que vente, ou plutôt vente qu'échange, selon que la valeur de la chose excéderait le prix, ou que le prix serait plus considérable que la valeur de la chose (Duvergier, n. 405 ; Dur., n. 547). ⟶ C'est là une question d'interprétation : s'il apparaît clairement, quelle que soit l'importance de la soulte, que les parties n'ont entendu faire qu'un contrat d'échange, les tribunaux doivent décider qu'il y a échange ; mais dans aucun cas, ils ne doivent décider qu'il y a vente et échange pour partie ; car cette nature mixte du contrat entraînerait de trop graves inconvénients (*Val.*).

1703 — L'échange s'opère par le seul consentement, de la même manière que la vente.

= L'échange est en général soumis aux mêmes règles que la vente ; il peut être prouvé par acte authentique ou par acte privé, et même par témoins (1582, 1707).

------

(1) La convention par laquelle l'une des parties promettrait à l'autre l'usage d'une chose contre l'usage d'une autre chose ; ou un service, en échange d'un autre service, ne constituerait pas un échange proprement dit.

(2) Il eût été plus exact de dire : *Declarent* se transporter la propriété, etc., car si l'une des parties n'est pas propriétaire, elle contracte des obligations à l'égard de l'autre.

1704 — Si l'un des copermutants a déjà reçu la chose à lui donnée en échange, et qu'il prouve ensuite que l'autre contractant n'est pas propriétaire de cette chose, il ne peut pas être forcé à livrer celle qu'il a promise en contre-échange, mais seulement à rendre celle qu'il a reçue.

= Dans les contrats synallagmatiques, la condition résolutoire est toujours sous-entendue pour le cas où l'une des parties ne remplira pas ses engagements : si l'un des copermutants ne peut transmettre la propriété de la chose livrée, il ne peut donc exiger la livraison de celle qui lui a été promise en contre-échange : *alienam rem dantem nullam contrahere permutationem.*

1705 — Le copermutant qui est évincé de la chose qu'il a reçue en échange, a le choix de conclure à des dommages et intérêts, ou de répéter sa chose.

= Cet article est fondé sur le même principe que l'article précédent. Les copermutants, réunissant l'un et l'autre les deux qualités de vendeur et d'acheteur, doivent respectivement se garantir.

On accorde à celui qui est évincé, l'option entre la restitution ou des dommages-intérêts ; car il n'a pas voulu vendre, mais seulement céder sa chose pour avoir l'autre en contre-échange (*voy.* art. 1184). — Observons, que ce choix n'est accordé qu'à la partie évincée : celle qui n'a pas été troublée, ne pourrait donc offrir une indemnité et garder la chose réclamée.

Nonobstant les termes de notre article, il va de soi, que le copermutant peut exiger des dommages-intérêts, s'il y a lieu, tout en reprenant sa chose. (Arg. des articles 1184 et 1630).

— Si l'échange est consommé, c'est-à-dire, s'il y a eu livraison réciproque, celle des parties qui a reçu une chose dont l'autre n'était pas propriétaire, doit-elle, pour demander la résolution, attendre que l'éviction la dépouille ? ⁕⁕⁕ *N.* La nullité de l'échange peut être prononcée sur la preuve que l'une des parties n'était pas propriétaire de ce qu'elle a donné en échange. — Arg. de l'art. 1599 (Duvergier, n. 413 ; Dur., n. 544, t. 16 ; Favard, Échange, n. 2, voy. cep. *Cass.*, 11 décemb. 1815 ; D., 1816, 1, 43).

La résolution, en matière d'échange, est-elle réelle, comme en matière de vente ? Le copermutant évincé pourrait-il répéter sa chose contre un tiers acquéreur ? ⁕⁕⁕ *N.* Les tiers qui traitent avec l'un des copermutants n'ont aucun moyen de savoir si l'autre sera évincé par la suite ; ils doivent être préférés à celui-ci, car il a toujours à se reprocher de ne pas s'être assuré des droits de son copermutant. — On doit assimiler l'échangiste qui a déclaré avoir reçu la chose, au vendeur qui a reconnu avoir été payé de son prix. Loi 4 au Code *de rerum permutatione* (Delv., p. 92, n. 2. Merlin, v° *Échange*, n. 2 ; Favard, Échange, n. 3). ⁕⁕⁕ *A.* Arg. des art. 1184 et 958. — La vente, a défaut de payement du prix, est résolue à l'égard des tiers ; il doit en être de même en cas d'échange. — Arg. des art. 954 et 2125. — Arg. de l'art 1707. — La clause résolutoire est toujours sous-entendue dans les conventions synallagmatiques (Duvergier, n. 417 ; Dur., n. 546 ; Merlin, Échange, § 2 ; D., Échange, n. 7 et 8. — *Aix*, 25 mai 1813 ; S., 13, 2, 364 ; D., *ibid.*).

L'article 1660 est-il applicable à l'échange ? ⁕⁕⁕ *A.* Toutefois, les motifs qui ont fait restreindre à cinq années la faculté de rachat, ne se représentent pas tous dans le cas d'échange : en effet, le plus souvent, le vendeur avec faculté de rachat, est pressé par le besoin d'argent ; il vend en se berçant de l'espoir de pouvoir reprendre un jour son immeuble ; tandis qu'en matière d'échange, on ne peut considérer le coéchangiste comme pressé d'argent. Mais l'art. 1707 est formel, et l'article 1706 ne se réfère qu'à la rescision (*Val.*).

1706 — La rescision pour cause de lésion n'a pas lieu dans le contrat d'échange.

= La rescision pour cause de lésion n'est pas admise en faveur de l'acheteur (1683) : or, chacun des copermutants est à la fois vendeur et acheteur. — Il est présumable, d'ailleurs, que celle des deux parties qui se prétend lésée, avait un motif d'affection pour la chose qu'elle a reçue en contre-échange ; car la nécessité ne force pas à échanger.

1707 — Toutes les autres règles prescrites pour le contrat de vente s'appliquent d'ailleurs à l'échange.

= Ainsi, on doit appliquer à l'échange, toutes les règles de la vente relatives à la délivrance, à la garantie, etc.

TITRE VIII.

DU CONTRAT DE LOUAGE.

(Décrété le 7 mars 1804; promulgué le 17 du même mois).

Le louage est un contrat par lequel l'une des parties s'engage à procurer à l'autre, ou la jouissance d'une chose pendant un certain temps et moyennant un certain prix (*locatio rerum*); ou ses services (*locatio operarum*); ou à faire, pour le compte de cette personne, un ouvrage déterminé (*locatio operis*).

Le louage est, comme la vente, un contrat consensuel, synallagmatique commutatif et non solennel.

CHAPITRE PREMIER.

DISPOSITIONS GÉNÉRALES.

1708 — Il y a deux sortes de contrats de louage :

Celui des choses,

Et celui d'ouvrage.

1709 — Le louage des choses est un contrat par lequel l'une des parties s'oblige à faire jouir l'autre d'une chose pendant un certain temps, et moyennant un certain prix que celle-ci s'oblige de lui payer.

1710 — Le louage d'ouvrage est un contrat par lequel l'une des parties s'engage à faire quelque chose pour l'autre, moyennant un prix convenu entre elles.

1711 — Ces deux genres de louage se subdivisent encore en plusieurs espèces particulières :

On appelle *bail à loyer* (1), le louage des maisons et celui des meubles;

Bail à ferme, celui des héritages ruraux;

Loyer, le louage du travail ou du service;

Bail à cheptel, celui des animaux dont le profit se partage entre le propriétaire et celui à qui il les confie.

---

(1) Le mot *bail*, signifie *gouvernement, administration* d'une chose. Jadis on donnait le nom de *bajulus* ou *bail* au tuteur : *Bail ou bajulus uxoris*. — On appelait *Bailli*, le syndic d'une corporation.

Les *devis*, *marché* ou *prix fait*, pour l'entreprise d'un ouvrage moyennant un prix déterminé, sont aussi un louage, lorsque la matière est fournie par celui pour qui l'ouvrage se fait.

Ces trois dernières espèces ont des règles particulières.

= Le louage des choses comprend :

1° *Le bail à ferme*, ou louage d'héritages ruraux. — On désigne encore sous le nom de *bail à ferme*, le louage de certaines choses incorporelles, par ex., la concession d'un droit de pêche ou d'un droit de péage.

2° *Le bail à loyer*, ou louage des maisons.

On donne la même dénomination au louage des meubles (1).

3° *Le bail à cheptel*, ou louage d'animaux, dans lequel le prix consiste en un partage de profits.

Le louage d'ouvrage, comprend le louage des gens de travail, domestiques et ouvriers qui engagent leurs services, et celui des personnes qui s'obligent à accomplir l'œuvre qu'on leur confie.

Enfin, on distingue les *devis*, *marchés*, *ou prix faits :* la loi comprend sous cette dénomination, les diverses conventions faites pour l'entreprise d'un ouvrage, moyennant un prix déterminé. — Nous verrons toutefois, que ces sortes de conventions ne constituent réellement un louage, qu'autant que la matière à travailler est fournie par celui qui commande l'ouvrage : lorsque cette matière est fournie par l'entrepreneur, la convention doit être considérée comme une vente.

1712 — Les baux des biens nationaux, des biens des communes et des établissements publics, sont soumis à des règlements particuliers (2).

CHAPITRE II.

Du louage des choses.

Toutes les choses qui sont susceptibles de procurer par leur usage quelque utilité, peuvent être l'objet du louage (3), à moins qu'on ne puisse en user ou s'en servir sans les consommer, ou que la loi n'en défende la location.

De la définition que nous donne l'art. 1709, il résulte, que trois conditions sont de l'essence du louage des choses :

1° Le bailleur doit s'obliger à faire jouir le preneur ; c'est-à-dire, le mettre à même de percevoir, pendant un certain temps, les fruits de la chose louée (meuble ou immeuble). Ainsi, le bail, à la différence de la vente, ne déplace pas la propriété ; le droit du propriétaire reste intact : au lieu de percevoir les fruits par lui-même, il reçoit une redevance, en échange des fruits qu'il s'oblige à procurer temporairement.

La jouissance du preneur ne saurait être perpétuelle ; mais il ne faut

---

(1) On ne trouve dans le Code que deux dispositions relatives au louage des meubles : voy. art. 1713 et 1757 : mais ces sortes de locations sont soumises, autant que la nature des choses le comporte, aux règles générales établies pour les baux des maisons et des biens ruraux.

(2) Voyez Troplong sur l'art. 1712.

(3) On peut *louer* les biens composant un *majorat* : ces sortes de biens ne sont placés hors du commerce que quant à la propriété (Pothier, n. 9 et suiv.).

pas considérer comme perpétuel le bail dont la durée, quoique indéfinie, serait subordonné à une condition casuelle.—Les parties peuvent du reste assigner au bail la durée qu'elles jugent convenable ; toutefois, s'il dépassait 99 ans (1), il serait réductible à ce terme. — Le bail à vie ne peut être établi que sur trois têtes.

Lorsque le terme de la jouissance n'a pas été fixé, on se conforme, pour les baux des maisons, à *l'usage des lieux ;* pour les biens ruraux, on a égard au *genre de culture* : par exemple, lorsqu'il s'agit d'un pré, d'une vigne ou autres biens dont les fruits se recueillent annuellement, le bail est censé fait pour une année. Si les fruits ne peuvent être perçus qu'après plusieurs années, par ex., lorsqu'il s'agit de bois taillis ou de terres divisées par soles, le bail est censé fait pour ce nombre d'années.

Le louage des meubles destinés à garnir une maison ou un appartement est présumé fait pour la durée ordinaire des baux des maisons ou des appartements suivant l'usage des lieux.

Quand le mode de jouissance est déterminé, le preneur est tenu de l'observer ; si les parties ont gardé le silence, il doit employer la chose à l'usage auquel on a coutume de la faire servir, ou à celui auquel elle est par sa nature destinée.

A défaut de stipulation contraire, le preneur jouit de toute la chose.

Lorsque la chose a péri en totalité, il n'y a pas de contrat. Si la perte n'est que partielle, les tribunaux prononcent, en égard à l'importance de la perte, la résiliation du contrat ou la réduction du prix (Arg. des articles 1721 et 1722) (2).

2° *Un prix convenu* : ce prix doit être *sérieux* ; c'est-à-dire, stipulé avec l'intention formelle de l'exiger : si le locataire ne pouvait être contraint à le payer, on ne verrait pas dans la convention, un *louage*, mais un *prêt à usage (commodatum).* — Toutefois, si le bailleur renonçait, après un certain temps, aux loyers échus, cette circonstance n'ôterait pas au louage son caractère et ses effets ; il suffirait que le contrat eût été parfait dans l'origine.

Il n'est pas nécessaire que le prix représente la valeur de la jouissance : la lésion ne donnerait pas lieu à rescision, car elle ne tomberait que sur les fruits, lesquels sont meubles (3). Il suffit qu'il ne soit pas tellement faible, qu'on ne puisse le considérer comme n'existant pas.

Le prix doit consister en une *somme d'argent* ; autrement, il y aurait échange (4).

---

(1) Il ne faut pas croire pour cela que le bail produise un droit réel au profit du preneur ; il résulte suffisamment de la distinction faite par l'art. 1709 , que ce contrat ne peut produire qu'une action personnelle , puisqu'il ne tend qu'à la perception des fruits, lesquels sont meubles (Delv., p. 185, n. 2 ; 188, n. 5 ; 198, n. 5 ; Duvergier , n. 279 et suiv. ; Proudhon ; Usuf., t. 1er, n. 102 ; Dur., t. 4, n. 73, t. 17, n. 139 ; Toullier, t. 3, n. 388. — *Cass.*, 14 novembre 1832 ; S., 33, 1, 32). ～～Le droit du preneur est *réel*, non en ce sens qu'il procure un démembrement de la propriété ; mais en ce sens qu'il produit un empêchement que le propriétaire doit subir , empêchement qui affecte la chose et qui la suit en quelques mains qu'elle passe. Mais ce droit réel est d'une nature particulière : en effet , s'il constitue une charge, cette charge n'appauvrit pas la propriété ; loin de là , elle est fécondante (Troplong, n. 4 et suiv. — *Dijon* , 21 avril 1827 ; S., 27, 2, 116 ; D., 27, 2, 119).

(2) *Cass.*, 11 mars 1842 ; D., Louage, p. 909, n. 1. Le louage diffère sous ce rapport de la vente d'immeubles.

(3) On connaît en effet une sorte d'échange d'usage , qui a beaucoup de rapport avec le louage : par ex., si nous convenons que je me servirai de votre cheval pendant un certain temps, et que vous vous servirez du mien pendant ce même temps , il est évident que le contrat ne peut être considéré comme un *prêt* , puisqu'il n'est pas gratuit : d'un autre côté , il n'a point les caractères du *louage* , puisque le prix ne consiste pas en argent : c'est là , évidemment qui affecte la chose et qui la suit en quelques contrat (1107), qui , chez les Romains , n'aurait pas produit l'action de louage , mais l'action *praescriptis verbis* (Dur., n. 9 Duvergier , n. 95 et 96, t. 3 ; 247 et suiv., t. 4 ; Troplong, n. 3).

(4) Loi du 18-29 décembre 1790, art. 1er ; Troplong , n. 27 ; Duvergier, n. 202 ; Championnière, n. 3077, t. 4.

Néanmoins, ce principe souffre exception à l'égard des baux à ferme : dans ces sortes de baux, le prix peut consister en une certaine quantité de fruits produits par le fonds affermé (1) ; mais le louage devient alors un espèce de société.

Le prix doit être *certain* et *déterminé* : il peut être laissé à l'arbitrage d'un tiers ; tout ce que nous avons dit à cet égard sur la vente, s'applique au contrat de louage.

3° *Le consentement* : il doit porter sur la chose et sur le prix.

Le consentement peut être *exprès* ou *tacite* : il est légalement présumé, lorsqu'à l'expiration du bail, la jouissance du locataire ou du fermier continue, sans opposition de la part du bailleur ; un nouveau contrat, appelé *tacite réconduction*, se forme alors. — Ce contrat est censé fait aux mêmes conditions que le premier ; sauf sa durée, qui est fixée en égard à la nature des choses louées et à l'usage des lieux.

Puisque la tacite réconduction suppose le consentement réciproque des parties, il est clair qu'elle ne peut se former lorsque l'une d'elles a manifesté l'intention de ne pas maintenir le contrat : mais il faut pour cela une déclaration formelle ou des faits bien significatifs.

Pour donner des biens à bail, il n'est pas nécessaire d'en être propriétaire ; ce droit appartient à quiconque jouit ou administre ces biens. Toutefois, la durée des baux consentis par le non-propriétaire ne peut excéder 9 années (*Voy.* art. 481, 1429, 1430, 509, 595, 1718).

Il nous reste à dire quelques mots sur les promesses de louage :

Les promesses verbales sont assimilées aux locations faites sans écrit et non exécutées (1715 et 1716).

De même que les promesses de vente, les promesses de louage sont unilatérales ou synallagmatiques ; elles peuvent être faites avec des arrhes ou sans arrhes. Il faut toutefois observer qu'en matière de louage les arrhes ne sont jamais considérées comme signes de la conclusion du marché (1715).

On voit, par cet exposé, que le louage a beaucoup de rapports avec la vente.

Mais ces deux contrats diffèrent principalement :

1° En ce que la *vente* est un titre qui transfère la propriété, ou du moins, qui permet de l'acquérir par prescription ; tandis que le *louage*, ne peut même servir de base à la prescription : car le bailleur conserve la propriété, ainsi que la possession et jouissance de la chose, puisqu'il jouit par le preneur, lequel lui paye des loyers et fermages. — 2° Le prix de la vente doit consister en argent monnayé ; celui du louage peut consister en une certaine quotité des denrées que la chose produira. — 3° Dans la vente, toutes les actions de ceux qui prétendent quelques droits sur l'immeuble sont dirigées contre l'acquéreur : ces sortes d'actions ne peuvent être dirigées contre le preneur ; le bailleur seul doit y répondre : il suit de là, que l'acquéreur est intéressé à appeler son vendeur en garantie, sur les premières poursuites ; tandis que le preneur, simple détenteur, ne peut agir contre le propriétaire, qu'au moment où il est tenu d'abandonner.

---

(1) Dur., n. 9 ; Duvergier, n. 95 et 96. ⁓⁓ Suivant quelques personnes, le louage comporte, dans tous les cas, l'idée d'un payement en denrées. Il n'y a pas de raisons, disent-elles, pour limiter aux baux à ferme les prestations en nature autorisées par les articles 1763, 1771, etc. Dans beaucoup de provinces, les services des ouvriers ne se payent pas autrement.

Il existe encore d'autres différences, que nous signalerons successivement.

Le louage diffère également de l'usufruit : en effet, l'usufruit est un démembrement de la propriété, *jus in re;* il confère le droit de suite ; ce droit est immobilier s'il s'applique à un immeuble ; par conséquent, il est susceptible d'hypothèque : le louage ne démembre pas la propriété ; il ne s'attache à elle que pour la rendre productive ; le preneur n'est pas même possesseur, puisque son droit est mélangé de précarité ; par suite, on décide, que ce droit ne peut être concédé à titre gratuit : de quelle utilité, en effet, serait pour le propriétaire, un bail sans prix. — Dans l'usufruit, le propriétaire s'oblige à laisser jouir (*pati frui*) : dans le louage, il s'oblige à faire jouir (*præstare uti frui licere*). — L'usufruitier prend les choses dans l'état où elles se trouvent ; le preneur peut exiger qu'elles lui soient livrées en bon état. — Le preneur peut exiger une indemnité pour non jouissance occasionnée par cas fortuit ou par force majeure (1769 et 1773) : l'usufruitier ne jouit pas du même droit : — l'usufruit s'éteint par la mort de l'usufruitier ; le bail n'est pas résolu par la mort du preneur. — L'usufruitier, n'étant tenu qu'à raison de la chose, peut se soustraire aux charges de l'usufruit, en renonçant à son droit : le preneur n'est pas libre de renoncer à son bail ; on peut le contraindre à remplir les obligations qu'il s'est imposées.

Il faut également distinguer le louage du *droit de superficie* : le contrat de superficie était d'un fréquent usage autrefois ; il avait lieu, lorsque le propriétaire d'un fonds transférait, pour un certain temps, le domaine utile de ce fonds et s'en réservait le domaine direct : le superficiaire possédait alors la superficie comme sienne ; il pouvait la grever d'hypothèques, de servitudes, et même en disposer comme de sa propre chose, facultés incompatibles avec le caractère du louage. — La propriété superficiaire pouvait être acquise à titre gratuit : le louage a toujours lieu moyennant un certain prix.—Le nu propriétaire, après avoir joui de la redevance pendant toute la durée du contrat, reprenait sa chose sans indemnité, à raison des améliorations superficiaires qui adhéraient au fonds : cette faveur n'est pas accordée au bailleur.

Ne confondons pas le droit de superficie avec *l'emphythéose :* on nommait autrefois emphythéose, la concession temporaire ou perpétuelle d'un terrain allodial, nu et stérile, pour l'améliorer par des constructions et des plantations, sous la réserve d'une modique redevance, établie en reconnaissance du domaine direct que s'était réservé le bailleur. — Suivant une autre définition plus large et plus en harmonie avec les altérations que le droit romain a subies, l'emphythéose est une convention par laquelle un propriétaire concède à perpétuité ou pour un temps prolongé, non pas seulement un terrain stérile, mais encore un terrain même productif, à l'effet par le preneur d'en jouir moyennant une modique redevance annuelle, et de ne pouvoir en être privé par le concédant, qu'en cas de non-payement de cette redevance. — L'emphythéose diffère principalement du contrat de superficie, en ce que celui-ci ne donne droit qu'à la superficie ; tandis que l'emphytéose s'étend au fonds et à la superficie, *in universo prædio.*

Gardons nous de confondre le louage avec l'emphytéose : l'emphythéose n'imposait dans le moyen âge et n'impose encore aujourd'hui à l'emphythéote que des prestations peu élevées ; tandis que le prix du bail doit être en rapport avec les produits de la chose : *Pensio constituitur non pro mercede, in quo differt à locatione sed in recognitionem domini.* Plus tard, cependant, les prestations furent augmentées de manière à former un produit net et lucratif, calculé sur l'importance des fruits; alors, le bail emphythéotique se rapprocha beaucoup du louage fait à longues années: mais entre autres différences, il y eut toujours celles-ci: que l'emphythéose put s'établir non-seulement à titre onéreux, mais encore à titre gratuit et même par prescription, ce qui ne peut avoir lieu en matière de louage; que l'emphythéose détachait une partie du domaine utile, tandis que le bail laisse toute l'utilité de la chose entre les mains du propriétaire; enfin, que l'emphythéote était libre de changer librement la superficie, de vendre et d'hypothéquer, facultés dont ne peut jouir le fermier.—L'emphythéose subsiste encore sous le Code civil, avec les caractères que l'ancien droit lui attribuait (Troplong, n. 31; Toullier, n. 101, t. 3.; Dur., n. 80, tome 1er, t. 4.; Duvergier, n 154.; Proudhon, Usuf., n. 27. *Voy.* notre tome 1er, p. 596, note).

La personne qui s'oblige à faire jouir, s'appelle *locateur* ou *bailleur;* celle qui reçoit se nomme *conducteur, preneur, locataire, fermier, colon, cheptelier,* selon la nature des choses louées.

Enfin, on donne communément le nom de *colon partiaire,* au métayer ou cultivateur qui reçoit un fonds, à charge de partager les fruits avec le propriétaire: le louage tient alors du contrat de société.

1713 — On peut louer toutes sortes de biens meubles ou immeubles.

= En général, toutes choses meubles ou immeubles, corporelles ou incorporelles, susceptibles d'une propriété privée, peuvent être louées.

Néanmoins, cette règle n'est pas sans exception: ainsi, les choses qui se consomment par l'usage (1), par ex., des denrées, une créance, une somme d'argent, ne peuvent être louées, quoiqu'on puisse les vendre; car il est de l'essence du louage, que le locataire rende la chose après en avoir joui, ce qui ne peut avoir lieu dans l'espèce.

Une servitude ne peut être ni louée ni cédée par le propriétaire du fonds dominant (686).

L'usager ne peut ni louer ni céder son droit (631, 634).— L'usufruitier, au contraire, jouit de cette faculté (595).

Un office public n'est pas susceptible de location: les fonctions sont personnelles; le titulaire seul peut les exercer.

Vice versâ: il y a des choses qui peuvent être louées quoiqu'on ne puisse les vendre: on donne pour exemple le fonds dotal; les biens qui composent les majorats; les biens domaniaux.

La loi s'est principalement occupée du louage des fonds de terre et des maisons, à raison de l'importance de ces sortes de biens, et surtout parce qu'ils sont le plus fréquemment l'objet du louage.

— De quelle nature est le contrat, lorsqu'il est dit que l'une des parties *cède* et transporte à l'autre la *jouissance* d'un héritage pendant un *certain temps* et moyennant un *certain prix* ? Est-ce une constitution d'usufruit, une vente ou un louage ?⸱⸱Si la cession a été faite pour le prix de plusieurs sommes payables par chaque année de jouissance, c'est un *louage;* si elle a été faite pour un prix unique, quoique payable en plusieurs fois, c'est une *constitution d'usufruit* à temps (Dur., t. 17, n. 17; Duvergier, n. 33).

---

(1) A moins qu'elles ne soient livrées *ad ostentationem* : ce qui se présente rarement

Un bail à vie doit-il être considéré comme une constitution d'usufruit? ⁓ A. La vente à vie de la jouissance, équivaut à une constitution d'usufruit; or le bail à vie est absolument la même chose que la vente à vie (Merlin, Rép., Usufruit, § 1, n. 3). ⁓ N. Il faut tenir compte de l'idée spéciale qui s'attache au mot *bail*: le *bail* n'équipolle pas à la *vente*; pour que le contrat eût le caractère d'usufruit, il faudrait une stipulation particulière (Duvergier, n. 28 et suiv.; 201 et suiv.; Proudhon, Usnf., n. 98 et suiv.; Dur., n. 19; Toullier, t. 3, n. 387 et suiv.'; Troplong, n. 25; — *Cass.*, 18 janvier 1825; S., 25, 1, 234; D., 25, 1, 69).

Il est incontestable que celui qui a l'administration d'une chose, peut la louer, quoiqu'il n'en soit pas propriétaire; mais peut-on louer la chose d'autrui? ⁓ A. Le bailleur ne transfère pas la propriété; il s'engage seulement à faire jouir — Le bail n'étant qu'un acte de simple administration, doit se soutenir contre le véritable propriétaire, si le preneur a été de bonne foi; l'équité et la bonne foi des tiers qui ont contracté avec un propriétaire apparent, ont toujours fait maintenir les actes d'administration, alors même que le propriétaire putatif a été de mauvaise foi (Pothier, Louage, n. 20; Merlin, Bail, § 2, n. 7; D., Louage, p. 908 n. 4; Troplong, n. 98). ⁓ Celui qui administre une chose a capacité suffisante pour la louer; mais celui qui n'est ni administrateur, ni propriétaire, ne saurait avoir le même droit. Quoi qu'il en soit, le preneur peut contraindre le locateur à lui délivrer la chose; mais la revendication que ferait le propriétaire, mettrait obstacle à la délivrance effective et ne laisserait au preneur pour toute ressource, qu'une action en dommages-intérêts (Duvergier, n. 82).

Comment doit-on estimer le prix du louage, lorsqu'il ne se compose pas d'une somme unique, mais de redevances annuelles, trimestrielles ou mensuelles? ⁓ On doit rechercher quelle somme sera due par le locataire pour toute la durée du bail (Duvergier, n. 15. — *Paris*, 6 avril 1825; S., 26, 2, 78; D., 25, 2, 168).

Nous avons vu, que les obligations qui naissent du louage, ne sont que de simples obligations de faire : doit-on conclure de là, que la partie qui se refuse à exécuter son engagement ne peut y être contrainte? ⁓ N. Ce serait mal entendre l'esprit de la loi; le fait auquel les contractants se sont obligés, n'est pas du nombre de ceux dont l'accomplissement exige un acte personnel, et auxquels s'applique cette maxime : *nemo potest cogi ad factum*. Le preneur peut se faire mettre en possession des biens loués, et le bailleur peut forcer le preneur à payer les loyers ou fermages (Duvergier, n. 47. — *Paris*, 7 nivôse an 10; S., 2, 2, 117; D., Louage, p 912).

Un copropriétaire peut-il consentir au bail d'une chose indivise sans l'assentiment des autres? ⁓ N. Ce serait ouvrir la porte aux abus; ce serait laisser à l'une des parties, le droit de grever l'avenir de la chose indivise, moyennant des baux d'un prix fort minime, mais compensés par des pots-de-vin secrets. — Néanmoins, il y aurait injustice et rigueur outrée, à annuler le bail, s'il avait été consenti dans l'intérêt commun; au reste, les juges apprécieront les circonstances (Troplong, n. 100).

Que doit-on décider quant aux baux de la chose soumise à une condition résolutoire? ⁓ Ils doivent être maintenus : Arg. de l'art. 1673. — Avant l'accomplissement de la condition, le bailleur était propriétaire, et par conséquent, il a pu faire des actes d'administration (Toullier, n. 576, t. 3; Duvergier, n. 83; Troplong, *ibid.*).

Mais peut-on appliquer aux baux faits *pendente conditione*, les dispositions des articles 595, 1429 et 1758? ⁓ A. Un bail fait à longues années, n'excède les bornes d'une bonne administration, qu'autant qu'il émane de celui qui administre pour autrui; or, dans l'espèce, le locateur était propriétaire (Duvergier, n. 86; Troplong, n. 100).

SECTION I.

Des règles communes aux baux des maisons et des biens ruraux.

———

Les baux des maisons et ceux des biens ruraux ont des règles qui leur sont communes et d'autres qui leur sont particulières : en conséquence la loi divise ce titre en trois sections (1).

La première traite des règles communes aux baux des maisons et des biens ruraux.

La deuxième comprend les règles particulières aux baux à loyer.

La troisième est relative aux baux à ferme.

Le louage, comme la vente, étant parfait par le seul consentement des parties sur la chose et sur le prix, peut se former de la même manière, par écrit ou verbalement.

Lorsqu'il existe un écrit, aucune difficulté ne s'élève : la preuve du bail est constante. — Lorsqu'il n'a pas été dressé d'acte, on ne peut, si le

_____

(1) Le législateur ne s'est pas toujours conformé à la classification qu'il a tracée : nous verrons, en effet, que certaines dispositions se trouvent comprises dans des sections auxquelles elles n'appartiennent pas : ainsi l'art. 1736, placé dans la section des règles communes, est relatif aux baux des maisons. — Les art. 1763 et 1764 ne concernent pas les baux à ferme proprement dits; car le colon partiaire n'est point fermier, il est associé.

bail n'a reçu aucune exécution, en établir la preuve par témoins, encore que le prix n'excède pas 150 fr. (1715); seulement, il est permis au juge, par application de l'art. 1367, de déférer d'office le serment à la partie qui nie le bail.

Bien que l'existence du bail soit reconnue, des contestations peuvent s'élever sur le prix : les précédentes quittances font alors pleine foi. A défaut de quittances, le propriétaire est cru sur son serment, à moins que le preneur ne demande une expertise; auquel cas, les frais restent à sa charge, si l'estimation est au-dessus du prix par lui déclaré (1716).

Le preneur peut sous louer, et même céder son bail, lorsque cette faculté ne lui a pas été interdite (1717) (*voy.* toutefois art. 1763).

Le bailleur est soumis à trois obligations principales; il doit :

1° Livrer au preneur la chose louée en bon état de réparations de toute espèce (1719, 1720).

2° Entretenir cette chose en état de servir à l'usage pour lequel elle a été louée (1719) : ce qui emporte obligation de faire toutes les réparations nécessaires autres que les locatives (1720). — Lorsque ces réparations sont urgentes, le preneur est même tenu de les souffrir, quelque incommodité qu'elles lui causent, à moins qu'elles ne rendent complétement inhabitable ce qui lui est indispensable pour se loger. — Si les travaux ont duré plus de quarante jours, il peut exiger une indemnité (1724).

3° Faire jouir paisiblement le preneur, pendant la durée du bail (1719) : par conséquent, il ne peut changer la forme de la chose louée (1723); il est soumis à la garantie des vices ou défauts de la chose qui en empêchent l'usage; il doit, sous certaines distinctions, indemniser le preneur de toutes les pertes que ces vices ou défauts lui ont causées (1721); enfin, il est tenu de garantir le preneur du trouble de droit; mais il n'est point garant du trouble de fait (1725, 1726, 1727).

Par suite de ce même principe, la loi décide que le bail cesse de plein droit, si la chose périt en totalité; et que le preneur peut, si la perte n'est que partielle, demander, suivant les circonstances, ou la résolution du bail, ou une diminution de prix (1722).

Deux obligations principales sont imposées au preneur; il doit :

1° Payer le prix du bail aux termes fixés.

2° User de la chose en bon père de famille, et selon la destination qui lui a été donnée expressément ou tacitement (1728). Concluons de là : 1° qu'il est tenu, à la fin du bail, de rendre la chose dans l'état où il l'a reçue (1730). Lorsqu'il n'a pas été dressé d'état des lieux, il est censé avoir reçu la chose en bon état de réparations locatives (1731); — 2° qu'il répond des dégradations ou des pertes qui arrivent durant sa jouissance (1732, 1735); mais il est admis à prouver qu'elles proviennent de vétusté ou de force majeure — La loi fait particulièrement au cas d'incendie, l'application de cette deuxième conséquence; sauf au preneur à établir que le sinistre provient de l'une des quatre causes suivantes : cas fortuit, force majeure, vice de construction, communication d'une maison voisine (1733). S'il y a plusieurs locataires, comme la présomption de faute pèse également sur chacun d'eux, la loi les déclare solidairement responsables; en réservant toutefois à celui contre qui les poursuites sont dirigées, la faculté de prouver que le feu n'a pu commencer chez lui, ou qu'il a commencé chez tel ou tel locataire, (1734).

Voyons maintenant quelle est la durée du bail; pour la déterminer, on distingue : le bail a été fait *par écrit* ou il a été fait *sans écrit;* ou plutôt, *il existe un terme fixe* ou *il n'en existe pas.*

Au premier cas, le bail cesse de plein droit à l'expiration du terme, sans qu'il soit nécessaire de donner congé (1737). Néanmoins, si le preneur est laissé en possession, il s'opère une *tacite réconduction*, dont l'effet, quant à la durée, est soumis aux règles relatives à la location faite sans écrit (1738, 1740); — mais la tacite réconduction ne s'opère pas, lorsqu'il y a eu un congé signifié, encore que la jouissance du preneur ait continué (1739); car l'intention de renouveler le bail ne peut plus se supposer.

Au deuxième cas, les parties sont censées s'engager pour un temps indéfini : le bail dure, jusqu'à ce que l'une d'elles ait manifesté à l'autre, par un congé signifié un certain temps d'avance, la volonté d'y mettre fin (1736) (*voy.* toutefois, pour les baux à ferme, les art. 1774 et 1775).

Déjà nous avons vu, que la perte de la chose louée peut entraîner la résolution du contrat : à cette cause, il faut joindre le défaut respectif du bailleur et du preneur de remplir leurs engagements (1741, 1184).

Nonobstant le bail, la chose peut être vendue ; toutefois, l'acquéreur doit le respecter, lorsqu'il est constaté par un acte ayant date certaine ; à moins que le vendeur ne se soit réservé la faculté d'expulser le preneur (1743).

Bien que la réserve dont il s'agit ait été stipulée, le preneur peut, avant de quitter les lieux, exiger de l'acquéreur une indemnité. — Pour en fixer le montant, la loi fait plusieurs distinctions (*voy.* art. 1745, 1746, 1747 et 1749).

Lorsque l'acte n'a pas date certaine, le preneur ne peut se faire indemniser (1750).

L'acquéreur qui veut user de la faculté d'expulser le preneur, doit l'avertir un certain temps d'avance, suivant l'usage des lieux : — Quand il s'agit de biens ruraux le délai est d'une année (1748).

Lorsque la vente a été faite avec faculté de rachat, le preneur ne peut être expulsé avant l'expiration du terme fixé pour le réméré (1751).

Le bail finit :

Par le consentement mutuel des parties, sauf toutefois le droit des tiers ;

Par l'expiration du temps convenu pour la durée de la jouissance ;

Par la résolution du droit du bailleur, mais dans certains cas seulement ;

Par la perte de la chose louée ;

Enfin, lorsque le bailleur ou le preneur n'exécutent pas leurs engagements (1184).

Nous verrons, art. 1714 à 1718, comment se forme et se prouve le contrat de louage ;

Art. 1719 à 1727, quelles sont les obligations du bailleur ;

Art. 1728 à 1735, quelles sont celles du preneur ;

Les art. 1736 et suivants déterminent l'époque de l'expiration du bail et les causes de résolution.

1714 — On peut louer ou par écrit, ou verbalement (1).

---

(1) Cette règle est commune à tous les baux : pourquoi l'avoir placée sous la rubrique des règles

═ On peut faire des promesses de louer, obligatoires pour l'une et l'autre partie, ou pour l'une d'elles seulement. Tout ce que nous avons dit à cet égard sur la vente, s'applique au louage.

Bien que le contrat de louage se forme par le seul consentement, l'usage accorde aux parties la faculté de se dédire dans un certain délai : ce terme expiré sans qu'il y ait eu de réclamation, le contrat est définitivement conclu.

1715 — Si le bail fait sans écrit n'a encore reçu aucune exécution, et que l'une des parties le nie, la preuve ne peut être reçue par témoins, quelque modique qu'en soit le prix, *et quoiqu'on allègue qu'il y a eu des arrhes données* (1).

Le serment peut seulement être déféré à celui qui nie le bail.

═ Remarquons d'abord, que la loi garde le silence sur les baux faits par écrit : lorsque l'acte est passé conformément aux règles fixées par l'art. 1325, aucune difficulté ne peut en effet s'élever.

Lorsque le bail a été fait sans écrit, on distingue : s'il n'a encore reçu aucune exécution, la preuve testimoniale ne peut être admise pour en établir l'existence, encore que le montant du loyer n'excède pas 150 fr., et qu'il y ait eu des arrhes données. En proscrivant ce genre de preuve, le but du législateur a été de prévenir une multitude de difficultés et de petits procès qui se seraient élevés si on l'eût admis, dans les villes surtout, où les baux se font ordinairement sans écrit quand il s'agit d'appartements d'une faible importance. D'ailleurs tout est urgent en cette matière : il importe de ne pas prolonger l'incertitude du bailleur et celle du locataire en leur permettant de se jeter dans des contestations interminables.

Du reste, la loi n'interdit que la preuve testimoniale ; elle laisse implicitement aux parties la ressource de l'aveu et celle du serment décisoire : d'où l'on doit conclure, qu'elles peuvent se faire interroger sur faits et articles (2) (324, Pr.). Bien plus, on décide que le juge peut, d'office, déférer le serment à la partie qui nie le bail (art. 1341, 1358, 1366, 1367).

Il faut en outre observer, que la loi ne repousse la preuve testimoniale que lorsqu'il s'agit d'établir l'existence du bail : si la contestation porte, non sur la convention, mais sur le fait du commencement d'exécution : par exemple, si le bailleur prétend que le preneur a commencé à emménager et qu'il a déménagé peu de temps après, ou qu'il y a eu des actes de culture, on doit admettre ce genre de preuves, lors même que l'importance du bail excède 150 fr., car il n'a pas été possible au poursuivant de s'en procurer un autre (3).

S'il existe un commencement de preuve par écrit, la preuve par témoins

---

communes aux baux des maisons et des biens ruraux ? Pourquoi ne pas l'avoir comprise avec plusieurs autres dans une section particulière qui aurait été consacrée à des dispositions générales ?

(1) Addition inutile : on ne voit pas pourquoi l'allégation qu'il y a eu des arrhes données autoriserait plutôt la preuve par témoins, en matière de louage, que lorsqu'il s'agit de toute autre convention.

(2) Dur.; Duvergier, n. 257 ; Carré, t. 2, p. 79. — *Bruxelles*, 4 février 1813. ⁓⁓ En disant que le serment peut seul être déféré à la partie qui nie le bail, la loi procède par voie limitative (Troplong, n. 3. — *Rennes*, 6 août 1812 ; D., Interrogatoire, p. 574, n. 4).

(3) Dur., n. 56. — *Nîmes*, 14 juillet 1810 ; D., Louage, p. 910. ⁓⁓ La preuve testimoniale est inadmissible pour établir ces faits, lors même que le bail a reçu un commencement d'exécution (Toullier, n. 32 ; Duvergier, n. 258).

est recevable, quoique la valeur du bail dépasse 150 fr., et qu'il n'ait point encore reçu de commencement d'exécution (1341) (1).

Lorsque l'existence du bail est certaine (soit parce qu'il est avoué, soit parce que l'exécution en est commencée) : s'il s'élève une contestation sur le montant du prix, on s'en rapporte aux quittances précédentes; à défaut de quittances, le propriétaire est cru sur son serment, sauf au preneur à demander une expertise (art. 1716). — Si la contestation s'élève sur la durée ou sur les conditions du contrat, la preuve testimoniale ne doit être admise, qu'autant que le prix du bail n'excède pas 150 fr., ou s'il excède cette somme, qu'il existe un commencement de preuve (1341) (2).

Placé sous la rubrique des règles communes aux baux des maisons et des biens ruraux, notre article doit être restreint à ces matières : ainsi, un marchand pourrait donc prouver par témoins, sans commencement de preuve, qu'il a loué des meubles, si la valeur de ces meubles n'excède pas 150 fr.

— En supposant que la preuve testimoniale puisse être admise pour établir le commencement d'exécution du bail, faut-il que les loyers soient au-dessous de 150 fr.? **A.** Bien plus, pour calculer cette valeur, on doit considérer le montant des loyers cumulés pour tout le temps de la durée du bail (Duvergier, n. 15 et 266; voyez les arrêts rapportés par Dalloz, Louage, section 1, art. 1. — Grenoble, 14 mai 1825; D., 26, 2, 182). **La preuve testimoniale est admissible quelle que soit le prix allégué (Dur., n. 565).

Le congé donné pour une location inférieure à 150 fr., peut-il être prouvé par témoins? **N.** Le congé se rattache nécessairement au bail, puisqu'il en opère la résolution (Cass., 10 mars 1816; D . 1816, 1, 176).

Nous avons décidé, que le prix peut être laissé à l'arbitrage d'un tiers : si l'expert nommé ne remplit pas sa mission, peut-on recourir aux lumières d'un autre expert? **Oui**, si l'exécution du bail a commencé, ou si l'époque fixée pour l'entrée en jouissance est tellement proche, que le locataire ne puisse facilement trouver un autre preneur, ou le preneur un autre locateur (Troplong, n. 3).

1716 — Lorsqu'il y aura contestation sur le prix du bail verbal dont l'exécution a commencé, et qu'il n'existera point de quittance, le propriétaire en sera cru sur son serment, si mieux n'aime le locataire demander l'estimation par experts; auquel cas les frais de l'expertise restent à sa charge, si l'estimation excède le prix qu'il a déclaré.

= Des contestations peuvent s'élever sur le prix du bail dont l'exécution a commencé : pour les terminer, on se réfère aux précédentes quittances (3); à défaut de quittances, le propriétaire est cru sur son serment. Le serment est déféré au bailleur, parce qu'il a en général plus de titres à la confiance de la justice.

La loi réserve toutefois au preneur la faculté de se soustraire au danger de ce serment, en demandant une expertise : alors, si l'estimation excède le prix par lui déclaré, les frais sont à sa charge; si elle est moindre, le propriétaire les supporte.

Quid, si l'estimation, bien qu'excédant le prix déclaré par le preneur, se

(1) Delv., p. 95, n. 2; Duvergier, n. 267 et suiv. **L'existence d'un bail verbal ne peut être prouvée par témoins; la règle est absolue : la loi ne distingue pas s'il existe ou non un commencement de preuve (Dur., n. 54; Troplong, n. 112).

(2) Duvergier, n. 259; Delv., p. 95, n. 3. — Grenoble, 14 mai 1825; S., 26, 2, 177. — Bordeaux, 29 novembre 1826 et 19 janvier 1827; S., 28, 2, 4 et 5; D., 25, 2, 219; 26, 2, 182 — 4 août 1832; D., 33, 2, 27. **La preuve testimoniale est admise en ce cas, même pour établir la durée du bail quel que soit le prix allégué (Dur., n. 56).

(3) Cass., 4 déc. 1823; D., 23, 1, 493.

rapproche néanmoins beaucoup plus de cette déclaration que de celle du bailleur? Les frais sont supportés en commun (Dur., n. 58) (1).

Au reste, le propriétaire peut renoncer au droit établi en sa faveur et référer le serment au preneur.

1717—Le preneur a le droit de sous-louer, et même de céder son bail à un autre, si cette faculté ne lui a pas été interdite.

Elle peut être interdite pour le tout ou partie.

Cette clause est toujours de rigueur.

= En général, chacun peut librement disposer de ses droits ; la loi maintient ce principe, en matière de louage : elle reconnaît au preneur la faculté de sous-louer et même celle de céder son bail.

Le sous-locataire ou le cessionnaire doit jouir comme le principal locataire ou le fermier aurait joui lui-même. Par ex. : il ne peut sous-louer, pour servir d'auberge, une maison qui n'a pas reçu cette destination ; un bâtiment d'habitation, pour y établir une forge.

Sous-louer et *céder* un bail sont des opérations distinctes ; il importe de signaler succinctement quelques-unes des différences qui existent dans leurs effets : la cession investit le cessionnaire de tous les droits et de toutes les obligations du cédant : la sous-location constitue une location nouvelle ; elle est soumise, sauf toutes stipulations particulières, aux règles générales du louage. — Celui qui sous-loue, est considéré comme bailleur ; il doit donc indemniser le sous-locataire, si la moitié d'une récolte vient à périr par cas fortuit : le cédant ne doit personnellement aucune indemnité ; le cessionnaire peut seulement agir contre le propriétaire. — Les effets apportés par le sous-locataire sont affectés au privilége de son bailleur pour le payement du prix de la sous-location (2102) : le cédant ne jouit pas du même avantage pour le payement du prix de la cession ; il n'a d'autres droits que ceux d'un créancier ordinaire.— Le cessionnaire prend la chose dans l'état où elle se trouve au moment de la cession ; le sous-locataire peut exiger qu'elle lui soit livrée en bon état de réparations de toute espèce (1720). — Relativement au propriétaire de la chose louée, la sous-location diffère de la cession sous plusieurs rapports : le sous-locataire n'a point d'action directe contre le propriétaire, puisque le preneur n'a pas transmis ses droits : le cessionnaire, au contraire, est admis à exercer contre le propriétaire les droits et actions du cédant. — Le sous-locataire n'est tenu envers le propriétaire que jusqu'à concurrence du prix de sa sous-location (1753) : le cessionnaire est directement tenu pour le tout, ou pour une part proportionnelle, lorsqu'il n'est cessionnaire que pour partie.

Du reste, la cession du bail, pas plus que le sous-bail, n'affranchit le preneur de ses engagements envers le bailleur : il reste toujours personnellement responsable des dégradations commises ; il continue d'être tenu du prix ; il ne peut même exiger la discussion préalable des biens du cessionnaire ou du sous-locataire.

L'interdiction de *sous-louer* en tout ou en partie, emporte toujours celle de faire une cession même partielle (2), car la cession confère des droits

---

(1) Duvergier, n. 262. rejette cette modification ; suivant lui, la loi est trop formelle pour qu'on puisse s'en écarter.

(2) Dur., n. 92 ; Duvergier, n. 375. — *Paris*, 28 août 1824, D., 25, 2. 70. 28 mars 1829, D., 29, 2. 182. — *Amiens*, 22 juin 1822 ; *voy.* cep. arrêt de la même cour, du 24 mai 1817; D., 1823, 2, 151 ; S., 24, 2, 63.

plus étendus que la sous-location : or, celui qui ne peut faire le moins ne saurait faire le plus.

Au contraire, la prohibition de céder en tout ou partie, sans autre explication, n'emporte pas, dans tous les cas, celle de sous-louer ; c'est là une question d'interprétation : le propriétaire peut vouloir que son locataire dirige l'exploitation d'un héritage, sans pour cela lui refuser le droit d'en passer bail à un autre ; d'ailleurs, il importe souvent au fermier, pour l'avantage de son exploitation, de sous-louer une portion des terres qu'il a reçues (1).

Il nous reste maintenant à expliquer le sens de ces mots : *cette clause est toujours de rigueur :* la loi veut faire entendre, que la défense de sous-louer ou de céder un bail en tout ou en partie, ou pour une certaine destination, doit être exécutée rigoureusement, sans égard aux changements qui ont pu survenir dans la position des parties : vainement le preneur alléguerait-il, qu'il ne peut exploiter par lui-même certains biens compris dans la propriété dont on lui a passé bail, par ex., un moulin, un four à chaux : il ne sera pas moins obligé de payer le prix du bail en totalité aux époques convenues, sans pouvoir se donner un sous-locataire ; à moins qu'il n'ait fait des réserves. Au surplus, rien ne l'empêche de se faire aider par des personnes gérant sous sa responsabilité.

Hors le cas où il existe une clause spéciale portant que la résolution aura lieu de plein droit, le juge est libre appréciateur des circonstances qui peuvent motiver la résiliation du bail pour infraction à la défense de céder ou de sous-louer (2).

L'approbation donnée par le propriétaire à la cession ou à la sous-location, le rendrait non-recevable à demander la résiliation contre le preneur. Cette approbation peut être expresse ou tacite : on donne pour exemple d'approbation tacite, le cas où le bailleur recevrait directement du sous-locataire ou du cessionnaire, le prix du bail, et celui où le bailleur se serait fait payer, en vertu de l'art. 2102, sur le prix des choses qui garnissaient l'immeuble loué ou cédé.

— Le locataire pourrait-il, nonobstant la défense de sous-louer, permettre à des tiers d'occuper gratuitement les lieux loués ? ⋘ N. Il serait trop facile de déguiser de véritables sous-locations ou cessions sous l'apparence de concessions gratuites (Duvergier, n. 367 ; voy. cep. Troplong, n. 127 et 136).

Malgré la défense de sous-louer ou de céder, le preneur peut-il, en certains cas, exploiter par colons partiaires ? ⋘ A. Il pourrait même en établir, quoiqu'il n'y en eût pas antérieurement sur le fonds, s'il résultait des circonstances que le preneur ne se proposait pas de cultiver par ses mains (Duvergier, n. 368 et suiv. ; Dur., n. 87).

La clause portant que le preneur pourra sous-louer *à qui il lui plaira*, lui donne-t-elle le droit de sous-louer à des personnes qui, à raison de leur profession, doivent changer la destination de la chose louée ? ⋘ Les parties se sont exprimées ainsi, uniquement, afin de ne laisser aucun doute sur le droit de sous-location (Pothier, Louage, n. 281). ⋘ Il faut avoir égard aux circonstances (Duvergier, n. 392).

La cession du bail de la boutique est-elle comprise dans la vente d'un fonds de commerce ? ⋘ A. *In contractibus, tacite veniunt ea quæ naturaliter insunt* (Rouen, 9 juin 1828 ; S., 30, 2, 98).

La prohibition de sous-louer, à peine de résiliation du bail, emporte-t-elle résolution de plein droit et sans demande ? ⋘ N. (Cass., 29 mars 1837 ; D., 1837, 2, 381).

(1) Dur., t. 17, n. 93. — *Amiens*, 24 juin 1817 et 22 juin 1822 ; S., 24, 2, 62 et 44 ; D., Louage, p. 923. ⋘ La confiance qu'inspire au bailleur la personne avec laquelle il contracte, et le désir que la chose louée ne passe pas en d'autres mains, sont ordinairement les seules causes de la prohibition de céder le bail ; aussi, doit-on décider, en thèse générale, que cette défense emporte celle de sous-louer (Duvergier, n. 374 et suiv. ; Troplong, n. 134 ; D., Louage, p. 925, n. 6 ; Merlin, Rép. Sous-location, n. 1, v° *Bail*, § 9, n. 6. — *Paris*, 28 août 1824 et 6 mai 1835 ; S., 25, 2, 106 ; 35, 2, 305 ; 28 mars 1829 ; D., 29, 2, 182.

(2) Par exemple, il maintiendra le bail, si le preneur offre d'expulser le sous-locataire ou le cessionnaire ; si la cession ou la sous-location a cessé au moment où la résiliation est demandée (Duvergier, n. 370 ; Toullier, t. 6, n. 549 et suiv. ; Troplong, n. 127. — *Cass*, 11 décembre 1820 ; S., 21, 1, 319 ; D., Louage, p. 935 et autres arrêts, 29 mars 1837 ; D., 37, 1, 381. — *Lyon*, 16 décembre 1825 ; S., 26, 2, 55 et 56 ; D., 26, 2, 40 ; voyez cep. *Colmar*, 16 août 1816 ; S., 19, 2, 27).

1718 — Les articles du titre *du Contrat de mariage et des Droits respectifs des époux*, relatifs aux baux des biens des femmes mariées, sont applicables aux baux des biens des mineurs.

⟹ *Voy.* les articles 481, 595, 1429 et 1430.

La nullité résultant de la violation des règles déterminées par ces articles est relative : le mineur, l'interdit, la femme mariée et le nu propriétaire peuvent seuls s'en prévaloir ; le preneur n'a pas ce droit.

Notre article pèche par trop de généralité : on observe, que le tuteur, à la différence du mari, n'a pas la faculté de passer des baux dont l'exécution ne devra commencer qu'à une époque où ses pouvoirs auront cessé : en effet, les raisons qui ont motivé l'art. 1430 ne se représentent plus, puisque l'époque de la cessation de la tutelle est toujours certaine (Toullier, n. 1206, t. 2 ; Dur., n. 545 et suiv., t. 3).

1719 — Le bailleur est obligé, par la nature du contrat, et sans qu'il soit besoin d'aucune stipulation particulière,

1° De délivrer au preneur la chose louée ;

2° D'entretenir cette chose en état de servir à l'usage pour lequel elle a été louée ;

3° D'en faire jouir paisiblement le preneur pendant la durée du bail.

= Les engagements du bailleur proviennent, ou de la nature du contrat ou des conventions particulières : il est tenu, par la nature du contrat, de trois obligations principales, savoir :

1° De délivrer la chose, avec les accessoires qui en dépendent au moment où le contrat est passé ; de lever tous les obstacles que des tiers opposeraient, même par de simples voies de fait, à l'entrée en jouissance.

La délivrance est même de l'essence du louage ; car on ne peut jouir d'une chose qu'en la possédant.

La chose doit être délivrée en bon état de réparations de toute espèce (1720) ; c'est-à-dire, dans un état tel, qu'elle puisse servir à l'usage auquel on la destine : mais cette obligation, de même que celle d'entretenir et de faire jouir, peut-être modifiée par les parties.

Le bailleur est tenu, comme le vendeur, des frais de délivrance ; mais les frais d'enlèvement, sont à la charge du locataire, de même que dans le cas de vente, ils sont supportés par l'acheteur.

La délivrance s'opère dans le lieu où se trouvaient les choses au moment du contrat, sauf conventions contraire : elle doit être effectuée au terme convenu par le bail. Si les parties n'ont pas fixé d'époque, le bailleur est tenu de livrer dès qu'il en est requis. — Le locataire a contre le bailleur une action, à l'effet de le contraindre à remplir ses obligations : cette action est purement personnelle et mobilière, lors même qu'elle tend à obtenir la possession d'un immeuble, car elle n'a pour but que de parvenir à la perception des fruits, lesquels sont meubles.

L'étendue des condamnations que le bailleur encourt lorsqu'il ne remplit pas ses engagements, varie, selon qu'il est de bonne foi ou de mauvaise foi ; au premier cas, il n'est tenu que des dommages-intérêts qui ont été prévus ou qu'on a pu prévoir lors du contrat (1150) : au deuxième cas, il doit en outre tous les dommages-intérêts qui sont une suite immédiate et

directe de l'inexécution de la convention (1151). — La même distinction a
lieu, lorsque la chose que le locateur offre de livrer n'est plus entière : s'il
est de bonne foi, on ne peut demander contre lui que la résolution du bail ;
s'il est de mauvaise foi, le locataire peut, à son choix, demander la résolution du bail ou son exécution avec des dommages-intérêts (1184).

Le bailleur peut-il être contraint, *manu militari*, à l'exécution du bail ?
Oui, lorsqu'il s'agit de donner. — *Secùs*, lorsqu'il s'agit de faire ; car l'o-
bligation se résout alors en dommages-intérêts (1142).

2° *Le bailleur doit entretenir*, etc. Il doit tenir le preneur clos et couvert ; cette obligation est une conséquence de celle de faire jouir.

Nous ne parlons ici, bien entendu, que de l'entretien et non des additions voluptuaires : le preneur ne pourrait contraindre le propriétaire à
faire des dépenses pour augmenter l'agrément de la chose.

Le locataire a le droit d'exiger que le bailleur remette la chose en bon
état : en cas de refus, il peut se faire autoriser à faire ces réparations,
sauf à en retenir le montant sur les loyers. Si les réparations sont trop considérables, il peut même, suivant les circonstances, obtenir la résolution
du bail avec des dommages-intérêts ; — quant aux réparations locatives
qui sont devenues nécessaires pendant la durée du bail, le preneur les
supporte sans recours (1720).

3° *Le bailleur doit faire jouir paisiblement*, etc.

Dans le louage comme dans la vente, la garantie a un double objet : —
1° le bailleur doit défendre le preneur de tout trouble apporté à sa jouissance ; 2° il est soumis à la responsabilité des vices ou des défauts cachés de la
chose louée.

Le trouble peut venir du locateur ou des tiers : *du locateur :* par ex.,
s'il change la forme de la chose louée; s'il fait, sans le consentement du
preneur, des travaux ou des constructions : on suppose toujours, qu'il y a,
pour ce dernier, convenance ou intérêt à ce que le changement n'ait pas
lieu. — Mais le bailleur ne contrevient pas à ses obligations, en faisant des
réparations lorsqu'elles sont indispensables, c'est-à-dire lorsqu'elles ne
peuvent être différées sans de graves inconvénients jusqu'à la fin du bail
(1724) : le locataire doit les souffrir.

— Le bailleur pourrait-il faire dans une de ses propriétés voisines, des constructions ou changements
qui nuiraient à la jouissance de la chose louée ? ⁓ A. Comme propriétaire des deux fonds ou des deux
bâtiments, il a des droits distincts : il est resté libre d'user de l'immeuble qu'il n'a pas loué. ⁓ N. Le
preneur a été déterminé par les avantages que lui présentait l'état des choses au moment du contrat ; il
a dû penser, qu'aucun de ces avantages ne lui serait ravi par le fait du bailleur (Duvergier, n. 109 ; Pothier, Louage, n. 76. — *Paris*, 11 mars 1827 ; S., 26, 2, 286 ; D, 26, 2, 213).

Le bailleur peut-il stipuler qu'il ne sera pas garant de ses faits personnels ? ⁓ N. Arg. de l'art. 1628.
⁓ Le fait personnel du bailleur, qui aurait pour résultat d'enlever au preneur la jouissance de la
chose, d'une manière complète et absolue, serait destructif du contrat même, et donnerait lieu à l'action
en garantie, nonobstant toute stipulation contraire ; mais on conçoit la légalité et la possibilité d'une
clause, qui dégagerait le bailleur de la responsabilité d'un fait déterminé, restrictif de la jouissance du
preneur (Duvergier, n. 312 ; Pothier, Louage, n. 75).

1720 — Le bailleur est tenu de délivrer la chose en bon état
de réparation de toute espèce.

Il doit y faire, pendant la durée du bail, toutes les réparations qui peuvent devenir nécessaires, autres que les locatives.

= Le locataire peut refuser de recevoir les clefs, lorsque la chose
n'est pas en bon état de réparations de toute espèce (1754). En gardant le
silence, il est censé reconnaître que les lieux sont en bon état ; par con-

séquent, il doit les rendre tels à la fin du bail. — Quant aux réparations locatives qui doivent être faites pendant la durée du bail, elles sont à la charge du locataire, sauf stipulations contraires.

1721 — Il est dû garantie au preneur pour tous les vices ou défauts de la chose louée qui en empêchent l'usage, quand même le bailleur ne les aurait pas connus lors du bail.

S'il résulte de ces vices ou défauts quelque perte pour le preneur, le bailleur est tenu de l'indemniser.

= L'obligation de faire jouir, soumet le bailleur à la garantie, pour tous les vices qui empêchent l'usage de la chose : on n'examine pas si ces vices lui étaient connus, ou s'ils lui étaient inconnus; s'ils existaient au moment du bail, ou s'ils ne sont survenus que depuis : dans tous les cas il est garant. — D'ailleurs, ce n'est pas la chose louée, mais la jouissance de cette chose, continuée pendant tout le temps du bail, qui est l'objet du contrat (1).

Remarquons surtout, que le bailleur ne répond pas des vices qui rendent seulement l'usage de la chose *moins commode*; mais seulement de ceux qui empêchent que l'objet ne remplisse le but que le preneur s'est proposé. Ex. : Je loue un cheval pour être monté : s'il est impropre à cet usage, le locateur devra me garantir; mais je ne pourrai agir contre lui, si le cheval a seulement quelques légers défauts (2).

Si les vices cachés existaient au moment du contrat, le bailleur devrait en outre indemniser le preneur du préjudice qu'il aurait éprouvé; il serait soumis à cette obligation, lors même qu'on ne pourrait lui reprocher aucune faute, lors même qu'il aurait ignoré l'existence de ces défauts : la loi n'admet pas, en fait de louage, la distinction établie par les articles 1645 et 1646 pour le cas de vente : celui qui loue une chose doit savoir, en effet, si elle est propre à l'usage auquel on la destine, et garantir cet usage, ainsi que les conséquences qui peuvent en résulter (3).

Quant aux vices survenus pendant la durée du bail, ils peuvent entraîner une diminution du prix ou la résiliation du bail; mais ils ne sauraient donner lieu à des dommages intérêts (1726, 1150 et 1646).

Il n'est point dû garantie pour les vices que le preneur a connus ou qu'il a pu connaître par l'inspection de la chose (4).

— La stipulation que le bailleur ne sera pas garant des vices de la chose louée ou de tel vice particulier est-elle licite? ⁓⁓ Oui, à moins que le bailleur ne se soit rendu coupable de dol en les dissimulant Duvergier, n. 345; Pothier, Louage, n. 114).

1722 — Si, pendant la durée du bail, la chose louée est détruite en totalité par cas fortuit, le bail est résilié de plein droit; si elle n'est détruite qu'en partie, le preneur peut,

---

(1) Cass., 30 mai 1857; D., 37, 1, 409.

(2) Duvergier, n. 339, pense que cette doctrine, puisée dans Pothier, est trop absolue : suivant lui, les vices qui sans rendre l'usage de la chose entièrement impossible, la diminueraient d'une manière grave, ou n'affecteraient qu'une portion de la chose louée, et n'empêcheraient l'usage que de cette portion, donneraient lieu a garantie. Il ne pense pas qu'il soit nécessaire de subordonner l'obligation de garantie, à l'impossibilité absolue pour le preneur, d'user de la chose louée; l'art. 1721 lui semble rédigé dans le même esprit.

(3) Dur., n. 65; Duvergier, n. 341 et 345; Delv., p. 98, n. 1.

(4) Pothier, Louage, n. 113. → Colmar, 14 nov. 1825; S., 26, 2, 143.

suivant les circonstances, demander ou une diminution de prix, ou la résiliation même du bail. Dans l'un et l'autre cas, il n'y a lieu à aucun dédommagement.

 = Les loyers s'acquièrent jour par jour; on les considère comme le prix de chaque journée de jouissance (586) : ils doivent par conséquent cesser de courir, faute de cause, à partir du jour où la jouissance est devenue impossible.

Conformément à ces principes, notre article distingue : si la chose vient à périr en totalité, le bail est résilié de plein droit.

Si la perte n'est que partielle, la réduction du prix a également lieu de plein droit, à partir du jour où la perte s'est opérée; sans préjudice de la faculté réservée au preneur, de demander, selon les circonstances, la résiliation du bail (1741).

Dans aucun cas, le bailleur ne doit de dommages-intérêts au preneur; car il ne répond pas de la force majeure. Il en serait autrement, si la perte provenait de sa faute, ou si la chose avait péri par suite de vices existants lors du contrat (*Voy.* art. 1721).

— Au lieu de demander la résiliation du bail, si le locataire, qui a été privé par cas fortuit d'une partie de la chose, prend le parti de rester, peut-il exiger que le bailleur remette les lieux en état ? ∧∧∧ *Non*, si la destruction partielle a été occasionnée par un de ces sinistres qui n'amènent avec eux que des pertes sans indemnité, car le propriétaire ne doit pas être grevé d'un nouveau fardeau; *Secùs*, si le sinistre provient d'une force majeure qui ouvre au bailleur une action en indemnité, comme l'incendie d'une maison assurée, l'expropriation pour cause d'utilité publique (Duvergier, n. 522 et 523. — *Paris*, 12 février 1833 ; D., 33, 2, 193 ; S., 33, 2, 600). ∧∧∧ L'article 1720 n'admet pas de distinction ; le preneur est toujours fondé à exiger que l'on fasse les réparations propres à assurer sa jouissance ; le bailleur est tenu, par la nature du contrat, d'entretenir la chose en bon état : donner au bailleur la faculté de se dispenser des réparations, ce serait l'autoriser à résoudre le bail, par sa seule volonté, avant l'expiration du délai fixé (Troplong, n. 220).

1723 — Le bailleur ne peut, pendant la durée du bail, changer la forme de la chose louée.

 = La chose a été louée dans l'état où elle se trouvait lors du bail; le bailleur ne doit donc pas en changer la forme. Par exemple, il ne peut convertir une terre labourable en prairie ou en bois, faire boucher des fenêtres, etc.

Mais il ne faut pas confondre les changements de forme avec les réparations (*voy.* l'article suivant).

1724 — Si, durant le bail, la chose louée a besoin de réparations urgentes et qui ne puissent être différées jusqu'à sa fin, le preneur doit les souffrir, quelque incommodité qu'elles lui causent, et quoiqu'il soit privé, pendant qu'elles se font, d'une partie de la chose louée.

Mais, si ces réparations durent plus de quarante jours, le prix du bail sera diminué à proportion du temps et de la partie de la chose louée dont il aura été privé.

Si les réparations sont de telle nature qu'elles rendent inhabitable ce qui est nécessaire au logement du preneur et de sa famille, celui-ci pourra faire résilier le bail.

 = Le locataire est tenu de souffrir les réparations urgentes ; car elles ne tendent qu'à faciliter sa jouissance : l'incommodité qu'il en éprouve, la privation même d'une partie des lieux , n'entraînent dès lors aucune diminution du prix du bail , aucun dédommagement. Mais il faut , pour cela , qu'elles ne puissent être différées jusqu'à la fin du bail : le bailleur ne pourrait donc faire , de son propre mouvement , des réparations *utiles* qui seraient incommodes au locataire.

Le principe posé dans la première partie de l'article est modifié dans la seconde :

Suivant cette disposition, si les travaux durent plus de quarante jours , les loyers peuvent être diminués proportionnellement : en ce cas, il ne faut pas croire que l'indemnité soit seulement due pour l'excédant des quarante jours ; elle se calcule même sur ce terme. Par ex. : si les travaux ont duré cinquante jours, le locataire peut prétendre à une indemnité pour cinquante jours (1).

Nous avons supposé jusqu'ici le cas de simple incommodité : s'il y avait *impossibilité* d'user, la résiliation serait prononcée, lors même que les travaux devraient durer moins de quarante jours ; la loi est générale : c'est aux tribunaux à juger en fait, si les réparations rendent inhabitable ce qui est nécessaire au logement du preneur et de sa famille. — On décide néanmoins, qu'il n'y aurait pas lieu à résiliation , si les réparations devant être terminées dans un bref délai , le propriétaire offrait au preneur une autre habitation : ce dernier pourrait seulement se faire indemniser des frais de déménagement.

Remarquons surtout, que l'unique dédommagement accordé au preneur , consiste en une diminution du prix ; il ne pourrait donc exiger de plus amples dommages-intérêts.

— La disposition de l'art. 1725 ne peut-elle être invoquée que par le locataire d'une maison ? ᴧᴧ Le cas prévu par cet article n'est cité que comme exemple : si l'on a loué une usine , une manufacture , ou un héritage rural , et que les réparations à faire emportent privation totale de la chose pendant un certain temps , le preneur peut , comme le locataire d'une maison , demander la résiliation du bail (Duvergier , n. 301).

1725 — Le bailleur n'est pas tenu de garantir le preneur du trouble que des tiers apportent par voie de fait à sa jouissance, sans prétendre d'ailleurs aucun droit sur la chose louée ; sauf au preneur à les poursuivre en son nom personnel.

= Après avoir réglé le cas où le trouble proviendrait du fait du bailleur (1723 1624), d'une force majeure (1722) ou du vice de la chose (1721), la loi suppose, dans les articles 1725, 1726 et 1727, qu'il est causé par un tiers.

Or les tiers peuvent troubler le preneur de deux manières : soit par des voies de fait (1725, 1726), soit en manifestant quelques prétentions à la propriété ou à la jouissance de tout ou partie de la chose louée :

Au premier cas, lorsque les tiers ne prétendent aucun droit sur la chose, c'est au preneur à se défendre. Par exemple, si des gens malveillants ont jeté dans les étangs des substances vénéneuses qui ont détruit le poisson, ou si des voleurs ont enlevé tout ou partie des fruits, le preneur ne peut élever contre le bailleur aucune réclamation ; ces actes ne constituent que de simples voies de fait.

Nous supposons toutefois que les voies de fait n'ont eu pour résultat que

_____

(1) Delv., p. 189, n. 4 , Duvergier, n. 302 ; voy. cep. Troplong, n. 233.

de priver temporairement le preneur de sa jouissance : si elles avaient causé la perte totale ou partielle de la chose louée, ce ne serait plus la disposition de l'art. 1725 qu'il faudrait appliquer; on rentrerait dans le cas de l'art. 1722 : il s'agirait d'un trouble de droit (*voy.* art. 1726).

1726 — Si, au contraire, le locataire ou le fermier ont été troublés dans leur jouissance par suite d'une action concernant la propriété du fonds, ils ont droit à une diminution proportionnée sur le prix du bail à loyer ou à ferme, pourvu que le trouble et l'empêchement aient été dénoncés au propriétaire.

⸺ Lorsque le trouble est causé par des tiers qui prétendent quelque droit sur la propriété du fonds; par exemple, s'ils veulent exercer un droit de servitude, d'usage ou d'habitation, le preneur est tenu de dénoncer le fait au propriétaire : cette dénonciation doit avoir lieu dans les délais fixés par les articles 1768, C. c. et 175, Pr. — Si leur demande est admise, il peut exiger une diminution proportionnelle du loyer, quelque minime que soit le dommage qu'il éprouve (1), et même, suivant les circonstances, la résiliation du bail (1722); sans préjudice, bien entendu, de plus amples dédommagements, si le trouble provient d'une cause antérieure au bail, ou s'il est imputable au bailleur (2).

Le locataire qui s'est laissé condamner par un jugement en dernier ressort, sans dénoncer le trouble, perd son recours en garantie, lorsque le bailleur prouve qu'il existait des moyens suffisants pour faire rejeter la demande (Arg. de l'art. 1640). — Il est même responsable des suites de sa négligence, lorsqu'il a fait perdre au bailleur la possession annale, et par suite, le droit d'intenter la complainte (1768).

— Le preneur pourrait-il intenter les actions possessoires ? ⸺ N. Le possessoire n'est pas ouvert à qui n'a qu'une possession à titre précaire (Pothier, Louage, n. 286; Duvergier, n. 318. — *Cass.*, 7 septembre 1818; S., 18, 1, 555; 27 avril 1827; S., 27, 1, 456; D., 27, 1, 200).

Si le preneur connaissait, au moment du bail, les causes d'éviction, pourrait-il agir en garantie ? ⸺ N. (Pothier. Louage, n. 84; Duvergier, n. 328 et 329).

La disposition de l'art. 1629 est-elle applicable au louage ? ⸺ N. Dans la vente, le droit au prix est acquis au vendeur dès le jour du contrat : dans le louage, le prix n'est dû au bailleur que par chaque jour de jouissance (Duvergier, n. 330).

1727 — Si ceux qui ont commis les voies de fait, prétendent avoir quelque droit sur la chose louée, ou si le preneur est lui-même cité en justice pour se voir condamner au délaissement de la totalité ou de partie de cette chose, ou à souffrir l'exercice de quelque servitude, il doit appeler le bailleur en garantie (3), et doit être mis hors d'instance, s'il l'exige, en nommant le bailleur pour lequel il possède.

⸺ Le locataire n'a pas qualité pour répondre aux actions qui concernent la propriété; car il ne possède qu'au nom du bailleur. — Soit que

_____

(1) Delv., p. 189, n. 4; Duvergier, n. 324. ⸺ Il faut que la privation de jouissance, sans être considérable, ait quelque importance (Troplong, n. 282).

(2) A la vérité, l'article 1726 semble restreindre l'effet de la garantie à une diminution de prix; mais il est évident que cette rédaction est incomplète (*voy.* art. 1721). Remarquons en outre que l'article 1726 ne prévoit qu'un seul cas, et qu'il oublie notamment celui où il y a dépossession totale.

(3) Expression inexacte ; car, à la différence de l'acheteur, le preneur n'a pas un droit réel sur la chose, mais seulement une action personnelle tendant à ce qu'on le fasse jouir : au surplus, il peut rester en cause, mais comme créancier (1166).

le trouble provienne d'un acte judiciaire ayant pour but de le priver de
tout ou partie de sa jouissance, soit que les auteurs des voies de fait, pour
se défendre des poursuites dirigées contre eux (1725), prétendent quelque
droit sur la chose louée; il doit déclarer qu'il ne possède qu'à titre précaire, et désigner son bailleur; sur cette déclaration, toute poursuite de la
part des tiers doit cesser contre lui (1).

— Le preneur peut-il demander l'élagage des arbres du voisin? ⁓ *N.* Il ne peut agir que pour voies
de fait; il a seulement le droit de contraindre le bailleur à le faire jouir, et par suite, à poursuivre
les tiers, à l'effet d'obtenir l'élagage.

1728 — Le preneur est tenu de deux obligations principales,
     1° D'user de la chose louée en bon père de famille, et
suivant la destination qui lui a été donnée par le bail, ou
suivant celle présumée d'après les circonstances, à défaut
de convention;
     2° De payer le prix du bail aux termes convenus.

= Après s'être occupé des obligations du bailleur, la loi passe aux
obligations du preneur.

Les engagements du preneur, naissent, comme ceux du bailleur, ou de
la nature du contrat ou des clauses particulières et des circonstances.

Par la nature du contrat, il est tenu de deux obligations principales :

1° D'user de la chose en bon père de famille. Par exemple : Celui
qui a loué un cheval, doit le bien nourrir et ne pas lui faire faire de
trop fortes journées. — Le fermier d'une métairie, doit bien façonner les
terres en temps convenable; il ne lui est pas permis de les épuiser en les
chargeant ou en les dessaisonnant.

De plus, si la manière d'user a été déterminée, le preneur doit se conformer à la convention.

Par ex. : Un fermier de terres labourables, désignées comme telles
par le bail, ne peut transformer ces terres en pépinières; un cheval de
selle ne doit pas être mis à la voiture; une boutique ne peut être convertie en écurie; une maison bourgeoise en auberge.

Si le bail garde le silence, la chose doit être employée à sa destination
présumée, d'après les circonstances (2); par ex., si je loue à un serrurier
ou à un menuisier une hôtellerie, je consens tacitement à ce qu'il change
l'usage de cette maison, à charge toutefois par lui, lors de l'extinction du
bail, de la rendre dans l'état où il l'a prise.

2° *De payer le prix :* le prix est de l'essence du bail; il doit être payé
aux termes convenus : en ne précisant aucun terme, on est censé vouloir
se référer à l'usage des lieux.

Pour que l'expulsion soit prononcée, faut-il que le preneur soit débiteur de plusieurs termes? Le Code ne détermine aucune règle; il faut
donc se conformer à l'usage; à défaut d'usage, le juge doit prononcer.

3° Il est tenu, vis-à-vis de l'État, sauf son recours contre le bailleur (3),
de payer les charges annuelles et les impositions qui pèsent sur la chose
louée.

---

(1) *Cass.*, 7 juin 1836; S., 37, 1, 134.
(2) Ainsi, dans notre opinion, la disjonctive *ou* ne doit pas être remplacée par la copulative *et* (Troplong, n. 300; *voy.* cep. Dur., n. 74, t. 7, et Duvergier, n. 400).
(3) Loi du 3 frimaire an 7, art. 12 et 147 (Dur., n. 75; Merlin, Quest., v° Contributions des portes et
fenêtres, loi électorale du 19 avril 1831, art. 6. — *Cass.*, 26 octobre 1814; S., 15, 2, 244).

4° Il doit exécuter à ses frais les réparations locatives, à moins que les dégradations ne résultent d'un cas fortuit, de l'état de vétusté, ou qu'elles ne soient antérieures à l'entrée en jouissance.

5° Enfin, il est tenu, à la fin du bail, de rendre la chose dans l'état où il l'a reçue.

— La quittance du dernier terme fait-elle présumer le payement des termes précédents ? ⁓⁓ Le juge est appréciateur des circonstances (Delv., p. 90, n. 8 ; voy. cep. Pothier, Obligat., n. 812).

Le locataire d'une boutique peut-il tenir cette boutique fermée aux risques de nuire à l'achalandage qui y était attaché ? ⁓⁓ *A.* L'achalandage appartient au commerce et non à la boutique. — Le locataire ne s'est pas obligé à tenir les lieux ouverts jusqu'à la fin du bail (*Lyon* , 26 mai 1834 ; S., 25, 2, 81 ; D., 25, 2, 86). ⁓⁓ *N.* Cette boutique est par là dépréciée; elle ne pourra plus se louer à l'avenir pour un prix aussi élevé (Pothier, Louage, n. 189; Duvergier , n. 493. — *Paris*, 28 avril 1810; S., 12, 2, 378. — *Rennes*, 17 mars 1834 ; S., 34, 2. 596 ; D., 34, 2, 171 ; Troplong, n. 309).

Quelles sont les limites de l'usage qu'on accorde au preneur, quand l'exploitation consiste à détacher des parties de la chose même ; par ex., quand il s'agit d'une carrière ? ⁓⁓ Si dans les prévisions des parties, la carrière était destinée à être exploitée longtemps encore après l'expiration du bail, le preneur, en multipliant les extractions au delà de l'usage suivi jusqu'alors, peut avoir causé un dommage ; il doit le réparer. — Ainsi, c'est là une question d'interprétation (Troplong, n. 318. — *Grenoble*, 5 mars 1835 ; S., 35, 2, 320; D., 35, 2, 90). ⁓⁓ La réciprocité n'est point entrée dans l'esprit du législateur. — Si un cas fortuit avait placé le preneur dans l'impossibilité de retirer de la carrière un produit accoutumé, pourrait-il demander une diminution de prix ? — Il y a quelque chose d'aléatoire dans tous les baux de choses productives de fruits (Duvergier, n. 404).

1729 — Si le preneur emploie la chose louée à un autre usage que celui auquel elle a été destinée, ou dont il puisse résulter un dommage pour le bailleur, celui-ci peut, suivant les circonstances, faire résilier le bail (1).

= L'article 1729 est un corollaire de l'art. 1728; il sanctionne la double obligation imposée au preneur par ce dernier article : en parlant de l'usage dommageable de la chose, la loi suppose évidemment que le preneur n'a pas usé en bon père de famille.

1730 — S'il a été fait un état des lieux entre le bailleur et le preneur, celui-ci doit rendre la chose telle qu'il l'a reçue, suivant cet état, excepté ce qui a péri ou a été dégradé par vétusté ou par force majeure.

= Le preneur, obligé d'user en bon père de famille, doit rendre la chose louée dans l'état où il l'a reçue ; mais il n'est pas responsable des dégradations qui proviennent de vétusté ou de force majeure (*voy.* art. 607).

Ce principe reçoit une application différente, suivant qu'il a été fait ou non un état des lieux (*voy.* art. 1731).

On nomme état des lieux, l'acte qui contient la description des parties intérieures de la maison, qui détermine, par ex., l'état actuel des portes, fenêtres, etc.

— Le preneur doit-il restituer la chose, s'il s'en prétend propriétaire ? ⁓⁓ *A.* Il ne possédait pas pour lui, mais pour le bailleur (Delv., p. 99, n. 3).

1731 — S'il n'a pas été fait d'état des lieux, le preneur est présumé les avoir reçus en bon état de réparations locatives, et doit les rendre tels, sauf la preuve contraire.

= La loi présume que le preneur n'aurait pas pris possession des lieux, s'ils ne lui eussent été livrés en bon état de *réparations locatives*

---

(1) L'art. 1729 présente une incorrection grammaticale : au lieu de dire : *si le preneur emploie la chose louée à un autre usage*, etc., il fallait dire : *si le preneur emploie la chose louée à un usage autre que*, etc.

(1720). — Mais cette présomption légale peut être détruite par la preuve contraire.

Au surplus, qu'il existe un état des lieux, ou qu'il n'en ait pas été dressé, le preneur ne répond pas des dégradations qui proviennent de cas fortuits, de force majeure ou de vétusté (1730).

Le bailleur peut, suivant les circonstances, contraindre le preneur à faire les réparations locatives pendant la durée du bail : tel serait le cas où des vitres cassées laisseraient pénétrer la pluie dans les appartements, de manière à endommager le plafond ou le plancher ; celui où, par suite du défaut de curage d'un fossé, les eaux séjourneraient sur les terres et nuiraient à leur fertilité (*voy.* art. 1732).

— La preuve contraire peut-elle être faite par témoins, s'il doit en résulter une différence de plus de 150 fr. ? ᴧᴧᴧ *N.* Elle n'est admise au-dessus de cette somme, que lorsqu'il a été impossible au créancier de se procurer une preuve écrite (Delv., p. 99, n. 6). ᴧᴧᴧ *A.* Il s'agit ici de la preuve d'un fait et non de la preuve des conventions ; par conséquent, la preuve testimoniale est admissible dans tous les cas (Duvergier, n. 443 ; Dur., n. 101, t. 17). — *Bourges,* 2 mars 1825 ; S., 25, 2, 358).

Quel serait l'effet de la clause qui obligerait le preneur à faire les réparations, sans expliquer si ce sont des réparations locatives ? ᴧᴧᴧ Les tribunaux auraient égard aux circonstances (Duvergier, n. 449. — *Caen.,* 7 janvier 1828 ; S., 28, 2, 270).

1732 — Il répond des dégradations ou des pertes qui arrivent pendant sa jouissance, à moins qu'il ne prouve qu'elles ont eu lieu sans sa faute.

= Obligé de conserver la chose dans l'état où il l'a reçue et de jouir en bon père de famille, le preneur est responsable des dégradations survenues pendant sa jouissance, à moins qu'il ne prouve qu'elles ont eu lieu sans sa faute.

Ordinairement, le bailleur n'exige qu'à la fin du bail, la mise en état des lieux ; mais il n'est pas douteux qu'il pourrait agir avant ce temps, si les dégradations devaient compromettre la conservation de la chose.

Le preneur peut se faire indemniser des impenses qu'il a faites : le montant des impenses nécessaires doit lui être remboursé intégralement : à l'égard des impenses utiles ou voluptuaires, si elles ont eu pour objet des choses susceptibles d'être enlevées, le preneur peut en opérer le retrait, à charge toutefois de rétablir les lieux dans leur état primitif (Arg. de l'art. 555). *Nec obstat* l'art. 599 : cet article contient une disposition rigoureuse, qu'il faut restreindre à la matière de l'usufruit : — lorsque les améliorations ou additions sont établies à perpétuelle demeure ; par ex., lorsqu'elles consistent dans des plantations ou des constructions, le bailleur peut les conserver en payant leur valeur : cette faculté lui est refusée lorsque les additions consistent en choses susceptibles de déplacement, comme les arbres des pépinières, les glaces. — Si les embellissements sont tels que leur enlèvement ne puisse avoir lieu sans dégrader l'immeuble, le propriétaire en profite sans être soumis à aucune indemnité, car ils se sont confondus avec la chose par la puissance de l'accession ; ils en sont devenus une partie intégrante.

— Doit-on entendre l'art. 1732 en ce sens, que, quelle que soit la nature des dégradations survenues pendant la jouissance, elles sont censées provenir de la faute du preneur ? ᴧᴧᴧ La présomption de culpabilité concerne uniquement les réparations locatives : ces sortes de réparations diffèrent principalement de celles qui n'ont pas ce caractère, en ce qu'elles sont présumées avoir pour cause des dégradations commises par le fait de l'homme (*voy.* art. 1754 et 1755 combinés).

1755 — Il répond de l'incendie, à moins qu'il ne prouve Que l'incendie est arrivé par cas fortuit ou force majeure, ou par vice de construction,

Ou que le feu a été communiqué par une maison voisine.

= Le preneur doit rendre la chose dans l'état où il l'a reçue ; tel est le principe qui domine les articles 1733 et 1734 : s'il a dégradé ou anéanti cette chose, il a manqué à ses obligations, et par conséquent il doit réparer le préjudice qu'il a causé. L'article 1732 est conforme à cette doctrine, car il établit contre le preneur une présomption de faute lorsqu'il existe à la fin du bail, des dégradations arrivées durant la jouissance, sauf à lui à prouver qu'elles ne peuvent lui être imputées.

La loi devait-elle considérer l'incendie comme une cause suffisante d'excuse ? non, car l'expérience nous apprend que ce sinistre est ordinairement le résultat de la négligence ou d'un défaut de surveillance : *incendium plerumque fit culpá inhabitantium*. Cette considération a déterminé le législateur à maintenir, même en cas d'incendie, la règle de l'art. 1732, c'est-à-dire, à imposer au preneur, s'il prétend s'affranchir de la responsabilité qui pèse sur lui, l'obligation de prouver qu'il n'est pas en faute (1).

En déterminant certaines circonstances qui font cesser la responsabilité du preneur, la loi prétend-elle limiter ses moyens de justification ? Le cas fortuit, la force majeure, le vice de construction et la communication du feu par une maison voisine sont-ils les seuls faits qu'il puisse invoquer pour s'excuser (2) ? Nous ne saurions le penser : il est déjà bien assez rigoureux d'exiger du preneur la preuve qu'il n'y a pas eu faute de sa part ; cette preuve est fort difficile ; il ne faut pas augmenter encore les difficultés en restreignant les moyens à l'aide desquels sa non-culpabilité peut être établie : que veut on savoir après tout ? Si c'est par la faute du locataire que l'incendie est arrivé : en prouvant qu'il ne s'est rendu coupable ni de négligence, ni d'imprudence, le preneur satisfait pleinement au vœu de la loi, bien qu'il ne puisse faire connaître la cause de l'incendie ? C'est là tout ce qu'exige l'article 1732 ; suivant nous, la disposition de l'article 1733 n'est pas limitative (3).

La nature des lieux loués, l'usage auquel ils sont destinés, ne ferait pas fléchir la rigueur de la disposition de l'art. 1733 : ainsi, la présomption de faute s'applique au locataire d'un théâtre, comme au locataire d'une maison d'habitation : cette disposition est générale et absolue ; ses termes sont exclusifs de toute exception ; c'est le fait de location et non le fait d'habitation qui engendre la culpabilité ; c'est la présence habituelle dans les lieux loués et non sa durée ou son mode qui rend possible et vraisemblable aux yeux de la loi, la faute du locataire (4).

Remarquons surtout, que la loi n'établit pas d'une manière absolue et à l'égard de tous la présomption de faute (5) ; elle entend uniquement

---

(1) Ainsi, la disposition n'est pas exceptionnelle ; elle est une conséquence de la règle établie dans l'article 1732 (Troplong, n. 363 ; Merlin , Rép., Incendie ; S., 24, 2, 255). ⟶ Duvergier, n. 408 et suiv., admet ce principe incontestable et toutes ses conséquences ; mais il invoque d'autres moyens : suivant lui, la règle de l'article 1733 est exceptionnelle ; elle déroge au droit commun.

(2) Ces moyens sont quelquefois suffisants, il est des cas où le preneur serait responsable de l'incendie lors même qu'il prouverait qu'il a été communiqué par une maison voisine ; par ex., s'il est resté spectateur indifférent des progrès du feu : l'article 1733 doit toujours être combiné avec les articles 1728 et 1732 ; pour que le preneur soit affranchi de la responsabilité qui fait peser sur lui la présomption établie par l'article 1733, il faut qu'on ne puisse lui reprocher aucune faute : tout vient aboutir à une question de diligence ou de faute ; le juge est appréciateur des circonstances (Troplong , n. 388 et suiv.).

(3) Proudhon, Usufruit, n. 1552 ; Duvergier, n. 435 ; Troplong, n. 382. — Turin, 8 août 1809 ; S., 11, 2, 113. ⟶ Les causes d'excuses sont limitées aux circonstances déterminées par l'art. 1733 (Toullier, n. 161).

(4) Duvergier, n 417 ; Troplong. — *Paris*, 13 janvier 1832 ; S., 32, 2, 103.

(5) Merlin , Rép., Incendie, n. 10 ; Proudhon, Usufruit, n. 1476 et 1561 ; Duvergier, n. 410 et suiv. ; Dur., n. 405 ; Troplong , n, 365 ; D., Incendie, p. 475. — *Cass.*, 11 avril 1831 ; S , 31, 1, 196 ; D., 31, 1,

régler ici les rapports du preneur avec le bailleur ; d'un débiteur envers
son créancier : sa disposition est restreinte à ce cas ; on méconnaîtrait l'intention du législateur (*voyez* les Discours prononcés au corps législatif et
au tribunat), en l'appliquant à d'autres hypothèses ; on confondrait des
situations tout à fait distinctes : ainsi, le locataire dans l'appartement
duquel a commencé l'incendie, n'est responsable, vis-à-vis des autres locataires, qu'autant qu'il est prouvé qu'on doit lui imputer le sinistre
(1382) (1). Même observation, lorsque le propriétaire habitant lui-même
l'appartement où a commencé l'incendie, l'action en réparation est dirigée
contre lui par son propre locataire, ou lorsqu'elle est formée par le
propriétaire ou par le locataire d'une maison voisine : dans ces divers cas,
l'incendie est considéré comme un cas fortuit, sauf la preuve contraire.

La présomption légale qui dispense de prouver la faute du locataire, est
restreinte aux bâtiments ; elle ne s'étend ni à la perte ni à la détérioration des meubles que le propriétaire avait placés dans la maison incen-
diée : en effet, ce n'est plus alors comme bailleur que le propriétaire réclame l'indemnité du dommage causé à son mobilier ; son action repose
uniquement sur les dispositions des articles 1382 et suiv. : or, ces
articles n'établissent contre le défendeur aucune présomption défavorable (2).

L'indemnité due au bailleur consiste dans le dédommagement de tout
le mal qui résulte pour lui de la privation de sa chose : *lucrum cessans et
damnum emergens ;* dans la somme nécessaire pour la réparation ou la
reconstruction de l'édifice détruit.

— Si le feu a pris dans une hôtellerie par le fait ou l'imprudence d'un voyageur, l'aubergiste locataire
est-il responsable de l'accident ? ⁓ *A.* Ne connaissant pas les personnes qui logent chez lui, il doit
prendre, soit par lui-même, soit par ses gens, les précautions nécessaires pour prévenir les accidents ;
sauf ensuite son recours contre le voyageur (Arg. de l'art. 1953 ; Duvergier, n. 431). ⁓ Il était obligé
par état de recevoir les voyageurs (Dur., n. 107).

Quelle est l'espèce de faute dont le preneur est tenu ? ⁓ Toute espèce de faute rend le preneur responsable (Arg. de l'art. 1732 ; Duvergier, n. 410).

La clause portant que le propriétaire assuré cède à la compagnie d'assurance tous ses droits contre
le locataire, est-elle valable ? ⁓ *N.* La présomption établie par l'art. 1733, au profit du propriétaire,
est exorbitante du droit commun. — L'éventualité de cette action ne peut faire l'objet d'une cession
aléatoire, cession qui mettrait le locataire à la merci d'un spéculateur. — Toute cession est une vente ;
or la vente suppose nécessairement un prix stipulé en retour du droit cédé (*Colmar*, 13 janvier 1832 ;
S., 33, 2, 105). ⁓ *A.* Dès qu'il s'agit d'une indemnité due au bailleur, il importe peu que l'action soit
exercée par le bailleur en personne, ou par un subrogé à ses droits ; la présomption légale de faute ne
s'attache qu'à l'action en dommages-intérêts du bailleur : cette clause n'a rien d'immoral (Toullier, t. 11,
n. 175 ; Duvergier, n. 418 ; Troplong. — *Cass.,* 1ᵉʳ décembre 1834 ; S., 35, 1, 148 ; D., 35, 1, 67 ; 13 avril 1836 ;
S., 36, 1, 271. — *Grenoble*, 15 février 1834 ; S., 35, 2, 45 ; D., 35, 2, 170).

Si les statuts sont muets sur la clause de subrogation, la compagnie est-elle néanmoins subrogée
dans les droits du propriétaire contre le fermier ou le locataire du domaine incendié ? ⁓ *N.* (*Cass.,*
2 mars 1829 ; D., 29, 1, 163)

Le preneur répond-il des dégradations commises par des tiers, alors qu'ils ont agi par animosité contre
lui ? ⁓ *N.* C'est là un cas de force majeure (Duvergier, n. 438).

La présomption de faute établie contre le locataire subsiste-t-elle, lorsque le propriétaire habite
lui-même la maison ? ⁓ *N.* L'art. 1733 dispose pour le cas où la maison est en entier occupée
par le locataire : si le propriétaire y loge, on se trouve donc hors des termes de la loi, d'ailleurs,
il était là pour exercer une surveillance personnelle (Dur., n. 109, t. 17). ⁓ *A.* L'article 1733
n'indique pas l'intention de régler uniquement l'hypothèse dans laquelle le propriétaire n'occupe
aucune partie de sa maison. — La présence du propriétaire n'empêche pas que le locataire ne soit
chargé de la garde des lieux qu'il loue. — Le propriétaire n'a aucun moyen de surveillance dans les
appartements occupés par les locataires, — ainsi, dans tous les cas, les locataires sont soumis à la pré-

123 ; 18 décembre 1827 ; S., 28, 1, 44). ⁓ Un incendie est toujours causé par faute, négligence ou par
imprudence ; en conséquence, l'article 1733 peut être invoqué par d'autres que le bailleur (Toullier,
n. 172. t. 11).

(1) Duvergier, n. 415 ; Troplong, n. 367 et suiv. — *Cass.*, 18 avril 1827 ; S., 28, 1, 44 ; D., 28, 1, 62 ;
1ᵉʳ juillet 1835 ; S., 35, 1, 566 ; D., 35, 1, 299.

(2) Duvergier, n. 420. — *Lyon*, 17 janvier 1834 ; S., 34, 2, 241 ; D., 35, 2, 150.

somption de faute (Duvergier, n. 416. — *Lyon*, 17 janvier 1834; S., 34, 2, 242; D., 35, 2, 150).

Le propriétaire pourrait-il opposer la présomption de l'art. 1733 à un hôte riche que le locataire aurait reçu momentanément chez lui? ⋙ *N*. Cet hôte n'était pas locataire; par conséquent, il n'est responsable qu'autant qu'il est prouvé que l'incendie a eu lieu par sa faute (Troplong, n. 369; Toullier, n. 168, t. 11).

Quid, si le feu a pris dans une partie de la maison laissée commune entre le propriétaire et le locataire? ⋙ Il n'est plus possible d'imputer l'incendie à ce dernier. Or, en établissant une présomption de faute, l'art. 1733 suppose que le feu a pris chez le locataire (Troplong, n. 371).

Quid, si le bailleur agit, pour raison du dommage causé à une autre maison, contiguë à la maison louée? ⋙ Même décision. — Le propriétaire ne se présente plus alors comme bailleur (Duvergier, n. 421).

La présomption de faute établie par l'art. 1733, peut-elle être invoquée par le locataire contre celui par le fait duquel est survenu le dommage? ⋙ *N*. Il faut prouver la faute personnelle du défendeur (Duvergier, n. 433).

Peut-elle être invoquée par le propriétaire, contre le sous-fermier ou le sous-preneur? ⋙ *A*. Le propriétaire peut exercer les actions de son locataire (1166) (Duvergier, n. 434; Troplong, n. 372).

Existe-t-elle contre le colon partiaire qui habite dans la métairie le logement qui lui est réservé? ⋙ *A*. Il est détenteur de la chose; il doit la conserver en bon père de famille, et la rendre dans l'état où elle lui a été remise (Troplong, n. 373).

1734 — S'il y a plusieurs locataires, tous sont solidairement responsables de l'incendie;

A moins qu'ils ne prouvent que l'incendie a commencé dans l'habitation de l'un d'eux, auquel cas celui-là seul en est tenu;

Ou que quelques-uns ne prouvent que l'incendie n'a pu commencer chez eux, auquel cas, ceux-là n'en sont pas tenus.

= Lorsque plusieurs locataires habitent la même maison, il est conforme à la règle de l'art. 1733 de faire planer la présomption de faute sur tous indistinctement, et de les soumettre solidairement à l'obligation d'indemniser pour le tout le propriétaire. Assurément, cette décision est rigoureuse; mais c'est aux locataires à se surveiller réciproquement.

Pour se soustraire à l'action dirigée contre lui, le locataire poursuivi doit, ou rejeter sur tel autre locataire en particulier la présomption de faute, en prouvant que c'est chez ce dernier que le feu a commencé, ou prouver que le feu n'a pu commencer chez lui.

Le locataire qui a désintéressé le propriétaire, conserve son recours contre les autres; l'action récursoire se divise entre les divers locataires, non pas eu égard à l'importance de chaque location, mais par tête. Il est bien entendu, qu'elle se donnerait pour le tout contre le locataire dans l'habitation duquel l'incendie aurait commencé; car celui qui intente cette action est subrogé aux droits du propriétaire qu'il a désintéressé.

En employant ces mots: *s'il y a plusieurs locataires*, la loi suppose évidemment que ces locataires ont des habitations différentes et des contrats distincts: s'ils avaient loué par un seul et même contrat, leur obligation se réglerait par le droit commun; en conséquence, le propriétaire ne pourrait les poursuivre solidairement, à moins que la solidarité n'eût été stipulée (Dur., n. 113).

— Lorsque le propriétaire habite la maison, peut-il, malgré cette circonstance, exercer une action solidaire contre les locataires; doit-il être assimilé à un locataire? Conserve-t-il le droit d'invoquer les dispositions des art. 1733 et 1734? ⋙ Un locataire qui agit en réparation du dommage causé par l'incendie, doit prouver deux choses; 1° que l'incendie a commencé chez celui qu'il actionne; 2° qu'il doit être imputé à ce dernier: or le propriétaire est évidemment dispensé, par les articles 1733 et 1734, de prouver que le locataire est en faute; d'un autre côté, on ne saurait, dans l'espèce, reconnaître au propriétaire, le droit d'invoquer, dans toute leur inflexibilité, les dispositions de ces articles; car il ne peut dire que l'incendie a commencé plutôt chez les locataires que chez lui, le doute existe : il paraît juste en conséquence, de décider que le propriétaire sera tenu de prouver que l'incendie n'a pas commencé dans l'appartement qu'il occupe, avant de l'autoriser a se prévaloir des dispositions des articles 1733 et 1734 ; et dans ce cas même, la responsabilité des locataires ne s'étendra pas à la partie qu'il s'est réservée. S'il ne peut établir cette preuve, les locataires continueront d'être responsables ; mais ils ne seront plus soumis à la solidarité ; chacun ne sera tenu que pour sa part (Troplong, n. 380. — *Lyon*, 17 janvier 1834 ; S., 34, 2, 242 ; D., 34, 2, 250). ⁓ La présomption de faute n'existe plus ; le locataire était là pour surveiller sa chose (Dur., n. 109. — *Riom*, 4 août 1829 ; S., 30, 2, 50). ⁓ La solidarité et même la responsabilité cessent ; car il n'y a ni certitude ni présomption que l'incendie ait commencé plutôt chez les locataires que chez le propriétaire (Duvergier, n. 425).

Le locataire, affranchi de l'indemnité, à raison de ce qu'il prouve que le feu n'a pu commencer chez lui, peut-il se faire indemniser par celui qui occupe l'appartement où a commencé l'incendie ? ⁓ Même décision que pour le cas où le feu a été communiqué par une maison voisine (Dur., n. 111).

Quand une maison a été abattue pour éviter les progrès de l'incendie, le propriétaire de cette maison peut-il se faire indemniser par les propriétaires des bâtiments conservés ? ⁓ *A.* (Dur., n. 113).

1735 — Le preneur est tenu des dégradations et des pertes qui arrivent par le fait des personnes de sa maison, ou de ses sous-locataires.

= Cette disposition était réclamée par la sûreté publique : — l'expression générale : *personnes de sa maison*, comprend la femme, les enfants, les domestiques du preneur, les ouvriers qu'il fait travailler, ses hôtes, tous ceux, en un mot, qu'il reçoit dans sa maison, même les voyageurs, s'il s'agit d'un aubergiste (1).

1736 — Si le bail a été fait sans écrit, l'une des parties ne pourra donner congé à l'autre qu'en observant les délais fixés par l'usage des lieux (2).

= La loi détermine, dans les articles 1736 à 1751 les causes de cessation du bail.

Le bail ayant toujours une durée limitée (1709), doit naturellement cesser à l'expiration du terme fixé : toutefois, l'application de cette règle si simple est soumise à certaines distinctions : ainsi, lorsque la durée du bail n'a pas été déterminée par une convention expresse, les parties sont en général censées avoir voulu s'engager pour un temps indéfini, jusqu'au moment où l'une d'elles manifestera, par un congé, la volonté de le résoudre. — Le congé (3) doit être donné un certain temps d'avance,

_____

(1) L'adage : *caupo non præstat factum viatoris* est repoussé par l'art. 1953 et par la disposition absolue de l'article 1735 (Duvergier, n. 431 ; voy. cep. Dur., n. 107).

(2) Qu'entend-on ici par bail fait sans écrit ? La loi désigne ainsi, le bail fait *sans terme fixe ;* par ex., à tant par an ; parce que ces sortes de locations sont ordinairement faites sans écrit : mais rien n'empêche de louer verbalement une maison pour un temps fixe ; par ex., pour cinq ans : il n'est pas douteux que le bail finirait alors de plein droit, à l'expiration du terme convenu, sans qu'il fût nécessaire de donner congé ; car l'acte est une preuve de la convention ; mais il n'est pas une condition de son existence. — En sens inverse, on peut faire un écrit sans déterminer la durée du bail ; il faudra certainement alors, pour faire cesser le bail, donner un congé à l'avance, suivant l'usage des lieux. — L'écriture est donc une circonstance indifférente quant à la durée du bail ; la rédaction des articles 1736 et 1737 est donc vicieuse : les rédacteurs ont évidemment confondu la fixation de la durée du bail avec la manière de le constater. — La rédaction de ces articles pèche encore sous un autre rapport : elle semble appliquer les règles sur les congés, aux baux des biens ruraux comme aux baux des maisons, tandis que la durée des premiers est toujours limitée, et par conséquent, indépendante des congés (1774-1775) (Dur., n. 119).

(3) On nomme *congé*, l'acte par lequel l'une des parties manifeste l'intention de ne pas renouveler le bail : cet acte n'est soumis à aucune forme sacramentelle. Cependant l'emploi des moyens dont on peut si servir a une grande importance (voy. art. 1739).

À Paris, le congé doit être donné six mois d'avance pour une maison, un corps de logis entier ou une boutique ; trois mois pour un appartement au-dessus de 400 fr., et un mois et demi s'il est au-dessous de 400 fr.

Dans tous les cas, le congé doit être donné pour un terme d'usage ; premier janvier, premier avril, premier juillet et premier octobre.

suivant l'usage des lieux, afin de laisser à la partie qui le reçoit, le temps nécessaire pour se pourvoir ailleurs (1).

Lorsqu'il s'agit d'un fonds rural, le bail est censé limité, par une convention légalement présumée, au temps nécessaire pour que le preneur puisse recueillir tous les fruits de l'héritage (1774); à l'expiration de ce temps, il se résout sans qu'il soit nécessaire de donner congé (1775).

Quand la durée du bail a été déterminée par la volonté expresse des parties, il cesse de plein droit à l'époque fixée (*voy.* art. 1737).

Le congé peut être donné par écrit ou verbalement : mais il faut décider, par argument de l'art. 1715, qu'on ne peut en établir la preuve par témoins, lors même qu'il s'agit d'un loyer moindre de 150 fr. : en cas de dénégation, il ne reste d'autre ressource que le serment décisoire ou l'interrogatoire sur faits et articles (2).

L'efficacité du congé est indépendante de l'acceptation de la partie à laquelle il est donné ; car il ne s'agit pas de la résolution d'un contrat, mais uniquement d'une simple déclaration de l'exercice d'une faculté que chaque partie s'est tacitement réservée.

— *Quid*, si le fonds loué est d'une nature telle que les fruits qu'il produit ne se perçoivent ni annuellement, ni dans un espace déterminé ; par exemple, lorsqu'il s'agit d'une mine, d'une tourbière, d'une carrière ? ⋙ Si la durée du bail n'est pas fixée par la convention, il faut appliquer la règle de l'article 1736, quoiqu'il ne s'agisse pas d'un bail de maison (Duvergier, n. 487).
Le congé donné par acte privé, fait-il preuve suffisante à l'égard de toutes les parties ? ⋙ *Oui*, s'il a été fait double ; *secùs* s'il n'existe qu'un seul original qui soit resté entre les mains de l'une des parties : admettre cet acte comme preuve de congé, ce serait laisser l'un des contractants à la ;merci de l'autre (Duvergier, n. 492).

1737 — Le bail cesse de plein droit à l'expiration du terme fixé, lorsqu'il a été fait par écrit, sans qu'il soit nécessaire de donner congé.

= Le bail fait par écrit, ou plutôt, celui dont la durée a été déterminée par une convention expresse (ajoutons, ou par une convention légalement présumée (1774, 1775) se résout de plein droit :

1° Par *l'expiration du terme convenu :* mais pour empêcher qu'il ne s'opère une *tacite réconduction*, le bailleur doit signifier au preneur, un exploit, que l'on nomme *congé avertissement* (*voy.* 1739) (3). — Nonobstant le congé, la tacite réconduction aurait lieu, si postérieurement à l'époque où il a été donné, les circonstances indiquaient d'une manière certaine, de la part de chacune des parties, l'intention de renouveler le bail (4).

Quant au preneur, en quittant les lieux, il témoigne suffisamment l'intention de ne pas commencer un nouveau bail.

2° Par la perte de la chose (1741).

3° Par l'événement d'une condition résolutoire.

_____

(1) A l'expiration du bail, il est même d'usage d'accorder au preneur un délai de faveur, pour terminer son déménagement et faire les réparations locatives. Ce délai ne compte pas dans le calcul des époques de congé ; il n'entraîne aucun supplément de loyer.
(2) Duvergier, n. 493 ; Troplong, n. 424 et 425. ⋙ Le congé donné verbalement ou par lettre missive n'est valable qu'autant qu'il a été accepté ; à défaut d'acceptation, ou ne peut en prouver l'existence au moyen du serment ou d'un interrogatoire (Dur., n. 122).
(3) Ce congé diffère des congés ordinaires donnés en matière de baux faits sans fixation de durée, en ce qu'il n'est pas nécessaire de le donner un certain temps d'avance, suivant l'usage des lieux ; il peut être notifié au moment ou le bail finit, et même après son extinction : il suffit que le temps qui s'est écoulé ne soit pas assez long, pour qu'il y ait lieu de présumer que le bailleur a tacitement consenti un nouveau bail ; les tribunaux sont appréciateurs des circonstances. On décide, que le congé serait valablement signifié le lendemain de l'expiration du bail, et même quelques jours après.
(4) Duvergier, n. 23 et 504 ; *voy.* cep. Dur., n. 120 et 123.

4° Par la consolidation, c'est-à-dire, lorsque le preneur devient héritier, donataire, légataire, ou acquéreur du bailleur ; *et vice versâ.*

Indépendamment de ces causes d'extinction, la résiliation peut être demandée par chacune des parties, lorsque l'autre ne remplit pas ses obligations (*voy.* art. 1184, 1741) : mais c'est là une cause de restitution et non une cause d'extinction de plein droit.

1758 — Si, à l'expiration des baux écrits, le preneur reste et est laissé en possession, il s'opère un nouveau bail dont l'effet est réglé par l'article relatif aux locations faites sans écrit.

⸗ Nous arrivons à la matière de la *tacite réconduction* :

Si le preneur, après l'expiration du bail écrit, conserve la jouissance de l'héritage au su du bailleur et sans opposition de sa part, il se forme un nouveau bail : ce bail est censé fait aux mêmes conditions que le premier ; sauf la durée, qui est alors la même que celle des baux faits sans écrit. C'est là ce qu'on nomme *tacite réconduction*, ou nouveau bail tacitement convenu.

Ainsi, la tacite réconduction est fondée sur l'intention présumée des parties ; le juge est appréciateur des circonstances (1). De ce principe résultent les conséquences suivantes :

1° Si l'une des parties, à l'époque de l'expiration du bail, était devenue incapable de donner un consentement valable, il n'y aurait pas lieu à la réconduction.

2° Encore bien que le nouveau bail soit censé fait pour le même prix et aux mêmes conditions que le précédent, si le fermier s'était soumis, dans le premier bail, à la contrainte par corps, on ne pourrait user contre lui de cette voie pour l'exécution du deuxième ; car elle est trop sévère pour qu'on puisse la faire dépendre d'une simple présomption.

3° Si le locataire a stipulé une hypothèque pour sûreté des loyers du premier bail, il ne jouit pas de cette garantie pour ceux du deuxième ; car l'hypothèque ne peut être consentie que par acte notarié : ainsi le locataire est privé des avantages que lui conférait le bail primitif, et qui étaient plus ou moins attachés à la forme de l'acte.

4° La caution donnée pour le premier bail ne s'étend pas aux obligations résultant de la prolongation : le cautionnement, en effet, ne se présume pas ; il doit être exprès ; on ne peut l'étendre au delà des limites dans lesquelles il a été contracté (1740).

5° Si les parties, voulant éviter les surprises, sont convenues que la tacite réconduction n'aura pas lieu, cette clause du bail est un avertissement suffisant.

6° Enfin, s'il a été stipulé un pot-de-vin, on doit supposer la convention tacite d'un semblable pot-de-vin, proportionnée à la durée du nouveau bail.

La tacite réconduction n'a pas lieu dans les baux emphytéotiques.

Nous reviendrons sur la tacite réconduction, en parlant des baux de maisons (1759) et des baux d'héritages ruraux (1774 à 1776).

— La tacite réconduction peut-elle s'opérer dans le louage des meubles ? ⸗⸗ Oui, lorsque ce sont des meubles que le locataire est dans l'usage de louer ; mais, à la différence des immeubles, la tacite ré-

(1) Troplong, n. 446.

conduction n'aura lieu que pour le temps pendant lequel le locataire les gardera du consentement du locateur. Quelle est la raison de cette différence ? Le terme des baux à ferme ou à loyer commence à des époques déterminées ; le louage des meubles commence en tout temps (Pothier, n. 371 et 372 ; Troplong, n. 461 ; Merlin, v° Tacite réconduction, n. 8).

Une métairie dont les terres sont partagées en deux saisons a été donnée à ferme pour une année seulement ; après l'expiration du bail, le fermier ensemence les terres de l'autre saison ; y a-t-il tacite réconduction ? ⋙ A. Le commencement d'exploitation au vu et su du propriétaire, fait présumer un bail tacitement convenu. — Ce bail tacite est censé fait pour le même temps que le premier. — Le prix sera réglé par experts (Pothier, n. 361).

Dans les baux dont la durée n'est pas déterminée, s'opère-t-il une réconduction à l'expiration de chaque terme ? L'hypothèque ou la caution données pour l'exécution du bail s'étendent-elles aux obligations que la tacite réconduction produit ? ⋙ A. C'est toujours le même bail qui continue. — Les termes fixés par les usages, ne sont pas des limites indiquées à la durée des baux ; ce sont des époques assignées pour le payement des loyers (Dur., n. 117 ; Duvergier, n. 510).

1759 — Lorsqu'il y a un congé signifié, le preneur, quoiqu'il ait continué sa jouissance, ne peut invoquer la tacite réconduction.

= La tacite réconduction est fondée sur la présomption d'un mutuel consentement ; or ce consentement réciproque n'a pas lieu, lorsque l'une des parties a donné congé. — Remarquons toutefois, que la loi exige un congé *signifié :* on ne serait donc pas admis à établir par témoins la preuve d'un congé donné verbalement, quelque modique que fût le prix du loyer (Arg. de l'art. 1715) ; sauf le droit réservé à chacune des parties, de déférer le serment à celle qui nie le congé, et même à la faire interroger sur faits et articles. — Cette disposition est applicable aux baux faits sans écrits (Duvergier, n. 49) (1).

— La volonté de ne pas faire un nouveau contrat ne peut-elle résulter que d'un congé signifié ? *Quid*, par ex., si le bailleur passe bail avec une autre personne ? ⋙ Le preneur peut exiger une indemnité lorsqu'il s'est écoulé assez de temps pour qu'il ait pu croire à la tacite réconduction (Pothier, n. 350).

1740 — Dans le cas des deux articles précédents, la caution donnée pour le bail ne s'étend pas aux obligations résultant de la prolongation.

= La tacite réconduction est une convention nouvelle qui se forme entre le preneur et le bailleur : la caution donnée pour le premier bail n'est donc pas obligée pour le deuxième, lorsqu'elle n'y est pas intervenue.

1741 — Le contrat de louage se résout par la perte de la chose louée, et par le défaut respectif du bailleur et du preneur, de remplir leurs engagements.

= La perte totale de la chose louée, causée par cas fortuit, résout de plein droit le contrat de louage. — La perte partielle autorise le preneur à demander, suivant les circonstances, soit une diminution de prix, soit la résiliation du contrat (*voy.* art. 1722, 1724).

L'éviction totale ou partielle, a sur le sort du bail, la même influence que la perte matérielle de la chose.

— Si le locataire ne remplit pas ses engagements, le propriétaire peut-il expulser le sous-preneur, lorsque ce dernier est en règle à l'égard de son bailleur ? ⋙ La seule résolution du titre en vertu duquel le bailleur possédait, n'entraîne pas la résiliation du bail qu'il a consenti, lorsque son titre l'autorisait à passer ce bail ; l'article 1673 en est la preuve. — Les baux faits par un grevé de substitution ou par un donataire dont le droit a été révoqué, doivent être entretenus par l'appelé à la substitution et par le donateur. — Le maintien des baux a même lieu, quelle que soit la cause de la résolution. —

_____

(1) Suiv. Dur., n. 12, les parties ne sont admises à ce dernier genre de preuves, qu'autant que le congé donné verbalement ou par lettre, a été accepté ; sans cette condition, le congé est insignifiant.

L. 11, § 5, ff. *de pignerat. actione.* — Le sous-locataire ne s'est obligé tacitement que jusqu'à concurrence de ce que lui, deuxième locataire, devait au premier. — Quand il y a engagement direct et personnel, la résolution ne peut procéder que d'une infraction à cet engagement : si le sous-preneur a satisfait aux siens, comment pourrait-il être déchu, à raison du manquement commis par un autre ? — Celui qui est propriétaire sous une condition résolutoire, administre, tant que la propriété réside sur sa tête ; or les baux ne sont que l'exercice du droit d'administration ; le sous-preneur n'a pu prévoir que son bailleur ne remplirait pas ses engagements. — Sous-louer, ce n'est pas céder un bail ; le sous-bail crée entre le preneur et le sous-preneur des obligations spéciales. — Arg. des articles 958 et 1753, C. c., et 820, Pr. (Dur., n. 134 et n. 159 ; Duvergier, n. 539 ; Toullier, n. 576). ⁓ *A. Nemo plus juris,* etc. — Les droits du sous-preneur sont précisément ceux du preneur. — La sous-location est une émanation de la location primitive. — Les exemples cités pour établir que les baux survivent au droit de celui qui les a consentis portent à faux : on suppose, dans ces exemples, que les baux ont été consentis par un propriétaire apparent : mais dans l'espèce, ils ont été consentis par un locataire principal ; le sous-locataire a su qu'il contractait avec un individu dont le droit était résoluble ; il ne doit pas se plaindre quand arrive l'événement prévu. — La convention qui se forme entre le propriétaire et le sous-preneur n'équivaut pas à un bail ; l'occupation des lieux est la source de l'indemnité qu'il réclame ; or cette occupation ne suffit pas, pour constituer un bail complet : il y a lieu de croire, qu'en tolérant l'occupation, le propriétaire a voulu s'assurer une garantie de plus. Ainsi le sous-locataire n'est que la caution du preneur principal. — On argumente vainement de l'article 1753 : cet article ne suppose pas le sous-preneur maintenu en possession après l'expulsion de son bailleur ; il n'est pas fait pour le cas où le locataire principal a été éliminé (Troplong, n. 544 et suiv.).

1742—Le contrat de louage n'est point résolu par la mort du bailleur, ni par celle du preneur.

    ⇒ On est toujours censé stipuler pour soi, ses héritiers, ou ayants cause.

    La cessation du droit du bailleur n'entraîne même pas nécessairement la résolution du bail (*voy.* art. 1429, 1430, 595 et 1673).

— Si le simple possesseur du fonds d'autrui est de bonne foi, les baux qu'il a consentis sont-ils obligatoires pour le propriétaire qui l'évince ? ⁓ *N.* Sa bonne foi lui donnait droit aux fruits, mais elle ne lui conférait aucune qualité pour engager la chose d'autrui Le Code ne contient d'ailleurs aucune disposition qui déclare ces baux obligatoires pour le propriétaire (Dur., n. 135 ; Duvergier, n. 531 ; *voy.* cep. Delv., p. 101, n. 4).

1745—Si le bailleur vend la chose louée (1), l'acquéreur ne peut expulser le fermier ou le locataire qui a un bail authentique ou dont la date est certaine, à moins qu'il ne se soit réservé ce droit par le contrat de bail.

    ⇒ Les acquéreurs à titre singulier, ne sont point soumis personnellement aux obligations de leur auteur : par suite, on décidait autrefois, qu'en cas de vente, l'acquéreur n'était pas tenu de respecter le bail consenti par le vendeur (2) : le preneur, disait-on, n'a pas de droit réel, mais seulement une action personnelle contre le bailleur et ses héritiers pour qu'ils le fassent jouir ; le bail n'engendre que des rapports particuliers entre le preneur et le bailleur ; il ne produit que des obligations de personne à personne.

    Les successeurs particuliers, à titre gratuit, jouissaient du même droit que l'acquéreur à titre onéreux ; ils pouvaient également expulser le preneur, sauf le recours de ce dernier contre l'héritier.

    Enfin, le bailleur lui même avait la faculté de rompre le bail, en déclarant qu'il voulait occuper sa maison en personne (loi *Æde* 3, au Code, *Loc.*).

    Par des raisons fondées sur l'intérêt de l'agriculture et sur celui de l'industrie, les auteurs du Code ont dérogé à cette ancienne règle : ils ont pensé, que le preneur ne se livrerait à aucune amélioration, s'il était continuellement exposé à une expulsion, ce qui tournerait au préjudice de la

---

(1) Malgré sa restriction apparente au cas de vente, cet article s'applique à tous les cas où la chose est transmise à titre singulier par legs, donation ou échange (Troplong, n. 499).

(2) Loi 9 au Code *de locato conducto.* Cette loi est connue sous le nom de loi *emptorem* (Pothier, Louage, p. 228).

société. Ajoutons, qu'il ne doit pas être permis au vendeur, de faire indirectement ce qu'il ne peut faire directement : or il ne peut résoudre le bail par sa seule volonté ; comment lui reconnaître la faculté d'arriver à ce résultat au moyen d'une aliénation. Sans doute le preneur aurait la ressource des dommages-intérêts ; mais cette ressource, qui serait illusoire si le bailleur était devenu insolvable, ne saurait lui procurer un dédommagement suffisant. — Ainsi, l'acheteur succède aux engagements du bailleur, son vendeur, en ce sens du moins, qu'il ne peut expulser le fermier ni le locataire.

Mais pour que le preneur puisse invoquer cette exception, trois conditions sont requises : il faut, 1° que son bail ait acquis date certaine (1728) antérieure à la vente ; 2° qu'il ait été mis en possession : la loi, en effet, parle de l'expulsion du preneur : or on ne peut expulser celui qui n'est pas encore entré en jouissance (1) ; 3° que le bailleur ne se soit pas réservé le droit d'expulsion (2).

Il ne faut pas croire pour cela que le bail produise un droit réel au profit du preneur : la définition du bail, la rédaction de l'article 1743, et la place qu'il occupe, suffiraient au besoin pour repousser cette idée (3).

Bien que le bail n'ait pas acquis date certaine, l'expulsion du preneur ne peut être immédiate ; on doit toujours observer les règles relatives aux baux faits sans écrit, car la présence du locataire rend incontestable le fait de location.

Bien plus, si l'acquéreur s'était imposé l'obligation d'entretenir le bail, cet engagement personnel le rendrait non recevable à demander que le preneur abandonnât l'héritage.

L'article 1743 n'est point applicable au louage des choses mobilières.

— L'acquéreur n'étant point tenu de maintenir en jouissance le preneur, porteur d'un bail qui n'a pas date certaine, on demande si ce dernier peut être forcé d'exécuter le bail ? ⁓⁓ N. Les parties doivent avoir des droits corrélatifs : l'une ne peut être plus liée que l'autre. — Il faut cependant excepter le cas où le vendeur aurait cédé à l'acquéreur ses droits contre le preneur (Dur., n. 147 ; Pothier, n. 298) ⁓⁓ La réciprocité n'est pas de l'essence du contrat ; les parties pourraient convenir, que l'une d'elles seulement aura le droit de résilier le bail ; or, la loi n'est pas puissante que la volonté des parties. — Les art. 1429, 1430 et 1718 offrent l'exemple de dispositions donnant au bailleur le droit de résoudre le contrat, sans attribuer ce droit au preneur (Duvergier, n. 551).

Quid, si pendant le cours du bail fait à un premier locataire ou fermier, le bailleur passe un pareil bail à un autre ? ⁓⁓ Celui qui le premier formera sa demande, sera préféré, quand même son bail aurait une date postérieure. Arg. de l'ar. 1141 (Dur., n. 143 ; Pothier, n. 296 ; Delv., p. 101, n. 6). ⁓⁓ Entre deux preneurs successifs, la préférence est due à celui qui a été mis en possession de bonne foi. Si aucun d'eux n'est encore entré en jouissance, la date du titre doit seule être considérée pourvu qu'elle soit certaine. Si aucun des titres n'a encore acquis date certaine, les juges doivent prononcer eu égard aux circonstances (Duvergier, n. 46 et 283). ⁓⁓ Le propriétaire a limité son droit sur la chose par le premier bail qu'il a établi ; il n'a pu, dès lors, consentir un nouveau bail, que sous la condition du maintien du premier. — Les droits les plus précieux et les plus importants se transmettent par la volonté ; le fait de la possession est indifférent (Troplong, n. 500).

Celui qui a acquis du locateur, un héritage, à titre de donation entre-vifs, doit-il entretenir le bail

(1) Pothier, Louage, n. 297 ; Duvergier, n. 281 et 541 ; Dur, n. 139 ; Proudhon ; Delv., p. 101, n. 5. ⁓⁓ L'art. 1743 recevrait son application, quand même le preneur ne serait pas encore entré en jouissance : en se reportant à la discussion au conseil d'État, il est facile de reconnaître, que le législateur a employé le mot *expulser*, comme équivalent de l'expression : rompre le bail, qu'il a eu seulement en vue la règle *nemo plus juris*, etc.; qu'il a voulu compléter la réforme commencée par l'assemblée constituante et maintenir le preneur en possession, sans distinguer s'il est en jouissance. — L'art. 595 ne fait pas de l'entrée en jouissance du preneur, qui tient ses droits d'un simple usufruitier, la condition du maintien de ce bail ; l'acquéreur ne doit pas être mieux traité que l'usufruitier ; sa position est moins digne de faveur. MM. Mouricault et Jaubert, dans leurs discours, ont entendu le mot *expulser* en ce sens (voy. Locré, Légis., t. 14, p. 431 et 432, n. 11. p. 458, n. 9 ; Troplong, n. 193 et suiv., 21 juin 1810 ; S., 11, 2, 235. — Dijon, 21 avril 1827 ; S., 27, 2, 116 ; D., 27, 2, 119).

(2) Duvergier, n. 280 et suiv. ; Dur., n. 139 ; Delv., p. 101, n. 5 ; voy. cep. Troplong, Vente, n. 321. — *Dijon*, 21 août 1827 ; S., 27, 2, 116 ; D, 27, 2, 119.

(3) Duvergier, n. 280 ; Delv., p. 101, n. 5 ⁓⁓ Le droit du preneur est réel : en effet, il n'engendre pas seulement de rapports personnels ; il affecte la chose ; il la suit entre les mains des tiers acquéreurs ; il survit à l'aliénation de cette chose ; par conséquent, il modifie le droit du propriétaire (Troplong, n.   1 et suiv. ; voy. aussi *supra*, p. 333, note 1).

qui n'a pas date certaine au jour de la donation ? ⁓ *A*. La reconnaissance l'oblige à entretenir ce bail, pour ne pas exposer le donateur au recours du locataire (Pothier, n. 209; Delv., p. 101, n. 5). ⁓ *N*. Pourquoi le donateur n'a-t-il pas fait de réserve à cet égard ? — Ce serait laisser au donateur la liberté de révoquer la donation, ou du moins de la modifier à son gré (Dur., n. 146 ; Duvergier, n. 356).

Quid, à l'égard du légataire ? ⁓ Même décision.

Si la chose est vendue à la requête des créanciers, l'acquéreur doit-il maintenir le bail, lors même que ce bail serait à longues années ; *puis*, pour 27 ou 36 ans ? ⁓ *A*. Il faut cependant excepter le cas de fraude (Delv., p. 101, n. 4).

Si l'acquéreur a laissé le preneur en jouissance, doit-on considérer le silence qu'il a gardé pendant un certain temps, comme une approbation du bail, en sorte qu'il soit obligé de l'exécuter pour tout ce qui reste à courir ? ⁓ *N*. Il peut faire cesser la jouissance, en observant ce que nous verrons art. 1774 et 1775, touchant la distinction entre les baux des maisons et ceux des héritages ruraux (Dur., n. 145; Pothier, n. 300). ⁓ *A*. on doit tirer de cette circonstance, la conséquence que l'acheteur a entendu exécuter le bail. — Assurément, le bail qui n'a pas date certaine est, relativement à l'acheteur, comme s'il n'existait pas ; par suite, le preneur doit se trouver dans la position d'un preneur par bail sans durée fixe ; mais les choses changent de face, lorsqu'il est prouvé que ce bail a été communiqué à l'acheteur (Duvergier, n. 440).

Quid, si c'est simplement l'usufruit de l'immeuble loué qui a été vendu ? ⁓ La question se décide comme dans le cas de vente de l'immeuble (Dur., n. 142).

1744—S'il a été convenu, lors du bail, qu'en cas de vente, l'acquéreur pourrait expulser le fermier ou locataire, et qu'il n'ait été fait aucune stipulation sur les dommages et intérêts, le bailleur est tenu d'indemniser le fermier ou le locataire de la manière suivante.

= Lors même que le bailleur s'est réservé, par le bail, le droit d'expulser le preneur, ce dernier peut exiger une indemnité : si cette indemnité a été fixée, on se renferme dans la convention ; au cas contraire, on observe les règles tracées par le Code (*voy*. art. 1745 à 1747).

— *Quid*, si la réserve existe dans le bail, mais qu'il n'en ait pas été fait mention dans le contrat de vente, l'acquéreur peut-il expulser le preneur ? ⁓ Le vendeur est censé avoir voulu transmettre à son acheteur tous les droits qu'il avait sur la chose vendue. — Arg. des art. 1743 et 1748. — Le preneur a seulement contre le bailleur une action en dommages-intérêts (Duvergier, n. 343 ; Dur., n. 148). ⁓ *N*. Le droit d'expulsion n'étant pas nécessaire pour faciliter la vente et obtenir un juste prix, on doit présumer que le vendeur a renoncé à ce droit, lorsqu'il n'en a pas été fait mention dans le contrat de vente (Delv.,.p. 101, n. 6, Troplong, n. 511, Dur., n. 148).

1745 — S'il s'agit d'une maison, appartement ou boutique, le bailleur paye, à titre de dommages et intérêts, au locataire évincé, une somme égale au prix du loyer, pendant le temps qui, suivant l'usage des lieux, est accordé entre le congé et la sortie.

= Le bailleur indemnise ordinairement le preneur, en lui fournissant l'habitation gratuite pendant le temps réputé nécessaire pour se procurer un autre logement; cette indemnité équivaut au montant des loyers convenus pour trois ou six mois, suivant que le congé doit être donné trois mois ou six mois avant la sortie.

1746 — S'il s'agit de biens ruraux, l'indemnité que le bailleur doit payer au fermier, est du tiers du prix du bail pour tout le temps qui reste à courir.

= Dans le cas de l'article précédent, le législateur a pu établir une base fixe, pour le règlement de l'indemnité; car le préjudice ne consiste que dans la privation de l'usage de la chose : mais lorsqu'il s'agit de biens ruraux (c'est à-dire, de biens destinés à la culture) comme le tort consiste dans la privation du profit que le preneur pouvait espérer sur les années de jouissance à venir, la loi prend pour base de l'indemnité le temps qui restait à courir : par exemple, si l'expulsion prive le preneur de six années de jouissance, on doit lui payer deux années de fermages.

1747 — L'indemnité se réglera par experts, s'il s'agit de manufactures, usines, ou autres établissements qui exigent de grandes avances.

1748 — L'acquéreur qui veut user de la faculté réservée par le bail, d'expulser le fermier ou locataire en cas de vente, est, en outre, tenu d'avertir le locataire au temps d'avance usité dans le lieu pour les congés.

Il doit aussi avertir le fermier de biens ruraux, au moins un an à l'avance.

= On ne peut supposer que l'intention du preneur ait été de se soumettre à une expulsion brusque qui ne lui laisserait pas le temps de se procurer une autre habitation ; le bailleur doit l'avertir un certain temps d'avance : ce temps varie, suivant qu'il s'agit de baux à loyer ou de baux à ferme.

1749 — Les fermiers ou les locataires ne peuvent être expulsés qu'ils ne soient payés par le bailleur, ou, à son défaut, par le nouvel acquéreur, des dommages et intérêts ci-dessus expliqués.

= L'art. 1749 se réfère aux articles 1744 à 1746, tous relatifs au cas où le bail contient réserve d'expulser le fermier.

Si le preneur est porteur d'un bail ayant date certaine, on ne peut l'expulser avant de l'avoir indemnisé : le payement d'une indemnité est la condition de son expulsion. — Si le bail n'a pas date certaine, l'acquéreur n'est tenu d'aucuns dommages-intérêts (*voy.* l'article suivant).

1750 — Si le bail n'est pas fait par acte authentique, ou n'a point de date certaine, l'acquéreur n'est tenu d'aucuns dommages et intérêts.

= Ce bail pouvant être révoqué en doute, ne doit imposer aucun sacrifice à l'acquéreur, sauf le recours du preneur contre le vendeur.

1751 — L'acquéreur à pacte de rachat ne peut user de la faculté d'expulser le preneur, jusqu'à ce que, par l'expiration du délai fixé pour le réméré, il devienne propriétaire incommutable.

= La loi ne permet pas à l'acquéreur à pacte de rachat d'expulser le preneur avant l'expiration du délai fixé pour le réméré ; car le vendeur, pouvant d'un instant à l'autre recouvrer sa propriété, se trouverait forcé de réintégrer le preneur dans la jouissance de la chose.

— L'acquéreur à pacte de rachat peut-il expulser le preneur dont le bail n'a pas date certaine ? ⁓⁓ *N.* La loi ne distingue pas. — Cependant, rien ne s'oppose à ce que l'acquéreur donne congé à un locataire qui ne jouirait qu'en vertu d'un bail verbal, en observant les délais d'usage (Dur., n. 154, t. 17. — Duvergier, n. 563).

SECTION II.

Des règles particulières des baux à loyer.

On nomme baux à loyer, ceux qui ont pour objet le louage des maisons et celui des meubles.

Nous verrons : 1° quelles sont les obligations du locataire (1752-1764); 2° quelles sont celles du bailleur (1755-1756) ; 3° comment se résout le bail (1757-1762).

1752 — Le locataire qui ne garnit pas la maison de meubles suffisants, peut être expulsé, à moins qu'il ne donne des sûretés capables de répondre du loyer.

= Le bailleur a sur les meubles qui garnissent la maison louée, un privilége pour le montant de ses loyers (2102) ; il lui importe, dès lors, de trouver dans ce mobilier une garantie suffisante.

Le nombre de termes dont le mobilier doit répondre n'étant pas déterminé, on demande si sa valeur doit égaler le montant des loyers pour tout le temps du bail : par ex., lorsque le bail est fait pour neuf ans, si les meubles devront être suffisants pour répondre du loyer de neuf années? Non, il suffit qu'il garantisse le terme courant, le terme suivant et les frais que pourront occasionner la saisie et la vente du mobilier, en cas de non-payement des loyers (Arg. des art. 1660 et 1662); s'il en était autrement, on verrait naître des contestations, fondées le plus souvent sur des craintes chimériques. La loi ne prétend pas contraindre le locataire à consacrer à son mobilier un capital au-dessus de ses ressources et de sa condition; c'est au propriétaire à ne pas laisser accumuler les loyers arriérés. Les tribunaux, au surplus, sont appréciateurs des circonstances (1).

En cas d'insuffisance du mobilier, l'expulsion du locataire ne peut avoir lieu sans formalités préalables ; le bailleur ne peut expulser de plein droit son locataire : la permission de justice doit intervenir, car il s'agit d'un cas de résolution prévu par l'art. 1731.

La loi dispense le preneur de garnir de meubles la maison, lorsqu'il présente des sûretés suffisantes ; par ex., une hypothèque, un gage, une caution.

Le simple locataire qui a sous-loué la maison ou la métairie, a le même droit sur les meubles du sous-locataire.

1755 — Le sous-locataire n'est tenu envers le propriétaire que jusqu'à concurrence du prix de sa sous-location dont il peut être débiteur au moment de la saisie, et sans qu'il puisse opposer des payements faits par anticipation.

Les payements faits par le sous-locataire, soit en vertu d'une stipulation portée en son bail, soit en conséquence de l'usage des lieux, ne sont pas réputés faits par anticipation.

= Le propriétaire ayant un privilége sur tout ce qui garnit la maison louée ou la ferme, la loi devait lui accorder certains droits sur les meu-

---

(1) Duvergier , n. 16 ; Delv., p. 201, n. 3 , Dur., n. 157; Merlin ; Rép., Bail, § 7, n. 3.

bles du sous-locataire. On avait proposé d'affecter les effets de ce dernier, au payement du loyer principal, sinon pour la totalité, du moins pour une portion correspondante à l'importance de la partie sous-louée ; mais cette proposition ne fut pas admise : il eût été trop rigoureux, en effet, de rendre un sous-locataire garant des fautes de son bailleur : notre article décide, que le sous-locataire n'est tenu, envers le propriétaire, que jusqu'à concurrence de ce dont il se trouvait débiteur au moment de la saisie. Exemple : je suis locataire d'une maison moyennant 4,000 fr. par an ; je sous-loue cette maison en tout ou en partie : l'un des sous-locataires me doit 300 fr., montant de deux termes : ses meubles pourront être saisis par le propriétaire pour le montant de cette somme et pour les loyers à échoir (2102) ; mais il ne pourra exiger davantage : ainsi, le propriétaire exercera les droits de son propre locataire, bailleur par rapport au sous-locataire (2102). — Observons surtout, qu'il agira, non en vertu de l'art. 1166, mais *directement*, en qualité de propriétaire ; par conséquent il sera toujours préféré pour ses loyers, aux autres créanciers du locataire, qui auraient formé des saisies entre les mains du sous-locataire.

Le sous-locataire ne peut opposer au propriétaire de payements faits par anticipation : en payant ce qui n'était pas encore dû, il a fait un véritable prêt ; il s'est placé dans la même position qu'un créancier ordinaire. D'ailleurs, ces payements pourraient être un moyen de fraude concerté avec le locataire.

On excepte toutefois ceux qui ont été faits par le sous-locataire, soit en vertu d'une stipulation portée en son bail, soit en conséquence de l'usage des lieux ; car la fraude est alors impossible (1).

— Comment fixe-t-on le prix de la sous-location envers le propriétaire, si le bail est verbal ou sans date certaine ? ⋙ Les juges statuent *ex œquo et bono*

Quid, si le locataire a sous-loué nonobstant une clause prohibitive ? ⋙ Si le propriétaire a ignoré le sous-bail, il a un privilège pour tout ce qui lui est dû, comme sur les meubles du preneur lui-même. *Secùs* s'il en a eu connaissance, on applique alors l'article 1753.

Lorsque le preneur jouit de la faculté de sous-louer, doit-on conclure des termes des articles 1752 et 1753 combinés, qu'il peut, sans donner de sûretés, enlever les meubles qu'il avait déjà apportés ? ⋙ N. Les sous-locataires ne sont tenus envers le propriétaire, que jusqu'à concurrence du prix de la sous-location : on conçoit dès lors, que le bailleur ait intérêt à s'opposer à l'enlèvement des meubles ; autrement, il pourrait ne plus trouver de garanties suffisantes.

En cas de saisie de l'immeuble loué ou affermé, le preneur peut-il opposer aux créanciers saisissants, des payements faits par anticipation ? ⋙ *Oui*, si ce sont des créanciers chirographaires. — S'ils ont une hypothèque antérieure à la date du bail, le preneur ne peut leur opposer les payements faits par anticipation en exécution d'une clause du bail, mais seulement ceux qui l'ont été en conformité de l'usage des lieux. ⋙ N. Arg. de l'art. 1753. ⋙ A. *Nec obstat* l'article 1753 : cet article ne statue que pour le sous-locataire ; lorsqu'il s'agit d'un locataire ou d'un fermier principal, les mêmes raisons ne sont plus applicables ; sauf aux créanciers à prouver que les payements anticipés ont eu lieu en fraude de leurs droits (Toullier, n. 81, t. 7 ; n. 365, t. 6 ; Duvergier, n. 464).

1754 — Les réparations locatives ou de menu entretien dont le locataire est tenu, s'il n'y a clause contraire, sont celles désignées comme telles par l'usage des lieux, et, entre autres, les réparations à faire,

Aux âtres, contre-cœurs, chambranles et tablettes des cheminées ;

Au recrépiment du bas des murailles des appartements et autres lieux d'habitation, à la hauteur d'un mètre ;

Aux pavés et carreaux des chambres, lorsqu'il y en a seulement quelques-uns de cassés ;

(1) Cet article serait beaucoup mieux placé sous la section précédente, car les dispositions qu'il renferme s'appliquent aux baux d'héritages ruraux comme aux baux des maisons (*roy*. 820, Pr.).

Aux vitres, à moins qu'elles ne soient cassées par la grêle ou autres accidents extraordinaires et de force majeure, dont le locataire ne peut être tenu ;

Aux portes, croisées, planches de cloison ou de fermeture de boutique, gonds, targettes et serrures (1).

= On présume que ces dégradations ont été commises par le preneur ou par les personnes dont il est responsable.

La loi ne pouvant désigner toutes les réparations qui doivent être réputées locatives, renvoie sur ce point à l'usage des lieux ; elle se borne à indiquer les principales.

Si les réparations qui doivent être considérées comme locatives ne sont déterminées, ni par la loi, ni par l'usage, les tribunaux doivent prononcer.

— A la charge de qui sont les réparations locatives lorsque la maison est occupée par plusieurs locataires ? ᴧᴧᴧ A la charge du bailleur, car les lieux ne sont pas confiés à la garde particulière de chacun des locataires ; la disposition rigoureuse de l'art. 1716 n'est point applicable à l'espèce (Merlin, Rép., v° Bail, § 8, p. 566 ; Duvergier, n. 25 ; Troplong, n. 590).

1755 — Aucune des réparations réputées locatives n'est à la charge des locataires, quand elles ne sont occasionnées que par vétusté ou force majeure.

= On ne peut, en ce cas, reprocher aucune faute au locataire ; mais l'obligation de prouver la vétusté ou la force majeure est à sa charge, car il invoque cette excuse comme moyen de libération.

1756 — Le curement des puits et celui des fosses d'aisances sont à la charge du bailleur, s'il n'y a clause contraire.

1757 — Le bail des meubles fournis pour garnir une maison entière, un corps de logis entier, une boutique, ou tous autres appartements, est censé fait pour la durée ordinaire des baux de maisons, corps de logis, boutiques ou autres appartements, selon l'usage des lieux.

= Cet article est le seul qui règle le louage des meubles, encore s'occupe-t-il uniquement de ceux qui sont destinés à garnir une maison d'habitation.

Pour connaître la durée du bail des meubles, ce n'est point celle du bail de la maison ou du corps de logis qu'il faut considérer ; cet acte est étranger à celui qui loue les meubles : on présume toujours, qu'il a prétendu se référer à la durée ordinaire des baux non écrits : le preneur a eu juste sujet de croire que sa position serait réglée par l'usage des lieux.

---

(1) La loi répute *locatives* les réparations à faire pour le recrépiment des murailles des appartements et autres lieux d'habitation : mais on ne considère pas comme telles, les réparations à faire dans tous autres lieux qui ne sont pas destinés à l'habitation ; par exemple, dans les caves : le bailleur les supporte, parce que les dégradations sont alors attribuées à l'humidité.

A l'égard des pavés et carreaux, le locataire doit remplacer ceux qui sont cassés. Si tous étaient mauvais, on attribuerait leur état à la vétusté ; le locataire ne serait pas tenu de les remplacer.

La loi laisse à la charge du propriétaire la réparation des pavés des cours, écuries, et même des cuisines.

On appelle *âtre*, le foyer de la cheminée, — *contre-cœur*, la plaque de fonte appliquée contre le mur de la cheminée, — *chambranle*, les ornements de bois, de pierre ou de marbre qui bordent les côtés de la cheminée, — *tablette*, la pièce de bois ou de marbre qui est posée à plat sur le chambranle.

On nomme *targette*, une petite plaque de fer avec un verrou, qui sert à fermer les portes ou les fenêtres.

Quid, si le locataire de la maison a donné au locateur de meubles, connaissance de son bail écrit? Les parties sont alors censées avoir voulu se référer à ce bail pour fixer la durée du louage de meubles (1).

Ce que nous avons dit sur la tacite réconduction en parlant des bâtiments et des fonds de terre, s'applique au louage des meubles (2).

1758 — Le bail d'un appartement meublé est censé fait à l'année, quand il a été fait à tant par an;

Au mois, quand il a été fait à tant par mois;

Au jour, s'il a été fait à tant par jour.

Si rien ne constate que le bail soit fait à tant par an, par mois ou par jour, la location est censée faite suivant l'usage des lieux.

= Cet article est relatif aux baux d'appartements garnis.

Il ne faut pas croire que le bail soit censé fait pour un an, par cela seul qu'il a été fait *à tant par an* : si la durée du bail n'est pas déterminé par la convention, on présume seulement que les parties ont voulu fixer la somme que devra payer le locataire, en raison du temps de sa jouissance : ainsi, rien n'empêcherait de donner congé avant l'expiration de l'année, en le signifiant à l'avance suivant l'usage des lieux (1736).

Le bail fait avec fixation de durée, cesse de plein droit à l'expiration du temps fixé (1759); il n'est donc pas nécessaire de donner congé à l'avance : seulement, pour empêcher la tacite réconduction, le locataire doit déménager au terme, ou le locateur signifier un *avertissement*.

Si la durée du bail n'a pas été fixée, la location est censée faite suivant l'usage des lieux.

— La tacite réconduction supposant un nouveau consentement, on demande si elle peut s'opérer, lorsque le locateur ou le locataire d'une maison est mort ou est tombé en démence, laissant des enfants mineurs? ⋙ *N.* Il faudrait pour cela que le locateur ou ses enfants eussent été pourvus d'un tuteur (Dur., n. 171, t. 17).

Mais *quid*, si la jouissance avait déjà commencé ? ⋙ Le bail ne cesserait pas ; en effet, on ne peut voir, dans la tacite réconduction des maisons, autant de baux qu'il y a de termes; il n'y a qu'un seul bail : ces baux diffèrent, sous ce rapport, de ceux qui ont pour objet des héritages ruraux. La tacite reconduction doit être considérée comme un bail fait sans écrit, c'est-à-dire, sans fixation de temps (Dur., *ibid.*).

Doit-on conclure de la combinaison des articles 1736 et 1757, que le preneur et le bailleur sont respectivement obligés de se donner congé, quand il y a bail de meubles sans terme fixe ? ⋙ *A.* Il faut bien prévenir le preneur pour qu'il puisse se procurer d'autres meubles ; et le bailleur, pour qu'il puisse les louer de nouveau.

Quid, si les meubles ont été loués sans désignation de terme, pour garnir une maison louée à terme fixe ? ⋙ Si ce bail a été montré au bailleur de meubles, les meubles sont censés loués pour toute la durée du bail de la maison ; dans le cas contraire, il peut les retirer après l'expiration des délais prescrits pour les congés.

La règle de l'art. 1757 reçoit-elle son application, lorsque c'est le propriétaire de la maison lui-même qui prend les meubles à loyer? ⋙ *A.* L'art. 1757 est absolu (Troplong, n. 600).

1759 — Si le locataire d'une maison ou d'un appartement continue sa jouissance après l'expiration du bail par écrit, sans opposition de la part du bailleur, il sera censé les occuper aux mêmes conditions, pour le terme fixé par l'usage des lieux, et ne pourra plus en sortir ni en être expulsé qu'après un congé donné suivant le délai fixé par l'usage des lieux.

(1) Duvergier, n. 233; Troplong, n. 599.
(2) Troplong, n. 461 et 601.

= La loi fait au bail à loyer l'application des principes établis articles 1736 et 1738 combinés, sur la tacite réconduction.

1760 — En cas de résiliation par la faute du locataire, celui-ci est tenu de payer le prix du bail pendant le temps nécessaire à la relocation, sans préjudice des dommages et intérêts qui ont pu résulter de l'abus.

= Ne concluons pas de cette disposition, que le preneur soit tenu des loyers, jusqu'à ce que le bailleur ait trouvé un autre locataire : la loi veut seulement faire entendre, que les loyers ne sont dus que pendant le temps présumé nécessaire à la relocation.

Par ex. : à Paris, on doit donner congé trois mois d'avance pour les loyers excédant quatre cents francs : si un locataire avait été expulsé des lieux le 1er mars, pour abus de jouissance, il devrait donc non-seulement payer le terme courant, mais encore celui d'avril à juillet. — Toutefois, comme ce n'est point un bénéfice, mais une indemnité, que la loi prétend accorder, le bailleur ne peut prétendre à ce dernier terme, s'il a trouvé un locataire.

Notre article réserve en outre au bailleur le droit de demander de plus amples dommages-intérêts pour le tort résultant de l'abus de jouissance.

1761 — Le bailleur ne peut résoudre la location, encore qu'il déclare vouloir occuper par lui-même la maison louée, s'il n'y a eu convention contraire.

= Suivant notre ancienne jurisprudence, le propriétaire pouvait expulser le preneur avant l'expiration du bail, en déclarant qu'il voulait habiter par lui-même.

Le Code lui refuse cette prérogative, inconciliable d'ailleurs avec les principes qui régissent les conventions synallagmatiques, sauf, bien entendu, toute stipulation contraire (1).

1762 — S'il a été convenu, dans le contrat de louage, que le bailleur pourrait venir occuper la maison, il est tenu de signifier d'avance un congé aux époques déterminées par l'usage des lieux.

= Ainsi, le bailleur devrait avertir d'avance le preneur, par un congé signifié aux époques déterminées par l'usage des lieux (1736 et 1737), lors même qu'il se serait réservé le droit de l'expulser pour venir habiter la maison.

Mais la loi ne lui impose pas, comme dans le cas prévu art. 1745, l'obligation de payer une indemnité; car il use d'un droit : la position du bailleur qui vient occuper sa maison a paru mériter plus de faveur que lorsqu'en aliénant, il donne lieu à l'expulsion du preneur (2).

_____

(1) Ainsi, la loi Æde, célèbre dans le droit romain et dans notre ancien droit français, est abrogée par le Code civil.

(2) Locré, Législ., p. 348 et 649, n. 44; voy. cep. Duvergier, n. 11.

SECTION III.

Des règles particulières aux baux à ferme (1).

Les dispositions comprises dans cette section, sont relatives à la faculté de sous-louer (1763, 1764);

A l'obligation ou à la diminution du prix du bail pour cause de la différence qui existerait entre la mesure réelle du fonds, et celle qui est mentionnée au contrat (1765);

Aux obligations du preneur (1766 à 1768);

Au cas où il peut obtenir remise du prix (1769 à 1773);

Enfin, la loi détermine la durée du bail à ferme et impose certaines obligations au fermier sortant (1774-1778).

1763—Celui qui cultive sous la condition d'un partage de fruits avec le bailleur, ne peut ni sous-louer ni céder, si la faculté ne lui en a été expressément accordée par le bail (2).

= Dans ces sortes de baux, le preneur reçoit le nom de *colon partiaire*, parce qu'au lieu d'argent, il donne au bailleur une certaine portion des fruits produits par le fonds (3). — On nomme *fermier*, celui qui prend un immeuble à bail, moyennant une redevance fixe, soit en argent, soit en denrées.

En général, le preneur peut sous-louer, si cette faculté ne lui a été formellement interdite par le bail (1717); mais la loi établit une exception, pour le cas où le fermier cultive sous la condition d'un partage de fruits avec le bailleur : elle présume, qu'en traitant de cette manière, le bailleur a pris en considération les connaissances agricoles et la probité du preneur; c'est une véritable société qui s'est établie entre eux : or un associé ne peut, sans le consentement de son coassocié, introduire une tierce personne dans la société (1861).

On décide, par la même raison, que le bail finit par la mort du preneur; sauf toutes conventions contraires (1865, 1868, 1890) (4).

— Le fermier a-t-il la jouissance des alluvions ? ⁓ *A.* L'alluvion et le fonds ne forment qu'une seule et même chose (Dur., n. 81; Troplong, n. 190). ⁓ Le fermier ne peut être privé de la jouissance de l'alluvion; mais il doit un surcroît proportionnel de prix (Duvergier, n. 356; Chardon, Alluvion, n. 157).

(1) Le mot *ferme* vient de *firma*; il signifie, *revenu.* On nomme *biens ruraux*, ceux qui sont destinés à l'agriculture et au pâturage.

(2) Cet article et le suivant, contiennent des règles sur la société; ils se trouvent dès lors placés mal à propos sous la rubrique du bail à ferme.

(3) Toutefois, on convient ordinairement, que le colon ou métayer payera un prix en argent, pour son logement et pour sa part dans les impôts, c'est-à-dire dans les charges de la culture. Le bailleur jouit, pour cette prestation, d'un privilège (*voy.* l'art. 2102).

(4) Vainement argumenterait-on de l'art. 1742 : cet article n'a pas été fait pour le bail partiaire, mais pour le louage pur et simple. — Arg. des termes de l'article 1763 : l'industrie et les qualités personnelles du colon ont été pour le bailleur une question déterminante; le colon partiaire est *instar socii* (1865) (Delv., p. 105, n. 6; Rolland, Bail partiaire, n. 8; Troplong, n. 645). ⁓ Il n'existe pas d'analogie parfaite entre le bail partiaire et la société : si l'on admettait l'argument tiré de l'art. 1865, il faudrait aller jusqu'à décider, que le bail partiaire se résout, non-seulement par la mort du preneur, mais encore par celle du bailleur. Si le législateur avait voulu que le bail partiaire cessât par la mort du preneur, il l'eût formellement exprimé comme il l'a fait pour le louage d'ouvrage. — Quand il a été convenu que le bail sera résolu par la mort du colon ou métayer, les représentants de ce colon ou métayer n'ont que le droit d'achever l'année dans laquelle est arrivé son décès; s'il y a des travaux de faits pour l'année suivante, le propriétaire leur en paye la valeur. — Lorsque cette clause n'existe pas, le bailleur ne peut empêcher les représentants de continuer la culture pendant le temps convenu; au surplus, ils obtiendront facilement, s'ils sont mineurs, la résiliation du bail sans payer aucuns dommages-intérêts au bailleur (Dur, n. 178; Duvergier, n. 91).

Le fermier a-t-il le droit de chasser sur le fonds, si cette faculté ne lui a pas été interdite par le bail ? ∧∧∧ *A.* Le droit de chasse est moins un accessoire honorifique qu'une dépendance utile (Dur., n. 82, t. 17 ; n. 286 , t. 4 ; Duvergier, n. 73). ∧∧∧ *N.* Le droit de chasse est inhérent à la propriété. — La chasse n'est pas un fruit du fonds, mais un simple droit voluptuaire qui n'a rien d'utile. Il faut toutefois excepter le cas où le fonds étant destiné à la chasse, la chasse serait considérée comme revenu principal du fonds (Troplong , n. 161 et suiv. ; Favard , Chasse, n. 5 ; Toullier, t. 4, n. 19. — *Paris* , 19 mars 1812 ; S., 12, 2, 323 ; D., Chasse. — *Angers* , 14 août 1826 ; S., 27, 2, 6. — *Cass.*, 12 juin 1828 ; S., 28,1, 351 ; D., 28, 1, 282).

A-t-il le droit de pêche ? ∧∧∧ Mêmes décisions.

1764 — En cas de contravention, le propriétaire a droit de rentrer en jouissance, et le preneur est condamné aux dommages-intérêts résultant de l'inexécution du bail.

= Ainsi, non-seulement, les contraventions à la prohibition prononcée dans l'article précédent, entraînent la résiliation du bail, mais encore elles donnent lieu contre le preneur à des dommages-intérêts envers le bailleur.

— Le juge pourrait-il, sous un prétexte quelconque, refuser d'adjuger la demande en résolution ? ∧∧∧ *N.* En accordant formellement au bailleur , le droit de rentrer en jouissance , l'article 1764 refuse par cela même aux tribunaux , le droit d'appréciation (Delv., p. 105, n. 6). ∧∧∧ A la vérité, les termes de l'article 1764 paraissent absolus : mais pourquoi se montrer plus sévère contre l'infraction du colon partiaire que contre celle dont se rend coupable un preneur ordinaire ? — En général, il n'y a point de nullité sans grief (Duvergier, n. 90).

1765 — Si, dans un bail à ferme, on donne aux fonds une contenance moindre ou plus grande que celle qu'ils ont réellement, il n'y a lieu à augmentation ou diminution de prix pour le fermier que dans les cas et suivant les règles exprimées au titre de la Vente.

= Nous avons vu, que le bailleur est tenu, comme le vendeur, de livrer la chose louée : cette délivrance ne donne lieu en général à aucune difficulté, lorsqu'il s'agit de baux à loyer ; mais à l'égard des baux à ferme, elle peut faire naître sur la contenance du fonds, les mêmes contestations que la vente : pour résoudre ces difficultés, la loi renvoie aux règles exposées dans les art. 1617 à 1623.

— De ce que la loi renvoie au titre *de la Vente* pour l'application de cette disposition, faut-il conclure que l'action , soit en augmentation , soit en diminution de prix, doive être exercée dans l'année ? ∧∧∧ *N.* Ce n'est que relativement à l'augmentation et à la diminution du prix , et non quant à la durée de l'action , que la loi renvoie à la vente : le terme est de trente ans (Dur., n. 180, t. 17). ∧∧∧ L'action doit être intentée dans l'année , à compter du jour du contrat , sous peine de déchéance (Duvergier, n. 135 ; Troplong, n. 658).

1766 — Si le preneur d'un héritage rural ne le garnit pas des bestiaux et des ustensiles nécessaires à son exploitation , s'il abandonne la culture, s'il ne cultive pas en bon père de famille, s'il emploie la chose louée à un autre usage que celui auquel elle a été destinée, ou, en général, s'il n'exécute pas les clauses du bail et qu'il en résulte un dommage pour le bailleur, celui-ci peut, suivant les circonstances, faire résilier le bail.

En cas de résiliation provenant du fait du preneur, celui-ci est tenu des dommages et intérêts, ainsi qu'il est dit en l'article 1764.

= La loi fait ici l'application des principes établis par les art. 1729, 1741 et 1184 : si le preneur commet des abus, et généralement, s'il ne remplit pas ses engagements, la résolution avec des dommages-intérêts peut être prononcée : toutefois, il semble résulter des termes de l'article 1766, que l'inexécution de telle ou telle clause du bail ne donne lieu à résolution qu'autant qu'elle cause un tort grave au bailleur : lorsque le préjudice est d'une faible importance, les juges doivent donc se borner à prononcer des dommages-intérêts.

1767 — Tout preneur de bien rural est tenu d'engranger dans les lieux à ce destinés d'après le bail.

= Le bailleur a un privilége pour le payement des fermages, sur les fruits de la récolte de l'année (2102) : il lui importe, dès lors, que le preneur ne puisse, en détournant ces fruits, les soustraire à l'exercice de ce privilége.

1768 — Le preneur d'un bien rural est tenu, sous peine de tous dépens, dommages et intérêts, d'avertir le propriétaire des usurpations qui peuvent être commises sur les fonds.

Cet avertissement doit être donné dans le même délai que celui qui est réglé en cas d'assignation suivant la distance des lieux.

= Placé sur les lieux, le preneur contracte l'obligation de veiller à la conservation de la chose : il est donc tenu, sous peine de dommages-intérêts, d'avertir le propriétaire des usurpations commises sur le fonds (*Voy.* art. 614 et 1726, C. c.). — L'avertissement doit être donné dans le même délai que celui qui est réglé en cas d'assignation, eu égard à la distance qui sépare le fonds rural, du domicile du propriétaire (*voy.* les articles 72, 78 et 1033, Pr.; 1726, 614, C. c.).
Bien que l'article 1768 ne parle que des usurpations, il n'est pas douteux que le fermier serait tenu, sous les mêmes peines, de faire connaître au propriétaire un trouble de droit; par ex. : une dénonciation de propriété qui lui aurait été signifiée avec défense de payer à d'autre qu'au dénonçant.
La loi ne détermine pas la forme de l'avertissement; concluons de là, qu'il peut être donné, soit par huissier, soit de toute autre manière, même verbalement.

— La disposition de l'art. 1768 est-elle restreinte au cas où il s'agit d'un bien rural ; peut-on l'appliquer aux fonds urbains? ⁓ *A.* Si la loi ne parle que des fonds ruraux, c'est que les usurpations sont bien plus faciles sur ces sortes de fonds que sur les autres (Delv., p. 99, n. 1).

1769 — Si le bail est fait pour plusieurs années, et que, pendant la durée du bail, la totalité ou la moitié d'une récolte au moins soit enlevée par des cas fortuits, le fermier peut demander une remise du prix de sa location, à moins qu'il ne soit indemnisé par les récoltes précédentes.

S'il n'est pas indemnisé, l'estimation de la remise ne peut avoir lieu qu'à la fin du bail, auquel temps il se fait une compensation de toutes les années de jouissance.

Et cependant le juge peut provisoirement dispenser le preneur de payer une partie du prix en raison de la perte soufferte.

= Le bailleur est tenu de procurer au preneur une jouissance continue et effective de la chose; en d'autres termes, il doit garantir non-seulement le droit abstrait de percevoir les fruits, mais encore, dans une certaine mesure, la possibilité physique, matérielle, d'opérer cette perception (1722) (1). Les articles 1769 et 1770 contiennent des applications de cette règle.

Lorsque le locataire éprouve un empêchement de jouir d'une partie de la chose, on l'indemnise en lui faisant la remise d'une partie du prix : toutefois, le concours de plusieurs conditions est exigé pour que cette remise ait lieu : il faut 1º que la perte résulte d'un cas fortuit qui ne soit point imputable au preneur.

2º Que la perte soit arrivée les fruits étant encore sur pied (1771).

3º Que le dommage ait été considérable : la loi exige qu'il corresponde, sinon à la totalité, du moins à la moitié *d'une récolte* (ce qui doit s'entendre d'une récolte ordinaire, d'une année commune), soit que le prix consiste en une quantité de fruits, soit qu'il consiste en numéraire. — On n'a point égard à la vilité du prix des denrées.

Remarquez cette expression, *d'une récolte* : le preneur doit donc avoir éprouvé ce dommage dans une même année : il ne suffirait pas, qu'en faisant la balance à la fin du bail, il établît une perte correspondante à la moitié d'une récolte sur toutes les années de jouissance.

Ces mots : *récolte enlevée*, ne doivent pas être entendus en ce sens, que le fermier ne puisse prétendre à une indemnité, que dans le cas seulement où les fruits sont parvenus à leur maturité; ils comprennent aussi les événements qui les ont empêchés de naître, ou qui ont causé la perte des arbres destinés à les produire.

Il n'est pas nécessaire que ces accidents soient du nombre de ceux que l'on considère comme extraordinaires, tels qu'une inondation, les ravages de la guerre, les tremblements de terre, les excavations : des accidents ordinaires, tels que la gelée, la coulure ou la grêle, la trop grande humidité, la violence des vents, suffiraient pour motiver cette demande (Dur., n. 193; *voy.* cep. Pothier, n. 163).

Par la même raison, le fermier de terres voisines d'une rivière sujette à des débordements, peut obtenir une indemnité, à raison de la perte d'une récolte, bien qu'il ait pu connaître, à l'époque du bail, le danger auquel il s'exposait (Dur., n. 194; *voy.* cep. Delv., p. 106, n. 1).

En un mot, quelle que soit la cause de stérilité, le fermier peut prétendre à une remise, s'il est privé de la moitié au moins d'une récolte, pourvu qu'il ne soit pas en faute et qu'il n'ait pas d'ailleurs pris sur lui les cas fortuits.

Lorsque plusieurs fonds affectés, soit au même genre de culture, soit à des genres de culture différents, ont été loués à une même personne, le preneur peut-il obtenir une remise du prix, quand la récolte de l'un d'eux est détruite en totalité ou en partie par cas fortuit? Il faut distinguer : si les terres ont été louées pour un même prix, on ne doit pas considérer isolément celle qui a été ravagée; la perte s'estime eu égard au produit de tous les fonds affermés : ainsi, dans l'espèce, il n'y aura lieu à une remise proportionnelle du prix, qu'autant que le produit du fonds ravagé égalera en valeur la moitié des produits de tous les fonds réunis. — Cette décision recevrait son application, lors même que le fermier aurait sous-loué séparément ce fonds, et se trouverait, par suite, contraint à faire au sous-

---

(1) Ainsi, l'action conférée par l'article 1769 est fondée sur la nature du bail (Troplong, n 695 et suiv.) Les dispositions des articles 1769 et 1770, sont des derogations à la nature du bail fondées sur la faveur qu'inspire le malheur du fermier (Dur., n. 190, et Duvergier).

fermier une remise de tout ou partie du prix de son bail ; la sous-location, en effet, est étrangère au propriétaire.

Quid, si les différents fonds compris dans un bail sont affermés pour des prix différents et séparés? On procède comme si chacun des fonds faisait l'objet d'un bail distinct : ainsi, le fermier pourrait demander une indemnité, quoiqu'il eût fait une récolte abondante sur un autre fonds; sauf, bien entendu, toute stipulation contraire.

Le juge est appréciateur du dommage; la preuve des faits qui le constituent peut être établie par titres, par experts ou par témoins.

4° Il faut qu'il ne soit indemnisé ni par la surabondance des années précédentes ni par celles des années suivantes. Par conséquent, si le preneur forme sa demande en indemnité avant la fin du bail, on ne doit pas y faire droit définitivement; car des récoltes abondantes peuvent survenir : l'estimation de la remise est renvoyée à la fin du bail : alors, le résultat général étant connu, on fait compensation de toutes les années de jouissance antérieures et postérieures à la mauvaise année, et le preneur peut, s'il est en perte, se faire indemniser de cette perte, quelque minime qu'elle soit. — Ex. : une métairie est louée pour trois ans ; elle doit produire, année commune, 3,000 fr. : la première année, elle n'en produit que 1,000; la deuxième, 3,500; et la troisième, 4,000; le fermier a perdu sur la première année, 2,000 fr.; mais il a obtenu sur les autres années, un excédant de 1,500 fr.; il a droit dès lors à une remise de 500 fr. (1).

Quid, si les années d'abondance et de perte ont été entremêlées? L'article 1769 déclarant formellement qu'il faut compenser toutes les années de jouissance, et que le fermier ne peut demander une remise qu'autant qu'il n'a pas été indemnisé par les récoltes précédentes, nous pensons que l'on doit, à la fin du bail, former un bloc et balancer tous les excédants et tous les déficits, de manière que le fermier puisse faire valoir contre le propriétaire les années médiocres, et que le propriétaire puisse opposer au fermier les bonnes années (2).

On doit apprécier le désastre eu égard à la totalité de la récolte, et en faisant confusion de tous les produits de la ferme.

Le locateur qui, sans attendre la fin du bail, fait remise au fermier d'une partie des fermages de l'année, à cause de la perte d'une partie des fruits, peut ensuite rétracter cette remise, si le fermier se trouve dédommagé par l'abondance des années suivantes : la loi présume que le bailleur

---

(1) Dur., n. 201. ᴧᴧᴧ L'ancienne jurisprudence condamnait ce système, il n'est pas présumable que les auteurs du Code aient voulu innover. Toutes les années du bail sont solidaires; or, la solidarité a pour effet nécessaire de reporter sur l'année de perte, le gain produit par les autres années ; d'empêcher que le bénéfice ne soit calculé seul et abstraction faite des profits perçus auparavant : toutes les années de jouissance se compensent donc; il faut en former un bloc à la fin du bail, et cette balance opérée, si elle ne démontre pas une perte de la moitié au moins d'une récolte, il n'y a pas lieu d'indemniser le fermier; on doit le traiter comme dans le cas de l'article 1770 (Duvergier, n. 174 et suiv., Troplong, n. 731).

(2) Le texte ne refuse la réduction que lorsque le fermier est indemnisé par les récoltes précédentes, et il veut que l'on fasse une compensation de toutes les années de jouissance : c'est dire implicitement, que si l'on compte l'excédant des années d'abondance, on doit supputer aussi le déficit des années stériles : le système opposé empêche la compensation de toutes les années; il conduit à ce résultat inadmissible, que le fermier peut ne pas obtenir de réduction, bien qu'il ne soit pas indemnisé. — Il est équitable que le fermier à qui l'on oppose comme dédommagement de la perte qu'il éprouve, l'excédant qu'ont présenté certaines récoltes, puisse retrancher le déficit qui se rencontre dans d'autres (Dur., n. 201; Troplong, n. 732). ᴧᴧᴧ Le bailleur peut opposer au fermier les excédants réunis sans faire déduction des déficits. Admettre que le fermier à qui le bailleur oppose en compensation, l'excédant de l'une des années précédentes, puisse demander qu'on déduise sur cet excédant le *déficit* d'une autre année, c'est lui accorder implicitement une indemnité pour une perte qui ne s'élève pas à la moitié d'une récolte ordinaire. — A la vérité, le texte parle de toutes les années de jouissance, mais c'est uniquement pour faire entendre, que la compensation doit porter aussi bien sur les années qui suivent celle qui donne occasion de se plaindre, que sur les années qui l'ont précédée (Duvergier, n. 175).

a voulu venir au secours du fermier tout en conservant cependant les chances de l'avenir. Il jouirait de ce droit, lors même qu'il aurait employé dans l'acte de remise, les mots, *don*, *donation* : ces expressions n'indiqueraient qu'une remise ordinaire pour cause de stérilité; personne, en effet, n'étant censé vouloir donner : on présumerait que le bailleur a voulu prévenir un procès; qu'il a voulu acquitter, par anticipation, une dette qui pourra naître : or, cette dette n'existera pas, s'il survient des années surabondantes.

Il est superflu de dire, que le bailleur ne pourrait se rétracter pour raison des récoltes abondantes des années précédentes, s'il était prouvé qu'il avait connaissance de ce fait lors de la remise.

En attendant la fin du bail, comme la perte éprouvée pourrait mettre le preneur hors d'état de payer les fermages échus, notre article lui réserve la ressource d'obtenir provisoirement du juge la remise d'une partie du prix : ainsi, la loi distingue l'indemnité provisoire, qui peut être accordée durant la jouissance, de l'indemnité définitive, dont le règlement est nécessairement ajourné à la fin du bail.

Pour apprécier la quotité de la perte éprouvée par le fermier, doit-on avoir égard à la valeur vénale de ce qui reste? La plupart des auteurs décident qu'il ne faut considérer que la quantité de fruits et faire abstraction de leur qualité et de leur prix; ils se fondent sur ces expressions des articles 1769, 1770 et 1771 : *récoltes enlevées*, *perte des fruits*, lesquelles démontrent suffisamment que le déficit sur la quantité peut seul donner ouverture au droit du fermier, et que l'intention du législateur a été de ne tenir aucun compte des prix; d'ailleurs, ajoutent-ils, le but qu'on se propose, celui d'indemniser le preneur, ne serait atteint qu'imparfaitement, si l'on avait égard à la valeur vénale des récoltes : en effet, d'une part, le preneur a pu vendre à bas prix pour avoir conservé trop longtemps les fruits; d'autre part, la conservation des fruits a pu lui donner un bénéfice : or, comment constater ces faits? Dira-t-on qu'il faut recourir aux mercuriales? Mais il peut arriver que les denrées n'aient pas été vendues à ce taux (1) : pour fixer la compensation, le juge n'est donc pas tenu de suivre les variations qui ont existé dans le prix des denrées produites par le fonds.

— Le fermier qui est indemnisé de ses pertes par une compagnie d'assurances, peut-il obtenir du bailleur un rabais sur son prix? ᴀᴀᴀ.t. La police d'assurances est pour le bailleur *res inter alios acta* (Troplong, n. 741. — *Cass.*, 4 mai 1831 ; D., 31, 1, 249 ; S., 31. 1, 204).

1770 — Si le bail n'est que d'une année, et que la perte soit de la totalité des fruits, ou au moins de la moitié, le preneur sera déchargé d'une partie proportionnelle du prix de la location.

Il ne pourra prétendre aucune remise, si la perte est moindre de moitié.

(1) Dur., n. 192 et 206 ; Duvergier, n. 155. ᴀᴀᴀ Les expressions fruits, récoltes, récoltes enlevées, perte des fruits, employées dans les articles 1769-1771, n'ont pas l'énergie qu'on leur attribue : l'enlèvement des fruits et la perte des récoltes forment bien un des éléments qui servent à calculer le dommage; mais le fait de stérilité étant établi, il faut que le fermier prouve qu'il est lésé : or, comment apprécier la lésion, si l'on met le prix à l'écart? L'article 1769 parle d'une indemnité; comment peut-il y avoir lieu à indemnité si le haut prix des récoltes existantes rend le fermier indemne. Quoi! la loi voudrait que le fermier obtint une diminution proportionnelle sur le prix, lorsque par les gains qu'il a faits, il n'a éprouvé aucune lésion dans ce même prix ! — Ancienne jurisprudence (Troplong, n. 717).

1771 — Le fermier ne peut obtenir de remise, lorsque la perte des fruits arrive après qu'ils sont séparés de la terre, à moins que le bail ne donne au propriétaire une quotité de la récolte en nature ; auquel cas le propriétaire doit supporter sa part de la perte, pourvu que le preneur ne fût pas en demeure de lui délivrer sa portion de récolte.

Le fermier ne peut également demander une remise, lorsque la cause du dommage était existante et connue à l'époque où le bail a été passé.

= La remise d'une partie du prix des fermages (1769 et 1770) est uniquement fondée sur le défaut de cause ; cette remise n'est donc pas due, si les fruits ont péri après avoir été coupés : en effet, dès qu'ils sont séparés de terre, quoique non enlevés, ils se trouvent mobilisés au profit du fermier, qui les a faits siens, et par conséquent, ils passent à ses risques.

Cette règle n'est point applicable, lorsque la prestation due par le fermier consiste dans une certaine quotité des fruits que produira le fonds ; en d'autres termes, lorsque le bail est partiaire : les fruits se trouvant alors en commun (1763), les risques doivent être supportés par le bailleur et par le colon, chacun en proportion de la part qu'il est appelé à prendre. — Toutefois, on excepte le cas où le colon aurait été mis en demeure, sauf à lui à prouver, que les fruits auraient également péri s'ils eussent été livrés (1302).

Lors même que la perte est arrivée avant la récolte, le fermier n'a droit à aucune indemnité, s'il a pu connaître, au moment du contrat, la cause du dommage ; on présume que le prix du bail a été fixé en conséquence : par ex., si le fermier a reçu un fonds de mauvaise qualité ou une vigne très-vieille qui ne produise presque plus, il ne peut réclamer de remise.

— La disposition de l'article 1771 est-elle applicable au cas où la perte des fruits séparés de terre résulte d'un cas fortuit extraordinaire ? ⋙ A. La chose était devenue la propriété du fermier ; dès lors, il ne peut pas plus obtenir de remise dans les cas extraordinaires que dans les cas ordinaires, sauf toute stipulation contraire (Troplong, n. 751). ⋙ N. L'article 1771 ne statue que pour les cas fortuits ordinaires (*Metz*, 10 mai 1825 : S., 29, 2, 172 ; D., 29, 2, 4).

La clause par laquelle le fermier se charge des sinistres, doit-elle s'entendre de ceux qui pourront affecter les fruits, ou de ceux qui porteront sur la chose ? ⋙ C'est là une question d'intention ; dans le doute, il faut décider que les parties n'ont entendu parler que des fruits (Troplong, n. 759).

1772 — Le preneur peut être chargé des cas fortuits par une stipulation expresse.

= On ne peut donc chercher, dans des vraisemblances ou des conjectures, si le preneur a voulu se charger des cas fortuits : la loi exige une stipulation expresse.

1773 — Cette stipulation ne s'entend que des cas fortuits ordinaires, tels que grêle, feu du ciel, gelée ou coulure.

Elle ne s'entend pas des cas fortuits extraordinaires, tels que les ravages de la guerre, ou une inondation, auxquels le pays n'est pas ordinairement sujet, à moins que le preneur n'ait été chargé de tous les cas fortuits prévus ou imprévus (1).

(1) Le législateur a voulu, par cette distinction, faire cesser une controverse qui existait sous l'ancienne jurisprudence (Troplong, n. 757).

= La loi ne présume pas que le fermier, en se chargeant purement et simplement des événements fortuits, ait eu en vue les cas extraordinaires : mais il manifeste suffisamment la volonté d'encourir ces derniers risques, lorsqu'il déclare prendre à sa charge les *cas fortuits prévus et imprévus.*

— De ce que la loi déclare que le preneur n'est tenu que des cas fortuits ordinaires, lorsqu'il s'est chargé des cas fortuits, sans autres explications, doit-on conclure que la perte n'est pas à sa charge quand il a gardé le silence ? ⁓ *N*. La loi veut seulement faire entendre, qu'il ne peut demander une remise lorsque cette clause existe, quand même la récolte serait perdue en totalité (Delv., p. 106, n. 2).

Si le preneur s'est chargé des cas prévus ou imprévus, est-il responsable de la perte des portions de terrain que la violence du fleuve a emportées, ou des bâtiments détruits par force majeure ? ⁓ *N*. Dans les art. 1759 et suiv., il n'est question que des récoltes ; c'est relativement à ces récoltes, que les art. 1772 et 1773 parlent des cas fortuits (Dur., n. 213, t. 17).

Quid, si le fermier a été obligé d'abandonner la culture pour fuir l'ennemi dans une guerre d'invasion ? ⁓ Il peut être déchargé (Dur., n. 211).

Quid, s'il a abandonné la culture pour se soustraire à la contrainte par corps prononcée pour dettes ? ⁓ Il ne pourrait réclamer de remise, quand même il n'aurait pas pris sur lui les cas fortuits (Dur., *ibid.*).

Quid, s'il a abandonné la culture, pour éviter une prise de corps pour crime ou délit ? ⁓ S'il a été convaincu du crime, il ne peut obtenir de remise. *Secùs* s'il a été absous ou si l'affaire n'a pas été poursuivie (Dur., *ibid.*).

Quid, à l'égard des incendies qui ne proviennent pas du feu du ciel ? ⁓ Ils sont présumés causés par le fermier ; ce qui rend applicables les art. 1733 et 1734.

Quid, si le fermier a pu se soustraire aux cas fortuits prévus ou imprévus ? ⁓ La perte est à sa charge ; les juges, au surplus, sont appréciateurs des circonstances.

1774 — Le bail sans écrit, d'un fonds rural, est censé fait pour le temps qui est nécessaire afin que le preneur recueille tous les fruits de l'héritage affermé.

Ainsi, le bail à ferme d'un pré, d'une vigne, et de tout autre fonds dont les fruits se recueillent en entier dans le cours de l'année, est censé fait pour un an.

Le bail des terres labourables, lorsqu'elles se divisent par soles ou saisons, est censé fait pour autant d'années qu'il y a de soles.

— Comment doit-on appliquer la disposition de l'art. 1774, si le bail comprend à la fois des prés, des vignes et des terres labourables divisées par soles ? ⁓ Le bail des prés et des vignes, est censé fait pour le même temps que celui des terres labourables, encore bien que les fruits puissent être recueillis dans le cours de l'année ; on doit présumer que telle a été l'intention des parties : si donc, la ferme comprend des terres soumises à l'assolement triennal et des héritages dont tous les fruits se recueillent en une seule année, le bail sera de trois ans ; toutes les productions de la ferme se combinent (Troplong, n. 763 et 765).

Quid, s'il s'agit d'un bois taillis ? ⁓ S'il a été compris dans la location des autres terres, la durée du bail de ce bois est censée la même que celle desdites terres. S'il a été affermé à part, le bail sans terme fixe dure pendant le temps nécessaire pour faire successivement toutes les coupes ; au reste, c'est là une question d'interprétation (Troplong, n. 766 et suiv.).

1775 — Le bail des héritages ruraux, quoique fait sans écrit, cesse de plein droit à l'expiration du temps pour lequel il est censé fait, selon l'article précédent.

= Ainsi, la loi n'abandonne pas la durée du bail des héritages ruraux comme celle du bail à loyer, à l'usage des lieux ; ce bail a par sa nature un terme fixe : celui de la récolte des fruits. La signification d'un congé n'est donc pas nécessaire : il suffit au fermier, pour empêcher la tacite reconduction, de quitter les lieux ; et au bailleur, de manifester sa volonté, avant que le preneur ait fait aucun acte de culture (*voy.* art. 1736).

1776 — Si, à l'expiration des baux ruraux écrits, le preneur

reste et est laissé en possession (1), il s'opère un nouveau bail
dont l'effet est réglé par l'article 1774.

= La loi fait aux baux des biens ruraux, l'application des règles sur
la tacite reconduction (*voy.* art. 1738 et suiv.).

Elle ne parle que des baux écrits : il est cependant certain que sa disposition s'appliquerait aux baux faits sans écrit, car il y a même raison de
décider (*voy.* art. 1774 et 1775 combinés).

Le juge est appréciateur des circonstances.

— Une ferme est partagée en deux soles ; elle a été donnée à bail pour un an seulement ; par conséquent, le fermier n'a pu jouir que d'une sole. A l'expiration de ce temps, il laboure et ensemence les
terres d'une autre saison : le bail tacite résultant de la reconduction sera-t-il d'un an ou de deux ans ?
∿∿ D'après l'article 1774, la durée des baux de terres divisées par soles, est d'autant d'années qu'il y a de
soisons (Duvergier. n. 216). ∿∿ Il est inexact de dire qu'il n'y a qu'un seul héritage partagé en deux
saisons : dans l'espèce, on doit voir autant de choses distinctes qu'il y a de soles ; le bail tacite de la seconde saison ne comprend dès lors que les terres de la deuxième saison, de même que le premier bail
ne comprenait taxativement que les terres de la première sole ; donc, le deuxième bail ne doit durer
qu'un an. — Par suite du même principe, le prix ne peut plus être le même que celui du précédent bail,
car les soles peuvent être inégales en bonté et en étendue ; il faut recourir à des experts (Troplong, n. 774).

1777 — Le fermier sortant doit laisser, à celui qui lui succède dans la culture, les logements convenables et autres
facilités pour les travaux de l'année suivante ; et réciproquement, le fermier entrant doit procurer à celui qui sort,
les logements convenables et autres facilités pour la consommation des fourrages, et pour les récoltes restant à faire.

Dans l'un et l'autre cas, on doit se conformer à l'usage des
lieux.

1778 — Le fermier sortant doit aussi laisser les pailles et engrais de l'année, s'il les a reçus lors de son entrée en jouissance ; et quand même il ne les aurait pas reçus, le propriétaire pourra les retenir suivant l'estimation.

= Par suite du principe que le preneur est tenu de rendre la chose
dans l'état où il l'a trouvée, le fermier sortant doit laisser les pailles et
engrais de l'année, s'il les a reçus en entrant.

Dans l'intérêt de l'agriculture, la loi confère même au propriétaire,
la faculté de retenir sur estimation les pailles et engrais de la dernière
année ; il aurait ce droit, lors même que le fermier ne les aurait pas reçus
à son entrée en jouissance.

Si le fermier a fait des constructions sur le fonds, comme une écurie,
un hangar, le propriétaire peut les retenir, en payant ce qu'elles ont
coûté, si mieux il n'aime contraindre le fermier à les enlever, en le forçant à rétablir les lieux dans leur premier état (Arg. de l'art. 555).

S'il a fait des réparations nécessaires, le bailleur doit lui en rembourser
le montant.

Que faut-il décider à l'égard des semences ? Le fermier sortant doit
laisser à son successeur une quantité de semences égale à celle qu'il a reçue
lors de son entrée en jouissance ; s'il n'en a pas reçu, c'est au nouveau
fermier à s'en procurer.

_____

(1) Ces mots : en *possession*, sont inexacts : le fermier n'est pas possesseur, mais simple détenteur (2238).

— *Quid*, si le fermier a planté une vigne ou un verger qu'il n'était point tenu de planter ? ⁕⁕⁕ L'indemnité se règle en raison de la plus-value éprouvée par le fonds , déduction faite de la différence entre la jouissance qu'il a eue pour cette cause , et celle qu'il aurait eue sans cela (Dur., n. 220 , t. 17).

CHAPITRE III.

Du louage d'ouvrage et d'industrie.

Le louage d'ouvrage embrasse généralement tous les contrats dans lesquels on stipule un salaire , pour services , soins ou travaux quelconques (1779).

Le louage d'ouvrage, comme le mandat , impose l'obligation de faire quelque chose pour autrui ; mais il diffère principalement de ce dernier contrat, en ce que celui qui fait l'ouvrage, reçoit un salaire, c'est-à-dire, un prix , qui est l'équivalent du travail fourni ; tandis que le mandataire est censé rendre un pur offre d'ami : si des honoraires lui sont accordés, on les considère comme une récompense et non comme un prix : de même qu'une donation rémunératoire ne laisse pas d'être une donation , de même un mandat, bien que conféré avec rémunération, conserve son caractère. — Ainsi , c'est le prix qui distingue le louage d'ouvrage, du mandat : le mandat serait un véritable louage s'il avait un prix pour condition (1).

Comme le louage des choses , ce contrat est synallagmatique, commutatif, et intéressé de part et d'autre ; seulement, il a pour objet un ouvrage à faire , *res facienda ;* tandis que dans le louage des choses, *res utenda datur.*

Du reste, le louage d'ouvrage nécessite également le concours de trois conditions :

1° *Un ouvrage à faire* : cet ouvrage doit être possible ; mais l'impuissance personnelle ne serait pas une cause de nullité : elle donnerait seulement lieu à des dommages-intérêts.

2° *Un prix* : autrement , ce ne serait pas un contrat de louage , mais un *mandat*. Ce prix doit consister en une somme d'argent ; il doit être d'une certaine considération, eu égard à la valeur de l'ouvrage ; autrement, le contrat se rangerait dans la classe des mandats.

3° *Le consentement* : il doit intervenir sur l'ouvrage , sur la qualité de cet ouvrage et sur le prix. — Le consentement peut être exprès ou tacite (*voy.* ce que nous avons dit sur le louage des choses).

_____

(1) Par suite, nous n'hésiterons pas à considérer comme le résultat d'un mandat, l'exercice de certaines professions libérales qui répugnent à l'idée d'un salaire , telles que celle d'avocat , de médecin , de notaire ; car les services rendus en ce cas sont inestimables ; ils donnent seulement lieu à des honoraires , lesquels se règlent en général suivant l'usage des localités. — L'exercice des professions mécaniques ou autres qui n'ont rien de littéraire ou de libéral , est un louage (Troplong , n. 787 et suiv. ; Pothier. Mandat , n. 26 ; Merlin , Rép. , Notaire , § 6, n. 4 ; Dur.. n. 196 ; Championnière et Rigaud , Enregist. , t. 2, p. 443. — Cass., 27 janvier 1812 ; S., 12. 1. 198). ⁕⁕⁕ Ce qui distingue le mandat du louage , ce n'est ni l'absence d'un prix ou salaire (1988 et 1992) , ni la nature purement intellectuelle du service à rendre. ou de l'affaire à accomplir (car si les auteurs vendent leurs ouvrages , pourquoi ne pourraient-ils vendre leur travail ?) : c'est le pouvoir donné par celui pour qui la chose doit se faire , a celui qui doit l'accomplir ; la capacité transmise par le premier au second : le droit donné au mandataire d'agir , au nom du mandant, de le représenter , de l'obliger envers les tiers , et d'obliger les tiers envers lui : or , on ne trouve dans les conventions expresses ou tacites qui interviennent avec les personnes qui exercent les professions dont nous venons de parler , aucune trace d'un pareil pouvoir ; l'espece particulière de travaux ou de soins que le locataire s'oblige à faire ou à donner , ne modifie donc pas la nature du contrat ; qu'il s'agisse d'un travail mécanique ou d'une œuvre intellectuelle, peu importe ; on ne peut voir , dans la convention , qu'un véritable louage (Duvergier , n. 267 et suivants).

Le louage d'ouvrage peut se former , comme le louage des choses, aussi bien entre absents qu'entre présents.

Celui qui se charge de faire l'ouvrage, est réellement *locateur ;* et celui qui paye cet ouvrage, *locataire* (1) ; néanmoins , on donne communément le nom de *locataire* au premier, et celui de *locateur* au deuxième (2).

Le Code indique trois espèces principales de louage d'ouvrage (*voyez* art. 1779).

1779 — Il y a trois espèces principales de louage d'ouvrage et d'industrie :

1° Le louage des gens de travail qui s'engagent au service de quelqu'un (3);

2° Celui des voituriers, tant par terre que par eau , qui se chargent du transport des personnes ou des marchandises ;

3° Celui des entrepreneurs d'ouvrages par suite de devis ou marchés.

SECTION I.

Du louage des domestiques et ouvriers (4).

En vue de protéger la liberté de l'homme , la loi décide qu'il ne peut engager ses services pour toute la durée de sa vie , mais seulement pour un certain temps ou pour une entreprise déterminée. Elle se réfère du reste , pour les obligations qu'il peut s'imposer , aux règles communes à toutes les conventions; seulement, afin de prévenir les nombreux procès que ferait naître la question du payement des salaires, elle veut que le maître soit cru sur son affirmation : 1° pour la quotité des gages , 2° pour le payement du salaire de l'année échue , 3° pour les à-compte donnés sur l'année courante.

1780 — On ne peut engager ses services qu'à temps , ou pour une entreprise déterminée.

= La liberté est inaliénable : aussi , la loi déclare-t-elle non obligatoire, le contrat par lequel une personne engagerait directement ou indirectement ses services pour toute sa vie : l'inexécution d'une semblable convention ne donnerait même lieu à aucuns dommages-intérêts; les engagements temporaires , ou pour une affaire déterminée , sont seuls autorisés (5).

Quand le louage de services a eu lieu pour un temps limité (et la limi-

---

(1) Domat. ; Locré , t. 14, p. 441 ; Duvergier , n. 6 ; Troplong , n. 64 .

(2) Pothier , Louage , n. 393.

(3) On nomme *gens de travail*, les personnes qui se livrent habituellement à des travaux rudes et pénibles , comme les manouvriers , les terrassiers , les moissonneurs , etc. — *Ouvriers*, celles qui se livrent à des arts mécaniques. — *Domestiques*, celles qui sont attachées d'une manière particulière au service de la personne , à la maison du maître. — Les régisseurs , les intendants , les secrétaires, les charretiers , ne sont pas compris dans la classe des domestiques (Loi du 19-20 avril 1790 , art. 7).

(4) Sous la dénomination d'*ouvriers*, la loi comprend ici même les gens de travail , à l'exception des domestiques.

(5) Dans tous les cas , le maître doit payer au domestique ou à l'ouvrier le temps de service écoulé.

tation de temps peut résulter, soit de la convention, soit de l'usage des lieux), les services ne peuvent être suspendus, et le maître ne peut renvoyer ceux qui les doivent, avant l'expiration du terme fixé, à moins qu'il n'ait des motifs graves.

Lorsque le bail est sur le point d'expirer, si le domestique veut quitter le service du maître, il doit en manifester l'intention quelque temps à l'avance, par un avertissement; sinon, il s'opère une sorte de tacite reconduction, fondée sur le consentement présumé des parties (*voy.* art. 1738). — La durée du nouveau bail est celle qui est déterminée par l'usage des lieux pour la location des services. — Cette obligation est réciproque.

Lorsque la durée du louage de services n'est déterminée, ni par l'usage des lieux, ni par une convention expresse, ni par la nature même des travaux à exécuter, chacune des parties est libre de rompre le contrat quand bon lui semble, en donnant à l'autre un congé dans le délai, et suivant le mode fixé par l'usage des lieux.

Pour qu'une entreprise soit déterminée dans le sens de notre article, il faut, 1º qu'elle ait pour objet un travail manuel à exécuter, 2º que ce travail soit défini, 3º que sa durée soit limitée par la convention ou par la nature des choses. — Je loue mes services pour faire un terrassement de tant de mètres de longueur et de hauteur, ou pour extraire de votre carrière tant de tombereaux de terre : voilà des entreprises déterminées. — Je me présente comme cuisinier, comme cocher, comme valet de chambre : mes services, assurément, sont déterminés quant à leur objet; mais ce n'est plus là une entreprise.

Lorsque le louage de services a eu lieu pour une entreprise déterminée, les parties ne peuvent, sans motifs graves, rompre le contrat avant la fin de l'entreprise, quelque prolongée que puisse être sa durée, pourvu, bien entendu, que ce contrat ne dissimule pas de services à vie.

Le louage de services finit : par l'expiration du terme fixé; par l'accomplissement de l'ouvrage; lorsque l'une des parties manque à la foi du contrat; par l'effet d'une force majeure; enfin, par la destruction de la chose à laquelle les services étaient consacrés.

— Un maître peut-il valablement s'obliger à garder pendant toute sa vie un domestique ? ⚌ *N.* Arg. de l'art. 1780; mais il lui doit des dommages-intérêts s'il le renvoie sans motifs graves (*Paris*, 20 juin 1826 ; D., 27, 2, 9). ⚌ Le contrat est illicite ; il ne peut dès lors engendrer de dommages-intérêts (*Bordeaux*, 23 janvier 1827 ; D., 27, 2, 181).

Quid, si l'ouvrier ou le domestique engage ses services pour un temps fixé, mais égal ou supérieur à la durée probable de la vie? ⚌ Il y a violation indirecte de l'art. 1780 (Troplong, n. 859).

Celui qui prétend se soustraire à des services à vie, est-il passible de dommages-intérêts? ⚌ *N.* Ce contrat était illicite (Duvergier, Troplong, n. 853 et suiv. — *Bordeaux*, 23 janvier 1827; D., 37, 2, 181 ; *voy.* cep. *Paris*, 20 juin 1826 ; D., 27, 2, 9).

La nullité peut-elle être invoquée même par le maître ? ⚌ *N.* Elle est relative ; le but de la loi est uniquement de favoriser le domestique (Troplong, n. 856; *voy.* cep. Dur. et Duvergier, *ibid.*).

1781 — Le maître (1) est cru sur son affirmation :

Pour la quotité des gages ;

Pour le payement du salaire de l'année échue ;

Et pour les à-compte donnés pour l'année courante.

= Si les parties ont réglé leurs conventions par un acte écrit, cet acte doit évidemment faire foi.

La loi suppose, dans cet article, que le contrat est purement verbal, ce qui se présente le plus fréquemment : afin de prévenir une multitude de petits procès, elle décide que le maître sera cru sur son affirmation (as-

(1) La loi désigne ici sous la dénomination de *maître*, celui envers qui les domestiques et ouvriers ont engagé personnellement leurs services.

sermentée bien entendu), dans les divers cas qu'elle énumère. — Le serment doit être déféré au maître, car par son éducation, par ses habitudes et son état social, il paraît plus digne de foi. Le maître tient ce droit de la loi : quelque faible que fût la confiance qu'il méritât, il ne pourrait en être privé ; l'ouvrier ou le domestique n'auraient donc pas la ressource de la preuve testimoniale, encore que la somme par eux réclamée fût moindre de 150 fr. : — mais rien n'empêche le maître de renoncer à son droit et de faire entendre des témoins.

Cette disposition étant exorbitante du droit commun, ne doit pas recevoir d'extension : elle ne serait donc pas applicable, si la contestation portait sur l'existence même de la convention ; sur les contestations particulières relatives à sa durée ou à sa résolution ; si elle avait pour objet la demande en restitution d'effets que le domestique ou l'ouvrier prétendrait avoir apportés dans la maison du maître (1) ; enfin, s'il s'agissait de services ou d'ouvrages à prix fait : on observerait, dans ces divers cas, les règles ordinaires en matière de preuves (2).

Notre article ne parle que de l'année échue qui peut être due ou avoir été payée en entier, et de l'année courante sur laquelle des à-compte auraient été fournis : *quid* à l'égard des années antérieures? Il y a prescription (2272).

Quid à l'égard des gens de travail, dont l'action se prescrit par six mois (2271, alin. 3) ? L'affirmation du maître ne peut évidemment être admise que pour les six derniers mois ; sauf, bien entendu, l'application de l'art. 2275.

Il résulte de la loi du 24 août 1790, que le juge de paix est seul compétent pour connaître des questions qui s'élèvent sur l'exécution des engagements respectifs des maîtres et de leurs domestiques, ou des gens de travail.

— Le tribunal de paix est-il également compétent pour connaître de la demande formée par un domestique pour la restitution de ses effets ? ↜ *A*. Cette restitution tient essentiellement aux rapports de la domesticité, car le domestique n'a pu entrer chez le maître et y demeurer sans avoir des effets à son usage personnel (Dur., n. 239, t. 17).

Les héritiers ou ayants cause du maître qui est poursuivi par l'ouvrier ou le domestique sont-ils tenus de s'en rapporter à l'allégation de l'ouvrier ou du domestique sur le montant des gages ou salaires ? ↜ *N*. Le serment que le maître doit prêter, porte sur un fait personnel ; ses héritiers peuvent ne pas avoir une connaissance suffisante de ce fait. — Toutefois, si l'héritier avait habité la maison, on devrait le considérer comme maître, et admettre en conséquence son affirmation (Toullier, n. 449 et 450 ; Duvergier, n. 307 ; Troplong, n. 890).

La règle de l'art. 1781 est-elle applicable aux réclamations des cochers des voitures de place contre les entrepreneurs de ces voitures ? ↜ *N*. Les cochers ne sont, ni des domestiques, ni des ouvriers ; ce sont des facteurs préposés, des serviteurs pour le commerce (*Cass.*, 30 décembre 1828 ; S., 30, 1, 110).

SECTION III.

Des voituriers par terre et par eau.

On nomme *voituriers* (3), tous ceux qui se chargent, tant par terre que

---

(1) Dur., n. 236 ; Duvergier, n. 306 ; Troplong, n. 888.

(2) Il est bien entendu, que la disposition de l'article 1781 ne peut s'appliquer aux personnes qui exercent une profession libérale, lors même qu'elles habitent la maison de celle qui les emploie ; car elles ne peuvent être comprises sous la dénomination de *domestiques* (Troplong, Prescrip., t. 2, n. 973 ; Duvergier, n. 278. — *Paris*, 14 janvier 1825 ; S., 25, 2, 342. ↜ On entend par domestiques, toutes les personnes qui font partie de la maison : *domestici qui sunt ex domo* (Delv., p. 113, n. 3 ; Dur., n. 227, note).

(3) Dans le commerce, on nomme *expéditeur*, celui qui envoie les marchandises ; *consignataire*, celui à qui elles sont adressées ; *commissionnaire*, celui qui se charge de les faire transporter ; et *voiturier*, celui qui les transporte (art. 97 et 98, Code de comm.). La dénomination de *voiturier* s'applique dans l'espèce au *commissionnaire*.

par eau, moyennant un certain prix, du transport des personnes ou des marchandises : ainsi, les entrepreneurs ou directeurs de messageries, barques, coches ou voitures quelconques, sont compris sous cette dénomination.

Le louage de transport, comme toute autre convention, peut être exprès ou tacite : il est tacite lorsque les objets à transporter ont été remis au voiturier ou aux personnes qu'il a préposées à cet effet et dans le lieu à ce destiné (1783).

Les marchés pour transports, tiennent à la fois du *louage* et du *dépôt nécessaire* :

Du *louage*, car l'expéditeur s'oblige à payer ou à faire payer par le consignataire le prix du transport ;

Du *dépôt nécessaire*, car les commissionnaires et les voituriers sont soumis, quant à la garde et à la conservation des effets, aux mêmes obligations que les aubergistes (*voy.* 1782).

On trouve, dans le Code de commerce, titre VI, le complément des règles générales contenues dans cette section.

1782 — Les voituriers par terre et par eau sont assujettis, pour la garde et la conservation des choses qui leur sont confiées, aux mêmes obligations que les aubergistes, dont il est parlé au titre du Dépôt et du Séquestre.

== *Voy.* art. 1252, 1953, 1954, C. C. ; art. 98, 99, 103, Code com.

Le voiturier est responsable du prix de la chose perdue ; les tribunaux ont un pouvoir discrétionnaire à l'effet de fixer ce prix : ils peuvent ordonner la preuve testimoniale, interroger les parties sur faits et articles, et même déférer le serment à l'une d'elles (*voy.* l'art. 1369) (1).

— L'expéditeur serait-il admis à la preuve testimoniale, sans commencement de preuve par écrit (1341), si la chose déposée excédait 150 francs ? ∿∿ Si la convention a été conclue avec une personne qui ne se charge pas habituellement des transports, rien n'a pu empêcher de retirer un reçu du voiturier. La position de l'expéditeur, sous ce rapport, diffère de celle de l'individu qui a fait un dépôt nécessaire. Mais il en est autrement, lorsque la convention a été conclue avec un entrepreneur de transports publics : le louage constitue en ce cas un acte de commerce ; dès lors, le défaut d'inscription sur les registres que l'entrepreneur doit tenir, n'est point un obstacle à la preuve testimoniale (Dur., n. 314, t. 13, n. 242, t. 17 ; Duvergier, n. 321 ; Locré, t. 14, p. 357 et suiv., n. 9 ; Malleville, sur l'article 1786 ; Pardessus, n. 540). ∿∿ L'art. 1782 ne renvoie aux obligations de l'aubergiste que pour la garde et la conservation de la chose : il ne s'explique pas dans le même sens sur la preuve : puisqu'il garde le silence, on rentre dans le droit commun (Troplong, n. 908).

Quid, si la remise des effets n'est pas contestée ? ∿∿ La preuve testimoniale peut être admise, même au delà de 150 fr. ; car il ne s'agit plus alors de fixer le montant des effets perdus : le voiturier a manqué à l'obligation de conserver (Dur., n. 243. — *Cass.*, 13 vendémiaire an 10 ; 6 février 1809 ; S., 9, 1, 73).

En cas de retard dans l'envoi des marchandises, le commissionnaire peut-il être contraint à garder ces marchandises pour son compte ? ∿∿ A. (*Cass.*, 3 août 1835 ; D., 1835, 1, 366 ; *voy.* cep. *Paris*, 11 juillet 1635 ; D., 1836, 2, 24).

Quid, si le voiturier a dépassé le temps convenu pour le transport ? ∿∿ Il doit une indemnité (Troplong, n. 910 ; Pardessus, n. 544).

1783 — Ils répondent non-seulement de ce qu'ils ont déjà reçu dans leur bâtiment ou voiture, mais encore de ce qui leur a été remis sur le port ou dans l'entrepôt pour être placé dans leur bâtiment ou voiture.

== Il ne suffit donc pas que la chose ait été remise sur le port ou dans l'entrepôt : la loi veut que l'attention du voiturier soit appelée sur

---

(1) Quelques administrations délivrent des bulletins imprimés portant qu'en cas de perte, l'indemnité sera fixée par elles à 150 fr. ; mais on pense généralement que, nonobstant ces énonciations imprimées, les voyageurs peuvent exiger une somme supérieure (Duvergier, n. 928 et suivants, 947 et suiv.).

cette chose ; et il faut pour cela, qu'on l'ait remise à lui-même, ou aux personnes qu'il a préposées pour la recevoir.

— Les entrepreneurs sont-ils responsables de la perte des paquets remis directement aux conducteurs ? ⁓ Y. L'attention de l'entrepreneur n'a pu être portée sur lces objets (Dur., n. 245). ⁓ Si le chargement s'effectue pendant la route, le conducteur représente l'entrepreneur ; mais il en est autrement, dans les lieux où il y a des préposés à la réception et à l'inscription : toutefois, quand il s'agit d'objets qu'on n'est pas dans l'usage de faire inscrire, la remise qui en est faite au conducteur n'engage pas l'administration (Dur., n. 245 ; Pardessus, n. 554 ; Troplong, n. 933. — *Cass.*, 29 mars 1814 ; Favard, Louage, sect. 2, § 2 ; S. 14, 1. 102).

Le défaut de déclaration des objets confiés aux messageries, dispense-t-il ces entreprises, en cas de perte, d'en payer la valeur ? ⁓ N. La déclaration, au moment du dépôt, est purement facultative ; elle n'est ordonnée par aucune loi ; les tribunaux ont un pouvoir discrétionnaire pour fixer la valeur de ces objets : ils peuvent entendre des témoins, interroger les parties sur faits et articles, et même déférer le serment décisoire (*Cass.*, 18 juin 1833 ; S., 33, 1, 705).

1784 — Ils sont responsables de la perte et des avaries (1) des choses qui leur sont confiées, à moins qu'ils ne prouvent qu'elles ont été perdues et avariées par cas fortuit ou force majeure.

⁓ Ainsi, on présume que le voiturier est en faute : il ne lui suffit pas, pour se soustraire à la responsabilité qui pèse sur lui, de prouver qu'il a donné à la conservation de la chose tous les soins d'un bon père de famille : il doit justifier de la cause du dommage, et prouver que cette cause est du nombre de celles que l'art. 1784 énumère (2). — On voit combien il lui importe, de faire dresser sur les lieux, par des officiers publics, un procès-verbal constatant les accidents qui lui arrivent (3). — L'indemnité pour réparation du dommage, donne lieu contre le voiturier à la contrainte par corps (Arg. des articles 1782, 1952 et 2060, combinés).

Le voiturier jouit, pour le payement de ce qui lui est dû, d'un privilége sur les objets qu'il a transportés (2102, n. 6).

1785 — Les entrepreneurs de voitures publiques par terre et par eau, et ceux des roulages publics, doivent tenir registre de l'argent, des effets et des paquets dont ils se chargent.

⁓ En présentant aux voyageurs ou expéditeurs un moyen facile de prouver la remise des effets confiés à la garde des entrepreneurs, le législateur a voulu prévenir les contestations qui pourraient naître au sujet de cette remise.

— Tout transport pour compte d'autrui comprend une obligation de faire ; cette vérité est incontestable : mais dans la plupart des cas, le louage des choses ne se joint pas au louage de services : *quid*, par ex., lorsqu'il y a location de la voiture et des chevaux qui servent au transport des personnes? Point de question si le voiturier s'est borné à charger sur sa voiture des ballots de marchandises : ni la charrette ni les chevaux ne sont loués : mais *quid*, si un voyageur a retenu une place dans tel compartiment d'une diligence, dans la malle-poste ou dans un bateau à vapeur ? ⁓ Il y a location de la place ; car à côté de l'opération principale, qui est une entreprise de transport, c'est-à-dire, un louage de services, se trouve le louage d'une chose, employée comme moyen, pour rendre plus commode le transport de la personne : le voyageur a droit à telle place convenue. Les entrepreneurs de voitures sont des lors astreints à des devoirs à peu près semblables à ceux que l'art. 1719 C. c. prescrit (Troplong, n. 904 et suiv.).

1786 — Les entrepreneurs et directeurs de voitures et roulages publics, les maîtres de barques et navires, sont en outre assujettis à des règlements particuliers, qui font la loi entre eux et les autres citoyens.

---

(1) On nomme *avarie*, toute diminution dans la quantité des marchandises, ou toute détérioration dans leur qualité, survenue par la négligence des voituriers.
(2) Le défaut d'emballage convenable serait assimilé au vice propre de la chose (Duvergier, n. 331).
(3) *Paris*, 9 avril 1819 ; S., 19, 2, 394.

= Les réglements dont parle cet article ne concernent pas les rapports résultant du contrat de louage ; ils sont établis principalement en vue des sûretés des grandes routes et des services publics : néanmoins, les voyageurs et les expéditeurs doivent s'y conformer.

(Voyez à cet égard les décrets des 28 avril 1808, 14 fructidor an 12, et 13 août 1813, les ord. des 1er février 1820, 27 septembre 1827, et 16 juillet 1828 ; les lois du 25 mars 1817, et du 16 juin 1829).

SECTION III.

Des devis et des marchés.

Le louage des entrepreneurs diffère de celui des gens de travail, en ce que ces derniers sont payés en raison du temps qu'ils donnent au maître ; tandis que les entrepreneurs reçoivent le prix fixé, après la confection de l'ouvrage, sans égard au temps qu'ils ont employé.

Ce prix est convenu comme à forfait, soit pour la totalité de l'ouvrage, (*per aversionem*), soit à tant la pièce ou la mesure.

Le propriétaire prudent, qui veut agir en connaissance de cause, se munit ordinairement d'un devis.

On nomme *devis*, les mémoires détaillés des ouvrages de bâtiment, de menuiserie, de charpente et de serrurerie qu'il s'agit d'effectuer.

Le *marché*, est la convention qui intervient entre le locateur et l'entrepreneur.

Dans les marchés que l'on fait avec les entrepreneurs, il peut arriver que ceux-ci fournissent tout à la fois la matière et leur travail, ou bien leur travail seulement : au premier cas, cette espèce de louage est assimilée à une vente. Il suit de là, que si la chose vient à périr avant sa livraison ou avant que le maître ait été mis en demeure de la recevoir, elle périt pour l'entrepreneur ; — au deuxième cas, l'ouvrier n'est point responsable de la perte, à moins qu'elle n'ait été occasionnée par sa faute ; mais d'un autre côté, il ne peut réclamer de salaire, si l'ouvrage n'a pas été reçu par le maître, ou s'il n'a pas été mis en demeure de le recevoir, à moins que la chose n'ait péri par le vice de la matière.

Quand il s'agit d'un ouvrage unique, la vérification n'a lieu que lorsque l'entreprise est terminée : mais lorsqu'il s'agit d'un ouvrage à plusieurs pièces ou à la mesure, on doit voir autant d'entreprises qu'il y a de pièces ou de mesures ; en conséquence, la vérification peut se faire par parties.

La réception de l'ouvrage par le maître produit deux effets à l'égard de l'entrepreneur : 1° elle lui donne le droit d'exiger le salaire convenu ; 2° elle fait cesser sa responsabilité : toutefois, lorsqu'il s'agit de bâtiments, la loi déclare les architectes et les entrepreneurs responsables, pendant dix ans, de la perte totale ou partielle de l'édifice, causée par le vice de construction et même par le vice du sol.

Le maître a la liberté de résilier, par le seul effet de sa volonté, le marché à forfait, quoique l'ouvrage ait été commencé ; mais à charge par lui de dédommager l'entrepreneur de toutes ses dépenses, de tous ses travaux, et même de tout ce qu'il aurait pu gagner dans l'entreprise. Cette décision est pleine d'équité : en effet, on ne saurait forcer le maître à faire continuer des travaux qu'il a reconnus trop onéreux ou qui lui sont devenus inutiles par suite d'un changement survenu dans sa position ; l'entrepreneur est d'ailleurs sans intérêt pour se plaindre, puisqu'on l'indemnise.

La loi accorde aux ouvriers qui ont été employés par l'entrepreneur, une action directe contre le maître, pour obtenir le payement de leur salaire, mais seulement jusqu'à concurrence de ce dont ce dernier est débiteur envers l'entrepreneur.

Le contrat de louage d'ouvrage se dissout par la mort de l'ouvrier, de l'architecte ou de l'entrepreneur. En droit romain, la dissolution n'avait lieu, pour cette cause, qu'autant que le louage d'ouvrage avait été donné en considération de la personne ; en droit français on ne distingue pas : cependant, le maître doit compte à la succession de l'entrepreneur, du prix des travaux faits, et des matériaux qui lui ont été fournis, car il ne serait pas juste qu'il s'enrichît aux dépens d'autrui.

La mort du maître n'est pas une cause de dissolution du louage ; les héritiers ont, comme leur auteur, le droit d'arrêter ou de faire continuer les travaux.

1787 — Lorsqu'on charge quelqu'un de faire un ouvrage, on peut convenir qu'il fournira seulement son travail ou son industrie, ou bien qu'il fournira aussi la matière.

= Lorsque l'ouvrier ne doit fournir que son travail, le contrat n'est évidemment qu'un louage ; mais lorsqu'il doit fournir également la matière, ce contrat doit être considéré comme une vente ; autrement, il y aurait antinomie entre la disposition de notre article et celle de l'article 1711, § 6 : en effet, que je charge un orfèvre de me faire pour demain, moyennant un prix, une pièce d'argenterie, ou que j'achète chez lui un objet tout confectionné, à charge de me le livrer demain : l'état des choses est le même.

Quid, lorsque l'ouvrier s'est chargé de faire certaines fournitures ? Si le maître fournit la matière principale, on ne peut voir dans la convention qu'un louage pur et simple. Par exemple : J'ai envoyé chez un tailleur l'étoffe nécessaire pour me faire un habit : bien que ce tailleur ait fourni, outre sa façon, les boutons, le fil, et la doublure, le marché ne constituera qu'un louage.

Quid, si j'ai fait marché avec un architecte pour qu'il me construise une maison sur un terrain qui m'appartient ? Même décision : il en serait ainsi lors même qu'il aurait fourni tous les matériaux : *œdificium solo cedit* (1).

1788 — Si, dans le cas où l'ouvrier fournit la matière, la chose vient à périr, de quelque manière que ce soit, avant d'être livrée, la perte en est pour l'ouvrier à moins que le maître ne fût en demeure de recevoir la chose.

== Si l'ouvrier fournit la matière, par exemple, lorsqu'un tailleur s'oblige à livrer un habit tout confectionné, il y a vente proprement dite : la chose, par conséquent, demeure à ses risques, jusqu'à l'offre d'en faire livraison.

---

(1) Delv, p. 117, n. 1 ; Troplong, n. 964.

Toutefois si le maître a été constitué en demeure de recevoir la chose ; l'ouvrier est dégagé de toute responsabilité, car, par la mise en demeure, il s'est dessaisi de la propriété ; le maître supporterait donc la perte.

Les mêmes principes sont applicables, lorsqu'il s'agit de constructions : la perte antérieure à la délivrance ou à la mise en demeure, doit être supportée par l'architecte ou par l'entrepreneur ; car le maître du sol ne s'est engagé à payer le prix des matériaux, qu'autant qu'on lui livrera un ouvrage achevé.

La loi considère la livraison comme un moyen de faire savoir que l'objet commandé est terminé ; mais ce moyen n'exclut pas les autres : pour que cet objet fût aux risques du maître, il suffirait qu'il l'eût agréé : l'approbation tient lieu de tradition (1606, 1609, 1791).

1789 — Dans le cas où l'ouvrier fournit seulement son travail ou son industrie, si la chose vient à périr, l'ouvrier n'est tenu que de sa faute.

= Dans l'espèce, il y a *louage* proprement dit : le maître est propriétaire de la chose ; cette chose doit donc périr pour lui : mais l'ouvrier peut être condamné à des dommages-intérêts s'il est en faute.

— Aux cas des art. 1788 et 1789, le maître, quoique en demeure, pourrait-il se dispenser de payer le prix ou le salaire, en prouvant que l'ouvrage était défectueux ? ⁓ *A.* Mais la preuve de ce fait est à sa charge : *probatio ei incumbit qui dicit* (Troplong, n. 980).

1790 — Si, dans le cas de l'article précédent, la chose vient à périr, quoique sans aucune faute de la part de l'ouvrier, avant que l'ouvrage ait été reçu, et sans que le maître fût en demeure de le vérifier, l'ouvrier n'a point de salaire à réclamer, à moins que la chose n'ait péri par le vice de la matière.

= Lorsque l'ouvrage est terminé et agréé, l'ouvrier ne court plus aucuns risques ; la perte de la chose ne peut dispenser le propriétaire de payer le prix de la main-d'œuvre ; l'ouvrier est déchargé de tout recours, même pour malfaçon. La loi n'a introduit d'exception, que pour les gros ouvrages de construction : en ce cas, elle fait durer la responsabilité pendant dix ans (1792, 2270).

Notre article suppose que la perte est arrivée avant que l'ouvrage ait été reçu : bien qu'on ne puisse reprocher à l'ouvrier aucune faute, il supporte une partie de la perte, puisqu'il n'a pas le droit de réclamer un salaire : mais cette décision est conforme aux principes ; en effet le maître ne profite pas de l'ouvrage ; il n'en a pas même été saisi.

Cette règle souffre exception dans deux cas :

1° Lorsque le maître, mis en demeure de recevoir l'ouvrage ou de le vérifier, n'a fait aucune diligence : la présomption est alors en faveur de l'ouvrier. Nous croyons toutefois, qu'il pourrait se dispenser de payer le salaire, en prouvant que l'ouvrage était défectueux au point qu'il eût fallu le détruire. Si l'ouvrage a seulement quelques imperfections, il doit payer le prix, sous la déduction de ce qu'il en coûtera pour faire les réparations nécessaires (Dur., n. 150).

2° Lorsque la chose a péri par le vice de la matière : le maître doit se reprocher d'avoir donné une chose vicieuse ; l'ouvrier peut exiger en ce cas le prix de la main-d'œuvre.

Néanmoins cette deuxième exception est susceptible de quelques modifications : si l'ouvrier, par ex., à raison de son art, a dû savoir que la chose était impropre à l'usage auquel on la destinait, aucun salaire ne lui est dû. Il pourrait même être condamné à payer le prix de la matière, et des indemnités, en cas de perte ou de détérioration causées par son peu d'habileté.

1791 — S'il s'agit d'un ouvrage à plusieurs pièces ou à la mesure, la vérification peut s'en faire par parties : elle est censée faite pour toutes les parties payées, si le maître paye l'ouvrier en proportion de l'ouvrage fait.

= La loi établit une différence remarquable, entre un marché d'ouvrage fait *aversione*, et l'entreprise d'un ouvrage à plusieurs pièces ou à la mesure, par ex., à tant le mètre : au premier cas, le maître n'est tenu de recevoir l'ouvrage qu'autant qu'il est entièrement terminé. — Au deuxième cas, on voit autant d'entreprises qu'il y a de pièces ou de mesures : la vérification peut donc s'en faire par parties ; les portions vérifiées et reçues cessent alors d'être aux risques de l'ouvrier.

L'ouvrage est tacitement agréé, lorsque le maître a payé l'ouvrier en proportion de l'ouvrage fait : mais des à-compte donnés pendant la durée des travaux, sans imputation spéciale, ne feraient pas présumer la vérification (1).

— Lorsque la matière est fournie en partie par le maître, et en partie par l'ouvrier, comment doit-on appliquer les art. 1788 et 1791 ? ⚬⚬⚬ Le propriétaire perd sa matière, et l'ouvrier sa matière et son salaire sans aucune indemnité de part ni d'autre.

Quid, si un entrepreneur de bâtiments a employé ses propres matériaux dans une construction qui a péri avant l'achèvement ou la vérification ? ⚬⚬⚬ La loi ne distingue pas ; l'art. 1788 met la chose aux risques et périls de l'ouvrier. D'ailleurs, le maître n'est tenu envers l'ouvrier, qu'autant qu'il a agréé les travaux, ou qu'il est en demeure de les agréer (Arg. des art. 1585 et 1587).

Toujours dans le cas où chacun a fourni une partie de la matière : *quid* si la chose a péri par le vice des matières fournies par l'une des parties ? ⚬⚬⚬ On distingue : si c'est le vice de la matière fournie par l'ouvrier qui a causé la perte, non-seulement ce dernier perd son travail et sa matière, mais encore, il doit au maître des dommages-intérêts (1382) : il en est de même, lorsque la perte a eu lieu par le vice de la matière du maître, si l'ouvrier a dû connaître ce vice.

1792 — Si l'édifice construit à prix fait, périt en tout ou en partie par le vice de la construction, même par le vice du sol, les architecte et entrepreneur en sont responsables pendant dix ans.

= La réception de l'ouvrage autorise bien l'architecte et l'entrepreneur à exiger leur payement, mais elle ne les décharge pas de toute responsabilité : la loi les déclare garants, pendant dix ans, des édifices qu'ils ont construits à prix fait ou dont ils ont dirigé la construction : elle ne distingue pas s'ils ont fourni ou non les matériaux : la garantie a lieu dans tous les cas.

Ce laps de dix ans a paru nécessaire, pour éprouver la solidité de l'édifice. Il court à partir du jour de la réception des travaux, ou du jour où le maître a été mis en demeure de les vérifier. — Si l'édifice périt en totalité ou en partie pendant les dix années, le propriétaire peut agir pendant

---

(1) Troplong, n. 990; Dur., n. 255; Duvergier, n. 345.

trente ans, conformément à la règle générale (2232), et les trente années ne courent qu'à partir de la ruine du bâtiment (1).

La responsabilité de l'architecte et celle de l'entrepreneur s'appliquent non-seulement aux vices de construction, mais encore aux vices du sol : l'exercice de leur profession les mettait dans l'obligation de savoir si le sol était propre aux constructions.

Il en est ainsi, lors même qu'ils ont donné au propriétaire connaissance de ces vices; leur complaisance est un fait coupable aux yeux de la loi (2).

Remarquons surtout, que l'article 1791 ne concerne pas l'architecte, ou l'entrepreneur de profession qui vend une maison déjà construite : cette aliénation rentre dans les cas ordinaires; elle est soumise aux règles de la vente.

L'article 2270 amplifie sous trois rapports sur la portée de l'article 1792 : 1º il veut que la responsabilité subsiste pendant dix ans pour tous gros ouvrages quelconques de construction ou de reconstruction; il importe peu dès lors que le prix ait été fixé à forfait comme l'exige l'article 1791, ou à tant la mesure; 2º il déclare l'architecte responsable, par cela seul, qu'il a fourni le plan, quand même il n'aurait pas présidé à l'exécution des travaux; 3º enfin, la responsabilité, qui est restreinte, par l'article 1792, au cas de perte, est étendue, par l'article 2270, à tous les cas graves de malfaçon; à tous ceux qui, sans nuire à la solidité de l'édifice, constitueraient un vice caché : par exemple, si les pierres employées sont salpêtrées et donnent au mur une humidité malsaine. — Ainsi, l'article 1792 ne doit pas être isolé de l'article 2270.

— L'architecte serait-il affranchi du recours du propriétaire, si l'autorité, après avoir gardé le silence pendant dix ans, n'avait commencé ses poursuites en démolition qu'après ce temps? ~~~ *A.* L'art. 2270 ne distingue pas : il décharge l'entrepreneur, d'une manière générale, sans s'inquiéter des causes qui ont produit la perte; mais si le propriétaire était inquiété dans les dix ans, il aurait trente ans pour recourir contre l'entrepreneur (Troplong, n. 1014).

L'art. 1792 s'applique-t-il à l'entrepreneur qui a construit sur son propre sol, et avec ses matériaux, une maison dont on lui a fait la commande? ~~~ *A.* L'entrepreneur n'est autre chose qu'un vendeur, lorsqu'il a édifié sur son propre terrain; il doit donc être traité comme l'entrepreneur qui vend une maison qu'il vient de construire (Dur., n. 962 et suiv.; 992). ~~~ L'art. 1792 indique par ses termes, que le législateur ne s'est point préoccupé de ce cas (Troplong, n. 1013).

Quid, si l'ouvrage périt dans les dix ans; la perte est-elle censée provenir d'un vice de construction ou d'une force majeure? ~~~ *N.* Le cas fortuit est présumé; c'est au maître à prouver que son action contre l'architecte est fondée : *actori incumbit onus probandi.* L'entrepreneur de travaux a livré la chose; il est libéré, à moins qu'on ne prouve, qu'il y a vice du sol ou des constructions (Troplong, n. 1003; Duvergier).

1793 — Lorsqu'un architecte ou un entrepreneur s'est chargé de la construction à forfait d'un bâtiment, d'après un plan arrêté et convenu avec le propriétaire du sol, il ne peut demander aucune augmentation de prix, ni sous le prétexte de l'augmentation de la main-d'œuvre ou des matériaux, ni sous celui de changements ou d'augmentations faits sur ce plan, si ces changements ou augmentations n'ont pas été autorisés par écrit, et le prix convenu avec le propriétaire.

= Si l'architecte ou l'entrepreneur pouvaient, sous prétexte du renchérissement de la main-d'œuvre ou des matériaux, refuser d'exécuter un marché à *forfait* conclu d'après un plan arrêté et convenu avec le pro-

(1) Dur., n. 291, t. 1; Troplong, n. 6. ~~~ L'action se prescrit par dix ans, à compter du jour de la ruine de l'édifice (Arg. de l'art. 2270; Duvergier, n. 360).
(2) Locré, Législ., p. 363, n. 18 et 19; Duvergier, n. 351; Troplong, n. 993 et suiv. — *Cass.*, 10 février 1835; S., 35, 1. 174; voy. cep. Dur., n. 255.

priétaire du sol, leurs engagements seraient illusoires : ils devaient réfléchir avant de s'obliger : les chances de gain balancent pour eux les
chances de perte.

Leur demande devrait être rejetée, lors même que les travaux auraient
été la suite de changements faits au plan ; car le propriétaire, avant de
conclure le marché, a calculé ses moyens : en fixant à l'avance le montant du prix, il a manifesté suffisamment l'intention de ne pas le dépasser : ce serait rendre vaine la précaution qu'il a prise que de l'obliger à
supporter ces sortes de dépenses.

Pour que l'entrepreneur puisse se faire indemniser du surcroit de travaux, il faut :

1º Que le propriétaire, maître de ses actions, ait donné son consentement par écrit à la modification du plan : l'entrepreneur ne serait pas
recevable à prouver par témoins que les changements ont été faits en
présence du propriétaire, et qu'il y a eu de sa part adhésion tacite : on
rejette ce genre de preuve, car il peut donner ouverture à des manœuvres
frauduleuses. — Il ne pourrait pas d'avantage déférer le serment au propriétaire, ni le faire interroger sur faits et articles (1).

2º Que le prix ait été convenu d'avance avec le propriétaire ; autrement,
il pourrait se trouver entraîné dans des frais qui dépasseraient ses moyens.

— La loi exigeant seulement que les changements ou augmentations soient autorisés par écrit, on
demande si la nouvelle convention sur le prix doit être constatée de la même manière ? ⁓ N. Cette disposition est exorbitante ; on doit la restreindre aux termes dans lesquels elle est conçue : ainsi, la nouvelle convention sur le prix, pourrait être prouvée par témoins, ou par l'aveu du propriétaire (Dur.,
n. 256 ; Duvergier , n. 367 et 368).

L'art. 1793 est-il applicable au cas où l'on a conclu un marché avec un entrepreneur, pour qu'il bâtisse
sur son propre terrain ? ⁓ N. Remarquez ces mots de notre article : *avec le propriétaire du sol* : la
loi suppose donc le cas de louage pur et simple , et non le cas de vente ; ce qui a lieu, dans l'espèce
dont nous parlons (Troplong , n. 1022 ; voy. cep. Duvergier , n. 369).

Quid , si l'exécution du plan a nécessité des travaux imprévus , bien qu'il n'ait été fait aucuns changements ? ⁓ L'entrepreneur doit prévenir le maître, et se *faire autoriser* par écrit à faire ces travaux. Si le maître refuse , il faut recourir à la justice (Delv., p. 118, n. 1).

1794—Le maître peut résilier, par sa seule volonté, le marché
à forfait, quoique l'ouvrage soit déjà commencé, en dédom-
mageant l'entrepreneur de toutes ses dépenses, de tous ses
travaux, et de tout ce qu'il aurait pu gagner dans cette entreprise.

= Des motifs impérieux peuvent déterminer le maître à discontinuer
les travaux : la loi l'autorise à résilier le marché par sa seule volonté,
sans même l'obliger à déduire les motifs de sa détermination.

La disposition de l'art. 1794 semble , au premier abord , en opposition
avec le principe établi par l'article 1134 : mais cette contradiction disparaît, si l'on observe, que l'architecte ou l'entrepreneur n'a plus d'intérêt,
dès qu'on l'indemnise de ses avances , des travaux qu'il a faits , et du gain
que l'entreprise lui aurait procuré si elle avait été conduite à fin (2) : le
contrat est accompli à son égard.

Nous pensons que les juges doivent, en évaluant le profit que l'entrepreneur pouvait espérer, prendre en considération les circonstances qui
ont déterminé le propriétaire à rompre le marché : ils seront plus sévères,

(1) Duvergier , n. 366. — *Douai* , 20 avril 1831 ; S., 31, 2, 337. — *Cass.*, 16 août 1826 ; S., 27, 1. 243.
(2) Troplong , n. 1026.

par exemple, si la résiliation est l'effet d'un caprice ou de l'inconstance, que si elle est causée par un dérangement de fortune.

Bien que notre article ne parle que du marché à forfait, sa disposition ne laisse pas d'être applicable au cas d'un ouvrage fait à tant la mesure ; il y a même raison de décider (Dur., n. 257 ; Duvergier, n. 377).

Remarquons surtout, que le maître seul peut résilier le marché par sa seule volonté ; le même droit n'est accordé ni à l'architecte ni à l'entrepreneur.

— L'art. 1794 est-il applicable lorsque l'entrepreneur travaille sur sa propre chose ; le maître peut-il en ce cas résilier le marché par sa seule volonté ? ∿ *A.* L'entrepreneur n'est qu'un courtier d'ouvrages, et non le vendeur d'une chose future (Dur., n. 166 et suiv. ; Duvergier, n. 335). ∿ *N.* La question doit se résoudre par les principes de la vente : or, la vente lie les deux parties ; l'une ne peut se dégager sans le consentement de l'autre. Il résulte clairement du mot *marché*, compris dans l'art. 1794, que cet article ne règle que le cas où l'ouvrier travaille sur la chose d'autrui (Troplong, n. 1030).

1795 — Le contrat de louage d'ouvrage est dissous par la mort de l'ouvrier, de l'architecte ou entrepreneur.

= Le louage d'ouvrage (expression qui ne comprend ici que celui des ouvriers, des architectes ou entrepreneurs) a cela de particulier, qu'il est toujours censé fait en considération de la personne qui loue son industrie. . Sous l'ancienne jurisprudence, on distinguait entre les ouvrages ordinaires qui peuvent être faits par un tiers, et ceux dans lesquels le talent du conducteur avait été pris en considération : dans le premier cas, le contrat était dissous par la mort de l'ouvrier ; dans le second, il subsistait. — Le Code rejette cette distinction : il voit toujours, dans le louage d'ouvrage, un fait personnel : en conséquence, si l'ouvrier meurt, le contrat est dissous ; ses héritiers, loin d'être obligés, ne peuvent exécuter le contrat contre le gré du maître. — Mais aussi, d'un autre côté, le maître ne peut forcer les héritiers de l'ouvrier, à lui abandonner la partie de l'ouvrage qui se trouve achevée.

La mort du locateur n'est jamais une cause de résiliation ; car il doit être indifférent à l'ouvrier, de travailler pour une personne ou pour une autre.

Le louage de travail ou de service, pour un certain temps ou pour une entreprise déterminée, se résout également par la mort du domestique ou de l'ouvrier.

Quant au louage pour le transport des marchandises, il est évident qu'il ne se résout point par la mort du commissionnaire.

— *Quid*, si le maître a laissé plusieurs héritiers ? ∿ Ils doivent s'entendre, pour savoir s'ils exécuteront le marché, ou s'ils useront de la faculté accordée par l'art. 1794. S'ils ne s'accordent pas, les juges arbitrent *quid utilius* (Delv., p. 118, n. 6).

1796 — Mais le propriétaire est tenu de payer en proportion du prix porté par la convention, à leur succession, la valeur des ouvrages faits et celle des matériaux préparés, lors seulement que ces travaux ou ces matériaux peuvent lui être utiles.

= La mort de l'entrepreneur entraîne bien pour l'avenir la dissolution du contrat, mais elle ne dispense pas le maître de payer le prix de l'ouvrage exécuté (bien entendu, lorsque les travaux ou les matériaux peuvent lui être utiles ; c'est-à-dire, lorsque l'ouvrage fait a une valeur réelle), car nul ne doit s'enrichir aux dépens d'autrui. — L'utilité doit être considérée par rapport à l'ouvrage qui faisait l'objet de la convention ; les ouvriers ne sont pas admis à alléguer que les matériaux peuvent être utiles au maître pour un autre ouvrage.

Si les parties ne peuvent s'accorder sur la fixation de l'indemnité, la valeur des matériaux et des travaux doit être fixée approximativement par experts, eu égard à la valeur qu'aurait la totalité de l'ouvrage (d'après la convention), s'il était terminé.

Il est possible que les travaux soient si peu avancés, qu'ils ne puissent être d'aucune considération dans l'arrangement que le maître pourra faire avec un autre entrepreneur : la loi le dispense alors de payer leur valeur, sauf aux héritiers à les enlever.

— Les articles 1795 et 1796 s'appliquent-ils au cas ou l'ouvrier travaille sur sa propre chose ? ⁓ N. Ces articles ne statuent que pour le louage d'ouvrage (Troplong, n. 1044).

1797 — L'entrepreneur répond du fait des personnes qu'il emploie.

1798 — Les maçons, charpentiers et autres ouvriers qui ont été employés à la construction d'un bâtiment ou d'autres ouvrages faits à l'entreprise, n'ont d'action contre celui pour lequel les ouvrages ont été faits, que jusqu'à concurrence de ce dont il se trouve débiteur envers l'entrepreneur, au moment où leur action est intentée.

= Dans la rigueur du droit, les ouvriers n'ont d'autre débiteur que celui qui les a employés : cependant, par des raisons d'équité, et surtout, afin d'éviter un circuit d'actions, on leur permet de poursuivre le maître jusqu'à concurrence de ce dont il se trouve débiteur envers l'entrepreneur au moment où l'action est intentée.

Mais agissent-ils en leur nom personnel, ou seulement en vertu de l'article 1166, du chef de l'entrepreneur ? Ils agissent en leur nom personnel : cette action est directe ; c'est un bénéfice que la loi leur attribue ; ils ont une part dans le prix, pour leur salaire ; le maître ne peut donc retenir ce prix à leur détriment (1).

Puisque les ouvriers ont contre le propriétaire une action directe, il est clair que les autres créanciers de l'entrepreneur ne viennent pas en concours avec eux sur le produit de cette créance.

Mais si le propriétaire avait payé le prix, si sa dette avait une autre cause, évidemment les ouvriers ne pourraient venir, qu'en vertu de l'art. 1166, avec les autres créanciers.

1799 — Les maçons, charpentiers, serruriers, et autres ouvriers qui font directement des marchés à prix fait, sont astreints aux règles prescrites dans la présente section : ils sont entrepreneurs dans la partie qu'ils traitent.

(1) Dur., n 362 ; Duvergier, n. 381 ; Troplong, n. 1048. — *Douai*, 30 mars et 13 avril 1833 ; S., 33, 2, 536, 537 ; D., 24, 2, 72 ; *voy*. cep. Delv., p. 118, n. 3.

CHAPITRE IV.

Du bail à cheptel.

= Le mot *cheptel*, désigne en général un troupeau de bétail (1), c'est-à-dire, une universalité qui se perpétue par le renouvellement des individus, et dont le produit peut rapporter quelque profit, soit pour l'agriculture, soit pour le commerce (1802) : c'est en ce sens qu'on l'emploie dans les articles 1805 et 1806. — Il exprime aussi quelquefois le contrat lui-même (*voy.* 1815 et 1818).

Le contrat de cheptel participe du bail à ferme, car le preneur reçoit des choses qui produisent des fruits naturels. — Il participe du louage d'ouvrage, car il a en partie pour objet les soins réels que le preneur doit donner à la chose. — Il participe des contrats aléatoires, car dans le cheptel simple, le bailleur se décharge sur le cheptelier d'une partie des risques de la chose; — enfin, lorsqu'il s'agit du cheptel à moitié, il participe du contrat de société, puisque les bénéfices doivent être partagés.

SECTION I.

DISPOSITIONS GÉNÉRALES.

1800 — Le bail à cheptel est un contrat par lequel l'une des parties donne à l'autre un fonds de bétail pour le garder, le nourrir et le soigner, sous les conditions convenues entre elles (2).

= Il n'est pas exact de dire : *que l'une des parties donne à l'autre*, nous verrons en effet que le cheptel peut être fourni par l'une et l'autre partie (1818).

En employant ces mots : *sous les conditions convenues entre elles,* le but de la loi est de faire entendre, que l'avantage tiré de cette convention ne consiste pas toujours pour l'une et l'autre partie dans un partage de profit.

La loi apporte même certaines restrictions à la liberté de contracter en matière de cheptel (*voy.* art. 1811, 1819 et 1828).

1801 — Il y a plusieurs sortes de cheptels :

Le cheptel simple ou ordinaire,

Le cheptel à moitié,

Le cheptel donné au fermier ou au colon partiaire.

Il y a encore une quatrième espèce de contrat improprement appelé *cheptel*.

---

(1) On écrivait autrefois *chetel* : ce mot, puisé dans la basse latinité, vient de *capitale* ou *captale*, *catallum*, *caballum* : il signifiait spécialement *troupeau*.

Le bail à *cheptel* est donc ainsi nommé, parce que les bestiaux qui composent le cheptel sont livrés au preneur, non en tant qu'individus, mais comme formant une aggrégation ayant une valeur en bloc, un capital estimé et devant être rendu en cette qualité (*voy.* Merlin, Rép.).

(2) Les règles du bail à cheptel varient, suivant qu'il s'agit du cheptel simple, du cheptel à moitié ou du cheptel de fer. Il est dès-lors impossible de réunir dans une définition générale les éléments du bail à cheptel : le législateur eût mieux fait de ne pas tenter une définition qui devait être nécessairement inexacte.

1802 — On peut donner à cheptel toute espèce d'animaux susceptibles de croît ou de profit pour l'agriculture ou le commerce.

= Ainsi, les seuls animaux susceptibles d'être donnés à cheptel, sont ceux qui peuvent procurer quelques profits pour l'agriculture et le commerce.

— Les volatiles domestiques peuvent-ils être l'objet d'un bail à cheptel ? ⁓ N. Le capital que représente un troupeau de ces volatiles est peu considérable ; il ne dépasse point les facultés de ceux qui veulent les élever (Troplong, n. 1068).

1803 — A défaut de conventions particulières, ces contrats se règlent par les principes qui suivent.

SECTION II.

Du cheptel simple.

Dans le *cheptel simple*, le fonds est fourni par le bailleur seul ; la propriété du troupeau repose en entier sur sa tête : c'est là ce qui distingue principalement ce cheptel du cheptel *à moitié*, contrat dans lequel chacune des parties fournit une égale part de bestiaux.

Le *cheptel simple* n'est pas considéré sous le Code comme une *société ;* mais comme une sorte de louage de services : en effet, celui des contractants qui le confie (appelé *bailleur*), n'est pas censé faire à l'autre partie (désignée sous le nom de *preneur*), l'avance de la moitié du *cheptel* : il le conserve en totalité ; il le donne seulement à garder, nourrir et soigner, moyennant une certaine récompense, qui consiste dans les menus profits du bétail. Toutefois, pour intéresser davantage le preneur, le bailleur lui abandonne en outre une part dans les autres profits, à charge toutefois de supporter une part dans la perte (1).

La loi détermine dans les articles 1804 et 1805, la nature du cheptel simple ; — art. 1806 et 1816, les droits et les obligations du preneur ; — art. 1811, certaines clauses qui en sont exclues. — Enfin, l'article 1817 fixe l'époque à laquelle le partage du cheptel peut être demandé, et la manière d'opérer ce partage.

Le cheptel simple peut se former avec le colon partiaire du bailleur (*voy.* art. 1819, 1827-1830).

1804 — Le bail à cheptel simple est un contrat par lequel on donne à un autre des bestiaux à garder, nourrir et soigner, à condition que le preneur profitera de la moitié du croît, et qu'il supportera aussi la moitié de la perte (2).

(1) Il faut dès lors reconnaître, que le cheptel simple comme le cheptel à moitié, participe du contrat de société, en ce qui concerne le partage des bénéfices et des pertes ; et du louage, en ce qui concerne les autres rapports que cette convention établit entre les parties (*voy.* Troplong, n. 1059 et suiv.).

(2) Définition incomplète : l'article ne parle ni de la propriété du fonds de bétail, ce n'est que par conséquence de l'art. 1805 que l'on découvre qu'elle n'est pas transportée au preneur, ni de la *laine* : nous voyons cependant, art. 1811, qu'elle appartient pour partie au preneur. Enfin, l'art. 1804 garde le silence sur le laitage, les fumiers et les labeurs des animaux, sortes de profits qui sont le lot exclusif du preneur.

= Le croît et la tonte se partagent; mais le preneur profite seul du laitage, du fumier et du travail des animaux (1811).

1805—L'estimation donnée au cheptel dans le bail n'en transporte pas la propriété au preneur ; elle n'a d'autre objet que de fixer la perte ou le profit qui pourra se trouver à l'expiration du bail.

 A la fin du bail, le profit et la perte devant être partagés, il importe de fixer la valeur du fonds de bétail au moment où il est livré : tel est le but unique de l'estimation ; elle ne fait pas vente.

1806 — Le preneur doit les soins d'un bon père de famille à la conservation du cheptel.

= Le preneur doit garder et soigner le fonds de bétail qui lui est confié (1800 et 1804). La loi ne lui impose que les soins d'un bon père de famille (1).

Le cheptelier répond non-seulement de sa propre faute, mais encore, bien entendu, de celle de ses pâtres.

1807—Il n'est tenu du cas fortuit que lorsqu'il a été précédé de quelque faute de sa part, sans laquelle la perte ne serait pas arrivée.

 Le preneur, comme tout débiteur de corps certains, est tenu de prouver le cas fortuit qu'il allègue (1302). — Si le bailleur prétend ensuite que le cas fortuit a été précédé de quelque faute, il doit à son tour en fournir la preuve.

Exemple : le preneur prouve que les animaux sont morts de maladie ou qu'ils ont été volés : le bailleur est admis à établir qu'ils n'ont pas été gardés soigneusement; qu'on les a conduits dans de mauvais pâturages, ou que les bergeries ont été mal gardées.

Ces mots : *il n'est tenu du cas fortuit*, etc., pourraient porter à penser, que la perte partielle, arrivée par cas fortuit, est pour le tout à la charge du bailleur : une pareille interprétation serait erronée (*voy.* art. 1804) : la loi veut seulement faire entendre, que cette perte, qui serait exclusivement à la charge du preneur, si la force majeure n'était pas prouvée, sera supportée par moitié dans le cas contraire.

Ce que nous disons n'a lieu que pour le cas où la perte est partielle ; si le fonds de bétail périt en totalité par cas fortuit, sans que le preneur soit en faute, cette perte est pour le tout à la charge du bailleur (*voy.* article 1810).

1808 — En cas de contestation, le preneur est tenu de prouver le cas fortuit, et le bailleur est tenu de prouver la faute qu'il impute au preneur (2).

---

(1) Troplong, n. 1078 et suiv. ; Dur., n. 271 ; suivant Duvergier, n. 394, le cheptelier est tenu même de la faute très-légère.

(2) Sous ce dernier rapport, l'article 1808 s'écarte des règles que nous avons constamment admises : en effet, dans le cas de vol, d'incendie ou autre événement de force majeure, le débiteur n'est déchargé de la responsabilité qui pèse sur lui, qu'en prouvant qu'il est à l'abri de toute présomption de négligence : l'art. 1808 veut qu'il en soit autrement à l'égard du cheptelier ; il charge le bailleur d'établir le concours de la faute. Cet article n'est dès lors qu'une exception : il place le cheptelier dans une position particulière : cette exception était commandée par l'indulgence que mérite une classe

1809 — Le preneur qui est déchargé par le cas fortuit, est toujours tenu de rendre compte des peaux des bêtes.

= Le bailleur conservant la propriété des bestiaux, les peaux des bêtes mortes doivent lui appartenir, suivant la règle : *Quod ex re meâ superest, meum est.* Par conséquent, le preneur est tenu d'en rendre compte, c'est-à-dire de les restituer, ou du moins, de faire connaître ce qu'elles sont devenues (1).

1810 — Si le cheptel périt en entier sans la faute du preneur, la perte en est pour le bailleur.

S'il n'en périt qu'une partie, la perte est supportée en commun, d'après le prix de l'estimation originaire, et celui de l'estimation à l'expiration du cheptel.

= La loi, dérogeant à la règle établie par l'article 1804, met la perte totale à la charge du bailleur : ainsi, le preneur est plus favorablement traité que dans le cas de perte partielle.

On remarque avec raison, qu'il est dangereux d'exposer lepreneur à désirer que le malheur soit complet : dans une grande mortalité, par exemple, il est à craindre qu'il ne donne pas tous les soins convenables à la conservation des animaux qui survivent. — Le législateur a voulu sans doute se rapprocher des règles ordinaires du louage; peut-être a-t-il considéré, que toute chance de gain ayant cessé, il serait trop rigoureux de faire supporter aux chepteliers, qui sont ordinairement des gens pauvres, une partie de la perte.

Si le cheptel n'a péri qu'en partie, ne restât-il qu'un seul animal, le principe de l'art. 1804 s'applique dans toute sa rigueur. — La loi prend même soin de fixer les bases de l'indemnité : chacune des parties supporte la moitié de la différence qui existera entre l'estimation originaire et celle qui aura lieu à l'expiration du bail (1817).

Au surplus, les parties peuvent échapper aux combinaisons de la loi par des arrangements particuliers (2).

1811 — On ne peut stipuler,

Que le preneur supportera la perte totale du cheptel, quoique arrivée par cas fortuit et sans sa faute,

Ou qu'il supportera, dans la perte, une part plus grande que dans le profit,

Ou que le bailleur prélèvera, à la fin du bail, quelque chose de plus que le cheptel qu'il a fourni.

---

d'individus en général pauvre et digne d'intérêt (Dur., n. 272 ; Troplong, Louage, n. 22, note et n. 1092, Vente, n. 402). ⁓ Il ne suffit pas au preneur de prouver le fait ; il doit de plus, établir qu'il a pris toutes les précautions d'un père de famille prudent (Duvergier, n. 398 et 399 ; Vente, n. 280).

(1) L'article 1809 ne signifie donc pas, que le cheptelier devra toujours, et nécessairement représenter les peaux ; car cela serait souvent impossible, notamment, lorsque des mesures sanitaires ont fait prescrire que les corps des bêtes seraient enfouis avec les cuirs, ou lorsque des brebis ont été ravies par des animaux carnassiers.

(2) La règle établie par l'article 1810, pour le cas de perte partielle, est contraire à la logique ; car elle s'écarte de la maxime : *res perit domino* ; elle est en outre contraire à l'équité, car elle ajoute aux charges d'une pauvre et pénible industrie.

Toute convention semblable est nulle.

Le preneur profite seul des laitages, du fumier et du travail des animaux donnés à cheptel.

La laine et le croît se partagent.

= L'espoir de retirer quelque profit du cheptel, pourrait déterminer les chepteliers, qui sont ordinairement des gens pauvres, sans connaissances, et qu'il est facile de surprendre, à se soumettre à des conditions trop onéreuses : le législateur s'est proposé, par cette disposition, de mettre un frein à la cupidité des bailleurs. Il a balancé avec une stricte rigueur les droits et les obligations du preneur, eu égard à ses soins, aux déboursés qu'il peut être tenu de faire, et à l'obligation si onéreuse de contribuer à la moitié de la perte partielle : on ne peut en conséquence déroger à cette économie ; toute clause (1) par laquelle le preneur s'engagerait à supporter dans la perte une part proportionnellement plus considérable que celle qu'il prend dans le profit, serait nulle.

En conséquence, la loi proscrit :

1° Toute convention par laquelle le preneur se chargerait de la perte totale du cheptel, arrivée sans sa faute ; — une telle société serait léonine ; elle aurait d'ailleurs ce résultat inique, de mettre les chances de bénéfice du côté du plus riche, et les chances de perte, du côté du plus pauvre : — mais on pourrait valablement charger le preneur de la perte totale, en lui abandonnant tout le profit (Arg. de l'art. 1828, § 2).

Ne perdons pas de vue, que la loi s'est uniquement proposé de protéger le cheptelier : rien ne s'opposerait donc à ce qu'on mît à la charge du propriétaire la perte totale du cheptel, bien qu'il ne dût recueillir qu'une quotité du profit ou même rien : ce serait rentrer dans la règle *res perit domino*.

2° La convention qui autoriserait le bailleur à prélever, lors de l'extinction du bail, quelque chose de plus que la valeur du cheptel qu'il a fourni : une semblable clause favoriserait l'usure. — Le bailleur ne peut donc stipuler, qu'il aura le choix dans le nombre des bestiaux formant l'excédant à partager ; qu'il prélèvera une quantité d'animaux égale à celle qu'il a livrée, sans faire raison de leur augmentation de valeur ; qu'il prendra une ou plusieurs bêtes avant partage ; que le preneur sera tenu de lui céder sa part dans les toisons à un prix inférieur au prix courant annuel ; enfin, qu'il aura droit, pendant la durée du bail, à plus de la moitié des bénéfices.

Voyons maintenant quels sont les droits du preneur sur les produits du cheptel. Parmi ces produits, il en est qui lui sont attribués exclusivement : il en est d'autres dans lesquels il ne prend que moitié.

Les premiers sont : le *laitage* (c'est-à-dire, le lait et toutes les transformations dont il est susceptible) les fumiers et le travail des animaux : comme les profits proviennent des soins journaliers du cheptelier et de la nourriture qu'il fournit en totalité, il a paru juste de les lui accorder.

Les profits qui doivent être partagés suivant la loi sont : les *laines*, ce qui doit s'entendre également du poil et du crin ; le *croît* : cette expression reçoit ici un double sens : elle signifie la multiplication nu-

---

(1) Mais le bail subsiste néanmoins ; l'article 1811 ne déclare nulle que la convention qui porte atteinte à l'égalité ; le cheptelier ne pourrait demander la nullité des autres clauses (Troplong, n. 1187; *voy.* cep. Dur., n. 279).

mérique des têtes composant le troupeau, c'est-à-dire, les jeunes bêtes produites par les mères, en sus de ce qui est jugé nécessaire pour réparer les vides; et l'augmentation de valeur que les animaux acquièrent par une cause quelconque, ce qui a lieu, par exemple, quand une génisse devient vache laitière, quand un bœuf a été engraissé dans les herbages : en un mot, on nomme *croît*, toute augmentation de valeur survenue au troupeau, même celle qui provient des vieilles bêtes que l'on a remplacées par de jeunes têtes. Cette interprétation est suffisamment confirmée par ces mots de l'article 1817 : *l'excédant de partage.*

Le *cuir* suit le sort des bêtes : par conséquent, s'il provient d'un animal tombé dans l'excédant partageable, le cheptelier en prend la moitié; si l'animal faisait partie du fonds de bétail, il appartient en totalité au bailleur.

Il n'est pas douteux, que l'on pourrait attribuer au cheptelier les deux tiers ou les trois quarts de la laine et du croît; car la règle qui lui en accorde la moitié a été introduite uniquement en sa faveur.

La nullité prononcée par l'article 1811, pour le cas d'infraction aux règles qu'il établit, est relative au preneur; évidemment, le bailleur ne pourrait l'invoquer.

— Peut-on convenir que le bailleur aura la moitié du lait, du fumier, etc.? ⁓⁓ *N.* La loi décide que le preneur profite seul de ces produits : sa disposition est absolue; d'ailleurs une semblable convention serait inique (Dur., n. 277; Delv., p. 109, n. 1 et 2; Pothier, Cheptels, n. 26; Troplong, n. 1127 et suiv.; *voy.* cep. Duvergier).

Le preneur pourrait-il louer à des tiers les labeurs des animaux? ⁓⁓ *N.* Le preneur qui louerait les animaux confiés à sa garde, engagerait sa responsabilité et irait contre l'art. 1812. — L'art. 1811 lui donne le travail des animaux, ce qui diffère essentiellement du prix principal que l'on retire du louage. — L'intérêt qu'a le preneur à la conservation des animaux, répond du soin qu'il mettra à ne pas les fatiguer; mais des étrangers n'ont pas le même intérêt; — l'usufruitier aussi profite du travail des animaux; et cependant, il ne peut les louer : pourquoi en serait-il autrement du preneur a cheptel, puis qu'il doit, comme l'usufruitier, jouir en bon père de famille? (Troplong, n. 1120).

La nullité étant reconnue, la clause est nulle pour le tout : mais alors, rentre-t-on dans la fixation légale des bénéfices et des pertes? ⁓⁓ *A.* La fixation de la perte et celle du profit sont intimement liées : on ne peut juger de la légalité de la convention, sans les peser l'une et l'autre en même temps; il y a la deux termes qu'on ne peut raisonnablement séparer : or, l'article 1811 condamne la convention pour le tout; il l'annule en totalité; par conséquent, on revient au partage par moitié, conformément à la loi (Troplong, n. 1138). ⁓⁓ La clause qui tend à augmenter les charges est réputée non écrite; mais celle qui fixe le profit, produit son effet : *utile per inutile non vitiatur* (Dur., n. 279; Duvergier, n. 410).

Peut-on convenir que le preneur supportera une partie de la perte, en cas de perte totale? ⁓⁓ *A.* Arg des art. 1810 et 1811, 1827 et 1828 combinés : la loi prohibe uniquement la clause qui mettrait à la charge du preneur la totalité de la perte (Arg. de l'art. 1828).

Pourrait-on attribuer au bailleur plus de la moitié dans les profits, en mettant à sa charge, par ex., les trois quarts de la perte? ⁓⁓ *N.* S'il était permis de franchir la limite tracée par la loi, le bailleur, abusant de la situation du preneur, stipulerait la presque totalité des bénéfices; en sorte que le but de la loi serait manqué; d'ailleurs, on pourrait aller jusqu'à refuser au preneur toute participation au gain en ne lui faisant rien supporter dans la perte. — La règle est différente lorsque le cheptel simple a été livré au colon partiaire (Dur., n. 276; Delv., p. 109, n. 3). ⁓⁓ Tout ce que la loi a voulu, c'est qu'il y eût égalité de bénéfice et de perte; mais elle ne dit pas que la part des bénéfices doit être de moitié au moins. — Les parts légales sont sans doute de moitié, mais la convention peut poser d'autres bases, soit en plus, soit en moins (Arg. de l'art. 1803). — Vainement, dit-on, qu'au moyen d'un pareil système, on pourrait rendre le cheptelier complètement étranger au gain; cela est vrai : mais où serait le mal? Le pacte ne sera plus alors un cheptel dans toute sa pureté, ce sera un contrat de louage d'ouvrage, ou si l'on veut, un contrat innommé, d'après lequel le preneur fournira son travail, nourrira et logera les bestiaux en profitant, en guise de prix, du laitage, du fumier et des labeurs des animaux (Troplong, n. 1180).

1812 — Le preneur ne peut disposer d'aucune bête du troupeau, soit du fonds, soit du croît, sans le consentement du bailleur, qui ne peut lui-même en disposer sans le consentement du preneur.

= Le preneur, n'étant pas propriétaire du fonds de bétail, ne peut évidemment, sans le concours du bailleur, disposer d'aucune bête qui en dépend; c'est-à-dire, la détourner de sa destination primitive : il ne pourrait la vendre, quand même il serait utile de la remplacer; par ex., si elle était *vieille.*

Néanmoins, si le bailleur refusait son consentement, le preneur pourrait assigner à bref délai, à l'effet d'obtenir l'autorisation du juge (1). Il serait même fondé, suivant les circonstances, à réclamer des dommages-intérêts; par exemple, si par suite du refus du bailleur, le temps de la vente était passé.

Notre article interdit également au preneur la faculté de disposer du croît; car jusqu'au partage, il n'a sur le croît qu'un droit indivis (1810) : le bailleur, en justifiant de son droit, pourrait toujours s'opposer à la vente.

Par la même raison, ses créanciers ne peuvent, avant l'expiration du bail, faire saisir la part qui lui reviendra dans le croît; car ils n'ont pas plus de droit qu'il n'en a lui-même. On doit toutefois excepter le cas où, d'après la convention, le profit devrait se partager annuellement.

Ces considérations s'opposent également à ce que le bailleur aliène le croît. — A l'égard du fonds, il ne peut évidemment en disposer sans le consentement du preneur; car ce dernier ne doit pas être privé, contre son gré, de la jouissance du troupeau.

— Les créanciers du bailleur peuvent-ils faire saisir et vendre le cheptel? ⁓ *N.* Quand le bail est authentique, le preneur est placé sous la protection de l'art. 1743; ils doivent entretenir le bail (Dur., n. 281 ; Duvergier , n. 416). ⁓ L'art. 1743 ne concerne que le louage des immeubles; il n'a pas été fait pour les choses mobilières : le preneur, assurément, doit triompher, mais par d'autres motifs : le bailleur a aliéné la jouissance de la chose ; il en a investi la société formée entre lui et le preneur ; dès lors, si le bail a date certaine, les créanciers du bailleur ne peuvent saisir une chose qui a cessé d'être leur gage : assurément ils peuvent saisir le cheptel, mais à charge du droit de la société, c'est-à-dire, de respecter le droit du preneur qui est l'agent de cette société. — Si le bail n'a pas date certaine, le preneur triomphe encore ; mais en vertu de la règle de l'article 2279 (Troplong , n. 1151).

Si le cheptelier vend sans autorisation l'une des bêtes du troupeau, le bailleur a-t-il le droit de la revendiquer dans les mains de l'acquéreur? ⁓ *N.* En fait de meubles, la possession vaut titre. Vainement voudrait-on argumenter du principe qui autorise la revendication, au cas de perte ou de vol : en disposant du cheptel, le preneur, comme tout dépositaire, commet assurément un abus de confiance; mais il ne se rend pas coupable de vol dans le sens de nos lois pénales. Le bailleur peut seulement demander la résolution du contrat et des dommages-intérêts (Troplong , n. 1145 et suiv.; Dur., n. 282; Delv., p. 110, n. 1. — *Cass.*, 8 octobre 1820 ; S., 21, 1, 90).

1813 — Lorsque le cheptel est donné au fermier d'autrui (2), il doit être notifié au propriétaire de qui ce fermier tient; sans quoi il peut le saisir et le faire vendre pour ce que son fermier lui doit.

= Tout ce qui se trouve dans la ferme, est censé appartenir au preneur; on conçoit dès lors l'importance de la notification prescrite par notre article; seule, elle peut soustraire le cheptel au privilége que l'art. 2402 accorde au propriétaire pour sûreté de l'exécution du bail.

La notification doit être faite avant l'introduction des bestiaux dans la ferme; sinon, le droit du propriétaire des lieux les saisit et les affecte. Nous pensons que cet acte pourrait être remplacé par des équipollents : il suffirait même, suivant nous, que le propriétaire eût appris, d'une manière quelconque, que le cheptel n'appartenait pas à son fermier; car la notification a pour but unique de prévenir une méprise (3).

---

(1) Dur., n. 283 ; Duvergier , n. 413 ; Pothier, n. 36. ⁓ Les tribunaux ne peuvent se rendre juges de l'opportunité de vendre. — Nul ne peut être forcé d'aliéner ce qui lui appartient. — L'intérêt du bailleur est un sûr garant qu'il ne portera pas de caprice dans sa détermination. — L'art. 89 du projet contenait une disposition qui autorisait le cheptelier à se pourvoir en dommages-intérêts contre le bailleur qui se serait refusé à une vente avantageuse; cette partie de l'article a été retranchée lors de la rédaction définitive (Troplong , n. 1140).

(2) Le mot *fermier*, est employé ici dans un sens large ; il s'applique également au colon partiaire.

(3) Troplong, n. 1161. — *Cass.*, 9 août 1815 ; S., 20, 1 , 469.

1814 — Le preneur ne pourra tondre sans en prévenir le bailleur.

= La laine devant être partagée (1811), il importe que le bailleur soit prévenu ; l'avertissement n'est assujetti à aucune formalité particulière.

— La clause portant que le bailleur pourra exiger le partage quand bon lui semblera, est-elle valable s'il n'y a pas de réciprocité ? ⋙ A. L'art. 1811 ne met pas cette clause au nombre de celles qu'il prohibe. Il est du reste évident, qu'elle doit s'exécuter en temps convenable, suivant les usages agricoles de chaque province (Troplong, n. 1172).

1815 — S'il n'y a pas de temps fixé par la convention pour la durée du cheptel, il est censé fait pour trois ans.

= A l'expiration du bail, si le preneur est laissé en possession du cheptel, il s'opère une tacite reconduction.
Mais quelle doit être la durée de ce nouveau bail? Celle qui est fixée par notre article (Arg. de l'article 1728) (1).

— Le contrat de cheptel se dissout-il par la mort du cheptelier ? ⋙ N. La dissolution de la société par la mort de l'une des parties, n'est pas de l'essence des sociétés ; elle est plutôt de sa nature (Duvergier, n. 425). ⋙ A. Arg. de l'article 1865 : le cheptelier a été choisi pour son industrie, son activité, son intelligence ; l'aptitude de sa personne a été prise en considération. — Arg. de l'art. 1795 (Troplong, n. 1186).

1816 — Le bailleur peut en demander plus tôt la résolution, si le preneur ne remplit pas ses obligations.

1817 — A la fin du bail, ou lors de sa résolution, il se fait une nouvelle estimation du cheptel.
Le bailleur peut prélever des bêtes de chaque espèce, jusqu'à concurrence de la première estimation : l'excédant se partage.
S'il n'existe pas assez de bêtes pour remplir la première estimation, le bailleur prend ce qui reste, et les parties se font raison de la perte.

= Le mot *peut*, employé dans la deuxième partie de l'article, est impropre : ce n'est pas, en effet, une simple faculté que la loi veut laisser au bailleur, elle prétend lui imposer une obligation.

SECTION III.

Du cheptel à moitié (2).

Le cheptel à moitié diffère du cheptel simple, en ce que chacun des contractants fournit une partie des bestiaux ; tandis que dans le cheptel simple, le bailleur fournit seul tout le fonds du bétail.
Dans ce contrat, ce n'est pas la jouissance seulement du troupeau qui est mise en commun, mais le troupeau lui-même : une véritable société, qui a pour but le partage de certains profits, se forme entre les parties :

---

(1) Duvergier, n. 424 ; Troplong, n. 1180. ⋙ Elle doit se prolonger autant que le bail primitif (Dur., n. 286).
(2) Le cheptel à moitié offre une combinaison qui dénote dans le preneur plus d'aisance que dans le cheptel simple : en effet, le cheptel simple est fondé sur l'absence de toute copropriété.

on l'a compris dans le titre du louage, parce qu'il n'est en réalité qu'une modification du bail à cheptel simple.

* * *

1818 — Le cheptel à moitié est une société dans laquelle chacun des contractants fournit la moitié des bestiaux, qui demeurent communs pour le profit ou pour la perte.

= Puisque ce contrat est une société, il n'est pas de rigueur que les mises soient égales : l'une des parties, par ex., peut apporter le tiers du troupeau, et l'autre les deux tiers.

1819 — Le preneur profite seul, comme dans le cheptel simple, des laitages, du fumier et des travaux des bêtes.

Le bailleur n'a droit qu'à la moitié des laines et du croît.

Toute convention contraire est nulle, à moins que le bailleur ne soit propriétaire de la métairie dont le preneur est fermier ou colon partiaire.

= Le preneur met évidemment dans la société plus que le bailleur, puisqu'il s'oblige, indépendamment de son apport, à prendre soin des bestiaux, à les nourrir et à les loger : il était donc juste de l'indemniser, en lui laissant exclusivement, comme dans le cheptel simple, les laitages, le fumier et les travaux des bêtes.

Le bailleur n'a droit qu'à la moitié du croît et des laines : la loi proscrit comme inique, la convention qui lui attribuerait une part plus considérable, lorsqu'il fournit le fonds en totalité ; à plus forte raison doit-elle réprouver cette convention, lorsque le preneur apporte une partie du bétail.

Ces principes peuvent être modifiés, lorsque le contrat se forme entre le propriétaire de l'héritage et son fermier ou son colon partiaire ; en effet, ce dernier ne donne plus alors que ses soins, puisque les animaux sont nourris sur les terres de la métairie, et logés dans les bâtiments qui en dépendent : aussi, permet-on en ce cas au bailleur, de stipuler qu'il aura une partie du laitage, ou qu'il prendra dans le profit une part plus forte que le preneur (1).

On peut se demander pourquoi les profits du cheptelier à moitié, lui qui fournit une partie du capital social, ne sont pas plus considérables que ceux du cheptelier simple : nous voyons, en effet, qu'il y a égalité de droit sur les laitages, les fumiers, les travaux des bêtes, les laines et le croît. La réponse est facile : à la vérité, le cheptelier à moitié apporte plus en capital que le cheptelier simple ; mais il apporte moins en soins et en frais de nourriture et d'hébergement, puisqu'ayant la propriété de la moitié du troupeau, il ne met en réalité, dans la société, que ce qu'il faut pour nourrir et loger l'autre moitié ; il fournit ainsi moitié moins que le cheptelier simple. Enfin, il faut remarquer, que ce dernier supporte la moitié de la perte partielle (bien qu'il ne prenne rien dans le capital), tandis que le cheptelier à moitié n'est soumis de plus que lui qu'à la perte totale (1818) ce qui arrive bien rarement. — On ne doit donc pas s'étonner que le législateur ait fixé pour le preneur, le même émolument dans l'un et l'autre contrat : si les mises ne sont pas identiques, elles se balancent, comme on le

---

(1) Nous verrons qu'il ne faut pas confondre la convention qui intervient dans ce cas, avec le cheptel de fer (Voy. section 5, § 1er).

voit, par l'utilité qu'elles procurent; dès lors elles doivent produire, pour le preneur, les mêmes avantages.

1820 — Toutes les autres règles du cheptel simple s'appliquent au cheptel à moitié.

= Ainsi, le preneur est responsable de ses fautes (1806 et 1807); il doit compte des peaux des bêtes, car le bailleur en a la moitié (1809); il ne peut vendre aucune tête du troupeau (1812); il ne peut tondre, sans avertir le bailleur (1814); le bail est censé fait pour trois ans (1815); il y a lieu à la réconduction; le partage s'effectue suivant les règles de l'article 1817; enfin, chacun retire, jusqu'à concurrence de l'estimation qui a été faite au commencement du bail, le montant de ses apports.

SECTION IV.

Du cheptel donné par le propriétaire à son fermier ou colon partiaire.

Ce cheptel ayant pour but d'assurer la culture des terres, est immeuble par destination (522 et 524): en conséquence, les créanciers du propriétaire ne peuvent le saisir qu'en saisissant l'immeuble lui-même.

Bien que la loi ne parle que du propriétaire, il est certain que le preneur aurait lui-même le droit de sous-louer le cheptel en sous-louant une partie du fonds, à moins que cette faculté ne lui eût été interdite par le bail. — Il pourrait également, en sous-louant, livrer un autre troupeau; mais ce troupeau ne serait pas immeuble.

----

§ I. — Du cheptel donné au fermier.

On donne à ce cheptel, le nom de *cheptel de fer*, pour faire entendre, qu'il est comme accessoire de la terre, et que le fermier doit, à l'expiration de son bail, laisser des bestiaux d'une valeur égale à celle dont il s'est chargé en recette: ainsi, ce qui caractérise le cheptel de fer, c'est qu'il ne peut périr pour le propriétaire.

Le cheptel de fer diffère du cheptel simple et du cheptel à moitié sous plusieurs rapports:

Le fermier a la jouissance exclusive du cheptel de fer; aucun élément d'association ne se mêle au bail de la ferme ou de la métairie. — Au contraire, le cheptel simple ou à moitié, même lorsque, aux termes de l'article 1819, il est donné par un propriétaire à son fermier ou à son métayer, pour demeurer sur le domaine, suppose l'existence d'une société qui doit, comme toute autre, se dissoudre à une époque fixe, et donner lieu à un partage.

Le cheptel de fer ne s'allie qu'avec le bail à ferme; le cheptel simple ou à moitié peut être donné à un étranger.

Le cheptel de fer est toujours immeuble par destination, quand il est fourni par le propriétaire de la ferme (522); le cheptel simple ou à moitié est meuble ou immeuble par destination, suivant qu'il est donné à un étranger ou à un métayer (524).

Le cheptel de fer, étant immeuble par destination, ne peut être saisi qu'avec le fonds (522, C. c.; 592, Pr.); le cheptel, donné à un étranger, peut être saisi par voie de saisie-exécution (522), puisqu'il est meuble.

T. III.   26

1821 — Ce cheptel (aussi appelé *cheptel de fer*), est celui par lequel le propriétaire d'une métairie la donne à ferme, à la charge qu'à l'expiration du bail, le fermier laissera des bestiaux d'une valeur égale au prix de l'estimation de ceux qu'il aura reçus.

= Remarquez ces mots : *d'une valeur égale :* le fermier n'est donc pas tenu de laisser le même nombre de bêtes; on ne doit considérer que leur valeur.

1822 — L'estimation du cheptel donné au fermier ne lui en transfère pas la propriété, mais néanmoins le met à ses risques.

= Il est de la nature de ce contrat, que le cheptel reste attaché à la ferme : l'estimation, dès lors, ne peut avoir pour objet, sauf conventions contraires, que de déterminer la valeur des bestiaux que le preneur devra laisser à la fin du bail, et par suite, de les mettre à ses risques. — S'il arrive que le cheptel périsse en totalité, même par cas fortuit, la perte ne sera donc pas, comme dans le cheptel simple, supportée par le bailleur, mais par le preneur (*voy.* 1825).

Le fermier peut aliéner les animaux vieux ou impropres au service; mais il n'a pas le droit de disposer du fonds du cheptel, puisqu'il ne lui appartient pas.

Il nous reste maintenant à fixer la position des créanciers, soit du bailleur, soit du preneur : le bailleur conservant la propriété du troupeau, s'ensuit-il que ses créanciers puissent le saisir pour se payer au préjudice du fermier? Non, le cheptel étant un accessoire de l'immeuble affermé, ne peut être saisi qu'à la charge des droits du preneur; pourvu que celui-ci soit porteur d'un bail ayant date certaine.

Les créanciers du preneur peuvent-ils saisir le fonds du cheptel? Non, puisque leur débiteur n'en a pas acquis la propriété : toutefois, il paraît équitable de valider la saisie de l'excédant de valeur, si ce qui reste garantit suffisamment les droits du propriétaire (Troplong, n. 1228).

1825 — Tous les profits appartiennent au fermier pendant la durée de son bail, s'il n'y a convention contraire.

= Le but que le propriétaire se propose, n'est pas de tirer un profit du cheptel, mais de faciliter la culture de ses terres. — D'ailleurs, le preneur devant supporter toutes les pertes, il est juste de lui accorder tous les bénéfices.

Du reste, cette règle n'est pas tellement absolue, qu'on ne puisse y déroger par des conventions particulières : rien ne s'opposerait à ce qu'on accordât au propriétaire une partie des profits (1).

---

(1) C'est là une différence entre le cheptel de fer et le cheptel simple ou le cheptel à moitié : nous avons vu, en effet, que dans ces deux dernières espèces de cheptel, le bailleur ne peut rien retrancher au preneur des laitages, labeurs, etc. : le législateur a sans doute considéré, que les positions n'ont aucune ressemblance, et que le fermier trouve dans la terre dont il jouit, la compensation des retenues dont il s'agit. Nonobstant cette convention, il est bien entendu, que le bailleur n'entrerait pas dans la perte du cheptel : l'art. 1811 n'est point applicable ici; cet article ne concerne que le cheptel simple (Troplong, n. 1233 et suiv.).

Puisque le croît appartient au fermier, il peut en disposer, à charge toutefois de remplacement (Pothier, n. 69).

— Lorsqu'on attribue au maître une partie des profits, cette convention emporte-t-elle obligation tacite de supporter une part corrélative dans les dettes? ⁓ N. Le Code ne contient aucune disposition à cet égard : le partage, dans l'espèce, n'est pas soumis a la règle : *quem sequuntur commoda, eumdem sequi debent incommoda* (Dur., n. 299).

1824 — Dans les cheptels donnés au fermier, le fumier n'est point dans les profits personnels des preneurs, mais appartient à la métairie, à l'exploitation de laquelle il doit être uniquement employé.

= Cette disposition semble déroger à la règle qui attribue au fermier tous les profits; mais il faut observer que le fermier profite indirectement du fumier, puisqu'il se trouve dispensé d'en acheter pour l'engrais.

1825 — La perte, même totale et par cas fortuit, est en entier pour le fermier, s'il n'y a convention contraire.

= Dans les baux de biens ruraux, on met souvent, par une stipulation expresse, la force majeure à la charge du fermier (*voy.* art. 1773 et 1774, C. c.) : cette convention est tacite, lorsqu'il s'agit du cheptel de fer : le fermier recueillant tous les profits du cheptel, doit supporter la charge des risques; *eadem debet esse ratio lucri et damni* : cette responsabilité est d'autant plus juste, que le fermier n'ayant pas de dépenses à faire pour loger et nourrir le troupeau, ne court que des chances favorables.

Toutefois, il est permis de déroger à cette règle, en chargeant le bailleur d'une partie des risques; mais alors, le cheptel de fer est dénaturé, puisqu'il comprend des bêtes qui peuvent mourir pour le maître : le contrat se trouve mélangé, soit du cheptel simple, si le bailleur est associé à une partie des bénéfices; soit du louage ordinaire, si le bailleur n'est indemnisé du risque qu'il court que par le prix de ferme.

1826 — A la fin du bail, le fermier ne peut retenir le cheptel en payant l'estimation originaire; il doit en laisser un de valeur pareille à celui qu'il a reçu.

S'il y a du déficit, il doit le payer; et c'est seulement l'excédant qui lui appartient.

= Les bestiaux appartenant au propriétaire, il est clair que le fermier ne peut, à la fin du bail, retenir ceux qui garnissent la ferme, en offrant de payer leur valeur : il doit laisser un cheptel d'une valeur égale à celui qu'il a reçu; l'excédant lui appartient; on n'a point égard à la quantité de têtes, mais à la valeur du troupeau.

Le cheptel doit être rendu en nature, sous peine de contrainte par corps (2062); le fermier sortant ne peut échapper à cette mesure sévère qu'en prouvant que le déficit ne provient pas de son fait : il se libère alors en payant une indemnité.

Pour savoir s'il y a *déficit*, on constate, par une estimation nouvelle, l'état du troupeau et sa valeur actuelle. Au lieu d'un *déficit*, si l'on trouve un excédant, le fermier le retient en entier.

Le cheptel de fer n'est pas soumis, pour le temps de sa durée, aux règles établies pour le cheptel simple et le cheptel à moitié (1815) : accessoire du bail à ferme, il ne finit qu'avec ce bail (Arg. de l'art. 1829).

§ II. — Du cheptel donné au colon partiaire.

On nomme *colon partiaire*, celui qui s'oblige à livrer, pour prix des fermages, une quotité de la récolte.

Il ne faut pas confondre le colon partiaire avec le fermier : le fermier se soumet à un prix réglé à forfait : le colon partiaire (ou métayer) s'oblige à donner au propriétaire une quotité des produits; il ne court pas de chances aventureuses.

Deux espèces de cheptels peuvent se former avec un *métayer* ou *colon partiaire* : le cheptel à moitié (*voy.* 1819, dernier alinéa), et le cheptel *simple*; c'est-à-dire, celui dans lequel le fonds est fourni en totalité par le propriétaire.

Dans le paragraphe qui va nous occuper, la loi envisage uniquement le cheptel sous ce dernier rapport : nous verrons, qu'en considération de ce que le bailleur fournit en partie le logement et la nourriture du troupeau, le contrat est susceptible de clauses qui sont interdites lorsqu'il se forme avec un étranger.

1827 —Si le cheptel périt en entier sans la faute du colon, la perte est pour le bailleur.

= Telle est également la règle en matière de cheptel simple (*voy.* art. 1810).

1828 —On peut stipuler que le colon délaissera au bailleur sa part de la toison à un prix inférieur à la valeur ordinaire ; Que le bailleur aura une plus grande part du profit ; Qu'il aura la moitié des laitages ; Mais on ne peut pas stipuler que le colon sera tenu de toute la perte.

= Le bailleur fournissant la totalité du bétail, l'hébergement et une partie de la nourriture, a le droit de stipuler qu'il prélèvera dans le profit une part plus forte que celle qui lui est attribuée dans le cheptel simple.

Parmi les clauses qu'il peut faire insérer dans ce contrat, on remarque : celle qui tendrait à lui attribuer, dans les bénéfices, une part plus considérable qu'au preneur, par exemple les deux tiers, les trois quarts, et celle qui lui conférerait le droit d'exiger que le colon lui délaissât sa part de la toison à un prix inférieur à la valeur ordinaire, ou qui lui accorderait la moitié des laitages et des labeurs (1).

Plusieurs clauses demeurent toutefois prohibées : ainsi, la loi s'oppose à ce qu'on mette toute la perte à la charge du colon ; mais les termes dans lesquels est conçue cette disposition prohibitive, permettent de penser qu'il peut être chargé d'une part plus considérable dans la

_____

(1) Quant aux fumiers, ils sont destinés à engraisser la terre.

perte, que celle qu'il est appelé à prendre dans le profit (comp. 1811) : en effet, dans la société, rien n'empêche que l'un des associés prenne, par exemple, les trois quarts du profit, et qu'il ne supporte que le quart des pertes, *aut vice versâ* (Dur., n. 308).

1829 — Ce cheptel finit avec le bail à métairie.

1830 — Il est d'ailleurs soumis à toutes les règles du cheptel simple.

= Ainsi, le cheptel donné au colon partiaire diffère seulement du cheptel simple, en ce qu'il peut être fait sous certaines conditions, qui sont prohibées dans ce dernier contrat (*voy.* art. 1828); ce cheptel n'est qu'une variété du cheptel simple.

SECTION V.

Du contrat improprement appelé cheptel.

1831 — Lorsqu'une ou plusieurs vaches sont données pour les loger et les nourrir, le bailleur en conserve la propriété : il a seulement le profit des veaux qui en naissent.

= Ce contrat ne peut être considéré comme un bail à cheptel, puisqu'il n'a pas pour objet une universalité qui se perpétue par le renouvellement des individus.

TITRE IX.

DU CONTRAT DE SOCIÉTÉ.

(Décrété le 8 mars 1804, promulgué le 18 du même mois.)

CHAPITRE I.

DISPOSITIONS GÉNÉRALES.

Le contrat de société est *consensuel*, *synallagmatique*, *commutatif* et *à titre onéreux ;*

Consensuel, car il se forme par le seul consentement ;

Synallagmatique, car les parties s'obligent réciproquement l'une envers l'autre ;

Commutatif, puisque chacune d'elles s'engage à donner ou à faire une chose qui est considérée comme l'équivalent de ce qu'on lui donne, ou de ce qu'on fait pour elle ;

Enfin, il est *à titre onéreux*, puisqu'il assujettit chacun des contractants à donner ou à faire quelque chose.

On considère la société, comme un être moral, comme un propriétaire intermédiaire, comme une personnalité propre, possédant des biens ayant des droits,

Il ne faut pas confondre la *société* avec la *communauté* : la communauté n'est pas un contrat ; elle résulte d'un simple fait, indépendant de la volonté des parties : ainsi, des héritiers sont en communauté avant le partage ; ainsi, le mélange fortuit de grains appartenant à plusieurs, produit un état de communauté (573) : de cet état, résulte pour chacun des intéressés, comme d'un contrat, *quasi ex contractu*, le droit d'exiger le partage des biens communs, le rapport des fruits que l'un d'eux a perçus, et la réparation du dommage qu'il a causé. — Sous ce point de vue, la société produit aussi un état de communauté ; mais ce qui la caractérise, c'est qu'elle existe en vertu de la volonté des parties, c'est qu'elle procède toujours d'un contrat : sans convention point de société ; — la société diffère donc essentiellement de la communauté quant à son origine ; elle produit aussi quelques effets différents : nous verrons, que chaque associé reçoit de ses coassociés un mandat légal à l'effet d'administrer les affaires sociales ; et que s'il est, pour son compte personnel, créancier d'un débiteur de la société, il doit tenir compte à la masse commune, suivant certaines distinctions, du montant de la somme qu'il a reçue, encore qu'il ait spécialement donné quittance pour sa part. Entre communistes il en est autrement, les créances actives et passives se divisent de droit : chacun ne peut dès lors agir et ne peut être actionné que jusqu'à concurrence de son intérêt ; les payements faits dans cette proportion sont irrévocablement acquis à celui qui les a obtenus.

Quelquefois, il est vrai, la communauté résulte du consentement exprès des parties ; c'est ce qui arrive, lorsque plusieurs personnes se réunissent pour acquérir : ce qui distingue alors cet état de choses du contrat de société, c'est que les communistes ne se proposent pas, comme les associés, de rester dans l'indivision, de faire des bénéfices par la confusion de leurs intérêts, et qu'ils ne se donnent pas mandat réciproque d'agir l'un pour l'autre : que la communauté, en un mot, est un état passif (1).

La société se rapproche du contrat d'échange, surtout, lorsque les apports des parties ont pour objet des choses de diverses natures.

1852 — La société est un contrat par lequel deux ou plusieurs personnes conviennent de mettre quelque chose en commun, dans la vue de partager le bénéfice (2) qui pourra en résulter.

1853 — Toute société doit avoir un objet licite, et être contractée pour l'intérêt commun des parties.

Chaque associé doit y apporter ou de l'argent, ou d'autres biens, ou son industrie.

---

(1) La mitoyenneté et la jouissance en commun de certaines choses également nécessaires à deux voisins diffèrent de la communauté et de la société : ceux entre lesquels existent de pareils rapports ne sont pas des communistes ordinaires ; en effet, d'une part, ils ne se proposent pas de partager des choses communes : d'autre part, on ne peut assimiler la jouissance d'une chose laissée en commun à la perception des bénéfices produits par les objets mis en société, car l'idée de bénéfice, corrélative à celle de perte, suppose une liquidation, ce qui ne peut avoir lieu dans l'espèce.

Des espèces qui semblent se rapprocher de la société, mais qui en diffèrent cependant sous des rapports essentiels, sont rapportées par Duvergier, n 40 et suiv. : pour résoudre les difficultés qui peuvent se présenter, il ne faut jamais perdre de vue ces éléments essentiels de la société : *un fonds commun composé de mises particulières : participation à des bénéfices produits par ce fonds ; intérêt commun.*

(2) Cette définition est incomplète : on remarque en effet qu'elle ne parle pas de l'obligation de participer aux pertes, et cependant cette obligation est une conséquence nécessaire du droit de prendre part aux bénéfices.

= Outre les conditions essentielles communes à toutes les conventions, la société doit en réunir de particulières :

Il faut, 1° que chacune des parties mette quelque chose en commun. — Si l'une était appelée à prendre part aux bénéfices sans faire aucun apport, la convention aurait moins le caractère d'une société que celui d'une disposition à titre gratuit : en conséquence, elle ne produirait pas d'effet, si la personne appelée à en profiter était incapable de recevoir (1).

Toutefois, de ce que l'une des parties ne stipulerait, par exemple, qu'un tiers ou un quart dans les bénéfices, bien que sa mise lui donnât le droit de prétendre à une part plus considérable, il ne faudrait pas croire que le contrat dût cesser de valoir comme société : nous avons supposé, dans le paragraphe précédent, que la convention est faite uniquement en vue de conférer un avantage à l'une des parties qui n'apporte rien, ou presque rien ; mais ici, le caractère de société prédominerait : une vente ne cesse pas d'être une vente, parce que le prix n'égale pas la valeur de la chose (1674) : la société, dans l'espèce, conserve donc son caractère ; sauf, bien entendu, l'application ultérieure des règles du rapport, et celles de la réduction en cas d'avantages excessifs.

Les contractants ne sont pas tenus de mettre dans la société des choses de même nature : l'un peut apporter de l'argent, l'autre des biens en nature ou même la jouissance de quelques biens, un autre enfin son industrie, une simple espérance et même son crédit commercial, industriel ; c'est-à-dire, la confiance qu'il a obtenue du public par son activité, sa sagesse, sa prévoyance, son habileté dans les affaires : en effet, les mots *biens* et *industrie* embrassent non-seulement les choses corporelles et incorporelles, meubles ou immeubles ; mais encore, tous les actes de l'homme qui sont de nature à produire des bénéfices (2) : il suffit que les apports soient appréciables en argent.

2° La société doit avoir pour but l'intérêt commun : il est contre la nature des choses, qu'une société se forme pour le seul intérêt de l'une des parties. Les Romains stigmatisaient une pareille association en la qualifiant de *société léonine*, *societas leonina*, par allusion à la fable du Lion. — Si tous les bénéfices étaient attribués à un seul associé, quand même il serait chargé de toutes les pertes, la convention ne constituerait qu'un mandat.

3° Elle doit avoir un objet *licite :* la société peut embrasser toutes les opérations de l'activité humaine qui ont pour but de procurer un gain ; il suffit que son but n'ait rien de contraire aux lois ni aux mœurs : ainsi, la convention d'association pour faire la contrebande, pour commettre un vol, etc., ne produirait aucune action contre celui qui refuserait de l'exécuter, ou de partager les profits qu'il aurait faits par ces moyens illicites.

4° Elle doit avoir pour objet le partage des bénéfices et des pertes : ces bé-

(1) Cette convention, suivant Pothier, n. 8, constituant une donation de biens à venir, n'est valable qu'autant qu'elle est faite par contrat de mariage ; mais on répond avec raison, que l'acte renferme une donation d'un intérêt dans la société ; que cet intérêt peut être vendu ; qu'il est présent, et qu'il est susceptible dès lors de faire l'objet d'une donation (Dur., n. 324 ; Delv., p. 119, n. 4 ; Pardessus, Droit commercial, t. 4, p. 983).

(2) Le nom peut même constituer une mise sérieuse : il est incontestable, en effet, qu'un nom honorablement connu rend les opérations plus faciles et plus lucratives. Ajoutons, que celui qui consent à figurer ainsi comme membre d'une association, promet implicitement son concours actif ou une certaine surveillance, et partage avec ses coassociés la responsabilité des opérations : mais un nom abstrait, sans clientèle, isolé de tout acte de la personne, c'est-à-dire, sans concours, ni surveillance, ni responsabilité, même la protection que promettrait un homme puissant, ne serait pas un apport suffisant. La convention qui, en raison d'une telle mise, donnerait le droit de prendre part aux bénéfices, serait nulle, comme contraire à l'honnêteté publique et aux bonnes mœurs.

néfices ou ces pertes doivent être appréciables en argent. En général, les parts dans les bénéfices doivent être en raison des mises ; et la contribution à la perte doit être réglée d'après la participation aux bénéfices (1).

— Dans le cas où la société est illicite, s'il y a eu répartition des bénéfices et des pertes, cette répartition doit-elle être maintenue ? ⁓ *A.* Comment l'un des associés pourrait-il, sous prétexte que la société est nulle, demander à ses coassociés la restitution de leurs parts dans les bénéfices ? Arg. de la disposition générale de l'art. 1131 (Duvergier, n. 29 et suiv.). ⁓ Si nous avions formé une société pour faire la contrebande, et que nous eussions été condamnés à l'amende, nous ne serions pas moins obligés de nous tenir compte des gains et des pertes pendant que la société a duré. — Il y a des conventions que les lois défendent, mais qu'elles laissent pourtant subsister lorsqu'elles sont faites contre leur prohibition (Toullier, n. 127, t. 6)?

Doit-on voir une société dans la convention par laquelle un propriétaire de pierreries ou d'autres objets, charge une personne de les vendre en lui accordant la portion du prix qui excédera une limite déterminée ? ⁓ *N.* L'industrie de l'un s'exerce sur une chose qui ne cesse pas d'appartenir à l'autre ; il n'y a pas, à proprement parler, de bénéfice à partager ; la somme moyennant laquelle la vente a lieu, est le prix des objets vendus : c'est ce qui se passe tous les jours lorsqu'on donne une commission ou un droit de courtage (Duvergier, n. 45 et 50). ⁓ *A.* La volonté des parties clairement exprimée peut approprier cette convention à une société (Troplong, n. 36).

Deux personnes conviennent de réunir leurs chevaux afin de les vendre ensemble, dans l'espoir d'en tirer un prix plus élevé : cette convention renferme-t-elle une société ? ⁓ Non, si la propriété de chacun reste séparée ; il est de l'essence de la société, qu'il y ait quelque chose de mis en commun ; qu'il y ait une copropriété formée par la réunion des propriétés distinctes (Duvergier, n. 46 et 51). ⁓ Pour qu'il y ait société, il n'est pas nécessaire qu'il y ait apport de la propriété ; l'apport de la simple destination vénale est suffisante (Troplong, n. 112 ; Championnière, Enreg., n. 2770).

Deux voisins conviennent que l'un d'eux achètera un héritage contigu et en cédera une partie à l'autre, doit-on voir une société dans cette convention ? ⁓ *N.* Il n'y a réellement là qu'un mandat, ou tout au plus, l'établissement d'un état de communauté transitoire : le but des parties est le partage et non la perception des bénéfices que la chose commune pourra produire (Duvergier, n. 47 et 52). ⁓ Il y a société (Troplong, n. 42).

La convention par laquelle un chef de maison accorde à l'un de ses employés une partie des bénéfices, est-elle une société ? ⁓ *N.* Le commis exécute les ordres du propriétaire de la maison ; il n'a point la copropriété du fonds social ; il ne contribue pas aux pertes ; il n'est point tenu personnellement envers les tiers ; il n'a ni les prérogatives ni les obligations d'un associé (Duvergier, n. 48 et 53 ; Pardessus, n. 969, t. 4) ⁓ Cette question ne peut être résolue que par les circonstances (Troplong, n. 42).

Deux laboureurs, propriétaires chacun d'un bœuf, conviennent de se le prêter successivement et réciproquement : cette convention est-elle une société ? ⁓ *N.* Elle procure sans doute un avantage à chacune des parties ; mais cet avantage ne résulte pas des profits faits en commun (Duvergier, n. 55 ; Troplong, n. 16).

Deux négociants composent de leurs deniers une somme pour en jouir alternativement pendant un certain délai, chacun pour son commerce particulier : est-ce là une société ? ⁓ *N.* La bourse n'est jamais employée dans l'intérêt commun des parties, mais au contraire alternativement (Duvergier, n. 56 ; Troplong, *ibid.*).

Un office dont la transmission est permise par la loi du 28 avril 1816, peut-il être mis en société ? ⁓ *A.* Toutes les choses qui sont dans le commerce et qui sont susceptibles de produire quelques profits peuvent être mises en société ; or, les offices ont ce double caractère. ⁓ *N.* La loi de 1816 n'a point rétabli la vénalité des charges, comme on l'entendait sous l'ancien régime ; il est même à remarquer, qu'elle évite soigneusement de prononcer ce mot : il faut donc la restreindre à ses conséquences nécessaires et immédiates : elle n'a ajouté aux droits des titulaires d'office, que la faculté de présenter un successeur à l'agrément du roi : or le droit de présentation est exclusivement attaché à la personne. — Les offices n'ayant pas été concédés au moyen d'une finance payée à l'époque de leur création, il n'y a pas possibilité de distinguer entre le titre et la finance, et de prétendre que celle-ci peut seule être l'objet d'une transaction entre les titulaires et leurs successeurs. — Quelle serait la chose mise en commun ? ce ne pourrait être l'exercice des fonctions publiques ou quasi publiques ; car un officier public ne peut partager ses fonctions : un officier public n'est et ne doit être responsable qu'envers l'autorité ou envers le pouvoir disciplinaire organisé dans la corporation à laquelle il appartient. — Ainsi, alors même qu'un office a été acheté en tout ou en partie avec les deniers d'un tiers, la nature des choses, plus puissante que la volonté des contractants, empêche qu'il y ait société ; la convention reste donc sans effet. — Toutefois, le titulaire d'un office peut valablement convenir, qu'il partagera avec un tiers, dans des proportions déterminées, soit les bénéfices qui naîtront de l'exploitation, soit le prix que produira la transmission du titre : mais il y a loin d'une pareille convention à la société : celui à qui est accordée une part dans les bénéfices et dans le produit de la vente d'une charge, n'a pas, comme l'associé commanditaire, un droit d'investigation et de contrôle sur les actes de la gestion ; il n'a ni la qualité ni les droits d'un associé ; mais seulement une action personnelle contre le titulaire, pour se faire délivrer ce qui lui a été promis ; il vient par contribution sur les biens de son débiteur avec les autres créanciers (Duvergier, n. 59, 61 et 62 ; Troplong, n. 85 et suiv.).

Pour quelle somme les bailleurs de fonds seront-ils admis à la contribution ? ⁓ S'ils ont prétendu être associés, comme les stipulations relatives à la distribution des pertes et des bénéfices sont réputées non avenues, ils viennent par contribution, sur le prix de la charge, pour la somme qu'ils ont versée, sans déduction des pertes ; on ne peut leur imposer les conséquences fâcheuses de la position d'associés, alors qu'on leur refuse les résultats utiles : il faut les considérer comme des prêteurs ; — si les parties

_____

(1) On nomme *bénéfices*, l'excédant que présente la liquidation sur le fonds social. — On nomme *perte*, le *déficit* que présente cette liquidation.

n'ont pas eu l'intention de faire une société , si elles se sont tenues dans les limites du possible sans s'attribuer la qualité d'associés, on doit calculer , au moment de la liquidation à quelle somme s'élève la créance de chaque bailleur de fonds d'après le résultat des opérations, et l'admettre à la contribution , pour le chiffre ainsi fixé (Duvergier , n. 63 et 64).

Un officier public convient avec un ou plusieurs de ses collaborateurs, de leur donner , au lieu d'un traitement fixe, une quotité des produits de leurs charges : cette convention forme-t-elle une société ? ⟶ *N*. Il n'y a pas de société possible pour l'exploitation d'un office. D'ailleurs, la position subalterne du collaborateur a l'égard de son patron , ne permet pas de voir en lui un associé (Duvergier, n. 60 ; Troplong , n. 97).

Je confie à un pâtre la garde de mon troupeau pour un certain nombre d'années , en lui accordant la moitié de la laine et du croit : c'est là une véritable société ; mais si je ne lui attribue que vingt livres de laine , par exemple , doit-on voir dans ce contrat une société ? ⟶ *N*. On ne présume pas que le pâtre ait prétendu faire un contrat en quelque sorte aléatoire (Dur., n. 329).

1834 — Toutes sociétés doivent être rédigées par écrit, lorsque leur objet est d'une valeur de plus de cent cinquante francs.

La preuve testimoniale n'est point admise contre et outre le contenu en l'acte de société, ni sur ce qui serait allégué avoir été dit avant , lors et depuis cet acte, encore qu'il s'agisse d'une somme ou valeur moindre de cent cinquante francs.

= Les sociétés, en général, se forment par le seul consentement ; elles sont assujetties, pour la preuve, aux règles communes à toutes les conventions (1) : la disposition de l'article 1834, qui prescrit la rédaction d'un écrit pour les sociétés dont l'objet dépasse la somme ou la valeur de 150 fr., doit être considérée comme un simple développement de l'article 1341 (2). En conséquence, les exceptions déterminées par les articles 1347 et 1348, doivent recevoir leur application, lorsqu'il s'agit du contrat de société, comme dans toute autre matière ; les parties ont la ressource de l'interrogatoire sur faits et articles et celle du serment.

L'acte de société doit, comme de raison, s'il est sous seing privé, être fait en autant d'originaux qu'il y a d'associés (1325).

Les sociétés commerciales doivent toujours être rédigées par écrit (39 et 48, Code de comm.).

Qu'entend-on ici par *objet de la société* ? L'objet de la société est l'ensemble des mises, l'ensemble des choses qui composent le fonds social : c'est la valeur de ces choses réunies et non la valeur de chaque mise particulière, ou, comme on l'a dit encore mal à propos, le montant de la demande, qu'il faut considérer, lorsqu'il s'agit d'apprécier l'espèce de preuve à l'aide de laquelle on peut établir l'existence de la société : ainsi , la preuve testimoniale d'une société conclue verbalement, doit être rejetée ou admise, selon que la valeur du fonds social dépasse ou ne dépasse pas 150 fr. (3).

---

(1) Alors à quoi bon cette reproduction de l'art. 1341 ? Elle a été jugée utile, pour marquer une différence entre les sociétés ordinaires et les sociétés commerciales (Dur., n. 343 ; Merlin , Rép , v° Communauté tacite).

(2) A la vérité, le contraire semble résulter des termes de l'art. 1834 ; on pourrait induire de cet article , que l'écriture est un élément constitutif du contrat : dans quel but , en effet , le législateur aurait-il reproduit littéralement la disposition de l'article 1341, s'il eût voulu laisser la société sous l'influence du droit commun ? Mais une telle interprétation serait contraire à l'esprit de la loi ; il résulte clairement de la discussion qui a eu lieu au tribunat et au corps législatif, et du discours de l'orateur du gouvernement, que l'on s'est uniquement proposé, par l'art. 1834, d'abroger l'usage de ces communautés universelles tacites, connues sous le nom de *sociétés taisibles* , qui , dans plusieurs coutumes , se formaient de plein droit , entre certaines personnes , par suite de la vie *à pot commun* pendant l'an et jour (Duvergier , n. 66 ; Merlin , Rép. *Communauté tacite* ; Dur., n. 349).

(3) La loi oblige les associés à rédiger leurs conventions par écrit ; en n'obéissant pas à cette injonction, ils se sont volontairement exposés à ne pouvoir en établir la preuve. D'un autre côté , si l'objet de la société n'excède pas 150 fr. , les associés ne sont pas obligés de dresser d'acte : comment admettre qu'ils seront déchus de la preuve testimoniale, si les bénéfices s'élèvent à une somme telle, qu'au moment où l'un d'eux veut réclamer sa part, cette part excède 150 fr.? Ce serait déterminer l'espèce de preuve, non d'après son objet, mais d'après des événements imprévus ; le droit des parties serait , sous ce rapport, sujet à des variations incessantes ; on verrait la preuve testimoniale devenir succes-

C'est au moment où la convention s'est formée, que l'on doit se reporter, pour savoir si elle peut être prouvée par témoins.

L'existence de la société une fois constatée, chaque associé peut prouver par témoins le montant des bénéfices et des pertes, quelle qu'en soit l'importance.

Bien que les associés ne soient pas fondés à réclamer le partage des bénéfices faits par l'un d'eux lorsque la preuve de la société n'est point établie, ils peuvent, sans aucun doute, exiger la restitution de leurs mises; car celui qui revendique, se fonde uniquement sur le fait de la remise, sans invoquer la convention. Le partage des choses communes s'effectue alors d'après les règles de l'équité; on agit comme si une communauté de fait avait eu lieu.

— Lorsque le fait de l'association est constant et notoire, lorsque les tiers ont contracté sur la foi de cette notoriété, est-il permis aux associés d'exciper du défaut d'acte écrit? ∼∼ N. Ce serait argumenter de leur propre faute, pour se soustraire aux conséquences légales de leurs engagements. — Arg. de l'art. 42 du Code de commerce *in fine*, lequel déclare, que l'inobservation des formalités prescrites pour rendre publiques les sociétés commerciales en nom collectif ou en commandite, ne peut être opposée aux tiers par les associés. — Cependant, ne concluons pas de là que des tiers soient recevables à prouver directement, par des témoignages, l'existence de la convention: ils peuvent seulement puiser cette preuve dans des écrits émanés des associés; dans des actes où cette qualité leur a été donnée sans réclamation de leur part, ou dans des faits non contestés qui supposent nécessairement que la société a été formée. — Pour que les tiers puissent demander à établir le fait de l'association, il faut, bien entendu, qu'ils aient traité sur la foi de son existence et dans la pensée d'avoir tous ses membres pour obligés (Duvergier, n. 76 et suiv.; Troplong, n. 219 et suiv.).

Relativement aux preuves admissibles entre associés, doit-on distinguer entre la preuve du fait de l'existence d'une société, et la preuve des conventions intervenues entre les parties; en d'autres termes, lorsqu'un associé se borne à soutenir qu'une association dont il n'existe pas de preuve écrite a été formée, et que les effets de cette association doivent être réglés suivant le droit commun, peut-on admettre comme preuve, à défaut d'écrits, des faits ou des actes qui supposent nécessairement le fait d'association? ∼∼ A. (Duvergier. n. 82 et suiv.; Merlin, Société, § 1er. — *Paris*, 17 avril 1807. — *Bruxelles*, 28 février 1810; S., 7, 2, 1204; 14, 2, 93; D., Société, p. 84).

sivement possible et impossible: évidemment, l'objet de la convention, au moment où elle se forme, et la valeur qu'il présente, doivent déterminer d'une manière stable et définitive, l'espèce de preuve que les contractants pourront employer; il faut que chacun sache en contractant de quel genre de preuve il est obligé de se pourvoir; qu'il connaisse la limite au delà de laquelle le témoignage des hommes devient suspect. — Vainement invoque-t-on dans l'opinion contraire, l'art. 1342: les positions ne sont pas semblables: la somme que produiront les intérêts est connue d'avance; le jour où, réunis au capital, ils excéderont 150 fr. est certain: mais comment évaluer à l'avance les bénéfices d'une société? Si l'on admettait l'assimilation, il ne faudrait pas se borner à dire, avec l'art. 1834, que les sociétés doivent être rédigées par écrit lorsque leur valeur excède 150 fr.; il faudrait proclamer d'une manière absolue la nécessité d'un écrit; car dans tous les cas, se présente la possibilité d'un accroissement du fonds social, au moyen de bénéfices — L'observation de M. Duranton serait fondée, si plusieurs personnes, agissant séparément, confiaient à une autre la faible somme de 10 fr.: chacune pourrait incontestablement établir sa convention particulière par des témoignages: mais la société n'est point une réunion de contrats séparés et distincts; c'est un contrat unique, qui embrasse plusieurs intérêts, et qui lie plusieurs personnes: chaque associé n'a pas songé seulement à sa mise; il a vu et su à quelle somme s'élevait le fonds social; tous ont été dirigés par une même pensée, par un but unique. — Souvent les mises sont inégales; il faudrait donc admettre que la preuve testimoniale sera impossible pour celui qui aura fait une mise supérieure à 150 fr., et qu'elle sera possible pour celui qui aura fait une mise inférieure; que la société prouvée à l'égard de l'un, ne le sera pas à l'égard de l'autre? (Duvergier, n. 72; Toullier, t. 9, n. 42. — *Turin*; S., 7, 2, 641; D., Société, p. 85; Troplong, n. 202 et suiv.). ∼∼ Si l'on prétend que la société est dissoute et que la demande ait pour but le partage des mises et des profits, c'est le montant de la demande qu'il faut considérer pour savoir s'il y a lieu d'admettre la preuve testimoniale; — si le partage du profit seulement est demandé, et que la demande suppose une mise dont le montant joint à la part demandée dans le profit, excède 150 fr., la preuve testimoniale doit être refusée. Arg. des articles 1343 et 1344 (Delv., p. 119, n. 2). ∼∼ L'objet de la société pour le demandeur, c'est vraiment ce qu'il y prétend; il serait absurde, que si vingt personnes avaient mis en commun chacune 10 francs, pour une certaine destination, et livré ces sommes à l'une d'elles, aucune ne pût prouver par témoins la convention et la réalisation de sa mise, sous prétexte que l'objet de la société, le fonds social, le total des mises était dans l'origine de plus de 150 fr. Il paraît plus conforme à l'esprit de la loi, de considérer le résultat de ce que produira la demande, sans s'occuper de la valeur de l'ensemble des mises, et de permettre la preuve testimoniale, alors même que les mises réunies s'élèveraient à plus de 150 fr., si la part que réclame le demandeur dans le capital et dans les bénéfices, est égale à cette somme ou au dessous (Dur., n. 343).

Quid, si l'apport de tous les associés ou de quelques-uns ne consiste qu'en industrie? ∼∼ On l'évalue; et s'il excède 150 fr., il faut appliquer l'art. 1834 et exiger la représentation d'un écrit.

CHAPITRE II.

Des diverses espèces de sociétés.

1855 — Les sociétés sont universelles (1) ou particulières.

SECTION I.

Des sociétés universelles.

Les Romains distinguaient deux espèces de sociétés universelles : la société *universorum bonorum* et la société *universorum quæ ex quæstu veniunt.*

La première comprenait, *en propriété*, tous les biens que les associés possédaient au temps du contrat et tous leurs biens à venir, meubles et immeubles, à moins que le disposant n'eût manifesté une volonté contraire.

La deuxième se bornait aux gains qu'ils pourraient faire par leur industrie, à quelque titre que ce fût.

Notre ancienne jurisprudence admettait ces sortes de sociétés ; mais elle avait étendu la société universelle de gains, en y comprenant les meubles que les associés possédaient au jour du contrat.

Le Code rejette la société *universorum bonorum*, comme pouvant faciliter les fraudes que l'un des associés voudrait commettre, par exemple, au moyen d'allégations d'espérances souvent mensongères ou illusoires, et surtout parce qu'elle permettaient de déguiser facilement des donations : il substitue à cette société celle *de tous biens présents.*

La société de tous biens présents embrasse, en propriété, les biens meubles et immeubles qui appartiennent actuellement aux parties, ainsi que les profits que ces biens procureront. La loi permet de comprendre en outre, dans cette société, toute autre espèce de gains ; mais les biens à échoir par succession, donation ou legs, ne peuvent y entrer que pour la jouissance.

Les principes du droit coutumier sur la société *universelle de gains* sont maintenus (2).

Du reste, les sociétés universelles peuvent intervenir entre personnes d'une fortune ou d'une industrie inégales : ces sociétés participent alors de la donation ; c'est même parce qu'elles permettent de déguiser des dispositions à titre gratuit, que le Code les interdit entre personnes respectivement incapables de se donner ou de recevoir l'une de l'autre.

1856 — On distingue deux sortes de sociétés universelles, la société de tous biens présents, et la société universelle de gains.

---

(1) Les sociétés universelles ou particulières sont soumises à peu près aux mêmes règles : en divisant en deux sections particulières le chapitre qui va nous occuper, les rédacteurs du Code se sont uniquement proposé d'indiquer ce qu'embrasse chaque société. Au surplus, l'usage des sociétés universelles, d'ailleurs très-rares aujourd'hui, tend de plus en plus à s'effacer de nos mœurs.

(2) On connaissait, dans l'ancien droit, certaines sociétés qui se formaient tacitement, et qu'on appelait, pour cette raison sociétés *taisibles*. Ce consentement tacite résultait de la cohabitation pendant l'an et jour : le Code les rejette ; pour que les sociétés universelles puissent se former, il faut aujourd'hui un consentement exprès ; *voy.* p. 409, note 2.

= Nous verrons art. 1837, que les parties peuvent joindre à la société de tous biens présents (laquelle comprend les meubles et les immeubles que les parties possèdent actuellement, ainsi que les profits qu'elles pourront en tirer) toute autre espèce de gains, et créer ainsi une troisième sorte de société universelle.

1837 — La société de tous biens présents est celle par laquelle les parties mettent en commun tous les biens meubles et immeubles qu'elles possèdent actuellement, et les profits qu'elles pourront en tirer (1).

Elles peuvent aussi y comprendre toute autre espèce de gains; mais les biens qui pourraient leur avenir par succession, donation ou legs, n'entrent dans cette société que pour la jouissance : toute stipulation tendant à y faire entrer la propriété de ces biens est prohibée, sauf entre époux, et conformément à ce qui est réglé à leur égard.

= La société de tous biens présents est loin de produire des effets aussi étendus que la société *universorum bonorum* des Romains : elle ne comprend en propriété que les biens meubles et immeubles, qui appartiennent actuellement aux contractants, ou sur lesquels ils ont un droit éventuel (1179), et par suite les profits que ces biens pourront leur procurer par échange, usage, perception de fruits, etc.

Mais le gain qui ne provient pas des biens communs, tels que les traitements, salaires, honoraires, n'entre pas de plein droit dans cette société; il peut seulement y être compris. — Que faut-il décider à l'égard des acquisitions à titre onéreux? Elles appartiennent à la société : les art. 1402 et 1499, qui réputent acquêt de la communauté tout immeuble dont l'origine n'est pas connue, reçoivent ici leur application; sauf à l'associé qui se prétend propriétaire exclusif, à justifier de ses droits (2).

A l'égard des biens à venir (3), c'est-à-dire, de ceux que les parties recueilleront par succession ou donation, ils ne peuvent entrer en propriété dans la masse commune : toute stipulation qui tendrait à les y comprendre à ce titre serait nulle; la loi a craint que ces sortes de conventions ne présentassent un moyen facile d'éluder les dispositions qui prohibent les avantages indirects entre personnes respectivement incapables de se faire des libéralités.

Toutefois, ces biens peuvent entrer dans la société *pour la jouissance* : mais cette jouissance est-elle comprise de plein droit dans la société de biens présents, ou faut-il une stipulation expresse? On adopte généralement cette dernière opinion; elle est d'ailleurs fondée sur les termes de la loi (4).

(1) On peut critiquer la dénomination de société universelle de *biens présents* : en effet, la société de biens présents peut comprendre des profits, et toute autre espèce de gains, choses que les parties ne possèdent pas actuellement.

(2) Duvergier, n. 94.

(3) *Meubles* ou *immeubles* : le mot *bien* est générique (Arg. de l'art. 1838).

(4) En effet, le premier alinéa do l'art. 1837 exclut évidemment de la société de tous biens présents, lorsqu'elle est pure et simple, les fruits des biens à venir; et le deuxième, prévoyant le cas ou cette convention a été modifiée, déclare que les fruits des biens à venir tombent dans la société dont il s'agit : donc il suffit que la propriété des biens échus à titre gratuit aux associés soit exclue, pour que les fruits n'y tombent pas ; l'accessoire suit le sort du principal. L'opinion contraire entraîne d'ailleurs des conséquences qui répugnent aux vues du législateur; car elles jettent dans les inconvénients qu'il a voulu éviter : rappelons-nous que son but principal, en déclarant que les biens à venir ne tomberont pas dans la société universelle, a été d'empêcher les donations contraires à ses prohibitions, et qu'il n'autorise les donations de biens à venir, qu'autant qu'elles sont faites par contrat de mariage ; or

Parlons maintenant des dettes : quelles sont celles que la société doit supporter ? dans quelle proportion en est-elle chargée ? Il est remarquable que la loi ne trace aucune règle à cet égard : ce silence porte à penser qu'elle a prétendu se référer au droit commun ; en conséquence , lorsque la société profite des biens présents en totalité , toutes les dettes actuelles , sans distinction de leur origine ou de leur nature , doivent y entrer : *bona non intelliguntur* , etc. — A l'égard des dettes et charges postérieures au contrat , la société est tenue pour le tout , de celles qui sont relatives aux biens qui lui appartiennent : ainsi , elle supporte les grosses réparations que les biens présents peuvent exiger , les réparations d'entretien et autres charges ; mais les dettes qui grèvent les successions , dons ou legs échus aux associés ne sont point à sa charge : toutefois , si la jouissance de l'actif entrait dans la société , l'article 612 deviendrait applicable.

Les intérêts ou arrérages des dettes relatives aux biens à venir ne sont point supportés par la société , puisque , suivant nous , ces biens eux-mêmes en sont exclus pour la jouissance comme pour la propriété (1).

Quid , à l'égard des frais de nourriture et d'entretien des associés et de leurs enfants , ainsi que des frais ordinaires d'éducation de ces derniers ? On distingue : si la société comprend toute espèce de gains , elle est tenue de ces frais , quand même ils seraient plus considérables à l'égard de l'un des associés qu'à l'égard de l'autre , pourvu toutefois , que l'associé use modérément du fonds social , et qu'il ne fasse pas de folles dépenses (2).

Si la société se borne aux biens présents , aux profits qui en proviendront , et aux fruits des biens à échoir pendant son cours à titre de succession , de donation ou de legs , sans comprendre le gain d'une autre nature , les frais de nourriture et d'entretien des associés et de leurs enfants doivent être pris sur les gains particuliers de chaque associé , et , seulement en cas d'insuffisance , sur ceux de la société , en supposant toujours , bien entendu , que ces frais soient modérés.

Remarquons surtout , que les frais dont il s'agit ne sont pris que sur le gain ; le fonds des biens de la société doit demeurer intact (3).

L'ancienne jurisprudence classait parmi les dettes sociales les dépenses faites pour procurer aux enfants un établissement par mariage ou autrement : cela devait être ainsi dans la société *universorum bonorum* , car cette société comprenait en propriété les biens à venir : mais la société de tous biens présents ne comprenant pas ces sortes de biens , on ne saurait sans une convention spéciale , lui faire supporter cette charge (4).

Si la société ne comprend que les biens présents , le passif est restreint aux charges relatives à ces biens.

Au surplus , ces règles ne reçoivent d'application qu'à défaut de stipulations particulières.

---

puisqu'il n'est pas permis de comprendre les fruits des biens à venir dans une donation de biens présents , comment entreraient-ils de plein droit dans une société universelle ? D'ailleurs , si les fruits devaient tomber de plein droit dans la société , l'égalité serait souvent rompue (*Foy.* Locré , t. 14 , p. 520 , Duvergier , n. 93 ; Troplong , n. 269). ∞ Le Code déroge à l'ancien droit , relativement à la propriété des biens avenus aux associés , par succession , donation ou legs , durant la société ; mais non quant à la jouissance de ces biens , — de même que les fruits des immeubles avenus aux époux par ces voies pendant le mariage tombent dans la communauté , de même ils doivent tomber dans la société. — Les biens , porte l'article 1837 , qui peuvent avenir par succession , donation ou legs , n'entrent dans la société que pour la jouissance , donc ils y entrent pour cela sans qu'il y soit besoin d'aucune stipulation (Dur. , n. 351 ; Delv.).

(1) Duvergier , n. 95.
(2) Duvergier , n. 97 ; Troplong , n. 281 ; *voy. cep.* Delv. , p. 120 , n. 3 ; Dur. , n. 356.
(3) Dur. , n. 357 Duvergier , n. 99 ; Troplong , n. 282 ; *voy. cep.* D. , t. 12 , p. 86 , n. 6.
(4) Dur. , *ibid.*

Les époux ont la faculté de former par contrat de mariage une communauté universelle, comprenant leurs biens présents et leurs biens à venir (1526); l'art. 1837 ne fait allusion qu'à ce droit. Durant le mariage ils ne peuvent établir entre eux aucune société universelle; car ils modifieraient par là leurs conventions matrimoniales (1395).

— A la charge de qui doivent être les dettes contractées pendant la durée de la société sans indication ni justification d'emploi, par ex., par des emprunts de l'emploi desquels il n'existe pas de traces ? ∿ Il faut appliquer l'art. 1419, et décider qu'elles sont à la charge de la société; sauf récompense pour les sommes qui seront prouvées avoir été employées pour les besoins ou l'amélioration des biens particuliers de l'associé (Delv., p. 120, n. 3). ∿ Mettre les dettes à la charge de la société, c'est donner à un associé le pouvoir de la grever par de folles dépenses, sans qu'il y ait moyen pour les autres associés de s'y opposer (Dur., n. 359). ∿ Question sans intérêt dans la pratique : en effet, si la difficulté s'agite entre associés, évidemment la société ne supportera la dette qu'autant qu'il sera établi qu'elle a profité des sommes empruntées. Si elle est est soulevée par un tiers, on devra examiner si ce tiers a eu ou non capacité d'engager la société : dans le premier cas, le créancier ne sera pas tenu de prouver l'emploi que les deniers ont reçu : dans le deuxième, il devra établir cette preuve, et il ne pourra agir que par l'action *de in rem verso* (Duvergier, n. 98).

Celui qui revendique, comme lui étant propre, quelque bien dont la société a la jouissance, doit-il justifier de son droit exclusif de propriété ? ∿ A. Arg. des art. 1402 et 1499 (Dur., n. 354).

La clause tendant à faire entrer dans la société de tous biens présents, la propriété de tout ou partie des biens à venir, annulerait-elle la société elle-même ? ∿ N. Il n'y aurait de nulle que la clause prohibée; on appliquerait la règle *utile per inutile non vitiatur* (Dur., n. 350). ∿ A. Il est possible que l'un des associés, celui dont les biens présents étaient supérieurs, ait compté, pour rétablir l'égalité des mises, sur les biens qui devront échoir à ses coassociés. — Maintenir le contrat pour les biens présents, ce serait traiter d'une manière différente deux contractants qui sont également coupables. — Arg. de l'art. 1172 (Duvergier, n. 103; Troplong, n. 276).

1858 — La société universelle de gains renferme tout ce que les parties acquerront par leur industrie, à quelque titre que ce soit, pendant le cours de la société : les meubles que chacun des associés possède au temps du contrat, y sont aussi compris; mais leurs immeubles personnels n'y entrent que pour la jouissance seulement.

= A la différence de la société de biens présents, la société universelle de gains, ne comprend pas, en propriété, les immeubles que les associés possèdent actuellement : sous ce point de vue, elle est donc moins étendue que celle de tous biens présents.

Mais elle est plus étendue sous un autre rapport, car elle renferme de droit commun toute espèce de gains; ainsi son actif se compose :

1° Des biens que les associés acquerront à quelque titre de commerce que ce soit, par achat, louage, etc., ou par leur industrie, tels que les appointements et honoraires;

2° Des meubles présents, et par conséquent des fruits qu'ils produiront;

3° De la jouissance des biens immeubles que les associés possèdent actuellement;

4° De celle des meubles et des immeubles qu'ils recueilleront à titre de succession, donation ou legs; mais la propriété de ces biens reste aux associés.

Quant à l'héritage acquis en échange des immeubles propres, il n'appartient pas à la société, quoique le contrat d'échange soit réellement un acte de commerce.

Nous ferons la même observation à l'égard des biens acquis en remploi de ces propres, ou pour tenir lieu d'emploi des deniers et effets mobiliers recueillis par successions, donations ou legs, pourvu que la cause de ces acquisitions ait été mentionnée dans l'acte (Arg. de l'art. 1434).

La société est tenue pour le tout, comme dans le cas de communauté légale (1409) :

1° Des dettes mobilières, dont les associés sont grevés au moment du contrat : en gardant le silence, ils ont manifesté l'intention de se soumettre à la règle générale ; or il est de principe, que ces sortes de dettes sont une charge de l'universalité des meubles (Pothier, n. 52 ; Dur., n. 372) ;

2° Des arrérages et intérêts seulement des rentes ou dettes passives, qui sont personnelles aux associés ;

3° Des réparations usufructuaires des immeubles qui n'entrent pas en propriété dans la société.

Quant aux dettes qui ont été contractées durant la société, il faut distinguer : la société est tenue en capital et intérêts, de toutes celles qui concernent ses propres affaires ; ou jusqu'à concurrence du profit qu'elle a fait lorsque les dettes ont une autre cause ; des intérêts seulement de celles qui sont relatives aux biens particuliers de l'associé, ou qui proviennent des successions ou donations par lui recueillies ; enfin elle doit supporter toutes les charges usufructuaires.

On doit, suivant nous, toujours présumer, dans l'intérêt des tiers, que les emprunts ont l'intérêt commun pour objet, surtout, lorsqu'ils ont été faits du consentement de tous les associés ; sauf ensuite le recours de la société contre celui qui a contracté ces dettes, s'il est prouvé qu'elle n'en a pas profité (Delv. p. 120, n. 3, p. 121, n. 4).

Chaque associé peut prélever sur les bénéfices, les sommes nécessaires pour ses besoins et ceux de sa famille : profitant de tout le gain des associés, et en outre des fruits produits par les biens qui leur restent propres, il est juste que la société soit tenue de ces dépenses, quand même la famille de l'un serait plus nombreuse que celle de l'autre ; à charge toutefois, par chaque associé, ainsi que nous l'avons dit sur la société de tous biens présents, d'en user modérément.

Quant aux dots, elles ne sont point une charge de la société, mais une charge des propres.

— Les fruits des immeubles, soit présents, soit à venir, tombant dans la société, on demande si l'associé à qui les immeubles appartenaient au moment du contrat, ou à qui ces biens sont échus pendant la durée de la société, peut les aliéner sans le consentement de ses associés ? ⟶ L'associé n'est pas le maître de disposer des biens présents, car ils sont entrés dans la société pour la jouissance : mais il a ce droit lorsqu'il s'agit des biens à venir, car la jouissance de ces biens est mise dans la société, en ce sens, que les économies faites par chaque associé sont considérées comme un gain dont il doit faire raison à la société (Dur., n. 367). ⟶ La jouissance des biens à venir tombe dans la société de la même manière et au même titre que la jouissance des biens présents : la volonté seule de l'associé propriétaire ne peut donc les en distraire. — Les immeubles personnels des associés, porte l'art. 1838, n'entrent dans la société que pour la jouissance : ce texte ne distingue pas entre les biens présents et les biens à venir (Duvergier, n. 110). ⟶ Le propriétaire n'est pas privé du droit de spéculer sur ses immeubles ; tout ce qu'on peut exiger de lui, c'est que sa conduite soit loyale et prudente (Troplong, n. 290).

L'associé, auquel des biens meubles ou immeubles sont échus par succession, donation ou legs, est-il tenu, lorsqu'il dispose de ces biens, d'en réserver la jouissance à la société ? ⟶ Oui, si la disposition est à titre gratuit ; secùs, si elle est à titre onéreux : la société n'a jamais dû compter sur ces acquisitions, puisqu'elles étaient éventuelles. L'usufruit des sommes ou autres biens reçus en retour, remplace pour la société celui de l'immeuble (Dur., n. 397 ; voy. cep. Duvergier et Dur., ibid., suprà).

1839 — La simple convention de société universelle, faite sans autre explication, n'emporte que la société universelle de gains.

= Les obligations ne se présument pas ; dans le doute, on doit supposer que les parties ont eu en vue celles qui entraînent le moins de charges : *quod minimum est sequimur.* — D'ailleurs, la loi ne voit pas favorablement les sociétés universelles, car elles engendrent fréquemment des procès.

1840 — Nulle société universelle ne peut avoir lieu qu'entre personnes respectivement capables de se donner ou de recevoir l'une de l'autre, et auxquelles il n'est point défendu de s'avantager au préjudice d'autres personnes.

= La première partie de l'article ne présente aucune obscurité; elle se concilie parfaitement avec les autres dispositions du Code qui prononcent des incapacités, soit de donner, soit de recevoir :

Ainsi, une société universelle ne peut se former entre un mineur devenu majeur et son tuteur, si le compte définitif de la tutelle n'a été préalablement rendu et apuré (907); entre des enfants adultérins ou incestueux et leurs père et mère; entre un docteur en médecine et la personne à laquelle il a donné des soins pendant la maladie dont elle est morte (*voy.* art. 762, 908 et 909). En un mot, toutes les fois que l'incapacité de disposer et de recevoir à titre gratuit se rencontre, les parties sont incapables de former une société universelle.

Mais l'interprétation de ces termes : *auxquelles il n'est point défendu de s'avantager au préjudice d'autres personnes*, fait naître quelques difficultés : on demande si la loi veut prohiber en outre les sociétés universelles entre personnes appelées à se succéder réciproquement, et qui auraient d'autres héritiers à réserve; par exemple, entre un père et l'un de ses enfants? Nous le pensons, l'article est conçu en termes généraux et précis. Sans doute, cette règle absolue peut entraîner de graves inconvénients; mais elle existe : jusqu'à réformation il faut s'y soumettre. Vainement argumenterait-on du discours de M. Treilhard : la discussion au conseil d'État n'a été qu'effleurée (1).

Si les personnes dont nous parlons avaient contracté au mépris de la prohibition, une société universelle, le partage s'opérerait comme dans le quasi-contrat de communauté : chacun retirerait sa mise, et les bénéfices se partageraient *arbitratu boni viri*, au prorata des mises respectives, sans égard aux stipulations mentionnées dans l'acte annulé. La perte des choses qui auraient péri par cas fortuit ou par force majeure, serait pour le compte du propriétaire (D., t. 12, p. 87, n. 10).

Il faut joindre aux personnes que la loi déclare incapables celles qu'elle répute interposées.

_____

(1) Duvergier, n. 119 et suiv.; Delv., p. 120, n. 2. ⸱⸱⸱ Cette disposition, ainsi entendue, se trouverait en contradiction avec celle des articles 854, 1526 et 1527 : il est plus conforme aux principes, de penser que le législateur a voulu seulement confirmer l'incapacité relative prononcée contre les personnes qui ne peuvent recevoir l'une de l'autre (voy. art. 908 et 909). « Ce que vous avez expressément défendu, disait Treilhard, ce qu'on ne peut faire directement, il serait inconséquent et dérisoire de le tolérer indirectement. Il ne faut pas que, sous les fausses apparences d'une société, on puisse éluder la prohibition de la loi qui a défendu de donner; et que ce qui est illicite, devienne permis, en déguisant sous les qualités d'associé, celles de donateur et de donataire. » Or l'orateur n'eût pas présenté la prohibition comme rarement applicable, si dans sa pensée, elle avait dû atteindre ceux dont les ascendants sont encore vivants ou qui ont des enfants légitimes (Locré, Discuss., t. 14, p. 497, n. 11 et 12).

SECTION II.

De la société particulière.

Les sociétés particulières sont d'un fréquent usage ; c'est même en elles que se concentre aujourd'hui presque tout l'intérêt du contrat de société.

1841 — La société particulière est celle qui ne s'applique qu'à certaines choses déterminées, ou à leur usage, ou aux fruits à en percevoir.

== La société particulière est celle qui a pour objet certains biens déterminés que les associés conviennent de mettre en commun, soit en propriété, par ex., si deux personnes réunissent leurs chevaux pour les vendre ensemble, afin d'en tirer un meilleur prix ; soit pour l'usage ; soit pour une certaine entreprise ; soit pour l'exercice de quelque industrie ou de quelque profession. En un mot, la société est dite particulière, lorsqu'elle ne peut rentrer dans la classe des sociétés définies dans la section précédente.

Il est bien entendu, que l'apport de chaque associé doit être franc et quitte de toute dette personnelle.

— Si les parties, sans dire que la société est universelle, ont fait entrer dans la société tous leurs biens, en désignant individuellement chacune des choses qui lui appartiennent, la société est-elle universelle ou particulière ? ᴧᴧ C'est là une question d'intention (Duvergier, n. 132).

1842 — Le contrat par lequel plusieurs personnes s'associent, soit pour une entreprise désignée, soit pour l'exercice de quelque métier ou profession, est aussi une société particulière.

== On peut s'associer, par exemple, pour exploiter une messagerie, pour travailler en commun et partager les bénéfices que l'on fera.

CHAPITRE III.

Des engagements des associés entre eux et à l'égard des tiers.

Pour bien entendre les règles comprises dans ce chapitre, il ne faut pas perdre de vue, que la société est un être moral, une tierce personne qui a des intérêts distincts de ceux des associés (1).

La loi détermine, dans deux sections différentes, les engagements des associés entre eux, ou, ce qui revient au même, envers la société ; et les engagements des associés, ou plutôt, ceux de la société envers les tiers.

(1) C'est ce qui résulte d'une foule de dispositions de ce titre (Dur., n. 334 et 390 ; Duvergier). ᴧᴧ Quelques personnes pensent que les sociétés civiles, à la différence des sociétés commerciales, ne constituent pas des êtres moraux ; mais des collections d'intérêts communs. — Elles tirent un argument *à contrario* des articles 529 du Code civil ; 69 , n. 6, Pr.; 20, 33, 30 , 39, 45 du Code de commerce.—Reconnaître, disent-elles, le caractère d'êtres moraux aux sociétés civiles . ce serait enlever toute application directe à la définition légale de la société. — Il serait exorbitant et dangereux de laisser aux associés la faculté de faire naître et mourir une personne morale dont rien ne révèle l'existence aux tiers.

SECTION I.

Des engagements des associés entre eux.

La loi détermine dans cette section :

1° Le commencement et la durée de la société (1843 et 1844).

2° Les obligations des associés envers la société (1845 à 1850).

3° Celles de la société envers les associés (1851 et 1852).

4° Enfin elle pose des règles sur la fixation des parts (1853 à 1855).

Les articles suivants sont relatifs à l'administration de la société.

La société commence au jour fixé par la convention ; et, à défaut de convention, à l'instant du contrat (1843). Sa durée, si elle n'est pas limitée, embrasse toute la vie des associés ; sauf le droit réservé aux parties de la dissoudre, en manifestant leur volonté à cet égard, sous les conditions que la loi détermine (1864 et 1869).

Chaque associé est tenu envers la société : 1° de fournir son apport (1845) ; 2° de tenir compte de ce qu'il a perçu du fonds commun, et des profits qu'il s'est procurés en préférant son propre intérêt à celui de la société (1846 et 1849) ; 3° d'indemniser la société du tort qu'il lui a causé par sa faute (1850).

L'apport doit être effectué dans le délai convenu ; la délivrance est soumise aux règles générales sur l'obligation de livrer et sur le payement (1136).

Lorsqu'il s'agit d'une société particulière, si la mise d'un associé consiste en un ou plusieurs objets individuellement déterminés, cet associé est garant de l'éviction. La garantie est régie par les mêmes principes que celle dont est tenu le vendeur envers l'acheteur.

L'associé qui ne fournit pas son apport au terme fixé, doit tenir compte, sous certaines distinctions, à partir de cette époque, des fruits ou revenus provenant des choses qui composent sa mise ; — par exception aux principes généraux, il est tenu sans demande des intérêts des sommes qu'il devait apporter ; et des profits qu'il a retirés de l'industrie qu'il s'est obligé à exercer pour le compte commun. Le tout, sans préjudice de plus amples dommages-intérêts, s'il y a lieu.

La bonne foi s'oppose à ce qu'un associé préfère son propre intérêt à celui de ses coassociés : si l'un d'eux, créancier personnel d'un débiteur de la société, reçoit en payement une somme qui, d'après les règles établies par les articles 1253 et suivants, pouvait s'imputer sur l'une ou l'autre créance, toutes deux également exigibles, cette somme doit être proportionnellement répartie sur celle de l'associé et sur celle de la société. — Si l'une des créances seulement était exigible, ou si toutes deux étant exigibles, l'une remontait à une époque plus ancienne, ou était plus onéreuse pour le débiteur, l'imputation se ferait en entier sur cette créance.

Par suite du même principe, l'associé qui a reçu sa part dans une créance sociale, doit, si le débiteur est devenu insolvable, rapporter la somme à la masse commune, afin que chacun de ses coassociés puisse obtenir ainsi un dividende proportionné à son intérêt.

Au surplus, ces règles ne concernent que les rapports des associés entre eux ; elles ne portent pas atteinte aux droits qui sont conférés au débiteur par l'art. 1253.

Il est superflu de dire, que l'associé conserve la faculté d'appliquer exclusivement à la créance de la société le montant de ce qu'il a reçu, car, évidemment, il est libre de préférer l'intérêt des autres au sien propre.

Lors de la dissolution de la société, chaque associé a le droit de réclamer la restitution de ses apports (bien entendu lorsque c'est la jouissance seule et non la propriété des biens qui a été mise en commun). De plus, il peut se faire indemniser de tous ses débours avec intérêts à dater du jour où ils ont été faits; des engagements qu'il a contractés pour la société; ainsi que des pertes qu'il a éprouvées par suite des risques inséparables de sa gestion. — Les obligations de la société se divisent nécessairement entre les associés : chaque associé doit contribuer aux pertes en proportion de ce qu'il prendrait dans les bénéfices, s'il y en avait.

Les parts dans les bénéfices ou dans les pertes peuvent être déterminées soit par le contrat de société, soit par une convention postérieure. Une égalité parfaite n'est pas prescrite dans ce règlement : la loi prohibe seulement, comme contraire à l'essence du contrat de société, toute clause qui aurait pour résultat d'attribuer à l'un des associés la totalité des bénéfices ou de l'affranchir de toute contribution aux pertes (1855).

A défaut de conventions particulières, les bénéfices se règlent eu égard à la valeur comparée des apports respectifs; chacun des associés supporte ainsi dans la perte une part proportionnelle à celle qu'il est appelée à prendre dans les bénéfices.

Les apports sont supposés avoir tous une même valeur s'il n'apparaît du contraire. — Cette règle est sans difficulté, lorsque toutes les mises consistent en sommes ou effets : mais quelle est la position des associés qui n'ont apporté que leur industrie? Si les apports en sommes ou effets ont une importance égale, il y a lieu de croire que l'apport en industrie a été jugé valoir autant que les autres; si cette égalité n'existe pas, il est assimilé à la plus faible des mises.

Les associés peuvent convenir de s'en rapporter à l'un d'eux ou à un tiers pour la fixation des parts : ce règlement est attaquable, s'il blesse *évidemment* l'équité; mais les réclamations ne sont admises que dans un délai fort court : ce délai est de trois mois, à partir de la connaissance que l'associé lésé a eue du règlement. Il est clair que toute plainte serait interdite à celui qui aurait donné son approbation tacite au règlement, en commençant à l'exécuter.

Il nous reste à parler de l'administration de la société :

Souvent les associés chargent l'un d'eux d'administrer les affaires sociales; les pouvoirs de cet administrateur se déterminent alors par le titre qui le constitue, et dans le silence du titre, par les règles du mandat conçu en termes généraux (1988 et 1989.)

On ne peut ni les retirer ni même les restreindre, quand ils ont été conférés par le contrat même de société, car ils deviennent alors une des conditions de l'association; mais l'administrateur n'est en général qu'un simple mandataire, susceptible, par conséquent, d'être révoqué, lorsqu'il n'a été nommé que postérieurement.

L'administration peut être confiée à plusieurs associés : lorsque leurs fonctions n'ont été ni divisées ni déterminées, il est raisonnable de penser que la volonté commune a été de les charger concurremment de la gestion des affaires sociales : en conséquence, chacun d'eux peut agir séparément, dans les limites des pouvoirs communs, à moins que cette faculté ne leur ait été interdite.

L'administration appartient en commun à tous les associés, lorsqu'elle n'a pas été spécialement déléguée.

Chaque associé ayant la liberté de disposer de sa part dans les effets communs, peut s'adjoindre pour cette part une tierce personne ; mais on conçoit qu'il n'ait pas la faculté de l'associer à la société sans le consentement des autres, lors même qu'il serait administrateur (1861).

1843 — La société commence à l'instant même du contrat, s'il ne désigne une autre époque.

= On peut former une société sous une condition, ou pour commencer après un certain temps ; les parties jouissent à cet égard d'une entière liberté. A défaut de conventions contraires, soit expresses, soit tacites, la société commence à l'instant même du contrat.

1844 — S'il n'y a pas de convention sur la durée de la société, elle est censée contractée pour toute la vie des associés, sous la modification portée en l'article 1869 ; ou, s'il s'agit d'une affaire dont la durée soit limitée, pour tout le temps que doit durer cette affaire.

= Le terme de la société peut être l'objet d'une clause du contrat ; cette convention est même sous-entendue dans les affaires dont la durée est limitée : par ex., si deux entrepreneurs s'associent pour bâtir une maison, la société finira dès que la maison sera construite.

Lorsqu'il n'y a pas de convention sur la durée de la société, la loi présume que les contractants veulent se lier pour la vie. Toutefois, elle réserve à chacun le droit de dissoudre la société, en manifestant sa volonté à cet égard : il suffit que la renonciation ait lieu de bonne foi, et qu'elle ne soit pas faite à contre-temps (*voy.* 1865 et 1869 combinés). — Ce mode de dissolution n'est pas admis lorsque la société a été contractée pour un temps limité (1871).

---

1. Les contractants peuvent-ils valablement convenir que la société durera vingt ans ; par ex.: cette convention empêcherait-elle l'un des associés de renoncer avant ce temps ? ⟿ Après cinq années, chacun des associés peut demander le partage des biens et renoncer à la société, nonobstant toute convention contraire, pourvu que la demande soit faite de bonne foi et non à contre-temps. — Arg. de l'art. 815. Il s'agit, il est vrai dans cet article, d'une communauté de fait ; mais dès que les héritiers conviennent qu'ils resteront pendant un certain temps dans l'indivision, ils font par cela même une convention de société. — Arg. de l'art. 1872, qui déclare applicables au partage des sociétés, les règles concernant le partage des successions, la forme de ce partage et les obligations qui en résultent entre les cohéritiers. — Dans l'opinion contraire, il faudrait aller jusqu'à dire, pour être conséquent, qu'en convenant expressément d'une société universelle à vie, les parties se sont valablement liées pour leur vie ; or, une semblable proposition ne pourrait se soutenir. Il faudrait dire aussi qu'elles ont pu valablement engager leur temps et leur industrie pour toute leur vie, ce qui n'est pas permis (1780). — Vainement dirait-on que les associés ne seront pas tenus pour cela de travailler en commun pendant toute leur vie ; que leur obligation se convertira en dommages-intérêts ; mais ce serait implicitement reconnaître que l'obligation est valable ; car il n'y a qu'une obligation valable qui puisse produire des dommages-intérêts. — Objectera-t-on que ni l'art. 1844 ni aucun autre ne limite à cinq ans la faculté qu'il reconnaît aux parties de fixer la durée de la société ; que tous les jours, dans le commerce, il se forme des sociétés pour un temps qui excède cinq années : on répondra, qu'en effet, il y a lieu de faire exception à la règle, pour les sociétés d'industrie ou de commerce, non en ce sens qu'on puisse les prolonger jusqu'à la mort de l'un des associés ; mais en ce sens que la durée de ces sociétés peut être convenue pour plus de cinq années, pourvu que le terme ne soit pas excessivement long. — Il faut également excepter les sociétés qui ont pour objet une entreprise déterminée (Dur., n. 392). ⟿ Les contractants peuvent fixer, comme ils le jugent convenable, la durée de leurs rapports ; et ils peuvent même convenir qu'ils seront associés pendant toute leur vie. — L'art. 815 n'est pas applicable au contrat de société : l'indivision est un état passif, peu favorable à l'amélioration des choses laissées en commun ; elle est sans gouvernement : la société, au contraire, réunit des capitaux pour en accroître les produits ; elle est soumise à une organisation régulière : avec de telles différences, on comprend que le législateur n'ait pas voulu que l'indivision se prolongeât indéfiniment, et qu'il ait au contraire laissé aux parties pleine liberté en ce qui concerne les sociétés. — Souvent, l'objet de la société ne pourrait être rempli, si le terme était limité à cinq ans. — On admet, il est vrai, dans l'opinion contraire, que la règle de l'art. 815 ne régit point les sociétés de commerce ou d'industrie : mais aucun texte formel n'autorise ces exceptions. — Lorsque la nature des opérations doit prolonger au delà de cinq années l'existence des sociétés, ce sont les parties qui déterminent ainsi d'une manière indirecte la durée de leurs rapports ; pourquoi une volonté directe et expresse n'aurait-elle pas la même puissance? — Vainement dit-on, qu'en convenant qu'elles resteront pendant un certain temps dans l'indivision, les parties font par cela même une convention de société : c'est là confondre la société avec l'indivision conventionnelle. — Vainement invoque-t-on l'art. 1872 : cet article pose un principe général, principe qui reçoit exception, lorsque la nature des règles du partage des sociétés s'oppose à son application : par ex., pourrait-on soutenir que l'art. 841 est applicable entre associés?—Affranchies de la limite posée par l'art. 815, les associations peuvent fort bien n'avoir d'autres bornes que celles de la vie humaine ; l'art. 1780 est absolument étranger à la matière des sociétés (Duvergier, n. 415).

Les articles du Code civil, qui déterminent les obligations du vendeur d'un immeuble dont la contenance est déclarée au contrat, s'appliquent-ils à l'associé qui a promis pour son apport un immeuble avec détermination de la contenance? ⁓ A. La loi déclare que l'associé est garant envers la société de la même manière qu'un vendeur l'est envers son acheteur ; l'assimilation établie entre le vendeur et l'associé, pour la garantie en cas d'éviction, autorise dès lors l'assimilation en cas de déficit ou d'excédant de la contenance indiquée (Dur., n. 393 ; Troplong, n. 534). ⁓ N. Les règles déterminées par ces articles sont spéciales au contrat de vente : sans doute, la vente et la société ont quelques effets semblables ; ainsi, de même que le vendeur transmet la propriété de la chose vendue, de même chaque associé transmet à ses coassociés la propriété de sa mise ; mais la s'arrête la ressemblance : sous tous les autres rapports, on rentre dans la règle générale ; or, suivant cette règle, celui qui s'est obligé a donner une chose, doit la donner telle qu'il l'a promise, et par conséquent, avec la contenance qui a été indiquée dans le contrat. C'est par exception que le vendeur jouit d'une certaine latitude ; l'associé ne peut réclamer la même tolérance ; car les exceptions sont de droit étroit (Duvergier, n. 156).

En cas d'éviction d'une partie de l'apport, peut-on, au lieu de condamner l'associé à payer des dommages-intérêts, se borner à réduire la part qui lui est attribuée dans la société? ⁓ N. L'art. 1637 dit expressément que la valeur de la portion dont l'acquéreur se trouve évincé, lui est remboursée suivant l'estimation, à l'époque de l'éviction ; il ne dit pas proportionnellement au prix total de la vente : en réduisant la part attribuée à l'associé dans la société, on risquerait de lui accorder plus ou moins qu'il ne lui est réellement dû ; car les bénéfices d'une société n'augmentent ou ne diminuent pas toujours dans le même rapport que les mises sociales (Duvergier, n. 163).

1845 — Chaque associé est débiteur, envers la société, de tout ce qu'il a promis d'y apporter.

Lorsque cet apport consiste en un corps certain, et que la société en est évincée, l'associé en est garant envers la société, de la même manière qu'un vendeur l'est envers son acheteur (1).

= Chaque associé est tenu envers la société : 1o de fournir son apport (1845 à 1847) ; 2o de rapporter à la masse ce qu'il a perçu du fonds commun (1048 et 1849) ; 3° enfin, d'indemniser la société du tort qu'il lui a causé par sa faute (1850).

Il est conforme à la nature des contrats commutatifs, de déclarer chaque associé débiteur envers la société, à partir de la convention, de ce qu'il a promis d'apporter

Puisque l'associé est débiteur, on doit lui appliquer les principes généraux relatifs aux obligations de donner ou de faire (1136, 1145).

Ainsi, lorsqu'il s'agit d'un corps certain, ses rapports avec la société sont les mêmes que ceux d'un vendeur avec son acheteur : la propriété est transmise à la société par le seul effet de la convention (1138) ; en cas d'éviction ou de vice redhibitoire, il y a lieu à garantie ; la perte sur-

---

(1) Disposition trop générale : en effet, on pourrait conclure de ses termes, qu'il n'y a qu'à transporter les règles du titre de la vente au titre de la société ; qu'à substituer le mot *associé*, au mot *vendeur* : cependant, nous verrons qu'il n'en saurait être ainsi. Par ex. : l'acheteur évincé a le droit d'exiger du vendeur la restitution du prix qu'il a payé : dans la société, il n'y a pas de prix ; les associés ne reçoivent pas une somme d'argent en échange de leur mise ; l'équivalent de leur apport consiste dans la copropriété du fonds commun et dans la participation aux bénéfices : de là il résulte, qu'en cas d'éviction, la société peut seulement faire prononcer la résiliation du contrat, sans préjudice des dommages-intérêts. — l'existence des vices redhibitoires donne a l'acheteur deux actions : l'action *redhibitoire* proprement dite, qui tend à la résolution du contrat ; et l'action *quanti minoris* : or, évidemment, celle-ci ne peut être donnée contre l'associé, puisqu'il n'a reçu pour équivalent de sa mise, que le droit de venir au partage du fonds social et des bénéfices.

venue avant la délivrance, est supportée par la société, si l'obligation contractée par l'associé est pure et simple, et par ce dernier, si elle est subordonnée à une condition suspensive (1182); enfin, entre la société et le tiers à qui l'associé a vendu ou transmis la chose, la préférence se règle, s'il s'agit d'immeubles, par la date du titre; s'il s'agit d'un meuble, on applique la maxime : *en fait de meubles*, etc. (2279).

Lorsque ce ne sont pas des corps certains et déterminés qui ont été promis, mais bien une certaine quantité de blé, de vin, ou des corps indéterminés, ces questions ne peuvent naître; car *genus non perit :* l'associé doit toujours réaliser sa mise.

Il est évident que la garantie n'a pas lieu dans les sociétés universelles; car l'associé ne spécifie rien, il n'apporte que ses droits, une universalité.

Lorsque l'apport consiste seulement dans la jouissance de quelques biens, la société n'a sur ces biens que les droits d'un usufruitier; l'associé est dans la position d'un nu-propriétaire : il ne faut donc pas assimiler l'un à un preneur, et l'autre à un bailleur (*voy.* art. 1851).

Si l'associé a promis de faire, c'est à-dire, d'apporter son industrie, cette obligation se résout en dommages-intérêts.

Les fruits produits par les choses qui composent les mises, appartiennent à la société à partir du jour où elle est devenue propriétaire. En cas de retard dans la délivrance, si l'associé a été mis en demeure, il doit indemniser la société de tous les fruits qu'elle aurait pu percevoir. S'il n'a pas été mis en demeure, il ne doit compte que des fruits qu'il a perçus indûment.

Par exception à la règle que consacre l'article 1153, lorsque la mise consiste en une somme d'argent, l'associé doit de plein droit et sans demande les intérêts de cette somme à compter du jour où elle était devenue exigible; il peut même être condamné à de plus amples dommages-intérêts s'il y a lieu (1846).

1846 — L'associé qui devait apporter une somme dans la société, et qui ne l'a point fait, devient, de plein droit et sans demande, débiteur des intérêts de cette somme, à compter du jour où elle devait être payée.

Il en est de même à l'égard des sommes qu'il a prises dans la caisse sociale, à compter du jour où il les en a tirées pour son profit particulier;

Le tout sans préjudice de plus amples dommages-intérêts, s'il y a lieu.

= Le contrat de société est du nombre de ceux que les Romains appelaient *contractus bonæ fidei*, pour faire entendre, qu'il est soumis principalement aux règles de l'équité. Comme ce contrat a essentiellement pour but l'intérêt commun des associés, il serait injuste d'admettre l'un d'eux au partage des bénéfices produits par la mise des autres, s'il n'effectuait pas la sienne.

Ces considérations ont motivé deux dérogations aux règles générales :

1° Les intérêts ne courent en principe qu'à partir du jour de la mise en demeure (1153); le Code les fait courir de plein droit, sans demande, et même sans sommation, à compter du jour de l'échéance du terme.

2° Les dommages-intérêts, lorsqu'il s'agit d'une somme d'argent, ne peuvent consister que dans l'intérêt légal (1153) : en matière de société,

la prestation des intérêts ne dispense pas de plus amples dommages-intérêts, *s'il y a lieu;* c'est-à-dire, si ce retard a empêché la société de faire
une opération importante, ou lui a causé des frais de la part des créanciers.

Pourquoi cette rigueur en matière de société? celui qui s'oblige purement et simplement à payer une somme d'argent, n'a pas l'intention de
procurer au créancier plus d'avantages que ceux qui résultent ordinairement de la jouissance d'un capital; d'ailleurs, pressé par la nécessité, il
promet souvent plus qu'il ne peut tenir : la loi devait le traiter avec indulgence. Mais chacun est libre de s'engager ou de ne pas s'engager dans une
société : si par sa faute, un associé ne réalise pas sa mise, il est juste de
le punir, en le soumettant à l'obligation de payer une indemnité complète.

Les mêmes dérogations sont applicables, lorsque l'un des associés a tiré
des sommes de la caisse sociale, pour ses affaires particulières. Il faut toutefois observer, que dans les sociétés universelles, l'associé ne doit les intérêts de ces sommes que du jour de la dissolution; ceux qui sont échus
durant la société, tombent dans le passif social, comme charge des revenus de l'associé. — La loi le décide formellement, en matière de
communauté conjugale.

— Lorsque le gérant d'une société ne peut justifier de l'emploi des fonds sociaux, présume-t-on qu'il
les a employés à ses affaires personnelles ? ⁓ A. Jusqu'à la preuve contraire, il est censé les avoir employés à son profit, à partir du jour où il en a eu le maniement (Dur., *ibid.*). ⁓ Il doit les intérêts de
ce déficit du jour de la dissolution de la société (*Grenoble* , 22 mars 1813 ; D., t. 3, p. 770).

Quid, si la chose promise est frugifère : l'associé doit-il, sans mise en demeure, les fruits qu'il a
perçus, et ceux qu'il a manqué de percevoir? ⁓ A. Arg. de l'art. 1614 (Dur., n. 399).

1847 — Les associés qui se sont soumis à apporter leur industrie à la société, lui doivent compte de tous les gains
qu'ils ont faits par l'espèce d'industrie qui est l'objet de cette
société (1).

= Ex. : un associé pour le commerce de draps, doit tenir compte de
tous les gains qu'il a faits par ce genre de commerce. — Mais les bénéfices
que lui procurent certains talents d'agrément, qu'il exerce dans ses mo-
ments de loisir, lui restent propres. Toutefois, s'il a négligé les affaires communes pour se livrer à celles qui lui sont personnelles, il doit indemniser
la société, non-seulement de la perte qu'elle a éprouvée, mais encore du
gain qu'elle a manqué de faire.

Au résumé, l'associé doit à la société tout le temps et toute l'activité
qu'exige le développement de l'industrie qui constitue son apport : cette
obligation accomplie, il est libre de se livrer à d'autres industries. Il peut
même, dans quelques cas rares, faire des travaux ou des opérations
de la nature de ceux qu'il a promis d'exécuter dans l'intérêt commun,
pourvu que ses coassociés n'en souffrent pas.

Les maladies, l'exercice de quelques droits politiques et autres circonstances majeures, sont des raisons suffisantes d'excuse.

1848 — Lorsque l'un des associés est, pour son compte particulier, créancier d'une somme exigible envers une personne qui se trouve aussi devoir à la société une somme éga-

---

(1) On reproche à cette disposition, de ne pas déterminer avec assez d'exactitude , en termes assez généraux, les effets de l'obligation de l'associé dont l'apport consiste en une industrie, et de ne point
même faire pressentir les exceptions qui existent au principe qu'elle établit (*Voy.* Duvergier, n. 211).

lement exigible, l'imputation de ce qu'il reçoit de ce débiteur doit se faire sur la créance de la société et sur la sienne dans la proportion des deux créances; encore qu'il eût par sa quittance dirigé l'imputation intégrale sur sa créance particulière : mais s'il a exprimé dans sa quittance que l'imputation serait faite en entier sur la créance de la société, cette stipulation sera exécutée.

= La bonne foi ne permet pas que l'un des contractants préfère son intérêt personnel aux affaires communes, en touchant le montant de sa propre créance, tandis que la créance sociale resterait exposée aux retards, et même aux risques de l'insolvabilité : lorsque les deux créances sont exigibles, la loi veut que l'imputation de la somme payée se fasse au *prorata* sur l'une et sur l'autre.

Ex. : Pierre est débiteur envers la société d'une somme de 1,000 fr.; il me doit en outre 500 fr. : je reçois à compte, sur ma créance personnelle, 300 fr., la société pourra m'astreindre à lui remettre les deux tiers de cette somme, 200 fr.

Assurément, le débiteur peut déclarer qu'il entend payer une dette avant l'autre : cette déclaration produira son effet pour ce qui le concerne; mais l'associé ne sera pas moins tenu de faire raison à la société de ce qu'il aura reçu (1).

Remarquons toutefois, que la loi s'attache à *l'exigibilité* : si l'une des créances seulement était exigible, l'imputation se ferait donc en entier sur cette créance.

En supposant même que l'époque de l'exigibilité soit arrivée pour les deux créances, si le débiteur a plus d'intérêt à se libérer envers l'associé qu'envers la société; par exemple, s'il est soumis, pour la première dette, à la contrainte par corps, ou si cette dette est productive d'intérêts, tandis que l'autre n'en produit pas, l'associé, qui est réputé payé en entier à l'égard du débiteur; qui, par conséquent, se trouve privé de tous les avantages attachés à son titre, ne saurait être soumis, sans qu'il y eut injustice, à souffrir la répartition de ce qu'il a reçu, entre sa créance et celle de la société : sans doute la loi veut que l'associé veille aux intérêts sociaux comme aux siens propres; mais elle ne prétend pas lui imposer le sacrifice d'une partie de ses droits et de ses avantages légitimes : c'est cependant ce qui arriverait, si on l'astreignait à recevoir pour la fraction qui lui resterait due, une autre créance moins utile et moins certaine (2).

S'il n'y a pas eu d'imputation, on applique les règles de l'imputation légale (1256).

Les mêmes règles s'appliquent au cas de payements faits avant l'exigibilité des dettes (Duvergier, n. 337).

Lorsque la dette de l'associé se trouve éteinte par l'effet de la compensation légale, la société ne peut réclamer sa part proportionnelle dans la somme que l'associé est censé avoir reçue, car c'est sans le vouloir qu'il se trouve payé; d'ailleurs, on ne saurait l'obliger à un versement réel de fonds, quand il n'a reçu qu'un payement fictif.

Les obligations de l'associé envers la société ne sont pas réciproquement

---

(1) Aussi, les termes de l'art. 1848, l'*imputation de ce qu'il reçoit du débiteur*, etc., ne rendent-ils pas d'une manière exacte la pensée du législateur.
(2) Delv., t. 3, p. 231, *notes* ; Duvergier, n. 336 ; Troplong, n 559 ; *voy.* cep. Dur., n. 401.

imposées à la société envers l'associé : en conséquence, lorsque l'associé administrateur reçoit le montant d'une créance sociale, la somme est définitivement acquise à la société ; il n'y a pas lieu de répartir cette somme entre elle et l'associé créancier personnel.

— Lorsque l'administration de la société est confiée à un ou plusieurs associés, l'art. 1848 est-il applicable aux autres associés ? ⁓ N. Ces derniers ne peuvent rien faire pour le compte de la société ; il serait étrange qu'ils fussent censés avoir agi dans son intérêt, lorsqu'ils ont reçu ce qui leur était personnellement dû (Duvergier, n. 341 ; Troplong, n. 358). ⁓ A. Un associé, quoique non gérant, a toujours mission pour faire le bien de la société (Dur., n. 401).

1849 — Lorsqu'un des associés a reçu sa part entière de la créance commune, et que le débiteur est depuis devenu insolvable, cet associé est tenu de rapporter à la masse commune ce qu'il a reçu, encore qu'il eût spécialement donné quittance *pour sa part*.

= Cette disposition est fondée sur les mêmes motifs que celle qui précède. Ex. : Paul doit 9,000 fr. à une société composée de trois personnes : Pierre, l'un des associés, reçoit *pour sa part* 3,000 fr. ; il sera tenu, si Paul devient insolvable, de remettre 1,000 fr. à chacun de ses coassociés.

Si le débiteur avait forcé l'un des associés à recevoir sa part, ou s'il avait été libéré par compensation, nous pensons que l'art. 1849 ne serait plus applicable, car on ne pourrait reprocher à cet associé d'avoir donné plus de soins à ses affaires qu'à celles de la société.

La position d'un associé administrateur est fort délicate, lorsque son intérêt personnel se trouve en opposition avec celui de la société, et qu'il ne peut conserver l'un qu'en sacrifiant l'autre : aucun texte ne règle formellement ce cas ; mais on peut induire des articles 1848 et 1849, qu'il faut alors, si cela est possible, faire une répartition du mal ou du danger entre la chose de l'associé et celle de la société.

— Doit-on s'attacher à la lettre de l'article 1849, et décider que l'associé ne sera pas tenu au rapport si le débiteur commun n'est pas devenu insolvable ? ⁓ N. Le législateur s'est uniquement proposé de faire ressortir la sagesse de sa disposition par le choix d'un exemple : chaque associé doit administrer les affaires de la société et agir contre ses débiteurs ; quand il reçoit d'eux une somme, cette somme devient donc, malgré lui, la propriété de la société. — Tant que la société subsiste, il n'y a point de portion afférente à chaque associé ; le partage seul déterminera la propriété exclusive de chacun ; il ne dépend de personne d'anticiper sur les effets du partage (Duvergier, n. 342 ; Troplong, n. 361).

Lorsqu'un associé a vendu sa part dans des marchandises de la société, est-il tenu de rapporter le prix à la masse ? ⁓ A. Il faut dire pour la vente ce qui a été dit pour le recouvrement des créances (Duvergier, *ibid.*; D., t. 12, p. 90, n. 18).

En serait-il de même, s'il avait vendu sa part dans des objets qui n'étaient pas destinés à être vendus ? ⁓ N. Il ne serait point soumis au rapport, encore que son coassocié eût vendu sa part moins cher ; l'acheteur lui serait substitué quant à cet objet (Dur., n. 402 ; D., Société, p 90, n. 18). ⁓ A. La chose aliénée est une partie de l'actif social ; chaque associé a sur cette chose un droit semblable ; par conséquent, il doit profiter du prix plus ou moins avantageux moyennant lequel on l'a vendue (Duvergier, *ibid.*; Pothier, n. 122).

1850 — Chaque associé est tenu envers la société, des dommages qu'il lui a causés par sa faute, sans pouvoir compenser avec ces dommages les profits que son industrie lui aurait procurés dans d'autres affaires.

= En donnant ses soins aux affaires de la société, chaque associé remplit un devoir ; en lui procurant des bénéfices par son industrie, il acquitte pour ainsi dire une dette : on conçoit, dès lors, que ces bénéfices ne doivent pas se compenser avec le dommage qu'il a causé par sa faute.

Les associés doivent aux affaires sociales les soins d'un bon père de famille ; c'est-à-dire, une activité et une prudence ordinaires ; c'est ce qu'exprime suffisamment la disposition de l'art. 1850 : ils ne se mettraient pas à couvert de toute responsabilité, en se bornant à donner aux affaires communes la même vigilance qu'à celles qui leur sont propres; les actes dont se compose la gestion des biens de la société doivent être appréciés en eux-mêmes, et non par comparaison avec la gestion des biens personnels de l'associé : ainsi, un associé ne s'excuserait pas en disant : J'ai fait pour la société comme pour moi; je suis négligent dans mes propres affaires, je puis l'être dans les affaires sociales : on doit supposer que les contractants ont entendu s'obliger les uns envers les autres à être actifs, vigilants, et à faire, dans l'intérêt commun, des efforts qu'ils n'auraient pas faits pour eux-mêmes (1).

— La loi défend d'admettre en compensation du dommage causé par l'associé, les bénéfices qu'il a procurés à la société dans d'autres affaires : *quid* si ces bénéfices ont été procurés précisément dans la même affaire ? ⸎ Il résulte du texte, que la compensation peut avoir lieu ; mais ce cas se présentera bien rarement; il n'arrivera pas souvent qu'il y ait tout à la fois, dans une seule et même affaire, bénéfices nés de l'industrie d'un associé, et dommage causé par sa faute (Duvergier, n. 331; Dur., n. 403).

1851 — Si les choses dont la jouissance seulement a été mise dans la société, sont des corps certains et déterminés qui ne se consomment point par l'usage, elles sont aux risques de l'associé propriétaire.

Si ces choses se consomment, si elles se détériorent en les gardant, si elles ont été destinées à être vendues, ou si elles ont été mises dans la société sur une estimation portée par un inventaire, elles sont aux risques de la société.

Si la chose a été estimée, l'associé ne peut répéter que le montant de son estimation.

= Après avoir fait connaître les obligations des associés envers la société, la loi détermine celles de la société envers les associés.

Ces obligations concernent :

1° La restitution de l'apport, si les choses n'ont pas été mises en propriété dans le fonds social (1851).

2° Les diverses indemnités auxquelles chaque associé peut prétendre (1552).

Nous n'avons point à nous occuper du cas où les choses auraient été mises en commun pour la propriété; il est évident que la société devrait en supporter la perte.

Notre article suppose que l'apport consiste dans la *jouissance* de certains objets déterminés. — Conformément à la règle générale, il met les risques de ces objets à la charge de l'associé propriétaire.

La règle qui laisse à la charge de l'associé la perte de la chose mise dans la société pour la jouissance, reçoit exception dans plusieurs cas :

1° Lorsque cette perte a été l'effet des risques inséparables de la gestion des affaires communes (1852).

2° Lorsque les choses sont de nature à se consommer par l'usage, comme du blé, des liqueurs : en ce cas, la société doit restituer, lors du partage, conformément à l'art. 587, des choses de pareille quantité, qualité, valeur, ou leur estimation à l'époque où finit la société; car la jouissance et la propriété de ces choses se confondent : le droit d'usufruit en confère la propriété.

3° Lorsque les choses, sans se consommer par l'usage, se détériorent

(1) Duvergier, n. 326 ; *voy.* cep. Pothier, n. 124.

néanmoins en les gardant, comme du linge, etc. — Ici, la loi déroge aux règles de l'usufruit (589); elle ne présume pas, en matière de société, que les parties aient voulu conserver ces risques à leur charge : ce ne sont donc pas les objets eux-mêmes, mais leur valeur, que l'associé a le droit de reprendre ; et cette valeur se considère à la fin de la société (1). La loi assimile ces objets aux choses fongibles, à celles qui sont destinées à être vendues ou qui ont été estimées (*voy. infrà*).

Si les objets susceptibles de se détériorer par l'usage ont péri, évidemment la société doit en payer le prix : mais lorsqu'il n'existe que de simples détériorations, la société peut-elle forcer l'associé à reprendre ces objets ? Non, le mot *risques*, employé par l'article 1851, est général ; il comprend les détériorations aussi bien que les pertes : d'ailleurs l'associé étant créancier, non des objets eux-mêmes, mais de leur valeur, il va de soi que la société ne peut se libérer en les lui abandonnant, s'il préfère exiger le prix qui lui est dû (2).

4° Lorsque les choses apportées pour la jouissance ont été-destinées dès le principe à être vendues ; par ex., s'il s'agit de marchandises destinées au commerce, l'associé sera plutôt censé avoir apporté une somme que des corps certains : en conséquence, il prélèvera, lors de la dissolution, le montant de la vente. — Si ces choses ont péri avant la vente, on considèrera leur valeur au moment de la perte, quelles que soient d'ailleurs les difficultés que puisse présenter cette estimation, à moins qu'elles n'aient été estimées lors de l'apport.

5° Lorsque les choses ont été mises dans la société sur une estimation faite dans un inventaire : cette estimation vaut vente (1565).

Lorsqu'une chose est mise en commun, sans autre explication, il est souvent difficile de reconnaître si l'apport consiste dans la propriété, ou s'il consiste seulement dans la jouissance : le juge doit consulter les termes de l'acte, ou rechercher, eu égard aux circonstances qui ont accompagné, précédé ou suivi le contrat, quelle a pu être l'intention des parties.

Dans le doute, l'apport est censé avoir eu lieu en toute propriété et non pas seulement quant à la jouissance (1851); la volonté de restreindre la mise à la jouissance, doit être clairement exprimée (Duvergier, n. 196 et suiv.).

La société, relativement aux objets dont la jouissance a été mise en commun, est assimilée à un usufruitier : elle jouit des mêmes droits, elle est soumise aux mêmes charges. De son côté, l'associé est dans la position d'un nu-propriétaire (3) : ces principes ont été consacrés par plusieurs dispositions du Code (*voy.* les articles 1533 et 1562).—Si la société est évincée de tout ou partie des choses apportées pour la jouissance, par l'un des associés, cet associé devient garant, comme le serait le vendeur d'un droit d'usufruit envers l'acheteur. — La perte de la chose est supportée par l'associé.

Nous venons de voir, que la position des associés varie selon que la propriété ou seulement la jouissance a été mise dans la société : les différences

---

(1) Duvergier, n. 183. ∧∧∧ Cette valeur se considère au moment de la formation de la société (Troplong, n. 590).

(2) Duvergier, n. 179 et suiv.; Delv., p. 125, n. 5. ∧∧∧ La société est tacitement tenue de la perte : les dégradations que les objets ont éprouvées sont assurément une perte pour l'associé ; mais cette perte est une conséquence de l'usage ; or, l'usage constitue sa mise (Dur., n. 409).

(3) On ne doit donc pas assimiler l'associé à un bailleur, et la société à un preneur. Cette observation est importante, car le bail et la constitution d'usufruit ne produisent pas les mêmes effets (Duvergier, n. 168 et suiv.; 193 et 426; Troplong, n. 538, 943, 944; *voy.* cep. Dur., n. 393).

que nous avons signalées ne sont pas les seules qui résultent de la nature de l'apport : ainsi , la perte de la chose apportée en toute propriété, n'entraîne pas , du moins ordinairement, la dissolution de la société ; il en est autrement, lorsque la jouissance seule a été mise en commun. — L'associé qui a fourni la propriété même de la chose ne peut, lors de la liquidation, prélever sa mise en nature ; il n'a droit qu'à une part dans le fonds commun : celui qui n'a fourni que la jouissance, reprend sa chose si elle se trouve encore en nature dans la société ; en cas de perte, il peut en exiger le prix.

— A l'égard des immeubles, l'estimation vaut-elle vente ? ⁓ La loi parle des choses en général ; elle ne distingue pas (Dur., n. 409, t. 17).

En cas de lésion de plus des sept douzièmes dans l'estimation de l'immeuble , la rescision pourrait-elle être prononcée ? ⁓ .N. Les besoins urgents déterminent souvent à consentir une vente à vil prix; mais rien n'oblige à contracter une société (Dur., n. 410; Delv., p. 125, n. 9 ; D., t. 12, p. 89, n. 6 ; Duvergier, n. 175).

Si la chose dont la jouissance seulement a été mise dans la société a péri par suite des risques inséparables de la gestion des affaires communes , par qui doit être supportée la perte? ⁓ Par la société. Arg. de l'art. 1852, lequel confère à l'associé une action contre la société , à raison des risques inséparables de sa gestion : la gestion des affaires sociales a été pour l'associé l'occasion de dommages auxquels il n'a pas entendu s'exposer; elle lui a fait perdre [ce qu'il] n'avait point mis dans la société (Dur., n. 406). ⁓ La société est usufruitière ; or, il est incontestable , que la chose soumise à un droit d'usufruit périt pour le compte du propriétaire lorsqu'il n'y a ni faute ni imprudence à reprocher à l'usufruitier (Duvergier , n. 187). ⁓ Si le cas fortuit est de ceux qui sont ordinairement mélangés de faute , c'est à la société à prouver qu'on ne peut lui reprocher aucun défaut de vigilance. S'il s'agit d'un cas fortuit auquel la faute ne se mêle pas ordinairement , il suffit à la société de prouver ce sinistre (Troplong , n. 584).

1852 — Un associé a action contre la société , non-seulement à raison des sommes qu'il a déboursées pour elle , mais encore à raison des obligations qu'il a contractées de bonne foi pour les affaires de la société , et des risques inséparables de sa gestion.

= Tout associé doit être indemnisé :

1° Des sommes qu'il a déboursées de *bonne foi* pour la société : — c'est au principe des dépenses qu'il faut s'attacher pour en apprécier l'utilité : lors même que , par suite d'un événement ultérieur, la société n'en aurait tiré aucun avantage , si cette cause est juste , l'indemnité ne sera pas moins due. On peut donner pour exemple , le cas où l'un des contractants aurait fait des dépenses pour guérir un cheval qui aurait succombé à la maladie dont il était atteint; celui où l'un des associés aurait fait étayer un bâtiment qui serait ensuite tombé en ruine.

Mais les intérêts de ces sommes lui sont-ils dus de plein droit , à compter du jour où elles ont été avancées? Nous le pensons : *nec obstat* l'art. 1153 ; la règle exposée dans cet article doit recevoir exception dans l'espèce : en effet, de même que la loi fait courir de plein droit contre l'associé les intérêts des sommes qu'il a négligé de verser, au terme fixé, dans la caisse sociale (1846), de même on doit lui tenir compte des intérêts de ses avances. — D'ailleurs, chaque associé reçoit de ses coassociés mandat tacite de faire tout ce qui sera nécessaire dans l'intérêt commun; il faut donc appliquer ici les règles du mandat (*voy.* 2001 ; Troplong , n. 603).

2° Des obligations qu'il a *contractées de bonne foi* pour la société. — S'il a vendu un objet appartenant à la société , il peut donc se faire indemniser des suites de l'action en garantie exercée contre lui.

3° Des pertes qu'il a faites par suite des *risques inséparables* de sa gestion : — La société devant recueillir tout le profit , doit supporter tous les risques : *ubi lucrum , ibi et periculum esse debet.*

Par ces mots : *risques inséparables* , la loi veut faire entendre , que la perte ne doit avoir été précédée d'aucune faute ni imprudence de la part de l'associé. Ex. : un associé entreprend un voyage pour le compte de la société ; il emporte 10,000 fr., tandis que 1,000 lui suffiraient : des voleurs l'arrêtent et le dévalisent : la société lui remboursera cette dernière somme ; elle devra l'indemniser en outre des dépenses qu'il aura faites pour se guérir s'il a été blessé, car ce sont là des suites inséparables de sa gestion ; mais elle ne lui devra rien au delà.

L'associé qui a négligé ses affaires personnelles pour celles de la société, n'a droit à aucune indemnité ; car la perte qu'il éprouve n'est pas une suite directe et inséparable de sa gestion.

1853 — Lorque l'acte de société ne détermine point la part de chaque associé dans les bénéfices ou pertes, la part de chacun est en proportion de sa mise dans le fonds de la société.

A l'égard de celui qui n'a apporté que son industrie, sa part dans les bénéfices ou dans les pertes est réglée comme si sa mise eût été égale à celle de l'associé qui a le moins apporté.

= En matière de partage, la convention est la première règle à suivre. — A défaut de stipulations particulières, on distingue : les parties ont toutes effectué des mises réelles, ou quelques-unes ont apporté seulement leur industrie.

Au premier cas, le montant de l'apport se trouvant déterminé, il est facile de fixer les parts, soit dans le profit, soit dans la perte : les parties sont censées vouloir prendre pour règle l'importance des mises. — Cette fixation présente la même facilité, lorsque l'acte de société détermine seulement les droits de chacun dans le profit ; la part dans la perte est alors en rapport avec celle qui est accordée dans les bénéfices. Si l'acte est muet, on doit supposer que les mises sont égales ; en conséquence, le partage des bénéfices et des pertes a lieu par égales portions.

Bien que la loi parle seulement des bénéfices et des pertes, il est évident que sa disposition n'a pas un sens restrictif, et qu'elle s'applique en outre au partage de la masse (1).

Au deuxième cas, la loi supposant toujours que l'industrie a été mise en rapport, non avec la propriété, mais avec la jouissance du capital, règle la part de l'associé sur celle de l'associé le moins prenant. — Mais il peut arriver aussi que l'industrie soit entrée comme capital dans la société : alors, à défaut de conventions particulières, le partage soit dans les bénéfices, soit dans les pertes, doit s'opérer eu égard à l'importance de cette industrie, comparée à celles des mises réelles (2).

En principe, la part de chacun dans les bénéfices et dans les pertes, ne doit être calculée qu'à la fin de la société ; parce que c'est seulement alors qu'il est possible d'embrasser toutes les opérations : mais les parties contractantes sont libres de convenir que le partage aura lieu à certaines époques, par ex., à la fin de chaque année : leur intention à cet égard se présume, lorsqu'il s'agit de matières commerciales, ou lorsque les sociétés civiles ont pour objet des choses dont les fruits sont annuels.

---

(1) *Voyez* Dur., n. 417, et Duvergier, n. 204 et suiv.
(2) *Voyez* Dur., n. 430 et 431.

— Comment se règle la part de l'associé qui apporte à la fois une somme et son industrie? ʌʌʌ On le considère comme ayant fait une double mise; l'industrie est comparée à la mise de celui des autres associés qui a le moins apporté (Dur., n. 433, t. 17). ʌʌʌ L'article 1853 suppose que tout l'apport consiste en industrie; il ne prévoit pas le cas où la mise sociale est à la fois réelle et en industrie : sans doute le moyen d'évaluation qu'il indique est le plus convenable; mais les tribunaux ne sont pas absolument tenus de le mettre en usage; ils peuvent s'écarter de cette base, à laquelle ils seraient obligés de s'attacher, si l'associé n'apportait que son industrie (Duvergier, n. 232; Troplong, n. 619).

La perte des capitaux, doit-elle être supportée pour partie, par l'associé dont la mise consiste en industrie? ʌʌʌ Lorsque les choses ont été apportées pour la propriété, elles périssent pour le compte de la société; l'associé qui les a fournies n'a rien à réclamer, pas plus que l'associé qui a apporté son industrie que des autres. — Lorsque l'apport social ne consiste que dans la jouissance, on distingue : si les choses sont des corps certains, elles périssent pour le propriétaire; l'associé dont la mise consiste en industrie n'est point tenu de la perte. Si elles sont du nombre de celles que désigne le deuxième alinéa de l'article 1851, elles sont aux risques de la société; par conséquent, l'associé qui a apporté son industrie, est passible d'une portion de la perte (Duvergier, n. 237; Troplong, n. 587).

Si la société est engagée envers les tiers, l'associé dont la mise consiste en industrie, doit-il supporter une partie des dettes? ʌʌʌ A. Dans tous les cas, les dettes doivent être supportées par les associés sans que la nature de leurs apports puisse établir entre eux de différence. — Vainement l'associé qui n'a apporté que son industrie objecterait-il qu'il n'a entendu hasarder que son industrie; les autres lui répondraient, qu'eux-mêmes ne comptaient engager que leurs apports en capitaux. — L'art. 1853 confirme cette solution, puisqu'il oblige l'associé qui n'a apporté que son industrie, à supporter dans les pertes une part égale à celle de l'associé qui a le moins apporté (Duvergier, n. 238, Dur., n. 402).

Les associés n'ont inséré dans le contrat aucune clause sur la fixation des parts : mais ils sont convenus depuis, par un acte, de les faire régler par un tiers désigné : si ce tiers ne veut ou ne peut faire l'opération dont il est chargé, la société est-elle nulle ab initio? ʌʌʌ N. Les parts resteront fixées telles qu'elles l'étaient dans la société, en proportion des mises de chaque associé (Dur., n. 425). ʌʌʌ La nouvelle convention s'est unie à l'ancienne; les effets de l'une et de l'autre doivent être arrêtés comme si tout avait été réglé au même moment et d'un seul jet (Duvergier, n. 249 et suiv.).

1854 — Si les associés sont convenus de s'en rapporter à l'un d'eux ou à un tiers pour le règlement des parts, ce règlement ne peut être attaqué s'il n'est évidemment contraire à l'équité.

Nulle réclamation n'est admise à ce sujet, s'il s'est écoulé plus de trois mois depuis que la partie qui se prétend lésée a eu connaissance du règlement, ou si ce règlement a reçu de sa part un commencement d'exécution.

= Les associés peuvent charger, soit l'un d'eux, soit un tiers, de faire le partage : en principe, ce règlement est inattaquable : le cas où il serait évidemment contraire à l'équité, est seul excepté; encore les réclamations ne sont-elles plus recevables, lorsqu'il s'est écoulé plus de trois mois depuis que l'associé qui se prétend lésé a eu connaissance du règlement, ou lorsqu'il a commencé à l'exécuter : dans l'un et l'autre cas, il y a eu acquiescement de sa part.

Du reste, le réclamant n'est pas tenu d'établir à son préjudice une lésion de plus de moitié; les tribunaux sont appréciateurs des circonstances : par ex., si les mises étaient inégales, il suffirait, pour faire annuler le partage, que le règlement attribuât aux associés des parts égales, même dans le simple profit(1).

— Lorsque les parties, en formant une société, conviennent de s'en rapporter pour la fixation des parts à un tiers qu'elles désigneront, la société est-elle nulle, si ce tiers vient à mourir avant de les avoir fixées? ʌʌʌ A. La société a été contractée sous une condition qui a défailli (Dur., n. 425; Delv., p. 122, n. 6).

1855 — La convention qui donnerait à l'un des associés la totalité des bénéfices, est nulle.

Il en est de même de la stipulation qui affranchirait de toute contribution aux pertes, les sommes ou effets mis dans le fonds de la société par un ou plusieurs des associés.

(1) D., Société, p. 92, n. 8; voy. cep. Malleville sur l'article 1854.

= Cet article contient deux dispositions : la première proscrit certaines conventions qui blesseraient l'essence du contrat de société (1832); la deuxième a principalement pour but de prévenir l'usure.

La loi déclare nulles, ces conventions que les Romains qualifiaient de *sociétés Léonines*, c'est-à-dire, les sociétés dans lesquelles tous les bénéfices sont attribués à un seul : elles ne produiraient aucun effet, lors même que l'on mettrait toutes les dettes à la charge de celui qui serait appelé à recueillir tous les profits; car l'autre partie n'aurait aucun intérêt dans l'affaire, ce qui serait contraire au but du contrat de société, qui doit être l'intérêt commun (1833) : une telle convention pourrait constituer un mandat ou un autre contrat selon les circonstances; mais on ne la considérerait point comme un contrat de société.

Cependant, rien ne s'oppose à ce que l'on attribue à un associé des profits plus considérables qu'aux autres; les deux tiers, par exemple, à l'un, et le tiers à l'autre : ces sortes de stipulations, loin de déroger au principe de l'égalité, sont quelquefois un moyen d'établir une égalité plus parfaite, par ex., lorsque l'industrie d'un associé compense l'avantage qu'on lui procure. Il suffit que l'inégalité proportionnelle ne soit pas tellement considérable, qu'elle puisse faire considérer la société comme léonine.

Lorsque l'acte ne s'explique pas sur les parts soit dans les bénéfices, soit dans la perte, soit dans le fonds social, elles doivent être en rapport avec l'importance des mises.

La loi met dans la classe des sociétés léonines, et frappe de nullité, les conventions qui affranchiraient de toute contribution aux pertes, les sommes ou effets mis dans le fonds de la société par un ou plusieurs associés. — On ne pourrait même convenir que l'un des associés aura telle part dans chaque opération qui procurera des bénéfices, et qu'il supportera une part différente dans les opérations qui donneront de la perte : en effet, il n'y a de gain que déduction faite de toute perte, et de perte que déduction faite de tout gain (Dur., n. 415 ; Duvergier, n. 261).

Mais on n'est pas tenu de stipuler dans les pertes une proportion parfaite avec les mises : par ex., si deux associés stipulent que l'un aura les deux tiers dans le gain, et ne supportera néanmoins que le tiers dans la perte, cette convention est valable; car, d'une part, elle ne donne pas la totalité des bénéfices à cet associé, d'autre part, elle n'affranchit pas ses apports de toute contribution aux pertes : la loi laisse aux parties une certaine latitude, pour régler les parts de chacune d'elles soit dans le gain, soit dans la perte; elle ne statue qu'à défaut de stipulations particulières; aucune disposition ne dit, que les parts devront être proportionnellement les mêmes dans la perte et dans le gain; le point essentiel, c'est que la convention soit exempte de manœuvres frauduleuses, et qu'elle ne dissimule pas, sous la forme d'un contrat de société, une donation au fond (1).

Observons, que les deux clauses prohibées vicieraient la convention tout entière, car ce ne serait point, en réalité, une société qui aurait eu lieu : pour maintenir le contrat de société, il faudrait reconstituer la convention sur des bases nouvelles, ce que ne peut faire la loi (2) (Delv., p. 122, n. 1; Dur., n. 418 et 422).

---

(1) Troplong, n. 633 et suiv.
(2) Dur., n. 422; D., Société, p. 92, n. 10; Troplong, n. 662. ∾ La loi ne frappe de nullité que la clause : on revient, pour régler le partage des bénéfices et des pertes, à l'art. 1853 (Delv., p. 122, n. 2).

La convention qui affranchirait de toute perte, celui qui aurait apporté à la société non une somme ou des effets, mais son industrie, est généralement considérée comme valable, car l'industrie de l'associé peut exiger tant de soins qu'il y ait justice d'en faire la compensation avec la part qu'il pourrait être appelé à supporter dans la perte à redouter pour la société.

On peut valablement convenir, que l'un des associés ne sera point tenu des dettes qui excèderont le montant du fonds social : en effet, deux sortes de sinistres peuvent affecter une société : la perte des choses qui constituent les mises; l'existence de dettes qui dépassent l'actif, et qui grèvent chaque associé, au *prorata* de son intérêt, après la dissolution de la société : or, la clause prohibitive qui nous occupe ne concerne évidemment que les pertes de la première espèce : l'une des parties peut donc librement stipuler, qu'elle ne sera pas tenue de celles de la deuxième (1).

La convention qui attribuerait à celui qui apporte une industrie particulière un quart dans les bénéfices, et en tous cas, lors même qu'il n'existerait pas de bénéfices, une somme fixe annuelle ou une fois payée pour prix de son industrie, ou pour prix de son travail, serait valable : le contrat de société tiendrait alors de la nature du louage (2).

— Peut-on convenir que les sommes ou effets apportés par l'un des associés seront affranchis de toute contribution aux pertes, sur le motif qu'il a une industrie supérieure, ou qu'il a mis plus que les coassociés, sous d'autres rapports ? ⁓ *N.* Si cette convention était permise, rien ne serait plus facile que d'éluder la loi ; le texte de l'article 1855 est formel (Dur., n. 418). ⁓ *A.* Arg. de la loi 29 , § 1, ff. *pro socio* (Pothier, n. 20).

Pourrait-on convenir que la totalité des bénéfices appartiendra au survivant? ⁓ *A.* Arg. de l'art. 1525. c'est là un avantage aléatoire (Troplong, n. 464 ; Delv., p. 122, n. 3). ⁓ *N.* Admettre l'opinion opposée, ce serait méconnaître le principe fondamental en matière de société, qui défend d'accorder tous les bénéfices à l'un des associés. — L'art. 1525 permet, il est vrai, de stipuler que la totalité de la communauté appartiendra au survivant des époux ; mais cette disposition est exceptionnelle : il faut restreindre ses effets (Duvergier, n. 268).

Peut-on convenir que la totalité des bénéfices appartiendra à l'un des associés sous une certaine condition? ⁓ *A.* Si l'événement n'arrive pas, le partage aura lieu (Troplong, n. 645).

1856 — L'associé chargé de l'administration par une clause spéciale du contrat de société, peut faire, nonobstant l'opposition des autres associés, tous les actes qui dépendent de son administration, pourvu que ce soit sans fraude.

Ce pouvoir ne peut être révoqué sans cause légitime, tant que la société dure ; mais, s'il n'a été donné que par acte postérieur au contrat de société, il est révocable comme un simple mandat.

= Souvent les associés chargent l'un d'eux de l'administration des affaires communes : l'associé administrateur doit aux affaires sociales les soins d'un bon père de famille, il est même soumis à une plus grande responsabilité lorsqu'il reçoit, à raison de ses fonctions ou un salaire, ou une part plus considérable que les autres dans les bénéfices (3). — Pour connaître l'étendue de ses pouvoirs, il faut nécessairement consulter l'acte qui les constitue : si le titre garde le silence, les règles du mandat, conçu en termes généraux, deviennent applicables (*voy.* à cet égard les art. 1988 et 1989) : en conséquence, l'associé administrateur peut faire les actes ordinaires de simple administration; réparer les bâtiments; vendre les den-

(1) Duvergier, n. 256 et 257 ; *voy. cep.* Dur., n. 419.
(2) Troplong, n. 638 et suiv., 649 et suiv. ; Duvergier, n. 262 et 263 ; Dur., n. 420.
(3) Pothier, n. 123 ; Duvergier, n. 324.

rées, marchandises et autres choses destinées à être vendues : car ces ventes ne sont, que des actes d'administration de la société : il peut même emprunter pour les nécessités de l'affaire ; mais s'il s'agit d'aliéner les objets dépendant du fonds commun, de les engager, d'hypothéquer, de transiger, ou de compromettre sur des choses dont il n'a que le dépôt en vue de l'administration (1), de disposer par donation [entre-vifs, de faire la remise d'une dette, etc., il doit obtenir l'assentiment des autres associés (2).

On lui refuse en outre la faculté de faire des innovations sur les immeubles de la société, lors même qu'elles présenteraient des avantages; à moins, bien entendu, que le but de l'association ne l'exige (1859) (Pothier, n. 87).

Plusieurs administrateurs peuvent être nommés : lorsque leurs fonctions respectives ne sont point déterminées, chacun d'eux peut agir séparément (1857). S'il a été stipulé que l'un ne pourra rien faire sans l'autre, tous doivent concourir simultanément, même aux actes d'administration (1858) : Cependant, en cas d'urgence, on décide que chaque associé peut valablement agir seul, si les autres sont dans l'impossibilité de se réunir à lui. — Les résolutions relatives aux affaires sociales ne sont pas prises par les administrateurs à la majorité(3), mais à l'unanimité : c'est là une garantie de leur gestion et une condition de leur mandat. — Si l'un d'eux, par mauvaise foi ou par pur caprice refuse de concourir à un acte utile, la société a le droit d'exiger de lui la réparation du préjudice qu'elle a éprouvé.

Lorsque les attributions des administrateurs ont été déterminées, ils doivent se renfermer dans les limites qui leur sont assignées.

A défaut de stipulations spéciales sur le mode d'administration, les associés sont censés s'être donné réciproquement le pouvoir d'administrer l'un pour l'autre (1859).

Lorsque tous administrent conjointement, ils ont les mêmes pouvoirs que lorsqu'une clause du contrat concentre l'administration dans les mains d'un seul.

L'associé administrateur doit-il être assimilé à un simple mandataire, en ce sens que ses coassociés puissent le révoquer à volonté? La loi distingue : si l'administration lui a été donnée par une disposition spéciale du contrat de société ou plutôt comme condition de ses engagements, il peut faire, nonobstant l'opposition de ses coassociés, tous les actes d'administration (le cas de fraude, bien entendu, toujours réservé); par conséquent, on ne peut le révoquer tant qu'il se renferme dans ces limites : toutefois, la révocation pourrait être prononcée, avec l'intervention de la majorité, si elle était fondée sur une cause légitime, par ex., sur l'absence, ou sur l'emprisonnement (4).

Mais, en ce cas, la cessation des fonctions de l'administrateur entraînerait la dissolution de la société; car la considération de la personne choisie pour administrer a pu être, pour plusieurs, une raison déterminante, sans laquelle ils n'auraient pas consenti à s'engager (5).

---

(1) Troplong, n. 690 ; Duvergier, n. 320.
(2) Dur., n. 435 ; Troplong, *ibid.* ⁓ L'associé administrateur n'est pas seulement un mandataire général ; il représente la personne civile constituée par la réunion de tous les associés ; il peut, en conséquence, non-seulement faire des actes d'administration, mais encore transiger et compromettre (Duvergier, n. 320).
(3) Duvergier, n. 298, 319.
(4) Duvergier, n. 293. ⁓ La poursuite motivée d'un seul suffira (Troplong, n. 676).
(5) Duvergier, n. 295 et suiv. ⁓ Sans doute la société sera dissoute, non pas à cause de la destitution, mais à cause des motifs sur lesquels est fondée la révocation (Troplong, n. 677).

Si les pouvoirs avaient été conférés comme simple mandat, ce qui se présente rarement, la volonté d'un seul suffirait-elle pour en opérer la révocation, même contre le gré des autres associés? on peut dire, pour l'affirmative, que nul n'est tenu de faire administrer ses biens par un tiers; mais il est plus exact de décider, que cette question doit être, comme toute autre, l'objet d'une délibération prise à la majorité (*voy.* 1859) (1); — il est bien entendu, que l'associé administrateur ne sera point appelé à voter.

Le pouvoir donné par un acte postérieur au contrat n'est ordinairement qu'un mandat; mais il peut arriver aussi qu'il ait été conféré comme condition du contrat de société : il est alors irrévocable, ou du moins il ne peut être révoqué que pour une cause légitime, et seulement par une délibération prise à la majorité.

— Lorsque l'un des administrateurs refuse son concours, ce refus donne-t-il lieu à la dissolution de la société? ⟶ Comme la clause dont il s'agit n'a point pour but de rendre l'administration impossible, mais bien d'assurer la prospérité des affaires communes, le juge appréciera les raisons de cet associé : s'il reconnaît qu'elles sont inspirées par la mauvaise foi ou par de vains caprices, il autorisera les autres administrateurs à agir seuls, et la dissolution ne sera pas prononcée (Dur., n. 439).

L'un des associés peut-il seul louer les immeubles qui font partie du fonds social? ⟶ Les anciens auteurs agitaient cette question ; aujourd'hui, l'affirmative n'est pas douteuse. Cependant la jouissance en commun serait maintenue s'il était démontré qu'elle va directement au but que l'on s'est proposé en formant la société, ou qu'elle a pour elle de véritables avantages (Duvergier, n. 315).

L'associé nommé administrateur par l'acte de société, a-t-il capacité pour plaider au nom et dans l'intérêt de la société? ⟶ A. Cet administrateur n'est pas seulement un mandataire, il est le représentant de la personne civile constituée par la réunion de tous les associés. — Si chacun des associés devait être individuellement représenté, la société ne serait plus une personne morale; — lorsqu'il n'y a qu'une seule personne aux yeux de la loi, il ne doit y avoir qu'une seule partie en cause. — A la vérité, l'article 69, Pr., qui désigne les êtres collectifs que l'on peut assigner dans la personne de leurs représentants, ne parle pas des sociétés civiles ; mais cet article ne contient aucune disposition qui puisse le faire considérer comme limitatif. — Les sociétés n'empruntent pas leur caractère de personnes civiles à la nature de leurs opérations ; ce caractère leur est légalement attribué, qu'elles aient pour objet des affaires de commerce ou des affaires civiles. — La Cour de cassation a confondu la solidarité à laquelle sont soumis les associés en matière de commerce, avec le droit pour chacun de faire seul les affaires de la société. — Vainement invoque-t-on l'art. 61, Pr. ; c'est la société qui est en cause, et non chaque associé individuellement. — En exigeant que tous les associés fussent mis en cause, quel avantage procurerait-on à l'adversaire? — La maxime : *nul en France ne plaide par procureur, excepté le Roi*, ne reçoit aucune atteinte, lorsque l'administrateur d'une société plaide seul pour elle; car cet administrateur n'est pas mandataire de ses coassociés pris individuellement; il représente l'être moral formé par leur réunion; — remarquons surtout, que la capacité d'ester en justice au nom de la société appartient à l'associé, soit qu'il administre en l'absence de toute stipulation, soit qu'il ait été nommé par le contrat de société; mais non à celui qui a été choisi pour administrateur depuis la constitution de la société : ce dernier n'est en effet que mandataire général ; — il est bien entendu que le pouvoir attribué à l'administrateur d'une société, de la représenter devant les tribunaux, ne peut être exercé que lorsqu'il s'agit d'objets qui rentrent dans l'administration (Duvergier, n. 316 et suiv. ; Troplong, n. 692 et suiv.). ⟶ Chacun des associés doit être en nom dans les contestations portées devant les tribunaux.

— Dans les sociétés autres que celles de commerce, les associés ne sont pas solidaires (1862, 1863, C. c.). — Aux termes de l'article 69, Pr., l'exploit d'ajournement doit contenir l'indication des noms et domicile du demandeur; cet article excepte seulement le trésor, l'État, les administrations publiques et les sociétés de commerce ; il n'excepte pas les sociétés civiles (Boncenne, p. 132. — *Cass.*, 8 novembre 1836 ; S., 36, 1, 811 ; D., 36, 1 412).

1857 — Lorsque plusieurs associés sont chargés d'administrer, sans que leurs fonctions soient déterminées, ou sans qu'il ait été exprimé que l'un ne pourrait agir sans l'autre, ils peuvent faire chacun séparément tous les actes de cette administration.

= Lorsque les fonctions de chacun des associés ont été déterminées, ils doivent évidemment se renfermer dans les limites de leurs pouvoirs.

Si le contrat ne contient aucune clause à cet égard, on doit supposer que la volonté commune a été de charger de l'administration plusieurs associés concurremment, afin de faciliter l'expédition des affaires.

_____

(1) Duvergier, n. 293; *voy.* cep, Dur., n. 434 ; Troplong, n. 676.

1858 — S'il a été stipulé que l'un des administrateurs ne pourra rien faire sans l'autre, un seul ne peut, sans une nouvelle convention, agir en l'absence de l'autre, lors même que celui-ci serait dans l'impossibilité actuelle de concourir aux actes d'administration.

= Cette convention étant une condition du contrat de société, il faut l'observer à la rigueur.

Toutefois, en cas d'absolue nécessité, par ex., si l'un des associés se trouvait momentanément éloigné, et qu'il y eût péril en la demeure, les autres administrateurs pourraient certainement agir seuls, sans s'exposer à aucun recours. La clause dont s'occupe l'art. 1858, doit être entendue *civiliter*, c'est-à-dire, sauf modification dans les cas extraordinaires (1).

1859 — A défaut de stipulations spéciales sur le mode d'administration, l'on suit les règles suivantes :

1° Les assoicés sont censés s'être donné réciproquement le pouvoir d'administrer l'un pour l'autre. Ce que chacun fait, est valable même pour la part de ses associés, sans qu'il ait pris leur consentement; sauf le droit qu'ont ces derniers, ou l'un d'eux, de s'opposer à l'opération avant qu'elle soit conclue.

2° Chaque associé peut se servir des choses appartenant à la société, pourvu qu'il les emploie à leur destination fixée par l'usage, et qu'il ne s'en serve pas contre l'intérêt de la société, ou de manière à empêcher ses associés d'en user selon leur droit.

3° Chaque associé a le droit d'obliger ses associés à faire avec lui les dépenses qui sont nécessaires pour la conservation des choses de la société.

4° L'un des associés ne peut faire d'innovations sur les immeubles dépendants de la société, même quand il les soutiendrait avantageuses à cette société, si les autres associés n'y consentent.

= La désignation d'un ou de plusieurs administrateurs, enlève aux associés non désignés, la faculté d'administrer, qui leur appartient selon le droit commun. A défaut de stipulations spéciales, ils sont censés s'être donné le pouvoir, et même s'être imposé réciproquement l'obligation d'administrer l'un pour l'autre : les actes faits par chacun, sont dès lors obligatoires pour les autres, encore que ceux-ci n'y aient pas concouru. Ce mandat tacite comprend tout ce qui est du ressort d'une procuration générale.

En cas de dissentiment entre les coassociés sur une délibération à prendre, la majorité fait loi. — Il ne faut donc pas entendre la disposition de l'article 1859, qui reconnaît à chaque associé, le droit de s'opposer à une opération avant qu'elle soit consommée, en ce sens, qu'une résistance individuelle présente un obstacle absolu, mais en ce sens qu'elle suffit pour

(1) Duvergier, n. 303.

empêcher l'exécution de l'opération, jusqu'à ce que la majorité des associés ait manifesté sa volonté (Duvergier, n. 285 et suiv.).

Nous supposons, bien entendu, qu'il s'agit de prononcer sur des actes d'administration : les décisions de la majorité ne pourraient évidemment changer les conditions primitives ou constituantes de la société, car l'acte de constitution est la réunion des conditions sans lesquelles l'association n'aurait pas eu lieu : l'unanimité des associés peut seule apporter des modifications à un contrat qui est lui-même l'ouvrage de l'unanimité de ceux qui l'ont signé.

La majorité se forme par le nombre de voix et non pas eu égard à la puissance du vote de chacun, calculée sur l'importance des mises : si l'on admettait que cette circonstance dût être prise en considération, il arriverait que celui des associés qui aurait à lui seul un intérêt plus grand que tous les autres réunis, deviendrait l'arbitre souverain de la société. Dailleurs la mise n'est pas toujours la mesure exacte de l'intérêt dans la société (Duvergier, n. 287 et suiv.).

La deuxième disposition de l'art. 1859, accorde à chaque associé le droit de se servir, dans son intérêt privé, des choses qui dépendent de la société ; mais cette faculté est subordonnée aux trois conditions restrictives suivantes : ne pas modifier la destination de la chose ; — s'abstenir, quand l'intérêt social le commande ; car la jouissance privée est secondaire ; — ne pas empêcher les coassociés de se servir à leur tour de la chose.

Le § 3 de l'art. 1859, permet à chaque associé de contraindre les autres à concourir avec lui aux dépenses que nécessite la conservation des choses de la société ; néanmoins s'il fallait débourser une somme importante, il n'aurait pas ce droit : sur leur refus, il pourrait seulement faire à ses risques et périls les avances nécessaires, sauf à en prélever le montant sur le fonds social conservé par lui.

Dans le § 4, la loi interdit à l'un des associés le droit de faire des innovations sur les choses de la société sans le consentement des autres. — La règle qu'elle établit pour les immeubles, doit être étendue aux objets mobiliers ; car il n'y a pas de raison pour les dénaturer, lorsque la gestion de la société ne l'exige pas.

Il faut excepter le cas ou la société aurait pour but la modification des biens qui lui appartiennent ; chaque associé pourrait alors faire des innovations sans le consentement de ses coassociés. — Hors ce cas exceptionnel, tant que les travaux ne sont pas faits, les associés peuvent s'opposer à leur confection : mais lorsqu'ils sont achevés, la société doit-elle en tenir compte ? Si les innovations sont utiles et non excessives, l'auteur des travaux peut prétendre à une indemnité jusqu'à concurrence de la plus-value ; si elles sont inutiles, il peut être condamné à les enlever (Delv., p. 126, n. 7 ; Duvergier, n. 325).

Il est bien entendu, que cet associé aurait le droit d'exiger, dans tous les cas, le remboursement de ses avances, s'il avait obtenu le consentement exprès ou tacite de ses coassociés : *qui prohibere potest et non prohibet, consentire videtur* (Dur., n° 440 ; Duvergier, n° 321. — *Toulouse*, 30 mars 1828 ; D., 28, 2, 212).

1860 —L'associé qui n'est point administrateur, ne peut aliéner ni engager les choses même mobilières qui dépendent de la société.

== Assurément on ne peut dépouiller les tiers qui ont acquis de bonne foi ; car en fait de meubles, la possession vaut titre (2279 et 1141) : mais l'associé vendeur sera tenu d'indemniser ses coassociés.

Quant à l'associé administrateur, bien que ses pouvoirs n'aient pas été déterminés, il peut aliéner les fruits, et généralement tout ce qui est destiné à être vendu ; c'est même là un acte d'administration : mais sa qualité d'administrateur ne lui donne pas le droit de disposer des objets qui n'ont pas cette destination.

— Les associés peuvent-ils aliéner leur part dans une ou plusieurs des choses qui appartiennent à la société? ᴧᴧ A. Mais l'exécution d'une pareille vente est subordonnée au résultat du partage, et s'il ne tombe dans le lot de l'associé vendeur aucune portion de la chose, objet de l'aliénation. la vente restera sans effet : l'aliénation d'une part dans tel ou tel objet, est donc réputée faite sous une condition suspensive (Duvergier, n. 371 ; Troplong, n. 750).

1861 —Chaque associé peut, sans le consentement de ses associés, s'associer une tierce personne relativement à la part qu'il a dans la société ; il ne peut pas, sans ce consentement, l'associer à la société, lors même qu'il en aurait l'administration.

= Le contrat de société se forme ordinairement en considération des talents, de la qualité et même du caractère des personnes : permettre à l'une des parties d'augmenter le nombre des intéressés, ce serait donc blesser l'essence de ce contrat.

Du reste, chaque associé peut s'adjoindre une tierce personne relativement à la part qu'il a dans la société ; mais alors, cette nouvelle société (1) est indépendante de la première ; le cessionnaire ne devient point associé des coassociés de son cédant.

De là les conséquences suivantes :

Ce tiers ne peut s'immiscer dans l'administration de la société, ni voter dans les délibérations, ni user des choses qui composent le fonds social, ni exercer personnellement une surveillance qui le mette en contact avec les membres de la société ; il n'intervient qu'au moment du partage, pour empêcher que les opérations ne se fassent à son préjudice.

S'il arrive qu'il ait administré, la société originaire n'a pas d'action directe contre lui pour obtenir la réparation du dommage qu'elle a éprouvé, mais contre l'associé ; sauf ensuite le recours de ce dernier contre le tiers (2). — *Vice versâ*, si l'un des associés s'est rendu coupable de quelque faute, le tiers n'a pas d'action directe contre cet associé ; il peut seulement user du bénéfice de l'art. 1166, ou se faire indemniser par celui auquel il est adjoint (Dur., n. 444).

Enfin, les créanciers personnels de ce tiers, qui ont fait saisir sa part indivise, ne peuvent, pour donner suite à leur saisie, provoquer le partage ou la licitation de la société originaire : ils ont seulement le droit, si leur débiteur est en déconfiture, de faire déclarer la nouvelle société dissoute.

— Les associés pourraient-ils écarter le tiers du partage, en lui offrant le remboursement du prix de la cession (841)? ᴧᴧ N. On n'a pas lieu de craindre, comme dans le cas de succession, que l'étranger vienne pénétrer dans des secrets de famille (Dur., n. 443).

_____

(1) Les auteurs donnent à ce nouvel associé, le nom de *Croupier* (Merlin, *Quest.*; Troplong. n. 756 et 757). ᴧᴧ Ce n'est point là une *société*, mais une véritable communauté : en effet, il n'y a point d'apport fourni par chacun des contractants, et point de chose commune formée par leur réunion ; cette observation devient plus sensible encore lorsque la cession a eu lieu à titre gratuit (Duvergier , n. 375).

(2) Telle était l'opinion de Pothier, n. 93 ; mais doit-on conclure de là, que toute action directe contre la tierce personne soit absolument interdite ? Nous ne saurions le penser : le fait de cette tierce personne a le même caractère que celui de toute autre personne étrangère qui viendrait s'immiscer dans les affaires sociales ; or, évidemment, les associés auraient le droit d'agir directement contre celle-ci (Duvergier , n. 375).

Si le tiers exerce les droits et actions de celui qui l'a associé, doit-il partager avec les autres créanciers le produit de cette action ? ∧∧∧ *N.* Bien qu'il paraisse agir au nom et du chef de l'associé, Il agit en réalité en son nom personnel, comme cessionnaire, en vertu de son contrat (Arg. des art. 1753, 1994 ; (Dur., n. 444 ; Duvergier, n. 377).

Pour que la cession soit opposable aux tiers, faut-il, conformément à l'art. 1690, qu'elle ait été signifiée ou acceptée par acte authentique ? ∧∧∧ Les associés sont tous copropriétaires de choses indivises ; ils sont entre eux dans la même position que des cohéritiers : décidons en conséquence, que le cessionnaire est saisi du jour où l'acte a acquis date certaine ; — toutefois, si l'acte social comprend des créances contre des tiers ou même contre les associés du cédant, le cessionnaire n'est saisi que par la signification ou l'acceptation faite dans la forme prescrite par l'art. 1690 (Duvergier, n. 378 et 379 ; Troplong, n. 765).

L'associé est-il tenu de garantir son cessionnaire des pertes résultant de l'insolvabilité de ses coassociés ? ∧∧∧ *A.* L'associé cède ses droits sur le fonds social, abstraction faite de ses rapports avec ses coassociés (Merlin, *Quest.*, v° Croupier ; Favard, *Société*, chap. 2. section 3, n. 9). ∧∧∧ L'associé ne cède pas sa portion dans les choses qui composent le fonds social, il transmet une partie de ses droits dans la société ; Il ne doit donc être soumis qu'à la garantie dont est tenu le cédant d'une universalité (Duvergier, n. 380 ; Troplong, n. 762).

SECTION II.
Des engagements des associés à l'égard des tiers.

Après avoir déterminé les droits et les obligations qui naissent du rapport des associés entre eux, la loi considère la société dans ses rapports avec les créanciers.

Il est de principe, qu'on ne peut s'engager en son propre nom que pour soi-même (1119), et qu'il faut, pour obliger les tiers, avoir reçu d'eux un mandat spécial.

Or les associés, en confiant à l'un d'eux la gestion des affaires communes, donnent bien à cet associé le pouvoir de faire tous les actes d'administration (1856); mais ils ne lui confèrent pas celui de contracter des obligations pour le compte de la société (1864).

Pareillement, si les associés n'ont pas fait choix d'un administrateur (1859), chacun d'eux est bien censé avoir reçu les pouvoirs nécessaires pour administrer; mais les obligations qu'ils contractent envers les tiers ne peuvent être opposées à leurs coassociés, à moins que les opérations n'aient tourné au profit de la société (1864).

Quand même un associé aurait reçu des autres parties le pouvoir de les obliger, si le mandat est muet sur la solidarité, chacune d'elles n'est tenue que pour sa part; car la solidarité ne se présume pas (1202).

Cette dernière règle est modifiée en matière de société commerciale : dans les sociétés en nom collectif, les associés sont tenus solidairement de tous les engagements de la société, encore qu'un seul des associés ait signé, pourvu que ce soit sous la raison sociale (Code de Comm., art. 22 ; *voy.* pour les sociétés en commandite, l'art. 24 du même Code).

1862 — Dans les sociétés autres que celles de commerce, les associés ne sont pas tenus solidairement des dettes sociales, et l'un des associés ne peut obliger les autres si ceux-ci ne ne lui en ont conféré le pouvoir.

= Les associés doivent être considérés, quant aux engagements qu'ils contractent envers les tiers en leur propre nom, comme s'ils n'avaient pas formé de société : ils ne peuvent se prévaloir contre eux de leur qualité d'associé et cette qualité ne peut leur être opposée.

Par les mêmes motifs, nous déciderons : 1° qu'un associé ne peut engager ses coassociés envers les tiers, lors même qu'il déclare contracter pour le compte de la société, à moins qu'il n'ait reçu d'eux un pouvoir spécial à cet effet ; 2° que les engagements contractés par tous les associés ensemble ou par l'un d'eux, en vertu de pouvoirs suffisants, ne lient chacun des associés que pour une portion virile, encore que leurs parts dans la société soient inégales et que le créancier ait eu connaissance de cette inégalité, à moins que l'obligation ne soit indivisible (1).

Comment concilier la disposition de notre article, qui exige un pouvoir pour que l'un des associés oblige ses coassociés, avec l'art. 1859 n. 1, qui porte que les actes faits par chacun des associés sont valables, même pour la part de ses coassociés, sans qu'il ait pris leur consentement? L'un et l'autre article doivent être entendus en ce sens, que l'un des associés peut engager dans une mauvaise opération la part de ses coassociés, lorsqu'ils ne s'y sont pas opposés ; mais qu'il ne peut, au moyen d'une obligation qu'il contracterait envers des tiers, obliger ses coassociés ; car ceux-ci ne doivent pas être liés à leur insu.

1863 — Les associés sont tenus envers le créancier avec lequel ils ont contracté, chacun pour une somme et part égales, encore que la part de l'un d'eux dans la société fût moindre, si l'acte n'a pas spécialement restreint l'obligation de celui-ci sur le pied de cette dernière part.

= Les tiers ne sont pas censés connaître les clauses du contrat de société ; ils doivent supposer, qu'en s'obligeant, soit par eux-mêmes, soit par l'entremise d'un mandataire, les associés veulent être tenus pour des parts égales ; sauf ensuite, bien entendu, le recours des associés les uns contre les autres, en raison de leurs mises respectives : la loi ne fait exception à cette règle, que dans le cas où l'acte qui constate l'obligation détermine spécialement la portion pour laquelle ils seront engagés.

Que faut-il décider, si le créancier a connu la clause de l'acte de société qui établit entre les associés des parts inégales? La dette ne doit pas moins être divisée par parties égales entre tous les associés ; l'art. 1863 est formel.

Les créanciers de la société ont un droit sur les biens qui lui appartiennent, à l'exclusion des créanciers personnels de l'associé (2) ; ce qui ne les prive pas de la faculté de venir par contribution avec les créanciers personnels de l'associé sur les biens qui lui sont propres, car il est personnellement obligé envers eux.

— *Quid*, si l'acte porte que l'obligation de l'un des associés est restreinte sur le pied de sa part dans la société, sans autre explication? ∿∿ Comme l'égalité se présume toujours jusqu'à preuve du contraire, cet associé est tenu pour sa part virile, s'il n'est pas d'ailleurs prouvé que le créancier savait, en traitant, quelle était la part de l'associé (Dur., n. 451). ∿∿ Pour que les associés soient obligés par égales portions, il n'est pas besoin de stipulation spéciale : lors donc que le contrat contient une clause particulière, on doit présumer qu'elle a pour but une dérogation au droit commun (Duvergier, n. 392).

Si l'un des coobligés a, dans la société, une part plus forte que les autres, le créancier peut-il, à son choix, poursuivre cet associé en raison de sa part dans la société, ou seulement en raison de sa part virile? ∿∿ En réglant la part de chacun des obligés dans la dette sur le pied d'une part virile, l'art. 1863 prétend accorder une faveur à ce créancier : on ne doit pas rétorquer cette disposition contre lui (Dur., n. 451 ; Delv., p. 124, n. 6 ; D., t. 12, p. 96, n. 4). ∿∿ Il n'est pas exact de dire, que l'intérêt

(1) Dur., n. 447 et 448. ∿∿ Sans doute on ne peut s'engager ni stipuler en son propre nom que pour soi-même (1119) : mais les actes et la volonté de notre représentant légal agissant dans les limites de ses attributions, nous lient et nous engagent (Duvergier, n. 285).

(2) Les créanciers de la société n'ont traité qu'en considération des affaires communes. — La société est un être moral, distinct de la personne de chaque associé ; par conséquent, les biens qu'elle possède sont le gage particulier de ses créanciers. — Sûreté du commerce (Dur., n. 457 ; D., t. 12, p. 96, n. 2 ; Duvergier, n. 405. — Grenoble, 22 novembre 1834 ; S., 35, 2. 77 ; 1er juin 1831 ; D., 32, 2, 40).

du tiers soit le motif déterminant de l'art. 1863 : cet article présente seulement une application du principe suivant lequel , lorsque plusieurs s'engagent conjointement , chacun n'est tenu que pour sa part virile (Toullier , t. 6, n. 710 ; Duvergier , n. 393).

La solidarité a-t-elle lieu de plein droit entre associés , à raison des engagements qu'ils ont contractés respectivement les uns envers les autres ? ⚹ *N.* La solidarité ne se présume pas (1202) : Il n'existe dans le titre de la société aucune disposition spéciale qui déroge à cette règle (*Cass.*, 9 novembre 1831 ; S., 32, 1, 10).

1864 — La stipulation que l'obligation est contractée pour le compte de la société, ne lie que l'associé contractant et non les autres, à moins que ceux-ci ne lui aient donné pouvoir, ou que la chose n'ait tourné au profit de la société.

= Du principe qu'un associé ne peut en général obliger ses coassociés, il resulte, que la société n'est point liée par la simple déclaration qu'une obligation est contractée pour son compte.

Notre article fait cependant exception à cette règle dans deux cas :

1° Lorsque les associés ont chargé quelqu'un (associé ou autre) de contracter en leur nom : ils doivent alors subir les conséquences de ce mandat.

2° Lorsque la chose a tourné au profit de la société : tous les sociétaires sont alors obligés envers le tiers créancier, encore qu'ils n'aient point conféré de pouvoirs; car l'équité ne permet pas que l'on s'enrichisse aux dépens d'autrui.

Mais ils ne sont tenus que jusqu'à concurrence de ce qui a profité à la société, et seulement en raison de leur intérêt; sans préjudice, bien entendu, de l'action du créancier, pour le montant total de l'obligation, contre l'associé qui a contracté (1). — Nous pensons que le créancier peut agir directement contre la société, par l'action *de in rem verso*, et non pas seulement au nom et du chef de l'associé (1166) (Merlin , v° Société , § 2 , *Quest.*; Dur., n. 449; Cass., 18 mars 1824 ; S., 25, 1, 135; Duvergier, n. 404 ; *voy.* cependant Delv., p. 124, n. 4, et Troplong, n. 772 et suiv.).

CHAPITRE IV.

Des différentes manières dont finit la société.

La loi détermine, d'une manière générale, dans l'article 1865, les différentes manières dont finit la société; elle s'occupe ensuite particulièrement de chacune d'elles.

1865 — La société finit,

1° Par l'expiration du temps pour lequel elle a été contractée ;

2° Par l'extinction de la chose, ou la consommation de la négociation ;

---

(1) Duvergier , n. 403 ; Dur., n. 449. — *Cass.*, 18 mai 1824 ; D., t. 12. p. 96, n. 1. ⚹ C'est seulement quand l'engagement a été contracté *pour son compte* que la société est liée envers le créancier jusqu'à concurrence du profit qu'elle a retiré (Delv., t. 8. p. 124, n. 4).

DES DIFFÉRENTES MANIÈRES DONT FINIT LA SOCIÉTÉ.

3° Par la mort naturelle de quelqu'un des associés ;

4° Par la mort civile, l'interdiction ou la déconfiture de l'un d'eux ;

5° Par la volonté qu'un seul ou plusieurs expriment de n'être plus en société.

'= Notre article énonce cinq causes de dissolution de la société :

1° *L'expiration du temps :* le terme expiré, la société finit de plein droit, alors même que l'opération ne serait pas terminée, et les parties se trouvent, jusqu'au partage, dans un état de simple communauté.

Il en est de même, lorsque les associés ont pris pour terme l'arrivée d'un événement, par ex., le mariage de l'un d'eux : la réalisation de cet événement dissout de plein droit la société (*voy.* 1866).

Si la société a été contractée pour une certaine opération, par ex., pour construire un bâtiment, la société finit de plein droit lorsque l'opération est terminée.

2° *L'extinction de la chose :* la perte totale du fonds commun dissout la société. — Que faut-il décider si la chose qui forme la mise de l'un des associés vient à périr ?

Deux cas principaux sont prévus : cette chose a été mise dans la société pour la propriété, ou seulement pour la jouissance. — Le premier cas se subdivise : si la chose a péri avant que la propriété ait été transmise, la société est dissoute ; si la perte est survenue depuis la transmission de la propriété, la société continue (*voy.* art. 1867).

La perte de la chose dont la jouissance a été mise en commun, dissout la société (1867).

3° *La mort naturelle de quelqu'un des associés :* la société finit alors de plein droit, qu'elle soit universelle ou particulière, pour un temps illimité ou pour un certain temps. — L'article ne distingue pas.

La dissolution a lieu même entre les associés survivants ; car les qualités personnelles du défunt ont pu déterminer quelques-uns d'eux à entrer dans la société. — Il faut toutefois excepter le cas où l'on est convenu, dans la prévoyance de la mort de l'un des associés, que la société continuera entre les survivants (*voy.* 1868) ou avec les héritiers du prédécédé.

4° *La mort civile*, etc. : tout ce que nous avons dit sur le cas de mort naturelle de l'un des associés, s'applique au cas de mort civile.

L'interdiction faisant passer l'interdit sous la tutelle d'une autre personne, anéantit également de plein droit la société.

On doit assimiler à l'interdit, celui qui se trouve placé sous l'assistance d'un conseil judiciaire ; car cette position rend incapable de faire seul certains actes qui peuvent importer à la société (499 et 513) (1).

La faillite et la déconfiture doivent produire le même effet, puisqu'elles privent l'associé de l'administration de ses biens (2).

5° *La volonté qu'un seul exprime de n'être plus associé :* on a craint les difficultés que pourrait faire naître une communauté forcée. — Ainsi, la règle : *nihil tam naturale est quo modo res colligatæ sint eodem modo eas dissolvi*, n'est point applicable en matière de société.

Mais nous verrons, qu'il faut distinguer, à cet égard, les sociétés contrac-

---

(1) Dur., n. 474. ∧∧∧ Cette cause peut seulement, selon les circonstances, autoriser une demande en dissolution (Delv., p. 128, n. 4).

(2) Merlin . *Quest.*, Société , § 9 ; Dur., n. 474.

técs sans limitation de temps, de celles qui ont une durée limitée (*voy.* 1869).

6º Lorsqu'un des associés manque à ses engagements (1871).

1866 — La prorogation d'une société à temps limité ne peut être prouvée que par un écrit revêtu des mêmes formes que le contrat de société.

= La société finit de plein droit à l'expiration du temps fixé ; mais on peut la proroger. Toutefois, comme cette prorogation est réellement un nouveau contrat, il faut : 1º qu'elle soit prouvée par un acte revêtu des mêmes formes que le contrat de société ; 2º que les associés soient unanimes : la majorité, dans l'espèce, ne peut contraindre la minorité.

Quel est le sens de ces mots, *des mêmes formes :* la loi veut-elle dire qu'il faut employer un acte identiquement semblable à l'acte constitutif ? Par ex., un acte authentique ou un acte privé, suivant que le premier acte est authentique ou sous seing privé ? Non : son but est uniquement de faire entendre, que la prorogation ne peut être prouvée que par les moyens à l'aide desquels il aurait été permis de prouver l'existence de la société elle-même (1) : ainsi, on peut établir par témoins la prorogation d'une société dont l'objet n'excède pas 150 fr., soit que le contrat primitif ait été ou non rédigé par écrit (1341) ; on peut prouver, par un acte sous seing privé, la prorogation d'une société constatée par acte authentique.

Nous ne voyons même pas ce qui s'opposerait à l'admission de la preuve résultant du serment ou de l'aveu de la partie, encore que l'objet de la société excédât 150 fr.

—Peut-on considérer la société comme prorogée, lorsque les associés ont continué leurs opérations après l'expiration du terme fixé ? ∼∼ *A.* A l'égard des tiers, et quelquefois même entre associés, la preuve d'une société peut être puisée dans des écrits émanés des associés, et dans des actes où cette qualité leur a été donnée sans réclamation de leur part : il n'y a pas de raison pour ne pas admettre, comme preuves de prorogation, des documents qui serviraient à prouver la constitution (Duvergier, n. 417, 78, 80-83).

1867 — Lorsque l'un des associés a promis de mettre en commun la propriété d'une chose, la perte survenue avant que la mise en soit effectuée, opère la dissolution de la société par rapport à tous les associés.

La société est également dissoute dans tous les cas par la perte de la chose, lorsque la jouissance seule a été mise en commun, et que la propriété en est restée dans la main de l'associé.

Mais la société n'est pas rompue par la perte de la chose dont la propriété a déjà été apportée à la société.

= Les dispositions de cet article se réfèrent à la deuxième cause d'extinction mentionnée dans l'art. 1865 ; trois hypothèses sont prévues :

1º La chose qu'on a promis de mettre en commun pour *la propriété*, périt avant que la mise en soit effectuée : dans ce cas, comme dans celui où la mise consiste en jouissance, la perte, dit notre article, opère la dissolution de la société, ou plutôt elle est censée n'avoir jamais existé. — On suppose évidemment que l'apport consiste dans un corps certain et déterminé ; car, *genus non perit.*

(1) Dur., n. 462 ; Duvergier, n. 416 ; Delv., p. 127, n. 9. — *Cass.* 12 décembre 1825 ; S., 26, 1 284 ; D. 26, 1, 102.

Ici s'élève une difficulté grave : aux termes de l'art. 1589, la promesse de vente vaut vente, lorsqu'il y a consentement réciproque des parties sur la chose et sur le prix : or nous savons que la vente est translative de propriété (1583), et qu'elle met la chose aux risques de l'acheteur, encore que la tradition n'en ait point été faite (1138,711) : d'après ces principes, la promesse de livrer, faite par un associé, devrait également rendre la société propriétaire et mettre à sa charge la perte survenue même avant la mise effectuée; cependant, notre article décide le contraire : sa disposition serait inconciliable avec les principes généraux, si on l'appliquait au cas de promesse pure et simple d'apporter un corps certain ; pour que la perte puisse être une cause de dissolution, il faut nécessairement supposer, que la promesse a été faite sous une condition suspensive (1282); ou que l'un des associés s'est engagé à mettre en commun une chose dont il n'était pas encore propriétaire.

Ainsi, suivant nous, ces expressions : *avant que la mise en soit effectuée*, sont employées comme équivalentes de celles-ci : avant que la propriété en ait été apportée ; il n'est pas présumable, en effet, que le législateur ait voulu déroger au principe général de la transmission de propriété par le seul effet des conventions (1138); d'ailleurs, les observations du tribunat indiquent suffisamment, que l'on s'est uniquement proposé, dans la rédaction définitive de l'art. 1867, de déterminer les conséquences qu'entraîne relativement à la dissolution de la société la règle *res perit domino*, et non de fixer l'époque à laquelle la propriété de la chose qui forme la mise de l'un des associés, doit être considérée comme acquise à la société (1).

2° *L'associé n'a mis en commun que la jouissance de la chose* : sa mise consiste alors dans les fruits que cette chose produira : il existe en quelque sorte autant d'apports différents qu'il y a de perception de fruits ; autant de dettes particulières qu'il y a de termes échéant successivement : si la jouissance vient à cesser, l'associé ne réalisant plus son apport, doit perdre le droit réciproque qui lui appartient comme équivalent de la jouissance qu'il était tenu de procurer. Ex. : deux cultivateurs conviennent de réunir leurs chevaux pour labourer un champ ; si le cheval de l'un vient à mourir, la société sera dissoute, car ils n'ont mis en commun que la *jouissance* de leurs chevaux. — Tel serait encore le cas où la mise de l'un des associés consisterait dans une industrie particulière qu'il ne pourrait plus exercer à raison de quelque accident survenu.

Toutefois, lorsque les choses mises en commun pour la jouissance, sont de nature à se consommer par l'usage, ou à se détériorer en les gardant, lorsqu'elles sont destinées à être vendues, ou lorsqu'elles ont été mises dans la société sur une estimation portée dans un inventaire, comme la société en est devenue propriétaire, leur perte n'entraîne pas sa dissolution (2).

3° *La chose périt après avoir été livrée* : la société supporte évidemment cette perte.

Il doit en être de même, lorsque la perte est survenue depuis la mise en

---

(1) *Voy.* Dur., n. 467 ; Delv., p. 128, n. 5 ; Toullier, t. 7, n. 456 et suiv. ; D., Société, p. 97, n. 9 ; p. 89, n. 2 ; Duvergier, n. 421 et suiv. ; Troplong, n. 923.

(2) A la vérité, l'art. 1867 porte que la société est dissoute, *dans tous les cas*, par la perte de la chose, lorsque la jouissance seule a été mise en commun : mais cet article exige pour cela deux conditions : 1° que la jouissance seule ait été mise en commun ; 2° que la propriété soit restée dans les mains de l'associé : or on ne peut dire qu'il ait conservé cette propriété, dans les h/pothèses que nous venons de déterminer (Toullier, t. 7, n. 461, note).

demeure de l'associé, si la chose eût également dû périr après avoir été livrée (Arg. des articles 711, 1138 et 1302).

Quid, si ce qui reste du fonds social ne suffit plus pour atteindre le but que se sont proposé les associés ? La société est dissoute.

Quid, si la mise de l'un des associés comprend plusieurs choses ; la perte de quelques-unes entraîne-t-elle la dissolution de la société ? On examine quelle est l'importance relative des objets perdus : si elle est telle que les associés n'eussent pas accepté la mise ainsi réduite, la société sera dissoute ; dans le cas contraire, elle sera maintenue (1) (Arg. des articles 1601 et 1722).

— La société est-elle dissoute pas la perte de la chose, lorsque ce n'est pas le simple fait de jouissance, mais le droit de jouir qui a été apporté ? ⁓⁓ On peut dire, que la société est devenue, comme l'usufruitier, propriétaire du droit de jouir ; cependant, une semblable décision serait contraire à la nature du contrat de société : il ne serait pas équitable qu'un associé continuât à prendre part aux bénéfices périodiques de la société, lorsqu'elle est privée des prestations successives qu'elle attendait de lui : dans tous les cas, il y a lieu de déclarer la société dissoute (Duvergier, n. 426).

Quid, dans l'espèce : nous formons une société pour six ans ; j'apporte la jouissance d'une maison ; mon associé, de son côté, fait une¹ mise de 6,000 fr. en propriété : si ma maison vient à périr au bout de trois ans, par exemple, aurais-je quelques droits sur le capital des deniers apportés ? ⁓⁓ A Comme j'ai effectué une mise de trois années de jouissance, je prélèverai la moitié du capital, et la moitié des bénéfices qui se trouveront exister au moment de la perte de ma maison (Dur., n. 466, t. 17).

Si l'apport promis consiste dans la propriété d'un corps certain, la perte arrivée après la mise en demeure de l'associé dissout-elle la société ? ⁓⁓ *Non*, si cette chose eût également dû périr, quand même l'associé aurait satisfait à ses obligations, car la société ne souffre point alors de ce retard ; elle est devenue propriétaire, quoique la chose n'ait pas été livrée (711, 1138, 1303) (Pothier, n. 111 ; Duvergier, n. 421).

1868 — S'il a été stipulé qu'en cas de mort de l'un des associés, la société continuerait avec son héritier, ou seulement entre les associés survivants, ces dispositions seront suivies : au second cas, l'héritier du décédé n'a droit qu'au partage de la société, eu égard à la situation de cette société lors du décès, et ne participe aux droits ultérieurs qu'autant qu'ils sont une suite nécessaire de ce qui s'est fait avant la mort de l'associé auquel il succède.

= En principe, la mort de l'un des associés dissout la société ; les Romains ne permettaient pas même de stipuler qu'elle continuerait avec les héritiers du prédécédé : la société, disaient-ils, ne peut se contracter avec une personne incertaine et inconnue ; or, au moment du contrat, on ignore quels seront les héritiers des parties.

Le Code, moins rigoureux, permet de stipuler, qu'en cas de mort, la société continuera avec les héritiers de l'associé prédécédé.

Si l'on est seulement convenu qu'elle continuera entre les associés survivants, les héritiers prélèveront ce qui pouvait être dû à leur auteur, eu égard à la situation de la société lors du décès ; mais les opérations ultérieures, bonnes ou mauvaises, leur seront étrangères pour le gain comme pour la perte. La loi fait toutefois exception à cette règle, pour les opérations qui sont une suite nécessaire de celles qui ont eu lieu avant la mort : les tribunaux sont appréciateurs des circonstances. Ex. : une pacotille a été envoyée outre-mer ; pendant le trajet, un associé meurt : les héritiers prendront part, soit dans les bénéfices, soit dans la perte. Mais ne concluons pas de là qu'ils deviendront associés des survivants ; ils se trouveront seulement en communauté avec eux, jusqu'au moment du partage.

---

(1) Duvergier, n. 428 ; Malleville, sur l'art. 1865 ; Toullier, n. 461 ; Delv., p. 128, n. 5.

Les héritiers sont tenus de continuer les opérations commencées par le défunt, pour le compte de la société : l'art 2010 leur est applicable, car chaque associé est mandataire de ses associés (1859). — Par suite, nous déciderons qu'ils doivent, dans tous les cas, informer du décès les autres associés : s'ils avaient gardé le silence, nous pensons que les associés survivants pourraient, suivant leur intérêt, considérer la société comme maintenue ou comme dissoute (2008).

La clause qui fait continuer la société après le décès de l'un de ses membres, doit s'interpréter restrictivement, car elle déroge au droit commun : ainsi, lorsqu'on a stipulé que la société subsistera nonobstant la mort d'un associé, la déconfiture ou l'interdiction de l'un d'eux ne sera pas moins une cause de dissolution. S'il a été stipulé que la société continuera malgré le décès de tel associé, elle finira par le décès d'un autre.

— La mort du gérant entraîne-t-elle la dissolution de la société lorsqu'il est prouvé que les associés ont eu en vue la chose qui en forme l'objet, plutôt que la personne du gérant? ⁓⁓ Les associés peuvent choisir, par une délibération prise à la majorité, un nouvel administrateur, si l'acte contient à cet égard une stipulation formelle ; car il ne s'agit plus de prononcer sur une opération de l'administration. Si l'acte est muet , la société ne peut subsister , car c'est un nouveau contrat qu'on propose de former ; par conséquent, il faut obtenir le consentement de tous les intéressés (Duvergier, n. 435).

Lorsqu'il a été stipulé que la société continuera avec les héritiers du prédécédé , cette clause reçoit-elle son effet, si les héritiers ou l'un d'eux sont mineurs? ⁓⁓ N. Les formalités gênantes et coûteuses auxquelles sont assujetties l'aliénation et l'administration des biens des mineurs, entraveraient les opérations sociales (Duvergier n. 441). ⁓⁓ A. L'interdiction d'un associé ne rompt la société , que lorsqu'il n'a pas été stipulé qu'elle continuera malgré ce changement ; or ici , il y a un pacte (Troplong, n. 954).

1869 — La dissolution de la société par la volonté de l'une des parties ne s'applique qu'aux sociétés dont la durée est illimitée, et s'opère par une renonciation notifiée à tous les associés, pourvu que cette renonciation soit de bonne foi, et non faite à contre-temps.

= Lorsque la durée de la société est limitée soit par l'expression d'un terme déterminé, soit par la nature de l'affaire, sa dissolution ne peut avoir lieu que du consentement de tous les coassociés, quand même les choses seraient encore entières, à moins qu'il n'existe de justes motifs.

Mais il était à craindre qu'une société *illimitée*, dans laquelle une ou plusieurs parties se trouveraient engagées malgré elles, ne devînt une source de contestations et de désordres. Aussi la loi consacre-t-elle, dans cet article, une dérogation au principe que les conventions ne peuvent être révoquées que du consentement mutuel des parties (1134) : toutefois, pour que la renonciation d'un seul puisse opérer la dissolution de la société, trois conditions sont requises ; il faut :

1º Que cette renonciation ne soit pas faite à contre-temps ;

2º Qu'elle ait lieu de bonne foi ;

3º Qu'elle soit notifiée à tous les associés : si la notification a été faite à quelques-uns seulement, il dépend des autres associés, même de ceux qui l'ont reçue, de la tenir comme non avenue (Dur., n. 477, D., t. 12, p. 99, n. 20).

Lorsque l'un des associés a renoncé de mauvaise foi, à contre-temps, ou par un acte nul en la forme (1), il peut être contraint, si la société a essuyé des pertes, d'en supporter une partie ; de telle sorte qu'il aura libéré ses coassociés envers lui, sans s'être libéré envers eux.

(1) Duvergier, n. 460 ; Delv., p. 128, n. 13. ⁓⁓ Lorsqu'un associé a renoncé de mauvaise foi, et dans la vue de s'approprier des bénéfices qui devaient être communs, cet associé est seulement tenu de rapporter à la masse partageable le profit qu'il a fait ; mais à tous autres égards, la société n'est pas moins dissoute depuis la notification de la renonciation faite à tous les associés (Dur., n. 463).

1870 — La renonciation n'est pas de bonne foi lorsque l'associé renonce pour s'approprier à lui seul le profit que les associés s'étaient proposé de retirer en commun.

Elle est faite à contre-temps lorsque les choses ne sont plus entières, et qu'il importe à la société que sa dissolution soit différée.

= Pour que la volonté de l'une des parties puisse dissoudre les sociétés dont la durée est illimitée, notre article exige, indépendamment de la notification prescrite par l'article précédent, le concours de deux conditions, il faut :

1º Que la renonciation soit de bonne foi : ce qui n'a pas lieu lorsqu'un associé renonce, pour s'approprier à lui seul un profit qui devait tomber dans la masse. **Ex.** : deux libraires se sont associés pour faire ensemble le commerce de la librairie ; l'un s'est ménagé le moyen de faire un marché très-avantageux ; il renonce, afin d'avoir seul les bénéfices : cette renonciation ne le dispensera pas de mettre à la masse le profit qu'il aura fait. — Mais s'il a renoncé par dégoût du commerce (les choses étant encore entières), la renonciation sera valable.

2º Qu'elle ne soit pas faite à *contre-temps*, c'est-à-dire, dans un temps où l'opération étant commencée, il importe à la société que la dissolution soit différée. **Ex.** : Pierre et Paul contractent ensemble une société de commerce ; Pierre veut dissoudre la société, dans un moment où elle a intérêt à garder les marchandises, afin d'attendre une époque plus favorable pour les vendre : la dissolution n'aura pas lieu.

Pour juger si une renonciation est faite à *contre-temps*, on doit considérer seulement l'intérêt commun de la société, sans s'occuper de l'intérêt particulier de celui qui s'oppose à cette renonciation, à moins qu'il n'y ait, dans le contrat de société, quelque convention spéciale à cet égard.

Au surplus, la nullité qui entache la renonciation faite de mauvaise foi ou à contre-temps, est relative ; la société seule peut l'invoquer.

— Lorsqu'une société se dissout, les créanciers doivent-ils demander, contre l'associé liquidateur, la séparation du patrimoine de la succession de celui de la société ? ⁓⁓ *A*. La société est un être moral qui a des intérêts distincts de ceux des sociétaires ; dès lors, on doit appliquer l'art. 878 (*Grenoble*, 1er juin 1831 ; S., 32. 2, 591).

1871 — La dissolution des sociétés à terme ne peut être demandée par l'un des associés avant le terme convenu, qu'autant qu'il y en a de justes motifs, comme lorsqu'un autre associé manque à ses engagements, ou qu'une infirmité habituelle le rend inhabile aux affaires de la société, ou autres cas semblables, dont la légitimité et la gravité sont laissées à l'arbitrage des juges.

= Il résulte de cette disposition, que la société à terme est obligatoire jusqu'à l'époque déterminée, quelque éloignée qu'elle soit.

L'article 815, qui limite à cinq ans la convention d'indivision, est-il applicable ici ? (*Voy.* art. 1844, Quest.)

— La disposition de l'article 1871 est-elle applicable à la société qui a été formée sans limitation ce terme pour une entreprise d'une durée limitée ? ⁓⁓ *A*. De même qu'un associé ne peut se délier avant l'expiration du terme ; de même, lorsque la société a pour objet une entreprise déterminée, il serait contraire à la loi qui régit les contrats, de décider qu'une convention légalement formée peut être révoquée autrement que par le consentement mutuel des parties. — Vainement dit-on , qu'étendre la disposition de l'article 1871 aux sociétés formées pour une entreprise déterminée, c'est vouloir que la dissolution par la seule volonté , ne soit applicable qu'aux sociétés universelles , lesquelles ne sont guère connues dans la pratique ; une pareille allégation est inexacte : tous les jours on forme des sociétés qui ne sont point universelles , et qui cependant n'ouf point pour objet une entreprise déterminée : ainsi, ceux qui s'associent pour faire le commerce des vins ou des draps ne font point une entreprise déterminée, comme ceux qui s'associent pour construire une maison ou pour acheter telle partie de marchandises : d'ailleurs . un terme peut être fixé , non-seulement d'une manière expresse , mais encore d'une manière tacite. — Ajoutons , que l'art. 1844 ne rappelle la faculté conférée par l'art. 1869 , que relativement aux sociétés contractées pour toute la vie des associés (Duvergier , n. 453 ; Troplong, n. 970). ⁓ Le Code ne confond pas les sociétés à terme avec les sociétés pour une entreprise d'une durée limitée : dans ce dernier cas , chacun des associés peut renoncer a la société tant que les choses sont encore entières, pourvu que la renonciation soit faite de bonne foi : tel est le cas prévu par la loi 65, § 4, ff. , et reproduit par Pothier ; l'art. 1871 , ne parle que des sociétés a terme , et l'art. 1844 distingue fort bien ces sociétés de celles qui se forment pour une affaire dont la durée est même limitée par la nature de l'entreprise. — Restreindre le mode de dissolution par la seule volonté des parties aux sociétés qui ne sont ni a terme fixe . ni pour une affaire limitée par sa nature , c'est vouloir que ce mode de dissolution ne soit applicable qu'aux sociétés universelles, qui sont, pour ainsi dire , inconnues dans la pratique (Dur., n. 476).

1872 — Les règles concernant le partage des successions, la forme de ce partage, et les obligations qui en résultent entre les cohéritiers, s'appliquent aux partages entre associés.

= Après la dissolution de la société, les associés se trouvent en état de communauté ; chacun d'eux a le droit de demander le partage du fonds commun.

La masse se partage entre les associés , dans la proportion de la part qu'ils étaient appelés à prendre dans les bénéfices.

Le législateur se borne , en ce qui concerne ce partage, à renvoyer aux dispositions qui concernent le partage des successions :

En conséquence, chaque associé est réputé avoir été propriétaire , à partir de la dissolution , des objets tombés dans son lot , et n'avoir jamais eu aucun droit sur les objets échus à ses coassociés (883).

Cependant il ne faut pas prendre les termes de l'art. 1872 à la lettre : on se tromperait si l'on considérait l'assimilation comme entière et complète ; la règle n'est pas sans exception : ainsi, les articles 815 et 841, ne sont point applicables en matière de société ; il faut en dire autant de l'art. 882.

Disposition relative aux sociétés de commerce.

1873 — Les dispositions du présent titre ne s'appliquent aux sociétés de commerce que dans les points qui n'ont rien de contraire aux lois et usages du commerce.

— Doit-on encore suivre , depuis la publication du Code de commerce , les usages contraires au droit commun? ⁓ *Non*, la loi prévaut sur les usages ; on ne doit considérer les usages que comme des abus.

TITRE X.
DU PRÊT.
(Décrété le 9 mars 1804; promulgué le 19 du même mois).

Le *prêt* (de *præstare*) est un contrat par lequel une personne accorde

(1) Duvergier , n. 475. — *Cass..* [20 novembre 1834 ; S., 35, 1, 131 ; *voy.* cep. *Paris*, 13 juin 1807 ; S., 7, 2, 719.

à une autre, pour un certain temps, la jouissance gratuite d'une chose ; ce qui emporte nécessairement pour l'emprunteur, l'obligation de rendre cette chose au terme convenu.

La simple promesse de prêter est obligatoire, en ce sens que le refus de livrer donne lieu, suivant les circonstances, à des dommages-intérêts ; mais le prêt n'existe *réellement* qu'après la tradition : cette tradition, du reste, peut être fictive, par ex., si l'emprunteur a déjà la chose en sa possession.

On peut prêter des choses dont l'emprunteur usera sans les détruire ; et d'autres dont il est impossible d'user sans les consommer, telles que les marchandises, les denrées et l'argent comptant.

De là, une première distinction entre le prêt à usage (*commodatum in individuo*), et le prêt de consommation (*mutuum*) :—l'un oblige à rendre la chose même qui a été prêtée ; l'autre transfère nécessairement la propriété de cette chose, puisqu'on ne peut en user sans la consommer. — Le prêt à usage est essentiellement gratuit ; la stipulation d'un profit quelconque le transformerait en contrat de louage : le prêt de consommation, au contraire, peut être gratuit ou intéressé sans changer de nature.

Ainsi, division générale du *prêt*, en *prêt à usage* et *prêt de consommation*, et subdivision de celui-ci en *prêt gratuit* et *prêt à intérêt*. — Les règles particulières à ces contrats sont déterminées dans des chapitres séparés.

1874 — Il y a deux sortes de prêt :

Celui des choses dont on peut user sans les détruire,

Et celui des choses qui se consomment par l'usage qu'on en fait.

La première espèce s'appelle *prêt à usage*, ou *commodat ;*

La deuxième s'appelle *prêt de consommation*, ou simplement *prêt*.

CHAPITRE PREMIER.

Du prêt à usage, ou commodat.

SECTION PREMIÈRE.

De la nature du prêt à usage.

Le *prêt à usage* est de la classe des contrats de bienfaisance, puisqu'il est essentiellement gratuit.

On doit, suivant nous, le mettre au nombre des contrats unilatéraux imparfaits, puisqu'une seule partie (l'emprunteur), s'engage au moment du contrat : l'obligation du prêteur est incidente.

L'emprunteur doit user par lui-même ; il ne peut, comme l'usufruitier et le preneur, ni céder, ni sous-louer à un tiers.

Il faut se garder de confondre le prêt avec le droit réel d'usage : le prêt ne produit que des obligations personnelles ; il ne finit point par la mort de l'emprunteur ; le prêteur n'est point garant de l'éviction ; il ne répond que de son fait personnel : l'usage au contraire est un démembrement de la propriété ; il s'éteint par la mort de l'usager ; enfin il soumet celui qui l'a conféré à la garantie, lorsqu'il a été constitué à titre onéreux.

Notre ancienne jurisprudence distinguait deux sortes de prêts : Le prêt à usage, proprement dit, et le prêt dit *precarium* (1) ; le premier s'opérait lorsque la chose était livrée pour un temps déterminé par la convention, ou à défaut de fixation expresse, pour le temps nécessaire à l'usage en vue duquel elle avait été empruntée : ce qui caractérisait le deuxième, c'est que sa durée n'était pas limitée ; en sorte que le prêteur pouvait reprendre sa chose quand bon lui semblait : le *precarium* paraît aujourd'hui confondu avec le prêt à usage.

Ce chapitre est divisé en trois sections : la nature du prêt à usage est déterminée dans la première ; les engagements qui en résultent, soit de la part du prêteur, soit de la part de l'emprunteur, sont développés dans les deux autres.

1875 — Le prêt à usage ou commodat est un contrat par lequel l'une des parties livre une chose à l'autre pour s'en servir, à la charge par le preneur de la rendre après s'en être servi (2).

= Quatre conditions sont de l'essence du prêt à usage ; il faut :

1° *Qu'une chose soit livrée :* le contrat de prêt ne se forme que par la tradition ; c'est là ce qui lui a fait donner improprement, par quelques auteurs, le nom de Contrat réel ; *quia re perficitur* (3).

Le prêt a pour objet l'usage d'une chose ; or, on ne peut user qu'en possédant. D'ailleurs, la restitution est une condition essentielle du prêt ; ce qui devient impossible lorsqu'il n'y a pas eu tradition.

Assurément, lorsque la validité de la promesse de prêter est reconnue, celui qui a reçu cette promesse peut contraindre celui qui l'a faite à l'exécuter, soit en exigeant des dommages-intérêts, soit même en se faisant autoriser à s'emparer de la chose, *manu militari,* si cela est possible ; mais, le contrat de prêt ne se formera, nous le répétons, qu'au moment où la chose se trouvera entre les mains de l'emprunteur.

Il n'est pas essentiel que le prêteur soit propriétaire ; l'usage de la chose d'autrui peut être valablement prêté par le possesseur de cette chose : bien plus, si un voleur prête à quelqu'un la chose qu'il a volée, le contrat ne produit pas moins son effet ; car l'obligation de l'emprunteur ne résulte pas de ce que le prêteur était propriétaire ; elle naît seulement de ce qu'il a reçu la chose à titre de prêt. Toutefois, nous pensons que la disposition de l'art. 1938 deviendrait en ce cas applicable.

---

(1) *Precarium est quod precibus petentis utendum conceditur quamdiu is qui concessit patitur* (L. 1, ff. de *Precar.*).

(2) La définition suivante eût été préférable : « Le commodat est un contrat par lequel l'une des par- » ties s'oblige à rendre à l'autre des choses que celle-ci lui a livrées gratuitement, pour en faire personnellement un usage qui les laisse subsister (Duvergier, n. 29).

(3) Rolland de Villargues, Rép., Prêt à usage, Toullier, n. 17, t. 6, et Duvergier, n. 26, s'élèvent avec force contre cette qualification ; elle pourrait faire croire, dit ce dernier auteur, que la convention de prêter doit rester sans effet jusqu'à ce qu'elle ait été suivie de tradition : or, il n'est pas douteux que celui qui a reçu la promesse, peut contraindre le promettant à l'exécuter ; car le pacte a été obligatoire, le contrat a été parfait, par le concours du consentement des parties ; seulement le contrat de prêt n'existera qu'autant que l'emprunteur aura reçu la chose.

Celui qui reçoit à titre de prêt sa propre chose, n'est pas tenu de la restituer : *commodator rei suæ esse non potest*. Néanmoins, il faut excepter le cas où le prêteur aurait droit de le posséder ; par ex., s'il est usufruitier :

Le commodat est soumis aux règles générales sur la capacité des parties contractantes : or, rappelons-nous que le mineur, l'interdit et la femme mariée, peuvent attaquer leurs engagements pour cause d'incapacité ; mais que cette nullité est relative (1125).

Appliquant ces principes au commodat, nous poserons les règles suivantes :

Lorsqu'un prêt est fait à un mineur, à un interdit, ou à une femme mariée non autorisée, le prêteur ne peut exiger la restitution de la chose prêtée, avant l'époque fixée par la convention.

Pendant la durée du prêt, l'incapable n'est point responsable de la perte arrivée même par sa faute : sans doute cette responsabilité est un des effets du contrat ; mais seulement lorsqu'il est valable : la personne à l'égard de laquelle il est nul, ne peut donc y être soumise ; toutefois, si l'incapable est devenu plus riche par suite de l'événement qui a causé la perte, il est tenu jusqu'à concurrence de ce dont il a profité.

Il est bien entendu, que l'incapable serait indéfiniment responsable, si c'était par son délit, ou par son quasi-délit que la chose eût péri (1310).

Le prêt fait à un mineur, en cas de nécessité pressante, est généralement considéré comme valable : on ne peut alors reprocher au prêteur de ne pas avoir apprécié la capacité de l'emprunteur (Toullier, t. 7, n. 581 ; Duvergier, n. 42).

Lorsque c'est l'incapable qui a prêté, il peut réclamer la chose avant l'époque fixée, car il n'y a point eu à son égard de contrat valable. — Quant à l'emprunteur, il n'est pas moins soumis, jusqu'au moment de la restitution, à toutes les obligations qui naissent du commodat. S'il a fait des dépenses nécessaires, il peut en exiger le remboursement, non en vertu du commodat, puisqu'il n'a pas existé pour l'incapable, mais en vertu de la règle qui défend de s'enrichir aux dépens d'autrui.

Les personnes qui, sans avoir la libre disposition de leurs biens, en ont cependant l'administration, peuvent, sous certaines conditions, et en tenant compte des différents degrés qui existent dans leur capacité, recevoir ou livrer à titre de prêt :

Ainsi, le mineur émancipé ne peut faire que des actes d'administration : le prêt fait ou reçu par lui dans cette limite, c'est-à-dire, celui qui est justifié par les nécessités de l'administration, qui ne peut avoir aucune des conséquences fâcheuses contre lesquelles le législateur a pris de sages précautions, doit être maintenu ; au delà il est nul.

Ex. : le mineur émancipé, propriétaire de vignobles, ou de terres labourables, peut valablement prêter ou emprunter des ustensiles nécessaires pour exécuter des travaux agricoles ; mais le contrat serait nul, s'il avait pour objet un cheval de selle ou une montre. — La nature et la valeur de la chose prêtée importent fort peu ; il suffit que le prêt ne soit pas un acte d'administration, pour qu'on doive décider, sans hésiter, qu'il excède la capacité du mineur émancipé (1).

_____

(1) Pour prétendre que le prêt est valable dans tous les cas, et qu'il ne faut avoir égard ni à la nature ni à la valeur de la chose prêtée, on allègue, il est vrai, que le prêt n'est pas un acte d'aliénation ; mais la loi ne dit pas que les actes d'aliénation sont seuls interdits au mineur : elle déclare seulement qu'il ne peut faire que des actes d'administration (Duvergier, n. 44 et suiv. ; Delv., p. 195. n. 2). Le mineur émancipé qui peut, sans l'assistance de son curateur, affermer ses domaines, louer ses maisons, toucher ses revenus quelque considérables qu'ils soient, et en donner décharge, doit pouvoir efficacement prêter son cheval ou sa montre à un ami (Dur., n 506 et suiv.).

La femme séparée de biens, a de plus que le mineur émancipé, la capacité de vendre son mobilier; elle doit dès lors, conformément à nos principes, pouvoir prêter des choses mobilières, quelle que soit leur nature.

Lorsqu'elle emprunte de semblables choses, le contrat est-il valable? L'affirmative n'est pas douteuse, quand il s'agit d'un acte de pure administration : mais que faut-il décider lorsque l'emprunt ne peut être considéré comme tel? cette question se rattache à celle de savoir si les obligations contractées par la femme sont valables, bien qu'elles ne soient pas relatives à l'administration de ses biens (*voy.* art. 1449 quest.) : il n'y a point de raison pour soustraire à l'application de la solution que l'on adoptera sur cette dernière question, les engagements qui peuvent naître d'un emprunt d'objets mobiliers.

Celui qui a reçu un conseil judiciaire, est placé, à peu de différences près, sur la même ligne que le mineur émancipé.

A moins de stipulation contraire, les engagements qui résultent du prêt, passent aux héritiers du prêteur et à ceux de l'emprunteur (1879).

2° *Qu'on livre la chose à l'emprunteur pour qu'il puisse s'en servir dans son intérêt personnel :* je charge une personne de faire pour moi un voyage, et dans ce but, je lui confie mon cheval : ou bien encore je remets à mon domestique les ustensiles nécessaires pour exécuter les travaux que je lui impose, dans ces hypothèses on ne rencontre pas les caractères du prêt à usage, quoiqu'il y ait obligation de rendre *in individuo.*

3° *Que l'usage soit accordé gratuitement* (1876) : autrement, on verrait dans la convention un louage, si l'équivalent consistait en une somme d'argent; et un contrat sans nom, s'il consistait en une chose ou en un fait; en tous cas, il n'y aurait pas commodat.

4° *Que l'emprunteur s'oblige à rendre la chose in individuo :* c'est là ce qui distingue principalement le commodat du prêt de *consommation* (1878). — Peu importe, du reste, que les choses prêtées soient susceptibles de se consommer par le 1er usage : ces sortes de choses peuvent fort bien faire l'objet d'un commodat, lorsqu'elles sont prêtées *ad ostentationem;* tout dépend de l'intention des parties.

Le commodat peut avoir pour objet, non-seulement des choses mobilières, mais encore des immeubles : par ex., une cave, un grenier, un appartement.

L'emprunteur doit restituer la chose à l'époque fixée par la convention, ou après qu'elle a servi à l'usage pour lequel il l'a reçue (1888).

Si elle a éprouvé, par sa faute, quelque détérioration, il doit des dommages-intérêts; si le dommage est tel qu'elle ne puisse plus servir commodément, le prêteur peut en faire l'abandon et contraindre l'emprunteur à lui en payer le prix (1884) (Delv. 197, n. 4).

Le titre du prêt ne contenant pas de modifications aux règles générales sur la preuve, il faut appliquer ces règles au commodat : ainsi, la preuve testimoniale ne doit pas être admise, lorsque la valeur de la chose prêtée excède 150 fr. (Duvergier, n. 50, 51, 52).

5° *Que la chose soit dans le commerce* (1878) : les tribunaux prononceraient la nullité d'un prêt de choses qui seraient placées par une loi hors de circulation.

6° Enfin, il faut que le prêt ait *une cause licite et un but légitime :* cette règle est commune à tous les contrats.

— Le prêt, avons-nous dit, est nul lorsqu'il a pour objet une chose hors du commerce ou un but illégitime : mais la nullité est-elle absolue à ce point, que le prêteur soit privé d'action pour faire rendre la chose ou pour obtenir des dommages-intérêts en cas de non-restitution? ∧∧∧ Les tribunaux n'ont point à connaître de l'exécution ou de l'inexécution de pareils traités (Dur., n. 503). ∧∧∧ Refuser l'accès des tribunaux à ceux qui réclament l'annulation des effets que le prêt a produits , c'est exagérer la répression. — Toutefois , quand il s'agit de choses hors de commerce , de choses dont la possession même est un délit; par ex., d'armes prohibées , l'action en répétition n'est pas recevable ; pour qu'elle fût accueillie , il faudrait que le prêteur eût un titre valable ; or , il ne peut avoir de titre en présence des lois prohibitives. — Au surplus , l'emprunteur sera poursuivi par l'autorité et dépossédé (Duvergier , n. 31).

Le créancier gagiste est-il censé faire un prêt, lorsqu'il permet au débiteur de se servir temporairement de la chose donnée en gage? ∧∧∧ N. Un emprunteur n'a que le droit de se servir de la chose prêtée ; le débiteur à qui la chose est rendue pour un certain temps, a un droit plus étendu : il perçoit les fruits et jouit comme propriétaire , à charge de rétablir le gage au jour fixé. — Le prêteur est tenu de rembourser à l'emprunteur les dépenses que ce dernier a faites pour la conservation de la chose (1890) : nul n'aura la pensée d'appliquer cette règle , au débiteur remis temporairement en possession du gage qu'il avait donné (Duvergier , n. 36 ; voy. cep. Pothier, n. 19).

1876 — Ce prêt est essentiellement gratuit.

= Si l'emprunteur était tenu de quelque récompense , le prêt ne pourrait être classé parmi les contrats de pure bienfaisance : on verrait dans cette convention un louage , si le prix consistait en une somme d'argent ; et un contrat sans nom , tenant plutôt du louage que du commodat, pour lequel les Romains accordaient l'action *præscriptis verbis*, s'il avait pour objet une chose à faire ou à donner.

1877 — Le prêteur demeure propriétaire de la chose prêtée (1).

= L'usage seul est l'objet du contrat ; le prêteur conserve la propriété et même la possession de sa chose ; l'emprunteur n'a pas même le droit réel d'usage ; par conséquent il serait tenu de restituer , encore que sa possession remontât à plus de trente ans.

1878 — Tout ce qui est dans le commerce, et qui ne se consomme pas par l'usage, peut être l'objet de cette convention (2).

= Les immeubles comme les meubles peuvent être l'objet du prêt à usage : tous les jours, en effet, on prête un grenier, une cave, etc.

La loi excepte seulement de la classe des choses qui peuvent être l'objet du prêt : 1° celles qui ne sont pas dans le commerce, ou celles dont la vente est prohibée , telles que les armes cachées, les livres immoraux. 2° Les choses qui se consomment par l'usage, comme le blé , le vin, l'argent monnayé; néanmoins ces choses deviennent l'objet d'un commodat, lorsqu'elles sont empruntées *ad ostentationem*; c'est-à-dire , lorsque l'usage spécial et exceptionnel pour lequel a lieu l'emprunt, ne doit pas en nécessiter la consommation : c'est ce que font certains receveurs , quand ils savent que leur caisse doit être prochainement inspectée : ils empruntent des sacs d'argent, qu'ils restituent *in individuo* , après l'inspection.

1879 — Les engagements qui se forment par le commodat, passent aux héritiers de celui qui prête, et aux héritiers de celui qui emprunte.

Mais si l'on n'a prêté qu'en considération de l'emprunteur, et à lui personnellement , alors ses héritiers ne peuvent continuer de jouir de la chose prêtée.

---

(1) Disposition incomplète : on peut prêter une chose sans en être propriétaire : le nu-propriétaire lui-même peut recevoir sa chose à titre de prêt. Évidemment l'art. 1887 ne statue que pour le cas le plus fréquent.

(2) Il eût été plus exact de dire, avec l'art. 1878 , qu'on ne peut prêter ce qui est dans le commerce. — On trouve dans plusieurs titres du Code une disposition semblable (voy. 1598, 1713, 1833).

= On est toujours censé stipuler pour soi, ses héritiers ou ayants cause, à moins que le contraire ne soit exprimé ou ne résulte de la nature de la convention (1122).

Les tribunaux sont appréciateurs des circonstances : ex., je prête un livre à l'un de mes amis ; il est évident que je n'ai en vue que cet ami : s'il vient à mourir, ses héritiers ne pourront conserver le livre : — mais si j'ai prêté un cheval pour labourer un champ, les héritiers de l'emprunteur conserveront mon cheval tant que le champ ne sera pas labouré ; car, en faisant ce prêt, j'ai moins considéré la personne du défunt que l'intérêt de son patrimoine.

SECTION II.

Des engagements de l'emprunteur.

= L'emprunteur est tenu de veiller en bon père de famille, à la garde et à la conservation de la chose ; il ne peut l'employer qu'à l'usage déterminé par sa nature ou par la convention ; il doit la restituer *in individuo* au jour déterminé.

Le prêteur supporte la perte arrivée par cas fortuit ; mais cette règle souffre exception dans les cas suivants :

1° Lorsque la perte est arrivée par suite d'une faute commise par l'emprunteur, par ex., s'il a employé la chose à un usage autre que celui pour lequel il l'a reçue.

2° Lorsque l'accident qui a causé la perte, est arrivé depuis l'époque fixée pour la restitution : l'emprunteur doit alors s'imputer de s'être servi de la chose plus longtemps qu'il ne le devait.

Toutefois, on doit décider, conformément aux principes généraux, que la perte sera pour le prêteur, s'il est prouvé que la chose eût péri entre ses mains alors même que l'emprunteur ne l'eût pas détournée de sa véritable destination, ou qu'elle eût été restituée au jour fixé (1).

3° Lorsqu'il a pris sur lui les risques de la chose : cette convention n'a rien de contraire à l'équité (1883) : en effet, dès le moment où rien n'oblige à prêter, pourquoi refuserait-on au prêteur la faculté de stipuler qu'il ne sera pas tenu des risques ?

4° Lorsqu'il aurait pu garantir la chose prêtée en employant la sienne propre.

5° En cas de force majeure, s'il a laissé périr la chose prêtée pour sauver celle qui lui appartient (1882).

(1) Duvergier, n. 62 et suiv. ; Delv., p. 196, n. 6. ⁓ Dur., n. 52, pense que l'emprunteur est tenu des cas fortuits, par cela seul qu'il s'est servi de la chose plus longtemps qu'il ne le devait, lors même qu'elle eût péri entre les mains du prêteur, si elle lui eût été restituée : cependant, ajoute cet auteur, le cas de mort naturelle d'un animal n'est pas au nombre des cas fortuits dont l'emprunteur doit répondre. Plus loin, au n. 518, il développe sa doctrine à l'occasion de l'espèce suivante : la règle qui rend l'emprunteur responsable, lorsqu'il s'est servi de la chose plus longtemps qu'il ne le devait, doit-elle être modifiée, lorsqu'il a eu juste sujet de croire, à raison de ses relations d'amitié avec le prêteur, que ce dernier aurait consenti à ce surcroît d'usage ? Suivant Pothier, n. 21, si l'emprunteur savait au moment du prêt, qu'il pourrait avoir besoin de la chose pour ce surcroît d'usage, il est en faute de ne pas l'avoir déclaré ; cette réticence a pour effet de mettre la perte à sa charge ; mais s'il n'a pu prévoir, lors du prêt, l'événement qui l'a déterminé à conserver la chose, il doit être dégagé de la responsabilité des cas fortuits. — Duranton admet la première décision, mais il oppose à la deuxième l'art. 1891, qui déclare, sans restriction ni modification, que si l'emprunteur employe la chose plus longtemps qu'il ne le devait, il est tenu de la perte arrivée par cas fortuit ; il ajoute, que l'opinion de Pothier, reposant sur une supposition d'intention de la part du prêteur, est d'une application trop difficile dans la pratique pour qu'on puisse l'admettre.

Lorsque plusieurs ont emprunté conjointement, tous sont solidairement responsables.

L'emprunteur supporte les réparations d'entretien, mais celles qui ont eu pour but la conservation ou l'amélioration de la chose sont à la charge du prêteur.

La nature du contrat de prêt s'oppose à ce que l'emprunteur puisse retenir la chose par compensation de ce que le prêteur lui doit.

1880 — L'emprunteur est tenu de veiller en bon père de famille à la garde et à la conservation de la chose prêtée. Il ne peut s'en servir qu'à l'usage déterminé par sa nature ou par la convention ; le tout à peine de dommages-intérêts, s'il y a lieu.

= L'emprunteur doit veiller en bon père de famille à la garde et à la conservation de la chose : mais rappelons-nous que cette obligation est plus ou moins étendue relativement à certains contrats (1137) : or le prêt à usage est un de ceux dans lesquels on doit l'interpréter à la rigueur, car ce contrat se forme ordinairement pour le seul intérêt de l'obligé.

Il ne suffit donc pas à l'emprunteur, pour s'affranchir de tout recours, de donner à la conservation de la chose, autant de soins qu'à celles qui lui appartiennent, ou même les soins ordinaires d'un bon père de famille : il doit apporter la plus grande vigilance (*exactissimam diligentiam*) ; les soins que les personnes les plus attentives donnent à leurs affaires : on ne lui pardonnerait pas de petites négligences qu'un père de famille peut se permettre sans cesser d'être bon administrateur : il répond de toutes espèces de fautes ; même de celle que certains auteurs qualifient de très-légère (*levissima*) : il est même responsable de la perte arrivée par cas fortuit, s'il a pu garantir la chose prêtée en employant la sienne propre ; ou si ne pouvant conserver que l'une des deux il a préféré la sienne (1882).

An surplus, les tribunaux doivent, dans l'appréciation des fautes, avoir égard à l'âge et à l'expérience de l'emprunteur : par ex., si le prêt a pour objet un cheval, tels faits qu'on ne pourra reprocher à un enfant ou à une personne qui n'a pas la connaissance des chevaux, constitueront une faute grave de la part d'un écuyer.

Toujours par suite du même principe, si la chose prêtée a été dérobée, quand même ce serait par les enfants ou par les domestiques du prêteur, l'emprunteur doit en répondre, car le vol simple ne peut guère arriver sans quelque défaut de soins ou de précautions.

Mais il peut se faire décharger, en prouvant qu'il n'y a eu de sa part aucune faute ; par ex., que le vol a été commis avec effraction.

L'emprunteur qui paye le prix de la chose perdue ou volée, est subrogé aux actions du prêteur contre ceux qui la détiennent : s'il parvient à retrouver cette chose, il en devient propriétaire. — Mais alors, a-t-il le droit de répéter le prix, en offrant de la restituer ? Non : il doit la garder, car le prêteur a pu s'en procurer une autre.

Le principe que l'emprunteur est tenu de la faute la plus légère, reçoit exception dans deux cas : 1° quand il a été convenu qu'il ne devra que des soins ordinaires : l'emprunteur peut même valablement stipuler qu'il ne répondra d'aucune faute ; il ne doit alors que de la bonne foi. — 2° Lorsque le prêt a été fait pour l'intérêt commun des deux parties : les soins qui lui sont imposés sont alors ceux d'un bon père de famille ; il n'est plus responsable que de sa faute ordinaire (1).

Les obligations de l'emprunteur s'étendent à tous les accessoires de la chose ; par ex., si vous me prêtez une jument qui est encore suivie de son poulain, je serai tenu de donner des soins à ce poulain.

La perte causée par force majeure, ou arrivée par cas fortuit (1148, 1302), est supportée par le prêteur, encore que ce soit le prêt qui ait donné lieu à l'accident : en prêtant une chose, on prend tacitement sur soi tous les risques qu'elle pourra courir : ex., j'emprunte un cheval pour faire un voyage ; des voleurs m'arrêtent et le tuent : le prêteur n'aura pas d'action contre moi.— Cette règle générale, commune à tous les contrats, souffre exception : 1º lorsque l'emprunteur a spécialement répondu des cas fortuits (1883) ; 2º lorsque le cas fortuit a été précédé d'une faute de sa part sans laquelle la perte n'aurait pas eu lieu : ainsi, dans l'espèce précédente, si j'avais pris un chemin de traverse, au lieu de suivre la route ordinaire ; ou si j'avais voyagé à des heures indues, il n'est pas douteux que je devrais des dommages-intérêts ; 3º lorsque le cas fortuit est survenu après l'époque fixée pour la restitution ; à moins qu'il ne soit prouvé que la chose eût également péri entre les mains du prêteur (Arg. de l'art. 1881); 4º enfin, dans les cas prévus par l'art. 1882.

L'emprunteur ne doit se servir de la chose prêtée que pour l'usage déterminé par la convention : je vous prête un cheval de selle, vous ne pourrez le mettre à la voiture : je vous prête ma voiture pour aller à Paris, vous ne pourrez vous en servir pour aller à Lyon.

L'usage abusif constitue une faute : appliquant à l'emprunteur les règles générales, nous déciderons, que cette faute le rend responsable de la perte arrivée par cas fortuit ou force majeure ; mais qu'il peut échapper à cette responsabilité, en prouvant que la chose eût péri entre les mains du prêteur, quand même la faute n'eût pas été commise (1302).

Il doit rendre la chose à l'époque fixée par la convention : la seule échéance du terme fixé pour la restitution le constitue en demeure, et met par suite les risques à sa charge à partir de cette époque (1881). — Les lois romaines, et même notre ancienne jurisprudence, permettaient en ce cas de le poursuivre comme voleur ; sous l'empire du code, il est seulement tenu d'indemniser le prêteur. — Appliquez cette observation au cas où l'emprunteur a employé la chose à un usage autre que celui pour lequel elle a été prêtée.

L'emprunteur ne pourrait conserver la chose au delà du terme convenu, quand même la restitution immédiate devrait lui causer un grave dommage ; néanmoins, si le prêteur n'avait point d'intérêt à ce qu'elle lui fût remise, l'équité voudrait qu'il accordât à l'emprunteur un nouveau délai (Pothier, n. 42).

La chose doit être rendue *in individuo :* c'est là un des caractères du commodat.

Elle doit être rendue en bon état : nous verrons toutefois, que l'em-

<hr/>

(1) (Pothier, n. 51 ; Dur., n. 522). On sera plus sévère pour l'emprunteur qui aura reçu un prêt dans son seul intérêt, que pour celui qui aura agi en même temps dans son intérêt et dans celui du prêteur. La rigueur devra être moindre encore, si le prêt a eu lieu dans l'intérêt exclusif du prêteur ; mais les différents degrés de gravité des fautes ne sont pas assez bien déterminés pour que l'on puisse établir en principe que l'emprunteur sera tenu de telle ou telle faute, selon l'utilité qu'il trouvera dans le prêt (Duvergier, n. 56).

prunteur n'est pas tenu de la détérioration causée par le seul effet de l'usage auquel la chose est destinée (1884). — Quand aux réparations d'entretien, elles sont à sa charge; et si les détériorations conséquences naturelles de l'usage, se trouvent aggravées par suite de la négligence qu'il a mise à faire ces sortes de réparations, il répond de cette aggravation (1886).

L'emprunteur doit restituer la chose prêtée avec ses accessoires, et tenir compte des fruits qu'elle a produits pendant qu'elle était entre ses mains; car le prêteur n'a pas prêté les fruits.

L'action en restitution est imprescriptible, puisque l'emprunteur détient à titre précaire; mais l'action en dommages-intérêts se prescrit par 30 ans, comme toutes les autres actions personnelles.

Enfin, la chose doit être restituée au lieu fixé par la convention; et à défaut de convention, au domicile que le prêteur avait lors du prêt, ou même à son nouveau domicile, s'il n'est pas éloigné de l'ancien.

Si l'emprunteur manque aux obligations qui lui sont imposées, le prêteur peut demander la dissolution du contrat, et même, selon les circonstances, des dommages-intérêts.

— Si le prêt a été fait spontanément par le prêteur au lieu d'être sollicité pour l'emprunteur, la responsabilité de celui-ci est-elle aussi étendue ? ⟶ Cette circonstance ne peut être prise en considération : le bienfait est d'autant plus grand, il impose d'autant plus de reconnaissance, qu'il a été spontané (Duvergier, n. 88).

Si l'emprunteur a lieu de craindre que le prêteur ne fasse un mauvais usage de la chose restituée, il est fondé à différer la restitution ? ⟶ L'emprunteur agira d'une manière louable en différant (Duvergier, n. 90).

Si l'emprunteur détourne frauduleusement la chose prêtée, ce fait rentre-t-il dans les dispositions de l'art. 408 du Code pénal ? ⟶ A. Sans doute le cas n'est pas prévu par la loi pénale, mais à n'en pas douter, cet article a eu pour but d'atteindre et de réprimer tout détournement frauduleux d'un objet confié à la bonne foi d'une personne quelconque (Cass., 22 juin 1839; S., 391, 629; D., 39, 1, 352). ⟶ L'obligation imposée à l'emprunteur de rendre la chose prêtée, n'est point un motif suffisant pour changer le prêt en dépôt (Duvergier, n. 94).

1881. — Si l'emprunteur emploie la chose à un autre usage, ou pour un temps plus long qu'il ne le devait, il sera tenu de la perte arrivée, même par cas fortuit.

= Dans les deux cas prévus par notre article, l'emprunteur manque aux obligations qu'il s'est imposées et encourt la responsabilité de la perte. Ici s'élève la question de savoir, si la seule échéance du terme suffira pour mettre les cas fortuits à la charge de l'emprunteur, ou s'il faudra une mise en demeure? On décide qu'il y a lieu d'appliquer ici la maxime *dies pro homine interpellat* : ainsi, l'emprunteur se met de lui-même en demeure en ne restituant pas la chose au jour fixé; c'est là une dérogation à la règle de l'art. 1139; le législateur a sans doute pensé, que l'emprunteur doit, en reconnaissance du bienfait qu'il reçoit, se montrer d'une exactitude scrupuleuse dans l'accomplissement des devoirs qu'il s'est imposés.

1882 — Si la chose prêtée périt par cas fortuit dont l'emprunteur aurait pu la garantir en employant la sienne propre, ou si, ne pouvant conserver que l'une des deux, il a préféré la sienne, il est tenu de la perte de l'autre.

= Rappelons-nous, que l'emprunteur est tenu d'apporter le plus grand soin à la conservation de la chose (*exactissimam diligentiam*): appliquant ce principe, notre article établit deux exceptions à la règle qui laisse à la charge du prêteur la perte arrivée par cas fortuit ou causée par une force majeure :

1° Lorsque l'emprunteur aurait pu garantir la chose d'autrui en em-

ployant la sienne propre ; ce qu'il faut entendre sous certaines distinctions :
Si l'emprunteur a dissimulé au prêteur le danger auquel il voulait exposer
la chose prêtée et soustraire la sienne, cette espèce de dol est une raison
décisive pour mettre la perte à sa charge. Mais s'il a été de bonne foi, au
moment où le prêt a eu lieu ; c'est-à-dire, s'il n'a point caché au prêteur
qu'il avait une chose propre au même usage, il n'est responsable, qu'autant
que pouvant prévoir le danger que devait courir la chose dont il se servait, il
a précisément employé celle qui lui a été prêtée pour ne pas exposer la sienne :
l'emprunteur est alors devenu plus riche, *quatenus rem suam salvam
fecit ;* or, l'équité ne permet pas que l'on s'enrichisse aux dépens d'autrui :

2° Si, ne pouvant conserver que l'une des deux choses, l'emprunteur
a préféré conserver la sienne : ici, on suppose, qu'il a eu le choix, et qu'il
a exercé ce choix au détriment du prêteur (1). — Ex. : vous m'avez prêté
votre cheval ; le feu prend à l'écurie où il se trouve avec un autre cheval
qui m'appartient : obligé de laisser périr l'un ou l'autre, je sauve le mien :
vous pourrez exiger des dommages-intérêts ; car je devais donner à la
chose prêtée plus de soins qu'à celle qui m'était propre. — Mais si l'emprunteur n'a pas eu le choix ; par ex., toujours dans le cas d'incendie, s'il
a pris, en se sauvant, la première chose qui s'est présentée, la perte de la
chose prêtée ne sera point à sa charge.

Observons surtout, que la loi statue pour le cas seulement où le prêt
ne concerne que l'intérêt de l'emprunteur : s'il avait eu lieu dans l'intérêt
des deux parties, on rentrerait dans la règle générale ; l'emprunteur ne
serait plus responsable de la faute très-légère, *levissima culpa ;* il lui
suffirait, pour se trouver à l'abri de tout reproche, d'avoir donné à la
chose les soins d'un bon père de famille : ainsi, dans l'exemple ci-dessus,
on ne pourrait exiger de lui aucune indemnité, à raison de la perte du
cheval prêté.

— *Quid*, si l'emprunteur a laissé périr une chose de peu de valeur, qui lui était prêtée ; par ex., une
table, un livre, etc., pour sauver ses papiers ou autres choses de la plus haute importance ? ⟶ On
peut dire, avec Pothier, n. 56, que la loi ne distingue pas ; que sa disposition est générale et absolue :
mais évidemment, ce serait fausser son esprit : il faut reconnaître, que dans notre espèce, moralement
parlant, l'emprunteur n'a pas eu le choix (Dur., n. 527). ⟶ Bien plus, la différence de valeur entre
la chose de l'emprunteur et la chose prêtée, justifie la préférence accordée à la première. Notre texte
doit s'appliquer dans les seules occasions où les choses étant d'égale valeur, la préférence pour la chose
prêtée blesse moins vivement le sentiment qui porte chacun à placer son intérêt avant celui d'autrui
(Duvergier, n. 66 et suiv.).

1883 — Si la chose a été estimée en la prêtant, la perte qui
arrive, même par cas fortuit, est pour l'emprunteur, s'il n'y
a convention contraire.

═ Notre article fixe un point qui était controversé sous l'ancienne jurisprudence : quelques auteurs, et de ce nombre était Pothier (n. 62), prétendaient que l'estimation ne suffisait pas, pour mettre les cas fortuits et
les accidents de force majeure à la charge de l'emprunteur : il fallait, suivant eux, que le prêteur manifestât formellement sa volonté à cet
égard. Le Code n'a point admis ces principes : assurément, il ne considère

(1) Il est naturel de préférer son propre bien à celui d'autrui ; dans l'espèce, il semblerait dès lors, que
l'emprunteur ne dût pas être responsable : cependant, la loi décide le contraire. Cette disposition forme
exception à la règle qui laisse la perte arrivée par cas fortuit ou par force majeure, à la charge du prêteur : en effet, on ne peut, sans fausser les idées, prétendre que l'accident qui fait périr la chose prêtée
n'est pas un cas fortuit ou un événement de force majeure ; d'un autre côté, il n'y a, dans l'hypothèse prévue,
ni négligence ni imprudence à reprocher à l'emprunteur (Duvergier, n. 66). ⟶ La responsabilité de
l'emprunteur est engagée, parce qu'il y a eu faute de sa part : en effet, il doit à la conservation de la
chose prêtée, plus de soins qu'à celles qui lui sont propres : la préférence qu'il a manifestée pour ces
dernières le constitue en faute ; il est juste de le punir (Dur., n. 526).

pas l'estimation comme équivalant à une vente, comme transportant la propriété à l'emprunteur; mais il présume qu'elle a eu pour but de mettre l'emprunteur, à tout événement, dans l'obligation de rendre intacte la chose prêtée, ou d'en payer le prix si elle a péri.

Par suite, nous pensons, que l'estimation donnée à la chose, en la prêtant, rend l'emprunteur responsable de la détérioration : il y a même raison que pour le cas de perte.

Quel est l'effet de l'estimation, s'il est dit qu'elle n'a pas pour objet de mettre les cas fortuits à la charge de l'emprunteur? On présume alors que les parties ont voulu déterminer d'avance la somme que pourra exiger le prêteur, au cas où la perte sera causée par la faute de l'emprunteur (Duvergier, n. 71).

— Si la chose a été détériorée par le fait de l'emprunteur, le prêteur peut-il en demander le prix avec des dommages-intérêts, et offrir d'abandonner cette chose à l'emprunteur? ∿ Il faut distinguer : si la chose, quoique détériorée, peut encore servir à son usage ordinaire, le prêteur a seulement le droit de se faire tenir compte de la moins value ; mais, si la détérioration est tellement considérable que la chose ne puisse plus servir commodément, le prêteur peut exiger le prix de la chose, en l'abandonnant à l'emprunteur. Arg. de l'art. 1636 (Pothier, n. 70 ; Delv., p. 197, n. 4 ; Duvergier, n. 80).

1884 — Si la chose se détériore par le seul effet de l'usage pour lequel elle a été empruntée, et sans aucune faute de la part de l'emprunteur, il n'est pas tenu de la détérioration.

== Hors les cas exceptionnels énoncés dans les art. 1881-1883, l'emprunteur n'est pas tenu de la détérioration survenue sans qu'il y ait eu faute de sa part; car en consentant à ce qu'on se servît de sa chose, le prêteur a pris tacitement sur lui les détériorations ou les dégradations que l'usage pourra occasionner. Mais il faut que ce soit l'usage déterminé par la convention ou par la nature de la chose, qui ait causé le dommage ; il faut en outre que ce soit un usage ordinaire, tel qu'un bon père de famille ferait de sa propre chose; autrement, l'emprunteur serait responsable.

Les dépenses d'entretien, c'est-à-dire, celles qu'il faut faire pour user de la chose; celles sans lesquelles l'usage serait impossible ou nuisible, sont évidemment à la charge de l'emprunteur.

1885 — L'emprunteur ne peut pas retenir la chose par compensation de ce que le prêteur lui doit (1).

== La loi mettant *la restitution* au nombre des conditions essentielles du prêt à usage, il est évident que l'emprunteur manquerait à l'obligation qu'il a contractée, s'il retenait la chose par compensation de ce que le prêteur lui doit. — D'ailleurs, le prêt à usage a toujours pour objet un corps certain, lors même qu'il s'agit de deniers empruntés *ad ostentationem*; or, nous savons, que la compensation légale n'est point applicable, quand les dettes ont pour objet des corps certains (1271): l'art. 1293 déclare même formellement, qu'on ne peut opposer la compensation à la demande en restitution d'un dépôt, ou du *prêt à usage* (2).

(1) Il faut corriger l'art. 1885 et dire : l'emprunteur ne peut pas retenir la chose prêtée *en nantissement* de ce que le prêteur lui doit.

(2) Il en serait ainsi, lors même que l'emprunteur serait créancier à son choix d'une chose du même genre que la chose prêtée; car le prêt est un contrat de bienfaisance, un acte de confiance; ce serait méconnaître son essence, et jusqu'à un certain point donner ouverture au dol, que de dispenser l'emprunteur de l'obligation de restituer

Cette disposition serait donc inutile, si l'on ne supposait au législateur d'autre intention que celle de rappeler ce principe : il est présumable, qu'il a voulu interdire à l'emprunteur la faculté de retenir la chose *en nantissement* d'une créance qu'il aurait contre le prêteur (1).

Puisque ce but est le seul que le législateur ait eu en vue dans l'art. 1885, il faut décider, que le prêteur pourrait opposer à l'emprunteur la compensation : l'art. 1885 ne met pas obstacle à la compensation facultative.

Toutefois, nous ne voyons pas ce qui s'opposerait à ce que l'emprunteur fît une saisie-arrêt entre ses mains (822, 823, Pr.) ; il nous paraît même conforme aux principes, de lui accorder le droit de retenir la chose, jusqu'au remboursement des dépenses qu'il a faites pour la conserver (Arg. des art. 1890, 1891, 1948, 2102, n. 3 (2).

— *Quid*, si la chose prêtée n'existant plus, la dette est convertie en dommages-intérêts, liquidés en une somme d'argent, la compensation légale aura-t-elle lieu? *A.* ⚘ Si les dommages-intérêts ne sont pas liquidés, l'emprunteur peut opposer sa créance au prêteur comme demande reconventionnelle? ⚘ (Dur., n. 557; Delv., p. 197; n. 9; Pothier, Prêt à usage, n. 44).

Quid, si la chose a péri depuis que les dépenses ont été faites? ⚘ Si la perte est arrivée par cas fortuit, l'emprunteur peut toujours réclamer le remboursement de ces dépenses (Delv., p. 198, n. 1).

1886 — Si, pour user de la chose, l'emprunteur a fait quelque dépense, il ne peut pas la répéter.

= L'emprunteur doit supporter les dépenses qu'il a faites dans son propre intérêt, pour user de la chose : par ex., si vous me prêtez un cheval, je devrai le nourrir, l'entretenir de fers, etc. ; si vous me prêtez un appartement, je serai tenu des réparations locatives.

Mais les impenses extraordinaires, c'est à-dire, celles qui ont pour but la conservation ou l'amélioration de la chose, sont à la charge du prêteur (*voy.* 1890) : par ex., si le cheval est atteint d'une maladie extraordinaire, ou si j'ai été forcé de faire de grosses réparations pour prévenir la ruine d'un bâtiment, le prêteur devra m'indemniser.

1887 — Si plusieurs ont conjointement emprunté la même chose, ils en sont solidairement responsables envers le prêteur.

= En principe, la solidarité ne se présume pas (1202); mais cette règle souffre exception en matière de prêt : la responsabilité ne se divise pas entre les divers emprunteurs ; le prêteur est censé avoir livré la chose en totalité à chacun d'eux : par ex., si je prête ma voiture à deux personnes, pour faire un voyage, l'une et l'autre seront solidairement soumises à l'action en restitution et à la réparation du dommage que la voiture aura éprouvé, lors même que ce dommage résulterait du fait de l'une d'elles.

Quid si l'un des emprunteurs est mort laissant plusieurs héritiers? chacun

---

(1) Toullier, t. 7, n. 383 ; Duvergier, n. 91. ⚘ Suivant Delvincourt, t. 2, p. 178 et t. 3, p. 197, n. 9. L'art. 1885 prévoit le cas où la chose a péri. — Dans cette hypothèse, il prohibe la compensation entre l'indemnité que doit l'emprunteur et les créances qu'il peut avoir contre le prêteur : mais évidemment, une semblable interprétation, à laquelle on n'arrive qu'en forçant les termes de l'art. 1293, 2°, est contraire à l'esprit de la loi : dès lors que l'obligation de l'emprunteur est convertie en une dette de dommages-intérêts, liquidés à une somme d'argent, elle est susceptible de compensation, de même que les autres sommes d'argent.

(2) Pothier, n. 43 et 80; Toullier, n 84; Duvergier, n. 92, Delv., t. 1, p. 410, Troplong, Hyp., n. 174 et suiv. ⚘ La loi donne bien cette faculté au dépositaire; mais elle ne l'accorde pas à l'emprunteur (Dur., n. 538 et 541, t. 17, n. 450, t. 12).

d'eux ne sera tenu que pour sa part. Toutefois, cette règle souffre exception dans deux cas : 1° lorsque la chose est tombée dans un seul lot : l'héritier appelé à recueillir ce lot, peut être assigné seul, sauf son recours contre ses cohéritiers (1221, n. 2); 2° lorsqu'elle a péri par la faute de l'un d'eux : celui-ci est alors seul tenu (1221).

Remarquons surtout, que la loi ne prononce la responsabilité solidaire qu'entre les emprunteurs : s'il existait plusieurs prêteurs, ou ce qui revient au même, plusieurs héritiers du prêteur, l'emprunteur ne pourrait donc les poursuivre solidairement à raison des avances qu'il aurait faites pour conserver la chose ; mais seulement pour leur part et portion.

SECTION III.

Des engagements de celui qui prête à usage.

Les obligations du prêteur sont la suite nécessaire du service qu'il a voulu rendre : — les unes résultent du consentement qu'il donne tacitement en livrant la chose (1888 et 1889); les autres naissent de l'équité (*voy.* art. 1890 et 1891).

1888 — Le prêteur ne peut retirer la chose prêtée qu'après le terme convenu, ou, à défaut de convention, qu'après qu'elle a servi à l'usage pour lequel elle a été empruntée.

= Le prêteur ne contracte pas, comme le bailleur, l'obligation de faire jouir (*præstare uti licere*) : son rôle est purement passif; il s'interdit seulement tout acte qui pourrait empêcher l'usage de la chose.

De cette obligation, naît en faveur de l'emprunteur, une exception, pour repousser la demande que formerait le prêteur, à l'effet de se faire restituer la chose avant l'expiration du temps convenu, ou avant qu'elle eût servi à l'usage pour lequel elle a été empruntée.

En cas de trouble causé par un tiers, on distingue : si le prêteur a été de bonne foi, l'emprunteur n'a point d'action en garantie contre lui : sous ce point de vue, le prêt à usage diffère du louage, il ne serait pas juste que le bienfait devînt préjudiciable au bienfaiteur. Si le prêteur a été de mauvaise foi, c'est-à-dire, s'il a prêté la chose comme sienne, sachant qu'elle ne lui appartenait pas, et que le propriétaire l'ait réclamée, l'emprunteur peut exiger des dommages-intérêts.

L'emprunteur doit restituer la chose à l'époque déterminée par la convention : néanmoins, lorsqu'il n'y a ni terme fixé, ni usage déterminé, ou même, lorsqu'un terme ayant été fixé, ce terme est expiré, l'équité veut que l'on diffère la restitution quand elle ne peut s'opérer sans causer à l'emprunteur un grave préjudice : le juge prend en considération l'intérêt que peut avoir le prêteur à recouvrer immédiatement sa chose, et le dommage que cette restitution immédiate pourra causer à l'emprunteur.

1889 — Néanmoins si, pendant ce délai ou avant que le besoin de l'emprunteur ait cessé, il survient au prêteur un besoin pressant et imprévu de sa chose, le juge peut, suivant les circonstances, obliger l'emprunteur à la lui rendre.

= L'art. 1889 déroge aux principes généraux des obligations, car il dispense l'une des parties de remplir ses engagements, uniquement parce qu'elle a intérêt à ne pas les exécuter. Cette dérogation s'explique, par la faveur que mérite le prêteur, et surtout, par l'intention qu'on doit lui supposer de n'avoir consenti au prêt que sous la réserve tacite de reprendre sa chose, si par suite d'un événement imprévu, elle lui devient indispensable. — Puisque l'art. 1889 est exceptionnel, il faut le renfermer dans ses termes : or, il n'autorise la restitution, qu'autant que le besoin du prêteur est *pressant ;* et alors même qu'il a ce caractère, il faut encore *qu'il n'ait pu être prévu.* — Les tribunaux sont appréciateurs des circonstances ; ils doivent avoir égard au préjudice qu'une restitution immédiate pourra causer à l'emprunteur ; au besoin ils peuvent l'autoriser, suivant les cas, à fournir une chose semblable, dont le prêteur se servira en attendant la restitution (1).

— Le prêteur pourrait-il agir avant l'expiration du terme, si l'usage pour lequel la chose a été prêtée, était entièrement achevé ? ∿ *A.* Le but du contrat est atteint : l'emprunteur ne peut retenir une chose qui lui est devenue inutile (Pothier, n. 26).

1890 — Si, pendant la durée du prêt, l'emprunteur a été obligé, pour la conservation de la chose, à quelque dépense extraordinaire, nécessaire, et tellement urgente qu'il n'ait pas pu en prévenir le prêteur, celui-ci sera tenu de la lui rembourser.

= L'emprunteur est tenu des impenses ordinaires, c'est-à-dire, de celles qui sont une charge naturelle de l'usage (1886), mais le prêteur, demeurant propriétaire, supporte les impenses nécessaires ; dès lors, l'emprunteur doit pouvoir répéter les avances qu'il a faites pour cet objet. Toutefois, son action est subordonnée au concours de trois conditions : il faut 1° que les dépenses soient extraordinaires ; 2° qu'elles aient été commandées par la nécessité ; 3° que l'urgence se soit fait tellement sentir qu'il ait été impossible de prévenir le propriétaire. — La loi n'autorise que sous ces trois conditions la réclamation des sommes avancées.

Exemple : vous me prêtez un cheval pour entreprendre un voyage : il est d'abord évident que je supporterai les frais de nourriture, comme charges de la jouissance ; mais si ce cheval tombe malade, j'aurai droit au remboursement des dépenses que sa maladie m'aura occasionnées, encore que je ne sois point parvenu à le sauver. Toutefois, si la maladie avait été peu grave, et qu'elle n'eût donné lieu qu'à des dépenses légères, on décide que l'emprunteur n'aurait droit à aucune indemnité.

Le prêteur ne pourrait abandonner la chose pour se soustraire au remboursement des impenses nécessaires : débiteur d'une somme d'argent, il doit en payer le montant. La restitution volontaire de la chose, n'emporte

(1) Pothier, n. 25 ; Dur., n. 546. ∿ La loi autorise bien le juge à ordonner la restitution de la chose prêtée, mais elle ne lui permet pas de décider qu'elle n'aura pas lieu, et de prescrire en même temps des mesures équivalant à une condamnation en dommages-intérêts pour défaut de restitution (Duvergier, n. 107).

contre l'emprunteur aucune fin de non recevoir : renoncer à la garantie
de la créance, ce n'est pas renoncer à la créance elle-même.

Le prêteur continuant d'être propriétaire, peut seul faire des changements ou améliorations suivant sa convenance particulière ; ce droit est
refusé à l'emprunteur.

Un privilége est accordé à l'emprunteur par l'art. 2102 , n. 3 pour sûreté du remboursement de ce qui lui est dû. — Nous pensons même qu'il
a le droit de rétention (*Voy.* nos observations sur les art. 1885, 2094 et 2102).

1891 — Lorsque la chose prêtée a des défauts tels, qu'elle
puisse causer du préjudice à celui qui s'en sert, le prêteur
est responsable, s'il connaissait les défauts et n'en a pas
averti l'emprunteur.

= L'action à laquelle cet article soumet le prêteur, naît plutôt du
dol que de la nature du contrat : dès lors, si les vices étaient notoires, on
n'aurait contre lui aucun recours (Arg. de l'art. 1642).

Pourquoi l'emprunteur est-il seulement tenu des vices qui étaient à sa
connaissance, tandis que le vendeur et le bailleur sont tenus même de
ceux qui leur étaient inconnus ? Parce que le prêteur est assimilé au donateur : or, il est de principe que la garantie n'a pas lieu contre le donateur.

CHAPITRE II.

Du prêt de consommation, ou simple prêt.

Le prêt de consommation (*mutuum*), est un contrat, ou de bienfaisance, ou à titre onéreux, suivant qu'il y a ou non des intérêts stipulés :
La *gratuité* tient à sa nature, mais elle n'est pas de son essence : on peut
stipuler des intérêts pour un prêt, soit d'argent, soit de denrées (*voy.* 1905).
Ce contrat suppose un usage qui doit détruire les choses prêtées ; l'emprunteur en acquiert la propriété ; il est seulement tenu de rendre des
choses de même espèce, en même nombre et qualité. Sous ces divers rapports le prêt de consommation diffère essentiellement du commodat : rappelons-nous, en effet, que le commodat est essentiellement gratuit ; qu'il
suppose un usage qui laisse subsister la chose prêtée ; que le prêteur conserve la propriété de cette chose ; que l'emprunteur doit la rendre identiquement.

Ce chapitre est divisé, comme le précédent, en trois sections : la loi
détermine dans la première, le caractère du prêt de consommation ; la
deuxième, est relative aux obligations du prêteur ; et la troisième, à celles
de l'emprunteur.

SECTION I.

De la nature du prêt de consommation.

1892 — Le prêt de consommation est un contrat par lequel
l'une des parties livre à l'autre une certaine quantité de

choses qui se consomment par l'usage (1), à la charge par cette dernière de lui en rendre autant de même espèce et qualité.

= Quatre conditions sont de l'essence du prêt de consommation ; il faut :

1° Qu'une certaine quantité de choses soit livrée : ce prêt, comme le commodat, ne se réalise que par la tradition (2) : si je promets de vous prêter demain une certaine somme, et que des voleurs m'enlèvent cette somme aujourd'hui, la perte sera par conséquent supportée par moi, attendu qu'il n'y avait pas encore de contrat formé au moment où l'événement est arrivé.

2° Que la propriété de ces choses soit transférée à l'emprunteur (1893) : cette translation de propriété forme le caractère distinctif du prêt de consommation ; c'est de là que lui vient le nom de *mutuum : appellata est mutui datio ab eo quod de me tuum fit.* — Dans le commodat, au contraire, la propriété reste au prêteur.

La maxime en *fait de meubles*, etc., consacrée par notre Droit français (2279), doit faire décider, que si la chose a été donnée à titre de prêt de consommation, même par un autre que le propriétaire, l'obligation de rendre l'équivalent se contracte immédiatement après la tradition, pourvu que l'emprunteur l'ait reçue de bonne foi, et qu'elle n'ait été ni perdue, ni volée : il n'est pas nécessaire que la consommation ait eu lieu, comme semble l'exiger l'article 1238.

En droit rigoureux, on est même fondé à soutenir, que dans aucun cas, l'emprunteur, ne peut être tenu de l'action de prêt envers d'autres que le prêteur.

3° Que les choses prêtées soient fongibles (3) : toutes celles qui sont susceptibles de se consommer par l'usage, peuvent être l'objet de ce prêt, qu'elles se consomment naturellement, comme le blé, le vin, l'huile ; fictivement, comme du numéraire, du papier qu'on emploie pour écrire ou pour imprimer ; ou par le changement de forme, comme le fer, le plomb, le drap, la toile, etc.

Mais il ne faut pas croire que ce soient les seules : les choses mêmes qui ne sont pas susceptibles de se consommer, mais qui, dans l'intention des parties, doivent être remplacées par d'autres, peuvent devenir également l'objet du *mutuum.*

Vice versâ : les choses qui se consomment, deviennent l'objet du prêt à usage, lorsqu'elles sont prêtées seulement pour la montre, *ad ostentationem*, pour être rendues *in individuo.*

On peut aussi prêter des animaux, en les considérant, non comme individus, mais comme quantité, et à raison de l'espèce (1894).

4° Que l'emprunteur s'oblige à rendre une *égale quantité* de choses *de même espèce et qualité.*

(1) Cette définition est vicieuse, en ce qu'elle indique comme exclusivement susceptible du prêt de consommation, la chose qui se consomme par l'usage : la définition suivante eût été plus exacte : « Le prêt de consommation est un contrat par lequel une partie s'oblige à rendre des choses de même espèce, de même qualité, et en même nombre que celles qui lui sont livrées, soit gratuitement, soit moyennant une redevance, pour en faire un usage qui les consomme. » (Duvergier.)

(2) Cependant, ne concluons pas de là que ce prêt soit un contrat *réel* dans le sens du droit romain, assurément le prêt ne se forme que par la remise de la chose à l'emprunteur : mais la convention n'est point sans force et sans effet jusqu'au moment de la délivrance : celui qui a reçu la promesse peut en exiger l'accomplissement même *manu militari* (*Voy.* p, 449 , note 3).

(3) Ces choses sont nommées fongibles, du mot latin *fungibiles*, parce que *carum natura est ut aliæ ejusdem generis rerum vice fungantur.*

Une égale quantité : s'il devait rendre plus, ce serait un prêt à intérêt ; s'il devait rendre moins, il y aurait donation. — *De même espèce et qualité :* autrement ce serait ou un échange ou une vente, suivant que l'on s'obligerait à rendre une autre chose ou une somme d'argent.

— Suivant les principes généraux, le prêt ne se forme que par le concours des volontés : mais si l'un des contractants livre à titre de donation une chose qui, dans la pensée de l'autre, lui est seulement prêtée : le contrat vaut-il comme prêt? ⟶ *A.* Si celui qui a reçu la chose l'a consommée avant que celui qui l'a livrée en vue de faire une donation ait changé de volonté, l'acte est valable comme donation : mais tant que les choses sont entières ,ce dernier peut reprêter ce qu'il a livré par l'action *conditio sine causâ* (Pothier, n. 17). ⟶ La distinction faite par Pothier ne peut être admise sous le Code ; on comprend difficilement, que la consommation des espèces avant le changement de volonté puisse valider le contrat comme donation : la donation n'engage le donateur que du jour où elle a été acceptée en termes exprès ; or, on ne peut prétendre que la livraison et la consommation qui l'a suivie emportent une acceptation suffisante. — Il n'y a pas plus de mauvaise foi à changer de volonté, après que les deniers sont consommés, que lorsqu'ils existent encore en nature; au résumé, pour que le prêt soit formé, il ne suffit pas que l'un des contractants ait eu la volonté d'emprunter, il faut de plus que l'autre ait eu l'intention de prêter ; cependant on peut admettre que la volonté de prêter est *à fortiori* contenue dans la volonté de donner (Duvergier, n. 139 et suiv.).

1895 — Par l'effet de ce prêt, l'emprunteur devient le propriétaire de la chose prêtée ; et c'est pour lui qu'elle périt, de quelque manière que cette perte arrive.

⹀ La propriété des choses prêtées doit être transférée à l'emprunteur : ces choses passent à ses risques, à partir de la livraison.

Du principe que la propriété est transférée, il résulte, que le contrat ne pourrait se former, si le prêteur n'était pas propriétaire, ou s'il n'avait pas reçu du propriétaire les pouvoirs nécessaires à cet effet : *in mutuâ datione, oportet dominum esse dantem.* — Mais le propriétaire peut effacer le vice du contrat, en ratifiant ce qui a été fait. Toutefois, comme ce contrat n'a pas été passé en son nom, mais au nom du prêteur, c'est toujours à ce dernier qu'appartiendra l'action de prêt, à charge par lui, de faire raison au propriétaire qui a ratifié ; *quia ratihabitio mandato æquiparatur.*

Si le propriétaire refuse de ratifier, le prêt sera censé fait par celui qui aura livré la chose, et pour son compte, bien qu'il n'ait pas eu cette intention (1) : mais alors, quelle sera la position du propriétaire ? Il agira, soit en son nom personnel, par l'action en revendication, si la chose ayant, été perdue ou volée (2), cette chose se trouve encore entre les mains de l'emprunteur ; soit, dans tous autres cas, en vertu de l'art. 1166, comme exerçant les droits du prêteur (3); sans qu'il y ait lieu de distin-

---

(1) Pothier, n. 33 ; Duvergier, n. 186.

(2) Souvent des obstacles rendront l'action du propriétaire impuissante : en effet, diverses hypothèses pourront se présenter : si la chose prêtée existe encore en nature, ce dernier ne manquera pas d'opposer à l'action en revendication la maxime *en fait de meubles* (2279). En supposant que le prêt soit avoué, s'il a consommé de bonne foi les choses prêtées, on ne pourra le poursuivre en restitution qu'au terme fixé ; il suffira même qu'il ait été de bonne foi au moment du prêt. Toutefois, lorsque le prêt a eu pour objet des choses perdues ou volées, il faut distinguer : si l'emprunteur a connu les vices de son titre au moment où la consommation a eu lieu, encore qu'il ait été de bonne foi lors du contrat, il est privé du bénéfice du terme ; car *dolo deficit possidere.* S'il a consommé de bonne foi les choses prêtées, il est à l'abri de toutes poursuites jusqu'à l'époque fixée pour la restitution (Duvergier).

(3) Suivant nous, le propriétaire peut agir en vertu de l'art. 1166, mais le prêteur n'est pas tenu par application de l'art. 1303, de lui céder ses actions, à l'exclusion des autres créanciers ; l'article 1303 ne règle pas notre espèce : ajoutons qu'il n'est pas en harmonie avec le système de la législation actuelle ; en effet, aucun texte ne donne au propriétaire le droit exclusif d'exercer l'action du prêteur ; il n'y a pas de raison pour le traiter mieux que les autres créanciers (Pothier, n. 34; Duvergier, n. 157 et suiv.). ⟶ Le contrat n'a pas été passé au nom du propriétaire ; c'est donc au prêteur seul qu'appartient l'action de prêt, à charge par lui de faire raison au propriétaire. Toutefois, ce dernier peut invoquer le bénéfice de l'art. 1303 et se faire céder par le prêteur l'action de prêt, à l'exclusion des autres créanciers ; l'art. 1166 n'est pas applicable (Dur., n. 585).

guer à cet égard entre le cas où l'emprunteur se trouve à l'abri de l'action du propriétaire par le seul fait de la tradition (2279), et celui où la chose ayant été perdue ou volée, il n'a été garanti de cette action que par la consommation (1238). — Par suite du même principe, nous déciderons que l'emprunteur ne pourrait se soustraire à l'action de prêt dirigée contre lui par le prêteur, sous prétexte que ce dernier n'aurait pas indemnisé le propriétaire;

2° Que le prêteur doit être capable d'aliéner : ainsi, le prêt fait par un mineur non émancipé ou par un interdit, est nul; — celui qui est fait par un mineur émancipé ou par une personne soumise à un conseil judiciaire, est valable dans les limites des actes d'administration. — La femme séparée de biens a évidemment le droit de prêter son mobilier, puisqu'elle peut en disposer et l'aliéner.

Ne perdons pas de vue, que les règles destinées à protéger les incapables ne peuvent en aucun cas leur être opposées : si donc la chose prêtée vient à périr par cas fortuit entre les mains de l'emprunteur, celui-ci ne sera pas fondé à soutenir que le prêt étant nul, la perte doit, conformément à la règle *res perit domino*, retomber sur l'incapable : il ne sera pas moins débiteur du prix.

La nullité pourrait être demandée au nom de l'incapable, lors même que la chose aurait cessé d'exister entre les mains de l'emprunteur; encore que ce dernier l'eût consommée de bonne foi (1).

Que déciderons-nous à l'égard du prêt fait à un incapable? Il est valable sous les distinctions que nous avons établies pour le cas où c'est lui qui a prêté. — La simple déclaration de majorité faite par le mineur ne serait point un obstacle à sa restitution (1307).

On peut valablement stipuler, que les choses qui se trouvent entre les mains d'un mandataire ou d'un dépositaire, lui seront acquises à titre de prêt, si tel événement arrive ou s'il juge convenable de les employer à ses besoins : les obligations qui dérivent du prêt ne commencent alors, pour l'une et l'autre partie, qu'à partir de l'emploi ou de la réalisation de la condition (Dur., n. 560; Duvergier, n. 187 et suiv.).

Quid, dans l'espèce suivante : voulant prêter de l'argent à une personne, je livre à cette personne un objet pour le vendre et en garder le prix? Nous déciderons, par suite des mêmes règles, que le prêt n'existera qu'à partir de la vente (Duvergier, n. 189).

— A quel moment la responsabilité de l'emprunteur commence-t-elle? ⁓ A partir de la convention, lorsqu'il s'agit d'un corps certain, encore que la livraison ne soit pas immédiate. Arg. de l'art. 1138. cet article est général ; il régit toutes les conventions par lesquelles une des parties s'oblige à livrer, — du jour de la livraison, si l'objet de la promesse n'est pas un corps certain et déterminé (Duvergier, n. 146). ⁓ Du jour de la livraison : le prêt est un contrat réel ; il ne se forme que par la tradition (Dur., n. 856).

1894 — On ne peut pas donner à titre de prêt de consommation, des choses qui, quoique de même espèce, diffèrent dans l'individu, comme les animaux : alors c'est un prêt à usage.

(1) Sans doute la revendication sera devenue impossible, mais les parties ne se trouveront point nécessairement placées pour cela dans la position où elles seraient par suite d'un prêt valable : ainsi l'emprunteur ne jouira pas du bénéfice du terme : il devra restituer immédiatement, quand même il aurait consommé la chose de bonne foi (Duvergier, n. 152 et 155). ⁓ Le prêt est devenu valable si l'emprunteur a reçu et consommé de bonne foi la chose prêtée; c'est-à-dire, croyant que celui qui faisait le prêt était capable : il n'est soumis alors qu'à l'action qui naît du prêt (*ex mutuo*). S'il a été de mauvaise foi, on peut le poursuivre en restitution avant l'expiration du terme, sans préjudice de tous dommages-intérêts (Dur., n. 553). ⁓ Il importe peu que l'emprunteur ait été de bonne foi ou de mauvaise foi : par cela seul qu'il a consommé la chose, il est tenu *ex mutuo* (Pothier, n. 7).

= On peut prêter des animaux, en les considérant, non comme individus, mais comme quantité et à raison de l'espèce ; la faculté de consommer et de détruire, étant le principal caractère du prêt de consommation. — Lorsque ce sont les *mêmes individus* qui doivent être rendus,
parce que telle a été l'intention des parties, le contrat n'est plus un prêt
de consommation, mais un prêt à usage.

Par ex. : si je prête mes bœufs à Pierre pour labourer son champ, je
fais un prêt à usage, puisqu'il devra me rendre ces animaux *in individuo*.
Mais s'il contracte l'obligation de me restituer d'autres bœufs de même
poids et qualité, c'est un prêt de consommation.

De ce que la loi cite les animaux, comme exemple de choses qui diffèrent dans l'individu, ne concluons donc pas que les animaux soient nécessairement non fongibles : il faut seulement induire de l'art. 1894, que
si des animaux sont donnés à titre de prêt, on présumera facilement que
les parties ont voulu faire un prêt à usage plutôt qu'un prêt de consommation. C'est même là une règle générale qui subsiste tant que les choses
conservent leur destination ordinaire.

Vous me prêtez un livre, sous la condition que je vous le remettrai
dans tant de jours : voilà un prêt à usage. — Un libraire à qui l'on demande
quelques exemplaires d'un ouvrage qu'il n'a pas dans son magasin, emprunte ces exemplaires à son confrère, en s'obligeant à lui en remettre un
pareil nombre : cette convention est un prêt de consommation.

1895 — L'obligation qui résulte d'un prêt en argent, n'est
toujours que de la somme numérique énoncée au contrat.

S'il y a eu augmentation ou diminution d'espèces avant
l'époque du payement, le débiteur doit rendre la somme
numérique prêtée, et ne doit rendre que cette somme dans
les espèces ayant cours au moment du payement.

= Cette disposition tranche une controverse qui s'était élevée sous
l'ancienne jurisprudence : quelques auteurs prétendaient, qu'en matière de
prêt, la monnaie devait être considérée, non suivant sa valeur au temps
du remboursement, mais suivant celle qu'elle avait au temps du prêt : le
Code rejette avec raison cette doctrine : dans la monnaie, en général, on
ne considère pas les corps, mais la valeur qu'ils représentent ; c'est donc
cette valeur qu'il faut restituer, quelque variation que les espèces aient pu
éprouver (1). — Ex : je vous prête une pièce d'or qui vaut vingt francs ;
depuis ce prêt, une loi a porté à vingt-cinq francs la valeur de ces sortes
de pièces : vous ne serez pas tenu de me restituer une semblable pièce,
mais seulement vingt francs. — Le remboursement peut être fait, même
en espèces d'une autre nature, pourvu qu'elles aient cours ; à moins que
le contraire n'ait été formellement convenu. Par ex., on peut valablement
stipuler que le prêt fait en espèces d'or sera remboursé en pièces de même
qualité : cette stipulation ne porterait pas atteinte au principe que chacun
doit recevoir, pour la valeur qu'elles représentent, des pièces de monnaie
ayant cours ; elle ne mettrait point obstacle à l'application de l'art. 1895,
s'il survenait dans la monnaie une augmentation ou une diminution de
valeur.

Au reste, on décide généralement, que si l'emprunteur a été mis en

(1) Voyez sur ce point, Duvergier, n. 169 et suiv ; Delv., t. 3, p. 411, note, et Dur., p. 631, note.

demeure de rendre la somme, et que les espèces aient augmenté de valeur depuis cette époque, le prêteur peut exiger des dommages-intérêts pour la perte résultant de ce retard.

1896 — La règle portée en l'article précédent n'a pas lieu, si le prêt a été fait en lingots.

= Dans le cas prévu par notre article, ce n'est plus une valeur de convention, mais une certaine quantité de matière, soit d'or, soit d'argent, qui a été prêtée : l'emprunteur doit donc rendre une égale quantité de matière de même qualité, nonobstant l'augmentation ou la diminution de valeur que cette matière a éprouvée depuis le prêt.

— *Quid*, si l'on a prêté un certain nombre de pièces de monnaie d'une certaine espèce ; par ex., tant de pièces de cinq francs, en stipulant que l'emprunteur rendra un même nombre de pièces de la même espèce, du même poids et de même aloi, alors même que le souverain viendrait par la suite a changer leur valeur actuelle ; qu'en cas de diminution de valeur, l'emprunteur y suppléera ; et qu'il sera indemnisé, dans l'hypothèse contraire : cette convention ne doit-elle pas être suivie? ∾ *A*. Lorsqu'un certain nombre de pièces a été prêté *non tanquam summa, sed tanquam corpora*, cette stipulation doit recevoir son effet : car les parties ont évidemment envisagé les pièces de monnaie comme des lingots (Dur., n. 93 et 577). ∾ La monnaie est un signe représentatif de la valeur de toutes choses; on ne peut donc obliger l'emprunteur à restituer autre chose que cette valeur : toute convent on contraire serait repoussée par le droit public. Ajoutons, que ce serait autoriser le prêteur à refuser la monnaie pour sa valeur légale, ce qui n'est pas permis dans un pays bien organisé (Duvergier, n. 177).

Quid cependant, s'il résulte des circonstances, qu'indépendamment de leur valeur, ces pièces ont une utilité particulière pour le prêteur? ∾ La stipulation doit recevoir son effet (Duvergier, n. 178).

1897 — Si ce sont des lingots ou des denrées qui ont été prêtées, quelle que soit l'augmentation ou la diminution de leur prix, le débiteur doit toujours rendre la même quantité et qualité, et ne doit rendre que cela.

SECTION II.

Des obligations du prêteur.

Dans le prêt de consommation, les obligations du prêteur sont du même genre que celles que contracte le prêteur à usage ; elles reposent sur les mêmes principes d'équité.

Ainsi, la bonne foi qui doit régner dans tous les contrats, oblige le prêteur à ne point tromper l'emprunteur, en cachant les vices que peut avoir la chose prêtée (1898).

1898 — Dans le prêt de consommation, le prêteur est tenu de la responsabilité établie par l'article 1891 pour le prêt à usage.

1899 — Le prêteur ne peut pas redemander les choses prêtées, avant le terme convenu.

= Dans le prêt à usage, cette faculté est formellement accordée au prêteur, lorsqu'il a un besoin pressant et imprévu de la chose ; car il conserve sa propriété : dans le prêt de consommation, le prêteur n'est que simple créancier ; il n'aura d'action qu'à l'échéance du terme, époque à laquelle naîtra son droit (Dur., n. 581).

1900 — S'il n'a pas été fixé de terme pour la restitution, le juge peut accorder à l'emprunteur un délai suivant les circonstances.

= Lors même qu'un terme aurait été accordé par la convention, l'emprunteur pourrait obtenir un délai de grâce (1244). Mais s'il tombe en faillite ou en déconfiture, s'il diminue les sûretés qu'il a données par le contrat, ou s'il ne donne pas celles qu'il a promises (1188), il ne peut se prévaloir de ce nouveau terme.

S'il a été dit expressément dans le contrat, que le prêteur pourra exiger la restitution *à sa volonté*, les tribunaux prendront en considération l'intention des parties, le préjudice qu'une restitution immédiate pourra occasionner à l'emprunteur, et l'intérêt que le prêteur peut avoir à exiger cette restitution.

1901 — S'il a été seulement convenu que l'emprunteur payerait quand il le pourrait, ou quand il en aurait les moyens, le juge lui fixera un terme de payement suivant les circonstances.

= *Quid*, si la convention porte, que l'emprunteur payera *quand il voudra?* Ces mots sont synonymes de ceux-ci : *quand il pourra ;* le prêteur a dû croire, en effet, que l'emprunteur voudra restituer quand il en aura les moyens.

SECTION III.

Des engagements de l'emprunteur.

La principale obligation de l'emprunteur, est celle *de restituer* (1892, 1895, 1897). — Cette restitution doit avoir lieu au terme convenu, et s'il n'y a pas eu de convention, à la première réquisition du prêteur, sauf l'application des art. 1900 et 1901.

1902 — L'emprunteur est tenu de rendre les choses prêtées, en même quantité et qualité, et au terme convenu.

= Le Code ne s'expliquant pas positivement sur le lieu où doit se faire le payement, il faut, suivant nous, observer les règles suivantes :

Si ce lieu a été désigné, on doit se conformer au contrat. Dans l'ancien droit, le prêteur ne pouvait stipuler que le débiteur payerait dans un lieu autre que celui où la chose avait été prêtée ; car le prêt devait être purement gratuit : mais aujourd'hui, cette convention ne présenterait rien d'illicite.

Toutefois, les frais de remise détruisant la gratuité du prêt, pourraient, suivant les circonstances, être considérés comme un intérêt, qui ne deviendrait licite, qu'autant qu'il n'excéderait pas le taux légal.

A défaut de convention sur le lieu où la restitution doit se faire, on distingue : si le prêt a pour objet une somme d'argent, la disposition de l'art. 1247 devient applicable ; car les parties, en gardant le silence, sont présumées avoir voulu s'y référer : ainsi, le payement doit se faire au domicile de l'emprunteur. — Mais si ce sont des choses fongibles d'une autre nature, qui aient été prêtées, l'emprunteur est tenu de les rendre dans le lieu où il les a reçues ; parce que leur valeur varie suivant les localités (Pothier, n. 46 ; Dur., n. 585 et 586) (1).

1903 — S'il est dans l'impossibilité d'y satisfaire, il est tenu d'en payer la valeur eu égard au temps et au lieu où la chose devait être rendue d'après la convention.

Si ce temps et ce lieu n'ont pas été réglés, le payement se fait au prix du temps et du lieu où l'emprunt a été fait.

= Si l'emprunteur est dans l'impossibilité de rendre des choses du même genre, en même quantité et qualité, il doit en payer la valeur (2). L'estimation se fait d'une manière différente, suivant que le temps et le lieu où doit s'opérer la restitution ont été ou non déterminés par la convention : au premier cas, on considère la valeur des choses empruntées, à l'époque du payement, dans le lieu où ce payement doit être fait. Par ex. : si je dois vous rendre un tonneau de vin à Orléans, on estimera le vin, eu égard à ce qu'il vaudra dans ce lieu, à l'époque convenue pour la restitution. — Si le temps et le lieu de la restitution n'ont pas été déterminés, on considère la valeur que les choses avaient, au moment de l'emprunt, dans le lieu où cet emprunt a été fait, lors même que cette valeur aurait varié depuis (Dur., n. 588) (3).

— Suivant la législation romaine, l'emprunteur qui ne rendait pas de gré à gré les choses prêtées, devait en payer le prix, eu égard à leur valeur au temps de la demande et au lieu où elle était formée : on serait-il de même sous l'empire du Code ? ⁓ *N*. On considérerait la valeur de la chose, eu égard au temps et au lieu où l'emprunt aurait été fait (Dur., n. 589 ; Delv., p. 199, n. 3).

1904 — Si l'emprunteur ne rend pas les choses prêtées ou leur valeur au terme convenu, il en doit l'intérêt du jour de la demande en justice.

= L'emprunteur contracte indirectement l'obligation de payer une somme d'argent, s'il ne rend pas les choses prêtées : or, aux termes de l'art. 1153, les dommages-intérêts consistent, en ce cas, dans l'intérêt légal. — L'intérêt court du jour de la demande.

Gardons-nous de croire, que l'obligation originaire de l'emprunteur se convertisse nécessairement en une obligation de payer une somme d'argent : il n'est pas douteux, qu'on peut le contraindre à restituer, si cela est possible, des choses de même nature, valeur et bonté que celles qu'il a reçues.

— Notre article prévoyant seulement le cas où le prêt contiendrait un terme fixe pour la restitution, on demande ce qui arriverait, si les parties n'étaient convenues d'aucun terme ? ⁓ Le juge, usant des pouvoirs discrétionnaires qui lui sont conférés par les articles 1900 et 1901, accorderait un délai à l'emprunteur, eu égard à l'intention présumée des parties et aux circonstances : le jugement qui interviendrait, aurait donc pour seul effet de mettre en évidence ce que la rédaction du contrat laissait dans le doute ; de préciser ce qui était dans la pensée des parties : parconséquent, l'emprunteur ne serait en demeure et ne devrait par suite l'intérêt, qu'à partir de l'expiration du terme : ce ne serait pas là un terme de grâce ; — cette décision s'applique à *fortiori*, au cas où le contrat porte que l'emprunteur payera quand il le pourra, ou quand il en aura les moyens (Dur., n. 590 ; Duvergier, n. 213).

_____

(1) Pothier, n. 46 ; Dur., n. 585 et 586. ⁓ Dans tous les cas, les parties sont censées vouloir que la restitution se fasse dans le lieu où le prêt s'est formé (Duvergier, n. 208).

(2) Lorsque l'emprunteur possède des choses de même espèce, le prêteur peut incontestablement les faire saisir, s'il préfère une restitution en nature.

(3) Nous ne pensons pas que les deux dispositions de l'art. 1903 soient applicables, lorsqu'il y a, pour l'emprunteur, impossibilité absolue de rendre des choses du même genre ; par ex., lorsque le genre a péri, ou lorsqu'il a été mis hors du commerce : la loi n'a pas réglé cette hypothèse ; elle suppose que la restitution en nature est trop incommode ou trop difficile ; ou bien encore, que l'emprunteur néglige de remplir ses obligations : ce sont là les cas d'impossibilité qu'elle prévoit. Lorsque l'impossibilité est absolue, comme la chose n'a pas de valeur, l'emprunteur ne doit restituer, suivant nous, que ce dont il a profité.

L'art. 1904 doit-il être appliqué à l'emprunteur de choses autres que de l'argent, en sorte qu'il ne puisse être condamné à des dommages-intérêts plus amples que l'intérêt légal, lors même que les choses prêtées et non rendues auraient, depuis l'époque fixée, augmenté considérablement de valeur? ~~~ *A*. Notre article établit une règle générale : il accorde cet intérêt au prêteur, à tout événement : dans le cas aussi où la valeur des choses prêtées aurait diminué depuis la demande. — L'opinion contraire a pour inconvénient de confondre deux opérations distinctes : — la valeur réelle de la chose et les dommages-intérêts qui peuvent être dûs à raison du retardement : en effet, l'addition de la plus-value ne peut être admise que comme indemnité accordée au créancier : or, il est possible que la demeure ne lui ait occasionné aucune perte (Duvergier, n. 217; Dur., n. 590). ~~~ Sans aucun doute, la disposition de l'art. 1904 serait applicable, si l'emprunteur était dans l'impossibilité de rendre en nature la chose prêtée (1904); car l'obligation de l'emprunteur se réduirait en ce cas à une somme d'argent (1903) : mais si la chose prêtée consiste en une chose fongible, que l'emprunteur se trouve dans la possibilité de rendre en nature, il est tenu, non-seulement des intérêts à compter de la demande, mais encore de tous autres dommages-intérêts que son retard a pu causer (Arg. de l'art. 1149).

L'emprunteur, assigné par le prêteur, en payement de la somme représentative des choses prêtées, a-t-il le droit d'offrir ces choses pour se dispenser d'en payer le prix? ~~~ *N*. Pourquoi se trouve-t-il dans le cas d'être mis en demeure? Le prêteur a acquis l'option de poursuivre l'exécution de l'obligation principale ou de réclamer des dommages-intérêts : cette option accordée au créancier ne peut profiter au débiteur. Sa demande opère une novation, une conversion des choses prêtées en une obligation de sommes (Dur., n. 591; Duvergier, n. 222).

CHAPITRE III.

Du prêt à intérêt.

On nomme *intérêt*, ce que le prêteur exige de l'emprunteur au delà des sommes ou des choses prêtées.

Le Code envisage le prêt à intérêt sous deux points de vue : 1° comme prêt ordinaire (1905, 1908); 2° comme contrat emportant aliénation d'un capital (2908, 1914) : dans ce dernier cas, il prend le nom de *constitution de rente*.

Les lois romaines, et même notre ancienne jurisprudence, prohibaient le prêt à intérêt : le prêt, disait-on, est essentiellement gratuit; c'est un office d'ami; un acte de bienfaisance : il changerait de nature et deviendrait acte de commerce, s'il était fait moyennant une prestation annuelle. Toutefois, la règle souffrait exception lorsqu'il s'agissait de prêts faits en matière commerciale.

L'assemblée constituante changea cet état de choses : par la loi du 12 octobre 1789, elle autorisa le prêt à terme fixe avec stipulation d'intérêts; mais en ajoutant, que les prêts devraient être faits au taux déterminé par la loi, et qu'elle n'entendait rien innover aux usages du commerce : le taux de l'intérêt ne se trouva donc restreint qu'en matière civile : en matière de commerce on fut fondé à conclure qu'il fallait, comme par le passé, prendre pour règle le cours des négociations. — Des lois qui parurent plus tard, loin de lever les doutes, les augmentèrent au contraire, en déclarant tour à tour que l'argent était et qu'il n'était pas marchandise 1) : on se demandait toujours si l'argent pouvait être acheté ou vendu; ou plutôt, s'il pouvait être loué au prix qu'il plairait aux parties de fixer. — Survint la loi du 5 thermidor an 4 : l'art. 1er porte : « A dater de la présente loi, chaque citoyen sera libre de contracter comme bon lui semblera; les obligations qu'il aura souscrites seront exécutées dans les termes et valeurs stipulés. » Bien que cette loi ne paraisse avoir eu d'autre but que celui de lever la prohibition qui existait alors de stipuler des payements en numéraire, la Cour de cassation et la plupart des Cours royales pensèrent qu'elle proclamait le principe d'une liberté absolue en fait de stipulations d'intérêts, et l'interprétèrent en ce sens.

Mais bientôt de graves abus surgirent : les auteurs du Code reconnu-

(1) Loi du 11 avril 1723, du 6 floréal an 3, du 2 prairial an 5.

rent la nécessité d'y remédier : adoptant à cet égard les vues de l'assemblée constituante, ils autorisèrent en général la stipulation d'intérêts pour simple prêt, quel que fût du reste l'objet de ce prêt, argent, denrées ou autres choses mobilières (pourvu, bien entendu, que ces choses consistassent en nombre, poids et mesure); toutefois, à raison des circonstances difficiles ou se trouvait le pays, ils crurent devoir se borner à distinguer l'intérêt légal et l'intérêt conventionnel, et à faire pressentir une loi, qui, plus tard, viendrait limiter le taux de cette dernière espèce d'intérêt (1907), abandonnant ainsi jusqu'alors sa fixation à la volonté des parties. — Cette loi fut rendue le 3 septembre 1807 (1) : elle défend toute stipulation d'intérêts qui excéderaient 5 pour 100 en matière civile, et 6 pour 100 en matière commerciale, à moins que le prêteur ne se soumette à des risques extraordinaires (1976, C. c., et 311, Code de commerce). Ainsi, l'usure ne commence que lorsque la limite est franchie; l'excédant du taux légal est seul une perception usuraire.

La loi du 3 septembre 1807 atteint non-seulement les stipulations d'intérêts faites d'une manière ostensible; mais encore toutes celles que l'on aurait cherché à déguiser.

Au surplus, les contrats qui dissimulent des prêts usuraires ne sont pas dépourvus, pour ce fait de toute efficacité : on réduit seulement l'intérêt au taux légal. — La preuve de l'usure peut être établie par titres, et suivant les cas par témoins ou par de simples présomptions (2).

La loi du 3 septembre 1807 n'est point applicable aux prêts qui ont été faits avant sa promulgation.

Quelques mots sur les rentes :

La *rente*, en général, est une créance dont le créancier ne peut exiger le remboursement, mais qui lui donne droit à des prestations périodiques.

Les rentes sont perpétuelles ou viagères : *perpétuelles*, lorsque l'obligation de les servir n'est limitée par aucun terme. — *Viagères*, lorsque cette obligation est restreinte à la vie du créancier ou d'une autre personne.

Nous ne devons nous occuper ici que des rentes perpétuelles.

Les rentes perpétuelles sont *constituées* ou *réservées* :

Les rentes constituées, sont celles qui ont pour cause l'aliénation d'une certaine quantité de choses fongibles : à moins de stipulations contraires, le débiteur peut rembourser le capital quand bon lui semble; mais le créancier ne peut exiger ce remboursement que dans deux cas exceptionnels.

Les rentes *réservées*, sont celles qui ont été stipulées comme prix de la vente ou comme charge de la donation d'un immeuble (530) : ces sortes de rentes sont soumises, sauf la différence établie pour le terme du rachat, aux mêmes règles que les rentes perpétuelles.

1905 — Il est permis de stipuler des intérêts pour simple

---

(1) La loi de 1807 est critiquée par Duvergier, n. 243 et suiv. : loin de compléter l'art. 1905, elle est, suivant lui, en opposition manifeste avec l'intention des auteurs du Code, qui évidemment a été de ne rien établir de fixe à cet égard, le taux de l'intérêt devant être subordonné aux circonstances, à l'activité du commerce et aux convenances sociales.

(2) La disposition de l'article 2089, qui autorise la compensation totale des fruits de l'immeuble détenu avec les intérêts de la somme due par le débiteur ne fait-elle pas exception à la règle qui proscrit l'usure? Non, car elle n'autorise pas le cumul des fruits et des intérêts; elle porte seulement que le créancier peut se faire attribuer, à la place des intérêts, les fruits de l'immeuble donné à antichrèse : il n'y a donc pas certitude pour lui d'un avantage; le prêteur court une chance; il peut recevoir moins que l'intérêt légal; au surplus, si l'usure était prouvée, on annulerait la convention (Duvergier, n. 267).

prêt soit d'argent, soit de denrées, ou autres choses mobilières.

= L'argent étant de sa nature une chose stérile, qui ne sert en rien
aux besoins de la vie, plusieurs personnes pensaient qu'il était injuste
de le rendre productif d'intérêts : mais on considéra, que la monnaie a
une valeur de convention ; que l'intérêt n'est pas exigé comme fruit, mais
comme indemnité des bénéfices que le prêteur aurait pu tirer de ses fonds,
s'il en eût conservé l'usage.

Les denrées ou autres choses mobilières, peuvent, comme l'argent, devenir productives d'intérêts, pourvu, bien entendu, qu'elles consistent en
nombre, poids et mesure ; car il ne peut être question ici que du prêt de
consommation : ainsi, je puis prêter vingt mesures de blé, sous la condition qu'on m'en rendra vingt et une : mais en ce cas, le prêt est-il soumis à la loi de 1807 sur le taux de l'intérêt? (*voy.* art. 1907).

1906 — L'emprunteur qui a payé des intérêts qui n'étaient
pas stipulés, ne peut ni les répéter ni les imputer sur le
capital.

= Ce payement spontané, fait supposer, ou que la convention d'intérêts a été postérieure au contrat, ou que l'emprunteur, cédant à un sentiment de justice, a voulu remplir une sorte d'obligation naturelle : or la
répétition n'est pas admise à l'égard de ces sortes d'obligations lorsqu'elles
ont été volontairement acquittées (1235).

Si l'emprunteur paye par erreur des intérêts qui ne sont pas dus ; par
ex., si un héritier, croyant à tort qu'une somme due par son auteur était
productive d'intérêts, a livré quelque chose à titre d'intérêts, il peut en
exiger la restitution. — S'il a payé, dans l'ignorance de la loi, des intérêts supérieurs au taux légal, il a droit au remboursement de l'excédant
(*Cass.*, 31 mars 1813 ; S., 13, 1, 213).

1907 — L'intérêt est légal ou conventionnel. L'intérêt légal est
fixé par la loi. L'intérêt conventionnel peut excéder celui de
la loi, toutes les fois que la loi ne le prohibe pas.
Le taux de l'intérêt conventionnel doit être fixé par
écrit (1).

= En reconnaissant, lors de la promulgation de ce titre, la nécessité
de maintenir le règlement en vigueur sur l'intérêt légal, les auteurs du
Code pensèrent que l'intérêt conventionnel devait être abandonné à la
convention des parties, et qu'il fallait même leur laisser la liberté de l'é-
lever au delà du taux légal : toutefois, ils reconnurent que des lois restrictives pourraient être ultérieurement portées.

En attendant ces lois, afin de contenir les gens cupides par le frein de
la honte, et surtout, afin de prévenir des difficultés, ils établirent comme
correctif nécessaire, que l'intérêt conventionnel serait fixé *par écrit* :
ainsi, la stipulation d'intérêts ne pourrait être prouvée par témoins lors
même qu'il s'agirait d'une valeur au-dessous de 150 francs; le prêteur

---

(1) Duverger, n. 254, s'elève contre cette disposition . si le prêteur, dit cet auteur, n'a stipulé que le
taux légal , pourquoi lui refuser un moyen de preuve qui serait licite en toute autre matière? Lorsque
les parties ont gardé le silence, il est naturel de penser qu'elles ont voulu se soumettre aux dispositions
de la loi.

n'aurait d'autre ressource que celle de déférer le serment à l'emprunteur ou de le faire interroger sur faits et articles (Art. 1358 , 1360 , C. c.; 324 , Pr.).

Il a été jugé, cependant, que l'obligation de fixer par écrit le taux de l'intérêt, pouvait être remplie par des équipollents : ainsi, on ajouterait valablement à la somme empruntée, une somme fixe, pour les intérêts à courir jusqu'à l'échéance. Il ne serait pas même nécessaire que cette dernière somme fût distinctement énoncée dans l'écrit; elle pourrait être fondue avec le capital; sauf à l'emprunteur, si les intérêts étaient excessifs, à les faire réduire au taux légal (Dur., n. 598. — *Cass.*, 25 janvier 1815 ; S., 15 , 1, 265).

La loi du 3 septembre 1807 a réalisé la prohibition annoncée par le Code civil : cette loi défend de stipuler des intérêts au-dessus du taux légal; elle fixe ce taux à 5 pour 100 en matière civile, et à 6 pour 100 en matière commerciale : en cas de contravention, elle refuse au créancier toute action en justice pour obtenir l'excédant et autorise la répétition, ou ce qui conduit au même résultat, l'imputation de cet excédant sur le capital. — Nous pensons que l'imputation doit se faire à partir du jour où les intérêts usuraires ont été payés (1), et qu'ils sont eux-mêmes productifs d'intérêts à dater de ce jour (2) ; le tout, sans préjudice des peines à prononcer par les tribunaux correctionnels, en cas d'habitude d'usure ou d'escroquerie (3).

Ainsi, les tribunaux civils et correctionnels se trouvent chacun par les moyens qui leur sont propres, chargés de réprimer l'usure.

On peut établir les faits d'usure, soit par témoins, soit par de simples présomptions.

Aucune prescription ne peut être opposée à l'emprunteur qui demande la modification des clauses relatives au taux usuraire de l'intérêt, car il s'agit d'une infraction à une règle d'ordre public ; mais l'action en restitution des intérêts indûment payés, se prescrit par trente ans (Duvergier , n. 306 et suiv.).

Nous pensons que la loi de 1807 ne concerne que les prêts en numéraire, et que les contractants peuvent fixer à leur gré le taux de l'intérêt dans les prêts de denrées ou autres choses, pourvu que ces choses soient fongibles : le législateur peut déterminer le taux de l'intérêt, lorsque le prêt consiste en numéraire, car l'argent a une valeur fixe; mais cette détermination est impossible lorsqu'il s'agit de denrées ou autres marchandises, car leur valeur est sujette à des variations fréquentes : au surplus , ce qui doit lever toute espèce de doutes, c'est que la loi de 1807 est intitulée : *Loi sur l'intérêt de l'argent* (4).

(1) Duvergier , n. 303 et suiv. ⋙ Le droit donné à l'emprunteur, de répéter l'excédant du taux légal, ne constitue qu'une créance facultative. — La loi n'ordonne ni n'autorise aucune compensation avant la condamnation intervenue sur la demande du débiteur ; elle permet seulement aux tribunaux, de condamner le prêteur à restituer cet excédant, ou à en souffrir la réduction sur le principal ; par conséquent, l'imputation ne doit pas se faire sur le capital , à la date des payements (Cass., 1836 et 1837).

(2) Aux termes de l'art. 1377 , celui qui se croyant débiteur a payé une dette par erreur , a le droit de répétition ; l'art. 1378 ajoute , que s'il y a eu mauvaise foi de la part de celui qui a reçu , il est tenu de restituer tant le capital que les intérêts du jour du payement : ces deux textes sont évidemment applicables à l'emprunteur qui a payé , et au prêteur qui a exigé des intérêts usuraires. Vainement dit-on que la créance est facultative , qu'elle ne devient certaine et liquide que par la condamnation qui intervient sur la demande du débiteur : la créance est facultative , en ce sens , que le débiteur peut à son gré , comme tout créancier , exercer son droit ou le laisser sommeiller ; mais elle est parfaitement certaine et liquide , puisqu'elle est fondée sur un fait constant; puisqu'elle ne peut être légitimement contestée (Duvergier , n. 303 et suiv.). ⋙ Le droit donné à l'emprunteur, par l'art. 3 de la loi de 1807, ne constitue qu'une créance facultative , laquelle ne devient certaine et liquide que par la condamnation prononcée sur la demande du débiteur (Cass., 1836 et 1837).

(3) Deux décrets , en date des 15 et 18 janvier 1814 , ont momentanément suspendu la loi de 1807, à dater de leur promulgation jusqu'au 1er janvier 1815.

(4) Garnier , n. 9 ; Rolland , prêt à intérêt, n. 29; D., Usure, p. 820 , note ⋙ On peut, sans aucun

Comme les lois n'ont pas d'effet rétroactif, les stipulations d'intérêt faites antérieurement à la loi de 1807 conservent leur force, même en ce qui concerne les intérêts qui ont couru depuis cette époque; le débiteur doit en continuer le payement d'après le taux fixé par la convention (art. 5).

— La loi du 3 septembre 1807 laisse-t-elle subsister l'obligation de fixer par écrit le taux de l'intérêt conventionnel? ⚹ A. On doit considérer la promesse non rédigée par écrit, comme en droit romain on considérait la promesse d'intérêt, qui, dans un contrat de prêt n'était point faite en forme de stipulation : cette promesse ne produisait pas d'action (Dur., n. 891, t. 17. n. 492. p. 10).

La loi de 1807 s'applique-t-elle aux contrats de constitution de rente? ⚹ A. Ce contrat est de rigueur comme un prêt (Dur, n. 603; voy. cep. Favard, v° Intérêts).

Peut-on punir comme prêt usuraire, l'escompte, c'est-à-dire, l'intérêt donné pour toucher actuellement un billet non encore échu, si cet intérêt dépasse le taux légal? ⚹ N. L'escompte peut avoir lieu dans deux hypothèses; ou c'est une créance sur l'escompteur lui-même, qui est escomptée, ou c'est une créance sur un tiers : dans la première hypothèse, l'usure n'existe pas : en effet, les dispositions répressives de l'usure ont pour but de protéger ceux qui demandent un terme pour se libérer; en matière d'escompte, le débiteur ne demande point de délai : il propose au contraire d'anticiper le payement. Mais la loi de 1807 est applicable a la deuxième hypothèse, notamment, lorsque la créance est garantie par le cédant : le plus grand rapport existe alors entre la position de ce dernier et celle de l'emprunteur; il s'agit en résultat d'une espèce d'emprunt conditionnel. — Si la cession était faite sans garantie, le cédant ne contracterait point d'engagement personnel; l'escompte ne serait pas le prix temporaire du capital; on ne retrouverait plus les caractères de l'usure : des lors, la loi de 1807 ne serait plus applicable (Duvergier, n. 289 et suiv.).

Quid, s'il est reconnu que l'escompte déguise un prêt conventionnel? ⚹ Il y a lieu à réduction (Cass. 8 avril 1825 ; S., 25, 1, 538 ; D., 25, 1, 300 ; 26 août 1825 ; S, 25, 1, 360 ; D., 25, 1, 301 ; 16 août 1828, S., 29, 1, 37).

La loi de 1807 est-elle applicable a l'escompte de créances sur des tiers, même lorsqu'il s'agit d'effets de commerce? ⚹ N. Le prêt à intérêt et l'escompte des effets de commerce diffèrent sous plusieurs rapports : l'emprunteur est toujours obligé de rendre la somme prêtée; dans l'escompte, celui qui reçoit la somme a lui payée d'avance, n'est obligé de la rendre, qu'autant qu'à son échéance, le billet n'a pas été soldé. — L'escompte sur négociation d'effets de commerce a pour base, non-seulement les fruits que produit l'argent, mais encore la solvabilité des souscripteurs de ces effets : par suite il doit varier suivant le degré de confiance qu'inspirent les signatures apposées sur l'effet mis en circulation; cet effet n'est alors qu'une marchandise; sa valeur ne peut être tarifée par aucune loi: ainsi, lorsque des effets de commerce sont négociés par un autre que le tireur, ce n'est point un emprunt qui a lieu; le taux de l'escompte doit dépendre entièrement de la volonté des parties (Cass., 8 avril 1825 ; S., 25 1, 358 et 359 ; D., 25, 1. 300; 4 février 1828 ; S., 28, 1. 29. 16 août 1828 : S, 29, 1, 37; D., 28, 1, 385; 19 février 1830 ; S., 30, 1, 273; D, 30, 1, 130; 10 avril 1850 ; D., 40, 1, 141) ⚹ Le législateur ne permet pas d'apprécier dans chaque affaire le bien qui sera produit ou le mal qui sera évité par un emprunt; il ne laisse pas au prêteur la liberté de fixer la prime en raison des chances qu'il court : il prend soin de déterminer un maximum invariable. La loi est absolue, les tribunaux ne peuvent s'en écarter (Duvergier, n. 289 et suiv.).

La règle qui fixe a l'intérêt légal l'indemnité due au créancier d'une certaine somme (1153), reçoit-elle exception dans le cas de dommages plus considérables prévus par le débiteur et dont il s'est rendu garant? ⚹ N. L'art. 1153 est conçu en termes absolus; il établit une espece de forfait; les chances se balancent (Delv., t. 2, p. 533 et 534, notes; Duvergier, n. 284 et suiv.; voy. cep, Toullier, n. 267, t. 6, et Dur. n. 48. t. 10.— Cass., 18 mars 1817 ; S. 18, 1, 79 ; D., 17, 1, 435).

Est-il permis, depuis la loi de 1807, de percevoir une commission en sus de l'intérêt légal? ⚹ Presque toutes les Cours admettent l'affirmative; mais elles font de cette doctrine des applications variées (Voy. entre autres, Cass., 12 novembre 1834 ; S., 35, 1, 334 ; D., 35, 1. 21, 16 mai 1838 ; D. 38, 1, 349 ; 14 juillet 1840 ; D., 40, 1, 288). ⚹ Que les intermédiaires chargés par la volonté des parties de procurer des fonds, reçoivent une rémunération pour leurs peines, rien de plus juste : mais que le banquier qui prête ses fonds exige une rétribution, une commission en sus de l'intérêt légal, cela est contraire a la loi; lui reconnaître ce droit, c'est ouvrir la porte à l'usure (Duvergier, n. 295 et suiv.)

Est-il permis d'exiger une prime en sus de l'intérêt légal sur le montant d'un crédit ouvert? ⚹ N. (Duvergier, ibid.).

doute, d'après la loi de 1807, stipuler payable en denrées, les intérêts d'un capital en argent, et vice versâ;—on ne saurait prétendre que depuis la loi de 1807, l'édit de 1563 qui prohibait ces sortes de stipulations, a repris son autorité; qu'en prohibant l'usure, le législateur a entendu reproduire toutes les dispositions dont se composait l'ancienne législation — D'ailleurs, il ne faut pas croire, qu'a l'aide de conventions de ce genre, on puisse dissimuler des prêts usuraires; on évaluera les denrées, au moyen des mercuriales ou de renseignements analogues; et le prêt sera déclaré usuraire s'il est reconnu que l'intérêt excède le taux légal. — Si le capital et les intérêts consistent en denrées de même nature, il ne sera pas nécessaire de recourir a des évaluations; il suffira d'examiner si la quantité promise pour intérêts est supérieure à 5 ou 6 p. 100 de la quantité formant le capital. — Il est inexact de dire, que la loi du 3 septembre 1807 ne règle que les prêts de numéraire; que les parties sont libres de fixer a leur gré le taux de l'intérêt dans les prêts de denrées; que cela résulte clairement de l'intitulé de la loi de 1807 : l'intitulé des lois n'est pas l'œuvre du législateur; si l'on examine les dispositions de la loi de 1807, il est facile de voir, qu'elles fixent le taux de l'intérêt, sans s'occuper des choses qui ont fait l'objet du prêt; — on allègue en vain que le législateur a pu régler le taux de l'intérêt en matière de prêt d'argent, parce que le numéraire a ône valeur fixe : cette valeur ne peut être fixe, dès le moment ou celle des marchandises est variable. Au surplus, l'art. 1905 parle aussi expressément du prêt a intérêt de denrées, que du prêt d'argent (Duvergier, n. 74 et suiv ; Merlin. Rép., Rente constituée, § 2, art. 2).

Les prêts faits par la caisse hypothécaire au-dessus du taux légal, sont-ils usuraires? ⋘ *N.* Ils ont un caractère aléatoire (Duvergier, n. 299 et suiv.).

Celui qui fournit pour un tiers un cautionnement en rentes ou en argent, peut-il exiger une prime de ce tiers , indépendamment des arrérages ou intérêts que paye le trésor? ⋘ *A.* Cette prime est le prix du service qu'il rend , du sacrifice qu'il s'impose , des dangers qu'il court (Duvergier, n. 301).

1908 — La quittance du capital donnée sans réserve des intérêts , en fait présumer le payement , et en opère la libération.

= Les intérêts doivent être acquittés avant le capital (1254) : comme on ne peut supposer que le créancier ait prétendu laisser intervertir cet ordre , la loi décide que la quittance du capital , donnée sans réserve , fait présumer le payement des intérêts.

Bien que cette règle soit placée sous le titre du prêt à intérêt , elle s'applique à toutes les autres dettes qui produisent des intérêts ou arrérages, nonobstant la règle que les présomptions légales ne s'étendent pas facilement d'un cas à un autre.

— La présomption légale établie par notre article , est-elle du nombre de celles qui excluent la preuve contraire (1352) ? ⋘ *N.* Bien que l'art. 1908 n'ait pas réservé la preuve contraire , comme il ne s'agit ici , ni d'un cas ou la loi annule l'acte , ni d'un cas où elle dénie l'action en justice , mais bien d'une simple présomption de libération , cette présomption peut et doit céder à l'évidence de la preuve contraire (Dur., n. 606). ⋘ *A.* Arg. des expressions finales de l'art. 1908 qui déclare libéré le débiteur porteur d'une quittance donnée sans réserve des intérêts.

1909 — On peut stipuler un intérêt moyennant un capital que le prêteur s'interdit d'exiger.

Dans ce cas , le prêt prend le nom de *constitution de rente.*

= L'origine du contrat de constitution de rente est peu connue ; quelques auteurs , et de ce nombre était Pothier , ont cru en trouver des vestiges dans la Novelle 60 de Justinien : sans nous arrêter à l'examen des diverses opinions qui se sont élevées, qu'il nous suffise de savoir, que les rentes constituées n'ont commencé à être en usage en France que vers la fin du treizième siècle , époque à laquelle on reconnut la nécessité de remplacer le prêt à intérêt , proscrit alors par la sévérité des lois , et de procurer aux propriétaires qui avaient besoin de capitaux , les ressources qu'ils ne pouvaient pas toujours attendre de la pure bienfaisance (1). Ce contrat , au surplus , a beaucoup perdu de son importance , aujourd'hui, que la stipulation d'intérêts est autorisée dans le prêt; néanmoins, il importe encore de connaître ses principaux caractères :

Le contrat de constitution de rente n'appartient qu'indirectement à la matière du prêt à intérêt : en effet , il est de l'essence du prêt que les choses soient restituées après un certain temps : tandis que la rente suppose l'aliénation d'un capital; le bailleur de fonds s'interdit la faculté d'exiger ce capital , qui , dès lors , ne peut plus être considéré comme prêté ; le débiteur de la rente s'oblige à une prestation annuelle que l'on nomme *arrérages (redditus annuus);* — ce contrat se rapproche plutôt de la *vente ;* car on peut considérer , en quelque sorte , le capital comme un prix , dont la constitution de rente est la cause : à la vérité , la loi ne dit pas que le capital est aliéné , mais elle déclare qu'il ne peut être exigé , ce qui revient au même.

(1) Dans ce contrat , le taux légal de l'intérêt était 5 p. 100.

Quoi qu'il en soit, lorsque le capital consiste en numéraire, les dispositions de la loi de 1807, sur l'intérêt conventionnel sont applicables, puisque le Code regarde comme un prêt, le contrat de constitution de rente, et donne positivement le nom de prêteur à celui qui livre ce capital (1). Mais nous ne pensons pas qu'on puisse étendre cette loi au cas où ce sont des denrées ou autres choses mobilières fongibles, qui ont été livrées (*voy.* art. 1907).

Les arrérages se divisent en autant de parties qu'il y a de jours dans l'année, sans néanmoins que le créancier puisse en exiger le payement avant l'expiration de l'année ; à moins qu'il n'ait stipulé d'autres termes.

Ils doivent être payés, comme les intérêts, au domicile du débiteur (*voy.* cependant les distinctions faites par Pothier).

Observons, que la constitution de rente n'a pas toujours lieu, comme le suppose notre article, moyennant un capital fourni par le stipulant : elle peut être établie, soit comme condition de la cession d'un fonds immobilier ou d'une chose mobilière appréciable (530, 1968); soit à titre gratuit, par donation entre-vifs ou par testament (1969) : dans ce dernier cas, il est évident qu'elle n'a aucun rapport avec le prêt à intérêt (2).

— Peut-on acquérir une rente par prescription ? ∞∞ *A.* La prescription est de droit commun ; mais il faut que les arrérages aient été servis pendant trente années (Delv., p. 201, n. 3).

1910 — Cette rente peut être constituée de deux manières, en perpétuel ou en viager.

= La rente perpétuelle dure indéfiniment; c'est-à-dire, jusqu'au moment où le débiteur remboursera le capital que le créancier s'est interdit d'exiger.

La rente viagère doit être servie jusqu'à la mort d'une personne; après cet événement, le débiteur est libéré, le capital lui est acquis.

1911 — La rente constituée en perpétuel est essentiellement rachetable.

Les parties peuvent seulement convenir que le rachat ne sera pas fait avant un délai qui ne pourra excéder dix ans, ou sans avoir averti le créancier au terme d'avance qu'elles auront déterminé.

= Il serait trop rigoureux, d'assujettir à perpétuité le débiteur et ses héritiers au payement d'une redevance périodique dont ils ne pourraient jamais s'affranchir : aussi, le Code, appliquant aux rentes constituées à prix d'argent le principe consacré ailleurs au sujet des rentes constituées pour prix de la vente d'un immeuble ou comme condition de son aliénation (530), déclare-t-il ces rentes *essentiellement* rachetables. Toutefois, moins rigoureux que nos anciennes lois, qui n'admettaient la constitution de rente que sous la condition que le débiteur jouirait de la faculté indéfinie de racheter, la loi permet de fixer un délai, avant l'expiration duquel le rachat ne pourra être exercé : ce délai, qui, pour les rentes dont il est question dans l'art. 530, peut aller jusqu'à trente ans, est limité à dix

(1) Duvergier : Dur., n. 603; *voy.* cep. Favard, Rép., Intérêts.
(2) Cette section est spécialement relative aux rentes qui, a raison de la nature de leur capital, sont assimilés au prêt à intérêt.

années dans le cas prévu per l'article 1911 : si les parties avaient fixé un terme plus long, on le réduirait (Arg. de l'art. 1660) (Dur. n. 158, t. 4; Duvergier, n. 333).

Bien que l'art. 1911 ne consacre pas pour le créancier, comme le fait l'art. 530, la faculté de régler les clauses et conditions du rachat, nous pensons qu'il peut valablement imposer au débiteur l'obligation de l'avertir un certain temps d'avance, et même stipuler que le remboursement n'aura lieu que dix ans après l'avertissement : il y a même raison de décider.

Du principe que la rente est essentiellement rachetable, il résulte, que la faculté de racheter est imprescriptible, et qu'elle est toujours sous-entendue dans ces sortes de contrats.

La rente constituée est divisible : si le créancier laisse plusieurs héritiers, chacun d'eux n'acquiert cette rente que pour sa part héréditaire; et *vice versâ*, si le débiteur de la rente laisse plusieurs héritiers, chacun n'est tenu que pour sa part.

Le rachat d'une rente constituée peut se faire :

1° Par le *remboursement* du capital

Le capital à rembourser, est celui qui a été donné pour la constitution de rente : la convention qui obligerait le débiteur à restituer une somme plus forte, serait considérée comme usuraire.

Lorsque le capital n'est pas énoncé, on le détermine, en prenant pour base le taux établi par les lois qui existaient à l'époque où la rente a été constituée.

La rente peut être remboursée par tous ceux qui sont tenus, soit personnellement, soit hypothécairement de la servir.

2° Par la *consignation*, lorsque le créancier a refusé de recevoir les offres : *obsignatio pro solutione est.*

3° Par la *compensation*, lorsque le débiteur de la rente est devenu lui-même créancier d'une somme exigible : mais ici, la compensation est seulement facultative : le débiteur de la rente peut bien l'opposer; mais le créancier n'a pas ce droit; autrement, il pourrait indirectement exiger le remboursement du capital.

Si c'était une rente, que le créancier fût tenu de servir, on ne pourrait le contraindre à souffrir la compensation du capital; car aucune des créances ne serait exigible : les arrérages seuls se compenseraient.

Les rentes constituées peuvent en outre s'éteindre, comme toute autre dette, par la *remise*, par la *novation* et par la *confusion*.

— Le chapitre qui nous occupe, est exclusivement relatif aux rentes constituées moyennant un capital aliéné : l'art. 530 s'occupe de ceux qui ont pour cause le prix de la vente d'un immeuble; quelles règles faut-il suivre à l'égard de celles qui sont la condition d'une transaction ou l'effet d'une libéralité; ces rentes sont-elles rachetables; peut-on leur appliquer le principe de l'art. 1911 sur les conditions du rachat? ∼ *A*. Des obligations perpétuelles sont considérées comme contraires aux principes de liberté proclamés par la révolution (Duvergier, n. 362 et 363).

Les rentes constituées antérieurement au Code doivent-elles être rachetées conformément aux lois actuelles? ∼ *A*. Arg. des art. 529 et 530 (*Poitiers*, 27 avril 1831; S., 31, 2, 145).

Lorsque le débiteur est mort laissant plusieurs héritiers, chacun d'eux peut-il se libérer individuellement, *nonobstant le refus du créancier*, de recevoir un remboursement partiel? ∼ *A*. L'obligation est divisible aussi bien pour le capital que pour les arrérages; sous le Code civil, la constitution de rente doit être envisagée comme un prêt à intérêt modifié en faveur du débiteur (Duvergier, n. 336; Dur., n. 613; Delv., p. 201, n. 6, notes; p. 416; D., vº Rentes, n 14). ∼ *N*. Le contrat de constitution de rente doit être envisagé comme une vente de cette rente avec faculté, pour celui qui est tenu de la servir, d'en opérer le rachat : or, de même que l'acheteur à réméré ne peut être forcé de souffrir le réméré pour partie (1667 et suiv.), de même, le créancier ne peut être tenu de souffrir un remboursement partiel (Pothier, Constitution de rentes, n. 190; D., Rép., Rente constituée, p. 552, n. 14).

Lorsqu'une vente d'immeuble est faite moyennant un prix capital converti ensuite en une rente, est-ce l'art. 530 ou l'art. 1911 qui doit recevoir son application? ∼ S'il résulte des termes dont se sont servis les parties, qu'elles ont entendu par une sorte de novation, créer une rente perpétuelle, à la place du prix d'abord convenu, il faut appliquer l'art. 1911; dans le cas contraire, on doit suivre les dispositions de l'art. 530 (Dur·, n. 622, Delv., p. 201, n. 5; voy. aussi Pothier, § 1, chap. 6, Bail à rente).

1912 — Le débiteur d'une rente constituée en perpétuel peut être contraint au rachat,

1° S'il cesse de remplir ses obligations pendant deux années ;

2° S'il manque à fournir au prêteur les sûretés promises par le contrat.

= L'aliénation du capital a pour cause la condition tacite que le débiteur remplira ses engagements ; il est dès lors rigoureusement juste, de faire exception, dans les deux cas suivants, au principe que le débiteur d'une rente constituée ne peut être contraint au rachat :

1° *Lorsqu'il cesse de remplir ses obligations pendant deux années:* mais il faut pour cela que les deux années soient consécutives, c'est-à-dire, que le débiteur se trouve, après la seconde échéance annuelle, en retard de deux années d'arrérages (1). Ex. : le débiteur n'a point payé les arrérages de l'année 1830 ; il a payé ceux de 1831 ; il doit les arrérages échus en 1832 : le créancier ne pourra exiger le rachat, quoique deux années lui soient réellement dues. — On voit combien il importe au créancier de faire au fur et à mesure, dans les quittances, l'imputation des sommes qu'il reçoit.

Que faudrait-il décider, si les arrérages étaient stipulés payables d'avance au commencement de chaque année ? Le créancier pourrait se faire rembourser à partir du commencement de la 2ᵉ année ; car deux années d'intérêts seraient alors exigibles (2).

Si la rente est portable, le créancier acquiert le droit au remboursement, par le seul fait du défaut de payement des arrérages, encore qu'il n'ait pas mis le débiteur en demeure ; car il s'agit moins pour lui d'obtenir la résolution du contrat, que d'être relevé de sa renonciation conditionnelle à la faculté de pouvoir exiger ce remboursement (3) : *dies pro homine interpellat.*

Toutefois, si la rente est quérable, c'est-à-dire payable au domicile du débiteur, le créancier doit justifier par un acte d'huissier, que l'on s'est inutilement présenté à ce domicile pour recevoir le payement des arrérages (4).

Nous poserons en principe que la rente est toujours quérable, à moins de stipulations contraires (Arg. de l'art. 1247).

Le créancier porteur d'un titre exécutoire, peut exercer, par voie de contrainte ou de commandement, le droit d'exiger le remboursement.

---

(1) Dur., n. 617. — *Cass.*, 12 novembre 1822, S., 23, 1 174. ⚹⚹ Il n'est dit nulle part que les deux années doivent être consécutives : le préjudice souffert par le créancier est le même, l'infraction commise par le débiteur est aussi grave, lorsque les deux années sont séparées que lorsqu'elles sont consécutives : le droit accordé au créancier prend sa source dans le dommage qu'il éprouve ; par cela seul que le débiteur doit deux années d'arrérages, il se trouve dans le cas de déchéance prévu par la loi (Toullier, n. 70, t. 7; Duvergier, n. 346).

(2) Duvergier, n. 345. — *Bordeaux*, 11 juillet 1832 ; S., 33, 2, 256 ; D., 33, 2, 55.

(3) (Dur·. n. 619 et 620; Delv., p. 201. n. 5; Toullier, t. 8. n. 559 ; Duvergier, n. 342. — *Cass.*, 31 août 1818; S., 19, 41, 70; 19 avril 1831 ; D., 31, 1, 254 ; 5 décembre 1833 ; D., 34, 1, 65. — *Cass.*, 10 novembre et 16 décembre 1818 ; D., 1819 21, 1, 23; S., 19, 1, 13. 273 et 274; 8 avril 1818 ; S. 18, 1. 248 ; 26 juin 1836 ; D., 36, 1, 404; 12 mai 1819 ; D., 1819, 1, 313). ⚹⚹ Le capital devient exigible de plein droit encore que la rente soit portable (*Aix*, 19 novembre 1813 et 28 avril 1813 ; S., 15. 2. 250, 13, 2, 279).

(4) *Cass.*, 12 mai 1819; S., 19, 1, 274 ; 28 janvier 1836, 36, 1, 690 ; voy. cep. *Bourges*, 7 décembre 1826 S., 29, 2, 210.

Il est bien entendu, qu'en accordant au créancier la faculté d'exiger le rachat pour cette cause, la loi n'entend pas lui interdire le droit d'exercer des poursuites pour les arrérages, avant l'expiration des deux années : notre article suppose même que ces poursuites ont été infructueuses.

2° *Lorsqu'il manque à fournir au prêteur les sûretés promises par le contrat :* par ex., s'il n'accomplit pas l'obligation qu'il a contractée de donner incessamment, pour sûreté de la rente, une caution ou une hypothèque : c'est là une application de la règle établie par l'art. 1184. — Il doit en être de même, lorsqu'il diminue par son fait les sûretés qu'il avait données par le contrat (Arg. des art. 1912, 2131, 2020, 1188), ou lorsqu'il tombe en faillite ou en déconfiture.

Au surplus, la déchéance n'est pas encourue de plein droit ; le tribunal peut même, suivant les circonstances, accorder au débiteur un délai, pour donner les sûretés promises, ou pour remplacer celles qu'il a diminuées par son fait (Dur., n. 626 ; Toullier, n. 552 et suiv., t. 6 ; Duvergier, n. 339).

Le débiteur doit être admis à fournir des sûretés nouvelles, lorsque celles qu'il a données ont péri en tout ou en partie sans sa faute.

La loi suppose évidemment que les deniers ont été délivrés au débiteur, avant qu'il ait donné les sûretés : en effet, si le créancier a gardé le prix, la rente n'existe pas encore.

— La disposition de l'art. 1912, qui autorise le créancier à exiger son remboursement par cela seul que le débiteur a cessé de remplir ses obligations pendant deux années consécutives, s'applique-t-elle aux rentes créées sous l'empire des lois ou coutumes qui ne donnaient pas cette faculté au créancier ? ᴀᴠᴠ *N.* Les lois n'ont pas d'effet rétroactif ; les dispositions de la loi sous l'empire de laquelle les parties ont contracté, sont sous-entendues dans leurs conventions; la survenance d'une loi nouvelle ne peut dès lors porter atteinte à ces conventions (Observ. de M. Valette ; Proudhon , Traité des personnes, p. 64 et 65 ; Dur., n. 615 et 616) ᴀᴠᴠ *A.* Le législateur peut toujours déterminer pour l'avenir le mode d'exécution des actes; il appartient à la loi, de régler les faits qui se passent sous son empire, et d'y attacher des peines (Toullier , n. 250, t. 6 ; Delv., p. 201, n. 5 ; Merlin , Rép., vº Rentes constituées , n. 3 ; Effet rétroactif. — *Cass.*, 6 juillet 1812 ; S., 12. 1, 2, 81 ; 10 novembre 1818 ; S., 19. 1, 278, 4 novembre 1812 ; S., 13, 1, 397; 23 novembre 1839, D., 40, 1, 27). ᴀᴠᴠ Il faut distinguer entre les dispositions de la loi contemporaine du contrat, qui sont relatives aux effets ordinaires des conventions et celles qui déterminent les conséquences des infractions commises par l'une des parties : les premières sont toujours sous-entendues dans les conventions ; mais il n'en peut être ainsi des deuxièmes : que les parties aient prévu des faits licites, cela se conçoit ; mais comment admettre que l'une d'elles ait songé au cas où elle manquerait à ses engagements , ou plutôt, qu'elle se soit réservé d'y manquer , sauf à subir les conséquences de l'infraction ? (Duvergier , n. 355 et suiv.).

Si le débiteur laisse plusieurs héritiers, celui qui a payé sa part dans les arrérages peut-il être contraint au remboursement du capital , même pour sa part , à raison de ce que son cohéritier ne remplit pas ses obligations ? ᴀᴠᴠ *N.* La dette est divisible (Dur., n. 621 ; Delv., p. 201, n. 6. — *Bourges*, 12 avril 1834 ; S., 25. 2, 234 ; D., 25, 2, 251).

Le débiteur d'une rente peut-il être contraint au remboursement du capital, lorsqu'il aliène tout ou partie des biens hypothéqués pour un prix inférieur au capital de la rente ? Est-ce la diminuer les sûretés données au créancier ? ᴀᴠᴠ *A.* Cette portion pouvant être purgée : le créancier se trouve exposé à recevoir un payement partiel : mais il faut attendre que l'acquéreur se mette en mesure de purger (*Paris*, 21 janvier 1814 ; S., 15, 2, 54. — *Poitiers* , 11 juin 1819 et 28 décembre 1831 ; S. 32, 2, 636 ; D., 32, 2, 32. — *Pau* 23 août 1834 ; D., 35, 2. 29. ᴀᴠᴠ Il ne faut pas confondre la possibilité de diminution des sûretés , avec la diminution effective : tant que l'acquéreur n'a pas payé, il n'y a que possibilité de diminution (Toullier , t. 6, n. 666 et 667 ; Dur., t. 11, n. 116 et suiv.. t. 17, n. 628 ; Delv., t. 2, p. 492; Troplong , Hyp., n. 644, t. 2 ; Duvergier, n. 341. — *Paris* , 11 février 1815 ; S , 16, 2, 214).

Quelle est vis-à-vis de ses codébiteurs la position du débiteur solidaire d'une rente qui a remboursé le capital ? ᴀᴠᴠ Il peut exercer tous les droits du créancier ; sauf l'exécution de l'article 121 (Delv., p. 201, n. 6).

L'art. 1912 est-il applicable, lorsque la rente a été constituée comme prix de la vente d'un immeuble ? ᴀᴠᴠ *N.* L'art. 1912 renferme une disposition spéciale ; or, ces sortes de dispositions doivent être renfermées dans leurs termes : l'art. 1912 étant placé au chapitre du prêt à intérêt, ne peut être étendu au cas où la rente est créée pour prix d'un domaine aliéné. — (*Cass.*, 28 juillet 1824 ; D., 24, 1, 263 ; S., 24, 1, 331; 5 mars 18 7 ; S., 18. 1, 71). ᴀᴠᴠ Il faut distinguer : s'il a été dit que la vente était faite moyennant une rente , il y a lieu d'appliquer à défaut de payement des arrérages , l'art. 1654 et de demander la résolution de la vente : mais si la vente a été faite moyennant une somme d'argent pour laquelle une rente a été constituée , on applique l'art. 1912 (Delv., p 201, n. 5).

La disposition de l'art 1912 est-elle applicable aux prêts ? ᴀᴠᴠ *N.* Le prêt ne peut être assimilé à une rente : Duvergier , n. 354 ; Toullier , t. 6, n. 250 , note).

La disposition exceptionnelle de l'art. 1912 est-elle applicable, lorsqu'il s'agit de rentes constituées à titre gratuit ?ᴀᴠᴠ*A.* Le Code ne distingue pas entre les rentes constituées à titre gratuit et celles qui sont constituées à titre onéreux (*Cass.*, 12 juillet 1813 ; S., 13. 1, 354).ᴀᴠᴠ*N.* La résolution des conventions n'a pas lieu de plein droit, par cela seul que l'une des parties a manqué à ses engagements ; la disposition de l'art. 1912 est exceptionnelle ; il faut donc la restreindre au cas qu'elle prévoit ; or, elle suppose que la rente a été constituée à titre onéreux. — On ne peut placer sur la même ligne celui qui cède à une inspiration généreuse et celui qui a reçu l'équivalent de ce qu'il donne ou fait (Duvergier, n. 364 ; Dur., n. 662).

Est-elle applicable aux rentes constituées pour prix de la vente d'un immeuble] ou comme condition de la cession d'un fonds immobilier? ⁓ A. Il n'y a plus aujourd'hui de rentes foncières ; le Code ne reconnait que des rentes constituées (Thémis , Dissert. de M. Jourdan , t. 5, p. 321 et suiv.). ⁓ N. Assurément , il n'existe plus aujourd'hui de rentes foncières : mais on ne saurait soutenir que toutes différences entre les rentes établies pour prix de la vente d'un immeuble et celles qui sont constituées moyennant l'aliénation d'un capital en argent se trouvent effacées : comparez les art. 530 et 1911. Oserait-on prétendre, par ex., que le débiteur de la rente, devra restituer l'immeuble, pour éteindre la rente qu'il s'est obligé à servir. — L'art. 1912 renferme une disposition spéciale ; or , ces sortes de dispositions doivent être renfermées dans leurs termes (Duvergier, n. 365. — Cass., 28 juillet 1824 ; D., 24, 1, 263 ; S., 2, 1, 351 ; 5 mars 1817 ; S., 18, 1, 71).

1913 — Le capital de la rente constituée en perpétuel devient aussi exigible en cas de faillite ou de déconfiture du débiteur.

1914 — Les règles concernant les rentes viagères sont établies au titre des *Contrats aléatoires*.

TITRE XI.

DU DÉPÔT ET DU SÉQUESTRE.

(Décr. le 14 mars 1804; prom. le 24 du même mois).

CHAPITRE PREMIER.

Du dépôt (1) *en général et de ses diverses espèces.*

Le mot *dépôt* a deux acceptions : tantôt il exprime le contrat lui-même (1942) , tantôt il indique la chose déposée (1944).

Pris dans le premier sens , le dépôt est de la classe des contrats de *bienfaisance*, puisqu'il a pour but l'intérêt de l'une des parties : il est *réel*, car il ne se forme que par la tradition : il est *unilatéral imparfait* (2) , car le dépositaire seul s'oblige principalement ; les obligations du déposant ne peuvent être qu'accidentelles.

Ce titre est divisé en trois chapitres :

Le premier traite du dépôt en général et de ses diverses espèces ;

Le deuxième, du dépôt proprement dit ;

Le troisième, du séquestre.

1915 — Le dépôt, en général , est un acte (3) par lequel on reçoit la chose d'autrui, à la charge de la garder et de la restituer en nature (4).

---

(1) Le mot *dépôt* , *depositum* , est composé de *positum* et de la préposition *de* , qui augmente la force du verbe ; ce mot indique le placement d'une chose sous la garde d'une personne.

(2) Voy. art. 1103.

(3) Le mot *acte* , convient mieux ici que l'expression *contrat* ; car la définition comprend le *séquestre* , sorte de dépôt qui ne suppose pas toujours une convention.

Remarquons en outre , que la loi omet dans cette définition , *la gratuité* ; parce qu'elle est de la nature et non de l'essence du dépôt (voy. art 1928).

(4) La définition suivante eût été préférable : « Le dépôt en général est un contrat par lequel une chose (corporelle) est confiée à une personne qui s'oblige à la garder et à la rendre dans son individualité. »

⟹ Trois conditions sont de l'essence du dépôt :

1º *La tradition* (1) : elle peut être *fictive;* par ex., si la chose se trouve déjà entre les mains du dépositaire.

2º Il faut que cette tradition ait eu pour fin la *garde de la chose ;* autrement le contrat constituerait, suivant les cas, une donation, une vente, un mandat, un louage ou un prêt. Exemple : Je confie une chose à une personne, avec mission d'en faire un emploi que je lui indique : ce contrat n'est pas un dépôt, mais un mandat ou un louage de services, car il n'impose pas la charge de garder et de restituer.

Le dépôt semble quelquefois se confondre avec d'autres contrats : on doit, pour le reconnaître, s'attacher à cette règle proposée par Ulpien : *uniuscujusque contractus initium spectandum est et causa.* — Ex. : Étant forcé de partir pour un long voyage, je confie mon argenterie à votre garde, avec autorisation de vous en servir : on ne peut voir dans cette convention qu'un dépôt ; il n'y aura prêt à usage, qu'au moment où vous userez de ma permission, car la garde de la chose a été la fin principale du contrat. — Si les choses déposées étaient de nature à se consommer par le premier usage, le contrat se changerait en prêt de consommation à mesure que vous vous en serviriez.

Mais, après avoir donné certaines choses en dépôt, si j'autorise, par un nouveau contrat, le dépositaire à s'en servir, il y aura prêt, dès le moment où cette deuxième convention se formera; avant même que l'emploi ait eu lieu.

Je vous charge de porter de l'argent à une personne désignée : ce n'est pas là un contrat de dépôt, mais un mandat; car l'argent n'est pas livré pour qu'on le garde, *custodiæ causa duntaxat.*

Je vous charge de retirer une chose que j'ai mise en dépôt chez une autre personne et de garder cette chose : ce contrat n'est encore qu'un mandat; car son principal objet, son but primitif, n'a pas été de vous charger du soin de conserver.

Il est très-important de bien saisir ces nuances ; car la responsabilité, comme nous le verrons, est moins grande dans le dépôt que dans tout autre contrat : le dépositaire ne doit à la conservation de la chose déposée que les soins qu'il donne à ses effets personnels ; tandis que le mandataire est généralement responsable des fautes qu'il a commises dans l'exécution de son mandat, quand même il aurait eu la même négligence pour ses propres affaires.

Cette distinction était surtout importante avant la loi du 28 avril 1832 : car aux termes de l'art. 406 du Code pénal, l'abus de confiance dont un dépositaire se rendait coupable, était puni d'un emprisonnement de 2 mois au moins et de 2 ans au plus, et d'une amende qui ne pouvait excéder le quart des restitutions et dommages-intérêts dus à la partie lésée, ni être moindre de 25 francs ; tandis que de semblables peines ne pouvaient être prononcées contre l'abus de confiance commis par un mandataire dans l'exercice de son mandat, à moins qu'un salaire n'eût été stipulé. Mais depuis la loi précitée, les mêmes peines sont portées contre quiconque a détourné, au préjudice du propriétaire, des deniers, effets, marchandises ou autres objets qui ne lui auraient été remis qu'à titre de louage, de dépôt, de mandat, ou pour un travail salarié ou non salarié.

_____

(1) Suit-il de là que le dépôt soit un contrat *réel* dans le sens du Droit romain ? Non, mais le dépôt ne se formera que par la tradition.

3° Le dépositaire doit s'obliger à *restituer* la chose identiquement ; autrement, le dépôt se confondrait avec la vente ou le prêt de consommation.

— Dans le cas ou le dépôt se convertit en prêt , doit-on appliquer la disposition de l'art. 1944, q permet au déposant de réclamer la chose quand il le juge convenable ? ↝ *A.* Il faut alors recourir l'art. 1900 (Delv., p. 207, n. 2).

1916 — Il y a deux espèces de dépôts : le dépôt proprement dit, et le séquestre.

= Le *dépôt*, proprement dit, est fait par une ou plusieurs personnes qui ont le même intérêt.

Le *séquestre* a lieu, lorsqu'une chose litigieuse est placée sous la garde d'un tiers, pour être restituée à la partie qui sera jugée devoir l'obtenir.

CHAPITRE II.

Du dépôt proprement dit.

Ce chapitre est divisé en cinq sections :

Dans la première, la loi détermine la nature du dépôt et les conditions qui tiennent à son essence.

Nous verrons dans la section 2 , entre quelles personnes ce contrat peut se former et la manière de le prouver ;

Dans la section 3 , quelles sont les obligations du dépositaire ;

Dans la section 4 , quelles sont celles du déposant.

La section 5 est consacrée au dépôt nécessaire.

SECTION I.

De la nature et de l'essence du contrat de dépôt.

1917 — Le dépôt proprement dit est un contrat essentiellement gratuit.

= Le dépôt est un acte de confiance, un bon office de la part de l'un des contractants : il résulte à la vérité de l'article 1928 , que les parties peuvent convenir d'un salaire pour les soins du dépositaire ; mais alors le contrat tient plutôt du louage de services que du dépôt.

1918 — Il ne peut avoir pour objet que des choses mobilières.

= Le mot *dépôt*, emporte l'idée d une chose susceptible d'être transportée d'un lieu à un autre , et qui se trouve placée sous la garde d'une personne , pour que le déposant puisse la retrouver lorsqu'il en aura besoin : il ne peut donc avoir pour objet que des choses mobilières (ajoutons corporelles). Toutefois , on peut valablement confier, à titre de dépôt, le papier qui établit la preuve d'un droit (*instrumentorum corpora*).

A l'égard des immeubles , il n'est pas nécessaire , pour les retrouver , de les donner en garde , puisqu'ils ne peuvent être déplacés : sans doute , on peut valablement confier à quelqu'un le soin de veiller à leur conservation ; mais alors le contrat n'est qu'un véritable mandat.

Hors le cas où le déposant est en droit de retenir la chose par devers lui, par ex., s'il est usufruitier, locataire, ou même s'il a reçu cette chose en nantissement, il est clair qu'on ne peut donner en dépôt à une personne la chose qui lui appartient.

1919 — Il n'est parfait que par la tradition réelle ou feinte de la chose déposée.

La tradition feinte suffit, quand le dépositaire se trouve déjà nanti, à quelque autre titre, de la chose que l'on consent à lui laisser à titre de dépôt.

= *Voy.* art. 1915.

1920 — Le dépôt est volontaire ou nécessaire.

SECTION II.

Du dépôt volontaire (1).

Le dépôt volontaire nécessite le consentement des parties (1921) ; — régulièrement, il ne peut être fait que par le propriétaire (1922) ; — il est soumis, comme tous les contrats, aux règles sur la capacité de contracter (1108, 1125, 1925 et 1926 combinés).

Du reste, ce contrat n'est assujetti, pour son existence, à aucune formalité particulière : les dispositions générales de l'art. 1341 sur les preuves lui sont applicables (1923, 1934).

1921 — Le dépôt volontaire se forme par le consentement réciproque de la personne qui fait le dépôt et de celle qui le reçoit.

= Point de contrat sans consentement (1106) : la disposition qui nous occupe serait donc superflue, si elle avait pour objet unique de rappeler ce principe ; mais le législateur a eu d'autres vues : il a voulu faire entendre, que la tradition doit être l'effet d'une volonté qui n'ait pas été déterminée par *la nécessité* (*voy.* section 5).

1922 — Le dépôt volontaire ne peut régulièrement être fait que par le propriétaire de la chose déposée, ou de son consentement exprès ou tacite

= Cette disposition doit être entendue en ce sens, que le propriétaire n'est point lié par le dépôt fait sans son consentement exprès ou tacite : ainsi, le dépositaire ne pourrait exercer contre lui l'action *depositi contraria*, ni même retenir la chose déposée, pour sûreté du remboursement de ses débours. — Toutefois, il aurait l'action *negotiorum gestorum*, si l'affaire avait été utilement gérée.

---

(1) Les règles contenues dans cette section ne sont point applicables au dépôt nécessaire.

Le dépôt fait par un simple possesseur est valable entre le déposant et le dépositaire : en effet, ce contrat n'a pas pour objet de conférer la propriété, ni même la jouissance de la chose ; mais seulement, de confier au dépositaire la garde de cette chose, ce qui ne suppose pas nécessairement dans la personne du déposant le titre de propriétaire : ainsi, des voleurs peuvent donner en dépôt ce qu'ils ont volé : toutefois, si le propriétaire est connu, ce n'est point à eux que le dépositaire doit restituer, mais au propriétaire. — Si le droit de celui qui se dit propriétaire est contesté par le déposant, le dépositaire doit attendre l'issue de la contestation.

1923 — Le dépôt volontaire doit être prouvé par écrit. La preuve testimoniale n'en est point reçue pour valeur excédant cent cinquante francs.

= Le dépôt est un acte de confiance (1) : cette considération eût dû paraître suffisante, pour admettre, à quelque valeur que pût s'élever l'objet déposé, la preuve testimoniale : cependant, comme l'impossibilité de faire un écrit n'existe réellement que dans le cas de dépôt nécessaire, on a pensé que le dépôt volontaire devait rester soumis à la règle générale (2).

1924 — Lorsque le dépôt, étant au-dessus de cent cinquante francs, n'est point prouvé par écrit, celui qui est attaqué comme dépositaire, en est cru sur sa déclaration, soit pour le fait même du dépôt, soit pour la chose qui en faisait l'objet, soit pour le fait de sa restitution.

= Le déposant a suivi la foi du dépositaire ; il doit s'imputer d'avoir eu trop de confiance dans sa probité.

La règle qui proscrit la preuve testimoniale lorsque le dépôt excède 150 fr., reçoit exception dans deux cas :

1° Lorsqu'il existe un commencement de preuve par écrit (1347) (Dur., n. 29 et suiv.) ;

2° Lorsque le déposant a perdu, par suite d'un cas fortuit, le titre qui lui servait de preuve littérale (1348, 4°).

Du reste, le déposant peut, sans même avoir de preuve écrite, déférer le serment au dépositaire, soit sur le fait du dépôt, soit sur la chose qui

---

(1) Le délit de violation du dépôt ne peut être poursuivi devant les tribunaux correctionnels, avant que le fait du dépôt ait été préalablement établi par une preuve écrite ; autrement, il serait facile de se procurer indirectement une preuve testimoniale rejetée par la loi. Le tribunal correctionnel auquel on porte plainte de la violation d'un dépôt dont il n'existe ni preuve écrite ni commencement de preuve, doit se déclarer incompétent, et dire qu'il n'y a pas lieu à plainte, sauf aux parties à se pourvoir comme elles aviseront ; ou les renvoyer directement à fins civiles, après avoir néanmoins interrogé le prévenu ; car la preuve du dépôt peut résulter de son interrogatoire, ou du moins, l'interrogatoire peut procurer un commencement de preuve qui permettra de faire entendre des témoins (Toullier, t. 9, n. 143 et suiv. ; Duvergier, n. 417).

Toutefois, le tribunal correctionnel devant lequel on produirait un commencement de preuve écrite, pourrait ne pas renvoyer devant les tribunaux civils pour le compléter et recevoir lui-même les dispositions des témoins (Duvergier, n. 419).

(2) Pourquoi cette règle est-elle rapportée ici lorsqu'elle ne l'est pas pour d'autres contrats ? Ne suffisait-il pas de l'avoir établie art. 1341 ? Le législateur a craint qu'on n'exigeât pas d'écrit pour le dépôt : on conçoit, qu'en matière de prêt, le prêteur puisse ne pas hésiter à demander un écrit, car il est l'obligeant ; mais le déposant, qui est l'obligé, n'aurait peut-être pas osé faire cette demande : il importait dès lors de lui rappeler le principe. Cette pensée du législateur apparaît d'ailleurs dans l'article 1341, où l'on trouve ces mots : *même en cas de dépôt volontaire*. Lorsque le fait du dépôt n'est pas contesté, la preuve par témoins peut être admise, encore qu'il s'agisse d'une valeur excédant 150 fr., sur le point de savoir quel est l'auteur du dépôt, et qui doit supporter les frais. — (*Cass*, 9 juillet 1816 ; S, 17, 2, 396).

en est l'objet, soit sur le fait de la restitution (Arg. des art. 1358 et 1360), ou le faire interroger sur faits ou articles.

— *Quid*, à l'égard du serment supplétoire? ⟶ Il ne peut être déféré que lorsqu'il n'existe aucune preuve légale; or, l'allégation du dépositaire est une preuve légale : d'ailleurs, il est trop dangereux et trop opposé au principe qui veut que le dépositaire soit cru sur sa déclaration.

La disposition de l'article 1326, qui exige dans les billets ou promesses un bon ou approuvé, est-elle applicable aux actes de dépôt ? ⟶ *A.* L'acte du dépôt est unilatéral comme un acte de prêt (Toullier, t. 8, n. 304 ; Duvergier . n. 420).

Est-il nécessaire que ces actes soient faits doubles ? ⟶ *N.* Le dépôt ne contient pas de conventions synallagmatiques parfaites (Toullier, t. 8, n. 326 ; Dur., n. 32 ; Duvergier, n. 420).

1925 — Le dépôt volontaire ne peut avoir lieu qu'entre personnes capables de contracter.

Néanmoins, si une personne capable de contracter accepte le dépôt fait par une personne incapable, elle est tenue de toutes les obligations d'un véritable dépositaire ; elle peut être poursuivie par le tuteur ou administrateur de la personne qui a fait le dépôt.

= Le dépôt fait naître entre les parties des obligations réciproques : obligation principale pour le dépositaire, de conserver et de rendre ; obligation accessoire pour le déposant, d'indemniser le dépositaire de toutes les dépenses qu'il fera pour conserver la chose. Ce contrat doit donc être soumis aux règles sur la capacité.

Mais rappelons-nous, que les personnes capables de s'engager, ne peuvent opposer l'incapacité de celui avec qui elles ont contracté (1125) : aussi, la loi soumet-elle aux mêmes obligations que tout dépositaire, la personne qui a reçu d'un incapable quelque chose en dépôt ; tandis que l'incapable peut en faisant annuler ou rescinder le contrat, se soustraire à toutes les obligations dont il serait tenu, si le dépôt était valable, et rester seulement soumis envers le dépositaire, à l'action *negotiorum gestorum.*

— *Quid*, si le déposant est entièrement incapable de consentir ? ⟶ L'art. 1925 n'est plus applicable ; on considère alors le dépositaire comme un gérant d'affaires ; il est tenu *quasi ex contractu*, et comme tel on le soumet à des soins plus rigoureux (1374 et 1927 combinés) ; il peut même, suivant les cas, être poursuivi comme voleur.

1926 — Si le dépôt a été fait par une personne capable (1) à une personne qui ne l'est pas, la personne qui a fait le dépôt n'a que l'action en revendication de la chose déposée, tant qu'elle existe dans la main du dépositaire, ou une action en restitution jusqu'à concurrence de ce qui a tourné au profit de ce dernier.

= Lorsqu'une chose a été confiée par une personne capable à un dépositaire incapable, ce dépositaire n'est point lié par le contrat : si on l'actionne en dommages-intérêts, pour ne pas avoir apporté tous les soins convenables à la conservation de la chose, il peut repousser cette action, en opposant la nullité du contrat : mais on a dû le soumettre, comme détenteur, à l'action en revendication ; ou l'obliger, si la chose n'existe plus entre ses mains, à tenir compte du profit qu'il a fait, *quatenùs locupletior factus est ;* car personne ne doit s'enrichir aux dépens d'autrui.

---

(1) Rédaction vicieuse : la même règle serait applicable si le déposant était incapable (Merlin, Rép., v° Revendication, § 5.

Il va de soi, que le mineur *doli capax* serait passible de dommages-intérêts, s'il avait frauduleusement détourné, ou malicieusement détruit la chose déposée ; car toute personne est tenue des obligations qui résultent de son délit ou de son quasi-délit (1310). Mais comme l'action prendrait alors sa source dans le fait de violation du dépôt, elle se prescrirait par 3 ans (Art. 2 et 3, et 638 Inst. crim.).

Celui qui a l'administration de ses biens contracte, suivant nous, toutes les obligations qui naissent du dépôt, lorsqu'il reçoit une chose mobilière dont il pourrait librement disposer si elle lui appartenait.

SECTION III.

Des obligations du dépositaire.

Le dépositaire contracte deux obligations principales : 1° Celle de garder la chose (1927 à 1931) ; 2° celle de la restituer (1932 à 1944).

Le dépositaire, ne doit, sauf quatre cas exceptionnels, à la garde de la chose, que les soins qu'il donne à ses propres affaires, sans que jamais on puisse exiger de lui des soins plus grands que ceux d'un bon père de famille : sous ce rapport sa position diffère essentiellement de celle de l'emprunteur (1882) : on a considéré que le dépôt est en général sans intérêt pour lui ; qu'il ne reçoit aucune indemnité ; que les services qu'il rend sont purement gratuits ; enfin, que si le déposant, libre dans son choix, a donné sa confiance à un homme négligent, il doit se l'imputer. — Les accidents de force majeure ne sont point à sa charge, à moins qu'il n'ait été mis en demeure.

La fidélité qu'il doit apporter, lui interdit la faculté de se servir de la chose sans la permission du déposant (1930), et lui impose le devoir de ne point chercher à la connaître, si elle est destinée à demeurer secrète (1931).

Il peut, quand bon lui semble, se démettre du dépôt, en restituant la chose déposée, à moins qu'il ne se soit obligé à la garder pendant un certain temps. Cette obligation est tacite, lorsqu'un terme a été fixé pour la restitution.

Du reste, il est déchargé de toutes les obligations qui naissent du dépôt, lorsqu'il prouve que la chose lui appartient ; sauf au dépositaire à établir qu'il avait sur cette chose un droit de jouissance, ou de détention. (1946).

Nous verrons successivement : ce qui doit être restitué (1932 à 1936) ; à qui la restitution doit être faite (1937 à 1941) ; dans quel lieu (1942, 1943) ; dans quel temps (1944).

1927 — Le dépositaire doit apporter, dans la garde de la chose déposée, les mêmes soins qu'il apporte dans la garde des choses qui lui appartiennent (1).

= Le dépositaire doit à la conservation de la chose, de la fidélité ; or

---

(1) Cet article est exclusivement relatif au dépôt volontaire : en cas de dépôt nécessaire, on rentre dans la règle générale. Or rappelons-nous que l'obligation de conserver soumet celui qui en est tenu à ous les soins d'un bon père de famille (1137) ; l'art. 1927 n'est qu'une exception.

il manquerait à cette obligation, s'il donnait à la chose déposée moins de soins qu'à celles qui lui sont propres : mais on ne pourrait exiger de lui que les soins d'un bon père de famille, encore qu'il apportât à la garde de ses propres choses, des soins plus exacts (1).

Par ex., en cas d'incendie, le dépositaire aurait droit à l'indulgence, s'il avait laissé périr des choses à lui appartenant, qui se trouvaient, au moment de l'accident, avec celles dont la garde lui était confiée.

Quid, lorsqu'il a sauvé sa propre chose? On distingue : ne pouvant sauver que l'une des deux choses, s'il a laissé périr la chose prêtée, il n'est passible d'aucuns dommages-intérêts. Toutefois, si celle-ci avait une valeur supérieure, il serait tenu de la perte (2), car il n'aurait pas agi comme il eût agi pour lui-même : il devait laisser périr la chose qui lui était propre, sauf ensuite à réclamer du déposant des dommages-intérêts (1947).

Il est responsable, lorsque, pouvant sauver l'une et l'autre chose, il a laissé périr celle qui était l'objet du dépôt.

Le dépositaire est toujours tenu de la faute que l'on appelle lourde (et l'on considère comme telle toute imprudence qu'il n'aurait pas commise dans l'administration de ses biens personnels) : par ex., au lieu de mettre sous clef l'argenterie, les bijoux ou autres choses précieuses déposées entre vos mains, vous laissez ces objets exposés dans un vestibule ou dans une antichambre : s'ils viennent à être volés, vous serez tenu de cette perte.

La fidélité à garder le dépôt est essentiellement requise : toute convention qui, dans la prévision du cas de fraude, dispenserait le dépositaire d'indemniser le déposant, serait nulle comme contraire aux bonnes mœurs. — Mais on stipulerait valablement, que le déposant s'en rapportera à la foi du dépositaire pour la restitution : en effet, cette dernière clause est différente de la première : l'une, dispense expressément le dépositaire de toute fidélité, ce qui la rend contraire aux bonnes mœurs ; l'autre, suppose le dépositaire tellement incapable de mauvaise foi, qu'elle ne permet pas au déposant de soulever cette question.

En admettant ces principes, Pothier fait cependant observer, qu'il est difficile d'entrer dans la discussion du caractère de la personne : lorsque la faute commise par le dépositaire à l'égard des choses qui lui sont confiées, n'est qu'une faute légère et ordinaire, et non une faute grossière, on présume facilement qu'il est de caractère à en commettre de pareilles dans ses propres affaires.

1928 — La disposition de l'article précédent doit être appliquée avec plus de rigueur, 1° si le dépositaire s'est offert lui-même pour recevoir le dépôt; 2° s'il a stipulé un salaire pour la garde du dépôt; 3° si le dépôt a été fait uniquement pour l'intérêt du dépositaire; 4° s'il a été convenu expressément que le dépositaire répondrait de toute espèce de faute.

---

(1) Suivant Duvergier, n. 416 et 427, le dépositaire doit dans tous les cas, à la conservation de la chose déposée, les soins d'un bon père de famille.

(2) Néanmoins, on déduira de l'indemnité la valeur de la chose propre qu'il aurait sauvée ; car le déposant doit, aux termes de l'art. 1947, indemniser le dépositaire de toutes les pertes que lui a occasionnées le dépôt (Dur., n. 39).

= Le dépositaire est tenu, par la nature du contrat, d'apporter à la garde de la chose déposée les mêmes soins qu'à celles qui lui appartiennent.

Mais on peut exiger de lui une exactitude plus rigoureuse dans les quatre cas suivants :

1° Lorsqu'il s'est offert lui-même pour recevoir le dépôt : — cette offre de services a pu empêcher le déposant de s'adresser à d'autres plus diligents.

2° Lorsqu'il a stipulé un salaire pour la garde du dépôt : — le contrat cesse alors d'être gratuit ; il devient intéressé de part et d'autre ; il se transforme en louage de services. Mais quelques présents donnés par le déposant ne changeraient pas sa nature ; les obligations du dépositaire seraient toujours bornées à la fidélité.

3° Si le dépôt a été fait pour l'intérêt du dépositaire : — le contrat perd alors totalement son caractère de gratuité : par ex., étant sur le point d'entreprendre un voyage, vous déposez vos livres chez moi, afin que je puisse m'en servir pendant votre absence : je serai tenu, comme dans le commodat, de la faute la plus légère.

4° S'il a été convenu expressément que le dépositaire répondra de toute espèce de faute : — les conventions tiennent lieu de loi (1134).

1929 — Le dépositaire n'est tenu, en aucun cas, des accidents de force majeure, à moins qu'il n'ait été mis en demeure de restituer la chose déposée.

= Ce principe est commun à tout débiteur de corps certains (1302, 1147, 1148).

Mais rien ne s'opposerait à ce qu'on rendît le dépositaire responsable même de la perte arrivée par force majeure : cette convention n'aurait rien de contraire à l'essence du contrat de dépôt.

1930 — Il ne peut se servir de la chose déposée, sans la permission expresse ou présumée du déposant.

= Le dépositaire qui se sert des choses confiées à sa garde, sans le consentement au moins présumé du déposant, se rend coupable d'abus de confiance ; aussi, le déclare-t-on passible de tous dommages-intérêts.

Pour que le consentement soit présumé, il ne suffit pas que le dépositaire se persuade qu'il aurait obtenu du déposant la permission de se servir de la chose ; il faut qu'il ait eu juste sujet de croire que cette permission lui aurait été accordée : par ex., si plusieurs fois déjà le déposant lui a prêté la chose. Les tribunaux sont appréciateurs des circonstances.

Le consentement tacite ne se présume pas facilement lorsque la chose est de nature à se consommer par l'usage ou même à se détériorer ; car il s'agit alors de convertir le dépôt en prêt.

— A qui doivent appartenir les profits obtenus par le dépositaire, lorsqu'il a usé sans autorisation ? ꞌꞌ Au déposant : *nemo ex suo delicto debet consequi emolumentum* (D., t. 5, p. 16, n. 13).

1931 — Il ne doit point chercher à connaître quelles sont les choses qui lui ont été déposées, si elles lui ont été confiées dans un coffre fermé ou sous une enveloppe cachetée.

= Le dépositaire contreviendrait à la fidélité qu'il doit à la garde du dépôt, s'il cherchait à connaître les choses qui en sont l'objet, quand elles doivent demeurer secrètes : or cette destination est évidente, lorsqu'elles lui ont été remises scellées ou cachetées.

Bien plus, il doit garder le secret, si le hasard lui fait connaître en quoi consistent ces choses. Par ex., je puis prendre lecture d'un testament qui est remis ouvert entre mes mains; mais je me rendrais coupable d'infidélité, si je donnais connaissance des dispositions qu'il renferme.

Les lois romaines accordaient contre le dépositaire indiscret, l'action d'injure : chez nous, il serait soumis à des dommages-intérêts.

1932 — Le dépositaire doit rendre identiquement la chose même qu'il a reçue.

· Ainsi, le dépôt des sommes monnayées doit être rendu dans les mêmes espèces qu'il a été fait, soit dans le cas d'augmentation, soit dans le cas de diminution de leur valeur.

= L'obligation de restituer, a pour objet les choses mêmes qui ont été données en dépôt; le dépositaire doit rendre ces choses identiquement.

Cette règle est applicable, même quand il s'agit de choses qui se consomment par l'usage : s'il suffisait de rendre des choses de pareille espèce ou qualité, le dépôt se convertirait en *prêt*. — Ainsi, les espèces, si c'est une somme d'argent qu'on a déposée, doivent être restituées *in individuo*, sans égard à l'augmentation ou à la diminution de valeur qu'elles ont éprouvée depuis le dépôt.

Le déposant doit donc avoir soin de faire constater leur nature par un bordereau ; car la preuve testimoniale ne peut être admise, lorsque la différence qui existe entre la valeur des pièces réclamées et celles qui sont avouées par le dépositaire, excède 150 fr.

Si le dépôt est nié, ce sera la quotité de la somme demandée par le déposant, que l'on considérera, pour savoir s'il y a lieu à la preuve testimoniale (1).

La prescription ne court pas contre le déposant, en ce sens, qu'il peut réclamer la chose tant qu'elle existe entre les mains du dépositaire, lors même qu'il se serait écoulé plus de trente ans depuis le dépôt (2236); car il ne possède pas, il détient : la possession continue d'appartenir au déposant. — Si les obligations du dépositaire s'étaient converties en dommages-intérêts, l'action serait prescriptible, comme toute autre.

— Si le dépositaire avait pu prévenir la perte résultant de la diminution de valeur des espèces : par ex., s'il avait négligé l'occasion d'échanger la monnaie avant sa dépréciation, serait-il responsable ? ⟶ On peut dire, que le dépositaire doit gérer la chose d'autrui comme la sienne propre; qu'il était par conséquent dans l'obligation de faire l'échange dont il s'agit : cependant, pour qu'il fût responsable, il faudrait qu'il y eût négligence évidente.

Quid, si le dépositaire a déposé la chose entre les mains d'un autre dépositaire ? Sera-t-il admis à céder ses actions? ⟶ *Oui*, s'il prouve qu'il y a eu pour lui nécessité de faire ce dépôt (Delv., p. 209, n. 8).

1933 — Le dépositaire n'est tenu de rendre la chose déposée que dans l'état où elle se trouve au moment de la restitution. Les détériorations qui ne sont pas survenues par son fait, sont à la charge du déposant.

= La chose étant aux risques du déposant, puisqu'il demeure propriétaire, le dépositaire ne doit la rendre que dans l'état où elle se trouve

(1) Delv., t. 3, p. 131 ; Duvergier, n. 456.

au moment de la restitution, pourvu que les détériorations ne soient pas
survenues par son dol, ou par une faute de l'espèce de celles dont il doit
répondre ; mais il doit la restituer avec les accessoires qu'elle a reçus et
les fruits qu'il en a perçus (*voy.* art. 1927).

1934 — Le dépositaire auquel la chose a été enlevée par une
force majeure, et qui a reçu un prix ou quelque chose à la
place, doit restituer ce qu'il a reçu en échange.

= Exemple : vous m'avez donné en dépôt une grande quantité de
blé : dans un temps de disette, j'ai été contraint par l'autorité de vendre
ce blé : vous ne pourrez exiger de moi que la restitution du prix.

Le dépositaire ne serait point déchargé de l'obligation de restituer, s'il
avait détourné la chose déposée, lors même que depuis elle aurait péri par
cas fortuit ; car en disposant de ce qui ne lui appartenait pas, il a commis
un vol : or il est de principe, que la chose entachée du vice de vol est
aux risques du voleur, sans qu'il y ait lieu d'examiner si elle aurait également péri entre les mains du déposant : des dommages-intérêts sont
alors dus.

1935 — L'héritier du dépositaire, qui a vendu de bonne foi la
chose dont il ignorait le dépôt, n'est tenu que de rendre le
prix qu'il a reçu, ou de céder son action contre l'acheteur, s'il
n'a pas touché le prix.

= En règle générale, l'héritier succède aux obligations de son auteur ; mais cette règle souffre exception, lorsqu'il s'agit d'un dépôt : il eût
été injuste, en effet, de rendre l'héritier, victime de son ignorance.

Quid, s'il a de bonne foi consommé ou donné la chose ? il doit compte de
la valeur qu'elle avait au moment de la consommation ou de la donation ;
mais il n'est pas tenu de plus amples dommages-intérêts, quand même
elle eût valu davantage au moment de la demande en restitution.

Quid, s'il a détérioré la chose croyant qu'il en était propriétaire ? il
n'est point responsable, car chacun peut disposer de ce qui lui appartient.

Nous pensons toutefois, que la bonne foi de l'héritier ne peut se présumer, du moins en règle générale ; car il invoque sa libération : or la
preuve du payement est à la charge du débiteur.

Si l'héritier avait connaissance du dépôt, il encourrait les peines portées par les art. 406 et 408 du Code pénal.

Le déposant ne peut revendiquer la chose contre les tiers détenteurs,
en supposant que ceux-ci soient de bonne foi : le principe qu'en fait de
meubles la possession vaut titre, reçoit ici son application (2279) (1).

— Devrait-on appliquer la disposition de l'art. 1935 à l'héritier du commodataire qui aurait aliéné de
bonne foi la chose prêtée ? En d'autres termes, cet héritier pourrait-il se libérer, en rendant le prix
ou l'action qu'il aurait contre l'acheteur ? ⁓ *N.* L'art. 1935 est exceptionnel (Domat, Dépôt, sect. 3,
n. 13, *in fine*).

Quid, si le dépositaire, après avoir vendu la chose de mauvaise foi, la rachète ensuite pour la garder
comme auparavant ? ⁓ La chose doit être rendue au déposant, alors même que le dépositaire l'aurait
rachetée pour un prix plus élevé que celui moyennant lequel il l'avait vendue ; bien plus, le dépositaire,

(1) A la vérité, la règle *en fait de meubles* (2279) souffre exception lorsqu'il s'agit d'un vol ou d'une
perte : mais la vente que fait le dépositaire n'est pas un vol, dans la véritable acception du mot ; le
déposant doit s'imputer d'avoir mal placé sa confiance ; toutefois, le dépositaire infidèle encourt les
peines portées par les lois pénales (Delv., p. 210, n.2 ; Dur., n. 48 ; Duvergier, n 466).

se trouve, en perpétuelle demeure, car en disposant de la chose, il a commis un vol; d'où il résulte, que la perte postérieure, de quelque manière qu'elle arrive, est à sa charge (Duvergier, n. 463; Pothier, n. 48). ⁓ A. Le dépositaire infidèle ne commet pas légalement un vol. — On ne peut dire qu'il soit perpétuellement en demeure comme le voleur, puisqu'il ne doit rendre la chose que lorsqu'elle lui est demandée. — D'ailleurs, la vente ne cause réellement aucun tort au déposant.

1956 — Si la chose déposée a produit des fruits qui aient été perçus par le dépositaire, il est obligé de les restituer. Il ne doit aucun intérêt de l'argent déposé, si ce n'est du jour où il a été mis en demeure de faire la restitution.

= Le dépositaire est tenu de restituer les fruits; il ne doit tirer aucun profit du dépôt : ainsi, celui qui prend en garde un troupeau de moutons, doit rendre la laine et les agneaux que ce troupeau a produits.

Si le dépôt a pour objet une somme d'argent, il est clair que le déposant ne peut exiger aucun intérêt; car, en imposant au dépositaire l'obligation de rendre les espèces identiquement, on lui refuse implicitement la faculté d'en faire le placement.

Mais le dépositaire doit tenir compte de l'intérêt, à partir de la mise en demeure, et même à partir du jour où il a employé les deniers à son profit, encore qu'il ait obtenu du déposant l'autorisation d'en disposer (Arg. des art. 1846 et 1996) (1).

— La mise en demeure, en matière de dépôt, ne peut-elle résulter que d'une demande en justice (1153)? ⁓ Une simple sommation suffit : cette proposition ne souffre aucune difficulté, lorsque le dépositaire n'a pas été autorisé à se servir de la chose qu'on lui a confiée; car l'obligation de restituer a pour objet, dans ce cas, un corps certain. Il faut décider de même, nonobstant les termes généraux de l'art. 1133, Al. 3, lorsque le dépositaire a reçu cette autorisation : remarquons en effet que l'art. 1936 ne distingue pas, et que l'art. 1948 impose au dépositaire l'obligation de rendre la chose aussitôt que le déposant la réclame (Dur., n. 51; Duvergier, n. 469).

1957 — Le dépositaire ne doit restituer la chose déposée, qu'à celui qui la lui a confiée, ou à celui au nom duquel le dépôt a été fait, ou à celui qui a été indiqué pour le recevoir.

= En principe, le dépositaire ne doit rendre la chose qu'au déposant : néanmoins, si ce dernier a fait le dépôt au nom d'un tiers, la restitution doit être faite à ce tiers, car c'est réellement lui qui a livré la chose.

Le déposant est censé recevoir cette chose, lorsqu'on la remet à son fondé de pouvoirs.

Quid, si le dépôt a été fait par une personne, en une certaine qualité? si cette personne n'est plus en fonctions, ce n'est plus à elle qu'il faut restituer la chose; mais au mineur devenu majeur, lorsqu'il s'agit d'un tuteur; ou à son successeur, quand il s'agit d'un fonctionnaire (1941).

— *Quid*, s'il y a eu plusieurs déposants, à qui doit-on restituer? ⁓ S'il existe une clause portant que chacun pourra demander le dépôt, ils sont créanciers solidaires; si le contrat ne renferme aucune stipulation à cet égard, on applique la disposition de l'art. 1239 (Delv., p. 210, n. 5).

1938 — Il ne peut pas exiger de celui qui a fait le dépôt, la preuve qu'il était propriétaire de la chose déposée.

Néanmoins, s'il découvre que la chose a été volée, et quel

___

(1) Dur., n. 52 et suiv.; Delv., t. 3, p. 432. ⁓ En aucun cas, le dépositaire ne doit les intérêts avant la mise en demeure. — Il est de principe, que les intérêts ne courent qu'en vertu d'une disposition expresse de la loi : or aucun texte n'applique au dépôt, ce qui est dit pour l'associé et le mandataire. — D'ailleurs, à la différence de l'associé et du mandataire, le dépositaire, en se servant des deniers déposés, n'enlève pas au déposant un bénéfice qu'il était chargé de lui procurer; bien plus, les intérêts ne seraient pas dus par le dépositaire, alors même qu'il en aurait perçus en plaçant la somme (Duvergier, n. 470 et 471).

en est le véritable propriétaire, il doit dénoncer à celui-ci le dépôt qui lui a été fait, avec sommation de le réclamer dans un délai déterminé et suffisant (1). Si celui auquel la dénonciation a été faite, néglige de réclamer le dépôt, le dépositaire est valablement déchargé par la tradition qu'il en fait à celui duquel il l'a reçu.

= Régulièrement, le dépôt doit être fait par le propriétaire (1922) : néanmoins, on peut valablement donner en dépôt la chose d'autrui. Puisque le droit de réclamer est attaché à la qualité de déposant, il est clair, que le dépositaire ne peut refuser de restituer, sous prétexte que le déposant ne justifie pas de sa propriété : la restitution est due à ce dernier, non parce qu'il était propriétaire, mais parce qu'il a été déposant.

Toutefois, le propriétaire doit être préféré, s'il réclame : l'équité impose même au dépositaire, lorsqu'il découvre que la chose a été volée, le devoir de dénoncer le dépôt au véritable maître, avec sommation d'enlever cette chose dans un certain délai : ce délai varie nécessairement, suivant l'éloignement de la personne et suivant la nature de l'objet déposé.

Après l'expiration du délai fixé, le dépositaire n'a plus de prétexte pour différer la restitution ; le propriétaire doit s'imputer sa négligence : *vigilantibus jura succurrunt.*

Il faut bien observer, que la chose ne doit pas être remise au propriétaire par cela seul qu'il justifie de son droit : le dépositaire, en effet, n'a qu'un rôle passif ; il n'est pas appelé à apprécier le mérite des réclamations ; la prudence lui commande de ne point restituer la chose sans avoir préalablement appelé le déposant : en cas de contestation sur la propriété de l'objet, il doit attendre le résultat du jugement.

Le dépositaire qui néglige de remplir le devoir que cet article lui impose, est passible de dommages-intérêts (Arg. de l'art. 1383) : il peut même être réputé complice, comme recéleur s'il a reçu la chose en dépôt, sachant qu'elle a été volée (Code pénal, art. 62).

Les règles établies par l'art. 1938, pour le cas de vol, s'appliquent-elles au cas où une chose perdue a été déposée par celui qui l'a trouvée ? Nous le pensons ; que la chose ait été perdue ou qu'elle ait été volée, l'équité veut qu'elle retourne au déposant (Arg. de l'art. 2279) (2).

—Le dépositaire peut-il, sous prétexte du devoir qui lui est imposé par notre article, refuser la restitution immédiate au déposant qui redemande la chose avant toute réclamation du propriétaire? ⁓ Le juge peut, eu égard aux circonstances, déterminer un délai pendant lequel toute restitution sera suspendue ; avis de ce délai doit être donné au propriétaire, — à plus forte raison le dépositaire peut-il refuser de restituer, si le délai déterminé par la sommation n'est pas encore expiré (Dur.).

Après l'expiration du délai, les juges peuvent-ils, soit sur la demande du dépositaire, soit d'office, suspendre la restitution, en attendant l'action du propriétaire ? ⁓ N. Le propriétaire aura seulement le droit de revendiquer entre les mains du déposant.

Le dépôt a été fait avec indication de la personne à laquelle il doit être remis ; le déposant meurt : est-ce à l'héritier de celui-ci, ou à la personne désignée, que la chose doit être remise ?⁓C'est à l'héritier du déposant. Arg. de l'art. 1939 (*Paris*, 1ᵉʳ mars 1826 ; S., 26, 2, 297. — *Cass.*, 22 novembre 1819 ; S., 20, 1, 49).

1939 — En cas de mort naturelle ou civile de la personne qui

---

(1) Pothier impose le devoir moral d'avertir le propriétaire ; le Code fait de cet avertissement une obligation de droit.

(2) Dur., n. 58 ; Delr., p. 211, n. 4. ⁓ On peut dire, cependant, que les règles posées par l'article 1938 dérogent au principe général établi par l'article 1937 ; que les considérations d'ordre public sur lesquelles elles sont fondées ne se présentent pas en cas de perte de la chose (*L.*, 31, § 1, ff., Depos.); qu'il faut en conséquence les restreindre au cas prévu.

a fait le dépôt, la chose déposée ne peut être rendue qu'à son héritier.

S'il y a plusieurs héritiers, elle doit être rendue à chacun d'eux pour leur part et portion.

Si la chose déposée est indivisible, les héritiers doivent s'accorder entre eux pour la recevoir.

== La loi fait ici l'application des règles du droit commun, sur la transmission des créances : il est clair, qu'après la mort du déposant, c'est à ses héritiers ou autres successeurs que la chose doit être rendue.

Quand il n'y a qu'un seul héritier, aucune difficulté ne s'élève; mais *quid*, lorsqu'il en existe plusieurs? On distingue : si la chose est *divisible*, disons mieux, si elle est susceptible de parties réelles, chacun des héritiers peut recevoir séparément la part qui lui revient.

Lorsqu'elle ne peut être *matériellement* divisée, ce qui a lieu, lorsqu'elle consiste en un corps certain tel qu'un cheval, un tableau, une pendule; les intéressés doivent s'entendre pour la recevoir (1). — S'ils ne peuvent s'accorder, le dépositaire doit garder la chose, si mieux n'aime faire ordonner par justice, les héritiers dûment appelés, qu'il la remettra à l'un d'eux, lequel devra ensuite indemniser ses cohéritiers.

Il faut appliquer par identité de raisons, les règles tracées par l'article 1939, au cas où le dépôt aurait été fait par plusieurs personnes ou pour le compte de plusieurs personnes.

En cas de mort du dépositaire, chacun de ses héritiers n'est tenu du dépôt que pour sa part héréditaire. — Si l'un d'eux la détient seul, il peut être poursuivi pour le tout.

Si le dépôt a été fait par plusieurs, on procède comme si le dépôt avait été fait par un seul, qui serait mort laissant plusieurs héritiers, à moins que les dépositaires ne se soient obligés solidairement.

Si le déposant a indiqué un tiers pour recevoir le dépôt, le dépositaire se libère valablement en remettant la chose à ce tiers, à moins que le mandat conféré à ce dernier n'ait été révoqué, et que le dépositaire n'ait eu connaissance de la révocation (*Paris*, 1er mars 1826 ; S., 26, 2, 297).

— *Quid*, si le dépôt a pour objet du numéraire remis dans un sac cacheté ? ∾ Le président ouvrira le sac et le recachètera après en avoir tiré la part de l'héritier ; le reste demeurera entre les mains du dépositaire (Dur., n. 59) Duvergier , n. 481).

Si un tiers a été désigné pour recevoir le dépôt, et que le déposant vienne à mourir, est-ce à l'héritier du déposant, ou à la personne indiquée, que la chose doit être remise? ∾ C'est à l'héritier du déposant. — Arg. de l'art. 1939. — Cet article renferme une exception à la disposition de l'art. 1937. — L'indication doit rester sans effet ; car si elle n'est qu'un mandat, il n'y a pour le tiers aucun intérêt à obtenir la restitution; si le déposant a voulu transmettre au tiers qu'il a désigné la propriété de la chose déposée, il doit s'imputer de ne pas avoir exprimé sa volonté dans les formes prescrites par la loi. — Ajoutons, que la disposition de l'art. 1939 serait sans objet , si elle n'était applicable qu'au cas où un tiers n'aurait point été indiqué pour recevoir le dépôt , car l'héritier représente nécessairement le défunt : elle devient au contraire utile , au cas ou un tiers est indiqué pour recevoir , afin de prévenir les abus qui pourraient résulter des fidéicommis (Duvergier, n. 483 — *Cass.*, 22 novembre 1819 ; S., 20, 1, 49. — *Paris* , 1er mars 1826 ; S., 26, 2, 297. — *Montpellier* , 6 mars 1828 ; S., 29, 2, 18).

(1) Sous ce rapport, la disposition de l'article 1939 diffère de celle de l'article 1224 : en effet, aux termes de ce dernier article , chaque héritier du créancier peut se faire livrer la chose, à charge ensuite par lui, d'indemniser ses cohéritiers : ici , tous les héritiers doivent s'entendre pour retirer la chose : pourquoi cette différence ? L'art. 1224 se réfère à l'article 1217 ; il suppose que la chose n'est divisible ni matériellement ni intellectuellement ; l'article 1939, Al. 3 , suppose qu'elle peut être divisée intellectuellement , mais qu'elle ne peut l'être matériellement.

1940 — Si la personne qui a fait le dépôt, a changé d'état ; par exemple, si la femme, libre au moment où le dépôt a été fait, s'est mariée depuis et se trouve en puissance de mari ; si le majeur déposant se trouve frappé d'interdiction ; dans tous ces cas et autres de même nature, le dépôt ne peut être restitué qu'à celui qui a l'administration des droits et des biens du déposant.

1941 — Si le dépôt a été fait par un tuteur, par un mari ou par un administrateur, dans l'une de ces qualités, il ne peut être restitué qu'à la personne que ce tuteur, ce mari ou cet administrateur représentaient, si leur gestion ou leur administration est finie.

1942 — Si le contrat de dépôt désigne le lieu dans lequel la restitution doit être faite, le dépositaire est tenu d'y porter la chose déposée. S'il y a des frais de transport, ils sont à la charge du déposant.

= Le dépositaire s'est chargé du dépôt, pour rendre service au déposant ; l'équité ne permet pas qu'il supporte les frais de transport : *officium suum nemini debet esse damnosum.*

1943 — Si le contrat ne désigne point le lieu de la restitution, elle doit être faite dans le lieu du dépôt.

= Suivant notre ancienne jurisprudence, la restitution, en ce cas, devait être faite dans le lieu où se trouvait la chose déposée : on n'examinait pas si ce lieu était plus éloigné que celui où l'on avait livré la chose ; il suffisait qu'elle y eût été transportée sans malice.

Le Code, plus sévère, exige que la chose soit restituée dans le lieu même du dépôt, c'est-à-dire, dans celui où elle se trouvait au moment où s'est formé le contrat ; ce qui est sans inconvénient, puisqu'on indemnise le dépositaire des frais de transport (1942) (1).

1944 — Le dépôt doit être remis au déposant aussitôt qu'il le réclame, lors même que le contrat aurait fixé un délai déterminé pour la restitution, à moins qu'il n'existe, entre les mains du dépositaire, une saisie-arrêt ou une opposition à la restitution et au déplacement de la chose déposée.

= Le déposant peut réclamer la chose quand bon lui semble, lors même qu'on serait convenu d'un terme pour le retirement ; car ce terme n'aurait pas été stipulé dans l'intérêt du dépositaire, mais bien dans celui du déposant : le dépositaire doit toujours être prêt à restituer.

Toutefois, cette règle souffre exception : 1° lorsqu'il existe entre les mains du dépositaire une saisie-arrêt (*voy.* 1224). 2° Lorsque la chose se trouve éloignée du lieu où elle doit être rendue : il faut bien accorder au

---

(1) Delv., p. 210. n. 4. === On doit entendre par ces mots : *le lieu même du dépôt*, l'endroit où se trouve la chose au moment où la restitution est demandée ; il ne serait pas juste que le dépôt tournât au préjudice du dépositaire (Pothier, n. 57 ; Duvergier, n. 488 , Dur, n. 67 ; D., t. 5 p 58, n. 17).

dépositaire le temps nécessaire pour la faire venir. 3° Lorsque le dépositaire a fait des dépenses pour la conserver; mais s'il était créancier pour toute autre cause, il ne pourrait ni opposer la compensation de ce qui lui serait dû, ni même différer la restitution. 4° Lorsque le dépositaire prétend que la chose a été volée ou perdue, et demande un délai suffisant pour prévenir le propriétaire.

— Le dépositaire pourrait-il saisir entre ses mains la chose déposée pour une cause étrangère au dépôt? ⟶ *N.* Autrefois on refusait ce droit au dépositaire. — Arg. de l'art. 1948, lequel ne parle que du droit de rétention. — La loi n'a pu vouloir que le dépôt qui est un contrat de confiance, pût devenir l'objet d'une violation des devoirs qu'impose l'amitié (Pothier, n. 59).

1945 — Le dépositaire infidèle n'est point admis au bénéfice de cession.

= Le dépositaire infidèle (1) ne mérite point l'indulgence que l'on accorde au malheur joint à la bonne foi (*voy.* 1268, C. c.; 905, Pr.; 575, C. de com.). — L'infidélité qu'il commet est un délit (408) (2), qui le rend contraignable par corps.

1946 — Toutes les obligations du débiteur cessent, s'il vient à découvrir et à prouver qu'il est lui-même propriétaire de la chose déposée.

= On ne peut être gardien de sa propre chose.

Il est bien entendu, que l'art. 1946 ne règle pas le cas où le déposant, ayant le droit de détenir la chose, par ex., comme usufruitier, aurait confié cette chose en dépôt au propriétaire.

Celui qui, par erreur, met en dépôt sa propre chose, ne contracte évidemment pas les obligations d'un dépositaire; seulement, il doit établir son droit.

***

SECTION IV.

Des obligations de la personne par laquelle le dépôt a été fait.

Le contrat de dépôt produit deux actions : l'une en faveur du déposant pour obliger le dépositaire à restituer (*actio depositi directa*); — l'autre,

(1) Ne concluons pas de cette disposition, qu'il y ait nécessairement infidélité dans les faits ou omissions dont le dépositaire est responsable; autrement, il faudrait décider que tout dépositaire condamné en cette qualité, est réputé infidèle, et qu'il est exclu comme tel du bénéfice de cession; ce qui ne peut être.

Le bénéfice de cession ne pouvant s'appliquer qu'aux contraignables par corps, comment concilier l'exclusion générale ici prononcée, avec l'article 2060, qui ne soumet le dépositaire à la contrainte par corps, qu'en cas de dépôt nécessaire? On fait l'objection suivante : le bénéfice de cession n'est utile que pour se soustraire à la contrainte par corps; or il n'y a pas de contrainte par corps pour le dépôt volontaire; donc le dépositaire n'a pas besoin du bénéfice de cession : on répond, que le dépositaire est contraignable par corps en matière de dépôt nécessaire, lors même qu'il n'est pas infidèle; que dans le cas de dépôt volontaire, le Code pénal, art. 52 et 408, considère l'infidélité du dépositaire comme un délit, il est donc nécessaire de dire qu'il ne pourra se libérer de la contrainte par corps par le bénéfice de cession (Dur., n. 69).

(2) En effet, la cession de biens ne procure au débiteur d'autre avantage que celui de le décharger de la contrainte par corps : or l'art. 1945 lui refuse le bénéfice de cession; donc elle suppose que la contrainte par corps lui est applicable (Dur., n. 454 et 69). ⟶ La contrainte par corps ne peut être prononcée par induction; Il faut, aux termes de l'art. 2063, une disposition formelle : en disant que le dépositaire infidèle ne sera pas admis au bénéfice de cession, le législateur a seulement supposé que la contrainte par corps pourrait, en certains cas, être prononcée contre lui; par ex., dans le cas prévu par l'art. 126 Pr. (Duvergier, n. 500).

en faveur de ce dernier, pour se faire rembourser les dépenses que lui ont occasionnées les choses déposées (*actio depositi contraria*) ; — rappelons-nous, que le déposant ne contracte immédiatement aucune obligation, et qu'il peut seulement se trouver incidemment obligé.

1947 — La personne qui a fait le dépôt est tenue de rembourser au dépositaire les dépenses qu'il a faites pour la conservation de la chose déposée, et de l'indemniser de toutes les pertes que le dépôt peut lui avoir occasionnées.

= Le dépositaire doit être indemnisé intégralement de toutes les dépenses *nécessaires* et *urgentes* qu'il a faites ; par ex. : si je reçois en dépôt un cheval, le déposant devra me rembourser les frais de nourriture, de pansement, ou de médicaments que j'aurai avancés.

A l'égard des dépenses simplement *utiles*, le dépositaire peut réclamer la plus-value qui en résulte : sous ce rapport, sa position est plus favorable que celle de l'emprunteur ; on est moins rigoureux à son égard (1890).

Quant aux pertes que le dépôt lui a occasionnées, il peut s'en faire indemniser intégralement : tel serait le cas où, dans un événement malheureux, le dépositaire aurait laissé périr ses propres effets pour sauver ceux qui lui étaient confiés : cette perte aurait été directement soufferte pour la conservation de la chose déposée.

Le dépositaire ne peut rien réclamer, si la perte occasionnée par le dépôt est le résultat de sa négligence.

— Pour que le déposant soit tenu d'indemniser le dépositaire, est-il nécessaire qu'il ait connu à l'avance, les vices qui ont causé le dommage ? ~~~ *N.* Arg. de l'art. 1721 (Delv., p. 211, n. 6).

1948 — Le dépositaire peut retenir le dépôt jusqu'à l'entier payement de ce qui lui est dû à raison du dépôt.

= La loi donne au dépositaire, pour sûreté du remboursement de ses impenses et de tout ce que lui a coûté le dépôt, deux sortes de garantie : 1° le droit de rétention jusqu'à l'entier payement de ce qui lui est dû : il exerce ce droit même contre les créanciers du déposant ; la loi ne distingue pas. 2° Un privilége pour le remboursement des dépenses qu'il a faites pour la conservation de la chose (2102, n. 3), et l'on doit considérer comme telles, toutes celles qui rentrent dans le devoir d'un bon et sage administrateur (Duvergier, n. 506 et suiv.).

Mais il ne jouirait pas des mêmes prérogatives, à raison des sommes qui lui seraient dues pour toute autre cause que le dépôt.

SECTION V.

Du dépôt nécessaire.

= Ce dépôt est appelé *nécessaire*, parce que c'est le cas d'une nécessité absolue ou d'un événement majeur et tout à fait imprévu qui le fait naître (1). Souvent cette nécessité naît d'un événement malheureux ; mais

(1) Quelque impérieuse que soit la nécessité à laquelle obéit le déposant, quelque inattendu, quelque désastreux que soit l'événement qui a pu le déterminer à faire un dépôt, on rencontre toujours dans la convention qui intervient, le consentement réciproque des deux parties : il faut dès lors considérer le dépôt nécessaire, comme un quasi-contrat fondé sur la nécessité.

elle peut résulter aussi d'un événement qui n'a rien de fâcheux, et qu'on a pu prévoir : en effet, la loi considère comme dépôt nécessaire, le fait d'un voyageur qui apporte des effets dans une auberge ou dans une hôtellerie (1795) (1).

Le dépôt nécessaire exige, de même que le dépôt volontaire, le consentement des parties ; il est soumis aux mêmes règles que le dépôt volontaire sauf les deux exceptions suivantes :

1° La preuve du dépôt nécessaire peut être faite par témoins lors même que la valeur de la chose déposée excède 150 fr. (1950 et 1348, n. 2).

. 2° Le dépositaire est passible de la contrainte par corps pour toutes les condamnations qu'il encourt, soit à raison du détournement frauduleux qu'il a commis, soit à raison de la perte ou de la détérioration arrivée par sa faute (2060, 1°).

1949 — Le dépôt nécessaire est celui qui a été forcé par quelque accident, tel qu'un incendie, une ruine, un pillage, un naufrage, ou autre événement imprévu.

1950 — La preuve par témoins peut être reçue pour le dépôt nécessaire, même quand il s'agit d'une valeur au-dessus de cent cinquante francs.

= L'urgence des circonstances ne permettant pas au déposant de se procurer une preuve écrite du dépôt, on ne pouvait, sans méconnaître les règles de l'équité, lui refuser la faculté de faire entendre des témoins (*voy.* 1348); sauf au juge à prendre en considération la qualité des personnes et les circonstances du fait (1348).

Ce serait même le cas d'appliquer la disposition de l'art. 1369, relative au serment supplétoire.

1951 — Le dépôt nécessaire est d'ailleurs régi par toutes les règles précédemment énoncées.

= Il est inexact de dire que l'art. 1950 est le seul qui déroge aux règles du dépôt volontaire : en effet, lorsque le dépôt est nécessaire, le dépositaire doit à la conservation de la chose déposée, non-seulement les soins qu'il donne à celles qui lui sont propres, mais encore ceux d'un bon père de famille (1137). — La disposition de l'art. 1926, relative à la capacité, n'est point applicable lorsqu'il s'agit du dépôt nécessaire : le contrat se forme encore que le dépositaire soit incapable. — Enfin, le dépositaire, ainsi que nous l'avons déjà vu, est contraignable par corps (2060, 1°).

1952 — Les aubergistes ou hôteliers sont responsables, comme dépositaires, des effets apportés par le voyageur qui loge chez eux ; le dépôt de ces sortes d'effets doit être regardé comme un dépôt nécessaire (2).

---

(1) C'est donc à tort que les auteurs donnent au dépôt nécessaire la dénomination de dépôt misérable (*depositum miserabile*)

(2) La responsabilité de l'aubergiste est plutôt l'effet d'un contrat de louage que celui qui naît d'un dépôt : du reste, la loi ne dit pas, il faut le remarquer, qu'un dépôt nécessaire se forme entre les parties ; elle se borne à assimiler la convention qui intervient, à un dépôt nécessaire.

= L'aubergiste ne se charge pas des effets du voyageur par un pur office d'amitié, mais bien en considération du profit qu'il retire; aussi, est-il traité plus sévèrement qu'un simple dépositaire. Il y a d'ailleurs même raison que dans le cas de ruine ou d'incendie; car on va dans une auberge par nécessité, sans prendre de renseignements sur la moralité de ceux qui la tiennent.

Les personnes qui louent des chambres garnies sont assimilées aux hôteliers (1).

Que faut-il décider à l'égard de celles qui tiennent des cafés, des bains publics, des tables de pension ou autres établissements de ce genre? Comme il s'agit ici de règles spéciales, qui dérogent au droit commun, on doit les restreindre aux cas qu'elles prévoient (2).

Pour que l'aubergiste soit responsable, la loi n'exige pas que les valeurs et marchandises aient été remises entre ses mains (3) : il suffit qu'elles aient été placées dans un lieu destiné à les recevoir, encore qu'elles ne se trouvent pas dans l'hôtellerie (4).

Gardons-nous de croire, cependant, que l'hôtelier soit tenu dans tous les cas de la perte survenue; le voyageur qui est porteur de sommes considérables ou d'objets d'un grand prix, doit l'avertir et les lui recommander : s'il a négligé cette mesure de prudence, il ne peut exiger qu'une indemnité proportionnée à la nature des objets qu'un voyageur emporte ordinairement avec lui pour la nécessité du voyage, et à la valeur que l'aubergiste a dû supposer à ces objets d'après le volume des malles qui les renfermaient (5). Le voyageur devra s'imputer de ne pas avoir provoqué une plus active surveillance.

1953 — Ils sont responsables du vol ou du dommage des effets du voyageur, soit que le vol ait été fait ou que le dommage ait été causé par les domestiques et préposés de l'hôtellerie, ou par des étrangers allant et venant dans l'hôtellerie.

= Suivant notre ancienne jurisprudence, l'aubergiste était tenu du fait de ses domestiques et de ses pensionnaires, mais il ne répondait de celui des allants et venants, qu'autant que les choses avaient été confiées expressément à sa garde. — Afin de donner toute sécurité aux voyageurs, le Code rejette cette distinction; il déclare l'aubergiste responsable, par cela seul que les effets ont été apportés dans son auberge (1952).

Toutefois, en admettant la preuve testimoniale, le juge apprécie le degré de confiance que mérite le réclamant (1348) (Merlin, *Rép.*, v° *Hôtellerie*, § 1er). Il examine en outre, s'il n'existe aucune faute imputable à ce dernier : par ex., sa demande ne serait pas admise, s'il avait placé ses effets dans un lieu ouvert à tout le monde, sans prévenir l'aubergiste; ou s'il avait laissé la clef sur la porte en sortant de sa chambre : dans ces deux cas son imprudence aurait été la cause du vol.

---

(1) *Cass.*, 27 juin 1811 ; S., 11, 1, 300 ; loi du 25 mai 1838.
(2) Duvergier, n. 522. — *Cass.*, 4 juillet 1814 ; S., 21, 1, 268.
(3) Si un voyageur, en partant, laisse des effets à l'hôtelier, qui consent à les garder, le contrat se change en un dépôt volontaire ; car le motif du dépôt nécessaire n'existe plus (D., t. 5, p. 70, n. 5).
(4) Dur., n. 83 et 203. — *Paris*, 13 septembre 1808 ; S., 9, 2, 20 ; 14 mai 1839 ; S., 39, 2, 264.
(5) *Paris*, 2 avril 1811 ; S., 14, 2, 100 ; 21 novembre 1836 ; D., 37, 2, 4.

— Si le réclamant prétend qu'il y avait dans ses ballots perdus ou volés des bijoux ou des espèces d'or et d'argent, doit-il être cru sur son serment? ⸺ *N.* (Toullier, n. 255, t. 11.)

1954 — Ils ne sont pas responsables des vols faits avec force armée ou autre force majeure.

= Ainsi, le vol fait à main armée et la force majeure excusent suffisamment l'aubergiste.

— Si des voleurs s'introduisent furtivement et sans armes dans la maison, l'hôtelier est-il responsable? ⸺ *N.* C'est là un cas de force majeure.

CHAPITRE III.

Séquestre.

Le mot *séquestre* a plusieurs acceptions : tantôt il désigne la personne même qui est chargée de garder la chose (*voy.* 688, Pr.); tantôt il exprime la remise d'une chose litigieuse (mobilière ou immobilière) entre les mains d'un tiers, pour être rendue à qui de droit, lorsque la contestation sera terminée.

SECTION I.

Des diverses espèces de séquestre.

1955 — Le séquestre est ou conventionnel ou judiciaire.

= *Conventionnel*, lorsqu'il est fait volontairement par les parties. — *Judiciaire*, lorsqu'il a été ordonné par jugement.

SECTION II.

Du séquestre conventionnel.

Le *séquestre* diffère sous plusieurs rapports, du dépôt proprement dit : dans le dépôt, le propriétaire est certain ; le séquestre, au contraire, s'applique de sa nature à des objets litigieux. — Le dépositaire est seulement chargé de garder la chose déposée; on ne lui en transfère jamais la possession : le séquestre détient et possède pour un tiers qu'il ne connaîtra qu'après le procès; de telle sorte que ce dernier est censé avoir possédé durant le litige, par les mains du séquestre. — Le dépôt ne peut avoir pour objet que des meubles : on peut séquestrer des immeubles. — Dans le dépôt, la chose doit être rendue au déposant aussitôt qu'il la réclame ; le séquestre ne doit s'en dessaisir qu'après la contestation terminée.

A ces différences près, toutes les règles du dépôt ordinaire s'appliquent au séquestre : ainsi, le séquestre est soumis, pour la garde et la restitution de la chose, aux mêmes obligations qu'un dépositaire; et réciproquement, les parties sont tenues envers lui des mêmes obligations que le déposant (1960).

Enfin, comme l'une et l'autre partie prétendent un droit sur la chose, chacune d'elles est censée en avoir fait le dépôt pour le total ; d'où il suit, qu'elles sont obligées solidairement au remboursement des avances que le séquestre a faites pour la conserver. Ce dernier peut même retenir la chose jusqu'au payement intégral de ce qui lui est dû (1948).

1956 — Le séquestre conventionnel est le dépôt fait par *une* (1) ou plusieurs personnes, d'une chose contentieuse, entre les mains d'un tiers qui s'oblige de la rendre, après la contestation terminée, à la personne qui sera jugée devoir l'obtenir.

= Pour qu'il y ait séquestre conventionnel, il ne suffit pas que la remise ait été faite par plusieurs personnes ; il faut, en outre, qu'il y ait entre les déposants, contestation sur la propriété ou sur la possession de la chose. — Par exemple, si une personne confie volontairement à la garde d'un tiers quelque objet sur lequel on élève des prétentions, le contrat qui se forme est un dépôt simple ; le déposant conserve en conséquence le droit d'exiger la restitution, quand bon lui semble. Mais il ne jouirait plus de cette faculté, si la partie adverse avait donné son approbation ; car il y aurait alors séquestre (1121).

1957 — Le séquestre peut n'être pas gratuit.

= Le séquestre est gratuit de sa nature : lorsqu'il y a un prix stipulé, ce contrat tient plutôt du louage que du dépôt.

Les observations que nous avons faites à cet égard, en parlant du dépôt, s'appliquent au séquestre ; la seule différence qu'il y ait entre ces deux contrats, c'est qu'on stipule plus souvent un salaire dans le séquestre que dans le dépôt.

Chacun des déposants étant censé avoir déposé la chose pour le tout, nous pensons que le dépositaire peut les poursuivre solidairement (2) (Arg. de l'art. 2002, C. c.).

1958 — Lorsqu'il est gratuit, il est soumis aux règles du dépôt proprement dit, sauf les différences ci-après énoncées.

= Lorsque le séquestre n'est pas gratuit, celui à qui la chose est donnée en garde, est tenu plus rigoureusement qu'un simple dépositaire.

1959 — Le séquestre peut avoir pour objet non-seulement des effets mobiliers, mais même des immeubles.

= Des contestations pouvant s'élever sur la possession ou sur la propriété d'un immeuble, on a dû permettre aux parties de confier cet immeuble à un tiers, jusqu'à la fin du litige.

---

(1) Erreur de rédaction : un litige suppose nécessairement le concours de plusieurs. Vainement dirait-on, pour donner un sens à cette expression, que la remise matérielle peut avoir été faite par un seul des contendants ; par ex., par celui des deux qui se trouve en possession : on répondrait qu'il ne s'agit pas ici d'une remise matérielle, mais bien d'un contrat : or le contrat ne se forme qu'au moment où le tiers déclare qu'il entend profiter du dépôt.

(2) Quelques personnes pensent que la solidarité n'a pas lieu ; elles argumentent de l'art. 1202, suivant lequel, la solidarité ne se présume pas ; elles ajoutent que, loin de faire exception à ce principe général, la loi renvoie aux règles du dépôt proprement dit, où la solidarité n'est pas prononcée : elles n'accordent au dépositaire que le droit de rétention (1948, 1958 combinés), ce qui, par le fait, produit une sorte d'action *in solidum*.

1960 — Le dépositaire chargé du séquestre ne peut être déchargé avant la contestation terminée, que du consentement de toutes les parties intéressées, ou pour une cause jugée légitime.

= Dans le dépôt, le propriétaire étant connu, la chose doit lui être rendue aussitôt qu'il la réclame; mais dans le séquestre, il est incertain : le dépositaire chargé du séquestre ne peut donc se dessaisir de l'objet litigieux, avant la fin de la contestation, ou sans le consentement des parties qui, par leur intervention, ont manifesté des prétentions sur cet objet (1).

Il ne peut se décharger plus tôt de ses obligations, à moins qu'il n'ait une juste excuse : par exemple, une infirmité grave qui lui serait survenue; un long voyage qu'il voudrait entreprendre; ou toute autre raison majeure.

SECTION III.
Du séquestre ou du dépôt judiciaire (2).

Le dépôt judiciaire est celui qui est ordonné par justice, ou du moins, qui procède de son autorité.

Ne confondons pas le dépôt judiciaire avec le séquestre judiciaire. — Le dépôt judiciaire est le genre; le séquestre judiciaire est l'espèce : il y a plusieurs espèces de dépôts judiciaires; le séquestre judiciaire est unique : on qualifie ainsi, le dépôt d'une chose litigieuse ordonné par le juge.

Nous verrons, article 1962, quels sont les droits et les obligations du gardien. — L'article 1963 fixe la position du séquestre judiciaire.

1961 — La justice peut ordonner le séquestre,

1° Des meubles saisis sur un débiteur;

2° D'un immeuble ou d'une chose mobilière dont la propriété ou la possession est litigieuse entre deux ou plusieurs personnes;

3° Des choses qu'un débiteur offre pour sa libération.

= Le dépôt judiciaire est une mesure conservatoire dont la nécessité se fait sentir dans une foule de cas (voy., par ex., 602 et 688, Pr.; 465, Inst. crim.); notre article se borne à en indiquer trois :

1° La saisie des meubles sur un débiteur : on établit alors, à la garde des effets saisis, un dépositaire, que l'on nomme gardien; ce qui constitue une espèce de dépôt judiciaire, puisqu'il est fait par un huissier qui procède au nom de la justice. — Le gardien est ordinairement établi par l'exploit de saisie; il est présenté par le saisi lui-même, ou désigné d'office

---

(1) On peut dire, contre ces derniers, que le séquestre n'a pas contracté d'obligation envers eux, et qu'ils devaient former opposition.

(2) On conclurait à tort de cette rubrique, que tout dépôt judiciaire est un séquestre; et de l'art. 1991, que le séquestre judiciaire est un dépôt ordonné par justice : sans doute, il y a beaucoup d'analogie entre le séquestre judiciaire et le dépôt judiciaire; mais il existe entre l'un et l'autre contrat des différences essentielles.

par l'huissier, sans qu'il soit besoin d'une ordonnance du juge (596, 597, 598 et suiv., Pr.; 2060, C. c.).

Ce n'est point là une mesure facultative pour le juge, comme semble le faire entendre l'art 1961 : les art. 596 à 598, Pr., exigent formellement que les objets saisis soient confiés à un gardien.·

2° La garde d'un meuble ou d'un immeuble dont la propriété ou la possession est litigieuse : c'est là une faculté accordée aux tribunaux et non une obligation qui leur est imposée (1) : le juge peut ordonner que la chose restera entre les mains de celui qui la détient.

3° Les offres que fait un débiteur pour se libérer. — Lorsque les offres ont pour objet une somme d'argent, l'ordonnance du juge n'est pas nécessaire; car la loi prend soin de désigner un lieu sûr, pour recevoir les consignations de deniers (1257, 1259, 1264).

— L'énumération contenue dans l'article 1961 est-elle limitative? ⌒⌒N. Le juge peut ordonner le séquestre, toutes les fois qu'il le juge convenable pour la sûreté des parties ou la décision de la cause (Delv., p. 213, n. 4; Duvergier, n. 538; *Cass.*, 28 avril 1813; S., 13 et 392. — D., Dépôt. p. 75, n. 5; Malleville). ⌒⌒ Il faut distinguer : si le séquestre est ordonné dans le cours d'une instance qui n'a pas pour fin directe et principale la mise en possession de la chose, le juge ne peut ordonner le séquestre : par ex., il excéderait ses pouvoirs, s'il prescrivait. sur la demande des créanciers hypothécaires, le séquestre d'un immeuble qui se trouverait entre les mains d'un tiers à titre d'antichrèse. — Mais si l'instance a été introduite pour obtenir la mise en possession, le juge peut prendre toutes les mesures nécessaires pour la conservation de la chose litigieuse, et par conséquent en ordonner le séquestre, quand même les parties ne se trouveraient pas dans les termes de la loi : par ex., si la demande principale avait pour objet la rescision de la vente d'un immeuble pour cause de lésion, ou la résolution pour défaut de payement du prix (*Bourges*, 8 mars 1821; S., 23, 2, 96; 18 décembre 1826; S., 27, 2, 121. — *Toulouse*, 29 août 1827; S., 29, 2, 45. — *Montpellier*, 19 juin 1827; S., 27, 2, 217).

1962 — L'établissement d'un gardien judiciaire produit, entre le saisissant et le gardien, des obligations réciproques. Le gardien doit apporter pour la conservation des effets saisis les soins d'un bon père de famille.

Il doit les représenter, soit à la décharge du saisissant pour la vente, soit à la partie contre laquelle les exécutions ont été faites, en cas de main-levée de la saisie.

L'obligation du saisissant consiste à payer au gardien le salaire fixé par la loi.

= Lorsque les meubles ont été saisis sur un débiteur, nous savons que l'huissier prépose à leur garde une personne que l'on nomme *gardien*.

Comme l'établissement d'un gardien a lieu à la requête du saisissant, des obligations réciproques se forment entre celui-ci et le gardien ; ces obligations participent de la nature du dépôt et de celle du louage de services.

L'obligation principale du saisissant, consiste à payer au gardien son salaire : ce salaire est fixé par la loi (tarif du 7 septembre 1807, art. 34); il est dû, indépendamment de toute stipulation, sans qu'il soit besoin de former aucune demande. — Le saisissant est en outre tenu des obligations accessoires dont il est parlé dans l'art. 1947.

Les obligations du gardien consistent :

1° A conserver les effets en bon père de famille : il est donc tenu plus sévèrement qu'un dépositaire, et cela, parce qu'il reçoit un salaire ; 2° à les

_____

(1) Duvergier, n. 538. *Cass.*, 28 avril 1813 S., 13, 1, 392; D., 13, 1, 819; 14 novembre 1832; S., 32. 1, 816;

représenter à la décharge du saisissant; 3° à tenir compte des profits et des revenus que les objets saisis ont produits (604, Pr.).

Bien que l'établissement d'un gardien judiciaire ne produise d'obligations qu'entre le *saisissant* et le *gardien*, il est certain que le saisi aura contre le gardien les mêmes droits que le saisissant, s'il obtient mainlevée; mais il agira au nom de ce dernier. — Par la même raison, le gardien ne peut, même en cas de mainlevée, poursuivre directement que contre le saisissant, le payement du salaire fixé par la loi; hors ce cas, il a seulement le droit de rétention (Pothier, n. 92 et 95).

Toutefois, lorsque le gardien a été présenté par le saisi et accepté par le saisissant, le contrat se trouvant formé entre trois parties, le gardien peut agir directement à son choix contre le saisissant ou contre le saisi pour obtenir le payement de son salaire ; car l'une et l'autre parties sont *solidairement*(1) obligées envers lui. Quant au saisi, s'il obtient mainlevée, il n'aura pas d'action contre le saisissant, mais contre le gardien.

1963 — Le séquestre judiciaire est donné, soit à une personne dont les parties intéressées sont convenues entre elles, soit à une personne nommée d'office par le juge.

Dans l'un et l'autre cas, celui auquel la chose a été confiée, est soumis à toutes les obligations qu'emporte le séquestre conventionnel.

═ Le choix du séquestre judiciaire appartient aux parties : si elles ne s'accordent pas, il est désigné d'office par le juge (304 et 305, Pr.).

Les obligations du séquestre judiciaire envers les parties intéressées, et celles des parties intéressées envers ce séquestre, sont les mêmes qu'en cas de séquestre conventionnel; la nomination faite par justice constitue une sorte de contrat judiciaire.

Nous pensons que le séquestre judiciaire peut poursuivre solidairement, pour le payement de son salaire, ceux qui l'ont constitué, et qu'il doit avoir ce droit lors même qu'il a été nommé d'office par le juge; car dans l'un et l'autre cas, un quasi-contrat judiciaire s'est formé.

Le séquestre et le gardien judiciaires sont soumis à la contrainte par corps (2060), soit pour la représentation des objets saisis, soit pour la restitution des fruits, soit pour le payement des dommages-intérêts; l'un et l'autre ont droit à un salaire, quoique cela n'ait pas été convenu.

───────────

(1) Néanmoins, tant que la contestation n'est pas terminée, chacune des parties n'est tenue de payer au gardien que la moitié du salaire. ⁕⁕⁕ La solidarité ne se présume pas : dans l'espece, les parties ne sont pas même tenues *in solidum*; mais seulement chacune pour moitié : toutefois, le gardien peut user du droit de rétention, qu'il ait été choisi par les parties, ou qu'on l'ait nommé d'office.

TITRE XII.

DES CONTRATS ALÉATOIRES.

(Décrété le 10 mars 1804, promulgué le 20 du même mois.)

———

Les contrats aléatoires ont cela de commun avec les contrats commutatifs, qu'ils sont intéressés de part et d'autre.

Mais il y a cette différence, que dans les contrats commutatifs, chacune des parties entend recevoir autant qu'elle donne ; au lieu que dans les contrats aléatoires, ce que l'un des contractants reçoit, est l'équivalent du risque dont il s'est chargé.

Par exemple, si je vends ma maison, le prix doit être l'équivalent de ce que je donne ; en cas de lésion, je puis faire rescinder le contrat ; — mais si j'achète un coup de filet, une récolte à venir, des droits successifs, etc., la cause de mon obligation n'est pas le produit du coup de filet, de la récolte ou du profit de la succession, mais l'espérance même ; ces sortes de contrats ne sont donc pas sujets à rescision pour cause de lésion, car une espérance n'a pas de valeur déterminée.

La loi trace des règles générales sur les contrats aléatoires ; elle examine les principaux, et renvoie pour deux d'entre eux qui sont d'un fréquent usage dans le commerce maritime aux lois de la matière. Puis, après avoir traité succinctement du jeu et du pari, elle s'occupe avec détail de la rente viagère. — La constitution en viager a quelques rapports avec la constitution de rente perpétuelle ; mais elle diffère de ce dernier contrat sous beaucoup d'autres, notamment, par son caractère aléatoire.

———

1964 — Le contrat aléatoire est une convention réciproque dont les effets, quant aux avantages et aux pertes, soit pour toutes les parties, soit pour l'une ou plusieurs d'entre elles (1), dépendent d'un événement incertain,

Tels sont,

Le contrat d'assurance,

Le prêt à grosse aventure,

Le jeu et le pari,

Le contrat de rente viagère.

Les deux premiers sont régis par les lois maritimes.

⸗ La loi ne se propose pas, dans cet article, d'énumérer tous les contrats aléatoires qui peuvent se former : elle se borne à énoncer les principaux.

Le contrat aléatoire est une *convention réciproque*, etc., c'est-à-dire, une convention intéressée de part et d'autre ; un contrat à titre onéreux : en

———

(1) Dans l'art. 1104, la loi semble exiger que la chance existe pour chacune des parties. — Suivant notre article, elle peut exister pour l'une d'elles seulement, ce qui semble contradictoire : il vaut mieux adopter la définition de l'art. 1964 ; elle est plus juste et plus complète : il existe, en effet, un contrat aléatoire qui n'offre de chance que pour l'une des parties : le contrat d'assurance ; l'assureur seul court des chances.

effet, l'avantage que l'une des parties procure à l'autre, n'est pas purement gratuit ; l'espoir du gain est balancé par la chance d'une perte.

Dans le plus grand nombre des contrats aléatoires, les chances sont égales ; cependant, il en est qui ont pour but de soustraire une partie, moyennant un certain prix, aux chances de l'avenir, en les faisant uniquement peser sur l'autre contractant : tel est le contrat d'*assurance*.

Le *contrat d'assurance* est une convention synallagmatique, par laquelle l'un des contractants, appelé *assureur*, se charge, moyennant une somme fixée à tout événement, et qu'on nomme *prime*, des risques auxquels est exposée la chose de l'autre contractant, désigné sous le nom d'*assuré*.

Le *prêt à grosse aventure* (ou *contrat à la grosse*), est un contrat réel, unilatéral, par lequel on prête une somme, sous affectation d'objets faisant partie d'une expédition maritime, avec la condition, qu'en cas de perte desdits objets, la somme ne sera pas restituée ; et que s'ils arrivent heureusement, la restitution aura lieu avec un profit convenu : le profit peut excéder le taux de l'intérêt légal (511, Code de comm.).

Ces deux contrats appartiennent aux lois maritimes (*voy.* art. 311, 396 du Code de commerce).

Le Code civil s'occupe seulement du jeu, du pari, et du contrat de rente viagère.

CHAPITRE PREMIER (1).

Du jeu et du pari.

Le *jeu* est un contrat par lequel deux ou plusieurs personnes conviennent que le perdant donnera au gagnant une certaine chose.

Le *pari* est un contrat par lequel deux personnes qui ne s'accordent pas sur un fait arrivé ou qui doit arriver, conviennent que celle dont l'opinion sera reconnue mal fondée, donnera quelque chose à l'autre.

Ces contrats ne sont pas réels ; ils se forment par le seul consentement.

La loi autorise les jeux d'exercice qui donnent au corps de l'adresse, de l'agilité ou de la souplesse ; mais elle flétrit les jeux de hasard (1965, 1966 et 1967).

1965 — La loi n'accorde aucune action pour une dette du jeu ou pour le payement d'un pari.

= Le jeu et le pari ne produisent pas d'action : il suit de là, qu'une obligation de cette nature ne peut se convertir efficacement en une obligation civile : par ex., si un billet a été souscrit pour une dette du jeu, lors même que la véritable cause de l'obligation ne serait pas exprimée, on peut se dispenser de l'acquitter, en prouvant cette dissimulation (2).

---

(1) *Voyez* sur ce contrat, le Traité de Pothier.

(2) Dur., n. 107 ; Malleville. — *Cass.*, 29 décembre 1814 ; S., 16, 1, 212 ; 30 novembre 1826 ; D., 27, 1, 75 ; S., 27, 1, 66. Ce dernier arrêt est relatif à des billets faits pour jeu de bourse. — *Cass.*, 29 nov. 1836 ; D. 1837, 1, 70. — *Lyon*, 21 décembre 1822 ; D., t. 9, p. 599, n. 6 ; S., 23, 2, 103. — *Grenoble*, 6 déc. 1823 ; D., *ibid.* ; S. 24, 2, 319. — *Angers*, 13 août 1831 ; D., 32, 2, 141. — *Limoges*, 2 juin 1819 ; S., 21, 2, 17. — *Bordeaux*, 24 août 1835 ; D., 1836, 2, 60.

1966 — Les jeux propres à exercer au fait des armes, les courses à pied ou à cheval, les courses de chariot, le jeu de paume et autres jeux de même nature qui tiennent à l'adresse et à l'exercice du corps, sont exceptés de la disposition précédente.

Néanmoins le tribunal peut rejeter la demande quand la somme lui paraît excessive.

= La loi distingue ces sortes de jeux, de ceux qui tiennent au hasard, parce qu'ils ont un but d'utilité générale : d'ailleurs, ils ne sont point dangereux, car présentant aux joueurs un attrait particulier (celui de faire connaître leur adresse), il n'est pas besoin de leur en créer un dans un prix élevé : aussi, accorde-t-on une action, pour obtenir le payement des sommes qui tendent à les intéresser dans une juste mesure (1).

Si les sommes étaient excessives, les tribunaux pourraient rejeter la demande. L'excès dépend des circonstances : telle somme peut être modique pour un individu et considérable pour un autre.

— Les juges pourraient-ils réduire la demande, comme ils pourraient la rejeter ? ∿ N. L'écrit prouve que les parties ont fait du jeu une spéculation d'intérêt, et non un simple moyen d'exercer leur adresse ; la loi refuse à ce contrat toute espèce de sanction (Delv., p. 204, n. 4).

Quid, si le perdant est fort riche et que le gagnant le soit peu? ∿ Le juge doit, en pareil cas, rejeter purement et simplement la demande : en effet, le contrat de jeu est commutatif ; or, celle des parties, qui, en cas de perte, n'eût pas été condamnée à payer, ne doit point, parce qu'elle a gagné, obtenir la somme convenue (Dur., n. 113).

Quid, si le jeu ayant été excessif, le gagnant a demandé une somme inférieure à la somme jouée? ∿ Le tribunal doit également rejeter cette demande, car le jeu n'a pas moins été illicite (Dur., n. 114).

1967 — Dans aucun cas, le perdant ne peut répéter ce qu'il a volontairement payé, à moins qu'il n'y ait eu, de la part du gagnant, dol, supercherie ou escroquerie.

= Quand même il s'agirait d'un jeu pour lequel la loi n'accorde pas d'action, le perdant ne peut répéter ce qu'il a volontairement payé : on présume qu'il s'est cru, par honneur, obligé de tenir sa parole ; d'après la maxime *grave est fidem fallere* (2). D'ailleurs, les deux joueurs sont en faute : or, *in pari causâ, melior est causa possidentis.*

Toutefois, la loi n'exclut la répétition que dans le cas de payement volontaire; elle fait exception formelle, lorsqu'il y a dol, supercherie ou escroquerie (3). Si le perdant avait payé la dette par erreur, pensant qu'elle avait une autre cause ; ou s'il n'avait pas la capacité requise, par ex., s'il était mineur interdit ou soumis à l'assistance d'un conseil judiciaire, il y aurait lieu à répétition.

— *Quid*, dans l'espèce : Les enjeux ont été mis sur table, ou, ce qui revient au même, entre les mains d'un tiers : si le perdant retire sa mise, ou si le tiers refuse de la remettre au gagnant, celui-ci aura-t-il, dans le premier cas, une action contre le perdant, et dans le deuxième contre le tiers? ∿ A. Dans l'un et l'autre cas, cette action sera bien fondée ; on considérera la remise d'une chose entre les mains d'un tiers, comme un dépôt, comme un séquestre, comme un payement fait d'avance, sous une condition qui s'est accomplie. — Lorsque l'argent a été mis sur table, on ne doit plus considérer la mise au jeu comme une simple promesse ; mais comme un payement fait en cas de perte ; comme un abandon conditionnel ; par conséquent, le gagnant est devenu propriétaire de l'enjeu par le gain de la partie : le

(1) Le jeu de billard ne doit pas être rangé dans cette catégorie ; car il n'est d'aucun fruit pour le bien public, nonobstant les combinaisons auxquelles il donne lieu (*Poitiers*, 4 mai 1810 ; S., 10, 2, 367. — *Montpellier*, 4 juillet 1828 ; S., 29, 2, 106. — *Angers*, 13 août 1831 ; D., 32, 2, 141 ; S., 32, 2, 270. — *Grenoble*, 6 déc. 1823 ; D., t. 9, p. 599, n. 7 ; S., 24, 2, 319).

(2) La dette de jeu est-elle une obligation naturelle ? *Voy.* art. 1235.

(3) Mais alors, quelle différence reste-t-il entre le cas où une dette de jeu existe, et celui où il n'est rien dû? Dans le premier cas, l'erreur ne se présume pas ; il faut la prouver (1377) : dans le deuxième, une fois la preuve établie, l'erreur se suppose (1235 et 1376).

perdant qui retire sa mise prend donc une chose qui n'est plus à lui ; le tiers qui la retient commet un vol. — Le Code n'a eu en vue que le jeu sur parole, les promesses faites pour cause de jeu ; or dans notre espèce, le gagnant qui réclame l'enjeu n'exerce pas une action pour dette de jeu, mais un droit de propriété (Dur., n. 116. — *Angers*, 22 février 1809 ; S., 9, 2, 244).

CHAPITRE II.

Du contrat de rente viagère.

Toute rente est une créance dont le créancier ne peut exiger le remboursement, mais qui lui donne droit à des prestations périodiques : ces prestations se nomment arrérages : — l'expression *viagère*, fait entendre que ce droit est borné à la durée de la vie d'une ou de plusieurs personnes.

Le contrat de rente viagère est donc celui par lequel une partie s'engage, gratuitement ou à titre onéreux, à servir une rente pendant la vie d'une ou de plusieurs personnes désignées (1971-1975).

Le contrat de constitution de rente est *non solennel, unilatéral* et *ordinairement réel*.

Non solennel, car il peut être prouvé par acte privé ; — *Unilatéral*, car le constituant seul s'oblige ; — *Réel*, car lorsque le prix consiste en une somme d'argent (ce qui arrive le plus souvent), le contrat ne se forme qu'au moment où le prix est payé : les arrérages ne courent qu'à partir du payement du capital.

Toutefois, la simple promesse de fournir une somme, un immeuble ou une chose mobilière appréciable, peut être une cause suffisante de constitution, et faire courir immédiatement les arrérages ; le contrat est alors consensuel. — La constitution en viager diffère sous ce rapport de la constitution en perpétuel : dans ce dernier contrat, une pareille clause ne produirait aucun effet, car les payements anticipés procureraient le moyen d'éluder la disposition du Code, qui limite le montant annuel des arrérages (1).

Il existe encore, entre l'un et l'autre contrat, des différences qu'il n'est pas inutile de signaler :

La rente perpétuelle ne peut se former que sous faculté de rachat ; — le rachat n'est pas admis lorsque la rente est viagère.

La constitution en perpétuel ne peut avoir pour objet qu'une prestation en numéraire ; autrement, il serait facile d'éluder les dispositions de la loi, qui fixent le taux de l'intérêt ; — rien n'empêche d'acquitter la rente viagère en denrées ou autres marchandises, puisque les arrérages doivent excéder l'intérêt légal. — La caution d'une rente perpétuelle peut poursuivre le débiteur, après un certain temps, pour se faire décharger ; ceux qui ont cautionné le débiteur d'une rente viagère, ne peuvent exiger leur décharge ; ces sortes de rentes ne sont pas rachetables ; elles ne s'éteignent que par la mort de celui sur la tête de qui elles sont constituées ; la caution a dû s'attendre à demeurer obligée pendant tout ce temps.

Lorsque la rente est constituée à titre gratuit, le contrat n'est pas aléatoire ; son efficacité dépend de l'observation des formes requises pour les donations entre-vifs ou pour les testaments (*voy.* art. 1969 et 1970).

---

(1) Delv., p. 204, n. 5 ; Dur., n. 157 ; voy. cep. Merlin, v° *Rente viagère*, n. 2.

Dans le chapitre qui va nous occuper, le code a principalement envisagé le cas de constitution à titre onéreux.

Considérée sous ce dernier point de vue, la constitution de rente viagère est une véritable vente d'une rente annuelle.

Le prix peut consister, soit dans une somme d'argent, soit dans un meuble, soit dans un immeuble.

Observons, que ce contrat n'est onéreux qu'autant que la rente excède le taux ordinaire de l'intérêt : sans cette condition, il ne constituerait qu'une donation de la nue-propriété d'un capital.

Lorsque le prix d'une rente viagère est fourni par un tiers, ce tiers exerce une véritable libéralité ; les effets de cette libéralité sont subordonnés à l'observation des règles générales sur les dispositions à titre gratuit. Mais la validité extrinsèque de l'acte est indépendante des formes requises pour ces sortes de dispositions.

La rente viagère peut être constituée sur la tête de la personne qui en fournit le prix ; sur celle du rentier ; sur la tête d'un tiers qui n'a aucun droit d'en jouir, sur celle du débiteur ; enfin sur une ou plusieurs têtes (1971, 1972) ;—mais elle est comme non avenue, lorsqu'elle a été constituée sur la tête d'une personne qui était morte à l'époque où le contrat a été conclu (1974), ou qui était atteinte d'une maladie des suites de laquelle elle est morte dans les vingt jours suivants (1975) ; elle peut être créée au profit d'une ou de plusieurs personnes.

La rente viagère, constituée à titre gratuit (1981), est insaisissable dans deux cas : 1° lorsque le déposant a manifesté sa volonté à cet égard par une déclaration expresse ; 2° lorsque la rente a été donnée ou léguée à titre d'aliments (1981, C. civ., 581, pr.).

Le débiteur d'une rente viagère doit fournir les sûretés qu'il a promises et payer régulièrement les arrérages aux époques déterminées par le contrat : le créancier ne peut réclamer ce payement, qu'en justifiant, à l'époque de leur exigibilité, de l'existence de la personne sur la tête de laquelle la rente a été constituée.

L'obligation de servir une rente viagère, s'éteint : 1° par la mort naturelle de la personne sur la tête de laquelle la rente a été constituée ; 2° lorsque le débiteur ne fournit pas les sûretés qu'il a promises, ou lorsqu'il diminue par son fait celles qu'il a données ; 3° enfin, comme toute créance en général, par le laps de 30 ans révolus, sans que les arrérages aient été payés (arg. des art. 1262 et 1263). — Les arrérages échus se prescrivent par 5 ans (2277).

SECTION I.

Des conditions requises pour la validité du contrat.

1968 — La rente viagère peut être constituée à titre onéreux, moyennant une somme d'argent, ou pour une chose mobilière appréciable, ou pour un immeuble.

= La constitution de rente viagère est soumise aux règles de la vente lorsqu'elle a pour cause la translation de la propriété d'un objet mobilier ou immobilier ; sauf les modifications qui résultent de sa nature aléatoire, par ex. , le contrat n'est rescindable, ni pour défaut de payement des arrérages, ni pour cause de lésion.

— Pourrait-on valablement stipuler , qu'après la mort de celui au profit de qui la rente est constituée, le constituant rendra une certaine partie de la somme qu'il a reçue ; par exemple , le tiers , le quart ? ⁓ A. Cette clause n'a rien d'illicite ; car les parties peuvent stipuler le taux qui leur convient (1976) : le contrat renferme alors deux conventions ; savoir : une vente de la rente viagère , et un prêt gratuit. Toutefois , si les juges découvraient que ce contrat renferme un prêt usuraire , ils prononceraient la nullité ou du moins la réduction (Pothier , n. 245).

Peut-on comprendre dans un même contrat une rente perpétuelle et une rente viagère ? Par exemple , peut-on convenir , qu'après la mort du créancier , ses héritiers auront droit à une rente *de tant* , rachetable *de tant* ? ⁓ A. (Pothier , n. 246 ; Dur., n. 154).

Mais la rente qui doit être continuée aux héritiers, peut-elle excéder le taux de l'intérêt légal ? ⁓ A. Le taux de la rente se règle sur la somme qui a été payée et non sur celle moyennant laquelle peut avoir lieu le rachat (Pothier , n. 247 ; Dur., *ibid.*).

Lorsque les parties traitent par acte sous signature privée, l'acte doit-il être fait double ? ⁓ Cela n'est pas nécessaire , lorsque la rente viagère est constituée moyennant une somme payée à l'instant ; mais il en est autrement , lorsque la rente est constituée comme prix de la cession d'un immeuble , de l'abandon d'un droit contesté ; ou lorsque la somme ou l'objet mobilier n'est pas livré à l'instant (Dur., n. 157).

En matière d'aliénation moyennant une rente viagère , l'action en rescision pour lésion doit-elle être admise comme en matière de rente ? ⁓ A. Termes absolus des articles 1658, 1674 et 1675 (*Cass.*, 22 février 1836 ; D., 1836, 1. 205).

1969 — Elle peut être aussi constituée à titre purement gratuit, par donation entre-vifs ou par testament. Elle doit être alors revêtue des formes requises par la loi.

1970 — Dans le cas de l'article précédent, la rente viagère est réductible, si elle excède ce dont il est permis de disposer : elle est nulle, si elle est au profit d'une personne incapable de recevoir.

= Comment réduira-t-on la rente viagère, si elle excède la portion disponible? Les héritiers au profit desquels la loi fait une réserve , auront l'option , ou d'exécuter cette disposition , ou de faire l'abandon de la propriété de la quotité disponible (917).

L'application de cette règle ne souffre aucune difficulté, lorsque la rente viagère est la seule libéralité ; mais *quid*, s'il en existe d'autres ? Comme le sort de ces dispositions dépend de l'importance de la rente , il faudra bien évaluer cette rente : l'évaluation se fera eu égard à l'âge et à la force des personnes sur la tête desquelles la rente a été constituée.

Les causes d'incapacité de recevoir sont déterminées par les articles 908 et 909.

Quant au mort civilement, il profite de la rente si elle a été constituée pour aliments; l'article 25 , § 3 , lui permet, en effet, de recevoir à ce titre.

— En cas de réduction , le donataire ne doit-il pas rapporter , en tout ou partie , les arrérages qu'il a touchés avant le décès du constituant ? ⁓ Bien que les arrérages , pour ce qui excède le taux de l'intérêt légal , puissent être considérés comme une portion du capital (1978) , on décide que le rapport ne doit pas avoir lieu ; car , dans notre droit , la rente viagère est considérée comme un être moral dont les arrérages sont les fruits : or , aux termes de l'art. 928 , le donataire ne doit compte des fruits , pour ce qui excède la portion disponible , qu'à compter du jour du décès (Delv., p. 205, n. 7).

Si la rente viagère est mêlée de constitution de rente perpétuelle , le rachat peut-il avoir lieu du vivant du constituant ? ⁓ N. Il n'existe qu'un seul prix ; l'effet des deux rentes n'a pas lieu simultanément ; celui de la rente perpétuelle ne doit commencer qu'après l'extinction de la rente viagère (Dur. n. 154, t. 18)

1971 — La rente viagère peut être constituée, soit sur la tête de celui qui en fournit le prix, soit sur la tête d'un tiers, qui n'a aucun droit d'en jouir.

= Le plus souvent, la rente viagère est constituée sur la tête de celui qui en fournit le prix : cependant, on peut faire dépendre sa durée, de la vie d'une personne qui n'a aucun droit à la rente, qui même ignore souvent la convention : par ex., je puis m'obliger à vous servir une rente jusqu'à la mort de votre parent. — Il importe peu que cette personne soit incapable de recevoir, puisqu'elle ne profite de rien; si elle survit au rentier, les héritiers de ce dernier ont droit à la continuation de la rente.

Il faut donc bien distinguer celui qui profite de la rente, de celui sur la tête de qui elle est constituée.

1972 — Elle peut être constituée sur une ou plusieurs têtes.

= On peut constituer la rente au profit de plusieurs personnes, pour leur en attribuer ensemble ou successivement la jouissance.

— Dans le cas où la rente est constituée sur plusieurs têtes, la rente s'éteint-elle pour partie, à la mort de l'une de ces personnes? ⟶ *Oui*, lorsqu'elle est constituée sur plusieurs têtes qui en ont fourni le prix : la mort de l'une d'elles opère l'extinction partielle de la rente, à moins de clause de reversibilité (Dur., n. 133 et 134.) ⟶ La rente subsiste en entier jusqu'à la mort de l'une et l'autre personne (Pothier, n. 241 et suiv.).

Quid, si une rente est donnée ou léguée à plusieurs personnes pour en jouir successivement? ⟶ A moins de clause contraire, la rente se réduit de plein droit, au décès de chacun de ceux sur la tête desquels elle est constituée (Dur., n. 135).

1973 — Elle peut être constituée au profit d'un tiers, quoique le prix en soit fourni par une autre personne.

Dans ce dernier cas, quoiqu'elle ait les caractères d'une libéralité, elle n'est point assujettie aux formes requises pour les donations; sauf les cas de réduction et de nullité énoncées dans l'article 1970.

= On peut stipuler au profit d'un tiers, lorsque telle est la condition d'une stipulation que l'on fait pour soi-même (1121) : il résulte même de la disposition de l'article 1973 (disposition conçue en termes généraux), que le bailleur de fonds n'est tenu ni de stipuler quelque chose à son profit, ni de faire une donation au constituant; il suffit qu'il fasse une opération quelconque : par exemple, je puis vendre telle maison, en stipulant que l'acquéreur conservera une partie du prix, pour servir une rente viagère à un tiers.

Bien que cette disposition renferme une véritable libéralité, notre article ne la soumet pas aux formes requises pour les donations; ce qui semble, au premier abord, contraire à la règle établie par l'art. 1969; mais cette contradiction n'est qu'apparente : en effet, dans ce dernier article, il s'agit d'une rente que l'on constitue spontanément sur soi ou sur ses héritiers : cette constitution ne se trouvant jointe à aucun autre contrat, il faut nécessairement recourir, pour la créer, aux formes des donations ou des legs; mais dans notre espèce, la libéralité n'est qu'accessoire à un autre contrat; elle est stipulée comme condition de ce contrat; une véritable vente se passe entre le bailleur de fonds et celui qui s'oblige à servir la rente : puisqu'on considère la rente comme un accessoire, comme une condition de la vente, son efficacité doit dépendre du sort de la disposition principale. Ainsi, nonobstant l'annulation, la révocation ou la réduction de cette libéralité, le contrat produirait son effet au profit de la personne qui aurait fourni le prix de la rente.

Du reste, cette voie indirecte ne devant pas être un moyen d'éluder les règles établies sur la portion disponible et sur la capacité de recevoir, notre article réserve aux ayants droit, comme dans le cas de constitution purement gratuite, la faculté d'attaquer la rente, si elle est créée au profit d'une personne incapable; ou de la faire réduire, si elle excède la quotité dont le constituant pouvait disposer.

Lorsqu'on a réduit la disposition, il ne faut pas croire que le débiteur soit libéré de son obligation; il doit servir la rente au profit des héritiers du stipulant.

— Le stipulant peut-il révoquer la constitution en s'en réservant les effets, tant que le tiers n'a pas déclaré vouloir en profiter (1121)? ᴧᴧ *A.* La loi gardant le silence sur ce point, rien ne s'oppose à ce qu'on rentre dans la règle générale.

1974 — Tout contrat de rente viagère créée sur la tête d'une personne qui était morte au jour du contrat, ne produit aucun effet.

= Il est de l'essence du contrat de rente viagère, qu'il y ait des chances à courir : or cette condition n'existerait pas, si l'individu sur la tête duquel on a créé la rente viagère, était mort au jour du contrat.

— *Quid*, si celui qui a fourni le prix de la constitution, savait, au moment du contrat, que la personne était morte ? ᴧᴧ Les deniers comptés ne seraient pas sujets à répétition, car il s'agirait d'un don manuel; sans préjudice de l'action en réduction, si la quotité disponible a été dépassée, et même de l'action en restitution pour cause de nullité, si celui entre les mains de qui les deniers ont été versés était incapable de recevoir à titre gratuit de la personne qui les lui aurait comptés (Pothier, n. 219 et suiv.; Dur., n. 144).

Comment concilier la disposition de l'art. 1974, avec celle de l'art. 365 du Code de commerce, qui déclare valable le contrat d'assurance fait après la perte ou l'arrivée des objets assurés ? ᴧᴧ Dans ce dernier article, c'est l'opinion des contractants, et non le risque, qui fait la base du contrat. — Tous les peuples admettent la validité du contrat d'assurance dans ces mêmes cas (Dur., n. 144).

1975 — Il en est de même du contrat par lequel la rente a été créée sur la tête d'une personne atteinte de la maladie dont elle est décédée dans les vingt jours de la date du contrat.

= Les parties ont voulu créer une rente qui pût avoir quelque durée : si la personne dont l'existence a été considérée, bien que vivante au moment du contrat, était néanmoins atteinte d'une maladie qui depuis a causé sa mort, l'erreur serait une cause de nullité, car elle tomberait sur l'une des conditions essentielles de la convention.

Pour que la résiliation ait lieu, notre article exige trois conditions; il faut :

1º Que la personne ait été malade au moment du contrat : si elle se portait bien à cette époque, quand même elle serait morte peu de jours après, la convention produirait son effet.

2º Qu'elle ait succombé à la maladie dont elle était affectée : si la mort avait été occasionnée par toute autre cause, le contrat ne serait pas vicié.

3º Enfin, il faut que le décès ait eu lieu dans les vingt jours de la date du contrat.

On ne doit pas comprendre dans ce délai, le jour *à quo ;* c'est-à-dire, le jour de la date du contrat : les vingt jours dont parle l'art. 1795 doivent être complets (1).

Suivant nos anciennes lois, pour que la constitution de rente fût valable, il fallait que le constituant eût ignoré la maladie; aujourd'hui cet examen n'a plus lieu : on considère uniquement le fait de la mort dans

---

(1) Rouen, 13 déc. 1821 ; D., t. 11, p. 571, n. 1 ; S., 22, 2, 224. — *Toulouse*, 2 juin 1832 ; S., 32, 2, 484.

un certain délai. La nullité, d'ailleurs, n'est pas fondée sur le dol, mais sur le défaut de risques. On présume que le constituant n'a pas apprécié la gravité de la maladie (Toullier, t. 6, n. 47; D., t. 11, p. 573, n. 10; Delv. sur l'art. 1975). — Bien plus, le contrat resterait sans effet, lors même que les parties auraient manifesté l'intention de déroger à cet égard aux dispositions de la loi : dans ce cas, le contrat serait considéré comme dépourvu de cause.

Il importe peu que l'acte en vertu duquel est constituée la rente, présente le caractère d'une donation : l'erreur ne porte pas moins sur une qualité essentielle du contrat (1).

— La donation faite sous la condition que le donataire servira au donateur une rente viagère est-elle valable, lorsque ce dernier est mort dans les vingt jours d'une maladie dont il était atteint ? ⁓ A. L'art. 902 ne place au nombre des incapacités légales, ni l'état de maladie du donateur, ni celui qui résulte de l'époque plus ou moins rapprochée de sa mort (Cass., 18 juin 1836; D., 1836, 1, 124).

A la charge de qui est la preuve que la personne sur la tête de laquelle on a constitué la rente était atteinte de la maladie dont elle est morte dans les vingt jours ? ⁓ C'est au demandeur à prouver qu'il est dans le cas prévu par la loi (Dur., n. 147). ⁓ La preuve de la mort est à la charge du demandeur : cette preuve faite, il y a présomption que la mort est la suite de la maladie dont la personne était atteinte au moment du contrat, et par conséquent c'est au défendeur à prouver le contraire (Paris, 13 juillet 1808; D., t. 9, p. 560).

La règle établie par notre article s'applique-t-elle aussi bien au cas où la rente est constituée sur la tête du stipulant, qu'au cas où elle l'est sur la tête d'un tiers ? ⁓ A. Il est très-possible que le constituant ait ignoré son état; d'ailleurs, ces mots de notre article : il en est de même, se rapportent à la nullité qui a lieu dans l'un et l'autre cas (Delv., p. 206, n. 10; Dur., n. 140. — Rouen, 23 janvier 1808; S., 8, 2, 72. — Cass., 19 janvier 1814; S., 20, 1, 479). ⁓ N. Ces mots : il en est de même, se réfèrent au cas prévu par l'article précédent. — Dans l'espèce, le bailleur de fonds a eu évidemment en vue de faire une libéralité.

Quid, si la rente est constituée sur la tête de plusieurs personnes : la mort de l'une d'elles, au temps du contrat ou dans les vingt jours, est-elle une cause de nullité ? ⁓ N. Pour que le contrat soit valable, il suffit qu'il y ait risque : on ne considère pas s'il est plus ou moins grand (Delv., p. 206, n. 10; Dur., n. 150. — Cass., 22 février 1820; S., 20, 1, 182; D., v° Rentes, p. 572, n. 9. — Grenoble, 21 juin 1822; D., ibid.).

† Quid, si la rente a été constituée sur la tête d'une femme enceinte, morte dans les vingt jours ? ⁓ Cet état n'est point une maladie. On excepte toutefois le cas où la femme était contrefaite au point de faire craindre que l'accouchement ne devînt périlleux (Delv., p 206, n. 7).

Quid, si la preuve du contrat est établie par acte sous seing privé ? ⁓ Si cet acte n'a pas acquis date certaine, il est réputé fait dans les vingt jours (Delv., p. 206, n. 9 — Cass., 15 juillet 1824; D., t. 11, p. 574, n. 1. — Colmar, 20 déc. 1830; D., 31, 2, 115). ⁓ L'acte sous seing privé fait entre les parties contractantes, leurs héritiers ou ayants cause, la même foi que l'acte authentique (1322); c'est aux héritiers du constituant, à établir la preuve du décès dans les vingt jours (Dur., n. 151, t. 18).

1976 — La rente viagère peut être constituée au taux qu'il plaît aux parties contractantes de fixer.

= La rente viagère est aléatoire; le moment qui doit déterminer la perte ou le gain est un mystère impénétrable : la loi ne pouvait dès lors soumettre sa constitution, comme celle de la rente perpétuelle, à un taux légal; il convenait d'en laisser la libre appréciation aux parties.

Bien plus, la rente doit excéder le taux de l'intérêt légal; autrement, le contrat serait une véritable donation de la nue propriété du capital, sous la réserve de la jouissance pendant la durée de la rente (2).

Toutefois, il ne faut pas que la rente viagère serve de voile à l'usure : si ce déguisement était reconnu, les tribunaux pourraient ordonner la réduction de l'intérêt au taux légal (Cass., 31 décembre 1838; S., 38, 1, 104).

— Lorsqu'un immeuble a été vendu moyennant une rente viagère, le vendeur peut-il, si cette rente est inférieure au revenu de l'immeuble, demander la rescision pour cause de lésion, en se fondan t su

_____

(1) Montpellier, 28 déc. 1832 ; S., 33, 2, 315.

(2) Cette disposition, du reste, produirait son effet, bien que les formes prescrites pour les donations entre-vifs eussent été négligées ; car il est de principe que les donations de deniers comptés ne sont pas soumises aux formes ordinaires des donations : ces formes ne sont requises que quand le donataire a besoin d'un titre pour faire valoir la donation.

l'art. 1674? ⟶ N. En permettant aux parties de fixer à leur gré le taux de la rente viagère , l'art. 1976 proscrit implicitement l'action en rescision pour cause de lésion. ⟶ A. Le contrat de rente viagère étant aléatoire , il est de son essence qu'il y ait une chance de perte ou de gain , au moins pour l'une des parties contractantes ; or cette chance n'existe pas , lorsque la rente viagère est inférieure aux revenus ; dès lors , le contrat manque de base (*Cass.*, 28 décembre 1831 ; S., 31, 1, 300).

Lors même que la rente excéderait de quelque chose l'intérêt du capital fourni ou le prix des biens aliénés , le contrat pourrait-il être attaqué comme contenant une donation déguisée ? ⟶ Nous le pensons. On donne pour ex., le cas où la réserve serait entamée, et celui où il y aurait incapacité de recevoir (Arg. des art. 911 et 1099).

Considérerait-on la constitution de rente viagère comme usuraire , par cela seul que le constituant s'obligerait à rendre , après la mort de celui sur la tête duquel la rente résiderait , une portion du capital ? ⟶ N. Les parties pouvaient stipuler le taux que bon leur semblait ; sauf au juge à rechercher , si le contrat ne dissimule pas d'usure (Pothier, n. 245).

SECTION II.

Des effets du contrat entre les parties contractantes.

La loi envisage les effets de la rente viagère sous trois points de vue différents :

1° Quant à l'aliénation du capital fourni au constituant (1977 et 1978) ;

2° Quant aux arrérages que le rentier doit percevoir (1979 et 1981):

3° Quant à l'extinction de la rente (1982 et 1983).

1977 — Celui au profit duquel la rente viagère a été constituée moyennant un prix , peut demander la résiliation du contrat , si le constituant ne lui donne pas les sûretés stipulées pour son exécution.

= Cette disposition est relative à la rente viagère constituée moyennant un prix : si la constitution était gratuite , il est évident que le donataire ne gagnerait rien à demander la résiliation.

Celui au profit duquel la rente viagère est constituée , peut demander la résiliation si le constituant ne donne pas les sûretés promises; par exemple , s'il déclare faussement que les biens hypothéqués à la prestation de la rente , ne sont pas soumis à d'autres hypothèques ; s'il ne présente pas la caution qu'il s'est engagé à fournir, etc. : sous ce point de vue, la constitution de rente est réputée conditionnelle.

Quid, si la rente pour le service de laquelle on a promis des sûretés , vient à s'éteindre par la mort , après la demande , mais avant le jugement? L'acquéreur ou ses héritiers n'ont plus aucun intérêt à l'exécution des conditions , puisque la rente a cessé d'exister.

Quid, si les sûretés promises sont fournies après la demande? La résolution du contrat ne s'opère pas de plein droit ; elle doit être prononcée par le juge : jusqu'au jugement , le constituant est admis à purger sa demeure ; il peut , en satisfaisant aux conditions et en offrant les dépens , prévenir la résiliation.

On déciderait de la même manière, si le jugement était encore susceptible d'appel au moment de la mort ou de l'offre des sûretés.

Suivant nous, on doit assimiler à celui qui ne donne pas les sûretés promises, le constituant qui les détruit, ou qui les diminue par son fait, après les avoir données (Arg. des art. 1188 et 2131). Mais il n'y a pas diminution des sûretés, quand l'immeuble sur lequel a été consenti l'hypothèque se

---

(1) Delv., p. 205, n. 4 ; Merlin , Rente viagère , § 4 ; Dur., n. 166. — *Cass*. 3 mars 1817 ; S., 17, 1, 211

détériore sans le fait du débiteur de la rente: c'était au créancier à stipuler des garanties plus étendues (1).

Le débiteur d'une rente viagère est censé diminuer les sûretés qu'il a données par le contrat, lorsqu'il aliène tout ou partie des biens affectés au service de la rente (2), sans interdire à l'acquéreur la faculté de rembourser.

La règle de notre article doit évidemment souffrir exception, lorsque le débiteur offre au créancier des sûretés équivalentes à celles qu'il a promises, ou lorsqu'il reconstitue celles qu'il a diminuées (3).

— Celui contre qui la résiliation est demandée et prononcée, peut-il exiger qu'on lui fasse raison de ce que les arrérages qu'il se trouve avoir payés jusqu'à la résiliation, excèdent l'intérêt légal de la somme qu'il a reçue pour prix de la constitution? ⟶ N. Les arrérages payés étaient le prix du risque que le créancier courait touchant l'extinction de la rente, ce créancier ne retient pas *sine causâ*, l'excédant des intérêts (Dur., n. 164).

Après le jugement qui prononce la résiliation, si le débiteur tarde à rembourser le capital, sur quel pied doit-il les intérêts? ⟶ Conformément au taux stipulé dans le contrat (Delv., *ibid.*; roy. cep. Pothier, n. 230; Merlin, v° *Rente viagère*, n. 4).

Dans le cas où la résiliation est prononcée, si le créancier a touché des arrérages pendant l'instance, doit-il les restituer en tout ou en partie? ⟶ N. L'excédant des arrérages sur les intérêts légaux est le prix du risque qu'il a couru de perdre la rente par la mort de celui sur la tête de qui elle était constituée (Delv., p. 205, n. 4).

1978 — Le seul défaut de payement des arrérages de la rente n'autorise point celui en faveur de qui elle est constituée, à demander le remboursement du capital, ou à rentrer dans le fonds par lui aliéné : il n'a que le droit de saisir et de faire vendre les biens de son débiteur, et de faire ordonner ou consentir, sur le produit de la vente, l'emploi d'une somme suffisante pour le service des arrérages.

= La valeur des rentes viagères diminue, à mesure que celui sur la tête de qui elles sont créées, devient plus âgé ou plus infirme : il serait donc fort difficile de régler équitablement les droits des parties, si le seul défaut de payement des arrérages suffisait pour autoriser le créancier à demander la résiliation; aussi, ne peut-elle être prononcée pour cette cause, moins favorable, en effet, que la précédente, puisque le stipulant doit s'imputer d'avoir suivi trop légèrement la foi du constituant : le Code se borne à déterminer certaines mesures que le rentier peut employer, pour forcer le débiteur à l'exécution de la convention, et assurer par ce moyen le payement des arrérages à échoir: ces mesures consistent dans le placement en perpétuel d'une somme suffisante pour produire un revenu égal aux arrérages de la rente. — Si le prix des biens ne suffit pas pour réaliser cette somme, le rentier peut demander la résiliation du contrat, en se fondant sur ce qu'on ne lui donne pas de sûretés suffisantes (1977).

En cas de vente volontaire ou forcée d'un immeuble hypothéqué au service de la rente, nous verrons, art. 1979, et d'une manière plus étendue au titre des hypothèques, comment on doit procéder.

— Quelle doit être la base de l'évaluation de la somme qui sera nécessaire pour le service des arrérages? ⟶ Cette somme doit être égale au capital d'une pareille rente, constituée en perpétuel au taux de la rente viagère (Dur, n. 170, t. 18).

Peut-on stipuler la rentrée dans les deniers fournis, en cas de non-payement des arrérages? ⟶ A. Une telle clause n'est contraire ni aux mœurs ni à l'ordre public (Cass., 28 mars 1817; S., 17, 1,

(1) *Paris*, 21 déc. 1836; D., 1837, 2, 116.

(2) *Colmar*, 28 août 1810; D., t. 11, p. 577, n. 2; S., 11, 2, 52. — *Riom*, 4 août 1818; S., 19, 2, 37. — *Bruxelles*, 26 avril 1810; S., 11, 2, 52.

(3) Pothier, n. 231, Rente viagère. — *Bruxelles*, 21 avril 1810; D., *ibid.*

215. — *Toulouse* , 2 juin 1832 ; S., 32, 2, 484. — *Bordeaux* , 30 août 1814 ; S., 18, 2, 144, 5 juillet 1816 ; S., 17, 2, 74. — *Paris* , 22 février 1837 ; D., 1837, 2. 154).

Le créancier pourrait-il exiger qu'on lui abandonnât en toute propriété un capital calculé sur la durée probable de la rente? ⋀⋀ *N.* Cela serait contraire à la disposition de l'art. 1979, qui oblige le débiteur à servir la rente pendant toute la vie du créancier (Pothier , n. 231 , Rente viagère).

Quid , s'il est stipulé que la résiliation aura lieu pour défaut de payement des arrérages ? ⋀⋀ Cette convention produira son effet (Delv., p. 205 , n. 2 — *Bordeaux* , 5 juillet 1816 ; S., 17, 2, 74 ; D., t. 11, p. 575, n. 1. — *Cass.*, 26 mars 1817 ; D., t. 11. p. 567, n. 3. — *Toulouse* , 2 juin 1832 ; D., 32, 2, 137. — *Bordeaux* , 18 février 1835 ; D., 35, 2, 62). ⋀⋀ Cette clause est contraire à l'essence du contrat de rente viagère ; elle deviendrait de style (Dur., n. 169. — *Paris* , 22 décembre 1812 ; S., 13. 2. 142 ; D., 13, 2, 76, — *Douai* , 25 novembre 1833 ; D., 34, 2, 183. — *Paris*, 22 décembre 1812 ; S., 13, 2, 142).

Quid , si plusieurs héritages hypothéqués au service de la rente ont été vendus successivement : le créancier pourra-t-il se faire colloquer dans chaque ordre pour une somme représentant le capital de la rente? ⋀⋀ *N.* L'hypothèque est indivisible (Delv., p. 205, n. 3 ; Dur. n. 171). ⋀⋀ Le créancier ne peut être colloqué que dans l'un des ordres à son choix (*Paris* , 20 avril 1814 ; S., 18, 2, 270).

Une vente faite moyennant une somme d'argent payée comptant et une rente viagère , peut-elle être résolue , pour défaut de payement des arrérages de la rente ? ⋀⋀ *N.* (*Cass.*, 13 juin 1837 ; D., 1837, 1, 436).

1979 — Le constituant ne peut se libérer du payement de la rente , en offrant de rembourser le capital , et en renonçant à la répétition des arrérages payés ; il est tenu de servir la rente pendant toute la vie de la personne ou des personnes sur la tête desquelles la rente a été constituée, quelle que soit la durée de la vie de ces personnes , et quelque onéreux qu'ait pu devenir le service de la rente.

⟹ Le constituant s'est soumis à une prestation annuelle dont la durée peut être plus ou moins longue : il ne doit pas avoir la faculté de changer la nature de son obligation , en offrant de restituer le prix. — De son côté, le rentier ne peut exiger le rachat , car les rentes viagères n'ont pas de capital , mais un prix (1978) : sa créance a pour objet unique les arrérages ; ces arrérages forment tout le principal , tout le fonds de la rente viagère : or cette rente s'acquitte et s'éteint annuellement par parties.

Remarquons surtout, qu'en attribuant au contrat de rente viagère un caractère d'irrévocabilité (1778 et 1979), la loi considère seulement les effets du contrat entre les parties contractantes : vis-à-vis des tiers (soit créanciers du débiteur de la rente, soit acquéreurs de biens affectés au service de cette même rente), le caractère d'irrévocabilité subit quelques modifications : ainsi, en cas de faillite ou de déconfiture du débiteur, le rentier, dont les droits seraient garantis par un privilége ou par une hypothèque , viendrait avec les autres créanciers , à la distribution par contribution , pour une somme calculée d'après les chances probables de sa vie. —Ainsi, l'acquéreur peut purger l'hypothèque qui garantit la rente, comme toute autre hypothèque; car la loi n'étend pas au rentier l'exception qu'elle a établie art. 2195 *in fine*, au profit des femmes et des mineurs : le rentier devra se faire colloquer à l'ordre, pour la somme fixée dans l'inscription hypothécaire.

1980 — La rente viagère n'est acquise au propriétaire que dans la proportion du nombre de jours qu'il a vécu.

Néanmoins, s'il a été convenu qu'elle serait payée d'avance, le terme qui a dû être payé, est acquis du jour où le payement a dû en être fait.

⟹ Les arrérages de la rente viagère, comme ceux de la rente perpétuelle, sont des fruits civils (584 , 588) : dès lors ils n'appartiennent au propriétaire , qu'en proportion du nombre de jours qu'a vécu celui sur la tête duquel la rente est constituée (585).

Cette règle souffre exception , lorsqu'il résulte du titre constitutif , que la rente sera payée d'avance : le terme est alors acquis en entier, si celui sur la tête de qui la rente est constituée , a vécu un seul jour dans le trimestre ou dans le semestre, suivant les époques fixées pour le payement des arrérages : c'est là une prime que le créancier gagne ; ses héritiers ne sont tenus d'aucune restitution.

1981 — La rente viagère ne peut être stipulée insaisissable , que lorsqu'elle a été constituée à titre gratuit.

= On a toujours distingué les rentes viagères constituées à titre onéreux , de celles qui sont constituées à titre gratuit : si la rente viagère que l'on achète, pouvait être stipulée insaisissable, il serait facile à un débiteur, de soustraire à ses créanciers une partie de leur gage.

Mais le testateur ou le donateur peut valablement déclarer que la rente qu'il constitue ne pourra être saisie, car chacun a le droit de mettre à sa libéralité telle condition qu'il juge à propos. Cette clause , d'ailleurs, ne fait aucun tort aux créanciers, puisque la constitution de rente ne diminue point le patrimoine de leur débiteur.

Il n'est même pas nécessaire de stipuler cette condition, si c'est à titre d'aliments que la rente est créée (Pr., 581 et 582).

1982 — La rente viagère ne s'éteint pas par la mort civile du propriétaire ; le payement doit en être continué pendant sa vie naturelle.

= Pour fixer la durée de la rente , il faut toujours chercher à pénétrer l'intention des parties ; or il est évident qu'elles n'ont pu prévoir le cas de mort civile : la rente doit dès lors être servie jusqu'à la mort naturelle du créancier.

Mais à qui le payement des arrérages échus depuis la mort civile encourue , doit-il être fait? Au mort civilement, si la rente est constituée pour aliments, car il peut recevoir à ce titre (25) ; à ses héritiers, si elle n'est pas constituée pour aliments (1).

Toutefois , les héritiers ne pourraient, suivant nous, prétendre aucun droit à la rente , si elle résultait d'une disposition testamentaire (Arg. des art. 1040 et 1043) ; car évidemment, l'intention du testateur n'aurait pas été de les appeler.

Si la rente viagère ayant été créée sur la tête d'un tiers, le créancier décède avant ce dernier, elle passe aux héritiers du créancier.

1983 — Le propriétaire d'une rente viagère n'en peut demander les arrérages qu'en justifiant de son existence, ou de celle de la personne sur la tête de laquelle elle a été constituée.

---

(1) Delv., p. 206, n. 4; Merlin , Rente viagère , § 15; Proudhon, Usuf., t. 4, n. 1972 et suiv. ; roy. cep. Dur., t. 4, n. 152 et suiv.

⇒ Le créancier doit donc justifier, par un certificat (1) en bonne forme, de l'existence de celui sur la tête duquel la rente viagère est constituée.

Les rentes viagères s'éteignent en outre, comme les rentes perpétuelles, par le rachat volontaire de la rente que le créancier a permis qu'on en fît; par la remise; par la novation; par la confusion; enfin par la prescription trentenaire.

— Puisque le rentier est tenu de prouver l'existence de celui sur la tête de qui la rente est constituée, il ne peut évidemment réclamer le payement des arrérages, lorsque cette personne est absente : or les arrérages, aux termes de l'article 2279, se prescrivent par cinq ans. Mais *quid*, si tous les cinq ans le créancier a formé sa demande en payement de la rente, et s'il a été chaque fois déclaré non recevable, pourra-t-on, en cas de retour de la personne désignée, opposer la prescription ?⁓⁓ *A*. La demande n'a pu interrompre la prescription. — Arg. de l'art. 2247 (Delv., p. 206, n. 1 ; Merlin, Rente viagere, § 15 ; Pothier, n. 529, Constitution de rente; Dur. n. 185).

TITRE XIII.

DU MANDAT.

(Décrété le 10 mars 1804, promulgué le 20 du même mois.)

Il ne nous est pas toujours possible de vaquer à nos propres affaires : une maladie, une absence ou d'autres empêchements imprévus nous obligent souvent à transmettre à un tiers le droit d'agir ou de stipuler en notre nom.

Cette transmission de pouvoirs s'appelle *mandat* (2).

Le mandat est un contrat *consensuel*, puisqu'il se forme par le seul consentement; l'écriture n'est requise que pour la preuve. — Il est de *bienfaisance*, car il intervient ordinairement pour le seul intérêt du mandant. — Enfin, il est *unilatéral*, car le mandataire seul s'oblige directement et principalement, à l'instant du contrat. — Mais on doit, suivant nos principes, le ranger dans la classe des contrats *unilatéraux imparfaits;* car le mandant peut être tenu *ex post facto*, d'indemniser le mandataire des avances qu'il a faites.

La loi règle, dans le chapitre premier, la nature et la forme du mandat.

Elle détermine dans les chapitres deux et trois, les obligations qui en résultent.

Elle s'occupe dans le chapitre quatre, des causes d'extinction.

(1) Les certificats de vie peuvent être délivrés par les présidents des tribunaux de première instance ou par les maires des chefs-lieux d'arrondissement pour les personnes qui y sont domiciliées (Loi du 6-27 mars 1791, art. 11. — *Cass.*, 18 juin 1817; S., 17, 1, 288 ; 19 novembre 1817; S., 18, 1. 85).

(2) L'expression *mandat*, vient des mots latins *manu dare ;* parce que chez les Romains, celui qui se chargeait de l'affaire, donnait la main à l'autre partie, pour témoigner qu'il s'obligeait à remplir fidèlement sa mission : la main était pour eux *symbolum fidei datæ*.

No confondons pas le *mandat*, avec le quasi-contrat de *gestion d'affaires* : le mandataire qui excède les bornes de son mandat, est considéré comme gérant d'affaires pour tout ce qu'il a fait au dela de ses pouvoirs (*voy.* art. 1370-1375).

CHAPITRE PREMIER.

De la nature et de la forme du mandat.

———

On peut envisager le mandat, ou comme simple acte de la volonté du mandant (il se confond alors avec la procuration (1984, 1985)); ou comme contrat.

Considéré sous ce dernier rapport, le mandat est un contrat consensuel et unilatéral (1), par lequel l'une des parties donne le pouvoir de faire en son nom une ou plusieurs affaires, à l'autre partie, qui s'en charge gratuitement et s'oblige à rendre compte de sa gestion.

De cette définition, il résulte, que plusieurs conditions sont l'essence du mandat; il faut :

1° Qu'il y ait une *affaire* : en général, toute affaire peut être l'objet d'un mandat : les cas où la personne que l'acte intéresse doit être présente, sont exceptionnels (*voy.* art. 121 et 877, Pr.; 75, C. c.).—Cette affaire ne doit rien avoir de contraire aux lois, ni aux mœurs.

Le mandat est spécial ou général : au premier cas, les pouvoirs du mandataire sont limités à l'affaire dont il s'agit; au deuxième cas, il ne comprend que les actes d'administration, quelque généraux que soient les termes dans lesquels il est conçu (1988).

L'affaire ne doit pas être consommée; autrement, le mandat serait inutile (2).

Elle doit être déterminée ou au moins déterminable d'après les circonstances : par ex., si je charge une personne de m'acheter *quelque chose*, sans autre indication, le mandat est nul. —Mais il n'est pas nécessaire que le mandant exprime ce qu'il veut qu'on lui achète, lorsque le mandataire a pu connaître cette volonté par quelque circonstance : par ex., si un marchand qui a coutume d'acheter tous les ans à un marché une certaine quantité de marchandises, charge un de ses confrères de faire ses *emplettes*, le mandat est valable; car il doit nécessairement s'entendre de ce que le mandant a coutume d'acheter.—Si je charge quelqu'un d'acheter pour moi des jouets d'enfants, sans les déterminer, le mandat est également valable; car il a pour objet l'achat d'une certaine espèce de choses dont j'ai laissé le choix au mandataire.

Il importe peu, du reste, que le mandant ait fixé un prix.

2° Il faut que l'affaire soit de nature à ce que le mandant puisse être censé la faire lui-même, par le ministère de son mandataire, au moment où le mandat recevra son exécution : *qui mandat, ipse fecisse videtur.* Le mandataire, en effet, représente le mandant, à l'effet de l'obliger envers les tiers et d'obliger les tiers envers lui (3).

Ainsi, nous savons que le tuteur ne peut se rendre adjudicataire des biens de son mineur : s'il donne à quelqu'un mandat d'en faire l'acqui-

———

(1) On ne peut placer le mandat parmi les contrats synallagmatiques, car son but principal est de charger une personne d'une affaire. La promesse d'un salaire ne change pas le caractère de ce contrat ; car ce salaire n'est qu'un honoraire pour un service qui n'a pas de prix : le mandant peut, s'il le désire, révoquer sa procuration, sans être tenu de payer aucune indemnité.

(2) Il est bien entendu, que cela ne priverait pas le mandataire du droit d'exiger le remboursement des avances qu'il aurait faites dans l'ignorance de la consommation de l'affaire.

(3) C'est là, notamment, suivant quelques personnes, ce qui distingue le mandat, du louage des services : celui qui promet ses services ne peut stipuler ni promettre pour le localaire (*Voy.* p. 378, note); mais nous verrons p. 521 note, qu'il existe d'autres différences.

sition, ce mandat est nul, en ce sens, que le mandataire pourra se dispenser de l'exécuter, afin de ne pas se rendre complice d'une contravention.—Mais rien ne s'oppose à ce que la personne qui ne peut faire certains actes pour son propre compte, reçoive mandat de faire ces actes au nom et pour le compte d'un tiers ; par ex. , je puis charger le propriétaire d'une chose qu'on licite, de se rendre adjudicataire pour moi.

3° Il faut que l'affaire soit de nature à pouvoir être faite par le mandataire. On n'examine pas, du reste, si ce dernier a eu personnellement cette faculté : il suffit, pour la validité du mandat, que le mandant ait pu raisonnablement le penser.

Par exemple, si je charge une personne qui n'a pas l'habileté ou l'industrie nécessaire, de faire quelque chose, le mandat ne sera pas moins valable ; car j'ai dû croire que le mandataire avait la capacité d'accomplir ce dont il se chargeait.

4° L'affaire ne doit pas concerner le seul intérêt du mandataire ; autrement, ce serait un simple conseil : le mandat, en effet, renferme l'obligation tacite de rendre compte.

Toutefois, il n'est pas nécessaire que cette affaire concerne exclusivement le mandant ; le mandat peut être donné tout à la fois dans l'intérêt du mandant et dans celui d'un tiers ou même du mandataire (2).

Mais le mandat donné exclusivement dans l'intérêt d'un tiers est-il efficace ? Par exemple, si Pierre est parti, sans charger personne de ses affaires, puis-je vous donner mandat de faire sa récolte ? Ce mandat est nul, en ce sens, que si le mandataire ne gère pas, je ne pourrai l'y contraindre : en effet, l'obligation du mandataire ne peut se résoudre qu'en dommages-intérêts ; or, puisque je n'ai aucun intérêt, quels dommages cette inexécution me causera-t-elle ?

Néanmoins, le contrat devient valable, lorsque le mandataire a exécuté le mandat, et cela pour deux raisons : — 1° Le mandataire n'avait point d'intérêt à savoir si l'affaire me concernait ou non. — 2° Je suis devenu, en gérant les affaires d'un tiers, *negotiorum gestor* de ce tiers ; je me suis rendu volontairement comptable envers lui ; dès lors j'ai intérêt à ce que le mandat soit bien exécuté : or cet intérêt suffit, pour que je puisse demander compte à mon mandataire.

5° Le mandant et le mandataire doivent avoir la volonté de s'obliger l'un envers l'autre : c'est par cette volonté réciproque, que se forme le contrat.

6° Le mandat doit être conféré dans la forme voulue pour que le mandataire puisse exécuter l'acte qui en est l'objet. Par ex., dans les matières pour lesquelles on exige une procuration par écrit, un mandat purement verbal est insuffisant (3).

7° Le mandant doit avoir la capacité requise pour conférer un mandat : cette capacité se détermine d'après la nature de l'affaire qui en forme l'objet : s'il s'agit d'un acte d'administration, le mandat peut être conféré par toute personne ayant l'administration de ses biens ; s'il s'agit d'un acte de disposition , le mandant doit avoir la capacité d'aliéner.

Mais le mandat peut être valablement conféré à une personne qui n'a pas l'administration de ses biens (1990) ; ce qu'il faut entendre en ce sens, que le

---

(1) Mais en cas d'exécution , le mandataire ne devra pas moins rendre compte; comme de son côté , le mandant sera tenu de le rendre indemne.
(2) On dit alors , vulgairement, que ce dernier est *procurator in rem suam.*
(3) Cass., 6 février 1837 ; S., 37, 1, 201.

mandant se trouvera lié par le mandat, bien que le mandataire incapable puisse opposer son incapacité, s'il est recherché soit en reddition de compte, soit pour inexécution du mandat; sauf au mandant à le poursuivre *de in rem verso*, s'il y a lieu.

8° Le mandataire doit gérer gratuitement; cependant il peut recevoir une indemnité pour ses peines et soins (1986).

9° Il doit être tenu de rendre compte.

Le mandat peut en général être conféré soit expressément, soit tacitement (1).

On peut même charger de ses affaires, ou même d'une seule affaire, une ou plusieurs personnes; on peut les en charger soit pour gérer conjointement, soit pour que l'une puisse gérer au défaut de l'autre.

1984 — Le mandat ou procuration est un acte par lequel une personne donne à une autre le pouvoir de faire quelque chose pour le mandant et en son nom (2).

Le contrat ne se forme que par l'acceptation du mandataire.

= La loi définit ici la procuration, le fait de conférer les pouvoirs (3) : le contrat ne se forme que par l'acceptation de ces pouvoirs (4).

Nous nous occuperons principalement du contrat de mandat.

— Nous avons vu, que le mandat peut être donné pour l'avantage d'un tiers seulement : comment concilier cette décision avec le principe qu'il n'y a pas d'action sans intérêt ? ↝ En disant que le mandat est un acte par lequel une personne donne pouvoir à une autre de faire quelque chose *pour le mandant*, le Code civil paraît considérer le mandat dont il s'agit comme n'étant pas obligatoire, à moins qu'il ne résulte des circonstances, que le mandant avait réellement intérêt à ce que le contrat fût exécuté (Dur., n. 201).

1985 — Le mandat peut être donné ou par acte public, ou par écrit sous seing-privé, même par lettre. Il peut aussi être donné verbalement; mais la preuve testimoniale n'en est reçue que conformément au titre *des Contrats ou des Obligations conventionnelles en général*.

L'acceptation du mandat peut n'être que tacite, et résulter de l'exécution qui lui a été donnée par le mandataire.

= La constitution d'un mandataire est ordinairement (5) expresse : le

---

(1) Il ne faut pas conclure, par argument *à contrario*, de l'alinéa 1er de l'art. 1985, combiné avec l'alinéa 2e, que le mandat ne puisse être tacite ; ce serait établir une exception aux principes généraux sur la manière dont on peut manifester son consentement : ainsi, la femme mariée reçoit un mandat tacite de son mari pour faire les dépenses du ménage (1420).

(2) Définition vague ; elle n'indique pas les caractères propres et distinctifs du mandat.

(3) Gardons-nous de confondre le fait de la volonté du constituant (ou la procuration) avec l'écrit qui constate ce fait : le mandat est un contrat consensuel ; l'écriture n'est requise que pour la preuve ; elle n'est indispensable que suivant les principes et les distinctions faites au titre des contrats.

Ne confondons pas non plus la preuve du pouvoir avec celle du contrat : la preuve du pouvoir intéresse principalement les tiers avec lesquels le mandataire traitera ; la preuve du contrat n'intéresse que les parties : en effet, ce n'est qu'en établissant cette preuve, qu'elles peuvent se contraindre à remplir leurs obligations respectives.

(4) Toutefois, ne concluons pas de là, que l'acceptation du pouvoir forme nécessairement un contrat de mandat : le mandant peut s'être uniquement proposé de donner au mandataire la faculté de faire la chose, s'il le juge à propos, et non de l'obliger à la faire : cependant, à moins de circonstance particulière, l'acceptation fait en général présumer qu'il y a contrat de mandat.

(5) Nous disons *ordinairement*, car on reconnaissait autrefois, et l'on doit reconnaître encore aujourd'hui, un mandat tacite dans le fait de gestion d'affaire au vu et su du maître.

mandant peut manifester sa volonté à cet égard, soit dans un écrit, de quelque nature qu'il soit, même dans une lettre missive; soit verbalement : par ex., lorsqu'on remet à un avoué les pièces relatives à un procès, on l'autorise suffisamment à se constituer ; lorsqu'on remet un titre exécutoire entre les mains d'un huissier, cette remise vaut pouvoir pour toutes exécutions (556, Pr.) (1).—La preuve du mandat verbal n'est admise que suivant les principes et les distinctions établies au titre *des Contrats ou Obligations conventionnelles en général.*

L'acceptation du mandat (acceptation qui forme le contrat) peut être manifestée de toute manière, même tacitement : par exemple, elle résulterait suffisamment de l'exécution.

Pourrait-on l'induire de ce fait, que le mandataire aurait entre les mains l'acte contenant pouvoir? *Oui*, si cet acte a été remis par le mandant lui-même au mandataire qui l'a reçu sans faire d'observations ; — mais s'il a été envoyé par la poste ou autrement, le juge doit prononcer eu égard aux circonstances.

Lorsque le mandant n'a limité aucun terme, ni déterminé aucune condition, la procuration vaut *in perpetuum;* c'est-à-dire, jusqu'au moment où elle sera révoquée.

1986 —Le mandat est gratuit, s'il n'y a convention contraire.

⹀ Le mandat est essentiellement gratuit : toutefois, les Romains permettaient au mandataire de stipuler une récompense; le Code est conçu dans le même esprit : le mandat, porte l'art. 1986, est gratuit, *s'il n'y a convention contraire.* Il n'existe, en effet, aucune raison, pour proscrire une pareille convention ; elle n'a rien de contraire aux bonnes mœurs; elle est même d'une exacte justice, toutes les fois que le mandataire n'a pas assez de fortune pour faire le sacrifice de son temps et de ses soins : la rétribution est moins alors un salaire qu'une indemnité, pour un service qui n'a pas de prix : cette indemnité est censée tacitement promise, lorsqu'il s'agit d'affaires qui rentrent dans l'état ou dans la profession du mandataire.

Mais alors, comment distinguer le *louage de services,* du *mandat?* C'est en général par la nature du service ; par ex., on considère le contrat comme un louage, quand il s'agit d'un travail manuel, et comme un mandat, quand il s'agit d'un travail intellectuel ou de représenter quelqu'un dans une affaire : le juge doit prendre en considération la profession de celui qui rend ce service (2).

— Les avocats ont-ils une action pour le payement de leurs honoraires? ⹅⹅⹅ *A.* La loi ne la leur refuse pas (*Bourges*, 26 avril 1830 ; S., 30, 2, 159. — *Limoges*, 10 août 1829; S., 29, 2, 286. — *Toulouse*, 11 mai 1832; S., 32, 2, 582. — *Pau*, 7 juin 1828 ; S., 29, 2, 85; D., 29, 2, 132. — *Rouen*, 17 mai 1828 ; S., 29, 2, 30).

(1) *Cass.*, 25 janv. 1821 , 2 avril 1822 ; Favard , Mandat.
(2) Cette différence n'est pas la seule : ainsi, le mandat est un contrat unilatéral ; le louage est un contrat synallagmatique. — Le mandant peut retirer sa procuration quand bon lui semble ; le locateur ne peut, par sa seule volonté , anéantir le contrat de louage. — Il n'est pas nécessaire de faire un double original de l'acte sous seing privé contenant le pouvoir, quand même on serait convenu d'un salaire , puisque le Code déclare que le mandat peut être donné même par lettre missive ; l'obligation de faire des doubles originaux s'applique uniquement aux contrats synallagmatiques : or le mandat est un contrat unilatéral imparfait; l'acte contenant le mandat confère au mandataire un titre suffisant pour réclamer ce qui peut lui être dû : de doubles originaux doivent être faits lorsqu'il s'agit d'un contrat de louage (*Dur.*, n. 216 et 217, t. 18).

L'avoué qui les a payés peut-il les répéter contre sa partie ? ∽∽ A. L'avoué a le pouvoir de faire tout ce qui est nécessaire pour l'exécution de son mandat (mêmes arrêts).

L'avoué peut-il payer au delà du tarif? ∽∽ A la vérité, le tarif a fixé le prix des plaidoiries; néanmoins, comme ce prix est inférieur au travail que les affaires peuvent exiger, le tribunal prononce suivant les circonstances (mêmes arrêts).

1987 — Il est ou spécial et pour une affaire ou certaines affaires seulement, ou général et pour toutes les affaires du mandant.

= L'étendue des pouvoirs du mandataire est entièrement abandonnée à la volonté des parties; les art. 1787 à 1789 ne contiennent que des règles interprétatives.

Le mandat est spécial ou général : *spécial*, lorsqu'il a pour objet une ou plusieurs affaires nominativement indiquées, ou lorsque les pouvoirs donnés au mandataire sont limités à certains actes déterminés : par exemple, je donne mandat de vendre les biens que j'ai dans tel département : ce mandat est spécial, puisqu'il ne comprend pas toutes les affaires du mandant. — Je donne mandat de suivre les procès qui pourront me survenir : ce mandat est également spécial, car il est limité aux procès ; — *général*, lors qu'il comprend toutes les affaires du mandant et qu'il confère le pouvoir de faire, au nom et pour le compte de ce dernier, tous les actes qui sont susceptibles d'être accomplis par un mandataire.

Cette distinction est importante : il est des cas, en effet, où la loi exige un mandat spécial.

1988 — Le mandat conçu en termes généraux n'embrasse que les actes d'administration.

S'il s'agit d'aliéner ou hypothéquer, ou de quelque autre acte de propriété, le mandat doit être exprès.

= Lorsque le mandat est spécial, en d'autres termes, lorsque les actes qu'il s'agit de faire sont spécifiés, cette détermination devient la mesure des pouvoirs conférés par le mandant ; tout ce que le mandataire fait au delà est nul : rien de plus simple et de plus facile que l'application de cette règle (*voy.* art. 1989).

Mais quelle est l'étendue des mandats conçus en termes généraux, notamment, lorsqu'on a employé cette locution vague : *Donne pouvoir au mandataire de faire tout ce qu'il jugera convenable aux intérêts du mandant* ; ou celle-ci : *de faire tous les actes que le mandant pourrait faire lui-même?* Plusieurs jurisconsultes romains restreignaient l'effet de la première, aux simples actes d'administration, et attribuaient à la seconde des effets plus étendus, entre autres la faculté de disposer de la propriété même. — Le Code tarit les controverses auxquelles donnait lieu l'interprétation de ces clauses : il déclare que le mandat général et indéfini n'embrasse que les actes d'administration: ainsi, le mandataire peut passer des baux, pourvu que leur terme n'excède pas 9 années (1429), faire les conventions nécessaires pour l'entretien ou l'exploitation des choses dont la gestion lui a été confiée, intenter les actions possessoires, interrompre une prescription, poursuivre le remboursement des créances, en donner décharge, enfin aliéner les récoltes, ainsi que les autres choses mobilières qui, par leur nature, sont destinées à être vendues ; mais il n'a pas le pouvoir d'accepter ou de répudier une succession, de provoquer un partage, d'intenter une action réelle immobilière, d'emprunter, d'hypothéquer, d'aliéner : la loi ne suppose pas facilement au mandant, l'intention d'étendre jusque-là les témoignages de sa confiance.

Nonobstant les termes de l'article, il n'est pas douteux que le mandataire général peut vendre les objets sujets à dépérissement ou à dépréciation ; car ces actes sont conservatoires (1).

—Le mandataire général n'a pas le droit d'intenter une action en partage ; mais pourrait-il défendre à cette action ? ⁓ *N.* Le partage est en fait un acte d'aliénation (Delv., p. 132. n. 5 ; Dur., n. 230).

Le pouvoir de vendre ou de louer contient-il celui de recevoir les loyers ou le prix de la vente ? ⁓ *N.* (Delv., n. 4, p. 132).

Quelle est la force du pouvoir d'aliéner, conçu d'une manière générale ? (*Voy.* Pothier, n. 159).

1989 — Le mandataire ne peut rien faire au delà de ce qui est porté dans son mandat : le pouvoir de transiger ne renferme pas celui de compromettre.

= Si le mandat conçu en termes généraux ne donne pouvoir que pour les actes d'administration, à plus forte raison le mandat spécial ne peut-il être étendu à des actes autres que ceux pour lesquels il a été conféré, fussent-ils une suite naturelle de ces derniers actes : ainsi, le pouvoir de vendre un immeuble n'emporte pas celui d'en toucher le prix ; le pouvoir de vendre ne confère pas celui d'hypothéquer ; enfin le pouvoir de transiger ne donne pas celui de compromettre : en effet, la transaction et le compromis diffèrent par des nuances qu'il est utile de remarquer : le premier donne au mandataire la faculté de terminer lui-même le procès, aux conditions qu'il jugera convenables ; le deuxième donne celui de soumettre le procès à un jugement d'arbitres : or le mandant peut fort bien s'en remettre au jugement du mandataire, sans vouloir lui conférer le droit de soumettre à des tiers la décision de l'affaire.

— *Quid*, si la chose qu'on avait donné mandat d'acheter, a été acquise pour un prix inférieur à celui porté dans le mandat ? ⁓ L'objet doit être remis au prix coûtant.

Quid, si c'est pour un prix supérieur : le mandataire doit-il supporter la perte de la différence entre le prix fixé dans le mandat et le prix de la vente ? ⁓ *N.* L'équité s'y oppose : le mandant doit, ou prendre la chose pour le prix qu'elle a coûté, ou la laisser pour le compte du mandataire ; sauf, s'il y a lieu, à faire condamner celui-ci à des dommages-intérêts, pour avoir dépassé les bornes de son mandat (Dur., n. 235 et 237).

Quid, si le mandataire a acheté en son nom et non comme mandataire ? ⁓ Il peut y avoir lieu contre lui à des dommages-intérêts, comme ayant abandonné le mandat ; mais il ne peut être forcé à se dessaisir de la chose achetée (Dur., n. 234 et suiv.).

Le pouvoir de transiger, même par médiation d'arbitres, renferme-t-il celui de compromettre ? ⁓ *N.* Le mandataire peut, en ce cas, ne pas adhérer à l'opinion des arbitres (Delv., p. 132, n. 5. — *Aix*, 6 mai 1812 ; S., 13, 2, 205).

1990 — Les femmes et les mineurs émancipés peuvent être choisis pour mandataires ; mais le mandant n'a d'action contre le mandataire mineur que d'après les règles générales relatives aux obligations des mineurs, et contre la femme mariée qui a accepté le mandat sans autorisation de son mari, que d'après les règles établies au titre *du Contrat de mariage et des Droits respectifs des époux.*

— Au premier abord, on pourrait considérer comme paradoxale,

(1) Arg. des articles 595, 1718 et 1429. — *Paris*, 27 novembre 1813 ; S., 15, n. 61.

l'idée de prendre pour mandataires des personnes incapables ; mais cette contradiction n'est qu'apparente :

En effet, il faut bien distinguer, les rapports que le mandat constitue entre le mandataire et la personne avec laquelle il s'agit de traiter, de ceux qu'il établit entre le mandant et le mandataire :

Sous le premier point de vue, il est à remarquer, que le mandataire ne traite pas de ses intérêts ; que le mandant seul se trouve obligé lorsque l'affaire est conforme au vœu qu'il a exprimé : peu importe dès lors au tiers, que le mandataire n'ait pas la capacité de contracter ; il lui suffit que les intentions du commettant s'accordent avec les siennes et qu'elles soient ponctuellement exécutées.

Mais lorsqu'il s'agit des rapports du commettant avec le mandataire, les choses changent de face : l'exécution du mandat entraîne à sa suite des obligations respectives : si le commettant a fixé son choix sur une personne qui était incapable de s'engager, il doit s'imputer sa propre imprudence. Aussi, après avoir établi que la femme et le mineur *émancipé* peuvent être choisis pour mandataires, la loi déclare-t-elle, que le mandant n'a d'action contre le mineur *émancipé*, à raison des opérations du mandat, que d'après les règles générales exposées dans les articles 1124, 1125, 1126, 1305 et suiv. ; et contre les femmes mariées, que d'après les règles établies au titre *du Contrat de mariage.*

Ainsi, le mandant se trouve lié, par l'exécution du mandat, tant envers le mandataire incapable, qu'envers les tiers avec lesquels ce dernier a contracté ; tandis que l'incapable peut, s'il est recherché soit pour inexécution des obligations qu'il a contractées, soit en reddition de compte, opposer la nullité du mandat qu'on lui a confié, sauf bien entendu l'action *de in rem verso*, qui, dans tous les cas, appartient au mandant, et l'action en dommages-intérêts à raison des délits ou des quasi-délits que le mandataire incapable aurait commis dans sa gestion (1).

CHAPITRE II.

Des obligations du mandataire.

Le mandataire est tenu de trois obligations principales ; il doit :

1° Accomplir le mandat (1991) ;

2° Apporter les soins d'un bon père de famille à la gestion de l'affaire ou des affaires dont il s'est chargé (1992 et 1er et 1137).

Toutefois, la loi prend soin de tempérer la rigueur de cette règle, en déclarant que la responsabilité relative aux fautes doit être appliquée moins rigoureusement à celui dont le mandat est gratuit, qu'à celui qui reçoit un salaire (1992).

Le mandataire est en général autorisé à charger un tiers de l'exécution du mandat. Sa responsabilité s'étend en certains cas, à celui qu'il s'est substitué (1994).

---

(1) Bien que la loi ne parle que des mineurs émancipés, ne concluons point, par argument à *contrario*, qu'un mineur émancipé ou un interdit ne puisse être valablement choisi pour mandataire : l'article n'est pas rédigé dans un esprit d'exclusion ; il n'a pas pour objet d'énumérer les personnes capables ; mais uniquement, de déterminer les effets de l'acceptation du mandat conféré à une personne qui administre ses biens sans avoir la capacité d'en disposer (Dur., n. 212 ; Delv., p. 130, n. 5).

Plusieurs mandataires peuvent être constitués pour la même opération ; mais ils ne sont point pour cela solidairement responsables ; sauf toute stipulation contraire (1995).

3º Rendre compte de sa gestion (1993).

Si le mandataire se trouve reliquataire, il ne doit l'intérêt de ce reliquat que du jour où il a été mis en demeure. — Mais s'il a employé des sommes à son usage, l'intérêt est dû à partir de cet emploi (1996).

1991 — Le mandataire est tenu d'accomplir le mandat tant qu'il en demeure chargé, et répond des dommages-intérêts qui pourraient résulter de son inexécution.

Il est tenu de même d'achever la chose commencée au décès du mandant, s'il y a péril en la demeure.

= Le mandataire est libre d'accepter ou de refuser le mandat ; mais en acceptant, il s'oblige à terminer entièrement l'affaire qu'on lui a confiée. S'il manque à ses engagements, même par négligence, il encourt des dommages-intérêts.

La mort du mandant est une des causes d'extinction du mandat (2003) : cependant, un principe d'équité a fait décider que, nonobstant cet événement, le mandataire serait tenu d'achever la chose commencée : toutefois, comme ce n'est point là une obligation qui naisse directement du mandat, la loi borne ce devoir au cas de péril en la demeure (*voy.* art. 1373).

1992 — Le mandataire répond non-seulement du dol, mais encore des fautes qu'il commet dans sa gestion.

Néanmoins la responsabilité relative aux fautes est appliquée moins rigoureusement à celui dont le mandat est gratuit qu'à celui qui reçoit un salaire.

= Le mandataire est tenu plus rigoureusement que le dépositaire : en effet, ce dernier ne doit que de la fidélité ; le service qu'il rend n'exige pas autre chose : tandis que le mandataire est tenu, non-seulement de son dol, mais encore des suites de sa négligence, de la faute, en un mot, qui consiste dans l'omission des soins d'un bon père de famille.

Son peu d'habileté ne serait pas une excuse suffisante : car en se chargeant du mandat, en se faisant fort d'une aptitude qu'il n'avait pas, il a induit en erreur le mandant, qui aurait pu gérer l'affaire par lui-même ou la confier à un autre mandataire.

Néanmoins, la loi prend soin de déclarer, que la responsabilité relative aux fautes (qui ne tiennent point au dol, bien entendu) doit être appliquée moins rigoureusement à celui dont le mandat est gratuit qu'à celui qui reçoit un salaire ; le salaire resserre les liens du mandataire.

Il n'est responsable ni des cas fortuits ni des accidents de force majeure ; sauf conventions contraires.

Le mandataire stipulerait valablement qu'il ne sera pas tenu des fautes qu'il commettra dans sa gestion. — Mais il ne peut, sous aucun prétexte, manquer à la bonne foi.

Nous pensons que la clause qui dispenserait le mandataire de rendre compte, serait sans effet ; car cette dispense dénaturerait le contrat ; elle dissimulerait presque toujours une libéralité.

Le mandataire ne peut compenser avec le dommage qu'il a causé par sa faute, les profits qu'il a procurés dans une autre affaire, car il s'est obligé à procurer des bénéfices et à ne point commettre de fautes (Arg. de l'art. 1850) (Delv., p. 132, n. 7; Dur., n. 244).

1993 — Tout mandataire est tenu de rendre compte de sa gestion, et de faire raison au mandant de tout ce qu'il a reçu en vertu de sa procuration, quand même ce qu'il aurait reçu n'eût point été dû au mandant.

= Le mandataire doit rendre compte de sa gestion : cette obligation est commune à tous ceux qui ont géré les affaires d'autrui.

Le compte doit être rendu au mandant, encore bien qu'il ait perdu la qualité en vertu de laquelle il a contracté : par ex., si les affaires concernent un mineur, c'est au tuteur à recevoir le compte lors même qu'il a été remplacé, lors même que le mineur est devenu majeur; car il ne devra pas moins justifier de sa bonne administration.

Toutefois, on accorde généralement à celui dont les affaires ont été gérées, le droit d'agir directement contre le mandataire (1994); sauf à ce dernier, à mettre son mandant en cause.

Dans ce compte, le mandataire doit faire raison (c'est-à-dire, se charger en recette), de tout ce qu'il a reçu en vertu de sa procuration, même de ce qui n'était pas dû au mandant : rien de ce qu'il a fait, par suite du pouvoir qui lui était conféré, ne peut tourner à son profit; c'est envers le mandant qu'on a voulu se libérer; c'est lui qu'on a voulu payer; c'est donc à lui qu'il faut remettre, en définitive, tout ce qui a été reçu en son nom. D'ailleurs, si des réclamations s'élèvent, c'est contre le mandant qu'elles seront dirigées. — Le compte doit en outre comprendre, non-seulement ce que le mandataire a recueilli, mais encore ce qu'il a manqué de recueillir par sa faute; non-seulement ce qu'il a fait par lui-même, mais encore les actes des substitués (*voy.* l'art. 1994).

On fait déduction de la dépense sur la recette, et le mandataire devient débiteur du reliquat. Il doit l'intérêt de ce reliquat, à partir du jour où il a été mis en demeure de payer.

Ici, s'élève une difficulté : lorsqu'il s'agit de sommes, les recettes se compensent avec les dépenses; point de doute à cet égard : mais *quid* à l'égard des corps certains ? La compensation ne pouvant avoir lieu, il faut admettre que le mandataire peut les retenir, *veluti quodam pignoris jure*, jusqu'au remboursement préalable de ses débours (Arg. de l'art. 1948) : l'un des contractants ne peut forcer l'autre à exécuter ses engagements, s'il n'est prêt à exécuter lui-même les siens.

Le mandataire ne peut être dispensé, même par le contrat, de l'obligation de rendre compte : la reddition de compte est de l'essence du mandat : arg. de ces mots de l'art. 1993 : *tout mandataire est tenu*, etc. : cependant, il peut être convenu que le mandant se contentera des déclarations du mandataire sur le résultat de sa gestion (Cass. 24 avril 1811).

1994 — Le mandataire répond de celui qu'il s'est substitué dans la gestion, 1° quand il n'a pas reçu le pouvoir de se substituer quelqu'un; 2° quand ce pouvoir lui a été conféré sans désignation d'une personne, et que celle dont il a fait choix était notoirement incapable ou insolvable.

Dans tous les cas, le mandant peut agir directement contre la personne que le mandataire s'est substituée.

= La confiance étant la base du mandat, il était juste de déclarer le mandataire responsable dans les deux cas suivants, de la personne qu'il s'est substituée :

1° Quand il n'a pas reçu le pouvoir général de se substituer quelqu'un, en remettant ses pouvoirs à une tierce personne, il agit alors à ses risques et périls, car il excède les bornes de son mandat, et trompe même, jusqu'à un certain point, la confiance du mandant.

2° Lorsqu'il a reçu ce pouvoir d'une manière générale, sans désignation de personne : en ce cas, bien que le mandant soit présumé vouloir s'en rapporter au choix que le mandataire fera, l'autorisation qu'il lui donne, renferme l'ordre tacite de ne se faire remplacer que par un homme digne de confiance : toutefois, la responsabilité du mandataire n'est engagée, qu'autant qu'il a fixé son choix sur une personne *notoirement* incapable ou insolvable : la faute est alors grossière ; elle se rapproche du dol.

Si le pouvoir désigne la personne, le mandataire n'est pas responsable, à moins qu'il ne soit survenu, depuis le mandat, des causes d'empêchement dont il ait été instruit et qu'il ait dissimulé au mandant : cette dissimulation est alors un dol.

La dernière disposition de notre article, confère au mandant la faculté d'agir *directement* contre le substitué, sans avoir besoin d'invoquer l'art. 1166 : les rapports du mandant avec le substitué sont les mêmes que ceux du mandant avec le mandataire. — Quand la procuration a été confiée avec désignation d'une personne, la justice de cette disposition est évidente ; car le substitué est réellement le procureur direct du mandant.—Mais il y a plus de difficultés, lorsque le substitué n'a pas été désigné : en effet, comme la personne que le mandataire choisit ne tient pas ses pouvoirs du mandant, mais du mandataire, il semble, au premier abord, qu'on ne doive accorder d'action au mandant, que contre le mandataire seul, sauf le recours de ce dernier contre le substitué : mais les mêmes raisons qui ont fait accorder à certains créanciers le droit d'agir directement contre le débiteur de leur débiteur (1753, 1794, 1798, C. c.; 820, Pr.), ont fait admettre, que le mandant pourrait agir directement contre le substitué.

1995 — Quand il y a plusieurs fondés de pouvoir ou mandataires établis par le même acte, il n'y a de solidarité entre eux qu'autant qu'elle est exprimée.

= A Rome, les mêmes raisons qui faisaient déclarer le mandataire responsable du fait de son substitué, portaient à décider, qu'il y aurait solidarité entre les divers mandataires chargés de la même affaire. Les auteurs du Code ont rejeté cette doctrine : la règle que la solidarité ne se présume pas (1202), doit en effet s'appliquer particulièrement à un contrat qui prend sa source dans un service officieux. *Nec obstat* l'art. 1033 : cet article est exceptionnel.

Il est bien entendu, que la division de l'action contre les divers mandataires, est sans préjudice de l'action pour le tout, contre celui d'entre eux qui, par son fait, a causé du tort au mandant.

— Lorsqu'il y a plusieurs mandataires, constitués sans division de fonctions, peuvent-ils agir séparément ? ⁓ *A.* Arg. des art. 1857 et 1858 (Delv., p. 132, n. 12).

Quid, lorsque plusieurs mandataires ont été nommés, par deux actes différents, pour les mêmes affaires, avec déclaration que le deuxième acte ne révoquera pas le premier ? ⁓ On doit voir la, non un seul mandat, mais deux mandats, pour l'exécution desquels les mandataires sont responsables chacun *in solidum* (Dur., n. 255, t. 18).   *A*

1996 — Le mandataire doit l'intérêt de sommes qu'il a employées à son usage, à dater de cet emploi ; et de celles dont il est reliquataire, à compter du jour qu'il est mis en demeure.

= Le mandataire doit gérer les affaires de son commettant, sans tirer de sa gestion aucun bénéfice : par suite, il est déclaré débiteur (c'est-à-dire comptable) de l'intérêt des sommes qu'il a employées à son usage, à dater du jour de cet emploi. — Hors ce cas, il ne doit l'intérêt qu'à partir de la reddition du compte et seulement pour les sommes dont il se trouve reliquataire : la loi, assimilant en cela le mandataire au dépositaire, ne fait même courir les intérêts qu'à partir de la mise en demeure. — Le payement de l'intérêt légal, n'est pas la seule peine qu'encourt le mandataire qui emploie à son usage les deniers de son commettant : de plus amples dommages-intérêts peuvent être prononcés contre lui, s'il y a lieu : par ex., lorsqu'à défaut de payement, le mandant a été poursuivi par son créancier, le mandataire supporte les frais de poursuites. *Nec obstat* l'art. 1153 : l'obligation du mandataire ne se borne pas, dans l'espèce, à une certaine somme ; elle est de faire quelque chose.

Le mandataire infidèle, salarié ou non salarié, est assimilé au dépositaire qui s'est rendu coupable d'abus de confiance (1).

Les intérêts des sommes que le mandataire a employées à son usage ne se prescrivent point par 5 ans (2277) (Cass. 21 mai 1822 ; S., 22, 1, 416).

— Pour faire courir l'intérêt des sommes dont le mandataire se trouve reliquataire faut-il une demande en justice ? ⁓ L'art. 1996 se borne à exiger une mise en demeure. *Nec obstat*, l'art. 1153 , al. 3 : le mandataire qui ne paye pas le reliquat de son compte après avoir été sommé de le faire, est présumé avoir employé à son usage les deniers du mandant (Dur., n. 248).

Le mandataire doit-il l'intérêt des capitaux qu'il a laissés oisifs ? ⁓ *Oui*, en certains cas ; par ex., s'il eût pu acquitter avec ces capitaux une dette productive d'intérêts : alors il y a eu faute de sa part (1149).

1997 — Le mandataire qui a donné à la partie avec laquelle il contracte en cette qualité, une suffisante connaissance de ses pouvoirs, n'est tenu d'aucune garantie pour ce qui a été fait au delà, s'il ne s'y est personnellement soumis.

= Dans notre législation, le mandataire qui se renferme dans ses pouvoirs, oblige le mandant, mais ne s'oblige pas lui-même, à moins de stipulation contraire.

Qu'arrive-t-il lorsqu'il excède ces limites ? Le mandant n'est point obligé ; sauf l'effet de la ratification.

Mais le mandataire est-il tenu envers les tiers ? Oui, s'ils ont été fondés à croire que le mandataire agissait conformément à son mandat ; non, s'il leur a donné une connaissance suffisante de ses pouvoirs : *volenti non fit injuria* : pour que le représentant encourût des dommages-intérêts, il faudrait qu'il se fût personnellement porté garant.

(1) Code pénal, art. 408 ; loi du 28 avril 1832. — *Cass.*, 16 janvier 1808 ; S., 8, 1, 223 ; 20 mars 1814 ; S., 14, 1, 149.

Nous pensons que c'est au tiers qui prétend n'avoir pas été suffisamment instruit des pouvoirs du mandataire, à prouver ce fait.

L'acte contenant ratification n'est pas assujetti aux formalités prescrites par l'art. 1338, car il ne s'agit pas ici d'une obligation contre laquelle on puisse agir par voie de nullité ou de rescision (Delv., p. 133, n. 5).

— Pourrait-on conclure des termes de l'art. 1997, qu'un administrateur, tel qu'un tuteur, dont tout le monde doit connaître les pouvoirs, n'est pas garant, envers les tiers, des actes qu'il a faits au delà de son mandat? ⁓ N. *Nec obstat* la règle *nemo præsumitur ignorare legem*. Cette règle reçoit de nombreuses exceptions. — Le mandataire qui excède ses pouvoirs n'est pas de bonne foi. D'ailleurs l'art. 1997 veut que la connaissance des pouvoirs soit donnée par le mandataire.

CHAPITRE III.

Des obligations du mandant.

Le mandant, par suite du pouvoir qu'il a conféré, peut se trouver obligé, soit envers des tiers, soit envers le mandataire.

L'art. 1998 fixe sa position vis-à-vis des tiers, et les articles suivants déterminent l'étendue de ses obligations vis-à-vis du mandataire.

1998 — Le mandant est tenu d'exécuter les engagements contractés par le mandataire, conformément au pouvoir qui lui a été donné.

Il n'est tenu de ce qui a pu être fait au delà, qu'autant qu'il l'a ratifié expressément ou tacitement.

= Cet article contient deux dispositions : la première, détermine l'étendue des obligations du mandant, lorsque le mandataire s'est renfermé dans les bornes de son mandat :

La deuxième, suppose que le mandataire a excédé ses pouvoirs.

Lorsque le mandataire s'est renfermé dans les limites qui lui ont été tracées, on distingue :

S'il a contracté en qualité de mandataire, il n'est soumis à aucune obligation personnelle ; car il s'est borné à interposer son ministère : les actes ainsi passés par le mandataire profitent au mandant et le lient personnellement envers les tiers. — S'il a contracté en son propre nom, les créanciers peuvent le poursuivre personnellement ; sauf, bien entendu, son recours contre le mandant, puisque l'affaire concerne ce dernier.

Lorsque le mandataire a traité avec un tiers, non en sa qualité de mandataire, mais en son propre nom, ce tiers a-t-il une action *directe* contre le mandant, et *vice versâ*, le mandant peut-il poursuivre *directement* le tiers? Le mandant ne peut agir contre le tiers que comme cessionnaire de l'action du mandataire ; et réciproquement, ce tiers doit obtenir du mandataire la cession de son action contre le mandant ; autrement, l'un et l'autre ne pourrait invoquer que l'art. 1166.

Il est évident que le mandant n'est pas tenu d'exécuter ce qui a été fait au-delà des pouvoirs qu'il a donnés, à moins qu'il n'ait ratifié l'engagement ; la ratification, en effet, équivaut à un mandat (1).

(1) Nous ne pensons pas que la ratification de ce qui a été fait au delà du mandat, puisse, par l'effet de la rétroactivité (Arg. de l'art. 1838 *in fine*), nuire aux droits acquis à des tiers. : par ex., si une personne a vendu ma maison, et que, dans l'ignorance de cette vente, je l'aie hypothéquée, ma ratification postérieure ne pourra préjudicier à l'hypothèque.

A plus forte raison, le mandant n'est-il pas obligé, si le mandataire a fait une affaire autre que celle qui est exprimée dans le mandat; sauf toujours le cas de ratification.

Le mandataire est réputé se renfermer dans ses pouvoirs : — lorsqu'il fait tout ce qui lui est prescrit; — lorsqu'il termine l'affaire à des conditions plus avantageuses que celles tracées dans le mandat; — enfin, lorsqu'il fait une partie de ce qui est porté par le mandat; à moins qu'il n'apparaisse, par la nature de l'opération, qu'elle ne pouvait se faire partiellement; par ex., s'il s'agit de l'achat ou de la vente d'une maison.

Il excède ses pouvoirs : — lorsqu'il impose au mandant des conditions plus dures que celles qui sont déterminées dans le mandat; — lorsqu'il fait ce dont il est chargé, et quelque chose de plus; — lorsqu'il fait une affaire autre que celle portée dans le mandat; — lorsqu'il a fait, non par lui-même, mais par une personne qu'il s'est susbstituée, l'affaire dont il était chargé, quoiqu'il n'eût pas le pouvoir de substituer; — enfin, lorsqu'il a fait seul ce qu'il était chargé de faire conjointement avec un autre, ou par le conseil d'un autre.

— Le mandat donné par un fonctionnaire public à raison de ses fonctions, engendre-t-il une action personnelle contre le mandant? ∾ *N*. (*Cass.*, 24 mars 1825; S., 26, 1, 201).

1999 — Le mandant doit rembourser au mandataire les avances (1) et frais que celui-ci a faits pour l'exécution du mandat, et lui payer ses salaires lorsqu'il en a été promis.

S'il n'y a aucune faute imputable au mandataire, le mandant ne peut se dispenser de faire ces remboursement et payement, lors même que l'affaire n'aurait pas réussi, ni faire réduire le montant des frais et avances, sous le prétexte qu'ils pouvaient être moindres.

= Le mandant est tenu envers le mandataire de quatre obligations principales; il doit :

1º Rembourser les frais occasionnés par l'exécution du mandat, et payer le salaire qu'il a promis, ou celui qui peut être dû indépendamment de toute promesse expresse, lors même que l'affaire n'a pas réussi, à moins qu'il n'y ait eu faute de la part du mandataire (2).

2º Rembourser les avances faites pour le même objet.

3º Payer les intérêts de ces avances, à compter du jour où il est constaté qu'elles ont été faites : ces intérêts ne sont pas soumis à la prescription de 5 ans (2001) (3).

4º Indemniser le mandataire, des pertes qu'il a éprouvées à l'occasion de sa gestion, sans imprudence qui lui soit imputable (2000 et 2001).

Le mandant doit rembourser au mandataire ses avances; c'est-à-dire, toutes les dépenses que l'affaire dont il s'est chargé lui a occasionnées; soit qu'il les ait faites lui-même, soit qu'elles aient été faites par un tiers, quand même ce tiers aurait agi pour gratifier le mandataire, et sans prétendre contre lui à aucune répétition.

(1) *Cass.*, 18 février 1836, S., 36, 1, 940.
(2) Mais à partir du moment ou le mandat est révoqué, le salaire cesse d'être dû, encore que le mandataire ait continué de donner ses soins aux affaires du mandant (*Cass.*, 11 mars 1824; S., 25, 1, 133. — *Bruxelles*, 24 février 1810; S., 11, 2, 54).
(3) Le mot *avance* est employé ici *lato sensu*, pour exprimer tout préjudice que le mandataire a éprouvé dans sa fortune.

On n'examine pas si l'affaire a bien ou mal réussi ; c'est pour le mandant, c'est pour son seul avantage qu'elle a été traitée ; il doit donc supporter les chances auxquelles toutes transactions commerciales sont plus ou moins exposées.

Le mandataire pourrait exiger ce remboursement, quand même il aurait action contre un tiers pour se faire payer ; mais alors, il serait tenu de subroger le mandant à ses droits.

La loi porte encore plus loin sa sollicitude : afin d'assurer au mandataire une pleine indemnité, elle ne souffre pas que les frais avancés subissent aucune réduction, sous prétexte qu'ils auraient pu être moindres, bien qu'il y ait certainement faute dans une dépense excessive ; car en supposant qu'il ait existé des moyens pour terminer l'affaire à moins de frais, il est possible que ces moyens n'aient pas été connus du mandataire.

Il est bien entendu, que le mandataire ne peut réclamer ses avances pour ce qu'il a fait au delà de son mandat.

Le mandataire peut évidemment perdre ou voir modifier son droit au recouvrement de ses débours et au payement du salaire promis, quand il a commis des fautes. Exemple : par votre ordre, un tiers s'est rendu caution d'une certaine quantité de froment ; il paye cette dette avec du froment de la meilleure espèce, quoiqu'il eût pu l'acquitter avec du froment d'une espèce inférieure et moins chère : vous ne serez tenu de l'indemniser que sur le pied de la valeur de l'espèce inférieure.

— Le mandataire, qui a payé de ses deniers un objet acheté au nom du mandant, a-t-il un privilége sur cet objet, pour le remboursement du prix qu'il a payé ? ⋘ Si c'est un meuble, il a le droit de rétention ; mais, lorsqu'il s'est dessaisi de la chose, ou lorsqu'il s'agit d'un immeuble, il n'a plus qu'une simple créance : le Code ne consacre pas de privilége en pareil cas ; à moins qu'il n'y ait eu subrogation aux droits du vendeur ; voy. art. 1250 et 1251,in. 3 (Dur., n. 264). ⋘ Le mandataire n'a qu'une simple action ordinaire ; la loi ne lui donne point le droit de retenir en sa possession les biens meubles ou immeubles de son mandant (Bordeaux, 14 janvier 1830 ; D., 30, 2, 89).

Quid, si le mandataire qui a payé de ses deniers, a acheté en son propre nom ? ⋘ Il a, dans ce cas, vis-à-vis du mandant, la qualité de vendeur ; en conséquence, il jouit d'un privilége (Dur., ibid.).

2000 — Le mandant doit aussi indemniser le mandataire des pertes que celui-ci a essuyées à l'occasion de sa gestion, sans imprudence qui lui soit imputable.

= Le mandataire doit être complétement indemnisé des pertes de tout genre que son mandat lui a fait essuyer, pourvu qu'elles ne puissent être imputées à son imprudence.

Le Code n'exige même pas, comme la loi romaine, que l'exécution du mandat ait été la cause directe de ces pertes ; il suffit qu'elle en ait été l'occasion : par exemple, si le mandataire a été volé ou blessé dans un voyage entrepris pour l'exécution de son mandat, il peut se faire indemniser. — Les articles 1857 et 1947 sont en harmonie avec cette décision.

La loi ne distingue pas si le mandat est ou non salarié.

— On demande si le mandataire peut prétendre à une indemnité, lorsque la gestion dont il s'est chargé, a tellement employé son temps, qu'il n'ait pas eu le loisir de vaquer à ses propres affaires ? ⋘ La raison de douter, est que la gestion paraît avoir été cause de la perte : néanmoins, nous ne pensons pas que cette demande puisse être admise ; car ce n'est pas tant la gestion du mandat in se qui a causé cette perte, que l'imprudence que le mandataire a commise, en acceptant un mandat qu'il n'avait pas le loisir d'accomplir ; le mandant aurait pu trouver un autre mandataire ou même agir par lui-même (Pothier, n. 77).

2001 — L'intérêt des avances faites par le mandataire lui est dû par le mandant, à dater du jour des avances constatées.

= Le mandataire doit tenir compte au mandant de l'intérêt des sommes qu'il a employées à son propre usage, à compter du jour où cet emploi est constaté ; par la plus juste réciprocité, la loi dérogeant à la règle générale sur le cours des intérêts, oblige le mandant à payer au mandataire les intérêts de ses avances à dater du jour où elles ont été faites.

On comprend sous le nom d'*avances*, toute espèce d'indemnité à laquelle le mandataire peut prétendre.

Les débours doivent être constatés par écrit lorsqu'ils excèdent 150 fr.; au-dessous de cette somme, le mandataire peut faire entendre des témoins.

— Les notaires peuvent-ils exiger des parties les intérêts des droits d'enregistrement dont ils ont fait l'avance ? ⋙ A. Les notaires sont les mandataires légaux des parties ; ils sont forcés de faire enregistrer leurs actes (*Tribunal de La Flèche*, 10 juin 1833 ; S., 33, 2, 421).

2002 — Lorsque le mandataire a été constitué par plusieurs personnes pour une affaire commune, chacune d'elles est tenue solidairement envers lui de tous les effets du mandat.

= Dans un acte officieux et souvent gratuit, il est juste d'accorder à celui qui rend le service, une action solidaire contre ceux qui profitent du mandat.

— Lorsqu'une même dette a été contractée par plusieurs personnes sans solidarité, celui qui l'a cautionnée est-il regardé comme mandataire pour une affaire commune ? ⋙ N. Voy. art. 1220. — Les mandants ne sont pas tenus solidairement envers lui. — Pour qu'il en fût autrement, il faudrait que la dette fût solidaire (2030).

Le notaire peut-il agir solidairement contre les personnes qui l'ont chargé de rédiger un acte relatif à une affaire qui leur est commune ? Par ex., contre les cohéritiers qui l'ont chargé de faire la liquidation d'une succession ? ⋙ A. Un contrat de mandat se forme entre le notaire et les parties qui ont eu recours à son ministère. — Arg. de l'art. 2002 (Dur., n. 271, t. 18, t. 12, n. 202 et 203. — *Cass.*, 27 janvier 1812 ; S , 12, 1, 198. — *Cass.*, 19 avril 1826 ; S., 26, 1. 396 ; D., 26, 1, 240, 10 novembre 1828 ; S., 29, 1, 79 ; D., 28, 1, 438 ; 20 mai 1829 ; S., 29, 1, 272 : D., 29, 1, 247 ; 26 juin 1820 ; S., 20, 1, 409).

Quid, à l'égard de l'avoué constitué par plusieurs parties ayant un intérêt commun ? ⋙ Même décision (*Orléans*, 26 juillet 1827 ; S., 28, 2, 159 ; D., 28, 2, 65. — *Grenoble*, 23 mars 1829 ; S., 29, 2, 296. — *Toulouse*, 11 mai 1831 ; S., 32, 2, 393 ; 13 novembre 1831 ; S., 32, 2, 582).

CHAPITRE IV.

Des différentes manières dont le mandat finit.

2003 — Le mandat finit,
Par la révocation du mandataire,
Par la renonciation de celui-ci au mandat,
Par la mort naturelle ou civile, l'interdiction ou la déconfiture, soit du mandant, soit du mandataire.

= Le mandat finit de cinq manières :

1° *Par la révocation du mandataire*, et cela, quand même on aurait stipulé un salaire ; car ce salaire n'aurait été promis que comme récompense (*Cass.*, 6 mars 1827 ; D. 27. 1, 162).

Toutefois, si le mandat avait été exécuté en partie, le salaire devrait être payé proportionnellement, quand même ce qui a été fait serait sans utilité pour le mandant.

La révocation peut être expresse ou tacite : elle est *expresse*, lorsque le mandant notifie au mandataire qu'il a changé de volonté ; elle est *tacite*, lorsqu'elle résulte de certains faits (*voy.* 2006).

Il est bien entendu, que le mandat conféré comme condition d'une autre convention, ne pourrait être révoqué par la seule volonté du mandant (1).

2° *Par la renonciation du mandataire :* en acceptant un mandat, on contracte, sous peine de dommages-intérêts, l'obligation de l'exécuter : toutefois le mandataire peut renoncer, en certains cas, quoique les choses ne soient plus entières (2007), car les motifs de bienfaisance ou d'affection qui ont déterminé son acceptation ne doivent pas tourner à son préjudice.

3° *La mort naturelle ou civile du mandant :* le mandant est censé agir par lui-même ; s'il meurt, le mandat s'éteint nécessairement. Ainsi, lorsqu'un tuteur charge un tiers de l'affaire de son mineur, la mort de ce tuteur, survenue *re integrâ*, anéantit le mandat ; car c'est réellement le tuteur et non le mineur qui est le mandant.

Par la même raison, les pouvoirs de la personne que le mandataire s'est substituée, finissent par la mort du mandataire ; car ce dernier est un mandant vis-à-vis de son substitué.

Par exception, la mort du mandant ne met pas fin au mandat lorsque l'affaire doit être accomplie ou continuée après son décès (2), ou lorsque le mandat a été donné dans l'intérêt du mandant et du mandataire ou d'un tiers.

4° *La mort naturelle ou civile du mandataire :* le mandat est un acte de confiance ; or, la confiance est personnelle : la loi astreint seulement les héritiers à donner au mandant avis du décès. Ex. : j'ai chargé Pierre de m'acheter une maison ; il meurt avant d'avoir exécuté le mandat : si son héritier prend sur lui de faire pour moi cet achat, je ne serai pas tenu de ratifier.

Mais si les choses n'étaient plus entières, les héritiers devraient achever ce que le mandataire défunt aurait commencé, ou du moins, pourvoir à ce que les circonstances exigeraient (1991).

Lorsque plusieurs personnes ont été chargées de gérer conjointement, la mort de l'une entraîne l'extinction du contrat ; mais si la procuration donnait à chacun des mandataires le pouvoir d'agir seul, le mandat continuerait (Pothier, p. 102).

5° *L'interdiction, la faillite ou la déconfiture,* soit du mandant, soit du mandataire : des services qui exigent de la probité, de l'intelligence et une certaine responsabilité, ne peuvent continuer d'être acceptés ou rendus lorsque le mandant ou le mandataire ont perdu l'usage de la raison, ou lorsque leurs affaires sont dans un désordre complet : le commettant qui a subi de pareils accidents n'a plus d'affaires à gérer ; tout ce qu'il possédait a passé dans les mains de ses successeurs, de ses créanciers ou d'un tuteur : — le mandataire qui se trouve dans les mêmes cas, ne mérite plus aucune confiance.

A ces causes d'extinction il faut ajouter :

1° Le changement d'état par suite duquel le mandant ou le mandataire perd l'exercice de ses droits (3).

---

(1) *Bordeaux*, 7 juillet 1837 ; S., 37, 2, 452. — *Cass.*, 6 mars 1827 ; S., 27, 1, 169.
(2) Pothier, n. 108 ; Dur., n. 283. — *Nîmes*, 9 janvier 1833 ; S., 33, 2, 206. — *Montpellier*, 6 mars 1828 ; S., 29, 2, 18. — *Caen*, 12 mars 1827 ; S., 28, 2, 37.
(3) Toutefois, si le mandat a été conféré par une femme libre, qui depuis s'est mariée, il faut distinguer, si la femme est mariée sous le régime de la communauté, le mandat ne finit pas ; car, aux termes de l'art. 1410, la communauté est tenue des obligations contractées par les époux avant le mariage ; à plus forte raison, le mandat continue-t-il de subsister si la femme est séparée de biens. Dans tous les autres cas, le mandat s'éteint, si la chose est de nature à ne pouvoir se faire sans le concours du mari (Delv., p. 135, n. 1 ; Dur., n. 281 et 291, t. 18).

2° L'absence de l'une des parties.

3° La cessation des fonctions dans lesquelles le mandant a conféré le mandat : par ex., si un tuteur donne procuration à quelqu'un pour recevoir ce qui est dû au mineur, ou s'il constitue un procureur dans une instance, et que la tutelle vienne à s'éteindre par la majorité du pupille, le mandat cesse de produire son effet. Vainement dirait-on, que le tuteur représente le mineur dans tous les actes civils : on répondrait, que le mandataire a pu vouloir rendre service au tuteur et ne pas être animé pour le mineur des mêmes sentiments. — Appliquez cette décision au mandat conféré par un curateur, et à celui qui est donné par un procureur.

4° Enfin, l'expiration du temps pour lequel le mandat a été donné, la consommation de l'affaire qui en formait l'objet, ou l'événement de la condition.

— Le mandant peut-il valablement dire que sa mort n'éteindra pas le mandat? ⁓ Pourquoi cette clause serait-elle privée d'effet? elle n'a rien de contraire à l'ordre public ; nous n'admettons pas les subtilités romaines.
Le mandat du préposé à un commerce s'éteint-il par la mort du préposant? ⁓ N. Intérêt du commerce ; ancienne jurisprudence (Pothier, n. 109).

2004 — Le mandant peut révoquer sa procuration quand bon lui semble, et contraindre, s'il y a lieu, le mandataire à lui remettre, soit l'écrit sous seing privé qui la contient, soit l'original de la procuration, si elle a été délivrée en brevet, soit l'expédition, s'il en a été gardé minute.

= Le mandant, libre dans son premier choix, doit pouvoir le changer quand bon lui semble : il peut contraindre le mandataire, par toutes les voies de droit, à se dessaisir du titre qui constate ses pouvoirs, que ce titre soit authentique ou sous seing privé.

Toutefois, si le mandataire avait intérêt à garder ce titre ; par exemple, afin d'obtenir le remboursement de ses avances, le mandant ne pourrait en exiger la remise : c'est en ce sens qu'il faut entendre ces mots de l'art. 2004, *s'il y a lieu.*

— Le notaire pourrait-il refuser de délivrer au mandataire une deuxième expédition de la procuration révoquée, si ce mandataire était lui-même partie dans la procuration? ⁓ A. En exigeant la remise de l'expédition, le but du mandant a été d'empêcher le mandataire d'en abuser à l'égard des tiers ; or, ce but ne serait pas atteint, si le mandataire avait la faculté d'exiger une deuxième expédition : le notaire devrait se faire autoriser, comme lorsqu'il s'agit de la délivrance d'une deuxième grosse (Delv., p. 134, n. 4 ; Dur., n. 273 ; note 2 ; D., t. 9 p. 972, n. 2)

2005 — La révocation notifiée au seul mandataire ne peut être opposée aux tiers qui ont traité dans l'ignorance de cette révocation, sauf au mandant son recours contre le mandataire.

= La révocation, soit expresse, soit tacite, produit son effet vis-à-vis du mandataire, aussitôt qu'elle parvient à sa connaissance ; elle fait cesser, entre lui et le mandant, tous les rapports que le mandat avait établis : mais la loi maintient les traités que les tiers ont passés avec le mandataire dans l'ignorance où ils étaient de cette révocation ; sauf le recours du mandant contre ce dernier.

On voit combien il importe au commettant de porter à la connaissance des tiers la révocation du mandat, et de se faire remettre l'écrit qui constate les pouvoirs.

Remarquons au surplus que la révocation notifiée ne fait cesser immédiatement les pouvoirs et les obligations du mandataire, qu'autant que les choses sont encore entières : dans le cas contraire, le mandataire est tenu, nonobstant la révocation, de faire tout ce que l'urgence exige (arg. de l'art. 1991).

— En cas de révocation, le mandataire est-il considéré comme un tiers dans le sens de l'art. 1328, relativement aux actes qu'il a faits ; en d'autres termes, ces actes ne peuvent-ils être opposés au mandant qu'autant qu'ils ont acquis date certaine antérieure à la notification de la révocation ? ∼∼ *N.* (*Bordeaux*, 22 janvier 1827 ; S., 27, 2, 65. — *Cass.*, 19 novembre 1834 ; S., 35, 1, 666. — *Paris*, 7 janv. 1834 ; S., 34, 2, 239.)

Encore que le mandant se soit fait remettre l'écrit constatant le mandat, l'ignorance des tiers ne pourrait-elle pas quelquefois être excusable ; par ex., l'art. 2003 est-il applicable au cas où le mandant, qui a révoqué le mandat, s'est fait remettre l'acte de procuration le jour où le mandataire a traité avec des tiers qui ignoraient la révocation ? ∼∼ S'il s'agit d'une opération spéciale, les tiers doivent s'imputer de ne pas avoir exigé l'exhibition de la procuration ; mais si le pouvoir est général, ou s'il donne, bien qu'il soit spécial, qualité suffisante pour toucher des fruits civils, les divers débiteurs qui avaient l'habitude de payer au mandataire peuvent de bonne foi ne pas exiger à chaque payement l'exhibition de la procuration, ils se trouvent par suite dans le cas de l'art. 2005 : ainsi le juge doit avoir égard aux circonstances (Dur., n. 275, t. 18).

Le payement fait au mandataire peut-il être déclaré nul, s'il est prouvé que le débiteur avait connaissance de la révocation du mandat, bien que cette révocation n'eût pas encore été notifiée ? ∼∼ *N.* Pour qu'il y ait révocation, la notification est essentielle (*Cass.*, 9 août 1821 ; D., t. 9, p. 960, n. 2. — *Paris*, 28 mai 1807 ; D., t. 9, p. 972, n. 2). ∼∼ *A.* Aux termes des art. 2008 et 2009, les actes faits par le mandataire, nonobstant la révocation, ne sont maintenus qu'autant que les tiers ont été de bonne foi.

2006 — La constitution d'un nouveau mandataire pour la même affaire vaut révocation du premier, à compter du jour où elle a été notifiée à celui-ci.

= La révocation du mandat peut être tacite : le mandant manifeste suffisamment sa volonté à cet égard, lorsqu'il constitue, pour la même affaire, un nouveau mandataire.

Il est bien entendu, que la révocation ne produit d'effet vis-à-vis du premier mandataire, que du jour où il en a eu connaissance : et il n'est censé, en général, acquérir cette connaissance, que par l'effet d'une notification (1).

La révocation aurait-elle lieu, si la deuxième procuration demeurait sans effet, *putà*, par le refus du nouveau mandataire ou par le résultat de quelque vice de forme ? Oui : le mandant aurait suffisamment manifesté, en donnant un nouveau pouvoir, l'intention de détruire l'effet du premier (Pothier, n. 114, Mandat. *Cass.*, 3 août 1819 ; S., 19, 1, 359).

Quid, si la procuration était privée d'effet par suite d'une nullité provenant d'un vice substantiel (comme la signature)? L'acte n'aurait aucune force révocatoire (Pothier *ibid.*).

La règle exposée dans notre article, reçoit son application, non-seulement lorsque l'une et l'autre procuration sont spéciales et données pour la même affaire ; mais encore, lorsqu'elles sont générales : la première est révoquée par la deuxième.

Quid, lorsque la première est générale, et la deuxième spéciale ? La première est présumée révoquée, quant à l'affaire qui fait l'objet de la deuxième ; suivant cette règle du droit : *In toto generi per speciem derogatur ;* mais elle continue de subsister pour le surplus : ainsi, lorsque le deuxième mandat est de vendre tel immeuble, le premier continue de subsister, lorsqu'il est conçu en termes généraux ; car le mandat général n'embrasse que les actes d'administration : le mandataire général conser-

(1) Ainsi la notification n'est qu'une mesure de précaution (*Cass.*, 14 mai 1823 ; D., 34, 1, 402).

vera, jusqu'au moment de la vente, l'administration de l'immeuble dont il s'agit.

Dans le cas inverse, c'est-à-dire, si la première procuration étant spéciale, a eu pour objet un acte d'aliénation, elle n'est pas révoquée par la deuxième, lorsque celle-ci est conçue en termes généraux : en effet, le mandat général n'embrasse que les actes d'administration (1988), — Mais si la deuxième comprend le pouvoir de vendre tous les biens, elle vaut révocation de la première ; car elle a pour objet la même affaire, la partie étant comprise dans le tout.

La règle suivant laquelle le premier mandat s'éteint par la constitution d'un nouveau mandataire, est fondée uniquement sur la volonté présumée du mandant : si les circonstances donnaient lieu de penser que ce dernier a voulu charger de la même affaire les deux mandataires, afin qu'elle pût se faire par l'un ou par l'autre, ou par l'un et l'autre conjointement, il n'y aurait pas de révocation.

On demande si une première procuration pourrait être révoquée par une deuxième donnée à la même personne ? Il faut distinguer : si la deuxième ne contient rien de différent, la révocation n'a pas lieu ; elle ne constitue en réalité qu'une confirmation superflue de la première ; en sorte que le mandataire pourra se servir de l'une ou de l'autre procuration. — Lorsque la deuxième ne contient qu'une partie des pouvoirs conférés par la première, celle-ci est révoquée, à moins que le mandant n'ait manifesté, dans le nouvel acte, l'intention de la maintenir pour le surplus, ou qu'il n'ait fait connaître, de toute autre manière, sa volonté de ne pas y déroger.

Quid, si la deuxième procuration, quoique ayant pour objet la même affaire, prescrit des conditions différentes de la première ? Celle-ci n'est pas révoquée, mais modifiée : le mandataire devra seulement, à l'avenir, se conformer au deuxième pouvoir.

La révocation peut en outre résulter de certains faits : les docteurs donnent pour exemple, le cas où une personne, au moment de partir pour un long voyage, chargerait quelqu'un de gérer ses affaires : quoique la procuration ne fût limitée par aucun terme, on présumerait qu'elle est bornée à la durée du voyage ; en conséquence, le retour du commettant révoquerait de plein droit ce pouvoir.

Si les choses n'étaient plus entières au moment de la révocation, le mandataire pourrait, devrait même, quoique révoqué, faire ce qui serait une suite nécessaire de ce qu'il aurait commencé ; il obligerait à cet égard le mandant (Pothier, n. 122, Mandat)

2007 — Le mandataire peut renoncer au mandat, en notifiant au mandant sa renonciation.

Néanmoins, si cette renonciation préjudicie au mandant, il devra en être indemnisé par le mandataire, à moins que celui-ci ne se trouve dans l'impossibilité de continuer le mandat sans en éprouver lui-même un préjudice considérable.

= Bien que le mandataire soit lié par son acceptation, il peut renoncer au mandat, en notifiant sa renonciation au mandant.

Mais, en ce cas, est-il possible de dommages intérêts ? Non, si les choses sont encore entières, c'est-à-dire, si le mandant ne doit éprouver aucun préjudice ; *secùs* dans le cas contraire : le mandataire est alors tenu d'indemniser le mandant du dommage que lui cause l'inexécution du contrat : Toutefois, le mandataire peut renoncer impunément, lors même qu'il doit en résulter un préjudice pour le mandant, s'il se trouve dans l'impossibilité de continuer la gestion dont il s'est chargée, sans s'exposer lui-même à un dommage considérable : dans l'alternative d'une perte inévitable d'un côté ou de l'autre, il eût été injuste, en effet, de ne pas prononcer en faveur du mandataire ; *nemini suum officium debet esse damnosum.* Mais il faut que le préjudice soit *considérable* : s'il était modique, la renonciation donnerait lieu à des dommages-intérêts.

A cette cause légitime de renonciation, il faut ajouter : le cas de maladie ; — le cas d'inimitiés capitales, survenues entre le mandant et le mandataire : mais un léger refroidissement, ou un léger différend, ne suffiraient pas ; — le dérangement des affaires du mandant ; le mandataire ne peut être tenu de faire des avances s'il n'a pas la certitude de les recouvrer ; — enfin, toute espèce d'empêchements légitimes survenus depuis le contrat : leur appréciation est abandonnée aux tribunaux.

Le mandataire qui renonce, doit toujours prévenir le mandant, afin que celui-ci puisse prendre ses mesures pour trouver un autre mandataire : faute par lui d'avoir donné cet avertissement, il reste soumis, sauf le cas d'impossibilité absolue, aux dommages-intérêts résultant de l'inexécution du mandat.

La bonne foi oblige le mandataire à différer l'exécution du mandat, lorsqu'une circonstance qui doit vraisemblablement déterminer la révocation, parvient à sa connaissance ; par exemple : s'il apprend qu'un héritage dont il est chargé de faire l'acquisition, a des vices considérables qui soient ignorés du mandant, ou que cette acquisition ne présente aucune sûreté (Pothier, n. 45, Mandat).

2008 — Si le mandataire ignore la mort du mandant, ou l'une des autres causes qui font cesser le mandat, ce qu'il a fait dans cette ignorance est valide.

= De même que la renonciation laisse subsister les effets du mandat lorsqu'elle est ignorée du mandataire ; de même, ce que le mandataire fait dans l'ignorance de la mort du mandant ou des autres causes d'extinction doit être valide : les héritiers ou représentants du mandant sont donc liés.

Lors même que le mandataire aurait connaissance de la mort du mandant, il est tenu de terminer l'affaire dont il s'est chargé, si cette affaire est tellement urgente qu'elle ne puisse être différée : par exemple, j'ai accepté le mandat de faire la vendange d'une personne ; au moment du décès de cette personne (1991) les vendanges sont ouvertes : je ne serai pas dispensé de remplir mes engagements.

La règle que le mandat finit par la mort du mandant, reçoit encore exception, lorsque l'affaire est de nature à ne devoir se faire qu'après cet événement.

2009 — Dans les cas ci-dessus, les engagements du mandataire sont exécutés à l'égard des tiers qui sont de bonne foi.

= Cette disposition et celle qui suit, sont fondées sur des raisons d'équité.

2010 — En cas de mort du mandataire, ses héritiers doivent en donner avis au mandant, et pourvoir, en attendant, à ce que les circonstances exigent pour l'intérêt de celui-ci.

= L'espèce de mandat légal que notre article confère aux héritiers, produit évidemment les mêmes effets qu'un mandat véritable.

Remarquons, en terminant, que la révocation anéantit bien le mandat pour l'avenir, mais non pour le passé : sous ce rapport, les droits et les obligations du mandant, ainsi que ceux du mandataire, passent à leurs héritiers ou autres représentants.

TITRE XIV.
DU CAUTIONNEMENT.
(Décrété le 14 février 1804; promulgué le 24 de la même année).

Le cautionnement est un contrat par lequel une ou plusieurs personnes promettent d'accomplir l'obligation d'un tiers, dans le cas où ce tiers ne l'accomplirait pas lui-même (1).

Ce contrat est *consensuel*, et *unilatéral*. — *Consensuel*, car il n'est assujetti à aucune forme : un écrit n'est pas même nécessaire. — *Unilatéral*, car la caution seule s'oblige : par suite, l'acte qui a pour but d'établir la preuve de cette obligation est affranchi des conditions rigoureuses de l'art. 1325, encore que plusieurs cautions interviennent, car elles n'ont point d'intérêts distincts.

On peut l'envisager sous deux points de vue différents : par rapport au créancier et par rapport au débiteur.

Par rapport au débiteur, le mandat tient *le plus souvent* (2) du contrat de bienfaisance (3) : on le considère comme l'effet d'un mandat, lorsqu'il a lieu au su et au gré du débiteur; suivant cette règle de droit : *semper non qui prohibet, pro se intervenire mandare creditur;* — lorsque le cautionnement se forme à l'insu du débiteur principal, ce n'est plus alors un contrat qui intervient entre ce débiteur et la caution, mais un quasi-contrat *negotiorum gestorum*.

Au reste, dans l'un et l'autre cas, la subrogation légale a lieu au profit

---

(1) Dans son acception la plus large, le mot *cautionnement* est synonyme de *garantie* ou de *sûreté* (*cautio*).

On nomme *caution*, la personne qui répond de l'exécution d'une promesse faite par une ou plusieurs autres; quelquefois aussi, cette personne est appelée *fidéjusseur*, dénomination qui vient de deux mots latins : *fide jubere*.

Se porter caution et se porter fort, sont deux actes distincts : la caution ne garantit que la solvabilité ; l'obligation qu'elle contracte ne commence qu'après ou avec l'obligation principale : loin d'emprunter sa force à quelque obligation primitive, l'obligation de celui qui s'est porté fort s'évanouit dès que le tiers dont il a promis l'engagement, s'est personnellement obligé (1120, 2011). — La caution peut, sous certaines conditions, renvoyer le créancier à la discussion des biens du débiteur : celui qui s'est porté fort, ne peut exiger que le créancier actionne préalablement le tiers, puisque ce tiers n'est pas obligé (1120, 2028). — Le cautionnement ne peut excéder l'obligation primitive : l'obligation de celui qui s'est porté fort peut être plus onéreuse que l'engagement promis (1120 et 2013).

(2) Nous disons, *le plus souvent*; car il n'est pas impossible que le fidéjusseur reçoive un intérêt de son cautionnement.

(3) Le cautionnement étant gratuit de sa nature, on demande s'il est sujet à réduction (913-915)? ∿ *Non*, évidemment, lorsque la caution conserve un recours contre le débiteur; car le contrat n'est pas alors purement de bienfaisance, mais lorsqu'elle a renoncé à ce recours, l'abandon de l'action est réductible en ce qui concerne le débiteur. — Par les mêmes motifs, nous déciderons, que si l'on s'est porté caution d'une personne à qui la loi défend de faire aucun avantage direct ou indirect, l'abandon de l'action en recours est annulable (*Voy.* Ponsot, n. 23 et suiv.).

de la caution, en vertu des articles 1251 et 2029 ; car ces articles ne distinguent pas.

Par rapport au créancier, le cautionnement n'est qu'un accessoire de l'obligation principale ; son effet est subordonné à la validité et à l'importance de cette obligation. — Mais il ne tient pas de la nature des contrats de bienfaisance, puisque le créancier ne reçoit rien au delà de ce qui lui est dû ; il se procure seulement une sûreté.

De quelque manière que le cautionnement soit envisagé, l'opération qu'il suppose est complexe ; plusieurs contrats ou quasi-contrats se forment entre les personnes dont elle nécessitent le concours ; c'est-à-dire entre le créancier, le débiteur et les cautions.

Entre le créancier et le débiteur, le cautionnement suppose l'existence d'une obligation principale.

Entre le créancier et la caution, se forme le cautionnement.

Entre la caution et le débiteur principal, intervient le contrat de *mandat* ou le quasi-contrat de gestion d'affaires.

Enfin, lorsqu'il y a plusieurs cautions, si l'une acquitte la dette, elle a son recours contre les autres, pour leur part et portion, en vertu également d'une sorte de quasi-contrat de gestion d'affaires.

On distingue trois espèces de cautions ou fidéjusseurs :

Les cautions purement conventionnelles,

Les cautions légales ou nécessaires,

Les cautions judiciaires.

Les cautions conventionnelles, sont celles qui interviennent en exécution de l'obligation que l'une des parties s'est volontairement imposée.

Les cautions légales, sont celles que la loi ordonne de donner ; par ex., dans le cas d'usufruit (*voy*. art. 120 et 901).

Les cautions judiciaires, sont celles que le juge prescrit de donner ; par ex., lorsqu'il est dit qu'une personne touchera une somme par provision, en donnant caution (P. 135 et 155).

Ce titre est divisé en quatre chapitres :

Le premier traite de la nature et de l'étendue du cautionnement.

Le deuxième détermine ses effets, soit entre le créancier et la caution, soit entre les fidéjusseurs ; ce qui a nécessité la subdivision de ce chapitre en trois sections.

Le troisième chapitre, a pour objet l'extinction du cautionnement.

Enfin, le quatrième, règle ce qui concerne la caution légale et la caution judiciaire.

CHAPITRE PREMIER.

De la nature et de l'étendue du cautionnement.

Le cautionnement est un contrat accessoire ; il ne peut dès lors exister que sur une obligation valable (2014), ni entraîner des charges plus étendues ou plus onéreuses (2014) que cette obligation.

Il peut précéder l'obligation principale, pourvu qu'elle soit déterminée ; mais on considérerait comme non avenu, celui qui serait donné d'une

manière générale pour toutes les obligations qu'une personne pourrait contracter (Arg. de l'art. 1129).

Puisque ce contrat a pour objet de garantir l'exécution d'une obligation,
la caution doit être capable de s'obliger, et présenter, quant à sa solvabilité, toutes les garanties désirables (2018, 2020).

Le cautionnement ne se présume pas, car il entraîne des obligations.
— Par cette même raison, on ne peut étendre ses effets au delà des limites dans lesquelles il a été contracté. — Lors même qu'il est conçu en
termes généraux, il n'embrasse que les obligations qui résultent du contrat principal (2016).

Les obligations de la caution passent à ses héritiers : mais ceux-ci ne
sont pas contraignables par corps (2016).

Les art. 2011 à 2017 règlent l'étendue du cautionnement.

Les articles 2018 à 2020, déterminent la garantie que doit présenter la
caution.

2011 — Celui qui se rend caution d'une obligation, se soumet envers le créancier à satisfaire à cette obligation, si le
débiteur n'y satisfait pas lui-même.

= Il résulte clairement de cette disposition, que le cautionnement est
un contrat accessoire et même subsidiaire; en effet, ces mots : si le débiteur
n'y *satisfait pas lui-même*, font évidemment allusion au bénéfice de discussion.

— Doit-on conclure des termes de l'art. 2011. que l'engagement de la caution est conditionnel ; en d'autres termes, que le créancier ne peut agir contre elle qu'après avoir mis en demeure le débiteur principal ? ⋙ *N*. Quelle serait l'utilité de cette sommation préalable ? A quoi bon multiplier les actes de
procédure et les frais? Il vaut mieux, dans l'intérêt même de la caution, reconnaître au créancier le
droit de la poursuivre, sauf ensuite à elle, à opposer le bénéfice de discussion si elle pense que le débiteur est solvable : ces mots de l'art. 2021 : « La caution n'est obligée envers le créancier à le payer qu'à
défaut du débiteur » sont relatifs aux bénéfices de discussion et de division; ils ne doivent pas être
isolés de l'art. 2021 (Delv., p. 143, n. 1 ; Ponsot , n. 32 et suiv.). ⋙ La caution n'est obligée que conditionnellement , pour le cas seulement où le débiteur ne payera pas sa dette ; il faut dès lors justifier, que
ce dernier n'a pas rempli ses engagements (Arg. des termes de l'art. 2021). — Le cas ou la caution s'est
obligée solidairement , doit seul être excepté (Dur., n. 331 et 332).

La preuve testimoniale est admise même au delà de 140 fr., sans commencement de preuve, dans la
plupart des engagements commerciaux : le cautionnement purement verbal des engagements peut-il
être prouvé par témoins ? ⋙ *A*. Le cautionnement d'une obligation commerciale est lui-même essentiellement commercial. — Arg. de l'art. 109 du Code de commerce : cet article s'applique à tout acte de
commerce, bien qu'il ne parle que des actes d'achat ou vente (*Limoges* , 8 mai 1835 et 9 février 1839).
⋙ Il est inexact de dire, que le cautionnement devient commercial par cela seul qu'il accède à une
obligation commerciale; sans doute il n'y a qu'une seule dette pour le débiteur principal et la caution ;
mais il existe deux conventions et deux obligations distinctes : dès lors, une obligation peut être civile et
l'autre commerciale. — L'obligé principal fait un acte de commerce, par ex., en achetant pour revendre ,
tandis que l'obligation de la caution a pour cause un sentiment de pure bienfaisance. — Le contrat accessoire suit le sort du contrat principal , en ce sens qu'il ne peut exister sans ce dernier contrat ; mais
quant à sa forme , à la manière de le constater , peu importe cette qualité de contrat accessoire : concluons dès lors, que les tribunaux doivent rejeter la preuve testimoniale du cautionnement dont l'objet
excède en valeur 150 fr., lors même que l'obligation principale est commerciale (Ponsot , n. 77 et 78).

Le tribunal, compétent pour connaître de la contestation qui s'élève sur l'obligation principale, est-il
également compétent pour connaître des difficultés qui s'élèvent sur l'obligation accessoire de la caution ?
Quid, si la dette principale contractée par un non commerçant est commerciale? ⋙ Pour prétendre
que le tribunal de commerce est compétent , on se fonde à tort sur la maxime : l'accessoire suit le sort
du principal : cette maxime doit être entendue en ce sens , qu'en général , la nullité du contrat principal entraîne celle du contrat accessoire ; mais on ne saurait l'invoquer pour prétendre que le contrat
accessoire se perd et se confond avec le contrat principal : évidemment , le contrat de cautionnement.
bien qu'accessoire , crée une obligation distincte de l'obligation principale à laquelle il se rattache. —
L'argument que l'on voudrait tirer, pour l'opinion contraire, de l'art. 181, Pr., serait sans force : le législateur a voulu, par cet article, permettre aux défendeurs, d'appeler devant le tribunal saisi, le tiers contre
lequel ils auront , en cas de condamnation , un recours à exercer : mais telle n'est pas notre hypothèse ;
certes , on ne saurait dire, que le débiteur principal peut appeler la caution en garantie (Ponsot , n. 79
et suiv.).

Que faut-il décider, si la caution, tout en reconnaissant l'existence du cautionnement, n'excipe que
de la nullité de l'obligation principale ou d'un payement fait par elle ou le débiteur? ⋙ Le tri-

bunal de commerce est également incompétent ; car l'obligation de la caution, nous le répétons, est purement civile (Ponsot, n. 82; voy. cep. Pardessus, t. 6, p. 24, 2ᵉ édit.).

Supposons que l'obligation principale et le cautionnement soient purement civils : le créancier peut-il, en ce cas, appeler la caution devant le tribunal saisi de l'affaire contre le débiteur principal, bien que la caution ne soit pas domiciliée dans le ressort de ce tribunal ? ⁓ Oui, si la caution a garanti solidairement l'exécution de l'obligation principale, ou si elle a renoncé au bénéfice de discussion ; secùs, si elle ne se trouve dans aucun de ces cas (Merlin, Quest., Connexité ; Ponsot, n. 85).

2012 — Le cautionnement ne peut exister que sur une obligation valable.

On peut néanmoins cautionner une obligation, encore qu'elle pût être annulée par une exception purement personnelle à l'obligé ; par exemple, dans le cas de minorité.

= Le cautionnement est une obligation accessoire; or, l'accessoire suit le sort du principal. — Mais pour que le cautionnement fût maintenu, il suffirait que l'obligation dût produire un effet civil quelconque, ne serait-ce que celui d'empêcher la répétition de la somme payée : ainsi, on peut cautionner une obligation naturelle (1), et par conséquent, une obligation prescrite.

Les obligations contraires aux bonnes mœurs et aux lois ne sauraient être la matière d'un cautionnement, car elles sont nulles de droit. On refuse, il est vrai, au débiteur, la faculté d'exiger la restitution des sommes qu'il a payées ; mais ce défaut d'action provient de ce que : *ex utriusque partis turpitudo versatur.*

Quant aux obligations contractées par *erreur, violence ou dol*, comme elles sont entachées d'un vice radical, le cautionnement cesse d'exister lorsqu'on les fait rescinder (2).

Si l'obligation est annulée par une exception purement personnelle à l'obligé, c'est-à-dire, si elle est uniquement fondée sur l'incapacité de la personne, la rescision n'exerce aucune influence sur le cautionnement : par ex., le mineur qui se trouve lésé dans un engagement qu'il a contracté, ou la femme qui s'est engagée sans l'autorisation de son mari (225, 1125), peut se faire restituer : mais comme cette exception est attachée à la personne de l'incapable, elle ne sert qu'à lui. — La caution alléguerait vainement qu'elle a ignoré l'incapacité du débiteur principal : on présumerait toujours qu'elle s'est obligée en vue de cette incapacité. D'ailleurs, *nemo ignarus esse debet conditionis ejus cum quo contrahit.*

Au résumé, on peut établir les règles suivantes : si la restitution est fondée *in rem*, c'est-à-dire, sur quelque vice réel de l'obligation, tel que dol, la violence, l'erreur, la lésion énorme; en d'autres termes, si la nul-

(1) *Voy.* art 1234, ce qu'il faut entendre par *obligation naturelle.* — Outre les obligations rescindables de l'incapable, on donne pour exemple la dette civilement éteinte en vertu d'un concordat; la dette prescrite ; celle contre laquelle s'élève la présomption légale d'un serment décisoire ou d'un jugement ; enfin, celle qui résulte pour les héritiers d'un testateur ou d'un donateur, de la nullité de la disposition faite par leur auteur. — Doit-on considérer la dette de jeu comme une obligation naturelle ? (*Voy.* art. 1234, Quest.).

(2) Par conséquent, elles subsistent tant que la rescision n'est pas prononcée : telle est l'opinion généralement admise ; cependant, on peut objecter que la caution a le droit d'opposer au créancier toutes les exceptions qui appartiennent au débiteur principal, et qui sont inhérentes à la dette, qu'elle doit avoir encore cette faculté, bien que le débiteur ait expressément ou tacitement ratifié : comment admettre que le débiteur puisse, par son fait, aggraver la position de la caution, et lui enlever un droit qu'elle tient de la loi ? il résulte de l'art. 1338, que les ratifications ne peuvent être opposées aux tiers ; or, la caution est évidemment un tiers, quant à la ratification faite par le débiteur (Ponsot, n. 58 et suiv.).

Supposons que le cautionnement soit postérieur à l'obligation primitive : pendant combien de temps la caution pourra-t-elle demander l'annulation de sa propre obligation : aura-t-elle dix ans à partir du jour où elle se sera engagée ? ⁓ L'action de la caution doit se mesurer, quant à sa durée, sur l'action en rescision du débiteur principal ; dès lors elle n' ue le temps qui restait à ce dernier (Ponsot, n. 61).

lité est inhérente au contrat, la rescision de l'obligation entraîne celle du cautionnement. Si au contraire la restitution est fondée *in personam*, c'est-à-dire, sur des raisons personnelles au débiteur principal, telles que la minorité, le cautionnement continue de subsister.

On décide généralement, que le cautionnement s'éteint, lorsqu'il a été contracté en une qualité contre laquelle le débiteur s'est fait restituer : par ex., si l'on a accepté pour le mineur une succession, sans observer les formalités prescrites, et qu'il se soit fait restituer, la caution qu'il peut avoir donnée pour garantir le payement des dettes, cesse d'être obligée ; car ce n'est pas seulement le mineur qui a été cautionné, mais le mineur *héritier*.

Il importe peu que le cautionnement ait été contracté en même temps que l'obligation principale, avant ou depuis ; il produit toujours son effet. Toutefois, dans le cas d'obligation future, l'engagement de la caution datera seulement du jour où l'obligation principale aura pris naissance (Dur. n. 297, t. 18).

— Peut-on valablement cautionner un interdit ? ⟿ L'obligation de la caution est valable, non à la vérité, comme cautionnement ; car l'obligation principale étant nulle pour défaut absolu de consentement, ne peut servir de base au cautionnement ; mais parce que celui qui cautionne sciemment un interdit est censé s'obliger *principaliter et donandi animo*. Il en serait autrement, s'il s'agissait d'une obligation contractée par l'interdit, *re* ; par ex., par suite d'un quasi-contrat : l'obligation principale étant alors valable, celle de la caution vaudrait comme obligation accessoire (Delv., p. 140, n. 4 ; Dur., n. 308). ⟿ Ces mots de l'art. 502, C. c. : *nuls de droit*, ne signifient pas que la nullité est radicale, absolue ; mais seulement que l'interdiction établit une présomption légale d'incapacité (Ponsot, n. 65 et suiv.).

Lorsque les obligations du mineur émancipé ont été réduites en vertu de l'art. 484. la caution est-elle obligée pour le montant de ce qui a été réduit ? ⟿ *Oui*, si la réduction est fondée sur la mauvaise foi du créancier ; car l'exception devient alors réelle ; *secùs* dans les autres cas (Delv., p. 140, n. 4 ; Dur., 408).

Quid, si le créancier et le débiteur principal ont transigé sur la dette ? ⟿ La transaction ne profite pas à la caution (Delv., p. 140, n. 4).

Dans le cas où l'obligation principale peut être rescindée pour cause d'erreur, de violence ou de dol, s'il est prouvé que la caution connaissait le vice de cette obligation, aura-t-elle le droit de se faire restituer ? ⟿ *N*. (Delv., p. 140, n. 3).

Nous avons décidé, que la caution peut s'obliger conditionnellement pour une dette future, mais que son engagement ne datera que du jour où cette dette prendra naissance : *quid*, si la caution a consenti sur ses biens une hypothèque : prendra-t-elle rang du jour de l'inscription ? ⟿ *N*. L'accessoire ne peut précéder le principal (Dur., n. 297).

2015 — Le cautionnement ne peut excéder ce qui est dû par le débiteur, ni être contracté sous des conditions plus onéreuses.

Il peut être contracté pour une partie de la dette seulement, et sous des conditions moins onéreuses.

Le cautionnement qui excède la dette, ou qui est contracté sous des conditions plus onéreuses, n'est point nul ; il est seulement réductible à la mesure de l'obligation principale.

= Du principe que le cautionnement n'est qu'un accessoire de l'obligation principale, il résulte :

1° Qu'il serait absolument sans cause, et dès lors entièrement nul si la caution promettait non pas plus, mais autre chose que le débiteur principal ; par exemple, si quelqu'un se rend caution, pour vingt pièces de vin, d'une personne qui me doit 1,000 fr., le cautionnement est sans effet (1). —

_____

(1) Mais l'engagement nul comme cautionnement, peut valoir comme obligation principale conditionnelle, comme novation sous condition, comme expromission (Dur., n. 313 ; Ponsot, n. 100).

Contrà, on peut valablement se rendre caution, pour une somme de 1,000 fr., d'une personne qui doit vingt pièces de vin ; car l'argent étant l'estimation commune de toutes choses, représente la valeur du vin : celui qui doit vingt pièces de vin, est réellement débiteur de 1,000 fr.

Une personne vend un héritage ; une autre personne se porte caution pour l'usufruit de cet héritage : le cautionnement est-il valable ? Oui, car l'usufruit fait partie de la chose vendue (Pothier, n. 369).

2° Que le cautionnement ne peut être ni plus étendu, ni plus onéreux que l'obligation principale : au delà de cette obligation, le cautionnement est impossible, puisqu'il n'y a rien à garantir.

Le plus s'estime, non seulement *quantitate*, mais encore *tempore* : par ex., si la dette est à terme et le cautionnement pur et simple (1) ; — *loco* : par ex., si le débiteur et la caution demeurant à Paris, le débiteur s'obligeait à payer à Paris, et la caution à Rouen ; — *conditione* : par ex., je m'oblige à payer 1,000 fr., si tel *et* tel événement arrivent ; la caution s'engage sous la disjonctive *ou* : la position de cette caution sera plus onéreuse que la mienne ; car il suffira que l'un des événements arrive, pour que l'obligation quelle a contractée existe : — *modo* : par ex., si la dette étant d'une seule chose, le cautionnement a pour objet cette chose *ou* une autre (2).

On agitait, sous notre ancienne jurisprudence, la question de savoir si le cautionnement était nul, lorsqu'il excédait le montant de l'obligation principale : les auteurs du Code, adoptant à cet égard l'opinion de Pothier, n. 376, ont décidé, que le cautionnement serait seulement réductible ; car celui qui a promis le plus, a nécessairement promis le moins : ainsi, l'obligation accessoire est rétablie dans les termes de l'obligation principale.

Le cautionnement est nul pour ce qui excède la mesure de la dette, puisqu'il n'a pas de cause.

Ces principes, au surplus, ne sont que des règles d'interprétation : si l'on apercevait, de la part de la caution, l'intention de s'engager pour le cas de non-accomplissement de l'obligation principale, cette convention serait sans aucun doute maintenue : mais alors, le tiers cesserait d'être caution ; on le considérait pour l'excédant comme obligé principalement, sous une condition suspensive (Dur., n. 311 ; Delv., p. 140, n. 5).

Le cautionnement peut être valablement contracté pour une partie de la dette, ou sous des conditions moins dures : par ex., si le débiteur prin-

---

(1) S'il apparaît que les contractants ont sciemment voulu déroger à l'obligation primitive, la convention sera valable ; mais alors on la considérera moins comme un cautionnement que comme une sorte de pacte *constitutæ pecuniæ* (Ponsot, n. 102).

(2) Dans le cas de cautionnement alternatif de l'obligation pure et simple, l'engagement de la caution se réduit à la chose qui fait l'objet de l'obligation principale, avec simple faculté de payer l'autre ; la caution sera donc, comme le débiteur, libérée par la perte de la chose due ; mais elle aura sur lui l'avantage de pouvoir se libérer en livrant l'autre, si elle le préfère : par conséquent, il faut reconnaître, que, sous certains rapports, l'obligation pure et simple est plus onéreuse que le cautionnement alternatif : si la caution paye la chose promise par le débiteur, ce payement sera l'effet d'un véritable cautionnement ; si elle livre l'autre, elle se libérera d'une obligation principale ; de telle sorte que, dans ce dernier cas, tout en payant ce qu'elle a promis, elle ne sera pas subrogée à l'action du créancier ; ainsi, la nature de l'obligation sera en suspens (Dur., n. 312; Delv., p. 140, n. 5).

Que faut-il décider, lorsque le débiteur s'est obligé à livrer une chose ou l'autre sous une alternative, à son choix, si la caution s'est obligée quant à l'une de ces choses seulement ? ∿ La caution a, comme le débiteur, le choix de se libérer par la délivrance de l'une des deux choses qui forment l'objet de l'obligation principale ; elle a de plus l'avantage attaché à sa propre obligation, d'être libérée par la perte de la chose qu'elle a promise (Dur., n. 314 ; Ponsot, n. 106).

Quid, si le débiteur est obligé sous une alternative à son choix, et la caution, sous une alternative au choix du créancier ? ∿ On réduira l'engagement de la caution, à la mesure de l'obligation principale : ainsi, la caution ne sera réputée obligée qu'à son choix.

cipal contracte purement et simplement, la caution peut s'obliger à payer dans un certain temps ou conditionnellement.

— La caution peut-elle être liée plus étroitement que le débiteur ? peut-elle, par exemple, être soumise à la contrainte par corps, quoique le débiteur n'y soit pas soumis? ⵜⵜⵜ *A*. Arg. de l'art. 2040 : si la loi soumet la caution judiciaire à la contrainte par corps, ne serait-il pas contradictoire que la même loi refusât à la caution conventionnelle la faculté de s'y soumettre ? — La contrainte par corps rend le lien plus étroit ; mais elle n'augmente pas l'étendue de l'obligation (Dur., n. 311 ; Delv.). ⵜⵜⵜ *N*. L'article 2040 n'est qu'une exception au principe général posé dans l'art. 2013. — Arg. de l'art. 2060 : dire que la contrainte par corps a lieu contre les cautions judiciaires et contre les cautions des contraignables par corps, lorsqu'elles se sont soumises à cette contrainte, n'est-ce pas dire clairement que les cautions autres que les cautions judiciaires, ne sont soumises à la contrainte par corps qu'autant, d'une part, qu'elles y ont consenti, et d'autre part, que le débiteur principal serait déjà soumis à la même peine. — La question a été unanimement décidée en ce sens au conseil d'État. — Évidemment, la contrainte par corps, cette sanction pénale, rend l'obligation plus onéreuse (Malleville ; Ponsot, n. 108).

Peut-elle être astreinte à fournir un gage ou une hypothèque, bien que le débiteur ne soit pas soumis à cette obligation ? ⵜⵜⵜ *A*. Même raison : ce ne sont pas là des conditions plus onéreuses ; ce sont des sûretés (Dur., *ibid.*; Ponsot, n. 109).

L'engagement pris par un tiers, de payer une certaine somme au cas où le débiteur obligé à faire ou à livrer une chose, ne remplirait pas son obligation, est-il valable? ⵜⵜⵜ *N*. La caution ne peut être obligée à ce titre de payer une chose autre que celle qui est due par le débiteur principal (Dur., n. 315). ⵜⵜⵜ *A*. On peut cautionner toute espèce d'obligation ; or, le tiers qui cautionne une obligation de faire, ne s'engage pas à la remplacer *in formâ specificâ*, au cas où le débiteur ne la remplirait pas lui-même ; mais seulement à indemniser le créancier, en cas d'inexécution. En quoi les principes s'opposent-ils à ce que cette indemnité soit déterminée dans l'acte, à titre de cautionnement, comme limite des chances que la caution entend courir? (Ponsot, n. 96 et suiv.)

Si le débiteur principal a obtenu un délai de grâce pour payer sa dette, la caution peut-elle s'en prévaloir, pour soutenir que le terme est également prolongé pour elle? ⵜⵜⵜ *N*. Le délai de grâce est une faveur toute personnelle ; mais la caution arrivera indirectement au même résultat, en opposant le bénéfice de discussion (Ponsot, n. 104),

2014 — On peut se rendre caution sans ordre de celui pour lequel on s'oblige, et même à son insu.

On peut aussi se rendre caution, non-seulement du débiteur principal, mais encore de celui qui l'a cautionné.

⚊ Le cautionnement, à la vérité, suppose l'existence d'une obligation principale : mais c'est envers le créancier, que la caution s'oblige ; elle ne contracte aucun engagement envers le débiteur : il importe peu, dès lors, que ce dernier donne son consentement, puisqu'il n'a pas le droit d'empêcher le créancier de prendre ses sûretés.

Il peut arriver, que le créancier ne trouvant pas une première caution suffisamment solvable, en exige une autre pour répondre de la solvabilité de cette caution ; la caution est alors considérée comme principal obligé par rapport au tiers qui consent à la cautionner : on donne à ce tiers, le nom de *certificateur de caution*.

Il y a cette différence entre le fidéjusseur et le certificateur, que le premier répond directement de la dette, tandis que l'autre ne fait que certifier la solvabilité du répondant.

— Lorsque la caution s'est obligée malgré le débiteur principal, a-t-elle un recours contre ce dernier après le payement? ⵜⵜⵜ *Oui* : Arg. de l'art. 1236 : Je puis payer une dette malgré le débiteur : — si le créancier, au lieu de recevoir de moi son payement, veut bien me considérer comme caution, l'obligation que j'aurai contractée sera valable à ce titre ; toutefois, comme il n'existe pas d'obligation principale, je n'exercerai de recours contre le débiteur que comme ayant payé la dette d'autrui (1236). ⵜⵜⵜ La caution, bien qu'obligée malgré le débiteur, n'est pas moins tenue pour un autre; dès lors, elle est subrogée légalement aux droits du créancier, — l'article 1251 ne distingue pas (Dur., n. 317).

2015 — Le cautionnement ne se présume point; il doit être exprès, et on ne peut l'étendre au delà des limites dans lesquelles il a été contracté.

⚊ L'obligation de fournir caution, peut résulter, pour le débiteur, d'une convention, de la loi, ou d'un jugement : mais l'obligation de la caution est toujours conventionnelle ; en effet, le cautionnement participe, jusqu'à un certain point, de la nature des actes de libéralité ; or, il est de principe que de pareils actes ne se présument pas : dès lors, pour que la caution soit engagée, il faut qu'elle y consente expressément : sa volonté ne peut même s'induire des circonstances, quelque concluantes qu'elles puissent être : ainsi, une invitation de prêter de l'argent ou de fournir des marchandises à un tiers que l'on recommande et dont on certifie la solvabilité, n'équivaut pas à un cautionnement (1).

Le cautionnement ne peut s'étendre au delà des limites dans lesquelles il est contracté (*voy.* art. 2016).

Observons toutefois, que la règle de l'art. 2015, toute de faveur pour la caution, ne peut lui être opposée : rappelons-nous, en effet, que dans plusieurs cas, celui qui se trouve principal débiteur, vis-à-vis du créancier, est présumé caution vis-à-vis de ses codébiteurs (*voy.* art. 1216, 1419, 1431, 1432).

— Je me suis porté caution pour une somme de 10,000 francs : le débiteur emprunte 4,000 fr. ; puis il fait différents payements sans imputations : ces payements doivent-ils être imputés sur mon cautionnement ? ~ *Non*, s'il y a compte courant entre le prêteur et l'emprunteur ; *secùs* dans le cas contraire (Delv., p. 139 , n. 4).

2016 — Le cautionnement indéfini d'une obligation principale s'étend à tous les accessoires de la dette, même aux frais de la première demande, et à tous ceux postérieurs à la dénonciation qui en est faite à la caution.

═ Pour connaître l'étendue des obligations de la caution, il faut toujours se référer aux termes du cautionnement :

Lorsque la caution a déterminé la somme ou la cause qu'elle prétend garantir, son obligation est limitée à cette somme ou à cette cause : par exemple, si un tiers se rend caution de mon fermier, pour le payement de fermages, il n'est pas tenu des autres obligations du bail. — L'engagement qu'il contracte pour l'exécution du bail, ne s'étend pas aux obligations que produira la tacite reconduction. — Le cautionnement de la somme principale, ne s'étend pas aux intérêts.

Au contraire, lorsque les termes du cautionnement sont généraux et indéfinis, c'est-à-dire, sans limitation spéciale, le fidéjusseur est censé vouloir garantir *in omnem causam* les obligations qui résultent du contrat ; en conséquence, il répond, non-seulement de la somme principale, mais encore des intérêts ; il est tenu même des intérêts moratoires, c'est-à-dire, de ceux qui ont couru depuis la demande, quoique cette demande ne lui ait pas été dénoncée : connaissant l'époque de l'exigibilité, il devait veiller à l'exécution de l'obligation ; d'ailleurs les intérêts moratoires ne sont que des dommages-intérêts résultant de l'inexécution de l'obligation : or, la caution est tenue des dommages-intérêts (2).

La caution est tenue des frais de la première demande ; par exemple, du coût de la sommation faite par le créancier au débiteur : mais elle ne doit les frais postérieurs, qu'à partir du jour où les poursuites lui ont été dénoncées : la loi n'a pas voulu permettre au créancier de ruiner la caution en frais qu'elle peut éviter.

---

(1) Cependant pour qu'il y ait cautionnement, il n'est pas nécessaire que le mot soit textuellement écrit.

(2) On argumente à tort, pour appuyer cette opinion, de l'art. 1207 : la décision de ce dernier article repose sur la fiction d'un mandat : or, en matière de cautionnement, le débiteur principal n'est pas mandataire de la caution.

Quelque général que soit le cautionnement, ses effets sont restreints aux obligations qui naissent du contrat; on ne peut les étendre à celles qui résultent d'une cause étrangère : par ex., les engagements de celui qui cautionne un administrateur des revenus publics, sont bornés à la restitution des deniers publics; ils ne s'étendent pas aux amendes qui pourront être prononcées contre cet administrateur, par suite de quelque malversation (Merlin, v° *Caution*, § 1, n. 3).

— Doit-on considérer l'enregistrement comme un accessoire de la dette? ⁓ N. Les droits d'enregistrement sont dus à l'occasion du contrat; mais ils ne dérivent pas de la même cause que l'obligation principale : le cautionnement est de droit étroit (Ponsot, n. 125; Merlin, Caution. 1, n. 3; Dur., n. 320).
Nous avons vu que le cautionnement peut être restreint au capital : en cas de discussion des biens du débiteur, doit-on décider, par suite, qu'il faut éteindre le capital avant de payer les intérêts; en d'autres termes, qu'il faut d'abord décharger la caution? ⁓ N. Arg. de la loi 68, § 1, ff., *de Fidej. et Mand.* : cette loi n'est qu'un corollaire de la règle qui veut que le payement fait par le débiteur s'impute d'abord sur les intérêts (Ponsot, n. 115).

2017 — Les engagements des cautions passent à leurs héritiers, à l'exception de la contrainte par corps, si l'engagement était tel que la caution y fût obligée (1).

= Les héritiers étant saisis des biens, droits et actions du défunt, doivent acquitter toutes les charges de sa succession : mais la contrainte par corps, voie d'exécution à laquelle la caution est en certains cas soumise (2040 al. dern. 2060, 5°), ne s'étend pas jusqu'à eux; la liberté de la personne, ne peut jamais être engagée par le fait d'autrui.

2018 — Le débiteur obligé à fournir une caution doit en présenter une qui ait la capacité de contracter, qui ait un bien suffisant pour répondre de l'objet de l'obligation, et dont le domicile soit dans le ressort de la cour royale où elle doit être donnée.

= Le but du cautionnement, étant d'assurer l'exécution d'une obligation, la personne qui se présente pour caution, doit réunir certaines conditions, sans lesquelles ses engagements deviendraient illusoires (2).

Il faut 1° qu'elle soit capable de *contracter*; ce qui exclut les interdits, les mineurs non émancipés et même émancipés (3), ainsi que les femmes mariées non autorisées, fussent-elles séparées de biens (4).

2° Qu'elle soit solvable, c'est-à-dire, qu'elle ait un bien suffisant pour répondre de l'obligation principale.

3° Qu'elle soit domiciliée dans le ressort de la cour royale où elle doit être donnée; car la facilité de poursuivre un débiteur, fait partie de sa solvabilité.

(1) Proposition triviale et superflue : elle a été puisée traditionnellement dans les ouvrages de nos anciens auteurs, qui eux-mêmes l'avaient empruntée des jurisconsultes romains.
(2) Mais ces conditions ne sont pas nécessaires, lorsqu'il s'agit d'une caution conventionnelle, si cette caution a été désignée dans l'acte et librement agréée par le créancier.
(3) Le mineur émancipé ne peut emprunter pour lui-même; à plus forte raison, ne peut-il cautionner l'emprunt fait par un autre. Cependant, on admet la validité du cautionnement contracté par le mineur, pour faire sortir son père de prison (Delv. p. 151. n. 4).
(4) On peut dire, que les articles 217 et 218 défendent à la femme de donner, d'hypothéquer et d'aliéner, mais qu'ils ne lui interdisent pas le droit de contracter; que la femme mariée n'est incapable de contracter que parce qu'elle est incapable d'aliéner : que si elle peut aliéner, dans certaines limites, elle peut contracter dans ces mêmes limites; qu'ainsi, la femme séparée pouvant aliéner son mobilier (1449), doit pouvoir contracter jusqu'à concurrence de la valeur de ce mobilier : mais ce serait donner à la loi une interprétation trop judaïque : dans notre ancien droit, l'incapacité de la femme était absolue : si les auteurs du Code eussent voulu modifier cette règle, ils l'auraient dit; loin de là, une série d'articles (217, 221, 222, 225) nous démontrent, qu'il est entré dans leur pensée de lui interdire la faculté de contracter (Dur.; Ponsot, n. 134 et suiv.; Merlin, § 2, n. 1, v° Caution; roy. art. 1449, Quest.).

Mais où doit-elle être donnée? La caution judiciaire doit-être donnée au greffe du tribunal qui a rendu le jugement; par conséquent, elle doit avoir son domicile dans le ressort de la cour dont le tribunal dépend (517 et suiv., Pr.).—La caution conventionnelle doit être donnée en général au domicile du débiteur (1247); car les clauses douteuses s'interprètent en faveur de ce dernier. Il en serait ainsi, quand même le payement devrait se faire dans un autre lieu, s'il n'a rien été stipulé relativement à la caution. — Mais que doit-on décider lorsqu'il s'agit d'une caution légale? Celle que l'usufruitier est tenu de fournir, aux termes de l'art. 601, doit avoir son domicile dans le ressort de la cour royale du lieu où il est domicilié; car c'est le tribunal de ce lieu, qui doit connaître de la demande en prestation de la caution.—S'il s'agit d'un héritier bénéficiaire, la caution qu'il peut être contraint de fournir, aux termes de l'art. 807, doit être domiciliée dans le ressort de la cour royale du lieu où la succession s'est ouverte; car l'héritier bénéficiaire, en tant qu'il agit en cette qualité, es légalement réputé domicilié dans ce lieu. — La caution *judicatum solvi*, doit avoir son domicile dans le ressort de la cour dont dépend le tribunal où la cause est pendante (art. 16).

Faut-il que les immeubles de la caution soient également situés dans ce ressort? (*Voy.* art. 2019.)

— Si la caution, qui n'a point été désignée par le contrat, mais qui cependant a été agréée par le créancier, transporte son domicile hors du ressort de la cour royale où elle a été reçue, le créancier est-il en droit d'en exiger une autre? ⸎ *A.* Arg. de l'art. 2020 : les inconvénients sont les mêmes, que si on lui eût présenté dès l'origine une caution domiciliée hors du ressort (Dur., n. 325).

L'incapacité d'intervenir comme caution, appartient-elle au statut réel ou au statut personnel? ⸎ Les lois qui ont pour but de régir l'état et la capacité des personnes, font partie du statut personnel (Ponsot, n. 131).

Le mort civilement peut-il cautionner? ⸎ *A.* Ce qui peut faire naître le doute, c'est que le mort civilement ne peut disposer à titre gratuit; mais il faut observer, qu'il n'y a donation, qu'autant que la caution a renoncé à exercer son recours contre le débiteur (Ponsot, n. 141).

2019 — La solvabilité d'une caution ne s'estime qu'eu égard à ses propriétés foncières, excepté en matière de commerce, ou lorsque la dette est modique.

On n'a point égard aux immeubles litigieux, ou dont la discussion deviendrait trop difficile par l'éloignement de leur situation.

= Ainsi, pour juger de la solvabilité d'une caution, on ne tient en général aucun compte des fortunes mobilières (1); on ne s'arrête pas davantage aux immeubles par destination, car ces sortes de biens, lors même qu'ils sont frappés d'hypothèques, échappent également au droit de suite (2119); enfin, la loi rejette les immeubles litigieux, parce qu'ils sont incertains dans la main du possesseur. — Pour qu'un immeuble soit réputé litigieux, dans le cas prévu par l'art. 2019, il suffit que le droit de la caution à la propriété de cet immeuble, soit contestable, bien qu'il n'y ait pas de procès commencé; la plus grande latitude d'appréciation est laissée aux tribunaux. Les immeubles sur lesquels la caution n'a qu'un droit résoluble, par exemple, à raison de ce qu'il y a lieu de craindre une action en revendication, et ceux qui sont couverts d'hypothèques, sont assimilés aux biens litigieux.

Pour que la caution soit réputée solvable, suivant l'art. 2019, il ne suffit pas que ses propriétés foncières surpassent en valeur l'objet de l'obliga-

---

(1) Mais nous pensons qu'on aurait égard aux actions sur la banque de France, car le décret du 16 janvier 1808 permet de les immobiliser.

tion principale, qu'elles ne soient ni litigieuses ni trop facilement résolubles, ni surchargées d'hypothèques; il faut en outre, que ces biens
ne soient point, par leur éloignement, d'une discussion trop difficile :
cet éloignement s'apprécie eu égard au lieu où la caution doit être donnée (2018). Du reste, il importe peu qu'ils soient situés dans le ressort de
la cour royale.

Les tribunaux doivent, bien entendu, en appréciant la suffisance des immeubles, prendre en considération l'importance des dettes chirographaires;
car les biens d'un débiteur sont le gage commun de ses créanciers (1).

La règle que la solvabilité d'une caution ne s'estime qu'eu égard à ses
propriétés foncières, souffre exception : 1° lorsque la dette est modique;
— 2° lorsqu'il s'agit d'affaires commerciales; car le commerce repose sur
la confiance : d'ailleurs, le crédit d'un commerçant ne consiste ordinairement qu'en objets mobiliers (2).

— La soumission de la caution, faite conformément à l'art. 519 Pr., emporte-t-elle hypothèque judiciaire? ⁓ N. Le jugement de réception de caution n'intervient qu'entre le débiteur et le créancier; la
caution n'y est nullement partie : dès lors les art. 2117 et 2123 ne lui sont pas applicables.

2020 — Lorsque la caution reçue par le créancier, volontairement ou en justice, est ensuite devenue insolvable, il
doit en être donné une autre.

Cette règle reçoit exception dans le cas seulement où la
caution n'a été donnée qu'en vertu d'une convention par
laquelle le créancier a exigé une telle personne pour caution.

= Le débiteur doit-il présenter une nouvelle caution, lorsque celle
qu'il a fournie cesse de réunir, après le cautionnement, les conditions que
la loi permet d'exiger pour sa réception? Distinguons : en ce qui concerne
la capacité, il suffit qu'elle ait existé au moment où le contrat s'est formé :
peu importe au créancier qu'elle ait cessé depuis; ce changement d'état
ne peut lui causer aucun préjudice.—Mais que faut-il décider si la caution a
transporté son domicile hors du ressort de la cour royale du lieu où elle a
été donnée? Le créancier se trouvant alors trompé dans son attente, il est
conséquent de lui accorder le droit de contraindre le débiteur, soit à fournir une caution nouvelle, soit à résilier le contrat principal (3).— Que
déciderons-nous enfin, si depuis le cautionnement reçu, la caution a cessé
de réunir les caractères de solvabilité qu'elle devait présenter? L'art. 2020
règle ce cas : mais devrons-nous considérer cet article comme un corollaire de l'art. 2019? Une pareille interprétation serait trop rigoureuse :
il suffirait en effet, que la caution vendît un immeuble, quelle se débar-
rassât d'un bien dispendieux à conserver ou sujet à dépérir, enfin, qu'à
tort ou à raison, un tiers vînt contester ses droits à la propriété d'un
immeuble, pour que le créancier eût le droit d'exiger une caution nouvelle : évidemment, les rédacteurs du Code n'ont pu vouloir consacrer une

(1) *Paris*, 17 décembre 1806 ; D., t. 2. p. 382.
(2) *Rouen*, 13 avril 1808 ; D., t. 2, p. 383, S., 12, 2. 371.
(3) Dur., n. 335. ⁓ Le débiteur a fait ce qu'il a promis. — Si la caution change de domicile, ce changement est un fait, qui ne dépend pas de lui; il ne doit pas en courir les risques : aujourd'hui, d'ailleurs,
que les voies de communication sont faciles et promptes, le changement de domicile n'ajoute rien à la
difficulté des poursuites, si ce n'est dans le cas exceptionnel où la caution s'expatrierait; il sera beaucoup plus difficile au débiteur de fournir une caution nouvelle au moment où il ne s'y attend pas, que
d'en présenter une au moment du contrat (Ponsot, n. 165).

pareille sévérité : mais alors comment expliquer l'art. 2020? Quelle règle doit-on suivre à cet égard, si la caution n'est devenue que partiellement insolvable : par exemple, si elle a perdu dans une faillite une somme considérable? Il faut décider, par analogie de l'art. 2131 C. c., que le débiteur ne se trouve dans les cas prévus par l'art. 2020, qu'autant qu'il ne reste plus à la caution une fortune suffisante pour répondre du remboursement de la créance, et que le débiteur doit être admis à offrir soit une caution supplémentaire, soit un certificateur de caution. — Mais on ne saurait assimiler la mort de la caution à son insolvabilité; car ses héritiers continuent sa personne. Ajoutons, que le créancier ne court aucun danger, puisqu'il a la ressource de la séparation du patrimoine, si l'état de fortune des héritiers de la caution lui inspire des craintes.

Observons, que l'art. 2020 est conçu en termes généraux : que la caution soit légale, judiciaire ou conventionnelle; qu'elle ait été déterminée ou non dans l'acte qui constate l'obligation, le débiteur doit dans tous les cas en présenter une autre, lorsque celle qu'il a fournie est devenue insolvable : la loi est claire et précise; elle n'admet d'exception que pour le cas seulement où le créancier a lui-même choisi la caution qu'il prétend avoir (1).

Après avoir parcouru les principales hypothèses dans lesquelles se présente la question de savoir si le débiteur doit fournir une caution nouvelle, il nous reste à dire quelle est la nature de ce nouveau cautionnement : on pense généralement qu'il prend le caractère du précédent : en conséquence, il est légal, judiciaire ou conventionnel, suivant que celui-ci était légal, judiciaire ou conventionnel. Dans le cas de cautionnement judiciaire, la caution nouvelle doit dès lors être contraignable par corps (Ponsot, n° 167 et suiv.).

— L'article 2020 n'obligeant le débiteur à fournir une caution nouvelle, qu'autant que la caution est devenue depuis insolvable, on demande si la caution qui était déjà insolvable à l'époque où elle a été reçue, devrait être également remplacée? ⁓⁓ On distingue : si le débiteur connaissait l'insolvabilité de cette caution, il doit en fournir une autre, car il s'est rendu coupable de dol ; secùs s'il croyait la caution solvable : la demande du créancier n'est alors admise qu'autant que la caution est ensuite devenue insolvable (Arg. de l'art 1276). ⁓⁓ Cette solution est trop absolue : supposons, par ex., qu'un négociant qui passait pour riche au moment du cautionnement était ce jour-là ou la veille ruiné par une faillite : dira-t-on que le créancier ne peut demander une caution nouvelle? Il faut laisser au juge l'appréciation des circonstances (Ponsot, n. 118).

L'insolvabilité postérieure résulterait-elle de ce que la caution couvrirait ses biens d'hypothèques ? ⁓⁓ A. Aux termes de l'art. 2018, la solvabilité d'une caution s'estime eu égard à ses propriétés foncières : toutefois, il faut prendre en considération la cause des hypothèques : par ex., si l'hypothèque était légale, la demande du créancier ne pourrait être admise, car ces sortes d'hypothèques ne constituent pas une insolvabilité. Il en serait autrement, si les hypothèques étaient conventionnelles ou judiciaires (Dur., n. 329).

(1) Plusieurs opinions se sont élevées sur ce point : suivant Merlin, Rép., Caution, § 11, n. 11, si la caution est légale ou judiciaire, le débiteur doit, en cas d'insolvabilité survenue depuis le cautionnement, en fournir une nouvelle ; secùs, si elle est conventionnelle. — Cette distinction proposée au conseil d'État a été rejetée ; elle est d'ailleurs proscrite par le texte. ⁓⁓ Selon Malleville. Pigeau, Proc. et Delv., t. 3, p. 143, et les notes, il faut admettre la sous-distinction suivante faite par Pothier : la caution doit être renouvelée, si elle est légale ou judiciaire : il en est de même, en cas de cautionnement conventionnel, si le débiteur s'est obligé à donner une caution indéterminément ; car le créancier n'a contracté que sous cette garantie ; il a suffisamment manifesté l'intention d'avoir une caution qui fût toujours solvable et qui offrît une sûreté réelle jusqu'à l'exécution effective de l'obligation : mais s'il a contracté sous la caution d'un tel, devenu ensuite insolvable, le débiteur n'est pas tenu d'en fournir une nouvelle : Malleville affirme que la sous-distinction de Pothier eut un plein succès au conseil d'État ; cela est vrai : néanmoins il faut observer, que l'article voté par le conseil d'État n'était point rédigé comme notre article 2020 ; il était ainsi conçu : « Lorsque la caution qui a été reçue est devenue depuis insolvable, » celui qui l'a offerte est obligé d'en donner une autre. — Cette règle reçoit exception, lorsque la cau-» tion n'a été donnée qu'en vertu d'une convention par laquelle le débiteur était obligé de donner une » telle personne pour caution : » tandis que l'article qui fait loi aujourd'hui, celui qui a été voté et décrété, a été présenté par le Tribunat au corps législatif (Ponsot, n. 166 et suiv.).

CHAPITRE II.

De l'effet du cautionnement.

Après avoir envisagé le cautionnement dans sa nature et dans son objet, la loi considère ce contrat dans ses effets : or, une caution a des rapports et des engagements avec le créancier, avec le débiteur et avec les autres cautions.

Parlons d'abord de l'effet du cautionnement entre le créancier et le fidéjusseur.

SECTION I.

De l'effet du cautionnement entre le créancier et la caution.

Le cautionnement se renferme dans les termes du contrat : ainsi, lorsque la caution a déterminé la somme qu'elle prétend garantir, son engagement est restreint à cette somme ; lorsque l'acte ne contient aucune disposition particulière sur ce point, elle est tenue de toutes les obligations principales et accessoires qui dérivent de la convention, même des frais du premier acte de poursuites dirigées contre le débiteur, et des frais postérieurs à la notification qui lui a été faite de cet acte.

La caution ne peut être poursuivie qu'à défaut de payement de la part du débiteur principal (2021). Dans ce cas même, lorsqu'il y a plusieurs fidéjusseurs solvables, l'équité veut que le créancier poursuive chacun d'eux pour sa part et portion : de ces principes, résultent pour la caution deux bénéfices ou exceptions :

1° Bénéfice de discussion (2021 à 2025).

2° Bénéfice de division (2025 à 2027).

L'exception de discussion, a pour objet d'obliger le créancier à épuiser les biens du débiteur principal avant de poursuivre les cautions (2021), et de le rendre responsable de l'insolvabilité survenue par le défaut de poursuites (2024).

Elle doit être proposée, comme toute autre exception dilatoire, *à limine litis* (2022).

Mais trois conditions sont requises pour qu'elle soit admise ; il faut, 1° que la caution avance les deniers suffisants pour faire la discussion ; 2° qu'elle indique les biens du débiteur principal ; 3° que la discussion de ces biens puisse avoir lieu facilement.

Le bénéfice de discussion est refusé à la caution judiciaire (2042) et au donneur d'aval (142 C. comm.).

Passons au bénéfice de division :

On désigne ainsi, l'exception par laquelle une caution, assignée en payement de toute la dette (2026), demande qu'on ne la poursuive que pour sa part et portion, et que le créancier divise son action entre tous les cofidéjusseurs.

Nous verrons, art. 2026, quelles sont les conditions requises pour que la division ait lieu.

De même que l'exception de discussion ne peut être invoquée par la caution, que sur les poursuites du créancier ; de même, la caution ne peut, avant d'être actionnée, provoquer la division, même en offrant sa part dans la dette.

Mais à la différence de l'exception de discussion, l'exception de division peut être opposée en tout état de cause; il suffit qu'elle le soit préalablement, c'est-à-dire, avant que le jugement qui condamnerait la caution pour le tout, ait acquis l'autorité de la chose jugée : cette exception, en effet, tient plus des exceptions péremptoires que des exceptions dilatoires, puisqu'elle tend à écarter entièrement l'action du créancier pour les parts que doivent supporter les autres fidéjusseurs (Pothier, n. 426).

Jusqu'au moment de la division, ou plutôt, jusqu'au moment de la demande formée à cet effet par la caution (car la décision du juge rétroagit à cette époque), chacun des fidéjusseurs est tenu de la dette pour le tout ; aussi, ne peut-il répéter ce qu'il a payé au delà de sa part : mais après la division prononcée par jugement, la dette est tellement divisée, que si l'un des fidéjusseurs était devenu insolvable, le créancier n'aurait aucun recours contre les autres pour la part de cet insolvable : ainsi, la caution qui obtient la division devient étrangère au surplus de la dette.

Le créancier peut renoncer au bénéfice de division ; sa renonciation est même présumée, lorsqu'il divise volontairement son action (2027).

Réciproquement, les cofidéjusseurs peuvent, au moment où ils contractent, renoncer au bénéfice de division et au bénéfice de discussion.

Cette renonciation est tacite lorsqu'ils s'engagent solidairement avec le débiteur principal (1).

La simple renonciation au bénéfice de discussion n'emporte pas renonciation au bénéfice de division, et *vice versâ*; car la cause et les effets de ces bénéfices sont différents.

La caution est subrogée par la loi à tous les droits du créancier, lorsqu'elle a payé sur les poursuites dirigées contre elle; sans préjudice de la demande qu'elle peut former, à raison des frais qui ont été le résultat nécessaire du cautionnement et des dommages-intérêts (2028, 2030).

Si elle a payé sans avertir le débiteur ou sans être poursuivie, tout recours lui est refusé, lorsque ce dernier, dans l'ignorance du payement, a payé une deuxième fois ; ou lorsqu'il prouve, qu'il aurait eu des moyens, pour faire déclarer la dette éteinte; sauf l'action de la caution contre le créancier.

La loi énumère cinq circonstances qui autorisent la caution à agir contre le débiteur, avant d'avoir payé (*voy.* art. 2032).

2021 — La caution n'est obligée envers le créancier à le payer qu'à défaut du débiteur, qui doit être préalablement discuté dans ses biens, à moins que la caution n'ait renoncé au bénéfice de discussion, ou à moins qu'elle ne se soit obligée solidairement avec le débiteur ; auquel cas, l'effet de son engagement se règle par les principes qui ont été établis pour les dettes solidaires.

= Le créancier ne peut poursuivre la caution qu'autant que le débiteur n'a pas accompli ses obligations.

---

(1) Il est même à remarquer, que les notaires omettent rarement, dans les actes notariés qui constatent les cautionnements, la clause de renonciation ou celle de solidarité.

Doit-il constater ce fait par une mise en demeure? (*voy.* art 2011, *Quest.*)

Suivant la législation romaine antérieure à Justinien, le créancier pouvait contraindre la caution, sans avoir préalablement discuté le principal débiteur : cette rigueur, exercée envers des personnes qui souvent ne se sont engagées que par un sentiment de pure obligeance, devait être adoucie ; elle était d'ailleurs contraire à la nature du cautionnement, puisque ce contrat renferme seulement, de la part du fidéjusseur, obligation de payer, au cas où le débiteur ne payerait pas. — Justinien introduisit en faveur des cautions, l'exception *de discussion*.

Du principe que le bénéfice dont il s'agit est tout en faveur des cautions, il résulte :

1º Qu'elles peuvent y renoncer : c'est même ce qu'elles sont présumées faire, quand elles s'engagent *solidairement* avec le débiteur, ou lorsqu'elles déclarent vouloir s'obliger comme le *débiteur principal* : au premier cas, on les considère comme de véritables débiteurs solidaires (1208) ; au deuxième cas, elles sont réputées obligées *in solidum*.

La renonciation peut avoir lieu soit dans l'acte de cautionnement, soit par un acte postérieur.

2º Que les poursuites du créancier sont valables, si la caution ne requiert pas la discussion.

3º Que la caution doit user de ce bénéfice dès le principe ; toute exception dilatoire étant couverte par une défense au fond (*voy.* 2022).

— Si le cautionnement est sujet à rescision, la caution qui a requis le bénéfice de discussion, depuis l'époque où elle est devenue capable de s'obliger, peut-elle encore demander la rescision ? ⁀⁀⁀ *N.* Cette demande doit être considérée comme une ratification (Delv., p. 143, n. 1).

Si la caution nie le cautionnement ou soutient qu'il n'est pas valable, est-elle tenue de proposer l'exception de discussion sur les premières poursuites dirigées contre elle ? ⁀⁀⁀ *N.* L'exception de discussion suppose une qualité que la caution prétend ne pas avoir ; il faut donc, au préalable, établir la validité du cautionnement (Dur., n. 333 ; voy. cep. Pigeau, liv. II, p. 5, titre 1, chap. 8, § 2, Pr. civ.).

2022 — Le créancier n'est obligé de discuter le débiteur principal, que lorsque la caution le requiert, sur les premières poursuites dirigées contre elle.

⟹ Ainsi, la caution ne peut demander la discussion, lorsqu'elle a défendu au fond : cette exception est dilatoire ; on doit la proposer, avec les autres exceptions du même genre, *à limine litis* (186, Pr.), sur les premières poursuites (soit judiciaires, soit extrajudiciaires) (1). Il ne conviendrait pas qu'après avoir fatigué le créancier par de nombreuses chicanes, la caution eût encore la faculté d'éloigner le payement par une demande en discussion.

Observons que notre article statue pour le cas seulement où la cause des exceptions est déjà née au moment des poursuites ; il ne règle pas celui où des biens susceptibles de discussion sont échus au débiteur principal depuis que la caution a défendu au fond : on ne peut supposer, en effet, que la caution ait voulu renoncer à un bénéfice qu'elle n'avait pas encore (2).

Si la caution a contesté la validité de l'obligation principale, est-

---

(1) *Bourges*, 31 déc. 1030 ; D., 31, 2, 122. — *Toulouse*. 30 avril 1836, et *Cass.*, 27 janvier 1839. — Toutefois, un simple commandement fait en vertu d'un acte notarié, la saisie-exécution ou la saisie-brandon faite en vertu de ce titre, ne priverait pas la caution du droit de proposer le bénéfice de discussion, attendu le court intervalle qui sépare le commandement de la saisie. Nous le répétons, pour que la caution soit privée du bénéfice de discussion, il faut qu'elle ait agi de manière à faire croire qu'elle y a renoncé (Dur. n. 336).

(2) Merlin, Rép., Caution, § 4, n. 1. ⁀⁀⁀ Cette décision aurait pour résultat de retarder le moment où le créancier doit recevoir son payement, et d'occasionner en pure perte des frais qui ruineraient le débiteur (Dur., n. 337).

elle encore recevable à opposer le bénéfice de discussion ? On ne peut conclure de cette contestation , qu'elle ait voulu renoncer à son droit : le bénéfice de discussion suppose que l'existence de l'obligation principale et celle du cautionnement sont reconnues : or , la contestation dont il s'agit , soulevée par la caution, n'est pas inconciliable avec cette idée (1).

En cas de poursuites extrajudiciaires, à quelle période la caution est-elle déchue du droit d'invoquer la discussion des biens du débiteur ? Lorsque les poursuites ont été poussées assez loin contre elle pour qu'il y ait lieu de croire qu'elle a renoncé à ce bénéfice : par ex., sa renonciation serait tacite , si elle avait laissé vendre ses biens , sur saisie-exécution ou sur saisie-brandon, ou si elle avait laissé prononcer la validité d'une saisie-arrêt : le juge est appréciateur des circonstances.

2025 — La caution qui requiert la discussion , doit indiquer au créancier les biens du débiteur principal , et avancer les deniers suffisants pour faire la discussion.

Elle ne doit indiquer ni des biens du débiteur principal situés hors de l'arrondissement de la cour royale du lieu où le payement doit être fait , ni des biens litigieux , ni ceux hypothéqués à la dette qui ne sont plus en la possession du débiteur.

= Il ne suffit pas que le fidéjusseur requière la discussion ; il doit de plus indiquer au créancier les biens meubles ou immeubles qu'il veut faire discuter. Du reste, l'exception serait recevable, lors même que la valeur des biens indiqués n'égalerait pas l'importance de la dette : sans doute, le créancier pourra éprouver l'inconvénient d'un payement partiel ; mais il ne faut pas oublier, que la discussion n'est en réalité qu'un examen des biens du débiteur ; et qu'on ne connaîtra leur valeur qu'après la vente qui en sera faite. D'ailleurs , il est raisonnable de penser , que la caution n'a entendu s'obliger que solidairement. Au surplus , le créancier peut éviter les inconvénients d'un payement partiel, en exigeant que le produit de la vente des biens soit déposé à la caisse des consignations, jusqu'à ce que la caution ait complété la somme nécessaire pour éteindre la dette.

L'indication doit avoir lieu en une seule fois ; la caution ne pourrait, après la discussion des biens qu'elle aurait déterminés, en indiquer d'autres , à moins qu'ils ne fussent échus depuis au débiteur : en lui permettant de faire des indications successives, on lui laisserait la faculté d'éterniser la procédure.

La discussion a lieu aux risques et périls du fidéjusseur, puisqu'elle se fait dans son intérêt : par suite, le fidéjusseur doit faire l'avance des frais. Si les parties ne peuvent s'entendre sur la fixation de la somme , les tribunaux statuent. — Les deniers sont versés entre les mains du créancier, à charge par lui de justifier de leur emploi : s'il refuse de les accepter, la caution peut se faire autoriser à les consigner.

Il faut en outre que la discussion réclamée soit de nature à s'opérer facilement, et qu'elle n'expose pas le créancier à des retards considérables ou à des contestations toujours pénibles : ainsi, le fidéjusseur ne doit indiquer ni des biens situés hors de l'arrondissement de la cour royale du

(1) Ponsot , n. 189 ; Merlin , Rép., Caution , § 4, n. 1.

lieu où le payement doit être fait, car l'éloignement en rendrait la discussion difficile ; ni des biens litigieux (1), car on ne doit pas forcer le créancier à soutenir des procès qui peuvent être longs et incertains ; ni des biens résolubles entre les mains du débiteur, ou couverts d'hypothèques jusqu'à concurrence de leur valeur ; ni même des biens hypothéqués à la dette, qui ne se trouvent plus en la possession du débiteur ou de ses successeurs à titre universel : le créancier, il est vrai, peut, en exerçant l'action hypothécaire contre les tiers détenteurs, obtenir le payement de la dette ou l'expropriation ; mais un tel procès occasionne des retards et des longueurs, et finit souvent par rendre le cautionnement onéreux.

— Le tiers détenteur pourrait-il opposer au créancier hypothécaire poursuivant, la discussion des biens hypothéqués qui se trouveraient en la possession de la caution ? ⁓ *A*. La caution est personnellement obligée (Arg. de l'art. 2170).

La caution d'un débiteur solidaire peut-elle requérir la discussion des biens des autres débiteurs solidaires, quoiqu'elle n'ait pas cautionné ceux-ci ? ⁓ *A*. En cautionnant l'un des débiteurs, elle a cautionné la dette entière, la dette commune à tous (Pothier, n. 412, Obligation ; Ponsot, n. 200).

2024 — Toutes les fois que la caution a fait l'indication de biens autorisée par l'article précédent, et qu'elle a fourni les deniers suffisants pour la discussion, le créancier est, jusqu'à concurrence des biens indiqués, responsable, à l'égard de la caution, de l'insolvabilité du débiteur principal survenue par le défaut de poursuites.

= Le créancier doit alors s'imputer d'avoir occasionné cette insolvabilité, ou du moins, de ne pas l'avoir prévenue par des diligences faites en temps opportun.

Observons toutefois, qu'il ne supporte l'insolvabilité que jusqu'à concurrence des biens indiqués : si leur valeur n'égalait pas le montant de la dette, la caution serait obligée de payer le surplus.

Lorsque l'impossibilité de payer n'est pas le résultat du défaut de poursuites, mais d'une autre cause, la caution n'est pas libérée.

— Le créancier qui prend sur lui de n'exercer de poursuites que sur une partie des biens du débiteur principal, indiqués par la caution, conserve-t-il son recours contre la caution ? ⁓ *N*. Arg. de l'art. 2024 (*Cass.*, 8 avril 1835 ; D.,1835, 1, 216).

2025 — Lorsque plusieurs personnes se sont rendues cautions d'un même débiteur pour une même dette, elles sont obligées chacune à toute la dette.

= La position des fidéjusseurs, diffère, sous ce rapport, de celle des débiteurs qui se sont obligés conjointement : rappelons-nous, en effet, que l'obligation se divise entre ces derniers, à moins que la solidarité n'ait été exprimée : pourquoi cette différence? Il est de la nature du cautionnement, que la caution s'oblige à tout ce que doit le débiteur principal : par conséquent, chacun de ceux qui se portent garants, est censé contracter cet engagement pour le tout : à moins de déclaration contraire, on doit supposer que le nombre des cautions a eu pour but d'augmenter la sûreté du créancier (Pothier, n. 415, Oblig.).

Bien que chacun des cofidéjusseurs soit obligé à toute la dette, on ne

___

(1) Quoique l'expression *biens litigieux* soit employée ici dans une acception plus étroite que lorsqu'il s'agit d'apprécier la solvabilité d'une caution (2019), nous ne pensons pas que le concours des circonstances requises par l'art. 1700, pour qu'un immeuble puisse être considéré comme litigieux, soit nécessaire.

les considère pas comme solidairement engagés ; la loi ne prononce pas le mot *solidarité :* dès lors, on ne peut leur appliquer les art. 1205, 1206 et 1207 : *Aliud est teneri in totum, aliud teneri totaliter* (Delv., p. 142, n. 2).

— La disposition de l'art. 2025 est-elle conçue dans un sens restrictif ou dans un sens explicatif ? Si la dette , au lieu d'être contractée par un seul débiteur , l'a été par plusieurs conjointement, chacune des cautions est-elle tenue de cette dette ? Supposons que deux personnes aient emprunté conjointement une somme sans solidarité, chacune d'elles, assurément, est obligée pour la moitié de la dette : mais si deux autres personnes les ont cautionnées d'une manière générale , sans restreindre le cautionnement à l'obligation de l'un ou de plusieurs des débiteurs principaux , sont-elles tenues chacune de toute la dette ? ∾ L'article est explicatif : les quatre débiteurs principaux doivent a eux tous la somme entière : or, chacune des cautions les a cautionnés tous ; par conséquent elle a par cela même cautionné toute la dette (Dur., n. 341). ∾ L'art. 2025 est restrictif : dans l'espèce, non-seulement chacune des cautions peut demander que l'action soit divisée, mais encore , elle peut payer divisément la part de chacun des débiteurs conjoints ; en effet , elle a réellement cautionné deux dettes , puisqu'elle a cautionné deux débiteurs principaux entre qui l'obligation a été divisée dès le principe : la disposition de l'art. 2025 est exceptionnelle et rigoureuse ; il faut l'entendre restrictivement : assurément , les deux débiteurs doivent toute la somme ; mais ils la doivent divisément. — Dans le système opposé , il faudrait aller jusqu'à dire, que si la prescription n'est interrompue par le créancier , que vis-à-vis de l'un des débiteurs seulement , cela suffit pour que la caution soit tenue des deux parts , bien que la dette principale soit prescrite cependant pour moitié ; cette conséquence est inadmissible (Ponsot , n. 207).

2026 — Néanmoins chacune d'elles peut , à moins qu'elle n'ait renoncé au bénéfice de division, exiger que le créancier divise préalablement son action, et la réduise à la part et portion de chaque caution.

Lorsque, dans le temps où une des cautions a fait prononcer (1) la division, il y en avait d'insolvables, cette caution est tenue proportionnellement de ces insolvabilités ; mais elle ne peut plus être recherchée à raison des insolvabilités survenues depuis la division.

= Lorsque plusieurs personnes ont cautionné un même débiteur, chacune d'elles est obligée *in solidum :* le créancier peut dès lors valablement actionner l'un ou l'autre à son choix pour la totalité de la dette ; mais la caution poursuivie, peut user du bénéfice de division , c'est-à-dire, demander que le créancier ne la poursuive que pour sa part virile.

A quelle période de la procédure le bénéfice de division doit-il être opposé ? La loi trace des règles précises à cet égard lorsqu'il s'agit du bénéfice de discussion ; mais elle garde le silence en ce qui concerne l'exception de division : on s'accorde généralement à considérer, suivant les errements de notre ancienne jurisprudence, l'exception de division comme péremptoire , et à décider, que la caution peut l'opposer en tout état de cause, tant qu'elle n'a pas été condamnée en dernier ressort , ou par un jugement passé en force de chose jugée, à payer toute la dette.

Quid, si les poursuites sont extrajudiciaires ? la caution peut toujours demander à ne payer que sa part, tant qu'elle n'a pas payé le tout (2).

La division peut être demandée , non-seulement par les cautions elles-

(1) Ne concluons pas des termes de l'article , que les insolvabilités ne cessent d'être à la charge de la caution , qu'autant que la division a été judiciairement prononcée : le jugement qui admet la division rétroagit au jour où l'exception a été opposée par la caution , au jour où elle a été demandée par des conclusions directes ou reconventionnelles : c'est ainsi qu'on l'entendait autrefois et qu'il faut encore l'entendre aujourd'hui.

(2) Suivant Dur., n. 348 , l'exception de division ne peut être opposée que jusqu'à la vente exclusivement : mais ne peut-on pas répondre, que l'exception de division n'a pas seulement pour objet, comme l'exception de discussion , de soustraire la caution aux poursuites du créancier , et qu'il importe beaucoup à la caution, même après la vente de ses biens , de ne payer que sa part de la dette, au lieu de la payer *in solidum* (Ponsot , n. 122).

mêmes ; mais encore, par leurs héritiers ou ayants-cause, et par conséquent, par le certificateur de caution.

Cinq conditions sont requises pour qu'elle ait lieu ; il faut : 1° que la
caution n'ait pas renoncé à ce bénéfice (2026) : la renonciation se présume,
lorsque les cautions sont obligées solidairement, soit entre elles, soit avec
le débiteur (2025).

2° Que ceux avec qui le fidéjusseur demande la division soient cautions
principales : la caution poursuivie ne pourrait demander que la division
eût lieu entre elle et son certificateur ; car elle est débitrice principale
par rapport à ce certificateur.

3° Que les cofidéjusseurs soient garants du même débiteur : ainsi, dans
le cas d'obligation solidaire, lorsque chacun des cofidéjusseurs a cautionné
un débiteur séparément, la division ne peut avoir lieu ; car bien que l'une
et l'autre caution soient tenues d'une même dette, elles ne sont pas, proprement dit, cofidéjusseurs (Delv., p. 124, n. 1 ; Pothier, n. 413).

4° Que les cofidéjusseurs soient solvables par eux-mêmes ou par leurs
certificateurs ; néanmoins, comme la loi n'exige pas que la caution justifie de cette solvabilité, le juge ne peut se dispenser de prononcer la division, lorsqu'elle est demandée : le créancier conserve seulement son recours, pour le cas où l'insolvabilité actuelle des autres cautions viendrait
à être reconnue. Ainsi les insolvabilités antérieures à la demande en division restent à la charge des cautions solvables : le fidéjusseur qui a fait
prononcer la division, est, comme les autres, tenu proportionnellement de
ces insolvabilités ; mais les insolvabilités survenues depuis la demande en
division, sont supportées par le créancier, car elles peuvent être imputées
à sa négligence (Pothier, n. 420).

Le terme ou la condition sous laquelle un fidéjusseur s'est obligé, ne
mettent point obstacle à la division, bien que l'échéance ou l'événement
prévu ne soit pas encore arrivé ; sauf au créancier, à revenir contre celui
qui l'a opposée, si la condition vient à défaillir, ou si les poursuites dirigées contre les cofidéjusseurs ont été sans effet (Pothier, n. 422).

5° Les cofidéjusseurs contre lesquels on demande la division, ne doivent
pas avoir leur domicile hors du ressort de la cour royale du lieu où est
domicilié le débiteur, ou de celui où est domiciliée la caution poursuivie ;
car cette faveur, accordée à la caution, ne doit pas devenir préjudiciable
au créancier (Arg. de l'art. 2023 ; Pothier, n. 424).

Observons, que la division prononcée sur la demande d'une des cautions ne profite pas aux autres ; c'est pour elles *res inter alios acta*.

La caution peut-elle, avant toute poursuite judiciaire ou extrajudiciaire,
offrir au créancier de payer divisément sa part de la dette cautionnée ?
—*N*. Si la caution pouvait contraindre le créancier à recevoir le payement
partiel de la créance, elle causerait un préjudice à ce dernier ; car en
poursuivant le débiteur principal ou les autres cautions il pourrait obtenir
son payement total (Delv. Ponsot, n. 123).

— Si le cofidéjusseur solvable conteste son obligation, doit-on assimiler ce cas à celui de l'insolvabilité, et décider que la division ne peut être demandée avec ce cofidéjusseur ? ⁓ *A.* (Delv., p. 144, n 3).
Un cautionnement peut-il se diviser avec une caution qui n'a pas valablement contracté ; par ex., avec
un mineur sujet à restitution ? ⁓ *N*. La caution capable a pu prévoir les cas de restitution, elle s'est
engagée à ses risques et périls (Pothier, n. 425 ; Merlin, v° Cautionnement, § 4). ⁓ *A*. Il y a une
analogie parfaite entre ce cas et celui où la solvabilité de l'une des cautions est douteuse ou conditionnelle ; toutefois, la division ne sera prononcée que provisoirement, c'est-à-dire, sauf le recours du
créancier, si plus tard l'obligation du fidéjusseur incapable est rescindée (Ponsot, n. 218).
Lorsque la caution a payé sans opposer la division, elle ne peut répéter, mais *quid* si elle n'a donné
qu'un à compte ? peut-elle toujours demander la division, et imputer cet à-compte sur sa part ? ⁓ *A.*
(Delv., p. 143, n. 8, Merlin, v° Caution, § 2).

Pour que le bénéfice de division puisse être invoqué par la caution poursuivie, faut-il que le cautionnement ait été donné conjointement? ⁓ L'article 2036 suppose cette condition. — En exigeant une deuxième caution, le créancier a voulu se procurer des sûretés nouvelles, mais nullement diminuer l'étendue de l'obligation contractée par la première caution. — Le deuxième cautionnement n'a pas été donné en considération du premier (Duc., n. 346). ⁓ Pour que la caution poursuivie puisse exciper du bénéfice de division, il suffit que d'autres cautions aient répondu de la même dette pour le même débiteur. — L'art. 2025 prononce la division entre toutes les cautions, sans distinguer si elles sont conjointes ou si elles ne le sont pas. — Le bénéfice de division n'est pas fondé sur l'intention présumée des parties, mais sur la faveur que mérite le cautionnement : peu importe, dès lors, que les cautions se soient engagées par actes séparés ou conjointement (Delv., p. 143, n. 8 ; Ponsot, n. 214).

2027 — Si le créancier a divisé lui-même et volontairement son action, il ne peut revenir contre cette division, quoiqu'il y eût, même antérieurement au temps où il l'a ainsi consentie, des cautions insolvables.

= Le créancier qui divise son action, est assimilé à celui qui renonce à la solidarité : les cofidéjusseurs sont alors déchargés des insolvabilités même antérieures aux poursuites (1).

Observons : 1° Que la division consentie à l'égard d'une caution ne profite aux autres que pour la part de l'impétrant (1210) : l'art. 1211, premier alinéa, est évidemment applicable ici.

2° Que le payement partiel fait par l'une des cautions, sans imputation spéciale *sur sa part*, se répartit sur la totalité de la dette ; en sorte que cette caution n'est pas moins tenue pour sa part virile de ce qui reste dû.

— Pour qu'un créancier soit censé avoir renoncé au droit de poursuivre la caution pour le tout, suffit-il qu'il ait divisé son action, quand même aucun jugement ni acquiescement ne serait encore intervenu? ⁓ A. L'art. 2027 se contente d'une simple division opérée par le créancier lui-même ; il ne suppose pas nécessairement que la division est la suite d'un traité : on ne pourrait étendre au cautionnement, la disposition de l'art. 1211, al. 3, qu'autant que les cautions se seraient obligées solidairement, ou qu'elles auraient renoncé au bénéfice de division (Delv., p. 144, n. 4 ; Dur., n. 347).

SECTION II.

De l'effet du cautionnement entre le débiteur et la caution.

La loi ne s'est pas bornée à procurer à la caution les moyens de se soustraire à la rigueur des poursuites du créancier ; elle lui accorde contre le débiteur une action personnelle, soit de mandat, soit de gestion d'affaires, suivant qu'il a consenti au cautionnement ou qu'il a été cautionné à son insu, et le subroge même aux droits du créancier ; bien plus, elle l'autorise en certains cas à poursuivre le débiteur avant l'exigibilité de la dette, pour se mettre à l'abri d'un dommage éventuel.

2028 — La caution qui a payé, a son recours contre le débiteur principal, soit que le cautionnement ait été donné au su ou à l'insu du débiteur.

Ce recours a lieu tant pour le principal que pour les intérêts et les frais ; néanmoins la caution n'a de recours que

(1) Les cofidéjusseurs se trouvent par conséquent dans une position plus favorable que lorsqu'ils opposent en justice l'exception de division, puisqu'ils ne sont déchargés, dans ce dernier cas, que des insolvabilités survenues depuis la demande.

pour les frais par elle faits (1) depuis qu'elle a dénoncé au débiteur principal les poursuites dirigées contre elle.

Elle a aussi recours pour les dommages et intérêts, s'il y a lieu.

= Que l'on considère l'engagement de la caution comme l'effet d'un mandat ou comme celui d'un quasi-contrat de gestion d'affaires, toujours est-il, qu'elle a un recours contre le débiteur, pour le remboursement de tout ce qu'il lui en a coûté pour éteindre la créance.

Ainsi, le recours a lieu : 1° Pour le remboursement du principal : à cet égard, l'action du fidéjusseur ne se mesure pas sur l'importance de la créance éteinte, mais sur le montant de la somme qu'elle a déboursée (1375, 1990), à moins qu'il ne résulte des circonstances, que le créancier n'a fait la remise du surplus, qu'en considération de la caution et en vue de la gratifier; auquel cas elle peut agir contre le débiteur comme si elle avait payé la dette intégralement. — S'il y a eu simplement décharge du cautionnement, le créancier conserve son action contre le débiteur (1227, al. 2).

La caution est subrogée légalement aux droits du créancier qu'elle a désintéressé (1251).

Le mot *payé* est employé dans l'art. 2028, *lato sensu* : pour que la caution puisse exercer un recours contre le débiteur, il suffit qu'elle ait éteint la dette, de quelque manière que ce soit, même par compensation.

Quid, si celui qui s'est porté caution, a agi contre le gré du débiteur principal (*voy.* 2014, quest.) ?

2° Pour les intérêts du capital déboursé : les intérêts sont dus, soit que le cautionnement ait eu lieu à la prière ou à l'insu du débiteur; ils courent à compter du jour des avances constatées, sans qu'il soit besoin de former aucune demande (2001); ils sont dus même lorsque la dette acquittée n'en produisait pas (Delv., p. 145, n, 1; Dur., n. 350. — *Toulouse*, 4 février 1829, S., 29, 2, 196; *voy.* cep. Pothier, p. 437, Obligations).

3° Pour les frais qu'elle a supportés par la faute du débiteur, à moins qu'il ne lui ait été possible de les éviter : toute réclamation lui serait dès lors interdite, à l'égard de ceux qu'elle aurait faits avant de dénoncer au débiteur les poursuites dirigées contre elle; car ce dernier aurait peut-être pu les empêcher, — comme la caution était dans l'impossibilité de faire cette dénonciation avant que la demande ne fût formée, le débiteur doit, dans tous les cas, rembourser les frais de la demande principale, ou si les poursuites sont extrajudiciaires, les frais de commandement, et même ceux de saisie; car la saisie pouvant avoir lieu un jour après le commandement, la caution n'aurait pas eu le temps suffisant pour dénoncer la demande.

4° Enfin, on accorde à la caution, comme à tout mandataire ou gérant, des dommages-intérêts, *s'il y a lieu;* par ex., si ses biens ont été saisis, si elle a été emprisonnée, etc. (1153).

Les dommages-intérêts seraient dus, lors même que l'obligation aurait pour objet une somme d'argent, lors même que le cautionnement serait à titre onéreux : il a paru juste, d'admettre, en faveur de la caution, une exception à la règle de l'art. 1153 (2).

---

(1) Rédaction vicieuse : elle pourrait porter à penser, que la caution n'a pas de recours pour les frais qu'elle a été tenue de payer d'après l'art. 2016 : il fallait dire : « néanmoins la caution n'a de recours, quant aux frais par elle faits, que pour ceux qui ont eu lieu depuis, etc. ».

(2) Dur., Ponsot, n. 239. ⁓⁓⁓ Si le cautionnement est gratuit, on applique l'art. 2021 ; s'il est à titre onéreux, il faut appliquer la disposition générale de l'art. 1153.

L'action en recours, accordée à la caution, ne se prescrit que par trente ans (1) ; car elle est la conséquence du mandat qui a été conféré ou de la gestion d'affaire.

2029 — La caution qui a payé la dette, est subrogée à tous les droits qu'avait le créancier contre le débiteur.

= Lors même que la caution payerait volontairement et sans poursuites, elle serait subrogée aux droits du créancier : la disposition de notre article, à cet égard, est conforme à celle de l'art. 1251; seulement, si le payement avait eu lieu avant le terme fixé, la caution devrait attendre que ce terme fût expiré ; car le débiteur principal doit conserver les avantages que lui accorde la convention.

2030 — Lorsqu'il y avait plusieurs débiteurs principaux solidaires d'une même dette, la caution qui les a tous cautionnés a, contre chacun d'eux, le recours pour la répétition du total de ce qu'elle a payé.

= Lorsque plusieurs débiteurs non solidaires ont été cautionnés par une seule personne, il est certain que cette caution ne peut réclamer de chacun d'eux que la part et portion dont il est tenu dans la dette.

S'il y a plusieurs obligés solidaires, ce que suppose notre article, le recours a lieu contre chaque débiteur pour la totalité de la dette : en les cautionnant tous, elle est devenue leur mandataire commun ; or, le mandataire qui a géré une affaire commune à plusieurs, a contre chacun de ses mandants une action solidaire (2002) ; chaque débiteur est libéré par le payement que la caution a fait.

Si la caution n'est pas intervenue pour tous les débiteurs, mais seulement pour quelques-uns, elle n'a d'action solidaire que contre ces derniers. Peut-elle poursuivre les autres ? Oui, mais en vertu de l'art. 1166; elle n'a contre eux que les actions que le débiteur cautionné aurait pu lui-même exercer en acquittant la dette (1213, Pothier, n. 41, Oblig.).

2031 — La caution qui a payé une première fois, n'a point de recours contre le débiteur principal qui a payé une seconde fois, lorsqu'elle ne l'a point averti du payement par elle fait ; sauf son action en répétition contre le créancier.

Lorsque la caution aura payé sans être poursuivie et sans avoir averti le débiteur principal, elle n'aura point de recours contre lui dans le cas où, au moment du payement, ce débiteur aurait eu des moyens pour faire déclarer la dette éteinte; sauf son action en répétition contre le créancier.

= Il est juste de refuser tout recours contre le débiteur, à la cau-

---

(1) Vainement dirait-on que l'action récursoire ne saurait avoir une durée plus prolongée que celle du créancier, puisque la caution est subrogée aux droits de ce dernier; que dès lors, si la dette primitive est soumise à quelque prescription exceptionnelle, cette prescription doit pouvoir être opposée à la caution (*Vaz.* Prescrip. — *Lyon*, 15 mars 1833) : on répondrait, que les avances faites par la caution forment un capital productif d'intérêts ; que l'action accordée pour en obtenir le payement, est des lors soumise au droit commun ; qu'il est contraire aux principes de retourner contre le subrogé les dispositions relatives à la subrogation (Troplong, Prescrip., t. 2, n. 1031 ; Ponsot, n. 245. — *Cass.*, 22 janvier 1822. — *Caen*, 7 avril 1840. — *Nancy*, 22 août 1826, *Journal du Palais*).

tion, qui a payé volontairement, sans l'avertir au préalable, si ce dernier a payé une deuxième fois, ou s'il avait des moyens pour repousser l'action ; car elle est alors en faute (1).

Mais évidemment, ce recours ne peut lui être refusé, lorsque les circonstances ne lui ont pas permis d'avertir le débiteur, ou lorsqu'elle a payé sur les poursuites du créancier : dans ces deux cas, elle n'a fait en payant que remplir ses obligations (2). La loi romaine, *Mand.* l. 9, et notre ancienne jurisprudence consacraient ce principe.

Au surplus, la caution peut former une action en répétition contre le créancier ; car nul ne doit s'enrichir aux dépens d'autrui.

— La caution est-elle tenue d'opposer la prescription ? ⁓ *A.* (Delv., p. 145, n. 12).

2052 — La caution, même avant d'avoir payé, peut agir contre le débiteur, pour être par lui indemnisée :

1° Lorsqu'elle est poursuivie en justice pour le payement (3) ;

2° Lorsque le débiteur a fait faillite ou est en déconfiture ;

3° Lorsque le débiteur s'est obligé de lui rapporter sa décharge dans un certain temps ;

4° Lorsque la dette est devenue exigible par l'échéance du terme sous lequel elle avait été contractée ;

5° Au bout de dix années, lorsque l'obligation principale n'a point de terme fixe d'échéance, à moins que l'obligation principale, telle qu'une tutelle, ne soit *pas* (4) de nature à pouvoir être éteinte avant un temps déterminé.

⸗ S'il est des cas où la caution ne peut exercer l'action en recours qu'après avoir payé, il en est d'autres où elle peut l'intenter avant qu'il y ait eu avance consommée.

Ces cas se présentent :

1° Lorsque la caution est poursuivie en justice : ainsi, pour que le débiteur principal soit soumis au recours, la loi n'exige pas qu'il y ait eu condamnation, il suffit qu'il y ait eu des poursuites : en effet, la caution ne s'est obligée envers le débiteur, ni à payer pour lui, ni à supporter des frais, ni à fournir les fonds nécessaires pour la discussion.

2° Lorsque le débiteur est en *faillite* ou en *déconfiture* : l'obligation devient alors exigible : mais alors, quelle peut être l'utilité de l'action donnée à la caution ? Quelle garantie peut lui offrir le débiteur, qui, par suite de sa faillite, est privé de l'administration de ses biens ? La cau-

_____

(1) Il peut même arriver, que la caution conserve un recours contre le débiteur, quoiqu'elle ait payé volontairement et sans l'avoir préalablement averti : on donne pour exemple, le cas ou un débiteur aurait payé *avant le terme* : si la caution, dans l'ignorance de ce payement, payait a son tour après l'expiration du terme, elle pourrait dire avec raison au débiteur : si je suis en faute, c'est le résultat de votre fait.

La loi n'exige pas que la caution fasse une notification en forme au débiteur. Il suffit qu'elle l'avertisse du payement d'une manière quelconque.

(2) Ponsot. n 249. ⁓ La caution, bien qu'elle fût poursuivie à fin du payement, devait, avant de payer, avertir le débiteur ; elle est en faute de ne pas l'avoir fait : dès lors, elle ne doit pas avoir de recours. — Arg. de l'art. 1640 ; Dur., n. 357 (Delv., p. 145, n. 2).

(3) Puisque la caution peut agir contre le débiteur lorsque la dette est devenue exigible (2032 4°), à plus forte raison doit-elle avoir ce droit lorsqu'elle est poursuivie en justice.

(4) Le mot *pas* est de trop ; il change l'esprit de la loi ; il faut lire : *ne soit de nature*, etc. (Dur., n. 633).

tion aura le droit de se faire admettre au passif de la faillite, si le créancier n'y figure pas pour la somme cautionnée (1).

Au reste, quoique la dette soit exigible de suite contre le débiteur (1188), la caution n'est pas privée du terme qui lui a été accordé par la convention : on ne peut même l'astreindre à donner caution pour sûreté du payement à l'échéance.

3° Lorsque le débiteur s'est obligé à rapporter sa décharge dans un certain temps : en ce cas, la caution peut demander, ou que le débiteur paye la dette, ou que cette somme soit mise en dépôt jusqu'à ce que le créancier donne quittance ; car elle a manifesté suffisamment l'intention de ne pas être obligée au delà du terme fixé.

4° Lorsque la dette est devenue exigible par l'événement de la condition ou l'échéance du terme : il importe à la caution, de prévenir les poursuites du créancier ; d'ailleurs, il y a convention tacite qu'elle ne demeurera pas obligée au delà du temps fixé.

En ce cas, la caution peut prendre les mesures dont nous avons parlé dans le paragraphe précédent.

5° Enfin, lors même que l'obligation principale n'aurait pas un terme fixe d'échéance, il est permis à la caution, nonobstant l'art. 1909, d'agir contre le débiteur, après un espace de dix années, pour obtenir sa décharge ; car on ne peut lui supposer l'intention de rester perpétuellement obligée.

Néanmoins, si l'obligation est de nature à ne devoir s'éteindre qu'après un temps déterminé, telle que celle du tuteur ou du débiteur d'une rente viagère (1979), la caution ne peut, avant l'expiration de ce terme, quelque long qu'il soit, demander sa décharge : — que doit·on décider relativement aux rentes constituées ? Comme elles n'ont aucun terme fixe d'échéance, la caution peut, après dix années, demander sa décharge.

Quid, si la caution a remboursé une rente dans l'intervalle des dix années : peut-elle, avant l'expiration de ce terme, agir contre le débiteur ? *Oui*, si elle a été contrainte à faire ce remboursement ; par ex., si le débiteur a laissé passer deux années sans payer les arrérages (1912) : *secùs* si elle a remboursé volontairement, sans contrainte, pour se décharger du cautionnement (Merlin, *Quest.* v° *Caution*, 4).

Il nous reste à faire observer, que l'énumération faite par l'article 2032 est limitative : ainsi, l'inimitié capitale ne doit pas être mise, comme autrefois, au nombre des causes qui permettent à la caution dec ontraindre le débiteur à lui apporter la décharge de son cautionnement : *Qui de uno dicit de altero negat.*

— Celui qui s'est porté caution contre le gré du débiteur, peut-il se prévaloir des dispositions de l'art. 2032 pour se faire décharger de son cautionnement ? ⟶ N. Il n'est en ce cas ni mandataire ni gérant d'affaires du débiteur (Ponsot, n. 275).

Quid, si le tiers s'est porté caution à l'insu du débiteur ? ⟶ Il peut invoquer l'art. 2032 (Ponsot, n. 276).

Doit-on appliquer la disposition de l'art. 2032 au cas de cautionnement solidaire ? ⟶ Cet article ne statue que pour le cas de cautionnement simple ; les droits des cautions solidaires sont régis par les

(1) Si le débiteur failli a obtenu un concordat, la caution peut-elle se présenter à la distribution des deniers ? Il est d'abord évident, que la caution ne peut rien prendre au préjudice du créancier ; la question ne peut s'élever à son égard : vis-à-vis des autres créanciers, il serait contraire à tous les principes et à l'équité, que la même créance figurât doublement dans la distribution faite par le débiteur : ainsi, la caution ne peut être colloquée que pour ce qu'elle a payé en l'acquit du débiteur : qu'elle paye la dette en totalité, elle prendra alors la place du créancier désintéressé, et les autres créanciers n'auront pas à subir un concours qui leur préjudicierait (Dur., n. 560 ; Pardessus, Droit comm., t. 4, n. 1212 et suiv. ; Ponsot, n. 266).

dispositions relatives aux obligations solidaires en général ; la disposition de l'art. 2032 est toute de faveur ; il faut la restreindre. ⁓⁓ Quelle raison y aurait-il de traiter moins favorablement la caution solidaire que la caution simple? Comment admettre , que le débiteur puisse se faire une arme contre la caution , de la clause de solidarité qui se trouve dans le contrat de cautionnement? — D'ailleurs , l'article 2032 ne distingue pas ; il est même conforme aux principes, de reconnaître au débiteur solidaire qui a payé sa part, le droit de contraindre ses codébiteurs à payer la leur , et de se faire décharger ; car s'il est débiteur principal vis-à-vis du créancier , il est caution vis-à-vis de son codébiteur pour tout ce qui excède sa part dans la dette (Ponsot , n. 276).

La femme qui s'est engagée conjointement avec son mari, est réputée caution à l'égard de celui-ci (1431) : peut-elle , en cette qualité, invoquer les dispositions de l'art. 2032? ⁓⁓ A La disposition de l'art. 1431 ne fait que reproduire , dans une hypothèse un peu différente , celle de l'art. 1216 (Ponsot , n. 277).

SECTION III.

De l'effet du cautionnement entre les cofidéjusseurs.

2033 — Lorsque plusieurs personnes ont cautionné un même débiteur pour une même dette , la caution qui a acquitté la dette a recours contre les autres cautions , chacune pour sa part et portion.

Mais ce recours n'a lieu que lorsque la caution a payé dans l'un des cas énoncés en l'article précédent.

= Le cautionnement ne constitue immédiatement entre les cofidéjusseurs ni contrat, ni quasi-contrat; mais si l'un acquitte la dette , un quasi-contrat de gestion d'affaires se forme entre lui et ses cofidéjusseurs : or, comme nul ne doit s'enrichir aux dépens d'autrui , la loi soumet ceux-ci à l'action en recours , chacun pour leur part.

Par exception , ce recours est refusé à la caution quand elle se trouve dans un cas où le recours contre le débiteur lui serait refusé (voy. art. 2031).

Lors même que la caution conserve un recours contre le débiteur, elle ne peut poursuivre ses cofidéjusseurs , qu'autant qu'elle a payé dans l'un des cas prévus par l'article 2032 ; c'est-à-dire, qu'autant qu'elle leur a procuré à ses dépens un avantage ; ce qui a lieu dans les premier, deuxième et quatrième cas : mais dans les troisième et cinquième, loin d'avoir payé la dette , elle a au contraire agi pour s'en faire décharger (1).

A fortiori est-elle privée de recours lorsqu'elle a payé hors des cas prévus par l'art. 2032, par ex., avant l'exigibilité de la dette (2).

— Quid, s'il existe plusieurs débiteurs solidaires qui aient fourni chacun une caution particulière ; si l'une d'elle paye sa dette , a-t-elle un recours pour le tout contre le débiteur qu'elle a point garanti ? ⁓⁓ Oui , si elle s'est fait subroger expressément ; dans le cas contraire, elle n'a. contre les codébiteurs et leurs cautions , que l'action du débiteur qu'elle a cautionné : mais ce dernier est tenu envers elle pour le tout (Dur , n. 369).

La caution qui a eu le soin de se faire expressément subroger aux droits du créancier, peut-elle , comme ce dernier aurait pu le faire lui-même, agir in solidum contre les autres cautions ; sauf à celles-ci a opposer le bénéfice de division ? ⁓⁓ A. Le créancier a le droit incontestable de recevoir divisément la

---

(1) Dur., n. 366. ⁓⁓ La caution a un recours contre les cofidéjusseurs, même lorsqu'elle a payé dans l'un des cas prévus par les n. 3 et 5 de l'art. 2032. — Le texte de l'art. 2033 est formel : il ne distingue pas (Locré , Lég., t. 15, p. 347 , n. 3). ⁓⁓ Il faut restreindre la disposition finale de l'art. 2033, au seul cas où la caution qui a volontairement payé ne pouvait espérer d'exercer utilement contre le débiteur principal devenu insolvable , son action en indemnité (Ponsot , n. 292).

(2) A moins qu'elle ne se soit fait subroger par le créancier. — Même en ce cas , la caution ne serait pas , sous tous les rapports , assimilée à un tiers subrogé ; ce dernier, en effet, peut agir contre chacune des cautions , pour la totalité de la dette ; tandis que la caution , subrogée même conventionnellement, ne peut poursuivre chacun des cofidéjusseurs que pour sa part (1214) (voy. Dur., t. 11, n. 243 et 244 ; t. 12 , n. 167 et 180).

Il est bien entendu que dans aucun cas, la caution ne peut agir contre ses codébiteurs avant d'avoir payé ; les cautions ne sont ni mandataires ni gérants d'affaires : leur action ne naît que du payement et de l'équité (Pothier, n. 445).

part du débiteur solidaire qui le paye ; par suite ce dernier devient étranger à l'obligation : dans ce cas, nul ne saurait prétendre qu'il ne pût être subrogé aux droits du créancier pour le surplus de la créance : or , le payement avec subrogation expresse, suppose cette double opération. — L'art. 1209 nous offre un exemple de ce cas. — Les articles 1214 et 2033 ne peuvent être invoqués contre cette opinion , car la subrogation légale diffère essentiellement de la subrogation conventionnelle (Toullier, t. 7, n. 163). ◌◌◌ *V.* L'analogie entre la subrogation et la cession transport n'est pas exacte ; il y a des différences essentielles entre ces deux opérations. — Aujourd'hui que le débiteur solidaire et la caution sont légalement subrogés , on ne peut voir l'ombre d'un contrat dans la subrogation expressément consentie par le créancier a ce débiteur ou à cette caution. — L'art. 1209 n'est point applicable dans l'espèce ; il n'y a pas d'analogie parfaite entre le cas de confusion par succession , et le cas de subrogation : si l'on veut raisonner par analogie , il est plus naturel d'assimiler les effets de la subrogation expresse a ceux de la subrogation légale , que de les assimiler aux effets de la confusion par succession. — Arg. de l'art. 2029, qui subroge la caution dans tous les droits du créancier. — Arg. des art. 1214 , 2033 et 875 (Ponsot , n. 280).

Lorsque plusieurs cautions se sont obligées successivement , si celle qui paye la dette est la première qui ait cautionné , peut-elle se faire contributoirement indemniser par les autres cautions ? ◌◌◌ *N.* Cette caution n'a pas dû compter sur le concours des autres ; elle ne peut se prévaloir de conventions qui lui sont étrangères ◌◌◌ L'art. 2033 ne distingue pas : — Il est juste que tous ceux qui se trouvent libérés , supportent contributoirement la charge du payement. — Toutes les cautions du même débiteur, pour une même dette, sont tenues solidairement. — Le recours accordé à la caution qui a payé, est un corollaire de la subrogation légale qui lui transfère les droits du créancier, non-seulement contre les cautions qui l'ont précédée , mais encore contre celles qui l'ont suivie (Ponsot, n. 282).

La caution qui a payé a-t-elle un recours non-seulement contre les cautions qui sont comme elle personnellement obligées, mais encore contre les cautions purement réelles, c'est-à-dire, contre les tiers qui ont consenti à hypothéquer leur bien pour sûreté de la dette , et contre les tiers détenteurs qui ont acquis du débiteur principal les fonds que ce dernier avait grevé d'hypothèques pour sûreté de sa dette personnelle ? ◌◌◌ *N.* La caution n'a payé que dans son propre intérêt et non pour libérer le tiers détenteur. ◌◌◌ *A.* Le Code ne dit pas que le subrogé n'a le droit d'agir en vertu de la subrogation , que contre ceux dont il a voulu faire les affaires en payant (Ponsot , n. 283).

Si le tiers détenteur a payé, comment exercera-t-il son recours ? sera-t-il subrogé légalement aux droits du créancier ? ◌◌◌ *N.* La subrogation légale est de droit étroit ; le tiers détenteur n'est expressément subrogé par la loi à l'action du créancier , que dans le cas seulement ou il a payé le prix de l'immeuble hypothéqué, entre les mains du créancier hypothécaire. ◌◌◌ *A.* Le tiers détenteur est compris, *lato sensu,* dans le troisième alinéa de l'art. 1251 ; car on peut être tenu avec d'autres ou pour d'autres au payement d'une dette , soit hypothécairement , soit personnellement. — Il était dans la pensée du législateur, d'étendre la subrogation légale à tous les cas ou l'on pouvait autrefois exiger la cession d'actions : or , ce droit était accordé au tiers détenteur qui payait un créancier hypothécaire (Ponsot, n. 284).

Le tiers détenteur peut-il prétendre , qu'en vertu de la subrogation légale , il a droit d'agir contre la caution personnellement obligée ? ◌◌◌ *Oui ,* s'il s'agit d'un tiers qui , sans s'obliger personnellement , a hypothéqué un de ses fonds , pour sûreté de la dette : *secus* s'il s'agit d'un tiers détenteur , ayant cause du débiteur principal , acquéreur du fonds hypothéqué (Ponsot, n. 284 et 285).

Comment s'opère la contribution , quand il y a des cautions personnelles et des cautions hypothécaires ? ◌◌◌ Chacune d'elles contribue pour sa part et portion virile (Ponsot , *ibid.*).

Quid , s'il y a en concours avec les cautions personnelles , plusieurs cautions réelles ? ◌◌◌ Même décision (Ponsot , *ibid.*).

Le mari et la femme , *cautions solidaires,* doivent-ils contribuer chacun pour leur part au payement de la dette cautionnée ? si l'un d'eux a tout payé , l'autre lui doit-il indemnité ? ◌◌◌ *A.* Le mari et la femme doivent être considérés comme deux cofidéjusseurs étrangers (Delv., t. 3, p. 23, n. 1 ; Ponsot, n. 289. — *Lyon,* 11 juin 1833. — *Paris,* 30 décembre 1341. *Journal du palais,* t. 1er ; 1842, p. 294).

CHAPITRE III.

De l'extinction du cautionnement.

2034 — L'obligation qui résulte du cautionnement s'éteint par les mêmes causes que les autres obligations.

= Celui qui cautionne, s'oblige ; on doit, dès lors, appliquer au cautionnement, les causes d'extinction des obligations (*voy.* art. 1234).

Tout ce qui produit l'extinction de l'obligation principale, produit par cela même l'extinction du cautionnement; à moins, toutefois, que la dette ne s'éteigne par l'effet d'une exception personnelle au débiteur. — Mais le cautionnement peut s'éteindre sans que l'obligation principale cesse pour cela de subsister ; c'est ce qui arrive, notamment, lorsque la caution a limité la durée de son obligation : après le terme fixé, le cautionnement cesse pour l'avenir.

2035 — La confusion qui s'opère dans la personne du débiteur principal et de sa caution, lorsqu'ils deviennent héritiers l'un de l'autre, n'éteint point l'action du créancier contre celui qui s'est rendu caution de la caution.

= Les Romains plaçaient comme nous la confusion au nombre des causes d'extinction du cautionnement ; de ce principe, ils tiraient la conséquence rigoureuse, que les accessoires particuliers à l'obligation du fidéjusseur, et entre autres, l'obligation d'un sous-fidéjusseur, cessaient également de subsister. Toutefois, ils maintenaient le gage et l'hypothèque ; ce qui était contradictoire.

Sous l'empire du Code, la confusion qui s'opère dans la personne du débiteur et de la caution, opère également l'extinction du cautionnement : mais cette règle est modifiée, lorsque le cautionnement doit produire des effets plus étendus que la dette principale ; par ex. : si cette dette a été contractée par un mineur ou par une femme mariée non autorisée ; ou si le fidéjusseur qui a donné une hypothèque pour sûreté de son engagement, est mort après avoir institué héritier le débiteur principal : en ce cas, la confusion laisse subsister, dans leur entier, les effets de l'obligation fidéjussoire (Dur., n. 375 et 376).

Par suite du même principe, la loi décide que l'action du créancier contre le certificateur subsiste, nonobstant la confusion qui s'est opérée dans la personne du débiteur principal et de la caution. On a considéré d'ailleurs, qu'en répondant pour la caution, le certificateur a répondu par cela même pour le débiteur principal : — concluons de là que les distinctions faites par les Romains, entre le gage, l'hypothèque et le certificateur de caution, n'ont pas été maintenues par le Code.

Si c'est le créancier, qui a succédé à la caution, le cautionnement est éteint ; mais si la caution avait déjà payé quelque chose au créancier, point de doute que ce dernier aurait pour cette quotité, en qualité d'héritier, une action contre le débiteur. — Il en serait de même, si c'était la caution qui eût succédé au créancier.

— Lorsqu'il y a eu confusion des qualités de créancier et de caution, le créancier peut-il se prévaloir de l'art. 2020, pour demander une caution nouvelle ? ⟶ N. Le créancier gagne comme caution, ce qu'il perd comme créancier.

Quid, si l'obligation cautionnée avait pour objet une rente? Si la caution n'était pas morte, elle aurait pu, au bout de dix ans, demander sa décharge (2032), et le créancier aurait eu le droit de demander une caution nouvelle : pourquoi le créancier ne pourrait-il pas demander, contre les chances de perte, une garantie qu'il eût facilement obtenue, si la confusion ne se fût pas opérée? Mais au moment où la caution est morte, si dix années depuis le cautionnement de la rente ne s'étaient pas encore écoulées, le créancier héritier ne pourrait demander une caution nouvelle qu'après l'époque où la caution aurait pu elle-même demander sa décharge si elle eût vécu (Ponsot, n. 319).

Les deux obligations du débiteur principal et de la caution peuvent résulter de contrats différents, et procéder de causes également différentes : faut-il conclure de là, que l'obligation de la caution peut s'éteindre par prescription, bien que l'obligation principale continue de subsister? ⟶ N. Arg. de l'art. 2250 (Ponsot, n. 325).

L'interpellation faite par le créancier à la caution, ou la reconnaissance de la dette par cette dernière, interrompt-elle la prescription, de l'obligation principale? ⟶ A. Le droit du créancier est un et identique, tant contre la caution que contre l'obligé principal (Troplong, Prescrip., n. 635). ⟶ N. Les obligations de la caution et celles du débiteur sont essentiellement distinctes. — L'interpellation faite à la caution prouve bien qu'elle n'a pas payé : mais est-ce à dire que le débiteur n'ait pas payé sans avertir la caution? (Dur., n. 283 ; Ponsot, n. 326).

2036 — La caution peut opposer au créancier toutes les exceptions qui appartiennent au débiteur principal et qui sont inhérentes à la dette ;

Mais elle ne peut opposer les exceptions qui sont purement personnelles au débiteur.

= Le cautionnement étant un accessoire de l'obligation principale, doit évidemment s'éteindre avec cette obligation : ainsi, la libération du débiteur principal, de quelque manière qu'elle arrive, entraîne celle de la caution.

Le fidéjusseur peut-il invoquer les fins de non-recevoir dont le débiteur principal avait le droit de se prévaloir ? — La caution peut opposer en son nom personnel, lors même qu'elle s'est obligée solidairement avec le débiteur (1), toutes les exceptions qui sont inhérentes à la dette ; mais elle ne peut opposer celles qui, fondées sur l'incapacité, c'est-à-dire, sur un privilége attaché à la personne, sans anéantir l'obligation dans son essence, dispensent de l'accomplir ou atténuent ses effets (2).

On donne pour exemple des premières : le dol, la violence, l'exception de la chose jugée ; la minorité nous offre un exemple des secondes : la caution a dû prévoir, que le mineur se ferait restituer ; c'est même pour se garantir de la restitution, que le créancier a exigé un cautionnement (voy. art. 2012).

Faut-il considérer comme purement personnelle, l'exception résultant de la cession de biens ? Nous le pensons : cette cession ne libère pas le débiteur ; elle est fondée sur une raison de faveur personnelle ; lui seul peut en conséquence l'opposer. Les créanciers ne sont pas censés facilement vouloir renoncer à leur droit.

Quid, à l'égard de l'exception qui naît du concordat ? Évidemment cette exception est personnelle au débiteur, car elle ne lui est accordée qu'en considération de son état de pauvreté : en effet, les remises accordées par le concordat n'ont pas été consenties *animo donandi*, mais par nécessité ; l'obligation naturelle ne subsiste pas moins, pour ce que le débiteur est dispensé de payer : or, une pareille obligation peut être cautionnée (2012). (Pothier, n. 381. — *Lyon*, 14 juin 1826 ; D., 26, 2, 216).

La caution pourra-t-elle du moins agir contre le débiteur principal, dans les termes du concordat, pour se faire rendre ce qu'elle aura payé ? Non, car le débiteur se trouverait alors obligé de payer plus que la portion fixée par le concordat ; les engagements de la caution ne doivent pas empirer la condition du débiteur (Delv. p. 140, n. 4) (3).

Hors le cas de concordat proprement dit, la remise faite au débiteur profite à la caution ; car elle est alors réputée volontaire.

Comme c'est en son nom personnel, que la caution est admise à proposer les exceptions qui appartiennent au débiteur, on doit décider, qu'elle pourrait se prévaloir de ces moyens, quand même ce dernier y aurait renoncé ; qu'elle peut intervenir dans les instances engagées entre le créancier et le débiteur sur la validité de l'obligation principale, et même former tierce opposition aux jugements passés en force de chose jugée dans lesquels elle n'a pas été partie ; enfin, que si l'exception dont la caution

---

(1) La loi ne distingue pas. — *Nec obstat* l'art. 2021 *in fine* : la disposition de cet article doit être entendue *secundùm subjectam materiam*, c'est-à-dire, dans l'espèce, par rapport aux bénéfices de discussion et de division, et non par rapport aux exceptions relatives a l'obligation principale : évidemment, l'art 2021 est en corrélation avec l'article 1203. — Si l'on assimilait la caution solidaire au codébiteur solidaire, il faudrait aller jusqu'à lui accorder la faculté d'opposer au créancier la compensation qui aurait eu lieu du chef du débiteur principal (1208), et même celle de se prévaloir des vices du consentement de ce dernier, ce qu'on ne saurait admettre (Toullier, t. 7, n. 376 ; Dur., n. 420. — *Colmar*, 16 juin 1821 ; D., t. 12, p 416, n. 2).

(2) Ainsi, les termes : *exceptions purement personnelles*, n'ont pas, dans l'art. 2036 une signification aussi absolue que dans l'art. 1208 : il faut toujours, nous le répétons, entendre une disposition *secundum subjectam materiam*. Par ex., il n'est pas douteux que la caution même solidaire peut opposer au créancier les exceptions que le débiteur pourrait lui-même tirer des vices de son consentement, faculté que n'aurait pas le débiteur solidaire.

(3) *Voyez* p. 561, note.

doit profiter est fondée sur une convention faite avec le débiteur, le bénéfice de cette convention ne peut être enlevé à la caution par un nouveau
contrat passé entre les mêmes parties ; car il y a eu extinction de l'obligation principale ; le cautionnement s'est en quelque sorte évanoui, même
à l'insu de la caution.

— La caution peut incontestablement opposer la transaction faite par le débiteur sur le fait ou la nature de la dette : mais *quid*, si la transaction a eu lieu en considération de ce que le débiteur avait une
exception personnelle à faire valoir contre son engagement ; par ex. : celle résultant de ce qu'il se serait
obligé en minorité ? ᴧᴧᴧ La caution ne peut se prévaloir de la transaction ; toutefois elle sera déchargée
de ce que le débiteur aura payé pour cette cause (Dur., n. 420).

2037 — La caution est déchargée lorsque la subrogation aux droits, hypothèques et priviléges du créancier, ne peut plus, par le fait de ce créancier, s'opérer en faveur de la caution.

⹀ La caution a contracté en vue de l'indemnité que lui assurait la subrogation : en se mettant hors d'état de transférer les droits qu'il avait
contre le principal obligé, le créancier a manqué à ses engagements et a
déchargé nécessairement la caution des siens : il ne serait pas juste, en effet,
de laisser au créancier, la faculté de priver les cautions, des sûretés qui garantissaient l'efficacité de leur recours (1). — On ne doit pas distinguer,
sous ce rapport, entre la caution simple et la caution solidaire (2).

— Celui qui, sans s'obliger personnellement comme caution, a simplement hypothéqué ses biens,
peut-il, dans le cas prévu, demander la décharge de cette même hypothèque ? ᴧᴧᴧ N. (*Cass.*, 10 août
1814 ; S., 15, 1, 242).
Devrait-on regarder comme mal fondée, la caution qui se plaindrait de la perte d'une hypothèque
que le créancier aurait acquise depuis le cautionnement ? ᴧᴧᴧ Sans doute, la caution ne peut dire qu'elle
a compté sur cette hypothèque : cependant, on doit admettre ses réclamations, s'il y a eu faute grave
de la part du créancier ; car le bénéfice de l'hypothèque aurait profité à la caution. — A la vérité, les anciens auteurs n'obligeaient pas le créancier à conserver les sûretés par lui acquises depuis le cautionnement ; mais cela tenait à l'opinion admise, que les seules actions transférées par le créancier au
moyen de la cession d'actions, étaient celles qui appartenaient au créancier au moment où le cautionnement avait été consenti : or, il n'est pas douteux, aujourd'hui, que la subrogation légale transfère à
la caution, sans aucune distinction, toutes les actions du créancier. — La caution a dû compter sur
toute l'utilité que pouvait lui procurer la subrogation. — La disposition de l'art. 2037 est générale. — Au
surplus, il est certain, que la caution ne serait pas écoutée, si le créancier ne devait point venir en
ordre utile (Dur., n. 382 ; Ponsot, n. 334). ᴧᴧᴧ La caution est seulement subrogée aux droits qu'avait le
créancier au moment du cautionnement ; par conséquent, elle ne peut se plaindre, si les sûretés que le
créancier a données, n'ont été par lui acquises que depuis le cautionnement (Pothier, Oblig., n. 557.
— *Cass.*, 18 janvier 1831).
Nonobstant ces mots de l'art. 2037 : *par le fait du créancier*, qui ne semblent décharger la caution
qu'autant que c'est par un fait positif de la part du créancier que la subrogation est devenue impossible,
une simple négligence ou omission ; par ex., un non-renouvellement d'hypothèque, suffirait-elle ? ᴧᴧᴧ A.
Il y a faute dans l'un et l'autre cas (1383). — Les termes de l'art. 2037 ne sont pas assez précis pour qu'on
puisse y voir une dérogation à la regle générale. — La distinction faite par Pothier entre le fait positif
et le fait négatif, n'a pas été maintenue (Ponsot. n. 332 ; Troplong, Vente, p. 941, t. 2; Duvergier,
Vente, n. 276 et suiv.; Dur , n. 382. — *Pau*, 3 janvier 1824 ; S., 26, 2, 57. — *Toulouse*, 27 août 1829 ; S,
30, 2, 89. — *Cass.*, 17 août 1836 ; S., 36. 1, 632. — *Cass.*, 23 mai 1833, S., 33, 1, 574 ; 27 juillet 1827 ; S.,
28, 1, 17). ᴧᴧᴧ Le créancier répond de son fait et non de sa négligence. — Pothier distinguait le fait
positif du fait négatif : les auteurs du Code ont suivi les doctrines de Pothier (Toullier, t. 7, n. 171. —
Agen, 26 novembre 1836 ; S., 37, 2 102; *journal du Palais*, 9 juin 1842. — *Caen*, 3 juillet 1841. —
Dijon, 24 février 1842, *journal du Palais*).
Quid, si la caution s'est rendue coupable de la même faute qui est reprochée au créancier ? ᴧᴧᴧ Elle
n'est pas déchargée ; car le créancier est en droit de rétorquer à la caution tout ce qu'elle allegue : la
question de savoir si la caution a été négligente ou non, dépend entièrement des circonstances (Ponsot,
n. 333. — *Cass.*, 12 mai 1835 ; D., 1835 ; 1, 259. — *Agen*, 26 novembre 1836 ; D., 1837, 2, 111).
La disposition de l'art. 2037 s'applique-t-elle à la caution solidaire comme à la caution simple ? ᴧᴧᴧ

_____

(1) Toutefois, comme la décharge accordée à la caution, dans le cas de l'art. 2037, est basée sur le
tort que le fait du créancier peut lui causer, en rendant la subrogation impossible, nous pensons que
cette décharge n'a lieu que jusqu'à concurrence du profit que la caution aurait retiré de la subrogation
(*Toulouse*, 2 janvier 1823 ; S., 23, 2, 118 ; D., 23, 2, 72).
(2) Dur., n. 382, note : Merlin, Quest. v° Solidarité , § 5. — *Cass.* 17 août 1836 ; S. 36.1, 642 ; voy. cep.
Limoges, 21 mai 1838 ; D., 35, 2, 177.

N. L'art. 2021 assimile la caution solidaire à l'obligé solidaire : or, dans le chapitre des obligations solidaires, on ne trouve pas une seule disposition qui reproduise celle de l'art. 2037 : l'engagement de la caution solidaire n'est donc ni subsidaire ni conditionnel ; il est principal et direct : la caution ne peut dès lors, dans le cas prévu, demander sa décharge. — Arg. de l'art. 1216 (Toullier, t. 7, n. 171. — *Rennes,* 19 mars 1811. — *Rouen,* 17 mars 1818. — *Bourges,* 6 juillet 1837. — *Colmar,* 11 mars 1835, *Journal du Palais.* — *Agen,* 26 novembre 1836 ; S., 37, 2, 102). ⋙ *A.* L'art. 2037 n'est au fond qu'une application des art. 1382 et 1383. — L'art. 2021 n'a pas toute la portée qu'on lui attribue dans l'opinion opposée ; la doctrine ne permet pas d'assimiler complétement la caution solidaire au débiteur solidaire ; la clause de solidarité n'enlève pas au cautionnement son caractère de contrat accessoire : dès lors, il est impossible de priver la caution solidaire, du bénéfice de l'art. 2037 ; d'ailleurs , cet article ne distingue pas entre les cautions simples et les cautions solidaires (Ponsot, n. 329 ; Dur., n. 382 ; t. 18 : Merlin , Quest., v° Solidarité . § 5. — *Cass.,* 29 mai 1838 ; 14 juin 1841, 20 mars 1832 , *Journal du Palais,* 17 août 1836 ; D., 36, 1, 424).

2038 — L'acceptation volontaire que le créancier a faite d'un immeuble ou d'un effet quelconque en payement de la dette principale, décharge la caution, encore que le créancier vienne à en être évincé.

= La caution est déchargée, lorsque le créancier l'a privée, par son fait, des diverses actions qui pouvaient la mettre à l'abri des périls du cautionnement : appliquant ce principe au cas où le débiteur a donné en payement une chose autre que celle qu'il devait, notre article décide, que l'extinction de l'obligation primitive a lieu, en ce qui concerne la caution, quoique le créancier ait été évincé de cette chose.

Remarquons surtout, que notre article statue pour le seul cas de dation en payement ; en d'autres termes, pour le cas où le créancier a reçu en payement une chose autre que celle qu'on lui doit : si c'était la chose même qui faisait l'objet de l'obligation qui eût été payée, la caution ne serait donc pas déchargée , en cas d'éviction.

Il est superflu de dire, que la disposition de l'art. 2038 n'est pas limitative et que la caution est déchargée, dans tous les cas où, par de nouvelles conventions, le créancier imprudent a éteint, en apparence, le contrat primitif ; car à partir de ce moment, elle a dû cesser de prendre des mesures pour assurer l'efficacité de son recours contre le débiteur : maintenir l'obligation de la caution, ce serait la rendre victime du fait du créancier.

Observons en terminant, que dans tous les cas, le débiteur reste obligé, si le créancier est évincé ; car sa libération est en général subordonnée à la translation de propriété de la chose promise.

— *Quid ,* si le créancier s'est réservé tous ses droits résultant de sa créance , aussi bien contre la caution, que contre le débiteur pour les cas d'éviction ? ⋙ Cette réserve doit produire tous ses effets ; sauf à la caution à demander sa décharge au débiteur , lors de l'échéance de la dette , conformément à l'article 2032 (Dur., n. 383). ⋙ Cette réserve ne peut être opposée à la caution car elle n'y a pas consenti. ⋙ Si les réserves ont été notifiées à la caution, on peut les lui opposer, car étant alors avertie du péril, elle a pu, dans les cas prévus par l'art. 2032 , poursuivre contre le débiteur la décharge du cautionnement : si ces clauses ne lui ont pas été notifiées, on ne peut s'en prévaloir contre elle (Ponsot , n. 337).

2059 — La simple prorogation de terme accordée par le créancier au débiteur principal, ne décharge point la caution, qui peut, en ce cas, poursuivre le débiteur pour le forcer au payement.

— La simple prorogation de terme, accordée par le créancier au débiteur, n'éteint pas la dette : on ne peut, dès lors, refuser à la caution le droit d'agir contre le débiteur, conformément à l'art. 2032 ; car elle a dû penser que ses engagements finiraient à la première échéance. Par suite, le débiteur pourra se trouver privé du bénéfice de la prorogation (1).

CHAPITRE IV.

De la caution légale et de la caution judiciaire.

Le cautionnement légal et le cautionnement judiciaire sont soumis à toutes les conditions déterminées par les art. 2018 et 2019 ; ils produisent les mêmes effets et s'éteignent de la même manière que le cautionnement conventionnel : on remarque toutefois cette différence, que le débiteur est admis à donner un gage en nantissement suffisant, s'il ne peut trouver une caution solvable. — La caution judiciaire a cela de particulier, qu'elle doit être susceptible de contrainte par corps, et qu'elle est tenue plus rigoureusement que la caution légale et la caution conventionnelle, en ce sens, qu'elle ne peut demander la discussion du débiteur principal.

2040 — Toutes les fois qu'une personne est obligée, par la loi ou par une condamnation, à fournir une caution, la caution offerte doit remplir les conditions prescrites par les articles 2018 et 2019.

Lorsqu'il s'agit d'un cautionnement judiciaire, la caution doit, en outre, être susceptible de contrainte par corps (2).

= La loi soumet la caution judiciaire à la contrainte par corps : des liens plus forts et de plus grandes sûretés, doivent être exigés lorsqu'il s'agit d'obligations qui se contractent par l'entremise de la justice. Toutefois, cette voie d'exécution n'est pas de droit : il faut que la caution s'y soit expressément soumise (2060, n. 5, Pr., 519) (3), et que le créancier puisse l'obtenir ; ce qui n'aurait pas lieu, si la dette était au-dessous de 300 fr. (Dur., n. 387, t. 18).

La procédure à suivre, en matière de caution judiciaire, est déterminée par les art. 517 et suiv., Pr.

2041 — Celui qui ne peut pas trouver une caution, est reçu

---

(1) Nonobstant les inductions que l'on pourrait tirer des termes de l'art. 2039, il nous paraît évident, que c'est seulement à l'échéance du terme primitif et non au moment de la prorogation accordée avant cette échéance, que la caution aura le droit de poursuivre le débiteur, pour le forcer au payement,

(2) On demande si la caution que l'étranger demandeur doit fournir, aux termes des articles 16, C. c. et 166, Pr., est légale ou judiciaire ? Nous pensons qu'elle est légale ; mais qu'elle devient judiciaire si l'étranger se laisse condamner à la fournir.

(3) Ainsi, la contrainte par corps n'a pas lieu, par le fait seul du cautionnement : les cautions judiciaires pourraient devenir victimes de leur ignorance, si le législateur les soumettait, de sa pleine autorité, à la contrainte par corps (Dur., n. 387). ∾∾ La caution judiciaire est soumise de plein droit à la contrainte par corps. — Ancienne jurisprudence. — Il résulte du rapport du tribun Gary au tribunat, de l'exposé des motifs sur l'art. 2060, par Bigot-Préameneu, et du témoignage de Malleville et de Lorre, qu'il est entré dans l'esprit du législateur de maintenir les anciennes traditions (Pousot. n. 414. — *Turin*, 28 mai 1806, *Journal du Palais*).

à donner à sa place un gage en nantissement suffisant.

= La loi vient au secours débiteur, quand il ne peut trouver une caution qui ait les qualités requises : elle admet ce débiteur à donner un gage en *nantissement*, c'est-à-dire, une sûreté quelconque, gage, hypothèque, antichrèse, etc. (Arg. de l'art. 177, Pr.), pourvu que ce gage soit suffisant (1).

Le débiteur ne jouit pas de la même faculté, lorsque l'obligation de fournir caution résulte d'une convention ; c'était à lui à ne pas s'y soumettre ; il ne peut aller contre les termes du contrat.

2042 — La caution judiciaire ne peut point demander la discussion du débiteur principal.

2043 — Celui qui a simplement cautionné la caution judiciaire, ne peut demander la discussion du débiteur principal et de la caution.

= Ainsi, la rigueur de l'article précédent s'étend à celui qui a cautionné la caution judiciaire ; le certificateur ne peut avoir plus de droits que la caution ; les mêmes obligations lui sont imposées.

TITRE XV.

DES TRANSACTIONS (2).

(Décrété le 20 mars 1804 ; prom. le 30 de la même année).

Trois moyens sont ouverts aux parties pour terminer un différend :

La voie judiciaire, moyen certain, mais rigoureux, qui est le complément et la garantie de tous les autres.

La voie du compromis, qui leur donne des juges amiables et de leur choix.

Enfin, *la voie de transaction*, qui les rend elles-mêmes leurs propres arbitres.

De ces trois moyens, les deux premiers appartiennent au Code de produre ; le Code civil ne s'occupe que du troisième.

Le mot *transaction*, dans son acception la plus large, comprend toutes les opérations produites par les relations des citoyens entre eux.

Dans un sens plus restreint, il exprime uniquement le contrat qui a pour but de mettre fin à un procès ou de le prévenir : c'est en ce sens qu'il est employé dans ce titre (3).

---

(1) Pigeau. ⁓ La disposition exceptionnelle de l'art. 2041 ne doit pas être arbitrairement étendue : or, la loi ne parle que du gage ; elle ne mentionne pas l'hypothèque : la crainte des actions résolutoires et des hypothèques occultes, est une raison suffisante pour que le créancier soit fondé à refuser cette garantie.

(2) De *transigere*, *transactum*, terminer.

(3) Ainsi, la transaction est *judiciaire* ou *extrajudiciaire* : *judiciaire*, lorsque dans le cours d'un procès, les parties rédigent leur transaction en forme de jugement, et la font sanctionner par le tribunal, on lui donne alors le nom d'*expédient* : — *Extrajudiciaire*, lorsqu'elle est rédigée par acte sous seing privé ou devant notaires. — Les transactions judiciaires produisent les mêmes effets que les jugements rendus sur des prétentions contestées ; elles ne peuvent dès lors être attaquées que par les voies de recours ouvertes contre les jugements en général.

Ce contrat est consensuel, synallagmatique, et de plus non solennel, bien qu'il ne puisse être constaté que par écrit (2044).

On ne peut transiger que sur des droits aliénables dont on a la capacité de disposer : ainsi, l'action qui intéresse l'ordre public, ne peut être la matière d'une transaction (2046); l'incapable d'aliéner est par là même incapable de transiger (2046); la transaction ne peut lier les tiers qui n'y ont pas été parties, ni être opposée par eux aux contractants (2051, 1121, 1165).

Les transactions se renferment dans leur objet (2048, 2050); — la loi leur attribue l'autorité de la chose jugée en dernier ressort; — les parties peuvent stipuler une peine pour le cas d'inexécution (2047).

Elles sont, comme toutes autres conventions, rescindables pour cause de violence, de dol ou d'erreur (2053). — Il y aurait dol, par ex., si tout ou partie des titres, d'après lesquels devait être apprécié le droit litigieux, dans l'intérêt respectif des contractants, étaient demeurés inconnus à l'un, par le fait de l'autre (2057, 1er alin.); tel serait encore le cas, où l'un des contractants, sachant que sa prétention se trouvait alors condamnée par un jugement en premier ressort ou par défaut, n'en aurait pas instruit l'autre partie (2056, 2e alin.).

Il y aurait erreur substantielle, c'est-à-dire, sur la cause même, si, au moment où le contrat s'est formé, la contestation se trouvait terminée par un jugement contradictoire en dernier ressort, ou passé en force de chose jugée : nous supposons, bien entendu, que ce jugement était ignoré des deux parties, ou du moins, de celle qui a obtenu gain de cause; autrement, la transaction serait valable, comme ayant eu pour objet de prévenir un pourvoi en cassation ou une requête civile (2056).

Il y aurait encore erreur substantielle, dans les cas prévus par les art. 2054, 2055 et 2057, 2e alin. — Mais la découverte de titres inconnus aux deux contractants, ne serait point une cause de rescision, si ces titres ne concernaient que quelques-uns des différends réglés par la transaction (2057).

L'erreur sur la personne serait également substantielle; car cette convention est réputée faite *intuitu personæ* (2053).

La transaction ne peut être attaquée ni pour cause d'erreur de droit (ce qui, dans un jugement, donnerait lieu à cassation), ni pour cause de lésion (2052, 2e alin.), ni, à plus forte raison, pour erreur de calcul (2053).

En examinant les diverses causes de nullité déterminées dans ce titre, il est facile de reconnaître : 1º qu'elles se réfèrent toutes à une erreur sur l'objet de la transaction; 2e que la loi n'entend, dans aucuns des cas prévus, prononcer une nullité de droit; mais seulement autoriser une action en rescision.

Il nous reste à faire observer, que la transaction n'est pas transmissive, mais déclarative ou récognitive d'un droit; d'où l'on doit conclure, qu'elle ne donne pas lieu à garantie en cas d'éviction.

2044 — La transaction est un contrat par lequel les parties terminent une contestation née, ou préviennent une contestation à naître (1).

Ce contrat doit être rédigé par écrit.

---

(1) Cette définition est incomplète : en effet, les transactions ne sont pas les seules manières de prévenir une contestation ou de terminer celle qui existe ; il faut ajouter à la définition du Code, ees

= La transaction a pour but de terminer un procès; or, ce serait risquer d'en faire naître un nouveau, que d'admettre, en cette matière, la preuve testimoniale : quelque faible que soit la valeur de la chose qui est l'objet du litige, fût-elle moindre de 150 fr., un acte doit toujours être dressé : toutefois, comme l'acte est prescrit pour la preuve seulement et non comme solennité de rigueur, on peut, en cas de contestation sur l'existence ou sur les clauses d'une transaction, déférer le serment décisoire, ou provoquer un interrogatoire sur faits et articles (1). — La preuve testimoniale n'est admise, pour établir l'existence d'une transaction, que dans l'hypothèse indiquée au n° 4 de l'art. 1348.

Pour que le contrat soit considéré comme *transaction*, deux conditions sont requises ; il faut :

1º Que chacune des parties donne ou promette quelque chose : la transaction suppose une réciprocité de concessions ou de sacrifices ; c'est par ce caractère, qu'elle se distingue de la simple renonciation, de la remise de la dette, du désistement et de l'acquiescement (Dur. n. 392).

2º Que le contrat ait pour but de terminer une contestation réelle, c'est-à-dire, que le droit sur lequel on transige, soit douteux au moins dans l'opinion des parties : une contestation élevée sur des droits qui n'avaient absolument rien d'équivoque, ou sur des prétentions évidemment dénuées de toute espèce de fondement, serait considérée comme dépourvue de cause et par suite comme non avenue : ainsi, la transaction ne produirait pas d'effet, s'il était constaté, par des titres nouvellement découverts, que l'une des parties n'avait aucun droit à l'objet sur lequel on a transigé. — Pareillement, si les parties, voulant faire une vente et donner à ce contrat le caractère d'irrévocabilité qui est propre aux transactions (2052), avaient supposé des difficultés, et que cet acte fût attaqué, le juge ne devrait attribuer au contrat que les effets d'un acte de vente (2).

Mais la crainte raisonnable d'un procès non encore engagé, ou le moindre doute sur l'issue d'un procès déjà entamé, suffirait pour faire maintenir la transaction.

Au reste, les tribunaux sont appréciateurs des circonstances : leur décision, assurément, peut être réformée en appel ; mais elle est toujours à l'abri de la cassation.

On peut, en général, transiger sur toute espèce de droits, lors même qu'ils sont éventuels : néanmoins, les droits à une succession non ouverte (1130), et ceux qui ne sont pas dans le commerce, ne peuvent être l'objet d'une transaction ; des époux ne peuvent, durant le mariage, ou avant la dissolution de la communauté, transiger sur leurs conventions matrimoniales (1395, 1443, 1563) ; enfin, des conditions spéciales sont prescrites, pour la validité d'une transaction relative à un compte de tutelle ou à une procédure de faux incident.

— L'abandon pur et simple qu'une partie fait de ses prétentions peut être l'objet d'une transaction :

mots : *par l'abandon réciproque d'une partie de leurs prétentions ou la promesse que l'une d'elles fait à l'autre* de quelque chose, pour avoir le droit entier et désormais *incontesté*, etc. (Dur., n. 391 et suiv.).

(1) Delv., p. 136, n. 2 ; Dur., n. 406. — *Bruxelles*, 1er décembre 1810 ; S., 11, 2, 282 ; Merlin, Quest., Transact., § 8, n. 1 et 2. Cet auteur pense même, *ibid*, n. 3, que la preuve testimoniale est admissible au delà de 150 fr., lorsqu'il existe un commencement de preuve ; mais cette opinion nous paraît contraire à l'esprit de la loi (Locré, Lég., t. 15, p. 431 et 432, n. 2).

(2) Nous avons eu occasion de développer ces principes au titre des successions (art. 888), en parlant des partages faits sous la forme d'une transaction.

mais en quoi l'abandon diffère-t-il du désistement ? ⁓ Le désistement s'entend de la procédure même ; l'abandon emporte renonciation à l'action (Delv., p. 136, n. 1).

2045 — Pour transiger, il faut avoir la capacité de disposer des objets compris dans la transaction.

Le tuteur ne peut transiger pour le mineur ou l'interdit que conformément à l'article 467 au titre de la *Minorité*, de la *Tutelle* et de l'*Émancipation ;* et il ne peut transiger avec le mineur devenu majeur, sur le compte de tutelle, que conformément à l'article 472 au même titre.

Les communes et établissements publics ne peuvent transiger qu'avec l'autorisation expresse du roi.

= *Transiger*, c'est disposer des choses qui sont ou peuvent devenir l'objet d'un procès ; la transaction suppose en conséquence, dans la personne du disposant, la capacité d'aliéner.

Les mineurs, les interdits, les femmes mariées non autorisées, et autres incapables ne peuvent dès lors transiger, en ce sens qu'ils ont le droit de faire annuler la transaction si elle leur est désavantageuse : mais la nullité est relative ; la partie avec laquelle ils ont traité ne peut s'en prévaloir.

Le mineur émancipé, ainsi que les personnes placées sous l'assistance d'un conseil judiciaire, peuvent transiger sur des actes de simple administration, et sur les objets mobiliers dont ils ont la libre disposition ; mais ils n'ont pas cette faculté quand il s'agit d'un capital mobilier (1), fussent-ils assistés de leur curateur.

Le mineur commerçant peut transiger sur les contestations relatives à son négoce (art. 2 du code de Com.).

La femme séparée de biens, pouvant, sans autorisation, disposer de son mobilier et l'aliéner (1449), doit avoir la faculté de transiger sur des objets de cette nature.

Les administrateurs du bien d'autrui sont en général incapables de transiger : ce principe s'applique dans toute sa rigueur en cas d'absence et de succession bénéficiaire ou vacante : les lois romaines l'étendaient même aux tuteurs ; mais cette prohibition, qui paraissait établie en faveur du mineur, lui devenait souvent funeste, car son intérêt peut exiger qu'il termine ou prévienne un procès : le Code, avec plus de raison, admet les transactions conclues par le représentant légal du mineur, pourvu que les formes et les conditions prescrites par l'art. 467 aient été observées : la transaction ainsi consentie a la même force et la même autorité que si elle était passée entre majeurs (2).

L'influence que le tuteur exerce encore, même après l'expiration de ses fonctions, sur la personne de celui qui a été placé sous sa protection, pourrait lui donner les moyens de couvrir les vices de son administration, par des conventions dommageables, consenties en aveugle par ce dernier : l'art. 472 du Code civil, auquel notre article renvoie, frappe de nullité *tout traité* intervenu entre le tuteur et le mineur devenu majeur, avant l'accomplissement de certaines conditions.

_____

(1) Vainement dit-on, que le mineur émancipé peut, avec l'assistance de son curateur, recevoir un capital mobilier : n'oublions pas qu'il s'agit ici d'une transaction ; or, la transaction n'est point un acte de simple administration, et la loi veut que le mineur émancipé ne puisse faire les actes qui n'ont pas ce caractère, qu'en observant les formalités prescrites pour les créanciers non émancipés (Dur., n. 409 ; roy. cep Favard, Rép., vᵒ Transactions).

(2) Cependant, ne serait-il pas logique, de reconnaître aux tuteurs et autr... administrateurs, comme au mineur émancipé, et par les mêmes raisons, le pouvoir de transiger sur des effets mobilliers ?

Les communes et les établissements publics étant placés sous la tutelle et sous la surveillance du gouvernement, ne peuvent ni acquérir, ni aliéner, sans autorisation expresse : cette autorisation leur est donc indispensable pour transiger (arrêté de 6 thermidor an 9 ; 21 frimaire an 12).

La femme mariée sous le régime dotal ne peut, même avec l'autorisation de son mari, renoncer par transaction, aux droits qu'elle a sur les biens compris dans sa dot, à moins qu'ils n'aient été déclarés aliénables par contrat de mariage (1554) (Dur., n. 407, t. 18).

— Peut-on transiger sur des aliments ? ⚬⚬⚬ On le peut sur des aliments échus ; *secùs* sur des aliments à échoir. — Appliquez cette décision à toutes les choses déclarées insaisissables par la loi (Delv., p. 139, n. 4 ; Merlin , v° Transaction , § 2, n. 4). ⚬⚬⚬ Les aliments à échoir peuvent être la matière d'une transaction , mais en vertu d'une autorisation du tribunal , rendue sur les conclusions du ministère public (Dur., n. 403).

2046 — On peut transiger sur l'intérêt civil qui résulte d'un délit.

La transaction n'empêche pas la poursuite du ministère public.

= On distingue le délit en lui-même, du préjudice qu'il a causé : le droit de poursuivre la réparation du dommage, appartient aux particuliers ; mais le délit blesse la société ; c'est elle qui en demande vengeance : la loi doit donc réserver au ministère public, le droit de réclamer l'application de la peine, nonobstant l'accord intervenu entre les parties sur l'intérêt civil (1).

— Les choses déclarées par la loi insaisissables , peuvent-elles être la matière d'une transaction (581 , 592, 1005, Pr.) ? ⚬⚬⚬ N. Mêmes raisons.
Le juge pourrait-il refuser d'homologuer la transaction sur l'intérêt civil résultant du faux incident (249 Pr.) ? ⚬⚬⚬ N. La loi exige ici l'homologation , afin de mettre le juge à même d'examiner s'il apparaît quelque indice de l'auteur du faux , et de le mettre à même d'agir en conséquence.

2047 — On peut ajouter à une transaction la stipulation d'une peine contre celui qui manquera de l'exécuter.

= En terminant définitivement une contestation, la transaction établit naturellement une fin de non-recevoir contre la partie qui renouvellerait des prétentions ainsi abandonnées : mais pour mieux assurer ce résultat, il est permis de fortifier la transaction, en stipulant une peine pour le cas d'inexécution (*voy.* art. 1226 et suiv.).

Lorsque les parties se sont expliquées sur le but de la clause pénale, aucune difficulté ne s'élève : mais *quid* lorsqu'elles ont gardé le silence ? le défendeur peut-il exiger la peine, par cela seul qu'une demande judiciaire a été formée ? Il faut distinguer : lorsque la transaction porte obligation de donner ou de faire, la peine est censée stipulée pour le cas seulement où cette obligation ne serait pas exécutée ; mais si tout est fini par la transaction, de manière qu'il n'y ait rien à donner ni à exécuter par aucune des parties, on doit présumer qu'elle a été stipulée en vue de prévenir tout procès : par conséquent, si l'une d'elles forme contre l'autre une demande judiciaire, la peine est encourue. Hors ce cas, on

(1) Dans le cas prévu par l'art. 249 , Pr., nous pensons que le juge pourrait refuser d'homologuer la transaction sur l'intérêt civil résultant du faux incident : la loi , en effet, exige ici l'homologation , afin de mettre le juge à même d'examiner s'il n'existe pas quelque indice sur l'auteur du faux.

ne peut exiger à la fois la peine et l'exécution de la transaction, à moins que la clause pénale n'ait été stipulée pour simple retard (1229) (1).

2048 — Les transactions se renferment dans leur objet : la renonciation qui y est faite à tous droits, actions et prétentions, ne s'entend que de ce qui est relatif au différend qui y a donné lieu.

= La transaction tenant sa force de la volonté des parties, ne produit d'effet qu'à l'égard des contestations qui en ont été l'objet : sous ce rapport, elle doit être interprétée restrictivement.

Du reste, elle embrasse en général tous les accessoires du droit sur lequel on a transigé ; car ces accessoires suivent le sort du principal : par ex., le traité sur les clauses d'un testament, s'applique à tous les droits résultant de ce testament ; celui qui transige sur des droits héréditaires, transige nécessairement sur tous les biens qui composent la succession.

2049 — Les transactions ne règlent que les différends qui s'y trouvent compris, soit que les parties aient manifesté leur intention par des expressions spéciales ou générales, soit que l'on reconnaisse cette intention par une suite nécessaire de ce qui est exprimé.

= La loi ne fait que développer ici, en des termes plus précis, les règles exposées dans l'article précédent ; par ex. : si les parties ont fait mention dans l'acte, d'un différend qui ne tienne en rien à celui sur lequel elles transigent, leurs droits demeurent intacts, à moins qu'il ne résulte des expressions dont elles se sont servies, ou des circonstances, qu'elles ont eu l'intention de comprendre ce différend dans la transaction.

Bien plus, les transactions ne règlent, relativement à la chose qui en est l'objet, que les difficultés prévues.

2050 — Si celui qui avait transigé sur un droit qu'il avait de son chef, acquiert ensuite un droit semblable du chef d'une autre personne, il n'est point, quant au droit nouvellement acquis, lié par la transaction antérieure.

= Du principe que les transactions se renferment dans leur objet, et qu'elles ne peuvent s'appliquer par analogie à un différend qui n'y a pas été compris, il résulte :

1° Que le traité ne peut nuire aux tiers, ni même à la partie qui, après avoir transigé, agit ensuite au nom d'une personne qui n'y est point intervenue : par exemple, si j'ai traité avec un débiteur pour ma part dans une créance, je conserve le droit d'agir contre lui, au nom d'un autre créancier dont j'ai recueilli la succession ou qui m'a cédé ses droits.

2° Que la transaction ne s'étend qu'aux droits résultant du titre connu lors de sa confection : par ex., je traite sur les droits qui me sont attri-

---

(1) Delv., p. 137, n. 12 ; Dur., n. 345, t. 11 ; voy. cep. Toullier, t. 6, n. 829. Toutes les fois que les termes de la convention ne s'y opposent pas, on doit, dit cet auteur, entendre l'art. 2047 comme renfermant un principe indépendant de celui de l'art. 1210 : après avoir exigé le payement de la peine, la partie peut encore demander l'exécution de la transaction ; l'art. 2047 forme exception à la règle de l'art. 1229.

bués par un testament ; depuis, je découvre un autre testament qui m'accorde d'autres droits : la transaction ne pourra me préjudicier à cet égard.

Cette décision doit s'appliquer, même au cas où la transaction contiendrait, non pas l'abandon, mais la reconnaissance et la confirmation d'un droit : par ex., si je reconnais que la créance pour laquelle on me poursuit a une cause, on ne pourra invoquer cette transaction, pour faire valoir un droit semblable que l'on aura acquis contre moi.

— L'article 2050 statue sur le cas où la transaction contient abandon d'un droit : *quid* si elle contient une reconnaissance ou une confirmation d'un droit ancien · la partie qui acquiert ensuite un droit nouveau, peut-elle, pour faire valoir ce droit, invoquer la transaction ? ⟿ Celui qui l'a transmis n'aurait pu se prévaloir de la transaction ; il n'a pu conférer un droit qu'il n'avait pas (Dur., n. 416).

2051 — La transaction faite par l'un des intéressés ne lie point les autres intéressés, et ne peut être opposée par eux.

= On ne peut, en général, s'engager ni stipuler en son propre nom que pour soi-même (1121-1165) : la transaction ne peut dès lors être opposée aux intéressés qui n'y ont pas été parties. Ex. : plusieurs héritiers poursuivent un même débiteur ; l'un d'eux transige : cette transaction ne vaudra que pour sa part ; elle ne pourra être opposée à ses cohéritiers.

Quid, lorsqu'il s'agit d'intéressés unis par un lien de solidarité active ou passive ? Assurément, la transaction conclue avec un débiteur solidaire ne peut être opposée aux autres intéressés : mais peut-elle leur profiter ? Si la transaction est intervenue sur le fait de solidarité ou sur quelque autre moyen purement personnel, tel que la minorité, elle ne lie que les parties contractantes, car elle est censée avoir eu lieu *intuitu personœ ;* mais comme le créancier a par là déchargé le débiteur avec lequel il a transigé, il ne peut demander aux autres obligés le payement de la dette, que déduction faite de la part de ce débiteur et de celle qu'il aurait eue à supporter dans la perte résultant de l'insolvabilité de tel ou tel des autres codébiteurs (1210, 1215). — Si la transaction faite avec un débiteur solidaire n'a pas eu lieu en considération de quelque exception ou moyen purement personnel à ce débiteur, mais à cause de quelque difficulté qui s'élevait sur la dette, elle profite aux autres codébiteurs solidaires, comme toute autre remise conventionnelle (1), à moins que le créancier n'ait expressément réservé ses droits contre eux ; lors même qu'il a eu la précaution de stipuler cette réserve, il ne peut les poursuivre que déduction faite de la part du débiteur avec lequel il a transigé, et de celle qu'il aurait supportée dans la perte résultant de l'insolvabilité de l'un des codébiteurs (1285 et 1215) (Dur., n. 420).

Ce que le débiteur a payé en exécution de la transaction, au delà de sa part dans la dette ou dans les insolvabilités, tourne-t-il à la décharge des autres codébiteurs ? Nous le pensons ; le créancier ne doit pas recevoir plus qu'il ne lui est dû : sans doute, en déchargeant le débiteur de la solidarité, il a couru une chance défavorable au cas où les autres codébiteurs seraient insolvables ; mais on ne doit pas moins restreindre l'effet de la

---

(1) Suivant Delv., p. 136, n. 6. les autres codébiteurs ne peuvent invoquer la transaction, parce qu'elle est toujours censée faite *intuitu personœ ;* le débiteur qui a transigé est censé avoir payé sa part, voilà tout : c'est donc le cas d'appliquer l'article 1210.

En payant leur part dans la dette, les autres débiteurs solidaires affranchissent-ils leur codébiteur des obligations qu'il a contractées par la transaction en sus de ce qu'il devait supporter dans cette même dette ? ⟿ N. En déchargeant ce dernier de la solidarité, le créancier a couru une chance au cas où les autres débiteurs seraient insolvables (Dur., n. 413).

transaction au but que les parties se sont proposé : or, ce qui a été payé par le débiteur a pour cause originaire l'obligation solidaire ; dès lors, ce payement doit tourner à la libération des autres débiteurs.

L'effet de la transaction conclue par le débiteur avec l'un des créanciers solidaires ne peut être invoquée contre les autres créanciers que pour la part du transigeant (Arg. des art. 1218 et 1198) ; mais le plus souvent ils pourront s'en prévaloir, car chacun d'eux est facilement présumé agir dans l'intérêt des autres (1).

Quel est, vis-à-vis de la caution, l'effet de la transaction faite avec le débiteur principal ? On ne peut lui opposer ce nouveau traité, puisqu'elle n'y est pas intervenue (*voy.* art. 2011) : mais peut-elle s'en prévaloir ? Lorsque la transaction a eu lieu sur le fait ou sur la nature de la dette, ou sur un événement qui pouvait en opérer l'extinction ou la réduction, elle produit une exception réelle ; or, ces sortes d'exceptions peuvent être invoquées par la caution (2036) : — *quid*, si les parties ont transigé en considération de ce que le débiteur pouvait faire valoir contre son engagement une exception personnelle ? On distingue : lorsque le créancier a fait dans l'acte ses réserves à cet égard, la caution demeure obligée ; en conséquence, le créancier pourra poursuivre l'exécution de la transaction vis-à-vis du débiteur, et le payement de la dette contre la caution. Observons toutefois, que s'il demande l'exécution de la transaction, ce que le débiteur aura payé tournera à la décharge de la caution, et que s'il s'adresse d'abord à la caution, le débiteur sera libéré de ce qu'il aura promis par la transaction ; car le créancier ne doit pas recevoir deux fois le payement de la même dette. — Si le créancier n'a pas réservé ses droits contre la caution, elle est libérée.

Quid, si c'est avec la caution que le créancier a transigé ? le débiteur principal pourra se prévaloir du traité (1287) : mais ce que la caution aura payé en exécution de la transaction, tournera, conformément à l'art. 1288, à la décharge du débiteur principal ; car, nous le répétons, le créancier ne doit rien recevoir au delà du montant de sa créance.

— Dans le cas d'obligation indivisible, par ex. : lorsque l'un des copropriétaires d'un héritage qui a un droit de servitude douteux sur l'héritage voisin, transige avec le propriétaire de ce dernier héritage, les copropriétaires peuvent-ils invoquer la transaction ? ⁓ *A*. On ne peut dire alors que la transaction a été faite *intuitu personœ*. — Les différents copropriétaires étant associés quant à l'héritage, la convention faite par l'un d'eux doit profiter aux autres ; — un associé a qualité pour rendre meilleure la portion de ses coassociés (Dur., n. 418). ⁓ Le créancier peut toujours demander la chose entière aux autres débiteurs en offrant de leur faire raison de la part de celui avec lequel il a transigé (Arg. de l'article 1224) (Delv., p. 136, n. 6).

L'interprétation au moyen de laquelle on change les dispositions d'une transaction, lorsque le sens n'en est ni douteux ni obscur, tombe-t-elle sous la censure de la Cour de cassation comme violant l'autorité de la chose jugée ? ⁓ *A*. (*Cass.*, 6 juillet 1836 ; D., 36, 1, 408 . 21 janvier 1835 ; D., 35. 1, 7).

La transaction passée par un majeur tant en son nom personnel qu'en celui d'un mineur, est-elle valable à l'égard du majeur lorsque l'objet de la transaction est susceptible de division ? ⁓ *A*. Arg. des articles 2052 et 1217 (*Cass.*, 25 novembre 1834 ; D., 35, 1, 45).

Si l'héritier apparent a transigé de bonne foi avec un débiteur de la succession, la transaction peut-elle être opposée au véritable héritier ? ⁓ *N*. C'est pour lui *res inter alios acta*. — La transaction d'ailleurs est toujours censée faite *intuitu personœ* ; mais la somme payée s'imputera sur la dette, en vertu de l'art. 1240 (Dur., n. 425).

2052 — Les transactions ont, entre les parties, l'autorité de la chose jugée en dernier ressort.

(1) Dur., n. 176 et 177, t. 11, distingue : si le bénéfice de l'obligation primitive n'est point partageable entre les divers créanciers, la transaction tient lieu de payement vis-à-vis de tous, car elle ne leur cause aucun tort ; sauf ensuite au créancier qui a transigé, à faire raison aux autres créanciers, suivant leurs droits respectifs. Mais si le bénéfice de cette obligation est partageable, la transaction ne peut être opposée aux autres créanciers que pour la part de celui qui l'a consentie (*Voy.* Question sur l'art. 1198).

Elles ne peuvent être attaquées pour cause d'erreur de droit, ni pour cause de lésion.

= Les conventions légalement formées tiennent lieu de loi à ceux qui les ont faites : ce principe reçoit une force toute particulière en matière de transaction : notre article assimile ces contrats aux jugements passés en force de chose jugée ; ils éteignent donc à jamais le différend qu'on s'est proposé de terminer ou de prévenir : s'il en était autrement, la transaction ne serait qu'une nouvelle source de procès.

Toutefois, cette assimilation manque d'exactitude sous certains rapports : en effet, les transactions sont soumises à des causes de rescision, communes à toutes les conventions, qu'on ne peut invoquer en matière de chose jugée (2053) ; elles forment, lors même qu'elles ont pour objet plusieurs réclamations distinctes l'une de l'autre, un tout indivisible ; par conséquent, elles ne peuvent être annulées pour partie ; tandis que les jugements qui ont statué sur divers chefs de contestation, sont divisibles, en ce sens qu'ils peuvent être réformés, relativement à quelques-uns de ces chefs, et confirmés quant aux autres (2055) ; enfin, les difficultés que fait naître l'interprétation des clauses d'une transaction ne sont pas portées, comme lorsqu'il s'agit d'un jugement en dernier ressort, devant la cour de cassation, mais devant les tribunaux. — D'un autre côté, il existe entre les transactions et les contrats ordinaires des différences essentielles, en ce qui concerne les causes et les modes de réformation : ainsi, l'erreur de droit, qui, suivant les cas, peut faire annuler les conventions ordinaires (1131), ne donne pas lieu à rescision lorsqu'il s'agit d'une transaction : sous ce point de vue, la transaction se rapproche du jugement passé en force de chose jugée. Nous en dirons autant de la lésion : bien que dans quelques contrats, ou à l'égard de certaines personnes, elle donne lieu à rescision, elle ne peut faire annuler une transaction (1118) : car dans ce contrat, tout est douteux avant que les parties aient réglé leurs droits ; il est dès lors impossible de déterminer les sacrifices que chacune d'elles pouvait raisonnablement faire : ainsi, quand même l'une des parties offrirait de prouver que le droit par elle abandonné valait beaucoup plus que ce qu'elle a reçu, on ne l'admettrait pas à attaquer la transaction.

— En payant leurs parts dans la dette, les codébiteurs affranchissent-ils celui qui a transigé des obligations qu'il a contractées en sus de ce qu'il devait supporter dans cette même dette ? ⁓ N. En déchargeant le débiteur de la solidarité, le créancier a couru la chance de perdre ; il doit donc profiter de l'excédant, car il ne le demande pas sans cause : s'il a couru les risques, il doit profiter des avantages (Dur., n. 419, t. 18).

La transaction passée par un majeur, tant en son nom qu'au nom du mineur, produit-elle son effet à l'égard du majeur, lorsque son objet est divisible ? ⁓ A. (Cass., 25 nov. 1834 ; D., 35, 1, 45).

2053 — Néanmoins une transaction peut être rescindée, lorsqu'il y a erreur dans la personne ou sur l'objet de la contestation.

Elle peut l'être dans tous les cas où il y a dol ou violence.

= Si l'erreur de droit ne peut faire rescinder la transaction, il n'en est pas de même de l'erreur de fait : elle produit, dans ce contrat, le même effet que dans les conventions ordinaires. Ainsi, la transaction peut être rescindée, lorsqu'il y a eu erreur sur l'objet de la contestation ; par ex., lorsqu'elle a eu pour base un titre que l'on considérait à tort comme valable, elle est alors sans cause ou fondée sur une fausse cause. L'erreur sur la personne vicierait également la transaction, car ce contrat est toujours censé fait *intuitu personæ* : tel qui transige, parce qu'il ne veut pas avoir de procès avec une personne, ne ferait point de concessions, si la contestation s'élevait avec toute autre (1110).

Le dol et la violence produisent ici leur effet ordinaire ; ils donnent lieu à rescision (1111, 1116).

— *Quid*, si l'une des parties est évincée de quelques-uns des objets que l'autre lui a livrés, *transactionis causâ ?* ⁓ Il n'y a pas lieu à rescision, mais seulement à une action en garantie pour cause d'éviction (Dur., n. 426).

Quid, si l'éviction a été de l'objet même sur lequel on a transigé ? ⁓ Il n'y a pas lieu à garantie, à moins qu'elle n'ait été promise ; car la partie est censée avoir voulu prendre sur elle les risques de la chose (Dur., *ibid.*).

2054 — Il y a également lieu à l'action en rescision contre une transaction, lorsqu'elle a été faite en exécution d'un titre nul (1), à moins que les parties n'aient expressément traité sur la nullité.

⇒ Toute transaction peut être attaquée comme dépourvue de cause, lorsque les droits de l'une des parties n'étaient pas douteux, ou lorsque ses prétentions étaient évidemment dénuées de fondement : notre article contient une application de ce principe.

Exemple : une contestation s'élève entre un héritier et un légataire, au sujet d'un legs dont ce dernier demande la délivrance ; les parties transigent : le testament est ensuite déclaré nul, parce que l'un des témoins n'avait pas les qualités requises, ou pour toute autre cause que les parties ont pu raisonnablement ignorer : l'héritier pourra revenir contre la transaction, car elle n'a eu lieu qu'en vertu d'un titre nul.

Toutefois, il ne jouirait pas de ce droit, s'il avait été convenu que la transaction produirait son effet nonobstant la nullité du testament. — Mais la loi ne suppose pas facilement cette convention : elle exige que les parties aient *expressément traité sur la nullité* (*Voy.* Quest. 1re).

Pour juger de la validité d'une transaction, faut-il distinguer si le titre est radicalement nul ou s'il est seulement rescindable ? La nullité radicale est seule une cause de nullité ; si le titre n'était que vicieux, les parties, en transigeant, seraient censées vouloir le ratifier : ainsi, le mineur n'est plus recevable à revenir contre l'engagement qu'il a souscrit en minorité, lorsqu'il a ratifié cet engagement en majorité (1311).

— Si les parties connaissaient, lors de la transaction, la nullité du titre, le contrat serait-il inattaquable, lors même qu'elles n'auraient pas expressément traité sur la nullité : par ex., nous avons dit que les parties peuvent revenir contre la transaction intervenue au sujet d'un legs dont l'institué demande la délivrance, lorsque le testament est ensuite déclaré nul ; mais *quid* si elles ont transigé ayant le testament sous les yeux ? ⁓ L'héritier n'est plus recevable à dire ensuite, que le testament était nul en la forme ; car ce serait invoquer une erreur de droit : s'il en était autrement, la disposition de l'art. 2052 se trouverait en opposition avec celle de l'art. 2052. La loi veut uniquement faire entendre, dans l'art. 2054, que la connaissance du titre ne se présumera pas, et qu'on supposera plutôt qu'il y avait un autre sujet de contestation. Il faut restreindre l'application de l'art. 2054 à l'hypothèse où c'est par une erreur de fait, que l'une des parties a considéré comme valable le titre sur lequel l'autre partie fondait ses prétentions (Dur., n. 423. — *Cass.*, 25 mars 1807 ; S., 7, 1, 199 ; 8 décembre 1813 ; S., 14, 1, 85). ⁓ Il n'existe pas d'antinomie entre les articles 2052 et 2054. — On suppose à tort, que l'action en nullité, ouverte par l'article 2054, repose sur l'erreur dont le consentement de l'une des parties a pu être entaché : cette action est fondée sur le défaut de cause de la transaction ; dès lors, il n'y a pas lieu de rechercher si l'une des parties a ignoré la nullité du titre, si c'est par er-

(1) Le mot *titre*, désigne ici l'acte sur lequel se fondent les prétentions qui forment l'objet de la transaction.

reur de fait ou par erreur de droit, qu'elle a supposé ce titre valable. On prétendrait à tort, qu'une pareille interprétation aurait l'inconvénient de mettre l'art. 2054 en opposition avec les articles 1338, al. 2. et 1340 : quoiqu'une transaction puisse impliquer ratification, on ne saurait la considérer comme une simple confirmation ; il faut toujours apprécier ce contrat d'après les règles qui lui sont particulières (Merlin, Rép., Transaction. § 5, n. 4 ; Marbeau, n. 233 et suiv.).

L'exécution d'une transaction faite par suite d'un titre nul, couvre-t-elle cette nullité. ✸✸ *A.* (Merlin, *ibid.* — *Cass.*, 23 juin 1813 ; S., 13, 1, 378). ✸✸ *N.* Malgré l'exécution, la transaction se trouve toujours dépourvue de cause.

En exigeant que le traité sur la nullité soit exprès, la loi entend-elle l'assujettir aux conditions prescrites par l'art. 1338 ? ✸✸ *Non*, la loi distingue les transactions, des actes confirmatifs ; ces derniers actes seuls, sont soumis aux dispositions de l'art. 1338 : toutefois, dans le doute, l'acte devrait être déclaré confirmatif ; parce que les formalités prescrites pour ces sortes d'actes protègent davantage les débiteurs (Dur., n. 293).

2055 —La transaction faite sur pièces qui depuis ont été reconnues fausses, est entièrement nulle.

= Cette disposition est fondée sur le même principe que celle qui précède : le cas de faux rentre dans celui de nullité.

Pour que la transaction sur pièces fausses fût maintenue, il ne serait pas nécessaire que les parties eussent *expressément* traité sur le faux : la simple connaissance de ce fait, au moment où elles traitent, suffirait pour faire supposer leur volonté : notre article parle seulement de transactions intervenues sur pièces qui, *depuis*, ont été reconnues fausses.

Lorsqu'une transaction comprend plusieurs chefs indépendants, conserve-t-elle sa force, comme en droit romain, pour les chefs que la pièce fausse ne concerne pas? *Non*, tout se lie dans une transaction ; une partie ne fait de concession sur un point, qu'en égard à celles qu'on lui fait sur un autre : on ne doit donc voir, dans ce contrat, que des clauses corrélatives ; le vice de l'une anéantit toutes les autres.

— Si quelque article seulement de la transaction générale était basé sur un titre nul, pourrait-on attaquer le contrat? ✸✸ *N.* Arg. de l'art. 2057 ; à moins qu'il n'apparaisse des circonstances, que l'article sur lequel porte le titre nul a été l'objet déterminant de la transaction, et que les autres n'en ont été que la conséquence.

2056 — La transaction sur un procès terminé par un jugement passé en force de chose jugée, dont les parties ou l'une d'elles n'avaient point connaissance, est nulle.

Si le jugement ignoré des parties était susceptible d'appel, la transaction sera valable.

= Toute convention a une cause ; celle de la transaction est la crainte des procès : lorsque la contestation est terminée par un jugement passé en force de chose jugée, ajoutons, ou rendu en dernier ressort, il ne peut donc y avoir de transaction, puisqu'il n'existe plus de doute : peu importe que le jugement ait été ignoré des deux parties ; le fait n'est pas moins certain ; il y a eu erreur sur l'objet même de la transaction ; le contrat est sans cause.

Si le jugement n'était ignoré que du gagnant, il existerait une deuxième cause de rescision : celle résultant du dol de la partie condamnée. Mais si c'était le perdant qui fût dans l'erreur, rien ne s'opposerait au maintien de la transaction ; car le gagnant serait censé avoir transigé pour l'acquit de sa conscience : c'est en ce sens qu'il faut entendre ces mots de l'article : *dont les parties ou l'une d'elles n'avaient pas connaissance.*

La transaction intervenue sur un procès qui se trouvait décidé par un jugement passé en force de chose jugée, ignoré des deux parties, serait valable, si elle était faite dans la prévoyance du gain du procès par l'une ou par l'autre, car elles auraient traité sur quelque chose d'incertain ; le contrat serait aléatoire : en prononçant la nullité de la transaction, l'art. 2056 suppose que les parties ont contracté non dans la prévoyance de l'existence du jugement, mais dans l'ignorance de ce jugement.

Lorsque le jugement a été confirmé ou n'est plus susceptible d'appel, on peut encore le faire réformer en cassation, ou l'attaquer par voie de requête civile : mais comme ces voies extraordinaires n'empêchent pas qu'il n'y ait un droit acquis, un droit passé en force de chose jugée, la convention est comme non avenue, tant vis-à-vis de celui qui a obtenu le jugement et qui en ignorait l'existence, que vis-à-vis de l'autre partie : le Code ne maintient la transaction, que dans le cas seulement où le jugement ignoré des parties au moment de la transaction, n'était point encore passé en force de chose jugée (Dur., n. 431).

— *Quid*, si le jugement, ignoré du gagnant seulement, est susceptible d'appel ? ⁓⁓ Par cela seul que l'appel est encore possible, le doute subsiste ; il y a encore matière à litige ; la transaction ayant une base réelle, doit donc produire son effet. ⁓⁓ La mauvaise foi de la partie condamnée paraît être une raison suffisante pour qu'on doive considérer la transaction comme nulle ; il est à présumer, que le gagnant aurait cherché à tirer avantage de ce jugement (Dur·, n. 430).

2057 — Lorsque les parties ont transigé généralement sur toutes les affaires qu'elles pouvaient avoir ensemble, les titres qui leur étaient alors inconnus, et qui auraient été postérieurement découverts, ne sont point une cause de rescision, à moins qu'ils n'aient été retenus par le fait de l'une des parties ;

Mais la transaction serait nulle si elle n'avait qu'un objet sur lequel il serait constaté, par des titres nouvellement découverts, que l'une des parties n'avait aucun droit.

⚬ L'existence d'un titre décisif (1) et inconnu au moment où l'on transige, constitue une erreur grave, qui peut, suivant les cas, faire résoudre la convention.

A cet égard, la loi nous place dans deux hypothèses :

Les parties transigent en général sur toutes les affaires qu'elles peuvent avoir ensemble, ou la transaction n'a qu'un seul objet :

Au premier cas, on distingue : si les titres ont été retenus par le fait de l'une des parties, leur découverte est une juste cause de rescision, fondée d'une part, sur le dol de celui qui les a retenus ; et, de l'autre, sur l'erreur invincible de celui à qui on les a cachés. — Mais si l'erreur a été commune, la transaction continuera de subsister : en effet, toutes les clauses d'une transaction étant corrélatives, les parties sont censées avoir mis pour condition, qu'elles ne pourront élever de contestations sur leurs affaires antérieures : cette condition tacite, emporte de leur part renonciation à l'usage des titres postérieurement découverts (2).

Au deuxième cas, la transaction ne produit point d'effet, car elle est sans cause : il n'y a donc pas lieu d'examiner si les titres nouvellement découverts ont été retenus ou non par le fait de l'une des parties ; l'erreur est substantielle.

(1) Et dans cette classe il faut comprendre même les jugements passés en force de chose jugée.
(2) Ainsi l'ignorance d'un titre décisif, bien que constituant une erreur grave, n'influe pas sur le sort d'une transaction, au même degré que la production d'une pièce fausse.

Ne perdons point de vue, surtout, que le titre découvert ne donne lieu à rescision, qu'autant qu'il est absolument péremptoire et décisif : tel serait le cas où, après avoir transigé sur une somme que vous prétendez vous être due, je retrouverais ensuite votre quittance. — Mais un titre incertain, qui placerait seulement l'un des contractants dans une position plus avantageuse, ne ferait pas rescinder la transaction.

Le délai pour agir en rescision de la transaction est de dix ans, à compter de la découverte du dol (1304).

Quid, si la transaction, sans être absolument générale, comprend plusieurs différends, à l'un desquels seulement s'applique le titre recouvré ? On ne doit pas appliquer la deuxième partie de l'art. 2057, relative au cas où la transaction ne renferme qu'un objet : mais la première ; car il y a même raison que dans le cas de transaction générale. Les transactions sont vues avec faveur (2044); il ne faut pas les annuler trop facilement (2044). — Toutefois, s'il apparaissait que le titre nul a été l'objet déterminant de la transaction, il faudrait annuler le contrat.

Quid, si le titre découvert depuis la transaction était un jugement passé en force de chose jugée? On appliquerait également l'art. 2057 : sous la dénomination de *titres*, cet article comprend même les jugements : ainsi, la transaction ne serait nulle qu'autant qu'elle n'aurait qu'un objet.

2058 — L'erreur de calcul dans une transaction doit être réparée.

= Cette erreur est évidemment contraire à l'intention des parties.

— *Quid*, s'il résulte des circonstances, que l'inexactitude des calculs est précisément ce qui a déterminé la partie qui était dans l'erreur à consentir ? ⁓ Pour que l'erreur de calcul dans une transaction donne lieu à rescision, il faut qu'elle soit accompagnée de dol; autrement, cette erreur n'est pas réputée substantielle.

TITRE XVI.

DE LA CONTRAINTE PAR CORPS EN MATIÈRE CIVILE (1).

(Décrété le 13 fév. 1804, promulgué le 23 du même mois.)

La contrainte par corps, en matière civile, est *une voie d'exécution* qui

---

(1) La contrainte par corps peut avoir lieu : en matière civile ; en matière de commerce ; en matière criminelle, correctionnelle ou de police, en matière de deniers publics ; enfin, contre les étrangers. Nous ne parlerons ici que de la contrainte par corps en matière civile.

L'ordonnance de 1667, titre 14, réglait autrefois la matière de la contrainte par corps. — Cette voie d'exécution fut abolie par la loi du 9 mars 1793, et rétablie le 30 du même mois, contre les débiteurs de deniers publics ; — cet état de choses dura jusqu'au 24 ventôse an 5, époque à laquelle on revint aux règles tracées par l'ancienne législation. — La loi du 15 germinal an 6 régla le mode d'exercice de la contrainte par corps ; cette loi était divisée en 3 titres :

Le titre 1er déterminait les cas de contrainte par corps en matière civile. — Le titre 2 réglait le fond du droit pour la contrainte par corps, en matière de commerce. — Le titre 3 traçait le mode d'exécution des jugements emportant contrainte par corps ; quelques-unes de ses dispositions seulement touchaient au fond du droit.

Le Code civil abrogea tacitement le titre 1er de la loi du 15 germinal an 6 : le titre 3 fut remplacé par le titre 15, livre 5, du Code de procédure ; mais le titre 2 et les dispositions du titre 3 qui tenaient plus au fond du droit qu'à la manière de procéder, restèrent en vigueur en matière commerciale, même après la promulgation du Code de commerce ; — plusieurs lois spéciales sur la contrainte vinrent en outre se placer près de ces lois générales, notamment celles du 4 floréal an 6, et du 10 septembre 1807. — Enfin parut la loi du 17 avril 1832 : cette loi a complètement abrogé les lois du 15 germinal, du 4 floréal an 6 et du 10 septembre 1807 ; mais elle a laissé subsister toutes les dispositions du Code civil et du Code de procédure qui ne sont point incompatibles avec les règles qu'elle établit ; il est même à remarquer, qu'elle a peu touché au fond du droit : le titre 1er pose des règles en matière commerciale ; le titre 2 se divise consiste dans l'emprisonnement du débiteur, pour le forcer à se libérer.

Ainsi, la contrainte par corps n'est pas une peine proprement dite (1).

La faculté de priver un débiteur de sa liberté, n'est pas accordée, comme celle de saisir ses biens, à tout créancier : un aussi grand sacrifice n'est même laissé ni à la volonté du débiteur, ni à l'arbitrage du juge : le législateur a pris soin d'apprécier les considérations qui, par exception, peuvent motiver ce moyen rigoureux (2063) ; dès lors les dispositions légales qui permettent cette voie d'exécution, doivent s'interpréter restrictivement.

En certains cas, la contrainte par corps résulte de la loi : elle est fondée sur la défaveur que méritent les personnes qu'elle y a soumises (2059, 2060, C. c.; 552, 772, 776, 809, 690 et 744, Pr.). — Dans d'autres, le juge peut la prononcer : elle tend alors à contraindre plus efficacement aux mandements de la justice (2061, 2062, § 2; 2063, C. c.; 126, 127, 213 et 534, Pr.). — Enfin, il est des cas où les parties peuvent faire de la contrainte par corps l'objet d'une stipulation : elle a pour but d'assurer l'exécution de certaines obligations (2060, § 5, 2062, § 1, C. c.).

La loi ne s'est pas bornée à déterminer les circonstances qui peuvent donner lieu à la contrainte par corps; elle restreint en outre ces limites par quelques exceptions : ces exceptions sont établies soit en faveur de certaines personnes, soit à raison de la modicité de la dette : ainsi, on dit qu'il ne peut y avoir lieu à la contrainte par corps, *ratione materiæ*, quand la nature de l'engagement ne permet pas d'employer ce moyen rigoureux (2059 et suiv.);—*ratione quantitatis*, quand la somme réclamée est au-dessous de 300 fr.; — *ratione personæ*, quand la personne poursuivie ne peut y être soumise (2059). Nous verrons, que toutes les personnes comprises dans cette dernière catégorie, ne jouissent pas au même degré de la faveur de la loi : ainsi, les mineurs ne sont point contraignables par corps même en cas de stellionat, tandis que les femmes, les filles et les septuagénaires restent soumis à la règle générale (2064 et 2066).

Dans tous les cas, il faut, sauf quelques exceptions (2067), s'adresser aux tribunaux pour obtenir la contrainte par corps : les tribunaux ne peuvent d'office ordonner cette voie d'exécution; la loi exige qu'elle soit demandée (2067) : or tout est de rigueur en pareille matière.

Il est bien entendu que l'exercice de la contrainte par corps n'empêche ni ne suspend les poursuites sur le patrimoine (2069).

Sous l'empire du Code, un débiteur, à moins qu'il ne fût admis au bénéfice de cession, ne pouvait conserver ou recouvrer sa liberté qu'en payant la totalité de la dette, en capital, intérêts et frais (798 et 800).

La loi du 17 avril 1832 a tempéré la rigueur de ce principe.

Les règles qu'elle renferme sont relatives :

1° *A quelques empêchements fondés sur la qualité des personnes :*

Ainsi, la contrainte par corps n'est jamais prononcée contre le débiteur au profit de son mari ou de sa femme, de ses ascendants, descendants, sœurs ou alliés au même degré (art. 19).

---

en deux sections : l'une est relative aux matières civiles ordinaires, l'autre aux détenteurs de deniers et effets mobiliers publics; le titre 3 contient des règles spéciales à l'égard des étrangers; le titre 4 comprend des dispositions, soit sur le fond du droit, soit sur le mode d'exercice applicable aux trois titres qui précèdent; le titre 5 est consacré à la contrainte par corps en matière criminelle, correctionnelle et de police; il renferme en outre quelques dispositions qui adoucissent la rigueur de la législation; enfin, le titre 6 contient des dispositions transitoires.

(1) En effet, les peines sont instituées dans l'intérêt unique de la société; tandis que la contrainte par corps ne profite qu'au créancier seul.

Dans aucun cas, la contrainte par corps ne peut être exécutée contre le mari et contre la femme simultanément *pour la même dette* (art. 21) : mais on peut obtenir contre tous deux une condamnation par corps s'il y a lieu, et les faire détenir successivement ; la loi n'interdit que l'exécution simultanée.

La contrainte par corps ne peut être mise à exécution contre un pair de France qu'après une autorisation de la chambre des pairs (art. 20, charte). —Elle ne peut être exercée contre les membres de la chambre des députés, ni pendant la durée des sessions, ni pendant les six semaines qui les précèdent ou qui les suivent (art. 43, Charte).

2º *A la durée de détention :*

La durée de la contrainte par corps doit être fixée par le jugement de condamnation : le jugement qui garderait le silence sur ce point, contiendrait une infraction à la loi, et pourrait être déféré à la cour de cassation (1). — La détention ne peut être moindre d'une année ni dépasser dix ans.

S'il s'agit de fermages des biens ruraux (2062), ou de l'exécution de condamnations intervenues dans les cas où la loi attribue seulement aux juges la faculté de prononcer la contrainte par corps, la détention est de cinq ans au plus (art. 7).

Le bénéfice de la loi nouvelle s'étend même aux contraintes exercées avant sa promulgation : leur durée ne peut excéder dix ans, suivant la nature de la dette, à partir du jour de l'arrestation (art. 43).

Afin que la détention ne puisse être prolongée par l'effet de la multiplicité des causes, cette même loi décide, que le débiteur qui a obtenu de plein droit son élargissement après l'expiration des délais fixés pour la durée de la contrainte par corps, ne pourra plus être détenu ou arrêté pour dettes contractées *antérieurement* à son arrestation et *échues* au moment de son élargissement, à moins que ces dettes n'entraînent par leur nature et leur qualité, une contrainte plus longue que celle qu'il aura subie, laquelle, dans ce dernier cas, lui sera toujours comptée pour la durée de la nouvelle incarcération (art. 27).

Observons surtout, que cette dernière disposition, étant toute de faveur, ne peut s'étendre à des cas autres que ceux qui ont été prévus : en conséquence, elle ne pourrait être invoquée, ni par celui qui aurait contracté une dette postérieurement à son arrestation, quand même cette dette se trouverait échue lors de l'élargissement ; ni contre un créancier dont la créance ne serait échue que depuis l'élargissement, bien qu'elle fût antérieure à l'arrestation.

3º *A la facilité de l'élargissement et aux moyens d'empêcher l'exercice de la contrainte par corps.* — Le débiteur peut se soustraire à l'emprisonnement soit en obtenant un sauf-conduit (art. 782, Pr. ; 472, 473 et 495, C. de comm.); soit au moyen de la cession de biens (art. 1270 et 2); soit en payant intégralement la dette, en principal, intérêts et frais (798 et 800, Pr.).

Aux termes de la nouvelle loi, les frais liquidés que le débiteur doit con-

---

(1) *Cass.*, 25 février 1835 ; S., 35, 1, 571 ; 13 avril 1836 ; S., 36, 1. 829 ; 12 novembre 1838 ; S., 39. 1, 829. ⁓ Les juges peuvent réparer cette omission par un jugement ultérieur (*Cass.*, 14 mai 1836 ; S., 36, 1, 784. — *Aix*, 30 mars 1838 ; S., 38, 2, 418). ⁓ La durée de la contrainte par corps doit, en ce cas, être réduite au *minimum* établi par la loi (*Paris*, 9 juin 1836 ; S., 36, 2, 330. — *Nîmes*, 1ᵉʳ août 1838 ; S., 39, 2, 100).

signer ou payer pour empêcher l'exercice de la contrainte par corps ou pour obtenir son élargissement, conformément aux articles 778 et 800, Pr., ne sont que les frais de l'instance, ceux de l'expédition et de la signification du jugement ou de l'arrêt s'il y a lieu, et ceux de l'exécution relative à la contrainte par corps (art. 23).

Le débiteur peut en outre s'affranchir provisoirement de la contrainte par corps, en faisant un payement partiel : aux termes de l'art. 24, si la dette n'est pas commerciale, le débiteur obtiendra son élargissement en payant ou consignant le tiers du principal de la dette et de ses accessoires, et en donnant pour le surplus une caution acceptée par le créancier, ou reçue par le tribunal civil dans le ressort duquel le débiteur sera détenu (art. 24).

La caution devra s'obliger solidairement avec le débiteur, à payer, dans un délai qui ne pourra excéder une année, les deux tiers qui resteront dus (art. 52.)

A l'expiration du délai prescrit par l'article précédent, le créancier, s'il n'est pas intégralement payé, aura le droit d'exercer de nouveau la contrainte par corps contre le débiteur principal, sans préjudice de ses droits contre la caution (art. 26).

2059 — La contrainte par corps a lieu, en matière civile, pour le stellionat (1).

Il y a stellionat,

Lorsqu'on vend ou qu'on hypothèque un immeuble dont on sait n'être pas propriétaire ;

Lorsqu'on présente comme libres des biens hypothéqués, ou que l'on déclare des hypothèques moindres que celles dont ces biens sont chargés.

= Le stellionat consiste dans la fraude que commet celui qui vend ou hypothèque comme sien un immeuble dont il sait n'être pas propriétaire, ou qui dissimule à l'acquéreur ou au créancier les hypothèques que celui-ci a intérêt à connaître. — La vente d'objets mobiliers, consentie par une personne qui savait n'en être pas propriétaire, donne lieu à des poursuites correctionnelles ; mais elle ne constitue pas le stellionat.

Nous disons que le stellionat est une fraude : or il ne peut exister de fraude, de faute punissable, qu'autant que le prévenu a agi en connaissance de cause : point de délit sans intention coupable ; point de stellionat sans fraude ou sans présomption de fraude : le vendeur et le débiteur peuvent donc se soustraire à la contrainte par corps, en prouvant leur bonne foi.

Il y a stellionat :

1º Lorsqu'une personne vend ou hypothèque un immeuble dont elle sait n'être pas propriétaire ;

2º Lorsqu'elle vend ou hypothèque en totalité un immeuble sachant que cet immeuble ne lui appartient que pour partie.

Quid, dans cette espèce, lorsqu'elle est propriétaire par indivis, si

---

(1) Le mot *stellionat*, vient de *stellio*, nom que les Romains donnaient a une sorte de lézards qu'ils considéraient comme ennemis de l'homme : tout homme qui en trompait un autre sciemment, était dit *stellionataire*.

par l'effet du partage ou de la licitation l'immeuble tombe dans son lot ? Il n'y a pas stellionat (Arg. de l'art. 883) (1).

3° Lorsqu'en vendant ou en hypothéquant un immeuble, elle déclare cet immeuble libre de toute hypothèque, sachant qu'il est grevé d'hypothèques simples ou privilégiées (2).

4° Dans le même cas, lorsqu'elle déclare, en connaissance de cause, des charges inférieures à celles qui affectent réellement l'immeuble.

Dans ces deux dernières hypothèses, le stellionat se rencontrerait alors même que les hypothèques dissimulées n'auraient pas encore été inscrites ou seraient éventuelles.

5° Dans le cas prévu par l'art. 2136.

Ne perdons pas de vue surtout que nous supposons uniquement le cas de fraude : si le fait constituait un délit, il y aurait lieu à des poursuites correctionnelles.

Du principe que les dispositions relatives à la contrainte par corps doivent se restreindre aux cas prévus, il résulte, qu'il n'y a pas stellionat dans les cas suivants :

1° Lorsque le constituant, sans présenter ses biens comme libres, s'abstient, en les hypothéquant, de déclarer les hypothèques qui les grèvent déjà : toutefois, cette règle souffre exception, quand il s'agit d'hypothèques légales qui frappent les biens du tuteur ou du mari : si ces hypothèques n'ont pas été inscrites, le seul défaut de déclaration, en cas de constitution de nouvelles hypothèques, suffit pour caractériser le stellionat (2136).

Par une conséquence du même principe, nous déciderons, que le défaut de déclaration des hypothèques qui grèvent un immeuble vendu, ne constitue pas un stellionat, lors même que la vente a été faite par un mari ou un tuteur ; car cette hypothèse n'est pas au nombre de celles que prévoit l'art. 2059 : la loi (art. 2136), ne répute stellionataire que celui qui a consenti ou laissé prendre des *priviléges* ou *hypothèques* : elle ne parle pas de la vente. On a sans doute considéré, que la faculté réservée à l'acheteur, de ne payer, qu'après avoir accompli les formalités de la purge, le rend moins digne de faveur que les créanciers hypothécaires ou privilégiés, malgré les dissimulations frauduleuses dont on a usé à son égard. — Nous supposons, bien entendu, que le mari ou le tuteur s'est borné à garder le silence : s'il avait vendu un de ses immeubles, en le déclarant libre d'hypothèques, cette fausse déclaration constituerait un stellionat ; l'art. 2059 est formel : il ne distingue pas.

2° En cas d'échange, lorsqu'une personne livre un immeuble sachant que cet immeuble ne lui appartient pas (3).

3° Lorsque le vendeur d'un immeuble dissimule la condition résolutoire à laquelle son droit de propriété est soumis ; le caractère dotal de cet immeuble (4) ; les servitudes réelles ou les droits personnels qui le grèvent. — Mais le mari se rend coupable de stellionat, lorsqu'il vend comme sien l'immeuble dotal de son épouse, car il dispose de la chose d'autrui (5).

Observons en terminant, que le stellionat ne donne pas lieu à la con-

(1) Delv., p. 189, n. 3 ; Dur., n. 448. — *Colmar*, 31 mai 1820 ; S., 21, 2, 181.
(2) *Toulouse*, 16 janvier 1829 ; S., 29, 2, 201.
(3) Dur., n. 446, Coin-Delisle, n. 5 ; roy. cep. *Cass.*, 16 janvier 1810 ; S., 10, 1, 204.
(4) Coin-Delisle, n. 8. — *Toulouse*, 22 décembre 1834 ; S., 35, 2, 196. — *Paris*, 14 février 1829 ; S., 29, 2, 128.
(5) Coin-Delisle, n. 18. — *Riom*, 30 novembre 1813 ; S., 13, 2, 361.

trainte par corps, lorsqu'il a cessé avant toute demande judiciaire : Par ex., si l'emprunteur, qui a dissimulé des hypothèques dans sa déclaration, a depuis acquitté les dettes qu'elles garantissaient ; si le mari ou le tuteur qui n'a point déclaré l'hypothèque légale qui affectait son bien, a depuis obtenu la réduction de cette hypothèque. — Mais il est douteux, que celui qui a vendu un immeuble dont il savait n'être pas propriétaire, puisse en se rendant acquéreur de cet immeuble contraindre son acheteur à régulariser la vente ; car cette vente a été nulle dans le principe (1). — Une fois la demande formée, le vice du contrat ne peut plus être purgé ; le créancier a acquis le droit de faire annuler le contrat et d'obtenir même par corps le remboursement de ses avances, ainsi que le payement des dommages-intérêts qui lui sont dus.

— La vente ou l'hypothèque consentie par le mari, de l'immeuble dotal de la femme, constitue-t-elle un stellionat ? *Oui*, s'il a vendu cet immeuble sans déclarer qu'il ne lui appartient pas ; *secùs* s'il s'est borné a dissimuler la dotalité de l'immeuble. Hypothéquer ou vendre des immeubles dotaux, ce n'est pas disposer du bien d'autrui (Coin-Delisle, n. 18).

Le stellionat pourrait-il être poursuivi par voie de police correctionnelle ? ⚬ *N.* L'article 405 du Code pénal ne met pas ce fait au nombre des cas d'escroquerie (Delv., p. 189, n. 1).

Quid, si les biens sont suffisants pour répondre des hypothèques déclarées, de celles qui ne l'ont pas été, et en outre de la nouvelle dette, peut-il y avoir lieu à l'accusation de stellionat ? ⚬ *N.* Pour qu'il y ait faute punissable, il faut qu'il y ait *consilium et eventus* (Delv., p. 189, n. 5). ⚬ *A.* Il n'est pas indifférent d'être le deuxième ou le premier en ordre d'hypothèques ; le créancier qui se plaint a été exposé à un véritable préjudice (Dur., n. 449).

Quid, si l'on hypothèque sciemment un immeuble de peu de valeur appartenant à autrui avec d'autres immeubles d'une très-grande valeur dont on est propriétaire ? ⚬ Le vendeur est soumis à la contrainte par corps pour toute la créance, car l'hypothèque est indivisible (*Cass.*, 19 juin 1818 ; S., 171, 32). ⚬ Dur., n. 448, trouve cette décision trop rigoureuse.

2060 — La contrainte par corps a lieu pareillement :

1° Pour dépôt nécessaire ;

2° En cas de réintégrande, pour le délaissement, ordonné par justice, d'un fonds dont le propriétaire a été dépouillé par voies de fait ; pour la restitution des fruits qui en ont été perçus pendant l'indue possession, et pour le payement des dommages et intérêts adjugés au propriétaire ;

3° Pour répétition de deniers consignés entre les mains de personnes publiques établies à cet effet ;

4° Pour la représentation des choses déposées aux séquestres, commissaires et autres gardiens ;

5° Contre les cautions judiciaires et contre les cautions des contraignables par corps, lorsqu'elles se sont soumises à cette contrainte (2) ;

6° Contre tous officiers publics, pour la représentation de leurs minutes, quand elle est ordonnée ;

7° Contre les notaires, les avoués et les huissiers, pour la restitution des titres à eux confiés, et des deniers par eux reçus pour leurs clients, par suite de leurs fonctions.

= D'après notre article, les tribunaux ont la faculté de prononcer la contrainte par corps dans sept cas :

(1) Dur., n. 447. — *Cass.*, 13 avril 1836 ; S., 36, 1, 829, 14 février 1837 ; D., 37, 1, 255.

(2) Quelques personnes suppriment la virgule qui se trouve après les mots *contraignables par corps*, pour la transporter après ceux-ci : *cautions judiciaires* ; elles prétendent que la contrainte par corps a lieu de droit contre ces derniers ; tandis qu'elle peut seulement résulter de la volonté des parties dans les autres cas (Merlin, Rép., Contrainte par corps, n. 15 ; Thomine-Desmazure, Pr., u. 569, t. 2) ⚬ Cette opinion est combattue avec raison par Delvincourt, p. 191, n. 2, et Dur., n. 470, et par Coin-Delisle, n. 20.

1º *Pour dépôt nécessaire* (1949) : le dépositaire est d'autant plus coupable, qu'il abuse de la situation malheureuse où le déposant s'est trouvé. — Les dépôts faits entre les mains des voituriers ou des aubergistes, à raison de leur profession, sont sous ce rapport assimilés au dépôt nécessaire (*voy.* articles 1952 et 1782).

Si le voiturier s'est chargé gratuitement du transport, répond-il par corps des suites de sa faute ? Il n'y a pas lieu à la contrainte par corps résultant de la combinaison des art. 1782, 1952 et 2060, § 1er; seulement, les tribunaux examineront, si la faute est assez grave pour donner lieu à l'application de l'art. 126, Pr.

2º *En cas de réintégrande* (1) : remarquons, 1º que cette action ne se donne pas contre le possesseur actuel, s'il n'a pris aucune part à la violence ; 2º qu'elle n'est pas accordée seulement au propriétaire, comme notre texte pourrait le faire croire ; mais encore au possesseur, car elle est moins établie *in favorem actoris, quàm in odium rei* : c'est la circonstance des voies de fait, que la loi veut punir : ainsi, le propriétaire lui-même qui, au lieu d'employer les voies légales, userait de violence contre le possesseur, serait soumis à la contrainte par corps.

Quel est le juge compétent pour prononcer la contrainte par corps en cas de réintégrande ? C'est le juge de paix, puisqu'il s'agit d'une action possessoire ; sauf l'appel devant les tribunaux de première instance.

Cette voie d'exécution est ordonnée par le jugement même qui statue sur la réintégrande ; ce qui établit une différence avec le cas où le jugement a été rendu au pétitoire sur une action en revendication : l'art. 2061, en effet, exige alors un nouveau jugement, et ce jugement ne peut être rendu que quinzaine après la signification du premier, à personne ou à domicile (Dur., n. 455).

La réintégrande n'a lieu qu'en matière d'immeubles : en fait de meubles il y aurait vol ; par conséquent, on exercerait l'action correctionnelle.

Le spoliateur est condamné sur cette action, non-seulement à délaisser l'héritage, mais encore à la restitution des fruits et aux dommages-intérêts : en un mot, la contrainte par corps s'applique à tous les objets de la condamnation.

3º *Pour répétition de deniers, etc.* : le dépôt, en ce cas, est nécessaire ; car on ne peut consigner ailleurs (2).

4º *Pour la représentation, etc.* Ici, comme dans les précédentes hypothèses, on se trouve dans le cas du dépôt nécessaire : ce n'est pas le dépositaire seul qui répond, c'est la justice ; or, tous les moyens doivent être employés, pour que la foi qu'elle inspire ne soit pas violée.

Remarquez cette expression : *pour la représentation* ; la loi ne se borne pas à dire : *pour la restitution* : les parties, en effet, doivent toujours avoir la faculté de s'assurer de la fidélité du dépositaire.

---

(1) On nomme *réintégrande*, l'action accordée à celui qui, par voie de fait, a été dépouillé d'un immeuble qu'il possédait.

(2) Cette disposition, qui n'était pas assez explicite, a été complétée par la loi du 17 avril 1832. Cette loi porte, art. 8 : « Sont soumis à la contrainte par corps, pour raison du reliquat de leurs comptes, déficit ou débet constatés à leur charge, et dont ils ont été déclarés responsables : 1º les comptables de deniers publics ou d'effets mobiliers publics et leurs cautions ; 2º leurs agents ou préposés qui ont personnellement géré ou fait la recette ; 3º toutes personnes qui ont perçu des deniers publics dont elles n'ont point effectué le versement ou l'emploi, ou qui, ayant reçu des effets mobiliers appartenant à l'État, ne les représentent pas ou ne justifient pas de l'emploi qui leur avait été prescrit. » — Article 9 : « Sont compris dans les dispositions de l'article précédent, les comptables, chargés de la perception des deniers ou de la garde et de l'emploi des effets mobiliers appartenant aux communes, aux hospices, aux établissements publics, ainsi que leurs cautions, et leurs agents et préposés ayant personnellement géré ou fait la recette. »

La contrainte par corps, prononcée par cet article, s'applique uniquement au séquestre judiciaire ; elle n'est pas étendue au séquestre conventionnel (Arg. des art. 1956 et 1958) (1).

5° *Contre les cautions, etc.* Les cautions judiciaires s'obligent, non-seulement envers le créancier, mais encore envers la justice ; par conséquent elles doivent être plus étroitement liées que les cautions ordinaires.

Les cautions des contraignables par corps sont dans la même position, car l'obligation accessoire participe de la nature de l'obligation principale.

Observons surtout, que les cautions dont il est question dans ce paragraphe ne sont pas de plein droit contraignables par corps; il faut qu'elles se soient soumises expressément à cette contrainte (Arg. de l'art. 519, Pr.; *voy.* note 2 de la page 586).

6° *Contre tous officiers publics, etc.* Les officiers publics qui refusent de présenter leurs minutes, lorsque cette représentation est ordonnée, arrêtent le cours de la justice et violent la foi publique (art. 839, Pr.).

7° *Contre les notaires, etc.* On ne peut employer ces officiers publics, sans se trouver dans la nécessité de leur confier les titres et l'argent nécessaires pour agir : or, puisque la loi gêne les citoyens dans leur choix, elle doit leur offrir tous ses moyens et toutes ses garanties.

Remarquons ces mots : *par suite de leurs fonctions ;* on ne pourrait donc user contre eux de cette voie rigoureuse, s'ils n'avaient pas reçu le dépôt à cause de leurs fonctions, comme une conséquence nécessaire de leur charge : les mêmes raisons n'existeraient plus (2).

Mais si les officiers publics ne sont pas contraignables par corps en vertu de l'art. 2060, on peut les poursuivre en vertu de l'art. 408 du Code pénal, comme dépositaires infidèles.

Il faut étendre cette disposition aux gardes du commerce et aux commissaires-priseurs, car leurs fonctions ne sont qu'une distraction de celles des huissiers.

Enfin, la contrainte par corps doit être prononcée dans les cas prévus par les art. 107, 126, 127, 221, 213, 330, 534, 191, 264, 690, 712, 714, 744, 819, Pr.

Observons en terminant, que l'application de la contrainte par corps n'est pas subordonnée, dans les diverses hypothèses prévues par l'art. 2060, à la mauvaise foi des personnes qui y sont soumises ; car il ne s'agit pas ici du stellionat (3).

— Les notaires qui s'approprient les sommes déposées, au lieu d'en faire le placement, sont-ils contraignables par corps pour la restitution ? ∽ A. Le droit de recevoir des obligations emporte implicitement celui de s'occuper du placement de l'argent, ce qui les rend passibles, pour la restitution des sommes dont il s'agit, des peines portées par l'art. 2060 (*Lyon*, 3 février 1830 ; S., 30, 2, 122. — *Paris*, 26 janvier 1835 ; S , 35, 2, 100, 31 juillet 1835 ; S., 35, 2, 100, D., 36, 2, 81).

Les avocats sont-ils soumis à la contrainte par corps dans le cas prévu par le § 7 de l'art. 2060 ? ∽ *N.* (Merlin, Rép. Contrainte par corps , n. 6).

2061 — Ceux qui, par un jugement rendu au pétitoire, et passé en force de chose jugée, ont été condamnés à désem-

(1) Le mot *commissaire,* employé dans le § 4 de l'art. 2060 , se confond avec le mot *gardien ;* il faut en conséquence le restreindre aux personnes qui sont commises à la garde de quelque chose. C'est en ce sens qu'il était employé dans l'art. 4 du titre 34 de l'ordonnance de 1667 : on ignorait encore, lorsque l'art. 2060 fut rédigé , si les lois de la procédure établiraient des officiers chargés spécialement du dépôt et de l'administration des objets saisis.

(2) Dur., n. 459. — *Cass.*, 15 avril 1813 ; S., 17, 1, 24 ; 18 novembre 1834 ; S., 34, 1, 777 ; *voy.* cep. *Cass.*, 20 juillet 1821 ; S., 22, 1, 333

(3) Dur., n. 454. — *Cass.*, 20 juillet 1821 ; S., 22, 1, 333.

parer un fonds et qui refusent d'obéir, peuvent, par un second jugement, être contraints par corps, quinzaine après la signification du premier jugement à personne ou domicile.

Si le fonds ou l'héritage est éloigné de plus de cinq myriamètres du domicile de la partie condamnée, il sera ajouté au délai de quinzaine, un jour par cinq myriamètres.

= L'ordre public et le repos de la société dépendent essentiellement de l'exécution des jugements ; toute désobéissance aux décisions de la justice est dès lors un délit contre lequel la loi doit sévir.

Ainsi, lorsqu'un jugement rendu au pétitoire (1) condamne les détenteurs à désemparer un fonds, on peut user contre eux de la contrainte par corps, s'ils refusent d'obéir.

Toutefois, la loi se borne ici à *permettre* au juge de prononcer la contrainte par corps ; tandis que, suivant l'art. 2060, n. 2, cette voie d'exécution *doit* être prononcée avant même que la question de propriété ait été jugée au fond : dans ce dernier cas, le jugement qui condamne à restituer, emporte la contrainte par corps ; dans notre espèce, il faut un deuxième jugement : pourquoi ces différences ? En matière de réintégrande, il y a des voies de fait qui appellent une répression sévère et une prompte réparation ; mais en matière de simple délaissement, le débiteur n'a peut-être à se reprocher qu'une erreur ; il ne devient coupable qu'en désobéissant à la justice.

Remarquons surtout, les précautions employées, pour que cette mesure ne soit ordonnée que dans le cas d'absolue nécessité : la loi exige : 1° que le jugement ait été rendu au pétitoire : 2° qu'il soit passé en force de chose jugée ; 3° (comme dans le cas de réintégrande) qu'il soit question d'un fonds ; 4° enfin, le deuxième jugement ne peut intervenir avant l'expiration du délai de quinzaine depuis la signification du premier.

Un exemple facilitera l'intelligence de cet article : — Pierre possède un héritage qui m'appartient ; je forme contre lui une demande en revendication : jugement qui le condamne à délaisser ; il refuse de désemparer, bien que ce jugement ait acquis l'autorité de la chose jugée : je puis le faire condamner, même par corps, à délaisser le fonds : mais il faut un deuxième jugement ; et ce deuxième jugement ne peut être rendu qu'après le délai de quinzaine, à compter de la signification du premier, sans préjudice de l'augmentation du délai à raison des distances : cette augmentation est d'un jour par cinq myriamètres.

La distance se calcule, du domicile du condamné, à la situation de l'immeuble.

Comme la demande requiert célérité, on peut obtenir l'autorisation d'assigner à bref délai (92, Pr.).

2062 — La contrainte par corps ne peut être ordonnée contre les fermiers pour le payement des fermages des biens ruraux, si elle n'a été stipulée formellement dans l'acte de bail. Néanmoins les fermiers et les colons partiaires peuvent

---

(1) Le jugement est rendu au *pétitoire*, lorsqu'il décide que telle personne est propriétaire. — Il est rendu au *possessoire*, lorsqu'il ne prononce que sur le droit de posséder.

être contraints par corps, faute par eux de représenter, à la fin du bail, le cheptel de bétail, les semences et les instruments aratoires qui leur ont été confiés; à moins qu'ils ne justifient que le déficit de ces objets ne procède point de leur fait.

══ L'art. 2060 5° détermine deux cas de contrainte par corps conventionnelle; l'art. 2062, dans sa première partie, en indique un troisième.

Les fermiers présentant en général peu de garanties réelles, il était à craindre que le propriétaire ne se déterminât que difficilement à donner ses biens à ferme, si on lui refusait une action sur leur personne, ce qui tournerait au préjudice de l'agriculture : la loi l'autorise à stipuler, par une clause expresse du bail, que le fermier sera soumis à la contrainte par corps pour le payement des fermages (1), qu'ils consistent en une somme d'argent ou dans une portion de fruits, cela importe peu ; mais il ne pourrait user de cette voie rigoureuse pour l'exécution des autres clauses du bail ni même pour les intérêts des fermages : *odia restringenda*.

La contrainte par corps ne peut être stipulée contre les locataires des maisons ; elle est permise seulement *favore culturæ*. Elle ne peut l'être même contre le colon partiaire, car la loi ne parle que du fermier, et dans cette matière on ne prononce point par analogie ; d'ailleurs, le propriétaire est libre d'assister à la récolte et d'enlever immédiatement la portion qui lui revient dans les fruits.

La loi n'exige pas que l'acte soit authentique : un acte sous seing privé produirait cet effet.

Dans la deuxième partie de l'art. 2062, il est question du cheptel, des semences et instruments aratoires confiés soit aux fermiers, soit aux colons partiaires : le détournement de ces objets est un abus de confiance d'autant plus condamnable, qu'il pourra priver le preneur qui succédera, de moyens d'exploitation indispensables : aussi la voie de contrainte par corps est-elle permise en ce cas, bien qu'elle n'ait pas été stipulée. — Les fermiers ne peuvent s'excuser, qu'en prouvant que le déficit ne provient pas de leur fait.

Au surplus, la contrainte par corps, pour défaut de représentation du cheptel, ou des semences et instruments aratoires, est simplement facultative de la part des juges : ils peuvent la refuser bien qu'elle soit demandée. — Mais ils n'ont pas le droit de modifier le bail en ce qui concerne les fermages.

Régulièrement, le fermier n'est contraignable par corps qu'à la fin du bail ; toutefois, ne concluons pas de là qu'il ne puisse être poursuivi pendant sa durée: s'il contrevient aux obligations qui lui sont imposées, par ex., s'il fait des ventes furtives de bestiaux ou d'instruments aratoires, le propriétaire peut, sans aucun doute, demander la résiliation du contrat et obtenir par suite la contrainte par corps en vertu de l'art. 2062.

Observons, que le propriétaire du bien donné à ferme, peut seul invoquer le bénéfice de cette disposition : la restitution du cheptel livré par tout autre, ne donnerait lieu qu'à des dommages-intérêts, et à l'application de l'article 126, Pr.

(1) La loi ne parlant que du fermier, on peut soutenir que la contrainte par corps n'est pas applicable au colon partiaire, pour les prestations en nature dont il est tenu, vu la rigueur de la matière.

2065—Hors les cas déterminés par les articles précédents, ou qui pourraient l'être à l'avenir par une loi formelle, il est défendu à tous juges de prononcer la contrainte par corps; à tous notaires et greffiers de recevoir des actes dans lesquels elle serait stipulée, et à tous Français de consentir pareils actes, encore qu'ils eussent été passés en pays étranger; le tout à peine de nullité, dépens, dommages et intérêts.

= La liberté des personnes tient essentiellement au droit public; dès lors, elle ne doit être laissée ni à la volonté des parties ni à l'arbitrage des juges : la loi, expression de la volonté générale, peut seule déterminer les circonstances qui, par exception, peuvent en motiver le sacrifice : hors des cas déterminés, on rentre dans le droit commun (1) : si les juges prononcent la contrainte par corps, leur décision est nulle au chef de la contrainte par corps; ils peuvent même être pris à partie (505, 3° Pr.), pour la réparation du dommage qu'ils ont occasionné (Toullier, t. II, n. 219. Pigeau, t. 1. L. 2, partie 4, tit. 2, § 1; Carré, n. 1654, Coin-Delisle, n. 8).

— Les juges civils peuvent-ils prononcer la contrainte par corps hors des cas prévus par la loi civile, sous prétexte que le fait, objet du procès, constitue un délit ? ⁓ *N.* En matière civile, la contrainte par corps ne peut être ordonnée que dans les cas déterminés par la loi.— Reconnaitre aux tribunaux civils le droit de déclarer que tel ou tel fait est un crime ou un délit, ce serait priver le défendeur, des garanties que la loi donne à l'accusé ou au prévenu ; sans doute, ils n'appliqueront pas la peine, mais ils ne noteront pas moins d'infamie le condamné. — Une telle décision détruirait entièrement le système de la contrainte par corps civile.—Enfin, elle ferait naitre une multitude de difficultés d'exécution.—D'ailleurs, en matière civile ordinaire, le créancier peut renoncer à la contrainte par corps ; nul ne le conteste ; pourquoi en renonçant à la voie criminelle, ne serait-il pas censé abandonner volontairement les avantages qu'il en aurait retirés. pour s'en tenir aux suites légales de l'action civile (Coin-Delisle, n. 38 et suiv. — *Bordeaux*, 16 février 1829 ; S., 29, 2, 300 ; D., 30, 2, 106. — *Cass.*, 30 décembre 1828 ; S., 29, 1, 156 ; D., 29, 1, 84. — *Cass.*, 18 novembre 1834 ; D., 1835, 1, 10). ⁓ La partie lésée peut poursuivre la réparation civile, à son choix, devant les tribunaux civils ou devant les tribunaux de répression : quand l'action est portée devant les tribunaux civils, le mode d'exécution doit donc être le même que celui qui serait ordonné par les tribunaux criminels (*Paris*, 6 janvier 1832 ; S., 32, 2, 149 ; D., 32, 2, 120, et 16 novembre 1833 ; S., 34, 2, 17. — *Cass.*, 6 septembre 1813 ; S., 14, 1, 57 ; 23 décembre 1818 ; S., 19, 1, 278 ; D., 19, 1, 224).

La justice civile doit-elle, par application de l'art. 408 du Code pénal, prononcer la contrainte par corps, contre le dépositaire infidèle envers qui le déposant n'a pas pris la voie criminelle ? ⁓ Tant que le créancier se borne à réclamer au civil la restitution pure et simple d'un dépôt volontaire, il ne peut obtenir la contrainte par corps ; parce qu'elle n'est prononcée par aucun texte des lois civiles. S'il conclut à des dommages-intérêts ; les circonstances peuvent déterminer les magistrats à les adjuger par corps ; en prenant la voie correctionnelle, il aurait profité de l'art. 52 du Code pénal (Coin-Delisle, n. 4, 36, 37, 43 et suiv.).

Si la contrainte par corps a été stipulée pour un des cas ou la loi permet au juge de la prononcer (voyez par ex. l'art. 2062, C. c. 2 et l'art. 126, Pr.), cette stipulation produit-elle quelque effet ? ⁓ *N.*

_____

(1) La loi du 17 avril 1832 soumet à la contrainte par corps plusieurs classes d'individus qui s'y trouvaient déjà assujettis par des lois particulieres. Cette loi porte art. 10 : « Seront également soumis à la contrainte par corps : 1° tous entrepreneurs, fournisseurs, soumissionnaires et traitants, qui ont passé des marchés ou traités intéressant l'Etat, les communes, les établissements de bienfaisance et autres établissements publics, et qui sont déclarés débiteurs par suite de leurs entreprises, leurs cautions, ainsi que leurs agents et préposés qui ont personnellement géré l'entreprise, et toutes personnes déclarées responsables des mêmes services. » — Art. 11 : « Seront encore soumis à la contrainte par corps, tous redevables, debiteurs et cautions de droits de douanes, d'octroi et autres contributions indirectes, qui ont obtenu un crédit, et qui n'ont pas acquitté à échéance le montant de leurs soumissions ou obligations. » — Art. 12 : « La contrainte par corps pourra être prononcée, en vertu des quatre articles précédents, contre les femmes et les filles. Elle ne pourra l'être contre les septuagénaires. » — Art. 13 : « Dans les cas énoncés dans la présente section (cette section, indépendamment des articles actuels, comprend aussi les art. 8 et 9 transcrits sous l'art. 2060), la contrainte par corps n'aura jamais lieu que pour une somme principale excédant 300 fr. Sa durée sera fixée dans les limites de l'art. 7 de la présente loi, § 1. »

Elle est nulle, car c'est par une espèce de délégation de pouvoirs que le juge est appelé à discerner s'il y a lieu ou non à la contrainte par corps (Coin-Delisle , n. 9).

Un père et un fils pouvant faire des conventions pour lesquelles la contrainte par corps peut être prononcée, on demande si cette voie d'exécution leur est ouverte? ⟶ *N.* Arg. de l'art. 371. — La morale s'y oppose (Loi du 17 avril , art. 19).

L'individu non négociant qui cautionne une dette commerciale est-il soumis à la contrainte par corps? ⟶ *N.* Arg. des art. 2060 et 2063 (*Cass.*, 20 août 1833 ; S., 33, 1, 743).

Les soldats sous les drapeaux peuvent-ils être soumis à la contrainte par corps? ⟶ *N.* Le soldat ne peut être distrait, par des motifs de pur intérêt privé , du service qu'il remplit, ou de celui qu'un de ses chefs peut lui prescrire d'un instant à l'autre (*Caen* , 22 juin 1829; S., 29, 2, 208).

2064 — Dans les cas même ci-dessus énoncés, la contrainte par corps ne peut être prononcée contre les mineurs.

= Dans les circonstances où la loi permet d'user de la contrainte par corps, la justice et l'humanité commandent des exceptions :

Au nombre de ces exceptions, se trouve la minorité : le mineur, même émancipé (1) (la loi ne distingue pas) peut toujours se faire restituer quand il est lésé ; or, de toutes les lésions, la plus considérable, assurément, est celle qui résulte de la perte de la liberté.

Telle est la faveur dont jouit le mineur, qu'il ne peut être contraint par corps même pour cause de stellionat : sous ce rapport, sa position, diffère, ainsi que nous le verrons art. 2066, de celle des femmes, des filles et des stellionataires.

Toutefois, dans certains cas, le mineur est contraignable par corps, lorsqu'il fait le commerce (loi du 17 avril 1832, art. 1er).

— Peut on prononcer la contrainte par corps contre un individu majeur, si le fait qui y donne lieu, s'est passé en minorité? ⟶ *I.* La contrainte par corps n'est pas une peine, mais une voie d'exécution (Dur., n. 475, n. 18 ; *voy.* cep. Coin-Delisle, n. 5).

Peut-elle être prononcée contre une personne pourvue d'un conseil judiciaire, à raison d'une obligation valable qu'elle a contractée? ⟶ *A.* (*Bruxelles* , 4 et 13 avril 1808 ; S., 8, 2, 209).

Une femme peut-elle acquiescer à un jugement qui prononce contre elle la contrainte par corps? ⟶ Rien ne s'y oppose (*Toulouse* , 28 janvier 1831 ; S., 31, 2, 326). ⟶ *N.* Arg. de l'art. 2063. — On ne peut faire indirectement ce qu'on ne peut faire directement (*Paris* , 12 juillet 1825; S., 28, 2, 124, 26 octobre 1837 ; D., 1837 ; 2, 153).

2065 — Elle ne peut être prononcée pour une somme moindre de trois cents francs.

= L'art. 2065 modifie la disposition de l'art. 2059 : il refuse la contrainte par corps, même en cas de stellionat, lorsqu'il s'agit d'une dette au-dessous de 300 fr. : une somme aussi modique, n'a pas assez d'influence sur la fortune du créancier, pour qu'on doive lui sacrifier la liberté du débiteur. D'ailleurs, l'impossibilité d'obtenir, par les voies ordinaires, le payement de cette dette, fait présumer un état complet d'indigence, que le créancier aggraverait encore sans espérance et sans profit, s'il usait de la contrainte par corps.

Observons, que la contrainte par corps peut être ordonnée, non-seulement lorsque le *principal* excède 300 fr. ; mais encore, lorsque toute la dette s'élève à cette somme, capital , intérêts et dommages-intérêts réunis (Arg. de l'art, 880, Pr.).

Lorsque plusieurs personnes ont été condamnées conjointement, mais non solidairement, au payement d'une certaine somme, on considère, pour appliquer la disposition de l'article 2065, la part et portion dont chacune d'elles est personnellement tenue et non l'intégralité de la condamnation (2).

(1) Pigeau , Pr. L. 2, part. 3, t. 5, ch. 3, Div. 4, n. 1. — Coin-Delisle , n. 6.
(2) *Cass.*, 3 décembre 1827 ; S., 28, 1, 161.

Plusieurs dettes, susceptibles de produire la contrainte par corps à raison de la matière, mais toutes au-dessous de 300 fr., peuvent-elles s'exécuter par ce moyen, lorsque réunies elles complètent cette somme? Si elles procèdent de causes différentes, on applique la maxime : *tot capita, tot sententiæ*; en conséquence, il n'y a pas lieu à la contrainte par corps: mais il en est autrement, lorsque ces dettes procèdent de la même cause; on ne considère plus alors que l'importance de la somme totale: par ex., s'il s'agit d'une dette productive d'intérêts, et que le capital et les intérêts réunis représentent une valeur de 300 fr. ou au-dessus, le créancier peut obtenir contre le débiteur la contrainte par corps (Coin-Delisle, n° 10).

— Comment concilier la disposition de l'art. 2085, suivant laquelle la contrainte par corps peut être prononcée pour une somme de 300 fr., avec celle de l'art. 126 Pr., qui exige que les dommages-intérêts soient *au-dessus* de 300 fr.? ⁓ Les art. 2063 et 2066 statuent sur des cas distincts · l'art. 126, Pr., ne doit s'appliquer qu'aux dommages-intérêts pour lesquels les juges ne pouvaient prononcer la contrainte par corps avant qu'il ne fût publié; c'est-à-dire, à des cas autres que ceux prévus par les articles 2060 et 2062, C. c. (Dur., n. 478). ⁓ Aux termes de la loi du 17 avril 1832, art. 13, 39 et 40, la somme doit excéder 300 fr. (*Favores ampliandi*).

Aux termes de l'art. 1360, la contrainte par corps a lieu pour reliquat de compte de tutelle, etc. : mais peut-elle être prononcée en ce cas pour une somme *au-dessous* de 300 fr.? ⁓ N. L'art. 2060 ne distingue pas : la loi n'a pas voulu que l'on pût priver un individu de sa liberté, pour la plus modique somme (Dur., n. 480).

La contrainte par corps peut-elle être prononcée pour les dépens de la procédure? ⁓ A. Arg. de l'art. 800, Pr. : aux termes de cet article, le débiteur incarcéré qui veut obtenir son élargissement doit satisfaire aux condamnations prononcées contre lui, et payer en outre les frais liquidés auxquels il a été condamné. — Loi du 17 avril 1832, art. 23 (*Paris*, 17 septembre 1839 ; S., 39, 2, 14), ⁓ N. L'art. 126, Pr. n'a pas reproduit la disposition de l'art. 2 de l'ordonnance qui admettait la contrainte par corps pour les dépens; mais en matière criminelle, les frais et dépens entraînent cette voie d'exécution (Merlin, Rép., Contrainte par corps, n. 3, *in fine*. Carré, Pr., t. 1, n 539, Quest., n. 734. — *Cass.*, 14 novembre 1809 ; S., 10, 1, 64 ; 4 janvier 1825 ; S., 25, 1, 296 ; 30 décembre 1828 ; S., 29, 1, 156).

2066 — Elle ne peut être prononcée contre les septuagénaires, les femmes et les filles, que dans le cas de stellionat.

Il suffit que la soixante-dixième année soit commencée, pour jouir de la faveur accordée aux septuagénaires.

La contrainte par corps, pour cause de stellionat pendant le mariage, n'a lieu contre les femmes mariées que lorsqu'elles sont séparées de biens, ou lorsqu'elles ont des biens dont elles se sont réservé la libre administration, et à raison des engagements qui concernent ces biens.

Les femmes qui, étant en communauté, se seraient obligées conjointement ou solidairement avec leur mari, ne pourront être réputées stellionataires à raison de ces contrats.

= Les septuagénaires (et l'on considère comme tels ceux qui ont commencé leur soixante-dixième année (Pr., 800), ne sont pas soumis à la contrainte par corps : l'humanité et la morale commandent ce respect pour la vieillesse. — A cet âge, on est même libéré de la contrainte par corps antérieurement prononcée (art. 800, Pr.).

Cette voie d'exécution a toujours paru trop rigoureuse pour les femmes et les filles : d'ailleurs, ceux qui contractent avec elles, connaissent la faiblesse de leur sexe, et combien leurs travaux sont en général peu lucratifs; ajoutons, que la morale publique est intéressée à ce qu'on ne les mette pas dans une aussi grande dépendance de leurs créanciers (1).

(1) Il a même été jugé que la contrainte par corps ne peut être prononcée contre les femmes et les filles, pour dommages-intérêts, encore qu'ils excèdent 300 fr. (*Cass.*, 17 janvier 1832 ; S., ??, 1, 687 ; 20 mai 1818 ; S., 18, 1, 335, 14 avril 1827 ; S., 28, 1, 66, 6 octobre 1813 ; S., 13, 1, 466).

Toutefois la loi déclare que le septuagénaire, ainsi que les femmes et les filles, peuvent être contraints par corps dans le cas de stellionat : la vieillesse et le sexe ne peuvent servir d'excuse à cette faute énorme.

Mais elle prend soin d'atténuer cette rigueur en faveur des femmes en puissance de mari : en effet, elle distingue si les femmes ont paru dans l'acte comme parties principales, ce qui arrive, lorsqu'elles sont séparées de biens, ou même, lorsque n'étant pas séparées, elles ont conservé la libre administration de l'immeuble qu'elles vendent ou qu'elles hypothèquent, elles encourent toutes les conséquences du stellionat (1) : le mari s'est borné à donner son autorisation ; il peut ne pas avoir connu les charges qui grevaient cet immeuble.

Mais la femme commune n'est pas soumise à la contrainte par corps, lors même qu'elle s'oblige, pour des biens qui lui sont propres, conjointement ou même solidairement avec son mari, si l'administration de ces biens appartient à ce dernier, car elle ne remplit qu'un rôle secondaire (*voy.* art. 1431) : ainsi, lorsque le contrat contient une fausse déclaration sur la propriété ou sur les charges hypothécaires, le mari seul est coupable de stellionat. — *Quid*, si la femme commune s'oblige seule avec autorisation de justice (par ex. : en cas d'absence, de minorité ou de refus du mari)? Il nous semble qu'on doit la réputer stellionataire, car elle n'est plus alors censée avoir agi sous l'influence de mari.

Aux termes de l'art. 555 du Code de commerce, la femme qui prête son nom ou son intervention à des actes faits par son mari négociant, en fraude des créanciers, peut, sous quelque régime qu'elle soit mariée, être poursuivie comme complice de banqueroute frauduleuse. Voyez au surplus les art. 1 et 5 de la loi du 17 avril 1832.

2067 — La contrainte par corps, dans les cas mêmes où elle est autorisée par la loi, ne peut être appliquée qu'en vertu d'un jugement.

⚐ Un titre, même en forme exécutoire, ne suffit pas pour autoriser la contrainte par corps : la liberté des citoyens est un bien trop précieux pour qu'on doive la livrer à des interprétations qui peuvent être fausses ; les tribunaux seuls ont le droit d'en ordonner le sacrifice : il faut un jugement.

Peut-elle être ordonnée par des arbitres ? Oui, lorsque le compromis leur confère ce droit, ce qui ne peut avoir lieu qu'autant qu'on se trouve dans un cas où la contrainte par corps peut être l'objet d'une convention. — du reste, il n'y pas lieu d'examiner si les arbitres étaient forcés ou s'ils étaient volontaires (2) : dans l'un et l'autre cas, ils sont investis des mêmes pouvoirs que les tribunaux ; leur sentence est un acte tout aussi solennel que celle qui émane d'un juge en titre.

Par exception, la caution judiciaire est contraignable par corps en vertu de la soumission qu'elle a faite au greffe (519, Pr.). — Les débiteurs de deniers et effets mobiliers publics sont emprisonnés en vertu de con-

_____

(1) On suppose, bien entendu, que la femme a traité comme dûment autorisée : autrement il ne pourrait être question d'exécuter le contrat puisqu'il se trouverait nul a son égard (Dur., n. 24).

(2) Delv., p. 191, n. 1 ; Merlin, Arbitrage, n. 4 ; Carré, Pr., n. 3334 ; Pardessus ; n. 1404, Coin-Delisle, n. 7. — *Paris*, 20 mars 1812 ; S. 12, 2, 232. — *Pau*, 4 juillet 1811 ; S., 24, 2, 12 ; D., 22. 2, 73. — *Cass.*, 1er juillet 1823, S., 24, 1, 5 ; D., 23, 1, 358.

traintes ou de décisions administratives. — L'arrestation provisoire des étrangers a lieu en vertu d'une simple ordonnance du président rendue sur requête (Loi du 17 avril 1832, art. 15). — Le témoin qui ne comparaît pas, après réassignation, peut être condamné par corps au payement de l'amende de 100 fr. qu'il a encourue, en vertu d'une simple ordonnance du juge commissaire. — Enfin, on décide généralement, qu'il appartient au président seul de prononcer la contrainte par corps contre l'avoué qui n'a pas, dans le délai de trois jours ou dans celui fixé par le récépissé, rétabli les pièces qui lui ont été données en communication (191, Pr.) (1).

Les règles relatives à l'exécution de la contrainte par corps, sont tracées dans les art. 680 et suiv. du Code de procédure.

Il est permis au juge, de décider qu'il sera sursis, pendant quelque temps, à l'exécution de cette voie rigoureuse; mais il faut que ce sursis soit accordé par le jugement de condamnation (122 et 127, Pr.).

2068 — L'appel ne suspend pas la contrainte par corps prononcée par un jugement provisoirement exécutoire en donnant caution.

= Le Code fait ici l'application des règles ordinaires qui permettent d'exécuter, même après l'appel, lorsque les tribunaux ont ordonné l'exécution provisoire (art. 135, Pr.) : toutefois, la contrainte par corps ne peut être exercée, qu'en présentant une caution qui répondra des dommages-intérêts, au cas où il sera jugé définitivement, qu'il n'y avait pas lieu de l'ordonner.

Aux termes de la loi du 17 avril 1832, art. 20, dans les affaires où les tribunaux civils ou de commerce prononcent en dernier ressort, la disposition relative à la contrainte par corps est sujette à appel : mais l'appel n'est pas suspensif; ainsi, le jugement est de plein droit exécutoire par provision et sans caution, même en ce qui concerne la contrainte par corps.

2069 — L'exercice de la contrainte par corps n'empêche ni ne suspend les poursuites et les exécutions sur les biens.

= On peut faire marcher simultanément l'action sur la personne et l'action sur les biens.

2070 — Il n'est point dérogé aux lois particulières qui autorisent la contrainte par corps dans les matières de commerce, ni aux lois de police correctionnelle, ni à celles qui concernent l'administration des deniers publics.

---

(1) Carré, n. 794 ; Favard, Rép. Exception, § 5, n. 3 ; *voy.* cep. Pigeau Pr., t. 1er, L. 2, titre 1, ch. 5, sect. 3, § 4, Coin-Delisle, n. 2.

TITRE XVII.

DU NANTISSEMENT.

(Décrété le 16 mars 1804, promulgué le 26 du même mois.)

Le nantissement se forme par la tradition : ce contrat est donc réel, aussi bien que le prêt et le dépôt : mais il diffère essentiellement de ces deux derniers contrats par le but de la remise.

Le nantissement est un contrat *unilatéral imparfait*, car il ne produit qu'une obligation principale : celle du créancier. — L'obligation du débiteur ne peut être qu'incidente.

Lorsque la chose est donnée par un tiers, pour le débiteur, la convention est complexe : elle renferme un contrat de *nantissement*, lequel se forme entre le créancier et celui qui livre la chose ; et un contrat de *mandat*, lequel intervient entre ce dernier et le débiteur.

Ce titre est divisé en deux chapitres : le premier traite du gage ; le deuxième traite de l'antichrèse.

2071 — Le nantissement est un contrat par lequel un débiteur remet une chose à son créancier pour sûreté de la dette.

➡ Ainsi, trois conditions sont de l'essence du nantissement ; il faut :

1º Qu'une chose soit livrée : cette chose peut être mobilière ou immobilière.

2º Que la chose soit remise entre les mains du créancier (2076).

3º Enfin, il faut que la tradition ait lieu pour sûreté d'une dette.

Toute espèce d'obligation licite peut être assurée par celle accessoire du nantissement : l'effet de ce dernier contrat est subordonné à l'existence de l'obligation principale.

Le nantissement peut intervenir pour sûreté d'une créance qu'on se propose de contracter, ou que l'on croyait exister et qui n'existe pas encore : quoique la chose donnée en nantissement ne soit pas, en ce cas, immédiatement affectée au payement de celui qui l'a reçue, le contrat produit entre les parties des obligations réciproques.

2072 — Le nantissement d'une chose mobilière s'appelle *gage*. Celui d'une chose immobilière s'appelle *antichrèse*.

= L'antichrèse (1) diffère principalement du gage, en ce que le créancier gagiste acquiert le droit de se faire payer sur la chose, par préférence à tout autre créancier (2073, 2102) ; tandis que l'antichrésiste n'a pas le corps même de l'héritage en nantissement : il peut seulement recueillir les fruits qui en proviendront, à charge de les imputer sur sa créance (2085).

Le nanti-sement d'une chose immobilière consiste en réalité dans l'*hypothèque*, sorte de droit qui confère la faculté de faire vendre la chose en cas de non payement.

---

(1) Ce mot vient du grec ; *Vinnius* le fait dériver de deux mots qu'il traduit par ceux-ci · *utendum do* : en effet, dans l'antichrèse, le débiteur donne seulement le droit d'user de la chose.

CHAPITRE PREMIER.

Du gage (1).

Le gage (*lato sensu*), est l'affectation d'une chose au payement d'une dette, en sorte que le créancier puisse faire vendre cette chose et s'en attribuer le prix jusqu'à due concurrence : sous ce rapport, tous les biens d'un débiteur sont le gage commun de ses créanciers (2092, 2093).

Dans un sens plus restreint, le droit de gage consiste dans l'affectation spéciale et entière d'une chose mobilière (corporelle ou incorporelle) que le débiteur livre pour sûreté de son obligation, affectation qui survit même à l'aliénation de cette chose et qui donne au créancier, non-seulement le droit de la faire vendre, mais encore celui de se faire payer sur le prix, par préférence aux autres créanciers (2102).

A moins de stipulations contraires, le créancier n'a aucun droit de jouissance sur la chose qui lui est remise en gage; toutefois, si cette chose consiste en une créance, il touche, en l'acquit du débiteur, les intérêts qu'elle produit, à charge d'en imputer le montant sur ce qui lui est dû.

Celui qui livre une chose en gage doit en être propriétaire et avoir la capacité d'en disposer.

Toutefois, hors le cas de perte ou de vol, le créancier n'est pas tenu de restituer au véritable propriétaire qui revendique, la chose qu'il a reçu de bonne foi d'un tiers (Arg. des art. 2279, 2102, n. 4, al. 3 (2)).

Les art. 2074-2077 prescrivent certaines conditions pour l'efficacité du gage à l'égard de tiers, et les art. 2073, 2078, 2083 les droits et les obligations principales ou incidentes qui résultent de ce contrat pour le créancier.

2073 — Le gage confère au créancier le droit de se faire payer sur la chose (3) qui en est l'objet, par privilége et préférence aux autres créanciers.

= Le débiteur conserve sa propriété; le créancier n'acquiert qu'un droit de gage : *jus pignoris*.

Ce droit renferme : 1° celui de détenir la chose jusqu'au parfait payement : si le débiteur s'en emparait à l'insu et contre le gré de son créancier, il commettrait donc un vol, non à la vérité de la chose même, car on ne peut voler sa propre chose, mais de la possession (*voy.* art. 2078, 2079, 2080 et 2082).

2° En cas de non payement, celui de faire vendre la chose, suivant les formes prescrites, et de se faire payer sur le prix par préférence. — La loi dit : par *privilége et préférence* sur les autres créanciers; nous verrons toutefois, que cette cause de préférence n'est pas la même que celle d'où dérivent les priviléges proprement dits : le privilége, en effet, est un droit que la *qualité de la créance* donne à un créancier d'être préféré aux autres créanciers même hypothécaires; tandis que la cause de préférence qui résulte du gage, vient uniquement de la convention intervenue entre le

---

(1) Le mot *gage* a trois significations : il se prend : 1° pour le contrat lui-même : 2° pour la chose ; 3° pour le droit de créance sur la chose.

(2) Voy cep. Grenier, Hyp., t. 2, n. 314.

(3) C'est plutôt sur le prix : en effet, la loi annule toute disposition qui, à défaut de payement, ferait tomber la chose même dans la propriété du créancier (2078).

débiteur et le créancier. Le gage reçoit ici la qualification de privilége, parce qu'il conduit au même résultat (*voy.* art. 2102 2°).

2074 — Ce privilége n'a lieu qu'autant qu'il y a un acte public ou sous seing privé, dûment enregistré, contenant la déclaration de la somme due, ainsi que l'espèce et la nature des choses remises en gage, ou un état annexé de leurs qualité, poids et mesure.

La rédaction de l'acte par écrit et son enregistrement ne sont néanmoins prescrits qu'en matière excédant la valeur de cent cinquante francs.

= Le contrat de gage, considéré dans les rapports qu'il établit entre le créancier et le débiteur, n'est soumis à aucune forme particulière (1); mais comme ce contrat peut être opposé aux tiers, on a dû prendre des mesures, pour prévenir toute collusion frauduleuse avec le détenteur : sans ces précautions, un débiteur pourrait facilement, au moyen d'intelligences coupables, soustraire son mobilier à l'action de ses créanciers : par exemple, se voyant sur le point de faillir, il pourrait le remettre à un tiers, en ayant soin d'antidater la reconnaissance.

La loi prescrit, comme conditions de l'existence du gage :

1° La rédaction d'un acte écrit, lorsque la créance ou la chose donnée en gage excède en valeur la somme de 150 fr. S'il s'agit d'une valeur moindre, la constitution et l'étendue du privilége peuvent s'établir par témoins ou par des présomptions (1341). — Il est prudent de mentionner dans l'acte la cause de la créance ; mais comme cette mention n'est prescrite par aucun texte, l'acte ne serait pas nul si on l'avait omise.

Le débiteur agira prudemment, en faisant rédiger l'acte sous seing privé, en double original ; mais comme le gage n'est pas un contrat synallagmatique, il n'y aurait pas lieu d'appliquer l'art. 1325, si cette mesure avait été négligée.

2° L'authenticité de cet acte ou son enregistrement : la dispense d'un écrit, en matière qui n'excède pas 150 fr., nous prouve néanmoins, que les formalités exigées par l'art. 2074 ne tiennent pas à la substance du contrat, et qu'elles sont uniquement requises pour la preuve : concluons de là, que l'enregistrement peut être suppléé par les autres manières de donner à l'acte une date certaine (1328) (Delv., p. 217, n. 6 ; D., t. 10 ; P., 397, n. 4) (2), et qu'en cas de perte de cet acte, où s'il existe un commencement de preuve par écrit ayant date certaine (1347 et 1348), le contrat de gage peut être constaté par témoins ou par des présomptions : il n'y a point d'analogie entre l'art 2074 et l'art. 2127, lequel renferme des conditions essentielles pour la validité de l'hypothèque (Pothier, n. 17) (2. — Toutefois, si l'objet donné en gage est une créance, il faut nécessairement un écrit, dûment enregistré, même en matière au-dessous de 150 fr. (*voy.* art. 2075).

3° La déclaration de la somme due.

4° La désignation, également dans l'acte, de l'espèce, ainsi que de la nature des choses remises en gage, ou un état annexé de leurs qualités,

---

(1) *Cass.*, 13 juillet 1824 ; D., t. 10, p. 398, n. 1.
(2) *Cass.*, 31 mai 1836 ; D., 36, 1, 378. ××× Cette opinion est combattue par Dur., n. 514 et suivants : en pareille matière, dit cet auteur, tout est de rigueur ; la loi prescrit l'enregistrement, toute autre manière de donner date certaine à l'acte est insuffisante (*Cass.*, 5 juillet 1820 ; S., 21, 1. 14).

poids et mesures, si ces choses ne sont pas des corps certains et déterminés : cet état doit être authentique ou revêtu de la formalité de l'enregistrement.

Les règles de notre article souffrent quelques dérogations en matière de commerce (*voy.* les art. 93, 94, 95).

— Nous avons vu , que l'acte doit être enregistré lorsqu'il est sous signature privée ; mais dans quel délai faut-il remplir cette formalité ? ⁓ Il n'y a pas de temps limité : cependant , l'acte ne peut être enregistré utilement dans les dix jours qui ont précédé l'ouverture de la faillite (443 , Code de comm.), ni même depuis une saisie-arrêt , fait à la requête d'un autre créancier (Dur., n. 513).

L'état des objets donnés en gage doit-il être enregistré lorsqu'il ne se trouve pas dans l'acte même ? ⁓ A. Si cet état n'avait pas date certaine , on pourrait facilement frauder les autres créanciers par la substitution d'un nouvel état contenant un plus grand nombre d'objets , ou des objets d'une plus grande valeur(Dur., n. 520).

Un écrit est-il nécessaire en matière de commerce , pour assurer le privilége du créancier gagiste , dans le cas , bien entendu , où il s'agit d'une valeur excédant 150 fr.? ⁓ N. Arg. de l'art. 9084 (Rouen, 9 juin 1826 ; D., 27, 2, 4 , S., 27. 2, 233. — Colmar , 7 mars 1812; D., t. 9, p. 46). ⁓ A. Arg. des articles 2073 et 2074. — Arg. de l'art. 8 du titre 6 de l'ordonnance de 1673. — L'art. 2084 excepte les lois particulières au commerce , — en disant : Les dispositions précédentes ne sont point applicables aux matières de commerce , l'article 2084 a eu en vue , non la convention de nantissement proprement dite , mais divers droits de gage particuliers au commerce ; voy. notamment l'art. 93 du Code de commerce (Dur., n. 520 ; Pardessus , t. 1, n. 583; D., t. 10, p. 397, n 5. — Metz , 25 août 1827, — Cass., 17 mars 1829 ; D., 29, 1, 193. 31 mars 1836 ; D., 86, 1, 378).

Pour que le créancier soit réputé posséder le gage, est-il absolument nécessaire que la chose sorte des bâtiments du débiteur ? ⁓ N Arg. de l'art. 1606. — La loi n'a pu vouloir obliger les parties à faire des frais considérables de transport pour les objets d'un grand poids (Dur., n. 531).

2075 — Le privilége énoncé en l'article précédent ne s'établit sur les immeubles incorporels, tels que les créances mobilières, que par acte public ou sous seing privé, aussi enregistré, et signifié au débiteur de la créance donnée en gage.

= Si le gage a pour objet un meuble incorporel, la rédaction d'un acte passé dans les formes prescrites par l'art. 2074 ne suffit pas; il faut en outre, comme au cas de transport (1690), quelque faible que soit la somme due, faire connaître au débiteur, par une signification, le privilége concédé sur le montant de l'obligation dont il est tenu. — Au surplus, on décide généralement, qu'une acceptation par acte authentique, de la part du débiteur, saisirait suffisamment le cessionnaire.

La signification prescrite par notre article, place le créancier dans une position plus favorable qu'une saisie, puisqu'elle donne un droit de préférence.

— La signification faite au débiteur, donnerait-elle au créancier gagiste le droit de recevoir le payement de la créance donnée en gage ? ⁓ N. Elle a seulement l'effet d'une saisie-arrêt, avec privilége en faveur du saisissant : le créancier gagiste ne touche que les intérêts (Delv., p. 217, n. 8 ; Dur., n. 526).

Outre la signification, faut-il encore , pour donner le privilége , que le titre de la créance ait été remis au créancier ? ⁓ A. Il faut une tradition , une mise en possession (Arg. des art. 1607 et 1689· Delv., p. 217, n. 9 ; Dur., n 525. — Liége , 15 mai 1810 ; S., 11, 2, 54).

2076 — Dans tous les cas, le privilége ne subsiste sur le gage qu'autant que ce gage a été mis et est resté en la possession du créancier, ou d'un tiers convenu entre les parties.

= Ainsi, la mise en possession est de l'essence du gage, et le privilége est subordonné à la rétention de la chose (1).

Cependant, on n'exige pas absolument que le gage se trouve entre les mains du créancier lui-même : s'il est remis à un tiers convenu entre les parties, ou même désigné par le créancier, le privilége n'a pas moins lieu ; ce tiers est alors considéré comme mandataire du créancier.

(1) Voy. art. 2102, nos observations sur le droit de rétention.

— *Quid*, si le créancier gagiste vient à perdre la possession, ou si cette possession lui est soustraite ? ⟶ Il a la revendication, car il a acquis sur la chose le *jus pignoris* et il est tenu de la conserver. — Il peut exercer cette action contre le débiteur, tant que sa créance n'est pas éteinte ; mais à l'égard des tiers, il ne peut revendiquer qu'autant que la chose a été perdue ou volée, et cela pendant trois ans (2279). — Il ne jouit pas des priviléges de l'art. 2102, premier alinéa (Pothier, n. 21 ; Delv., p. 210, n. 3).
La prescription court-elle contre le créancier tant qu'il reste nanti du gage ? ⟶ *N.* (Merlin, Rép., Prescription, sect. 1re, § 7 ; Dur., n. 553. — *Cass.*, 27 mai 1812 ; S., 13, 1, 85).

2077 — Le gage peut être donné par un tiers pour le débiteur.

= Pour donner une chose en gage, il faut être propriétaire de cette chose et capable de l'aliéner : mais il n'est pas nécessaire que le propriétaire en ait disposé pour sa propre dette : le gage peut être donné par un tiers pour le débiteur.

— *Quid*, si le gage a été donné par le non-propriétaire et sans le consentement du propriétaire ? ⟶ Le débiteur ne peut retirer le gage. — Quant aux effets du gage par rapport au propriétaire, on distingue : si le créancier n'est pas de bonne foi, le contrat est nul, en ce sens que le propriétaire de la chose peut la revendiquer : s'il est de bonne foi, il faut encore distinguer : lorsque la chose a été volée ou perdue, le propriétaire peut la revendiquer pendant trois ans, à compter du jour de la perte ou du vol, à charge de rembourser au créancier gagiste ce qu'elle a coûté au débiteur (Arg. des art. 2279 et 2180) ; si la chose n'a été ni perdue ni volée, le propriétaire ne peut la réclamer du créancier qu'autant qu'il aurait le droit de la réclamer du débiteur lui-même, par ex., si elle a été prêtée au dernier, et en outre, à charge de rembourser au créancier le montant de ce qui lui est dû ; sauf le recours du propriétaire de la chose, contre le débiteur, qui se trouve ainsi libéré (Dur., n. 533).

2078 — Le créancier ne peut, à défaut de payement, disposer du gage ; sauf à lui à faire ordonner en justice que ce gage lui demeurera en payement et jusqu'à due concurrence, d'après une estimation faite par experts, ou qu'il sera vendu aux enchères.

Toute clause qui autoriserait le créancier à s'approprier le gage ou à en disposer sans les formalités ci-dessus, est nulle.

= Le seul défaut de payement, au terme convenu, ne peut autoriser le créancier à disposer du gage, puisqu'on ne lui en a pas transféré la propriété : d'ailleurs, il eût été contraire à l'équité, de lui accorder ce droit ; car il arrive souvent, qu'un débiteur, pressé par le besoin, remet au créancier un gage qui excède en valeur le montant de la dette : or, si le défaut de payement autorisait ce dernier à s'approprier la chose, un objet précieux servirait quelquefois à payer une créance modique ; le nantissement pourrait dégénérer en contrat usuraire.

Le droit du créancier se borne à faire ordonner en justice, ou que la chose lui restera, pour sa valeur, d'après une estimation qui sera faite par experts ; ou qu'elle sera vendue aux enchères.

Toutefois, nous ne croyons pas que la loi prétende laisser au créancier la faculté d'opter entre l'un et l'autre parti ; car il importe au débiteur que la vente ait lieu, afin d'obtenir le plus haut prix possible : le créancier doit, suivant nous, donner assignation à son débiteur, pour voir dire, que la chose viendra en déduction de la créance, suivant l'estimation qui en sera faite par experts ; sinon, qu'elle sera vendue aux enchères : sur cette assignation, si le débiteur ne fait pas connaître ses intentions, le tribunal prononce eu égard aux circonstances (1).

Au surplus, ne perdons pas de vue, que le créancier n'est tenu de re-

(1) Dur. n. 530 ; *roy. cep* Delv, p 216, n. 4 : Merlin . v° *Gage*. n. 3. — *Colmar*. 23 février 1828 ; D., 28, 2, 213.

courir à la justice que pour se faire attribuer le gage ou pour obtenir l'autorisation de le faire vendre : s'il a un titre exécutoire, il peut agir en vertu de ce titre ; l'art. 2078 ne déroge point au droit commun.

Si le montant de l'estimation excède la somme due, le créancier est tenu, pour demeurer propriétaire, ou de payer ou de consigner l'excédant.

Jusqu'au jugement et même jusqu'au payement ou la consignation de cet excédant, le débiteur, en faisant des offres réelles, peut exiger la restitution de la chose donnée en nantissement, lors même que la justice a ordonné que le gage demeurera en payement au créancier jusqu'à due concurrence (Pothier, n. 19).

Dans sa disposition finale, notre article déclare nulle toute convention qui autoriserait le créancier à disposer du gage, ou à se l'approprier sans observer les formalités prescrites ; car une semblable convention procurerait au créancier le moyen de tirer un profit excessif, des sommes d'argent qu'il prêterait sur des gages dont la valeur serait bien supérieure (1). — Cette clause, appelée *pacte commissoire*, était également proscrite dans notre ancienne jurisprudence.

— Le débiteur peut-il stipuler que le créancier n'aura pas le droit de vendre le gage ? ⟿ *N*. Cette clause serait contraire à l'essence du contrat de gage (Delv., p. 216, n. 6 ; Dur., 539). ⟿ *A*. Cette interdiction doit au moins être assimilée à une stipulation de remboursement à volonté, stipulation qui autorise le gagiste à faire fixer par le juge un délai après lequel il lui sera permis de faire vendre le gage.

Peut-il faire, *ab initio*, une vente, sous condition suspensive de non-payement ? ⟿ *A*. Il y a là une vente, comme contrat principal, et non pas seulement une clause accessoire d'un contrat de gage.

Quid, s'il y a condition résolutoire ? ⟿ La convention ne constitue qu'une vente de meubles à réméré : elle est valable.

Le gage peut-il être saisi entre les mains du créancier nanti, par les autres créanciers du débiteur ? ⟿ Permettre la saisie du gage, ce serait porter atteinte au droit de rétention du gagiste, et à la faculté dont il jouit, de faire ordonner, en cas de non payement, que le gage lui demeurera. — La saisie entraîne des frais qui pourraient lui enlever une partie de sa créance (*Cass.*, 13 juillet 1832 ; D., 32, 1, 321 ; S., 33, 1, 490). ⟿ Les biens du débiteur sont le gage commun de ses créanciers (2093). — Le créancier n'a de privilège que sur le prix. — Le privilège du propriétaire, pour ses loyers, est assimilé à celui du gagiste, et cependant, les meubles du locataire peuvent être vendus sur la demande d'un autre créancier (*Cass*. 31 juillet 1834 ; D., 34, 1, 371).

Quid, si le gage a été donné à la même personne, pour sûreté de plusieurs dettes, lorsque le prix n'est pas suffisant pour les acquitter toutes ? ⟿ On distingue : s'il y a deux dettes successives, l'imputation doit se faire d'abord sur la première ; si le gage a été affecté par une seule convention, le prix est imputé proportionnellement sur chacune (Delv., p. 216, n. 5).

2079 — Jusqu'à l'expropriation du débiteur, s'il y a lieu, il reste propriétaire du gage, qui n'est, dans la main du créancier, qu'un dépôt assurant le privilège de celui-ci.

= Du principe que le débiteur conserve sa propriété jusqu'à l'expropriation, il résulte, que tous les accidents survenus sans le fait ni la faute du créancier sont à sa charge ; — qu'il peut librement disposer de la chose sous la réserve des droits du créancier ; — enfin, que ce dernier n'a que la possession, à charge de restitution ; ce que la loi exprime, en disant qu'il doit se regarder comme dépositaire : mais à la différence du dépôt, qui est tout à l'avantage du déposant, le gage est intéressé de part et d'autre : en effet, il présente au créancier une sûreté pour l'exercice de son privilège, et procure au débiteur un crédit qu'il n'aurait pas eu sans cela.

2080 — Le créancier répond, selon les règles établies au titre

(1) Mais gardons-nous d'étendre cette disposition prohibitive à la vente avec faculté de rachat ; cette vente diffère principalement du gage, en ce qu'on y voit, de la part du débiteur, l'intention de vendre

des *Contrats* ou des *Obligations conventionnelles en général*, de la perte ou détérioration du gage qui serait survenue par sa négligence.

De son côté, le débiteur doit tenir compte au créancier
des dépenses utiles et nécessaires que celui-ci a faites pour
la conservation du gage.

= La loi détermine ici les obligations qui résultent du gage : — observons d'abord, que ces obligations existeraient, lors même que des obstacles
s'opposeraient à la naissance du droit réel (*jus pignoris*), soit parce que
les conditions requises pour la naissance du privilége n'auraient pas été observées (2074 et 2075), soit parce que le débiteur n'aurait pas eu le pouvoir
d'engager la chose, par ex., si elle appartient à autrui ; soit enfin, parce
qu'il n'existerait pas de créance au payement de laquelle le gage serait
affecté.

Le créancier est tenu de trois obligations principales; il doit :

1º Restituer la chose avec tous ses accessoires, dès qu'il est payé de sa
créance : — cette obligation, de même que toutes celles qui ont pour
objet un corps certain, s'éteint, lorsque la chose a péri par cas fortuit ou
par force majeure.

2º Veiller à la conservation du gage : — cette obligation est une suite de
la première : aux termes de l'art. 1137, elle emporte celle de donner tous
les soins d'un bon père de famille.

Si le créancier se sert du gage sans la permission du propriétaire, ou
s'il abuse de la jouissance après avoir obtenu cette autorisation, le débiteur
peut réclamer la restitution de la chose avant d'être libéré (2082).

3º Enfin, il doit rendre compte des fruits qu'il a perçus, et généralement de tous les profits qu'il s'est procurés. — Bien plus, il est tenu des
fruits qu'il a manqué de percevoir; car la tradition a eu lieu, non-seulement pour que le créancier puisse détenir la chose, mais encore pour
qu'il en perçoive les fruits.

De son côté, le débiteur doit tenir compte de l'intégrité des dépenses
nécessaires que le créancier a faites pour la conservation du gage (1890 et
1947) et des impenses *utiles*, jusqu'à concurrence de la plus value qui en
est résultée, pourvu qu'elles soient modiques, et que le débiteur puisse
commodément les rembourser : si elles étaient tellement considérables,
qu'il se trouvât dans l'alternative ou de vendre le gage ou de s'endetter,
il ne serait pas soumis à ce remboursement (Pothier, n. 61). — Cette obligation n'est pas la seule : rappelons nous, que le débiteur s'oblige à procurer au créancier le droit de gage : il doit donc le garantir de tous troubles et évictions (1), et même des défauts cachés qui rendraient la chose
insuffisante pour assurer le payement de la créance.

Dans le gage, comme dans la vente et le louage, le créancier peut demander la réparation du préjudice que la chose lui a causé dans ses propres biens, soit que le débiteur ait connu ou non le vice de cette chose (2).

---

(1) Sans qu'il y ait lieu de distinguer si le débiteur est de bonne foi ou s'il est de mauvaise foi : seulement, dans le premier cas, le créancier n'a que l'action qui naît du gage ; dans le deuxième, il peut
poursuivre le débiteur pour escroquerie.

(2) Le vendeur et le bailleur sont toujours tenus, car ils tirent profit du contrat. — Dans le commodat,
le prêteur n'est tenu qu'autant qu'il a connu les vices; alors il y a dol. — Dans le gage, il faut assimiler le créancier au vendeur et au locateur.

2081 — S'il s'agit d'une créance donnée en gage, et que cette créance porte intérêts, le créancier impute ces intérêts sur ceux qui peuvent lui être dus.

Si la dette pour sûreté de laquelle la créance a été donnée en gage, ne porte point elle-même intérêts, l'imputation se fait sur le capital de la dette.

╾ A moins de stipulations contraires, le droit de conserver la chose n'emporte pas celui d'en user : le créancier doit donc tenir compte au débiteur de tous les profits qu'il a faits ; ce qui s'applique naturellement aux intérêts des créances données en gage.

Le créancier touche même, en l'acquit du débiteur, les intérêts de ces créances, car ils se prescrivent par un temps fort court (2277) ; sauf à les imputer, d'abord sur les intérêts, si la créance garantie par le gage en produit, et ensuite sur le capital (1).

— Doit-on appliquer à *toute chose* qui a été donnée en gage, la faculté accordée au créancier de percevoir les fruits, ainsi que l'obligation de les imputer sur les intérêts, et subsidiairement sur le capital de la créance ? ∿ Cette imputation ne peut avoir lieu, par ex., lorsqu'il s'agit de bestiaux ; car ce sont là des corps certains : le créancier doit les rendre au propriétaire. Mais il a le droit de les garder en nantissement (Delv., p. 218, n. 2 ; D., t. 10, p. 400, n. 12).

2082 — Le débiteur ne peut, à moins que le détenteur du gage n'en abuse, en réclamer la restitution qu'après avoir entièrement payé, tant en principal qu'intérêts et frais, la dette pour sûreté de laquelle le gage a été donné.

S'il existait, de la part du même débiteur envers le même créancier, une autre dette contractée postérieurement à la mise en gage, et devenue exigible avant le payement de la première dette, le créancier ne pourra être tenu de se dessaisir du gage avant d'être entièrement payé de l'une et de l'autre dette, lors même qu'il n'y aurait eu aucune stipulation pour affecter le gage au payement de la seconde.

╾ Remarquez ces mots : *entièrement payé ;* si quelque chose reste dû, le débiteur ne peut donc réclamer la plus faible partie de la chose donnée en nantissement : le droit de gage en effet est indivisible ; ce droit existe pour toute la dette et pour chacune de ses parties ; sur toute la chose et sur chaque partie de cette chose (2083).

Par ex. : si le débiteur laisse quatre héritiers ; l'un d'eux, en payant la portion dont il est tenu, ne pourra demander la restitution, même d'une partie du gage, avant l'extinction totale de la dette.

Vice versâ, si c'était le créancier qui fût mort, laissant quatre héritiers, celui d'entre eux qui aurait été entièrement payé de sa part, ne pourrait, au préjudice des autres, exiger la chose.

(1) Il est difficile de croire que l'imputation des intérêts sur le capital de la dette soit forcée : ce ne doit être là qu'une simple faculté ; car, d'une part, nul ne peut être tenu de recevoir un payement partiel (1220 et 1224) ; d'autre part, la loi prétend accorder ici une faveur au créancier : on ne peut dès lors rétorquer cette faveur contre lui.

Si les deux créances étant également productives d'intérêts, les intérêts de celle qui est donnée en gage excèdent ceux qui sont dus au gagiste, nous ne pensons pas que cet excédant doive être imputé sur le capital : toutefois, le créancier gagiste ne peut conserver les deniers oisifs entre ses mains ; il doit avec le concours du débiteur en faire le placement.

Pour que la restitution puisse être exigée, il ne suffit pas que l'obligation principale soit éteinte : il faut en outre que les intérêts et les frais aient été soldés intégralement ; car le nantissement est censé donné, tant pour le principal que pour les accessoires de la créance.

Toutefois, la loi permet au débiteur de réclamer le gage, même avant de s'être libéré, si le créancier manque à la foi promise, en abusant de la chose.

Dans sa deuxième partie, notre article autorise le créancier à retenir la chose (sauf stipulation contraire), lors même que la dette pour sûreté de laquelle s'est formé le contrat de nantissement, a été acquittée, s'il existe une autre dette contractée *envers lui personnellement*, par le même débiteur *aussi personnellement*.

L'absence de toute stipulation sur ce point, semble d'abord s'opposer à ce qu'on fasse servir de sûreté pour une dette, un gage qui n'y a point été affecté : mais toute incohérence disparaît, si l'on observe, qu'en exigeant ce gage, le créancier a montré qu'il ne se fiait pas à la foi de son débiteur ; il est censé avoir stipulé, qu'il conserverait, pour garantie de la deuxième créance, la sûreté qui lui a été donnée pour la première, et le débiteur est censé avoir consenti à ce que l'effet du gage s'étendît à la nouvelle dette ; il y a donc affectation conventionnelle tacite (1). — D'ailleurs, le créancier autorisé à saisir les biens du débiteur, entre les mains des tiers, doit *à fortiori* pouvoir retenir ce qu'il a dans les siennes.

Toutefois, deux conditions sont exigées pour que le créancier soit admis à user de ce droit ; il faut : 1° que la dette soit *postérieure* à la mise en gage : si elle était antérieure, le créancier aurait, dès le principe, suivi la foi du débiteur. — 2° Qu'elle soit certaine et devenue exigible avant le payement de la première : le créancier ne pourrait, en vertu d'une créance qui ne réunirait pas ces conditions, former aucune saisie-arrêt ; on ne doit donc pas l'admettre à retenir la chose.

Cette disposition ne serait pas applicable, si la nouvelle dette, quoique devenue exigible avant le payement, était due au créancier, par suite d'une cession, ou même d'un droit de succession : on ne peut, en effet, avoir plus de droit que celui qu'on représente ; or, ce dernier n'avait pas de gage particulier pour cette même créance.

L'action personnelle, accordée au débiteur contre le créancier, à raison du contrat de gage, est soumise, comme les autres actions personnelles, à la prescription trentenaire (2262), et les trente ans courent du jour où le débiteur a dû retirer le gage (2257), c'est-à-dire, du jour où la dette est devenue exigible, — sans préjudice des suspensions et interruptions telles que de droit.

Quant à l'action réelle ou en revendication, elle n'est sujette à aucune prescription ; le créancier est toujours censé posséder à titre de nantissement, tant qu'il n'apparaît pas que sa position a changé (2216, 2237, 2238).

Il en serait autrement, si le créancier ne possédait plus le gage : l'action du propriétaire contre les tiers se prescrirait alors par le laps de temps repris pour la prescription ordinaire.

— Pour que le créancier soit autorisé à retenir la chose à raison de la deuxième dette, faut-il que cette dette soit exigible, non-seulement avant le payement, mais même avant l'échéance de la première ? ▲▲▲ N. Il s'agit ici d'une disposition d'équité ; celui qui doit deux sommes actuellement exigibles aurait mauvaise grâce à vouloir se faire rendre le gage avant d'être entièrement libéré (Delv., p. 216,

---

(1) Et non pas seulement un droit de rétention, comme le supposent quelques personnes.

n. 13 ; Dur., n. 548). ⁓ On ne peut en ce cas supposer aux parties l'intention d'affecter le gage au payement de la deuxième dette ; or, cette supposition a seule dicté la disposition de l'art. 2082 (D., t. 10, p. 399, n. 2).

Pour que le créancier ait un privilége à raison de la nouvelle dette, faut-il que les formalités constitutives du privilége aient été observées ? ⁓ A. La loi se borne à donner au créancier le droit de retenir le gage ; elle ne parle pas du privilége ; la retenue n'a lieu que vis-à-vis du débiteur : le privilége se considère par rapport aux autres créanciers (Dur., n. 567). ⁓ N. En déclarant que le gage répondra de la deuxième dette, la loi n'a pu vouloir accorder au créancier un droit incomplet (D., t. 10, p. 396, n. 3).

La prescription de la dette autoriserait-elle le débiteur à réclamer le gage sans offrir le payement ? ⁓ N. La possession du gage préserve le créancier de cette prescription ; — cette possession est considérée comme une reconnaissance, comme une interruption naturelle de la prescription (Delv., p. 218, n. 3 ; Dur., n. 554. — *Cass.*, 27 mai 1812 ; S., 13, 1, 85). ⁓ Cette raison est sans force, lorsque le gage est donné par un tiers à l'insu du débiteur. — Justinien, dans la loi 7, § 5, Code *de Prescript.*, ne donne pas à la détention, l'effet absolu que l'on veut induire de cette loi.

2083 — Le gage est indivisible, nonobstant la divisibilité de la dette entre les héritiers du débiteur ou ceux du créancier.

L'héritier du débiteur, qui a payé sa portion de la dette, ne peut demander la restitution de sa portion dans le gage, tant que la dette n'est pas entièrement acquittée.

Réciproquement, l'héritier du créancier, qui a reçu sa portion de la dette, ne peut remettre le gage au préjudice de ceux de ses cohéritiers qui ne sont pas payés.

= Ainsi, le gage tout entier et chacune de ses parties, est affecté à la dette entière et à chacune de ses fractions (appliquez ici 2114) (1).

Ne concluons pas de cette disposition, que le créancier doive, dans tous les cas, remettre le gage à celui des héritiers qui lui payera toute la dette : il en est du gage comme du dépôt ; chacun des héritiers du débiteur n'est propriétaire que pour sa part héréditaire. — Si la chose est indivisible, le créancier doit demander que tous les héritiers du débiteur s'accordent pour la retirer.

2084 — Les dispositions ci-dessus ne sont applicables ni aux matières de commerce, ni aux maisons de prêt sur gage autorisées, et à l'égard desquelles on suit les lois et règlements qui les concernent.

— Voyez, *pour les matières de commerce* les art. 93, 190, 195 et 196. — *Pour les maisons de prêt sur gage*, la loi du 16 pluviôse an 12, le décret du 24 messidor an 12, et du 8 thermidor an 13.

CHAPITRE II.

De l'antichrèse.

Le mot *antichrèse*, signifie jouissance donnée en remplacement : l'antichrèse, *proprement dite*, est donc un contrat par lequel un débiteur abandonne à son créancier et à ses successeurs la jouissance d'un héritage, en échange des intérêts de la somme due ; — le Code désigne sous ce nom, le contrat par lequel une partie abandonne à l'autre la jouissance d'un héritage, sous la condition d'imputer la valeur des fruits qui en proviendront sur les intérêts, et en cas d'excédant, sur le capital de la créance.

_____

(1) Cette indivisibilité, au surplus, n'est que d'exécution ; cela n'empêche en aucune façon la divisibilité de la créance.

L'antichrèse est, comme le gage, un contrat réel, intéressé de part et d'autre, et unilatéral imparfait. Toutefois, la matière du gage et celle de l'antichrèse présentent quelques différences : dans le gage, la chose répond de la dette ; dans l'antichrèse, le droit du créancier est uniquement borné à la perception des fruits ; — à défaut de payement, le créancier gagiste peut faire vendre le gage, en observant, toutefois, certaines formalités ; dans l'antichrèse le créancier n'a pas ce droit.

L'antichrèse diffère principalement de l'hypothèque et des privilèges, en ce qu'elle ne confère par elle-même, sur le prix de l'immeuble, aucun droit de préférence.

Sauf quelques légères différences que nous signalerons, les règles du gage s'appliquent à l'antichrèse.

La loi détermine, art. 2085 à 2090, la nature du contrat d'antichrèse ; et dans l'art. 2091 quels sont ses effets par rapport aux tiers.

2085 — L'antichrèse ne s'établit que par écrit.

Le créancier n'acquiert par ce contrat que la faculté de percevoir les fruits de l'immeuble, à la charge de les imputer annuellement sur les intérêts, s'il lui en est dû, et ensuite sur le capital de sa créance.

= L'antichrèse doit être constatée par un acte ayant date certaine : ainsi, lors même que le fonds vaudrait moins de 150 fr., nul ne pourrait s'y maintenir en alléguant des conventions verbales : mais il ne faut pas conclure de là que ce contrat soit solennel ; l'écrit n'est prescrit que pour la preuve : dans les cas prévus par les art. 1347 et 1348, on pourrait donc établir son existence par témoins. Appliquez à l'antichrèse ce que nous avons dit sur ce point sous l'art. 2074 (Dur., n. 558 et 560).

L'antichrèse, comme le gage, intervient pour sûreté d'une créance : mais cette sûreté consiste uniquement dans la perception des fruits, lesquels, de droit commun, s'imputent annuellement sur les intérêts, et ensuite sur le capital : dès lors, l'antichrésiste doit cultiver le fonds en bon père de famille.

Remarquez ces mots de l'article : *n'acquiert par ce droit que*, etc. ; l'antichrèse ne confère donc pas de privilège sur l'immeuble ; la disposition de l'article 2085 est limitative.

Le créancier peut, au lieu de percevoir des fruits civils, user de la chose par lui-même ; par ex., habiter la maison qui lui a été remise à titre d'antichrèse : l'imputation sur les intérêts ou sur la créance, se fait alors sur le pied des baux anciens, s'il y en a, ou d'après une estimation par experts. (Arg. de l'art. 1716 ; *voy.* aussi l'art. 2165 *in fine*).

2086 — Le créancier est tenu, s'il n'en est autrement convenu, de payer les contributions et les charges annuelles de l'immeuble qu'il tient en antichrèse.

Il doit également, sous peine de dommages et intérêts, pourvoir à l'entretien et aux réparations utiles et nécessaires de l'immeuble, sauf à prélever sur les fruits toutes les dépenses relatives à ces divers objets.

= Les prestations annuelles étant des charges usufructuaires, doivent, à moins de conventions contraires, être imputées sur la jouissance.

Cette règle s'applique naturellement aux contributions, aux charges annuelles de l'immeuble et aux dépenses faites pour des réparations d'entretien. Le créancier a le droit d'en prélever le montant sur les fruits ; en cas d'insuffisance, un recours lui est ouvert contre le débiteur.

Bien plus, il doit, comme le créancier gagiste, veiller en bon père de famille, sous peine de dommages-intérêts et même de déchéance, à la conservation de l'immeuble, sauf à répéter ses déboursés contre le débiteur, suivant ce qui a été dit plus haut (1).

Au reste, le créancier peut, à moins de stipulations contraires, s'affranchir, en restituant l'immeuble, des obligations que lui impose cet article (*voy.* art. 2089).

Si le créancier antichrésiste abuse de la chose, nous pensons que le débiteur a le droit de la réclamer ; il y a même raison que pour le gage (D., t. 10, p. 402, n. 4).

— Si l'immeuble baillé a antichrèse a besoin de grosses réparations, le créancier doit-il les faire ? ᴧᴧ *A.* Ces mots *aux réparations utiles et nécessaires*, mis en opposition avec ceux-ci : *pourvoir à l'exécution*, le démontrent suffisamment.

2087 — Le débiteur ne peut, avant l'entier acquittement de la dette, réclamer la jouissance de l'immeuble qu'il a remis en antichrèse.

Mais le créancier qui veut se décharger des obligations exprimées en l'article précédent, peut toujours, à moins qu'il n'ait renoncé à ce droit, contraindre le débiteur à reprendre la jouissance de son immeuble.

= Le créancier a le droit de conserver l'immeuble jusqu'au payement intégral de ce qui lui est dû ; mais comme ce droit est établi dans son intérêt, il peut, à moins de conventions contraires, se soustraire aux charges qui accompagnent la jouissance, en abandonnant la chose.

Malgré le silence de la loi, nous pensons que la disposition de l'article 2082, deuxième alinéa, doit s'appliquer à l'antichrèse, attendu l'analogie de ce contrat avec le gage : ainsi, lorsque le même débiteur a contracté envers le même créancier une nouvelle dette devenue exigible avant ou en même temps que celle pour laquelle il a donné l'immeuble à antichrèse, ce dernier n'est point tenu, suivant nous, de restituer cet immeuble avant le payement de l'une et de l'autre dette.

— Une maison peut être, comme un fonds de terre, l'objet de la convention d'antichrèse ; mais *quid* si cette maison a été donnée à antichrèse, avec la clause que le créancier l'habitera pour lui tenir lieu des intérêts de sa créance ? ᴧᴧ Si la jouissance de cette maison est d'une valeur annuelle bien supérieure à l'intérêt de la somme due, les tribunaux ordonneront l'imputation de tout ou partie de l'excédant sur le capital ; mais ils n'auront point égard à une différence peu importante (Dur., n. 557 ; Delv., p. 219, n. 6). ᴧᴧ L'antichrésiste est plutôt présumé tenir la maison à loyer pour un vil prix, que retirer un intérêt excessif (Pothier, Antichrèse).

L'acte sous seing privé constatant une convention d'antichrèse, doit-il être fait double, lorsqu'il a été stipulé que les fruits se compenseront avec les intérêts ? ᴧᴧ *A.* Dans ce cas, le contrat a beaucoup d'analogie avec le louage (Dur., n. 559). ᴧᴧ *N.* Ce contrat n'est pas synallagmatique.

La prescription court-elle contre le créancier qui détient un immeuble à titre d'antichrèse ? ᴧᴧ *N.* (Merlin, Rép., vº Prescription, sect. 1ʳᵉ, § 7 ; Quest. 18 ; Dur., n. 553. — *Cass.*, 27 mai 1812 ; S., 13, 1, 85).

2088 — Le créancier ne devient point propriétaire de l'immeuble par le seul défaut de payement au terme convenu ;

(1) Turin, 31 décembre 1810 ; S, 11, 2, 182. — *Paris*, 9 novembre 1836 ; D., 1837, 2, 118.

toute clause contraire est nulle : en ce cas, il peut poursuivre l'expropriation de son débiteur par les voies légales.

== En cas de non-payement au terme convenu, la loi réserve seulement à l'antichrésiste, comme à tout autre créancier, le droit de poursuivre l'expropriation de l'immeuble : la convention qui lui attribuerait
le droit de s'approprier l'immeuble en déduction de sa créance, ou d'en
disposer autrement que par voie d'adjudication publique, serait nulle.
(Arg. de l'art. 2078) (1) : il ne peut même, comme le créancier gagiste
(art. 2078), faire ordonner en justice qu'il conservera l'immeuble en
payement.

Mais la clause qui l'autoriserait à se rendre propriétaire de cet immeuble
moyennant un prix qui serait fixé par des experts convenus ou nommés
par le juge, produirait son effet ; — à plus forte raison, devrait-on déclarer
valable, la vente amiable que le débiteur ferait au créancier, soit avant,
soit après l'échéance de la dette, ou la conversion d'une expropriation
forcée en adjudication volontaire.

Le juge doit examiner avec soin, s'il y a antichrèse, ou s'il y a vente à
réméré : rappelons-nous, en effet, que la loi reconnaît ce dernier mode
d'aliénation.

— *Quid*, à l'égard de la clause qui donnerait au créancier le droit de faire vendre les biens aux
enchères devant notaire ? ⟿ Elle est valable. L'art. 2088 prononce uniquement la nullité de la clause
qui permettrait au créancier de s'approprier l'immeuble. — Il importe de préserver les débiteurs des
expropriations judiciaires ; car elles entraînent souvent la perte totale de leur fortune, et toujours celle
de leur crédit (*Pau*, 27 janvier 1827 ; S., 30, 2, 2. — *Poitiers*, 8 mai 1833 ; S., 33, 2, 355. — *Rennes*,
2 février 1837 ; D., 1837, 2, 141. ⟿ Elle est nulle (Dur., n. 567. — *Lyon*, 2 décembre 1835 ; D., 1836,
2, 172).

2089 — Lorsque les parties ont stipulé que les fruits se compenseront avec les intérêts, ou totalement, ou jusqu'à une
certaine concurrence, cette convention s'exécute comme
toute autre qui n'est point prohibée par les lois.

== Notre ancienne jurisprudence réprouvait comme propre à masquer
l'usure, l'antichrèse proprement dite ; c'est-à-dire, celle qui consiste dans
la compensation de tout ou partie des fruits avec les intérêts. — Sous l'empire du Code, le taux de l'intérêt n'étant pas limité, cette convention a
dû être permise : mais depuis la loi du 3 septembre 1807, elle doit être
privée d'effet, s'il n'existe une certaine proportion entre le revenu probable du bien livré à antichrèse, et l'intérêt légal de la somme due, toutes
chances calculées (2).

Nous pensons même, que l'habitation gratuite, dans la maison remise
à titre d'antichrèse, concédée au créancier en compensation des intérêts de
la créance, serait réductible au taux légal, si la valeur présumée du loyer
excédait de beaucoup ce taux. — Il en serait autrement, si la différence était
peu importante, vu les chances à courir pour les réparations et les pertes
(*voy.* art. 2085).

(1) Delv., p. 219, n. 5 ; Dur., n. 567. — *Bourges*, 8 février 1810 ; S., 12, 2, 20. — *Turin*, 21 juillet 1812 ;
S., 13, 2, 223 ; *voy.* art. 2085). ⟿ La clause qui autoriserait le créancier a vendre l'immeuble a l'amiable,
a défaut de payement au terme convenu, produira son effet si les créanciers n'élèvent pas de récla
mations (*Trèves*, 13 avril 1813 ; D., t. 10, p. 403, n. 6 — *Paris*, 17 mars 1834 ; D., 34, 2, 157).
(2) Dur., n. 556. — *Montpellier*, 21 novembre 1829 ; S., 30, 2, 88.

2090 — Les dispositions des articles 2077 et 2083 s'appliquent à l'antichrèse comme au gage.

= La nature du contrat de nantissement rend applicable à l'antichrèse la disposition de l'art. 2077 et celle de l'art. 2083 : la première déclare que le gage peut être donné par un tiers pour le débiteur ; la deuxième est relative à l'indivisibilité du gage (2083).

2091 — Tout ce qui est statué au présent chapitre, ne préjudicie point aux droits que des tiers pourraient avoir sur le fonds de l'immeuble remis à titre d'antichrèse.

Si le créancier, muni à ce titre, a d'ailleurs sur le fonds, des priviléges ou hypothèques légalement établis et conservés, il les exerce à son ordre et comme tout autre créancier.

= Le débiteur ne peut porter atteinte au droit que l'antichrèse confère au créancier, de jouir du fonds, jusqu'au parfait payement ; il doit même le garantir de tous troubles.

Quels sont les effets de l'antichrèse vis-à-vis des tiers ? Ce contrat ne préjudicie point aux droits antérieurement acquis à d'autres créanciers, car l'aliénation même ne les ferait pas évanouir : ces créanciers conservent donc le droit de poursuivre l'expropriation. L'antichrèse n'empêche pas même l'immobilisation des fruits qui s'opère par la dénonciation de la saisie immobilière.

Mais que doit-on décider à l'égard des aliénations ou hypothèques postérieures à la constitution de l'antichrèse : peuvent-elles nuire à l'antichrésiste ? *Non :* l'antichrèse est un nantissement (2071) ; cette sûreté serait illusoire, si le débiteur pouvait, au moyen d'une hypothèque, en détruire l'effet ; s'il avait la faculté de conférer à des créanciers, le droit de faire vendre l'immeuble ou de saisir les fruits sans y avoir égard ; d'ailleurs il ne s'agit point ici d'une question d'ordre, mais d'une question de rétention : or, *nemo plus juris in alium transferre potest quam ipse habet.* — Un simple fermier n'a pas assurément de droit réel, et cependant, lorsqu'il est porteur d'un bail authentique ou sous signature privée ayant date certaine, l'acquéreur ne peut l'expulser : le créancier qui a un droit de nantissement, ne mérite pas moins d'intérêt. — Lorsqu'un locataire, porteur d'un bail authentique ou ayant date certaine, a fait, par suite d'une clause du bail, un payement par anticipation, les créanciers qui saisissent l'immeuble sont obligés de respecter ces payements anticipés : pourquoi des créanciers postérieurs n'auraient-ils aucun égard à la jouissance du preneur à antichrèse? Si l'antichrèse ne pouvait être opposée aux tiers, à quoi servirait-il d'exiger qu'elle fût constatée par écrit ?

Par toutes ces considérations, nous pensons que les créanciers postérieurs, même avec hypothèque sur l'immeuble, ne peuvent porter atteinte à l'antichrèse (1). — Remarquons bien surtout, que l'antichrésiste n'a pas

_____
(1) Locré, Lég., t. 16, p, 29, n. 9 ; Dur., n. 560 ; Proudhon, t. 1er, p. 89 et suiv. — *Bourges*, 24 juillet 1828 ; S., 29. 1. 259. ∾ Cependant, on a jugé, que l'antichrèse, dans notre droit, est moins un nantissement qu'une délégation de fruits ; que ce contrat ne peut dès lors préjudicier aux droits des créanciers postérieurs ;que l'antichrésiste tenant son droit du débiteur, doit cesser de jouir dès le moment où ce dernier cesse d'être propriétaire : — que dans le cas d'expropriation, le propriétaire est dépouillé à partir de la notification de la saisie. — Que si la saisie est faite par des créanciers hypothécaires ,

un privilége, mais un droit de rétention (1); par conséquent, il ne peut réclamer aucun droit de préférence, s'il poursuit lui-même la vente de l'immeuble, ou s'il consent à délaisser cet immeuble, en cas d'expropriation poursuivie contre lui (2).

TITRE XVIII.

DES PRIVILÉGES ET HYPOTHÈQUES.

(Décrété le 19 mars 1804, promulgué le 29 du même mois.)

On distingue trois sortes de créanciers :

1° Les *créanciers chirographaires* : lors de la distribution du prix, ces créanciers viennent par contribution sur les biens du débiteur commun, au prorata de leurs créances respectives.

Cette expression, *chirographaire*, est composée de deux mots grecs, dont l'un signifie *écrire*, et l'autre, *main*. — On désignait autrefois ainsi, tous ceux qui étaient porteurs d'un écrit.

2° *Les créanciers hypothécaires* : ils ont un droit réel sur l'immeuble affecté à leur créance, et par suite la faculté de se faire colloquer sur le prix de cet immeuble, par préférence aux créanciers chirographaires.

Le mot *hypothécaire*, dérive également d'un mot grec, qui signifie *gage*.

3° *Les créanciers privilégiés* : à raison de la faveur attachée à la qualité de leur créance, ils peuvent se faire payer, même avant les créanciers hypothécaires.

Ce titre est divisé en dix chapitres.

Les deux premiers concernent spécialement les priviléges.

Le chapitre III est relatif aux hypothèques.

Les chapitres suivants contiennent des règles communes aux priviléges et aux hypothèques.

---

les fruits non perçus sont immobilisés, pour être, avec le prix de l'immeuble, partagés suivant l'ordre des hypothèques, sans que l'antichrésiste puisse y prendre part, a moins qu'il ne soit lui-même au nombre des créanciers hypothécaires ou privilégiés; auquel cas, il vient a son rang. — Bien plus, quelques personnes décident, que l'antichrèse ne peut être opposée aux créanciers chirographaires; que l'antichrésiste gagne sans aucun doute. jusqu'à la saisie, les fruits échus ou perçus, mais qu'il ne peut venir sur les fruits a échoir ou a percevoir, que par contribution avec ces créanciers : elles se fondent sur ce que la délégation ne transfère la propriété des fruits qu'au fur et à mesure des échéances (Delv., p. 216, n. 3). Dans ce même système, en cas de vente volontaire, l'antichrèse subsiste jusqu'au moment de la dénonciation de l'acte de vente aux créanciers inscrits, ou de la sommation faite par l'acquéreur (*Bourges*, 24 juillet 1828; S., 29, 2, 259).

(1) Quelle différence y a-t-il entre un privilége et un droit de rétention ? ⁓ *Voy.* art. 2102.

(2) Établissons en terminant les rapports et les différences qui existent entre la position de l'antichrésiste et celle de l'usufruitier.

Rapports : L'usufruitier et l'antichrésiste jouissent de la chose donnée ; — tous deux possèdent précairement; — tous deux se payent annuellement des intérêts qui leur sont dus, sur les fruits de la chose ; — tous deux doivent avoir soin de la chose ; — tous deux peuvent renoncer.

Différence : L'usufruit démembre la propriété ; l'antichrese ne confere aucun droit réel ; — l'usufruit est une propriété qui ne peut s'éteindre a la volonté du débiteur ; l'antichrèse s'éteint par le payement ; — l'usufruit s'éteint par la mort de l'usufruitier ; l'antichrese passe aux héritiers ; — l'usufruitier est tenu directement des charges usufructuaires ; l'antichrésiste n'est tenu au fond que comme mandataire.

CHAPITRE PREMIER.

DISPOSITIONS GÉNÉRALES.

2092 — Quiconque s'est (1) obligé personnellement (2), est tenu de remplir son engagement sur tous ses biens mobiliers et immobiliers, présents et à venir (3).

= Quiconque est obligé, doit remplir ses engagements, quelle qu'en soit l'origine, contrat, quasi-contrat, délit ou quasi-délit. — Les créan‑ ciers ont pour gage les biens meubles et immeubles corporels et incorporels qui appartiennent au débiteur lors du contrat, et ses biens à venir à me‑ sure qu'il les acquiert.

Leur droit se borne, *en général*, à faire saisir et vendre les biens dont il est propriétaire au moment de la saisie; ils ne peuvent élever aucune prétention sur ceux dont il a disposé, à moins que ces biens ne soient af‑ fectés hypothécairement à la sûreté de leurs droits.

Sauf quelques exceptions (*voyez* les articles 2206, 2207, 2209), ils ont la faculté de saisir à leur choix tel ou tel bien du débiteur.

Plusieurs conditions sont requises pour qu'un créancier puisse opérer une saisie: la loi exige du moins en général qu'il soit porteur d'un titre exécutoire, que sa créance soit certaine, liquide et exigible, et que cette créance consiste en une somme d'argent : si elle avait pour objet des denrées ou des espèces, il serait sursis, après la saisie, à toutes poursuites ultérieures, jusqu'à ce que l'appréciation en eût été faite (551, Pr.; 2213, C. c.).

Par exception, certaines saisies peuvent être faites sans titre exécutoire (*voy.* art. 557 et suiv., 822 et suiv., Pr.).

Dans aucun cas, les créanciers ne sont soumis à la représentation d'un titre exécutoire pour se faire admettre à la distribution des deniers pro‑ venant de la vente des biens saisis sur le débiteur commun (656, 660, 665, 753, 754, Pr.).

Si l'obligation a pour objet un corps certain et déterminé, le créancier peut se faire mettre en possession par la force publique. — Si elle consiste à faire ou à ne pas faire, il peut obtenir l'autorisation d'exécuter aux dé‑ pens du débiteur, ou de détruire ce qui a été fait par contravention à l'en‑ gagement (1142 à 1145).

Dans certains cas, le créancier a le droit de rétention, bien qu'il n'ait fait à cet égard aucune stipulation.

On nomme *droit de rétention*, la faculté accordée au créancier déten‑ teur d'une chose, de conserver cette chose jusqu'au remboursement inté‑ gral de ce qui lui est dû.

Ce droit est considéré comme *réel*; il est opposable aux tiers, puisqu'il a pour objet la sûreté d'une dette.

Les créanciers n'ont plus, comme autrefois, la voie de la contrainte par corps : si des raisons d'utilité publique ont déterminé le législateur à la tolérer, ce n'est que par exception.

---

(1) Vice de rédaction : il fallait dire *est* obligé; en effet, on peut être obligé dans toute la force du mot, sans qu'il y ait de fait personnel ; par ex., en cas de gestion d'affaires.

(2) Pourquoi *personnellement ?* Peut-on l'être autrement ? ∼ *Oui*, tels sont les tiers détenteurs, tels sont également les successeurs irréguliers et les héritiers sous bénéfice d'inventaire : les uns et les autres sont tenus *propter rem;* ils peuvent dès lors se libérer en abandonnant la chose qui fait le prin‑ cipe de l'obligation :\)la loi veut parler ici des obligés dans la force du mot.

(3) *A venir*, au moment de la convention : lors de l'exécution, on prendra tout ce qui se trouvera. — Les mots *à venir*, se réfèrent à l'expression *s'est obligé:* ils sont impropres comme elle.

La règle, que le créancier peut poursuivre *indistinctement* l'exécution de l'obligation sur tous les biens meubles et immeubles de son débiteur, reçoit exception dans quatre cas :

1° Lorsque l'acquittement de cette obligation est garanti par une hypothèque : en acceptant un gage particulier, le créancier s'est interdit le droit de recourir sur les autres biens avant d'avoir épuisé ceux affectés spécialement à la créance (2209).

2° Lorsque le débiteur est encore mineur : la loi oblige, en ce cas, les créanciers chirographaires, à discuter le mobilier avant d'agir sur les immeubles (2206).

3° Lorsque le revenu net des immeubles pendant un an, suffit pour acquitter la dette en capital, intérêts et frais : le juge peut alors suspendre les poursuites dirigées sur l'immeuble, sauf à les reprendre, s'il survient quelque opposition ou obstacle au payement (2212).

4° Enfin, les créanciers ne peuvent discuter les biens qui ont été déclarés insaisissables (592, 593, 580, 581, 582, Pr.).

Voy. aussi l'art. 215, Code de commerce. — Le décret du 8 mars 1808. — La loi du 8 nivôse an 6, 21 ventôse an 9. — Arrêté du 18 nivôse an 11, et celui du 7 thermidor an 10.

2095 — Les biens du débiteur sont le gage commun de ses créanciers ; et le prix s'en distribue entre eux par contribution, à moins qu'il n'y ait entre les créanciers des causes légitimes de préférence.

= Tous les créanciers ont des droits égaux sur les biens de leur débiteur : ils viennent concurremment au partage du prix qui en provient, sans égard à l'antériorité de date ou à la nature de leur titre.

Toutefois, la loi fait exception à cette règle, en faveur de ceux qui ont des causes légitimes de préférence : ces causes, sont les *priviléges* et les *hypothèques* (2094).

Lorsque les biens ne suffisent pas pour acquitter toutes les dettes, il faut donc appeler en premier lieu les créanciers privilégiés et hypothécaires, et distribuer le surplus du prix, par contribution, entre les créanciers chirographaires (*voy.* 656 et suiv , Pr.).

— En cas d'incendie, les chirographaires peuvent-ils, comme les créanciers hypothécaires, prendre part à la distribution de la somme assurée ? ∧∧∧ *A.* Arg. des articles 2093, 2115 et 2118. — En cas de perte de l'immeuble par incendie , aucune loi n'affecte la somme assurée aux créanciers hypothécaires , par préférence aux créanciers chirographaires. — L'hypothèque s'est éteinte par la perte de la chose : *nec obstat* l'art. 1203 ; cet article est étranger aux hypothèques (*Cass.*, 28 juin 1831 ; S., 31, 1, 291).

2094 — Les causes légitimes de préférence sont les priviléges et hypothèques.

= La loi, supposant toujours le cas de vente forcée des biens du débiteur commun, détermine ici les causes de préférence dans la distribution du prix.

Mais il ne faut pas croire que les biens ne puissent être soumis à aucune autre affectation spéciale : nous avons vu, que cette affectation résulte du gage (2076 , 2082) et de l'antichrèse (2097) ; — rappelons-nous , en outre , que certains créanciers jouissent du droit de retenir , envers et contre tous, la chose qui est entre leurs mains (*voy.* les art. 1948 , 1673, 555 , 1890, 2175), jusqu'au payement intégral de leur créance , en capital, intérêts et frais : sous ce rapport, le droit de rétention est même préférable au privilége : mais sous un autre point de vue, il est moins avantageux, car ce droit est subordonné à la rétention de la chose ; en sorte que les créanciers qui cessent de posséder, deviennent simples chirographaires.

Suivant nous, le droit de rétention n'est pas limité aux cas où la loi l'a formellement conféré ; il existe, en général, au profit de tout débiteur ou détenteur de corps certain, qui a, relativement à la chose par lui possédée, des répétitions à exercer (*voy.* les art. 548, 867, 1612, 1673, 1749, 1948, 555, 1890, 2175, C. c.).

CHAPITRE II.
Des priviléges (1).

Le mot *privilége*, n'indique pas une faveur personnelle accordée à certains créanciers, mais un droit attaché par un texte précis à la qualité de la créance, suivant le degré de faveur que cette créance mérite.

Afin de bien faire sentir les caractères de ce droit, nous allons déterminer ses principaux points de similitude et de dissemblance avec celui qui naît de l'hypothèque.

Le privilége et l'hypothèque confèrent au créancier ;

1° le droit de se faire colloquer par préférence sur le prix de la chose affectée ;

2° Le droit de suite.

Mais on remarque notamment, entre ces deux genres de sûretés, les différences suivantes : le privilége est établi par la loi ; il existe indépendamment des conventions particulières et de l'autorité du magistrat ; si la dette n'était point par elle-même privilégiée, on ne pourrait la rendre telle : l'hypothèque peut résulter de la loi, des condamnations judiciaires, ou de la volonté des parties exprimée dans les formes prescrites. — Pour colloquer les créanciers privilégiés, on ne considère pas la date de l'inscription, mais la qualité ou plutôt la cause de leurs créances : *privilegia æstimantur non ex tempore sed ex causâ* : les droits résultants de l'hypothèque ; se règlent suivant l'ordre des inscriptions : *prior tempore potior jure* (2134, 2135). — Le privilége peut exister sur les meubles et sur les immeubles : l'hypothèque ne peut frapper que les immeubles. — Enfin, le privilége prévaut en général sur l'hypothèque, nonobstant l'antériorité du titre qui la constitue.

2095 — Le privilége est un droit que la qualité de la créance donne à un créancier d'être préféré aux autres créanciers, même hypothécaires (2).

⚌ Il résulte de cette définition :

1° Que tous les priviléges sont *réels* : c'est-à-dire liés, non à la personne, mais à la créance ;

---

(1) Ce mot vient de *privata lex*, loi particulière, dérogation au droit commun.
(2) La règle que les créanciers privilégiés viennent par préférence, souffre quelques modifications : il n'est pas douteux, par ex., que les créanciers hypothécaires d'un précédent propriétaire viendraient par préférence au vendeur privilégié ; car ce dernier n'aurait reçu l'immeuble qu'affecté de cette hypothèque — Il n'est pas moins certain, que ces mêmes créanciers viendraient par préférence aux héritiers de l'acquéreur, nonobstant le privilége attribué aux copartageants pour les soulte ou retour de lots.

2° Que c'est la loi qui donne le privilége, à raison de la qualité, de la cause, de l'origine de la créance : ce droit ne peut résulter, ni de l'autorité du juge, ni d'une convention particulière.

2096 — Entre les créanciers privilégiés, la préférence se règle par les différentes qualités des priviléges (1).

= Les créances privilégiées ne sont point appelées, comme les créances hypothécaires, suivant l'ordre des inscriptions, mais en raison du degré de faveur qu'elles méritent : leur date est donc indifférente ; on ne considère que leur qualité. Des créances récentes peuvent primer des créances fort anciennes.

2097 — Les créanciers privilégiés qui sont dans le même rang, sont payés par concurrence.

= On considère comme étant dans le même rang, les créanciers qui y sont nominativement placés par la loi : aucune préférence ne peut exister entre eux ; leurs priviléges se détruisent mutuellement : ainsi, les diverses personnes qui ont prêté de l'argent, pour acquitter le prix d'une acquisition d'immeubles (2103, n. 2), ou pour payer les ouvriers, dans le cas prévu par le n. 5 de l'art. 2103, étant placés nominativement dans le même rang, viennent par concurrence : c'est-à-dire, que si le prix se trouve être insuffisant pour les désintéresser intégralement, chacun d'eux recevra une part proportionnelle au montant de sa créance.—Même observation à l'égard du boucher et du boulanger (2101, n. 3).

— Doit-on établir une préférence entre deux cessionnaires de partie d'une créance privilégiée, lorsque la cession faite à l'un est antérieure a celle qui est faite à l'autre ? ∿∿ N. Ils viennent concurremment ; car leurs droits sont égaux (Troplong , n. 89. — Cass., 11 août 1817 ; S., 17, 1, 373 ; D., 17, 1, 549).
Doit-on établir une hiérarchie de préférence entre les créanciers de divers frais de justice qui se présentent dans la même distribution ? ∿∿∿ N. Même raison : la loi les place dans la même catégorie (Troplong , n. 89 bis) (Val.). ∿∿∿ Cette décision n'est pas rigoureusement exacte ; car l'officier ministériel qui a fait la vente du mobilier , prélève ses frais sur le produit , lesquels, par conséquent, n'entrent point en concurrence avec les frais de justice (Dur., n. 48).

2098 — Le privilége, à raison des droits du trésor royal, et l'ordre dans lequel il s'exerce, sont réglés par les lois qui les concernent.

Le trésor royal ne peut cependant obtenir de privilége au préjudice des droits antérieurement acquis à des tiers.

= Notre article se borne à reconnaître que le trésor peut avoir des droits, et laisse à d'autres lois le soin d'en déterminer l'étendue : néanmoins, tout en proclamant le principe de la non-rétroactivité, il fixe, dans sa deuxième partie, les limites dans lesquelles doivent se renfermer ces lois.

Les droits du trésor ont été réglés par différentes dispositions :

La loi du 6-22 août 1791 lui accorde un privilége sur les meubles des redevables, pour les droits de douanes : mais ce privilége est primé par celui des frais de justice et autres, et par celui du bailleur, mais pour six mois de loyers seulement.

La loi du 1er germinal an 13 accorde un privilége à la régie des contri-

(1) Il existe ici de grandes lacunes : le législateur aurait dû faire une énumération limitative des priviléges ; puis , déterminer l'ordre dans lequel ils s'exercent. On a trop abandonné à la doctrine.

butions indirectes : ce droit est même plus avantageux que celui des douanes, car il prime tous les autres priviléges, à l'exception des frais de justice et de ce qui est dû au bailleur pour six mois de loyers.

Deux lois ont été rendues le 5 septembre 1807 :

L'une concerne les comptables chargés de la recette des deniers publics :
elle accorde au trésor un privilége sur tous les biens meubles qu'ils possèdent (art. 2) et même sur les immeubles qu'ils ont acquis à titre onéreux
depuis leur nomination (art. 4), à charge toutefois d'une inscription qui
doit être faite dans les deux mois de l'enregistrement de l'acte translatif
de propriété (art. 5).—Cette même loi accorde en outre au trésor, sur les
biens qui appartenaient aux comptables avant leur entrée en fonctions,
et sur ceux qu'ils ont acquis depuis à titre gratuit, une hypothèque légale,
à charge toutefois d'inscription.

Les priviléges conférés par cette loi sont primés par ceux qui sont énoncés
dans les articles 2101 et 2102.

Un avis du conseil d'État, approuvé par le gouvernement le 25 février 1808, étend au trésor de la couronne les effets de la loi dont nous
parlons.

Une autre loi du 5 septembre 1807, relative au mode de recouvrement
des frais de justice en matière criminelle, correctionnelle ou de police,
accorde au trésor un privilége sur tous les biens meubles du condamné,
et en outre, sur ses immeubles, à charge toutefois d'inscription dans les
deux mois à dater du jugement (art. 2 et 3). — Ce privilége est primé,
comme les précédents, par les priviléges généraux ou particuliers sur les
meubles (2101, 2102), et même par celui qui est attaché à la créance provenant d'avances faites pour la défense personnelle du condamné.

Les droits du trésor, quant aux contributions directes, sont fixés par la
loi du 18 nov. 1808.—Cette loi accorde au trésor un privilége sur les effets
mobiliers du redevable, lorsqu'il s'agit de contributions personnelles et
mobilières : ce privilége est restreint à ce qui est dû pour l'année échue et
l'année courante ; mais lorsqu'il s'agit de contributions foncières, il faut
remarquer que ce qui est dû pour l'année échue et l'année courante, n'est
privilégié que sur les récoltes, fruits et loyers de l'immeuble soumis à cette
contribution.

Le trésor n'a aucun droit de préférence sur le fonds, il vient sur le prix
qui en provient par contribution, comme les créanciers ordinaires.

Un privilége est accordé au trésor par la loi des finances du 28 avril
1816, pour droits et amendes en matière de timbre.

Voyez enfin la loi du 22 frimaire an 7, sur l'enregistrement.

2099 — Les priviléges peuvent être sur les meubles ou sur les immeubles.

= Cette division est inexacte, car elle omet certains priviléges qui
s'étendent à la fois sur les meubles et sur les immeubles (*voy.* 2104) : il
convenait mieux de dire, que les priviléges peuvent porter sur les meubles ou sur les immeubles, ou sur les meubles et les immeubles.

Les priviléges peuvent porter sur tous les biens meubles, corporels ou
incorporels (1).

_____

(1) Observons toutefois, que les biens meubles ne sont pas affectés aux priviléges généraux, lorsqu'ils
ont pris, à raison de leur destination, le caractère d'immeubles (524) ; sauf, bien entendu, le cas où
a défaut de mobilier, le payement des créances dont il s'agit, peut être poursuivi sur les immeubles (2105).

Les priviléges sur les immeubles frappent incontestablement les meubles qui ont été placés sur le fonds à perpétuelle demeure ; mais dès qu'on sépare ces objets du fonds, ils reprennent la qualité de meubles, et cessent par conséquent d'être affectés.

Quant aux immeubles par l'objet auquel ils s'appliquent, rappelons-nous, que l'art. 526 en énumère trois espèces ; savoir : l'usufruit des choses immobilières, les servitudes et les actions.

L'usufruit peut être grevé d'un privilége, car ce droit subsiste par lui-même : ainsi, le vendeur d'un droit d'usufruit aurait un privilége pour le payement du prix.

Mais les droits d'usage, d'habitation ou de servitude ne peuvent être soumis à cette affectation ; car ils ne sont pas susceptibles d'être cédés.

Quid, à l'égard des actions tendant à revendiquer un immeuble, telle que l'action en réméré ou en rescision pour lésion ? Elles ne peuvent être grevés de priviléges, car elles n'ont pas d'assiette fixe ; mais l'immeuble peut se trouver soumis à ce droit, conditionnellement, pour le cas où il rentrerait dans le domaine de celui qui a qualité pour agir. Ex. : J'avais un droit de réméré ; je l'ai cédé moyennant 1,000 fr. : le cessionnaire exerce le rachat : j'aurai un privilége pour le montant de cette somme, sur l'immeuble recouvré : ainsi, l'existence du privilége dépendra de l'exercice de l'action (Persil, n. 8 et 9 ; Troplong, n. 107).

SECTION Iʳᵉ.

Des priviléges sur les meubles.

2100 — Les priviléges sont ou généraux, ou particuliers sur certains meubles.

⹀ Cette division, appliquée spécialement aux priviléges sur les meubles, est cependant commune aux priviléges sur les immeubles (*voy.* art. 2104).

La loi énumère, dans un premier paragraphe, les priviléges généraux sur les meubles, et trace l'ordre dans lequel ils s'exercent. — Elle s'occupe, dans un deuxième, des priviléges sur certains meubles :

§ Iᵉʳ. — Des priviléges généraux sur les meubles.

Les priviléges dont il est ici question, sont ceux qui atteignent l'universalité des *meubles* du débiteur.—Par cette expression : *meubles*, il ne faut pas entendre seulement les *meubles meublants;* mais encore, tout ce qui est compris dans ces termes : *biens mobiliers, effets mobiliers;* en un mot, tout ce qui n'est pas immeuble (516).

Avant d'examiner les divers priviléges mentionnés dans l'art. 2101, il est bon de se rendre compte du motif qui les a fait établir, et par suite, des considérations qui ont déterminé le législateur à les classer dans l'ordre où ils sont énumérés : avec un peu d'attention, on reconnaîtra qu'ils sont dictés, ou par des considérations d'équité, ou par des motifs de bienfaisance et d'humanité : il est juste, en effet, d'accorder un droit de préférence à ceux qui ont fait des avances pour la conservation et la liquidation de la chose, puisqu'ils ont agi dans l'intérêt de tous ; — il eût répugné à la morale, de ne pas comprendre dans les créances privilégiées, les emprunts faits pour rendre au défunt les derniers devoirs ; — l'humanité voulait qu'on appelât autour du malade les secours que réclame sa position, en garantissant, d'une manière toute spéciale, le prix des services dont il peut avoir besoin ; — enfin, la loi devait encourager la prestation de choses ou de services de première nécessité. — Les mêmes motifs ont fait étendre ces priviléges aux immeubles, en cas d'insuffisance du mobilier.

Observons, que la loi ne se borne pas ici, comme elle le fait dans l'article 2102, à une simple nomenclature ; elle établit un ordre de collocation et de préférence ; cet ordre doit être ponctuellement observé.

2101 — Les créances privilégiées sur la généralité des meubles sont celles ci-après exprimées, et s'exercent dans l'ordre suivant :

1° Les frais de justice ;

2° Les frais funéraires ;

3° Les frais quelconques de la dernière maladie, concurremment entre ceux à qui ils sont dus ;

4° Les salaires des gens de service, pour l'année échue et ce qui est dû sur l'année courante ;

5° Les fournitures de subsistances faites au débiteur et à sa famille ; savoir, pendant les six derniers mois, par les marchands en détail, tels que boulangers, bouchers et autres ; et pendant la dernière année, pour les maîtres de pension et marchands en gros.

= La loi divise les créances privilégiées sur la généralité des meubles, en cinq classes : le rang de chacune d'elles est fixé par son numéro.

En première ligne, se trouvent *les frais de justice* : c'est-à-dire, toutes les avances faites dans l'intérêt commun des créanciers, soit pour la conservation de la chose, par ex., pour interrompre une prescription, ou pour arrêter une demande en revendication ; soit pour parvenir à la distribution du prix, tels que les frais d'inventaire, de vente, de liquidation (*voy.* les art. 657, 662, 715, 716 et 759, Pr.).

Toutefois, les frais de justice utiles aux créanciers en général, ne sont point privilégiés à l'égard des créanciers auxquels ils n'étaient pas nécessaires.

Ainsi, les frais de poursuites dont il est parlé dans les articles 661 et 662, Pr., ne sont colloqués qu'après les loyers dus au locateur.

Mais les frais de discussion du mobilier (dans le cas prévu par l'art. 2105), doivent être colloqués, selon nous, sur le prix des immeubles, avant les dettes hypothécaires (1).

Les frais faits dans l'intérêt d'un seul créancier, par ex., pour rendre sa créance exécutoire, viennent seulement comme accessoires au même rang que la créance principale.

---

(1) *Limoges*, 15 juillet 1813 ; D., Hyp, p. 81. — *voy.* cep. *Paris*, 27 novembre 1814 ; S., 16, 2, 205.

Du reste, ces mots, *frais de justice*, embrassent indistinctement ceux qui sont occasionnés par la faillite du débiteur, par son absence, ou par la liquidation d'une succession.

2° *Les frais funéraires* : ces frais ont été avancés *intuitu pietatis ;* —on considère comme frais funéraires, ceux qui ont eu pour cause l'inhumation, la pompe religieuse, en un mot, les dépenses faits depuis la mort, jusqu'à la sépulture inclusivement.

Mais celles qui ont été faites après l'inhumation, par exemple, pour élever un cénotaphe ou tout autre monument funèbre, ne sont pas privilégiées (1).

Les frais funéraires doivent être en rapport avec la fortune, le rang et la naissance : s'ils étaient exorbitants ou faits par ostentation, lors même qu'ils auraient été prescrits par le défunt lui-même, dans son testament, le privilége devrait être restreint.

Nous pensons qu'il ne s'agit pas seulement ici des frais funéraires du débiteur lui-même; mais encore, de ceux des personnes qu'il était dans l'obligation de faire inhumer, telles que ses enfants, ses père et mère, et même ses parents quelconques s'ils habitaient avec lui (2).

3° *Les frais quelconques de la dernière maladie :* ce privilége est fondé sur des considérations d'humanité.

Ces frais comprennent, en général, toutes les dépenses nécessaires faites durant la maladie *dont le débiteur a été atteint*, tels que les frais d'apothicaire, de médecins, de garde malades, etc.

Les dépenses faites même pour satisfaire de vains caprices, seraient privilégiées, pourvu qu'elles fussent modiques et en rapport avec la fortune du malade.

Que doit-on entendre par dernière maladie? Si c'est une maladie aiguë, aucune difficulté ne s'élève. — Si la maladie durait depuis longtemps, le privilége remonterait seulement à l'époque où l'état du malade se serait aggravé au point de mettre ses jours en danger. — Il est bien entendu que le médecin ne pourrait se faire colloquer que pour ce qui ne serait pas éteint par prescription.

Remarquez ces mots *de la dernière maladie :* la loi ne dit pas *de dernière maladie :* le législateur nous paraît avoir suffisamment manifesté, en s'exprimant ainsi, l'intention d'accorder un privilége, non-seulement pour les frais de la maladie dont le débiteur est mort; mais encore, pour les frais de celle qui a précédé l'événement quelconque, qui donne lieu à la distribution par contribution : le médecin, qui a eu le bonheur de sauver son malade, ne doit pas être moins bien traité que celui qui l'a perdu. — Ajoutons, qu'on ne peut raisonnablement reprocher aux médecins, de ne s'être pas fait payer immédiatement après la guérison (3).

4° *Les salaires de gens de service*, etc.

On entend par gens de service, toutes les personnes qui louent leurs ser-

---

(1) *Caen*, 15 juillet 1836 ; D., 1837, 1, 177.
(2) Dur., n. 50 ; Persil, sur l'art. 9101. ⁓ Étendre jusque-là le privilége, ce serait permettre au débiteur d'affecter ses biens indéfiniment.
(3) Dur., n. 54 ; Troplong , n. 137. ⁓ En plaçant les mots : *dernière maladie*, après ceux-ci : *frais funéraires*, les auteurs du Code ont suffisamment manifesté l'intention de n'accorder de privilége que pour les frais de la maladie dont le débiteur est mort (Grenier, n. 302 ; Pardessus , n. 1194, t. 4 ; Pigeau, p. 183 ; Persil ; D,, Hyp., chap. 1ᵉʳ (*Val.*).

vices moyennant des gages fixes, et se placent pour un certain temps, d'une manière plus ou moins absolue, sous l'autorité d'un maître de ville ou de campagne. Le législateur a considéré que les salaires dus à ces personnes ont peu d'importance, et qu'ils composent ordinairement tout leur patrimoine.

Remarquons surtout, que les gens de service n'ont de privilége que pour leur salaire : les créances résultant d'avances qu'ils auraient faites ne seraient pas privilégiées.

Observons également, que la loi n'étend pas ce privilége à tout ce qui est réclamé ; elle le restreint au salaire de *l'année échue*, et à ce qui est dû sur *l'année courante* (1).

Les domestiques qui louent leur service au mois, au trimestre, en un mot, par fraction d'année, sont privilégiés comme ceux qui se louent à l'année : en parlant de l'année échue et de l'année courante, le législateur n'a pas eu en vue la question de prescription : son seul but a été de déterminer le laps de temps pour lequel la collocation par privilége peut avoir lieu (2).

Mais comment doit-on calculer l'année échue et l'année courante ? A partir du jour où le domestique est entré au service du débiteur : Par exemple, si les services datent du 1er juillet, l'année échue est celle qui a pris fin le premier du mois de juillet suivant ; et l'année courante comprend tout le temps qui s'est écoulé depuis cette dernière époque (3), jusqu'à l'événement qui donne lieu à l'exercice du privilége.

Les agents, autres que les domestiques, tels que les commis, les précepteurs, secrétaires, etc., ne sont point privilégiés pour ce qui leur est dû, lors même qu'ils reçoivent un traitement annuel. D'ailleurs, les mêmes considérations n'existent plus : leurs créances peuvent être considérables, et rarement elles composent leur unique avoir.—Toutefois, la nouvelle loi des faillites a créé au profit des ouvriers et des commis, sur les biens du débiteur tombé en faillite, un privilége qui vient au même rang que celui des gens de service; mais, ce privilége est restreint, pour les ouvriers, au salaire du mois qui a précédé la déclaration de faillite ; et pour les commis, au salaire des six mois qui ont précédé cette déclaration (549).

5º *Les fournitures de subsistances faites au débiteur ou à sa famille*, etc. : ce privilége est fondé sur des considérations d'humanité.

On entend ici par *fournitures*, les denrées qui sont fournies *par des marchands*, pour servir à la subsistance d'une personne et à celle de sa famille.

Nous disons par des *marchands*, car les simples particuliers qui auraient

(1) Comment concilier l'art. 2101, n. 4, qui accorde un privilége pour l'année échue et ce qui est dû sur l'année courante, avec l'art. 2272, cinquieme alinéa, qui déclare prescrites par un an, les créances des gens de service provenant de leur salaire ? Il faut supposer qu'il y a eu interruption de prescription (2274).

(2) *Paris*, 1er et 19 août 1834 ; S., 34, 2, 619 et 622. — *Metz*, 4 mai 1830 ; S., 21, 2, 102 ; D., 20, 2, 80 (*Metz*, 4 mars 1810; D., Hyp., 130. — *Colmar*, 1er novembre 1822 ; D., *ibid.*, p. 50, n. 1. — *Lyon*, 25 avril 1836 ; D., 1897, 2, 76).

(3) Dur., n. 59. — *Rouen*, 14 février 1823 ; S., 23, 2, 326.

Suivant quelques personnes, il faut se référer aux principes de la prescription : or les domestiques, pour raison de leur gage, doivent former leur demande dans l'année (2272) ; après ce délai ,leur action est prescrite : dans ce système, pour compter l'année échue, il faut donc partir de l'événement qui donne lieu à la distribution et remonter a une année : si les domestiques ont continué leurs services, l'année courante datera du jour de cet événement. Mais il en serait autrement, si le domestique avait conservé sa créance, ou formé en justice contre son maître une demande non périmée : l'année échue daterait alors du jour de l'entrée au service ; l'année courante serait celle dans laquelle se trouvaient les gens de service à l'époque de l'événement. ∿∿ Cette opinion ne saurait être admise : en effet, la prescription du salaire des domestiques ne court pas jour par jour , mais de la fin de l'année, en sorte que le service d'une année forme une seule et même créance, et non 365 créances ; dès lors, rien n'est prescrit : ainsi entendus , les articles 2272 et 2101 se concilient aisément (Dur., n. 60).

avancé au débiteur des objets en nature, comme de la farine, du vin, de l'huile, ne jouiraient d'aucun privilége; leur position serait la même que s'ils avaient fait un prêt d'argent : le privilége tient à la qualité de marchand.

Il faut en outre, que les fournitures aient eu pour but la subsistance : Ces fournitures ne doivent pas excéder les besoins du débiteur et de sa famille, — les mets de luxe ne sont pas privilégiées (1).

Par *subsistance*, on n'entend pas seulement ce qui est nécessaire à la nourriture (*cibaria*); mais encore le chauffage, l'éclairage, les denrées non alimentaires qui se consomment au jour le jour dans un ménage, et même l'habillement.

Mais il est difficile de penser que, sous cette dénomination, le législateur ait voulu comprendre le logement; car le propriétaire jouit pour ses loyers d'un privilége particulier (2102, n. 1) (2).

Le mot *famille*, exprime une réunion d'individus, vivant sous la direction d'un même chef : il comprend toutes les personnes aux besoins desquelles le débiteur était tenu de subvenir et qui habitaient avec lui (3).

Le privilége des *maîtres de pension* et celui des *marchands en gros*, est en harmonie avec la durée de l'action qu'ils peuvent exercer : en effet, leurs droits se prescrivent par un an (2272).

Les *maîtres* ou *instituteurs des sciences et arts* qui donnent des leçons au mois ou au cachet, n'ont qu'une simple action personnelle.

A l'égard des *marchands en détail*, bien que leur action, pour les marchandises qu'ils vendent aux particuliers non marchands, ne se prescrive que par un an (comme celle des marchands en gros) (4), la loi ne leur confère de privilége que pour les six derniers mois : ils viennent, pour le surplus, comme créanciers chirographaires. — Leur privilége a été restreint, par cette considération, qu'on est dans l'usage de compter plus fréquemment avec les fournisseurs en détail, qu'avec les fournisseurs en gros.

Quant aux *hôteliers* et aux *traiteurs*, espèces de marchands en détail, l'étendue de leur privilége est en harmonie avec la durée de leur action.

De quelle époque faut-il remonter pour compter les six derniers mois ou la dernière année? De l'événement qui a donné lieu à la distribution de deniers : en d'autres termes, les six derniers mois sont ceux qui ont précédé la mort, le jour de la déclaration de la faillite (Arg. des art. 474, 549, Code de comm.), ou l'expiration du délai déterminé pour produire (660, Pr.) si le débiteur est en déconfiture.

Il nous reste maintenant à définir ce qu'on entend par *marchands en gros* et par *marchands en détail*.

Presque tous les auteurs comprennent sous la dénomination de *marchands en gros*, ceux qui ne vendent habituellement que des quantités considérables : tels que les marchands de blé au setier, de sel au quintal, de drap à la pièce, etc.; ils désignent sous le nom de marchands en détail, ceux qui ne vendent ordinairement que par petites portions, par exemple, les épiciers, les bouchers, les fruitiers et les boulangers.

Cette interprétation nous paraît trop absolue : quoique un marchand de

---

(1) *Rouen*, 14 juillet 1819; S., 19, 2, 270.
(2) Dur., n. 67; Troplong, n. 146.
(3) Persil, art. 2101, n. 5; Pigeau, t. 2, p, 283.
(4) Dur., n. 62. C'est là un défaut d'harmonie que l'on a cherché à faire disparaître, en décidant que l'action des marchands en détail est soumise à la prescription de six mois (Troplong, Hyp., n. 145; Prescription, sur l'art. 270).

vin, un boulanger ou un épicier ait une boutique ouverte, un étalage, une enseigne, il peut fournir en gros; et journellement il arrive, qu'un marchand de vin livre plusieurs pièces de vin en détail, un épicier une balle de café, une certaine quantité de pains de sucre, etc.; or ne serait-il pas injuste de priver ces marchands, du droit de réclamer, parce que la fourniture qu'ils auraient faite remonterait à plus de six mois, et de partager entre les autres créanciers, le prix des marchandises qui ne seraient pas encore consommées? Le législateur n'a pu vouloir consacrer cette injustice: nonobstant les arguments que l'on peut tirer, contre notre opinion, des termes de l'article 2101, nous pensons que la différence établie par la loi entre les marchands en gros et les marchands en détail, s'applique plutôt à la nature et à l'importance des fournitures qu'à la qualité des marchands, et qu'il faut dès lors considérer comme marchands en gros ceux qui ont vendu en gros, et comme marchands en détail, ceux qui ont vendu en détail: ainsi, le juge doit, suivant nous, se déterminer par les circonstances (1).

Les fournitures faites par des individus non marchands ne sont point privilégiées (2).

A ces priviléges généraux sur les meubles, il faut ajouter celui du trésor (*voyez* art. 2098).

1° Pour le recouvrement des contributions personnelles ou mobilières: ce privilége, porte la loi du 12 nov. 1808, s'exerce *avant tout autre*.

Cependant, quelle que soit l'extension de ces expressions, on décide généralement, que le trésor ne peut venir qu'après les frais de justice; car ces frais sont moins un privilége qu'une déduction, qu'un prélèvement sur le prix (657, Pr.) Troplong, art. 2099, n. 33 et 63; Grenier, t. 2, n. 305; Persil, n. 36).

2° Pour le remboursement des frais dont la condamnation est prononcée au profit du trésor en matière criminelle, correctionnelle ou de police: ce privilége ne s'exerce qu'après tous ceux qui sont énumérés dans les art. 2101 et 2102, et même après le payement des sommes dues pour la défense personnelle du condamné (loi du 5 septembre 1807).

3° Pour les droits de douanes;

4° Pour les contributions indirectes;

5° Enfin, le trésor est privilégié sur tous les biens meubles des comptables chargés de la recette des deniers publics; mais ce privilége, comme le précédent, ne passe qu'après ceux qui sont énumérés dans les art. 2101 et 2102 (loi du 5 septembre 1807).

Classement des priviléges généraux par ordre de préférence.

1° Frais de justice dans l'intérêt de tous;

2° Contributions personnelles, mobilières, etc.; contributions indirectes, etc.;

3° Frais funéraires;

4° Frais de dernière maladie;

5° Salaire des gens de service;

6° Fournitures de subsistances;

------

(1) Cette distinction entre les marchands en gros et les marchands en détail, puisée par inadvertance dans l'ancien Droit, n'a pas été maintenue au titre de la prescription, si ce n'est quant aux hôteliers et aux traiteurs.

(2) Grenier, n. 303; Troplong, n. 147 *bis*; Persil, sur l'art. 2101, §. 5.

7° Privilége du trésor pour cause de pour-
suites criminelles, pour droits de donane ;
   Priviléges du trésor sur les meubles du ⎫ Par concurrence.
comptable ;
   Privilége du trésor de la couronne ;

— Doit-on comprendre dans les frais de justice privilégiés, les frais de bénéfice d'inventaire ? ⁓ *A.* L'héritier bénéficiaire n'est qu'administrateur ; or les frais d'administration (sont une charge commune (Persil , n. 6. — *Cass.*, 11 août 1824 ; D., t. 9, p. 28).

Le deuil de la femme fait-il partie des frais funéraires ? ⁓ *A.* Convenances sociales — Jurisprudence du Parlement de Paris : selon toute probabilité , les rédacteurs ont entendu suivre cette jurisprudence. Toutefois , il faut établir une limitation quant à la fortune et à la position (Pothier , Communauté , n. 678 ; Persil , n. 4 ; Dur., n. 48 ; Proudhon , n. 212 ; Tarrible , Rép. , v° Privilége, sect. 3 ; Favard , Rép., v° Privilége , sect. 1 ; D., Hyp., chap. 1, sect. 1. — *Toulouse*, 6 décembre 1824 ; S., 26, 2, 106. — *Agen*, 28 août 1834 ; D., 35, 2, 152). ⁓ L'art. 1481 met le deuil à la charge des héritiers du mari ; les frais de deuil sont étrangers aux funérailles du défunt. — L'ancienne jurisprudence et l'ancienne doctrine n'é- taient point unanimes. — Loi romaine , *de Reliquis et sumpt. funer.* (Grenier , t. 2, n. 301 ; Merlin , v° Deuil , § 2, n. 8 ; Troplong , n. 136 ; Bellot , Contrat de mariage , t. 2, p' 507).

Quid , à l'égard des habits de deuil des enfants ? (Même décision).

Quid , à l'égard des habits de deuil des domestiques ? ⁓ On n'accorde point de privilége pour ces frais ; la nécessité de cette dépense n'est pas la même que pour le deuil de la veuve et des enfants (Dur., n. 48).

Si celui qui a fait les avances des frais funéraires a été remboursé par une tierce personne , cette personne jouit-elle du même privilége ? ⁓ *Oui* , si elle a eu soin de se faire subroger ; *secùs* dans le cas contraire ; car la créance des frais funéraires étant désormais éteinte par le payement , le privilége qui y était attaché n'a pu lui survivre (Persil, n. 5). ⁓ La subrogation est de droit. — Le privilége est attribué pour les *frais funéraires* sans distinction. — Arg. de l'art. 593 Pr. (Dur., n. 51 ; Delv., p. 150, n. 2 ; Troplong , n. 125 *bis.*).

Doit-on appliquer aux commis voyageurs le privilége que la loi accorde aux gens de service pour leur salaire ? ⁓ *N.* Les commis voyageurs sont de simples mandataires (Persil , n. 5 ; Delv., p. 150, n. 5. — *Montpellier*, 12 juin 1829 ; S., 29, 2, 206 : D., 29, 2, 230).

Dans quelle catégorie faut-il placer les marchands de bois : sont-ce des marchands en gros ou des marchands en détail ? ⁓ Il faut, suivant nous, considérer l'importance des fournitures qu'ils ont faites : vendre à la voie , à la corde ou au char , ce n'est point vendre par petites portions (Dur., n. 61 ; Persil, n. 3 ; Delv., p. 150, n. 8).

Les fournitures faites à une pension ou à tout autre établissement dans lequel sont réunis des étran- gers , sont-elles privilégiées sur les biens du chef de l'institution ou de l'établissement ? ⁓ *N.* En ma- tière de privilége , il n'y a lieu ni à extension ni à interprétation ; or la loi parle uniquement de la fourniture des subsistances faites à la *famille* : le mot *famille* n'a pas un sens illimité (Persil, n. 5).

Un maître de pension qui aurait fourni à l'un de ses élèves, des plumes , du papier, etc., aurait-il un privilége pour ces sortes de fournitures ? ⁓ *N.* Ce ne sont point là des fournitures de subsistances (Trop- long, n. 146 ; Dur., 68 ; Ancienne jurisprudence ; Grenier , t. 2, n. 304 ; Merlin , Rép., Pension , § 1).

Les frais de dernière maladie d'une personne qui était légalement à la charge du débiteur sont-ils privilégiés ? ⁓ *A.* Arg. des art. 217, 203, 384 et 385 (Dur., n. 55).

Ceux qui ont payé ces frais de leurs deniers sont-ils subrogés légalement ? ⁓ *A.* (Dur., n. 56).

Quid , à l'égard de ceux qui ont payé le médecin ou le chirurgien sans se faire subroger ? ⁓ La né- cessité de ce payement ne se faisant pas sentir comme celui des frais funéraires , on doit supposer que ceux qui l'ont fait, ont entendu suivre la foi du débiteur et de ses héritiers : dès lors, point de privilége (Dur., *ibid.*).

---

§ II. — Priviléges sur certains meubles.

Avant d'examiner les dispositions contenues dans les articles 2102 et 2103 , il faut se pénétrer de deux principes :

1° Toutes les fois que le créancier a dû regarder une chose comme son gage, il peut la conserver jusqu'au parfait payement, et se faire colloquer par préférence sur le prix qui en provient.

2° Lorsque la somme à laquelle s'élève une créance forme le prix de la vente ou le montant des avances faites, soit pour la création (2103 , n. 4 , alin. 2), soit pour la conservation de la chose, cette créance est naturel- lement privilégiée, puisque sans elle , la chose n'existerait pas entre les mains du débiteur, ou ne présenterait aux créanciers qu'un gage de moindre valeur.

Les dispositions des n°ˢ 1, 2, 5, 6 et 7 sont fondées sur la première règle, et celles des n°ˢ 3, 4, et n. 1 alinéa 4, sur la seconde.

2102 — Les créances privilégiées sur certains meubles sont,

1° Les loyers et fermages des immeubles, sur les fruits de la récolte de l'année, et sur le prix de tout ce qui garnit la maison louée ou la ferme, et de tout ce qui sert à l'exploitation de la ferme; savoir, pour tout ce qui est échu, et pour tout ce qui est à échoir, si les baux sont authentiques, ou si, étant sous signature privée, ils ont une date certaine; et, dans ces deux cas, les autres créanciers ont le droit de relouer la maison ou la ferme pour le restant du bail, et de faire leur profit des baux ou fermages, à la charge toutefois de payer au propriétaire tout ce qui lui serait encore dû;

Et, à défaut de baux authentiques, ou lorsqu'étant sous signature privée, ils n'ont pas une date certaine, pour une année à partir de l'expiration de l'année courante;

Le même privilége a lieu pour les réparations locatives, et pour tout ce qui concerne l'exécution du bail;

Néanmoins les sommes dues pour les semences ou pour les frais de la récolte de l'année, sont payées sur le prix de la récolte, et celles dues pour ustensiles, sur le prix de ces ustensiles, par préférence au propriétaire, dans l'un et l'autre cas;

Le propriétaire peut saisir les meubles qui garnissent sa maison ou sa ferme, lorsqu'ils ont été déplacés sans son consentement, et il conserve sur eux son privilége, pourvu qu'il ait fait la revendication; savoir, lorsqu'il s'agit du mobilier qui garnissait une ferme, dans le délai de quarante jours; et dans celui de quinzaine, s'il s'agit des meubles garnissant une maison;

2° La créance sur le gage dont le créancier est saisi;

3° Les frais faits pour la conservation de la chose;

4° Le prix d'effets mobiliers non payés, s'ils sont encore en la possession du débiteur, soit qu'il ait acheté à terme ou sans terme;

Si la vente a été faite sans terme, le vendeur peut même revendiquer ces effets tant qu'ils sont en la possession de l'acheteur, et en empêcher la revente, pourvu que la revendication soit faite dans la huitaine de la livraison, et que les effets se trouvent dans le même état dans lequel cette livraison a été faite;

Le privilége du vendeur ne s'exerce toutefois qu'après celui du propriétaire de la maison ou de la ferme, à moins qu'il ne soit prouvé que le propriétaire avait connaissance que les meubles et autres objets garnissant sa maison ou sa ferme n'appartenaient pas au locataire;

Il n'est rien innové aux lois et usages du commerce sur la revendication;

5° Les fournitures d'un aubergiste, sur les effets du voyageur qui ont été transportés dans son auberge ;

6° Les frais de voiture et les dépenses accessoires, sur la chose voiturée ;

7° Les créances résultant d'abus et prévarications commis par les fonctionnaires publics dans l'exercice de leurs fonctions, sur les fonds de leur cautionnement, et sur les intérêts qui en peuvent être dus.

= La loi réunit, dans un même article, les priviléges qui peuvent exister sur certains meubles : mais elle ne dit pas que ces priviléges s'exercent dans l'ordre où ils sont énumérés ; car chacun d'eux est unique, relativement aux meubles sur lesquels il porte.

Le plus important de tous, est celui qui est accordé au propriétaire pour le prix de ses loyers ou fermages, et de toutes autres charges imposées au locataire.

Les créances résultant d'avances que le bailleur a faites au fermier pour l'exploitation de la ferme, même indépendamment des clauses du bail, sont également privilégiées ; car elles constituent une sorte d'addition aux conventions primitives (1).

Les locataires principaux et l'usufruitier qui donnent à bail, doivent jouir de la même faveur pour le prix de leur sous-location, puisqu'ils tiennent lieu de propriétaire (819, Pr.).

Ce privilége s'étend : 1° sur les fruits de la récolte de l'année, naturels ou industriels, qu'ils soient ou non détachés du sol. Le privilége sur les fruits, à la différence de celui qui est accordé sur les objets qui garnissent la ferme, ne se rattache pas à l'idée d'un gage tacite : le locateur retient un droit de préférence sur la récolte plutôt qu'il ne l'acquiert ; les fruits sont considérés comme sa chose propre tant qu'on ne lui en a pas payé le prix.

Existe-t-il également sur les fruits civils ? Par ex. : J'afferme une terre à Paul ; Paul sous-afferme à Jean : les créanciers de Paul, mettent opposition entre les mains de Jean, sur le prix de sa sous-location : me trouvant créancier de plusieurs termes, je forme également opposition, en demandant ma collocation par privilége : cette demande sera-t-elle fondée ? *Oui*, car aux termes des art. 1753 du Code civil, et 820, Pr., le sous-locataire est tenu, envers le propriétaire, jusqu'à concurrence du prix de sa sous-location : ce dernier exerce donc sur les fruits des terres sous-louées, les mêmes droits que si la saisie était faite sur le locataire principal : il doit d'autant mieux jouir d'un privilége sur les fermages qui sont dus, qu'il pourrait saisir les fruits, si ces fermages n'étaient pas payés.

Notre article ne parlant que *des fruits de la récolte de l'année*, on demande si le droit du locateur est restreint aux fruits de cette récolte, sans pouvoir s'étendre à ceux des récoltes précédentes qui se trouveraient encore dans les granges, serres ou greniers ? Il faut distinguer : si les fruits ont été transportés dans une grange appartenant à un tiers ou même au fermier, le privilége ne porte que sur les fruits de la récolte de l'année : on conçoit, en effet, qu'il serait presque impossible, après l'expiration de ce temps, de constater leur identité : mais si les fruits se trouvent dans une

(1) Dur., n. 97, Troplong, n. 154. — *Angers*, 27 août 1821 ; D., Priv. et Hyp., p. 40.

grange dépendant de la ferme, ils sont soumis, sans distinction, au privilége du locateur (1).

Nous pensons même qu'il peut les revendiquer dans les quarante jours, lorsqu'ils ont été déplacés frauduleusement (c'est-à-dire, sans qu'il y ait eu ni vente, ni nécessité de les transporter hors de la ferme pour effectuer la mise en vente), de même qu'en pareil cas, il pourrait, ainsi que nous le verrons plus bas, saisir par revendication les meubles garnissant la ferme qu'on aurait déplacés sans son consentement (*voy.* cep. Dur., n. 74).

Lorsque les fruits ont été vendus à un acheteur de bonne foi, ou lorsque le fermier veut les transporter dans un lieu où ils doivent être mis en vente, le locateur ne peut en empêcher la sortie, car les fruits étant nécessairement destinés à être vendus, la faculté d'en disposer au fur et à mesure que l'occasion se présente, est pour le fermier une condition tacite des engagements qu'il a contractés (2).

Mais alors, pourquoi faire une mention spéciale des fruits de la récolte de l'année, puisque le bailleur peut, par une voie indirecte, exercer son droit sur les fruits des années antérieures? On a voulu faire entendre, que cette récolte est grevée d'un privilége analogue à celui du vendeur, et indépendant du lieu où se trouvent engrangés les fruits.

Le privilége du locateur s'étend, en deuxième lieu, sur les meubles qui garnissent la maison louée ou la ferme; c'est-à-dire, sur tout ce qui doit y rester d'une manière habituelle à raison de la destination des lieux et pour leur exploitation; ce qui comprend les meubles meublants (534), les choses placées en évidence dans les greniers, caves, etc., et même certains objets mobiliers qu'il est d'usage de renfermer dans des armoires ou dans des meubles, tels que le linge, la vaisselle, l'argenterie, etc. : le propriétaire, en effet, a pu raisonnablement compter sur la valeur de ces objets. Il s'étend même sur les marchandises qui sont dans des magasins pour y être vendues pour le compte du locataire : mais l'argent comptant, les pierreries, bijoux ou autres choses qu'on ne met pas ordinairement en évidence, dont l'absence permanente ou momentanée n'offre rien d'extraordinaire, et qui ne manquent pas à l'ameublement, ne sont point grevés de ce privilége.

Le propriétaire est privilégié sur les objets garnissant les lieux, lors même qu'ils n'appartiennent pas au preneur; par ex., s'ils se trouvent entre ses mains à titre de nantissement, de dépôt, de louage, de prêt, la loi ne distingue pas; il suffit qu'il ait pu, de bonne foi, les considérer comme son gage : c'est là une application de la maxime : en fait de meubles, etc. (2279). Mais on est admis à établir non-seulement par écrit, mais encore par tout autre moyen, qu'il a eu connaissance du droit des tiers.

Cette connaissance est même présumée en certains cas, notamment, lorsque l'introduction des objets mobiliers dans la maison louée, peut s'expliquer par la profession du preneur : par ex., le propriétaire n'est point privilégié sur les marchandises qui sont chez un commissionnaire pour être vendues pour le compte d'un commettant; sur les effets du voyageur (s'il s'agit d'une hôtellerie); sur l'étoffe remise à un tailleur; ou sur

---

(1) *Quid*, en cas de concurrence du propriétaire du sol avec le propriétaire de la grange? Il faut distinguer : s'il y a eu dans la ferme insuffisance de bâtiments pour serrer la récolte, le propriétaire de la grange doit avoir la préférence sur le propriétaire du sol ; car il a conservé le gage de ce dernier. Mais s'il existait des bâtiments suffisants, le propriétaire de la grange ne sera préféré qu'autant qu'il aura été de bonne foi, c'est-à-dire, qu'autant qu'il aura cru que les bâtiments de la ferme étaient insuffisants.

(2) Suivant Dur., n. 75, le privilége du locateur est maintenu tant que les fruits vendus n'ont pas été livrés mais cette opinion ne peut être admise.

toutes autres choses que l'on confie aux ouvriers pour les raccommoder ou les travailler (608, Pr.) (1).

Par suite, le conseil d'État a décidé, que le droit du propriétaire ne 'étendrait pas aux troupeaux de moutons que le fermier hivernerait dans sa ferme; car, d'une part, ces troupeaux ne sont destinés ni à garnir la ferme ni à l'exploiter; d'autre part, ils ne s'y trouvent que momentanément.

Cependant, il ne faut pas entendre cette règle d'une manière trop absolue : les troupeaux seraient, à n'en pas douter, affectés au payement des fermages, si le propriétaire avait pu légitimement penser qu'ils appartenaient au fermier; par exemple, s'il s'agissait de bestiaux donnés à cheptel à un fermier, sans notification au propriétaire (1813).

Le propriétaire peut exercer son privilége même sur les meubles des sous-locataires (820, Pr.); mais seulement, jusqu'à concurrence du prix de la sous-location dont ils peuvent être tenus au moment de la saisie (1753).

Il nous paraît hors de doute que le bailleur ne pourrait exercer son privilége sur les meubles perdus ou volés, lors même qu'il aurait été fondé à croire que ces meubles appartenaient au preneur (Comp. les art. 2279 et 2280) (2).

Après avoir fait connaître les objets affectés au privilége du locateur, déterminons l'étendue de ce droit : lorsque le locateur ne se trouve point en concours avec d'autres créanciers, on le considère comme un créancier ordinaire qui fait saisir et vendre les biens de son débiteur pour obtenir le payement de ce qui lui est dû : par conséquent, il ne peut prétendre aux loyers non encore échus ou autres prestations à venir, car nul n'est tenu de faire de payements anticipés. — Mais si d'autres créanciers poursuivent ou se présentent, quelle est alors la position du bailleur? On distingue :

Si les baux sont authentiques, ou si étant sous signature privée, ils ont acquis date certaine (1328) avant la faillite ou la saisie, le bailleur peut se faire colloquer par privilége pour les loyers échus, pour ceux à échoir, et pour toutes les obligations qui résultent du bail, présentes ou futures. Ex. : Je loue ma maison pour neuf ans : deux années s'écoulent sans que mon locataire ait payé le montant des loyers; ses meubles sont saisis et vendus : je viendrai, par privilége, dans la distribution du prix, pour les deux années échues et pour les sept années qui resteront à courir.

Le locateur doit être colloqué par anticipation même pour le montant des améliorations que le preneur a contracté l'obligation d'effectuer pendant le cours de son bail.

Mais le privilége ne s'étend pas aux dégradations que le preneur pourra commettre, car les délits ou les quasi-délits ne sauraient être prévus à l'avance.

Le propriétaire qui a reçu le montant des loyers échus et à échoir, est considéré comme payé par anticipation : les créanciers du locataire peuvent, dès lors, comme exerçant les droits de leur débiteur (1166), relouer pour le temps à échoir.

(1) Cass., 22 juillet 1823 ; S., 23, 1, 120; 21 mars 1826 ; S., 26, 1, 390; D., 26, 1, 218; voy. cep. Paris, 5 mai 1828 ; S., 28, 2, 219.
(2) Persil, in. 4; Dur., n. 81.

Si le produit de la vente des meubles n'a pas suffi pour désintéresser le propriétaire, les créanciers ne peuvent relouer qu'en payant tout les loyers échus et à échoir.

Doivent-ils faire ce payement immédiatement avant de relouer? La loi ne détermine aucune époque : nous pensons que le payement peut avoir lieu au fur et à mesure des termes fixés par le bail, car en relouant, les créanciers se substituent au preneur. Sauf, bien entendu, le droit réservé au bailleur, de demander la résiliation du bail si la prohibition de sous-louer existe (1).

Si le bailleur a touché seulement une portion des loyers non encore échus, les créanciers peuvent-ils relouer pour le temps à l'égard duquel les loyers ont été payés par anticipation? On peut dire que ce serait scinder les clauses du bail, et préjudicier ainsi aux intérêts du propriétaire; néanmoins, nous répondrons, qu'en acceptant des loyers non encore échus, le propriétaire a renoncé virtuellement à jouir de l'immeuble pendant le temps auquel correspond le montant de ces loyers (Persil, n. 18, *voy.* cep. Dur., n. 31).

Examinons maintenant les droits du propriétaire, lorsque le bail est simplement verbal ou sous signature privée sans date certaine.

La loi ne lui accorde de privilége que *pour une année, à partir de l'expiration de l'année courante.*

Les termes ambigus de cette disposition ont donné lieu à diverses interprétations : la loi veut-elle accorder au locateur un privilége pour les termes échus, et encore pour une année outre celle qui court? N'a-t-il de privilége que pour l'anuée qui doit commencer après celle courante? Enfin, est-il privilégié pour l'année courante, et en outre pour celle qui la suivra?

Suivant nous, la première interprétation ne peut être admise, car elle faciliterait les fraudes que le locateur et le fermier voudraient pratiquer au moyen d'antidates; on ne peut croire que la loi veuille donner un privilége pour tous les termes que le locateur prétendra lui être dus (2).

On doit également rejeter la seconde : il serait contradictoire, en effet, que le locateur eût un privilége pour une année à venir, pour un temps où son bail n'existerait plus, et qu'il n'en eût pas pour les loyers qui lui sont dus, pour le temps où il se trouve réellement en jouissance (3).

---

(1) Persil, n. 20; Troplong, n. 155; Delv., p. 151, n. 1; Dur., n. 90.

(2) Ce système nous paraît d'ailleurs en opposition avec les vues du législateur : La fraude, disait M. Treilhard, est à craindre, même quant aux années arriérées, car on peut avoir augmenté le prix du bail ou l'importance des obligations du preneur. — L'argument tiré des articles 819 et 820 Pr., est sans force ; il ne peut être question dans ces articles que des loyers et des fermages échus : oserait-on soutenir, contrairement à l'article 2102, que le privilége n'existe pas pour ceux qui sont à échoir ? — Au surplus, M. Tarrible a parfaitement expliqué le sens de ces articles dans son discours au corps législatif : il a rappelé que le Code civil accorde au propriétaire un privilége pour l'exécution de l'année courante et de la suivante, lorsque le bail n'a ni authenticité ni date certaine (Locré, Législ., t. 23, p. 167; Persil, n. 22; Delv., p. 151, n. 3.— *Bordeaux*, 12 février 1825 ; D., 26, 2, 175 ; S., 26, 2. 179) (*Val.*). ⁓⁓⁓ La plupart des auteurs admettent cependant l'opinion que nous combattons : on ne peut supposer, disent-ils, que le législateur ait vu avec plus de faveur une créance future, que celle qui était exigible : évidemment, il a seulement voulu limiter l'étendue du privilége pour le temps futur, et prévenir les fraudes que le locateur aurait pu commettre au moyen de baux à longues années faits par anticipation : cette fraude n'est pas à craindre pour tous les termes échus; en effet, dira-t-on qu'on a pu enfler le prix des fermages ou des loyers : ce fait est facile à connaître ; le prix réel ne peut guère se dissimuler. Dira-t-on qu'on a pu supprimer des quittances : mais le même inconvénient existerait si le bail était authentique. — A l'argument tiré de ce que le Châtelet de Paris limitait à trois termes échus et au terme courant le privilége du locateur, ils répondent que cette règle a été abolie par le Code civil. — Enfin ils argumentent des articles 819 et 820 Pr., qui accordent sans distinction aux locateurs la faculté d'exercer leur privilége par voie de saisie-gagerie pour tous les loyers et fermages échus (Troplong, n. 156 ; Dur., n. 92. — *Cass.*, 28 juillet 1824 ; D., Privil. et Hyp., chap. 1er, section 1, art. 2 ; S., 25, 1, 54 ; 6 mai 1835 ; S., 35, 1, 433. — *Rouen*, 28 août 1821 ; D., *ibid.*).

(3) *Voy* cep. Grenier, n. 309; Favard, Rép., Privilège, section 1re, § 2, n. 4.

L'année courante nous paraît implicitement comprise dans la rédaction de l'art. 2102 : comment supposer que la loi veuille accorder un droit de préférence pour une année future, et refuser ce droit pour ce qui est actuellement exigible? On doit croire qu'elle prétend ajouter un droit à celui que le propriétaire avait déjà (1).

Nous pensons qu'il faut s'en tenir au troisième système; c'est-à-dire que le privilége est accordé pour l'année courante et la suivante, à l'exclusion des années expirées.

Bien que la faculté de relouer ne soit pas expressément réservée aux créanciers, comme lorsque le bail a date certaine, il n'est pas douteux que les mêmes principes ne soient applicables.

Nous avons supposé jusqu'ici que le bail, bien que verbal, a une durée fixe : mais *quid*, s'il n'y a pas de terme déterminé; comment comptera-t-on l'année courante, et à quelle époque fera-t-on commencer l'année suivante?

A l'égard des maisons, il faut prendre pour règle les époques des congés : ainsi, dans les pays où les locations se font d'une année à l'autre, si une maison, par exemple, a été louée le 1er janvier, l'année courante expirera le 31 décembre, et l'année suivante commencera le 1er janvier. — Mais dans les villes, où les termes des loyers sont de trois ou six mois, il nous semble que le propriétaire ne pourra se faire colloquer par privilége que pour ce qui lui est dû, et en outre, pour le temps durant lequel le locataire doit garder à son compte l'appartement, suivant l'usage des lieux (Arg. de l'art. 1758).

Quant aux biens ruraux, tels que prés, vignes et autres dont les fruits se recueillent tous les ans, le bail est censé fait pour le terme de leur récolte complète; en conséquence, le privilége du propriétaire est d'une année, à partir de l'expiration de ce terme.

Quid, à l'égard des terres labourables qui se divisent par soles ou saisons? Le propriétaire est-il privilégié pour une année à partir de l'époque où les fruits produits par la dernière sole ont été recueillis? *Non*, la loi n'accorde qu'une année à partir de l'expiration de l'année courante (Dur., n. 94).

La règle que le propriétaire est préféré, pour l'exécution de son bail, à tous autres créanciers, souffre trois exceptions :

La première est établie en faveur de ceux qui ont fait des avances pour les semences ou pour les frais de la récolte de l'année : ainsi, l'argent prêté pour l'achat des semences, les frais dus aux moissonneurs, aux garçons de labour et même aux domestiques du fermier, qui ont été employés à la culture des terres ou à la récolte, sont payés sur le prix des fruits recueillis, par préférence au propriétaire de la ferme : cette exception est commandée par l'intérêt de l'agriculture; mais il faut que les ouvriers aient été spécialement employés à la culture : ceux qui ont donné leur temps au service de la ferme ne jouissent pas des mêmes droits; ils viennent dans le même rang que les créanciers ordinaires (*voy.* cependant Dur., n. 99).

Observez, que les créanciers dont nous parlons ne sont privilégiés que sur le prix de la récolte de l'année : ils viennent sur le prix des récoltes antérieures, ou sur celui des récoltes suivantes, comme créanciers ordinaires.

---

(1) Si le bail sous seing privé doit expirer avant l'année que la loi accorde à partir de l'année courante, le privilége se réduit évidemment au temps pour lequel le bail a été fait.

La loi prévoit bien le cas de concours entre le locateur et le vendeur des semences ou ceux auxquels sont dus des frais de récolte : mais quel ordre faut-il établir entre les frais de semences et les frais de récolte ? Sans semence pas de récolte ; mais aussi, sans récolte, pas de gage : nous pensons que ces derniers frais doivent être préférés.

Par la même raison nous préférerons au vendeur des ustensiles aratoires, l'ouvrier qui les aura réparés, car les ustensiles n'auraient pu rendre leur service spécial sans ces réparations.

La deuxième exception a lieu, pour les sommes dues à ceux qui ont fourni les ustensiles aratoires servant à l'exploitation : tels que les charrues, bêches, charrettes ; à ceux qui ont réparé ces ustensiles ; ou à ceux qui ont avancé les sommes nécessaires pour en faire l'achat (1).

Il est bien entendu, que le vendeur ou l'ouvrier n'exerce son privilége que sur le prix provenant de la vente des ustensiles : si ce prix n'avait pas suffi pour les désintéresser, ils viendraient pour l'excédant, après le propriétaire, en concours avec les créanciers ordinaires.

Lorsqu'il s'agit d'ustensiles de ménage, on rentre dans le droit commun : ainsi, ceux qui les ont fournis ou réparés, ne viennent qu'après le propriétaire, à moins qu'il ne soit prouvé que le propriétaire savait que ces ustensiles n'étaient pas payés.

La troisième exception concerne le vendeur de meubles : il prime aussi le propriétaire, s'il est prouvé que celui-ci savait que ces objets n'appartenaient pas au locataire, c'est-à-dire, qu'ils n'étaient pas payés (l'art. 1813 renferme une disposition semblable pour les cheptels).

Nous étendrons cette exception, sous les mêmes conditions, à celui qui a fait des frais pour la conservation de la chose.

Observons, que la loi établit, pour le prix des ustensiles aratoires, un privilége particulier : elle ne subordonne pas la préférence sur le propriétaire, à la condition que ce dernier aura su qu'ils n'étaient pas payés, comme elle l'exige pour les meubles d'un autre genre : pourquoi cette différence ? Quelques-uns donnent pour raison, que ces objets, servant à la récolte, deviennent des auxiliaires indispensables de l'exploitation : mais alors, il faudrait étendre le même motif aux bestiaux : il est plus vrai de dire, que le propriétaire n'a pu compter sur ces ustensiles, car il a dû savoir qu'ils exigent de fréquentes réparations, et qu'on les renouvelle souvent, ce qui oblige le preneur à être continuellement en compte avec les fournisseurs.

Revenons au privilége du propriétaire :

Le locateur peut, en vertu d'un titre authentique, saisir-exécuter les meubles du locataire, s'ils se trouvent encore dans l'appartement loué ; ou faire une saisie-gagerie, si son titre est sous seing privé (Pr., 819 et suiv.).

Mais la faveur qui lui est accordée s'étend encore plus loin : quoique les meubles, en général, n'aient pas de suite par hypothèque (2119 et 2279), on lui donne, par exception, comme au propriétaire de la chose volée, le droit de revendiquer ceux qui ont été déplacés sans son consentement exprès ou tacite (2).

_____

(1) Dur., n. 99, décide comme nous en faveur du vendeur ; mais seulement, lorsque ce sont des ustensiles qui ont été réparés ou vendus pendant le cours du bail.
(2) La revendication dont il s'agit, n'est point fondée sur le droit de propriété ; c'est une revendication à l'instar de l'action servienne des Romains : elle tend uniquement à faire réintégrer, dans la maison ou dans la ferme, les objets qui la garnissaient, pour ensuite les faire saisir et vendre : c'est une *saisie en revendication* (voy. 826, Pr.).

Ce principe est en parfaite harmonie avec la règle de l'art. 2279, 2e alin., car le détournement dont il s'agit est une espèce de vol de la possession du gage, conférée au locataire.

Il jouit de ce droit de suite, non-seulement lorsque les meubles enlevés sont encore en la possession du locataire qui les a transportés ailleurs; mais encore, lorsqu'ils se trouvent entre les mains d'un autre locataire (1) ou d'un tiers qui les a achetés de bonne foi (2):

Au reste, le droit dont il s'agit doit être exercé dans un court délai : la loi n'accorde au locateur que quarante ou quinze jours à compter du déplacement, suivant que l'héritage loué est un bien rural ou une maison.

On accorde aux propriétaires de maisons un délai moins long qu'aux propriétaires de biens ruraux, parce que se trouvant ordinairement sur les lieux, il leur est plus facile de connaître les déplacements que peut commettre le preneur.

Quoique le délai de la prescription ne se calcule, en général, que du jour où la personne qui veut agir a pu exercer son action, la loi, dans l'intérêt des tiers acquéreurs de bonne foi, fait courir ce délai à partir du jour *du déplacement :* le propriétaire doit s'imputer de ne pas avoir exercé sur le preneur une plus active surveillance.

Si le tiers acquéreur était de mauvaise foi, en d'autres termes, s'il avait employé des moyens détournés pour opérer le déplacement, le délai daterait seulement du jour où ce déplacement serait parvenu à la connaissance du locateur (3).

Il est bien entendu, que le droit de revendiquer ne s'étend pas aux marchandises vendues par un marchand : le propriétaire a dû savoir que ces objets n'étaient point à perpétuelle demeure dans les lieux loués; d'ailleurs, le locataire s'était réservé tacitement le droit d'en disposer (4).

La créance sur le gage, etc. La chose donnée en gage, étant spécialement affectée au payement de la dette, le créancier doit être préféré à tous autres sur le prix qui en provient (5) : la loi reproduit ici les règles déjà établies par les articles 2073 et 2076.

Toutefois, le créancier gagiste perd son droit, lorsqu'il cesse de posséder la chose donnée en nantissement (2076); car ce droit ne résulte pas de la qualité de la créance, mais d'une convention, qui est le contrat de gage. —S'il avait été dépouillé par un fait indépendant de sa volonté, par ex., par la force ou par un vol, il va de soi, qu'il pourrait toujours exercer la revendication : mais dans quel délai devrait-il former sa demande? La loi, par son silence, laisse le créancier dans les termes du droit commun : les articles 2279 et 2280 recevraient dès lors leur application (Persil, n. 5 ; Dur., n. 105).

---

(1) Le nouveau bailleur ne peut être placé dans une condition plus favorable que le bailleur de bonne foi . or la revendication de la chose volée eût été admise contre ce dernier (Persil, n. 7 et 8, 4°; Troplong, n. 137 ; Dur., n. 101). Le deuxième bailleur n'a commis aucune faute en recevant les meubles chez lui. — On ne peut dire que les meubles aient été volés au premier locateur (*Val.*).

(2) Dur., n. 100, critique cette disposition ; Il est bizarre , dit-il , que l'on rende la revendication du bailleur plus puissante que celle du propriétaire : évidemment , la maxime *en fait de meubles la possession vaut titre* (2279) a été méconnue ; la seule raison que l'on puisse donner de cette différence, est que celui qui a confié quelque chose à un malhonnête homme , doit s'imputer son imprudence ; tandis qu'on ne peut faire le même reproche au bailleur.

(3) Dur., n. 100; Persil. n. 2, § 1.

(4) Persil , n. 3; Dur., n. 77 et 84. — *Cass.*, 21 mars 1826 ; D., 26, 1, 218; *voy.* cep. Grenier, n. 311. — *Paris*, 6 mai 1828 ; D., 28, 2, 113.

(5) Si le créancier gagiste avait fait des frais pour la conservation de la chose , il pourrait , comme le dépositaire et autres, quoiqu'il eût cessé de posséder. se faire colloquer sur le prix , par préférence, pour le montant de ces frais.

Le créancier gagiste a un privilége indépendant du droit de rétention pour le remboursement des dépenses nécessaires qu'il a faites; mais il ne jouit pas du même droit, lorsqu'il s'agit de dépenses utiles, c'est-à-dire, de dépenses qui ont eu pour objet l'amélioration de la chose : en matière de privilége, les analogies ne sont pas admises; la loi doit toujours s'interpréter restrictivement. — Ce que nous disons sur le créancier gagiste s'applique au dépositaire (1).

Frais faits, etc., c'est-à-dire, tout ce qui a été fait pour réparer la chose, pour la préserver d'accidents, ou pour la sauver d'un péril présent. Ce privilége est indépendant de toute idée de nantissement : il prime tous les priviléges, même celui du bailleur ou autres créanciers gagistes, s'il est prouvé qu'ils en ont eu connaissance (2), et dans tous les cas celui du vendeur.

La loi n'exige pas que les dépenses aient été faites par le créancier lui-même; les sommes qu'il a prêtées sont également garanties, lorsqu'elles ont été employées à cet usage.

Le créancier qui a fait des avances, ou l'ouvrier qui a travaillé, peuvent en outre, lorsqu'ils sont nantis, retenir la chose jusqu'au remboursement de ce qui leur est dû (*voy.* 1947, 1948, 2080).

Quant aux frais faits pour améliorations ou pour embellissements, ils ne sont pas privilégiés : celui qui en a fait l'avance, peut seulement exercer le droit de rétention, jusqu'à ce qu'on lui ait payé la plus-value.

Le privilége dont il s'agit, ne s'exerce que sur la chose et non sur les autres biens du débiteur. Il ne s'étend pas même aux objets qui représentent cette chose : s'il arrive, par exemple, que j'aie fait des frais pour conserver des cotons, et qu'on les ait manufacturés, j'aurai perdu mon privilége; car la chose aura changé de nature (3).

Le prix d'effets mobiliers, etc. Deux voies sont ouvertes au vendeur pour obtenir le payement de ce qui lui est dû :

1° L'exercice d'un privilége;

2° La revendication.

Parlons d'abord du privilége :

Suivant notre ancienne jurisprudence, le vendeur ne jouissait d'un privilége qu'autant que la vente était faite sans terme; il manifestait alors l'intention de ne pas suivre la foi de l'acheteur : au cas contraire, ce droit lui était refusé. — Le Code rejette cette distinction : que le vendeur ait disposé avec terme ou sans terme, il jouit aujourd'hui d'un privilége sur le prix. Toutefois, ce privilége est subordonné à la condition que les effets se trouveront en la possession du débiteur : s'ils avaient été revendus et livrés à un deuxième acquéreur, le privilége du premier vendeur serait anéanti. Peu importerait même que le prix de la vente fût encore dû : le droit de préférence ne se transporte pas de la chose sur la créance du prix; c'est sur le meuble vendu et non sur des créances acquises à l'occasion de

---

(1) Persil, § 2, n. 2; Delv., p. 151, n. 13; Troplong, n. 176; Dur., n. 115, — *Cass.*, 17 mars 1829 ; S., 29, 1, 145; D., 29, 1, 184. ⁀⁀ Entre les dépenses d'amélioration et les dépenses de conservation, il n'y a qu'une différence légère. — Arg. de l'art. 2103, n. 4 (Grenier, p. 36, t. 2. — *Riom*, 18 juin 1825 ; D., 25, 2, 256).

(2) Suivant Dur., n. 109. les frais faits pendant la durée du bail, passent avant le privilége du bailleur, mais s'ils ont été faits sur une chose apportée par le fermier ou le locataire lors de son entrée en jouissance, le privilége du bailleur est préféré, à moins qu'il ne soit prouvé que ce dernier savait, lorsque la chose a été apportée, que ces frais étaient encore dus (Arg. de la dernière disposition du n. 4 de l'art. 2102).

(3) Nous supposons une transformation complète de la chose : s'il s'agissait par exemple du blé dont on eût fait de la farine, le privilége ne serait pas éteint : la main-d'œuvre étant ici d'une faible importance (Dur., n. 117).

ce meuble que le premier vendeur est privilégié (1) : ainsi, les oppositions qu'il formerait entre les mains du deuxième acquéreur, n'auraient
d'autre effet, que celui de rendre nécessaire une contribution entre tous
les créanciers du premier acquéreur.

Mais nous conserverions au vendeur originaire son privilége, si le nouveau possesseur était de mauvaise foi, si l'acheteur primitif avait perdu la
chose, ou si elle lui avait été volée (Arg. des art. 2279 et 1141).

Du reste, son droit subsiste nonobstant les changements qui ont modifié
la nature primitive de la chose vendue, pourvu qu'il soit possible de constater l'identité de cette chose : la loi ne subordonne pas le privilége à
l'existence des conditions prescrites pour la revendication.

Remarquons surtout, que le privilége du vendeur est borné *au prix
des effets mobiliers non payés* : il ne s'étend pas aux suites naturelles du
contrat, telles que les dépens, dommages-intérêts, etc. : or, en matière
de priviléges, les termes de la loi doivent s'interpréter restrictivement.
Ainsi, le vendeur serait colloqué par préférence pour le prix de la vente,
et viendrait pour le surplus en concurrence avec les autres créanciers.

Remarquons en outre, que le privilége n'existe qu'autant que le vendeur
reste *créancier vendeur* : il doit dès lors se garder de faire novation, par
exemple, en recevant des billets auxquels on donnerait une cause men-
songère.

La revendication, qu'il ne faut pas confondre avec la *résolution* (2), est
le deuxième droit que la loi présente au vendeur non payé : elle est fondée sur l'équité, qui ne permet pas que le vendeur perde à la fois la
chose et le prix. Son but est de le faire réintégrer dans la possession de
sa chose jusqu'au payement du prix. Le vendeur exerce le droit dont il
s'agit au même titre que le bailleur.

L'exercice de cette action, en matière de vente d'objets mobiliers, est
soumise à quatre conditions :

---

(1) Persil, n. 1.
(2) La revendication exercée aux termes de l'article 2102, a pour unique objet de réintégrer le vendeur dans la possession du meuble vendu : mais elle laisse subsister le contrat, tandis que la résolution
anéantit la vente. — Le vendeur rentré en possession retient la chose en attendant le payement; mais
l'acheteur reste propriétaire : ainsi, la revendication entraîne des conséquences moins graves que la résolution : c'est en ce sens que l'article 2102 en déterminant les droits du bailleur, a employé le mot revendication. — Les conditions requises par la loi pour l'exercice de la revendication, se présentent naturellement comme des conséquences de ces notions théoriques. — S'il était vrai que l'art 2102 ne fût
qu'une application modifiée de l'art. 1184, que le législateur en restreignant a huitaine l'exercice du
droit dont il s'agit, eût voulu prendre en considération l'intérêt des créanciers, qui voyant un meuble
entre les mains de leur débiteur, auraient pu regarder ce meuble comme leur gage, il ne se serait pas
borné a restreindre le droit de résolution : il aurait restreint également l'exercice du privilége; or le
privilége subsiste, tant que les objets vendus se trouvent dans la possession de l'acheteur. — Le système qui consiste à considérer le contrat de vente comme n'ayant pas été formé est inadmissible (*Val.*).
ⱳⱳ Quelques jurisconsultes repoussent néanmoins cette distinction; suivant eux, la revendication
n'est au fond qu'une résolution de la vente, opposée aux créanciers de l'acheteur : la revendication.
en effet, supposerait que le vendeur a conservé son droit de propriété ; or ce droit a été transféré au
moment du contrat, indépendamment de la tradition (1138 et 1583). La résolution'seule peut donc
réintégrer le vendeur dans ses droits. — Sans doute il paraît alors bizarre que la résolution ne soit admise que pendant le délai de huitaine, et seulement lorsque la vente a été faite sans terme, mais il
est facile de concilier l'art. 2102, n. 4, avec le principe général des articles 1184 et 1654 : en effet, ces
derniers articles ne sont applicables à la vente de meubles que dans le cas où le débat s'élève entre le
vendeur et l'acheteur; tandis que l'art. 2102, n. 4, suppose que le droit de résolution est invoqué contre
la masse des créanciers de l'acheteur : cette dernière disposition n'est donc au fond qu'une application
modifiée de l'art. 1184. — L'opinion contraire conduit à cette conséquence, que lors même qu'on aurait vendu *avec terme*, on pourrait, par le détour de la résolution (1184), rentrer dans la propriété
et revendiquer, ce qui violerait directement l'article 2102. — Au résumé, une fois que la chose mobilière est devenue la propriété de l'acheteur, le vendeur, dans sa lutte avec les autres créanciers, perd
le droit que lui donne l'art 1184. — Arg. de l'art. 2279 (Dur., n. 204 et 380). ⱳⱳ La revendication accordée
par l'article 2102 est une sorte d'annulation du contrat de vente plus expéditive que la résolution judiciaire; elle suppose que l'aliénation n'a pas été consommée. L'art. 2102 contient sous ce rapport une
exception à la règle générale de l'art. 1583 (Troplong, n. 193).

Il faut : 1° que la vente soit faite sans termes : le vendeur manifeste suffisamment, alors, l'intention de ne se démunir qu'autant qu'on lui payera le prix (1).

2° Que la chose vendue se trouve en la possession de l'acheteur : — s'il avait transmis cette possession à un tiers, la revendication ne pourrait avoir lieu ; car en fait de meubles le possesseur est réputé propriétaire (2279). Toutefois, ce droit ne serait point paralysé par le privilége du propriétaire ou de tous autres gagistes, s'il était à la connaissance de ces créanciers que le prix n'eût pas été payé.

3° Que la chose se trouve dans le *même état*, etc. ; c'est-à-dire, qu'elle n'ait pas changé de nature, qu'elle n'ait pas été transformée en une chose d'une nouvelle espèce, qu'elle soit reconnaissable. Par ex., des meubles meublants, des livres, une pièce de drap, ne changent pas d'état par cela seul qu'on les tire de la caisse ou de l'enveloppe qui les renferme ; mais si ce drap a été coupé pour faire des habits, la revendication ne peut avoir lieu ; car les choses ne sont plus dans le même état que lors de la livraison (Dur., n. 124).

4° Que la demande soit formée dans la *huitaine de la livraison* : au delà de ce terme, on présumerait que le vendeur a suivi la foi de l'acheteur en conséquence, il ne lui resterait qu'un privilége sur le prix de la chose vendue.

Enfin, un troisième moyen est offert au vendeur ; il peut demander la résolution pour inexécution (1184, 1654).

Le vendeur pourrait-il, après l'expiration du délai de huitaine, demander la résolution du contrat ? L'affirmative est généralement décidée (Arg. des art. 1656 et 1184) ; l'action est recevable pendant trente ans.

De ce qui précède, il résulte : que la loi présente au vendeur non payé une triple garantie : 1° le privilége ; 2° la revendication ; 3° l'action en résolution.

De quelle époque date le délai de huitaine, lorsque la vente consiste dans une fourniture qui a été faite en plusieurs fois ? Du jour de la dernière livraison ; car les fournisseurs sont dans l'usage de ne présenter leur mémoire que lorsqu'ils s'élèvent à une certaine somme.

Les fournitures d'un aubergiste, etc.

On appelle *aubergistes* ou *hôteliers*, ceux qui tiennent, soit dans les villes, soit sur les routes, des maisons où ils reçoivent, logent et nourrissent les voyageurs. — Obligé, par profession, de recevoir tous les individus qui se présentent, sans avoir le moyen de s'enquérir de leur solvabilité, considéré comme dépositaire nécessaire des objets qu'ils apportent dans son auberge (1952) et soumis à la contrainte par corps pour la représentation de ces objets, l'aubergiste mérite, pour sa créance, une faveur spéciale : un droit *de gage* lui est accordé pour sûreté du payement de la dépense faite chez lui, sur tous les effets qui ont été transportés dans son auberge, qu'ils appartiennent ou non au voyageur (2) : la loi ne distingue pas.

_____

(1) Dur., n. 120, critique cette disposition : elle est suivant lui, contraire à la règle de l'article 1583, qui déclare la propriété acquise de droit à l'acheteur, dès le moment où l'on est convenu de la chose et du prix, quoique la chose n'ait pas encore été livrée ni le prix payé. ⟶ On répond qu'il s'agit ici d'une question de privilége et non d'une question de propriété.

(2) Toutefois, si l'aubergiste sait que les effets apportés chez lui par les voyageurs ont été achetés et non payés, il n'a point sur ces objets de privilége au préjudice du vendeur. Appliquez ce que nous avons dit au sujet du locateur (Dur., n. 130). Même observation si des frais ont été faits pour la conservation de la chose (Dur., n. 131).

On a même jugé que le privilége de l'aubergiste ne s'étend pas sur les effets qui ont été loués au

Néanmoins, nous ne pensons pas que le droit accordé à l'aubergiste puisse s'étendre jusqu'à la saisie de la montre ou du portefeuille du voyageur, et encore moins, des habits dont il est couvert (1).

Puisque l'aubergiste est assimilé aux créanciers qui ont un gage, il faut décider, que son droit est subordonné à la rétention des effets : et qu'en les laissant emporter, il renonce à son privilége (2076). — *Quid*, s'ils avaient été enlevés frauduleusement, il pourrait les réclamer; mais dans quel délai? la loi ne déterminant sur ce point aucune règle particulière, nous déciderons, par application de l'art. 2279, que l'action de l'aubergiste contre les tiers serait recevable pendant trois ans, à partir du détournement des objets grevés du privilége.

Toujours par suite du même principe, on décide que l'aubergiste ne jouit d'un droit de préférence que pour les dépenses faites durant le séjour actuel; et que le privilége n'a pas lieu pour les fournitures non payées des voyages antérieurs.

Remarquez ces mots : *du voyageur ;* le privilége ne pourrait donc être invoqué contre les gens du lieu, ce privilége n'est pas étendu aux cabaretiers.

Les frais de voitures, etc. — Ce privilége semble reposer sur le même principe que le précédent : toutefois, il n'est pas subordonné à la condition que le voiturier sera resté nanti des objets voiturés, car la loi ne le dit pas. Remarquons en outre, que le délai dans lequel il doit être exercé, à peine de rester sans effet, n'est pas fixé (2) (*Voyez* toutefois les art. 306 et 307, Code de com.).

La loi accorde aux voituriers le même droit pour les frais accessoires : ce qui comprend toutes les avances qu'ils ont faites pour conserver la chose ou pour la transporter à sa destination, tels que les droits d'octroi ou autres semblables.

Ils peuvent faire ordonner la vente des objets voiturés, jusqu'à concurrence de ce qui leur est dû (166, Code de com.).

Le Code ne fait pas de distinction entre les voituriers par terre et les voituriers par eau.

Observons, que le privilége n'a lieu que pour les frais de voiture et les dépenses nécessaires : le voiturier ne serait donc pas privilégié pour les sommes qu'il aurait payées à des tiers : ce seraient là des créances ordinaires.

Les créances résultant d'abus et prévarications, etc.

On suppose ici le cas d'un cautionnement *réel* en numéraire, versé au trésor public (3).

L'objet du cautionnement est d'assurer le payement des indemnités auxquelles donneront lieu les malversations ou négligences que pourront commettre les fonctionnaires, *dans l'exercice de leurs fonctions:* ce privilége se rattache par conséquent à la matière du nantissement; le cautionnement, en effet, constitue un gage dont le trésor est détenteur.

Les cautionnements des comptables sont affectés par privilége à l'État.

---

voyageur, alors même qu'il n'est pas prouvé que l'aubergiste a connu le louage (*Colmar*, 26 avril 1816; D., t. 9, p. 47).

(1) On admet que si le voyageur est mort dans l'auberge, le privilége des frais funéraires primera celui de l'aubergiste (Dur., n. 192).

(2) Les convenances ne permettent pas aux voituriers d'exiger le prix avant de s'être dessaisis; les juges auront à examiner si, eu égard aux circonstances, le voiturier doit être censé avoir voulu suivre la foi du débiteur, et renoncer tacitement au privilége (Troplong, n. 207; Dur., n. 134. — *Paris*, 2 août 1809; S., 10, 2, 168).

(3) Loi du 28 avril 1816, art. 92 et suiv., ordonnance du 1er mai 1816. — Cependant le cautionnement des conservateurs peut être fourni en immeubles (Même loi, art. 86. oi du 21 ventôse an 7, art. 5).

— Viennent ensuite les autres personnes qui ont prêté les deniers : mais, pour qu'elles soient privilégiées, il faut que le titulaire ait fait sa déclaration dans la huitaine du versement (loi du 25 nivôse an 13, et du 2 nivôse an 11 ; décrets des 28 août 1808 et 22 déc. 1812).

Les cautionnements des officiers ministériels sont affectés à la garantie des particuliers.

— Le privilége du propriétaire s'étend-il sur les livres composant une bibliothèque, sur le linge de corps, sur les habits ? ∿ *A.* Ces objets garnissent la maison (Troplong , n. 151).

Nous avons décidé que le propriétaire de la ferme conserve son privilége sur les fruits de la récolte de l'année, bien que le fermier ait engrangé ailleurs : mais pour jouir de ce privilége, le propriétaire doit-il revendiquer dans les quarante jours du placement ? ∿ *A.* C'est évidemment en vue d'assurer le privilége du bailleur, que l'article 1767 oblige le preneur d'un bien rural à engranger dans les bâtiments à ce destinés par le bail. Bien plus, si les fruits avaient été placés dans la grange, du consentement exprès ou tacite du bailleur, le propriétaire de la grange primerait le propriétaire de la ferme (Dur., n. 76; Delv., p. 150, n. 11 ; *voy.* cep. Persil, n. 9).

Il résulte de l'art. 1813 , que le propriétaire n'a aucun droit sur les bestiaux donnés à cheptel à son fermier, lorsque le cheptel lui a été notifié : mais à quelle époque cette notification doit-elle avoir lieu ; suffirait-il qu'elle le fût avant la saisie ? ∿ *N.* Dès que le cheptel a été amené sur le fonds, le propriétaire a été saisi de son privilége ; c'est au maître des bestiaux à s'imputer de ne pas avoir fait préalablement connaître ses droits (Persil, n. 3 ; Grenier, n. 318).

Si le locataire loge gratuitement une personne, les meubles de cette personne sont-ils affectés au payement des loyers dus au propriétaire ? ∿ *A.* Vainement dirait-on , que cette personne ne devant rien , ne peut être forcée de souffrir le privilége : si l'on admettait ce système, il serait facile de soustraire au propriétaire, les gages que la loi accorde (Persil, n. 11 ; Pothier). ∿ *N.* L'inconvénient grave que l'on signale dans le cas d'affirmative, peut avoir lieu même en cas de sous-location réelle ; il ne faut pas étendre , sous prétexte de connivence , le privilége du vendeur sur des meubles qui n'appartiennent réellement pas au locataire, sauf le cas de fraude (Dur., n. 83 ; Grenier, n. 311).

Quid , si cette personne a commis des dégradations, le locataire a-t-il un privilége sur les biens qu'elle possède, pour la réparation du dommage ? ∿ *A.* Il rentre alors dans tous les droits du propriétaire ; sa position mérite même plus d'intérêt, car il se trouve victime de sa générosité (Persil, n. 12).

Le propriétaire peut-il se faire colloquer pour tout ce qui est échu , si le bail n'a acquis date certaine que longtemps après l'entrée en jouissance ? ∿ *N.* L'acte sous seing privé ne prend date, à l'égard des tiers, que du jour où il a acquis date certaine par l'enregistrement ou de toute autre manière ; ce serait méconnaître ce principe, que de faire remonter le privilége à une époque antérieure (Persil , n. 15 ; Dur., n. 89).

Si l'enregistrement a eu lieu après une saisie faite à la requête d'un créancier , peut-on prétendre que le bail a acquis date certaine , par rapport à ceux qui n'ont saisi que depuis l'enregistrement ? ∿ *N.* La première saisie a mis la chose sous la main de la justice (Dur., , n. 89).

Le privilége peut-il être exercé par celui qui a cessé d'être propriétaire , à raison des droits qu'il a acquis , pendant que la propriété résidait sur sa tête ? ∿ *N.* Le privilége existe seulement au profit de celui qui est propriétaire au moment de la saisie (Persil, n. 24).

En cas de tacite reconduction , le bailleur qui avait un bail authentique peut-il se faire colloquer pour toutes les années à échoir ? ∿ *A.* D'une part, le prix est fixé par le bail authentique qui a précédé ; d'autre part, la durée du bail est déterminée par l'usage des lieux ou par la nécessité de l'exploitation (Troplong , n. 157. — *Bordeaux* , 12 juin 1825 ; S ., 26, 2, 179).

Quelle extension doit-on donner à la règle que le propriétaire peut saisir les meubles lorsqu'ils ont été déplacés sans son consentement ? La loi prétend-elle refuser au locataire le droit de vendre, même de bonne foi, sans ce consentement ? ∿ *A.* (Troplong , n. 162 ; *voy.* cependant Grenier , t. 2, p. 311).

Lorsqu'il y a dans la maison des meubles suffisants pour répondre du loyer, le propriétaire peut-il s'opposer à l'enlèvement du surplus ? ∿ Dès qu'il a une garantie suffisante , il est non recevable à se plaindre. Arg. de l'art. 1752 (Persil, n. 4 ; Troplong, n. 164 ; Dur., n. 103). ∿ *A.* (*Paris* , 2 octobre 1806 ; S., 7, 2, 30. — *Poitiers*, 28 janvier 1619 ; D., Priv., Hyp., p. 42).

Dans le cas de remises successives de choses de même espèce à un ouvrier pour les travailler , cet ouvrier peut-il exercer le droit de rétention sur celles dont il se trouve nanti , pour ce qui lui est dû relativement aux choses qu'il a vendues ? ∿ Le droit de rétention ne peut s'exercer que pour ce qui est dû relativement aux choses mêmes dont l'ouvrier est encore détenteur (Dur., n. 118). ∿ Lorsque l'ouvrier, sur chaque envoi qu'il reçoit, et lors de la remise qu'il fait, retient dans ses mains un des objets de cet envoi comme suffisant pour le remplir de ses salaires et de ses frais, son privilége est conservé sur l'objet par lui retenu (*Rouen* , 25 février 1829 ; S., 31, 2, 88).

Doit-on assimiler à des marchandises , pour lesquelles l'art. 576 du Code de commerce donne l'action en revendication , les meubles placés dans un hôtel garni ? ∿ *N.* Les articles 504 et suivants du Code de commerce , relatifs à la revendication , s'appliquent uniquement à des marchandises non encore entrées dans les magasins du failli ; or , cette désignation ne peut s'appliquer à des meubles qui ne sont point des marchandises dans le sens des articles précités (*Paris* , 28 juin 1831 ; S., 31, 2, 241).

Celui qui a prêté des fonds pour acheter un meuble , est-il privilégié ? ∿ *Oui* , s'il a pris soin de se faire subroger par le vendeur ; *secùs* , dans le cas contraire (Persil, n. 7).

Si , au moment de la vente , les marchandises étaient emballées et qu'elles ne le fussent plus à l'époque de la revendication , pourrait-on dire qu'elles ont changé d'état ? ∿ *A.* Il devient impossible de reconnaître l'identité des choses vendues. Mais , si les marchandises n'avaient été emballées que depuis la vente et seulement pour en faire l'envoi à l'acheteur , la revendication pourrait avoir lieu , pourvu que l'identité fût d'ailleurs clairement justifiée (Persil , n. 14 ; *voy.* cependant Grenier, t. 2, n. 316).

Les créanciers pourraient-ils empêcher la revendication , en payant au vendeur le prix convenu entre lui et l'acheteur ? ∿ *A.* La revendication n'est fondée que sur le défaut de payement du prix : dès que l'on offre de désintéresser le vendeur, son action n'a plus de cause (Persil, n. 17).

Le vendeur conserve-t-il son privilége , lorsque la chose a été donnée en gage par l'acheteur ? ∿ *N.*

Le privilége cesse lorsque l'acheteur s'est dessaisi de la chose (Troplong, n. 185). ⁓ La constitution de gage n'est pas une translation de propriété, l'acheteur possede par l'intermédiaire du créancier gagiste (2236) (*Val.*).

Le privilége aurait-il lieu en faveur de celui qui aurait cédé une créance, un fonds de commerce.? ⁓ *A.* L'article 535 embrasse dans la généralité de ces expressions : *effets mobiliers*, tout ce qui est censé meuble, c'est-à-dire, tout ce qui n'est pas immeuble : par conséquent, les meubles incorporels (529), comme les meubles corporels (528). — Les droits peuvent être possédés et revendiqués comme les objets corporels (2228); — il n'existe aucun motif pour distinguer entre les ventes de meubles corporels et celle des droits mobiliers; dans tous les cas le vendeur est digne de faveur, le vendeur pourrait demander la résolution de la vente pour défaut de payement du prix (1184 et 1654), comment lui refuserait-on l'exercice d'un simple privilége? — Arg. de l'art. 1654 ; — équité ; — dans l'opinion contraire, il n'y aurait aucune sûreté pour le cédant (Delv., p. 152, n. 1 ; Troplong, n. 187 ; Grenier, n. 314 ; Dur., n 126. — *Cass.*, 16 février 1831 ; S., 31, 1, 74; 28 novembre 1827 ; S., 28, 1, 12 ; D., 27, 1, 36) (*Val.*). ⁓ *N.* Toutes les conditions imposées par l'article 2102 prouvent que le législateur n'a eu en vue que les meubles corporels. — Cet article est conçu dans le même esprit que l'article 2279, lequel n'est pas applicable aux créances. — Les expressions *vendeur*, *acheteur*, *possession* et *revendication*, ne s'emploient pas lorsqu'il s'agit des meubles incorporels ; celles de *cédant* et de *cessionnaire* sont seules usitées (Persil, n. 4. — *Paris*, 26 novembre 1833 ; S., 32, 2, 54).

Un notaire, ou tout autre officier ministériel, a-t-il un privilége sur le prix résultant de la cession qu'il a faite de sa charge? ⁓ *A.* Mêmes raisons (Dur., n. 126 ; Favard, v° Privilége, Sect. 1ʳᵉ, § 2; Troplong, n. 187 ; Delv., p. 152, n. 1. — *Cass.*, 28 novembre 1827 ; S., 28, 1, 12 ; D., 28, 1, 36. — *Cass.*, 16 février 1831 ; S., 31, 1, 64; D., 21, 1, 54. — *Lyon*, 9 février 1830 ; S., 30, 2, 227 ; D., 30, 2, 144. — *Paris*, 11 décembre 1834 ; S., 35, 2, 12. — *Orléans*, 12 mai 1829 ; S., 29, 2, 169 ; D., 26, 2, 196).

Le cédant pourrait-il, à défaut de payement de la part du cessionnaire, demander la résolution du transport ? ⁓ *A.* (Persil, n. 5).

Le privilége s'étend-il à des objets mobiliers destinés par leur nature à être immobilisés, tels qu'une pompe à feu, le mouvement intérieur d'une filature ? ⁓ *N.* Aux termes de l'art. 2102, n. 4, pour que le vendeur d'effets non payés ait un privilége sur le prix, il faut que ces effets soient mobiliers : or une pompe à feu, etc., participent de la nature de l'établissement (*Rouen*, 19 juillet 1828 ; D., 30, 2, 12 ; S., 29, 1, 266. — *Cass.*, 22 janvier 1833 ; S., 33, 2, 486 ; D., 33, 2, 85. ⁓ *A.* Bruxelles, 19 mai 1833 ; S., 34, 2, 561. — *Cass.*, 24 mai 1842. — *Caen*, 1ᵉʳ août 1837).

Notre article accorde un privilége au vendeur non payé ; mais *quid*, si le vendeur a reçu une caution pour sûreté du payement, est-il privé de son privilége? ⁓ *N.* (Troplong, n. 199; voy. cep. Grenier, t. 2, n. 317).

Le vendeur conserverait-il son privilége, s'il avait accepté en payement un billet de l'acquéreur ? ⁓ *N.* La vente aurait été consommée: d'ailleurs, qui a terme ne doit rien (Grenier, n. 317 (*Paris*, 14 décembre 1816 ; S., 17, 2, 170 ; D., 17, 2, 110).

Ordres des priviléges particuliers sur certains meubles (1).

Pour établir des règles sur ce point, il est d'abord évident qu'on ne peut s'attacher à l'ordre dans lequel sont énumérés ces priviléges spéciaux (Arg. *à contrario* de l'art. 2101).

Les principes s'opposent également à ce qu'on donne aux créanciers désignés dans l'art. 2101, la préférence sur ceux mentionnés dans l'article 2102, par cela seul que les uns sont garantis par un privilége général, et les autres par un privilége spécial (Arg. des art. 662 et 663, Pr., et *à contrario* de l'art. 2105) (2). — Dès lors il ne reste d'autre moyen que

(1) Les auteurs sont divisés d'opinion sur le rang qu'il convient d'assigner aux priviléges spéciaux : chacun d'eux expose un système particulier. Nous adoptons sans restriction les principes de M. Persil, qui sont aussi ceux de M. Demante.

(2) Le Code s'explique suffisamment sur le cas de concours de créanciers ayant des priviléges généraux sur les meubles, avec des créanciers ayant des priviléges spéciaux sur les immeubles ; mais il ne prévoit pas le concours avec les créanciers ayant des priviléges généraux sur les meubles : que doit-on décider à cet égard ? Les créanciers ayant des priviléges généraux doivent-ils l'emporter sur ceux qui ont des priviléges spéciaux ? ⁓ *A.* Arg. *à fortiori* de l'art. 2105, les priviléges sur la généralité des immeubles sont aussi des priviléges généraux sur les meubles. — Raison d'humanité. — Pour les frais de justice, il y a même cette raison particulière qu'ils ont été faits dans l'intérêt de tous (Malleville. — *Rouen*, 17 juin 1826 ; S., 27, 2, 5 ; D., 27, 2, 4). ⁓ On doit se décider pour la faveur que méritent les priviléges soit généraux, soit particuliers, et cette faveur se tire généralement de la nature de la créance. — L'arg. *à fortiori* est forcé ; car en matière de privilége tout est de droit rigoureux : on conçoit la préférence accordée aux créances de l'art. 2101, à raison de leur peu d'importance, comparée à celle des immeubles ; mais comparée aux meubles, elles pourraient absorber leur valeur. — Par ex., l'équité réclame le premier rang pour les priviléges fondés sur des dépenses faites dans l'intérêt de tous, telles que les frais de justice et les frais faits pour la conservation de la chose. — Arg. des art. 661 et 662 Pr., *à contrario* de l'art. 2105 et de la loi de la Régie en date du 1ᵉʳ germinal an 13 art. 47, qui respecte aussi le privilége du propriétaire. — Pothier pensait aussi que les priviléges spéciaux primaient les priviléges généraux. — Toutefois, cette règle n'est pas sans exception (Persil, art. 2101) (*Val.*).

Le privilége pour frais funéraires passe-t-il du moins avant le privilége du locateur ou de l'aubergiste : ⁓ Cela doit être, car en enlevant le corps, on fait l'affaire du propriétaire de la maison ou il se trouve ; on lui procure la facilité de relouer : toutefois, nous supposons que ces frais ne sont pas successifs (Dur., n. 132).

celui de remonter à la cause de ces privilèges et de les classer suivant le degré de faveur qu'ils méritent.

Nous ne parlerons pas des droits du trésor : il suffit de se rappeler que le rang dans lequel ils s'exercent est déterminé par les lois qui les établissent.

Examinons séparément chacune des créances énumérées dans l'article 2102, nous chercherons ensuite, dans un résumé succinct, à déterminer, d'après les principes généraux, l'ordre dans lequel on doit les placer (1).

Privilége du propriétaire.

Le bailleur passe avant tous autres créanciers pour ses loyers et autres droits; même avant ceux qui, suivant l'article 2102, ont un privilége spécial.

Il est préféré au vendeur des meubles qui garnissent les lieux, et à l'ouvrier qui les a réparés; celui-ci doit s'imputer de ne pas les avoir retenus. Toutefois, cette règle souffre exception, lorsqu'il est prouvé que le propriétaire savait que les meubles et autres objets n'appartenaient pas au locataire, ou que les sommes avancées pour les réparer n'étaient pas payées (Arg. du § 4).

Doit-il être colloqué avant les frais d'apposition de scellés et d'inventaire? Nous ne le pensons pas : l'article 662, Pr., ne parle que des frais de poursuites, c'est-à-dire de ceux qui ont eu pour but de parvenir à la distribution, comme la vacation pour requérir la nomination du juge-commissaire, la requête pour obtenir une ordonnance à l'effet de sommer les créanciers opposants de produire, etc. : or les frais dont il s'agit sont purement conservatoires, ils sont d'ailleurs faits dans l'intérêt de tous (Grenier, n. 300).

Doit-il être payé avant les frais de saisie et de vente? Non, évidemment : les frais de saisie et de vente sont faits dans l'intérêt de tous : le propriétaire eût été obligé de les avancer pour exercer son privilége. Ajoutons que ces frais sont payés plutôt par droit de rétention que par droit de préférence.

La règle que le propriétaire est préféré à tous autres créanciers, souffre exception en faveur de ceux qui ont fourni des deniers pour les semences, pour faire la récolte, ou pour acheter les ustensiles aratoires : aux termes de l'article 2102, ces créanciers viennent sur les fruits, avant le proprié taire.

Privilége du créancier gagiste.

Le privilége du gagiste occupe le premier rang; il passe même avant celui pour frais funéraires, avant celui du trésor public pour contributions directes.

Ce privilége peut concourir avec celui du locateur, de l'aubergiste ou du voiturier, en cas de déplacement des objets; par ex., s'ils ont passé de la maison du gagiste dans la maison du locateur : en ce cas, le détenteur est toujours préféré, lorsqu'il n'a pas connu la cause de préférence qui militait en faveur de l'autre créancier.

---

(1) *Limoges*, 15 juillet 1813; D., Hyp., p. 81; *voy. cep. Paris*, 27 novembre 1814; S., 16, 2, 205. — *Paris*, 25 février 1832; S., 32, 2, 299. — *Lyon*, 27 mars 1821 et 14 décembre 1825; S., 26, 2, 51 et 53).

La même distinction doit avoir lieu, en cas de concours du créancier gagiste avec celui qui a vendu la chose : ce créancier sera primé par le vendeur, si l'on prouve qu'il savait que la chose n'appartenait pas au débiteur, et par les frais faits pour la conservation de la chose, s'il est prouvé qu'il en a eu connaissance.

Frais faits pour la conservation de la chose.

Le créancier qui a fait des frais pour la conservation de la chose, est primé par le locateur, par le gagiste, et même par le voiturier et l'aubergiste, s'il ne parvient à prouver que ces dernier sont eu connaissance de son droit. — Mais il est toujours préféré au vendeur, car la chose aurait diminué de valeur, et par conséquent, le vendeur aurait perdu son privilége, si ces travaux n'eussent pas été faits.

Le prix d'effets mobiliers, etc.

Le vendeur d'effets mobiliers ne vient qu'après le locateur, le créancier gagiste, l'aubergiste et le voiturier, à moins qu'il ne soit prouvé que ces créanciers savaient que le prix était encore dû ; dans tous les cas, il est primé par celui qui a fait des frais pour conserver cette chose.

Si la vente a eu des semences pour objet, le vendeur ne vient sur les fruits, qu'après les moissonneurs ; car ces derniers ont empêché que le gage commun ne pérît sur pied.

Privilége de l'aubergiste.

Appliquez ce que nous avons dit ci-dessus à l'égard des créanciers qui ont un gage sous la modification que nous avons admise pour les frais funéraires.

Frais de voiture.

Ce privilége repose sur le même principe que le précédent, mais il est, suivant nous, indépendant du nantissement.

Nous ne parlerons pas de divers autres priviléges dont le Code civil ne s'est pas occupé.

Au résumé, les causes de préférence peuvent se réduire à quatre :

Celle *de gestion d'affaire* dans l'intérêt de tous ; ce qui comprend les frais de justice qui ont amené la saisie du gage et sa conversion en argent, ainsi que les avances faites pour empêcher le gage commun de périr.

Nantissement, expressément ou tacitement consenti : il peut être invoqué par le gagiste, le voiturier, l'aubergiste, le locateur, etc.

Propriété : c'est sur elle que se fondent le vendeur non payé, les cohéritiers ou les copartageants.

Faveur attachée à certaines créances par des motifs d'ordre public ou d'humanité : ce qui concerne les créances dont il est fait mention dans les quatre derniers numéros de l'article 2101.

Ces priviléges doivent être classés ainsi qu'il suit :

1º Les frais de justice ;

2º Les frais faits pour la conservation de la chose, à moins que le créancier nanti n'ait ignoré cette cause de préférence ;

3º Le privilége du vendeur, toujours en supposant, comme dans le cas précédent, que ce créancier a su que le prix était encore dû ;

4° Le privilége fondé sur le nantissement ;

5° Les frais qui ont eu pour but de conserver la chose, et qui étaient inconnus aux créanciers nantis au moment où leur droit de gage a été constitué ;

6° Le privilége du vendeur dans le même cas ;

7° Enfin, les autres priviléges généraux mentionnés art. 2101, lesquels viennent suivant l'ordre où ils sont énumérés (Arg. des art. 2119, C. c., 661 et 662, Pr., et à *contrario* de l'art. 2105).

Par le concours des circonstances, ces causes de préférence peuvent se trouver réunies sur la même tête ; le créancier peut alors se faire colloquer à l'ordre, suivant le degré de faveur que chacune d'elles mérite : telle serait, par exemple, la position du gagiste, qui aurait fait des frais pour la conservation de la chose : à raison de ces derniers frais, il serait préféré à tous autres créanciers.

SECTION II.
Des priviléges sur les immeubles (1).

Les priviléges sur les immeubles réunissent, comme les hypothèques, deux caractères : le droit de suite et l'indivisibilité ; — ils ont cela de particulier, qu'ils priment toutes hypothèques provenant du chef de l'acquéreur, postérieures ou antérieures à leur existence, même celles qui sont dispensées d'inscription (2106).

Ces priviléges sont fondés sur l'idée d'une distraction, d'une rétention, opérée au profit du créancier au moment où la propriété est transmise : il a paru juste d'accorder à celui qui a mis une chose dans le patrimoine du débiteur commun, le droit de se faire payer par préférence sur le prix de cette chose.

Toutefois, les priviléges ne se conservent qu'autant qu'ils ont été rendus publics dans les formes voulues par la loi : lorsque ces formes n'ont pas été observées, ils dégénèrent en simples hypothèques (*voyez* sect. 4), et ne prennent rang qu'à partir de la date de l'inscription.

Les priviléges sur les immeubles sont généraux ou spéciaux : les premiers sont ceux dont il est parlé dans l'art. 2101 ; les deuxièmes sont énumérés dans l'art. 2103.

2103 — Les créanciers privilégiés sur les immeubles sont :

1° Le vendeur, sur l'immeuble vendu, pour le payement du prix ;

S'il y a plusieurs ventes successives dont le prix soit dû en tout ou en partie, le premier vendeur est préféré au second, le deuxième au troisième, et ainsi de suite ;

2° **Ceux** qui ont fourni les deniers pour l'acquisition d'un immeuble, pourvu qu'il soit authentiquement constaté, par l'acte d'emprunt, que la somme était destinée à cet emploi, et, par la quittance du vendeur, que ce payement a été fait des deniers empruntés ;

3° Les cohéritiers, sur les immeubles de la succession,

---

(1) Il eût été plus régulier de placer la matière des hypothèques avant celle des priviléges, puisque les priviléges peuvent dégénérer en simples hypothèques.

pour la garantie des partages faits entre eux, et des soulte ou retour de lots;

4° Les architectes, entrepreneurs, maçons et autres ouvriers employés pour édifier, reconstruire ou réparer des bâtiments, canaux ou autres ouvrages quelconques, pourvu néanmoins que, par un expert nommé d'office par le tribunal de première instance dans le ressort duquel les bâtiments sont situés, il ait été dressé préalablement un procès-verbal, à l'effet de constater l'état des lieux relativement aux ouvrages que le propriétaire déclarera avoir dessein de faire, et que les ouvrages aient été, dans les six mois au plus de leur perfection, reçus par un expert également nommé d'office ;

Mais le montant du privilége ne peut excéder les valeurs constatées par le second procès-verbal, et il se réduit à la plus-value existante à l'époque de l'aliénation de l'immeuble et résultant des travaux qui y ont été faits;

5° Ceux qui ont prêté les deniers pour payer ou rembourser les ouvriers, jouissent du même privilége, pourvu que cet emploi soit authentiquement constaté par l'acte d'emprunt, et par la quittance des ouvriers, ainsi qu'il a été dit ci-dessus pour ceux qui ont prêté les deniers pour l'acquisition d'un immeuble.

= La loi détermine, dans cet article, les créances privilégiées sur certains immeubles ; elles sont au nombre de cinq :

La première est celle du vendeur *pour le payement du prix :* on nomme *prix*, tout ce que l'acheteur doit débourser pour obtenir la chose ; toutes les charges, toutes les prestations auxquelles il est soumis par l'acte de vente.

Cette expression embrasse par conséquent les intérêts (car ils se lient en quelque sorte au principal ; ils sont représentés par les fruits (1)) ; ainsi que les frais de vente (2) que l'acheteur peut devoir au vendeur (3).

---

(1) Le vendeur est privilégié, non-seulement comme lorsqu'il s'agit d'une créance hypothécaire pour deux années et l'année courante (2151), mais encore pour toutes les années échues ; car le privilége, à la différence de l'hypothèque, tient son rang de la qualité de la créance, et non de la date de l'inscription ; d'ailleurs les fruits de l'immeuble représentent les intérêts du prix, et ces fruits ont été mis par le vendeur dans le patrimoine de l'acheteur. — Si le vendeur peut demander la résolution de la vente pour défaut de payement des intérêts, à plus forte raison doit-il avoir le droit d'exiger sa collocation par préférence pour le montant de ces intérêts. ⁓ L'existence du privilége doit en général se révéler au moment de la transcription ; or, aux termes de l'art 2151, les intérêts viennent au même rang que la créance pour deux années seulement et l'année courante. — A la vérité, l'art. 2151 ne parle que de l'hypothèque ; mais le privilége n'est en réalité qu'une hypothèque privilégiée. — L'art. 2151 se trouvant placé sous la rubrique du mode d'inscription des priviléges ou hypotheques, il faut en conclure que sa disposition s'applique à l'un et à l'autre droit. — L'argument tiré de ce que le vendeur avait le droit de faire résoudre la vente pour défaut de prestation des intérêts, ne peut donner lieu à un système général, puisqu'il n'est point applicable dans tous les cas : par ex., pourrait-on l'étendre au privilége des ouvriers ? (Grenier, t. 2, n. 384 ; Troplong, n. 220, t. 1 ; Dur., n. 160 et 161. — *Cass.*, 1ᵉʳ mai 1817 ; S., 17, 1, 199 ; 5 mars 1816 ; S., 16, 1, 171 ; *voy.* cependant Persil, n. 4. — *Bourges*, 23 mai 1829 ; D., 30, 2, 32).

(2) *Cass.*, 1ᵉʳ mai 1817 ; D., 17, 1, 241, t. 9, p. 56 et 57 ; S., 17, 1, 199, 8 juillet 1834 ; S., 34, 1,[504 ; 5 mars 1816 ; S., 16, 1, 171.

(3) Même les frais de contrat et de la transcription s'ils ont été avancés par le vendeur ; car ils ont servi a conserver le privilége du vendeur. ⁓ Ces frais ne sont pas privilégiés ; le vendeur est censé avoir fait à l'acheteur l'avance de leur montant : c'est un prêt, un contrat a part qui est intervenu entre eux. — Il faut en dire autant des dommages-intérêts (Persil, n. 4. — *Nîmes*, 12 décembre 1811 ; D., t. 9, p. 55) (*Val.*).

On ne distingue pas si l'acte de vente est authentique ou privé; sa forme est indifférente, car le vendeur invoque la maxime que personne ne peut s'enrichir aux dépens d'autrui : il a disposé sous la condition tacite que le prix lui sera payé.

Bien que l'article 2103 1° ne parle que du vendeur, nous pensons qu'il faut étendre sa disposition à l'échangiste et même au débiteur qui a donné un immeuble en payement : le mot *vente*, doit évidemment s'entendre ici de toute aliénation faite moyennant une autre valeur (1).

Ce privilége existe seulement pour le payement du [prix; de là il faut conclure : 1° que les autres créances que le vendeur aurait contre l'acheteur, même pour les frais et les dommages-intérêts provenant de l'inexécution du contrat ne sont pas privilégiées; car ils ne se rattachent qu'indirectement à l'obligation principale (2).

2° Qu'on ne pourrait l'étendre au donateur pour l'exécution des charges imposées à la donation; car ces charges ne sont pas un prix : le donateur peut seulement, pendant trente ans, demander la révocation de sa libéralité, pour cause d'inexécution des conditions (954) (3).

Le privilége du vendeur ne s'exerce que sur l'immeuble vendu, et non sur les additions, encore qu'elles soient contiguës et que l'acquéreur ait formé du tout un seul et même enclos; mais il s'étend sur les améliorations survenues à l'immeuble, sur ses accessoires, et par conséquent sur les bâtiments construits par l'acheteur (Arg. de l'art. 2133; Dur., n. 158).

En cédant sa créance, le vendeur transfère tous les accessoires qui la garantissent, priviléges, hypothèques (1692), etc.

Bien plus, on ne peut lui refuser la faculté de céder son privilége, en conservant sa créance : mais alors, ce n'est plus qu'une cession d'antériorité; qu'un consentement donné à ce que le créancier cessionnaire soit payé avant lui. — Cette convention ne devant pas préjudicier aux autres créanciers, le cessionnaire ne peut en user que jusqu'à concurrence seulement de la somme qui pouvait être due au vendeur lui-même.

Pour que le privilége existe, il faut qu'il soit constaté par le contrat de vente, que le prix n'a été payé qu'en partie : si le contrat portait quittance, le vendeur perdrait toute préférence, encore qu'il offrît de prouver, par contre-lettres ou autrement, qu'il n'a pas reçu le prix : les tiers ne connaissent que le contrat.

En accordant un privilége au vendeur, la loi ne prétend pas lui interdire le droit de faire résoudre la vente, ni par conséquent celui de revendiquer l'immeuble, lors même que cet immeuble aurait passé successivement entre les mains de plusieurs acquéreurs qui auraient observé les formalités de la purge; l'art. 2103 n'abroge pas l'art. 1654 : le droit d'obtenir la résiliation du contrat, faute de payement, est un droit tout à fait distinct du privilége, un droit qui procède d'une autre cause; ce droit

---

(1) L'échange n'étant autre chose qu'une espèce de vente, doit conférer aux coéchangistes les mêmes garanties qu'au vendeur, pour les droits qu'ils ont respectivement à exercer l'un contre l'autre : chacune des parties a mis un immeuble dans le patrimoine de l'autre, elle pourrait sans aucun doute demander la résolution du contrat d'échange : si elle n'use pas de ce droit, par quel motif raisonnable lui refuserait-on un privilége pour les indemnités auxquelles elle peut prétendre ?— Bien entendu qu'il faudra, pour la publicité, évaluer en argent chaque immeuble (Delv , t. 3, p. 153, n. 3; Persil n. 11; Grenier, t. 2, n. 387; D., t. 9, n. 9) (*Val*). ⁓⁓ Comme l'immeuble échangé n'est point un *prix de vente*, le privilége des vendeurs n'a pas lieu sur l'immeuble donné en échange à la partie évincée, sauf à elle à demander la résiliation du contrat : les priviléges sont de droit étroit (Dur., n. 155. — *Turin*, 10 juillet 1813 : S., 14, 2, 13; Troplong, n. 200 et 215; D., t. 9, p. 58).

(2) Persil, n. 3, § 1; D., Hyp., p. 49, n. 8; *voyez cep*. Grenier, n. 384 et Troplong, n. 120.

(3) Quelques personnes pensent néanmoins le contraire; elles posent en principe, que le privilége doit exister au profit de toute personne qui met une valeur immobilière dans le patrimoine du débiteur.

n'est pas *in personam*, mais *in rem* (Arg. des articles 1183, 1654, 1673 et 1681) : il ne se prescrit que par le laps de temps ordinaire (2265) (1).

Le cessionnaire de la créance pourrait-il demander la résolution de la vente? Nous ne le pensons pas : la résolution a pour but de recouvrer la propriété ; or le cessionnaire ne peut prétendre qu'à une somme d'argent.

Si plusieurs ventes successives ont eu lieu, et que le prix soit encore dû en tout ou en partie, chacun de ceux qui ont acquis l'immeuble, jouit d'un droit de préférence ; mais ils ne l'exercent qu'après les vendeurs antérieurs, et suivant l'ordre des ventes : en effet, un vendeur est toujours censé mettre pour condition tacite du transport de ses droits, que le prix lui sera payé ; il y a là une hiérarchie de priviléges.

Ceux qui ont fourni les deniers, etc. Les droits du vendeur étant parfaitement garantis au moyen du privilége qu'on lui accorde, on trouve souvent des personnes qui, désirant employer leurs capitaux, cherchent à se faire subroger à ses droits (2).

Pour que la subrogation puisse s'opérer au profit du bailleur de fonds, la loi exige qu'il soit *authentiquement* constaté (1250, n. 3) : dans l'*acte d'emprunt*, que la somme était destinée à cet *emploi* (il ne suffirait pas de dire que les fonds sont prêtés pour l'acquisition d'un immeuble, sans désigner cet immeuble) ; et dans *la quittance* donnée par le vendeur, que le payement a été fait avec les deniers empruntés (3).

Ces conditions sont exigées, pour empêcher le débiteur de conférer à un créancier postérieur des droits éteints.

La loi n'exige pas que la subrogation ait été formellement stipulée : la mention de l'emploi des deniers, faite dans l'acte d'emprunt et dans la quittance, manifeste suffisamment l'intention des parties.

Ne confondons pas la subrogation avec la cession : rappelons-nous, que la subrogation a pour but unique d'assurer le recouvrement des deniers que le subrogé a fournis ; tandis que la cession transfère au cessionnaire toute la dette, sans égard à la somme qu'il a déboursée ; que le subrogeant est toujours préféré au subrogé, pour ce qui lui reste dû, suivant la maxime (1252) *nemo videtur subrogásse contrà se;* tandis que le cédant ne vient qu'après le cessionnaire, pour la fraction non cédée de sa créance (1252, 1692, 2112).

Les cohéritiers, etc. Tous les lots sont garants les uns des autres (883), pour sûreté du rétablissement de l'égalité, encore que le partage ait été fait par acte sous seing privé : de cette obligation, naît, en faveur des cohéritiers, un privilége pour l'acquittement des charges résultantes du

---

(1) Très-souvent, dans la pratique, le vendeur exerce l'action en résolution afin de ne pas être primé par les priviléges généraux lorsqu'ils sont considérables.

(2) Remarquons ici trois cas particuliers :

1° Ou c'est le créancier, c'est-à-dire le vendeur, qui reçoit son payement d'une tierce personne ; la subrogation peut se faire sans le concours du débiteur, c'est-à-dire, de l'acquéreur (*voy.* 1260, n. 1) ;

2° Ou c'est l'acquéreur lui-même qui, sans emprunter, paye une certaine somme aux créanciers inscrits ; une subrogation légale s'opère alors au profit de ce même acquéreur (1252) ;

3° Ou enfin, c'est l'acquéreur qui emprunte pour payer (*voy.* 1250, n. 2). — L'article qui nous occupe, suppose ce troisième cas. Il est assez bizarre qu'on ait placé au milieu de la matière des priviléges un cas de subrogation ordinaire.

(3) Quelques personnes pensent que le privilége dont la loi consacre ici l'établissement, n'est pas une véritable subrogation : la subrogation, disent-elles, suppose un droit qui passe d'une tête sur une autre ; or, dans l'espèce, le droit du vendeur n'est point né ; il s'agit, au contraire, de l'empêcher de naître ; ce qui ne peut se faire que par les moyens indiqués par la loi ; la subrogation accompagne nécessairement la vente ; le vendeur n'a jamais eu de privilége que pendant un instant de raison : — on répond que la subrogation peut aussi être postérieure à la vente, et que c'est même ce qui arrive le plus fréquemment.

partage, telles que les soulte ou retour de lots, les rapports et prestations personnelles dont les héritiers sont tenus les uns envers les autres, etc.—Ce privilége s'étend sur l'universalité des immeubles compris dans l'hérédité.

Les cohéritiers ne sont pas seuls privilégiés ; toutes personnes, en général, qui ont fait entre elles le partage des immeubles qu'elles avaient en commun, jouissent du même droit. L'art. 2109, parle du cohéritier ou du *copartageant;* ce qui annonce suffisamment, qu'on ne doit pas restreindre aux cohéritiers, la disposition de l'article 2103 : le mot *héritier*, n'est ici que *démonstratif*; on doit l'entendre comme s'il y avait *copartageant* (1).

La loi ne distingue pas, du reste, si le partage a eu lieu sous seing privé ou par acte authentique ; sa disposition est générale.

Le cohéritier peut-il, en vertu de ce privilége, être poursuivi hypothécairement pour le tout, sur l'immeuble qu'il détient ? Non : il n'est tenu à ce titre, que dans la limite de l'action personnelle que l'on a contre lui ; autrement, une foule de procès surgiraient (875, 876, 885) : le partage n'est pas, sous le Code, translatif, mais déclaratif de propriété ; on considère chaque héritier, comme ayant été saisi, à partir du décès, de la portion qui lui échoit, sous la condition de garantir les autres de leurs droits résultant du partage.

Appliquez ces principes aux partages faits par ascendants (1075 et suiv.).

Aux deux causes de préférence entre copartageants déterminées par cette disposition, il faut ajouter celle qui résulte de l'art. 2109, relative au prix de la licitation sur l'immeuble licité, c'est-à-dire, sur l'immeuble acquis par un des copartageants : observons seulement, que cette troisième cause est spéciale ; tandis que les deux autres, comme nous l'avons vu, reposent sur une universalité.

Si un tiers s'était rendu adjudicataire de l'immeuble, ce cas ne rentrerait plus dans l'hypothèse prévue par notre article ; il y aurait privilége du vendeur.

4º *Les architectes*, etc. La chose devant son existence ou sa conservation aux avances faites par ces personnes, il est juste qu'elles aient un privilége sur le prix qui en provient.

Toutefois, le privilége se réduit *à la plus-value* (2) *résultant des travaux qui ont été faits : in quantum res pretiosior facta est;* car les créanciers du propriétaire ne profitent réellement que de cette augmentation : cette valeur seule a été mise dans son patrimoine.

De là il suit : 1º que les créances résultant de travaux qui n'ont produit aucune augmentation de valeur, ne sont pas privilégiées.

2º Que si la plus-value ne résultait pas des travaux, mais de toute autre cause, par exemple, du percement d'une rue, il n'y aurait pas lieu au privilége.

Mais aussi, comme toute chose doit être égale, nous déciderons, que si, par suite d'un événement fortuit, l'immeuble avait, depuis les travaux, diminué de valeur ; ce qui arriverait, par ex., si un incendie avait dévoré

---

(1) Le privilége pour la créance éventuelle de garantie, présente des inconvénients tels, que plusieurs auteurs recommandables proposent de le supprimer, en s'appuyant sur ce qu'il n'est pas rappelé dans l'art. 2109. — Il est peu d'immeubles, disent-ils, qui ne soient frappés de ce privilége ; cela entrave la circulation des biens et engendre des procès.

(2) Pourquoi restreindre le privilége a la plus-value constatée par le dernier procès-verbal ? C'est la une rigueur difficile a comprendre : rarement il arrive, que la plus-value soit en rapport avec les dépenses effectuées : la loi de brumaire an 7, ne disait rien de semblable ; elle considérait seulement le deuxième procès-verbal, comme un moyen de déterminer le *maximum* de la créance.

une partie du bâtiment construit ou réparé, on n'aurait aucun égard à cet accident ; les ouvriers ne seraient pas moins privilégiés.

Le privilége, disons-nous, se réduit à la plus-value existante à l'époque de l'aliénation : pour déterminer cette plus-value, on fait une ventilation. Ex. : L'immeuble valait 10,000 francs; les réparations l'ont augmenté de 5,000 francs : depuis, il s'est détérioré de telle sorte, que le montant de la vente ne s'est pas élevé au delà de 12,000 francs. Par le résultat de la ventilation, on trouve que les réparations ne produisent actuellement dans le prix de la vente, qu'une augmentation de 2,000 francs : on ne donnera de privilége que pour cette somme : pour le surplus, l'architecte ou l'entrepreneur sera simple créancier chirographaire, à moins qu'il n'ait un titre réunissant toutes les conditions requises pour produire une hypothèque conventionnelle ; auquel cas, il viendra sur l'immeuble, comme créancier hypothécaire, pourvu qu'il ait pris inscription.

La règle que le privilége dont il s'agit se réduit à la plus-value, est uniquement relative au cas où les travaux ont eu pour but l'amélioration de l'héritage ou de simples réparations : si les dépenses avaient été commandées par la nécessité, par exemple, pour empêcher la ruine de l'édifice, elles seraient privilégiées sur la valeur totale de l'immeuble (1).

Lorsque les ouvriers ont reçu à compte une partie de la somme qui leur est due, cet à-compte s'impute sur la plus-value à laquelle ils peuvent prétendre, et non sur la fraction pour laquelle ils seront appelés comme chirographaires, en cas d'insuffisance de la plus-value pour les désintéresser : en effet, d'après les principes du Code, l'imputation, à défaut de disposition spéciale, doit se faire sur la dette la plus onéreuse ; et par conséquent, dans l'espèce, sur la créance privilégiée, puisque cette créance est à la fois personnelle et réelle (1256) (2).

Afin de prévenir les fraudes, c'est-à-dire, d'empêcher la constitution de priviléges prépostères, aux dépens des autres créanciers, la loi prescrit, dans l'intérêt des tiers, certaines mesures, pour que la valeur des travaux soit invariablement déterminée (3) : les ouvriers ont une double formalité à remplir : ils doivent d'abord faire nommer d'office un expert, par le tribunal de première instance, dans le ressort duquel est situé l'immeuble : cette nomination a lieu d'office, parce que les parties intéressées à contester le privilége, c'est-à-dire, les autres créanciers, ne sont pas appelés à la confection des procès-verbaux.

L'expert dresse procès-verbal de l'état des lieux, et détermine, par le même acte, les ouvrages que le propriétaire déclare avoir intention de faire : ces ouvrages seuls sont garantis par un privilége ; si le propriétaire voulait en faire d'autres, il faudrait procéder à une deuxième expertise.

Dans les six mois de la perfection des travaux, le tribunal désigne encore d'office un nouvel expert. — Rien ne s'oppose à ce que le premier soit choisi une seconde fois.

---

(1) Grenier, n. 411 ; Troplong. n. 242 bis. ⁓⁓ La loi ne fait aucune différence , sous ce rapport, entre les impenses utiles et les impenses nécessaires (Persil , n. 8 ; D., Hyp., p. 53, n. 34).

(2) Persil , n. 10; Delv., p. 155, n. 3. ⁓⁓ L'imputation doit se faire proportionnellement, sur la partie privilégiée . et sur celle qui ne l'est pas ; car il n'y a ici qu'une seule dette (Voy. aussi Grenier , t. 2. n. 412 ; D., t. 9, p. 53, n. 35 ; Dur., n. 191). ⁓⁓ L'article 1256 suppose qu'il y a plusieurs dettes ; on ne peut donc l'appliquer au cas où il n'existe qu'une dette unique , une dette qui n'a qu'une seule cause et qui, par suite, ne peut être acquittée qu'intégralement.—Si le créancier avait pensé perdre ses garanties , il n'aurait pas reçu un payement partiel , — il peut exercer son privilége pour ce qui lui reste dû , sur toute la plus-value de l'immeuble (Val.).

(3) Il est rare que ces mesures soient observées ; car elles manifestent, de la part de l'architecte ou entrepreneur une défiance offensante pour le propriétaire.

Cet expert procède à la visite des lieux, et constate, par un deuxième procès-verbal, les ouvrages faits, leur prix et leur conformité aux règles de l'art.

Ces formalités peuvent être accomplies à la requête du propriétaire; il acquiert alors un privilége à tous les ouvriers. — Elles peuvent aussi être requises par ceux-ci, soit collectivement, soit individuellement: mais dans ce dernier cas, celui qui les provoque obtient seul un privilége, à moins que les autres ne se joignent à lui.

Les ouvrages doivent être reçus dans les six mois, à compter du jour où les ouvriers se sont retirés : il ne suffirait pas que le procès-verbal fût commencé dans ce délai : s'il n'était pas achevé, le privilége n'aurait pas lieu; les ouvriers se trouveraient réduits à la simple condition de créanciers chirographaires.

Nonobstant les termes impératifs de la loi, si les travaux avaient été faits dans une circonstance tellement urgente, qu'on n'eût pu dresser le premier procès-verbal, nous n'hésitons pas à décider que le seul procès-verbal de réception, dressé sur des renseignements fournis par les ouvriers ou par les voisins, suffirait pour assurer aux ouvriers un privilége. Arg. de l'art. 1348 3° (1).

Il est possible que différents ouvriers ou entrepreneurs aient fait des travaux distincts sur le même immeuble : chacun d'eux exerce alors son privilége sur la plus-value qu'il a produite : aucune difficulté sur le classement de ces priviléges ne peut donc s'élever (2).

Lorsque les travaux ont été faits à l'entreprise, l'entrepreneur seul est privilégié; les ouvriers qu'il a employés ne le sont pas; ils ne peuvent prétendre directement à aucune préférence, même sur la somme due à l'architecte ou à l'entrepreneur : rappelons-nous, en effet, que la loi n'accorde pas de privilége aux personnes qui se louent à la journée, pour le recouvrement de leur salaire (voy. art. 2101) : ces personnes ne peuvent venir qu'en vertu de l'art. 1166.

Remarquons en terminant, que le privilége dont il s'agit n'est pas absolument borné aux travaux qui ont eu pour objet l'édification, la reconstruction ou la réparation des bâtiments ou des canaux : suivant nous, ils s'appliquent en outre à ceux qui concernent l'agriculture; par exemple, aux clôtures, haies ou fossés : ces mots de notre article, et autres ouvrages quelconques, ne laissent aucun doute à cet égard (3).—La loi du 16 sept. 1807 (art. 23) a étendu ce droit aux dessèchements de marais; voyez aussi la loi du 21 avril 1810 sur les mines.

5° Ceux qui ont prêté les deniers, etc. En introduisant un privilége en faveur des ouvriers, la loi devait établir le même droit au profit de ceux qui prêtent des deniers pour les payer; les prêteurs méritent dans l'espèce le même intérêt que ceux qui fournissent les sommes nécessaires pour désintéresser le vendeur.

La subrogation est subordonnée à l'observation de toutes les formalités requises pour opérer celle du prêteur au privilége du vendeur (appliquez ici ce que nous avons dit au § 2).

Le même privilége est accordé à ceux qui ont fourni les fonds pour la recherche d'une mine (loi du 21 avril 1810); et au concessionnaire aux

---

(1) Persil, § 4, n. 1. — Bordeaux, 2 mai 1826 ; S., 26, 2, 291.
(2) Persil, n. 19 sur l'art. 2111 : Grenier, c. 414 ; Dur., n. 194 et suiv.
(3) Le privilége dont il s'agit s'applique à des ouvrages d'art et non à de simples travaux d'agriculture (Dur., n. 192; Merlin, Rép, v° Privilége. sect. 4, § 4).

frais duquel s'est opéré le desséchement d'un marais (loi du 16 septembre 1807).

L'art. 2111 détermine un autre privilége, dont il n'est point parlé dans l'art. 2103 : celui résultant de la séparation des patrimoines. La raison de ce silence est bien simple : les questions de priviléges et d'hypothèques supposent ordinairement une lutte entre les créanciers d'un même débiteur ; or la séparation des patrimoines a précisément pour objet d'empêcher la naissance de ces débats, en maintenant deux débiteurs distincts.— Toutefois on parle de ce privilége, dans l'article 2111, car il faut bien indiquer la manière de le conserver ; son importance est assez grande pour qu'on le rende public.

Quelle que soit l'opinion que l'on adopte à cet égard, lors même que l'on considérerait le silence du Code comme un oubli, il faut admettre, que le privilége de séparation des patrimoines n'est pas primé par les priviléges généraux mentionnés dans l'art. 2101 (Arg. de l'art. 2105); ce droit exorbitant doit se restreindre aux termes de la loi.

Nous ajouterons aux priviléges sur les immeubles mentionnés dans l'article 2103 ; 1° celui du trésor sur les immeubles acquis à titre onéreux par le comptable depuis sa nomination (loi du 7 septembre 1807); 2° celui dont il jouit sur les immeubles du condamné; mais ce privilége est primé par les hypothèques légales dispensées d'inscription (même loi); 3° enfin le privilége pour la défense personnelle du condamné.

— L'acquéreur à faculté de rachat conserve-t-il son privilége sur l'immeuble, lorsque le vendeur qui a exercé le réméré lui doit une partie du prix ? ~~~ N. L'acquéreur à pacte de réméré ne peut se considérer comme vendeur, relativement à celui qui exerce le rachat; car ce rachat n'est autre chose que l'exercice d'une condition résolutoire : il jouit seulement du droit de rétention (Persil, n. 13; Delv., p. 153, n. 5; Grenier, n. 390; Dur., n. 157).

Le vendeur qui a perdu son privilége par sa faute conserve le droit de demander la résolution de la vente; mais le dernier acquéreur qui se voit ainsi dépouillé peut-il répéter, contre les créanciers inscrits, les sommes qu'il leur a payées, ou n'a-t-il de recours que contre son vendeur ? ~~~ Il exercera son recours contre son vendeur seulement, car les créanciers utilement colloqués ont reçu ce qui leur était légitimement dû (Persil, n. 17 ; Delv., p. 153, n. 9).

Le vendeur est-il privilégié pour les droits d'enregistrement qu'il a payés ? ~~~ N. Ces droits ne font point partie du prix ; le payement qui en est fait par le vendeur, n'est qu'une avance faite à l'acheteur (Dur., n. 162: voy. cep. Grenier, Hyp., t. 2, p. 384).

Quid, en cas de vente d'une maison, avec le mobilier qui s'y trouve, pour un seul et même prix ? ~~~ Le privilége du vendeur ne s'exerce pas sur l'immeuble pour la totalité du prix : on doit faire une ventilation des meubles, et le privilége n'a lieu que dans la proportion de la valeur de l'immeuble, comparée à celle du mobilier, sauf au vendeur à en exercer un aussi sur les meubles, s'ils sont encore en la possession de l'acheteur (Dur., n. 164).

Si le contrat porte quittance du prix, bien que, par un acte séparé, l'acheteur se soit reconnu débiteur, ou si le prix a été converti en une rente, soit viagère, soit perpétuelle, le privilége a-t-il lieu ? ~~~ N. Il faut bien distinguer le cas ou il y a eu novation, de celui ou le prix consiste en une rente, etc. Dans ce dernier cas, le privilége existe (Dur., 165 et suiv.).

Lorsque plusieurs personnes ont successivement prêté des deniers à l'acquéreur pour l'acquisition de l'immeuble, et qu'elles ont toutes rempli les formalités requises pour obtenir le privilége, quelle est celle qui doit être préférée ? ~~~ En matière de privilége, on ne considère pas les dates, mais la cause de la créance (Persil, n. 8, § 2. — Paris, 13 mai 1813; S., 16. 2, 338 ; D., 16, 2, 12).

Quid, si c'était le vendeur qui eût lui-même subrogé le deuxième bailleur de fonds : ce deuxième bailleur, subrogé ainsi aux droits du vendeur, primerait-il les autres prêteurs ? ~~~ A. Arg. des articles 1692, 2112 (Persil, n. 9, § 2 ; Grenier, n. 395; Toullier, t. 9, n. 170).

La femme passe-t-elle aux droits du vendeur, lorsque son mari, en achetant un immeuble, déclare que l'acquisition est faite avec les sommes provenant de l'aliénation d'un de ses propres? ~~~ N. La déclaration du mari peut bien donner à la femme le droit d'accepter le remploi, mais non celui de réclamer un privilége qu'aucune loi ne lui accorde (Persil, n. 7 ; Dur., n. 176).

Le même privilége aurait-il lieu, pour la garantie des partages faits par des ascendants entre leurs descendants ? ~~~ A. (Persil. n. 4, § 3 ; Dur., n. 189).

Après le partage des biens de la communauté, le mari a-t-il un privilége sur les conquêts échus à sa femme, pour l'indemnité des dettes qu'il a payées pour elle ? ~~~ A. La femme ne peut avoir le droit de prendre part aux biens de la communauté, qu'à la charge de payer les dettes (Pothier, Comm., n. 762; Persil, n. 5, § 3). ~~~ N. On ne peut voir dans le remboursement de ces dettes une éviction quelconque. Or l'art. 884 n'accorde l'action en garantie que pour évictions. — Le défaut de remboursement est postérieur au partage ; par le partage, le mari a suivi la foi de sa femme (Dur., n. 188 ; Grenier, t. 2, n. 319).

Quid, si le vendeur, après avoir formé une demande à fin de collocation, n'a pas obtenu ce qu'il désire : peut-il ensuite se rétracter et exercer l'action en résolution ? ~~~ Oui, si la chose est encore en la possession de l'acquéreur. Secùs, s'il s'est présenté à un ordre poursuivi par un tiers auquel l'acquéreur aurait fait une revente ; en se présentant à l'ordre, il a ratifié la transmission de propriété : la bonne foi s'oppose à ce que le tiers acquéreur, qui a mis les deniers en distribution, soit inquiété par celui-là même qui a ratifié cet acte par sa présence (Troplong, n. 224, 224 *bis*, 225; Merlin, v° Résolution, Rép.; Grenier, n. 379).

Le cohéritier ou copartageant a-t-il un privilége pour tous les intérêts qui peuvent lui être dus à raison de la soulte ? ⋙ *N*. Les intérêts ne prennent rang que du jour de l'inscription (Troplong, n. 240).

Que doit-on décider à l'égard des intérêts qui peuvent être dus aux ouvriers : ces intérêts courent-ils de plein droit? ⋙ *N*. Il faut un jugement (Troplong, n 246).

La loi veut que la destination, le prêt et l'emploi des deniers soient constatés par acte authentique ; mais elle n'exige pas qu'ils le soient par l'acte de vente : si le prêt et la quittance se trouvent dans des actes séparés du contrat de vente, le privilége du prêteur sera-t-il légalement conservé par la transcription du contrat de vente? ⋙ *A*. (Grenier, n. 395).

L'inscription faite dans le but de conserver le privilége du prêteur doit-elle mentionner non-seulement la date de l'acte d'emprunt, mais encore la date de la subrogation ? ⋙ *A*. (Grenier, n. 395).

Le privilége du copartageant aurait-il lieu pour la restitution des fruits perçus durant l'indivision ? ⋙ *N*. Le Code ne l'a établi que pour les soultes et retours de lots (Dur., n. 187).

Pour jouir du privilége dont il est parlé art. 2103, à raison de grosses réparations qu'il aurait faites l'usufruitier doit-il observer les formalités prescrites par cet article ? ⋙ *A*. Par quels moyens les tiers pourraient-ils connaître la créance de l'usufruitier sur le propriétaire, si aucune inscription n'avait été prise? L'usufruitier pourrait seulement, à la rigueur, user du droit de rétention (Dur., n. 193). ⋙ *N*. Il lui suffit de faire constater la nécessité des réparations par le propriétaire, ou par la justice : aucun procès-verbal, aucune inscription n'est nécessaire. — Les art. 2103 et 2110 ne concernent que les architectes et les entrepreneurs, etc. (*Cass.*, 30 juillet 1827 ; D., 27, 1, 348. — *Amiens*, 23 février 1821 ; D., Priv. et Hyp, p. 59).

SECTION III.

Des priviléges qui s'étendent sur les meubles et sur les immeubles.

2104 — Les priviléges qui s'étendent sur les meubles et les immeubles sont ceux énoncés en l'article 2101.

⹀ Les créances comprises dans cette disposition, sont garanties par deux priviléges : l'un sur les meubles, l'autre sur les immeubles. Néanmoins, comme les priviléges généraux sur les immeubles ne peuvent s'exercer qu'en cas d'insuffisance du mobilier, la discussion doit porter au préalable sur les meubles, comme étant celle qui préjudicie le moins au débiteur et aux autres créanciers ; le recours sur les immeubles n'a lieu que subsidiairement.

Toutefois, gardons-nous de croire que les créanciers énumérés dans l'art. 2101 puissent être écartés de la distribution du prix des immeubles, lorsqu'elle a lieu avant celle du prix du mobilier : on doit les colloquer provisoirement, pour le montant de leurs créances, à charge toutefois par eux, de faire liquider, dans un délai déterminé, leurs droits sur les meubles : de cette manière, tous les intérêts sont garantis. — *Quid*, si l'un des créanciers privilégiés ne s'était pas présenté à la distribution du prix de la vente des meubles? Il viendrait sur le prix des immeubles comme simple chirographaire ; c'est-à-dire, après l'acquittement de toutes les dettes hypothécaires : la négligence de ce créancier ne doit nuire qu'à lui seul ; en l'autorisant à se faire colloquer par privilége sur le prix des immeubles, on lui laisserait la faculté d'avantager les créanciers chirographaires aux dépens des créanciers hypothécaires.

— Aux frais de qui doit se faire la discussion du mobilier ? ⋙ Aux frais du créancier privilégié, s'il poursuit de son propre mouvement son payement sur les meubles ; mais s'il s'est présenté pour se faire colloquer sur le prix de la vente des immeubles, et que les créanciers inscrits lui aient opposé l'exception de discussion, ce seront eux qui devront faire l'avance des frais (2023 et 2070) (Persil, n. 2).

Le privilége du trésor, comme ceux énoncés dans l'art. 2102, ne s'exercent-ils sur les immeubles qu'à défaut du mobilier? ⋙ *A*. (Persil, n. 1).

2105 — Lorsqu'à défaut de mobilier les privilégiés énoncés en l'article précédent se présentent pour être payés sur le prix d'un immeuble en concurrence avec les créanciers privilégiés sur l'immeuble, les payements se font dans l'ordre qui suit :

1° Les frais de justice et autres énoncés en l'art. 2101 ;

2° Les créances désignées en l'art. 2103.

⟹ Lorsque des priviléges spéciaux sur les immeubles se trouvent en concours avec des priviléges généraux, quels sont ceux qui doivent être colloqués les premiers? L'art. 2105 tranche cette question : il appelle d'abord les priviléges généraux. On a considéré, que les créances ainsi garanties n'ayant en général qu'une faible importance, ne doivent enlever au créancier, privilégié sur un immeuble, qu'une fraction minime du prix de cet immeuble (1).

Il résulte clairement de la disposition de l'art. 2105, que les créances énoncées en l'art. 2101 ne peuvent être colloquées à la distribution du prix des immeubles, qu'après discussion préalable du mobilier ; du moins que leur collocation ne peut être que provisoire (*Voy.* l'article précédent).

Observons, que l'art. 2103 auquel renvoie l'art. 2105, ne parle ni des créanciers ni des légataires qui demandent la séparation des patrimoines : concluons de là, qu'on ne doit pas faire passer avant eux les créanciers désignés dans l'art. 2101 : il est juste, d'ailleurs, de n'appeler les créanciers de l'héritier, qu'après les créanciers et les légataires du *de cujus.*

— Les créanciers qui ont des priviléges généraux sont-ils astreints à la discussion préalable du mobilier, quand ils se trouvent en concours avec de simples hypothécaires? ∿ N. L'art. 2105 ne parle que des priviléges entre eux. ∿ A. Il est conforme à l'esprit de la loi, de faire discuter le mobilier même au profit des hypothécaires, car il serait injuste de les priver de leur gage (2209) Ces termes généraux de l'art. 2105 : *à défaut de mobilier*, etc., sont l'expression d'une règle générale (*Val.*).

Ordre des priviléges sur les immeubles.

La loi prend soin de fixer le rang des priviléges généraux sur les meubles : ces priviléges viennent en première ligne.

Nous avons seulement à déterminer l'ordre de préférence entre les cinq priviléges mentionnés dans l'art. 2103.

A l'égard des bailleurs de fonds, aucune difficulté ne peut se présenter ; car ils viennent aux lieu et place du vendeur et des ouvriers : leur concours avec d'autres privilégiés, en qualité de bailleurs, est impossible.

La question de priorité ne peut s'élever qu'entre trois priviléges : savoir : celui des *ouvriers*, celui du *vendeur*, celui des *copartageants* : or les ouvriers doivent être préférés au vendeur, car ils n'ont de privilége que sur la plus-value ; *in quantum res pretiosior facta est* : cette préférence ne lui porte aucun préjudice, car il reçoit toujours le prix de sa chose, déduction faite de la plus-value (Persil, n. 11, art. 2103, § 4).

Quant aux deux derniers priviléges (celui du vendeur et celui du copartageant), nous pensons que la priorité doit se régler entre eux par l'antériorité du titre ; de même qu'entre plusieurs vendeurs, elle se règle par l'ordre successif.

(1) Telle est la raison généralement donnée de cette préférence · mais on doit reconnaître qu'elle n'est pas concluante : en effet, si l'immeuble est d'une faible valeur, le prix pourra être entièrement absorbé par les créanciers dont il est question dans l'art. 2101.— Ajoutons, qu'elle conduit à un résultat inique, car les priviléges spéciaux sont fondés sur cette considération que le créancier a augmenté le patrimoine du débiteur : au surplus la loi est formelle.

Le privilége du trésor public sur les biens du condamné passe après tous les autres, même après celui du défenseur. Bien plus, il ne vient qu'après les hypothèques légales dispensées d'inscription qui remontent à une époque antérieure au jugement.

SECTION IV.

Comment se conservent les priviléges.

Il n'est question dans la section qui va nous occuper que du droit de préférence ; tout ce qui concerne le droit de suite est renvoyé au chap. 6.

Les priviléges généraux produisent leur effet à l'égard des immeubles, bien qu'ils n'aient pas été rendus publics (2107) : d'une part, les créances qu'ils garantissent sont ordinairement d'une faible importance ; d'autre part, leur existence ne peut être ignorée. Mais ces considérations ne se présentent pas lorsqu'il s'agit de priviléges spéciaux, on a dû prescrire des mesures pour empêcher que les tiers, au profit desquels on constituerait des droits hypothécaires sur les immeubles ne fussent trompés par l'apparition de charges qui leur étaient inconnues et qui les primeraient.

La loi pose en principe (2106), que les priviléges spéciaux sur les immeubles doivent être inscrits : elle fait ensuite, aux divers priviléges, l'application de cette règle (2108—2111), et détermine, à l'égard de quelques-uns, des délais, après l'expiration desquels le privilége, dégénéré en simple hypothèque, ne prend plus rang qu'à dater de l'inscription.

2106 — Entre les créanciers, les priviléges ne produisent d'effet à l'égard des immeubles qu'autant qu'ils sont rendus publics par inscription sur les registres du conservateur des hypothèques, de la manière déterminée par la loi, et à compter de la date de cette inscription, sous les seules exceptions qui suivent.

= Il résulte clairement de l'art. 2106, que les priviléges ne produisent d'effet à l'égard des immeubles qu'autant qu'ils sont rendus publics ; ces mots : *à la date de l'inscription*, ne laissent aucun doute sur ce point. — Comment concilier cet article avec les art. 2095 et 2096, lesquels déclarent, que le privilége est attaché à la qualité de la créance, et que la préférence entre les différentes créances se détermine eu égard à cette qualité. Admettre la règle de l'art. 2106, n'est-ce pas faire aux priviléges l'application de la maxime *prior tempore potior jure*, maxime qui concerne les simples hypothèques, mais qui est contraire à l'essence des priviléges ? Pour se rendre compte du but que s'est proposé le législateur, il faut se reporter à la loi du 11 brumaire an 7. L'art. 2 est ainsi conçu : « L'hypothèque ne prend rang, et les priviléges sur les immeubles n'ont d'effet que par leur inscription dans les registres à ce destinés, sauf l'exception autorisée par l'art. 11 ». Dans ce dernier article, il s'agit de certains priviléges généraux qui ne sont point assujettis à l'inscription (1).

---

(1) La théorie que nous exposons a été développée par M. Valette dans une brochure qu'il a publiée en 1842, et qui a été réimprimée en 1843. Ce savant professeur, à qui nous devons d'avoir fixé la doctrine

Cette loi divisait ensuite en deux classes les priviléges dont il s'agit :

1º Privilége retenu lors de l'aliénation de l'immeuble ; c'est-à-dire , lors de la vente : ce privilége recevait une publicité nécessaire , car la propriété n'étant considérée comme transmise à l'égard des tiers que par la transcription des actes de mutation sur les registres du conservateur (article 26), le même fait révélait au public l'existence du privilége ; la rétention était aussi notoire que la translation même ; il y avait là deux causes simultanées et indivisibles : toutefois, la loi de brumaire exigeait, par un surcroît de précautions, que le conservateur mentionnât d'office (sans nul doute , immédiatement après la transcription) sur le registre des inscriptions , le privilége du vendeur ; elle faisait même de cette mention une condition de l'existence du privilége ; sauf le recours du vendeur contre le conservateur négligent (art. 29).

2º Privilége des ouvriers sur la plus-value existante au moment de l'aliénation de l'immeuble , et provenant de réparations, constructions et autres impenses par eux faites : ainsi, le privilége des ouvriers, de même que celui du vendeur, accompagnait l'acquisition de la valeur immobilière ; l'opération avait toujours pour effet d'établir, au profit de l'ouvrier, une rétention sur cette plus-value : il suffisait pour cela, que le droit de préférence eût été rendu public : mais par quel moyen ? il n'y avait aucun acte translatif de propriété à faire transcrire : dès lors, le mode de conservation indiqué pour les priviléges de la première classe ne pouvait s'appliquer : cependant, il importait, qu'au fur et à mesure des améliorations effectuées, les tiers fussent avertis , que le privilége des ouvriers frappait la plus-value de l'immeuble : cet avertissement ne pouvait résulter que d'une inscription prise avant le commencement des travaux. — Le bordereau d'inscription consistait dans un procès-verbal dressé à l'effet de constater l'état de l'immeuble et l'utilité des ouvrages.—L'inscription prise après le commencement des travaux ne donnait aux ouvriers qu'un rang hypothécaire sur la plus-value produite par ces travaux. Ainsi, ce privilége dégénérait en simple hypothèque (art. 12 et 13).

Le deuxième alinéa de l'art. 13 prescrivait en outre à l'ouvrier de faire inscrire un deuxième procès-verbal constatant la réception des travaux : cette inscription devait avoir lieu dans les deux mois au plus tard après leur confection ; mais cette disposition n'avait pas de sanction : la loi ne répétait pas ce qu'elle avait dit pour le premier procès-verbal, que le privilége ne produirait d'effet qu'autant qu'il serait rendu public : au surplus ,

sur un grand nombre de dispositions du Code jusqu'alors mal comprises ou d'une difficulté presque inabordable, nous paraît avoir présenté dans son véritable jour la matière importante qui nous occupe. Cette brochure se recommande à l'intérêt des jurisconsultes , non-seulement par les recherches consciencieuses qu'elle renferme , et par les conséquences logiques que l'auteur en a tirées , mais encore par des vues ingénieuses sur les améliorations que réclame notre système hypothécaire. — Au surplus , bientôt , nous l'espérons , le pouvoir législatif fixera sur ce point la jurisprudence : malgré les préoccupations graves de la politique, M. Martin (du Nord), garde des sceaux , a étendu sa sollicitude sur des intérêts d'un ordre moins élevé : docteur en droit , praticien habile , il a reconnu les imperfections de nos lois civiles , et la nécessité d'un travail de révision ; mais cette tâche longue et difficile ne pouvant être l'œuvre d'une seule année, il lui a paru sage de pourvoir aux besoins les plus urgents : notre système hypothécaire , régime intimement lié à la transmission de la propriété foncière , a dû fixer d'abord son attention : suivant un ancien usage , la cour de cassation , les cours royales ainsi que les facultés de droit ont été consultées ; des vues générales ont été demandées à ces différents corps ; quelques points principaux ont été signalés à leur examen. Cet appel a été entendu ; de savantes et utiles observations sont parvenues à la chancellerie ; par l'ordre de M. le garde des sceaux , ces travaux préparatoires ont été coordonnés pour l'étude et livrés à la publicité ; bientôt ils seront soumis aux chambres.

Quoi qu'il arrive , sachons gré au ministre qui signale son passage aux affaires par une telle entreprise ; il attachera dignement son nom au Code civil, monument immortel que nous a légué l'empire.

cette omission était sans inconvénient dans la pratique, car toute personne intéressée à connaître le *maximum* de la créance privilégiée pouvait accomplir cette formalité.

La loi de brumaire ne reconnaissait d'autre privilége que celui du vendeur et de l'ouvrier; elle gardait le silence sur la séparation des patrimoines.

Rien de plus simple, comme on le voit, que le système de cette loi; la publicité accompagnait toujours la naissance du privilége.

Voyons maintenant quelles sont les règles du Code : remarquons d'abord, que l'article 2106 est conçu, à peu de différences près, dans les mêmes termes que l'article 2 de la loi de brumaire (1); il est dès lors raisonnable de suivre les errements de cette dernière loi : nous poserons donc en principe, que les priviléges spéciaux sur les immeubles doivent être inscrits; que la publicité doit précéder ou accompagner l'aliénation de la valeur immobilière soumise au privilége, l'entrée de cette valeur dans le patrimoine du débiteur; qu'en ajoutant après ces mots : « ne produisent d'effet qu'autant qu'ils sont rendus publics par inscription, » ceux-ci : « à compter de la date de l'inscription », les rédacteurs se sont uniquement proposé de faire ressortir avec plus de force la théorie de la loi de brumaire; de faire entendre, que l'inscription tardive ne donne au créancier, sur la chose entrée dans le patrimoine du débiteur, qu'un rang hypothécaire; qu'un seul instant de retard suffit même, pour que les créanciers du débiteur, qui avaient une hypothèque légale antérieure, ou même qui ont pris inscription en vertu d'une hypothèque judiciaire ou conventionnelle, soient préférés au créancier qui a fait inscrire tardivement son privilége; qu'à l'égard des tiers, la rétention ne résulte que de l'inscription; que si l'inscription a précédé ou accompagné l'acquisition, les ayants cause du débiteur seront nécessairement primés sur ce nouveau gage, car ils n'auront pu être induits en erreur.—Les mots : *à compter de la date*, pierre d'achoppement des commentateurs, et rejetés par la plupart comme inexacts, entendus en ce sens, ne sont comme on le voit qu'un développement du système de la loi de brumaire, système que les rédacteurs du Code se sont évidemment proposé de maintenir, loin d'avoir voulu innover; ils deviennent intelligibles : l'indication de la date devient importante, afin que l'on puisse savoir si l'inscription a précédé ou suivi l'opération (2).

Notre article reconnaît toutefois que cette règle souffre quelques exceptions : ces exceptions concernent les priviléges qui ne résultent pas d'une

(1) La similitude de rédaction entre l'article 2106 et l'article 2 de la loi de brumaire, est remarquable : ce dernier article est ainsi conçu : « Les priviléges sur les immeubles n'ont d'effet que par leur inscrip- » tion dans les registres à ce destinés. »

(2) Nous devons cependant reconnaître qu'en réalité, l'article 2106 est moins une règle qu'une exception, car il ne peut s'appliquer que dans les deux cas prévus par les articles 2108 et 2110 : les autres articles ne renferment que des modifications à la règle établie dans l'article 2106 et au principe de la publicité immédiate des priviléges; en sorte que les exceptions reçoivent une application plus fréquente que la règle : aussi, l'article 2106 a-t-il été interprété de diverses manières : la plupart des auteurs pensent que le législateur s'est mal expliqué; qu'en matière de privilége il ne peut être question de *date*; que l'époque où l'on doit prendre inscription n'est d'aucun intérêt quant à l'existence du privilége; que c'est là une mesure purement fiscale, une formalité arbitraire, qui ne se rattache nullement à un système de publicité : sans doute, disent-ils, le privilége n'acquiert sa consistance, sa qualité propre, que par l'inscription : mais il n'a pas moins pour effet, d'assurer rétroactivement aux créanciers privilégiés, un droit de préférence sur tous les créanciers du débiteur, inscrits antérieurement. Enfin, ils argumentent de la différence qui existe entre la rédaction de notre article et celle de l'article 2134 : dans ce dernier article, il est dit que l'hypothèque n'a de rang que du jour de l'inscription; dans l'article 2106, il n'est pas question du rang, mais de l'effet du privilége : or il ne faut pas confondre l'effet du privilége avec son rang (Tarrible, Rép., Privilége, sect. 5 ; Persil, n. 2 ; Troplong, n. 266 et 322). ⁓ Suivant un autre système, les mots : à *compter de la date* de l'inscription doivent être remplacés par ceux-ci : *eu égard à la date*; de telle sorte que cette partie de l'article se rapporte au cas où les créanciers ont

aliénation ; c'est-à-dire, tous autres que celui du vendeur ou de l'architecte (1) : elles consistent, ou dans la dispense absolue d'inscription (2107), ou dans le remplacement de cette formalité par un autre de même valeur (2108-2110), ou enfin, dans l'effet rétroactif accordé à l'inscription sous certaines conditions que la loi détermine (2109-2111).

— Les créanciers chirographaires ont-ils qualité pour contester au privilégié le défaut d'inscription ? ∿∿ Non, si le créancier privilégié peut encore prendre inscription ; *secùs*, dans le cas contraire (Troplong, n. 268).

2107 — Sont exceptées de la formalité de l'inscription, les créances énoncées en l'article 2101.

= A raison de leur modicité ordinaire, ces sortes de créances ont pu être affranchies sans danger du principe de la publicité.

Observons toutefois, que le privilége qu'elles produisent existe sans inscription quant au droit de préférence, mais non quant au droit de suite (*voy.* l'art. 2166).

— Doit-on également dispenser de l'inscription le privilège que la loi du 5 septembre 1807 accorde, relativement au recouvrement des frais de justice, à raison des sommes dues pour la défense personnelle des condamnés ? ∿∿ A. Ces créances sont des frais de justice (Persil, n 2).

2108 — Le vendeur privilégié conserve son privilége par la transcription du titre qui a transféré la propriété à l'acquéreur, et qui constate que la totalité ou partie du prix lui est due ; à l'effet de quoi la transcription du contrat faite par l'acquéreur vaudra inscription pour le vendeur et pour le prêteur qui lui aura fourni les deniers payés, et qui sera subrogé aux droits du vendeur par le même contrat : sera néanmoins le conservateur des hypothèques tenu, sous peine de tous dommages et intérêts envers les tiers, de faire d'office l'inscription sur son registre, des créances résultant de l'acte translatif de propriété, tant en faveur du vendeur qu'en faveur des prêteurs, qui pourront aussi faire faire, si elle ne l'a été, la transcription du contrat de vente, à l'effet d'acquérir l'inscription de ce qui leur est dû sur le prix (1).

= Cet article n'est qu'une reproduction de l'art. 29 de la loi de brumaire ; il suppose manifestement en vigueur le système de cette loi sur la transcription, comme moyen de transférer entre vifs la propriété des immeubles : nous retrouvons dans l'inscription d'office, cette précaution ingénieuse prescrite pour porter plus facilement à la connaissance des tiers

un délai pour s'inscrire ; il y a seulement lieu de rechercher, si l'inscription a été faite dans le délai prescrit pour la conservation du privilège. ∿∿ Il est facile de répondre à ces considérations : s'il était vrai, comme on le prétend, dans le premier système, que l'inscription fût abandonnée au bon plaisir du créancier, on devrait la considérer comme une mesure purement fiscale que l'on pourrait fort bien se dispenser d'accomplir : il serait plus simple de dire, que le privilège, quant au droit de préférence, est dispense d'inscription. — Chose étrange ! on n'étend pas au droit de suite le système établi pour le droit de préférence ; et cependant, aucun texte ne motive cette distinction : loin de là, elle est repoussée par les termes de l'art 2166 : il est généralement admis que le droit de suite et le droit de préférence marchent simultanément. — Le législateur, en prescrivant l'inscription, s'est proposé de donner aux tiers un moyen facile de connaître les créances privilégiées : eh bien, ce but sera-t-il atteint si l'inscription sert à primer des créanciers antérieurement inscrits ? — Aucune trace de désir d'innover n'apparaît d'ailleurs dans les discussions au conseil d'État ; on peut s'en convaincre en jetant les yeux sur l'art. 17 ou projet, devenu l'art. 2108 du Code. — Le deuxième système n'a rien de choquant : mais il est inadmissible, précisément parce que les cas où la date de l'inscription doit être considérée, pour savoir si cette formalité a été remplie dans le délai voulu, sont exceptionnels : l'article 2106 le déclare formellement ; or on ne peut expliquer la règle par l'exception.

(1) *Cass.*, mars 1811 ; D., t., 9, p. 102, et autres arrêts.

l'existence du privilége; mais le Code, ainsi que nous le verrons, innove, en ce qu'il ne considère plus la transcription comme un complément indispensable de la conservation du privilége, mais seulement comme un accessoire utile : sous ce rapport, l'art. 2108 contient une sorte d'exception à la règle de l'art. 2106.

L'article 2108 a-t-il été modifié, soit explicitement, soit implicitement, en ce qui concerne la transmission de la propriété, par de nouvelles dispositions législatives ? quel est l'état actuel de la législation relativement au privilége du vendeur ? La transcription a-t-elle encore quelque utilité en matière d'aliénation d'immeubles par actes à titre onéreux ? Pour résoudre ces diverses questions, nous considérerons la position du vendeur sous deux rapports : comme exerçant un droit de préférence ; comme usant du droit de suite.

Il est admis en jurisprudence, que la propriété des immeubles lorsqu'il s'agit d'une vente, se transmet par le seul consentement des parties, et que le Code a totalement changé sur ce point les règles de la loi de brumaire; la suppression de l'article 91 du projet (1), lequel avait été adopté par le conseil d'État, après une discussion solennelle (2) était un argument puissant en faveur de cette opinion, qui depuis a été corroborée par la disposition formelle de l'article 834 Pr. (3).

Par suite on décide, que l'existence du privilége est indépendante de la transcription ; que le vendeur est réputé s'être réservé ce droit réel ; que l'aliénation n'a eu lieu qu'avec cette restriction ; et que l'article 2108 se trouve modifié, sous ce rapport.

Aujourd'hui, la transcription a seulement pour objet d'arriver à la purge des priviléges et hypothèques; de faire courir la prescription contre les créanciers hypothécaires antérieurs à l'acquisition (2180 4°); d'arrêter le cours des inscriptions (834 Pr.); enfin, de faire jouir le vendeur des bénéfices déterminés par les articles 2108 et 2198. — Au surplus, l'acquéreur hésitera d'autant moins à remplir cette formalité, que depuis la loi des finances du 28 avril 1816, le droit de transcription s'acquitte en même temps que le droit d'enregistrement.

Mais, nous le répétons, ce double effet de la vente : la mutation de propriété et la réserve du privilége, qui, autrefois n'était réputé connu des tiers que par la transcription, résulte aujourd'hui du seul fait de l'aliénation : les intéressés n'ont dès lors d'autre ressource pour s'éclairer, que l'inspection des titres de propriété ; ils devront même prudemment se faire représenter les quittances.

Il suit de cette décision, que si l'acheteur tombe en faillite, le vendeur conserve son privilége, bien qu'il n'ait pas pris inscription aux époques déterminées par l'article 448 du Code de commerce; car la masse des créanciers, qui a connu le contrat de vente, a dû connaître également la dette du prix: d'ailleurs, celui qui, au moyen de l'action en résolution, peut reprendre l'immeuble en nature, doit à plus forte raison pouvoir se faire payer par préférence sur la valeur de cet immeuble.

Voyons maintenant quelle est la position du vendeur, sous le rapport du droit de suite.

---

(1) Cet article était ainsi conçu : « Les actes translatifs qui n'ont pas été transcrits ne peuvent être » opposés aux tiers qui auraient contracté avec le vendeur, et qui se seraient conformés aux disposi- » tions de la présente. »
(2) Séance du 10 ventôse an 12.
(3) Voyez en outre les articles 1083 et 2182.

Dans le système du Code civil, la conservation de ce droit se révélait comme le privilége, en même temps que la transmission de propriété : aujourd'hui, que la publicité des aliénations à titre onéreux et de la créance du prix n'est plus prescrite, que l'article 2108 a cessé d'être applicable sous ce rapport, le droit de suite existe, à l'égard des tiers intéressés, de même que le privilége et le droit de résolution, indépendamment de la transcription. Toutefois, l'article 834 Pr. rétablit jusqu'à un certain point, en ce qui concerne le droit de suite, un système de publicité : cet article est ainsi conçu : « Les créanciers qui, ayant une hypothèque aux termes des » articles 2123, 2127 et 2128 du Code civil, n'auront pas fait inscrire leurs » titres antérieurement aux aliénations qui seront faites à l'avenir des im- » meubles hypothéqués, ne seront reçus à requérir la mise aux enchères, » conformément aux dispositions du chapitre 8, titre 28 du livre 3 du » Code civil (2181 et 2192), qu'en justifiant de l'inscription qu'ils auront » prise depuis l'acte translatif de propriété, et au plus tard dans la quin- » zaine de la transcription de cet acte.— Il en sera de même à l'égard des » créanciers ayant privilége sur des immeubles, sans préjudice des autres » droits résultant au vendeur et aux héritiers, des articles 2108 et » 2109 du Code civil. »

Ainsi, les hypothèques acquises avant la vente, doivent être inscrites, sous peine de déchéance du droit de suite, dans la quinzaine qui suit la transcription. Cette règle est étendue même aux créances privilégiées : par conséquent, si un deuxième acquéreur, voulant purger, fait transcrire, le premier vendeur perd également ce droit lorsqu'il a négligé de s'inscrire, ou de faire transcrire son propre contrat, avant l'expiration du terme fixé.

La transcription est ordinairement requise par l'acquéreur ; mais le vendeur et les bailleurs de fonds légalement subrogés, jouissent de la même faculté.

En accordant au vendeur et au bailleur de fonds la faveur de pouvoir conserver le droit de suite, par la transcription de leur titre, la loi n'a pu vouloir les priver d'un droit : nous pensons qu'ils peuvent renoncer au bénéfice de notre article pour rentrer dans la règle générale, et requérir l'inscription, comme tout autre créancier privilégié (1). Le vendeur a donc le choix, ou de faire transcrire son contrat, ou de prendre inscription.

Ici s'élève la question de savoir si le nouvel acquéreur qui veut jouir du bénéfice de l'article 834 Pr., doit non-seulement faire transcrire son propre titre, mais encore celui qui constate la vente originaire ? la loi n'exige pas que l'acheteur fasse transcrire les titres antérieurs au sien ; d'ailleurs, le privilége de tous les vendeurs successifs, apparaît suffisamment par la transcription du dernier acte de vente (2).

L'alinéa 2 in fine de l'article 834 Pr., contient en faveur du vendeur et

_____

(1) Il y a cette différence entre la *transcription* et l'*inscription*, que la transcription comprend l'acte entier ; tandis que l'inscription se fait par extrait.—La transcription suppose l'existence d'un acte translatif de propriété ; l'inscription est seulement relative aux hypothèques et aux priviléges.

(2) Dur., n. 959 et suiv. ; Merlin. Rép., v° Transcription, § 3, n. 2 ⁓ Il suffit de faire transcrire le dernier contrat lorsque ce contrat relate exactement les noms des vendeurs antérieurs (Troplong, n. 913 ; Delv. ; Grenier). ⁓ Le vendeur est toujours réputé propriétaire au profit des créanciers qui pouvaient s'inscrire avant la vente jusqu'après l'expiration du délai de quinzaine qui suit la transcription ; le deuxième acheteur n'est donc propriétaire à l'égard des créanciers du premier vendeur, que de la manière dont l'aurait été le premier acheteur, c'est-à-dire en transcrivant le premier contrat de vente, et en outre, pour devenir complétement propriétaire à l'égard des créanciers hypothécaires du deuxième vendeur, en transcrivant son propre contrat : de cette manière, l'art. 2108, auquel renvoie l'art. 834 Pr. deviendra de nouveau applicable. — Cette interprétation est en harmonie avec l'esprit fiscal qui a dicté l'art. 834 Pr. (*Val.*).

des héritiers, une réserve qui a été différemment interprétée : on trouve bien, dit-on pour le vendeur (article 2108), cet avantage spécial, que la transcription vaut inscription : mais en quoi peuvent consister pour les héritiers, les autres droits dont il est question ? Tout s'explique au moyen de la distinction que nous avons établie entre le droit de préférence, et le droit de suite ? Après l'expiration du délai de quinzaine, ce dernier droit est perdu : mais les héritiers, en prenant inscription dans les 60 jours du partage, et le vendeur en faisant transcrire ou inscrire avant la clôture de l'ordre, pourront toujours, bien qu'ils aient perdu le droit de suite, se faire colloquer par préférence aux autres créanciers de l'héritier ou de l'acquéreur.

Cette décision, en ce qui concerne le vendeur, semble d'ailleurs s'appuyer sur l'art. 1654 : en effet, suivant cet article, le vendeur non payé peut toujours recouvrer l'immeuble, en exerçant l'action résolutoire, et priver ainsi les créanciers de leur gage : or la conservation du privilége est bien moins onéreuse pour eux (Persil, n. 24).

Bien qu'il ne soit pas question, dans le premier alinéa de l'article 834 Pr., des hypothèques dont s'occupent les articles 2017 et 2121, évidemment ce serait méconnaître les vues du législateur, que de ne pas étendre à ces hypothèques la faveur de pouvoir être inscrites dans la quinzaine de la transcription.

La transcription peut avoir lieu, non-seulement lorsque l'acte translatif de propriété est authentique ; mais encore, lorsqu'il est sous seing privé, pourvu, bien entendu, qu'on ait observé la formalité de l'enregistrement ; aucune disposition précise ne s'y oppose : cette transcription, d'ailleurs, a seulement pour but d'annoncer aux personnes intéressées que l'immeuble a changé de propriétaire. — Vainement argumenterait-on de ce que, aux termes de l'art. 2148, l'inscription à l'effet d'acquérir hypothèque ne peut avoir lieu que sur le vu d'une expédition authentique : on répondrait, qu'il n'en est pas du privilége comme de l'hypothèque ; qu'il importe peu que le privilége soit prouvé de telle ou telle autre manière, puisqu'il résulte de la qualité de la créance.

En disant que la transcription conserve aussi le privilége du bailleur de fonds (2103, 2° et 2250), la loi suppose évidemment que la subrogation résulte de l'acte même de vente.

Que faut-il décider si l'opération a eu lieu *ex post facto*? En ce cas, le privilége d'abord conservé au vendeur passe au bailleur, en vertu de la subrogation postérieure ; mais le bailleur doit alors se hâter de faire inscrire la subrogation en marge de la transcription, afin d'empêcher le vendeur de donner mainlevée.

Passons à la deuxième disposition de notre article : lorsque le titre translatif de propriété a été transcrit, les droits du vendeur et ceux du prêteur légalement subrogé, sont suffisamment garantis.

Mais afin de mettre les tiers à l'abri des surprises (car, pour délivrer des états, le conservateur consulte le registre des inscriptions et non celui des transcriptions), la loi impose au conservateur, quand l'acte constate que la totalité ou partie du prix est encore due, l'obligation de faire *gratuitement* et d'*office* (1), une inscription sur son registre.

Le conservateur devrait faire cette inscription, lors même que le vendeur l'en aurait dispensé ; car cette formalité n'est pas prescrite

---

(1) Décision du ministre des finances, 8 floréal an 7.

seulement dans l'intérêt du vendeur, mais encore dans celui des tiers (Persil, n. 13).

Quid, si l'on a vendu, par exemple, avec faculté de rachat, ou sous toute autre condition résolutoire, et que le prix ait été payé? L'inscription n'est pas nécessaire pour la conservation du droit de réméré : d'abord, parce qu'il n'y a lieu, en ce cas, à l'exercice d'aucun privilége ; ensuite, parce que la transcription fait suffisamment connaître les droits du vendeur. — Même décision, si la vente a été faite avec réserve d'usufruit, d'usage ou d'habitation ; car ces droits sont distincts de la nue propriété.

La loi rend les conservateurs qui négligeraient de prendre cette inscription, passibles de dommages-intérêts envers les tiers, *in id quanti eorum interest non fuisse deceptos*. Par ex. : si l'exercice de la créance non inscrite fait perdre à un créancier 2,000 fr., ce créancier pourra obliger le conservateur négligent à lui tenir compte de cette somme. — Nous ne parlons, bien entendu, que du créancier hypothécaire : les créanciers chirographaires ne peuvent prétendre à aucuns dommages-intérêts ; car la négligence du conservateur ne leur cause pas de préjudice réel.

Quid si le vendeur avait pris inscription : le conservateur devrait-il toujours inscrire d'office, sur la transcription qui serait faite postérieurement? *Oui* : les inscriptions se périment par dix ans : or, la transcription valant inscription pour le vendeur, le délai commence à courir de nouveau contre lui à partir du jour où elle a eu lieu. — En ne prenant pas d'inscription d'office, le conservateur s'exposerait donc à délivrer *interim* des certificats mensongers.

La loi ne détermine pas le délai dans lequel doit être prise l'inscription d'office ; mais il est évident que le conservateur est tenu d'accomplir cette mesure immédiatement après la transcription, puisqu'elle a pour but de prévenir les fraudes que pourrait commettre l'acquéreur en faisant passer pour libres des biens qui ne le seraient pas.

D'après un avis du conseil d'État, approuvé le 22 janvier 1808, l'inscription d'office doit être renouvelée dans les dix ans : mais c'est au créancier à faire ce renouvellement ; car le conservateur, après un espace de temps aussi considérable, ne peut savoir si la créance existe encore (*Cass.*, 27 avril 1826 ; D., 26, 1, 233).

Au reste, encore bien que le vendeur ait laissé périmer l'inscription d'office, il peut toujours se faire inscrire de nouveau pour conserver son privilége intact.

— Le tiers qui a remboursé ce qui était dû au vendeur, et qui s'est fait expressément subroger à ses droits, a-t-il, comme le vendeur et le bailleur de fonds, la faculté de requérir la transcription du contrat, afin de conserver par là son privilege ? ∾ *A*. Arg. de l'article 1250 (Persil, n. 3 ; Delv., p. 157, n. 2)

Nous avons vu que le vendeur porteur d'un acte sous seing privé peut requérir la transcription de son titre ; mais jouit-il également d'un privilége, lorsqu'en prenant inscription il déclare que c'est *pour conserver son hypothèque* ? ∾ *A*. Les renonciations ne se présument pas (Persil, n. 7).

L'omission de quelques formalités essentielles, telles que l'indication de la nature et de la situation des biens, donnerait-elle lieu à des dommages-intérêts contre le conservateur? ∾ *A*. (Persil, n. 20).

Si dans un contrat de vente on impose à l'acquéreur, comme condition essentielle, l'obligation de faire transcrire son contrat avant toute aliénation, et qu'il ait revendu sans avoir fait transcrire, le premier vendeur pourra-t-il exercer son privilége contre le deuxième acquéreur qui a transcrit? ∾ *A*. (Delv., p. 153, n. 9).

Si le contrat de vente contient délégation du prix par le vendeur à l'un de ses créanciers, la transcription de ce contrat profitera-t-elle à ce créancier? ∾ *A*. Mais s'il n'est pas intervenu un contrat pour accepter, la délégation n'aura d'effet, à son égard, que du jour où il aura accepté expressément ou tacitement (Delv., p. 104, n. 1 ; Grenier, n. 388).

S'il y avait terme accordé pour le payement du prix et que ce terme fût expiré, le conservateur devrait-il toujours prendre inscription d'office ? ∾ *A*. (Delv., p. 54, n. 5).

Quid, si le prix de la vente parait soldé par une quittance sous seing privé mise au bas de l'expédition présentée à la transcription ? ∾ Le conservateur doit toujours prendre inscription (Delv., *ibid.*).

ı Le conservateur, en prenant une inscription d'office, peut-il élire domicile pour le vendeur. ∾ *N*. Delv., *ibid.*).

2109 — Le cohéritier ou copartageant conserve son privilége sur les biens de chaque lot (1) ou sur le bien licité, pour les soulte et retour de lots, ou pour le prix de la licitation, par l'inscription faite à sa diligence, dans soixante jours, à dater de l'acte de partage ou de l'adjudication par licitation ; durant lequel temps aucune hypothèque ne peut avoir lieu sur le bien chargé de soulte ou adjugé par licitation, au préjudice du créancier de la soulte ou du prix.

== Pour faire une juste application de cette disposition, nous considérerons séparément le cas où il y a eu partage, et celui où l'immeuble a été licité.

Lorsque le partage a eu lieu, la loi garantit les droits que les cohéritiers ou les copartageants ont à exercer les uns contre les autres pour les soulte et retour de lots, en leur accordant un privilége, non-seulement sur le bien grevé de la soulte, mais encore, sur les biens tombés dans les autres lots pour la part virile de chacun des copartageants.

Toutefois, les effets de ce privilége sont subordonnés, comme nous l'avons déjà vu, à la formalité de l'inscription prise par l'héritier ou le copartageant, dans un certain délai.

Le délai fixé par la loi est de soixante jours : durant ce temps, aucune hypothèque ne peut être consentie au préjudice du copartageant qui a droit à la soulte : les créanciers, dont il est parlé dans l'art. 2101, seuls passent avant lui (2105).

Ce délai court du jour de la *clôture du partage*, lors même que l'acte est sous signature privée : car s'il est vrai de dire que les actes sous seing privé ne prennent date que du jour de l'enregistrement, cela s'entend seulement à l'égard des tiers, et non à l'égard des personnes qui ont été parties dans le contrat.

Quid, si le partage a été fait par un ascendant? S'il résulte d'un acte entre-vifs, le délai de soixante jours date du jour où les héritiers ont accepté ; s'il résulte d'un testament, il court du jour du décès.

Au reste, le délai sera nécessairement réduit (du moins en ce qui touche le droit de suite) par l'effet de l'aliénation de l'immeuble assujetti à la soulte, si l'acquéreur fait transcrire immédiatement son contrat : pour conserver le droit de surenchérir, le copartageant devra, en ce cas, prendre inscription dans la quinzaine de la transcription (834, Pr.).

On trouve, ils est vrai, dans la disposition finale de l'art. 834, Pr., ces mots : *sans préjudice des autres droits résultant au vendeur et aux héritiers*, des art. 2108 et 2109 du Code civil ; mais ils doivent (comme nous l'avons déjà dit, art. 2108) être entendus en ce sens, que les copartageants peuvent encore, en prenant inscription dans les soixante jours, à dater de l'acte de partage, se faire colloquer de préférence à tous autres dans la distribution du prix.

On voit, qu'il faut bien distinguer la faculté de surenchérir, laquelle

---

(1) C'est-à-dire les biens chargés de soulte : ces mots s'interprètent par les derniers mots de l'article : mais si le copartageant chargé de soulte est insolvable, alors, il y a éviction, et par suite un recours en garantie est ouvert contre les autres héritiers, conformément à l'art. 875 (*V*. 2103) : ainsi, le recours contre les autres copartageants n'aura lieu qu'en cas d'insolvabilité, et seulement pour la part et portion proportionnelle de chacun.

est commune à tous les créanciers inscrits, du droit de préférence sur le prix, lequel appartient d'abord aux créanciers privilégiés.

Si le copartageant ne prend inscription qu'après les soixante jours, il descend dans la classe des créanciers hypothécaires (2113); son rang dépend alors de l'époque de l'inscription : par conséquent les créanciers qui seront inscrits avant lui, le primeront dans la distribution du prix.

Il est important de bien se fixer sur le calcul des jours accordés par la loi pour prendre inscription : suivant notre article, cette inscription doit avoir lieu *dans* les soixante jours; le dernier jour est dès lors inclus dans le terme : *dies termini computatur in termino.*

L'inscription prise dans les délais utiles, rétroagit au premier jour de la naissance de la créance; elle frappe tous les biens de la succession, et par conséquent non-seulement ceux que possèdent les copartageants obligés à la soulte; mais encore, ceux que les autres ont recueillis : ces derniers ne pourraient donc empêcher l'exercice du privilége, en opposant qu'il existe d'autres biens entre les mains du principal obligé (1).

L'inscription doit être prise, savoir : pour le mineur, par son tuteur; pour la femme soumise à la puissance maritale, par son mari, si les époux se trouvent en communauté; et par la femme elle-même, si elle est séparée de biens (1449 et 1536).

Passons au cas de licitation : lorsque l'immeuble a été licité, on distingue : s'il a été adjugé à l'un des copartageants (ce que suppose notre article), le privilége sur le bien licité, pour le prix de la licitation, se conserve, comme dans le cas de partage, par l'inscription prise dans le délai de soixante jours. — Si au contraire l'immeuble a été acquis par un étranger, les copartageants sont considérés comme de simples vendeurs : on retombe alors dans le cas bien plus favorable de l'art. 2108.

Le privilége pour la portion du prix revenant à chaque héritier ou colicitant ne frappe, comme de raison, que l'immeuble licité : l'art. 2109 est positif à cet égard.

Observons, en terminant, que le Code n'impose pas au conservateur, l'obligation de faire une inscription d'office, en cas de partage, bien que l'acte constate la dette d'une soulte ou celle d'un prix de licitation : en effet, ce n'est pas là un acte translatif de propriété (883).

— La transcription de l'acte de partage ne serait-elle pas suffisante, comme en matière de vente, pour conserver le privilége relatif aux soultes ou aux retours de lots ? ᴧᴧ *N.* Il peut y avoir un grand nombre de soultes ; la liquidation peut donner lieu à des discussions compliquées ; il importe dès lors aux tiers, que les priviléges qui garantissent les droits de chacun des copartageants soient inscrits séparément. — Ajoutons, qu'un certain temps doit nécessairement s'écouler entre le moment de l'ouverture de la succession et le partage ; — de plus, même après le partage, les parties ont besoin d'un délai pour s'éclairer et faire leurs bordereaux (*Val.*).

La loi ne semble prescrire la formalité de l'inscription, que pour les soultes ou retours de lots et pour le prix de l'adjudication ; mais rappelons-nous, que l'article 2103 accorde aussi un privilége pour les garanties des partages en cas d'éviction : quelles mesures les copartageants doivent-ils prendre pour conserver ce 'droit ; doivent-ils faire transcrire l'acte de partage ? ᴧᴧ *N.* Il résulte de l'article 883, Pr., que les partages ne sont pas considérés comme translatifs, mais comme déclaratifs de propriété : aujourd'hui, le privilége dont il s'agit est donc soumis à l'inscription ; l'article 2109 écarte à cet égard toute équivoque ; cet article est le complément de l'article 2103. L'inscription doit être prise dans les soixante jours ; *à fortiori* de ce qui est établi pour les soultes et pour le prix de la licitation : dans ce dernier cas, en effet, ceux qui contracteront plus tard avec le copartageant auquel l'immeuble est échu, pourront connaître ce qui est dû, sur la seule inspection de l'acte de partage ou du jugement d'adjudication sur licitation ; tandis que ceux qui contracteront avec le copartageant ne pourront savoir s'il souffrira une

(1) Remarquez, sur la dernière partie de l'art. 2109 : 1° que les hypothèques prises dans les soixante jours ne sont pas déclarées nulles ; la loi porte seulement qu'elles ne peuvent avoir effet au préjudice du créancier de la soulte.
2° Que tous créanciers postérieurs, autres que les copartageants, pourraient être primés par d'autres créanciers qui auraient pris inscription dans l'intervalle des soixante jours.

éviction ; il ne le sait pas lui-même. — Nous avons vu , art. 2103, 3°, que le privilége n'existe que sur l'immeuble grevé de soulte ; mais en même temps , nous avons dit que tout cohéritier ou copartageant évincé de son lot ou non payé de la soulte qui lui est due , a un recours contre ses copartageants , et un privilége dans les limites de son action en garantie (873 et 885). — Si les formalités de l'inscription pouvaient être remplacées par celle de la transcription de l'acte de partage , il faudrait , comme pour le contrat de vente , obliger le conservateur à prendre une inscription d'office ; or , cette obligation est trop rigoureuse pour qu'on puisse la supposer (Persil , n. 2 ; Troplong , n. 290). ∼∼ Le copartageant peut conserver son privilége en s'inscrivant à quelque époque que ce soit , quelque laps de temps qui se soit écoulé depuis le partage : aucun délai fatal n'est fixé par la loi. ∼∼ L'inscription n'est pas né- cessaire pour la garantie ; la loi ne l'exige pas ; l'acte de partage est suffisant , — il importe de prévenir les tiers, au moyen d'une inscription , des soultes ou retours de lots : mais la représentation d'un acte de partage les avertit suffisamment du danger de la garantie, — la somme pour laquelle on prend inscription doit être déterminée dans les bordereaux : or . comment faire cette fixation , cette évaluation , en ma- tière de garantie ? — Concluons que le législateur a eu de justes motifs pour ne point parler de l'in- scription dans l'art. 2109 (Val.).

Que doit contenir l'inscription conservatrice du privilége de garantie ? ∼∼ L'estimation d'une somme pour l'éventualité de l'éviction : si cette somme est trop forte, le copartageant contre lequel l'inscrip- tion est prise, peut en demander la réduction ; le tout, conformément aux art. 2148, 2163 et 2164 (Persil , n. 3 ; Troplong , n. 291 ; Grenier , n. 403).

Le jour où a été signé l'acte de partage , dies à quo , est-il compris dans le terme ? ∼∼ N. (Troplong , n. 314 ; voy. cependant Merlin , v° Loi , § 5, n. 9 bis).

2110 — Les architectes , entrepreneurs , maçons et autres ouvriers employés pour édifier, reconstruire ou réparer des bâtiments , canaux ou autres ouvrages, et ceux qui ont, pour les payer et rembourser, prêté les deniers dont l'em- ploi a été constaté, conservent, par la double inscription faite, 1° du procès-verbal qui constate l'état des lieux, 2° du procès-verbal de réception, leur privilége à la date de l'inscription du premier procès-verbal.

⇒ Cette disposition est une application du principe établi dans l'ar- ticle 2106 ; elle fait suite à celle de l'art. 2103, n. 4.—Nous avons vu que ce dernier article, conforme à la loi de brumaire , subordonne l'existence du privilége des ouvriers, à l'observation de deux formalités ; savoir : 1° procès-verbal constatant les travaux à faire ; 2° réception desdits ou- vrages, dans les six mois de leur perfection.

Pour que ce privilége reçoive son effet, la loi prescrit l'inscription des procès-verbaux. Mais elle ne fixe pas le moment où ces inscriptions doivent être prises : il suffit, suivant nous, pour le déterminer, de se rendre compte de leur objet :

Le but de la première, est de déterminer les travaux à faire et d'aver- tir les tiers qui plus tard traiteront avec le propriétaire, que d'autres créanciers les primeront ; que les architectes , entrepreneurs, etc. , ont créé une valeur sur laquelle ils entendent retenir un droit réel : cette in- scription doit donc avoir lieu avant le commencement des opérations. — En cas de négligence de la part des ayants droit, leur privilége ne produira d'effet qu'à compter de l'inscription du premier procès-verbal ; par con- séquent ce privilége ne rétroagira pas à l'époque du commencement des travaux. — Sans doute, l'architecte et l'entrepreneur sont privilégiés sur la plus-value par eux créée et transférée en quelque sorte au propriétaire de l'immeuble ; mais pour jouir de ce privilége , la loi veut, que par une in- scription faite sur le registre des hypothèques, ils aient averti le public de cette rétention opérée à leur profit. — S'ils ont laissé entrer ces augmen- tations dans le patrimoine du débiteur , sans accomplir les formalités pres- crites, il ne leur reste qu'une simple hypothèque, laquelle ne prend rang que du jour de l'inscription ; elle est primée par les hypothèques antérieures valablement inscrites ou dispensées d'inscription (*voy.* nos observations sur les art. 2106 et 2108) (1).

Aux termes de l'art. 2132, le créancier qui prend inscription pour une valeur indéterminée, doit estimer approximativement sa créance ; sauf ensuite au débiteur, à faire réduire cette inscription s'il y a lieu (2163). Cette règle s'applique évidemment aux ouvriers qui font inscrire le procès-verbal des travaux à effectuer : ils sont tenus d'évaluer approximativement ces travaux ; mais le propriétaire peut, en requérant l'inscription du deuxième procès-verbal, rectifier cette évaluation.

L'inscription du deuxième procès-verbal n'a d'autre but que celui de faire connaître les travaux effectués, afin de pouvoir déterminer, lors de la vente ou de l'adjudication, la plus-value qui en sera résultée, et de faire colloquer l'architecte ou autre ouvrier, par privilége, sur cette plus-value, pour le montant de ce qui lui reste dû.

Cette formalité n'a point d'intérêt pour le créancier, car son privilége a été retenu par l'inscription du premier procès-verbal ; mais le propriétaire, qui a lieu de craindre que son crédit ne soit ébranlé par suite de l'incertitude où se trouve le public sur le montant du droit réel qui affecte son immeuble ne manquera jamais de la remplir ; — le bailleur de fonds est également intéressé à rendre déterminé le privilége indéfini qui résulte du premier procès-verbal.

En cas de négligence du propriétaire ou de l'entrepreneur, les ouvriers que ce dernier a employés, et auxquels diverses sommes sont dues pour le prix de leurs journées, peuvent-ils prendre inscription? Lorsque les travaux ont été faits à l'entreprise, l'architecte ou l'entrepreneur ont un privilége ; quant à leurs ouvriers, ils ne sont pas créanciers du propriétaire ; dès lors, ils ne peuvent agir qu'en vertu de l'art. 1166.

Les ouvriers peuvent-ils venir par privilége pour leur salaire sur le montant des sommes dues à l'entrepreneur qui a rempli les formalités requises pour se faire colloquer par préférence sur le prix? *Non :* cette somme doit être distribuée comme chose mobilière ; or la loi ne met pas au nombre des priviléges sur les meubles, le salaire des ouvriers.

(1) La plupart des interprètes pensent que les architectes peuvent s'inscrire quand bon leur semble, à l'effet de primer les créanciers hypothécaires antérieurs aux travaux ; ils appliquent à l'ouvrier, ce que nous avons dit pour le vendeur. — En ce qui concerne ces créanciers, l'inscription, suivant eux, n'est qu'une formalité : mais ils ajoutent, que les créanciers dont l'hypothèque est postérieure aux travaux, priment l'architecte inscrit après eux : ainsi, l'ouvrier négligent est toujours assuré de primer les créanciers antérieurs aux travaux ; l'inscription ne lui est utile qu'à l'égard des créanciers postérieurs ; ces derniers seuls, disent-ils, ont pu compter sur l'augmentation de gage résultant de la plus-value. — Il suit de la que l'architecte n'est pas aussi favorisé que le vendeur, puisqu'on ne lui accorde pas, comme a ce dernier, un droit de préférence absolue et opposable à tous les créanciers antérieurs ou postérieurs à l'entrée de la plus-value dans le patrimoine du débiteur, quelle que soit la date de l'inscription (Persil. art. 2110, n. 3 ; Troplong, n. 532 ; Dur., n. 204 et 212, t. 19 ; Delv., p. 155, n. 3 ; Grenier, n. 410, t. 2 ; Favard, n. 322). ⁓ Dans le système que nous avons adopté, on répond, que l'art. 2110 ne s'exprime pas autrement que l'art. 2106 : pourquoi dès lors établir une différence entre les deux solutions ? Les créanciers antérieurs aux travaux n'ont-ils pas dû compter, comme les créanciers postérieurs, sur la plus-value qui surviendrait à leur gage sans aucune révélation de privilége? Quel argument pourrait-on opposer au texte formel de l'art. 2133 ? Comment soutiendra-t-on, en présence de cet article, que les créanciers antérieurs n'ont pas dû s'attendre à profiter des améliorations ? S'il était vrai que l'inscription fût sans utilité pour l'ouvrier quant aux créanciers antérieurs, à quoi lui servirait son privilége? L'hypothèque ne lui suffirait-elle pas pour primer les créanciers postérieurs? Au surplus, l'opinion que nous combattons conduit à des résultats d'une incroyable bizarrerie : ainsi, l'ouvrier prime toujours les créanciers antérieurs, mais il est à son tour primé par les créanciers postérieurement inscrits ; or, comme ces derniers doivent eux-mêmes passer dans l'ordre des hypothèques, après les créanciers antérieurs, on tombe dans une involution de principes incompatibles : comment, en effet, arriver à colloquer régulièrement trois créanciers, dont le premier (le créancier antérieur aux travaux), primé par le deuxième (l'architecte), est cependant préféré au troisième (le créancier postérieur aux travaux), lequel, de son côté, l'emporte sur le deuxième (l'architecte) ? (*Val.*).

Il va de soi, qu'en conservant le privilége de l'architecte ou de l'entre-preneur, on conserve le privilége du prêteur de deniers.

— *Quid*, dans l'espèce suivante : des constructions ont été faites ; avant leur perfection et leur récep-tion, le propriétaire vend l'immeuble, dont elles ont augmenté la valeur ; pour conserver son privilége, l'architecte devra-t-il faire inscrire les deux procès-verbaux dans la quinzaine ? ∿∿ Trois cas doivent être considérés : 1° l'acquéreur s'oppose à la continuation des travaux : il suffit alors de faire inscrire le premier procès-verbal ; 2° l'acquéreur consent à ce qu'ils soient achevés : c'est alors comme s'il avait fait marché *ab initio* avec les ouvriers ; dès lors, la transcription ne les met pas en demeure de prendre inscription dans la quinzaine ; 3° les travaux sont parachevés, mais non reçus : les ouvriers doivent alors se mettre en règle dans la quinzaine (Troplong, n. 320 et 231 ; Dur., n. 212).

2111 — Les créanciers et légataires qui demandent (1) la sé-paration du patrimoine du défunt, conformément à l'ar-ticle 878, au titre *des Successions*, conservent, à l'égard des créanciers des héritiers ou représentants du défunt, leur privilége sur les immeubles de la succession, par les inscriptions faites sur chacun de ces biens, dans les six mois à compter de l'ouverture de la succession.

Avant l'expiration de ce délai, aucune hypothèque ne peut être établie avec effet sur ces biens par les héritiers ou représentants au préjudice de ces créanciers ou légataires.

⹀ Au nombre des mesures que les créanciers d'une succession et les légataires peuvent employer pour obtenir le payement de ce qui leur est dû, la loi place la demande en séparation des patrimoines. Cette demande a pour objet, d'écarter les créanciers de l'héritier, de toute participa-tion au partage du prix des biens de la succession, avant que les dettes et charges de l'hérédité n'aient été acquittées. L'art. 2111 qualifie de pri-vilége le bénéfice de la séparation des patrimoines (2).

Il ne sera point inutile de reproduire ici les règles que nous avons ex-posées sur cette importante matière, en expliquant les art. 878 et 880.

A Rome, pour que le patrimoine du défunt pût être séparé de celui de l'héritier, il fallait que les ayants droit obtinssent un décret du pré-teur (3).

Sous notre ancienne jurisprudence, on ne voit pas qu'il y ait eu de pro-cédure à suivre : les créanciers de la succession et les légataires pouvaient repousser par voie d'exception les créanciers de l'héritier ; il ne s'agissait donc pas, comme en droit romain, d'une demande collective.

Quelle est chez nous la marche à suivre (4) ? doit-on présenter requête au tribunal ? doit-on assigner les héritiers du débiteur à venir entendre déclarer les patrimoines séparés ? doit-on obtenir une ordonnance du juge ? Le Code ne trace aucune procédure particulière : l'art. 878 se borne à re-connaître, que tout créancier du défunt (ajoutons et tout légataire) (5)

---

(1) Lisez : qui *se proposent de demander* : en effet, ils ne doivent faire cette demande que lorsque les créanciers de l'héritier se présentent pour concourir avec eux.

(2) La qualification de *privilége*, donnée à la séparation des patrimoines, est impropre : le privilége, en effet, établit un droit de préférence entre les créanciers du même débiteur : la séparation des patrimoines est une prérogative accordée aux créanciers du défunt ainsi qu'aux légataires contre les créanciers personnels de l'héritier : — la séparation est quelque chose de plus qu'un privilége : elle met obstacle à la confusion des deux patrimoines.

(3) L. 1, § 1 et L. 6, *præm.*, ff. *de Separat.*

(4) Le système que nous exposons est dû à M. Blondeau (Traité de la séparation du patrimoine), il a été soutenu avec le plus grand succès devant la faculté de droit de Paris, par M. Pilette, docteur en droit.

(5) Les légataires particuliers ont même, aux termes de l'art. 1017, une hypothèque légale sur tous les immeubles de l'hérédité. Cette hypothèque est indépendante de l'effet de la séparation des patri-

peut demander contre tout créancier de l'héritier, la séparation des patrimoines : concluons de là, qu'une demande collective n'est pas nécessaire ;
que chacun des créanciers et chacun des légataires, a la faculté d'agir séparément, selon son intérêt, contre tous les créanciers de l'héritier collectivement (1) ou individuellement; enfin, qu'ils peuvent, par voie d'exception, se prévaloir de leur privilége, lorsque ces derniers poursuivent
sur les biens de la succession le payement de ce qui leur est dû. Cette
dernière manière de procéder paraît d'autant mieux fondée, que
les créanciers de l'héritier ne devant être connus que par l'effet de leur
demande afin de payement, il est difficile de diriger une action contre
eux. Du reste, la faculté d'agir par voie d'exception n'est pas exclusive du
droit de provoquer la séparation des patrimoines par voie d'action (Blondeau, p. 486) (2). — Quelle que soit, au surplus, la marche que l'on ait
suivie, il est certain que le jugement intervenu ne pourra être opposé
aux personnes qui n'y auront pas été parties (1351).

Voyons maintenant comment se conserve le privilége de séparation des
patrimoines. Ce privilége aux termes de l'art. 2111, doit être inscrit : sous
ce rapport, le Code se montre progressif ; il ajoute utilement au système de
la loi de brumaire.—A défaut d'inscription, les créanciers privilégiés ou hypothécaires de l'héritier auraient pu objecter, par un raisonnement subtil,
que l'existence d'une hypothèque ou d'un privilége constituait à leur profit
une aliénation partielle de l'immeuble héréditaire, et que, aux termes de
l'art. 880, la séparation des patrimoines ne peut être déclarée, qu'autant
que les immeubles de la succession se trouvent dans les mains de l'héritier : le seul moyen de prévenir cette difficulté, était de prescrire aux créanciers de la succession et aux légataires, de rendre public, au moyen d'une
inscription, la volonté qu'ils peuvent avoir d'user un jour du bénéfice de
séparation des patrimoines.

Mais, en prescrivant cette publicité, la loi devait accorder un délai pour
accomplir les formalités requises, car la règle générale de l'art. 2106,
ne peut recevoir d'application en matière de séparation des patrimoines :
comment exiger, en effet, que la révélation de ce privilége ait lieu au
moment de l'entrée des valeurs héréditaires, dans le patrimoine de l'héritier ? lorsque, par l'effet de la loi, la transmission des biens s'opère
du testateur à l'héritier, les légataires ignorent complètement la teneur
du testament ; les créanciers ne peuvent savoir si l'héritier acceptera purement et simplement ou sous bénéfice d'inventaire : était-il juste, était-il
moral d'ailleurs, de les soumettre à l'obligation incessante d'épier le der-

---

moines. L'origine de l'art. 1017 se trouve dans une constitution de Justinien, tit. *de legatis*, § 2. Les
légataires, indépendamment de l'action personnelle *ex testamento*, et de la revendication, jouis-
saient, sous Justinien, d'une action hypothécaire sur les biens tombés au lot de chaque héritier, mais
dans les limites de l'action personnelle : ce système avait été consacré par l'ancienne jurisprudence
française. — Notre Code a abandonné la décision restrictive du Droit romain : aujourd'hui, l'hypothèque
légale de l'art. 1017 est donnée pour le tout.

Quelques personnes, trouvant mentionné dans l'article 2111 un privilége au profit du légataire, ont
pensé que ce privilége était une extension de l'hypothèque établie par l'art. 1017, et devait consé-
quemment s'exercer *in solidum* ; cette opinion a l'inconvénient de s'écarter des traditions historiques :
d'ailleurs, il peut être intéressant pour le légataire d'invoquer comme spécial le droit que confère
l'art. 1017 (*Voy.* art. 1017,note 2).

(1) Et non contre l'héritier ; car il n'a ni intérêt ni qualité pour y défendre : en effet, la séparation
des patrimoines ne s'exerce que par voie d'exception.

(2) Suivant Merlin, Quest., v° Sépar. de patr., § 2, n. 5, ces premières expressions de l'art. 2111 : *les
créanciers et les légataires qui demandent*, etc., semblent indiquer, que les créanciers du défunt et
es légataires doivent agir en séparation, par voie d'ajournement ; mais selon nous, on ne doit pas,
en l'absence de tout moyen indiqué par le Code de procédure, tirer cette conclusion de quelques mots
assez vagues.

nier soupir du *de cujus ?*—Six mois, à partir de l'ouverture de la succession, leur sont accordés pour se mettre en règle : les effets de l'inscription prise dans ce délai, remontent à la date du décès. Il suit de là : 1° que le créancier héréditaire ou le légataire qui a satisfait aux conditions prescrites, jouit d'un droit de préférence sur tous les créanciers de l'héritier, fussent-ils hypothécaires, et eussent-ils pris inscription avant lui;—2° que celui des ayants droit qui s'est fait inscrire au commencement du premier mois, ne prime pas celui qui s'est fait inscrire à la fin du sixième (1). Toutefois, l'ordre naturel qui existe entre les différents créanciers de la succession, ou entre les créanciers et les légataires, ne se trouvera pas interverti : les créanciers hypothécaires primeront toujours les créanciers chirographaires, et ces derniers primeront les légataires : *bona enim non intelliguntur nisi deducto ære alieno.*

Les créanciers du défunt ou les légataires qui se sont fait inscrire dans le délai utile, ont-ils une prééminence sur ceux qui n'ont pas pris inscription, ou qui n'ont accompli que tardivement cette formalité? Voyez nos observations sur l'art. 880.

Pour que l'inscription produise l'effet que lui attribue l'art. 2111, faut-il qu'elle soit accompagnée d'une demande en séparation? La négative résulte nécessairement de notre système, puisque, suivant nous, ces mots : *qui demandent la séparation des patrimoines*, doivent être entendus ainsi : *qui se proposent de demander.* En prescrivant la publicité du privilége, le législateur n'a pu se proposer de déroger aux règles générales des art. 878 et 880, lesquelles ne soumettent l'exercice du droit de séparation, à aucune limitation de temps (2).

L'inscription doit être spéciale : elle n'est valable que relativement aux immeubles qui s'y trouvent désignés par leur nature et leur situation : argument de ces mots de l'art. 2111 *sur chacun* de ces biens.

La loi n'exige pas que l'existence de la créance ou celle du legs, soit constatée par acte authentique.

Le privilége de séparation des patrimoines, comme tous les autres, dégénère en simple hypothèque, lorsqu'il n'a pas été inscrit dans le délai déterminé (2113) : il est dès lors primé, conformément aux principes généraux, par les hypothèques constituées par l'héritier et inscrites antérieurement; par celles qui grèvent la généralité de ses biens, et par celles qui sont dispensées d'inscription (3) : le droit de préférence ne peut plus être conservé que par rapport à ceux des créanciers de l'héritier qui n'ont point d'hypothèques, ou dont les hypothèques ne sont devenues efficaces que postérieurement à la date de l'inscription de ce droit.

Remarquons surtout, que l'inscription du privilége de séparation n'est soumise à un délai préfix, que vis-à-vis des créanciers privilégiés et des

---

(1) Il faut cependant, pour le légataire, excepter le cas où le testament aurait été tenu caché par le fait de l'héritier, ou des tiers intéressés à dissimuler son existence ; les six mois ne courraient alors qu'à partir de la découverte du testament (Persil, n. 14): mais un événement de force majeure, indépendant de toute fraude ne suffirait pas pour relever les créanciers de la succession de la déchéance (*Bourges*, 24 juin 1836 ; D., 37, 2, 109).

(2) Dur., n. 488, t, 7 et 216, t. 16 ; Troplong, Hyp., t. 1, p. 325 ; Vazeille sur l'art. 878. — *Poitiers*, 8 août 1828 ; S., 31, 2, 82. — *Nîmes*, 19 février 1829 ; S., 29, 2, 214. — *Colmar*, 3 mars 1834 ; S , 34, 2, 677. ⁓⁓ L'art. 2111 a modifié les articles 878 et 880 en ce sens, que les créanciers du défunt et les légataires doivent, pour conserver d'une manière absolue leur droit de préférence, non-seulement prendre inscription dans le délai de six mois ; mais encore , former dans le même délai leur demande en séparation. — Arg. de ces expressions de l'art. 2111 : *les créanciers qui demandent*, etc. (Merlin , Quest., v° Séparation du patrimoine, § 25 ; Grenier, Hyp., p. 432, t. 2 ; Chabot. sur l'art. 880, n. 9 ; Toullier , t. 4, n. 543 et 544; *voy.* art. 878, t. 2, note).

(3) Dur., n. 490, t. 7, 222, t. 18. — *Paris*, 27 juillet 1813 ; S., 13, 1, 498.

créanciers hypothécaires de l'héritier : par rapport aux créanciers chirographaires, elle peut avoir lieu en tout temps ; car ces créanciers n'ont de gage spécial sur aucun des biens de la succession.

Voyons maintenant, quelle est la position des créanciers du défunt, et des légataires, lorsque les héritiers ont aliéné les immeubles de la succession.

Il semble résulter de l'art. 880, que la séparation des patrimoines ne peut plus être utilement exercée, dès que les immeubles héréditaires sont sortis des mains de l'héritier : toutefois, comme ce droit est classé par l'article 2111 au nombre des priviléges sur les immeubles, il produit, de même que tous autres priviléges, un droit de suite.

Pour conserver ce droit, les créanciers et les légataires doivent, aux termes de l'art. 834, Pr., prendre inscription au plus tard dans la quinzaine de la transcription de l'acte d'aliénation.

Lorsque six mois ne sont pas encore écoulés, depuis l'ouverture de la succession, cette inscription conserve en outre, par rapport à tous les créanciers de l'héritier sans distinction, le droit de préférence.

Après le délai de quinzaine, l'inscription peut encore être prise utilement dans les six mois du décès, à l'effet de conserver un droit de préférence sur le prix, si ce prix est encore dû. A la vérité, le deuxième alinéa de l'article 834, Pr., ne contient point, au profit des créanciers du défunt et des légataires, une réserve semblable à celle qu'il établit au profit des copartageants ; mais les mêmes motifs d'exception militent en faveur des uns et des autres (Delv., t. 2, p. 178, des Hyp., 326 à 327 bis ; Vaz. sur l'art. 878, n. 16).

L'inscription prise après le délai de six mois, dans la quinzaine de la transcription, ne peut valoir que comme inscription hypothécaire (2113): toutefois, la Cour de cassation admet, que les ayants droit peuvent invoquer les effets de la séparation des patrimoines, tant que l'acquéreur ne s'est pas libéré, car les choses jusque-là sont entières : le prix représente la chose : *Subrogatum capit substantiam subrogati* (1).

Si le prix a été payé, même dans les six mois du décès, avant toute inscription prise par les créanciers, depuis l'aliénation, il n'y a plus lieu ni à la séparation des patrimoines ni à aucun de ses effets (2).

La séparation des patrimoines ne modifie pas les droits que la saisine confère à l'héritier : il peut librement disposer des biens héréditaires, même avant l'expiration des six mois accordés aux créanciers du défunt et aux légataires, pour prendre inscription; même après le jugement de séparation et l'inscription prise en vertu de l'art. 2111 (Chabot, n. 8, sur l'art. 880).

— Les créanciers du défunt qui ont usé du bénéfice de la séparation des patrimoines, et qui n'ont pas été intégralement payés sur les biens héréditaires, peuvent-ils poursuivre le représentant de leur débiteur? ⁓ N. Demander la séparation du patrimoine, c'est refuser, d'une maniere en quelque sorte rétroactive, l'héritier pour débiteur; c'est fixer sur l'hérédité la personne civile du défunt. — Le bénéfice

(1) Quelques personnes justifient cette décision en disant que le prix de l'immeuble est une chose mobilière, chose à l'égard de laquelle les créanciers et les légataires ont aussi le droit d'invoquer la séparation des patrimoines ; mais elles bornent à trois ans l'exercice du droit dont il s'agit (Dur., n. 490, t. 7, n. 222, t. 18 ; Delv., sur l'art. 8880 ; D., Success., p. 465, n. 42 ; Persil, n. 9 ; Grenier, n. 432. — Grenoble, 30 août 1831 ; S., 32, 2, 645. — Nimes, 27 janvier 1840 ; S., 40. 2, 368. — Cass., 22 juin 1841 ; .., 41, 1, 723).

(2) Cass., 27 juillet 1813 ; S., 13, 1, 439.

de la séparation des patrimoines, introduit exclusivement en faveur des créanciers de la succession ›
ne doit pas être rétorqué contre eux (*Voy.* art. 878, quest.).

Peuvent-ils du moins agir, pour le reste de leur créance, sur les biens de l'héritier, après que cet héritier a satisfait ses créanciers personnels? ⁓ La séparation des patrimoines n'est pas collective ; elle ne
résulte plus d'un décret, d'une ordonnance ; elle n'est qu'une exception opposée aux créanciers de l'héritier : ceux-ci ont donc juste raison de repousser la personne qui, après avoir exercé contre eux le
droit dont elle est investie par l'art. 878, veut agir concurremment avec eux sur les biens de leur
débiteur. Mais une fois qu'ils sont payés, l'héritier doit reprendre à l'égard des créanciers de la succession, la qualité de débiteur qu'il a acceptée en se portant héritier pur et simple. — Vainement dit-on,
que les créanciers de la succession ont refusé l'héritier pour débiteur : si cela était vrai, l'art. 2111 ne
les qualifierait pas de créanciers privilégiés : évidemment on ne peut les considérer comme tels que par
rapport aux créanciers de l'héritier. En réalité, les créanciers du défunt ont contre l'héritier un droit
conditionnel, une créance subordonnée au payement des dettes de cet héritier (*Voy.* art. 878, quest.).

Après le partage de la succession, le droit établi par l'art. 2111 s'exerce-t-il pour la totalité de la
créance sur chacun des immeubles tombés au lot d'un héritier, ou seulement pour la part de cet héritier
dans la dette hypothécaire ? En d'autres termes, le privilége est-il donné *in solidum*, ou seulement
jusqu'à concurrence de l'action personnelle ? ⁓ Les patrimoines se trouvant séparés, les créanciers
du défunt sont censés avoir retenu leurs droits *in solidum* sur chacun des immeubles. — Lorsque les patrimoines sont séparés, il n'y a pour, les créanciers de la succession qu'un seul débiteur : la succession. — Arg. de l'art. 1017, qui confère aux légataires une hypothèque légale sur les biens de la succession : cet article se confond en quelque sorte avec l'art. 2111. ⁓ On ne peut dire que les créanciers et
les légataires sont privilégiés de la succession ; ils sont donc privilégiés des héritiers ; par conséquent,
ils ne peuvent actionner chacun de ces derniers que pour la portion dont ils sont personnellement
tenus. — Le système qui renferme le privilége des créanciers et des légataires dans les bornes de l'action personnelle, est conforme à l'esprit du Code (*voy.* art. 883). — *Nec obstat* l'art. 1017 : cet article
a son origine dans une constitution de Justinien, § 32 *de legatis* : or cette constitution renfermait
l'action hypothécaire dans les limites de l'action personnelle (*Val.*) (*Voy.* art. 880, 2ᵉ quest.).

L'inscription est-elle nécessaire, lorsque la succession a été acceptée sous bénéfice d'inventaire? ⁓
N. L'inventaire des biens du défunt pose entre les deux masses de biens une barrière qui équivaut à la
séparation des patrimoines. — La perte de la qualité de bénéficiaire est une sorte de peine (989, Pr.); elle
peut être opposée à l'héritier ; mais il n'est pas recevable à l'invoquer : toutefois, on doit prudemment
prendre inscription, afin de se tenir prêt à toute éventualité (Grenier, Hyp., t. 2, p. 433; Malpel. n. 240;
Blondeau. — *Cass.*, 18 juin 1833 ; S., 33, 1, 730 ; 9 janvier 1837 ; D., 37, 1, 126!). ⁓ *A.* La loi ne distingue
pas : le bénéfice d'inventaire est tout à fait dans l'intérêt de l'héritier ; il peut y renoncer, soit expressément, soit tacitement. — L'acceptation sous bénéfice d'inventaire n'enlève pas aux créanciers le droit
de demander la séparation des patrimoines (Dur., n. 218; Persil, n. 13. — *Paris*, 8 avril 1826 ; S, 27,
2, 79; D., 27, 2, 68; *voy.* art. 880, quest.).

Sous la loi de brumaire, les créanciers de la succession pouvaient demander la séparation des patrimoines sans prendre inscription : on demande si cette formalité doit être observée depuis le nouveau
régime hypothécaire, à l'égard des successions ouvertes sous l'empire de cette loi ? ⁓ *N.* Ce serait
enlever au créancier un droit acquis (Persil, n. 15).

Lorsque l'héritier a vendu l'immeuble sous faculté de réméré, la demande en séparation des patrimoines est-elle encore recevable ? ⁓ *N.* La vente à réméré transmet la propriété comme une vente
ordinaire (Grenier, n. 429).

Le droit de séparation frapperait-il un immeuble qui aurait été reçu par l'héritier en échange d'un
autre immeuble de la succession ? ⁓ *A.* Il résulte de l'échange, un remplacement, une¡espèce d'identité de l'objet reçu en échange, avec celui qui est donné au même titre (Grenier, n. 429).

2112 — Les cessionnaires de ces diverses créances privilé-giées exercent tous, les mêmes droits que les cédants, en leur lieu et place.

⚐ La vente ou cession d'une créance comprend les accessoires de la créance, tels que cautions, priviléges ou hypothèques (1692).

Rappelons ici les règles que plusieurs fois déjà nous avons exposées : en cas de cession, l'acquéreur de la créance, quelque faible que soit le prix par lui déboursé, a le droit d'exiger la valeur nominale de cette créance. Si la cession est seulement partielle, le cédant et le cessionnaire viennent concurremment ; — en cas de subrogation, le tiers subrogé ne peut réclamer au delà de ses débours ; il ne vient sur le prix, qu'après le subrogeant ; suivant la maxime : *nemo videtur subrogâsse contra se.*

— La simple indication de payement donne-t-elle au créancier le droit de prendre inscription en son
nom ? ⁓ *N.* (Troplong, n. 368 ; *voy.* cep. Grenier, t. 1ᵉʳ, n. 89).

Mais le créancier désigné pour recevoir ce payement, peut-il au moins se prévaloir de l'inscription
prise par le vendeur, ou de l'inscription d'office prise pour ce même vendeur ? ⁓ *Oui*, s'il invoque cette
inscription pour prétendre un droit de préférence sur les créanciers de l'acquéreur ; *secùs* s'il prétend
une préférence sur d'autres créanciers du vendeur (Troplong, n. 269; *voy.* ¡cep. Grenier, t. 2, n. 388
Merlin, Inscript. n. 10, Hyp., section 2, § 2, art. 13).

2113 — Toutes créances (1) privilégiées soumises à la formalité de l'inscription, à l'égard desquelles les conditions ci-dessus prescrites pour conserver le privilége n'ont pas été accomplies, ne cessent pas néanmoins d'être hypothécaires ; mais l'hypothèque ne date, à l'égard des tiers, que de l'époque des inscriptions qui auront dû être faites ainsi qu'il sera ci-après expliqué.

= Le privilége dégénère en simple hypothèque lorsqu'il n'a pas été inscrit dans les délais fixés ; mais alors, conformément aux principes généraux des hypothèques, il ne produit d'effet, à l'égard des tiers, qu'à partir de la date de l'inscription.

Cette hypothèque est évidemment légale : toutefois, il ne faut pas lui appliquer la règle de l'art. 2122 ; elle est restreinte à l'objet qui était soumis au privilége.

Il n'est pas nécessaire, pour prendre inscription, de représenter un titre authentique.

CHAPITRE III.

Des hypothèques.

Du créancier au débiteur, l'hypothèque n'est pas nécessaire : ce dernier peut être contraint au payement de la dette, sur tous ses biens, par toutes les voies judiciaires, même jusqu'à l'expropriation. L'utilité de l'hypothèque ne se fait sentir que par rapport aux créanciers et aux acquéreurs.

L'hypothèque est l'affectation formelle et indivisible, d'un ou de plusieurs immeubles, à l'acquittement d'une obligation. Le droit qui en résulte est indépendant de la qualité de cette obligation : c'est là ce qui le distingue principalement du privilége.

L'hypothèque a cela de commun avec le gage, qu'elle garantit le payement d'une dette ; qu'elle fait considérer la chose comme affectée au payement : mais il existe entre l'un et l'autre droit des différences essentielles : — l'hypothèque grève les immeubles ; le gage a pour objet des choses mobilières. — L'hypothèque se constitue sans tradition ; le gage met le

---

(1) Cette expression : *toutes créances*, comprend les cinq priviléges dont nous venons de parler.

En ce qui concerne le *vendeur*, si l'on considère sa position vis-à-vis des tiers détenteurs, il conserve le droit de suite et celui de surenchérir en prenant inscription, conformément à l'article 834, Pr. ; sinon il perd ses droits, vis-à-vis des créanciers. — Bien que le délai de quinzaine soit expiré, il peut encore, jusqu'à la distribution, conserver son privilége en prenant inscription.

Mêmes observations pour les *prêteurs de deniers*.

Pour les *cohéritiers*, l'article reçoit une entière application : s'ils prennent inscription dans le délai de quarante jours, ils ont un privilége ; après l'expiration de ce délai, ils n'ont plus qu'une hypothèque.

Pour l'*architecte*, s'il n'a pas fait rédiger de procès-verbaux, il n'a ni privilége ni hypothèque. Ces procès-verbaux, aux termes de notre article, doivent être inscrits ; mais on ne voit pas trop à quoi bon cette inscription : en effet, la loi distingue deux immeubles dans l'immeuble amélioré : les créanciers antérieurs et l'architecte ne peuvent des lors se rencontrer, puisque leurs droits portent sur des choses différentes : celui de l'architecte étant borné à la plus-value. — Vis-à-vis des créanciers postérieurs, le privilége de l'architecte n'est qu'un droit hypothécaire.

Pour la *séparation des patrimoines*, l'inscription doit avoir lieu dans les six mois.

créancier en possession de la chose : sous ce point de vue, l'hypothèque diffère également de l'antichrèse.—L'hypothèque est un droit réel ; elle suit l'immeuble entre les mains des tiers détenteurs : le gage ne produit pas cet effet ; le créancier gagiste est déchu de son droit lorsqu'il a cessé de posséder.

Gardons-nous également de confondre le droit réel qui résulte de l'hypothèque, avec les servitudes (personnelles ou réelles) : l'hypothèque ne prive pas le propriétaire, de la possession de l'immeuble ; elle ne le gêne pas dans sa jouissance : elle confère seulement au créancier, la faculté de faire vendre cet immeuble à défaut de payement au terme fixé, et de prélever sur le prix le montant de ce qui lui est dû (1).

L'indivisibilité est un des caractères de l'hypothèque ; ce caractère, tout à fait indépendant de la divisibilité ou de l'indivisibilité de la créance, n'est cependant pas essentiel.

L'hypothèque produit deux effets bien distincts : 1° elle donne au créancier hypothécaire le droit de se faire payer sur la chose qu'elle affecte, par préférence aux créanciers chirographaires ; 2° elle confère le droit de suite, c'est-à-dire, le droit de suivre l'immeuble en quelques mains qu'il passe (2166 et suiv.).

Les hypothèques sont *générales* ou *spéciales*, suivant qu'elles frappent tous les immeubles présents et à venir du débiteur, ou quelles n'affectent qu'un ou plusieurs immeubles présents, spécialement désignés.

Elles sont *légales*, *judiciaires*, ou *conventionnelles*, selon qu'elles dérivent de la loi, d'une décision judiciaire, ou d'une convention.

Tous les immeubles ne sont pas susceptibles d'hypothèques ; la loi prend soin de déterminer ceux qui peuvent être soumis à cette affectation.

2114 — L'hypothèque est un droit réel sur les immeubles affectés à l'acquittement d'une obligation.

Elle est, de sa nature, indivisible, et subsiste en entier sur tous les immeubles affectés, sur chacun et sur chaque portion de ces immeubles.

Elle les suit dans quelques mains qu'ils passent.

= La loi nous donne la définition de l'hypothèque (2); elle détermine ensuite les effets de ce droit.

L'hypothèque est un *droit réel ;* c'est-à-dire, qu'elle suit la chose entre les mains des tiers détenteurs, qu'elle fait considérer cette chose comme affectée spécialement à la dette, et donne au créancier hypothécaire le droit de se faire payer sur le prix qui en provient, par préférence aux créanciers chirographaires.

---

(1) On peut dire en outre, que l'hypothèque, à la différence des servitudes, n'est pas un démembrement de la propriété : la plupart des auteurs admettent cette différence : toutefois elle est rejetée par quelques jurisconsultes dont l'opinion fait autorité : la propriété, disent-ils, n'est parfaite que lorsqu'elle réunit trois caractères : *jus utendi, fruendi et abutendi* : en concédant une hypothèque sur son immeuble, le propriétaire démembre donc sa propriété, puisqu'il se prive du droit de toucher le prix en cas d'aliénation, et autorise même implicitement le créancier hypothécaire, à détruire l'effet de cette vente, au moyen d'une surenchère : il cesse par conséquent d'avoir la propriété pleine et entière, le *jus abutendi* : on argumente, en faveur de cette opinion, de l'art. 2124, lequel soumet l'hypothèque des biens des incapables à l'observation de certaines formalités (*Val.*) (*Voy.* t. 1er, n. 411, note).

(2) Cette définition est incomplète, car elle omet la fin de l'hypothèque, qui est la vente de la chose affectée. Il fallait ajouter ces mots : *et de la faire vendre en justice*, pour être payé sur le prix (Pothier).

Les immeubles seuls peuvent être soumis à cette affectation; les meubles n'ont pas de suite par hypothèque (2119); on peut seulement les donner en gage.

L'hypothèque n'est qu'un droit accessoire; elle suit nécessairement le sort et les modalités de l'obligation principale (1).

Par suite, on décide, que si un banquier ouvre un crédit à une personne, sous la garantie d'une hypothèque, l'hypothèque ne prendra pas rang seulement de l'époque de la numération des deniers, mais du jour de l'inscription, car l'obligation principale était soumise à une condition suspensive; or l'effet de la condition remonte au jour où l'engagement a été contracté (2).

On peut valablement constituer une hypothèque pour des obligations purement naturelles; car ces obligations ont une existence légale; elles sont seulement privées d'action.

L'hypothèque est de sa nature indivisible : c'est-à-dire, que la chose entière et chacune des parties de cette chose, est (sauf conventions contraires) affectée au payement de la dette : *hypotheca est tota in toto, et tota in quâlibet parte.*

Elle a lieu tant passivement qu'activement :—*passivement :* par exemple, s'il arrive que mon débiteur aliène une partie de l'héritage, l'hypothèque ne cessera pas de frapper pour le total et la portion dont il a disposé, et celle qu'il a conservée. — Si une quotité de la dette a été payée, l'hypothèque ne subsistera pas moins entièrement sur la totalité de l'immeuble.—Si l'immeuble a péri en partie, ce qui restera continuera d'être affecté au payement de toute la dette.— Si le constituant est mort, laissant plusieurs héritiers entre lesquels l'héritage ait été partagé, l'hypothèque ne frappera pas moins, pour toute la dette, la part de chacun. Si l'héritage est échu à un seul, cet héritier détenteur pourra être poursuivi hypothécairement pour le tout; encore que la dette soit divisible et même personnellement divisée entre les héritiers du débiteur.—*Activement :* par exemple, si le créancier laisse deux héritiers, et que le débiteur désintéresse l'un d'eux, l'immeuble ne continuera pas moins d'être affecté pour le tout au payement de la part de l'autre héritier, *propter indivisionem pignoris :* ainsi, la divisibilité de la dette ne porte pas atteinte à l'indivisibilité de l'hypothèque.

Au surplus, si l'indivisibilité est de la *nature* de l'hypothèque, elle n'est pas de son essence : les parties peuvent donc, par des conventions, modifier ce caractère, et convenir, par exemple, que l'hypothèque ne continuera de subsister que sur telle portion de l'immeuble, au cas où une partie de la dette serait payée (Dur. n. 245).

---

(1) De quelle nature est l'hypothèque ? Du côté du créancier, elle dépend nécessairement de la nature du droit auquel elle est attachée : or, le plus souvent, la créance est mobilière. — Du côté du débiteur ou du tiers détenteur, elle constitue toujours une affectation immobilière ; c'est en quelque sorte une aliénation d'un droit immobilier : elle suit l'immeuble entre les mains du tiers acquéreur : ainsi, tel qui peut donner mainlevée d'une hypothèque ne peut constituer un semblable droit sur des biens dont il n'a pas la libre disposition. — Au reste, rien de plus futile que cette question : que l'hypothèque soit mobilière ou immobilière, elle ne sera pas moins attribuée à la créance qu'elle garantit. Ainsi, une personne avait une hypothèque pour sûreté d'une créance mobilière : cette personne a disposé de son mobilier par testament : l'hypothèque appartiendra nécessairement au légataire du mobilier, quoiqu'on puisse la considérer comme un droit réel immobilier.

(2) Cette décision, admise en jurisprudence, est cependant contraire à la loi romaine (*Voy.* l. 4, *quæ res pign. dare poss.; loi* 11 , *qui potiores; voy.* aussi la seule exception, l. 1, *qui pot. in pign.* On peut dire, que l'accessoire ne peut exister avant le principal ; surtout, lorsque la condition est potestative ; ce qui a lieu dans l'espèce. — Peut-être vaudrait-il mieux décider, dans le cas de crédit ouvert, lorsqu'il dépend de celui qui a constitué l'hypothèque de s'obliger ou non, que l'hypothèque ne prend rang que du jour et au fur et à mesure de la numération.

L'hypothèque produit deux principaux effets :

1° Elle confère un droit de préférence sur les créanciers chirographaires (*voy.* art. 2092 et 2093).

2° Elle confère le droit de suite : ainsi, les tiers détenteurs peuvent, comme nous le verrons, être poursuivis hypothécairement et condamnés à délaisser l'héritage, ou à payer le montant de la dette.

De ce qui précède, il résulte, que la position des créanciers chirographaires diffère de celle des créanciers hypothécaires, sous deux principaux rapports : 1° ils n'ont pas le droit de suite sur les immeubles aliénés par leur débiteur : l'art. 2093, il est vrai, porte que les biens du débiteur sont le gage commun de ses créanciers; mais ce gage ne s'exerce que sur les biens qui sont en sa possession au moment des poursuites; — 2° ils ne viennent, sur le prix des immeubles, qu'après les créanciers hypothécaires.

2115 — L'hypothèque n'a lieu que dans les cas et suivant les formes autorisées par la loi.

= L'hypothèque ayant une grave influence sur le crédit privé, et par suite sur le crédit public, le législateur n'a point abandonné cette matière au caprice des conventions.

2116 — Elle est ou légale, ou judiciaire, ou conventionnelle.

2117 — L'hypothèque légale est celle qui résulte de la loi.

L'hypothèque judiciaire est celle qui résulte des jugements ou actes judiciaires (1).

L'hypothèque conventionnelle est celle qui dépend des conventions, et de la forme extérieure des actes et des contrats.

2118 — Sont seuls susceptibles d'hypothèques,

1° Les biens immobiliers qui sont dans le commerce, et leurs accessoires réputés immeubles;

2° L'usufruit des mêmes biens et accessoires pendant le temps de sa durée.

☞ Les biens immeubles qui sont dans le commerce (2) peuvent seuls être hypothéqués; mais tous ne sont pas susceptibles d'hypothèque : rappelons-nous, que les biens sont immeubles *par leur nature, par destination*, ou *par l'objet auquel ils s'appliquent* (517).

La loi détermine comme susceptible d'hypothèque deux sortes d'immeubles :

1 Les biens immobiliers, c'est-à-dire, les fonds de terre, et les bâtiments (héritages).

Par voie de conséquence, tout ce qui s'unit et s'incorpore au fonds, su-

---

(1) Le *jugement* et l'*acte judiciaire* émanent du juge; mais ils diffèrent, en ce que le jugement statue sur une contestation, tandis que l'*acte judiciaire* a pour objet ordinaire de constater un fait qui s'est passé devant les juges, et qui n'a pas été contesté : telle est la reconnaissance d'écriture; telle est aussi l'ordonnance d'exécution d'une sentence arbitrale (2128).

(2) Ce qui exclut ceux désignés dans les art. 538, 539, 540, 541, 542 et les biens composant les majorats (décret du 1er mars 1808).

bit la même charge ; ainsi, les augmentations industrielles, telles que celles qui résultent de la construction d'un édifice sur le fonds hypothéqué (558), et les accroissements naturels, tels que ceux qui se forment par alluvion, subissent l'hypothèque du fonds (557).

La même règle est applicable, lorsqu'il s'agit d'arbres ou de fruits quelconques qui se trouvent sur pied au moment de la saisie de l'héritage : ces choses sont comprises dans l'affectation, car elles font partie intégrante du fonds; elles se trouvent immobilisées par la saisie, et leur produit est partagé avec le prix de l'immeuble, suivant l'ordre des inscriptions (689, Pr.). Mais le débiteur peut, jusque-là, récolter et vendre les fruits, car l'hypothèque ne le prive pas de la jouissance.

Si l'hypothèque grève la nue propriété, et que l'usufruit vienne à se consolider, cette charge frappera l'usufruit comme la propriété, car l'usufruit est un accessoire du fonds.

Mais il en est autrement, lorsque l'usufruitier, qui a seulement hypothéqué son droit, devient ensuite propriétaire du fonds : la réunion ne fait pas porter l'hypothèque sur ce fonds ; l'usufruit seul reste grevé; en effet la nue propriété ne peut être considérée comme un accessoire de l'usufruit.

Quid, si l'augmentation est produite par un événement extraordinaire : par exemple, lorsqu'un fleuve enlève, par une force subite, une partie considérable et reconnaissable d'un champ riverain, et la transporte sur un champ inférieur (559) hypothéqué : cette portion de terrain est-elle soumise à l'hypothèque? Oui, si elle est d'une faible importance : *secùs* si elle est tellement considérable, qu'on doive la regarder comme formant un fonds nouveau : c'est là un point de fait abandonné à l'appréciation du juge. — *Quid*, si une île s'était formée du côté du fonds hypothéqué? Elle serait, dans tous les cas, affectée hypothécairement (Arg. des art. 559 et 561 ; Dur., n. 257 (1); *voy.* cependant Persil, n. 3 ; Troplong, n. 553).

Quid, à l'égard des augmentations qui proviennent du fait du débiteur, sans qu'il y ait incorporation : par exemple, si une pièce de terre est ajoutée à un fonds dont elle a servi à augmenter l'enceinte? Ce terrain n'est pas soumis à l'hypothèque ; car l'état de réunion dans lequel se trouvent les deux immeubles, n'empêche pas qu'ils ne soient distincts l'un de l'autre.

Si la chose est diminuée, l'hypothèque subsiste sur ce qui reste : ainsi, le créancier conserverait ses droits sur le sol, si la maison hypothéquée venait à périr par un incendie : mais les matériaux provenant de la maison détruite ou brûlée, étant devenus meubles, se trouveraient affranchis de cette charge, quand même ils seraient employés à la construction de nouveaux bâtiments.

Les immeubles par destination (524) suivent également le sort du fonds, puisqu'ils en sont l'accessoire; mais dès qu'ils en sont détachés, ils reprennent la qualité de meubles, et cessent d'être soumis à l'hypothèque. C'est principalement en ce sens que doit être entendue la maxime : Les meubles n'ont pas de suite par hypothèque (2119).

2° L'usufruit des fonds de terre et des bâtiments (*héritages*) et accessoires, pendant le temps de sa durée.

---

(1) Ce ne sont pas là, dit cet auteur, des fonds distincts des fonds riverains, mais bien des accessoires : c'est par suite de ce principe, que les maîtres des fonds riverains jouissent des îles et îlots; que l'État, qui est propriétaire des fleuves et des rivières navigables ou flottables, devient propriétaire des îles qui s'y forment.

La loi déclare ce droit susceptible d'hypothèque, car il peut être cédé, mis aux enchères, et vendu séparément de la nue propriété ; — mais les servitudes et les actions qui tendent à revendiquer un immeuble, sortes de droits réels compris dans la catégorie des immeubles par l'objet auquel ils s'appliquent (*voy.* art. 517), ne sont pas dans ce cas :

Les *servitudes*, parce qu'elles n'ont de valeur que pour le fonds dominant ; elles ne peuvent en être séparées. — Les *actions immobilières*, car elles n'ont pas de base solide, puisqu'elles ne sont que la mise en exercice d'un droit tout relatif. Tombe-t-il sous le sens, que l'on mette aux enchères, une action en rescision ou en résolution ? Toutefois, il faut bien entendre cette règle : Celui qui, à raison de la nature de son action, peut être considéré comme ayant la chose elle-même, peut hypothéquer, non pas le droit dont il est nanti, mais la chose, au cas où, par l'exercice de cette action, il deviendra propriétaire : *qui actionem habet, ipsam rem habere videtur* (*voy.* cep. Grenier, n. 153). — Par exemple, on peut hypothéquer l'immeuble que l'on a vendu à réméré ou à vil prix : le sort de l'hypothèque est alors subordonné à l'exercice et au succès de l'action (1).

Quand aux droits d'usage et d'habitation, ils sont inaliénables et incessibles ; dès lors ils ne peuvent être hypothéquées (*voy.* cep. Grenier, t. I, p. 297).

Nous ajouterons aux immeubles déterminés par notre article, comme susceptibles d'être hypothéqués :

1° Les mines, lorsqu'elles ont été ouvertes avec l'autorisation du gouvernement ; elles forment des immeubles distincts du fonds sous lequel elles se trouvent, et peuvent dès lors être hypothéquées séparément (loi du 21 avril 1810, art. 8 et 19).

2° Les actions immobilières de la banque de France (Décret du 16 janv. 1808, art. 7).

3° Les actions de la compagnie des canaux d'Orléans et de Loing ; car elles ont été, en ce qui concerne leur immobilisation, assimilées aux actions de la banque de France (Décret du 16 mars 1810, art. 13).

Quant aux rentes sur l'État on ne peut les hypothéquer : les art. 2 et 3 du décret du 1er mars 1808, permettent à la vérité de les immobiliser ; mais seulement pour la formation d'un majorat.

— Les droits d'usage dans les forêts de l'État sont-ils susceptibles d'hypothèques ? ⁓ *N*. Ces droits sont incessibles comme tous les droits d'usage en général ; dès lors, ils échappent à l'action des créanciers ; l'hypothèque à laquelle on les soumettrait, serait donc illusoire (*Voy.* cep. Grenier, t. 1er, p. 148 ; Battur, t. 2, p. 232.

L'emphytéose est-elle susceptible d'hypothèque ? ⁓ *A*. L'héritage tenu à bail emphytéotique est immeuble pour la personne du preneur ; l'emphytéote a le droit d'aliéner ; l'emphytéose n'a jamais été confondue avec le louage (Dur., n. 268 ; Persil, n. 14 ; Troplong, n. 404 et 405 ; Favard, Hyp., p. 714, n. 2. — *Cass.*, 19 juillet 1832 ; S., 32, 1, 531 ; *voy.* cep. Grenier, n. 142).

L'hypothèque peut-elle être hypothéquée ? ⁓ *N*. D'une part, les actions ne sont pas susceptibles d'hypothèques ; d'autre part, l'action hypothécaire n'est que l'accessoire d'une obligation qui le plus souvent a pour objet une somme d'argent, ou autres choses mobilières (Persil, n. 15 ; Troplong, n. 407 ; Delv., p. 137, n. 4 ; Grenier, n. 157 ; Dur., n. 277).

Un fonds de commerce peut-il être hypothéqué ? ⁓ *N*. Il est meuble (Persil, n. 17. — *Cass.*, 19 juillet 1832 ; D., 32, 1, 296 ; S., 32, 1, 531).

Nous avons vu, que le propriétaire conserve la jouissance du fonds hypothéqué ; mais a-t-il également le droit d'abattre, sans le consentement du créancier, les fruits non aménagés ? ⁓ *A*. Il arrive un moment où ces arbres doivent être coupés (Troplong, n. 404 ; *voy.* cep. Persil ; Delv., p. 156, n. 3).

Peut-on hypothéquer un immeuble soumis à une expropriation forcée dont la dénonciation a été faite au saisi, d'après l'art. 681, Pr. ? ⁓ *A*. La saisie ne détruit pas le droit de propriété (Troplong, n. 413 *bis* ; Grenier, n. 111 ; *voy.* 215%, questions).

---

(1) Merlin, Rép ; v° Hyp., Sect. 2, § 3, art. 4, n. 6, Persil, n. 9 et suiv. ; Delv., t. 3, p. 291 ; Battur, t. 2, n. 234.

Nous avons dit que l'on peut hypothéquer l'immeuble vendu à vil prix : *quid* si l'acheteur préfère fournir le supplément du juste prix : le créancier hypothécaire pourra-t-il exercer cette hypothèque sur le supplément du juste prix ? ⁓ *N.* Le vendeur n'a pas été propriétaire un seul instant depuis la constitution d'hypothèque ; il n'avait qu'une créance : or une créance ne peut être hypothéquée. ⁓ *A.* Il y a eu résolution de la convention primitive ; l'immeuble est rentré pendant un instant de raison dans le patrimoine du vendeur ; mais la loi est venue au secours de l'acheteur : il s'agit en quelque sorte d'une nouvelle vente , dont le prix a été fixé par des experts.

L'usufruit, avons-nous dit , peut être hypothéqué ; *quid* si ce droit vient à s'éteindre par la renonciation de l'usufruitier : l'hypothèque subsistera-t-elle ? ⁓ *A.* Arg. des art. 625 et 1167. — Le nu propriétaire , devenu , par l'effet de cette renonciation , plein propriétaire , sera exproprié comme tiers détenteur de l'usufruit. — La durée de l'usufruit est celle de la vie de la personne usufruitière et de l'existence de la chose.

¿Quid , si le nu propriétaire a de son côté hypothéqué sa nue propriété ? ⁓ Il faudra , si les créanciers l'exigent , deux adjudications séparées.

Le propriétaire d'un bien hypothéqué peut-il consentir des servitudes sur cet immeuble ? ⁓ *N.* Cela diminuerait le gage des créanciers hypothécaires. — Impossibilité de purger , puisqu'il n'y a pas possibilité de surenchérir , une servitude n'étant pas dans le commerce. — On ne peut faire d'expertise , car ce serait en quelque sorte vicier la loi. — Il vaut mieux décider , qu'à l'égard des créanciers , la servitude est censée ne pas exister , et que les deux propriétaires s'arrangeront comme ils le voudront , comme ils le pourront.

2119 — Les meubles n'ont pas de suite par hypothèque.

= La rédaction de cet article, prise à la lettre, mènerait à cette idée fausse, que les meubles ne peuvent être affectés d'hypothèque quant au *droit de suite*, mais bien quant au droit de préférence : ce n'est point là le sens de la loi : l'art. 2119 n'est qu'une allusion à la disposition de l'article 2118 ; il se réfère aux immeubles par destination ; il a pour but de faire entendre , qu'une fois détachés du fonds , les immeubles par destination ne sont plus que des meubles, et que les créanciers hypothécaires ne peuvent suivre ces meubles entre les mains des tiers acquéreurs ; sauf à eux à se plaindre de ce que le débiteur diminue leurs sûretés , et à le faire déchoir du bénéfice du terme (1188, 2131). Les créanciers peuvent même, s'ils se trouvent dans les termes de l'art. 1167 , demander la résolution des aliénations consenties par le débiteur , et faire replacer sur les lieux les objets qui en ont été distraits.

Appliquez ce que nous disons sur les immeubles par destination, aux choses qui faisaient partie de l'immeuble, et qui en ont été détachées ; par ex. : aux matériaux qui faisaient partie d'un bâtiment , et qui , après démolition de ce bâtiment, ont repris leur caractère mobilier.

2120 — Il n'est rien innové par le présent Code aux dispositions des lois maritimes concernant les navires et bâtiments de mer.

= L'intérêt du commerce a nécessité cette modification à la règle établie par l'article précédent (190, Code de commerce) : d'ailleurs, quoique mobilières, ces choses peuvent être suivies entre les mains des acquéreurs (196, Code de commerce).

SECTION I.

Des hypothèques légales.

Les hypothèques légales sont celles qui naissent immédiatement de la loi, sans jugement ni convention.

Elles ne sont accordées par le Code qu'à trois classes de personnes (2121). Ne perdons pas de vue, que les dispositions de la loi qui établissent des droits de préférence, ne sont pas susceptibles d'interprétation extensive.

Les hypothèques légales grèvent tous les immeubles présents du débiteur, et les biens à venir à mesure qu'ils entrent dans son patrimoine. Mais ce caractère général tient seulement à leur nature ; elles peuvent être restreintes à certains immeubles (2140, 2144).

2121 — Les droits (1) et créances auxquels l'hypothèque légale est attribuée, sont,

Ceux des femmes mariées, sur les biens de leur mari ;

Ceux des mineurs et interdits, sur les biens de leur tuteur ;

Ceux de l'État, des communes et des établissements publics, sur les biens des receveurs et administrateurs comptables.

= Trois espèces d'hypothèques légales sont énumérées dans cet article :

1º Celle des femmes mariées, sur les biens de leurs maris (majeurs ou mineurs). — La femme a une hypothèque légale, sous quelque régime qu'elle soit mariée, pour toutes les obligations que le mari contracte envers elle, à quelque titre que ce soit, non-seulement par contrat de mariage, mais encore par suite de la société conjugale : la loi ne distingue pas.

Ainsi, la restitution de tous les biens dont la femme a stipulé la reprise, quelle que soit leur nature, le remploi de ses propres aliénés, les récompenses qui peuvent lui être dues, enfin, les indemnités à raison des dettes qu'elle a contractées pour son mari, sont garantis par une hypothèque.

Mais cette sûreté n'existe, ni pour les indemnités ou récompenses qu'elle n'a le droit d'exercer, aux termes du contrat de mariage, que sur les biens de la communauté, ni pour les droits qui ne lui sont accordés que sur la succession du mari, par exemple, pour son deuil (Argument de l'article 1481) (2).

A Rome, l'effet de l'hypothèque légale accordée à la femme remontait à un temps antérieur au mariage, ce qui constituait un véritable privilége (loi *Assiduis*, Novelle 97).

L'injustice de cette disposition avait excité de vives réclamations ; mais, en voulant y remédier, on tomba dans un excès contraire : la loi du 11 brumaire n'assigna d'autre rang à l'hypothèque de la femme, que celui de l'inscription ; en sorte qu'elle put se trouver primée par des créanciers postérieurs plus diligents.

Le Code concilie l'intérêt de la femme avec celui des tiers, en décidant qu'elle aura hypothèque à partir de certains événements, dont le plus favorable, à raison de l'antériorité qu'il pourra produire, est le mariage (2135). Elle ne peut donc être primée, sur les biens présents, que par les priviléges ou hypothèques inscrits avant le mariage.

L'hypothèque résulte du seul fait du mariage, contracté dans les formes voulues, même en pays étranger ; elle existe, encore que le ma-

---

(1) Le mot *droit*, pourrait être retranché, car il n'ajoute rien à la signification du mot *créances*.
(2) *Voyez* cependant Toulouse, 6 décembre 1824 ; S., 26, 2, 106.

riage n'ait été précédé d'aucun contrat (*voy.* cep. les distinctions faites par Persil, n. **3**; et Grenier, t. 1, n. 247).

Bien plus, elle subsisterait, encore que le mariage fût annulé par suite de l'incapacité du mari, pourvu, bien entendu, que la femme eût contracté de bonne foi (Arg. des art. 201 et 202).

Cette hypothèque n'est pas bornée aux biens que le mari possède au moment du mariage; elle affecte en outre ses biens à venir, à mesure qu'ils entrent dans son patrimoine.

La faveur accordée à la femme est telle, que si le mari avait échangé un de ses immeubles, l'hypothèque affecterait l'immeuble acquis en contre-échange, et continuerait de subsister sur l'immeuble échangé (*voy.* cependant Grenier, t. 1, n. 206).

Il résulte de plusieurs dispositions du Code, que l'hypothèque de la femme peut même, en certains cas, grever les biens qui n'appartiennent pas au mari : nous voyons, par exemple, article 1054, que la femme du grevé peut avoir sur les biens à rendre, un recours subsidiaire pour le capital de ses deniers dotaux. L'art. 952 accorde également une hypothèque à la femme, sur les biens donnés au mari par contrat de mariage avec stipulation du droit de retour, à moins que le donateur n'ait exprimé une volonté contraire (1).

L'hypothèque légale de la femme s'étend-elle sur les conquêts de la communauté aliénés ou hypothéqués par le mari, durant le mariage? (*voy.* les quest.).

L'hypothèque de la femme mariée à un commerçant, éprouve, en cas de faillite du mari, plusieurs modifications (*voy.* le Code de commerce).

La femme perd son hypothèque légale :

1° Lorsqu'elle s'oblige solidairement avec son mari.

2° Lorsqu'elle y renonce au profit d'un ou de plusieurs créanciers du mari (2).—Suivant nous, la renonciation peut être tacite : elle résulterait suffisamment, par ex., de ce que la femme aurait concouru à la constitution d'une hypothèque donnée par le mari, ou de ce qu'elle aurait garanti solidairement l'aliénation d'un immeuble propre à ce dernier.

Dans ces deux cas, la femme perd le droit d'exercer son hypothèque au préjudice des ayants cause ou des créanciers du mari, avec lesquels elle a contracté.

Par exception, la femme mariée sous le régime dotal ne peut consentir de subrogation à son hypothèque, lorsque cette subrogation doit compromettre le recouvrement de sa dot (3).

2° *Celle des mineurs et interdits sur les biens de leur tuteur :* elle a lieu pour tout ce qui se réfère à la gestion du tuteur; pour tout ce qui constitue par suite un droit ou une créance contre lui : cette hypothèque frappe, comme la précédente, les biens présents et les biens à venir. — Sui-

---

(1) Il est hors de doute, que le donateur pourrait autoriser la femme a exercer son hypothèque légale, pour toutes ses créances, sur les immeubles soumis au retour : mais aurait-il le même droit, si les immeubles avaient été donnés à charge de substitution ? Pourrait-il accorder a la femme une hypothèque sur les biens dont il s'agit, non-seulement pour le capital de la dot, mais encore pour toutes les créances qu'elle pourrait avoir contre son mari? Nous ne le pensons pas : il résulterait d'un pareil système, que la femme dont l'hypothèque s'exercerait sur les biens substitués, viendrait profiter de dispositions exorbitantes du droit commun que le Code n'a établies qu'en faveur des appelés (1054). Ajoutons, que le but des substitutions, qui est de faire parvenir dans leur intégrité les biens aux appelés, ne se trouverait pas atteint, car le mari aurait la faculté d'absorber la valeur des biens, en s'obligeant envers la femme : ainsi, on aurait tous les inconvénients des substitutions sans trouver aucun de leurs avantages (*Val.*).

(2) Toutefois cette opinion est contestée (*voy.* les quest.).

(3) Grenier, t. 1er, n. 35; Troplong, n 596 a 601. — *Cass.,* 28 juin 1810 · S., 10. 1, 34.

vant la loi du 11 brumaire, elle ne datait, comme celle de la femme, que du jour de l'inscription ; mais aujourd'hui, elle affecte les biens du tuteur, à partir de l'acceptation de la tutelle (2135).

Il faut néanmoins observer, que les biens personnels du tuteur sont seuls hypothéqués : ceux qu'il possède comme grevé de substitution, ou avec charge de retour, restent libres entre ses mains (Arg. des art. 1048 et 952).

Malgré le silence de la loi, nous pouvons poser en principe, que les biens de tous ceux qui, sans être véritablement tuteurs, administrent en cette qualité les biens d'un incapable, sont soumis à l'affectation dont il s'agit.

Ainsi, on décide généralement, que les biens du mari cotuteur (396) et ceux des protuteurs (417), sont grevés de cette charge.—En ce qui concerne le tuteur officieux, cela ne peut être douteux, puisqu'il jouit des mêmes droits, et se trouve tenu des mêmes obligations que les tuteurs (361 et suiv.).

Lorsque la mère, avant de convoler à un deuxième mariage, ne s'est pas conformée aux prescriptions de l'art. 395, ses biens ne sont pas moins grevés d'hypothèque légale, pour toutes les suites de la tutelle de fait qu'elle a indûment conservée (1).

Le deuxième mari est déclaré solidairement responsable avec elle (395) ; c'est ce qu'on exprimait sous notre ancienne jurisprudence par ces mots : *qui épouse la veuve, épouse la tutelle :* mais ses biens sont-ils frappés d'hypothèque légale ? (*voy.* les quest.).

Que déciderons-nous quant au père qui administre pendant le mariage les biens de ses enfants, et à l'administrateur provisoire nommé en vertu de l'art. 497 (*voy.* les quest.).

La loi de 1838, relative aux aliénés qui sans être interdits, se trouvent dans des maisons de santé, confère aux tribunaux le droit de soumettre à une hypothèque, soit générale, soit spéciale, jusqu'à concurrence d'une somme déterminée, les biens des administrateurs qu'il nomme à ces personnes.

On avait proposé d'étendre l'hypothèque légale des mineurs aux biens du subrogé tuteur (2) ; mais cette proposition fut rejetée : les subrogés tuteurs, en effet, n'administrent pas, ils surveillent.

Nous en dirons autant des conseils judiciaires, des tuteurs aux substitutions et des curateurs, puisque leurs fonctions se bornent à une simple surveillance.

L'action du mineur contre son tuteur, se prescrivant par dix ans à partir de l'extinction de la tutelle (475), l'hypothèque cesse de produire ses effets après l'expiration du même délai (2135).

3° *Ceux de l'État*, etc. Il importe de se fixer sur la signification de ces mots : *comptables* et *établissements publics :*

On nomme *comptable*, celui qui manie ou a manié les deniers publics, soit en les recevant, soit en les employant : tels sont, les receveurs, les

---

(1) Grenier, n. 280. — *Cass.*, 15 décembre 1825 ; S., 261, 298.

(2) Suivant Persil n. 24 et 25, les biens du subrogé tuteur sont sujets à l'hypothèque légale, lorsqu'il se trouve avoir par accident la gestion des affaires du mineur ; mais nous ne pensons pas que cette opinion puisse être admise : à la vérité la rédaction primitive de l'art. 2111 étendait l'hypothèque légale aux biens des subrogés tuteurs, mais cette rédaction a été changée sur les observations du tribunat (Locré, Lég., t. 16; p. 316, n. 12 et p. 523, n. 3 ; Grenier, n. 274 ; D., v° Hyp., p. 158, n. 4).

payeurs, les percepteurs, les trésoriers des établissements publics, en un mot, tous ceux qui ont reçu de l'autorité publique, le titre de receveur ou d'administrateur.

Mais cette dénomination ne comprend pas les fonctionnaires qui dirigent la recette ou surveillent l'administration des comptables, tels que les inspecteurs, les vérificateurs et autres, qui n'administrent point par eux-mêmes : ainsi, leurs biens ne sont pas frappés d'hypothèques légales. — Il a même été jugé plusieurs fois, que les simples percepteurs, qui ne conservent que fort peu de temps entre leurs mains les deniers publics, ne doivent pas être considérés comme comptables

L'expression : *établissement public*, désigne les établissements fondés par l'État ou les communes pour l'utilité publique ; tels que : les maisons de bienfaisance ou d'instruction publique placées sous la surveillance médiate ou immédiate du gouvernement, les hôpitaux, les hospices, etc. quant aux établissements fondés par des particuliers, encore qu'ils aient pour but l'intérêt de la société, et qu'ils soient placés sous la surveillance du gouvernement, tels que les établissements dits d'utilité publique ; ils ne jouissent pas des mêmes prérogatives sur les biens de leurs administrateurs comptables.

Indépendamment de l'hypothèque légale établie par ce dernier paragraphe, la loi du 5 sept. 1807 accorde au trésor (*voy.* 2098) un privilége sur le cautionnement des comptables et sur les immeubles qu'ils ont acquis à titre onéreux depuis leur nomination ; car ces acquisitions sont présumés faites avec les deniers du trésor.

Les immeubles qu'ils ont acquis à titre gratuit, sont seulement grevés d'hypothèque légale.

Un avis du conseil d'État, en date du 25 février 1808, accorde au trésor de la couronne les mêmes prérogatives sur les biens de ses receveurs et administrateurs comptables : on a considéré que les biens de la couronne sont une fraction des biens de l'État.

Enfin, il faut encore ajouter aux créances mentionnées dans cet article, comme produisant une hypothèque légale, celle du légataire qui est appelé à recueillir un objet particulier (1017), et celles qui sont énumérées dans l'art. 2113 : rappelons-nous, en effet, que la loi convertit en hypothèques tous les priviléges non inscrits dans les délais voulus.

— La femme peut-elle exercer son hypothèque légale sur les conquêts de la communauté, aliénés par le mari? ⁓ N. Les droits du mari sur les immeubles, seraient paralysés, si la femme conservait une hypothèque légale sur ces biens, puisqu'il ne pourrait aliéner qu'avec la charge de cette hypothèque. — Ces conquêts n'ont jamais appartenu au mari ; c'est la communauté qui a acquis ; c'est elle qui a vendu. — Le mari qui aliène les biens de la communauté, agit tant en son nom personnel que comme mandataire de la femme (1421). — Vainement la femme aurait-elle renoncé : est-il concevable qu'elle puisse, au moyen d'une renonciation, faire disparaître les effets du mandat qu'elle a tacitement conféré? — Aucune disposition du Code ne porte que la femme renonçante sera censée n'avoir jamais été commune. Évidemment sa renonciation doit avoir pour seul effet de la décharger de toute participation aux dettes, et de lui permettre d'exercer certains droits qu'elle a pu se réserver. — Au surplus, l'opinion contraire, loin d'être favorable à la femme, aggravera sa position ; car l'acheteur ne manquera jamais de la faire intervenir au contrat et d'exiger qu'elle s'oblige personnellement (1494) (Persil, n. 10 ; Delv., p. 165, n. 6 ; D, t. 9, p. 135, n. 15). ⁓ Il faut distinguer : si la femme accepte la communauté, elle ratifie l'aliénation faite par son mari et renonce au droit d'exercer son hypothèque : si elle renonce, elle est alors censée n'avoir jamais eu aucun droit dans la communauté ; les biens de la communauté sont réputés n'avoir jamais cessé d'appartenir au mari : par conséquent la femme doit pouvoir exercer sur ces biens son hypothèque légale. — L'inconvénient des entraves apportées a la circulation, est chimérique : le mari peut aliéner ses propres ; on n'a point a craindre d'entraver par une hypothèque, l'exercice de ce droit (Troplong, n. 433 ; Grenier, n. 248 ; Toullier, n. 305 ; n. 329 et 330, t. 19 ; n. 516, t. 14. — Cass., 7 novembre 1819 ; S., 20 1. 118. — Paris, 12 décembre 1816 ; S., 17, 2. 228. — Orléans, 14 nov. 1817 ; S., 19, 2, 216 ; Dur. — Cass., 16 fructidor an 12 ; S., 1806, 1, 17 ; voy. les arrêts rapportés par D., t. 9, p. 140 et suiv.).

La femme, dont le mari est membre d'une société de commerce, a-t-elle une hypothèque légale sur les immeubles de la société ? ⁓ Tant que la société subsiste, la femme n'a aucun droit ; mais lorsqu'elle

se dissout, si des immeubles échoient au mari, par l'effet du partage, l'hypothèque légale atteint alors ces immeubles (Persil, n. 11 ; Troplong, n. 433).

Il n'est pas douteux que la femme ne pût, dans l'unique intérêt du mari et abstraction faite de celui de la communauté, renoncer à ses droits d'hypothèque ; mais pourrait-elle céder son hypothèque légale ou y renoncer en faveur d'un tiers, sans contracter elle-même aucune obligation personnelle ? ∿∿ Il faut distinguer : si la femme est mariée sous le régime dotal, sa renonciation étant une véritable aliénation, ne produit aucun effet. Mais si elle est mariée sous le régime de la communauté, comme elle peut alors disposer de ses biens avec l'autorisation de son mari, sa renonciation est valable (Persil, n. 20, 22 et 2135 ; Troplong, n. 595 et suiv., 2135, n. 9, 602, 335 *bis* et 643 *bis* ; Merlin, v° Transcription, p. 118 ; Grenier, n. 255 ; Dur., t. 19, n, 274 ; t. 12, n. 144, 328 ; t. 20, n. 71 et suiv. — *Metz*, 13 juillet 1820 ; S., 21, 2, 176 ; D., t. 9, p. 152 et autres arrêts. — *Cass.*, 15 juin 1825 ; D., 25, 1, 340. — *Bourges*, 4 mars 1831 ; D., 31, 2, 107. — *Cass.*, 2 avril 1829 ; D., 29, 1, 209). ∿∿ La loi ne met pas sur la même ligne les contrats ordinaires que la femme consent avec la seule autorisation du mari, et la simple cession des droits hypothécaires, lorsque cette cession n'est pas la suite nécessaire et forcée d'une obligation préexistante de sa part : elle laisse à la femme la faculté d'aliéner ses propriétés, tout en lui refusant celle d'abandonner complétement son droit hypothécaire. — La cession d'hypothèque a lieu sans aucun prix ; la femme n'a même, à raison de cette cession, aucun recours contre son mari. — Loi *Julia*. — Arg. des art. 2144 et 2145. — La cession ne peut avoir lieu que pour une obligation antérieure préexistante, de la part de la femme (*Dijon*, 3 février 1821. — *Cass.*, 9 janvier 1822 ; S., 23, 1, 148 ; D., t. 9, p. 154).

Si la femme se porte caution de son mari, est-elle censée, par là, renoncer, en faveur des créanciers, à l'hypothèque qu'elle a le droit d'exercer ? ∿∿ *A.* (Delv., *ibid.*).

Il est certain qu'une simple obligation de la femme envers un tiers, contractée conjointement avec son mari, n'équivaut pas à une subrogation qu'elle ferait de son hypothèque légale sur les biens de celui-ci, mais la subrogation pourrait-elle s'induire de ce qu'elle se serait *obligée solidairement*, sans affectation hypothécaire ? ∿∿ *N.* (Troplong, n. 603 ; Persil, n. 9 (2135) ; Dur., n. 143 ; *voy.* cependant Delv., p. 165, n. 6 ; Grenier, n. 255 ; *voy.* les arrêts rapportés par D., t. 9, p. 245 et suiv. — *Cass.*, 17 avril 1827 ; D., 27, 1, 201).

Si la femme qui s'est obligée d'abord envers quelques créanciers, conjointement et solidairement avec son mari, subroge ensuite d'autres créanciers en ses droits et hypothèques contre son mari : ces derniers seront-ils préférés ? ∿∿ L'affirmative résulte implicitement de la décision qui précède (Persil, n. 20 ; Grenier, n. 254 et 257 ; *voy.* cep. Delv., *ibid.*).

Quid, lorsque le mari s'est obligé hypothécairement, si la femme concourt à cette constitution d'hypothèque ? ∿∿ La présence de la femme à l'acte, équivaut à une subrogation tacite. — Le créancier qui a exigé l'accession de la femme, a vu dans ce concours une garantie ; on doit donc le considérer comme subrogé tacitement à l'hypothèque légale de celle-ci (Troplong (2136), *ibid.* ; Grenier, n. 256. — *Cass.*, 17 avril 1827 ; D., 27, 1, 201).

Les créanciers subrogés par la femme doivent-ils inscrire leur subrogation ? ∿∿ Cessionnaires d'hypothèques exemptes d'inscriptions, ils ne peuvent être forcés de s'inscrire (Troplong, n. 609 ; Grenier, n. 355 ; Dur., n. 274. — *Paris*, 21 mars 1813 ; S., 13, 2, 161 ; 26 juin 1819 ; S., 19, 2, 248. — *Lyon*, 22 juillet 1819 ; S., 20, 2, 125. — *Nancy*, 24 janvier 1825 ; D., 34, 2, 187. — *Voy.* cependant *Paris*, 8 décembre 1819 ; S., 20, 2, 241).

Le créancier subrogé à l'hypothèque légale de la femme, peut-il exercer le droit d'hypothèque légale avant que la séparation de biens soit prononcée ? ∿∿ *Oui*, si le mari est en faillite. — *Secùs* dans le cas contraire ; à moins que, par un fait étranger à la femme, son hypothèque ne doive se mettre en action ; par exemple, si l'acquéreur de l'immeuble veut purger (Troplong, n. 610 ; Grenier, t. 1er, p. 561).

Quand la femme subroge plusieurs créanciers à son hypothèque légale, dans quel ordre doivent-ils être admis ? ∿∿ Le 1er est préféré au 2e, le 2e au 3e, et ainsi de suite (Persil, n. 22 ; Grenier, n. 235 ; Dur., n. 975).

Mais comment doit se régler cette préférence d'un subrogé sur l'autre : est-ce par la date de l'inscription ? ∿∿ *N.* C'est par la date de l'acte (Persil, n. 23 ; Troplong, n. 609. — *Nancy*, 24 janvier 1825 ; D., 34, 2, 187 ; 22 mai 1826 ; D., 27, 2, 188. — *Cass.*, 2 avril 1829 ; D., 29, 1, 209 ; *voy.* d'autres arrêts rapportés par D., t. 9, p. 150 et suiv., et p. 409. — *Paris*, 15 février 1831 ; D, 34, 1, 338). ∿∿ C'est par la date de l'inscription (Grenier, n. 255). ∿∿ Ils viennent par contribution et au marc le franc (*Paris*, 8 décembre 1819 ; D., t. 9, p. 147, n. 9).

Pour que les créanciers subrogés puissent toucher le montant de la collocation, la femme doit-elle être séparée de biens ? ∿∿ *N.* Si cette séparation était nécessaire, la femme pourrait, par son seul refus, arrêter, au préjudice des créanciers, l'exécution d'une convention que la loi aurait légitimée (Grenier, n. 259).

La femme qui intervient dans un acte, pour vendre solidairement avec son mari un bien de la communauté ou un bien propre du mari, est-elle censée renoncer à son hypothèque légale ? ∿∿ *A.* Cette renonciation tacite aurait lieu, lors même que la femme ne serait pas obligée solidairement : en effet, elle serait soumise à la garantie en cas d'éviction, or, *is quem de evictione*, etc. (Delv., p. 162, n. 9 ; Grenier, n. 258 ; Dur., n. 274 et 328. — *Cass.*, 14 janvier 1314 ; S., 17, 1, 146 ; D., t. 9, p. 153).

La loi décide que l'hypothèque légale frappe même les biens à venir ; mais doit-on conclure de là, que dans le cas de deux hypothèques légales de dates différentes, le premier créancier aura la priorité sur les biens acquis depuis la naissance de la deuxième hypothèque ? ∿∿ On classe les hypothèques générales en raison de leur date, aussi bien sur les immeubles futurs que sur les immeubles actuels (Pothier, Hyp., chap. 1er, sect. 2, § 2). ∿∿ Les créanciers doivent venir par concurrence ; en effet, au moment où ce même fonds a été acquis, les deux hypothèques sont venues le frapper simultanément ; *concurrunt jure*, *concurrunt tempore* (Dur., n. 325 ; Persil, n. 7 et 8 ; Delv., p. 185, n. 6).

La loi parlant seulement de la dot et des conventions matrimoniales, on demande si la femme mariée sous le régime dotal jouit d'une hypothèque légale indépendante de l'inscription à raison de ses paraphernaux ? ∿∿ *A.* La loi attribue indistinctement aux femmes une hypothèque pour leurs droits et créances sur leur mari (Dur., n. 289 ; Merlin, Rép., v° Insc., t. 16 ; Persil, Quest., n. 1, p. 226 ; Favard, Hyp., p. 719, n. 6 ; Troplong, n. 518, 575, 590 et 591. — *Riom*, 6 juin 1826 ; D., 26, 1, 591. — *Grenoble*, 28 juillet 1828 ; D., 28, 1, 353 ; 5 déc. 1832 ; D., 33, 2, 115. — *Toulouse*, 14 février et 7 avril 1829 ; D., 29, 130 et 131 ; *voy.* cep. Grenier, n. 227 et suiv. ; Delv., p. 165, n. 12 ; *voy.* les arrêts rapportés par D., t. 9, p. 139).

L'hypothèque légale de la femme du mineur et de l'interdit s'étend-elle aux biens échus au mari ou au tuteur depuis la dissolution du mariage ou la fin de la tutelle, arrivée par la mort de la femme ou de l'interdit ? ∿ *A.* Elle s'étend à tous les biens à venir ; elle produit son effet tant qu'il reste dû quelque chose aux héritiers (Dur., n. 326).

Mais cette hypothèque est-elle alors dispensée d'inscription ? ∿ *N.* La dispense d'inscription n'a lieu qu'à raison de l'état de dépendance ou d'impuissance ; cette considération n'existe plus dans notre espèce (Dur., n. 327).

A-t-elle également hypothèque pour les intérêts et fruits extra-dotaux ? ∿ *A.* (Troplong, n. 418 ; *voy.* cep. Grenier, n. 233).

Les aliments sont-ils également garantis par une hypothèque, de même que la dot ? ∿ *N.* Ce sont là des charges personnelles (Troplong, n. 418 *bis*).

La femme a-t-elle hypothèque pour les dépenses qu'elle a faites sur sa demande en séparation ? ∿ *A.* Les dépens suivent toujours le principal , par conséquent ils doivent avoir le même rang que la dot (Persil, n. 418 *ter* ; Grenier, n. 331 ; Troplong, n. 418 *ter.* — *Paris,* 28 déc. 1822 ; D.. t. 9, p. 165. — *Caen,* 23 nov. 1824 ; D., t. 9, p. 129. — *Douai,* 1er avril 1826 ; D., 27, 2, 42 ; *voy.* cep. *Rouen,* 12 mars 1817 ; D., t. 10, p. 243).

Les biens du père qui administre la fortune de son fils émancipé , sont-ils soumis à l'hypothèque légale ? ∿ *N.* Il ne peut y avoir de tutelle ni de pro-tutelle, là où il y a un mineur émancipé (Troplong, n. 421 *bis*).

Existe-t-il des cas , où les biens du subrogé tuteur doivent être soumis à l'hypothèque légale ? ∿ *A.* 1o Lorsque le tuteur, ayant des intérêts opposés à ceux du mineur, le subrogé tuteur est tenu de prendre les intérêts de ce mineur. 2o Lorsque le tuteur, accusé comme suspect, est traduit devant le conseil de famille (Persil, n. 27 et 28).

Les biens du curateur ne sont pas soumis à l'hypothèque légale du mineur émancipé ; mais cette hypothèque peut-elle résulter du jugement qui le nomme ? ∿ *N.* Ce jugement ne contient pas de condamnation (Persil, n. 29 et 30 ; D., t. 9, p. 153. n. 9 ; *voy.* cep. Troplong, n. 423 et 440).

Les biens du père , administrateur des biens personnels de ses enfants mineurs (589), sont-ils soumis à l'hypothèque légale ? ∿ *A.* Durant le mariage , à la vérité , il n'existe point de tutelle ; mais relativement aux intérêts des enfants , et à la conservation de leurs biens personnels , on doit appliquer à la jouissance paternelle toutes les charges de la tutelle (Persil, n. 33 et n. 36 ; Troplong, n. 424 ; Delv., p. 165 ; Merlin, vo Puissance paternelle, sect. 4, n. 17). ∿ *N.* La loi parle uniquement des biens des tuteurs ; elle ne parle pas du père administrateur : or, en matière d'hypothèque, tout est de droit étroit ; c'est même là une des différences principales avec la tutelle. — Dans le système contraire , il n'y aurait pas un immeuble en France qui ne fût frappé d'hypothèque légale et même d'une double hypothèque, car il y aurait en même temps celle de la mère. Le crédit du mari se trouverait compromis ; au surplus , la mère est un surveillant naturel de la gestion (Dur., t. 3, n. 415 et t. 19, n. 308 ; Grenier , n. 277 et 279. — *Cass.,* 3 sept. 1821 ; S., 22, 1, 80 ; D., t. 9, p. 163. — *Poitiers,* 31 mars 1830 ; D., 30, 2, 181. — *Lyon,* 3 juillet 1827 , D., 30, 2, 29. — *Toulouse,* 23 déc. 1818 ; S., 19, 2, 210 ; D., t. 9. p. 169 ; S., 19, 2 201).

Nous avons vu que le mineur a une hypothèque légale sur les biens de son tuteur officieux , à raison de l'administration dont ce tuteur est chargé ; mais l'hypothèque existe-elle, à raison de l'indemnité encourue par le tuteur qui refuse d'adopter ? ∿ *N.* (Persil, n. 37).

Dans le cas où l'époux qui a des enfants d'un premier mariage se remarie , nous avons décidé que les biens du nouveau mari sont soumis à l'hypothèque légale ; mais *quid* si la mère n'a point convoqué le conseil de famille avant de se remarier , pour délibérer si elle sera maintenue dans la tutelle ? ∿ Comme elle perd de plein droit la tutelle (395) , son deuxième mari , bien que solidairement responsable de toutes les suites de la tutelle indûment conservée , n'est point soumis à l'hypothèque légale, attendu qu'il ne peut être cotuteur (Dur., n. 312, t. 19 ; n. 426, t. 3 ; Delv., p. 165). ∿ La responsabilité du nouveau mari s'étend non-seulement à l'indue gestion, mais encore à toutes les suites de la tutelle indûment conservée (Troplong, n. 425 ; Grenier , n. 280. — *Cass.,* 15 décembre 1825 ; S., 26, 1, 298. — *Poitiers,* 28 décembre 1824 ; S., 25, 2, 51 et 94. — *Dijon,* 15 décembre 1825; S., 26, 1, 298. — *Colmar,* 26 novembre 1833 ; S., 34, 2, 231).

Quid, à l'égard des actes faits par la mère , depuis son deuxième mariage ? ∿ Ils ne frappent pas ses biens de l'hypothèque légale, attendu qu'elle avait perdu de plein droit la tutelle (Dur., n. 302).

Les biens de l'administrateur provisoire nommé en vertu de l'art 497 , sont-ils grevés d'hypothèque légale ? ∿ *N.* Cet administrateur n'a pas agi en qualité de tuteur. — *Cass.,* 27 avril 1424 ; S., 24, 1, 268).

L'acte de nomination d'un tuteur , fait en pays étranger, emporte-t-il hypothèque en France ? ∿ *A.* Cet acte n'est qu'un préliminaire pour arriver à l'hypothèque , mais il ne la crée pas ; il n'est qu'attributif et déclaratif de la qualité de tuteur (Troplong, n. 429 ; Grenier, n. 284).

Un mineur étranger, dont la tutelle a été déférée en pays étranger , peut-il réclamer hypothèque sur les biens de son tuteur situés en France ? ∿ *A.* (Troplong, *ibid.* ; Merlin, Rép., vo Remploi). ∿ *N.* Cette hypothèque est un des effets de nos lois civiles. — Les immeubles situés en France sont régis par la loi française (art. 3). — Il n'y a même point à distinguer si le mineur étranger a pour tuteur un Français ou un étranger (Dur., n. 307 et 292 ; Grenier, n. 284. — *Amiens,* 18 avril 1834 ; S., 35, 2, 481).

L'hypothèque générale s'étend-elle à l'immeuble sur lequel le débiteur n'a qu'un droit de réméré ? ∿ *N.* L'immeuble appartient à l'acquéreur : l'hypothèque ne viendra s'asseoir sur l'immeuble qu'après le rachat effectué (Troplong, n. 435).

L'hypothèque légale a-t-elle lieu contre les cautions du comptable ? ∿ *N.* (Grenier, n. 262).

2122 — Le créancier qui a une hypothèque légale peut exercer son droit sur tous les immeubles appartenant à son débiteur , et sur ceux qui pourront lui appartenir dans la suite , sous les modifications qui seront ci-après exprimées.

⹀ Ces modifications consistent dans la restriction qu'il est permis, aux termes des articles 2140 et 2142, d'apporter à l'hypothèque légale des femmes, des mineurs et des interdits, et dans le droit conféré au débiteur qui a un immeuble de cette nature, de demander en certains cas la réduction (*voy.* art. 2161).

SECTION II.
Des hypothèques judiciaires (1).

L'hypothèque judiciaire résulte :

1° Des jugements émanés de l'autorité française, qui portent condamnation à une prestation quelconque (2).

2° Des actes judiciaires, pourvu que le fait constaté soit obligatoire ; ce qui s'applique aux jugements de reconnaissance ou de vérification de signatures apposées aux actes sousseing privé qui constatent des obligations.

L'hypothèque judiciaire s'étend, comme l'hypothèque légale, à tous les biens présents et à venir du débiteur.

Si le jugement est basé sur un titre portant au profit du créancier constitution d'une hypothèque spéciale, celle-ci n'est pas anéantie ; elle conserve toujours le rang que lui donnait son inscription : en ce cas, le créancier a tout à la fois une hypothèque générale et une hypothèque spéciale (3).

2123 — L'hypothèque judiciaire résulte des jugements, soit contradictoires, soit par défaut, définitifs ou provisoires, en faveur de celui qui les a obtenus. Elle résulte aussi des reconnaissances (4) ou vérifications, faites en jugement, des signatures apposées à un acte obligatoire ou sous seing privé (5).

Elle peut s'exercer sur les immeubles actuels du débiteur et sur ceux qu'il pourra acquérir, sauf aussi les modifications qui seront ci-après exprimées.

Les décisions arbitrales n'emportent hypothèque qu'autant qu'elles sont revêtues de l'ordonnance judiciaire d'exécution.

L'hypothèque ne peut pareillement résulter des jugements

---

(1) L'origine des hypothèques judiciaires ne remonte qu'à l'ordonnance de Moulins rendue en 1566 ; antérieurement ces sortes d'hypothèques étaient inconnues.

(2) A donner, à faire, on à ne pas faire : les obligations de faire ou de ne pas faire donnent lieu, en cas d'infraction, à des dommages-intérêts.

(3) Grenier, n. 185 ; Merlin, Rép., v° Titre confirmatif ; Troplong, n. 442.—*Cass.*, 23 avril 1823 ; S., 43, 1, 333, 12 décembre 1824 ; S., 25, 1, 184, 20 avril 1825 ; S., 26, 1, 230.

(4) Cette disposition est rationnelle quand une vérification d'écriture a eu lieu ; mais elle ne se comprend pas quand il y a eu simple reconnaissance. Selon toute apparence, le législateur était encore, en rédigeant l'art. 2123, sous l'empire de cette idée abandonnée par rapport aux notaires, que les actes authentiques et exécutoires emportaient hypothèques.

(5) Disposition bizarre : elle place le porteur d'un acte privé dans une meilleure position que le porteur d'un acte authentique : en effet, celui-ci ne peut obtenir d'hypothèque, et partant prendre inscription qu'en vertu d'un jugement, lequel ne sera jamais rendu qu'après l'exigibilité de la dette ; tandis que celui-là peut, en faisant reconnaître l'écriture par anticipation, prendre inscription aussitôt l'exigibilité, sans aucune formalité préalable.

rendus en pays étranger, qu'autant qu'ils ont été déclarés exécutoires par un tribunal français ; sans préjudice des dispositions contraires qui peuvent être dans les lois politiques ou dans les traités.

= Tout jugement portant condamnation à une prestation, confère une hypothèque.

L'hypothèque résulte même des jugements qui imposent l'obligation de faire ou de ne pas faire : elle garantit alors les dommages-intérêts qui seront dus en cas d'infraction à cette obligation (1).

La loi n'exige pas, du moins en règle générale, que le montant de la condamnation soit *liquide ;* il suffit qu'elle présuppose l'existence d'une créance : ainsi, le jugement qui condamne un administrateur à rendre compte, emporte hypothèque ; car l'obligation de rendre compte comprend implicitement celle de payer le reliquat (2). — Celui qui condamne un débiteur à fournir caution, produit également cet effet : on ignore, il est vrai, à combien s'élèvera le montant des dommages-intérêts que le débiteur devra payer s'il n'exécute pas cette obligation ; mais la détermination exacte du montant de la dette n'est pas essentielle, nous le répétons, pour qu'un jugement emporte hypothèque (3).

Nous verrons plus loin, que l'hypothèque peut être inscrite dans les délais d'opposition ou d'appel, même avant l'échéance de huitaine, depuis la signification du jugement (155, Pr.) ; car l'inscription n'est pas un acte d'exécution, mais une mesure purement conservatoire (4).

La loi ne distingue pas si le jugement est contradictoire (c'est-à-dire si les parties ont respectivement opposé leurs raisons) ; *par défaut* (si l'une n'a pas fait connaître ses moyens, 129, Pr.) ; *définitif* (s'il termine la contestation) ; ou *provisoire* (si la condamnation qu'il prononce est susceptible d'être changée).

Peu importe même que le tribunal soit incompétent à raison de la matière (*ratione materiæ*) : le conservateur n'étant pas juge de la validité du titre, ne devra pas moins inscrire ; d'ailleurs, ce jugement est, comme tout autre, susceptible d'acquérir l'autorité de la chose jugée : ainsi, lorsqu'un tribunal civil a connu d'affaires commerciales, ou lorsqu'un juge de paix, *siégeant comme juge*, a rendu une décision qui excède ses pouvoirs, l'hypothèque ne subsiste pas moins jusqu'à la réformation de ces jugements (5). — On décide même, que les créanciers soit chirographaires, soit

---

(1) Troplong, n. 442 *bis ;* Merlin, Rép., v° Hyp., sect. 2, art. 5, n. 3.—*Cass.,* 4 juin 1828 ; S., 28, 1, 347.

(2) Dur., n. 335. — *Cass.,* 21 août 1810 ; S., 11, 1, 29 ; D., t. 9, p. 778. — *Bourges,* 31 mars 1830 ; D., 30, 2, 163. — *Colmar,* 26 juin 1832 ; S., 32, 2, 650 ; *voy.* cependant Troplong, n. 439 et 432 ; Pigeau, *Pr.,* p. 398).

(3) Remarquons surtout, que pour produire une hypothèque, le jugement doit porter condamnation. Cet effet ne serait donc pas attaché à celui qui reconnaîtrait la solvabilité d'une caution, lors même qu'il mettrait les frais à la charge de cette caution.

Il est bien entendu que l'hypothèque résultant d'un jugement qui condamne un débiteur à fournir caution, ne pèse pas sur les immeubles de la caution, puisque la caution n'était pas en cause.

La soumission de la caution à la contrainte par corps ne produit pas même d'hypothèque, car cet acte n'a pas le caractère d'un jugement (*Voy.* cep. Delv., t. 3, p. 158).

(4) On va même jusqu'à décider, nonobstant l'art. 147, Pr., que l'on peut prendre inscription sans signifier ni lever le jugement. L'ordonnance de Moulins contenait une semblable décision ; toutefois, les conservateurs doivent précédemment exiger la représentation d'une expédition du jugement (Persil, n. 30 ; Grenier, n. 196 ; Troplong, n. 445 *bis* et 444 ; Dur., n. 338. — *Cass.,* 21 mai 1811 ; S., 2, 261 ; 9 décembre 1820 ; S., 21, 1, 369 ; 29 novembre 1824 ; S., 25, 1, 131 ; 19 juin 1833 ; S., 33, 1, 641).

(5) Persil, n. 3 ; Grenier, n. 196. ⁓⁓ Troplong, n. 445, distingue : il admet l'hypothèque dans le cas d'incompétence *ratione personæ* ; il la rejette dans le cas d'incompétence *ratione materiæ.*

hypothécaires, de la personne condamnée par de pareils jugements ne peuvent, lorsqu'ils ont acquis l'autorité de la chose jugée, y former tierce opposition à l'effet de faire tomber les hypothèques qu'ils ont produites (1).

Les jugements passés d'accord entre les parties, et qui sont connus sous le nom d'*expédients*, produisent hypothèque comme ceux qui sont rendus à la suite de contestations sérieuses (2).

A l'égard des jugements interlocutoires ou préparatoires, ils ne confèrent point d'hypothèque, puisqu'ils n'emportent point de condamnation : leur objet est de mettre l'affaire en état.

L'hypothèque peut résulter d'un *acte judiciaire* (2117) pourvu que le fait constaté soit un fait obligatoire; par ex., s'il s'agit d'une reconnaissance ou d'une vérification d'écriture.

L'article 2123 reproduit à cet égard les termes de la loi du 11 brumaire, an 7.

L'hypothèque judiciaire résulte même des condamnations et contraintes émanées des administrations pour les matières de leur compétence, lorsqu'elles procèdent en qualité de juges; par ex., en fixant le débet des comptables de l'État, des communes et des établissements publics (3).

On demande si les reconnaissances faites devant le juge de paix donnent hypothèque? Il faut distinguer : si le juge de paix a siégé comme conciliateur, les reconnaissances n'emportent pas hypothèque, puisqu'il n'y a pas de jugement; en effet, aux termes de l'art. 54, alin. 1er, Pr., les conventions des parties, insérées au procès-verbal, ont seulement force d'obligation privée; mais s'il a siégé comme juge, en vertu des pouvoirs à lui donnés par les parties, sa décision produit le même effet qu'un jugement ordinaire (4).

Quant aux reconnaissances pures et simples faites devant notaires, elles sont évidemment insuffisantes pour produire des hypothèques, puisque la loi n'attache cet effet qu'aux jugements.

L'article 2123 permettait au créancier porteur d'un acte privé, non-seulement d'obtenir un jugement de reconnaissance de cet acte, avant l'exigibilité de la dette; mais encore, de prendre, en vertu de ce jugement, une inscription hypothécaire sur la généralité des immeubles du débiteur : une semblable rigueur souleva de vives réclamations : il était bizarre, en effet, d'accorder au créancier qui n'avait pu obtenir une hypothèque spéciale, la faculté de se procurer, au moyen d'un jugement, une hypothèque générale.—La loi du 5 août, 1807, vint remédier à cet abus : elle laissa au créancier la faculté de demander, avant l'exigibilité de la dette, la reconnaissance des obligations sous seing privé; mais elle décida, que l'hypothèque résultant du jugement qui donnerait acte de la reconnaissance, ne pourrait être inscrite qu'à défaut de payement, après l'échéance ou l'exigibilité : on ne peut donc plus aujourd'hui, par une inscription anticipée, priver le débiteur du bénéfice du terme.—De cette

(1) Persil, n. 3; D., hyp., p. 172, n. 7.
(2) Persil. n. 11, Merlin, Rép., v° Hyp., sect. 2, § 3, art. 5, n. 2.
(3) Avis du conseil d'État, des 16-25 thermidor an 12; des 12 novembre 1811 et 24 mars 1812; mais l'hypothèque judiciaire n'est pas attachée aux contraintes décernées pour le recouvrement des droits fiscaux, notamment par les receveurs de l'enregistrement (Loi du 22 frimaire an 7). L'avis du conseil d'État, des 29 octobre et 12 décembre 1811, décide néanmoins le contraire en ce qui concerne les contraintes décernées par l'administration des douanes : mais il faut interpréter cette décision restrictivement (*Cass.*, 28 janvier 1828; S., 28, 1, 126).
(4) Locré, Lég. t. 16, p. 253 et 254, n. 7; t. 21, p. 252 et 253, n. 9, p. 399, n. 32; Grenier, t. 1er, n. 202; Merlin, Rép, v° Hyp., sect. 2, § 2, art. 4, n. 1.

manière, tous les intérêts sont conciliés : le créancier trouve, dans l'action qu'on lui accorde une garantie du payement de sa créance ; et le débiteur n'éprouve aucun préjudice, puisqu'il n'est plus exposé à voir altérer son crédit par une inscription prise avant l'échéance (1).

Du reste, les parties conservent la faculté de se replacer, au moyen d'une convention expresse, sous l'empire de l'art. 2123 (2).

Les décisions arbitrales ne deviennent exécutoires que lorsqu'elles sont revêtues du sceau de l'autorité publique : l'inscription prise avant l'obtention de l'ordonnance (1020 et 1021, Pr.), ne produirait aucun effet.

Les jugements rendus par les tribunaux étrangers (3) ne peuvent par eux-mêmes emporter hypothèque ; car ils ne sont point exécutoires en France : cet effet ne leur est attribué qu'autant qu'ils ont été déclarés exécutoires par un tribunal français.

Observez que la loi exige l'intervention du tribunal *entier :* elle ne se contente pas, comme pour les jugements arbitraux, de l'*exequatur* d'un seul juge : on a considéré, que les formes et les conséquences des jugements rendus par un tribunal étranger, pouvant être contraires à nos lois et à nos mœurs, il eût été dangereux de s'en rapporter aux lumières d'un seul magistrat.

Mais l'exécution doit-elle être ordonnée en connaissance de cause, c'est-à-dire après une nouvelle plaidoirie ; ou suffit-il d'un *pareatis?* Nous pensons que le tribunal doit entrer dans l'examen de l'affaire ; car les juges étrangers n'ont en France aucune autorité publique. D'ailleurs, un tribunal ne doit prendre de décision qu'après un mûr examen (116, 150, Pr.). — Il n'y a point à distinguer à cet égard, si le jugement a été rendu entre un Français et un étranger, ou entre deux étrangers (Dur., n. 342. — *Cass.*, 19 avril 1819 ; S., 19, 1, 288) (4).

La règle dont il s'agit souffre exception : 1° lorsque les traités entre les deux nations ont donné force exécutoire aux jugements étrangers ; mais il faut nécessairement que cette décision résulte des *traités :* si un gouvernement étranger regardait, par une simple tolérance, comme exécutoires chez lui, les jugements rendus en France, nous ne serions pas obligés, par réciprocité, de regarder comme exécutoires en France, les jugements rendus par les tribunaux de ce pays (art. 11) ; 2° lorsque les

(1) Les frais relatifs à ce jugement ne peuvent être répétés contre le débiteur que dans le cas où il a dénié sa signature. Quant aux frais d'enregistrement, ils restent à la charge de ce créancier, si le débiteur qui n'a pas dénié sa signature, se libère lors de l'exigibilité de la dette.

(2) Singulière inconséquence : on arrive au moyen d'une convention, à obtenir indirectement une véritable hypothèque conventionnelle générale.

(3) Nous disons par les *tribunaux étrangers*, car les jugements rendus par les consuls et agents français n'ont pas besoin, quoiqu'ils soient rendus en *pays étranger*, d'être déclarés exécutoires par les tribunaux français pour emporter hypothèque en France.

(4) Cette décision est critiquée, on fait les objections suivantes : 'si le tribunal français peut reviser, il faut lui reconnaître le droit d'anéantir le jugement : alors, ce n'est plus le jugement étranger qui emporte hypothèque ; c'est celui qui est rendu par le tribunal français. — Il faut dès lors décider, que le tribunal français n'intervient que pour rendre le jugement étranger exécutoire ; — d'ailleurs, le jugement n'est au fond que la preuve d'une obligation ; or, les preuves sont admises, bien qu'elles émanent d'un acte reçu à l'étranger. — Arg. à *fortiori* de l'art. 7, qui admet évidemment la chose jugée à l'étranger. — Inconvénient résultant de ce que l'étranger n'oserait plus contracter avec un Français en pays étranger. — Toutefois, ces raisonnements supposent que des étrangers seuls se sont trouvés en cause : si le jugement avait été rendu contre un Français, il ne serait exécutoire en France, qu'après avoir été entièrement revisé quant à la forme et quant au fond. — Cette distinction était dans l'esprit de l'ordonnance de 1629 ; or, cette ordonnance n'a pas été abrogée par l'article 2123. — Vainement voudrait-on argumenter d'un article du Code de procédure civile, qui déclare abrogées toutes les anciennes règles de procédure : l'ordonnance de 1629 ne traçait pas de règles de cette nature ; elle ne contenait que des règles d'organisation judiciaire ; il faut donc revenir en cette matière au système de l'ancienne jurisprudence et des anciens auteurs (*Val.*).

lois politiques rendues en France attribuent cet effet aux jugements dont il s'agit.

— La règle de l'enregistrement peut-elle décerner des contraintes emportant hypothèque ? ⁓ N. L'avis du conseil d'État du 16 thermidor an 12 ne s'applique qu'aux contraintes que les administrations ont droit de décerner en qualité de juges. — L'avis du 29 octobre 1811 ne dispose qu'en faveur de la régie des douanes, et pour les cas où l'art. 18 de la loi du 22 août 1791 lui donne d'ailleurs hypothèque sur les biens des redevables (*Cass.*, 28 janvier 1828 ; D., 28, 1, 108).

Après avoir saisi le juge étranger, un Français peut-il ensuite saisir de nouveau le juge français des questions décidées contre lui ? ⁓ *Voy.* p. 682, ce que nous avons dit sur la question de savoir si le jugement étranger doit être déclaré exécutoire en France sans révision.

L'hypothèque judiciaire ne peut-elle se conserver, comme dans le cas de l'art. 2130, que par des inscriptions successives prises à mesure des acquisitions, ou suffit-il d'une seule inscription ? ⁓ L'article 2139 ne concerne que les hypothèques conventionnelles : une seule inscription suffit (*Lyon*, 18 février 1829 ; D., 29. 2, 109. — *Cass.*, 3 août 1819 ; D., 19, 1, 561).

L'inscription peut-elle être requise après l'opposition formée ou l'appel interjeté ? ⁓ A. L'opposition ou l'appel ne doivent pas suspendre l'effet de cet acte conservatoire (Grenier, n. 161 ; Dur., *ibid*).

Un jugement qui nomme un curateur a la succession vacante, ou un administrateur, dans les cas prévus par les articles 112 et 497, emporte-t-il hypothèque ? ⁓ N. Cet administrateur n'a pas encore géré : il ne doit rien ; ce n'est pas du jugement, mais du fait de la gestion que procède pour le curateur ou l'administrateur l'obligation de rendre compte : cette obligation devra être déclarée par un nouveau jugement, lequel produira une hypothèque (Troplong. n. 440 ; Persil, n. 18 ; *voy.* cep. Delv., p. 158 n 7 ; D., Hyp., n. 2. — *Paris*, 12 décembre 1838 ; D., 33, 2. 2 ; S., 34, 2, 133).

En matière d'adjudication sur publications volontaires, le jugement emporte-t-il hypothèque, lorsqu'il est dit dans le cahier des charges : *Outre le privilége que la loi donne au vendeur, celui-ci aura encore une hypothèque générale sur tous les biens de l'acquéreur ?* ⁓ N. Cette clause est une véritable convention : or l'hypothèque générale ne peut résulter d'une convention ; ce n'est que d'une manière impropre que ces actes sont qualifiés de jugement (Troplong, n. 441, p. 158, n. 7 ; Persil, n. 11 ; Grenier, n. 200).

Le jugement qui ordonne à un débiteur de fournir caution emporte-t-il hypothèque ? ⁓ N. La caution n'est pas obligée par le jugement, mais bien par la soumission qu'elle est obligée de faire au greffe (522, Pr.). C'est cette soumission qui emporte hypothèque (Delv., p. 158, n. 7 ; Dur., n, 157 ; *voy.* cep, Persil, n. 13 ; Troplong, n. 441 ; D., vº Hyp., p. 172, n, 3).

Quid, dans l'espèce : un débiteur s'est obligé, par acte sous seing privé, à donner une hypothèque sur certains immeubles ; il refuse de tenir sa promesse : intervient un jugement, qui déclare que, faute de ce faire, le jugement vaudra pour contrat ; l'hypothèque résultant dudit jugement sera-t-elle judiciaire ? ⁓ A. Le tribunal a reconnu, dans l'espèce, une obligation préexistante (Troplong, n. 437).

SECTION III.

Des hypothèques conventionnelles.

L'hypothèque conventionnelle est un droit conféré selon les solennités requises, par une personne capable d'aliéner, sur un ou plusieurs immeubles spécialement désignés, pour sûreté d'une obligation.

Cinq conditions sont de l'essence de l'hypothèque conventionnelle ; il faut :

1º Qu'il existe une obligation principale ; car l'hypothèque n'est qu'un droit accessoire.

2º Que le constituant soit propriétaire du droit immobilier qu'il affecte, et qu'il soit capable d'aliéner (2124, 2126);

3º Que l'acte soit passé en France, devant notaire et en forme authentique (2127);

4º Que cet acte spécialise la nature et la situation de l'immeuble hypothéqué (2129);

5º Que la somme soit déterminée (2132).

La constitution d'hypothèque est soumise, en général, aux conditions requises pour la validité de tous les contrats (1108).

L'hypothèque est un droit distinct de la créance ; elle peut résulter d'un acte postérieur ; seulement, si celui qui constate la créance est sous seing privé, il faut le· faire enregistrer, car les notaires ne peuvent mentionner, dans les actes qu'ils reçoivent, que des écrits qui ont acquis date certaine.—

Elle peut être constituée sous des modalités auxquelles la créance n'est pas soumise ; — enfin elle peut être consentie, soit par le débiteur, soit par un tiers (Arg. de l'art. 2077) (1).

La loi s'occupe, dans des articles séparés de la convention constitutive de l'hypothèque (2124 et (2126), et de la forme de l'acte (2127, 2128). — L'art. 2129 détermine les caractères de la spécialité ; — les art. 2130 et 2131 renferment quelques modifications au principe que les biens à venir ne peuvent être affectés d'hypothèque conventionnelle.

2124 — Les hypothèques conventionnelles ne peuvent être consenties que par ceux qui ont la capacité d'aliéner les immeubles qu'ils y soumettent.

= On considère la constitution d'hypothèque comme une sorte d'aliénation : le constituant doit dès lors être propriétaire de l'immeuble qu'il affecte, et capable d'en disposer.

Il faut être *propriétaire :* ainsi, celui qui n'est qu'administrateur, comme le tuteur, ou le mari administrateur des biens propres de sa femme, ne peut grever de cette charge les biens dont il a la gestion. Les envoyés en possession provisoire des biens d'un absent se trouvent dans le même cas, puisqu'ils ne sont que simples dépositaires.

Bien plus, la ratification du propriétaire n'effacerait pas le vice originaire de l'acte.

Par une conséquence du même principe, la loi décide, que nul ne peut, en thèse générale, hypothéquer ses biens à venir : d'ailleurs, la spécialité est un caractère essentiel en matière d'hypothèque conventionnelle (2129). Toutefois, il est permis d'hypothéquer un immeuble, sous la condition : *Si dominium acquisitum fuerit :* rien ne s'oppose, par exemple, à ce que le copropriétaire d'un immeuble indivis, affecte hypothécairement cet immeuble, non-seulement pour sa part, mais encore en totalité : l'hypothèque ainsi constituée, sera réputée conditionnelle ; elle s'évanouira si, par l'effet du partage, l'immeuble ne tombe pas dans le lot du constituant.

Il faut être *capable* d'aliéner (et non pas simplement de s'obliger) (2) ; ainsi, la femme séparée de biens, le prodigue, le mineur même émancipé, ne peuvent consentir d'hypothèques sur leurs biens.

Au reste, ne confondons pas le cas où l'hypothèque a été consentie *à non domino*, avec celui où elle a été consentie par un propriétaire incapable. — Dans le premier cas, il n'y a pas de contrat ; — dans le deuxième, la nullité de l'hypothèque n'est pas absolue ; elle est relative (1124, 1304) : le constituant, devenu capable, peut détruire ce vice, au moyen d'une ratification, soit expresse, soit tacite : toutefois, cette ratification ne préjudiciera pas aux tiers, qui auront acquis, dans l'intervalle, une hypothèque sur le même immeuble (3) (*voy.* art. 1338 et suiv.).

---

(1) Le tiers qui se borne à fournir une hypothèque n'est point une caution proprement dite ; dès lors, il ne peut invoquer les exceptions que celle-ci a la faculté d'opposer (2021 et suiv.).

(2) Cette règle ne souffre que deux exceptions : la première résulte des art. 1507 et 1508 relatifs à l'ameublissement ; la deuxième résulte de l'art. 6 du Code de commerce.

(3) L'hypothèque est une voie qui mène à l'aliénation ; c'est une aliénation indirecte. — Les art. 2 et 3 du Code de commerce sont des exceptions. — En hypothéquant conventionnellement ses biens, le mineur diminue le crédit dont il aura besoin lors de sa majorité. — Arg. des art. 2124, 2125 et 2126 C. c., 417,*Pr.*; Grenier, n. 42 ; Battur. n. 160) (*Val*). ~~~ La confirmation a un effet rétroactif à l'égard des tiers créanciers : — *nec obstat* la disposition de l'art. 1338 : les créanciers dont l'hypothèque est posté-

— Lorsqu'on a hypothéqué l'immeuble d'autrui, l'acquisition postérieure de cet immeuble par le constituant a-t-elle pour effet de valider l'hypothèque? ⟶ N. L'hypothèque, nulle dans son principe, ne pourrait exister qu'en vertu d'une nouvelle convention : c'est au temps où l'hypothèque a été constituée, qu'il faut se reporter, pour savoir si la chose hypothéquée appartenait ou non au débiteur (Troplong, n. 464, n. 518 et suiv. ; Persil, n. 2; Grenier, t. 1, n. 51. — *Bordeaux*, 24 janvier 1833 ; D., 33, 2, 153). ⟶ L'hypothèque datera du jour où le constituant sera devenu propriétaire: qui donc pourrait se plaindre du maintien de l'hypothèque? Serait-ce le constituant? Il aurait bien mauvaise grâce à prétendre que l'hypothèque n'ayant pu avoir d'existence dans le principe, doit être considérée comme non avenue. Serait-ce les tiers? Peu leur importe le maintien de l'hypothèque, puisqu'elle ne produira d'effet qu'à partir du jour où le constituant sera devenu propriétaire ; d'ailleurs, ils ont eu connaissance de l'inscription. — Vainement oppose-t-on la règle de l'art, 2129 : dans cet article, le législateur a eu seulement en vue la spécialité de l'hypothèque : or l'hypothèque prise sur l'immeuble d'autrui peut fort bien être spécialisée. — On oppose encore un texte du droit romain, lequel porte que nul ne peut hypothéquer l'immeuble d'autrui; mais ce texte signifie simplement, qu'une semblable hypothèque ne donne pas lieu à une action directe ; la formule en effet s'y oppose (Merlin, v° Hypothèque, § 4 *bis*). (*Val.*).

Le mari qui a opté pour la continuation de la communauté, dans le cas de l'art. 125, peut-il hypothéquer? ⟶ A. Le mari, en ce cas, n'est pas simple dépositaire; il ne doit compte ni à la femme ni à ses héritiers ; il possède pour lui : il est donc propriétaire, tant que la communauté n'est pas dissoute. S'il est propriétaire, il peut valablement hypothéquer (Persil, n. 6).

L'hypothèque consentie par un tuteur sans l'autorisation du conseil de famille, est-elle valable? ⟶ N. Arg. des articles 2126 et 1988. — Il ne s'agit plus ici d'une question de capacité personnelle, mais d'une question de forme. — Le tuteur qui excède ses pouvoirs est un mandataire qui dépasse les bornes de son mandat (Dur., n. 348).

2125 — Ceux qui n'ont sur l'immeuble qu'un droit suspendu par une condition, ou résoluble dans certains cas, ou sujet à rescision, ne peuvent consentir qu'une hypothèque soumise aux mêmes conditions ou à la même rescision.

= La disposition qui nous occupe, est fondée sur la maxime : *Nemo plus juris in alium transferre potest, quàm ipse habet;* et sur cette autre : *Resoluto jure dantis, resolvitur jus accipientis.* Exemple : Je vous ai vendu un immeuble ; vous ne me payez pas le prix convenu : la vente, et par suite l'hypothèque que vous pourrez avoir consentie dans le temps intermédiaire, seront privées d'effet.

Il résulte de cette disposition, que deux personnes peuvent, chacune de leur côté, hypothéquer le même immeuble : l'une sous condition résolutoire, et l'autre sous condition suspensive, et cela sans que leurs droits puissent jamais se contrarier.

La règle de l'art. 2125 souffre plusieurs exceptions : par ex., la révocation pour cause d'ingratitude ne porte pas atteinte à l'hypothèque (*voy.* art. 132, 133 et 958, C. c.).

— L'hypothèque consentie par l'acquéreur à réméré, est assurément subordonnée au non-exercice du rachat ; mais les créanciers de cet acquéreur pourraient-ils se faire colloquer sur le prix que doit restituer le vendeur, au rang de leur hypothèque? ⟶ Si le prix a été payé, il est certain que les créanciers ne peuvent suivre l'argent; mais s'il est encore dû, ils peuvent faire un arrêt de fonds entre les mains de l'acquéreur (Persil, n. 2; Grenier, n. 154).

L'acquéreur peut-il hypothéquer la chose acquise avant d'en avoir payé le prix? ⟶ A. Il est propriétaire dès qu'il est convenu avec le vendeur de la chose et du prix (Persil, n. 3. — *Cass.*, 21 décembre 1825 ; S., 26, 1, 1, 275 ; D, 26, 1, 43).

Quid, à l'égard des hypothèques consenties sur l'un des immeubles de la succession par l'héritier qui, après avoir accepté, s'est ensuite fait restituer contre son acceptation? ⟶ Elle continue de subsister ; car *in medio tempore*, cet héritier était vrai et légitime propriétaire (Troplong, n. 467).

rieure à celle qui a été constituée par l'incapable ont pu et dû s'attendre à voir confirmer celle-ci. — Le principe que l'hypothèque équivaut à une aliénation est vrai, quand l'hypothèque est fournie pour la dette d'un tiers ; mais il est faux, quand l'hypothèque est constituée pour la dette de celui qui l'a fournie ; car la cause de l'aliénation, en ce cas, est moins dans l'hypothèque que dans l'obligation elle-même (2092). — La capacité d'hypothéquer n'est pas toujours mesurée sur celle d'aliéner (*voy.* art. 213 du Code de comm.). — Le mineur qui a l'administration de ses biens peut convenir avec un entrepreneur qu'il fera des réparations à l'un de ses bâtiments ; cet entrepreneur, en remplissant les conditions prescrites, acquerra un privilège (2103) : ce privilège et l'hypothèque qui en résultera auront leur base dans la convention (2113). — A défaut de mobilier, le mineur hypothèque tacitement ses immeubles à ceux qui lui font des fournitures de subsistances (2104 et 2105) (Merlin, Quest., v° Hyp., § 4, n. 6 et 7; Dur., n. 347 t suiv. ; Toullier, n. 524 et 564, t. 7 ; Troplong, n. 487 et suiv —*Paris*, 15 décembre 1830 ; S., 31, 2, 83).

Les hypothèques consenties par l'héritier apparent, qui ensuite a été évincé par l'héritier véritable, continuent-elles de peser sur l'immeuble? ⁓ *N.* L'héritier apparent n'a jamais eu de droits réels (Troplong, n. 468 ; Grenier, n. 51 ; Dur., n. 352).

Le créancier au profit duquel une hypothèque a été consentie par l'acquéreur d'un fonds, peut-il conserver son hypothèque en payant le supplément? ⁓ *A.* (Grenier, n. 155).

Le jugement rescisoire, passé en force de chose jugée, rendu contre le débiteur, peut-il être opposé au créancier, dans le cas où ce jugement n'a pas été déclaré commun avec lui? ⁓ En ce qui concerne le créancier postérieur, l'affirmative est évidente ; la règle *nemo plus juris*, doit recevoir son application ; a l'égard du créancier antérieur, on distingue : s'il a été mis en cause, le jugement lui est opposable : *secùs*, dans le cas contraire ; il doit être admis à former tierce opposition à ce jugement quand même il ne serait pas entaché de collusion (Dur., n. 183. Voyez sur cette question la dissertation de M. Valette , *Revue du droit français et étranger*, première livraison , année 1844, p. 27).

2126 — Les biens des mineurs, des interdits, et ceux des absents, tant que la possession n'en est déférée que provisoirement, ne peuvent être hypothéqués que pour les causes et dans les formes établies par la loi, ou en vertu de jugements.

➡ Cette disposition n'est qu'un développement de celle de l'art. 2124. Les biens des mineurs et ceux des interdits peuvent être hypothéqués pour cause de nécessité absolue ou pour un avantage évident.— La forme consiste dans l'autorisation donnée au tuteur par une délibération du conseil de famille homologuée du tribunal (457, 484, 509).

En ce qui concerne les biens des absents, les envoyés peuvent, pendant la possession provisoire, exposer par une requête, la nécessité et l'intérêt pour l'absent, d'autoriser un emprunt ou une hypothèque ; le tribunal prononce alors, le ministère public entendu : ainsi, l'art. 2126 vient modifier l'art. 128. — Après l'envoi définitif, les envoyés peuvent aliéner et hypothéquer librement (132).

Du reste, il ne s'agit, dans cet article, que des hypothèques conventionnelles : en effet, les absents, les mineurs et les interdits, peuvent être mariés ou tuteurs ; il est possible qu'ils encourent des condamnations en cette qualité : leurs biens, dès lors, doivent être susceptibles d'hypothèques légales ou judiciaires.

Les personnes pourvues d'un conseil judiciaire, peuvent avec l'assistance de ce conseil, aliéner ou hypothéquer leurs biens.

— Le mineur émancipé peut-il hypothéquer, dans les cas où il peut s'obliger : notamment, pourrait-il consentir une hypothèque pour garantie d'un acte d'administration qu'il aurait fait ? ⁓ *A.* On pourrait le contraindre à remplir ses obligations et obtenir contre lui une hypothèque judiciaire. — L'obligation n'est ni rescindable ni annulable ; l'hypothèque, qui n'est qu'un accessoire, doit dès lors être maintenue. ⁓ *N.* Les autres créanciers peuvent très-bien reconnaître l'obligation, et contester la cause de préférence : ils ont , a cet effet , un intérêt propre. — Peut-on dire, d'ailleurs, que la constitution ne fait aucun tort au débiteur ? ne porte-t-il pas atteinte à son crédit ? ⁓ Si le débiteur paye, il n'y aura pas d'hypothèque judiciaire. — Arg. de l'art. 2124 : cet article est général ; l'art. 2126 vient le préciser. — Arg. des art. 457 et 484 : ces articles sont formels. — Il faudrait étendre l'opinion contraire jusqu'au mineur non émancipé, lequel peut certainement s'obliger par ses crimes ou délits ; dirait-on pour cela qu'il peut hypothéquer? — Arg. *à contrario* de l'art 6 du Code de commerce. — Le législateur (2124) exige d'ailleurs la capacité d'aliéner , et non pas seulement celle de s'obliger. — Vainement objecterait-on , que la prohibition d'hypothéquer aurait de graves inconvénients pour le mineur ; que le créancier de ce mineur le poursuivra et obtiendra une hypothèque judiciaire qui sera générale , au lieu d'une hypothèque conventionnelle qui ne serait que spéciale : en admettant ce principe, il faudrait dire qu'un incapable peut concéder une hypothèque conventionnelle toutes les fois qu'il est possible au créancier d'obtenir une hypothèque judiciaire ; et certes, cela n'est pas vrai — Dans le système opposé, on doit même aller jusqu'à prétendre , que l'hypothèque consentie par un créancier est valable *quatenùs locupletior factus est :* or , évidemment, cela est insoutenable (*Val*).

2127 — L'hypothèque conventionnelle ne peut être consentie que par un acte passé en forme authentique devant deux notaires ou devant un notaire et deux témoins.

➡ L'hypothèque prend sa source dans le droit civil ; les actes dont on prétend la faire découler, doivent donc être revêtus des formes que la loi prescrit.

Or elle exige :

1º Que l'acte soit authentique : un acte, qui a pour effet d'entraver jusqu'à un certain point la circulation des biens, doit porter l'empreinte de la puissance publique (1317). D'ailleurs, celui qui constitue une hypothèque, a plus besoin de conseils que celui qui aliène : en aliénant on sait ce qu'on fait; en hypothéquant, on ignore souvent les conséquences graves auxquelles on s'expose.

2º Qu'il soit reçu par deux notaires ou par un notaire et deux témoins : observez, que l'acte constitutif d'hypothèque doit seul être passé en cette forme; celui qui constate la créance pourrait être sous seing privé : il résulte, en effet, de l'art. 2129, que l'on peut établir une hypothèque par un acte authentique postérieur, lorsqu'elle n'a pas été consentie par celui qui constate la créance.

Au surplus, l'art. 2127 ne fait que reproduire la disposition de l'art. 3 de la loi du 11 brumaire, an 7.

Bien que l'art. 2127 ne le dise pas, il est hors de doute qu'un acte délivré en brevet serait insuffisant (art. 68 de loi du 25 ventôse, sur le notariat) : cet acte doit être passé avec minute (art. 20).

On s'accorde à décider, que l'hypothèque peut résulter d'un acte sous seing privé, reconnu devant notaire, et même, qu'il suffit de faire chez un notaire le dépôt de l'acte privé; car ce dépôt imprime à l'acte, un caractère authentique.

Nous supposons, bien entendu, que le dépôt est fait par le débiteur : il est évident que le créancier ne pourrait se créer un titre à lui-même (Dur., n. 361).

Les deux parties doivent concourir à l'acte de dépôt : toutefois, il suffira que le créancier intervienne ensuite; son acceptation peut même être tacite (Persil, nº 4).

— Suffirait-il que l'hypothèque fût consentie par l'acte déposé ? ∧∧∧ A. Sans doute, il est prudent de faire passer dans le nouvel acte la stipulation relative à l'hypothèque; mais cette condition n'est pas essentielle : le notaire s'approprie, pour ainsi dire, toutes les stipulations que renferme l'acte déposé. — Suivant notre ancienne jurisprudence, l'hypothèque pouvait être valablement consentie par acte sous seing privé ; il suffisait qu'un acte de dépôt fût dressé : lors de la discussion de la loi du 3 ventôse au 12, on déclara se référer sur ce point aux principes de l'ancienne jurisprudence (Merlin, vº Hyp., sect. 2, § 3, art. 6 ; Persil, n. 5 ; Dur., n. 361. — Cass., 11 juillet 1815 ; S., 15, 1, 336 ; 15 fév. 1832 ; S., 32, 1, 292. — Paris, 10 juin 1832 ; S., 32, 2, 571 ; voy. Delv., p. 159, n. 4. — Metz, 24 mars 1819 ; S., 19, 2, 533). ∧∧∧ N. Il n'y a d'authentique que ce que le notaire affirme être l'expression de la volonté des parties ; il est difficile de comprendre qu'un acte de dépôt, auquel on a joint un acte de constitution d'hypothèque sous seing privé, puisse devenir, par l'effet de cette adjonction, un acte authentique de constitution d'hypothèque (Val.).

Le mandataire qui n'a qu'une procuration sous seing privé, peut-il constituer une hypothèque valable, sur les biens de son mandant? ∧∧∧ A. Le mandataire n'est qu'un instrument : il représente seulement le constituant. La procuration fixe uniquement la capacité du mandataire ; elle n'a aucune influence sur l'acte constitutif d'hypothèque. — Dans le système contraire, il faudrait aller jusqu'à dire, que la procuration authentique, donnée suivant les lois du pays étranger où se trouve le mandant, serait insuffisante. — Si la loi exigeait une procuration authentique, elle s'en expliquerait (Persil, n. 6 ; Troplong, n. 510 ; Delv., p. 163, n. 6 ; Batur, t. 1, n, 167. — Cass., 27 mai 1819 ; D., 19, 4, 405 ; 5 juillet 1827 ; S., 28, 1, 105). ∧∧∧ A. Le principe de l'obligation du mandant repose uniquement sur la procuration ; c'est le seul acte qui émane de lui. — Arg. par analogie de l'art. 933. — Toutes les fois que la loi prescrit telle forme pour un acte, il est raisonnable de dire que la procuration doit participer de la forme de cet acte. — Sic, procuration pour assister au contrat de mariage d'un enfant mineur (Val.).

Quel serait le sort d'une hypothèque consentie dans un acte notarié, mais non enregistré dans les délais? ∧∧∧ L'inscription produirait son effet, pourvu que, dans un délai quelconque, cet acte eût été présenté à l'enregistrement (Troplong, n. 507 ; voy. cep. Grenier, t. 1, n. 17 ; Merlin, Rép., Enreg., § 4, et t. 16, Hyp., p. 406).

Un acte public passé aux colonies, où la formalité de l'enregistrement n'est pas usitée, peut-il autoriser une inscription hypothécaire, s'il n'a pas été enregistré sur le continent? ∧∧∧ N. Il ne vaut, sans la formalité de l'enregistrement, que comme acte sous signature privée (Persil, n. 10. — Cass., 7 décembre 1807 ; S., 8, 1, 1).

Des marchés administratifs, quoique passés sans l'intervention des notaires, emportent-ils hypothèque ? ⁓ *A.* (Arg. des art. 14 de la loi du 28 octobre 1790 ; 1 et 3 de la loi du 4 mars 1793 ; art. 2127, 2132, 2148 combinés. — *Cass.,* 12 janvier 1835 ; S., 35 ; 1, 2. — *Paris,* 29 mars 1830 ; S., 30, 2, 231).

2128 — Les contrats passés en pays étranger ne peuvent donner d'hypothèque sur les biens de France, s'il n'y a des dispositions contraires à ce principe dans les lois politiques ou dans les traités (1).

= Appliquez ici ce que nous avons dit art. 2123 pour les jugements (*voy.* aussi art. 545 et 546, Pr.).

Il faut toutefois se garder de confondre les actes reçus dans des pays soumis à un souverain étranger, avec ceux qui sont passés dans nos colonies : ces derniers produisent évidemment une hypothèque.

— Lorsque les traités existent, faut-il dire que l'acte de constitution remplace toutes les conditions prescrites par le Code civil ? ⁓ *N.* Ces conditions ne sont pas des règles de forme, mais des règles de fond. ⁓ *A. Locus regit actum ;* seulement, il faudra que l'inscription remplisse les conditions prescrites par la loi française : c'est là une règle d'ordre public.

2129 — Il n'y a d'hypothèque conventionnelle valable que celle qui, soit dans le titre authentique constitutif de la créance, soit dans un acte authentique postérieur, déclare spécialement la nature et la situation de chacun des immeubles actuellement appartenant au débiteur, sur lesquels il consent l'hypothèque de la créance. Chacun de tous ses biens présents peut être nominativement soumis à l'hypothèque.

Les biens à venir ne peuvent pas être hypothéqués.

= Suivant l'article 2127, l'hypothèque conventionnelle doit être consentie par acte devant notaires ; mais cela ne suffit pas encore : il faut que la somme soit certaine et déterminée (2132), et que les biens que l'on soumet à cette affectation, soient spécialisés.

Sous l'ancienne jurisprudence, tout acte authentique emportait hypothèque sur la généralité des biens du débiteur, lors même que les parties ne s'en étaient pas expliquées : cette règle avait l'inconvénient grave, d'entraver la circulation des propriétés et de nuire au crédit du débiteur, et cela, sans aucun avantage pour le créancier lorsque l'un des immeubles lui présentait une sûreté suffisante ; enfin, elle donnait lieu à des procès et à des conflits continuels entre les créanciers.

Aujourd'hui, *la spécialité* est de l'essence des hypothèques conventionnelles : tous les biens qui ne sont pas compris nominativement dans cette

---

(1) Cette disposition est critiquée par Dur., n. 362 ; il est contradictoire, dit cet auteur, d'accorder des effets civils en France aux actes de l'état civil reçus en pays étrangers par des officiers publics de ce pays (47 et 170), et de refuser ces effets à des contrats qui ont aux yeux de la société bien moins d'importance. — Des conventions matrimoniales faites devant les officiers publics étrangers sont très-valables : on peut transporter dans cette forme la pleine propriété d'un immeuble ; il est bizarre, qu'on ne puisse constituer ainsi une hypothèque — L'explication de l'art. 2128 est tout historique : autrefois, tout acte notarié emportait hypothèque ; l'hypothèque, en matière d'acte notariés, comme aujourd'hui en matière de jugement, était considérée comme une espece de préambule de l'exécution : par suite on s'était habitué à dire, que les actes notariés faits à l'étranger n'avaient pas de force en France, en ce sens qu'ils n'étaient pas exécutoires : c'est cette idée que l'on a transportée dans notre article 2128 : il eût suffi de dire, que les hypothèques consenties par-devant des officiers étrangers seraient valables ; qu'elles constitueraient un droit de préférence pour le créancier ; mais qu'elles ne pourraient entraîner de saisies, qu'autant que le créancier se serait muni d'un titre exécutoire (2123).

affectation restent libres ; la stipulation d'une hypothèque générale , par exemple , cette clause en usage autrefois : « Les parties hypothèquent tous » leurs biens à l'exécution de leur obligation, » serait aujourd'hui sans effet, non-seulement à l'égard des autres créanciers et des tiers acquéreurs, mais encore à l'égard du débiteur lui-même.

Pour qu'il y ait spécialité , deux conditions sont requises ; il faut :

1º *Déterminer la nature de l'immeuble*, c'est-à-dire , faire connaître s'il consiste en maisons , champs , etc. Néanmoins , il n'est pas nécessaire de désigner la nature de chaque pièce de terre , lorsque l'immeuble a un nom connu : par ex., quand il s'agit d'une ferme , l'énonciation du nom, jointe à la détermination de la commune dans laquelle est située cette ferme, suffit ; on peut dire : Je consens une hypothèque sur ma ferme de tel endroit (1).

Lors même qu'il s'agit de plusieurs pièces de terre ou de plusieurs espèces de biens , si le débiteur veut affecter tous ceux qu'il possède dans une commune , on n'exige pas qu'il fasse une désignation particulière de chacun de ces biens : il lui suffit de déterminer leur nature d'une manière générale , en déclarant , par ex., qu'ils consistent en maisons , champs , etc. (2). — Mais si le constituant se bornait à déclarer qu'il hypothèque tous ses biens situés dans telle commune, cette stipulation serait sans effet (3).

2º *Désigner sa situation*, c'est-à-dire, non-seulement le nom de la commune, mais encore la partie de la commune (4) : ce n'est donc pas assez de dire que l'on hypothèque une maison sise à Paris ; il faut en outre indiquer la rue , et même, s'il est possible , le numéro. Les tribunaux , au surplus, examinent si les tiers ont pu suffisamment connaître l'immeuble hypothéqué ; c'est là un point de fait abandonné à leur sagesse : leur décision échappe à la censure de la cour suprême.

Lorsque l'hypothèque n'a pas été consentie dans le titre constitutif de la créance, la loi permet de donner ce consentement par un acte authentique postérieur ; l'hypothèque résulte alors de ce dernier acte.

Le débiteur ne peut plus , comme autrefois , hypothéquer ses biens à venir ; son droit est restreint , en général , à ceux dont il se trouve actuellement propriétaire : comment, en effet, spécialiser un bien qu'on ne possède pas encore (2129) (5) ? et d'ailleurs, ne serait-ce pas là une garantie illusoire pour les créanciers, puisque le débiteur aurait la faculté de ne pas acquérir de biens ?

— Il est certain que les biens dont on n'est pas encore propriétaire ne peuvent être hypothéqués ; mais celui qui a consenti cette hypothèque peut-il se prévaloir de la nullité ? ∿ *N.* Il irait contre son propre fait (Troplong, n. 521).

Quid, si le créancier au profit duquel a été consentie l'hypothèque était de mauvaise foi, c'est-à-dire, s'il savait que la chose n'appartenait pas au débiteur ? ∿ On ne doit pas distinguer (Troplong, n. 525).

Mais cette hypothèque pourrait-elle être opposée au créancier hypothécaire qui tiendrait ses droits du véritable propriétaire ? ∿ *N.* (Troplong, n. 526).

(1) Grenier, t. 1, n. 71 ; Merlin, Inscrip., Hyp., § 12. — *Cass.*, 10 février 1829 ; D., 29, 1. 144, 15 juin 1815 ; S., 15, 1, 348. — *Riom*, 24 février 1826 ; S., 17, 2, 205. — *Besançon*, 22 juin 1810 ; S., 11, 2, 378. ; *voy.* cep. *Bordeaux*, 17 août 1814 ; S., 15, 2, 147.

(2) Persil, n. 4 ; Grenier , n. 71. — *Cass.*, 28 août 1821 ; S. , 21 , 1 , 420 ; 6 mars 1820; S., 21, 2, 168.

(3) Dur., n 373. — *Cass.*, 20 février 1810 ; S., 10, 1, 178 ; 16 août 1815 ; S., 15, 1 868. — *Angers*, 16 août 1826 ; S., 25, 1, 322. — *Bordeaux*, 17 août 1814 ; S., 15, 2, 147. — *Cass.*, 19 février 1808 ; Merlin, Hyp., p. 411 ; D., t. 9, p. 202, n. 4 ; Dur., n. 373. ∿ L'hypothèque ainsi constituée serait valable ; Troplong, n. 353 *bis.* — *Riom*, 15 avril 1826 ; D., 28, 2, 55 ; S., 28, 2, 88. — *Cass.*, 16 février 1829, D , 29, 1, 155. — *Poitiers*, 6 avril 1827 ; D., 29, 1, 155. — *Grenoble*, 27 juillet 1829 ; D., 30, 1, 120.

(4) *Cass* , 23 août 1808; S., 8, 1, 187; 20 février 1810 ; S., 10, 1, 178.

(5) *Cass.*, 16 août 1815 ; S., 18, 1, 145.

Le créancier au profit duquel on aurait consenti une hypothèque générale pourrait-il contraindre le débiteur à lui en donner une spéciale? ⁓ *A.* On doit interpréter les contrats *prout sonant* (Persil, n. 1 ; Grenier, n. 65 ; *voy.* cep. Troplong, n. 515).

Lorsque le débiteur qui a consenti une hypothèque sans spécialité ne possède pas de biens à l'époque du contrat , le créancier peut-il , si toutefois la dette est devenue exigible par l'échéance du terme , exiger une constitution d'hypothèque spéciale sur les biens que le débiteur a acquis depuis le contrat? ⁓ *A.* Une hypothèque judiciaire peut même être demandée et obtenue dans le cas où le créancier est porteur d'un titre exécutoire (Arg. de l'art. 2123 C. civ., 193, Pr. ; Dur., n. 365. — *Riom,* 25 mai 1816 ; S., 17, 2, 360).

Le défaut de spécialité dans l'acte, peut-il être réparé dans l'inscription? ⁓ *N.* L'inscription ne peut avoir lieu avec effet , qu'en vertu d'une hypothèque valable (Dur., n. 370).

Quid , lorsqu'une hypothèque étant constituée par un débiteur , sur un bien dont il n'est pas propriétaire , le véritable propriétaire vient à hériter du débiteur, *ex post facto* : l'hypothèque est-elle validée au regard de cet héritier? ⁓ *A.* L'héritier qui accepte , ratifie tous les actes du défunt (Troplong, n. 527 ; Merlin, v° Hyp., p. 440).

Quel doit être le sort d'une hypothèque consentie par acte authentique , sur un bien qu'un tiers soutient lui avoir été vendu antérieurement par un acte sous seing privé qu'il représente , mais qui n'a pas acquis date certaine? ⁓ On ne peut se prévaloir de l'acte privé (Troplong, n. 520 et suiv. ; *voy.* cep. Toullier, n. 10, Additions).

2150 — Néanmoins, si les biens présents et libres du débiteur sont insuffisants pour la sûreté de la créance, il peut, en exprimant cette insuffisance, consentir que chacun des biens qu'il acquerra par la suite, y demeure affecté à mesure des acquisitions.

= Cette disposition déroge à la règle établie par l'article précédent : Le législateur s'est proposé de procurer au débiteur la facilité de réunir à la confiance que fait naître sa fortune actuelle, celle qui résulte d'une fortune à venir.

L'hypothèque ainsi constituée, affecte successivement les biens à venir ; en conséquence, on doit prendre inscription sur ces biens, à mesure des acquisitions ; l'hypothèque les frappe à la date des diverses inscriptions (1). — Au surplus, les parties peuvent convenir dans l'acte, que l'hypothèque sera restreinte à certains biens, par exemple, au premier immeuble qui arrivera au débiteur : les droits du créancier sont alors bornés à cet immeuble.

Puisque cette disposition est exorbitante du droit commun, il faut limiter ses effets aux termes dans lesquels elle est conçue :

Or, pour que les biens à venir puissent être hypothéqués, la loi exige :

1° Que le débiteur ait des biens présents qu'il engage actuellement : s'il n'avait pas de biens présents, l'hypothèque des biens à venir serait donc sans effet (2) ;

2° Que les biens présents et libres soient insuffisants : si le débiteur avait affecté à l'hypothèque une partie seulement de ses biens présents, cette affectation, à la vérité, produirait son effet ; mais la clause relative à l'hypothèque des biens à venir serait nulle (3).

Le débiteur n'est pas tenu de prouver l'insuffisance des biens présents ;

___

(1) Différence avec les hypothèques légales et judiciaires à l'égard desquelles une seule inscription suffit.

(2) Persil, n. 7 ; Delv., p. 163, n. 1ᵉʳ ; Dur., n. 475. — *Riom,* 25 novembre 1830 ; D., 33, 2, 215 ; S., 33, 2, 526. — *Rouen,* 8 avril 1820 ; D., v° Hyp., n. 10 ; S., 21, 2, 247. ⁓ Ce système n'est pas justifiable : la plus grande insuffisance ne résulte-t-elle pas de la pénurie absolue ? — il suffirait d'acheter un terrain de quelques francs pour avoir la faculté d'hypothéquer ses biens à venir. — L'art. 2130 a seulement pour but d'empêcher que le débiteur n'hypothèque ses biens à venir et ne laisse libres ses biens présents (Troplong , n. 538 *bis* ; Grenier, n. 63, t. 1. — *Besançon,* 29 août 1811 ; D., t. 9, p. 209 ; S., 33, 2, 526 (*Val.*)

(3) Toutefois , si le débiteur avait dissimulé un ou plusieurs de ses immeubles présents , cette dissimulation ne devrait pas tourner au préjudice du créancier : assurément, ce dernier n'aurait pas d'hypothèque sur ces immeubles , mais l'hypothèque sur les autres immeubles et sur les biens à venir produirait son effet (Dur., n. 377).

on s'en rapporte à sa déclaration : il peut, porte notre article, *exprimer l'insuffisance :* cette déclaration doit être contenue dans l'acte ; elle fait loi, non-seulement à son égard, mais encore vis-à-vis des tiers. Vainement le débiteur établirait-il que les biens qu'il possédait lors du contrat étaient suffisants ; vainement affranchirait-il ses biens présents des hypothèques qui les rendaient insuffisants : les biens à venir ne seraient pas moins engagés.

Le débiteur doit s'expliquer formellement sur le fait d'insuffisance : il ne lui suffirait pas de dire, d'une manière conditionnelle : *s'il arrive* que mes biens présents, etc. : cette clause ne donnerait aucun droit sur les biens futurs.

Quid si les biens présents sont grevés d'hypothèques au delà de leur valeur ? Il faut toujours les hypothéquer : cette hypothèque, en effet, peut devenir utile ; par exemple, si le débiteur rembourse les créances antérieures, ou si les biens viennent à augmenter de valeur.

— Si les biens présents du débiteur étaient suffisants pour répondre de la dette, et qu'il eût fait une fausse déclaration, les tiers intéressés pourraient-ils établir cette circonstance afin d'obtenir la liberté des biens à venir ? ⁓ *A.* (Troplong, n. 539). ⁓ *N.* Ce serait donner carrière aux procès : en effet, combien ne formerait-on pas d'actions pour établir la suffisance des biens ? — D'ailleurs, lors même que les tiers intéressés parviendraient à prouver qu'il existait des biens présents ; le créancier hypothécaire dont il s'agit pourrait toujours dire qu'à ses yeux ils ne présentaient pas une garantie suffisante.

Le créancier pourrait-il se prévaloir de la fausse déclaration que les biens du débiteur sont insuffisants, pour réclamer une hypothèque sur les biens qu'il découvrirait avoir été libres au moment de la convention ? ⁓ *N.* C'était au créancier à connaître la situation de celui avec lequel il contractait. L'hypothèque conventionnelle doit frapper nommément chaque immeuble : or, la spécialité ne résulte pas de ce qu'on a un droit d'hypothèque sur les biens à venir. — Du reste, le créancier peut demander, devant les tribunaux, une réparation, et cette réparation, qu'elle quelle soit, produira une hypothèque judiciaire (Troplong, 539).

Quid, si le débiteur a hypothéqué comme biens présents des biens qui ne lui appartenaient pas, mais qu'il a acquis depuis ? ⁓ La constitution sur les biens à venir produira son effet : le créancier ne doit pas être victime de la mauvaise foi du débiteur ou de l'erreur dans laquelle il se trouvait (Dur., n. 376).

2131 — Pareillement, en cas que l'immeuble ou les immeubles présents, assujettis à l'hypothèque, eussent péri, ou éprouvé des dégradations de manière qu'ils fussent devenus insuffisants pour la sûreté du créancier, celui-ci pourra ou poursuivre dès à présent son remboursement, ou obtenir un supplément d'hypothèque.

= Dans l'article précédent, la loi règle le cas où le débiteur, à raison de l'insuffisance des biens présents, a hypothéqué ses biens à venir.

Elle suppose maintenant, qu'il a eu des biens suffisants, mais que ces biens sont devenus insuffisants par suite d'une perte totale ou partielle, ou de dégradations auxquelles le créancier n'a pas dû s'attendre.

Notre article pourvoit à la sûreté du créancier, en lui permettant de réclamer immédiatement son remboursement (quoique le terme ne soit pas échu), ou d'exiger un supplément d'hypothèque.

Mais à qui appartient l'option ? Il faut distinguer : si le débiteur est de mauvaise foi, c'est-à-dire, si les sûretés ont été diminuées par son fait, elle appartient au créancier (1188). — Si le débiteur est de bonne foi, il conserve le bénéfice du terme, en offrant au créancier poursuivant un supplément d'hypothèque ; on ne le rend pas victime d'une circonstance qu'il n'a pu prévenir (1).

_____

(1) Dans ce dernier cas, l'obligation n'est point *alternative* au choix du créancier, mais facultative ; le créancier doit demander son remboursement, sauf la faculté accordée au débiteur, de fournir un

Bien plus, dans cette dernière hypothése, on décide que si l'hypothèque avait été originairement donnée sur les biens à venir, le créancier ne pourrait exiger son remboursement, quand même les biens présents auraient péri en totalité.

Il est bien entendu, que l'hypothèque supplémentaire date seulement du jour de l'inscription.

La disposition de l'article 2131 ne serait pas applicable au cas où la diminution de sûretés proviendrait d'une simple dépréciation, sans dégradations; le créancier ne pourrait, en ce cas, agir en supplément d'hypothèque (Dur., n. 382 et suiv.).

Remarquons surtout, que l'art. 2131, ne concerne que les hypothèques conventionnelles.

§ — Si le débiteur aliène quelques portions de l'héritage hypothéqué, peut-on considérer ce fait comme une diminution de sûretés ? ⁓ N. Mais si les formalités pour purger avaient été remplies, il n'est pas douteux que le créancier pourrait demander son remboursement (Troplong, n. 544; Persil, n. 8; Dur., n. 126, t. 11, n. 384, t. 18; Toullier, t. 6, n. 667; D., t. 9, p. 214, n. 1). ⁓ Dès que le débiteur aliène une partie seulement des immeubles conventionnellement hypothéqués, il diminue les sûretés données par le contrat, et se rend passible de l'action en remboursement même avant l'échéance du terme (Cass., 9 janvier 1810; S., 10, 1, 139; 4 mai 1812; S., 19, 1, 32t. — Poitiers, 11 juin 1819; D., t. 9, p. 213).

Dans les divers cas où le remboursement peut être exigé, il est certain que le créancier a le droit de poursuivre le tiers détenteur d'un immeuble affecté à la dette; mais ce tiers pourrait-il, aux termes de l'art. 1166, user du bénéfice de l'art. 2131, et offrir un supplément d'hypothèque ? ⁓ A. (Delv., p. 163, n. 4).

Si l'hypothèque avait été insuffisante dès le principe, le créancier jouirait-il de l'option dont parle notre article ? ⁓ N. Ce serait à lui seul, à son extrême facilité, qu'il devrait s'en prendre (Persil, n. 5; Dur., n. 383; Delv., p. 163, n. 3). ⁓ Au cas d'hypothèque des biens à venir, dans les termes de l'art. 2130, si les biens advenus périssent, peut-on appliquer l'art. 2131 ? ⁓ N. Le créancier n'a pas spécialement compté sur le gage; il rentre dans sa position ancienne; le débiteur ne perdra donc pas le bénéfice du terme.

2132 — L'hypothèque conventionnelle n'est valable qu'autant que la somme pour laquelle elle est consentie, est certaine et déterminée par l'acte : si la créance résultant de *l'obligation* (1) est conditionnelle pour son existence, ou indéterminée dans sa valeur, le créancier ne pourra requérir l'inscription dont il sera parlé ci-après, que jusqu'à concurrence d'une valeur estimative par lui déclarée expressément, et que le débiteur aura droit de faire réduire s'il y a lieu.

= La publicité des hypothèques a pour but de mettre à découvert la situation d'un débiteur : or, ce but ne serait pas atteint, si l'on ne déterminait le montant des dettes qui grèvent ses biens.

Aussi, plusieurs conditions sont-elles requises, pour la validité de l'hypothèque conventionnelle; il faut :

1° Que la créance soit *certaine*; c'est-à-dire, qu'elle existe au moins conditionnellement.

2° Que le montant de la somme pour laquelle on prend inscription,

supplément d'hypothèque (Dur., n. 380), ⁓ L'obligation est alternative au choix du créancier (Cass., 17 mars 1818; S., 28, 1, 260).

(1) Le mot *obligation*, est employé ici dans le sens d'acte notarié servant à constater la dette.

soit *déterminé* : sous ce rapport, la disposition de notre article est conforme à celle de l'art. 1129 : « L'obligation, porte cet article, doit avoir
» pour objet une chose au moins déterminée quant à son espèce ; la quo-
» tité de la chose peut être incertaine, pourvu qu'elle puisse être déter-
» minée. »

Cette détermination doit être faite *dans l'acte* constitutif de l'hypothèque ; car c'est à cet acte que les tiers ont recours pour connaître la position du débiteur.

Toutefois, comme l'application de cette règle n'est pas toujours possible, soit parce que l'acte qui sert de base à l'inscription, ne précise aucune somme, soit parce que l'obligation est indéterminée, soit parce qu'elle consiste à faire ou à ne pas faire, soit enfin parce qu'elle a pour objet des prestations en nature, la loi oblige l'inscrivant à évaluer en argent le montant de ses prétentions, sauf ensuite au débiteur à demander la réduction de cette évaluation, si elle est excessive (2163).

L'obligation subordonnée à l'événement d'une condition suspensive peut être valablement garantie par une hypothèque conventionnelle ; mais l'hypothèque suivra le sort de l'obligation principale : si la condition vient à défaillir, il n'y aura point eu d'hypothèque ; si elle s'accomplit, cette charge rétroagira au jour de la convention.

Tous les auteurs proposent l'espèce suivante : un banquier ouvre à un particulier un crédit, par ex., de 10,000 fr. ; il exige une hypothèque : ce banquier prend inscription sur-le-champ : que deviendra cette inscription ? Elle sera restreinte à la somme que le banquier aura effectivement fournie ; ses remises de fonds devront donc être dûment constatées, car elles constitueront l'événement de la condition (1). — Appliquez cette décision au cas où un mandant s'oblige hypothécairement à rembourser les avances que son mandataire pourra faire : ce dernier aura la faculté de prendre inscription pour une valeur estimative par lui déclarée (*voy.* art. 2134).

En laissant au créancier le soin de déterminer par aperçu ce qui lui sera dû, notre article lui impose l'obligation de faire cette évaluation d'une manière *expresse* et *formelle* : s'il se bornait à requérir vaguement inscription pour sûreté de la somme qu'on pourra lui devoir, sans autre détermination, cette inscription ne produirait aucun effet ; car non-seulement la créance serait indéterminée ; mais encore, elle ne serait pas certaine.

Du reste, rien ne s'oppose à ce que le créancier prenne, pour sûreté de ses droits, une nouvelle inscription, s'il a fait, pour la première, une évaluation trop modique ; mais alors, la dernière ne prendra rang que du jour de sa date.

Observons surtout, qu'une créance conditionnelle pour son existence, n'est point par cela même sujette à évaluation : évidemment, une évaluation est inutile lorsque le montant de la créance conditionnelle est déterminé.

Notre article, dans sa disposition finale, réserve au débiteur la faculté de faire réduire l'hypothèque, lorsque l'évaluation de la créance est excessive (*voy.* chap. 5).

---

(1) Vainement opposerait-on l'art. 1174 ; cet article est inapplicable ici ; il ne tombe pas sous le sens qu'une personne puisse être obligée d'emprunter : la question n'est pas là ; il s'agit de savoir si l'hypothèque consentie pour un crédit ouvert est valable ; Grenier, n. 27 ; Delv., p. 159, n. 3 (*Val.*). ⁓ Cette hypothèque n'est pas valable, Arg. de l'art. 1174 ; Persil, art. 2114, n. 3).

2133 — L'hypothèque acquise s'étend à toutes les améliorations survenues à l'immeuble hypothéqué.

= Les accessoires du fonds sont affectés à la sûreté de la créance hypothécaire comme le fonds lui-même : par ex., l'alluvion est soumise à l'hypothèque qui grève ce fonds.

On ne peut considérer comme accessoire le terrain nouvellement acquis, fût-il contigu; car le terrain contigu ne s'incorpore pas.

— *Quid*, si la rivière change de lit? ⁓ Le propriétaire prend à titre d'indemnité le lit abandonné; toutes les charges qui grevaient l'ancienne propriété se reportent dès lors sur la nouvelle, sans qu'il y ait lieu de prendre de nouvelles inscriptions. — Équité (Persil, n. 4 et 5) (*Val.*).

Doit-on considérer comme une amélioration frappée de l'hypothèque, des maisons construites sur un terrain nu? ⁓ *N*. Équité. —Elles consistent en une chose autre que celle qui existait originairement; la loi parle d'améliorations (*Paris*, 6 mars 1834; S., 34, 2, 308). ⁓ *A*. Il y a incorporation : *œdificium solo cedit*. — Si l'hypothèque s'exerce sur les instruments aratoires, bien que ce ne soient que des meubles, à plus forte raison doit-elle frapper les constructions : cette règle souffre toutefois exception dans les cas prévus par les articles 2103 4° et 5°.

L'hypothèque s'étend-elle sur l'île qui vient accroître le fonds hypothéqué? ⁓ *A*. Arg. de l'art. 561. — L'île fait partie du lit du fleuve : or, ce lit appartient aux riverains. — L'île ne peut être considérée comme une amélioration, comme un accroissement; elle forme une propriété différente du lit du fleuve.

Les hypothèques judiciaires et les hypothèques des légataires sont-elles soumises à l'évaluation dont il est parlé dans l'article 2132? ⁓ L'évaluation est nécessaire toutes les fois que la loi n'en dispense pas d'une manière expresse, comme elle le fait dans l'article 2153, 3° : c'est ainsi qu'il faut entendre le 4° de l'article 2148 (*Val.*).

SECTION IV.

Du rang que les hypothèques ont entre elles.

Le rang d'une hypothèque est le classement de cette hypothèque, sur le prix provenant de la vente de l'immeuble hypothéqué.

Les hypothèques prennent rang à la date de l'inscription : *qui prior est tempore potior est jure*.—L'inscription peut être prise immédiatement après l'acquisition de l'hypothèque : toutefois, lorsque l'hypothèque, résulte d'un jugement de reconnaissance d'écriture, elle ne peut être inscrite avant l'échéance ou l'exigibilité de l'obligation (loi du 3 sept. 1807, art. 1er).

Par exception, l'hypothèque existe indépendamment de toute inscription : 1° au profit des mineurs et des interdits sur les biens de leur tuteur à raison de sa gestion ; 2° au profit de la femme sur les immeubles de son mari. — Dans le premier cas, elle date du jour de l'acceptation de la tutelle ; dans le second, elle prend rang, savoir : pour raison des biens que la femme apporte réellement en dot au moment du mariage et pour l'exécution de ses stipulations matrimoniales, à partir du mariage. — Pour les sommes dotales qui proviennent de successions à elle échues, ou de donations à elle faites, à compter du jour de l'ouverture des successions ou du jour où les donations ont eu leur effet. — Pour les indemnités qui lui sont dues, à partir du jour de l'obligation qu'elle a contractée ou de la vente de ses biens personnels.

Bien que ces deux sortes d'hypothèques soient indépendantes de l'inscription, la loi impose au tuteur ainsi qu'au mari, l'obligation d'accomplir cette formalité ; elle prononce même la contrainte par corps contre eux, lorsqu'ils ont dissimulé, en certains cas, l'existence de ces charges (2136). — toujours en vue de mettre les tiers à l'abri des surprises et des fraudes, elle impose au subrogé-tuteur l'*obligation* de faire inscrire les hypothèques dont il s'agit (2137) ; elle charge le procureur du roi de requérir inscription, et confère aux parents du mari, à ceux de la femme et du mineur, aux amis de ce dernier, ainsi qu'à la femme et aux mineurs eux-mêmes, les pouvoirs nécessaires à cet effet (2138 et 2139).

La dispense d'inscription n'est point applicable quand il s'agit du droit de suite ; ce droit n'existe, après l'aliénation de l'immeuble affecté, qu'autant que l'hypothèque a été inscrite dans un certain délai (*voy.* art. 2193 et 2195).

En principe, les hypothèques légales frappent la totalité des biens du comptable ; toutefois, les époux majeurs peuvent valablement convenir, qu'il ne sera pris d'inscription que sur un ou certains immeubles du mari (2140) ; le conseil de famille peut également, au moment où il défère la tutelle, limiter l'hypothèque du mineur à certains biens du tuteur (2141). — Durant le mariage, le mari peut faire restreindre l'hypothèque légale de la femme ; le tuteur jouit de la même faculté à l'égard de l'hypothèque de son pupille : mais la loi met pour condition, que l'hypothèque n'aura été restreinte, ni par le contrat de mariage, ni par l'acte de nomination du tuteur. Elle prescrit en outre certaines formalités (*voy.* 2143, 2145).

2134 — Entre les créanciers, l'hypothèque, soit légale, soit judiciaire, soit conventionnelle, n'a de rang que du jour de l'inscription prise par le créancier sur les registres du conservateur (1), dans la forme et de la manière prescrites par la loi, sauf les exceptions portées en l'article suivant.

= L'ordre des hypothèques est indifférent quant au débiteur ; la publicité n'est exigée que dans l'intérêt des tiers.

Cette publicité ne peut résulter que de l'inscription prise sur les registres du conservateur : ce n'est donc plus, comme dans l'ancien droit, la date du titre constitutif, qu'il faut considérer, pour régler le rang de l'hypothèque (2) ; mais celle de l'inscription : ainsi, celui qui a fait inscrire le premier, doit être colloqué à l'ordre avant le second ; celui-ci, avant le troisième, etc.

L'hypothèque sans inscription, ne présente, comme on le voit, aucune

---

(1) Il existe un conservateur au chef-lieu de chaque arrondissement : la compétence de ce fonctionnaire s'étend à tous les immeubles situés dans l'arrondissement.

Quand il s'agit d'immeubles fictifs, tels que les actions immobilisées de la Banque de France et celles de la compagnie des canaux, l'inscription se prend à Paris, siége de la Banque de France et de l'administration des canaux.

Les conservateurs peuvent être poursuivis devant les tribunaux, pour faits relatifs à leurs fonctions, sans autorisation préalable du conseil d'État (Décision du ministère de la justice et des finances du 2 décembre 1807).

Si le conservateur s'absente ou est empêché, le vérificateur ou l'inspecteur de l'enregistrement, et à leur défaut, le plus ancien surnuméraire, le remplace.

Les conservateurs sont chargés d'inscrire les hypothèques, de transcrire les actes translatifs de propriété qui leur sont présentés, et de délivrer à tous ceux qui le requièrent, des copies des actes transcrits, des états d'inscriptions, et des certificats constatant l'absence de transcriptions ou d'inscriptions (*Voy.* art. 2196 et 2290).

(2) Le système de la publicité des hypothèques ne date que de la loi du 11 brumaire an 7 : cette loi a organisé la conservation des hypothèques.

garantie; elle est inerte tant que l'inscription ne la fait pas connaître; le créancier qui aurait négligé de requérir cette formalité, ne jouirait, malgré l'authenticité de son titre, d'aucune préférence sur les créanciers chirographaires, lors même que le prix de l'immeuble n'aurait pas été entièrement absorbé par les créanciers inscrits; il viendrait, comme eux, sur ce prix, au prorata de sa créance.

Les créanciers d'un propriétaire antérieur peuvent s'inscrire utilement dans la quinzaine de la transcription, à l'effet de primer les créanciers d'un propriétaire postérieur (834 Pr.), eussent-ils déjà pris inscription : mais après ce délai, ils sont déchus du droit de suite; l'immeuble devient le gage particulier des créanciers de l'acquéreur.

Il résulte de l'art. 2148 *in fine*, qu'une seule inscription suffit, pour tous les immeubles situés dans le ressort du conservateur, lorsqu'il s'agit d'une hypothèque légale ou d'une hypothèque judiciaire : cette inscription donne rang, même relativement aux immeubles que le débiteur a acquis depuis : ce système est sans inconvénients, car il est facile aux tiers intéressés, de connaître les charges qui grèvent un immeuble, en se faisant délivrer un état des inscriptions.

Mais ne concluons pas de là, qu'une seule inscription soit suffisante pour donner un droit de préférence, quand il s'agit d'une hypothèque conventionnelle de biens à venir : dans ce dernier cas, une inscription particulière doit être prise sur chacun des immeubles acquis successivement par le débiteur.

Rappelons-nous, que les priviléges sur les immeubles dégénèrent en hypothèques, lorsqu'ils n'ont pas été inscrits dans les délais déterminés pour produire leur effet comme privilége, et qu'ils ne prennent plus rang qu'à la date d'inscription (2109, 2111, 2113).

— Quel est le sort des hypothèques qui existaient anciennement sans inscription : leur effet, à partir de la promulgation du Code, a-t-il été subordonné à l'observation de cette formalité ? ᴧᴧ *A.* (Persil, n. 2).

Le créancier hypothécaire qui a consenti à ce qu'un créancier postérieur lui fût préféré, peut-il, si celui-ci s'est abstenu de remplir les formalités requises pour la conservation de son hypothèque, réclamer son droit primitif de propriété ? ᴧᴧ *N.* (Persil, n. 5).

2135 — L'hypothèque existe, indépendamment de toute inscription,

1° Au profit des mineurs et interdits, sur les immeubles appartenant à leur tuteur, à raison de sa gestion, du jour de l'acceptation de la tutelle ;

2° Au profit des femmes, pour raison de leurs dot et conventions matrimoniales, sur les immeubles de leur mari, et à compter du jour du mariage.

La femme n'a d'hypothèque pour les sommes dotales qui proviennent de successions à elle échues, ou de donations à elle faites pendant le mariage, qu'à compter de l'ouverture des successions ou du jour que les donations ont eu leur effet.

Elle n'a hypothèque pour l'indemnité des dettes qu'elle a contractées avec son mari, et pour le remploi de ses propres aliénés, qu'à compter du jour de l'obligation ou de la vente.

Dans aucun cas, la disposition du présent article ne pourra préjudicier aux droits acquis à des tiers avant la publication du présent titre.

= La loi accorde une hypothèque à trois classes de créanciers : 1° aux mineurs et interdits sur les biens de leur tuteur; 2° aux femmes mariées sur les biens de leur mari; 3° enfin, à l'État, aux communes et aux établissements publics, sur les biens des administrateurs comptables. — Nous ajouterons à l'énumération faite par notre article; 4° l'hypothèque légale des personnes qui, sans être interdites, se trouvent dans une maison de santé (loi du 3 juin, 1838); et 5° celle du légataire particulier (1017) sur les immeubles de la succession.

Le législateur a dû protéger les mineurs et les femmes mariées contre les fraudes dont le tuteur et le mari pourraient se rendre coupables à leur égard : prenant en considération l'état dépendant de ces personnes et l'impuissance où elles se trouvent de veiller à leurs intérêts, il rend l'existence de l'hypothèque qui garantit leurs droits indépendante de l'inscription.

Les tiers auxquels l'exercice de ces droits préjudicie, ne sont point fondés à se plaindre, car ils ont connu la qualité de celui avec lequel ils traitaient, et par suite, les charges qui grevaient ses biens.

Du reste, des mesures sont prescrites pour que ces sortes de charges ne restent pas inconnues (*voy.* art. 2136).

Les mêmes raisons n'existant pas pour l'État, pour les communes, etc., la loi laisse, par son silence, dans les termes du droit commun, l'hypothèque qu'elle leur accorde : ainsi, les effets de cette hypothèque demeurent subordonnés à la condition de l'inscription.

Après avoir exposé les considérations qui ont fait affranchir l'hypothèque du mineur et celle des femmes mariées de la formalité de l'inscription, déterminons le rang de ces hypothèques.

Occupons-nous d'abord de la première :

L'hypothèque existe *à raison de la gestion* du tuteur, c'est-à-dire, pour garantie des sommes dont il se trouvera *reliquataire* à la fin de la tutelle. — Elle s'étend même aux dettes dont le tuteur peut être tenu envers le mineur, lorsqu'elles sont devenues exigibles pendant la tutelle; car il est, vis-à-vis du mineur, comme une tierce personne : *debuit à se ipso exigere.*

Aux termes de notre article, l'hypothèque du mineur et celle de l'interdit datent du jour de l'acceptation de la tutelle : cependant, nous voyons, article 2194, qu'ils ne jouissent de cette garantie qu'à partir du jour où le tuteur est entré en gestion : comment concilier ces deux articles? On pourrait dire, que l'art. 2194 ne prévoit que le cas où la tutelle étant dative, le tuteur ne l'a pas refusée; mais cette distinction n'est pas nécessaire : bornons-nous à remarquer, que l'acceptation et l'entrée en gestion ne sont qu'une seule et même chose; que le tuteur est censé avoir accepté et être entré en fonctions du moment où l'obligation de gérer lui a été imposée : en effet, lorsque la tutelle est dative, s'il est présent, il devient immédiatement comptable (418) : dans le cas contraire, sa responsabilité ne commence qu'à dater du jour où on lui a notifié la délibération du conseil de famille (418, 439). Cette notification, aux termes de l'art. 882, Pr., doit avoir lieu dans le délai de trois jours, outre un jour par trois myriamètres. — Si la tutelle est testamentaire, il entre en fonctions aussitôt qu'il a eu connaissance du testament, soit par une notification, soit de toute autre manière (1). — Aucune difficulté ne peut s'élever à l'égard des tuteurs légitimes, puisque l'art. 402 les déclare saisis de plein droit de la tutelle : toutefois, il semble raisonnable de ne faire dater l'hypothèque que du jour où ils ont pu connaître l'événement qui a donné lieu à cette charge.

Quid si le tuteur présente des excuses qui soient admises ? Le mineur jouira d'une hypothèque légale sur les biens du tuteur, pour les actes d'administration qu'il aura faits dans le temps intermédiaire (440).

Il nous reste à faire observer, qu'on ne considère pas l'époque de la naissance de chaque créance, pour déterminer le rang de l'hypothèque du mineur : lors même que les sommes auraient été touchées par le tuteur longtemps après son entrée en fonctions, l'hypothèque, à raison de la répétition de ces sommes et des intérêts, ne daterait pas moins du jour de l'acceptation : la disposition du Code, à cet égard, est précise ; elle n'admet pas de distinction ; le principe de l'obligation est dans l'acceptation de la tutelle ; il n'était pas dans les pouvoirs du tuteur, de ne pas s'obliger par les faits postérieurs.

Passons à l'hypothèque légale de la femme : le mot *dot*, *lato sensu*, a une acception fort étendue : elle embrasse tous les apports de la femme (1540), sous quelque régime qu'elle soit mariée, qu'il existe ou non un contrat de mariage : mais dans notre article, on comprend uniquement sous cette dénomination, les biens dont le mari a eu la jouissance, et qui appartiennent en propriété à la femme : or, sous le régime dotal, la dot se compose uniquement des biens auxquels ce caractère a été attribué d'une manière expresse par le contrat de mariage ; sous le régime de la communauté ou d'exclusion de communauté, elle se compose de tous les biens dont la femme peut exercer la reprise, qu'elle ait possédé ces biens au moment du mariage, ou qu'elle les ait acquis depuis ; sous le régime de la séparation de biens, tous les biens de la femme sont extradotaux, puisqu'elle en a conservé la propriété et la jouissance. — L'expression *conventions matrimoniales*, s'applique à toutes les clauses qui ont eu pour but de procurer un avantage à la femme, par ex. : aux gains de survie, au préciput (1082-1086, 1091 et suiv.), etc. : ces clauses sont considérées comme des conditions du mariage (2).

Quel est le rang de l'hypothèque de la femme ? On observe à cet égard, pour la femme, un tout autre système que pour le mineur : le rang est assigné par l'événement qui donne lieu à l'obligation :

Ainsi, l'hypothèque qui garantit la dot constituée par contrat de mariage et les autres conventions matrimoniales, date du jour du mariage, c'est-à-dire, de la célébration, à quelque époque que la dot ait été touchée, encore que des termes aient été pris pour les payements, ou qu'une donation ait été faite sous une condition suspensive : à partir du mariage, il y a eu, pour le mari, obligation de recevoir, afin de restituer un jour à la femme.

Cette règle s'applique lors même que le mariage a été célébré en pays

---

(1) Quelques jurisconsultes pensent que c'est au jour de l'ouverture de la succession : par quels moyens, se demandent-ils, pourra-t-on prouver que le tuteur a eu connaissance de sa nomination ? — Danger pour le mineur ; — collusion à craindre.

(2) Cependant la femme n'a pas d'hypothèque pour les avantages qui ne doivent s'exercer que sur les biens que le mari laissera lors de son décès (1032, 1083, 1093).

étranger, pourvu que le contrat ait été transcrit en France dans le délai prescrit par l'article 171 du Code civil : si la formalité dont il s'agit n'avait pas été observée, les tiers qui auraient pris inscription avant la femme seraient colloqués à l'ordre avant elle.

Les intérêts qui ont dû courir au profit de la femme, depuis l'événement qui a donné lieu à la restitution de la dot, suivent le sort du principal ; on les colloque au même rang que le capital.

L'hypothèque, à raison de l'indemnité revenant à la femme pour dégradations commises sur ses propres, remonte au jour de la célébration, puisque l'obligation imposée au mari d'administrer les biens de la femme en bon père de famille fait partie des conventions matrimoniales.

Nonobstant le silence de la loi, nous pensons que la femme a également hypothèque du jour du mariage, pour les sommes auxquelles elle peut prétendre par suite d'une action rescisoire, existant lors du mariage : *qui actionem habet ad rem recuperandam, ipsam rem habere videtur..*

Quant à l'hypothèque qui garantit le remboursement des sommes dotales provenant de successions échues a la femme durant le mariage, ou de donations à elles faites pendant le même temps, elle prend rang du jour de l'ouverture des successions (797), ou du jour seulement où les donations et les legs ont eu leur effet (932) ; en un mot, du jour où la responsabilité du mari a commencé.

Pourquoi cette différence avec la tutelle ? On donne les raisons suivantes : la tutelle a une durée fixe, connue à l'avance ; le mariage n'en a pas. — Si la femme s'aperçoit que le mari est dissipateur, elle peut demander la séparation de biens ; le mineur n'a pas la même ressource, car l'insolvabilité du tuteur n'apparaîtra le plus souvent que lors de la reddition du compte : il était donc indispensable de resserrer les liens de ce dernier (1). — Il y a peu de dangers à soumettre les biens du tuteur à l'hypothèque légale, du jour de l'entrée en gestion, car la tutelle a une durée limitée ; mais il y aurait de graves inconvénients à donner une hypothèque légale à la femme, du jour du mariage, pour des donations ou des succession qui ne s'ouvriront peut-être qu'après un long temps. — Enfin, et cette raison est la principale : on a craint de détruire le crédit du mari, qui se fût trouvé gravement compromis, si le principe de rétroactivité eût été admis indistinctement.

L'hypothèque accordée pour sûreté de l'indemnité résultant des dégradations que le mari a commises sur les immeubles advenus à la femme par succession, date également du jour de l'acquisition de ces immeubles.

Lorsqu'il s'agit d'un remploi de propres aliénés, c'est-à-dire, d'immeubles personnels à la femme, sous quelque régime qu'elle soit mariée, l'hypothèque date du jour de la vente ; car la dette du mari existe réellement à partir de cette époque. — *Quid*, si l'acte n'a pas date certaine ? Appliquez ce que nous dirons *infrà* pour l'obligation.

Lorsque la femme est séparée de corps ou de biens, elle a une hypothèque, dans tous les cas où le mari, aux termes de l'art. 1450, est garant du défaut d'emploi ou de remploi ; et cette hypothèque date du jour où le mari est devenu responsable.

_____

(1) Il résulte des différentes dates attribuées à cette hypothèque légale, suivant les causes des créances, que la femme ne peut, si le mari a vendu quelques immeubles avant l'exigibilité des droits ou créances dont il s'agit, poursuivre hypothécairement les tiers acquéreurs.

S'il s'agit de biens paraphernaux ou même de biens dotaux, dont l'aliénation ait été permise par contrat de mariage, l'hypothèque date du jour
où les sommes ont été versées entre les mains du mari (1).

Si le mari avait reçu par contrat de mariage le pouvoir de toucher le
montant de ces sommes, l'hypothèque remonterait au jour du mariage (2).

L'hypothèque accordée à la femme, comme garantie de l'indemnité des
dettes qu'elle a contractées avec son mari, pour les affaires de la communauté ou du mari, ne date que du jour de l'obligation : il importait d'empêcher que le mari, après avoir engagé tous ses biens par des hypothèques,
ne rendît illusoires les droits de ses créanciers personnels, en contractant
avec sa femme de nouvelles dettes : or, cet inconvénient se présenterait, si
la femme pouvait primer, pour raison de l'indemnité de ces dettes, les
créanciers antérieurs à elle en hypothèque.

Mais il faut bien remarquer, que l'hypothèque date du jour de l'obligation et non pas seulement du jour où cette obligation a été acquittée :
car le mari a été obligé envers sa femme, au moment où elle s'est trouvée
engagée pour lui. — Comment connaître la date de l'hypothèque, si
l'obligation n'est pas constatée par un acte ayant date certaine ? Les tiers,
créanciers hypothécaires, ne pourront-ils pas opposer à la femme l'art.
1328 ? Sans doute : par suite, la femme se trouvera toujours placée au dernier rang : elle doit donc prudemment se hâter de donner date certaine
à l'acte.

La femme a pareillement hypothèque, quoique la loi ne s'en explique
pas formellement, pour l'indemnité qui lui est due, à raison de ce qu'elle
a payé des dettes du mari, avec ses propres deniers, sans s'être personnellement obligée à les payer : mais alors l'hypothèque ne date que du
jour des payements.

Si la femme a une créance contre son mari, à l'occasion de quelque délit
par lui commis, son hypothèque légale date du jour du délit.

Il nous reste à dire quelques mots sur le dernier paragraphe de cet article : suivant la loi de brumaire, l'effet de l'hypothèque légale de la femme
était subordonné à la formalité de l'inscription, en sorte que cette hypothèque pouvait être primée par celle des créanciers postérieurs au mariage :
le Code respecte les droits des créanciers qui ont pris inscription sous
l'empire de la loi de brumaire, antérieurement à la femme de leur débiteur ; mais il déclare, qu'à partir de la publication de la nouvelle loi, l'hypothèque de la femme, quelle que soit l'époque à laquelle le mariage a eu
lieu, subsistera sans inscription, et primera toutes celles que l'on fera inscrire pendant le mariage, lors même que leur origine serait antérieure à
la loi de brumaire.

L'hypothèque légale de l'État sur les immeubles des comptables (loi du
5 sept. 1807), celle des légataires particuliers (1017), et celle qui est établie
sur les immeubles de l'administrateur provisoire des biens d'une personne,
qui se trouve dans une maison de santé (loi du 3 juin 1838, art. 34), doivent être inscrites.

— Toutes les créances que la femme peut avoir contre son mari sont-elles énumérées dans l'art. 2135 ?
Cet article est-il limitatif ? ⁓ *N.* L'art. 2121 constitue pour la femme mariée l'hypothèque la plus
large. — L'art. 2135 énumère seulement les créances les plus ordinaires : dans tous les cas où le mari
est responsable, la femme a une hypothèque : *Voyez* entre autres l'art. 1450 : mais alors, comment

(1) *Cass.*, 4 janvier 1815 ; S., 15, 1, 200. — *Cass.*, 16 août 1823 ; S., 24, 2, 62 ; 6 juin 1826 ; S., 26, 1,
461 ; D., 26, 1, 295 ; 11 juin 1822 ; D., 22, 1, 396.
(2) *Cass.*, 4 janvier 1813 ; S., 15, 1, 200, 27 juillet 1820 ; D., 26, 1, 431.

fixer le rang des créances non énumérées? On appliquera l'art. 2135 , par analogie, aux cas semblables. Par ex., dans le cas de l'art. 1450 , l'hypothèque datera de la séparation. ⁓ En cas de séparation de biens , il faut observer, pour les dégradations , que le mari n'ayant pas eu dès l'origine la qualité d'administrateur , son hypothèque ne datera que du jour de l'obligation : sans doute cette époque sera difficile à fixer ; mais la femme devra s'imputer d'avoir abandonné l'administration à son mari.

L'hypothèque du pupille qui est devenu majeur, ou celle de l'interdit qui a obtenu mainlevée de son interdiction , continue-t-elle de subsister sans inscription ? ⁓ N. Cette hypothèque a été parfaite dès le principe sans inscription ; elle continue de subsister de la même manière tant que les formalités prescrites pour la purge n'ont pas été remplies , encore que dix années se soient écoulées depuis la majorité ou la mainlevée de l'interdiction ; — avis du conseil d'État en date du 8 mai 1812, — art. 2194 et 2195. — On a dispensé de l'inscription les mineurs et les interdits, en vue de les favoriser, à raison de leur faiblesse : après la majorité ou la levée de l'interdiction , ce motif cesse d'exister (Delv., n. 4, p. 168 ; Dur., n. 38. — *Montpellier*, 1ᵉʳ février 1828 et 24 février 1829 ; S., 28, 2, 194, 31, 2, 46. — *Cass.*, 1ᵉʳ décembre 1824 ; D., 27, 1. 480). ⁓ La dispense d'inscription dure 10 ans après la fin de la tutelle, sauf à la renouveler comme pour toute autre hypothèque ? ⁓ L'effet du bénéfice de la dispense d'inscription est inhérent à la qualité de la créance ; il n'est pas borné aux dix ans écoulés depuis l'extinction de la tutelle. Mais ceux qui ont reçu du tuteur, les biens frappés d'hypothèque, peuvent opposer le bénéfice de la prescription (2180) (Persil, n. 6 et 10 ; Troplong, 572-576).

Quid , à l'égard de l'hypothèque de la femme? ⁓ Mêmes décisions ; l'hypothèque dure 30 ans (*Montpellier* , 14 février 1829 ; S., 31, 2, 46 ; 1ᵉʳ février 1628 ; D., 29, 2, 158; S., 28, 2, 194 ; avis du conseil d'État des 5 et 8 mai 1812 ; S., 12, 2, 328).

Celui dont l'interdiction est poursuivie, a-t-il une hypothèque légale sur les biens de l'administrateur provisoire ? ⁓ N. L'hypothèque légale n'est attribuée qu'aux mineurs et aux interdits sur les biens de leur tuteur (Persil, n. 7).

La femme étrangère , le mineur ou l'interdit étranger , ont-ils une hypothèque légale dispensée d'inscription sur les biens du mari ou du tuteur français ? ⁓ A. L'hypothèque est de statut réel. ⁓ N. Il serait bizarre , que la femme eût sur les biens que son mari possède en France , une hypothèque légale qui n'est point établie par les lois de son pays , et sur laquelle elle n'a jamais dû compter. — L'hypothèque est plutôt de statut personnel que de statut réel ; car elle accède à l'état et à la capacité des personnes ; dès lors, elle doit être en rapport avec la capacité plus ou moins grande que la loi étrangère reconnaît à ses nationaux. — L'hypothèque légale dispensée de l'inscription est de droit exceptionnel (*Val.*).

La femme a-t-elle une hypothèque légale pour les dettes contractées par elle avant le mariage , tombées ensuite dans la communauté et non encore acquittées lors de la dissolution ? ⁓ A. Ce sont là des dettes de la communauté ; elles doivent être acquittées par elle (Persil, n. 10 ; Delv., p. 165, n. 11).

La femme peut-elle , par son contrat de mariage , déroger à la disposition du Code, qui veut que l'hypothèque , pour indemnité des dettes , prenne seulement la date des engagements ? ⁓ N. La disposition du Code a été dictée par des motifs d'ordre public (Troplong , n. 588 *bis* ; Grenier, n. 242 ; *voy*. cep. Delv., p. 165, n. 7).

Doit-on appliquer à l'aliénation du fonds dotal faite par le mari , le principe que l'hypothèque ne prend date qu'à partir de l'aliénation ? ⁓ N. Cette hypothèque remonte au jour du mariage ; car le mari a violé la foi du contrat (Troplong, n. 589 *bis* ; Delv., p. 165, n 12).

Lorsqu'une femme est mariée sous le régime dotal, peut-elle , *constante matrimonio* , en cas d'aliénation de sa dot immobilière , se dispenser d'exercer l'action révocatoire , et se faire colloquer à l'ordre sur le prix des biens de son mari , vendus à ses créanciers ? ⁓ N. Ce système porterait atteinte au principe de l'inaliénabilité de la dot (Grenier, n. 260 ; *voy*. cep. Troplong, n. 612 et suiv.).

Les créanciers envers lesquels la femme et la femme se sont obligés , primeront-ils cette dernière dans la distribution du prix ? ⁓ L'hypothèque de la femme, résultant de l'obligation qu'elle a contractée ainsi , ne prendra rang qu'après celle du créancier envers lequel elle s'est obligée ; celui-ci viendra en vertu de l'art. 1166 ; la femme perdra ainsi son rang ; elle ne sera colloquée qu'après ce créancier.

Quid , si la femme s'est obligée envers plusieurs créanciers ? ⁓ La femme n'a pu hypothéquer son hypothèque ; elle n'est qu'obligée ; les créanciers dont il s'agit n'ont entre eux aucune cause de préférence ; ils obtiendront tous ensemble la collocation de la femme , en vertu de l'art. 1166 , et viendront par contribution sur le montant de cette collocation ; le tout , sans préjudice , bien entendu , pour la femme , de la faculté de céder expressément son hypothèque , c'est-à-dire la prérogative attachée à son rang.

2136 — Sont toutefois les maris et les tuteurs tenus de rendre publiques les hypothèques dont leurs biens sont grevés , et , à cet effet , de requérir eux-mêmes , sans aucun délai , inscription aux bureaux à ce établis , sur les immeubles à eux appartenant et sur ceux qui pourront leur appartenir par la suite.

Les maris et les tuteurs qui , ayant manqué de requérir et de faire faire les inscriptions ordonnées par le présent article , auraient consenti ou laissé prendre des priviléges ou des hypothèques sur leurs immeubles , sans déclarer expressément que lesdits immeubles étaient affectés à l'hypothèque légale des femmes et des mineurs , seront réputés stellionataires , et comme tels , contraignables par corps.

‑‑ S'il est juste de protéger les mineurs et les femmes mariées, il n'importe pas moins de pourvoir à ce que les tiers ne soient pas trompés.

Les hypothèques des femmes et des mineurs sont dispensées d'inscription, en ce sens qu'elles subsistent en général, et prennent rang, bien que cette formalité n'ait pas été remplie; mais la loi impose aux maris et aux tuteurs (2136), aux subrogés-tuteurs (2137), ainsi qu'au procureur du roi (2138), l'obligation de les rendre publiques : il confère cette faculté à la femme même non autorisée, aux parents soit du mari soit de la femme, ainsi qu'aux amis du mineur à défaut de parents (2139).

Les maris et les tuteurs doivent prendre inscription, savoir : sur leurs biens présents, immédiatement et sans délai; sur leurs biens à venir à mesure des acquisitions. — La loi sanctionne cette obligation, en prononçant la peine du *stellionat* (2059) contre ceux qui ont *consenti*, ou même qui ont *laissé prendre* des hypothèques ou des priviléges sur ces biens, sans déclarer *expressément* les charges dont ils sont grevés (1), si ce défaut de déclaration a causé quelque dommage aux intéressés (2).—Ainsi, le silence gardé par le tuteur ou par le mari suffit pour caractériser le stellionat. Toutefois, on ne pourrait appliquer au mari mineur la disposition de l'art. 2136 : rappelons-nous, en effet, qu'il n'est pas contraignable par corps (2064).

Il est bien entendu, que la déclaration dont il s'agit n'est pas exigée, lorsque l'inscription de l'hypothèque légale a eu lieu ; car les tiers sont alors suffisamment avertis.

Le mot *expressément*, a fait naître la question de savoir si la déclaration pouvait être suppléée par des équipollents? La négative est généralement décidée : ainsi, le mari ou le tuteur allégueraient vainement qu'ils ont fait connaître leur qualité, ou que l'existence de l'hypothèque était connue du créancier : la loi s'arme de sévérité contre les maris et les tuteurs qui n'ont pas pris d'inscription ; leur négligence est une espèce de dol : elle exige formellement que l'acte constitutif de l'hypothèque, ou du moins, un autre acte postérieur passé entre lui et le créancier, avant l'inscription, contienne la *déclaration expresse* de ces charges (3).

La même peine serait encourue par le mari ou par le tuteur qui aurait négligé de renouveler l'inscription dont il s'agit, avant l'expiration de dix années.

Cette disposition étant pénale, il faut la restreindre aux termes dans lesquels elle est conçue : or, comme elle statue sur le cas seulement de constitution d'hypothèque ou de privilége, on ne peut étendre ses effets au cas de vente sans déclaration (4).

Comment faut-il entendre ces mots de notre article, *consentir* ou *laisser prendre* des priviléges ou des hypothèques? *consentir* une hypothèque, et ne pas déclarer l'existence d'une hypothèque légale qui grève l'immeuble, cela se conçoit : mais *laisser prendre* une hypothèque, et encourir la peine du stellionat, pour ne pas avoir fait la déclaration prescrite ; voilà ce dont il est difficile de se rendre compte : quelques personnes cherchent à donner un sens à l'article, en supposant le cas où le mari ou le tuteur aurait accepté

(1) Dans les cas ordinaires, un débiteur ne se rend coupable de stellionat qu'autant qu'il vend ou hypothèque des biens qu'il sait ne pas lui appartenir, ou qu'il présente comme libres des biens hypothéqués, ou qu'il déclare des hypothèques moindres que celles dont ses biens sont grevés (2059).
(2) On ne condamne pas de prime-abord à la contrainte par corps, lorsqu'il n'est dû aucuns dommages-intérêts, il faut absolument qu'il y ait une réparation à opérer, un préjudice causé.
(3) Persil, n. 4; Troplong, n. 652 *bis*.
(4) *Cass.*, 25 juin 1817; S., 18, 1, 48 ; 20 novembre 1826 ; S., 27, 1, 170.

des fonctions qui le rendraient comptable : dans cette hypothèse, disent-elles, il encourt la peine du stellionat, s'il laisse prendre inscription par l'état, la commune ou l'établissement public avant d'avoir fait inscrire l'hypothèque légale du pupille ou de la femme : mais cette explication n'est pas satisfaisante : pour qu'il y ait stellionat, il ne suffit pas que le débiteur ait *consenti* ou *laissé prendre*, etc.; la loi exige de plus qu'il n'ait pas fait de déclaration : or, dans l'espèce, comment, dans quel moment faire cette déclaration ? aucune règle spéciale n'est prescrite à cet égard. — Obligé de nous expliquer sur ce point, nous supposerons que le mari ou le tuteur dont les biens sont frappés d'une hypothèque judiciaire, a emprunté de l'argent pour se libérer, et a subrogé le prêteur aux droits du créancier désintéressé, sans lui déclarer expressément qu'il sera primé par l'hypothèque légale de la femme ou du pupille : alors, en effet, l'hypothèque n'est pas consentie par l'acte de subrogation, puisqu'elle existe; on la laisse prendre : ce qui rentre dans le cas de l'article 2136.

Maintenant que dirons-nous de ces mots : *consentir* ou *laisser prendre un privilége :* — *consentir un privilége :* cette expression est impropre; on contracte des obligations qui donnent un privilége, mais on ne consent pas de privilége.—*Laisser* prendre un privilége : cela se présente, lorsqu'en vendant un de ses immeubles, le mari ou le tuteur subroge à son privilége, un tiers qui lui paye le prix : tel est encore le cas où l'acheteur subroge dans ses droits, le tiers qui lui fait un prêt pour payer le vendeur : dans ces deux hypothèses, le mari ou le tuteur se rend coupable de stellionat, lorsqu'il laisse prendre un privilége sur l'immeuble, sans déclarer que cet immeuble est grevé d'hypothèque légale. — Mais c'est trop nous arrêter sur ces difficultés, car elles n'ont point d'importance réelle; quel intérêt, en effet, un créancier privilégié peut-il avoir à connaître les hypothèques légales, qui grèvent les immeubles de son débiteur, et quel préjudice leur existence peut-elle lui causer? dans tous les cas, le privilége ne dominera-t-il pas l'hypothèque? où sera dès lors le stellionat? par exemple, un tuteur, en achetant un immeuble, laisse prendre nécessairement au vendeur un privilége sur cet immeuble : que fait à ce vendeur l'existence d'une hypothèque légale (1) ?

Remarquons en terminant, que la disposition de notre article est exorbitante du droit commun, puisqu'elle considère comme suffisante pour caractériser le stellionat, le silence gardé par le mari ou le tuteur, sur l'hypothèque légale qui grève ses biens, au moment où ces mêmes biens sont frappés de priviléges ou d'hypothèques : cette disposition rigoureuse n'est donc pas susceptible d'extension; par conséquent, on ne pourrait l'appliquer au cas de vente sans déclaration, lors même que l'hypothèque du mineur ou de l'interdit viendrait à se révéler : la loi n'a dû se préoccuper que des priviléges et des hypothèques, parce que là seulement existait le danger: l'acheteur ne mérite pas le même intérêt, car il peut facilement, en observant les formalités de la purge, connaître les charges hypothécaires qui grèvent l'immeuble par lui acquis. Ainsi, quand il s'agit d'une vente, on rentre dans la règle générale; le vendeur n'est réputé stellionataire, qu'autant qu'il a présenté comme libres des biens hypothéqués, ou qu'il a déclaré des hypothèques moindres que celles dont ces biens sont grevés.

---

(1) Concluons de tout ce qui précède, qu'il faut restreindre la disposition de l'art. 2136 aux hypothèques conventionnelles. (Arg. de l'art. 2164) et qu'il eût suffi de dire : *consenti* ou *laissé prendre des hypothèques* (Persil, n. 3 ; Merlin, Rép., v° Inscription, Hyp., § 3, n. 14 ; Troplong, n. 683 *bis*).

Le mari ou le tuteur sera-t-il affranchi de la contrainte par corps, s'il prouve sa bonne foi? en d'autres termes s'il parvient à établir, qu'à l'époque où le droit hypothécaire a été acquis, il se croyait libéré envers la femme ou le mineur ? Nous le pensons, car le stellionat a pour base la mauvaise foi (*voy.* art. 2059).

— La contrainte par corps encourue par le mari qui n'a pas fait faire d'inscription , doit-elle cesser, si la femme renonce à son hypothèque, au profit du créancier ? ⁓ *A.* Ce créancier n'a plus à se plaindre de la dissimulation de l'hypothèque légale (Dur., n. 43). ⁓ *N.* La femme ne peut soustraire son mari à la contrainte par corps, même en offrant de subroger le créancier (*Paris*, 2 décembre 1816 ; S., 17, 2, 228).

Dans les cas prévus par notre article, les maris ou les tuteurs pourraient-ils éviter d'être reputés *stellionataires* , en prouvant qu'ils ont agi sans fraude ? ⁓ *A.* Mais cela ne peut se présenter que rarement (Troplong, n. 633. — *Cass.*, 21 février 1827 ; S., 27, 1, 116).

2137 — Les subrogés-tuteurs seront tenus, sous leur responsabilité personnelle, et sous peine de tous dommages et intérêts, de veiller à ce que les inscriptions soient prises sans délai sur les biens du tuteur, pour raison de sa gestion, même de faire faire lesdites inscriptions.

= Les fonctions du subrogé-tuteur se bornent en général à surveiller, dans l'intérêt du mineur, les opérations du tuteur : mais on leur prescrit ici d'agir dans l'intérêt des tiers : en effet, après avoir fait condamner le tuteur comme stellionataire, la loi permet aux tiers, d'exercer un recours subsidiaire contre le subrogé-tuteur, pour obtenir des dommages-intérêts, à raison du préjudice que le défaut d'inscription leur a causé.

— La responsabilité que l'art. 2137 établit, a-t-elle lieu , non-seulement à l'égard du mineur ou de l'interdit, mais encore à l'égard des tiers ? ⁓ *N.* Le subrogé-tuteur est nommé dans l'intérêt du mineur ou de l'interdit , et non dans l'intérêt des personnes tierces. ⁓ *A.* L'art. 2137 suppose un droit de préférence et non un droit de suite. — Ces mots de l'art. 2137 : le subrogé tuteur veillera a ce que les inscriptions soient prises *sans délai*, démontrent suffisamment . que le but unique du législateur est d'empêcher les concessions ultérieures d'hypothèques au cas prévus par l'art. 2136. — Le Code a eu principalement en vue, dans l'art. 2137 , la publicité des hypothèques.

Le subrogé tuteur est-il responsable , non-seulement envers les créanciers hypothécaires , mais encore envers les créanciers chirographaires ? ⁓ *A.* L'art. 2137 ne distingue pas : la circonstance que les créanciers chirographaires n'ont pas connu les hypothèques, a pu les déterminer à ne pas exiger le remboursement de leur créance (*Voy.* cep. D., Hyp., p. 223, n. 8).

2138 — A défaut par les maris, tuteurs, subrogés-tuteurs, de faire faire les inscriptions ordonnées par les articles précédents, elles seront requises par le procureur du roi près le tribunal de première instance du domicile des maris et tuteurs, ou du lieu de la situation des biens.

= Il importe à la société, que les tiers ne soient pas trompés : l'ordre public est intéressé à ce que les hypothèques légales soient inscrites. Toutefois la loi ne prononce contre lui aucune responsabilité, s'il a négligé de prendre inscription (1).

2139 — Pourront les parents, soit du mari, soit de la femme, et les parents du mineur, ou, à défaut de parents, ses amis, requérir lesdites inscriptions ; elles pourront aussi être requises par la femme et par les mineurs.

(1) Voyez sur les devoirs de ministère public en cette matière, l'instruction du ministre de la justice du 15 septembre 1806. (Locré, Lég., p. 460, t. 16). Une autre circulaire du 15 septembre 1808 défend aux conservateurs de faire d'office cette inscription (Persil, n. 2).

= Nous nous bornerons à faire remarquer :

1° Que la faculté de requérir inscription est limitée aux amis du mineur ; elle n'est étendue ni aux amis du mari ni à ceux de la femme.

2° Que les conservateurs n'ont point qualité pour prendre inscription d'office.

3° Enfin, que l'obligation de prendre inscription est uniquement imposée au subrogé tuteur : nous voyons, en effet, que lui seul est responsable.— Quant au procureur du roi, aux parents et aux amis, la loi n'entend leur accorder qu'une pure faculté.

L'inscription n'étant qu'une mesure de précaution, il est permis à la femme, ainsi qu'au mineur, de la requérir, même sans autorisation.

2140 — Lorsque, dans le contrat de mariage, les parties majeures sont convenues qu'il ne sera pris d'inscription que sur un ou certains immeubles du mari, les immeubles qui ne seraient pas indiqués pour l'inscription resteront libres et affranchis de l'hypothèque pour la dot de la femme et pour ses reprises et conventions matrimoniales. Il ne pourra pas être convenu qu'il ne sera pris aucune inscription (1).

= Les articles que nous allons expliquer, sont relatifs à la restriction de l'hypothèque légale de la femme, du mineur et de l'interdit.

En général, l'hypothèque légale de la femme porte sur tous les biens du mari ; mais comme il serait trop rigoureux de gêner le crédit de ce dernier au delà d'une juste nécessité, la loi permet aux parties majeures de restreindre, par leur contrat de mariage, les inscriptions à prendre pour sûreté de la dot ou des con ventions matrimoniales de la femme, à certains immeubles désignés ; les autres immeubles restent libres.

Pour que cette convention puisse recevoir son effet, deux conditions sont prescrites, il faut :

1° Qu'elle résulte du contrat de mariage ou d'une contre-lettre en forme (1396) : après le mariage, la réduction ne pourrait plus résulter de la seule convention des parties ; il faudrait, pour l'obtenir, suivre les formes prescrites par l'art. 2144.

2° Que les parties soient majeures : cette disposition fait exception au principe posé par les art. 1398 et 1309, suivant lesquels le mineur peut, avec l'assistance des personnes dont le consentement est requis pour la validité de son mariage, régler ses conventions matrimoniales comme il le juge convenable (2).

La loi semble exiger ici la majorité du mari et celle de la femme ; cependant, nous croyons qu'il faut admettre une distinction :

A l'égard de la femme, la condition de majorité doit être rigoureusement exigée : ainsi, bien que le mineur, aux termes de l'art. 1398, soit habile à souscrire, avec l'assistance des personnes dont le consentement est requis pour la validité de son mariage, toute espèce de convention, la loi fait exception pour celles qui tendent à détruire les garanties de la femme : elle a craint sans doute que les parents de celle-ci ne consentissent trop facilement à cette restriction (3).

---

(1) Les articles 2140-2145 eussent été plus convenablement placés à la suite de la section relative aux hypothèques judiciaires.

(2) Cass., 19 juillet 1820; S., 20, 1, 356; *voy. cep. Paris*, 10 août 1816; S., 17, 2, 94.

(3) Cass., 19 juillet 1820; S., 20, 1, 356; D., 20, 1, 485. ▲▲▲ Aux termes des articles 1309 et 1398, le mineur assisté de personnes dont le consentement est requis pour la validité de son mariage, étant réputé

Mais si la femme était majeure et le mari mineur, nous ne voyons pas ce qui s'opposerait à ce que la convention relative à la réduction produisît son effet; car il a toujours été permis au mineur de rendre sa condition meilleure.

Des considérations en quelque sorte d'ordre public, ont dû faire interdire à la femme la faculté de renoncer d'une manière absolue à son hypothèque : en effet, ce n'est pas seulement dans l'intérêt de la femme, mais encore dans celui des enfants qui pourront lui survenir, que cette garantie est établie; du reste, quelque peu considérables que fussent les biens hypothéqués, la restriction serait valable.

La règle que la femme ne peut renoncer à son hypothèque légale, paraît contraire à celle qui lui permet de transférer tous ses biens à son mari : pourquoi cette distinction? On donne pour seule raison, que la loi défend plus strictement ce à quoi elle prévoit que les parties se porteront plus facilement : or, la femme, en renonçant à son hypothèque, pourrait ne pas apercevoir toutes les conséquences de sa renonciation; d'ailleurs, cette clause deviendrait de style. — Des motifs analogues avaient donné lieu, en droit romain, à une distinction qui se trouve au livre II, tit. 8, Inst. *Quibus alienare*, etc. (Delv., p. 162, n. 4).

2141 — Il en sera de même pour les immeubles du tuteur, lorsque les parents, en conseil de famille, auront été d'avis qu'il ne soit pris d'inscription que sur certains immeubles.

= La loi rend commun à la tutelle, le principe qu'elle vient d'établir pour le cas de mariage : on remarque toutefois cette différence, que la restriction s'opère par la seule volonté des parties, lorsqu'il s'agit de l'hypothèque de la femme; tandis qu'elle doit résulter, lorsqu'il s'agit de la tutelle, d'un avis de parents.

La loi veut que la décision du conseil de famille se trouve dans l'acte même de nomination du *tuteur :* après l'entrée en gestion, un avis de parents serait donc insuffisant; il faudrait un jugement (2143, 2145).

Néanmoins, nous pensons que le tuteur pourrait, s'il n'avait pas été présent à sa nomination, provoquer cette restriction dans le délai fixé par l'art. 439.

L'art. 2141 ne statuant que pour le cas de tutelle *dative*, on demande s'il est possible de restreindre l'hypothèque résultant de la tutelle testamentaire ou légitime? Il nous semble hors de doute, que le dernier vivant des père et mère peut, en nommant un tuteur, faire cette restriction (1). — Si le testament est muet, il faut bien alors recourir à la disposition de l'art. 2143.

Lorsque la tutelle est légitime, comme le tuteur devient responsable, indépendamment de tout avis de parents, au moment où elle s'ouvre, ses biens sont frappés immédiatement d'hypothèque : pour obtenir la restriction de cette hypothèque, il faut dès lors, nécessairement observer les règles de l'art. 2143.

Le principe de l'hypothèque générale accordée au mineur étant fondé sur

majeur pour toutes les conventions dont le contrat de mariage est susceptible, la restriction de l'hypothèque peut être valablement consentie par la femme mineure (Delv., p. 162, n. 4. — *Paris*, 10 août 1816 ; S., 17, 2, 94).

(1) Persil, n. 2 ; D., Hyp., p. 434, n. 10 et 11.

des considérations d'intérêt public, le conseil de famille ne peut décider qu'il ne sera pris aucune inscription : ces mots : *il en sera de même*, etc., indiquent suffisamment que le législateur a voulu rendre applicables à la tutelle les principes établis pour le cas de mariage (1).

2142 — Dans le cas des deux articles précédents, le mari, le tuteur et le subrogé tuteur ne seront tenus de requérir inscription que sur les immeubles indiqués.

= Si le mari ou le tuteur avaient pris inscription sur les biens affranchis d'hypothèque, cette inscription ne pourrait être opposée aux tiers.

2143 — Lorsque l'hypothèque n'aura pas été restreinte par l'acte de nomination du tuteur, celui-ci pourra, dans le cas où l'hypothèque générale sur les immeubles excéderait notoirement les sûretés suffisantes pour sa gestion, demander que cette hypothèque soit restreinte aux immeubles suffisants pour opérer une pleine garantie en faveur du mineur.

La demande sera formée contre le subrogé tuteur, et elle devra être précédée d'un avis de famille.

= Lorsque les inscriptions n'ont pas été limitées par l'acte de tutelle, la loi présente au tuteur un moyen de restreindre l'hypothèque générale qui grève ses biens : mais elle prend des précautions pour prévenir les abus que l'on pourrait faire de cette faculté ; elle exige :

1° Que le conseil n'ait pas déjà restreint l'hypothèque par l'acte de nomination ; autrement, on présumerait que les immeubles non affranchis ont été jugés nécessaires pour garantir le mineur : par cette restriction, l'hypothèque se serait trouvée en quelque sorte spécialisée, ce qui rendrait applicable l'art. 2161 (2).

2° Que les immeubles excèdent notoirement les sûretés suffisantes pour la gestion du tuteur : c'est au conseil de famille à juger de l'importance des sûretés ; son avis est ordinairement confirmé : néanmoins, si cet avis était inéquitable, le tribunal pourrait s'en écarter ; car ici, le conseil n'a que voix consultative.

En général, on évalue l'excès d'après les règles établies par les articles 2161 et 2162.

3° Enfin, que la demande soit dirigée contre le subrogé tuteur, car il est contradicteur né du tuteur, lorsque les intérêts de ce dernier se trouvent en opposition avec ceux du mineur : par conséquent, cette demande doit être portée devant le juge de son domicile.

Pourquoi faut-il un jugement après l'entrée en gestion, tandis que le conseil de famille peut, de sa seule autorité, opérer cette restriction par l'acte de nomination du tuteur ?

Parce qu'une fois la tutelle commencée, le droit d'hypothèque est acquis au mineur : or, toutes les fois qu'une délibération du conseil tend à rendre pire la position de celui-ci, elle doit être homologuée. Nous le répétons comme le conseil n'a pas, dès le principe, restreint l'hypothèque,

(1) Locré, Legisl., t. 16, p. 161 et suiv., n. 25, 26 et 28 ; Merlin, Rép., Inscrip. hyp., § 3, n. 19 ; Persil, n. 4.
(2) Quoi qu'il en soit, il faut convenir que cette décision est rigoureuse ; car il peut arriver que le tuteur ait acquis, depuis la tutelle, des immeubles considérables qui excèdent de beaucoup les créances possibles du pupille.

on doit présumer qu'elle a été jugée nécessaire pour garantir les droits
du mineur. Il était à craindre, d'ailleurs, que le conseil ne cédât trop
facilement aux sollicitations réitérées du tuteur.

— Dans le cas où la fortune du mineur serait augmentée, le subrogé tuteur pourrait-il demander un
supplément d'hypothèque? ⟶ *A*. Le mineur doit jouir des mêmes avantages qu'un créancier ordinaire ;
mais l'hypothèque supplémentaire ne prendra rang, à l'égard des tiers, que du jour de l'inscription
(2131) (Persil, n. 5 ; Dur., n. 59).

2144 — Pourra pareillement le mari, du consentement de sa femme, et après avoir pris l'avis des quatre plus proches parents d'icelle réunis en assemblée de famille, demander que l'hypothèque générale sur tous ses immeubles, pour raison de la dot, des reprises et conventions matrimoniales, soit restreinte aux immeubles suffisants pour la conservation entière des droits de la femme.

= Puisque la femme ne peut, avant le mariage, renoncer valablement
à son hypothèque, on doit lui interdire *à fortiori* cette faculté après le
mariage, car elle se trouve alors placée sous l'influence de son mari.

Mais cette garantie peut être limitée et convertie en hypothèque spéciale sur la demande du mari ; toutefois, la loi exige pour cela plusieurs
conditions ; il faut :

1° Que l'hypothèque n'ait pas été restreinte par le contrat de mariage
en effet, ces mots : *pourra pareillement*, semblent indiquer que le législateur a voulu se référer à la règle établie par l'article précédent.

2° Que la femme consente à la réduction : ce consentement est de
rigueur ; il serait indispensable, quand même la valeur des immeubles
excéderait considérablement le montant des reprises : mais la loi ne prescrit à cet égard aucune forme particulière (1).

La femme peut donner valablement ce consentement, bien qu'elle soit
mineure : la distinction faite par l'art. 2143, lorsqu'il s'agit de la tutelle,
n'est pas rappelée dans l'art. 2144. — Pourquoi cette différence? Avant
d'être mariée, la femme est entièrement abandonnée à elle-même ; personne ne prend ses intérêts : mais après son mariage, les mesures prescrites
pour la protéger contre les surprises de son mari sont une garantie suffisante. Il importe d'ailleurs à la société, de dégager autant que possible
les immeubles, des charges qui les placent pour ainsi dire hors du commerce.

3° Le mari doit prendre l'avis des quatre plus proches parents de la
femme : les règles tracées par les art. 407 et suiv., sont applicables à ces
assemblées de famille ; sauf la différence du nombre des parents : cependant, il est difficile de penser que la présence du juge de paix soit de rigueur.

Les parents doivent être choisis parmi ceux qui se trouvent dans un
rayon donné (409) (*voy.* cependant Troplong, n. 644).

Il n'est pas absolument nécessaire que les parents consentent à la réduction de l'hypothèque : le tribunal peut l'ordonner, quoique leur avis

(1) Cette disposition est bien rigoureuse : si la femme vit en mauvaise intelligence avec son mari,
elle ne consentira pas à la restriction de son hypothèque, quoiqu'elle n'ait ni fortune ni espoir d'en acquérir : n'eût-il pas été plus juste d'accorder au mari, comme à tout débiteur, la faculté de réclamer
l'application de l'art. 2161 ?

soit contraire; les parents sont seulement consultés (*voy.* art. 2143).

Au reste, la restriction de l'hypothèque peut être révoquée, en cas de dépérissement des immeubles affectés à la garantie des droits de la femme, ou si l'on découvre que le mari n'a sur ces biens qu'une propriété incertaine (Grenier, n. 268).

— L'inscription prise par la femme peut-elle être réduite sans consulter ses quatre plus proches parents, sur la demande d'un tiers acquéreur ? ⟶ *N.* Les créanciers ne peuvent se soustraire aux conditions imposées à leur débitrice (Persil, n. 8).

La femme mariée sous le régime dotal peut-elle consentir la restriction de son hypothèque ? ⟶ *A.* (*Cass.*, 19 nov. 1833 ; S., 34, 1, 200).

2145 — Les jugements sur les demandes des maris et des tuteurs ne seront rendus qu'après avoir entendu le procureur du roi, et contradictoirement avec lui.

Dans le cas où le tribunal prononcera la réduction de l'hypothèque à certains immeubles, les inscriptions prises sur tous les autres seront rayées.

⟹ Ainsi, le tuteur a deux contradicteurs : le subrogé tuteur et le procureur du roi ; tandis que le mari n'en a qu'un seul : le procureur du roi. Dans ce dernier cas, le procureur du roi est partie principale : dans le premier, il n'est que partie jointe ; le tuteur doit former sa demande contre le subrogé tuteur.

Devant quel tribunal la demande en réduction doit-elle être portée ? Devant le tribunal du lieu où est domicilié le mari ou le subrogé tuteur. si cette demande devait être portée devant le tribunal du lieu de la situation ; il faudrait autant de jugements qu'il y aurait d'immeubles situés en différents ressorts. D'un autre côté, il pourrait arriver que la demande fût admise par un tribunal et rejetée par un autre ; ce qui serait d'un fâcheux effet (Persil, n. 2. — *Cass.*, 3 juin 1834 ; S., 34, 1, 434).

Le jugement qui prononce la réduction, éteint l'hypothèque sur une partie des biens ; les inscriptions prises sur ces biens doivent dès lors être rayées.

— Le procureur du roi peut-il interjeter appel du jugement ? ⟶ *A.* Ces mots *contradictoirement avec le ministère public*, donnent au procureur du roi la qualité de partie (Troplong, n. 644).

La femme devenue libre depuis le jugement de réduction intervenu, mais avant que ce jugement soit passé en force de chose jugée, peut-elle se rendre appelante à la place du procureur du roi ? ⟶ *N.* La femme n'est point partie agissante dans la procédure organisée par les art. 2144 et 2145 ; elle ne comparaît dans cette procédure que pour donner son consentement (Troplong, n. 644 *bis*).

CHAPITRE IV.

Du mode de l'inscription des priviléges et hypothèques.

L'inscription ne donne pas naissance à l'hypothèque ; si l'hypothèque était irrégulièrement constituée, l'inscription ne pourrait la valider : néanmoins, elle rend l'hypothèque efficace en ce sens qu'elle lui assigne un rang et assure au créancier hypothécaire un droit de préférence sur les créanciers chirographaires.

L'inscription doit contenir tous les éléments que les tiers ont intérêt à connaître.

Les créanciers inscrits le même jour viennent par concurrence (2147).

L'inscription prise pour le capital s'applique aux accessoires, et par conséquent aux intérêts et arrérages. Bien plus, quoique les intérêts ne soient dus qu'au fur et à mesure de leur échéance, ils se trouvent garantis au même rang que le principal, pour deux années en sus de celle qui court au moment de l'événement qui donne lieu à la distribution du prix de l'immeuble, bien qu'il n'en ait pas été fait mention dans les bordereaux. Des inscriptions particulières doivent être prises pour donner rang aux intérêts ultérieurs (2151). — Les intérêts moratoires qui courent jusqu'à la clôture de l'ordre doivent être colloqués au même rang que le capital en sus des deux années et de l'année courante (757, 767, 770, Pr.).

L'élection de domicile, pourvu qu'elle soit faite dans l'arrondissement, est entièrement libre de la part du créancier; il peut la changer; ses représentants jouissent du même droit.

Toute inscription se périme, lorsqu'elle n'a pas été renouvelée dans les dix ans à compter de sa date (2154).

Elle est soumise à la nécessité du renouvellement, tant qu'elle n'a pas produit son effet légal; c'est-à-dire, en cas d'expropriation forcée, jusqu'au jour de l'adjudication définitivement consommée: ainsi, le jugement d'adjudication forme entre les créanciers hypothécaires et l'adjudicataire un contrat par suite duquel ce dernier est censé s'obliger à payer son prix entre les mains des créanciers qui se trouveront en ordre utile pour le recevoir, — en cas d'aliénation volontaire, tant que le délai de quarante jours, depuis la notification faite aux créanciers inscrits, n'est pas expiré: lorsqu'il n'y a pas eu de surenchère dans ce délai, les créanciers sont réputés avoir accepté les offres faites par la notification.

Le renouvellement effectué en temps utile conserve à l'inscription originaire son efficacité pendant un nouveau délai de dix années.

La péremption d'une inscription entraîne la perte du rang hypothécaire; l'inscription nouvelle qui sera prise, ne donnera plus rang qu'à partir de sa date.

Les frais d'inscription sont, comme ceux d'acte, à la charge du débiteur mais l'inscrivant doit en faire l'avance.

Les actions auxquelles donnent lieu les inscriptions, se portent devant le tribunal compétent; ce tribunal est ordinairement celui de la situation (2156).

L'art. 2146 détermine le lieu et le temps où l'inscription peut être valablement prise.

Les articles 2148, 2149, 2150 et 2153 fixent la manière de l'opérer.

Les art. 2147, 2151, 2152, 2154, 2155 et 2156 tracent des règles diverses qui se rattachent cependant à l'inscription.

2146 — Les inscriptions se font au bureau de conservation des hypothèques dans l'arrondissement duquel sont situés les biens soumis au privilége ou à l'hypothèque. Elles ne produisent aucun effet, si elles sont prises dans le délai pendant lequel les actes faits avant l'ouverture des faillites sont déclarés nuls.

Il en est de même entre les créanciers d'une succession, si l'inscription n'a été faite par l'un d'eux que depuis l'ouverture, et dans le cas où la succession n'est acceptée que par bénéfice d'inventaire.

= Il est naturel que l'inscription soit prise au bureau dans l'arrondissement duquel l'immeuble est situé, puisqu'elle a pour but de faire connaître les charges qui le grèvent. — Lorsque plusieurs immeubles sont affectés au payement de la même dette, il faut par conséquent prendre autant d'inscriptions qu'il y a de bureaux différents (1); quand même ils seraient tous compris dans une même exploitation.

Tant que l'immeuble appartient au débiteur, les hypothèques par lui consenties peuvent être inscrites; aucun délai péremptoire n'est déterminé.

Mais il arrive un moment où les créanciers sont mis en demeure de faire connaître leurs droits : rappelons-nous, en effet, qu'aux termes des articles 834 et 835, Pr., les ayants droit sont tenus, à peine de déchéance, de prendre inscription dans la quinzaine qui suit la transcription du titre translatif de propriété : nous verrons en outre que, suivant les art. 2194 et 2195, les hypothèques des mineurs sur les biens de leurs tuteurs, et celles des femmes mariées sur les biens de leurs maris, doivent être inscrites dans les deux mois de l'exposition du titre : l'immeuble passe libre entre les mains du tiers acquéreur lorsqu'il n'a pas été pris d'inscription dans ces délais. Nous reviendrons sur ce point en examinant les art. 2166, 2194 et 2195.

Notre article envisage sous un autre point de vue la faculté de s'inscrire : il suppose que l'immeuble n'est pas sorti des mains du débiteur, et détermine deux cas dans lesquels l'inscription ne peut être utilement prise, savoir : 1° lorsque le débiteur est tombé en faillite; 2° lorsque sa succession a été acceptée sous bénéfice d'inventaire.

Occupons-nous d'abord du cas de faillite :

Un débiteur de mauvaise foi, connaissant le mauvais état de ses affaires, pourrait vouloir avantager un de ses créanciers au préjudice des autres; en vue de prévenir ces fraudes, une déclaration ainsi conçue fut rendue le 18 novembre 1702 : « Déclarons et ordonnons que toutes cessions et transports sur les biens des marchands qui font faillite seront nuls et de nulle valeur s'ils ne sont faits dix jours au moins avant la faillite publiquement connue; comme aussi, que les actes et obligations qu'ils passeront par-devant notaires, au profit de quelques-uns de leurs créanciers, ou pour contracter de nouvelles dettes, ensemble, les sentences qui seront rendues contre eux, n'acquerront aucune hypothèque ni préférence sur les créanciers chirographaires, si lesdits actes et obligations ne sont rendus publics dix jours au moins avant la faillite publiquement connue ».

Cette déclaration, combinée avec le système du Code, qui subordonne à l'inscription, l'efficacité du privilége ou de l'hypothèque, a servi de base à l'article 2146, lequel déclare que les inscriptions ne produisent aucun effet si elles sont prises dans le délai pendant lequel les actes faits avant l'ouverture des faillites sont déclarés nuls. — On a pensé, que la masse des biens devait se trouver fixée, et les droits des créanciers irrévocablement déterminés, au moment où le débiteur est privé de la disposition de ses biens (442, C. de comm.); qu'il serait dès lors injuste, d'accorder une préfé-

_____

(1) Il y a un bureau de conservation des hypothèques dans chaque arrondissement; ce bureau est placé dans la commune où siége le tribunal (Loi du 21 ventôse an 7, art. 2).

rence au créancier négligent ou de mauvaise foi, qui a peut-être contribué au malheur des autres par l'impossibilité où il les a placés de connaître les charges qui grevaient les biens du débiteur; ou que les créanciers présents sur les lieux pussent acquérir une préférence sur les créanciers absents.

Le Code suppose qu'il s'agit de droits qui ne se conservent ou ne prennent rang que par l'inscription, c'est-à-dire, de priviléges et d'hypothèques sur les immeubles : aussi, à l'époque où sa disposition était en vigueur, décidait-on qu'elle ne s'appliquait ni aux priviléges sur certains meubles, ni aux priviléges généraux dispensés d'inscription par l'article 2107, ni aux hypothèques légales des femmes et des mineurs. — Cette disposition avait cela de rigoureux qu'elle frappait d'inefficacité, par l'impossibilité de les inscrire, des hypothèques constituées à une époque où la fraude était impossible; des priviléges attachés à des créances dont on ne pouvait suspecter la sincérité, et même des priviléges que l'on peut inscrire dans un certain délai (*voy.* art. 2109 et 2111); enfin, elle conduisait à ce résultat injuste, que des biens entrés dans le patrimoine du débiteur par l'effet d'une vente ou d'un partage, depuis l'époque où l'inscription ne pouvait plus être utilement prise (c'est-à-dire, dans les dix jours antérieurs à l'ouverture de la faillite), devenaient le gage commun des créanciers à l'exclusion du vendeur et des copartageants; et que les entrepreneurs et les ouvriers perdaient leur privilége sur la plus-value résultant des réparations ou des constructions qu'ils avaient faites.

Le Code de comm. de 1808 vint encore ajouter à la rigueur de l'art. 2146, en permettant aux juges de faire remonter l'ouverture de la faillite à un temps bien antérieur à celui de la déclaration; de telle sorte que le délai de dix jours, qui, dans la pensée des auteurs du Code civil, devait avoir pour point de départ la publicité de la faillite, pût dater d'un événement qui n'avait reçu aucune publicité. — Bien plus, il déclara (art. 443) que nul ne pourrait, dans le délai de dix jours, ainsi calculé, *acquérir privilége ou hypothèque* sur les biens du failli, expressions générales qui comprenaient indistinctement les priviléges généraux ou particuliers sur les meubles, les priviléges sur les immeubles et les hypothèques légales dispensées d'inscription. — A la vérité, la doctrine recula devant cette règle; elle borna son application, en ce qui concernait les priviléges sur les meubles au seul privilége du gagiste (2073, 2102, n. 2); elle interpréta la défense d'acquérir des priviléges sur les immeubles, en ce sens qu'on ne pourrait rendre efficaces ceux qui seraient subordonnés à la formalité de l'inscription : sous ce rapport, l'art. 443 fut censé reproduire la règle établie par l'art. 2146; enfin, elle étendit cette même interprétation aux hypothèques dispensées d'inscription, l'article 2146 ne leur étant pas applicable : toutefois, ce dernier point était contesté.

Il importait, comme on le voit, de mettre un terme aux difficultés que faisait naître l'interprétation de ces deux législations, de les compléter sous quelques rapports, et de restreindre leur rigueur sous certains autres.

Cette réforme fut opérée par la loi du 28 mai 1838.

L'article 441 de cette loi maintient pour les tribunaux la faculté de déterminer, par le jugement déclaratif, l'époque à laquelle a eu lieu la cessation de payement qui produit l'état de faillite; et déclare qu'à défaut de détermination spéciale, la cessation de payement sera réputée avoir eu lieu à partir du jugement déclaratif.

L'article 446 déclare nuls et sans effets, relativement à la masse, lorsqu'ils n'ont eu lieu que depuis la cessation des payements ou dans les dix jours précédents, certains actes du débiteur ; et parmi ces actes, il comprend les constitutions d'hypothèques conventionnelles ou judiciaires, et tous droits d'antichrèse ou de nantissement (1) constitués pour dettes *contractées antérieurement*, et indépendamment de cette garantie, qui n'aurait été accordée que postérieurement et par acte séparé ; mais il maintient implicitement ces divers droits lorsqu'ils ont été constitués comme condition de nouvelles obligations contractées depuis la cessation des payements, ou dans les dix jours précédents, sauf aux tiers intéressés à les faire annuler en cas de fraude, notamment en prouvant qu'il y a eu, de la part de ceux qui ont reçu du débiteur, ou qui ont traité avec lui, connaissance de la cessation des payements (447) : les tribunaux sont appréciateurs des circonstances.

Par suite de ce principe, on décide aujourd'hui, que les priviléges doivent être maintenus, car ils accompagnent toujours, et nécessairement, la mutation de propriété, puisqu'à la différence dé l'hypothèque, ils ne peuvent être séparés de l'acte principal.

Nous en dirons autant de l'hypothèque légale de la femme, du mineur et de l'interdit, car cette hypothèque est dispensée d'inscription.

Enfin, l'art. 448 fait cesser la rigueur de l'art. 2146, qui empêchait de vivifier, par l'inscription, dans les dix jours antérieurs à l'ouverture de la faillite, les priviléges et les hypothèques valablement acquis soit avant la cessation des payements, soit depuis : aujourd'hui, cette inscription peut être prise utilement jusqu'au jour de l'ouverture de la faillite. Toutefois, en vue de punir le créancier qui, par négligence ou par une coupable complaisance pour le débiteur, n'aurait pas immédiatement rendu public son droit de préférence, il autorise les tribunaux à prononcer, eu égard aux circonstances, la nullité des inscriptions prises après l'époque de la cessation des payements ou même dans les dix jours précédents, lorsqu'il s'est écoulé plus de quinze jours entre l'acte constitutif du privilége ou de l'hypothèque et l'inscription ; sauf augmentation du délai à raison d'un jour par cinq myriamètres.

Plus cette disposition est sévère, plus il importe de la restreindre aux termes dans lesquels elle est conçue ; or elle ne parle que des faillites : concluons de là, qu'elle est inapplicable aux inscriptions à prendre pour la conservation du droit de préférence dont jouissent les créanciers et les légataires, lorsqu'ils demandent la séparation des patrimoines (2).

Qu'on ne doit pas l'étendre à la déconfiture ou à la cession de biens faite par un débiteur non commerçant (3). D'ailleurs, en ce cas, il n'existe pas de point de départ certain pour faire remonter les dix jours ; l'article 904, Pr. est seul applicable.

Enfin, qu'il faut la restreindre aux négociants, les seuls auxquels puisse s'appliquer la dénomination de faillis. — Ainsi, les inscriptions peuvent être prises en tout temps sur les biens des simples particuliers.

Les mêmes raisons qui font annuler une inscription prise en cas de faillite, font déclarer sans effet les inscriptions prises sur les immeubles d'une succession acceptée sous bénéfice d'inventaire : par cela seul que l'héritier a employé ce mode d'acceptation, la loi présume que le passif excède l'actif ; elle assimile cette succession à une personne en faillite :

---

(1) Les droits de gage et d'antichrèse avaient été omis mal à propos dans la législation précédente.
(2) Troplong., n. 651. — *Paris*, 23 mars 1824 ; D., 25, 2, 119.
(3) Persil, n. 10 ; Troplong , n. 661 ; Merlin, Rép., Inscrip., § 13. — *Cass.*, 9 février 1812 ; S., 13, 1, 124.

ñinsi, la mort fixe et détermine les droits de chacun ; les créanciers restent dans la position où ils se trouvent à cette époque ; ceux qui sont sur les lieux ne peuvent profiter de ce hasard, pour frustrer les autres créanciers éloignés. — Ce que nous disons pour le cas où la succession a été acceptée sous bénéfice d'inventaire, s'applique à *fortiori* au cas où elle a été répudiée (1).

Il semblerait juste de distinguer le cas où l'acceptation bénéficiaire est volontaire, de celui où elle est prescrite par la loi : rappelons-nous, en effet, que la succession échue à un mineur, par exemple, doit toujours être acceptée sous bénéfice d'inventaire. Mais le législateur manifeste suffisamment, par son silence, l'intention de ne pas établir d'exception pour ce cas (Persil, n. 13 ; Troplong, n. 653 ; Delv., p. 163, n. 8 ; *voy.* cep. Grenier, t. 1, n. 122).

Il est important de remarquer, que le délai de dix jours, dont il est parlé pour la faillite, n'a pas lieu pour le cas d'acceptation bénéficiaire : la prohibition de s'inscrire date seulement du jour de l'ouverture de la succession.

Si l'héritier bénéficiaire devient héritier pur et simple, quel est le sort de l'inscription qu'il a consentie ? L'inscription prise sur l'immeuble se trouve validée ; l'article cesse d'être applicable.

Il résulte clairement de la dernière partie de l'article, que la nullité n'est prononcée que dans le seul intérêt des créanciers de la succession : les tiers acquéreurs, ou les créanciers de l'héritier, ne peuvent donc s'en prévaloir (Persil, n. 12).

La loi ne prévoit pas le cas où la succession est vacante : néanmoins, on doit, à *fortiori*, assimiler cette succession, à celle qui est acceptée sous bénéfice d'inventaire (2).

Il est bien entendu, que l'ouverture de la faillite ou l'acceptation sous bénéfice d'inventaire n'empêchent pas de renouveler l'inscription des hypothèques acquises antérieurement.

— Dans quel lieu faut-il prendre inscription quand il s'agit d'immeubles fictifs, tels que les actions de la banque de France ou celles des canaux, lesquelles peuvent être immobilisées ? ⚬⚬ Il faut prendre inscription au lieu du siége de l'administration de l'entreprise.

Les renouvellements d'inscription sont-ils nécessaires, pour maintenir la position fixée à l'ouverture des dix jours ? ⚬⚬ *N.* La position de tous a été définitivement arrêtée. ⚬⚬ C'est aller beaucoup trop loin : certes, la loi prohibe l'acquisition d'une cause de préférence dans le délai ; mais elle ne dit pas que la position acquise ne peut se perdre, — la cause de préférence est l'exception ; la contribution est le droit commun ; la loi voit avec plaisir qu'on reste dans la règle générale. Il faut donc renouveler l'inscription tant que le droit de préférence n'a pas produit tout son effet ; c'est-à-dire, tant que l'immeuble n'a pas été converti en argent.

Quid, si partie des héritiers accepte bénéficiairement, et l'autre partie purement et simplement ? ⚬⚬ Si la succession est bonne, la question n'a point d'intérêt ; si elle est mauvaise, on se trouve dans le cas prévu par l'art. 2146.

Faut-il faire inscrire le privilége que la loi de 1808 accorde au trésor pour les frais de justice résultant des condamnations qui ont été prononcées contre le comptable ? ⚬⚬ Si le jugement a été prononcé dans les dix jours, il ne produit ni privilége ni hypothèque ; mais si le jugement était antérieur, l'inscription pourrait être utilement prise dans les dix jours (Persil, n. 7).

Quid, en cas de cession de biens ? ⚬⚬ Les inscriptiptions prises dans les dix jours qui ont précédé le jugement d'admission sont valables (Persil, n. 14 ; Troplong, n. 662). ⚬⚬ Il faut appliquer l'art. 2146 (Grenier, n. 124, t. 1ᵉʳ).

Que deviennent les inscriptions prises dans l'intervalle de l'ouverture de la succession et de l'acceptation sous bénéfice d'inventaire ? ⚬⚬ Elles sont nulles (Troplong, 658 *ter* ; Merlin, Quest., Succ. vac. § 1, n. 120).

---

(1) Le législateur nous paraît avoir été guidé par cette seule considération que les créanciers ont une garantie de moins lorsque la succession est acceptée sous bénéfice d'inventaire : car ils n'ont plus l'héritier pour débiteur : on n'a pas voulu qu'un créancier qui aurait été averti du décès plus tôt qu'un autre, pût profiter de cette circonstance accidentelle pour venir absorber le gage commun.

(2) Merlin. Rép., Inscrip., hyp. § 4, n. 5 ; Quest., Success. vacante, § 1 ; Troplong, n. 639 *ter* ; Grenier, n. 120, t. 1ᵉʳ ; Persil, n. 11.

Quid, lorsqu'il y a plusieurs héritiers, si les uns acceptent bénéficiairement, et les autres purement et simplement? ⋙ Le créancier qui avait une hypothèque antérieure au décès, a pu inscrire utilement cette hypothèque depuis le décès, sur les biens échus à ceux des héritiers qui ont accepté purement et simplement; car la succession, par rapport à eux, ne peut être assimilée à l'état d'un débiteur en faillite : mais l'inscription n'a aucun effet pour les biens échus aux héritiers bénéficiaires (Dur., n. 84; Delv., n. 158, p. 8. — *Cass.*, 18 nov. 1833; S., 33, 1, 519). ⋙ Si la successsion est bonne, la question n'a point d'intérêt. — Si elle est mauvaise, on rentre dans le cas de l'art. 2146.

Les condamnations obtenues par un créancier de la succession, contre les héritiers qui ont accepté purement et simplement, emportent-elles, au préjudice des autres créanciers, hypothèque judiciaire sur les biens de la succession? ⋙ *N*. Le droit de tous les créanciers s'est trouvé fixé au moment de la mort du débiteur commun (Grenier, n. 128. — *Rouen*, 17 mars 1817, — S., 1819, 1, 131). ⋙ *A*. L'art. 2146 n'est point applicable, puisque la succession n'a point été acceptée sous bénéfice d'inventaire. — Les héritiers sont devenus les vrais débiteurs des créanciers de la succession ; ceux-ci ne doivent pas être dans une condition pire que les créanciers personnels de l'héritier (Dur.; n. 85).

Quel est l'effet des jugements obtenus par les créanciers de la succession contre l'héritier, sur les biens personnels de celui-ci? ⋙ Ils emportent hypothèque (Grenier, n. 129).

2147 — Tous les créanciers inscrits le même jour exercent en concurrence une hypothèque de la même date, sans distinction entre l'inscription du matin et celle du soir, quand cette différence serait marquée par le conservateur.

= Ainsi, le conservateur ne peut, en inscrivant une hypothèque avant l'autre, lui procurer un ordre de faveur; la disposition du Code prévient toute collusion.

Concluons de là, qu'un mariage et une tutelle qui datent du même jour, donnent aux ayants droit le même rang.

2148 — Pour opérer l'inscription, le créancier représente, soit par lui-même, soit par un tiers, au conservateur des hypothèques, l'original en brevet, ou une expédition authentique du jugement ou de l'acte qui donne naissance au privilége ou à l'hypothèque (1).

Il y joint deux bordereaux écrits sur papier timbré, dont l'un peut être porté sur l'expédition du titre : ils contiennent,

1° Les nom, prénom', domicile du créancier, sa profession, s'il en a une, et l'élection d'un domicile pour lui dans un lieu quelconque de l'arrondissement du bureau;

2° Les nom, prénom, domicile du débiteur, sa profession s'il en a une connue, ou une désignation individuelle et spéciale, telle, que le conservateur puisse reconnaître et distinguer dans tous les cas l'*individu* (2) grevé d'hypothèque;

3° La date et la nature du titre ;

4° Le montant du capital des créances exprimées dans le titre, ou évaluées par l'inscrivant, pour les rentes et prestations, ou pour les droits éventuels, conditionnels ou indéterminés, dans les cas où cette évaluation est ordonnée; comme aussi le montant des accessoires de ces capitaux, et l'époque de l'exigibilité ;

5° L'indication de l'espèce et de la situation des biens sur

_____

(1) Ces expressions *brevet* et *expédition* semblent supposer l'existence d'un original passé en forme authentique : mais évidemment l'article est incomplet ; la représentation d'un acte sous seing privé suffit en certains cas : ainsi on peut prendre inscription en vertu d'un testament olographe, d'un acte de vente sous seing privé, ou d'un partage amiable: pour faire inscrire les créances privilégiées de l'art. 2101, il suffit même, aux termes de l'art. 558 Pr., d'obtenir une ordonnance du juge.

(2) Expression inexacte : ce n'est pas un individu, c'est un immeuble qui est grevé d'hypothèque.

lesquels il entend conserver son privilége ou son hypothèque.

Cette dernière disposition n'est pas nécessaire dans le cas
des hypothèques légales ou judiciaires : à défaut de convention, une seule inscription, pour ces hypothèques, frappe
tous les immeubles compris dans l'arrondissement du bureau.

= Après avoir déterminé (art. 2146) le lieu où doit se faire l'inscription, la loi fixe la manière de l'opérer. — A cet égard, elle distingue : l'hypothèque est judiciaire, conventionnelle ou légale : notre article s'occupe
des deux premiers cas; l'art. 2153 règle le troisième.

Toutes personnes, même celles qui n'ont reçu du créancier aucun pouvoir, peuvent requérir cette inscription ; il suffit qu'elles soient pourvues
de l'acte (authentique ou privé) qui donne naissance au privilége ou à l'hypothèque : la représentation de cet acte établit suffisamment le mandat.

Néanmoins, si l'acte sous seing privé a été déposé chez un notaire ; par
exemple, lorsqu'il s'agit d'un testament olographe dont le dépôt a été ordonné par le président du tribunal (1007), les légataires qui veulent
prendre inscription, soit en vertu de l'art. 1007, soit en vertu de l'article 2111, peuvent s'en faire délivrer une copie, et faire inscrire leur
droit sur la représentation de cette copie.

Certains créanciers peuvent prendre inscription sans avoir d'écrits :
tels sont ceux dont il est parlé dans l'art. 2101.

L'interdit, le mineur, et la femme mariée non autorisée, peuvent eux-
mêmes requérir valablement inscription, car cet acte est purement
conservatoire ; il ne produit pas d'engagements (2194).

Le défaut de représentation du titre serait-il une cause de nullité ? Il
faut juger du mérite d'une inscription, par ce qui se trouve relaté sur les
registres du conservateur : or on ne fait pas mention de cette représentation sur les registres ; l'inscription ne peut dès lors être attaquée pour
cette cause.

La représentation du titre constitutif n'est donc pas tellement de rigueur,
qu'elle ne puisse être suppléée par équipollence (1).

D'ailleurs, le conservateur n'est pas juge de la sincérité du titre.

Pour prendre inscription, il faut représenter au conservateur deux bordereaux : l'un des doubles, au pied duquel le conservateur certifie avoir
pris inscription, est rendu au créancier (2) ; l'autre reste entre les mains
du conservateur, pour le mettre à même d'établir, en cas de contestation,
que les erreurs ne proviennent pas de son fait.

Néanmoins, les mêmes raisons qui nous ont porté à décider que le défaut de représentation du titre n'entraîne pas nullité, nous déterminent
à penser, que la représentation des bordereaux n'est pas essentielle ;
car on ne juge pas de la validité de l'inscription par les bordereaux,
mais par le contenu aux registres. — D'ailleurs, les bordereaux ne sont
représentés que dans l'intérêt de l'inscrivant et du conservateur : dans
l'intérêt de l'inscrivant, pour que l'inscription soit prise conformément aux

(1) L'inscription prise sur la représentation d'une signification, contenant copie du titre, est même
valable (Cass., 19 juin 1833 ; S., 32, 1, 651 ; 18 juin 1823 ; S., 2, 3, 1, 64).
(2) Ce bordereau peut être porté sur l'expédition du titre (2148).

énonciations que renferme le titre; dans l'intérêt du conservateur, pour mettre sa responsabilité à couvert.—Quant au débiteur et aux créanciers, ils ne consultent que l'inscription sur les registres : lorsqu'elle est régulière, peu leur importe le contenu de la pièce qui a été produite.

Régulièrement, les bordereaux doivent être écrits sur papier timbré : toutefois, le défaut de timbre n'entraînerait pas nullité; il y aurait seulement lieu à une amende.

Voyons maintenant quelles sont les indications que doivent contenir les bordereaux, car ils sont le type de l'inscription :

Ces indications sont relatives :

1° *A la personne du créancier.*

La loi exige l'énonciation des *nom et prénoms* (1); car le tiers acquéreur qui veut purger, doit faire aux créanciers inscrits, les notifications dont nous parlerons ultérieurement : dès lors, il lui importe de trouver, dans l'inscription, les indications nécessaires.

Si le créancier est mort, et que sa succession soit encore indivise, on doit inscrire au nom du défunt; si elle a été partagée, on inscrit au nom de l'héritier auquel la créance est échue; si la créance appartient à une maison de commerce, on indique la raison sociale.

Si la créance appartient à l'un pour la propriété et à l'autre pour l'usufruit, l'inscription prise par l'un ou par l'autre est valable pour la propriété et pour l'usufruit, pourvu que les mentions relatives à l'un et à l'autre droit aient été faites : en effet, il résulte de l'art. 2148, qu'un tiers peut prendre inscription, sans avoir de mandat formel.

Il faut indiquer *le domicile réel* : parce que les jugements de condamnation, et par conséquent ceux qui prononcent une mainlevée d'inscription, doivent, aux termes des art. 147 et 548, Pr., être signifiés dans ce lieu (2).

Le domicile d'élection : afin d'épargner aux tiers qui poursuivent l'ordre ou la réduction, l'embarras de signifier les actes de procédure à des domiciles réels peut-être fort éloignés (*voy.* art. 111, C. c.) : néanmoins, si l'inscription indiquait le domicile véritable dans l'arrondissement, nous pensons qu'on aurait suffisamment obéi à la loi (3).

La profession : son indication est requise pour faire connaître plus complètement le créancier (4).

2° *A la personne du débiteur :* L'inscription doit être prise contre le débiteur direct et originaire; c'est toujours celui qui consent l'hypothèque, que l'on doit désigner dans l'inscription ou le renouvellement; quand même à ce moment l'immeuble se trouverait entre les mains d'un tiers acquéreur (5). — La désignation du débiteur s'opère, par l'énonciation de ses nom, prénoms, profession et domicile; mais comme le créancier pourrait

(1) Il a été jugé, que l'inscription faite sous des prénoms autres que les prénoms véritables du créancier n'annule pas cette inscription, pourvu que l'identité soit suffisamment établie (*Rouen*, 14 novembre 1808 ; S., 9, 2, 286 ; 15 février 1810 ; S., 10, 1, 179. — *Bordeaux*, 8 février 1811 : S., 11, 2, 252).

(2) Le défaut d'indication du domicile réel du créancier annule l'inscription ·encore qu'il y ait domicile élu (Dur., n. 106 ; *voy. Cass.*, 6 juin 1810 ; S., 10, 1. 290. — *Paris*, 9 juin 1814 ; S., 1815 ; 2, 237 ; 16 février 1809 ; 9 août 1811 ; S., 9, 2, 108 ; 12, 2, 3).

(3) Toutefois cette opinion est contestée : on peut dire que la loi ne distingue pas (Persil, n. 9). ⁓ L'élection de domicile est substantielle (Dur., n. 107. — *Douai*, 7 janvier 1810 ; S.,|20, 2, 99. — *Cass.*, 2 mai 1816 ; S., 16, 1, 245 ; 6 janvier 1835 ; S., 35, 1. 5 ; 27 août 1828 ; D., 28, 1. 401 ; 12 juillet 1836 ; S., 36, 1, 556). ⁓ Non substantielle.—Appliquez seulement par analogie l'art. 68 Inst. crim. (Merlin, Rép., v° Inscrip. hyp., § 5, n. 8; Grenier, t. 1ᵉʳ, n. 97 ; Troplong, n. 679. — *Metz*, 2 juillet 1812 ; S., 12, 2, 388. — *Grenoble*, 12 avril 1821 et 10 juillet 1823 ; D., v° Hyp., p. 268. — *Paris*, 8 août 1832 ; S., 33, 2, 95).

(4) L'omission de la profession ou l'indication fausse d'une profession, n'annule pas l'inscription (*Cass.*, 1ᵉʳ octobre 1810 ; S., 10, 1, 183).

(5) *Cass.*, 27 mai 1816 ; S., 16, 1, 265. — *Metz*, 5 août 1819 ; S., 21, 2, 7. — *Caen*, 6 mai 1812 ; S., 12, 2, 431.

fort bien ignorer ces indications, la loi met à sa disposition la ressource des équipollents : elle se contente d'une désignation quelconque, pourvu qu'elle soit *individuelle* et *spéciale*, et que le conservateur puisse reconnaître et distinguer le débiteur. — Par la même raison, si l'on prend inscription après le décès du débiteur, l'inscrivant n'est pas obligé de désigner individuellement les héritiers, il lui suffit de faire connaître le défunt (1).

Quid, si l'immeuble a été hypothéqué pour la dette d'un tiers? La seule désignation du débiteur ne remplit pas le but de la loi : il faut en outre indiquer le nom du propriétaire; autrement, le conservateur pourrait délivrer un certificat négatif d'inscription sur les biens de ce dernier.

3° Il faut déterminer *la date et la nature du titre* : c'est-à-dire, du titre constitutif de l'hypothèque et du titre constitutif de la créance, quand ils sont distincts l'un de l'autre. — *La date* : afin que les tiers puissent savoir si le débiteur avait, à l'époque indiquée, le droit de contracter, si la dette a une cause légitime, et si elle n'est pas postérieure à l'inscription. — *La nature du titre* : c'est-à-dire, si c'est un jugement ou un contrat. Il faut de plus caractériser le contrat; car c'est de la validité du titre, que dépend l'effet de l'hypothèque. D'ailleurs, il importe de savoir si le créancier jouit d'un privilége ou d'une simple hypothèque (2).

La loi n'exige pas que les bordereaux soient signés du requérant; elle n'exige pas non plus qu'ils soient datés : on doit considérer ces formalités comme surabondantes.

4° *Le montant du capital* : afin que les tiers puissent connaître l'étendue des charges qui pèsent sur l'immeuble.

Par la même raison, on doit énoncer le montant des accessoires; par exemple, le taux des intérêts, s'il en a été stipulé.

Quid, à l'égard des frais qui ont été faits légitimement pour la liquidation de la créance, par exemple, pour l'enregistrement de l'acte constitutif d'hypothèque, pour le coût de l'inscription, ou pour obtenir un jugement? Ils doivent être colloqués au même rang que le capital, comme accessoires de la créance (3). Les mêmes principes s'appliquent aux dommages-intérêts prononcés contre le débiteur, pour cause d'inexécution de ses engagements (4). — Quant aux frais qui ont été faits dans l'intérêt de la masse, tels que ceux de saisie, de vente, etc., ils sont payés par préférence, comme frais de justice.

Si la créance est *indéterminée*, c'est-à-dire, si le titre ne contient pas l'expression d'un capital, le créancier est obligé de l'évaluer, que le droit soit ou non éventuel.

Cette évaluation présente quelques difficultés, lorsqu'il s'agit d'une rente ou de prestations en denrées; surtout, lorsque la rente est viagère; mais la loi ne distingue pas : ainsi, dans ce cas même, le créancier doit indi-

---

(1) Une désignation propre à faire connaître le débiteur, est généralement regardée comme suffisante (Merlin, Rép., Inscript. hyp., § 5, n. 8 et 9; Dur., n. 108 et suiv. — *Cass.*, 4 mars 1812; S., 12, 1, 257; 27 mai 1816; S., 16, 1, 265).
(2) La mention spéciale et expresse de la nature du titre, ou, en d'autres termes, de la cause de la créance, n'est point une formalité substantielle; il suffit que le titre soit indiqué de manière à rendre possible la vérification de la légitimité de la créance (Merlin, Hyp., sect. 2, § 2, art. 10; Grenier. t. 1, n. 97; Toullier, n. 510; Troplong, n. 682. — *Cass.*, 16 mars 1816; S., 16, 1, 407; 30 janvier 1818 et 16 mars 1820; S., 20, 1, 353; 7 octobre 1812 : S., 13, 1, 111; 12 décembre 1821; S., 21, 1. 259; 1er février 1825, S., 25, 1, 287; 26 juillet 1825; S., 26, 1, 92; 19 juin 1833; S., 33, 1, 641. — *Douai*, 7 février 1819. — *Toulouse*, 23 mai 1820; S., 20, 2299 et 292. — *Paris*, 13 janvier 1818; S., 18, 2, 257; 19 juin 1833).
(3) Troplong, t. 3, n. 702 *bis* et t. 2, n. 618 *ter*; Grenier, n. 93, t. 1er; Merlin, Inscrip. hyp., § 5, n. 11.
(4) Troplong, n. 703; voy. cep. *Cass.*, 11 mars 1834; S., 34, 1, 335.

quer, en prenant inscription, le capital auquel il suppose que la rente viagère peut s'élever (1).

Aux termes de notre article, il ne doit être fait mention aux bordereaux, du capital évalué par l'inscrivant, que dans le cas où cette évaluation est ordonnée : or l'évaluation n'est pas prescrite lorsqu'il s'agit d'une hypothèque légale : en ce cas l'inscription se fait dans la forme indiquée par l'article 2153. Du reste, cette exception n'est pas étendue aux inscriptions à prendre pour sûreté des hypothèques judiciaires ou des privilèges (2).

On doit également indiquer *l'époque de l'exigibilité;* car pour connaître la solvabilité d'une personne, il importe de savoir si l'hypothèque grèvera ses biens longtemps encore (3).

Toutefois, il ne faut pas entendre cette règle avec une rigueur telle, que l'inscription doive être privée d'effet, si elle ne contient pas, d'une manière formelle, l'indication de l'époque où la créance deviendra exigible : il n'existe pas de termes sacramentels; l'intérêt des tiers exige seulement, qu'en examinant l'ensemble de l'acte, on ne puisse être induit en erreur à cet égard : par exemple, si l'on prend inscription pour le montant d'un billet protesté, le mot *protesté* indique suffisamment que la dette est actuellement exigible (4).

La mention de l'époque de l'exigibilité est même impossible, relativement au capital des rentes; car ce capital n'est pas exigible (1909, 1978).

Mais on doit mentionner les époques d'échéance des termes; car il importe aux créanciers de les connaître (5).

5° Enfin, il est essentiel que l'inscription désigne clairement les biens soumis à l'hypothèque, afin que les tiers auxquels on offre un droit de gage sur ces mêmes biens, puissent facilement connaître les charges dont ils sont grevés (6).

Comme on le voit, ce cinquième alinéa est relatif à la spécialité; la décision de l'article 2129 se trouve transportée dans l'article 2148.

Ainsi, l'inscription prise, d'une manière générale, sur tous les biens situés dans une commune, ne serait pas valable : la loi exige l'indication de la nature et de la situation des chacun des biens (*voy.* 1229).

Néanmoins, cette énonciation n'est pas nécessaire, lorsqu'il s'agit d'hypothèques légales ou judiciaires; car ces hypothèques frappent la généralité des biens : une seule inscription générale et indéterminée suffit pour affecter tous les immeubles situés dans l'arrondissement du

---

(1) Suivant quelques jurisconsultes, quand il s'agit d'une rente viagère, l'indication du montant des arrérages est suffisante. — Lorsqu'ils consistent en une prestation en nature, une estimation est nécessaire.

(2) Merlin, Rép., v° Inscript. hyp.; Grenier, n, 83; *voy.* cep. Troplong, n. 684. — *Cass.*, 4 août 1825; S., 26, 1, 1226. — *Rouen*, 19 février 1828; D., 29, 2, 32.

(3) Le montant du capital et l'indication de l'époque de l'exigibilité doivent être mentionnés à peine de nullité (Dur., n. 126. — *Cass.*, 11 novembre 1811; S., 12, 1, 132, et d'autres arrêts; 9 août 1832; S., 32, 1, 181). ↝ Pas de nullité si l'on a indiqué une somme autre que celle qui est due; seulement, le créancier ne pourra se faire colloquer que pour le montant porté dans l'inscription. Si aucune somme n'a été indiquée, l'inscription ne conserve rien. — On trouve dans la loi du 4 septembre 1807 un argument *à contrario* très-fort pour la nullité en cas d'omission de l'époque de l'exigibilité : cependant, il serait peut-être plus raisonnable de punir le créancier par où il a péché, et de réputer non exigible la somme qui lui est due.

(4) Les opinions sont divisées sur ce point : chaque auteur a, pour ainsi dire, un système particulier : celui de M. Persil nous a paru devoir être adopté; il est d'ailleurs, sauf quelques légères différences, entièrement conforme à celui de Merlin. — (*Cass.*, 3 janvier 1814; S., 14, 1, 82. — *Metz*, 12 juillet 1811; S., 12, 2, 62).

(5) Circulaire des ministres de la justice et des finances, des 21 juin 1808; S., 1809, 2, 230.

(6) Certes ici, en cas d'omission, il y a *nullité*; car la spécialité est une des bases de notre système hypothécaire.

bureau ; savoir , les immeubles présents , à partir de l'époque où elle a
été prise , et les immeubles à venir, au fur et à mesure des acquisitions ,
sans qu'il y ait lieu de prendre des inscriptions successives. (2122 et 2123).
— Si l'hypothèque générale avait été restreinte à certains immeubles , il
faudrait observer les règles relatives aux hypothèques conventionnelles,
car l'inscription se trouverait spécialisée (2129 et 2130).

Quant aux priviléges (même généraux), ils ne sont dispensés, par aucun
texte, d'une inscription spéciale : loin de là, les articles 2109 et 2111 exigent
que la désignation dont il s'agit ait lieu.

Nous pensons même, qu'on ne peut étendre à des hypothèques légales
autres que celles dont il est parlé dans l'art. 2121 , la disposition de l'art.
2148 *in fine* : et qu'ainsi (1017) le légataire particulier est soumis, comme
les créanciers ordinaires, à la nécessité de s'inscrire sur chaque immeuble.

Il nous reste à examiner, en terminant, la question de savoir si les
énonciations dont il est parlé dans notre article sont prescrites à peine de
nullité; en d'autres termes, si elles sont substantielles ou accidentelles:
on peut dire qu'elles sont substantielles, mais que les moyens employés pour
les faire sont accidentels. — Tout ce que la loi exige, c'est qu'on ne puisse
être induit en erreur sur leur objet ; c'est qu'on ne dissimule pas au public
ce qu'il lui importe de connaître. Merlin fait une comparaison ingénieuse
entre les formalités prescrites par notre article, et les formalités requises
pour la publicité du mariage : de même, dit-il , que l'art. 193 laisse aux
tribunaux la faculté de maintenir le mariage, nonobstant l'omission de
quelques éléments requis pour le rendre public, de même dans l'espèce,
ils sont appelés à examiner si les énonciations atteignent suffisamment le
but que le législateur s'est proposé (1) : en cas de doute, ils doivent se
prononcer pour la validité.—Cette interprétation est généralement admise ;
toutefois il nous a paru utile de signaler en note, sous chaque numéro, les
diverses opinions qui se sont élevées.

A l'égard de l'hypothèque légale du mineur ou de la femme mariée , la
nullité des bordereaux est insignifiante ; car ces sortes d'hypothèques se
conservent sans inscriptions.

—Si la créance pour laquelle on veut conserver l'hypothèque a été transportée , au nom de qui doit
être prise l'inscription avant la notification ? ∽ Au nom du cédant : celui qui cede une créance en reste
toujours le titulaire légal ; son cessionnaire n'obtient qu'un mandat , une action utile pour s'en appliquer
le résultat. — Cette décision résout implicitement la question de savoir si l'acte de cession doit être authentique : il est évident que l'authenticité n'est pas nécessaire (Persil, n. 4 ; Troplong, n. 365 et suiv. ;
Delv., p. 166, n. 3 ; Grenier, n. 74 ; et n. 89. — *Paris*, 10 ventôse au 12 ; S., 4, 2, 704). ∽ La cession
transporte la créance au cessionnaire sans qu'il soit besoin pour cela de signification au débiteur. —
L'art. 1690 est inapplicable à la cause ; ce dernier article a eu seulement en vue les personnes qui pourraient avoir acquis des droits à la créance cédée , soit par l'effet des saisies-arrêts , soit par l'effet d'une
autre cause ; or , dans l'espece , il ne s'agit pas des droits d'un tiers sur la créance cédée : il s'agit seulement d'une inscription prise par un cessionnaire qui , à tous égards, est devenu propriétaire de la
créance (Dur., n. 93).

Quid , s'il s'agit d'une délégation faite , par exemple , par un vendeur à son créancier? ∽ Même
décision. — L'inscription peut précéder l'acceptation de la délégation ; d'après l'article 1121 elle emporte
acceptation (Dur., n. 94).

(1) Trois opinions se sont élevées sur cette importante question : suivant la première, l'inscription, doit,
à peine de nullité , renfermer toutes les énonciations déterminées par les art. 2148 et 2153. ∽ Suivant
la deuxième , on doit juger de la validité des inscriptions non *in abstracto* , d'après les principes généraux ; mais *in concreto*, eu égard aux circonstances particulières de la cause , et ne prononcer la nullité
de l'inscription incomplète , qu'autant qu'elle a causé quelque préjudice aux tiers intéressés. ∽ Enfin ,
une troisième opinion consiste à distinguer les énonciations substantielles des énonciations secondaires ,
et à ne considérer comme entraînant une nullité virtuelle , que les irrégularités qui blessent les principes
de la spécialité et de la publicité : ce dernier système est celui que nous avons admis.

Après la signification de la cession, l'inscription peut-elle être prise indifféremment au nom du cédant ou au nom du cessionnaire ? ∾ *A.* On ne doit pas rétorquer contre le cessionnaire une formalité qui est toute dans son intérêt (Dur., n. 95).

Quid, dans le cas où le cessionnaire a pris inscription en son nom, si la cession vient ensuite à être anéantie pour simulation ou autre cause, cette inscription profitera-t-elle au cédant ? ∾ *A.* L'inscription n'est qu'un acte conservatoire ; quel dommage cause-t-elle au débiteur ? (*Cass.*, 15 juin 1813 ; S., 13, 1, 376). ∾ L'inscription n'est qu'un accessoire ; si le titre est nul, elle tombe avec lui. — Elle doit être prise au nom du créancier : or, le cessionnaire n'a jamais été créancier (2145). — La nullité n'est pas seulement relative, elle est absolue (Dur., n. 96).

Si la créance a été cédée, suffit-il de représenter l'acte de cession ? ∾ *N.* Il faut y joindre le titre originaire, à moins que l'inscription actuelle ne se réfère à une inscription précédente où le titre constitutif de l'hypothèque serait énoncé ; le conservateur indiquerait alors cette précédente inscription par le nᵒ et le fᵒ du registre (Delv., p. 166, n. 3 ; Grenier, n. 91 ; Dur., n. 91. — *Cass.*, 4 avril 1810 ; S., 10, 1, 218).

Dans le cas de subrogation conventionnelle, suffit-il d'énoncer dans l'inscription l'acte d'emprunt ? ∾ Il faut en outre faire mention de l'acte portant quittance ; car c'est réellement la quittance qui donne la subrogation (*Cass.*, 16 mars 1813 ; S., 13, 1, 222). ∾ Il suffit de représenter au conservateur le titre originaire de la créance ; l'art. 2148 n'exige pas autre chose. — Ce n'est pas la quittance, mais la convention, qui donne la subrogation (Dur., n. 97 ; Delv., p. 166, n. 3).

Comment les créanciers du défunt, qui n'ont pas de titre écrit et qui veulent se faire inscrire en vertu de l'art. 2111, doivent-ils s'y prendre, pour représenter un titre au conservateur ? ∾ *A.* l'imitation de ce qui a lieu en matière de saisie-arrêt, les créanciers peuvent présenter requête au président du tribunal pour obtenir la permission de prendre inscription ; le président rend une ordonnance dans laquelle il énonce la somme ou fixe provisoirement cette somme (Dur., n. 99).

Quid, s'il y a une différence entre la somme portée au titre constitutif de l'hypothèque, et celle portée dans l'inscription ? ∾ Si cette dernière est moindre, le créancier ne doit être colloqué hypothécairement que pour la somme exprimée dans l'inscription ; si elle est plus forte, on doit la réduire à la somme exprimée dans le titre (Dur., n. 119).

L'inscription prise avec la date seulement de l'acte de subrogation, et sans indication de la nature de l'obligation originaire, est-elle valable ? ∾ *N.* (Persil, n. 1).

Le mari s'oblige hypothécairement tant en son nom qu'au nom de son épouse, qui postérieurement a ratifié ; le créancier prend inscription sur le bien de la femme, sans faire mention de l'acte de ratification : l'hypothèque est-elle valable ? ∾ *N.* Ce dernier acte seul constitue l'hypothèque (Persil, *ibid.*).

Si le titre énoncé est un jugement, n'en résulte-t-il pas nécessairement que la créance est exigible ? ∾ *N.* Le jugement a pu accorder des délais (Delv., p. 167, n. 6 : Grenier, n. 81).

Les inscriptions hypothécaires prises pour la conservation des rentes perpétuelles doivent-elles aussi indiquer, à peine de nullité, l'époque où le capital peut devenir exigible dans les cas déterminés par les art. 1912 et 1913 ? ∾ *N.* En désignant la nature du titre, le créancier remplit suffisamment le vœu de la loi (Persil, n. 7 ; Grenier, n 80).

Lorsqu'on a commis une erreur dans l'énonciation de l'époque de l'exigibilité, les tiers peuvent-ils demander la nullité des inscriptions ? ∾ *Oui*, si l'époque indiquée dans le contrat est moins éloignée que celle indiquée par l'inscription : *secùs* dans le cas contraire. ∾ Quel tort cette erreur peut-elle causer aux tiers ? (Persil, n. 11 ; Dur., n. 129. — *Cass.*, 5 décembre 1814 ; S., 15, 1, 223 ; 3 janvier 1814, S., 14, 1, 82).

Si l'hypothèque a été constituée pour la dette d'autrui, est-ce le tiers, ou le débiteur, que l'inscription doit désigner ? ∾ En considérant le but de l'inscription (la publicité), il nous paraît évident que c'est le tiers : autrement, le conservateur pourrait délivrer un certificat négatif d'inscription sur les biens de ce dernier.

L'usufruitier d'une créance hypothécaire a-t-il qualité pour la faire inscrire, non-seulement dans l'intérêt de son usufruit, mais encore dans l'intérêt de la nue-propriété, et *vice versâ* ? ∾ *A.* L'usufruitier est le mandataire né du propriétaire ; il tient ce mandat de la loi (Troplong, n. 675 ; Delv., p. 166, n. 5).

Doit-on appliquer aux hypothèques judiciaires, l'obligation imposée par notre article, de porter dans l'inscription, l'évaluation du capital indéterminé ? ∾ *N.* Cela n'est pas nécessaire, même lorsqu'il s'agit d'une condamnation à rendre compte ; — on ne peut évaluer à l'avance ce qui pourra être dû ; — la loi ne soumet nulle part l'inscription résultant d'une hypothèque judiciaire à cette mention ; les tiers, en effet, ne peuvent être trompés : si le débiteur craint pour son crédit, c'est à lui à rendre compte le plus tôt possible. — Arg. de ces mots : *dans les cas où l'évaluation est ordonnée*, compris dans le 4ᵒ de notre article 2148 (Dur., n. 117 ; Troplong, n. 684. — *Cass.*, 21 août 1810 ; S., 11, 1, 29). ∾ *A.* Il importe au public, de connaître le montant de la créance hypothécaire (Grenier, n. 1ᵉʳ, p. 425) (*Val.*).

2149 — Les inscriptions à faire sur les biens d'une personne décédée, pourront être faites sur la simple désignation du défunt, ainsi qu'il est dit au nᵒ 2 de l'article précédent.

= Les créanciers hypothécaires pouvant ne pas connaître tous les héritiers de leur débiteur, on a dû leur permettre de prendre inscription sur la seule désignation du défunt.

Il est bien entendu, que cette faculté ne les prive pas du droit de faire inscrire sur la désignation des héritiers ; mais l'effet de l'hypothèque est alors borné à la portion de biens tombée dans le lot de ceux qui se trouvent indiqués dans l'inscription.

— L'inscription prise sur la désignation du défunt, lorsque] l'héritier a reconnu la dette et fourni titre nouvel, est-elle valable ? ⁓ *N.* Il y a novation (Persil, n. 3).

2150 — Le conservateur fait mention, sur son registre, du contenu aux bordereaux, et remet au requérant, tant le titre ou l'expédition du titre, que l'un des bordereaux, au pied duquel il certifie avoir fait l'inscription.

= L'inscription consiste dans cette mention ; c'est elle qui donne rang à l'hypothèque ; ce sont ces registres que les tiers consultent pour connaître les charges qui grèvent un immeuble : les conservateurs doivent donc avoir soin de transcrire, avec la plus rigoureuse exactitude, le contenu aux bordereaux.

La nullité de l'inscription résultant de l'omission d'une formalité substantielle, ne pourrait être couverte par la régularité des bordereaux, sauf le recours des parties contre le conservateur.

Mais l'inscription valablement prise, couvre l'irrégularité des bordereaux ; car ces actes sont considérés comme de simples renseignements.

L'inscription opérée, le titre ou l'expédition du titre, et l'un des bordereaux, au pied duquel le conservateur certifie avoir pris inscription, est remis au requérant : l'autre bordereau reste au bureau, comme pièce justificative de la régularité de l'opération.

Un avis du conseil d'État, en date du 11 déc. 1810, autorise les conservateurs, à rectifier les irrégularités substantielles par eux commises dans les inscriptions qu'ils ont prises ; mais cette rectification n'efface le vice de l'acte, qu'à partir du jour où elle a eu lieu : par conséquent, il faut prendre une nouvelle inscription ; sauf le recours du créancier, à raison du préjudice que peut lui causer ce changement de date.

— Le conservateur pourrait-il prendre une inscription à son profit ? ⁓ *N.* Il témoignerait dans son propre intérêt ; mais il peut prendre inscription sur ses biens personnels, soit au profit de sa femme, soit au profit de celui dont il a la tutelle (*Paris*, 13 novembre 1811 ; S., 12, 2, 16). ⁓ Assurément, il est plus régulier que le conservateur fasse faire par le vérificateur l'inscription dont il s'agit : néanmoins, elle ne serait pas nulle, si elle était prise par le conservateur lui-même ; car cette inscription n'est qu'un fait matériel : les tiers seront aussi bien avertis, que si elle était prise au profit de tout autre (Dur., n. 139 et 140).

2151 — Le créancier inscrit pour un capital produisant intérêts ou arrérages, a droit d'être colloqué pour deux années seulement et pour l'année courante, au même rang d'hypothèque que pour son capital ; sans préjudice des inscriptions particulières à prendre, portant hypothèque à compter de leur date, pour les arrérages autres que ceux conservés par la première inscription.

= Les intérêts formant un accessoire de la créance, il semblerait qu'ils dussent être conservés, pour un nombre d'années indéfini, par la seule inscription du capital : l'ancienne jurisprudence admettait, en effet, cette doctrine ; mais le Code a consacré des règles plus conformes au système de publicité, en empêchant une agglomération d'intérêts qui peuvent excéder le capital de la créance : aujourd'hui, le créancier inscrit n'a droit d'être colloqué, c'est-à-dire, placé à l'ordre dans son rang, que pour deux années seulement et pour *l'année courante.*

Il s'agit ici, bien entendu, d'arrérages ou intérêts échus depuis l'inscription; s'il en était dû au moment où elle a été prise, et qu'on ne les eût pas compris dans le capital inscrit, le créancier ne pourrait exiger qu'ils fussent colloqués hypothécairement au même rang que le capital, quand même ils ne seraient point prescrits : évidemment, l'article 2151 entend parler des arrérages ou intérêts échus depuis l'inscription.

L'année courante est celle qui a couru depuis le jour anniversaire de la prise d'inscription, jusqu'à la demande en collocation (1); en d'autres termes, celle dans laquelle on se trouve, quand le créancier agit pour exercer son hypothèque : or, il l'exerce, savoir : lorsque la vente est forcée, en produisant à l'ordre; lorsqu'elle est volontaire, en acceptant expressément ou tacitement les offres que l'acquéreur fait de son prix; et s'il refuse les offres, en surenchérissant.

A l'égard des autres années qui pourront échoir, le créancier pourra seulement prendre des inscriptions particulières au fur et à mesure des échéances; en sorte qu'il se trouvera colloqué à la date de chaque inscription.

L'inscription pour le capital, emporte de plein droit la collocation pour deux années d'intérêts et l'année courante, sans qu'il soit nécessaire de faire à cet égard aucune réserve; il suffit d'énoncer, que le capital produit des intérêts ou des arrérages.

En décidant que le créancier ne peut se faire colloquer que pour deux années d'intérêts et l'année courante, notre article veut seulement déterminer les droits réciproques des créanciers appelés à la distribution des deniers provenant de la vente de l'immeuble; il suppose l'existence d'un ordre : sa disposition ne serait donc pas applicable, si les débats s'élevaient entre le tiers detenteur et un créancier inscrit : ce dernier aurait le droit d'exiger tous les intérêts échus, encore qu'ils excédassent trois années; l'acquéreur ne pourrait, sous aucun prétexte, se dispenser de les payer.

Si le créancier a touché les trois années d'intérêts échus depuis l'inscription, a-t-il le droit de se faire colloquer pour les trois années suivantes qui pourront lui être dues? La loi ne dit pas sur quelles années la collocation doit frapper; elle en fixe seulement le nombre : peu importe dès lors aux créanciers, que la collocation ait lieu pour les premières ou pour les dernières années; pour les années échues ou pour celle à échoir (2).

Avant la publication du Code de procédure, une autre question grave divisait les auteurs : on demandait, si le créancier qui était utilement colloqué pour le capital et les trois années d'intérêts échus, devait l'être au même rang, pour les intérêts échus depuis la demande en collocation, jusqu'à la clôture définitive de l'ordre : aujourd'hui, toute espèce de doute est levé par les art. 757, 767 et 770 du Code de procédure, 1153,

---

(1) (Dur., n. 150 et suiv.; Blondeau, *Revue de législation*, t. 2, p. 178 et t. 3, p. 342. ⁓ Suivant Troplong, n. 698 et suiv.; t. 3, l'année courante est celle qui court au moment où les intérêts cessent d'être à la charge du débiteur primitif, savoir : en cas d'expropriation forcée, lors de la dénonciation de la saisie au débiteur, et en cas de vente volontaire, lors de la notification de l'acte d'aliénation (2183); une novation s'est alors opérée (*Cass.*, 5 juillet 1827; S., 28, 1, 105). ⁓ Mais nous ne saurions admettre cette dernière opinion, car elle repose sur l'idée d'une novation: or, il n'y a pas de novation, puisque le débiteur reste tenu personnellement des intérêts de la dette (Greuier, n. 100; Merlin, Rép., Inscrip., § 5, n. 4).

(2) (Persil, n. 4 et 5 ; Merlin, Questions de droit, v° Inscription, p. 601; Grenier, t. 1, n. 100; Dur., n. 450 et suiv.; Troplong, n. 690. — *Angers*, 18 février 1827; D., 28, 2, 2, 129. — *Cass.*, 16 [mars 1814; S., 14, 1, 406. — *Paris*, 5 juin 1813; S., 13, 2, 298).

1154, C. c. : il résulte de ces articles, que le créancier a le droit de venir, pour les intérêts dont il s'agit, au même rang que pour son capital; car on ne peut lui imputer aucune espèce de faute; il ne doit pas être victime des retards qui peuvent survenir dans la distribution des deniers; les tiers sont suffisamment avertis; la demande en collocation a interrompu la prescription (1).

Il est même admis en jurisprudence, que la disposition de l'article 767 du Code de procédure, suivant laquelle les arrérages et intérêts des créances utilement colloquées cessent après le règlement définitif, ne dispose ainsi que dans l'intérêt du débiteur originaire, et que l'acquéreur ou l'adjudicataire doit faire raison aux créanciers, des intérêts de son prix jusqu'au payement ou jusqu'à la consignation : puisqu'il jouit de l'immeuble, à partir de l'adjudication, il paraît juste de l'obliger à tenir compte de la représentation de cette jouissance : chaque créancier a donc le droit de se faire colloquer au même rang que pour son capital, sur le montant des intérêts que l'acquéreur ou l'adjudicataire doit payer jusqu'à sa libération (2).

L'article 2151 est-il applicable aux hypothèques légales? Il faut distinguer : celles qui doivent être inscrites, sont soumises aux mêmes règles que l'hypothèque conventionnelle; mais les intérêts dus aux mineurs et aux femmes mariées se conservent, comme le capital, sans inscription, non-seulement pour trois années, mais encore pour tous les intérêts qui peuvent être dus (3).

Dans l'article 2151 il n'est pas question des priviléges : de là naît la question de savoir si cet article est applicable à ces sortes de droits, notamment au privilége du vendeur, et par conséquent à celui du bailleur de fonds? Nous pensons que le privilége s'étend à tous les intérêts quelconques échus à partir de l'inscription, sans qu'il soit besoin de prendre de nouvelles inscription à mesure des échéances (4).

— Les créanciers et les légataires de la succession ne peuvent-ils réclamer que trois années? ~~ Les principes de l'art. 2151 ne sont plus applicables, car ces individus peuvent demander la séparation des patrimoines (Persil, n. 11 ; Troplong, *ibid.*; Grenier, n. 105).

Doit-on appliquer l'art. 2151 aux arrérages des rentes viagères ? ~~ A. Le mot *arrérages* prouve que la loi a entendu comprendre dans sa disposition les arrérages de rentes, et par conséquent ceux des rentes viagères (Troplong, *ibid.*; Dur., n. 155. — *Cass.*, 13 août 1828 ; D., 28, 1, 381. — *Bordeaux*, 3 février 1829 ; D., 29 ,2, 285; *voy.* cep. 23 août 1826 ; D., 27, 2, 25).

Nous avons décidé, que le créancier peut comprendre dans son inscription, les frais qu'il a faits pour obtenir le jugement : mais, s'il a omis ces frais, peut-il, nonobstant cette omission, les faire comprendre au même rang que pour le capital? ~~ N. L'art. 2151 ne s'occupe pas de ces frais (Dur., n. 158).

Un créancier prend inscription hypothécaire pour un capital déterminé; il déclare en même temps s'inscrire pour les dépens à faire, qu'il évalue par ex. à 2,000 fr. : si par la suite ses craintes se réalisent, et qu'il soit obligé d'obtenir jugement, l'hypothèque des dépens prend-elle rang du jour de l'inscription du jugement ou du jour de l'inscription primitive? ~~ Elle prend rang à compter de cette

(1) Grenier; n. 102, t. 1er et n. 494, t. 2 ; Dur., n. 150 et suiv.; Merlin, Rép., Saisie immobilière, § 8, n. 3, Quest., Inscrip., Hyp., § 2 ; Troplong, n. 699, 6 *bis*, t. 3 ; Delv., t. 3, p. 340. — *Cass.*, 22 nov. 1809 ; S., 10, 1, 73; 8 juillet 1827 ; D., 27, 1, 295, 2 avril 1833 ; S., 33, 1, 378. ~~ En aucun cas, le créancier ne peut être colloqué pour plus de trois années d'intérêts, en vertu de l'inscription primitive (Blondeau, *Revue de législation*, t. 2, p. 184).

(2) Dur., n. 151 et 158. — *Cass.*, 22 novembre 1809 ; S., 10, 1, 73 ; 16 mars 1814 ; S., 14, 1, 406. — *Paris*, 7 juillet 1813 ; S., 13, 2, 298.

(3) Persil, n. 8 ; Troplong, n. 701 et 701 *bis*; Grenier, n. 104; Dur., n. 133 et suiv. ; Merlin, Rép., Inscrip., Hyp., § 5, n. 14 (*Val.*). ~~ La règle qui limite l'effet de l'inscription à deux années et à l'année courante n'est même point applicable à l'hypothèque légale du trésor et des établissements publics : l'art. 2153, conçu en termes généraux, dispense les inscriptions d'hypothèques légales de la mention d'un capital; ce qui rend inapplicable l'art. 2151 ; cet article suppose que le capital a été mentionné (*Cass.*, 12 mai 1829 ; D., 1829, 1, 245).

(4) (Delv., p. 167, n. 10 ; Persil, n. 9 ; Grenier, n. 103; Dur., n. 152. — *Cass.*, 4 mars 1816 ; S., 16, 1, 171 ; 1er mai 1817 ; S., 17, 1, 199 ; D., 17, 1, 24 ; 8 juillet 1834; [S., 34, 1, 304. — *Paris*, 21 janvier 1818 ; S., 18, 2, 233).

dernière époque : les dépens doivent être considérés comme des accessoires du principal (Troplong, n. 702 *bis*).

2152 — Il est loisible à celui qui a requis une inscription, ainsi qu'à ses représentants ou cessionnaires par acte authentique, de changer sur le registre des hypothèques le domicile par lui élu, à la charge d'en choisir et indiquer un autre dans le même arrondissement.

⹀ Le créancier ayant la faculté de faire choix d'un domicile, on ne peut lui refuser le droit d'en changer à son gré. Toutefois, comme ce changement ne doit pas préjudicier aux autres créanciers, notre article exige que le nouveau domicile soit indiqué dans l'arrondissement du bureau des hypothèques.

On accorde également ce droit au cessionnaire; mais il faut que l'acte de cession soit authentique.

Pourquoi exige-t-on l'authenticité? Ne suffit-il pas que l'acte ait date certaine? Non, cette condition a pour but de prévenir les fraudes.

Au reste, l'authenticité de la cession n'est prescrite qu'autant que le cessionnaire veut changer le domicile élu par le cédant : elle n'est pas de rigueur, lorsqu'il veut prendre une nouvelle inscription; car à la différence du changement de domicile, la nouvelle inscription ne peut préjudicier à ce dernier, même en cas d'une cession supposée.

2153 — Les droits d'hypothèque purement légale de l'État, des communes et des établissements publics sur les biens des comptables, ceux des mineurs ou interdits sur les tuteurs; les femmes mariées sur leurs époux, seront inscrits sur la représentation de deux bordereaux, contenant seulement :

1° Les nom, prénoms, profession et domicile réel du créancier, et le domicile qui sera par lui ou pour lui élu dans l'arrondissement ;

2° Les nom, prénoms, profession, domicile, ou désignation précise du débiteur ;

3° La nature des droits à conserver, et le montant de leur valeur quant aux objets déterminés, sans être tenu de le fixer quant à ceux qui sont conditionnels, éventuels ou indéterminés.

⹀ Remarquons avant tout, que cette disposition ne concerne que les hypothèques purement légales : lorsque ces sortes d'hypothèques ont été restreintes en vertu des articles 2140 à 2145, elles perdent leur principal attribut, qui est la généralité; elles se changent en hypothèques spéciales, et se trouvent dès lors assujetties à toutes les formes des hypothèques conventionnelles.

En rapprochant cette disposition de celle de l'article 2148, il est facile de reconnaître les formalités dont la loi affranchit l'inscription des hypothèques purement légales :

Le requérant est dispensé : 1° de représenter un titre ; car ce titre se trouve dans la loi même; — 2° d'énoncer l'époque de l'exigibilité; car on ne peut savoir quand le mariage sera dissous ; quand le comptable sera en débet ; — 3° de déterminer le montant des créances ; car cette évaluation approximative est le plus souvent impossible ; — 4° enfin, on n'exige pas que les biens soient désignés, puisque l'hypothèque légale subsiste sur la généralité des immeubles.

Observons en outre, que les diverses énonciations prescrites par notre article ne sont essentiellement requises que pour l'hypothèque de l'État, des communes et des établissements publics : leur omission ne pourrait être opposée aux mineurs et aux femmes mariées ; car les droits de ces personnes sont indépendants de l'inscription.

— La disposition , qui dispense d'énoncer le montant des sommes *indéterminées* pour lesquelles la loi accorde une hypothèque, a fait naître la question de savoir si notre article est applicable à l'inscription prise par la caution , pour la conservation d'une hypothèque inscrite sur le comptable cautionné ? ⋙ *N*. La loi ne parle que hypothèques purement légales (Persil, n. 1).

2154 — Les inscriptions conservent l'hypothèque et le privilége (1) pendant dix années, à compter du jour de leur date ; leur effet cesse, si ces inscriptions n'ont été renouvelées avant l'expiration de ce délai.

== La section de législation avait proposé de laisser aux inscriptions leur effet, pendant tout le temps que durerait l'obligation personnelle ; mais cette proposition fut rejetée : on a pensé, que l'action personnelle pouvant se prolonger indéfiniment, par une suite de minorités ou d'actes conservatoires, il serait impossible au conservateur de se retrouver dans cette foule de registres qu'il se verrait forcé de compulser chaque jour pour délivrer des certificats d'inscriptions : il a paru plus convenable de restreindre la durée de l'inscription, et d'imposer aux intéressés la gêne du renouvellement.

Si ce renouvellement a eu lieu avant l'expiration de dix années, le créancier conserve ses droits à compter du jour de la première inscription : après ce délai, la loi lui permet encore de se faire inscrire ; mais il est alors soumis aux règles des articles 2134 et 2146 ; en d'autres termes, il n'a plus rang qu'à partir de la nouvelle inscription, et par conséquent, son hypothèque est primée par celle qui, précédemment, se trouvait dans un rang inférieur.

Le jour de l'inscription (*dies à quo*) n'est pas compris dans le terme : mais *quid* à l'égard du jour de l'échéance (*dies ad quem*) ? Ce jour fait partie des dix années : ainsi, une inscription prise le 2 mars 1830 peut être renouvelée le 2 mars 1840 : les années se comptent de quantième à quantième (2).

Si le dernier jour est férié, l'inscription sera-t-elle utilement renouvelée le lendemain ? Peut-on, à cet égard, argumenter de ce qui est décidé en matière de protêts ? Nous ne le pensons pas, car les mêmes raisons ne se présentent plus : en effet, le protêt doit être fait à jour fixe ; tandis que

---

(1) Rédaction vicieuse : c'est le rang qui est conservé par l'inscription.
(2) (Dur., n. 160 ; Grenier, n. 107 ; Troplong. n. 294-314. — *Cass.*, 5 avril 1825 ; L., 26, 1, 152. — *Bordeaux*, 23 janvier 1826 ; D., 26, 2, 199. — *Nîmes*, 7 mars 1826 , D., 26, 2, 209). ⋙ *Dies termini computatur in termino :* ainsi, dans l'espece proposée, le renouvellement doit avoir lieu au plus tard le 1er mars (Merlin, Rép., Inscrip., Hyp., § 8 *bis* ; Quest., v° Délai. 4 *bis*. — *Colmar*, 30 juillet 1813 ; S., 15, 2, 23). ⋙ Le renouvellement pourrait avoir lieu le 3 mars (Delv., p. 168, n. 5 ; Persil, n. 8 — *Paris*, 21 mai 1814 ; S., 15, 2, 228).

l'inscription peut être renouvelée en tout temps : le créancier doit, dès lors, s'imputer de ne pas avoir pris ses précautions. Remarquons d'ailleurs, que la loi ne retranche pas les jours fériés :—ainsi, dans notre opinion, l'inscription renouvelée le lendemain d'un jour férié, ne vaut que comme inscription nouvelle (Troplong, n. 714; Vazeille, n. 334 et 335; Toullier, t. 13, n. 55; Dur., n. 161; *voy.* cep. Persil, Grenier, t. 1, n. 107).

Le défaut de renouvellement détruit tellement l'inscription, que le conservateur ne doit plus en faire mention dans les états qu'il délivre.

Les hypothèques légales des mineurs et des femmes mariées sont soumises également à la nécessité du renouvellement; toutefois, comme ces hypothèques sont dispensées d'inscription, elles produisent leur effet, bien que cette formalité n'ait pas été remplie; seulement, le tuteur et le mari encourent les peines portées par les articles 2136 et 2137 (1).

On doit renouveler même l'inscription d'office du privilége du vendeur; mais c'est alors au vendeur ou à ses ayants droit et non au conservateur à faire ce renouvellement, car il est impossible à ce dernier, de tenir note de toutes les ventes qu'il a transcrites; on ne peut l'obliger, pour chaque certificat d'inscription qu'il délivre, à consulter tous ses registres depuis dix ans et plus, pour s'assurer qu'il n'existe pas d'inscription d'office (2).

Ainsi, toute inscription doit être renouvelée avant l'expiration du laps de dix années; lorsque l'inscription a été nécessaire pour opérer l'hypothèque, le renouvellement est indispensable pour la conserver; lorsque l'hypothèque existe indépendamment de l'inscription, ceux qui ont dû la faire inscrire doivent renouveler cette inscription; enfin, l'inscription faite d'office par le conservateur, doit être renouvelée par le créancier intéressé.

Pour faire renouveler une inscription, le créancier présente au conservateur deux bordereaux : que doivent-ils contenir? On distingue : si la nouvelle inscription se réfère à l'ancienne, il suffit d'exprimer que l'on entend renouveler une inscription prise tel jour; si elle ne s'y réfère pas, les bordereaux doivent être rédigés dans la forme prescrite par les articles 2148 et 2153, suivant qu'il s'agit d'une hypothèque conventionnelle ou d'une hypothèque légale; mais il n'est pas nécessaire de représenter le titre de la créance, puisque les énonciations que l'on peut en tirer se trouvent déjà consignées sur les registres (3).

Si l'immeuble a été revendu, l'effet de l'inscription d'office cesse, faute de renouvellement dans la quinzaine de la transcription (834, Pr.).

Le défaut de renouvellement, avons-nous dit, ne fait pas perdre le droit hypothécaire; mais il faut bien entendre cette règle : elle n'est vraie qu'autant qu'il s'agit des rapports du débiteur avec le créancier. — Vis-à-vis du tiers détenteur, le défaut de renouvellement dans la quinzaine de la transcription emporte déchéance de l'hypothèque (834, Pr.) et même des priviléges; il n'y a pas lieu de distinguer si les priviléges ont un effet rétroactif, comme celui des cohéritiers et des copartageants; ou s'ils peuvent être inscrits utilement à toutes époques, comme celui du vendeur.

Nous verrons qu'il existe, sur le point qui nous occupe, des règles parti-

---

(1) Avis du conseil d'État des 5-8 mars 1812.
(2) Avis du conseil d'État des 15 décembre 1807 et 22 janvier 1808 (Troplong, n. 716. — *Cass.*, 27 avril 1826 ; S., 26, 1, 374).
(3) *Cass.*, 14 avril 1817 ; S., 17, 2, 206 ; 22 février 1125 , D., 25, 1, 55, 14 juin 1831 ; S., 31, 1, 337, 27 octobre 1831 ; S., 32, 2, 49.

culières pour l'hypothèque légale non inscrite des femmes mariées, des mineurs et des interdits (*voy.* chap. 9).

A quel moment l'inscription aura-t-elle produit son effet de manière à ne plus avoir besoin d'être renouvelée? Voyons d'abord ce qu'il faut décider en cas d'aliénation volontaire : doit-on prendre pour limite l'époque de la transcription? Non, car la transcription a pour seul effet de faire courir le délai de quinzaine pendant lequel les créanciers peuvent encore s'inscrire utilement : la notification seule peut affranchir de la nécessité du renouvellement; encore faut-il, qu'un délai de quarante jours se soit écoulé sans réquisition de surenchère (2185) : après ce délai, tout est consommé; les créanciers sont censés avoir accepté tacitement les offres; un contrat s'est formé entre l'acquéreur et les créanciers inscrits (1). — En cas de surenchère, on applique les règles de la vente judiciaire; la vente volontaire est effacée. — Il en est de même lorsque l'acquéreur délaisse : les poursuites sont alors dirigées contre un curateur.

Passons au cas de vente judiciaire : le jugement d'adjudication produit entre les créanciers inscrits et l'adjudicataire, un contrat par suite duquel ce dernier s'oblige à verser son prix entre les mains des créanciers qui se trouveront en ordre utile pour le recevoir, eu égard à leur rang d'inscription; à partir de ce jugement, tout est consommé : quel est en effet le but de l'hypothèque? c'est d'assurer aux créanciers hypothécaires leur payement sur le prix de l'immeuble; or, une fois cet immeuble converti en argent, le règlement entre les créanciers n'est plus qu'une affaire d'exécution, qu'un partage entre des droits acquis (2).

On doit décider ainsi, même en cas de folle enchère; car cette nouvelle procédure ne détruit pas l'effet de l'ancienne; elle est seulement entée sur elle; un nouvel adjudicataire est substitué à l'ancien pour remplir ses obligations, voilà tout; le contrat primitif formé par l'adjudication, n'est point anéanti; loin de là : cet adjudicataire reste personnellement tenu des frais occasionnés par la revente, ainsi que de la différence qu'il y aura entre le prix de son adjudication et la nouvelle vente sur folle enchère, si celui-ci est inférieur; les créanciers, en effet, ne doivent pas souffrir de ce que l'adjudicataire n'exécute pas ses engagements envers eux; il n'a pu se dégager par sa seule volonté (Dur. , n. 164).

---

(1) Grenier, n. 112; Troplong, n. 723 et suiv.; Persil, n. 4 et 5. — *Cass.*, 30 mars 1831; S., 31, 1, 343; 1er juillet 1834; S., 34, 1, 504. ⁓ Il n'est pas nécessaire qu'un délai de quarante jours se soit écoulé : ce n'est pas le temps, qui forme les contrats ou les quasi-contrats; c'est le consentement : or, lorsqu'un accord est intervenu entre tous les créanciers inscrits et l'acquéreur avant l'expiration des quarante jours, ou lorsqu'il n'y a pas eu de surenchère dans ce délai, les inscriptions ont produit leur effet; les rangs ont été réglés par les notifications; par conséquent ces inscriptions n'ont pu être atteintes par la péremption, dans le délai de quarante jours; le contrat s'est formé par les notifications, sous une condition qui s'est accomplie (Dur., n. 167).

(2) Grenier, n. 108-110; Troplong, n. 720. Delv., p. 168, n. 3. — *Cass.*, 7 juillet 1829; S., 29, 1, 349; D., 29, 1, 290; 14 juin 1831; S., 31, 1, 357; 30 mars 1831 : D., 31, 1, 178; 20 décembre 1831; S., 32, 1, 151; 18 avril 1832; S., 32, 1, 452 (*Val.*). ⁓ Après la production à l'ordre, car l'inscription n'opère son effet qu'à ce moment (Merlin, Rép., Inscrip., Hyp, § 8 *bis*, n. 5). ⁓ Après la clôture de l'ordre et la délivrance des bordereaux de collocation. Arg. des art. 772 et 773 Pr. (D., Hyp., p., p. 302, n. 9). ⁓ Après la transcription de la saisie : l'immeuble est mis alors sous la main de la justice (678 et 686 Pr.). ⁓ Ainsi trois systèmes, indépendamment de celui que nous avons exposé, se sont élevés sur cette question importante : le premier système est fondé sur cette considération bien faible, que le créancier qui a remis ses pièces au juge-commissaire, s'est mis dans l'impossibilité de renouveler son inscription : il est facile a ce créancier, d'obtenir la remise momentanée de ses pièces dont il a besoin pour renouveler son inscription. — On répond au deuxième système, que les articles 772 et 773, Pr., ne prouvent pas que l'inscription n'ait pu produire son effet avant la délivrance des bordereaux. — Enfin. on oppose au troisième système que, nonobstant la transcription, le saisi peut librement grever ses immeubles de droits réels (993 Pr.), pourvu que les créanciers antérieurs n'en souffrent pas; or, les tiers au profit desquels le saisi constitue de nouvelles hypothèques, se bornant à consulter le registre des inscriptions, pourraient, par suite, se trouver induits dans une funeste sécurité.

Quid, si l'adjudicataire a revendu l'immeuble : le défaut de renouvellement des inscriptions, dans les dix ans, peut-il être opposé par le nouveau propriétaire ? Nous ne le pensons pas : l'adjudicataire n'aurait pas eu le droit d'opposer le défaut de renouvellement; il n'a pu, dès lors, transmettre ce droit à un tiers acquéreur : ce tiers a reçu l'immeuble, affecté d'inscriptions qui avaient accompli leur effet; il doit s'imputer l'imprudence qu'il a commise, en achetant, sans s'assurer que son vendeur avait payé le prix (1).

Du principe que l'inscription reste soumise à la nécessité du renouvellement aussi long-temps que le contrat judiciaire n'a pas été formé, nous concluons, que le renouvellement est nécessaire, encore que le débiteur soit tombé en faillite; que sa succession ait été acceptée sous bénéfice d'inventaire; que l'immeuble hypothéqué ait été saisi (2); que la saisie ait été dénoncée au débiteur; et même, que les placards aient été notifiés aux créanciers inscrits, ou que le tiers détenteur ait désintéressé le créancier saisissant (3) : *nec obstat* l'art. 2146 : on ne peut regarder les renouvellements comme des inscriptions proprement dites (4).

— Les conservateurs doivent-ils renouveler les inscriptions par eux prises sur leur cautionnement ? ⁓ *A*. Toute inscription doit être renouvelée avant l'expiration du laps de dix années (Persil, n. 2).

Les ventes sur licitation devant notaire, faites même en vertu de jugement, dispensent-elles du renouvellement des inscriptions ? ⁓ *N*. Les ventes par licitation ont le caractère de ventes volontaires (*Cass.*, 18 février 1834 ; S., 34, 1, 76).

L'action hypothécaire intentée contre un tiers détenteur, dispense-t-elle du renouvellement de l'inscription ? ⁓ (Grenier, n. 115).

Le créancier premier inscrit, dont la créance absorbe la valeur de l'immeuble hypothéqué, se trouve-t-il dispensé de renouveler son inscription, lorsqu'il acquiert cet immeuble avec la clause formelle que le prix demeurera compensé jusqu'à due concurrence avec le montant de la créance ? ⁓ *N*. (Persil, n. 8 ; Troplong, n. 762 *bis*).

Quid, si la femme est tutrice de son mari ? perdra-t-elle son hypothèque, si elle n'a pas renouvelé son inscription ? ⁓ Il est de principe que l'hypothèque légale de la femme subsiste indépendamment de l'inscription (Persil, n. 9).

Le délaissement fait par l'acquéreur a-t-il une cause qui dispense du renouvellement des inscriptions ? ⁓ *N*. Le délaissement ne dépouille pas l'acquéreur de la propriété ; il ne lui fait perdre que la possession (Troplong, n. 727).

2155 — Les frais des inscriptions sont à la charge du débiteur, s'il n'y a stipulation contraire; l'avance en est faite par l'inscrivant, si ce n'est quant aux hypothèques légales, pour l'inscription desquelles le conservateur a son recours contre le débiteur.

Les frais de la transcription, qui peut être requise par le vendeur, sont à la charge de l'acquéreur.

= L'hypothèque est une garantie sans laquelle le créancier n'aurait peut-être pas prêté; le débiteur doit donc supporter les frais d'inscription, de même qu'il supporte les frais d'acte.

---

(1) Dur., n. 166. — *Toulouse*, 18 janvier et 18 juin 1830 ; D., 31, 2, 28 (*Val.*). ⁓ Il faut restreindre l'application du principe aux rapports de l'adjudicataire avec les créanciers, et aux droits respectifs de ces derniers entre eux. — Sans doute le droit de préférence est acquis définitivement au créancier, suivant son rang, par l'adjudication définitive ; mais quand il s'agit d'exproprier un tiers en vertu de l'hypothèque, l'inscription ne produit pas son effet par l'adjudication ; elle est encore sujette à la prescription, faute de renouvellement dans les dix ans (Troplong, n. 717 et suiv., t. 3).

(2) *Cass.*, 9 août 1821 ; S., 22, 1, 38 ; 18 août 1830 ; S., 31, 1, 174.

(3) Le subrogé ne peut exercer les droits des créanciers qu'il a payés, qu'autant qu'il a fait des actes conservatoires de ces droits.

(4) Dur., n. 168 ; Grenier, n. 114. — *Cass.*, 17 juin 1817 ; S., 17, 1, 287 ; 15 décembre 1829 ; S., 30, 1, 62 ; D., 30, 1, 60 ; 29 juin 1830, D., 30, 1, 310 ; *voy. cep.* Persil, n. 7 ; Delv., p. 168, n. 3 et 4. — *Paris*, 11 juillet 1811 ; S., 11, 2, 487 ; 3 mars 1812 ; S., 12, 2, 408 ; 7 décembre 1831 ; D., 32, 2. 77.

Mais les frais de transcription sont à la charge de l'acquéreur ; car cette formalité a lieu dans son intérêt, puisqu'elle tend à purger les hypothèques (2181).

Le vendeur, qui requiert la transcription, doit faire l'avance des frais (2108) ; aujourd'hui, ces frais sont payés en même temps que les droits de mutation.

— Aux termes de notre article, l'inscrivant doit avancer les frais d'inscription ; mais le créancier a-t-il une hypothèque pour le recouvrement de ces frais, si c'est lui qui en a fait l'avance ? ⁓ *A.* Ils forment un accessoire de la dette principale, accessoire suffisamment indiqué par l'inscription, puisque le conservateur fait mention sur son registre, de la somme qu'il a reçue pour cet objet. Il en est de ces frais comme de ceux faits pour obtenir un jugement (Persil, n. 2 ; Troplong, n. 730).

2156 — Les actions auxquelles les inscriptions peuvent donner lieu contre les créanciers, seront intentées devant le tribunal compétent, par exploits faits à leur personne, ou au dernier des domiciles élus sur leur registre, et ce, nonobstant le décès, soit des créanciers, soit de ceux chez lesquels ils auront fait élection de domicile.

= Les actions hypothécaires, c'est-à-dire, celles qui ont pour objet la mainlevée, la radiation, la réduction, etc., sont purement réelles ; elles doivent donc être portées devant le tribunal de l'arrondissement où les immeubles frappés d'hypothèques sont situés (59, Pr.).

L'exploit se donne au créancier, soit au domicile élu, soit au domicile réel : mais, dans ce dernier cas, la loi semble décider que, l'assignation doit être remise, sous peine de nullité, entre les mains du créancier : on a craint sans doute, que le débiteur ne profitât de l'éloignement momentané du créancier, pour lui signifier des actes tendant à obtenir des jugements qui préjudicieraient à ses intérêts.

— Quel est le tribunal compétent, lorsque l'action est à la fois réelle et personnelle : par exemple, lorsque la radiation dépend de l'appréciation du titre qui sert de fondement à l'hypothèque ? ⁓ On peut saisir, ou le juge du lieu du domicile, ou celui de la situation des biens (Troplong, n. 733). ⁓ Le juge dans le ressort duquel sont situés les biens, est seul compétent (Grenier, n. 94).

Le jugement portant radiation d'une inscription, doit-il être signifié au domicile réel du créancier ? ⁓ *A.* (Décision des ministres de la justice et des finances, 21 juin et 5 juillet 1808 ; *voy.* cep. Delv., p. 166, n. 10).

CHAPITRE V.

De la radiation et réduction des inscriptions (1).

La radiation d'une inscription, consiste dans la déclaration que cette inscription cessera de produire son effet pour l'avenir.

Cette déclaration résulte d'une mention faite par le conservateur en marge de l'inscription.

Il y a lieu d'opérer la radiation d'une inscription, lorsqu'il est reconnu

(1) Ces mots *radiation* et *réduction* ne reçoivent pas ici le sens qu'on leur donne communément : — d'une part, matériellement parlant, on ne raye rien, on fait seulement, en marge de l'inscription, mention de la cause d'extinction ; — d'autre part, on ne réduit rien : on restreint seulement l'effet de l'hypothèque ; l'hypothèque subsiste, elle est indivisible.

qu'une hypothèque n'a jamais existé ; lorsqu'elle n'existe plus ; ou lorsque le créancier consent à abandonner son rang.

Ainsi, la radiation ne suppose pas nécessairement l'extinction de l'hypothèque.

La radiation est volontaire ou forcée : *volontaire*, lorsqu'elle a lieu du consentement de la partie intéressée, ayant capacité à cet effet ; — *forcée*, lorsqu'elle est ordonnée par la justice.

Le conservateur ne peut rayer une inscription par cela seul qu'on lui prouve que le privilége ou l'hypothèque n'existe plus, car l'appréciation du fait ne lui appartient pas : il doit exiger la représentation d'un acte authentique, portant consentement, l'expédition d'un jugement en dernier ressort ou passé en force de chose jugée (2157—2158), ou celle de l'ordonnance du juge commissaire, dans le cas réglé par l'article 759, Pr.

Le jugement ne peut avoir pour base que l'absence ou l'irrégularité du titre en vertu duquel on s'est prétendu autorisé à prendre inscription, l'extinction de la créance, ou l'extinction du privilége ou de l'hypothèque (2160).

Le tribunal compétent est en général celui de l'arrondissement dans lequel est situé l'immeuble grevé : néanmoins, comme le maintien de l'inscription est nécessairement subordonné à l'existence de l'hypothèque, et celle-ci à l'existence de la créance, il est évident, que si la créance est ou doit être l'objet d'un litige, c'est devant le tribunal compétent pour statuer sur la contestation qu'il faut porter la demande en radiation. Du reste, comme il ne s'agit pas ici d'une règle d'ordre public, les parties ont la faculté de convenir qu'elles seront jugées par tout autre tribunal ; mais cette convention ne recevra son effet qu'entre elles seulement (2159).

La réduction n'est qu'une radiation partielle de l'inscription.

Déjà nous avons vu, que les maris et les tuteurs peuvent obtenir la réduction des inscriptions prises pour les femmes et les mineurs lorsqu'elles sont excessives (2143—2145) : le même motif a fait accorder à tout débiteur dont les biens sont grevés d'hypothèques générales, le droit de faire réduire les inscriptions, aux biens suffisants pour sûreté de la créance.

De même que la radiation, la réduction est *volontaire* ou *forcée* :

Volontaire, lorsqu'elle est consentie par les parties intéressées, ayant capacité à cet effet (2143—2145).

Forcée, lorsqu'elle a été ordonnée par les tribunaux.

L'action en réduction est soumise aux mêmes règles de compétence que la radiation.

Pour que la réduction ait lieu, il faut :

1° Que l'hypothèque soit générale : toutefois, le débiteur peut, en certains cas, obtenir la réduction de l'inscription résultant d'une hypothèque conventionnelle (*voyez* les articles 2132 et 2148 4°, 2163).

2° Que l'hypothèque frappe sur plusieurs domaines.

3° Que l'importance des immeubles excède ce qui est nécessaire pour garantir la créance (2162—2163).

4° Que l'inscription n'ait pas été conventionnellement réduite dans le principe (2161) (*in fine*, et 2163).

Au surplus, les effets de la réduction ne sont pas irrévocables ; le créancier aura le droit d'exiger un supplément d'hypothèque, si les immeubles auxquels cette charge a été restreinte deviennent, par un événement quelconque, insuffisants pour garantir la créance (2161-2164) ; mais alors, cette hypothèque n'aura de rang, pour l'excédant, qu'à dater de la nouvelle inscription qui sera prise.

La loi s'occupe, dans les articles 2157-2165, de la radiation ; et dans les articles 2161-2165, de la réduction.

2157 — Les inscriptions sont rayées du consentement des parties intéressées et ayant capacité à cet effet, ou en vertu d'un jugement en dernier ressort ou passé en force de chose jugée.

= La radiation de l'inscription (1) entraînant la perte d'une garantie, la loi prend des mesures pour qu'elle ne puisse s'opérer légèrement ; elle distingue : la radiation est volontaire ou elle est forcée.

La radiation volontaire a lieu, 1° lorsque le créancier renonce à sa créance : l'accessoire tombe alors avec le principal.

2° Lorsque, sans renoncer à sa créance, sans même renoncer à son hypothèque, il donne bénévolement, pour être utile au débiteur, mainlevée de l'inscription qu'il a prise, sauf à s'inscrire plus tard, s'il le juge convenable.

Le conservateur s'assure de l'identité des personnes, et vérifie l'authenticité des titres ; en cas de contestations, il renvoie les parties devant les tribunaux.

Pour consentir valablement à la réduction, il faut être capable, c'est-à-dire, avoir le droit de recevoir le remboursement du capital et de donner quittance : mais il n'est pas nécessaire (comme quelques-uns le prétendent en se fondant sur ce que l'hypothèque est un droit réel), que le créancier soit capable d'aliéner ses immeubles : l'hypothèque, en effet, n'est qu'un accessoire, qu'une garantie de la créance.

Cela posé, nous établirons les règles suivantes :

Le tuteur peut valablement consentir à la radiation de l'hypothèque accordée au mineur sur la propriété d'un tiers. — Toutefois, nous ne pensons pas qu'il puisse donner mainlevée, sans recevoir le montant de la dette ; car cet acquiescement gratuit compromettrait les intérêts du mineur.

Les envoyés en possession provisoire des biens d'un absent jouissent des mêmes droits que le tuteur.

Le mineur émancipé doit, en général, pour consentir une radiation d'hypothèque, se faire assister de son curateur, et cela, bien que la dette soit éteinte (2). — Si la dette existe encore, il faut une autorisation du conseil de famille (Arg. de l'art. 482). Néanmoins, on décide généralement, qu'il pourrait seul consentir à la radiation de l'inscription qui aurait été prise pour garantir l'exécution d'un bail ; car l'émancipation lui confère le droit d'administrer ses biens et celui de toucher ses revenus (481) (3).

A l'égard de la femme mariée, lorsqu'il s'agit de donner mainlevée d'une

---

(1) Il ne faut pas confondre la réduction de l'inscription, avec l'extinction de l'hypothèque : ce sont deux choses distinctes.

(2) Lorsqu'il a reçu le payement du capital avec l'assistance de son curateur, il peut ensuite consentir, sans cette assistance, la radiation de l'inscription (Dur., n. 183).

(3) Le mineur commerçant peut incontestablement, sans l'assistance d'un curateur, donner mainlevée des hypothèques qu'il a reçues de ses débiteurs, ou qu'il a prises en vertu de jugements, pour faits de commerce, encore que la dette ne soit pas éteinte (Arg. de l'art. 6 du Code de commerce, 487, C. c.).

inscription hypothécaire qui frappe un immeuble *appartenant à un tiers*, on distingue : si elle est commune en biens, et que la créance soit tombée dans la communauté, le droit de consentir à la radiation appartient au mari.

On doit décider de même dans les divers cas où le mari jouit des biens personnels de la femme : puisqu'il peut donner valable décharge aux débiteurs, il doit pouvoir donner mainlevée de l'inscription. — Si la dette n'est pas éteinte, la femme doit concourir à la mainlevée.

En cas de séparation de biens, ou lorsqu'il s'agit d'une créance paraphernale, c'est à la femme qu'appartient le droit dont il s'agit. — Si elle est majeure, elle en use librement, car elle peut sans autorisation recevoir le montant des sommes qui lui sont dues (Délv., p. 182, n. 5; Troplong, n. 738 *bis;* Dur.; *voy.* cep. Grenier, n. 522; Persil, n. 10). — Si elle est mineure, elle doit se faire assister de son mari (Arg. de l'art. 2208). — Si le mari refuse son concours, le conseil de famille nomme un tuteur ou un curateur *ad hoc.*

Lorsqu'il s'agit de dégager un immeuble *appartenant au mari*, d'une inscription prise pour sûreté des indemnités qui pourront être dues à la femme, la radiation ne peut avoir lieu qu'en observant les formalités prescrites par les art. 2144 et 2145 (1).

Le consentement requis pour que la radiation d'une inscription ait lieu doit, indépendamment des conditions requises pour la validité de tout consentement en général, être constaté par acte notarié. — Il est de jurisprudence qu'un mandataire, porteur d'un pouvoir par acte privé, ne peut donner mainlevée d'une inscription (2).

Passons à la radiation forcée. — Un jugement ne peut servir de base à la radiation, s'il n'est en *dernier ressort* ou passé en *force de chose jugée* (3).

L'art. 548, Pr. (4), ajoute plusieurs conditions à celles prescrites par notre article, pour que l'hypothèque puisse être radiée en vertu d'un jugement : il faut un certificat de l'avoué de la partie poursuivante, contenant la date de la signification faite au *domicile réel* de la partie condamnée (5), et l'attestation du greffier, constatant qu'il n'existe contre

---

(1) Pour ce qui concerne l'État, les communes, etc., *voy.* les décisions du ministre des finances, en date des 24 juin 1809 et 28 novembre 1808, et le décret du 11 thermidor an 13.

(2) *Cass,* 21 juillet 1830; S., 36, 1, 921. — *Lyon,* 29 décembre 1829; S., 27, 2, 287.

(3) Un jugement est en *dernier ressort,* lorsqu'il est rendu dans une affaire qui n'était susceptible que d'un degré de juridiction, ou lorsqu'il a parcouru les deux degrés.

Il est passé en *force de chose jugée,* lorsque, pouvant être réformé par voie d'opposition ou d'appel, aucune demande n'a été formée à cet effet, dans les délais prescrits, par la partie condamnée.

Ainsi, le jugement contradictoire ne peut être considéré comme passé en force de chose jugée, tant qu'il est susceptible d'être réformé par voie d'appel.

A l'égard du jugement par défaut, s'il est rendu contre une partie ayant avoué, la loi le considère comme passé en force de chose jugée, après le délai de huitaine accordé pour former opposition, lorsqu'il ne peut être attaqué que par cette voie; s'il est susceptible d'appel, il faut encore que le délai d'appel soit expiré. — Que faut-il décider lorsque le jugement est rendu contre une partie qui n'a pas constitué avoué? l'opposition est recevable jusqu'à l'exécution; — mais alors de quelle circonstance ferons-nous résulter l'exécution? De la saisie des meubles du défaillant, pour le montant des frais, ou de toutes autres voies exprimées en l'article 159 Pr. (*voy.* cep. *Paris,* 26 août 1808, S., 9, 2, 18).

(4) Cet article renfermant les mots : *même après le délai de l'opposition ou de l'appel,* etc., on a conclu de ce mot *même,* que les jugements sont exécutoires à l'égard de l'hypothèque avant l'expiration des délais de l'opposition ou de l'appel, 548 Pr. (Pigeau, t. 2, p. 401. — *Paris,* 14 fructidor an 12; S., 7, 2, 1022. — *Bordeaux,* 6 pluviôse an 13; S., 5, 2, 66). Mais c'est à tort : le Code de procédure dérogerait, sous ce rapport, à l'art. 2157; ce qui ne peut facilement se présumer. Les art. 264 et 265 Pr., démontrent évidemment, que lorsque l'exécution emporte des effets irrévocables, elle doit être suspendue même pendant les délais accordés pour les voies extraordinaires (Dur., n. 200 et suiv.; Persil, n. 15; Delv, p. 183; n. 3. — *Paris,* 14 mai 1808; S., 8, 2, 227; Boitard, t. 3, Pr., p. 309 et suiv., 319).

(5) Décision du ministre de la justice, en date des 5 juillet 1808 et 29 août 1815; S., 15, 1, 1430. ⁊⁊ Cette décision est combattue par Duranton, n. 204 : cet auteur pense que la signification peut être vala-

le jugement ni opposition ni appel : à cet effet, porte l'art. 549, l'avoué de l'appelant fera mention de l'appel, dans la forme prescrite par l'article 163. — A la vue des certificats dont il s'agit, le conservateur doit opérer la radiation, nonobstant les défenses extrajudiciaires que le créancier a pu faire signifier.

— Si le jugement est exécutoire par provision, les hypothèques doivent-elles être rayées? ∿∿ Le ministre de la justice, dans une lettre écrite au ministre des finances, le 35 fructidor an 12, a décidé l'affirmative (Persil, n. 21).

Nous avons dit que le créancier peut consentir à la radiation de son inscription, sans renoncer pour cela à son droit d'hypothèque ; mais *quid* s'il a une hypothèque générale ou une hypothèque spéciale frappant plusieurs immeubles? le consentement qu'il donne à la radiation de l'inscription qu'il a prise sur tels ou tels immeubles, détruit-il son droit d'hypothèque sur les autres biens qui en étaient pareillement grevés? ∿∿ *N*. Il a seulement voulu procurer au débiteur la facilité d'augmenter son crédit (Dur., n. 184).

Un jugement en dernier ressort a ordonné la radiation : on l'a opérée ; mais le jugement a ensuite été réformé sur requête civile ou cassé, *quid juris?* L'inscription doit-elle être rétablie à son rang? ∿∿ *N*. Cela serait contraire au principe de la publicité ; il y aurait là un piège pour les créanciers postérieurs (Dur., n. 202 ; Delv., p. 183. n. 1).

Mais l'inscription aura-t-elle effet vis-à-vis des créanciers inscrits antérieurement à la radiation? ∿∿ *A*. L'équité peut se concilier en ce cas avec le principe de la publicité des hypothèques (Dur., n. 202. — *Douai*, 10 janvier 1812 ; S., 12, 2, 370. — *Paris*, 12 juin 1815 ; S., 18, 2, 119).

Quid, s'il y a des créanciers postérieurs? ∿∿ Il s'établit alors un conflit dont on ne peut sortir qu'en rejetant le rétablissement à l'égard de tous.

L'art. 34 de la loi du 11 brumaire sur les expropriations, est-il à ce point abrogé par la nouvelle législation. que l'appel formé par l'un des créanciers arrêterait la radiation des inscriptions de toutes les créances, même de celles qui n'auraient subi aucune contestation? ∿∿ *N*. Arg. des art. 758, 767, 771 et 773, Pr. (Persil, n. 22).

Lorsque le jugement est passé en force de chose jugée, le conservateur doit-il exiger en outre qu'il ait été signifié? ∿∿ *A*. 548, Pr. (Troplong. n. 739).

Lorsqu'il y a eu lieu à la révocation des donations (954 et 968 Code civil) ou à l'exercice du réméré, comment peut-on obtenir la radiation? Suffit-il de prouver au conservateur l'existence de la cause de révocation, ou la volonté d'exercer le réméré? ∿∿ *N*. Le consentement des créanciers, ou un jugement passé en force de chose jugée, est en outre exigé (Persil, n. 27).

2158 — Dans l'un et l'autre cas, ceux qui requièrent la radiation déposent au bureau du conservateur l'expédition de l'acte authentique portant consentement, ou celle du jugement.

= En exigeant l'authenticité de l'acte portant consentement, la loi veut prévenir les radiations qu'il serait facile de surprendre au conservateur, au moyen de titres sous seing-privé.

Cet acte doit être passé devant notaire : — le consentement donné devant le juge de paix serait insuffisant : en effet, si ce juge prononce en qualité de conciliateur, les conventions qu'il insère au procès-verbal ont seulement force d'obligations privées : s'il siége comme juge, il est incompétent à raison de la matière, puisque les actions réelles, aux termes de l'art. 59, Pr., doivent être portées devant le tribunal de la situation ; or, l'action en radiation est réelle.

Afin de mettre à couvert sa responsabilité personnelle, le conservateur doit garder l'expédition de l'acte, ou du jugement qui lui est présenté.

Si l'acte renferme des énonciations étrangères à la radiation, on pense généralement qu'il suffit d'en représenter un extrait.

Du reste, le conservateur n'est pas juge de la validité de l'acte : par cela seul qu'on le lui représente, il doit rayer l'inscription (Inst. ministérielle, 26 nivôse an 12).

blement faite au domicile élu dans l'inscription (*Paris*, 26 août 1808 ; S., 9, 2, 19, 17 juillet 1813 ; S., 14, 2, 107).

— Le conservateur peut-il examiner, dans l'intérêt du créancier, si celui-ci a ou non qualité pour consentir la radiation, et se refuser à radier s'il pense que cette qualité n'existe pas ? ∿ N. Dans la plupart des cas, ce serait là une question de droit qui sortirait par conséquent des attributions du conservateur (Dur., n. 19½).

2159 — La radiation non consentie est demandée au tribunal dans le ressort duquel l'inscription a été faite, si ce n'est lorsque cette inscription a eu lieu pour sûreté d'une condamnation éventuelle ou indéterminée, sur l'exécution ou liquidation de laquelle le débiteur et le créancier prétendu sont en instance ou doivent être jugés dans un autre tribunal ; auquel cas la demande en radiation doit y être portée ou renvoyée.

Cependant la convention faite par le créancier et le débiteur, de porter, en cas de contestation, la demande à un tribunal qu'ils auraient désigné, recevra son exécution entre eux.

= La demande en radiation, comme toute autre action réelle, doit être portée devant le tribunal de la situation des biens (59, Pr.) : mais comme le maintien de l'inscription est subordonné à l'existence de l'hypothèque, et celle-ci à l'existence de la créance, si cette créance est ou doit être l'objet d'une contestation, le tribunal compétent pour prononcer sur cette contestation est appelé à connaître en même temps de la demande en réduction.

Ainsi, lorsque l'inscription a eu lieu pour sûreté d'une condamnation éventuelle ou indéterminée, c'est-à-dire, d'une condamnation dont le montant n'a pas été liquidé par le jugement : si des contestations s'élèvent devant un autre tribunal, sur la liquidation de la créance ou sur l'exécution de la condamnation, les demandes à fin de radiation doivent être portées devant ce tribunal quoiqu'il ne soit pas celui de la situation des biens : la loi ne veut pas que le tribunal de la situation puisse neutraliser la force exécutoire du tribunal qui a prononcé le jugement.

L'art. 2159 suppose que la créance éventuelle ou indéterminée résulte d'une condamnation ; mais cet article n'est pas limitatif : il y a identité de raison pour appliquer l'exception au cas où cette créance résulte d'une convention ; le juge qui connaît de la liquidation, est certainement plus à même que tout autre, de prononcer sur la radiation (1).

Bien plus, toutes les fois que la demande en radiation est secondaire, lorsqu'elle naît, par exemple, à l'occasion d'une action en rescision déjà pendante devant le tribunal du domicile du défendeur, c'est à ce tribunal et non à celui de la situation qu'elle doit être portée.

Quand une action sur la dette elle-même est pendante devant un autre tribunal, la demande en radiation de l'inscription doit être renvoyée, pour cause de *connexité*, devant ce tribunal (171, P.). Ex. : un jugement vous condamne à me payer 2,000 fr., si un événement prévu arrive : en

---

(1) Dans plusieurs cas, cette disposition ne pourra recevoir d'application : par exemple, s'il s'agit d'une hypothèque légale, ou même si la demande en radiation n'est fondée ni sur l'appréciation d'une condition, ni sur la qualité de la somme, le tribunal de la situation est seul compétent.

vertu de ce jugement, je prends hypothèque sur les immeubles que vous
possédez à Paris : mais des contestations s'élèvent entre nous, sur le point
de savoir si l'événement est arrivé, et ces contestations sont portées devant
le tribunal de Rouen : il n'est pas douteux que ce tribunal devra connaître
incidemment de la radiation.

Lors même que l'instance ne serait pas encore pendante, si elle doit
être ultérieurement portée devant un autre tribunal, le juge de la situation doit se déclarer incompétent. (*Voy*. Dur., n. 205.) — Ex. : vous avez
été condamné à me garantir d'une éviction; j'ai pris inscription à Paris,
pour une somme de 2,000 fr. : si vous m'assignez à Paris en mainlevée
d'inscription, je pourrai demander mon renvoi devant le tribunal de mon
domicile (1).

Bien que les juridictions soient de droit public, la loi permet aux parties d'en intervertir l'ordre, et de convenir que la demande en radiation
sera portée, en cas de contestation, devant un tribunal autre que celui de la
situation : cette convention, assurément, produira son effet entre les parties; mais elle ne pourra être opposée aux personnes qui ne seront pas
intervenues dans le contrat : par exemple, si un tiers acquéreur demande
la radiation, il est certain qu'il devra saisir le juge de la situation.

— Lorsque la demande en radiation est principale et qu'elle ne se rattache à aucune autre contestation, le juge du domicile qui s'en trouve saisi, doit-il, d'office, la renvoyer au juge de la situation?
⁓ *N*. Notre article accorde aux parties la faculté de convenir d'un tribunal devant lequel les demandes
en radiation seront portées : leur consentement, à cet égard, peut être formel ou tacite : le consentement tacite résulte du silence qu'elles ont gardé, en ne proposant pas le déclinatoire (Persil, n. 5).

. La demande en radiation est-elle sujette à conciliation? ⁓ *N*. Dans une telle matière, il est rare qu'il
n'y ait pas urgence (Grenier, t. 1, n. 96; Troplong, n. 744 *bis*).

Lorsqu'il s'agit de la demande en radiation d'une inscription prise sur un domaine, on conçoit que les
règles de compétence, établies dans l'art. 2159, puissent être observées; mais *quid* lorsqu'il s'agit de
restreindre à un ou deux domaines les hypothèques qui frappent sur un plus grand nombre? devant
quel tribunal doit-on se pourvoir? ⁓ Le demandeur peut assigner devant le tribunal qu'il lui plaît de
choisir (Delv., p. 161, n. 2).

2160 — La radiation doit être ordonnée par les tribunaux,
    lorsque l'inscription a été faite sans être fondée ni sur la loi,
    ni sur un titre, ou lorsqu'elle l'a été en vertu d'un titre soit
    irrégulier, soit éteint ou soldé, ou lorsque les droits de pri-
    vilége ou d'hypothèque sont effacés par les voies légales (2).

= Le mot *extinction*, suppose que l'hypothèque a produit son effet
pendant un certain temps : il est possible, cependant, que le droit n'ait
jamais été constitué d'une manière valable; notre article prescrit en ce
cas la radiation de l'inscription.

L'inscription est illégalement prise, lorsqu'elle n'est fondée ni *sur la
loi* (dans le cas d'hypothèque légale ou judiciaire, — ni *sur un titre*
(lorsque l'hypothèque est conventionnelle); — ou lorsqu'elle l'a été en
vertu d'un titre soit *irrégulier* (par exemple, si le notaire était incapable (1318), si l'acte n'est point par lui-même susceptible d'emporter hypo-

(1) L'art. 2159 est en rapport avec l'art. 171, Pr. — Arg. de l'art. 2159, deuxième alinéa, qui permet
aux parties de faire choix d'une juridiction (*Val*.). ⁓ Le renvoi a lieu d'office : l'art. 2159 a plus d'é-
tendue que l'art 171 Pr. ; Dur., n. 205,

(2) Pourquoi ne pas s'être borné à dire que les tribunaux doivent prononcer la radiation lorsque l'hypothèque n'existe pas.

thèque, par ex., s'il s'agit d'un procès-verbal de conciliation, — soit *éteint* ou *soldé* (lorsque la dette est prescrite (2180) ou acquittée); — enfin, la radiation doit avoir lieu, lorsque les droits résultant du privilége ou de l'hypothèque sont effacés par les voies légales; c'est-à-dire, lorsqu'il y a eu purge ou prescription de l'hypothèque ou du privilége.

— Si l'inscription avait été acquise en vertu d'un titre régulier, mais d'une manière irrégulière, par exemple, sans indication de la nature du titre, les juges devraient-ils ordonner la radiation? ∿∿ *N*. La loi parle des vices du titre et de son extinction; elle ne dit pas un mot de l'irrégularité de l'inscription (Persil, n. 3; Delv., p. 183, n. 4).

Quid, si l'inscription a été prise en vertu d'une stipulation de garantie, alors que l'acquéreur n'a plus de danger à courir, les tribunaux doivent-ils prononcer la radiation? ∿∿ Il faut distinguer: si la stipulation de garantie est indéfinie et non expressément motivée, l'hypothèque dure trente ans; si le motif de la garantie particulière est indiqué, l'hypothèque s'évanouit, dès que la cause de l'éviction a cessé (Persil, n. 5).

2161 — Toutes les fois que les inscriptions prises par un créancier qui, d'après la loi, aurait droit d'en prendre sur les biens présents ou sur les biens à venir d'un débiteur, sans limitation convenue, seront portées sur plus de domaines différents qu'il n'est nécessaire à la sûreté des créances, l'action en réduction des inscriptions, ou en radiation d'une partie en ce qui excède la proportion convenable, est ouverte au débiteur. On y suit les règles de compétence établies dans l'article 2159.

La disposition du présent article ne s'applique pas aux hypothèques conventionnelles.

= En accordant aux créanciers toutes les sûretés qui leur sont nécessaires, il fallait éviter d'altérer sans utilité le crédit du débiteur : aussi la loi permet-elle de faire réduire l'hypothèque à ce qui sera jugé nécessaire pour leur donner pleine sécurité.— Néanmoins, cette faculté n'est pas accordée indéfiniment pour toute espèce d'hypothèque : notre article la restreint à celles qui portent à la fois sur l'universalité des biens présents et à venir ; en d'autres termes, aux *hypothèques légales* ou *judiciaires* (1).

Pour que la demande en réduction soit admise, il faut :

1° Que l'hypothèque n'ait pas été limitée par une convention. — Ce serait porter atteinte au contrat, que de prononcer la réduction des hypothèques, quand le créancier a spécialisé les immeubles qu'il prétend avoir pour gage.

Nous verrons néanmoins, art. 2163, que cette règle souffre exception à l'égard des créances indéterminées que le créancier a été obligé d'évaluer pour prendre inscription. — Si l'hypothèque légale avait été réduite (2140 et 2141), cette hypothèque deviendrait spéciale.

2° Qu'elle subsiste sur plusieurs domaines : si elle ne frappait qu'un seul immeuble, quand même cet immeuble excéderait de beaucoup la valeur de la créance, on ne pourrait la faire réduire (2162) (2).

Les règles que nous avons exposées sur la radiation s'appliquent en général au cas de réduction : rappelons-nous, en effet, que la réduction n'est qu'une radiation partielle.

(1) Nous supposons que la somme n'est pas actuellement exigible; si elle est exigible, la réduction ne peut avoir lieu : le débiteur doit payer.

(2) Le mot *domaine* est ici synonyme du mot *immeuble*.

Ainsi, la demande en réduction est soumise aux mêmes règles de compétence que celle qui a pour but la radiation; la réduction ne peut s'opérer, qu'en vertu d'un jugement en *dernier ressort* ou *passé en force de chose jugée* (2157); enfin, il faut représenter un certificat de l'avoué de la partie poursuivante, contenant la date de la signification du jugement faite au domicile réel de la partie condamnée, et en outre un certificat du greffier, constatant qu'il n'existe contre le jugement ni opposition ni appel (548 Pr.).

— Peut-on réduire l'hypothèque légale de l'État, des communes et des établissements publics sur les biens des comptables? ⁂ Cette réduction est soumise a des règles particulières : — évaluation difficile ; — condition de la nomination, ordre public. — L'art. 15 de la loi du 16 septembre 1807 attribue à la cour des comptes la connaissance des demandes en restriction de l'hypothèque légale de l'État (D. Hyp., p. 435, n. 19; Troplong, n. 765). ⁂ L'hypothèque légale de l'État, des communes et des établissements publics n'est pas susceptible de réduction (Persil, n. 5; Battur, n. 700).

Cette disposition reçoit-elle son application au cas prévu par l'art. 2130, c'est-à-dire lorsque le débiteur, reconnaissant l'insuffisance des biens présents, déclare adhérer a ce que chacun des biens qu'il acquerra par la suite soit hypothéqué a mesure des acquisitions? ⁂ N. Les conventions légalement formées tiennent lieu de loi a ceux qui les ont faites (Persil, n. 9; Troplong, n. 749; voy. cep. Grenier, n. 63; Battur, t. 4, n. 700; Merlin, v° Radiation d'hypothèque, § 12).

Quand le créancier d'une rente viagère s'est fait colloquer, pour le capital de la rente, sur certains immeubles du débiteur, peut-il demander de nouvelles collocations sur d'autres immeubles? ⁂ N. Il a spécialisé son hypothèque (Persil, n. 10).

Lorsqu'après des contestations soulevées sur un titre portant hypothèque spéciale, il est intervenu un jugement de condamnation qui confirme ce titre, l'hypothèque judiciaire doit-elle être réduite, si le débiteur remplit l'objet de la convention primitive? ⁂ N. (Voy. les distinctions faites par Merlin, v° *Titre confirmatif*, n. 437 *bis*; Troplong, n. 767).

2162 — Sont réputées excessives les inscriptions qui frappent sur plusieurs domaines, lorsque la valeur d'un seul ou de quelques-uns d'entre eux excède de plus d'un tiers en fonds libres le montant des créances en capital et accessoires légaux.

— Cet article et le suivant déterminent le cas où les inscriptions sont réputées excessives; les art. 2165 et suiv. règlent le mode d'arbitrer l'excès.

Pour qu'il y ait excès, deux conditions sont requises : il faut, 1° que les inscriptions frappent sur plusieurs domaines (2167).

Qu'entend-on ici par *domaine*? Est-ce une ferme, une métairie, une réunion de propriétés diverses? Le législateur a voulu désigner ainsi tout bien territorial, quelle que soit son importance ou sa nature.

2° Que la valeur d'un ou de quelques-uns des immeubles dépasse de plus d'un tiers, en fonds libres, le montant de la créance et de ses accessoires (1): on exige cet excédant, en considération de la diminution de valeur que pourra éprouver l'immeuble et des frais que l'expropriation occasionnera, si le créancier se trouve forcé de recourir à cette voie extrême.

Voy., art. 2148, § 4, ce qu'on entend par *accessoires légaux*.

2163 — Peuvent aussi être réduites comme excessives, les inscriptions prises d'après l'évaluation faite par le créancier, des créances qui, en ce qui concerne l'hypothèque à établir pour leur sûreté, n'ont pas été réglées par la convention, et qui, par leur nature, sont conditionnelles, éventuelles ou indéterminées.

(1) Les intérêts et arrérages sont compris dans cette évaluation pour deux années et l'année courante (Dur., n 410).

= La disposition qui nous occupe, forme exception à la règle établie par l'art. 2161 ; cette exception était commandée par la nature des choses : en effet, pour faire inscrire son hypothèque, le créancier a été obligé d'établir, par évaluation approximative, le montant de sa créance : or l'événement peut prouver que cette évaluation était exagérée ; il est donc juste d'admettre, en ce cas, la réduction des inscriptions.

On entend ici par dettes conditionnelles, celles qui, étant indéterminées, peuvent devenir plus ou moins fortes par l'événement de la condition : il est clair, en effet, que la réduction ne peut avoir lieu, lorsqu'il s'agit d'une dette conditionnelle, dont le montant a été déterminé dès le principe, par ex., en ces termes : Je m'oblige à payer 1,000 fr. si tel vaisseau arrive.

Pour que la réduction ait lieu, notre article exige que l'évaluation ait été faite par le créancier : si elle avait été faite par le débiteur, la demande en réduction ne serait pas admise.

2164 — L'excès, dans ce cas, est arbitré par les juges, d'après les circonstances, les probabilités des chances et les présomptions de fait, de manière à concilier les droits vraisemblables du créancier avec l'intérêt du crédit raisonnable à conserver au débiteur ; sans préjudice des nouvelles inscriptions à prendre avec hypothèque du jour de leur date, lorsque l'événement aura porté les créances indéterminées à une somme plus forte.

= La loi détermine les précautions que le juge doit prendre pour réduire l'hypothèque : malgré ces précautions, il peut arriver qu'il n'ait pas laissé de sûretés suffisantes : le créancier peut alors demander un supplément d'hypothèque ; mais cette hypothèque ne prendra rang que du jour de la nouvelle inscription.

On comprend, d'après cela, que le tribunal doit toujours être favorable au créancier, puisque l'erreur dans l'évaluation peut lui causer un aussi grave préjudice.

2165 — La valeur des immeubles dont la comparaison est à faire avec celle des créances et le tiers en sus, est déterminée par quinze fois la valeur du revenu déclaré par la matrice du rôle de la contribution foncière, ou indiqué par la cote de contribution sur le rôle, selon la proportion qui existe dans les communes de la situation entre cette matrice ou cette cote et le revenu, pour les immeubles non sujets à dépérissement, et dix fois cette valeur pour ceux qui y sont sujets. Pourront néanmoins les juges s'aider, en outre, des éclaircissements qui peuvent résulter des baux non suspects, des procès-verbaux d'estimation qui ont pu être dressés précédemment à des époques rapprochées, et autres actes semblables, et évaluer le revenu au taux moyen entre les résultats de ces divers renseignements.

= Ainsi, pour connaître la valeur des biens, les juges n'ont pas recours à la voie de l'expertise, car elle est trop dispendieuse ; ils prennent pour base l'importance des revenus : à cet effet, ils consultent la matrice du rôle qui contient une évaluation du revenu de chaque bien , ou la cote des contributions ; puis ils multiplient le revenu par dix ou par quinze, suivant que l'immeuble est ou n'est pas sujet à dépérissement : le produit donne la valeur de l'immeuble.

Par ex., si un immeuble est imposé à 1,000 fr., et qu'en général. dans la commune, les biens de la même nature soient imposés au cinquième du revenu, cet immeuble sera censé produire un revenu de 5,000 fr., et valoir en capital 50,000 fr., ou 75,000 fr., selon qu'il sera ou non sujet à dépérissement.

Au surplus, la loi autorise les juges, à s'aider de tous autres éclaircissements ; par ex., des baux non suspects, des procès-verbaux d'estimation dressés à des époques rapprochées ou d'autres actes semblables.

On peut aujourd'hui, au moyen du cadastre, obtenir sur la valeur des immeubles, des documents plus précis que ceux que présente la matrice du rôle.

CHAPITRE VI.

De l'effet des priviléges et hypothèques contre les tiers détenteurs.

Les règles contenues dans ce chapitre, sont communes aux priviléges et aux hypothèques.

Le Code suppose le cas d'aliénation volontaire (1).

Rappelons-nous, que l'un et l'autre droit produisent deux effets principaux : ils confèrent un droit de préférence ; ils donnent un droit de suite. — Le droit de préférence est relatif aux rapports des créanciers entre eux ; le droit de suite, celui dont nous avons à nous occuper ici, concerne principalement les droits respectifs des créanciers et des tiers détenteurs.

Le droit de suite n'est attaché qu'au privilége et à l'hypothèque inscrits : suivant les principes du Code, l'inscription devait même remonter à une époque antérieure à l'aliénation ; toutefois une exception existait, en ce qui concernait les hypothèques des femmes et des mineurs (2194 C. c.). L'art. 834, Pr., a modifié cette théorie : aujourd'hui tous créanciers, hypothécaires ou privilégiés, ont la faculté de se faire inscrire dans un délai de quinzaine, à partir de la transcription de l'acte translatif de propriété (2).

Ainsi, dans l'état actuel de législation, on peut poser les règles suivantes :

Pour grever un fonds d'hypothèques, il faut être propriétaire ; — les créanciers du vendeur peuvent se faire inscrire utilement après l'aliénation, dans la quinzaine de la transcription ; un délai plus prolongé est

---

(1) Les ventes qui se font par autorité de justice autrement que sur expropriation forcée, ce qui a lieu par ex., lorsqu'il s'agit de biens dotaux ou des biens des mineurs, sont considérés comme volontaires (arg. des art. 750 et 775. Pr., comb.). L'adjudicataire doit dès lors, pour affranchir l'immeuble des charges hypothécaires qui le grèvent, faire transcrire le jugement et observer les autres formalités de la purge (Merlin, Rép., Transcription, § 3 , n. 7 ; Grenier, t. 2, n. 366 ; Locré, Législ., t. 22, n. 104).

(2) Le délai de quinzaine pour prendre inscription est accordé même au cas d'expropriation pour cause d'utilité publique : le délai court alors à partir de la transcription du jugement qui prononce l'expropriation. Mais les créanciers inscrits n'ont pas la faculté de surenchérir ; ils peuvent seulement

établi en faveur des femmes, des mineurs et des interdits.—Les créanciers qui n'ont pas pris inscription dans les délais prescrits, sont déchus du droit de suite.

Le tiers détenteur, peut en accomplissant les formalités de la purge, affranchir l'immeuble des charges hypothécaires qui le grèvent.

Faute par lui de purger, il demeure soumis au payement de toutes les dettes hypothécaires ; ce qui l'oblige à délaisser, si mieux n'aime payer intégralement les créances à mesure de leur exigibilité ; mais il jouit alors des termes et délais accordés au débiteur originaire.

Le tiers détenteur ne peut, en délaissant, se soustraire aux poursuites des créanciers, s'il est personnellement obligé ou incapable d'aliéner (2172). — De ce que la loi subordonne l'efficacité du délaissement à la capacité d'aliéner, ne concluons pas que cet acte constitue une aliénation : le tiers détenteur ne cesse d'être propriétaire, qu'au moment où l'adjudication fait passer la propriété entre les mains d'un nouvel acquéreur ; toutefois, il doit compte des fruits qu'il a perçus à partir de la sommation qui lui a été faite.

Le délaissement s'opère par une déclaration faite au greffe du tribunal du lieu où l'immeuble est situé : le tribunal nomme alors, à la requête du créancier le plus diligent, un curateur contre lequel la revente se poursuit.

Si le tiers détenteur ne satisfait pas à l'obligation facultative qui lui est imposée, tout créancier inscrit dont la créance est exigible peut l'exproprier : à cet effet, il doit le sommer d'accomplir cette obligation, et faire au débiteur originaire commandement de payer. La saisie peut avoir lieu trente jours après ; — une fois la saisie consommée, le tiers détenteur est déchu de la faculté de délaisser ; il peut seulement (pourvu qu'il ne soit pas obligé personnellement) opposer au poursuivant l'exception de discussion ; encore, n'est-il admis à se prévaloir de cette exception, que sous certaines conditions (2170, 2171) et en observant les règles du cautionnement (2022-2024).

Soit que le tiers détenteur délaisse, soit qu'il subisse l'expropriation, il répond des détériorations qui proviennent de son fait ou de sa négligence ; comme aussi, les créanciers doivent, sous certaines distinctions, l'indemniser de ses dépenses (2175).

Il est comptable, ainsi que nous l'avons déjà dit, des fruits produits par le fonds, mais seulement à partir du jour de la sommation qui a dû lui être faite aux termes de l'art. 2169. Cette sommation tombe en péremption, pa le fait de l'abandon des poursuites pendant trois ans (2176).

La loi considère en quelque sorte le détenteur évincé comme n'ayant jamais été propriétaire ; les droits réels qu'il avait sur l'immeuble, et que la confusion avait éteints, renaissent : mais d'un autre côté, comme la résolution de son titre n'a eu pour cause que le droit antérieur des créanciers hypothécaires, il a paru juste d'accorder à ses créanciers personnels, qui ont acquis une hypothèque sur l'immeuble, le droit de se faire colloquer à leur rang, sur le prix de l'adjudication, après tous ceux qui se sont inscrits sur les précédents propriétaires (2177).

---

refuser le prix fixe à l'amiable entre l'État et le propriétaire, et exiger que ce prix soit judiciairement établi (Voyez la loi du 7 juillet 1833, art. 16 et 17).

En cas d'expropriation par suite de saisie immobilière, la règle de l'art. 2166 conserve toute sa force ; aucune inscription ne peut être utilement prise sur cet immeuble après l'adjudication définitive (Voyez sur ce point Pothier, Pr., 4e partie, chap. 2, art. 11, § 8).

Nous avons constamment supposé le cas où le tiers détenteur ne serait obligé qu'en cette seule qualité : les créanciers hypothécaires envers lesquels il aurait contracté un engagement personnel, pourraient le poursuivre, non-seulement en vertu de l'action hypothécaire, mais encore personnellement (2170-2172); Sauf, bien entendu, son recours en garantie contre le débiteur principal.

2166 — Les créanciers ayant privilége ou hypothèque inscrite (1) sur un immeuble (2), le suivent en quelques mains qu'il passe, pour être colloqués et payés suivant l'ordre de leurs créances ou inscriptions.

◄ Nous avons déjà considéré l'hypothèque par rapport aux créanciers du même débiteur ; il nous reste à parler de ses effets contre les tiers détenteurs de l'immeuble qui est grevé de cette charge.

Le droit de suite confère aux créanciers la faculté de poursuivre l'expropriation et de se faire colloquer sur le prix, suivant l'ordre de leurs créances ou inscriptions.

Si donc le débiteur aliène (à titre gratuit ou à titre onéreux) le fonds hypothéqué, ou même une partie de ce fonds, l'hypothèque continue de subsister. — S'il y a eu plusieurs ventes successives, les créanciers peuvent se faire colloquer à l'un ou à l'autre des ordres qui seront ouverts.

En cas de constitution d'usufruit, l'hypothèque suit ce démembrement de la propriété : l'acquéreur doit dès lors, s'il veut l'affranchir des charges hypothécaires qui le grèvent, observer les formalités de la purge (*voy.* chap. 8); les créanciers peuvent se faire colloquer à l'ordre (3).

Quid si le débiteur constitue sur l'immeuble hypothéqué un droit d'*usage*, d'*habitation* ou de *servitude?* l'hypothèque continue également de subsister sur ces sortes de droits. — Mais comment l'acquéreur pourra-t-il purger, puisque les créanciers n'ont pas, en ce cas, la ressource de la surenchère, les droits d'usage et d'habitation étant personnels, et la servitude étant une charge établie sur un fonds en faveur d'un autre fonds déterminé ? On s'en rapporte à l'estimation de l'acquéreur : si cette estimation est au-dessous de la valeur du droit, les créanciers peuvent faire déterminer, par experts, la somme que l'acquéreur devra payer (4).

---

(1) En s'attachant strictement au sens littéral de notre article, il semblerait que l'hypothèque seule eût besoin d'être inscrite pour conférer le droit de suite : le mot *inscrite*, en effet, se réfère uniquement au substantif hypothèque ; mais c'est là une faute de rédaction : assurément, tant que les biens sont entre les mains du débiteur, les créanciers privilégiés compris dans la disposition de l'art. 2101, qui se présentent, à défaut de mobilier, pour être colloqués sur le prix des immeubles (2104 et 2105), n'ont pas besoin de prendre inscription : mais, dès le moment où le débiteur a vendu les biens, une inscription devient indispensable pour qu'ils aient le droit de suite et celui de surenchérir (834, Pr.) . Si la loi ne parle pas ici des privilèges, c'est qu'elle s'occupe uniquement de l'effet des privilèges et hypothèques, et que cet effet, quant aux privilèges, ne dépend pas de l'ordre des inscriptions.

(2) Les meubles n'ont pas de suite ; nous ne connaissons d'autre exception que celle qui est établie par l'art. 2102 en faveur du locateur.

(3) Battur, n. 524 et suiv. — *Paris*, 23 décembre 1808 ; S., 9. 2, 50.

(4) Delv., p. 172. n. 1 ; Persil, n. 5. ⁕⁕⁕ L'hypothèque ne suit pas les droits d'usage d'habitation ou de servitudes constitués par le propriétaire de l'immeuble ; le créancier hypothécaire peut seulement faire déclarer son débiteur déchu du bénéfice du terme, pour diminution des sûretés qu'il avait données (1188) (Troplong, n. 777 *bis*).⁕⁕⁕ Ainsi, deux opinions se sont élevées sur le point en question : on répond à la première, celle que nous avons admise, qu'elle n'est qu'un expédient pour remplacer les formalités de la purge, expédient peu satisfaisant ; car il prive les créanciers des avantages de la surenchère. D'ailleurs, ajoute-t-on, c'est la faire la loi. — On rejette également le deuxième, comme contraire aux principes ; car elle procure au débiteur qui a conféré une hypothèque sur la totalité de l'immeuble, la faculté de diminuer le gage qu'il a donné. L'art. 1186 déclare, à la vérité, que le débiteur peut être déchu

Il y a cependant des choses qui, bien que frappées d'hypothèques, échappent au droit de suite, lorsqu'elles sont démembrées du domaine : ce sont les immeubles par destination : ces sortes de choses reprennent la qualité de meubles, dès qu'on les sépare du fonds dont elles dépendent.

Quid, pour le bail ? Il ne doit être maintenu qu'autant qu'il n'excède pas neuf ans (limite indiquée par le Code pour les administrateurs) ; autrement, le débiteur qui serait menacé d'une expropriation forcée, ou qui aurait intention de vendre, pourrait s'enrichir impunément aux dépens des créanciers inscrits, en consentant pour un grand nombre d'années, par ex. pour quatre-vingt-dix ans, des ventes à prix comptant, du revenu de l'immeuble hypothéqué (1).

Après avoir déterminé l'effet du droit de suite, il nous reste à exposer les conditions auxquelles l'exercice de ce droit est soumis.

Suivant la disposition de notre article, il fallait que l'hypothèque fût *inscrite* (2) ; l'inscription devait même précéder l'aliénation. — A défaut d'inscription, le créancier perdait toute espèce de droits, dès que l'immeuble était sorti des mains du débiteur, même avant que ce dernier eût fait transcrire : de là d'étranges abus ; car immédiatement après avoir consenti une hypothèque, un débiteur pouvait vendre l'immeuble et priver ainsi les créanciers de leur gage.

Les changements opérés par l'art. 834, Pr., ont remédié à ces inconvénients : rappelons-nous, en effet, que cet article accorde pendant quinze jours, à partir de la transcription, aux créanciers hypothécaires ou privilégiés antérieurs à l'aliénation, la faculté de se faire encore inscrire utilement. — Du reste, en améliorant le sort des créanciers ordinaires, le législateur a laissé subsister les principes du Code sur les hypothèques légales des femmes et des mineurs : les termes de l'article 834, Pr., sont précis ; ils ne renvoient qu'aux articles 2123, 2127 et 2128 ; or l'art. 2182 déclare que les immeubles passent à l'acquéreur grevés de ces charges, bien qu'elles ne soient pas inscrites, et l'art. 2194 établit le mode d'en opérer la purge quand il n'y a pas d'inscription. — Quant aux autres hypothèques légales, elles sont soumises, sans aucun doute, à la règle de l'art. 834, Pr., puisque la loi ne les dispense pas de la formalité de l'inscription.

Cet article reçoit également son application aux privilèges, qu'ils soient généraux ou particuliers, peu importe, la loi ne distingue pas : ainsi, les créanciers privilégiés, même dispensés d'inscription quant au droit de préférence, ne le sont pas quant au droit de suite : ces deux droits sont essentiellement distincts ; le premier peut survivre au second (3).

---

du bénéfice du terme lorsqu'il a commis des dégradations matérielles : mais la constitution d'un droit de servitude d'usage ou d'habitation, ne peut être considérée comme telle : quel système faut-il donc adopter ? La purge n'aura pas lieu : le créancier usera du droit d'hypothèque dans sa simplicité primitive, et empêchera par suite l'acquéreur d'user des droits qui lui auraient été postérieurement conférés ; le débiteur se trouvera dans la position de celui qui, après avoir constitué un droit d'usufruit sur un fonds, grèvera ensuite ce même fonds d'une servitude : il est clair que la servitude ne pourra être opposée à l'usufruitier. Au résumé, les formalités ordinaires de la purge doivent être observées, toutes les fois que le droit réel, consenti sur l'immeuble postérieurement à la constitution d'hypothèque, peut être mis aux enchères : dans le cas contraire, on revient à l'exercice primitif du droit d'hypothèque. — Cette décision est admise par l'art. 2091 pour le cas où le fonds hypothéqué est donné à antichrèse (*Val.*).

(1) *Voy.* cep. Persil, n. 7 ; Troplong, n. 777 *ter* ; Grenier, n. 142.

(2) Sous la législation de l'art. 2166, les privilèges n'étaient pas, comme les simples hypothèques, assujettis à l'inscription avant l'aliénation ; il suffisait, quant à ceux qui étaient soumis à la formalité de l'inscription, qu'ils fussent inscrits dans les soixante jours (2109).

(3) Rappelons-nous ici, que la dernière partie de l'art. 834, Pr., n'a pas pour objet de conserver au vendeur et aux copartageants le droit de surenchérir ou autres effets de leur privilège contre les tiers dé-

— En cas d'échange d'un immeuble, le créancier ayant hypothèque générale acquiert-il des droits sur ce dernier immeuble, tout en conservant ceux qu'il a sur l'autre? ∧∧∧ *A.* Dans ce cas, la loi n'a pas établi de subrogation réelle de l'un des immeubles à l'autre, ainsi qu'elle l'a fait dans les cas prévus par les art. 1407 et 1559. L'acquéreur de l'immeuble grevé d'une hypothèque générale, doit s'imputer de ne pas avoir purgé (Dur., n. 221. — *Cass.*, 9 novembre 1815; S., 16. 1, 151).

Les créanciers chirographaires étant appelés à partager par contribution ce qui reste du prix de l'immeuble après l'acquittement des dettes hypothécaires, on demande si ce droit leur confère le droit d'intervenir dans la procédure d'ordre pour veiller à leurs intérêts? ∧∧∧ *A.* Autrement, il serait trop facile de leur nuire (Persil, n. 20).

Quid, en cas de concours d'une hypothèque générale avec une hypothèque spéciale, par ex., dans l'espèce : deux domaines situés dans des arrondissements différents sont affectés d'une hypothèque générale, soit légale, soit judiciaire : une hypothèque spéciale est ensuite consentie sur l'un de ces domaines; celui-ci est vendu le premier : dans quel ordre les créanciers hypothécaires viendront-ils? ∧∧∧ L'hypothèque spéciale ne sera colloquée utilement qu'après l'hypothèque générale (Grenier, n. 179 et suiv., ; Troplong, n. 750 et 959; Persil, n. 18 ; Delv., p. 163, n. 19 ; *voy.* Dur., n. 219, t. 20; 590 et suiv., t. 19; et nos questions sur l'art. 2132).

Mais *quid*, si le montant de la vente n'a pas suffi pour désintéresser les deux créanciers? Celui qui a une hypothèque spéciale pourra-t-il faire valoir, par forme de subrogation, les droits qu'aurait pu exercer sur le deuxième domaine le créancier qui avait l'hypothèque générale antérieure, et qu'il a fait peser en entier sur le premier domaine? ∧∧∧ *N.* La loi ne lui accorde pas ce droit (Grenier, *ibid.* et 184).

Quid, s'il s'agissait d'un seul ordre qui se fît du prix provenant des immeubles du débiteur devant un même tribunal? ∧∧∧ Le juge prendrait alors un tempérament, pour concilier, autant que possible, les intérêts des créanciers (Grenier, n. 180).

Lorsqu'il s'élève, à l'occasion de l'exécution d'un acte obligatoire, par lequel a été consentie une hypothèque spéciale, des difficultés qui donnent lieu à des condamnations, est-il exact de dire que cette hypothèque est convertie en hypothèque judiciaire? ∧∧∧ *N.* Il y a deux hypothèques bien distinctes; chacune doit être renfermée dans son espèce particulière : l'hypothèque générale n'aura d'effet que pour l'augmentation plus ou moins considérable de la même créance, et seulement à partir de l'inscription (Grenier, n. 183).

Quels sont les droits des créanciers hypothécaires à l'égard des cessions de fruits faites par antichrèse? ∧∧∧ L'antichrèse n'empêche pas l'hypothèque de produire tous ses effets; ce contrat ne confère de droit que sur les fruits. — Néanmoins, à partir de la dénonciation de la saisie, ces fruits cessent d'appartenir au créancier antichrésiste; ils viennent augmenter le gage hypothécaire (Troplong, n. 778 ; Delv., p. 144, note l.

Quid, à l'égard des cessions de fruits, faites par anticipation pour plusieurs années? ∧∧∧ Même décision (Troplong, n. 778 *bis* ; Grenier, t. 1, p. 307, et t. 2, p. 444).

Les créanciers hypothécaires pourraient-ils empêcher les dégradations que le débiteur voudrait se permettre, ou pourraient-ils le faire condamner à des dommages-intérêts, si elles étaient déjà commises? ∧∧∧ *Oui*, s'il est hors d'état de fournir un supplément d'hypothèque; *secùs* s'il est solvable : les créanciers pourraient justement invoquer le bénéfice de l'art. 1188 (Persil, n. 10).

2167 — Si le tiers détenteur ne remplit pas les formalités qui seront ci-après établies, pour purger sa propriété, il demeure, par l'effet seul des inscriptions, obligé (1) comme détenteur à toutes les dettes hypothécaires, et jouit des termes et délais accordés au débiteur originaire.

= L'acquéreur peut purger l'héritage des priviléges et hypothèques qui le grèvent; c'est-à-dire, convertir ces sortes de droits en actions sur le prix.

S'il n'accomplit pas les formalités prescrites pour atteindre ce but, il reste tenu, *comme détenteur*, de toutes les dettes inscrites ou non inscrites, exigibles ou non exigibles, conditionnelles ou pures et simples (2168), lors même qu'il ne posséderait qu'une légère fraction de l'héritage hypothéqué; il est, en un mot, tenu *loco debitoris*, de toutes les

___

tenteurs, bien qu'ils n'aient pas pris inscription dans la quinzaine : après avoir déclaré que la faculté de surenchérir est perdue, à défaut d'inscription dans la quinzaine, la loi dit : sans préjudice *des autres droits*, etc. : donc, le droit de surenchérir est perdu, même pour le vendeur ; la loi veut seulement rappeler la disposition de l'art. 2108, suivant laquelle, les créanciers qui se sont fait inscrire, même après la quinzaine, mais dans les soixante jours, conservent leur droit de préférence à l'égard des autres créanciers.

(1) Expression inexacte : les obligations du tiers débiteur sont négatives : il est seulement tenu de souffrir l'exercice des droits hypothécaires. Le tiers détenteur qui n'a pas purgé, a quatre partis à prendre : 1° délaisser; 2° subir l'expropriation; 3° payer, en profitant des termes, etc. ; 4° payer les premiers inscrits, en obtenant ainsi subrogation.

Le dernier moyen est dangereux, car le débiteur se fait ainsi juge de la validité des créances et de leur rang.

dettes à la garantie desquelles l'immeuble est affecté; mais il jouit aussi des mêmes termes et délais que le débiteur originaire.

Peut-il invoquer les termes et délais qui ont été accordés au débiteur, si ce dernier s'en trouve privé, par exemple, s'il est tombé en faillite depuis l'aliénation? Nous le pensons : il serait arbitraire de faire rejaillir sur lui les conséquences de la position du débiteur; il a dû compter, pour se libérer, sur ces facilités; l'en priver, ce serait tromper son attente. Ajoutons, que le codébiteur solidaire n'est pas déchu du terme par la faillite de son coobligé; car l'un peut être tenu purement et simplement, et l'autre, à terme ou sous condition. (Dur., n. 229 et 210, *voy.* cep Delv.).

Par la raison contraire, nous déciderons qu'il ne jouirait pas du délai de grâce qui aurait été accordé au débiteur. (1244) (Dur., n. 232).

2168 — Le tiers détenteur est tenu, dans le même cas, ou de payer tous les intérêts et capitaux exigibles, à quelque somme qu'ils puissent monter, ou de délaisser l'immeuble hypothéqué, sans aucune réserve (1).

= Le tiers détenteur qui ne purge pas, est tenu de délaisser ou de payer (2). Observons, que le poursuivant ne peut demander que le délaissement, puisqu'il n'a pas d'action personnelle; le payement est pour le tiers détenteur une pure faculté.

Toutefois, les créanciers hypothécaires peuvent obtenir indirectement le payement de leurs créances en exerçant les droits et actions de leur débiteur (1166) : leur refuser cette faculté, ce serait autoriser le tiers détenteur à résoudre le contrat par sa seule volonté (3).

On admet généralement, que le tiers détenteur perd le droit de délaisser, dès que l'immeuble est saisi entre ses mains : un temps assez long lui a été accordé pour opter; il ne doit pas avoir la faculté d'entraver la marche de la procédure en expropriation.

— S'il n'a pas été pris inscription pour les intérêts, le détenteur est-il tenu au delà de deux années et de l'année courante? ᴧᴧ *A.* La nécessité d'inscrire pour conserver les intérêts n'existe qu'entre créanciers (Persil, n. 11, 2151; Grenier, n. 101),

2169 — Faute par le tiers détenteur de satisfaire pleinement à l'une de ces obligations (4), chaque créancier hypothécaire a droit de faire vendre sur lui l'immeuble hypothéqué, trente jours après commandement fait au débiteur originaire, et sommation faite au tiers détenteur de payer la dette exigible ou de délaisser l'héritage.

= Si le tiers détenteur ne remplit pas les formalités de la purge, ne délaisse pas l'immeuble ou ne paye pas les dettes hypothécaires, quelles mesures les créanciers peuvent-ils employer pour se faire payer? Chacun

---

(1) Article mal rédigé : l'obligation principale est de délaisser; le payement n'est que facultatif.

(2) Le mot *délaissement* exprime l'abandon de la possession de l'héritage, fait par le tiers détenteur aux créanciers inscrits, pour s'exempter de l'expropriation. Il ne faut pas confondre le délaissement avec le *déguerpissement*, moyen qui était offert à l'acquéreur, pour dégager l'immeuble des rentes ou redevances assises sur le fonds; le délaissement n'a lieu que pour les hypothèques. — Celui qui fait le délaissement n'abandonne que la possession; le déguerpissement emporte abandon de la propriété.—Le déguerpissement suppose des charges réelles foncières; le délaissement suppose une dette hypothécaire.

(3) Grenier, n. 345; Troplong, n. 822 et 823. — *Rouen,* 12 juillet 1833; S., 25, 2, 324.

(4) L'art. 2169 est encore plus mal rédigé que le précédent, car il laisse entrevoir que le tiers détenteur est obligé de payer ou de délaisser : or nous savons qu'il est seulement tenu de délaisser, le payement est pour lui facultatif.

d'eux a le droit de faire vendre l'immeuble hypothéqué, quand même le tiers détenteur serait au nombre des créanciers inscrits, quand même son hypothèque primerait celle du poursuivant, quand même sa créance devrait absorber évidemment le prix de la revente (1).

Suivant notre ancienne jurisprudence (2), les créanciers avaient le droit d'assigner le tiers détenteur, en *déclaration d'hypothèque*, c'est-à-dire, pour voir déclarer l'héritage affecté et hypothéqué au payement de la créance, et se voir en outre condamner personnellement à payer ou à délaisser ; mais le Code a supprimé cette action : aujourd'hui, les créanciers peuvent seulement l'assigner en reconnaissance d'hypothèque : cet acte est considéré comme purement conservatoire ; il ne donne lieu à aucune condamnation personnelle ; son seul objet, est d'empêcher la prescription de s'accomplir (*voy.* art. 2180) (3).

Aux termes de notre article, l'expropriation doit être précédée d'un *commandement* fait au débiteur originaire, et d'une *sommation* faite au tiers détenteur (4).

Le *commandement* a pour but de faire connaître au débiteur les mesures auxquelles on se propose de recourir, afin qu'il puisse aviser aux moyens d'en préserver son acquéreur et se soustraire à l'action en garantie que ce dernier ne manquera pas d'exercer contre lui : cet acte doit contenir diverses énonciations prescrites par l'art. 673, Pr.

Comme il ne peut être fait qu'en vertu d'un titre exécutoire, c'est-à-dire, en vertu d'une grosse, les créanciers qui n'ont pas pris inscription en vertu d'actes sous signature privée, doivent obtenir un jugement contre le débiteur.

Le but de la *sommation* est de mettre le tiers détenteur en demeure de délaisser ou de payer.

Cette sommation doit être faite à tous ceux qui ont acquis des droits sur l'immeuble ; non-seulement à l'acquéreur, qui est déjà en possession, mais encore à celui qui ne possède pas encore ; car la vente est parfaite par le seul consentement des parties : néanmoins, si elle était conditionnelle, on ne devrait faire sommation au tiers acquéreur qu'autant que la condition serait accomplie (Arg. de l'art. 1182).

La saisie ne peut avoir lieu que trente jours après le commandement et la sommation, afin de laisser au débiteur le temps de se procurer des fonds, et à l'acquéreur celui de prendre un parti (*voy.* 674, Pr.).

Les poursuites faites par l'un des créanciers profitent aux autres (Grenier, t. 2, n° 342.—Cass. 29 novembre 1820 ; S., 21, 1, 151 ; 30 juillet 1822 ; S., 22, 1, 850).

— Le tiers détenteur pourrait-il opposer la nullité du commandement fait au débiteur originaire ? ⁓ *N.* Ce droit est personnel au débiteur (Persil, n. 12).

Peut-il se rendre adjudicataire ? ⁓ *A.* Il aurait ce droit s'il avait délaissé. — Mêmes raisons. — *Nec obstat* l'art. 713, Pr. On conçoit que celui qui n'a pas le moyen de payer ses dettes, ne puisse acquérir

---

(1) *Cass.*, 10 février 1818 ; S., 18, 1, 173.

(2) Les lois romaines attribuaient également cet effet à l'action en déclaration d'hypothèque ; elle prenait alors le nom d'*action d'interruption*.

(3) Ainsi, l'action en reconnaissance d'hypothèque, diffère de l'action en déclaration par son but. Ajoutons, que celle-ci ne pouvait être formée que par les créanciers dont les droits étaient exigibles ; tandis que celle-là appartient même aux créanciers à terme : sous ce rapport elle est très-utile ; car nous verrons que la prescription à l'effet d'acquérir, la prescription qui résulte de la possession, court contre tout créancier même à terme (*Cass.*, 27 avril 1812 ; S., 12, 1, 300. — *Nimes*, 18 novembre 1830 ; S., 31, 2, 146).

(4) Sur quoi est fondée cette différence ? ⁓ Le *commandement* ne peut être fait qu'en vertu d'un titre exécutoire ; or le créancier n'a ce titre que contre le débiteur principal.

'immeuble saisi. — Si le tiers détenteur se laisse exproprier, ce n'est point par défaut d'argent, mais parce qu'il ne vent point payer de dettes qui grèvent l'immeuble au dela de sa valeur (Val.).

Peut-on valablement stipuler, qu'à défaut de payement de la part du débiteur, le créancier aura le droit de faire vendre l'immeuble sans aucune formalité ? ⁓ On ne saurait opposer cette convention au tiers détenteur ni aux autres créanciers inscrits ; car elle rendrait illusoire la publicité des hypothèques; elle deviendrait même de style (Dur., n. 226 ; Persil, n. 15; Troplong, n. 795; Delv., p. 172, n. 1).

Le créancier aurait-il le droit de faire ordonner en justice, que l'immeuble lui demeurera en payement jusqu'à due concurrence ? ⁓ D'autres créanciers peuvent avoir des droits et être intéressés à critiquer, soit la créance, soit la manière dont elle a été conservée; ce qu'ils ne peuvent faire que pendant la procédure d'ordre (Persil, n. 16 ; Dur., ibid.).

Le commandement doit-il précéder la sommation ? ⁓ Régulièrement, cela doit avoir lieu; mais il n'y aurait pas de nullité, si la sommation précédait le commandement (Troplong, n. 791; Grenier, n. 341).

L'art. 2169 porte, que les créanciers peuvent faire vendre l'immeuble sur le tiers détenteur, trente jours après le commandement et la sommation : aux termes de l'art. 2183, le tiers détenteur qui veut se garantir des poursuites, doit faire la notification de son titre dans le mois au plus tard; comment concilier ces deux articles ? ⁓ Le mois doit toujours être censé de trente jours; on ne compte pas dans ce délai le jour du commandement; mais le dernier jour du mois doit y être compris (Grenier, n. 340 ; Battur, t. 2, n 104 et 105 ; Troplong, n. 793 et suiv. ; voy. cep. Delv., p. 366, n. 4).

Lors de la revente, si l'immeuble est vendu moins cher qu'il n'a été acheté, le premier acquéreur est-il tenu de la différence ? ⁓ N. Ce n'est pas là une folle enchère (Delv., p. 180, n. 3 ; Dur., n. 241).｜

2170 — Néanmoins le tiers détenteur qui n'est pas personnellement obligé à la dette, peut s'opposer à la vente de l'héritage hypothéqué qui lui a été transmis, s'il est demeuré d'autres immeubles hypothéqués à la même dette dans la possession du principal ou des principaux obligés, et en requérir la discussion préalable selon la forme réglée au titre *du Cautionnement :* pendant cette discussion, il est sursis à la vente de l'héritage hypothéqué.

= Si le détenteur du bien hypothéqué est personnellement tenu, par ex., s'il est héritier ou légataire universel du débiteur originaire, s'il est codébiteur solidaire, ou s'il a pris sur lui la dette hypothécaire par voie de novation, en s'obligeant envers le créancier, il doit payer, sans pouvoir opposer aucune exception. — S'il n'est personnellement obligé que pour partie, il peut, en payant sa part, opposer pour le surplus l'exception de discussion ; car on le considère, à l'égard de cette dernière quotité, comme tiers détenteur. Mais tant qu'il n'a pas effectué ce payement, il est soumis hypothécairement pour le tout à l'action du créancier.

S'il n'est obligé qu'en raison de l'immeuble qui se trouve entre ses mains, par ex., s'il est acquéreur ou donataire à titre particulier, il a le droit de s'opposer à la vente de cet héritage, en requérant la discussion préalable des autres immeubles qui se trouvent en la possession du principal ou des principaux obligés : il importe peu aux créanciers, d'obtenir leur payement sur le prix de tel ou tel bien; il importe beaucoup aux tiers détenteurs, de ne pas être expropriés. D'ailleurs, comme les obligations personnelles sont plus étroites, on doit les épuiser, avant d'inquiéter ceux qui sont tenus seulement comme détenteurs.

Toutefois, il faut observer les règles établies au titre du cautionnement: par conséquent, pour que l'exception soit admise, le concours de six conditions est exigé ; il faut : 1° que l'hypothèque ne soit pas *spéciale* (2171), car l'immeuble grevé d'une semblable charge devient le gage direct et exclusif du créancier ; vouloir restreindre ce gage, ce serait porter atteinte à la condition du contrat : ainsi, l'exception de discussion ne peut être opposée qu'aux créanciers qui ont une hypothèque légale ou judiciaire. — *Quid*, si le créancier, à raison de l'insuffisance des biens actuels a stipulé une hypothèque sur les biens à venir (2130)? en entrant dans le patrimoine du débiteur, ces derniers biens se trouvent, comme les autres, frappés spécialement d'hypothèques (1);

2° Que d'autres immeubles, *hypothéqués à la même dette*, soient restés en la possession du débiteur personnellement obligé (débiteur principal ou caution peu importe (2). —Autrefois, le détenteur pouvait exiger que le créancier discutât tous les biens quelconques du débiteur (3); aujourd'hui, l'exception ne serait pas recevable, lors même que, par suite de la réduction de l'hypothèque, d'autres immeubles libres se trouveraient en la possession du débiteur; car le créancier ne peut être forcé d'abandonner son gage, pour venir sur le prix des biens non hypothéqués, par contribution avec les créanciers chirographaires;

3° Que l'exception soit proposée *sur les premières poursuites*, c'est-à-dire, avant toute défense au fond (2022).

En déclarant, dans sa disposition finale, qu'il sera sursis à la vente de l'immeuble hypothéqué pendant la discussion, notre article suppose évidemment que les biens à discuter seront suffisants pour éteindre la dette; autrement, on ne pourrait admettre l'exception, car elle n'aurait d'autre effet que celui d'obliger le créancier à recevoir un payement partiel.

4° Que les immeubles ne soient ni litigieux, ni situés hors de l'arrondissement de la cour royale (2023), encore qu'ils se trouvent en la possession du débiteur (2023 et 2070 comb.). — Lors même que les biens seraient non litigieux, on ne pourrait astreindre le créancier à les discuter si leur prix devait être absorbé par d'autres créanciers antérieurs en ordre d'hypothèques, car le résultat d'une telle discussion serait absolument nul pour lui.

Mais en faisant exception pour cette dernière hypothèse, nous pensons que le tiers détenteur pourrait valablement indiquer des immeubles non litigieux, hypothéqués à la même dette, que posséderait le débiteur, hors de l'arrondissement de la cour royale où le payement doit être fait : des limites plus resserrées qu'à la caution lui sont imposées, puisqu'il ne peut renvoyer à discuter que des biens hypothéqués à la même dette; on ne doit pas encore aggraver sa position, en lui refusant le droit dont il s'agit; il convient de laisser au juge, le soin d'apprécier l'opportunité de la demande en discussion.

5° Que le débiteur avance les deniers suffisants pour faire la discussion (2023 et 2024).

6° Enfin, il doit indiquer les biens à discuter (2023).

Outre l'exception de *discussion*, le détenteur peut encore opposer au créancier l'exception dite *cedendarum actionum*, lorsque ce dernier a diminué les sûretés que le débiteur lui a données. Par ex., dans l'espèce : deux immeubles, affectés à la sûreté d'une même dette, se trouvent entre les mains de divers détenteurs; le créancier dégage l'un de ces immeubles de la charge qui le grève, et dirige ensuite son action hypothécaire pour le tout contre l'autre détenteur : ce dernier pourra certainement opposer l'exception dont il s'agit, à l'effet de n'être

---

(1) Troplong, n. 808, t. 2; *voy.* cep. Merlin, Rép., v° Tiers détenteur, § 8; Grenier. t. 2, n. 326).

(2) L'expression *principal obligé*, est employée, dans notre article, par opposition a celle-ci : *tiers détenteur*, et non par rapport aux cautions.

(3) Instit., Nov. 4. — Le système de Justinien avait été reproduit dans la plupart des coutumes (Pothier, n. 84; Introd. à la coutume d'Orléans). — Le bénéfice de discussion avait été aboli par la loi de brumaire an 7; le Code l'a rétabli, mais avec de grande restrictions.

poursuivi que pour une part et portion proportionnelle de la dette (Grenier, 333 ; Troplong, nº 807, t. 3) (1).

— Le détenteur peut-il, s'il a cautionné la dette, opposer le bénéfice de discussion? ∾ Il a ce droit, lorsqu'il s'est borné à consentir une hypothèque sans contracter d'obligation : *secùs* lorsqu'il a cautionné ; car en s'obligeant pour une autre, la caution s'engage à exécuter l'obligation. — Il faut en dire autant du débiteur solidaire, qui se trouve détenteur de l'immeuble hypothéqué à la dette, et du détenteur qui a pris sur lui la dette hypothécaire, par voie de novation, en s'obligeant envers le créancier (Persil, n. 2 ; Dur., n. 246) (*Val.*).

Plusieurs immeubles, affectés au payement d'une même dette, se trouvent entre les mains de divers détenteurs : l'un de ces détenteurs est poursuivi hypothécairement ; comment pourra-t-il agir contre les autres détenteurs des biens grevés de la même hypothèque? ∾ Il est subrogé par la loi (1251) aux droits des créanciers ; mais il ne peut agir contre chacun des autres détenteurs, qu'en déduisant sur la créance qu'il veut répéter, la portion qu'il aurait dû lui-même supporter dans cette créance : ainsi, le recours s'exerce par contribution, au *prorata* de ce que chacun des tiers détenteurs possède des héritages hypothéqués ; on évite, par ce moyen, un circuit d'action (Grenier, *ibid.*).

Le détenteur peut-il s'opposer à l'expropriation, lorsqu'il y a une hypothèque antérieure à celle du créancier poursuivant, pour une somme qui doit absorber la valeur du fonds? ∾ *N.* L'expropriation seule peut faire connaître le prix de l'immeuble (Troplong, n. 804).

Peut-on opposer l'exception de discussion aux priviléges généraux, nonobstant l'article 2171? ∾ *N.* L'art. 2171 ne distingue pas si le privilége est général ou spécial (Troplong, n. 809).

Lorsque des conventions particulières ont mis à la charge de l'acquéreur l'obligation de payer les créanciers avec le prix, nul doute qu'il ne soit tenu personnellement, si les créanciers ont accepté la délégation ; mais *quid*, s'il y a eu simple indication de payement? ∾ L'acquéreur ne peut opposer l'exception de discussion, car les créanciers n'intentent pas alors l'action hypothécaire ; ils exercent seulement les actions de leur débiteur (Troplong, n. 813 ; *voy.* cep. Delv., p. 378, n. 2).

L'obligation de purger, imposée par le vendeur à l'acquéreur, est-elle une de ces obligations personnelles qui s'opposent à l'exception? ∾ *A.* (Troplong, n. 814).

2171 — L'exception de discussion ne peut être opposée au créancier privilégié ou ayant hypothèque spéciale sur l'immeuble.

═ De cette disposition, il résulte, que la discussion ne peut être opposée qu'aux créanciers ayant une hypothèque générale.

On doit assimiler au tiers détenteur et admettre au délaissement, celui qui, sans s'obliger personnellement, a consenti hypothèque sur ses biens, pour sûreté de la dette d'un tiers (Arg. de l'art. 2172).

2172 — Quant au délaissement par hypothèque, il peut être fait par tous les tiers détenteurs qui ne sont pas personnellement obligés à la dette, et qui ont la capacité d'aliéner.

═ L'acquéreur qui n'a pas rempli les formalités de la purge, peut, s'il ne veut pas payer le montant de la dette exigible en raison de laquelle il est poursuivi, se soustraire aux embarras de l'expropriation, en délaissant l'immeuble.

Toutefois, cette règle doit s'entendre avec un certain tempérament : il faut, suivant nous, supposer que le montant des charges inscrites sur l'immeuble dépasse le prix de vente ; autrement, le délaissement ne serait pour l'acquéreur qu'un moyen de résilier à sa volonté le contrat de vente et d'invoquer de plus la disposition de l'art. 2178, qui lui donne une action en garantie comme pour le cas d'expropriation : le vendeur serait fondé dans cet état de chose à s'opposer au délaissement (2).

De même que le tiers détenteur ne peut opposer l'exception de discus-

---

(1) On connaissait sous notre ancienne jurisprudence une quatrième exception : celle de priorité d'hypothèques : elle compétait au tiers détenteur qui avait des hypothèques antérieures à celle du poursuivant pour une valeur qui égalait celle de l'immeuble. Cette exception n'a pas été maintenue par le Code (Grenier, n. 335 ; Troplong, n. 805).

(2) Dur., n. 252 ; Delv., p. 129, n. 2. — *Rouen*, 12 juillet 1823 ; S., 25, 2, 324. On peut aller jusqu'à dire que le tiers détenteur ne pourra faire le délaissement, quoique les dettes excèdent le montant du prix de vente, s'il n'est pas encore poursuivi hypothécairement ; car le débiteur payera peut-être sa dette (Dur., n. 253). — Il en sera de même si le contrat impose à l'acquéreur l'obligation de remplir les formalités de la purge (Dur., n. 254 et suiv.).

sion, lorsqu'il est personnellement obligé, de même notre article lui refuse dans le même cas, la faculté de se soustraire à l'action des créanciers, en délaissant l'immeuble (*voy.* art. 2170).

Ainsi, le débiteur solidaire, acquéreur de l'immeuble que son codébiteur a hypothéqué à la dette, ne peut délaisser; cette faculté est également refusée à la caution qui s'est rendue acquéreur de l'immeuble hypothéqué par le débiteur, et au légataire universel ou à titre universel, tant qu'ils doivent encore leur part de la dette. — Mais le payement d'une partie de la dette, ou même le service de la rente hypothéquée sur l'immeuble, ne suffirait pas pour faire considérer le tiers détenteur comme obligé personnellement, et pour qu'on fût fondé à s'opposer à ce qu'il délaissât; car on peut payer la dette d'autrui.

Le délaissement n'est pas un acte de pure administration; aussi la loi exige-t-elle que le détenteur qui veut user de ce droit soit capable d'aliéner : ainsi, le tuteur ne peut, de son chef, abandonner un immeuble appartenant au mineur ou à l'interdit : il doit, au préalable, obtenir l'autorisation du conseil de famille et l'homologation du tribunal (1). — Le mineur émancipé est également incapable. — Le faible d'esprit et le prodigue doivent être assistés de leur conseil judiciaire. — La femme mariée doit se faire autoriser de son mari ou de justice.

Il ne faut pas croire pour cela que le délaissement constitue une aliénation; ce n'est là qu'un moyen offert au tiers acquéreur pour se faire mettre hors de cause : cette abdication, en effet, ne confère aux créanciers aucun droit nouveau; ils ne sont point acquéreurs; le détenteur qui délaisse ne perd même sa propriété qu'après l'adjudication définitive.

Mais alors, pourquoi exiger que celui qui délaisse soit capable d'aliéner? Pour deux raisons; 1° en délaissant, on abdique l'avantage de pouvoir surveiller l'expropriation (cette expropriation devant être désormais poursuivie contre un curateur), 2° on se prive des avantages attachés à la possession.

— Le détenteur doit-il appeler son vendeur en garantie, avant de délaisser ? ∿ Il faut distinguer : si celui-ci est en même temps débiteur primitif, il a été prévenu suffisamment par le commandement (2169); dans le cas contraire, appliquez l'art. 1640 (Delv., p. 179, n. 2).

Lorsque le tiers détenteur s'est obligé envers le débiteur, mais hors la présence du créancier, à payer dette, est-il encore recevable à délaisser ? ∿ N. Par l'effet de la convention passée entre lui et le vendeur, il est devenu débiteur personnel de la somme due (Persil, n. 2).

Le délaissement pourrait-il être fait par l'héritier, détenteur d'héritages hypothéqués, en offrant au créancier sa part dans la dette ? ∿ A. L'héritier qui s'est libéré de sa portion contributoire dans la dette, cesse d'être obligé par le surplus (Persil, n. 4 ; Delv., p. 179, n. 2 ; Dur., n. 287).

L'acquéreur peut-il délaisser, s'il est encore détenteur du prix? ∿ A. Aucune loi ne dit qu'on ne peut délaisser qu'après avoir payé le prix au vendeur (Troplong, n. 822. *Voy.* cep. Delv., p. 877, n. 1 ; voy. aussi Grenier, t. 2, p. 109, n. 545).

L'acquéreur peut-il faire le délaissement par hypothèque, si le vendeur a déclaré, dans le contrat de vente, que l'acquéreur sera tenu de purger? ∿ N. Il contreviendrait aux dispositions du contrat (Dur., n. 254. — *Cass.*, 8 juin 1819 ; S., 20, 1, 14).

La clause portant que l'acquéreur emploiera son prix à payer les créanciers hypothécaires met-elle obstacle à ce que l'acquéreur puisse faire le délaissement? ∿ N. S'il résulte de la clause, que le vendeur a entendu imposer à l'acheteur une charge, une obligation afin d'être libéré envers les créanciers, le délaissement ne peut avoir lieu, puisque l'acheteur est obligé au payement des dettes, dans le sens de l'art. 2172 ; ce sera donc la une question d'interprétation (Dur., n. 256. — *Cass.*, 8 juin 1819 S., 20, 1, 14).

2173 — Il peut l'être même après que le tiers détenteur a reconnu l'obligation ou subi condamnation en cette qualité seulement (2) : le délaissement n'empêche pas que, jusqu'à

(1) Persil, n. 4 ; Dur., n. 260 ; Pigeau, p. 447, § 2, n. 1 ; Battur., t. 2, p. 24 ; voy. cep. Troplong, n. 820 ; Grenier, n. 327 et 328, 457, 458, 459.

(2) Inexact ; si le détenteur était obligé, il serait personnellement tenu. — Le tiers détenteur n'est plus soumis à l'action en déclaration d'hypothèque admise par notre ancienne jurisprudence (*voyez*

l'adjudication, le tiers détenteur ne puisse reprendre l'immeuble en payant toute la dette et les frais.

= Autre chose est de s'obliger personnellement, autre chose est de reconnaître l'obligation au payement de laquelle est affecté l'immeuble, ou de subir une condamnation comme détenteur; cette reconnaissance et ce jugement n'excluent pas la faculté de délaisser.

Le délaissement n'est point une aliénation, mais un moyen offert à l'acquéreur, pour se soustraire aux poursuites dirigées contre lui, une abdication de la possession de fait : les créanciers, en effet, n'achètent rien ; ils usent seulement de leur droit sur l'immeuble. La propriété reste donc au délaissant, jusqu'au moment où elle sera transférée, par l'effet de l'adjudication définitive, à un nouvel emprunteur.

Du principe que le délaissement n'est qu'une abdication de la possession, un simple abandon de la détention, il résulte :

1° Que l'acquéreur peut, jusqu'à l'adjudication définitive, reprendre la chose, en payant la dette et les frais : toutefois, comme la loi ne fixe pas de délai pour effectuer ce payement, on décide, que la faculté accordée au détenteur, par l'art. 2173, de reprendre l'immeuble après délaissement, n'est point subordonnée à la condition du payement actuel de la dette ; sauf ensuite au créancier à poursuivre l'expropriation sur la tête du détenteur (1).

2° Que le délaissement ne donne pas lieu au droit de mutation : la loi du 22 frimaire an 7, article 68, ne l'assujettit qu'à un droit fixe de 5 francs.

3° Que si l'immeuble périt par cas fortuit avant l'adjudication, la perte est supportée par l'acquéreur, lequel ne devra pas moins le prix de l'immeuble (2);

4° Enfin, que s'il reste quelque somme après les dettes payées, cet excédant appartient à l'acquéreur (*Colmar*, 22 novembre 1832; S. 32, 27).

Par la reprise de l'immeuble, le créancier est censé s'obliger personnellement euvers le créancier poursuivant; il ne peut, dès lors, opposer à ce créancier la péremption de son inscription faute de renouvellement dans les dix ans de sa date (3).

---

art. 2169) ; or il peut avoir reconnu volontairement l'hypothèque, ou cette reconnaissance peut résulter d'un jugement obtenu contre lui; mais cela ne le constitue pas débiteur, car le jugement ou la reconnaissance n'a pas porté sur la dette, mais bien sur l'existence de l'hypothèque (Dur., n. 259).

Pour empêcher la péremption de l'inscription qu'il avait sur l'immeuble par lui acquis, l'acquéreur doit-il renouveler avant que les dix ans soient expirés ? ⋙ *A.* Il peut et doit prévoir qu'il délaissera peut-être l'immeuble, ou qu'il subira l'expropriation (Dur., n. 280. — Caen, 30 janvier 1826, S., 26, 2, 313. — Cass., 5 février et 1ᵉʳ mai 1826 ; S., 28, 1, 142 et 301. — *Bourges*, 23 mai 1827 ; S., 29, 2, 193. — *Cass.*, 24 février 1830 ; S., 30, 1, 84).

(1) Dur., n. 266. — *Cass.*, 24 février 1830 ; S., 30, 1, 84.

(2) On ne peut dire en effet, que l'acheteur a été privé de l'immeuble par l'effet de l'action hypothécaire (Delv.). ⋙ Le délaissement dessaisit l'acheteur, sauf reprise ; or il ne reprend pas l'immeuble, puisqu'il a péri. Cet immeuble n'étant plus sous sa garde, il n'avait plus à s'en occuper. — La règle *res perit domino* n'est point applicable ; car le délaissement est une abdication de la propriété faite avec *faculté* de pouvoir reprendre l'immeuble jusqu'à l'adjudication : c'est réellement par l'effet de l'action hypothécaire, ou si l'on veut, par le délaissement qui en a été la suite directe et immédiate, que l'acheteur s'est vu privé de la chose ; le cas fortuit est venu atteindre cette chose quand elle n'était plus entre ses mains (Dur., n. 264).

(3) La reprise des biens, après le délaissement effectué, produit un nouvel état de choses ; il opère une espèce de contrat nouveau et personnel entre le tiers détenteur et le créancier. Il est dès lors inutile de s'enquérir si, depuis cette reprise, le créancier a fait ou non, pendant l'instance ou pendant l'appel, un renouvellement de l'inscription dans les dix ans. Le détenteur ne pouvant reprendre immeuble par lui délaissé, qu'à la charge de payer toutes les dettes et les frais, le créancier a dû

Le Code ne fixe pas le délai dans lequel, à compter des premières poursuites, le délaissement peut avoir lieu; mais on s'accorde généralement à refuser au tiers détenteur cette faculté, lorsque l'immeuble a été saisi sur lui; car il entraverait la marche de la procédure et la paralyserait même en quelque sorte; les délais de la procédure, en matière d'expropriation, étant de rigueur (1).

2174 — Le délaissement par hypothèque se fait au greffe du tribunal de la situation des biens; et il en est donné acte par ce tribunal.

Sur la pétition du plus diligent des intéressés, il est créé à l'immeuble délaissé un curateur sur lequel la vente de l'immeuble est poursuivie dans les formes prescrites pour les expropriations.

➡ Le détenteur qui délaisse, doit notifier le délaissement au vendeur et aux créanciers inscrits, afin de les mettre à même de s'opposer au délaissement s'il y a lieu; le tribunal sursoit à donner acte, tant qu'on ne lui justifie pas de cette notification.

L'expropriation ne pouvant plus être poursuivie contre l'acquéreur, bien qu'il reste propriétaire, on nomme un curateur pour la régularité de la procédure.

— Lorsque les créanciers poursuivent sur le curateur l'expropriation des biens délaissés, à qui doivent-ils faire le commandement requis par l'art. 673, Pr., et 2217, C. c. ? Est-ce au curateur? ⁓ *N.* C'est toujours au débiteur (Troplong, n. 829; Grenier, n. 329).

2175 — Les détériorations qui procèdent du fait ou de la négligence du tiers détenteur, au préjudice des créanciers hypothécaires ou privilégiés, donnent lieu contre lui à une action en indemnité; mais il ne peut répéter ses impenses et améliorations que jusqu'à concurrence de la plus-value résultant de l'amélioration.

= Cette disposition et celles qui suivent sont applicables, soit que le tiers détenteur paye, soit qu'il délaisse, soit qu'il subisse l'expropriation.

Il a paru juste d'astreindre le tiers détenteur à indemniser les créanciers hypothécaires ou privilégiés, des dégradations même antérieures à la sommation (*voy.* Grenier, n. 338), lorsqu'elles procèdent *de son fait* (s'il s'agit, par ex., de démolitions), ou *de sa négligence* (par ex., s'il n'a pas fait de réparations d'entretien); car le vendeur n'a pu transmettre la chose que sous les conditions qui lui étaient imposées à lui-même. Mais il n'est pas tenu de celles qui proviennent du hasard ou d'une force majeure.

Observons surtout, que la loi se borne, dans cet article, à régler les rapports du tiers détenteur avec les créanciers hypothécaires ou privilégiés; dans ses rapports avec le vendeur, le tiers détenteur n'est pas comptable des détériorations qu'il a commises; le vendeur ne peut lui reprocher d'a-

penser que le détenteur se soumettait à remplir cette obligation; des lors quelle nécessité pour lui de renouveler? (Dur., n. 266. — *Cass.*, 24 février 1830; S., 30, 1, 84.)

(1) Aux termes de l'art. 2169, chaque créancier a le droit de faire vendre l'immeuble sur le tiers acquéreur, trente jours après le commandement : or, ce droit serait illusoire, si même après les trente jours, et lorsque la saisie a été faite, l'acquéreur pouvait encore délaisser (Persil, n. 2, Dur., n. 262

voir usé et abusé d'une chose dont il l'a autorisé à se considérer comme propriétaire : ce sont les art. 1631, 1632 et 1635 qui deviennent applicables. En conséquence, l'acheteur pourrait répéter contre ce dernier la totalité du prix de la vente, bien qu'il eût été condamné à une indemnité, envers les créanciers, à raison des dégradations qu'il aurait commises (1).

La loi permet au tiers détenteur de réclamer une indemnité pour les améliorations qui proviennent *de son fait :* les améliorations naturelles, telles que l'alluvion, etc., ne donnent lieu à aucune répétition, puisqu'elles n'ont occasionné aucune dépense.

Cette indemnité se règle, non sur le montant des impenses, mais sur la plus-value de l'héritage; du reste, on réserve généralement à l'acquéreur le droit d'enlever les ouvrages qu'il a faits, si cet enlèvement ne doit pas dégrader l'immeuble (555).

Notre article prévoit uniquement le cas d'amélioration, ce qui ne peut s'appliquer qu'aux impenses utiles; mais *quid,* à l'égard des impenses nécessaires autres que celles d'entretien : le tiers détenteur peut-il en répéter le montant, lorsqu'elles n'ont pas produit de plus-value? L'affirmative est généralement décidée : *Neminem æquum est alterius detrimento locupletari* (2). '

Il est bien entendu, que les créanciers ne doivent pas compte des réparations d'entretien; on considère ces réparations comme une charge des fruits.

Quant aux impenses voluptuaires, le tiers acquéreur ne peut en exiger le remboursement.

— Si les dépenses étaient inférieures à l'augmentation de valeur, l'indemnité due aux tiers détenteurs se réglerait-elle toujours sur la plus-value? ⁓ *N.* On a voulu mettre des bornes aux réclamations du tiers possesseur; mais non porter ses espérances au delà de ce qu'il a dépensé; le tiers détenteur doit être considéré comme possesseur de bonne foi (Persil, n. 4 ; Troplong, n. 838) (*Val.*).

Le tiers possesseur a-t-il pour le remboursement de ses impenses, le droit de rétention ou un privilége? ⁓ Il doit être payé par forme de distraction sur le prix de l'adjudication, et par conséquent en 1ʳᵉ ligne. — Ce droit est d'une nature particulière; la loi n'exige pas qu'il soit rendu public : le tiers détenteur manifeste suffisamment, par cela seul qu'il entreprend des travaux, la volonté de s'en faire tenir compte : mais remarquons bien, qu'il doit avoir la précaution de faire défalquer ce qui lui est dû avant que le prix ait été versé entre les mains des créanciers; qu'il a un droit de préférence et non un droit de suite. — Au surplus, rien ne s'oppose à ce que l'on insère au cahier des charges une clause qui imposera à l'adjudicataire l'obligation de payer directement aux tiers détenteur le montant de la plus-value; cette clause lui conférera, indépendamment du droit de distraction, celui de poursuivre la folle enchère (Persil, n. 6 ; Grenier, n. 336 ; Troplong, n. 836 ; Dur. n. 272.— Turin, 30 mai 1810 ; S., 10, 2, 338 ; Battur., t. 2, p. 60 et 61) (*Val.*).

Lorsqu'un deuxième acquéreur fait le délaissement, le premier, qui n'a pas fait transcrire, mais qui, avant de vendre, a fait des impenses, peut-il les répéter? ⁓ *N.* La loi n'accorde ce droit qu'au tiers acquéreur qui fait le délaissement (Persil, n. 7).

Doit-on considérer la constitution d'une servitude comme une détérioration? ⁓ *Oui,* si le prix de l'adjudication n'est pas suffisant pour payer les créanciers (Troplong, n. 843 *bis*).

2176 — Les fruits de l'immeuble hypothéqué ne sont dus par le tiers détenteur qu'à compter du jour de la sommation de payer ou de délaisser, et, si les poursuites commencées ont été abandonnées pendant trois ans, à compter de la nouvelle sommation qui sera faite.

(1) Dans notre ancien droit, le tiers détenteur pouvait user et abuser tant qu'une action hypothécaire n'était pas dirigée contre lui ; mais une fois cette action intentée, il se trouvait lié par un quasi-contrat judiciaire qui ne lui permettait pas de dégrader l'immeuble, ce système était juste à une époque où les hypothèques étaient occultes ; mais on ne le comprendrait plus chez nous.

(2) Delv., p. 189, n. 11 ; Dur., 274. — *Cass.*, 11 novembre 1824 ; S., 25, 1, 140 : *voy.* cep. les distinctions faites par Troplong, n. 838 *bis*).

= Le détenteur ne doit compte des fruits qu'à partir de la sommation; car il est réputé de bonne foi jusque-là.

La sommation tombe même en péremption, de plein droit, et sans avoir besoin d'être opposée (ce qui est contraire à la règle générale), par le seul fait de l'abandon des poursuites pendant trois ans.

Cet acte a pour effet d'immobiliser les fruits, dans l'intérêt de la masse des créanciers hypothécaires, encore qu'il n'ait été signifié qu'à la requête de l'un d'eux (689, Pr.): toutefois, si le créancier vient à être désintéressé avant que les autres soient intervenus dans la saisie, le tiers détenteur ne devra les fruits qu'à partir de la nouvelle sommation qui lui sera faite par un autre créancier (1).

—La dernière disposition de notre article n'est-elle pas abrogée par celle de l'art. 674, Pr.? ⟋⟋ N. L'abrogation des lois ne se présume pas (Persil, n 3).

§ L'art. 689, Pr. ▮n'ordonne la distribution par ordre d'hypothèques qu'à l'égard des fruits perçus ou échus depuis la dénonciation de la saisie, doit-on conclure du rapprochement de cet article avec l'article 2176 du Code civil, que les fruits échus ou perçus antérieurement à cette dénonciation, et depuis la sommation de payer ou de délaisser, doivent être distribués non par ordre d'hypothèques, mais au marc le franc, entre les créanciers ayant privilèges ou hypothèques sur l'immeuble? ⟋⟋ N. Ce système aurait pour résultat, d'attribuer sur le prix de l'adjudication, une portion du prix de ces mêmes fruits, aux créanciers qui ne viendraient pas en ordre utile; ce serait donner à ces créanciers, sur les créanciers chirographaires, une préférence que rien ne justifierait (Dur., n. 275; Delv., p. 180, n. 8) (Val.).

2177 — Les servitudes et droits réels que le tiers détenteur avait sur l'immeuble avant sa possession, renaissent après le délaissement ou après l'adjudication faite sur lui.

Ses créanciers personnels, après tous ceux qui sont inscrits sur les précédents propriétaires, exercent leur hypothèque à leur rang, sur le bien délaissé ou adjugé.

━ En général, les servitudes et autres droits réels s'éteignent par la confusion : mais comme le tiers détenteur n'a consenti à cette confusion qu'autant qu'il demeurera propriétaire, les droits qu'il avait sur l'immeuble doivent renaître tels qu'ils étaient avant l'acquisition, si la condition ne se réalise pas.

S'il était lui-même créancier hypothécaire, la confusion cessant de produire son effet, il recouvrerait son droit d'hypothèque, à son rang.

Le tiers détenteur doit même, avant le délaissement ou la vente faite sur lui, renouveler ses inscriptions pour empêcher que la péremption ne vienne les atteindre : en effet, la confusion n'a que des effets résolubles : le tiers détenteur peut et doit prévoir qu'il délaissera peut-être l'immeuble, ou qu'il en subira l'expropriation; le renouvellement n'est d'ailleurs qu'un acte conservatoire, que sa qualité d'acquéreur ne l'empêche pas de faire (2).

La loi maintient les hypothèques que le tiers détenteur a conférées pendant qu'il était propriétaire de l'immeuble, mais il ne leur donne rang

(1) Lorsque, pendant la durée de l'ordre, l'adjudicataire a revendu l'immeuble par lui acquis, le nouvel acquéreur, de même que l'adjudicataire, doit de plein droit les intérêts de son prix à compter de son acquisition, et non pas seulement à compter de la sommation de payer ou de délaisser. Ici ne s'applique pas la règle qui veut que les fruits ou intérêts ne soient dus par le tiers détenteur, qu'à dater de la sommation a lui faite de payer ou de délaisser (Dur., n. 277.—Riom, 27 août 1825 ; S., 26, 2. 141).

(2) Dur., n. 279. — Caen, 30 janvier 1826 ; S., 26, 2. 313. — Cass., 20 décembre 1831 ; S., 32, 1, 151 ; février 1828 ; S., 28, 1, 142 ; 1er mai 1828 ; S., 28, 1, 301.

qu'après celles constituées par le précédent propriétaire ; le vendeur n'ayant transféré la chose qu'avec les charges qui la grevaient. Vainement argumenterait-on de l'art. 2125 , pour prétendre qu'elles doivent être considérées comme non avenues : la propriété n'est résolue que dans les rapports des créanciers du précédent propriétaire avec le tiers détenteur ; la résolution n'a lieu que jusqu'à concurrence de ce qui est dû à ces créanciers : lorsqu'ils sont satisfaits, on comprend que les hypothèques consenties par le tiers détenteur au profit de ses créanciers personnels , puissent produire leur effet.

Nous supposons , bien entendu , que les créanciers du vendeur ont pris inscription dans la quinzaine de la transcription (834 , Pr.); autrement, ils auraient perdu leur droit hypothécaire.

Si l'acquéreur a consenti des servitudes , elles ne peuvent nuire aux créanciers du vendeur, puisqu'ils ont le droit de suite ; mais vis-à-vis de tous autres, ces droits produisent leur effet.

— L'acquéreur profitant , soit par lui-même , soit par ses créanciers , de l'excédant du prix , on demande s'il doit supporter la différence qui existe entre le prix de son acquisition et celui de la revente ? *N.* Il n'a pas dépendu de lui que la première vente n'eût son effet (Persil, n. 4).

A défaut de créanciers hypothécaires , les créanciers chirographaires du détenteur , ou le détenteur lui-même , peuvent-ils réclamer la portion du prix non absorbée ? *A.* (Troplong, n. 843).

2178 — Le tiers détenteur qui a payé la dette hypothécaire, ou délaissé l'immeuble hypothéqué , ou subi l'expropriation de cet immeuble , a le recours en garantie , tel que de droit, contre le débiteur principal.

= En payant la dette ou en délaissant, le tiers détenteur éprouve une éviction réelle ; il est juste qu'il soit indemnisé.

Mais contre qui exercera-t-il ce recours? Lorsque le détenteur a reçu l'immeuble par suite de vente, on distingue : si la dette concerne le vendeur, l'acheteur est subrogé contre ce dernier aux droits du créancier désintéressé. — S'il a délaissé ou subi l'expropriation , il peut agir, en garantie , comme s'il avait été évincé par suite d'une action en revendication (1638). — Si la dette ne concerne pas le vendeur, l'acheteur n'a de recours que contre le débiteur, pourvu que l'existence de cette dette ait été déclarée dans le contrat de vente (1626) : si l'acte ne contient aucune déclaration à cet égard , le vendeur est soumis à la garantie (1).

Quid, si le tiers détenteur est un légataire? Il est subrogé, contre les héritiers , à l'action du créancier désintéressé (874, 1251, 3°). — S'il a délaissé ou subi l'expropriation , il peut agir contre eux en garantie. — Si la dette ne concernait pas le défunt , le légataire n'aurait de recours que contre le débiteur, soit qu'il eût payé, soit qu'il eût délaissé ou subi l'expropriation , à moins que le testament n'obligeât les héritiers à dégrever l'immeuble (arg. de l'art. 1020).

Quid, si le tiers détenteur est un donataire entre-vifs ? On doit faire les mêmes distinctions : s'il a payé , et que la dette concerne le donateur, il est subrogé à l'action du créancier contre ce dernier ; s'il a délaissé ou subi l'expropriation , il peut le poursuivre en garantie , car le donateur est toujours garant de ses faits.

Bien que la dette ne concernât pas le donateur, si la donation avait eu lieu par contrat de mariage , et que la dette n'eût pas été mise à la charge

---

(1) Arg. des art. 1626, 1628, 1629 et 2178 combinés (Dur., n. 286, 220, 263, t. 16. — *Bourges*, 31 juillet 1829 ; S., 30, 2, 20).

du donataire, ce dernier pourrait agir en garantie contre le donateur lui-même ou contre ses héritiers, en vertu des art. 1440 et 1547, sans préjudice de son recours tel que de droit contre le tiers débiteur, conformément à l'article 1251, 3º.

Quid, si le tiers détenteur était un échangiste? Il serait subrogé aux droits du créancier : appliquez ce que nous avons dit plus haut pour le cas de vente. — Si le tiers détenteur délaisse ou subit l'expropriation, comme alors il est réellement évincé, il peut répéter l'immeuble qu'il a livré, ou conclure à des dommages-intérêts (1705) (Dur., n. 245).

— Pour qu'il y ait lieu à garantie, faut-il que l'acquéreur ait dénoncé les poursuites au vendeur, avant le délaissement, ou du moins avant la vente par adjudication ? ⟿ Dans tous les cas, le vendeur est tenu de restituer le prix; il a été suffisamment averti par le commandement (Troplong, n. 844).

2179 — Le tiers détenteur qui veut purger sa propriété en payant le prix, observe les formalités qui sont établies dans le chapitre VIII du présent titre.

CHAPITRE VII.

De l'extinction des priviléges et hypothèques.

2180 — Les priviléges et hypothèques s'éteignent,

1º Par l'extinction de l'obligation principale;

2º Par la renonciation du créancier à l'hypothèque;

3º Par l'accomplissement des formalités et conditions prescrites aux tiers détenteurs pour purger les biens par eux acquis;

4º Par la prescription.

La prescription est acquise au débiteur, quant aux biens qui sont dans ses mains, par le temps fixé pour la prescription des actions *qui donnent l'hypothèque* (1) ou le privilége.

(1) Expression impropre : une action ne donne pas d'hypothèque : il faut lire *des créances*, etc. Une difficulté tirée du rapprochement du 1º et du 4º de l'article 2180 se présente : on observe, que si l'action s'éteint, l'hypothèque doit s'éteindre également, et alors, le 4º rentre dans le cas du 1º. — Cette difficulté a donné lieu à plusieurs interprétations : suivant quelques personnes, le législateur suppose, dans le 4º, que la créance garantie est à terme ou conditionnelle : dans ce cas, disent-elles, la prescription à l'effet de se libérer ne court pas contre le créancier; mais la prescription acquisitive court contre lui : l'hypothèque peut dès lors se prescrire, avant que la condition se soit réalisée. Ce système conduit à des conséquences inadmissibles : que décidera-t-on si l'immeuble n'est pas sorti des mains du débiteur? Sera-t-il raisonnable de prétendre que l'hypothèque est prescrite, alors que la dette subsiste ? en supposant même que l'immeuble ait passé en d'autres mains, pourra-t-on soutenir que le tiers acquéreur, ayant possédé *animo domini*, a prescrit l'hypothèque conditionnelle ? L'art. 2180 4º, premier alinéa, s'explique historiquement : la loi *cum notissimi* (Code de Presc. trig., vel quad. annuum) faisait survivre l'hypothèque à la créance, en la rattachant à une obligation naturelle : cette théorie avait été admise dans la plupart de nos coutumes : les auteurs du Code ont voulu abroger ces principes; ils ont voulu faire entendre que l'hypothèque se prescrit aujourd'hui en même temps que la créance : ainsi, lorsque la créance qui donne l'hypothèque est soumise à la prescription de trente ans, l'hypothèque se prescrit par ce délai; s'il s'agit d'un privilége attaché à une de ces créances qui ne durent que six mois, le privilége s'éteint comme l'action principale, au bout de six mois · Il est vrai que le 4º semble alors rentrer dans le 1º; mais il importait de trancher les difficultés qui auraient pu surgir. — Le législateur s'est encore proposé un autre but : il a voulu marquer, en ce qui concerne le temps de la prescription, une différence entre le cas où les immeubles hypothéqués se trouvent en la possession du débiteur, et celui où ils ont passé entre les mains d'un tiers détenteur (Dur., n. 306).

Quant aux biens qui sont dans la main d'un tiers détenteur, elle lui est acquise par le temps réglé pour la prescription de la propriété à son profit : dans le cas où la prescription suppose un titre, elle ne commence à courir que du jour où il a été transcrit sur les registres du conservateur.

Les inscriptions prises par le créancier n'interrompent pas le cours de la prescription établie par la loi en faveur du débiteur ou du tiers détenteur.

= Notre article détermine quatre circonstances qui entraînent l'anéantissement des priviléges et hypothèques :

1° L'*extinction de l'obligation :* l'accessoire suit le sort du principal.

Quid si l'obligation vient à revivre, ce qui a lieu, par exemple, si le créancier est évincé de la chose qui lui a été donnée en payement? L'hypothèque revit également : toutefois, si la radiation a eu lieu, l'hypothèque ne prend rang que du jour de la nouvelle inscription (1).

De cette disposition, il résulte, que l'on doit placer au nombre des causes d'extinction de l'hypothèque : — 1° le *payement* proprement dit : mais il doit être de toute la dette ; s'il en restait quelque partie en capital ou intérêts, l'hypothèque étant indivisible, subsisterait sur tous les biens qu'elle affectait : par ex., si l'héritier a payé la part dont il est tenu dans la dette de son auteur, l'hypothèque ne continue pas moins de frapper pour le surplus, les biens qui lui sont échus en partage. — 2° La *novation ;* à moins que le créancier ne se soit expressément réservé les priviléges et hypothèques de l'ancienne créance (1278). — 3° La *confusion;* par ex., lorsque le débiteur devient, pour le tout, héritier pur et simple du créancier, *aut vice versâ.* Mais s'il n'est devenu héritier que pour partie, l'hypothèque continue de subsister, à raison du principe de l'indivisibilité. — 4° La *remise* de la dette, pourvu qu'elle soit faite par une personne capable d'aliéner. Il est bien certain, du reste, que l'extinction d'une portion de la créance n'entraîne pas l'extinction partielle de l'hypothèque; le principe de l'indivisibilité s'y oppose (2114) : sauf, ainsi que nous l'avons dit plus haut, l'effet d'une stipulation contraire.

La règle de l'extinction de l'hypothèque par l'extinction de la créance souffre cependant quelques exceptions : ainsi, dans le cas de subrogation, bien que la première créance s'éteigne, l'hypothèque se rattache à la créance du subrogé (*voy.* les art. 1250 et 1251). *Voy.* en outre les articles 1278, 1279 et 1299 relatifs à la novation et à la compensation.

Lorsque le créancier hypothécaire, devenu héritier pur et simple du débiteur, s'est ensuite fait restituer, en vertu de l'art. 783, contre son acceptation, il recouvre sa créance, avec les priviléges et hypothèques qui la garantissaient, sauf l'effet de la radiation, si elle a eu lieu : en ce cas, l'hypothèque ne prend rang qu'à dater de la nouvelle inscription.

2° *La renonciation du créancier à l'hypothèque :* le créancier peut abandonner ses droits sur la chose, tout en se réservant seulement son action per-

---

(1) Vainement oppose-t-on l'art. 2038 : il faut restreindre cet article à la caution.

sonnelle contre le débiteur ; c'est ce qui arrive, dans les cas prévus par les art. 1263, 1278 et 1299.

On renonce rarement à son hypothèque ; mais très-souvent on renonce au rang qu'elle donne (*voyez* art. 2112).

Pour que la renonciation, soit à l'hypothèque, soit au rang qu'elle confère, soit valable, il faut que le créancier ait le pouvoir d'aliéner : elle ne pourrait donc être faite, par un mineur, par un interdit, ou par un prodigue.

Quid à l'égard de la femme mariée? On distingue : l'hypothèque affecte les biens du mari ou elle grève les biens d'un tiers :

Au 1er cas, la radiation ne peut avoir lieu qu'en observant les conditions et formalités prescrites par les art. 2144 et 2145, à moins toutefois qu'elle ne soit consentie en faveur d'un tiers créancier, ou du détenteur de l'immeuble hypothéqué, envers lequel la femme était obligée ou s'obligerait actuellement. — Quelques personnes étendent cette exception au cas même où la femme ne serait pas obligée ou ne contracterait pas d'obligation envers ce tiers (Dur. n° 71, 72, 191, 192; T. 20).

Au 2e cas, si la femme est commune en biens, c'est au mari à donner mainlevée, puisqu'il a seul qualité pour toucher la créance : toutefois, il ne jouirait pas de ce droit, si la dette n'était pas éteinte ; car la mainlevée ne serait plus alors la conséquence légale d'un acte d'administration, mais un acte de disposition : en ce cas, la femme devrait intervenir. — Mêmes décisions si les époux sont mariés sous le régime d'exclusion de communauté, ou sous le régime dotal ; — mais s'ils sont séparés de biens, ou s'il s'agit de l'hypothèque d'une créance paraphernale, c'est la femme seule qui doit consentir à la radiation de l'inscription.

La renonciation à l'hypothèque est expresse ou tacite : *expresse*, quand le créancier déclare formellement, dans un acte, renoncer à l'hypothèque qu'il a sur tel immeuble : rien n'est alors livré à l'interprétation ; l'acte explique l'étendue et les conditions de la renonciation. — *Tacite*, lorsqu'on peut l'induire de certains faits : par exemple, si le créancier donne son adhésion à ce que l'immeuble soit vendu, donné ou échangé. Cette adhésion résulterait suffisamment de la signature apposée au bas de l'acte ; autrement, on ne pourrait se rendre compte du but de cette intervention, le propriétaire ayant la faculté d'aliéner, sans le concours de ses créanciers hypothécaires (1). — Le créancier est encore censé renoncer à son hypothèque, ou seulement à son rang (ce que les circonstances peuvent seules faire connaître) (*voy.* Grenier, n. 505), lorsqu'il signe un acte par lequel le débiteur hypothèque l'immeuble à une autre personne. — Mais s'il est possible d'expliquer cette signature par un autre motif, par exemple, s'il a signé l'acte comme notaire, comme témoin, ou bien encore comme assistant à un contrat de mariage, il ne résulte de sa signature aucune renonciation (Persil, n. 25).

Quid s'il est déclaré, dans l'acte de constitution, que l'immeuble est franc d'hypothèque? Le créancier qui souffre cette clause sans élever de réclamation, soit en recevant l'acte comme notaire, soit en le souscrivant comme témoin, est-il censé renoncer à son hypothèque? quant au notaire, cela ne peut

---

(1) Dur., n. 297 et suiv., conteste cette doctrine admise par la généralité des auteurs : suivant lui, un créancier n'est pas réputé avoir renoncé à son hypothèque, par cela seul qu'il est intervenu a l'acte d'aliénation de l'immeuble et qu'il a signé cet acte sans réserver expressément ses droits : il faut de plus que l'acte contienne une renonciation formelle de sa part, ou du moins que le contrat renferme quelque clause de laquelle on doive nécessairement l'induire (Arg. des art. 621 et 1338 du Code civil). Si quelque doute s'élève, il faut toujours prononcer en faveur des créanciers.

faire l'objet d'un doute ; mais en ce qui concerne les témoins, les tribunaux doivent avoir égard aux circonstances (1).

Pour que le consentement donné par le créancier emporte renonciation à l'hypothèque, il faut, bien entendu, que l'aliénation ou l'affectation à laquelle il accède se réalise : par exemple, s'il a permis au débiteur de vendre ou d'hypothéquer à telle personne, et que ce débiteur ait vendu ou hypothéqué à une personne autre que celle désignée, la renonciation sera sans effet.

L'hypothèque renaît, si l'aliénation vient à être résolue , par exemple si le débiteur exerce la faculté de rachat : hors ce cas, elle demeure éteinte, quand même le débiteur recouvrerait, par l'effet d'une revente, la chose précédemment aliénée.

N'oublions pas que l'hypothèque est indivisible ; qu'elle frappe dans toute son étendue sur la généralité des immeubles grevés, sur chacun et sur chaque portion des immeubles : le créancier qui a une hypothèque spéciale sur plusieurs immeubles, ou même une hypothèque générale, peut dès lors, à son choix , restreindre sa collocation à tel ou tel immeuble (2), ou diviser sa demande et l'exercer proportionnellement sur chaque immeuble hypothéqué ; et cela, sans que les créanciers postérieurs aient le droit de s'y opposer.

---

(1) Si le notaire n'a pas voulu faire remise de son hypothèque, il ne peut se disculper d'avoir, par sa dissimulation, concouru avec le débiteur à tromper cet acquéreur ou ce nouveau créancier (Pothier ; Dur., n. 303 et 304 ; voy. cep. Bordeaux, 7 avril 1607 : S., 28, 2, 88).

(2) Grenier, n. 179 et suiv. ; Troplong, n. 750 et et suiv. — Paris, 24 novembre 1814 ; S., 16, 2, 243. — Bordeaux , 7 juillet 1830 ; S., 30, 2, 362. — Bourges, 31 juillet 1829 ; S., 30, 2, 20. — Cette règle doit s'observer rigoureusement lorsqu'il est procédé par des ordres divers , et à fortiori, devant des tribunaux différents , à la distribution du prix de plusieurs immeubles grevés : le créancier postérieurement inscrit, qui se trouve ainsi privé de la garantie spéciale sur laquelle il devait compter , n'a d'autre ressource que celle de payer le créancier qui le prime, afin de pouvoir exercer, comme légalement subrogé, les droits de ce dernier, sur les autres immeubles du débiteur. — Mais lorsque la distribution du prix de tous les immeubles a lieu par un seul et même ordre , nous pensons que le créancier qui a une hypothèque générale, ne peut, sans cause légitime , exiger qu'on le colloque pour le tout sur un seul immeuble , de manière à absorber la totalité du prix , et par suite à rendre vaines les hypothèques postérieures qui affectent spécialement cet immeuble (Cass., 16 juillet 1821 ; S., 21, 1. 300. Poitiers, 15 décembre 1829 ; S., 30, 2, 92. — Agen, 6 mai 1830 ; S., 31, 2, 310). Le créancier ayant hypothèque générale ne peut dans aucun cas restreindre sa collocation à tel ou tel immeuble , de manière à faire manquer les fonds sur un créancier inscrit avec hypothèque spéciale. pour de la sorte , donner moyen à un autre créancier postérieurement inscrit sur un autre immeuble, d'être payé par préférence au premier. Le reversement de l'hypothèque générale sur tous les immeubles qui en sont grevés , doit avoir lieu au marc le franc , c'est à-dire , en proportion de leurs prix respectifs , sans égard à l'antériorité de l'hypothèque qui grève l'un de ces immeubles par rapport à la date de celle qui en grève un autre : les droits respectifs des créanciers par hypothèque générale . et ceux des créanciers par hypothèque spéciale , doivent toujours être combinés de manière à prévenir toute fraude et tout dommage non nécessaire : s'il en était autrement , un créancier avec hypothèque générale antérieure , se trouverait maître du sort des créanciers avec hypothèque spéciale ; ce serait aussi pour lui un moyen facile d'acheter à vil prix les droits de ces divers créanciers qui viendraient les lui offrir au rabais (Dur., n. 391, t. 19. — Paris , 28 août 1816 ; S., 17, 2, 376. — Rouen, 2 décembre 1819 ; S., 21, 2. 1). Maintenant supposons qu'il n'y ait qu'un seul immeuble affecté d'hypothèque spéciale , et que le créancier ayant une hypothèque générale antérieure ait été colloqué sur la totalité de sa créance sur le prix de cet immeuble , le créancier qui a cette hypothèque spéciale sera-t-il rejeté dans la classe des créanciers ordinaires ? Non , il prendra , par une sorte de subrogation. sur le prix des autres biens affectés de l'hypothèque générale, une somme égale à celle dont il aura été privé par l'exercice de cette dernière hypothèque. — L'art. 540 du Code de commerce , prévoyant le cas où la vente du mobilier du failli serait effectuée avant celle des immeubles , et donnerait lieu à une ou plusieurs distributions de deniers , décide que : « les créanciers hypothécaires concourront à ces répartitions dans la proportion de leurs créances légales ; » mais comme c'est la causer un tort réel aux créanciers chirographaires , l'art. 541 du même Code , dans la vue de prévenir un tel résultat, dispose que : « après la vente des immeubles et le jugement d'ordre entre les créanciers hypothécaires . ceux d'entre ces derniers qui viendront en ordre utile sur le prix des immeubles , pour la totalité de leurs créances , ne toucheront le montant de leur collocation hypothécaire, que sous la déduction des sommes par eux perçues dans la masse chirographaire , et que les sommes ainsi déduites , retourneront dans la masse chirographaire au profit de laquelle il sera fait distraction : or , il y a de l'analogie entre la situation des créanciers chirographaires d'un failli et celle des créanciers avec hypothèque spéciale , primés par une hypothèque générale (Dur., n. 390, t. 19, n. 219, t. 20. — Paris, 31 août 1810 ; S., 17, 2, 397).

3° L'accomplissement, par un tiers détenteur, des formalités et conditions requises pour purger (*voy*. chap. 8 et 9).

4° La prescription de l'hypothèque : elle s'opère d'une manière différente, suivant que le débiteur est encore en possession de l'immeuble hypothéqué, ou qu'il a transféré la propriété de cet immeuble à un tiers qui n'est pas tenu personnellement de la dette.

Tant que l'immeuble se trouve entre les mains du débiteur, de ses héritiers, ou de tout autre individu personnellement obligé, comme serait une caution, le privilège et l'hypothèque se conservent aussi longtemps que la créance; c'est-à-dire, pendant trente ans, lorsqu'il s'agit d'une obligation ordinaire (2262). — Si la dette est de nature à se prescrire par un moindre temps, la durée de l'hypothèque ne se prolonge pas au delà : par ex., les droits que la loi accorde au mineur, sur les biens de son tuteur, se prescrivant par dix ans à compter de l'époque où les fonctions de ce dernier ont cessé, l'hypothèque se trouve éteinte après le même délai.

Ce droit accessoire est tellement uni à la créance, que les actes conservatoires de l'obligation personnelle empêchent qu'il ne s'éteigne : ainsi, le créancier n'est assujetti à aucune forme particulière pour interrompre la prescription de l'hypothèque (1).

Du reste comme la dette, bien que garantie par une hypothèque, ne devient pas indivisible, les héritiers du débiteur peuvent la prescrire chacun pour leur part individuelle.

Arrivons au deuxième alinéa du 4° de l'article, relatif à la prescription au profit d'un tiers, non obligé personnellement à la dette. — Lorsque le tiers détenteur a été poursuivi et évincé par le propriétaire, il n'y a pas lieu d'examiner s'il a pu prescrire contre les créanciers hypothécaires : obligé de rendre la chose, il se trouve par cela même affranchi des hypothèques : nous supposerons qu'il est devenu réellement propriétaire de l'immeuble.

Remarquons avant tout, qu'il s'agit de la prescription acquisitive : dans l'espèce, l'hypothèque s'isole pour ainsi dire de l'obligation; le tiers détenteur ne prescrit pas, comme le débiteur, contre la dette, à l'effet de se libérer; il prescrit à l'effet d'acquérir, savoir : l'immeuble, s'il tient ses droits *à non domino*, et la franchise de cet immeuble, s'il a acquis du véritable propriétaire; il suit de là :

1° Que la dette peut subsister bien que l'hypothèque soit éteinte : en effet, la prescription court contre l'hypothèque, au profit du tiers détenteur, encore que la dette ne soit pas exigible : l'art. 2257, qui porte qu'à l'égard d'une créance à terme, la prescription ne commence à courir qu'à compter de l'échéance de ce terme, n'est point applicable à la prescription à l'effet d'acquérir. Si la dette a pour objet une rente, le service régulier de cette rente par le débiteur n'est même pas un obstacle à la prescription de l'hypothèque;

2° Que dans le cas de faillite, le cours de la prescription de l'hypothèque n'est pas interrompu par la circonstance que la condition à laquelle est subordonnée l'exigibilité de la créance s'est accomplie (2);

---

(1) La prescription, en ce cas, n'est donc pas un mode particulier d'extinction de l'hypothèque ou privilége, puisqu'elle se confond avec celle de l'obligation principale, dont il est parlé au n. 1 de ce même article. La disposition qui nous occupe, semblerait dès lors superflue : mais deux raisons l'ont fait adopter : 1° on a voulu conserver une différence, quant au laps de temps requis pour prescrire entre la position du débiteur encore possesseur du bien, et le tiers détenteur; 2° on a voulu déroger à l'ancien droit (roy. p. 756, note).

(2, Pothier, Hyp., chap. 3, § 6. — *Bordeaux*, 15 janvier 1835, S., 35, 2, 284 ; 29 août 1833 ; S, 34, 2, 247.

3° Que les reconnaissances même formelles du débiteur ne sont ni interruptives, ni suspensives de la prescription à l'égard du tiers détenteur ; pas plus que celle du tiers détenteur ne le sont à l'égard du débiteur (Dur. n. 342).

Voyons maintenant quel est le temps requis pour prescrire l'hypothèque : Le tiers détenteur prescrit l'hypothèque, lorsqu'il a possédé par un laps de temps égal à celui qui lui serait nécessaire pour prescrire la propriété, s'il avait acquis l'immeuble *à non domino :* or, il faut dix ans entre présents et vingt ans entre absents (1), quand il y a titre et bonne foi (2265). Lorsque l'une de ces conditions manque, la prescription ne s'opère que par trente ans (2262).

Ne perdons pas de vue surtout, que la prescription de la franchise de l'immeuble, entièrement distincte de la prescription de la propriété, n'est pas subordonnée à l'accomplissement de celle-ci : ces mots, « par le temps réglé pour la prescription de la propriété » ont seulement pour but de déterminer le temps après l'expiration duquel le tiers détenteur (non personnellement obligé) aura prescrit l'hypothèque ; la loi se propose uniquement d'assimiler la prescription de l'hypothèque à celle de la prescription de la propriété, sous le rapport du temps requis pour prescrire : son seul but est de faire entendre, que la prescription d'affranchissement de l'immeuble, est calquée, pour le temps, sur la prescription à l'effet d'acquérir.

Concluons de là, que le tiers détenteur peut prescrire contre le propriétaire, avant d'avoir prescrit contre le créancier hypothécaire : par exemple, si le propriétaire habite dans le ressort et le créancier hors du ressort, la prescription s'opérera par dix ans contre le propriétaire et par vingt ans contre le créancier (2).

Si le créancier est mineur ou interdit la prescription ne courra pas contre lui pendant sa minorité ou son interdiction (2252) et cependant, elle pourra s'accomplir contre le propriétaire.

Appliquez en sens inverse le premier exemple, au cas où ce serait le propriétaire qui habiterait hors du ressort, et le deuxième, au cas où ce serait lui qui se trouverait en état de minorité ou d'interdiction.

A l'égard des choses qui se prescrivent par la possession annale, par ex., (559) si un fleuve enlève, par une force subite, une portion considérable et reconnaissable d'un champ riverain hypothéqué, et la porte sur la rive opposée, comme le propriétaire de cette rive prescrira, par un an de possession, la portion enlevée, ce délai suffira pour éteindre l'hypothèque qui la frappait : notre article est formel ; il ne distingue pas (Troplong, n. 878; *voy.* cep. Grenier, t. 2, n. 510; Delv., p. 182, n. 3).

Le détenteur, disons-nous, peut se prévaloir contre le créancier hypothécaire de la prescription qu'il pourrait lui opposer quant à la propriété, si ce créancier était propriétaire : dans le cas de plusieurs ventes successives, il peut, dès lors, pour prescrire contre les hypothèques établies du chef d'un

---

(1) Par *absent*, nous entendons celui qui habite hors du ressort de la cour royale. La personne est réputée présente, lorsqu'elle habite dans ce ressort : — Si le créancier contre lequel on prescrit, après avoir demeuré quatre ans dans le ressort, fixe ensuite son habitation hors du ressort, il faudra doubler le nombre d'années qui devaient s'écouler encore pour opérer la prescription entre présents . ainsi, dans notre espèce, douze années en sus des quatre années écoulées, en tout seize années de possession, seront exigées pour la prescription de l'hypothèque.

(2) Si le tiers détenteur a connu l'existence de l'hypothèque, il ne prescrira même que par trente ans ; car il ne sera pas de bonne foi (Merlin, Rép., Radiation, § 8 ; Persil, n. 29 ; Troplong, n. 878).

premier vendeur, joindre à sa possession celle de son auteur direct et immédiat, et même celle de l'auteur de celui-ci (2235).

Nous supposons évidemment que le créancier a pris des mesures pour conserver sa créance ; car, si dans l'intervalle, le débiteur avait prescrit la dette, l'hypothèque, comme accessoire de cette dette, s'éteindrait également, même avant l'expiration du temps qui serait nécessaire pour prescrire la propriété : dès que l'obligation principale s'éteint, l'hypothèque s'évanouit

En exigeant, pour la prescription de l'hypothèque, un laps de temps égal à celui qui est requis pour prescrire la propriété, la loi ne prétend pas pour cela faire courir ce délai du même jour : ainsi, lorsque la prescription peut s'opérer par dix et vingt ans, c'est-à-dire, lorsqu'il y a titre et bonne foi, le délai requis pour prescrire la propriété court au profit du tiers détenteur, à partir de l'aliénation (2269) ; mais la prescription de l'hypothèque date seulement de la transcription : pourquoi cette différence ? Pour prescrire, il faut une possession publique : or, l'aliénation n'acquiert de publicité suffisante, à l'égard des créanciers hypothécaires, que par la transcription : sans cette formalité, les créanciers hypothécaires pourraient se méprendre sur le genre de possession, et croire que le tiers détenteur est, par ex. : un fermier. Ainsi, la transcription fixe le point de départ de la prescription de l'hypothèque.

Quid, si le tiers détenteur n'a pas de titre ou si son titre est vicieux ? La prescription de l'hypothèque date, comme celle de la propriété, du jour de la possession (Persil, n. 41 ; Grenier, n. 511).

La bonne foi nécessaire pour prescrire par dix ou vingt ans, consiste dans l'ignorance des droits du créancier hypothécaire : le tiers détenteur est réputé de mauvaise foi, lorsqu'il en a eu connaissance, d'une manière quelconque (1) ; c'est là une question de fait.

La bonne foi se présume toujours, c'est au créancier à prouver qu'elle n'a pas existé (2). L'inscription d'une hypothèque ne forme pas contre l'acquéreur, une preuve suffisante qu'il a connu cette charge (3).

La bonne foi n'est exigée qu'au moment de l'aliénation ; la connaissance que le tiers détenteur aurait acquise, depuis son contrat, par des voies autres que celles dont nous parlerons plus bas, de l'existence de l'hypothèque, n'interromprait pas la prescription : *mala fides superveniens, non impedit usucapionem*. L'article 2176 vient à l'appui de cette décision : aux termes de cet article, le tiers détenteur ne cesse de faire les fruits siens qu'à partir de la sommation qui lui est faite de délaisser, si mieux n'aime payer ; donc, il est considéré jusque-là, comme possesseur de bonne foi.

___

(1) Pothier, Hyp., chap. 3, § 6 ; Troplong. n. 880 et suivants. ⁓ L'acquéreur ne peut être réputé de mauvaise foi à l'égard des créanciers hypothécaires, qu'autant qu'il est déclaré dans le contrat, que la vente est faite à charge du titre hypothécaire (Grenier, n. 515 ; Vaz., Prescrip., n. 514 ; Delv., p. 182, n. 2). ⁓ Il ne faut point assimiler la prescription par dix et vingt ans, en ce qui concerne les hypothèques, à la prescription de la propriété : un acquéreur ou un donataire peut facilement connaître le vendeur ou le donateur ; aucun doute ne peut exister en lui sur le fait de la propriété ; mais les hypothèques ont pu s'éteindre à son insu de plusieurs manières. — Avec le système de publicité qui nous régit, les charges hypothécaires sont nécessairement connues du tiers acquéreur, et cependant, nous voyons, art. 2176, qu'il est réputé de bonne foi, tant qu'on ne lui a pas fait sommation de délaisser ou de payer. Concluons de là, que le Code n'entend pas soumettre la prescription des hypothèques à la condition que l'acheteur, en traitant, n'aura pas eu connaissance de l'existence des hypothèques : que ce n'est pas la une condition de bonne foi ; en matière de prescription d'hypothèques, pour empêcher un acquéreur ou un donataire de prescrire par dix ou vingt ans, il faut une interruption formelle (Dur., n. 315).

(2) Troplong, n. 881 et suiv. ; Dur., *ibid.* ; Delv., *ibid.*

(3) *Caen*, 22 août 1821 ; D., Hyp., p. 431 ; 26 août 1825 ; S., 26, 2, 251. — *Bourges*, 31 décembre 1830 ; S., 31, 2. 265. — *Bordeaux* 13 janvier 1835 ; S., 35, 2, 248.

Le tiers détenteur ne peut prescrire par dix ou vingt ans, s'il notifie son titre aux créanciers, avec offre de payer ; car cette notification emporte de sa part obligation personnelle ; il devient débiteur du prix : en ce cas, les hypothèques ne se prescrivent que par le temps requis pour opérer la prescription de l'obligation; c'est-à-dire, par trente ans (Troplong, 887 *ter*). — Observons toutefois, que le contrat ne se forme qu'après les quarante jours qui suivent la notification ; car ce délai est accordé aux créanciers pour surenchérir.

Aux causes d'extinction des hypothèques énumérées dans notre article, nous ajouterons :

Le défaut d'inscription dans les délais prescrits (834 Pr.).

L'omission de l'inscription dans les certificats délivrés par le conservateur (2198).

La perte totale de la chose grevée, ou ce qui revient au même, l'extinction de l'usufruit, si l'hypothèque est constituée sur ce droit : — mais l'hypothèque établie sur un bâtiment détruit par un incendie ou par une autre cause, subsiste encore sur le sol; il en serait autrement, si l'hypothèque affectait l'usufruit de ce bâtiment. — Puisque l'hypothèque continue de frapper sur le sol, nonobstant la destruction du bâtiment, nous déciderons, qu'elle s'étendrait aux constructions nouvelles, conformément à l'art. 2113, sans préjudice toutefois du privilége de l'entrepreneur, s'il y avait lieu.

Mais nous ne pensons pas que les matériaux provenant de la démolition d'un édifice hypothéqué, restent soumis à cette affectation (Dur., n. 330).

La consolidation : quand le créancier acquiert l'immeuble qui garantit sa créance, l'hypothèque s'évanouit ; mais si l'acquisition vient à être rescindée, ou résolue, ce droit renaît (2177).

La résolution du droit du constituant (2125) : cette règle souffre néanmoins exception dans deux cas (*voy.* les art. 133 et 958).

La réduction prononcée en justice (2161 et suiv.).

L'expropriation pour cause d'utilité publique (loi du 7 juillet 1833).

Enfin, la déchéance résultant du défaut de production à l'ordre (759, 773, 774): mais cette cause d'extinction laisse subsister le droit de préférence, à l'égard des créanciers chirographaires.

Lorsque le privilége ou l'hypothèque a cessé d'exister, l'inscription doit être rayée.

Si les parties ayant capacité à cet effet s'accordent sur l'extinction, il est passé acte de leur consentement respectif : cet acte doit être authentique; on en dépose une expédition entre les mains du conservateur.

S'il y a contestation, la radiation ne peut avoir lieu qu'en vertu d'un jugement en dernier ressort ou passé en force de chose jugée, dont expédition est également déposée au bureau du conservateur (1157-2160).

Il nous reste à dire quelques mots sur les causes qui interrompent le cours de la prescription de l'hypothèque contre le tiers détenteur :

Au nombre de ces causes, on doit, comme nous l'avons déjà vu, placer la minorité et l'interdiction (2252): *contrà non valentem agere non currit præscriptio.*

Mais quelles mesures les créanciers majeurs peuvent-ils prendre pour interrompre la prescription ? Aux termes de l'art. 2244, ils ont le droit d'agir par voie de sommation, de saisie ou de commandement: mais cet article suppose l'ouverture du droit et l'exigibilité de la créance: avant cette époque, quels moyens la loi leur offre-t-elle ? Le tiers détenteur peut valablement reconnaître l'hypothèque par un acte extra-judiciaire, et même tacitement, en payant, comme détenteur, les arrérages de la rente ou les intérêts de la dette ; sinon, le créancier peut, comme nous l'avons déjà dit, assigner l'acquéreur en déclaration d'hypothèque, c'està-dire, en reconnaissance du droit, pour voir déclarer que l'immeuble sera et demeurera affecté à l'hypothèque : sur cette demande, interviendra un jugement d'où résultera une action qui durera trente ans (Persil, n. 44 ; Delv., p. 182, n. 3 ; Grenier ; Dur., n. 312).

Il résulte de la disposition finale de notre article, que les inscriptions ou les renouvellements d'inscriptions ne suffisent pas pour interrompre la prescription, soit à l'égard du débiteur, soit à l'égard du tiers détenteur ; car souvent l'inscription a lieu à leur insu : nous avons même établi, qu'elles n'empêchent point la prescription de commencer. — Cela est vrai aussi bien pour les arrérages ou intérêts que pour le principal, puisque la loi ne distingue pas (Dur., n. 121 et 322).

— La dation en payement opère libération ; par conséquent, elle éteint les hypothèques attachées à l'ancienne créance ; mais *quid*, si le créancier vient à être évincé de la chose, l'hypothèque renaît-elle ? ⌇ Il faut distinguer : si la cause de l'éviction est postérieure au contrat, les hypothèques ne revivent pas ; si elle est antérieure, elles revivent ; car la dation en payement n'éteint l'obligation primitive qu'autant que le créancier n'est pas évincé (Troplong, n. 847 et suiv.). ⌇ Aucune des considérations qui ont dicté l'art. 2038 ne s'applique à l'hypothèque : de deux choses l'une, ou l'inscription a été radiée, et alors question oiseuse ; ou elle n'a pas été radiée, et dans ce cas, nul ne peut se plaindre. La dation en payement suppose qu'une novation s'est opérée entre les parties (Delv., t. 3, p. 129 ; Troplong, Vente, t. 1er, n. 7 ;[Hyp. ; n. 847 et suiv., Duvergier, Vente. n. 45 et 46 ; Dur., t. 12. n. 79 et 81).

La prescription ne court pas contre le créancier hypothécaire mineur (2252 du Code civil) ; mais que doit-on décider, si le créancier originaire vient à mourir laissant deux héritiers, l'un mineur, l'autre majeur, qui succèdent à son hypothèque ; la prescription, suspendue à l'égard du mineur, court-elle à l'égard du majeur ? ⌇ *A.* (Delv., p. 182, n. 3 ; Persil, n. 41 et 43 ; Troplong, n. 884).

Au lieu de consentir à la vente, ou même de figurer en quelque sorte dans l'acte d'aliénation, si le créancier accepte le mandat qu'on lui donne pour recevoir tout ou partie du prix, est-il censé renoncer à son hypothèque ? ⌇ *N.* La vente a eu lieu sans sa participation (Persil, n. 22 ; Grenier, n. 516).

L'inscription prise avant la transcription, suffit-elle pour empêcher la prescription par dix et vingt ans ? ⌇ *N.* Le tiers détenteur a pu croire que le débiteur s'était libéré (Persil, n. 33).

Quid, dans l'espèce suivante : j'avais hypothèque sur une maison qui a été détruite par un incendie ; cette maison était assurée ; le propriétaire reçoit une indemnité : pourrai-je me faire colloquer à mon rang sur le montant de l'indemnité payée par la compagnie d'assurances ? ⌇ *N.* La perte de la maison a opéré l'extinction de l'hypothèque : comment cette hypothèque pourrait-elle atteindre une somme qui n'est allouée que *ex post facto* ? (Troplong, n. 890 ; Dur., n. 328).

Les hypothèques créées par un vendeur non propriétaire, contre l'acheteur qui l'est devenu au moyen de la prescription, produisent-elles leur effet ? ⌇ *N.* Pour grever un immeuble d'hypothèque, il faut être propriétaire de cet immeuble (Dur., n. 314).

Les hypothèques créées par un vendeur non propriétaire, produisent-elles leur effet contre l'acheteur qui a acquis la propriété par la prescription ? ⌇ *N.* L'hypothèque est un droit réel sur un immeuble affecté à l'acquittement d'une obligation (2114) ; dès lors, ce droit réel ne peut être établi que par le propriétaire, ou du moins de son consentement. — L'acheteur tient son droit de propriété non de son vendeur, mais du bienfait de la prescription, de la loi en un mot ; en sorte que par rapport aux créanciers de son vendeur, c'est comme s'il avait acquis la chose du véritable maître. — L. 9, § 3, ff. *qui potiores in pign. vel hyp. hab.* — Toutefois, il faut nécessairement admettre, que si le détenteur actuel avait besoin, pour compléter le temps de la prescription, de la possession de son vendeur, il ne pourrait écarter les hypothèques créées par celui-ci : invoquant le droit de ce dernier, il ne devrait pas le scinder. — Si le vendeur est devenu propriétaire après avoir constitué l'hypothèque, il est hors de doute que cette hypothèque, quoique insuffisante dans le principe, aura acquis toute sa force par cet événement, et pourra en conséquence être opposée au détenteur actuel (Dur., n. 314).

CHAPITRE VIII.

Du mode de purger les propriétés des priviléges et hypothèques.

Tout en consacrant le principe que celui qui aliène un immeuble n'en peut transmettre la propriété qu'à la charge des hypothèques dont elle est grevée, la loi veut néanmoins que l'acquéreur puisse, en remplissant certaines formalités, limiter l'action hypothécaire à la valeur vénale du fonds, et par suite s'en garantir, en offrant toute cette valeur aux créanciers hypothécaires (2179, 2182).

Cette conversion du droit hypothécaire en une action sur le prix, est ce qu'on appelle *la purge des hypothèques.*

Lorsque l'aliénation a lieu par voie d'expropriation forcée, l'action hypothécaire se trouve de droit limitée au prix même de l'adjudication, sans qu'il soit besoin que l'adjudicataire remplisse aucune formalité (Pr., 201, 749, 750, 775) (1).

Mais il n'en est pas de même dans le cas d'aliénation volontaire : le tiers détenteur qui veut faire disparaître les priviléges et hypothèques, qui grèvent le fonds par lui acquis, doit observer les formalités de la purge; or la loi établit deux modes de procéder : l'un, purement exceptionnel, s'applique uniquement aux hypothèques légales non inscrites des femmes mariées et des mineurs ou interdits; l'autre, de droit commun, s'applique à toutes les autres hypothèques assujetties ou non à la formalité de l'inscription et même aux hypothèques légales des femmes et des mineurs ou interdits, lorsqu'elles sont inscrites (2) : nous nous occuperons ici de ce dernier mode d'extinction.

Le détenteur doit faire transcrire son titre; il doit en outre, soit avant la poursuite, soit dans les trente jours au plus tard, à compter de la sommation qui lui est faite de délaisser ou de payer, notifier à chacun des créanciers qui sont inscrits au moment de la transcription, un acte contenant diverses énonciations, et déclarer, par le même acte, qu'il est prêt à acquitter sur-le-champ les charges hypothécaires exigibles ou non exigibles jusqu'à concurrence de son prix (2182, 2183, 2184, C. c.; 832 Pr.).

Sur cette notification, tout créancier dont le titre est inscrit, peut, dans les quarante jours, requérir la mise de l'immeuble aux enchères (2185).

Faute par eux d'avoir usé de cette faculté, la valeur de l'immeuble demeure définitivement fixée au prix déclaré dans l'acte de notification, ou fixé dans le contrat (2186, C. c.; 835 Pr.).

Mais s'il y a surenchère, l'immeuble doit être mis en vente dans l'intérêt de la masse hypothécaire (2190), suivant les formes établies pour les expropriations forcées, à la diligence soit du créancier surenchérisseur, soit de l'acquéreur évincé par l'effet de la surenchère (2187).

---

(1) Nous n'avons point à nous occuper ici de l'expropriation forcée : qu'il nous suffise de savoir que ce mode d'expropriation a toujours été considéré en France comme purgeant les hypothèques, comme fixant définitivement le prix de l'immeuble ; nos lois actuelles ont maintenu ce système : il résulte, en effet de l'art. 2181 du Code civil, que la transcription n'est requise que lorsqu'il existe un contrat translatif de propriété : or l'expropriation n'est pas un contrat. — Les art. 2181, 2182, 2194 et 2195, C. c., 749, 750, 739, 775, Pr., parlent de l'acquéreur et non de l'adjudicataire ; —les art. 832 et suiv., Pr., sont placés sous la rubrique de la surenchère sur aliénation volontaire ; — enfin l'art. 749, Pr., porte que les créanciers doivent, après l'expropriation forcée, s'entendre pour la distribution, ce qui prouve qu'on ne les admet pas à surenchérir.—A quoi bon, d'ailleurs, leur accorder ce droit ? l'immeuble, au moyen des formalités de la saisie et de l'adjudication publique, ne se trouve-t-il pas porté à sa plus haute valeur ? — Dans l'ancien droit, on a toujours distingué entre les effets que produisent les ventes volontaires et ceux résultant des expropriations : à la vérité, on ne trouve aucune disposition dans le Code civil qui proclame ce système ; mais il était inutile de parler de l'expropriation, puisque, suivant les principes du Code, toute aliénation faisait évanouir les hypothèques non inscrites, excepté celles des femmes, des mineurs et des interdits. ∿∿ L'adjudicataire sur surenchère et *à fortiori* l'adjudicataire sur saisie, doit faire transcrire ; les raisons sont les mêmes dans l'un et l'autre cas, la vente judiciaire reçoit la même publicité (2187, C. c., 774, Pr.) (Dur., n. 357).

(2) Les rédacteurs du Code ont reproduit, sauf quelques légères modifications, le système de la loi de brumaire, pour les hypothèques soumises à l'inscription ; et le système de l'édit de 1771, en ce qui concerne les hypothèques dispensés d'inscription et non inscrites.

Il importe de remarquer, que l'emploi des formalités prescrites pour la purge des hypothèques ordinaires, ne purge point l'hypothèque de la femme ou du mineur si elle n'a pas été inscrite.

Rien ne s'oppose, au surplus, à ce que l'acquéreur conserve l'immeuble en se rendant lui-même dernier enchérisseur (2189). — Son titre n'est même anéanti que par l'effet du jugement d'adjudication. — Dans tous les cas, il a un recours tel que de droit contre son vendeur (2191).

L'adjudicataire, quel qu'il soit, est tenu, au delà du prix de son adjudication, de restituer à l'acquéreur ou au donataire dépossédé, les avances qu'il a faites (2188).

Le tiers détenteur peut se borner à purger à l'égard de certains créanciers : la purge est parfaitement divisible; les créanciers mis en demeure de surenchérir, ne sont pas fondés à opposer qu'on n'a pas fait de notification aux autres créanciers.

Le créancier surenchérisseur ne peut être contraint d'étendre sa soumission, ni sur le mobilier, ni sur des immeubles autres que ceux qui sont hypothéqués à sa créance et qui sont situés dans l'arrondissement (2211, 2192).

Lorsque l'immeuble acquis est grevé tout à la fois d'hypothèques ou de priviléges inscrits et d'hypothèques légales dispensées d'inscription et non inscrites, l'acquéreur qui veut purger doit remplir cumulativement les formalités prescrites par les articles 2181 et celles qui sont tracées par l'article 2194 (1).

L'adjudicataire sur enchère hypothécaire (autre que l'acheteur ou le donataire) doit-il, pour arrêter le cours des inscriptions, faire transcrire le jugement d'adjudication (*voy.* art. 2189)?

2181 — Les contrats translatifs de la propriété d'immeubles ou droits réels immobiliers, que les tiers détenteurs voudront purger de priviléges et hypothèques, seront transcrits en entier par le conservateur des hypothèques dans l'arrondissement duquel les biens sont situés.

Cette transcription se fera sur un registre à ce destiné, et le conservateur sera tenu d'en donner reconnaissance au requérant.

= L'acquéreur (à titre gratuit ou à titre onéreux) (2) qui veut purger, doit avant tout faire transcrire son titre.

On nomme *transcription*, la copie littérale d'un acte translatif de propriété sur un registre particulier, tenu par le conservateur : il importe peu que ce titre soit sous signature privée (pourvu qu'il ait acquis date certaine) ou qu'il soit authentique.

Sous la loi de brumaire an 7, cette formalité était, comme nous l'avons déjà dit, un des éléments nécessaires de toute aliénation ; en sorte que le tiers acquéreur qui avait négligé de la remplir, ne pouvait opposer son titre à ceux qui, postérieurement, avaient acquis des droits sur l'immeuble.

---

(1) Merlin, Rép., Transcription, § 2, n. 5.
(2) Il ne faut pas se préoccuper du mot *contrat*, contenu dans l'article 2181 : ce n'est là qu'une tradition de la loi de brumaire. — Les légataires doivent également faire transcrire le testament, en ce qui les concerne, lorsqu'ils veulent dégager les biens légués, des hypothèques qui les grevent. — Les héritiers qui veulent arriver à l'affranchissement de la part dont ils ne sont pas personnellement tenus dans la dette, se trouvent dans le même cas ; car pour cette part, ils sont en réalité tiers détenteurs.

Les mêmes principes sont-ils encore en vigueur?

Pour les donations entre-vifs, aucun doute ne s'élève : « le défaut de transcription, porte l'art. 941, pourra être opposé par toutes personnes ayant intérêt. » Ainsi, le donataire, bien que réellement propriétaire, vis-à-vis du donateur, dès le moment de l'acceptation, ne le devient, respectivement aux tiers, que par la transcription de l'acte contenant donation et acceptation (939).

Mais quant aux aliénations à titre onéreux, comme la vente et l'échange, et même quant aux legs, la transcription n'est pas indiquée comme moyen de consolider la propriété entre les mains de l'acquéreur.

En ce qui concerne la vente et l'échange il résulte des articles 711, 1138 et 1583, que la propriété se transfère par le seul effet du consentement : par suite, les hypothèques consenties postérieurement demeurent sans effet, encore que l'acquéreur n'ait pas fait transcrire; car, pour grever un immeuble d'hypothèques, il faut en être propriétaire.

Bien plus, suivant le Code civil, les créanciers antérieurs qui avaient négligé de se faire inscrire, étaient déchus, à partir de l'aliénation, du droit de prendre inscription : l'article 2166 n'accorde en effet le droit de suite, qu'aux seuls *créanciers inscrits* : ainsi, l'immeuble passait franc et quitte entre les mains de l'acquéreur; l'aliénation purgeait toutes les hypothèques non inscrites; la transcription avait seulement pour objet de faire connaître aux créanciers inscrits, les conditions de l'aliénation, afin de les éclairer sur le parti qu'ils auraient à prendre en cas de purge : mais l'art. 834, Pr., a rendu le droit de suite indépendant de l'inscription, en déclarant que les créanciers qui ont des hypothèques antérieures aux aliénations, peuvent valablement s'inscrire dans la quinzaine de la transcription.

La transcription a donc aujourd'hui deux objets : le premier, de mettre l'acquéreur à même de purger; le second, d'arrêter le cours des inscriptions d'hypothèques constituées par de précédents propriétaires (1).

Aucun délai péremptoire n'est fixé à l'acquéreur, pour accomplir les formalités de la purge : toutefois, lorsque les créanciers, ont commencé des poursuites, il doit, sous peine de déchéance, faire transcrire, dans les trente jours qui suivent la sommation qu'on lui a faite de délaisser ou de payer.

: — Lorsqu'il y a eu plusieurs aliénations successives et non transcrites, quel est le titre que le dernier acquéreur qui veut purger doit faire transcrire? ⋙ Il doit faire transcrire chaque acte de vente en particulier, à moins que le dernier ne désigne tous les précédents propriétaires (Persil, n. 21 et 22; Grenier, n. 364; Delv., p. 173, n. 2; Merlin, v° Transcription, p. 106, note; Troplong, n. 913). ⋙ La transcription, sous le Code civil, n'est point nécessaire pour conférer la propriété à l'égard des tiers.— Les créanciers des premiers vendeurs, peuvent s'inscrire jusqu'à l'expiration de la quinzaine qui a suivi cette transcription (Dur., n. 359 et 360).

Lorsqu'un acte de vente contient différents chefs distincts d'aliénation, doit-on nécessairement transcrire la totalité de l'acte, ou suffit-il de transcrire la portion qui se réfère aux immeubles qu'on a intérêt de purger? ⋙ En exigeant que l'acte soit transcrit en *entier*, le Code a voulu seulement parler du cas où cet acte ne contiendrait qu'une seule et même convention (Troplong, n. 911).

Lorsque plusieurs personnes ont acquis une propriété indivise, dont on fait immédiatement le partage, si l'une veut purger, peut-elle se borner à requérir la transcription de la partie du contrat qui la

(1) Ainsi la transcription produit six effets :
1° Elle consolide la substitution (1069-1071);
2° Elle vaut inscription pour le privilége du vendeur (2108);
3° Elle fait courir la prescription de dix ou vingt ans, contre l'hypothèque, au profit du tiers détenteur;
4° Elle est un préliminaire nécessaire de la purge;
5° Elle fixe le point de départ du délai pendant lequel les créanciers du précédent propriétaire peuvent prendre inscription;
6° Elle confirme les donations.

concerne, ou doit-elle faire inscrire l'acte dans son entier? ∿ L'art. 2181 ne distingue pas; il faut faire transcrire l'acte en entier (Persil, n. 15; Delv., p. 173; Dur., n. 349; *voy.* cep. Troplong, n. 910; Grenier, n. 369).

Quid, lorsque la vente d'un objet indivis a été consentie par deux particuliers, si l'acquéreur ne veut purger que contre l'un d'eux? ∿ Même décision (Troplong, *ibid*; *voy.* cep. Persil, n. 16; Dur., n. 349).

La transcription doit-elle avoir lieu, dans le cas de transaction? ∿ *Non*, si l'immeuble est resté par l'effet de la transaction à celui qui le possédait auparavant; car il n'y a pas nouvelle acquisition; *secus* dans le cas contraire (Delv., p. 173, n. 3).

2182 — La simple transcription des titres translatifs de propriété sur le registre du conservateur, ne purge pas les hypothèques et priviléges établis sur l'immeuble (1).

Le vendeur ne transmet à l'acquéreur que la propriété et les droits qu'il avait lui-même sur la chose vendue : il les transmet sous l'affectation des mêmes priviléges et hypothèques dont il était chargé.

= La transcription, principal élément de la purge, ne suffit pas pour l'opérer; d'autres conditions sont en outre exigées (*voy.* 2183) : elle a seulement pour objet, de faire connaître aux créanciers le contrat de vente, et d'arrêter le cours des inscriptions.

La deuxième disposition de notre article est fondée sur cette règle des lois romaines : *Nemo plus juris in alium transferre potest quàm ipse habet :* l'immeuble passe entre les mains de l'acquéreur avec toutes les charges qui le grèvent.

2183 — Si le nouveau propriétaire veut se garantir de l'effet des poursuites autorisées dans le chapitre VI du présent titre, il est tenu, soit avant les poursuites, soit dans le mois (2), au plus tard, à compter de la première (3) sommation qui lui est faite, de notifier aux créanciers, aux domiciles par eux élus dans leurs inscriptions,

1° Extrait de son titre, contenant seulement la date et la qualité de l'acte, le nom et la désignation précise du vendeur ou du donateur, la nature et la situation de la chose vendue ou donnée; et, s'il s'agit d'un corps de biens, la dénomination générale seulement du domaine et des arrondissements dans lesquels il est situé, le prix et les charges faisant partie du prix de la vente, ou l'évaluation de la chose, si elle a été donnée;

_____

(1) Disposition bien inutile : nul n'aurait pensé que la transcription du titre pût suffire pour purger les hypothèques inscrites.

(2) Il s'agit ici du mois républicain; c'est-à-dire, du délai fixe de trente jours : ainsi entendu, l'art. 2183 est en parfaite harmonie avec l'art. 2160.

(3) Plusieurs sommations sont-elles prescrites; faut-il, par ex., une sommation préalable de purger? ∿ *Non*, la loi ne l'exige pas; cette sommation serait d'ailleurs inefficace : il s'agit ici du cas ou il y a plusieurs créanciers : la première sommation est celle du plus diligent; c'est la première en date (Dur., n. 369. — *Cass.*, 18 février 1824; D., Hyp., p. 383; *voy.* cep. *Nimes*, 4 juillet 1807; S., 7, 2, 704).

2° Extrait de la transcription de l'acte de vente (1);

3° Un tableau sur trois colonnes, dont la première contiendra la date des hypothèques et celle des inscriptions; la seconde, le nom des créanciers; la troisième, le montant des créances inscrites.

= La loi ne fixe point de délai pour faire transcrire et purger; on peut donc, en tout temps, accomplir cette formalité : néanmoins, les créanciers (dont le titre, bien entendu, est exigible, arg. de l'art. 2169) (2) ont la faculté de mettre un terme à cette incertitude, en faisant à l'acquéreur sommation de délaisser ou de payer (*voy.* 2169).

La sommation faite par l'un des créanciers profite à tous les créanciers inscrits, et fait courir le délai en faveur de tous (*Cass.*, 30 juillet 1822; D., 22, 1, 435).

L'acquéreur, sommé de délaisser ou de payer, doit sous peine de déchéance du droit de purger, faire transcrire son titre : de plus, il doit notifier dans le mois (3) à compter de la première sommation qui lui est faite, non-seulement au créancier poursuivant, mais encore à tous les créanciers inscrits (4) antérieurement à la transcription, *aux domiciles élus dans leurs inscriptions* (5), par un huissier commis à cet effet par le président du tribunal de première instance de l'arrondissement dans le ressort duquel est situé l'immeuble (835, Pr.) (6).

1° *Extrait de son titre* : cet extrait doit contenir, entre autres énonciations : la *date* du *titre* et sa *qualité;* par ex., si c'est une vente, une donation ou un échange; afin que le créancier puisse retrouver cet acte sur le registre du conservateur. — Le *nom* et la *désignation* précise du vendeur; afin que les créanciers puissent savoir si c'est réellement de leur débiteur que l'aliénation est émanée. — La détermination de la *nature* des immeubles vendus ou donnés, l'indication du lieu de leur situation, et tous autres renseignements nécessaires pour que les créanciers hypothécaires puissent reconnaître facilement leur gage. — Enfin, l'énonciation du *prix* véritable et des *charges* (7) : au nombre des charges, se trouvent évidemment les pots-de-vin, s'il en a été stipulé, ainsi que les rentes viagères qu'il faut servir : mais les frais du contrat, le coût du jugement d'adjudication, les droits d'enregistrement et de transcription, enfin, les frais de

---

(1) Bizarrerie : puisque le créancier doit notifier un extrait de l'acte d'aliénation, pourquoi l'obliger en outre à notifier un extrait de la transcription? Rappelons-nous, en effet, que la transcription n'est que la copie littérale de l'acte d'aliénation. La loi de brumaire exigeait simplement la notification d'un certificat constatant que l'acte avait été transcrit.

(2) D'où l'on conclut, que le détenteur n'est forcé de purger que lorsque l'époque de l'exigibilité est arrivée.

(3) Ce délai est de rigueur : après son expiration, la purge ne peut plus avoir lieu; il ne reste au tiers détenteur d'autre ressource que celle de délaisser; encore faut-il pour cela, qu'on n'ait point encore saisi sur lui l'immeuble hypothéqué.

(4) Il n'est pas tenu de signifier aux créanciers qui se sont fait inscrire dans le délai de quinzaine depuis la transcription, quand même ils lui auraient fait sommation de délaisser ou de payer; l'article est conçu en termes généraux et absolus : mais alors, comment connaîtront-ils la valeur de l'immeuble, à l'effet de pouvoir baser leur surenchère? Ils auront recours aux documents fournis aux créanciers diligents : mais *quid*, si tous les créanciers sont inscrits depuis la transcription? Alors, il faut bien admettre que le nouveau propriétaire, nonobstant la généralité des termes de l'art. 835, Pr., sera tenu, pour purger les hypothèques dont il s'agit, de faire à ces créanciers les notifications prescrites par les articles 2183 et 2184 (835, Pr.).

(5) *Cass.*, 29 nov. 1820; S., 21, 1, 252.

(6) La notification serait nulle, si elle n'avait pas été faite par un huissier commis (Grenier, t. 2, p. 438; Carré, Pr., t. 3, n. 2824. — *Paris*, 22 mars 1808; S., 8, 2, 161; *voy.* cep. *Cass.*, 9 août 1820; D., Saisie immobilière, p. 772).

(7) On comprend sous la dénomination de *charges*, toutes les prestations que l'acquéreur est tenu d'acquitter au profit du vendeur, des créanciers de ce dernier, ou des tiers qu'il a entendu gratifier.

notifications n'y sont pas compris (Arg. de l'art. 2188) : ces charges n'entrent pas dans la détermination de la valeur de l'immeuble sur laquelle le créancier doit étendre sa surenchère d'un dixième. — Si l'énonciation du prix a été omise, la notification peut être déclarée nulle ; mais nous pensons qu'une inexactitude ne la vicierait pas (1).

Si le prix est indéterminé, par exemple, en cas de donation, l'acquéreur doit évaluer l'immeuble, afin de mettre les créanciers à même de baser leur surenchère : ainsi, l'évaluation est l'élément des offres, et les offres sont le point de départ de la surenchère.

Quid, si l'immeuble a été aliéné par voie d'échange, de transaction, ou à charge d'une rente viagère ? L'évaluation à faire par l'acquéreur qui veut purger, n'est prescrite par l'art. 2183, que lorsque la chose a été donnée, et non lorsqu'elle a été aliénée à titre onéreux : c'est au créancier qui veut surenchérir, à évaluer la somme, si bon lui semble ; ou bien, à faire, dans son acte de surenchère, en termes généraux, sans déterminer aucune somme, la soumission de porter ou de faire porter l'immeuble à un dixième en sus : alors, si les parties, au moment de la mise de l'immeuble aux enchères, ne s'accordent pas sur une évaluation quelconque, le tribunal ordonne une expertise. — A plus forte raison l'acquéreur est-il dispensé d'évaluer l'immeuble, lorsque la vente a eu lieu moyennant une somme fixe et en outre à charge de certaines prestations dont la valeur est indéterminée. — Au reste, nous raisonnons ici en principe : le tiers acquéreur agira toujours prudemment, en déterminant un prix quelconque, dans les notifications qu'il est tenu de faire aux créanciers (2).

2° *Extrait de la transcription de l'acte de vente :* afin de prouver que les dispositions de l'art. 2181 ont été observées, et qu'on ne cherchera pas en vain la copie de l'acte sur les registres (3).

3° *Un tableau sur trois colonnes*, indiquant la date des hypothèques et celle des inscriptions, le nom des créanciers et le montant des créances inscrites : afin que chaque créancier puisse, d'un coup d'œil, connaître sa position et juger s'il a intérêt à surenchérir. — Ce tableau est dressé sur l'état des inscriptions délivré par le conservateur.

Pour accomplir les formalités de la purge, il faut être capable de s'obliger ; car la notification devant être accompagnée de l'offre de payer (2184), produit une obligation personnelle.

La loi ne détermine pas celles des formalités ci-dessus dont l'irrégularité peut emporter nullité de la procédure à fin de purge ; c'est aux tribunaux à examiner, si la procédure a été commencée dans les délais fixés par l'art. 2183, ou si les notifications ont mis les créanciers à même de surenchérir en connaissance de cause : dans le doute, la faveur due au tiers détenteur doit l'emporter.

---

(1) Par conséquent, si l'on porte par erreur dans la notification, une somme plus forte ou plus faible que le prix véritable, cette notification sera néanmoins valable : en effet, en cas d'exagération du prix, le notifiant sera tenu pour le prix porté. — En cas de diminution : ou il y aura une surenchère, et alors le mal sera réparé ; ou il n'y aura pas de surenchère, et alors les créanciers devront se l'imputer. ~~~ La notification est nulle, si l'acquéreur fait la déclaration et l'offre d'un prix inférieur à celui qui est porté dans son titre ; au cas inverse, elle est valable (Dur., n. 386, 387).

(2) Dur., n. 378. — *Aix*, 2 février 1821 ; S., 23, 2, 9 ; D., 23, 2, 55. — *Cass*, 11 mars 1329 ; S., 29, 1, 89 ; D., 29, 1, 174 ; 3 avril 1815 ; S., 15, 1, 207 ; *voy.* cep. Grenier, n. 455 ; Troplong, n. 925 ; Delv., sur l'article 2183. — *Paris*. 5 février 1814 ; D., Hyp., p. 386.

(3) La loi parle seulement de la transcription de l'acte de vente ; mais comme les dispositions à titre gratuit doivent être également transcrites, il eût été plus exact d'employer cette expression générale : acte d'*aliénation*.

— *Quid*, si l'un des créanciers inscrits avant la transcription n'a pas reçu de notification ? ⁓ Si l'omission résulte du fait de l'acquéreur, le créancier conserve ses droits : si elle provient du fait du conservateur, il faut appliquer l'article 2198 : mais les créanciers auxquels la notification a été faite, ne sont pas fondés à se prévaloir de cette omission (Troplong, n. 20 ; Grenier, n. 440 ; Dur., n. 375. — Cass., 28 mai 1817 ; S., 18, 1, 207).

Le tuteur doit-il, pour notifier aux créanciers inscrits l'acte translatif de propriété, se faire autoriser par le conseil de famille ? ⁓ N. Le plus souvent, celui qui purge ne fait que payer au créancier ce qu'il aurait payé au vendeur. — Le tuteur a qualité pour juger de l'opportunité de cette mesure (Troplong, n. 923 ; *voy.* cep. Grenier, t. 2, n. 459).

La loi veut que l'acquéreur notifie son titre aux créanciers inscrits, dans le mois de la *première sommation qui lui est faite* : ces derniers mots ont fait naître la question de savoir si plusieurs sommations doivent être signifiées ? ⁓ N. Ils doivent être entendus en ce sens, que s'il y a plusieurs créanciers qui aient fait chacun une sommation, le délai court de la première (Delv., p. 174, n. 4 ; Grenier, n. 340).

Celui qui acquiert un immeuble, d'un tiers détenteur déchu de la faculté de purger, a-t-il lui-même la faculté de purger, ou se trouve-t-il, comme son vendeur, obligé de purger intégralement les créances inscrites, si mieux n'aime délaisser ? ⁓ D'après la règle : *nemo plus juris*, etc., il est déchu de la faculté de purger (Grenier, n. 343).

L'art. 835, Pr., dispense l'acquéreur qui veut purger, de faire aux créanciers dont l'inscription n'est point antérieure à la transcription de son titre, les notifications prescrites par les articles 2182 et 2184 ; mais *quid*, si ces créanciers se font connaître à l'acquéreur par leurs sommations de payer ou de délaisser ?⁓ Il n'y a plus de motif pour les traiter autrement que ceux qui ont pris inscription avant la transcription du titre (Dur., n. 374).

2184 — L'acquéreur ou le donataire déclarera, par le même acte, qu'il est prêt à acquitter, sur-le-champ, les dettes et charges hypothécaires, jusqu'à concurrence seulement du prix, sans distinction des dettes exigibles ou non exigibles.

⁓ Cette déclaration, pour laquelle il n'existe pas, du reste, de termes sacramentels, doit être faite dans l'acte de notification. — Elle doit contenir l'offre de payer *sur-le-champ* : l'acquéreur ne pourrait donc se prévaloir, vis-à-vis des créanciers, des termes qui lui auraient été accordés par le vendeur ; en purgeant, il se prive lui-même de ces délais.

Suivant la loi du 11 brumaire an 7, l'acquéreur devait offrir d'acquitter les charges, suivant la manière dont elles avaient été créées : par conséquent, lorsqu'il existait des créances à terme ou conditionnelles, il gardait par divers lois les fonds nécessaires pour les éteindre : de là il résultait, que les propriétés ne pouvaient être entièrement purgées avant l'expiration du terme ou l'accomplissement de la condition, ce qui jetait de grands embarras dans la liquidation. Bien plus, les créanciers premiers inscrits dont les droits n'étaient pas encore exigibles, et qui voulaient conserver leurs gages, s'opposaient ordinairement à ce que les créanciers postérieurs à eux en hypothèques fussent payés ; de telle sorte qu'on se voyait souvent dans l'impossibilité de terminer des ordres. — Afin de prévenir le retour de ces discussions, les auteurs du Code ont décidé que le tiers acquéreur serait tenu d'offrir, sans distinction, le payement de toutes les dettes *exigibles* ou *non exigibles* : ainsi, les créances à terme sont immédiatement payées, et les créances conditionnelles sont colloquées à l'ordre, par une combinaison dont nous parlerons plus loin (*voy.* art. 2186, les deux premières questions).

Le terme s'évanouirait, lors même qu'il aurait été stipulé en faveur du créancier ; la loi est absolue.

Nous pensons que l'offre de payer produit, de la part de l'acquéreur, une obligation qu'il n'est plus libre de rétracter ; ce qui le rend non recevable à opposer aux créanciers les exceptions dont il aurait pu se prévaloir (1).

_____

(1) Grenier, n. 453 ; Persil, n. 12. ⁓ Jusqu'à l'expiration des quarante jours dont il est parlé dan

— L'acquéreur peut-il se réserver, dans ses notifications aux créanciers, le droit de discuter la validité de leurs créances ou inscriptions ? ⁓ *N.* Arg. de l'art. 2184. — Puisqu'il n'offre de payer que jusqu'à concurrence de son prix , peu lui importe que telle ou telle créance soit plus ou moins sujette à critique : cela regarde le débiteur (Dur., n. 384).

Le vœu de l'article est-il suffisamment rempli , si le nouveau propriétaire se borne à déclarer *qu'il entend payer suivant les obligations prescrites par le chap.* 8 *du titre* 18 ? ⁓ *A.* Les créanciers sont censés connaître la loi (Dur., n. 385. — *Cass.*, 28 mars 1817 ; S., 18, 1, 297).

2185 — Lorsque le nouveau propriétaire a fait cette notification dans le délai fixé, tout créancier dont le titre est inscrit, peut requérir la mise de l'immeuble aux enchères et adjudications publiques , à la charge ,

1° Que cette réquisition sera signifiée au nouveau propriétaire dans quarante jours , au plus tard , de la notification faite à la requête de ce dernier, en y ajoutant deux jours par cinq myriamètres de distance entre le domicile élu et le domicile réel de chaque créancier requérant ;

2° Qu'elle contiendra soumission du requérant , de porter ou faire porter le prix à un dixième en sus de celui qui aura été stipulé dans le contrat , ou déclaré par le nouveau propriétaire ;

3° Que la même signification sera faite dans le même délai au précédent propriétaire, débiteur principal ;

4° Que l'original et les copies de ces exploits seront signés par le créancier requérant , ou par son fondé de procuration expresse , lequel , en ce cas , est tenu de donner copie de sa procuration ;

5° Qu'il offrira de donner caution jusqu'à concurrence du prix et des charges.

Le tout à peine de nullité.

= L'évaluation faite par le tiers détenteur, ou le prix de l'acquisition, pouvant être au-dessous de la valeur réelle de l'immeuble , on a dû laisser aux créanciers la faculté de faire porter ce prix à un taux plus élevé.

La loi confère cette faculté à *tout créancier dont le titre est inscrit*, c'est-à-dire. qui a pris inscription au plus tard dans la quinzaine fixée par l'article 834 , Pr.

La femme mariée peut-elle surenchérir ? Aucune difficulté ne s'élève lorsqu'elle est autorisée — Mais *quid*, lorsqu'elle ne l'est pas ? Est-on fondé à prétendre , que la surenchère hypothécaire est une simple mesure conservatoire ? qu'elle peut en conséquence être faite , sans autorisation préalable, par des personnes qui n'ont pas le libre exercice de leurs actions ? Nous ne saurions le penser : la surenchère a pour but de rompre le contrat de l'acquéreur ; en surenchérissant , on s'oblige à acquérir au cas où l'enchère ne sera pas couverte : comment d'après cela , considérer la surenchère comme un acte simplement conservatoire et d'administration ? Vai-

l'art. 2185 , le tiers détenteur peut se dédire , à moins que le créancier n'ait expressément accepté les offres ou n'ait requis la surenchère (Troplong, n. 931).

nement dit-on, que la nullité résultant du défaut d'autorisation ne peut être opposée que par la femme, le mari ou ses héritiers (225) : cette objection n'est d'aucun poids, car il ne s'agit pas ici d'un contrat. Il n'y a rien non plus à conclure de ce que la femme peut prendre inscription sans être autorisée, car l'inscription n'a pas pour but de rompre un contrat fait par un tiers et d'acquérir un immeuble. — Quant à l'objection tirée de ce que la femme pourra être victime de son incapacité, si le mari se trouve dans l'impossibilité de donner son autorisation, elle n'a rien de grave, puisque la justice peut y suppléer. — Au surplus, ce qui doit lever toute espèce de doute, c'est que la femme fait évidemment, par sa surenchère, un acte judiciaire : or, de même qu'une femme ne serait pas admise, dans une expropriation forcée, à surenchérir, de même on doit lui refuser la faculté de détruire par une surenchère les droits d'un acquéreur volontaire.

La surenchère faite sans autorisation par la femme, devient valide, si le mari l'approuve, avant l'expiration du délai, par un acte ayant acquis date certaine (1).

La femme peut, avec l'autorisation de son mari ou de justice, faire une surenchère hypothécaire, lors même qu'elle est mariée sous le régime dotal (2).

Le failli, qui administre les biens de la faillite, jouit de la même faculté, lorsqu'il a obtenu le consentement des créanciers (3).

Que déciderons-nous à l'égard du mineur ou de l'interdit ? Ils ont également le droit de surenchérir ; mais ils exercent ce droit par le ministère de leur subrogé tuteur, autorisé à cet effet par une délibération du conseil de famille (2195).

Le créancier inscrit, mais non porté sur l'état, peut-il surenchérir ? *Non*, l'art. 2198 est positif à cet égard.

Les conditions de la surenchère sont nombreuses : nous verrons 1° dans quel délai on peut la requérir ; 2° à quelle somme on doit s'obliger à la faire porter ; 3° enfin, quelle est la procédure à suivre.

La réquisition doit être signifiée au nouveau propriétaire et au débiteur principal, par un huissier commis à cet effet (832, Pr.), dans les quarante jours, au plus tard, à compter de la notification prescrite par l'article 2183 ; en observant seulement, qu'on ne compte pas dans ce délai, le temps nécessaire pour faire parvenir cette notification, du domicile élu où elle a été faite, au domicile réel de chaque créancier : il est ajouté à cet effet deux jours par cinq myriamètres (dix lieues environ) ; on n'a point égard aux fractions de distance (*voy.* art. 1) (4).

Le jour où commence le délai (*dies à quo*), n'est pas compris dans le terme (5).

Nous pensons que le créancier peut faire indistinctement la notification dont il s'agit, soit au domicile que le tiers acquéreur a dû élire, aux

---

(1) Dur., n. 403 ; Troplong, n. 954. — *Cass.*, 11 avril 1824 ; S., 24, 2, 139 ; D., 24, 1, 233. ‸‸‸ La surenchère hypothécaire est une simple mesure conservatoire ; elle peut en conséquence être faite par la femme sans autorisation préalable. Il ne s'agit pas ici d'ester en jugement ; le tribunal n'a rien à juger et il s'agit d'un contrat ; ce qui rend applicables les articles 225 et 1123. D'ailleurs, d'une part, l'acheteur n'est pas fondé à se plaindre ; d'autre part, les créanciers n'éprouveront aucun préjudice ; car si la femme se fait restituer, ils pourront agir contre la caution (*Bruxelles*, 20 avril 1811 ; S., 12, 2, 42).

(2) Dur., n. 404. — *Riom*, 11 août 1824 ; S., 282, 139. — *Grenoble*, 11 juin 1825 ; S., 26, 2, 216.

(3) *Paris*, 6 avril 1812 ; S., 14, 2, 24.

(4) Delv., t. 3, p. 175, n. 8, t. 1 ; p. 10, n. 4 ; Persil., n. 10 ; Dur., n. 392. — *Gênes*, 29 août 1813 ; S., 14, 2, 272 ; *voy.* cep. Troplong, n. 933. — *Bordeaux*, 27 nov. 1829 ; S., 30, 2, 56.

(5) Dur., n. 392. — *Paris*, 27 mars 1811 ; S., 11, 2, 164.

termes de l'art. 832, Pr.; soit au domicile réel de ce dernier : si elles devaient être faites nécessairement à ce dernier domicile, le délai de quarante jours serait souvent insuffisant (1).

Ce délai court indistinctement contre les créanciers majeurs ou mineurs; car il ne s'agit pas ici d'une prescription ordinaire, mais d'un délai préfixe.

Lorsqu'il y a plusieurs créanciers inscrits, le délai court séparément pour chacun d'eux, à compter du jour de la notification qui lui a été faite : par suite, tel créancier peut être déchu du droit de surenchérir, tandis que tel autre conserve encore ce droit : la purge, en effet, est divisible.

Le délai ne se calcule pas de la même manière pour les créanciers inscrits avant ou après la transcription : à l'égard des premiers, il date du jour de la notification; mais quant aux autres, il ne peut dater de la notification, puisque l'art. 835, Pr., dispense le tiers acquéreur de leur en faire : de quelle époque court-il donc? du jour de la notification faite aux créanciers antérieurs à la transcription. Par ex. : supposons que l'acquéreur ait fait, dans le même jour, la transcription et la notification aux créanciers inscrits : le créancier négligent qui n'aura pris inscription que le quinzième jour, n'en aura que vingt-cinq pour requérir la mise aux enchères. Il pourra donc arriver, que les créanciers retardataires ne jouissent pas du délai intégral de quarante jours accordé pour surenchérir. — Si les notifications ont été faites par des actes de date différente, le délai courra contre les créanciers négligents, à compter du premier et non du dernier acte : il en serait ainsi, lors même que ces créanciers auraient fait, durant le délai de quinzaine, au nouveau propriétaire, sommation de délaisser ou de payer. — S'il n'existe pas d'autres créanciers, le délai se comptera du jour de la transcription (2).

Les créanciers sont déchus du droit de surenchérir, faute par eux d'avoir fait leurs diligences dans le délai de quarante jours, et le nouveau propriétaire devient propriétaire incommutable, pour le prix énoncé dans la notification.

Afin que l'acquéreur ne soit pas troublé par l'espoir irréfléchi que manifesteraient les créanciers, de faire monter le prix déclaré, au moyen d'enchères, la loi veut que la réquisition contienne *soumission* de porter ou de faire porter l'immeuble à un dixième, en sus du prix déclaré : cette soumission est un véritable engagement que contracte le créancier poursuivant : c'est une promesse qu'il fait judiciairement. — Du reste, il n'est pas tenu de faire un calcul arithmétique; cela deviendrait même dangereux en beaucoup de cas : par cela seul que le créancier s'oblige à faire monter le prix à un dixième en sus, sans expression de somme, il satisfait au vœu de la loi.

Aux termes de l'art. 838, Pr., la surenchère, jointe au prix porté au contrat, tient lieu d'enchère : s'il ne se présente pas de surenchérisseur, on adjuge par conséquent l'immeuble au créancier poursuivant; mais si la surenchère est couverte par d'autres enchères, le réquérant se trouve dégagé.

Cependant, il ne faut pas croire que la soumission fasse passer la propriété sur la tête du créancier : jusqu'à l'adjudication, elle continue d'appartenir à l'acquéreur (Arg. des art. 2188 et 2189 combinés; Merlin,

---

(1) Dur., n. 400. — *Cass.*, 30 mai 1810; S., 20, 1, 382.
(2) Dur., n. 394; Delv,, p. 174, n. 7.

v° Enchères). — La perte ou le dépérissement qui surviendrait dans l'intervalle, serait dès lors à sa charge (Grenier, n. 465, 469 et 470).

Le dixième doit être calculé, non-seulement sur le prix principal, mais encore, sur les accessoires, tels que pots-de-vin, épingles, rentes, etc., en un mot, sur tout ce qui est énoncé comme devant passer dans les mains du vendeur, en échange de l'héritage (1); sur le prix à distribuer aux créanciers, même sur les charges à acquitter envers un tiers. — Mais la surenchère ne porte ni sur les frais du contrats, ni sur le coût du jugement d'adjudication, ni sur les droits d'enregistrement et de transcription, ni sur le coût des notifications faites aux créanciers : ces frais doivent être remboursés par l'adjudicataire, à l'acquéreur dépossédé (2188) (*Cass.*, 26 février 1822; D., 22, 1, 243. — 3 avril 1815; S., 15, 1, 206).

L'acte de soumission doit contenir l'offre d'une caution (832, Pr.); ce qu'il ne faut pas entendre en ce sens, que le créancier soit admis à offrir vaguement une caution : il est tenu, sous peine de nullité, de désigner la personne, afin que l'on puisse prendre des renseignements sur sa solvabilité (2) : On ne peut, en effet, permettre à un créancier insolvable, de troubler impunément l'acquéreur; la loi veut que l'opération procure un avantage certain aux autres créanciers.

La caution répond non-seulement du prix porté dans le contrat, ou qui a été évalué par le nouveau propriétaire (3); mais encore du dixième en sus, résultant de la surenchère (4).

Elle doit réunir les qualités requises par les art. 2018, 2019 et 2040.

Du reste, le créancier qui ne veut pas donner de caution, ou qui ne peut en trouver, est admis à offrir un gage en nantissement suffisant, ou même à consigner une somme égale au montant du prix et des charges (2041) (5).

Il résulte d'une loi du 21 février 1827, que l'état n'est pas tenu de donner caution, lorsque ses agents font à sa requête une surenchère hypothécaire.

Aux termes de l'art. 832, Pr., l'exploit doit contenir assignation à trois jours, pour la réception de la caution : le tribunal prononce sommairement. — Cet exploit doit être signifié par un huissier que le président désigne. — Le tribunal est celui de la situation des biens.

Si la caution est rejetée, la surenchère est déclarée nulle et l'acquéreur est maintenu, à moins qu'il n'ait été fait d'autres surenchères par d'autres créanciers (833 Pr.).

Si la caution devient insolvable ou insuffisante, le créancier peut la remplacer ou offrir une caution supplémentaire.

Il est admis à présenter plusieurs cautions; mais la caution, insuffisante dans l'origine, ne peut être complétée (6).

La loi exige, comme dans quelques actes importants (*voy.* entre autres les art. 66, 216 et 218, Pr.), que l'original et les copies des divers exploits soient signés par le créancier requérant ou par son fondé de pouvoir.

---

(1) *Cass.*, 15 mai 1811; S., 11, 1, 257; 2 novembre 1813; S., 14, 1, 11, 3 avril 1815; S., 15, 1, 206; 26 février 1822; S., 22, 1, 305.

(2) Persil, n. 18. — *Cass.*, 4 avril 1826; S., 26, 1, 353; *voy.* cep. Grenier, n. 448.

(3) Troplong, n. 957; Delv., p. 369, n. 11. — *Cass.*, 10 mai 1820; D., 20, 1, 370. ʌ La loi dit seulement qu'il doit fournir caution jusqu'à concurrence du prix et des charges; par conséquent, la caution n'est pas tenue du dixième en sus (*Rennes*, 29 mai 1812; S., 13, 2, 104).

(4) Troplong, n. 957; Delv., t. 3, p. 369; Dur. — *Cass.*, 10 mai 1820; S., 20, 1, 385; *voy.* cep. *Rennes*, 29 mai 1812; D., Saisie immob., Pr., 783.

(5) Persil, n. 21; Troplong, n. 941; Merlin, Rép., *v*° Transcription, § 5, n. 9. — *Amiens*, 27 mai 1826; D., 28, 2, 28.

(6) Troplong, n. 942 et 943. — *Cass.*, 15 novembre 1821; S., 23, 1, 128. — *Cass.*, 15 mai 1822, S., 23, 1, 2.

La signification de réquisition doit être faite dans le même délai et de la même manière au vendeur, comme débiteur principal ; car l'enchère, apportant une modification au contrat de vente, doit l'exposer à un recours de la part de l'acquéreur (2192) (Grenier, n. 450).

Si plusieurs personnes avaient vendu conjointement l'immeuble, la signification dont il s'agit devrait être faite à chacune d'elles (1).

Les formalités requises par notre article, sans excepter la constitution d'avoué et la signification par un huissier commis, doivent être observées à peine de nullité de la surenchère : ces formalités sont de rigueur ; la nullité étant péremptoire, peut être opposée en tout état de cause, même en appel (2).

Mais les créanciers, même celui dont la surenchère a été annulée, sont admis à requérir de nouveau la mise aux enchères, pourvu qu'il se trouvent encore dans le délai fixé par l'art. 2185 (3).

— La surenchère doit-elle porter sur les impôts échus, mis à la charge de l'acquéreur par une clause du contrat ? ⌇⌇⌇ A. L'acquéreur paye à un créancier délégué du vendeur, au lieu de payer au vendeur lui-même (Troplong, n. 936. — Cass., 18 janvier 1825 ; S., 25, 4, 410 ; D., 25, 1, 261).

Le dixième en sus doit-il porter sur les intérêts du prix de vente qui sont dus et déclarés par l'acquéreur ? ⌇⌇⌇ A. Les intérêts sont un accessoire du prix (Troplong, n. 940 bis. — Rouen, 4 juillet 1828 ; S., 29, 2, 217 ; D., 29, 2, 181).

Le surenchérisseur peut-il remplacer la caution dont parle notre article, ou le gage en nantissement, par une hypothèque sur ses biens ? ⌇⌇⌇ N. L'hypothèque, assurément, présente une égale sûreté pour le payement ; mais elle fait naître des difficultés pour l'avenir ; puisqu'elle donne lieu à une procédure lente, difficile et dispendieuse (Troplong, n. 951. — Bourges, 15 juillet 1826 ; S., 27, 2, 61).

Peut-il offrir, comme garantie, un immeuble qui lui appartient ? ⌇⌇⌇ Une pareille offre ne donne en réalité qu'un seul débiteur dont tous les biens sont déjà soumis à la sûreté de la surenchère ; la loi veut impérieusement, dans l'intérêt du vendeur et des créanciers inscrits, qu'il y ait deux obligés (Paris, 5 mars 1831, S., 31, 2, 269 ; 26 février 1829 ; S., 29, 2, 121 ; voy. cep. Limoges, 31 août 1809 ; S., 12, 2, 195).

Le créancier, après avoir offert une caution insolvable, peut-il être admis à fournir une nouvelle caution ? ⌇⌇⌇ Une fois la caution reconnue insuffisante, la surenchère est nulle (Troplong, n. 942).

Quid, si la caution, qui était insolvable lors des offres, est devenue solvable depuis la notification ? ⌇⌇⌇ L'acte n'est pas moins nul ; c'est au moment de la présentation, que la caution doit réunir les qualités requises (Troplong, n. 945).

Le créancier qui aurait pris inscription, même avant l'aliénation de l'immeuble, pourrait-il surenchérir, si son inscription se trouvait omise dans le certificat délivré par le conservateur ? ⌇⌇⌇ N. L'article 2198 déclare formellement que l'immeuble à l'égard duquel le conservateur aurait omis une ou plusieurs des charges inscrites, en demeure affranchi ; mais ce même article permet au créancier de se faire colloquer, suivant l'ordre qui lui appartient, tant que le prix n'a pas été payé par l'acquéreur (Persil, n. 6).

Le surenchérisseur qui a présenté une caution insuffisante, peut-il y suppléer en présentant un simple certificateur de caution ? ⌇⌇⌇ N. (Persil, n, 23. — Bordeaux, 30 août 1816 ; S., 18, 2, 37 ; voy. la distinction faite par Delv., p. 174, n. 10).

Pour qu'une surenchère soit valable, faut-il qu'avec l'assignation à fin de réception de caution, le surenchérisseur donne copie de l'acte du dépôt des titres constatant la solvabilité de la caution ? ⌇⌇⌇ A. (Arg. des art. 832 et 518, Pr. ; Persil, n. 24).

L'acquéreur peut-il empêcher la surenchère, en offrant de payer toutes les créances inscrites, en principal et intérêts ? ⌇⌇⌇ A. Les créanciers inscrits sont alors tout à fait désintéressés ; ils n'ont plus de motifs pour poursuivre la surenchère : mais en ce cas l'acquéreur n'est pas admis à critiquer les créances ; il doit payer toutes celles qui sont inscrites (Troplong, n. 956. — Cass., 23 avril 1807 ; S., 7, 1, 298 ; 12 juillet 1809 ; S., 10, 1, 74).

Un créancier peut-il faire une surenchère même sur une vente à réméré, si l'acquéreur se met en mesure de purger ? ⌇⌇⌇ A. Autrement, si le vendeur laissait passer les délais prescrits pour exercer le réméré, l'acquéreur aurait l'immeuble à vil prix (Dur., n. 402. — Bourges, 26 janvier 1822 ; S., 22, 2, 236).

Une femme mariée sous le régime dotal peut-elle, avec l'autorisation de son mari, faire une surenchère hypothécaire ? ⌇⌇⌇ A. Arg. des art. 225 et 1125 (Dur., n. 404 ; — Grenoble, 11 juin 1825 ; S., 26, 2, 226). ⌇⌇⌇ N. La femme ne peut, par ses engagements, compromettre sa dot (Riom, 11 août 1824 ; S., 26, 2, 139).

2186 — A défaut, par les créanciers, d'avoir requis la mise aux enchères dans le délai et les formes prescrites, la valeur de l'immeuble demeure définitivement fixée au prix stipulé dans le contrat, ou déclaré par le nouveau propriétaire, le-

(1) Grenier, n. 450 ; Dur., n. 401. — Cass., 4 août 1813 ; S., 13, 1, 443.

(2) Riom, 26 mai 1828 ; S., 29, 2, 6.

(3) Merlin, Rép., v° Surenchère, § 8 ; Troplong, n. 760, Grenier, n. 451.

quel est, en conséquence, libéré de tout privilége et hypothèque, en payant ledit prix aux créanciers qui seront en
ordre de recevoir, ou en le consignant.

= Faute par les créanciers, d'avoir requis valablement, dans les
quarante jours, la mise aux enchères, l'acquéreur demeure propriétaire
incommutable, à charge toutefois de payer ou de consigner (1) le prix
stipulé dans le contrat, si c'est une vente; ou par lui déclaré, si c'est une
donation. — S'il ne se dessaisit pas de la somme offerte, l'immeuble demeure grevé d'hypothèques : le payement effectif est la condition suspensive du purgement.

Toutefois, les créanciers cesseraient d'avoir l'immeuble pour gage, s'ils
négligeaient de renouveler leurs inscriptions, encore qu'ils conservassent
l'acquéreur pour obligé personnellement (Persil; *voy.* cep. Grenier,
n. 462).

— Ces mots de notre article : *aux créanciers qui seront en ordre de recevoir*, ont fait naître de
graves difficultés : d'abord , par quel moyen assurera-t-on la conservation des créances conditionnelles ?
ⵡ On colloquera ces créances pour mémoire, et le prix de l'immeuble sera délivré aux créanciers
postérieurs, lesquels devront donner bonne et suffisante caution , pour assurer la restitution de ce qui
sera dû, au cas où la condition se réalisera; s'il n'y a point de créanciers postérieurs, les fonds
seront laissés entre les mains de l'acquéreur, sauf à lui à consigner, s'il le préfère (Troplong, n. 959
ter; Persil, n. 8 ; Dur., n. 383).

Quid à l'égard des crédits rentiers? ⵡ Si la rente est perpétuelle, la vente volontaire, suivie de
purgement, rend le capital exigible (2184); pas de difficulté à cet égard : mais comment procédera-t-on
si la rente est viagère? ⵡ Cela devient plus embarrassant ; car, aux termes de l'art. 1978. ces sortes de
rentes ne peuvent être remboursées : on doit colloquer pour mémoire le rentier viager, et abandonner
aux créanciers postérieurs un capital suffisant pour produire les arrérages annuels de la rente, sauf à
eux à donner bonne et suffisante caution, ou à faire un emploi qui garantisse le payement des arrérages, et cela sans égard à l'âge de la personne sur la tête de laquelle la rente est constituée (Dur.,
n. 382 ; Troplong , n. 959, 4°).

Comment procédera-t-on si le prix de l'immeuble est inférieur au capital nécessaire pour que la rente
soit desservie? ⵡ Les créanciers ne fourniront les sûretés que jusqu'à concurrence de ce qu'ils recevront; et ce sera seulement dans la proportion de ce qu'ils auront perçu qu'ils acquitteront annuellement la rente (Grenier, t. 1, n. 186 ; Troplong, *ibid.*).

J'ai une créance conditionnelle sur les fonds *a* , *b* et *c*; on me colloque pour mémoire dans l'ordre
sur le prix de l'immeuble *a* ; pourrai-je me faire colloquer provisoirement sur les immeubles *b* et *c* ?
ⵡ *A.* (Troplong , n. 959, 4°; Grenier, n. 15, sur l'article 2166).

Quid, si j'ai été colloqué, partie sur l'immeuble *a* , et partie sur l'immeuble *b* ? pourrai-je ensuite
me faire colloquer pour le tout sur le prix de l'immeuble *c* ?ⵡ*A.* (Troplong, *ibid.* ; *voy.* cep. Persil,
art. 2114, n. 6; Grenier, t. 1, p. 394).

Les créanciers qui ont laissé passer les délais de la surenchère , sont-ils recevables à attaquer la vente,
pour simulation dans la quotité du prix? ⵡ *A.* L'extinction du droit de suite, ne peut empêcher les
créanciers, d'user de la faculté que leur donne l'art. 1167, pour faire tomber les actes faits en fraude de
leurs droits (Troplong, n. 957).

Les créanciers chirographaires pourraient-ils critiquer le prix de la vente, quand bien même les
créanciers hypothécaires se seraient abstenus de surenchérir? ⵡ *A.* (Troplong, n. 958).

Mais dans le cas où les créanciers usent du bénéfice de l'art. 1167, en attaquant la vente pour cause de
simulation du prix, les créanciers hypothécaires doivent-ils être désintéressés avant que les créanciers
chirographaires puissent faire aucun prélèvement, ou viennent-ils concurremment? ⵡ Le prix de la
vente appartient, par une délégation virtuelle , aux créanciers inscrits (Troplong, n. 958).

La consignation peut-elle avoir lieu, lorsqu'il se trouve, parmi les créanciers du mineur, des interdits ou des femmes mariées? ⵡ *A.* La loi ne distingue pas (Persil, n. 2; Troplong, n. 993).

L'acquéreur doit-il appeler à la consignation soit les créanciers inscrits , soit le vendeur?ⵡ*A.* Arg.
de l'art. 693, Pr. (Persil, n. 4; Troplong, n..958, 4°; *voy.* cep. Grenier, t. 2, n. 463).

2187—En cas de revente sur enchères, elle aura lieu suivant les formes établies pour les expropriations forcées (2),
à la diligence soit du créancier qui l'aura requise, soit du
nouveau propriétaire.

(1) Il est impossible d'observer ici les règles de la consignation ordinaire : l'acquéreur ne peut faire
d'offres, puisque le montant réel de chaque créance lui est inconnu ; il doit consigner au compte de la
masse, sauf ensuite à lui à notifier le dépôt à chacun des créanciers; car il importe de leur faire savoir
que le cours des intérêts est interrompu.

(2) Il ne faut pas croire, cependant, que toutes les règles de l'expropriation forcée doivent être
rigoureusement observées : ainsi, le tiers acquéreur peut lui-même surenchérir puisqu'il n'est pas

Le poursuivant énoncera dans les affiches le prix stipulé dans le contrat, ou déclaré, et la somme en sus à laquelle le créancier s'est obligé de la porter ou faire porter.

= Le créancier surenchérisseur doit provoquer de nouvelles enchères; c'est-à-dire, poursuivre la vente publique, conformément à ce qui est prescrit pour les expropriations forcées, à partir de l'apposition des affiches inclusivement (*voy.* 836 et suivants, Pr.).

Les poursuites peuvent avoir lieu non-seulement à la requête de ce créancier, mais encore à la requête du nouvel acquéreur, toujours intéressé à sortir d'incertitude.

Jusqu'au moment de la revente, la propriété de l'immeuble réside sur la tête du tiers détenteur : il peut même, en payant, ou en consignant le montant de toutes les créances inscrites, ainsi que les frais de surenchère, arrêter les poursuites : bien plus, si elles n'absorbent pas la totalité le prix de l'adjudication, cet excédant doit lui être remis.

— Si les poursuites n'étaient exercées ni par le créancier qui a requis la mise aux enchères, ni par le tiers acquéreur, que pourraient faire les autres créanciers? ∿ Ils pourraient demander la subrogation. — Arg. des art. 2190, C. c., et 722, Pr. (Persil, n. 2 ; Grenier, n. 466).

Si une propriété sise par ex., à Melun, était vendue aux criées de Paris, devant quel tribunal devrait-on porter la surenchère? ∿ Toujours devant celui de la situation (Persil, n. 4).

2188 — L'adjudicataire est tenu, au delà du prix de son adjudication, de restituer à l'acquéreur ou au donataire dépossédé les frais et loyaux coûts de son contrat, ceux de la transcription sur les registres du conservateur, ceux de notification, et ceux faits par lui pour parvenir à la revente.

= S'il est juste, que l'acquéreur dépouillé par la surenchère, soit indemnisé de tous les débours qu'il a dû faire, tant pour acquérir que pour consolider sa propriété, il n'importe pas moins que les créanciers puissent jouir de la surenchère du dixième en sus ; or, cela n'aurait pas lieu, si les frais et loyaux coûts devaient être déduits sur le prix ; car le dixième pourrait se trouver alors absorbé : la loi établit, en conséquence, que l'adjudicataire, outre le montant de son enchère (qui appartient aux créanciers inscrits), doit rembourser à l'acquéreur dépossédé, les frais et loyaux coûts de son contrat, ceux de transcription, de notification, en un mot qu'il doit le rendre complétement indemne.

Quid si l'acquéreur a fait des améliorations? L'adjudicataire doit l'indemniser, jusqu'à concurrence de la plus-value (Persil, n. 3; Delv., p. 176, n. 9 ; Grenier, n. 471). — *Quid* si les impenses sont nécessaires? Il doit lui rembourser le montant intégral de ces impenses.

Vice versâ, le premier acquéreur doit tenir compte des détériorations qui proviennent de son fait (Arg. de l'art. 2175).

— Peut-on valablement stipuler dans le cahier des charges, que le montant des frais a rembourser au premier acquéreur sera imputé sur le montant de l'adjudication? ∿ *A.* La loi des parties est dans le cahier des charges (Persil, n. 2).

exproprié.—Le cahier des charges se trouve naturellement remplacé par l'acte d'aliénation (838 Pr.);— la revente n'admet pas la surenchère du quart dont il est question dans l'art. 710 Pr. : cette surenchère se rapporte exclusivement a la saisie immobilière proprement dite, — Si l'aliénation est à titre gratuit, on joint à l'acte de donation l'estimation faite par le donateur ; — mais alors a quel moment la procédure en expropriation forcée se rejoint-elle a la procédure qu'on a dû suivre pour les offres et pour la surenchère? A l'apposition des placards : les placards doivent contenir les énonciations, déterminées par notre article.

2189 — L'acquéreur ou le donataire qui conserve l'immeuble mis aux enchères, en se rendant dernier enchérisseur, n'est pas tenu de faire transcrire le jugement d'adjudication (1).

= La loi dispense l'acquéreur ou le donataire qui s'est rendu adjudicataire, de faire transcrire le jugement d'adjudication; car ce jugement n'a d'autre effet que celui de confirmer le premier titre : or le droit de propriété émane toujours de la précédente acquisition.

Néanmoins, il est hors de doute, que le conservateur doit exiger un supplément de droits pour l'excédant du prix provenant de la surenchère.

Cette disposition est-elle exceptionnelle ? tout autre que l'acquéreur ou le donataire, qui se rend adjudicataire par suite de surenchère, doit-il faire transcrire le jugement d'adjudication ? Nous ne pensons pas que la loi prétende lui imposer cette obligation : « Quelle serait en effet l'utilité de » cette transcription ? De parvenir au purgement des hypothèques ? Elles » sont purgées par le jugement d'adjudication; la transcription serait un » pléonasme inutile et dispendieux, à la suite d'une procédure où l'on a » épuisé tous les moyens de publicité. On ne peut expliquer l'art. 2189, » qu'en disant qu'il y a disparate dans les dispositions de la loi : sans cela, » cet article serait inintelligible. » (Troplong, n. 965) (2).

Si le payement des créances hypothécaires n'absorbe pas le prix de l'adjudication, que devient l'excédant ? Ce prix appartient au premier acquéreur, puisqu'il a conservé la propriété jusqu'à l'adjudication, puisqu'il a été propriétaire sous une condition résolutoire.

2190 — Le désistement du créancier requérant la mise aux enchères, ne peut, même quand le créancier payerait le montant de la soumission, empêcher l'adjudication publique, si ce n'est du consentement exprès de tous les autres créanciers hypothécaires.

= La surenchère faite, les autres créanciers en attendent le résultat : un droit leur est acquis. Le surenchérisseur ne pourrait même, en payant le dixième en sus du prix (3), empêcher l'adjudication de l'immeuble, si ce n'est du consentement de tous les créanciers (4); car il a fait un acte commun à tous. Les autres créanciers, voyant une surenchère faite, ont pu s'abstenir de surenchérir eux-mêmes, pour ne pas

---

(1) Dur., n. 409; voy. cep. Troplong. n. 963 et 965; Grenier, n. 472; Delv., p. 176, n. 8.

(2) En effet, l'acheteur ou le donataire dépossédé ayant été obligé lui-même de faire transcrire pour purger, les créanciers du vendeur ou du donateur ont été suffisamment avertis; l'adjudicataire doit être réputé avoir acquis sur la foi d'un jugement, qui l'obligeait seulement à faire raison de son prix aux créanciers alors utilement inscrits. — L'art 834, Pr., dont on invoque la disposition pour l'opinion contraire, se trouve placé sous la rubrique de la surenchère sur aliénation volontaire—a l'époque de l'émission du Code civil, la loi du 11 brumaire an VII était en vigueur : l'art. 22 portait que l'adjudication devait être transcrite à la diligence de l'adjudicataire dans le mois de sa prononciation; après l'expiration d'un mois, les créanciers non remboursés avaient la faculté de faire procéder contre l'adjudicataire et à sa folle enchère, à la revente et adjudication des biens : si cette disposition eût été conservée, elle aurait été en parfaite harmonie avec le texte de notre article; mais elle ne se trouve pas dans le Code de procédure : l'art. 2189 est donc tout à fait inutile (Pothier, Hyp., chap. 2, sect. 3 ; Merlin, v° Transcription, § 6, n. 3; Hyp., opp. aux criées, § 3). ⋙ L'adjudication sur surenchère hypothécaire, doit être assimilée à une vente ordinaire : — L'acquisition est comme résolue, par l'effet de l'adjudication. — La transcription faite par l'acquéreur, est dès lors, à l'égard de l'adjudicataire, res inter alios acta. — Arg. de l'art. 834, Pr. (Dur., n. 356 et 357; Persil, n. 23 et 24; Delv., p. 173, n. 1; Grenier, n. 366 et 472.— Paris. 3 avril 1812; S., 14, 2, 41).

Quid, en cas d'adjudication sur saisie immobilière ? (Voy. p. 785, note.)

(3) Grenier, n. 470; Troplong, n. 962, 83.

(4) Cass., 31 mai 1831; D., 31, 1, 207.

multiplier les frais : ce serait les exposer à devenir victimes d'une collusion avec le tiers détenteur, que d'autoriser le surenchérisseur à se désister, au moment peut-être où les délais de la surenchère seraient sur le point d'expirer.

Si la surenchère est déclarée nulle, les autres créanciers ont le droit de faire une nouvelle enchère, en observant les formalités prescrites par l'art. 2185.

Plusieurs surenchères peuvent se trouver en concours, car il peut arriver que les créanciers ne se soient pas entendus.

— Si le jugement qui prononce la nullité de l'enchère était le fruit de la collusion, quelle voie pourraient prendre les créanciers pour l'attaquer ? ⁓ Ils devraient former tierce opposition et démontrer la collusion (Persil, n. 3).

Si le créancier surenchérisseur avait été personnellement désintéressé par l'acquéreur pourrait-il refuser de se désister de la surenchère. ⁓ N. Ce créancier n'aurait plus d'intérêt à poursuivre la surenchère (Persil, n. 4).

2191 — L'acquéreur qui se sera rendu adjudicataire aura son recours tel que de droit contre le vendeur, pour le remboursement de ce qui excède le prix stipulé par son titre, et pour l'intérêt de cet excédant, à compter du jour de chaque payement.

⸗ Le prix a été irrévocablement fixé entre le vendeur et l'acquéreur au moment du contrat : si ce dernier, pour consolider sa propriété, se trouve forcé de payer aux créanciers un supplément de prix, il est juste de lui accorder un recours contre le vendeur (1) (*voy.* cep. les distinctions faites par Grenier, n. 468).

La loi accorde ce recours, même pour les intérêts du supplément de prix, mais seulement, à *compter du jour de chaque payement.*

Bien que notre article ne parle que de l'excédant du *prix stipulé*, il n'est pas douteux que le donataire ou le légataire aurait également un recours contre le donateur ou contre les héritiers du testateur, pour ce qu'il aurait payé aux créanciers personnels du disposant ; car dans l'un et l'autre cas, il serait subrogé au droits de ces créanciers. Toutefois, en ce qui concerne le donateur, cette règle n'est vraie, qu'autant qu'il se trouve lié par une obligation personnelle : s'il était seulement tenu hypothécairement, le donataire n'aurait point de recours contre lui : il répond de ses faits personnels, mais jamais du fait d'un tiers : le principe que le donateur n'est point sujet à l'action en garantie, de la part du donataire (2), reprendrait alors son empire.

La loi garde également le silence sur les frais de la revente : devons-nous conclure de là, que l'acquéreur adjudicataire est privé de recours contre son vendeur à raison de ces frais ? *Oui*, si l'acquéreur a purgé avant l'exigibilité de la dette : *secùs*, si les dettes étaient exigibles ; car le vendeur, en ne remplissant pas ses obligations, aurait occasionné les frais dont il s'agit. (Dur. n. 411).

— Après le payement des créances hypothécaires, s'il reste encore quelques sommes, l'acquéreur peut-il les retenir, pour les appliquer au payement de l'augmentation du prix, et se faire payer ainsi par préférence aux créanciers chirographaires du vendeur ? ⁓ A. La surenchère est étrangère aux créanciers chirographaires (Persil, n. 5).

L'acquéreur évincé peut-il se faire indemniser de la plus-value que le fonds a acquise depuis la vente ; *putá* par accroissement ? ⁓ A. (Troplong, n 967).

---

(1) Il est évident qu'il ne peut venir, pour ce supplément, en concours avec les autres créanciers, car la surenchère est toute dans l'intérêt de ces derniers.

(2) Dur., n. 411; Troplong, n. 969; Delv., p. 176, n. 7; Grenier, Don., t. 1ᵉʳ, n. 17.

2192 — Dans le cas où le titre du nouveau propriétaire comprendrait des immeubles et des meubles, ou plusieurs immeubles, les uns hypothéqués, les autres non hypothéqués, situés dans le même ou dans divers arrondissements de bureaux, aliénés pour un seul et même prix, ou pour des prix distincts et séparés, soumis ou non à la même exploitation, le prix de chaque immeuble frappé d'inscriptions particulières et séparées, sera déclaré dans la notification du nouveau propriétaire, par ventilation, s'il y a lieu, du prix total exprimé dans le titre.

Le créancier surenchérisseur ne pourra, en aucun cas, être contraint d'étendre sa soumission ni sur le mobilier, ni sur d'autres immeubles que ceux qui sont hypothéqués à sa créance et situés dans le même arrondissement; sauf le recours du nouveau propriétaire contre ses auteurs, pour l'indemnité du dommage qu'il éprouverait, soit de la division des objets de son acquisition, soit de celle des exploitations.

⸗ On suppose, dans cet article, que l'aliénation comprend plusieurs immeubles grevés d'hypothèques spéciales : si l'hypothèque affectait tous les immeubles, la ventilation ne serait pas nécessaire.

Pour bien entendre cette disposition, il faut distinguer trois cas : l'aliénation comprend des meubles et des immeubles : — elle comprend plusieurs immeubles, les uns hypothéqués, les autres non hypothéqués : — tous les immeubles sont hypothéqués, mais ils sont situés dans divers arrondissements.

Dans les premier et deuxième cas, le débiteur doit, sous peine de nullité de la notification (Delv., p. 175, n. 5 ; Grenier, n. 456), déclarer par *ventilation*, c'est-à-dire, comparativement au prix total, la somme pour laquelle l'immeuble a pu entrer dans l'aliénation : en effet, peu importe aux créanciers, de connaître le prix et la valeur des objets non soumis à leur hypothèque, puisque ce prix ne doit pas être versé dans leurs mains, puisque le créancier qui veut surenchérir ne doit faire porter sa surenchère que sur les immeubles qui lui sont spécialement affectés.

Dans le troisième cas, l'acquéreur est toujours tenu de faire connaître le prix total de la vente, ou la valeur de chaque immeuble pris séparément, s'ils sont frappés d'inscriptions particulières.

Le créancier surenchérisseur ne peut être contraint d'étendre sa soumission sur le mobilier, sur des immeubles autres que ceux qui sont hypothéqués à la créance, ou qui sont situés dans des arrondissements autres que celui devant lequel il poursuit l'adjudication.

Quid, si c'est le même immeuble qui se trouve situé dans plusieurs arrondissements ? Les créanciers doivent surenchérir sur tout l'immeuble, et porter leur action devant le tribunal du chef-lieu de l'exploitation (Persil, n. 1).

Remarquons surtout, ces mots de notre article, *ne peut être contraint :* le créancier surenchérisseur a donc la faculté de faire porter la surenchère sur la totalité des objets compris dans l'acte d'aliénation : toutefois, lorsque les immeubles se trouvent situés dans divers arrondissements, il doit diviser ses poursuites, et faire autant de procédures en purgement, qu'il y a d'arrondissements divers.

Du reste, la loi réserve toujours à l'acquéreur son recours en indemnité contre ses auteurs.

— Le vendeur peut-il contester la ventilation? ⟋⟍ *A.* Il est intéressé à ce qu'on délègue à ses créanciers le véritable prix résultant du contrat (Troplong, n. 973 ; *voy.* cependant Delv., p. 175, n. 5).

Quid, à l'égard des créanciers? ⟋⟍ Ils ont le même droit (Troplong, *ibid.*).

L'acquéreur est-il obligé de se contenter de l'indemnité que la dernière partie de notre article l'autorise à réclamer? peut-il faire résilier la vente? ⟋⟍ *Oui*, s'il a acheté sans connaître les hypothèques, lorsqu'il est évident qu'il n'aurait pas fait cette acquisition s'il les eût connues (Persil, n. 3).

Le défaut de ventilation, dans l'exploit de notification, annule-t-il la notification, et par suite le purgement? ⟋⟍ *A.* La déclaration du prix est indispensable pour mettre le créancier hypothécaire à même de surenchérir (Delv., p. 175, n. 5 ; Grenier, n. 456).

CHAPITRE IX.

Du mode de purger les hypothèques, quand il n'existe pas d'inscriptions sur les biens des maris et des tuteurs (1).

Les formes à suivre pour purger les hypothèques légales qui grèvent les biens des maris ou des tuteurs varient selon qu'il existe ou qu'il n'existe pas d'inscriptions.

Au premier cas, on observe les règles établies pour purger les hypothèques ordinaires (*voy.* chap. 8) ; au deuxième cas, il faut suivre le mode spécial établi dans le chapitre qui va nous occuper.

Il n'est point inutile de rappeler ici, que suivant les principes du Code, les hypothèques s'éteignaient lorsqu'elles n'étaient pas inscrites au moment de l'aliénation de l'immeuble affecté.

Qu'une exception avait été admise en faveur des femmes, des mineurs et des interdits.

Que l'art. 834, Pr., a rendu le droit de suite indépendant de l'inscription.

Que, dans l'état actuel de la législation, les créanciers ne sont tenus de prendre inscription, qu'autant que le tiers acquéreur a fait transcrire son contrat.

Qu'un délai de quinzaine, à partir de la transcription, leur est accordé à cet effet (1).

Mais que les règles spéciales établies dans le chap. 9, en ce qui concerne les hypothèques légales non inscrites, des femmes, des mineurs et des interdits, restent en vigueur.

Quelles sont ces règles?

Une copie, dûment collationnée, de l'acte translatif de propriété, doit être déposée au greffe du tribunal du lieu de la situation des biens.

Ce dépôt doit être notifié tant à la femme ou au subrogé tuteur, qu'au procureur du roi près ledit tribunal.

Extrait de l'acte translatif de propriété est et demeure affiché pendant deux mois dans l'auditoire du tribunal.

Pendant ces délais, les hypothèques dont il s'agit peuvent être inscrites ;

(1) Les auteurs du Code ont emprunté à l'édit de juin 1771 le dépôt au greffe d'une copie de l'acte translatif de propriété, et l'affiche dans l'auditoire du tribunal. Sur la proposition du tribunal, ils ont ajouté à ces deux formalités la notification d'un extrait de l'acte, à la femme, au subrogé tuteur et au procureur du roi.

S'il n'a pas été pris d'inscription, dans le cours des deux mois, l'immeuble passe à l'acquérenr libre de ces hypothèques.

Si des inscriptions ont été prises, leur effet remonte au jour où l'hypothèque a été acquise.

2193 — Pourront les acquéreurs d'immeubles appartenant à des maris ou à des tuteurs, lorsqu'il n'existera pas d'inscription sur lesdits immeubles à raison de la gestion du tuteur, ou des dot, reprises et conventions matrimoniales de la femme, purger les hypothèques qui existeraient sur les biens par eux acquis (1).

= Lorsqu'il existe à la fois, au moment de la transcription, des inscriptions d'hypothèques ordinaires, et une hypothèque légale non inscrite, l'acquéreur ne peut se borner à purger l'hypothèque légale : il doit en outre observer les formes prescrites pour la purge des hypothèques ordinaires ; car le dépôt du contrat au greffe et l'affiche de l'extrait du titre dans l'auditoire du tribunal ne saurait pas plus suffire pour faire connaître légalement les démarches de l'acquéreur et des créanciers qui ont dû compter sur une notification, que la seule purge des hypothèques ordinaires ne saurait opérer celle de la femme ou du mineur : les deux purges doivent marcher de frout ; il faut observer les conditions et formalités particulières à chacune d'elles.

2194 — A cet effet, ils déposeront copie dûment collationnée du contrat translatif de propriété au greffe du tribunal civil du lieu de la situation des biens, et ils certifieront par acte signifié, tant à la femme ou au subrogé tuteur, qu'au procureur du roi près le tribunal, le dépôt qu'ils auront fait. Extrait de ce contrat, contenant sa date, les noms, prénoms, professions et domiciles des contractants, la désignation de la nature et de la situation des biens, le prix et les autres charges de la vente, sera et restera affiché pendant deux mois dans l'auditoire du tribunal ; pendant lequel temps, les femmes, les maris, tuteurs, subrogés tuteurs, mineurs, interdits, parents ou amis, et le procureur du roi, seront reçus à requérir s'il y a lieu, et à faire faire au bureau du conservateur des hypothèques, des inscriptions sur

---

(1) On pourrait conclure, de la manière dont est conçu cet article, que s'il existe des inscriptions, l'acquéreur ne peut purger : la loi veut dire *qu'on ne peut purger dans la forme ordinaire, lorsqu'il n'existe pas d'inscription.*

Suivant nous, l'expropriation forcée purge par elle-même les hypothèques légales dont il s'agit comme les hypothèques ordinaires, quand elles ne sont pas inscrites lors du jugement d'adjudication : il suffit de lire les articles 2193 et 2194 pour se convaincre qu'ils ne statuent que sur le cas d'aliénation volontaire. Les formes requises par ces articles, ont pour but de porter l'aliénation à la connaissance des tiers intéressés à requérir inscription ; or l'expropriation forcée reçoit une publicité suffisante.—Arg. des art. 750, 753, 772, 775 et 776, Pr.; (Locré, Leg., t. 22, p. 490, n. 104; Grenier, n. 490; Troplong, n. 996: Persil, n. 21, — *Cass.*, 27 novembre 1811 ; S., 12, 1, 171 ; 21 novembre 1821 ; S., 22, 1, 214 ; 30 août 1825 ; S., 26, 1, 85 ; 11 août 1829 ; S., 29, 1, 341 ; 22 juin 1833 ; S., 33, 1, 449 ; 27 avril 1833 ; S., 33, 1; 742; *voy.* cep. Dur., n. 357 et 358; Delv., t. 3, p. 177. — *Cass.*, 30 juillet 1834 ; S., 34, 1, 625 ; 26 mai 1836 ; S., 36, 1, 775.) Mais ne perdons pas de vue, que le droit de préférence est indépendant du droit de suite, et qu'on peut le faire valoir à l'ordre ouvert pour la distribution du prix, bien qu'il n'ait pas été pris d'inscription avant l'adjudication (Delv., t. 3, p. 178; Persil, n. 3, art. 2195; Troplong, n. 284 et suiv. — *Toulouse,* 6 décembre 1824 ; S., 26, 2, 106. — *Bordeaux,* 31 juillet 1826 ; S., 27, 2, 9. — *Paris,* 10 août 1831 ; S., 31, 2, 289; *voy.* cep. Grenier. t. 2, p. 490. — *Cass.*, 18 juillet 1831 ; S., 31, 1, 301.

l'immeuble aliéné, qui auront le même effet que si elles avaient été prises le jour du contrat de mariage (1), ou le jour de l'entrée en gestion du tuteur (2) ; sans préjudice des poursuites qui pourraient avoir lieu contre les maris et les tuteurs, ainsi qu'il a été dit ci-dessus, pour hypothèques par eux consenties au profit de tierces personnes sans leur avoir déclaré que les immeubles étaient déjà grevés d'hypothèques, en raison du mariage ou de la tutelle.

== En permettant à l'acquéreur de purger les hypothèques légales qui peuvent exister sur l'immeuble, il importait de prendre des mesures pour mettre les femmes et les mineurs à l'abri de toute surprise : or, le seul moyen d'y parvenir, était de donner à l'acte translatif de propriété la plus grande publicité : cet article nous fait connaître les mesures qu'il faut employer pour atteindre ce but.

Le tiers acquéreur doit déposer copie de son contrat, au greffe du tribunal civil de la situation des biens : cette copie est dûment collationnée par le greffier ; le greffier dresse l'acte de dépôt ; cet acte est signifié à la femme en personne (3), s'il s'agit d'immeubles appartenant au mari ; au subrogé tuteur, si l'immeuble appartenait à un tuteur ; et, dans tous les cas, au procureur du roi, protecteur des femmes et des mineurs, afin qu'il puisse prendre inscription.

Si la femme, ses représentants ou le subrogé tuteur sont inconnus, l'acquéreur doit, dans la signification faite au procureur du roi, déclarer que lesdites personnes n'étant pas connues, la notification prescrite par l'article 2194, sera publiée dans la forme prescrite par l'article 683, Pr., et la publier en effet dans cette forme ; s'il n'y a·pas de journal dans le département, l'acquéreur doit se faire délivrer, par le procureur du roi, un certificat constatant qu'il n'en existe pas : le délai de deux mois fixé par l'art. 2194, ne commence alors à courir que du jour de la délivrance de ce certificat, ou du jour de la publication faite conformément à l'art. 683, Pr. (4).

Indépendamment du dépôt au greffe, un extrait du contrat, contenant les indications les plus nécessaires, reste affiché pendant deux mois dans l'auditoire du tribunal, afin d'avertir tous les ayants-droit de prendre inscription (2137, 2138, 2139).

A l'expiration de ce délai, le greffier dresse, pour sa décharge, un nouvel acte, constatant que le contrat est resté affiché pendant le temps prescrit (24 vend. et 14 nivôse an 12, déc. minist.).

S'il n'a pas été pris d'inscription, les immeubles passent libres de ces hypothèques au nouveau propriétaire. — Si des inscriptions ont été prises, l'hypothèque de la femme prend la date, non du *contrat de mariage*, comme le dit improprement notre article, mais celle que lui assigne l'article 2135, suivant les distinctions établies dans ce dernier article. —Lorsqu'il s'agit de la tutelle, l'hypothèque date de l'entrée en gestion.— Sans préjudice, bien entendu, des peines prononcées contre le mari ou le tuteur qui se seraient rendus coupables de stellionat (*voy.* art. 2136).

---

(1) Rédaction inexacte. — Souvenir de l'ancien droit, qui faisait remonter l'hypothèque à l'acte notarié.
(2) C'est-à-dire du jour de l'acceptation de la tutelle (roy. art. 2135).
(3) Et non à la personne du mari ; car le mari est ici en opposition d'intérêt avec la femme ; il est en état de suspicion légitime. (*Paris*, 25 février 1819 ; S., 12, 2, 273).
(4) Avis du conseil d'État du 9 mai et 10 juin 1807.

Il est à remarquer, que notre article ne dit pas un mot de la transcription : aussi, pense-t-on généralement qu'elle n'est pas de rigueur.

— L'acquéreur doit-il faire une notification semblable à celle qui est prescrite par l'article 2193 du Code civil ? ⁓ N. La loi ne l'exige pas : les mineurs et les femmes sont suffisamment avertis (Troplong, n. 981; Grenier, n. 457; *voy.* cependant Pigeau, t. 2, p. 442, n. 7).

2195 — Si, dans le cours des deux mois (1) de l'exposition du contrat, il n'a pas été fait d'inscription du chef des femmes, mineurs ou interdits, sur les immeubles vendus, ils passent à l'acquéreur sans aucune charge, à raison des dot, reprises et conventions matrimoniales de la femme, ou de la gestion du tuteur, et sauf le recours, s'il y a lieu, contre le mari et le tuteur.

S'il a été pris des inscriptions du chef desdites femmes, mineurs ou interdits, et s'il existe des créanciers antérieurs qui absorbent le prix en totalité ou en partie, l'acquéreur est libéré du prix ou de la portion du prix par lui payée aux créanciers placés en ordre utile; et les inscriptions du chef des femmes, mineurs ou interdits, seront rayées, ou en totalité, ou jusqu'à due concurrence.

Si les inscriptions du chef des femmes, mineurs ou interdits, sont les plus anciennes, l'acquéreur ne pourra faire aucun payement du prix au préjudice desdites inscriptions, qui auront toujours, ainsi qu'il a été dit ci-dessus, la date du contrat de mariage, ou de l'entrée en gestion du tuteur, et, dans ce cas, les inscriptions des autres créanciers qui ne viennent pas en ordre utile seront rayées.

═Cet article prévoit trois cas : — Il n'a pas été pris d'inscription dans les deux mois. — Des inscriptions ont été prises, mais le prix est absorbé par des créanciers antérieurs. — Les inscriptions prises du chef de la femme ou du mineur sont les plus anciennes.

Le défaut d'inscription dans le délai de deux mois, fait passer l'immeuble à l'acquéreur, libre des hypothèques légales non inscrites : la loi réserve seulement un recours contre le mari ou le tuteur s'il y a lieu (2). — En cas d'insolvabilité du tuteur, les mineurs ou interdits peuvent agir contre le subrogé tuteur (2137).

Mais l'hypothèque est-elle également éteinte à l'égard des créanciers, de telle sorte que la femme ou le mineur ne puissent se faire colloquer sur le prix ? L'inscription est requise dans l'intérêt du tiers détenteur seul, pour

(1) Il est bizarre d'accorder deux mois à la femme et au mineur pour s'inscrire, alors que les créanciers ordinaires sont déchus du droit de surenchérir après l'expiration de quarante jours, car ces créanciers pourront se trouver primés sans avoir la faculté de surenchérir. — Autre bizarrerie : si la femme ou le mineur se sont inscrits avant que les notifications dont parle notre art. 2194 aient eu lieu, ils se trouveront forcés de surenchérir dans le délai de quarante jours, comme tous autres créanciers.
(2) Recours bien illusoire, puisque le mari et le tuteur seront insolvables. — Ce recours se confond avec l'action personnelle de tutelle et l'action *rei uxoriæ.*

libérer la propriété des charges hypothécaires qui la grèvent : les créanciers ne peuvent se prévaloir de l'omission de cette formalité ; à leur égard, l'hypothèque dont il s'agit est indépendante de l'inscription ; elle conserve au mineur, à l'interdit ou à la femme, un droit de préférence sur le prix, jusqu'à l'homologation de l'ordre (Arg. de l'article 2195) (1).

Si des inscriptions ont été prises du chef de la femme ou du mineur, on distingue (2) :

Lorsqu'il existe des créanciers antérieurs au mariage ou à la tutelle, l'acquéreur se libère en payant entre leurs mains : s'ils reçoivent la totalité du prix, l'hypothèque légale est entièrement effacée ; si le prix n'est absorbé qu'en partie, elle continue d'affecter l'immeuble pour l'excédant.

Quid si l'immeuble a été transféré pour un prix inférieur à sa valeur réelle : le mineur et la femme ont-ils, comme les autres, le droit de surenchérir ? L'affirmative est généralement décidée : la faveur qu'on leur accorde ne doit pas leur devenir préjudiciable ; ils doivent jouir des mêmes prérogatives que les autres créanciers.

Seulement, ainsi que nous l'avons dit sous l'art. 2185, la femme doit être dûment autorisée, et le mineur doit être représenté par son subrogé tuteur autorisé par une délibération du conseil de famille.

L'action appartient au subrogé-tuteur, parce qu'ici les intérêts du mineur ou de l'interdit sont en opposition avec ceux du tuteur : en effet, il importe à ce dernier qu'il n'y ait pas de surenchère, car l'éviction pourra donner lieu à une action en garantie contre lui.

L'autorisation nécessaire à la femme, peut être valablement donnée par le mari, attendu qu'elle n'est requise que pour la validité de la procédure.

Mais dans quel délai la femme et le subrogé-tuteur sont-ils tenus de surenchérir ? Dans les deux mois (3) que la loi leur accorde pour prendre inscription, sans que ce délai soit suspendu par la minorité ou le mariage ; car en prolongeant l'incertitude du tiers acquéreur, on nuirait à la société. D'ailleurs, si le mineur et la femme mariée sont privés de leur hypothèque, faute par eux d'avoir pris inscription dans les deux mois, à plus forte raison doivent-ils être privés de la faculté de surenchérir (4).

Si les hypothèques légales de la femme ou du mineur sont les plus anciennes, en d'autres termes, si elles ne sont pas primées par des hypothèques antérieures au mariage ou à l'entrée en gestion, l'acquéreur *ne peut faire aucun payement à leur préjudice.*

Que deviennent alors les inscriptions postérieures ? La loi porte que celles qui ne viennent pas en ordre utile seront rayées : mais cette décision est trop absolue ; il faut l'entendre en ce sens, que les inscriptions postérieures à celle de la femme ou du mineur, seront comme non avenues à l'égard de

---

(1) Persil, n. 3; Delv., p. 178, n. 1; Troplong. n. 984 et suivant. — *Besançon*, 17 mars 1827; S., 27, 2, 260. — *Nîmes*, 12 février 1833; S., 34, 2, 176. — *Angers*, 3 avril 1835; S., 35, 2, 226; voy. cependant Grenier, n. 266 et 490. — *Cass.*, 8 mai 1827; D., 27, 1, 233; S., 27, 1, 302; 15 décembre 1829; S., 30, 1, 62; 26 mars 1830; S., 33, 1, 273.

(2) Plusieurs jurisconsultes pensent que la purge des hypothèques du mineur et de la femme ne peut avoir lieu, s'il y a d'autres créanciers inscrits ; que la loi est complètement à faire sur cette matière ; que le législateur devra choisir entre les garanties du mineur et la tranquillité de l'acheteur.

(3) Merlin, Rép, v° Transcrip., § 3, n. 3; Grenier, t. 2, n. 437; Troplong, n. 921 et 982 — *Grenoble*, 27 décembre 1821; S., 22, 2, 364; voy. cep. *Orléans*, 17 juillet 1820; S., 29, 2, 217.

(4) *Voy.* cependant Troplong, n. 9.

l'acquéreur, jusqu'à concurrence du montant des droits conservés par l'inscription de l'hypothèque légale : comment, en effet, déterminer à l'avance le montant des répétitions du mineur ou celles de la femme mariée? D'ailleurs, les hypothèques dont il s'agit peuvent devenir utiles par la suite ; il est possible que les droits de la femme ou du mineur ne se réalisent pas, ou qu'ils ne se réduisent en définitive qu'à peu de chose. (Dur., n. 423; Delv.)

Ainsi, nous pensons que, loin de rayer les inscriptions, il faut colloquer conditionnellement les créanciers dont il s'agit, pour le cas où il resterait une partie du prix après la collocation de la femme ou du mineur.

Au surplus, il n'est pas douteux, que ces mêmes créanciers ont le droit de surenchérir, s'ils pensent que l'immeuble a été vendu au-dessous de sa valeur ; que leurs hypothèques ne sont point anéanties par le seul accomplissement des formalités prescrites pour la purge de l'hypothèque légale ; qu'il faut en outre observer les conditions et formalités prescrites par les articles 2183 et 2184 ; enfin, que le délai fixé par l'article 2185, ne commence à courir contre eux, qu'à partir du jour de la notification qui doit leur être faite par l'acquéreur.

Il résulte suffisamment de ces observations, qu'il n'y a pas lieu de revenir aux formes ordinaires de la purge, telles que notifications, etc., lorsque des inscriptions ont été prises dans le délai de deux mois, du chef de la femme, du mineur, ou de l'interdit: Vainement argumenterait-on, pour soutenir le contraire, de ces mots de l'article 2194 : *Les inscriptions ont le même effet :* La rubrique du chapitre 9 démontre clairement que les rédacteurs ont voulu renfermer dans ce chapitre toutes les formalités de la purge des hypothèques non inscrites au moment de l'aliénation. Ajoutons, que l'édit de 1771 (art. 9) dans lequel a été copié l'article 2194, n'accordait aux créanciers, pour surenchérir, que les délais qui leur étaient accordés pour prendre inscription (1).

Quel est le sens de ces mots : *L'acquéreur ne peut faire aucun payement à leur préjudice?* Si la seule intention du législateur était de déclarer que les payements faits aux créanciers inscrits ne peuvent préjudicier à la femme ou au mineur qui ont une hypothèque antérieure, cette disposition serait superflue ; mais il se propose un autre but : il veut en outre faire entendre, que l'acquéreur doit veiller à ce que les fonds tournent au profit de la femme et du mineur ; qu'en vidant ses mains, l'acquéreur est tenu d'offrir à ces créanciers privilégiés, des garanties équivalentes à celles que l'hypothèque leur présentait. — Du reste, aucun mode de libération n'est exclu : ainsi, le tribunal peut ordonner que les fonds resteront entre les mains de l'acquéreur, à charge d'en faire emploi ; qu'ils seront versés entre les mains des créanciers venant immédiatement après les hypothèques légales, à charge pour eux de donner caution ; ou bien encore, que les fonds appartenant à la femme ou au mineur seront consignés.

Toutefois, les deniers ne doivent pas être versés entre les mains du mari ou du tuteur ; car, d'une part, la femme et le mineur n'auraient plus les mêmes sûretés ; d'autre part, le mari et le tuteur trouveraient, dans cette aliénation, le moyen de toucher des deniers dont ils ne pouvaient précédemment disposer, ce qui compromettrait les intérêts de ceux que la loi veut protéger.

---

(1) Argument des art. 2195 C. c., et 775 Pr. combinés (Troplong, n. 995).

CHAPITRE X.

De la publicité des registres, et de la responsabilité des conservateurs.

———

2196 — Les conservateurs des hypothèques sont tenus de délivrer à tous ceux qui le requièrent, copie des actes transcrits sur leurs registres et celle des inscriptions subsistantes, ou certificat qu'il n'en existe aucune.

   ⟶ Il est de l'essence de la publicité, que toutes personnes puissent se procurer des états des charges qui affectent l'immeuble de celui avec qui elles veulent contracter.

Observons, que la loi n'autorise pas le conservateur à donner des communications *verbales;* mais seulement, à délivrer des copies de ses registres : s'il avait bénévolement donné des renseignements sur la fortune de quelqu'un, il ne pourrait exiger de salaire (1).

— Le conservateur peut-il délivrer des certificats des inscriptions qui existent sur ses propres biens, ou faire la transcription d'une aliénation qu'il a consentie? ⟶ *N. Nemo potest esse auctor in rem suam* (Persil, n. 5 ; Troplong, 999 ; Delv., p. 170, n. 2).

2197 — Ils sont responsables du préjudice résultant,

   1° De l'omission sur leurs registres des transcriptions d'actes de mutation et des inscriptions requises en leurs bureaux ;

   2° Du défaut de mention dans leurs certificats d'une ou de plusieurs des inscriptions existantes, à moins, dans ce dernier cas, que l'erreur ne provînt de désignations insuffisantes qui ne pourraient leur être imputées.

   ⟶ La loi semble limiter à deux cas la responsabilité du conservateur : savoir : l'*omission* sur ses registres, et le défaut de *mention* dans les certificats : mais à n'en pas douter, il répond également des erreurs graves ; car l'irrégularité d'un acte équivaut à l'omission de l'acte même.—Si cette irrégularité ne provenait pas du conservateur, mais du fait des parties, par exemple, de fausses indications qu'elles auraient données, le conservateur ne serait plus responsable : n'étant pas et ne pouvant être juge du mérite des inscriptions qui existent sur ses registres, il doit les comprendre toutes dans les états qu'il délivre; sauf ensuite à celui qui prétend que ces inscriptions sont nulles, à assigner l'inscrivant en radiation (2).

———

(1) Le salaire des conservateurs est fixé par la loi du 21 ventôse an VII; les certificats qu'ils délivrent sont dispensés de la formalité de l'enregistrement (Décision du ministère des finances, 21 mai 1809).

(2) Si la radiation avait été faite contre les prescriptions de la loi, ou si le registre ne reproduisait pas exactement le contenu aux bordereaux, on statuerait comme dans le cas d'omission. — Un avis du conseil d'État, tout en laissant subsister la responsabilité du conservateur, indique un moyen de réparer pour l'avenir les erreurs ou irrégularités, sans qu'il soit besoin de recourir aux tribunaux.

Pour être admis à exercer un recours contre le conservateur, il ne suffit pas d'alléguer vaguement que la transcription ou l'inscription a été omise, il faut de plus établir la preuve d'un préjudice réel : ainsi, le créancier doit prouver qu'il aurait été colloqué utilement, sans cette omission; lorsqu'il s'agit d'une donation que le conservateur a négligé de transcrire, l'action du donataire n'est recevable, qu'autant que le donateur, profitant de cette négligence, a disposé de l'immeuble en faveur d'un deuxième donataire, ou a consenti sur cet immeuble de nouvelles charges.

Mais le conservateur n'est soumis à aucune responsabilité, à raison du défaut de transcription d'une aliénation à titre onéreux : sous le régime actuel, cette omission ne peut causer aucun dommage au tiers acquéreur, puisque la formalité dont il s'agit n'est plus nécessaire pour empêcher l'effet des nouvelles aliénations ou des nouvelles hypothèques que l'ancien propriétaire aurait consenties depuis la vente.

Le conservateur ne doit comprendre, dans les certificats qu'il délivre, que les inscriptions non périmées : rappelons-nous, qu'après dix années, les inscriptions non renouvelées sont anéanties (2154) (*Paris*, 21 janvier 1814, S. 14, 2, 180).

L'action en garantie, à raison de la nullité d'une inscription provenant de son fait, se prescrit, savoir :

S'il n'est plus en fonctions, par 10 ans à compter du jour où il a été remplacé, et s'il est encore en fonctions, par 20 ans à compter de l'inscription (1).

— Il arrive souvent que, dans la crainte d'omettre une inscription, les conservateurs comprennent dans leurs certificats des inscriptions sur lesquelles ils ont quelques doutes : à qui appartient-il de prouver que l'immeuble est grevé de ces hypothèques; est-ce au conservateur ou au vendeur ? ∽ C'est au vendeur; car il doit se reprocher d'avoir produit un certificat obscur ou ambigu (Persil, n. 8 ; Dur., n. 433).

Si le conservateur a omis une inscription qui aurait donné un rang utile, mais qui est empreinte d'une nullité résultant d'une omission dans les bordereaux, peut-il opposer au créancier la nullité de l'inscription ? ∽ A. Le conservateur n'est responsable que du préjudice qu'il a réellement causé (Persil, n. 10; Troplong, n. 1001; Grenier, t. 2, n. 53).

Les conservateurs sont-ils tenus, comme les simples particuliers, de se défendre par le ministère des avoués, ou doivent-ils adresser leurs observations au ministère public ? ∽ S'ils sont poursuivis à raison de leurs fonctions, on doit leur permettre d'adresser des observations au procureur du roi. — S'il s'agit de dommages-intérêts, ils doivent se défendre comme de simples particuliers (Persil, n. 13, n. 1003; Dur., n. 432).

2198 — L'immeuble à l'égard duquel le conservateur aurait omis dans ses certificats une ou plusieurs des charges inscrites, en demeure, sauf la responsabilité du conservateur, affranchi dans les mains du nouveau possesseur, pourvu qu'il ait requis le certificat depuis la transcription (2) de son

(1) Art. 8 de la loi du 21 ventôse an VII; Persil, n. 11. — *Cass.*, 22 juillet 1816 ; 12 décembre 1816 ; D., v° Hyp., p. 460.

(2) Cet article est évidemment en opposition avec l'art. 2166, lequel ne donne le droit de suite qu'aux créanciers *inscrits* avant l'aliénation : on pense généralement, qu'il a été copié inconsidérément dans la loi de brumaire. Pourquoi exiger la réquisition d'un certificat postérieurement à la transcription? Le Code admet que la transcription n'est plus nécessaire pour le transport de propriété : est-il conséquent de prescrire cette formalité pour le cas prévu par l'art. 2198? Du reste, depuis l'art. 834 Pr., l'art. 2198 est plus facile à expliquer ; — il faut lire : « Pourvu que l'acquéreur ait requis le certificat quinze jours » après transcription. » (*Voy.* Dur., n. 427.)

titre, sans préjudice néanmoins du droit des créanciers de se faire colloquer suivant l'ordre qui leur appartient, tant que le prix n'a pas été payé par l'acquéreur, ou tant que l'ordre fait entre les créanciers n'a pas été homologué (1).

⇒ Notre article suppose qu'un immeuble a été vendu, et que l'acquéreur, voulant purger cet immeuble des priviléges et hypothèques qui le grèvent, s'est fait délivrer un certificat d'inscription, afin de pouvoir faire les notifications prescrites par l'art. 2183.

Il distingue deux cas : le certificat a été requis avant la transcription, ou il a été requis depuis la transcription.

Lorsque le certificat a été délivré avant la transcription, les hypothèques continuent de produire leur effet bien qu'elles aient été omises ; car l'acquéreur n'a pas dû payer sur le vu de ce certificat, sauf, s'il y a lieu, son recours contre le conservateur. — Mais si l'inscription a été omise dans un certificat délivré depuis la transcription, le créancier perd toute espèce de droit sur l'immeuble.

Ne perdons point de vue, surtout, qu'aux termes de l'art. 834, Pr., les créanciers ont la facilité de prendre inscription dans la quinzaine qui suit la transcription : on ne peut dès lors connaître l'étendue des charges qui affectent un immeuble, qu'en se faisant délivrer un nouveau certificat après l'expiration de ce délai.

Au surplus, l'hypothèque n'est éteinte que sous le rapport du droit de suite; bien que privée d'effet par rapport aux tiers détenteurs, elle ne laisse pas de subsister relativement aux autres créanciers : en signifiant un autre certificat, le créancier omis peut toujours intervenir, et se faire colloquer à son rang, tant que l'ordre n'est pas homologué, ou que le prix n'a pas été payé par le tiers détenteur. (Dur., n. 429).

L'ordre est réputé homologué, du moment de la signature, s'il a été fait à l'amiable (749 et 765 Pr.). — *Voy.* pour le cas où il a été fait en justice, les art. 758, 759, 767, Pr.

—Le conservateur qui vend un immeuble, peut-il lui-même délivrer un certificat négatif d'inscription prise sur lui? ⤳ N. Il faut alors que le certificat soit délivré par le vérificateur, par l'inspecteur de l'enregistrement du département, ou par le plus ancien surnuméraire du bureau (Dur., n. 431).

Le créancier dont l'inscription a été omise, ne peut-il pas se présenter, même après le règlement de l'ordre, en formant opposition au jugement? ⤳ La négative résulte de la dernière partie de l'art. 2198 : cet article porte, que le créancier ne peut se présenter qu'autant que l'ordre n'a pas été homologué ; sauf le recours du créancier omis contre le conservateur (Persil, n. 3; Grenier, n. 442; Dur., 429).

Le créancier omis dans le certificat délivré depuis la transcription, et qui, dans la quinzaine, n'a pas averti l'acquéreur, peut-il surenchérir dans le délai de quarante jours après la transcription? ⤳ N. (Troplong ; Grenier, n. 443)

2199 — Dans aucun cas, les conservateurs ne peuvent refuser ni retarder la transcription des actes de mutation, l'inscription des droits hypothécaires, ni la délivrance des certificats requis, sous peine de dommages et intérêts des parties ; à l'effet de quoi procès-verbaux des refus ou retardements seront, à la diligence des requérants, dressés sur-le-champ, soit par un juge de paix, soit par un huissier

---

(1) Cet article reproduit la disposition de la loi de brumaire, art. 53 ; il serait mieux placé dans le chapitre relatif aux causes d'extinction de l'hypothèque.

audiencier du tribunal, soit par un autre huissier ou un notaire assisté de deux témoins.

= Remarquez ces mots, *dans aucun cas* : les conservateurs doivent donc faire mention des actes de mutation ou inscrire les créances hypothécaires, lors même que les actes qui leur sont présentés contiennent des nullités; car ils ne sont pas juges de la validité de ces actes.

Ils ne peuvent, sous peine de nullité, faire les dimanches et fêtes, aucune inscription (décision ministérielle).

2200 — Néanmoins les conservateurs sont tenus d'avoir un registre sur lequel ils inscriront, jour par jour et par ordre numérique, les remises qui leur seront faites d'actes de mutation pour être transcrits, ou de bordereaux pour être inscrits; ils donneront au requérant une reconnaissance sur papier timbré, qui rappellera le numéro du registre sur lequel la remise aura été inscrite, et ils ne pourront transcrire les actes de mutation ni inscrire les bordereaux sur les registres à ce destinés qu'à la date et dans l'ordre des remises qui leur auront été faites.

— *Quid*, si, à raison de la multiplicité des actes ou d'une force majeure, le conservateur n'a pu faire l'inscription prescrite par notre article? ⟿ En constatant cette impossibilité au moyen d'un procès-verbal, il conservera aux créanciers leur rang. — D'ailleurs la loi ne prononce pas de nullité; le conservateur n'encourt qu'une simple amende.

2201 — Tous les registres des conservateurs sont en papier timbré, cotés et paraphés à chaque page, par première et dernière, par l'un des juges du tribunal dans le ressort duquel le bureau est établi. Les registres seront arrêtés chaque jour comme ceux d'enregistrement des actes.

2202 — Les conservateurs sont tenus de se conformer, dans l'exercice de leurs fonctions, à toutes les dispositions du présent chapitre, à peine d'une amende de deux cents à mille francs pour la première contravention, et de destitution pour la seconde; sans préjudice des dommages et intérêts des parties, lesquels seront payés avant l'amende.

⚬ Les erreurs commises par le conservateur, les irrégularités, les radiations inopportunes, et autres faits de charge, donnent lieu contre lui à l'application de l'art. 2202.

Le privilége accordé aux créanciers, pour les dommages-intérêts auxquels ils ont droit, n'est pas borné au cautionnement du conservateur; il s'étend en général sur tous les biens meubles ou immeubles qu'il a acquis à titre onéreux depuis son entrée en fonctions : l'art. 2202 déclare ces créances préférables à l'amende; or, l'amende est elle-même privilégiée sur ces biens. — Il en serait ainsi, lors même que le trésor aurait le premier pris inscription sur les immeubles du conservateur : car entre privilégiés, l'ordre se règle par la qualité de la créance.

2203 — Les mentions de dépôt, les inscriptions et transcriptions, sont faites sur les registres, de suite, sans aucun

blanc ni interligne, à peine, contre le conservateur, de mille
à deux mille francs d'amende, et des dommages et intérêts
des parties, payables aussi par préférence à l'amende.

= Cependant lorsque les conservateurs découvrent des erreurs ou
des irrégularités par eux commises, ils peuvent rectifier leurs registres sans
recourir aux tribunaux (Avis du conseil d'État approuvé les 11 et 26 décembre 1810).

TITRE XIX.

DE L'EXPROPRIATION FORCÉE ET DES ORDRES ENTRE LES CRÉANCIERS (1).

(Décrété le 19 mars 1804, promulgué le 29).

CHAPITRE PREMIER.

De l'expropriation forcée.

L'*expropriation forcée*, est une voie d'exécution par laquelle un créancier (chirographaire ou hypothécaire) fait vendre, par autorité de justice,
les immeubles de son débiteur, pour se faire payer sur le prix (2).

Cette matière tombe dans le domaine de la procédure : la loi se borne,
dans le titre qui va nous occuper, à tracer quelques règles; ces règles
ont presque toutes pour objet de prévenir des excès de rigueur de la part
des créanciers.

Nous verrons :

1° Quelles choses peuvent être l'objet de l'expropriation forcée (2204,
2209, 2210, 2211);

2° Quelles personnes ont le droit de la provoquer (2204, 2212, 2214);

3° Contre qui l'expropriation peut être poursuivie (2205, 6 et 7);

4° Quelle doit être la nature du titre en vertu duquel on agit (2213,
2215, 2216).

2204 — Le créancier peut poursuivre l'expropriation,

1° Des biens immobiliers et de leurs accessoires réputés
immeubles appartenant en propriété à son débiteur;

2° De l'usufruit appartenant au débiteur sur les biens de
même nature.

= Le droit de provoquer l'expropriation, appartient à tout créancier (3) personnel, hypothécaire ou privilégié : il ne s'agit, en effet, dans

---

(1) D'après cette rubrique on devrait trouver deux parties dans ce titre ; cependant il n'en est pas
ainsi.

(2) L'expression : *expropriation forcée*, n'exprime pas exactement la matière de ce titre ; mieux vaudrait dire, *saisie immobilière*, comme dans le Code de procédure : car ici, on ne s'occupe ni de l'expropriation pour cause d'utilité publique, ni de la saisie-exécution, ni de la saisie-brandon, ni de la
saisie des rentes, ni de la saisie-arrêt; et cependant ces diverses matières rentrent dans l'expropriation
forcée.

(3) Il faut excepter le cas de *faillite* : aux termes de l'art. 528 du Code de commerce, les immeubles
du failli ne peuvent être vendus que par les syndics.

ce chapitre, ni de l'ordre des priviléges et hypothèques, ni du rang de collocation entre les divers créanciers ; mais seulement d'une poursuite en expropriation, abstraction faite de la distribution du prix.

La loi déclare que les immeubles, soit par leur nature (1), soit par destination (2), et parmi les immeubles par l'objet auxquels ils s'appliquent, l'usufruit des choses immobilières, sont susceptibles de saisie immobilière.

Un décret du 16 janvier 1808 confère aux actionnaires de la banque de France la faculté d'immobiliser leurs actions. — Le même droit est accordé par un décret du 16 mars 1810, aux propriétaires d'actions sur les canaux d'Orléans et du Loing. — Pour saisir ces actions, il faut donc observer les formes de la saisie immobilière.

Ne peuvent être saisis : ni les immeubles formant les majorats (décret du 1er mars 1808) ; ni les immeubles donnés ou légués et déclarés insaisissables, ni ceux qui sont ainsi donnés pour aliments (581 , Pr.), sauf l'application de l'art. 582, Pr. (3).

— *Quid*, à l'égard des droits d'emphytéose? ⁓ Ce sont là de véritables droits immobiliers (Dur., n. 4).

Quid, à l'égard des servitudes? ⁓ Les servitudes ne peuvent être saisies directement et par elles-mêmes, mais seulement comme accessoires du fonds immobilier. — Elles ne sont pas susceptibles d'expropriation, et cela pour deux raisons : 1° la loi ajoute *et leurs accessoires réputés immeubles* : or, il n'y a que les immeubles corporels qui aient des accessoires de cette espèce ; 2° la loi ne parle que de l'usufruit, ce qui exclut les autres immeubles incorporels : *Qui dicit de uno negat de altero* (Delv.; p. 88, n. 3; Grenier, Hyp., n. 474; Dur., n. 4).

Quid, à l'égard des droits d'usage et d'habitation ? ⁓ Ces droits ne sont pas susceptibles d'être expropriés, puisqu'ils ne peuvent être ni loués ni cédés (631 et 634). Il en serait autrement (Dur., n. 5), si le droit de vendre avait été accordé à l'usager (628).

Quid, à l'égard des actions qui tendent à revendiquer un immeuble? Pas de doute que les créanciers puissent agir en vertu de l'article 1166 : mais peuvent-ils saisir l'action elle-même et la faire vendre? ⁓ *A*. Ces actions sont réputées immeubles. — Arg. de l'article 2092 et 2093. — Arg. des termes généraux de l'art. 2204. — Vainement, dit-on, qu'on ne peut, en ce cas, observer certaines formes exigées pour la saisie immobilière : on peut opérer comme on le fait dans la saisie même de l'objet de l'action. — L'argument *à contrario*, fondé sur ce que l'art. 2204 parle de l'usufruit et se tait sur les actions en revendication, n'a pas de force, car cette disposition n'est pas exclusive ; elle n'est que la reproduction de celle de l'art. 2118 : qui pourrait dire que l'emphytéose n'est pas susceptible d'expropriation ? — Un débiteur, en contractant, donne tacitement au créancier le droit de faire vendre ses biens en justice (Pigeau, Pr., 5 part., t. 4, chap. 1 ; Dur., n. 7. ⁓ *N*. (Delv., *ibid*; Grenier, *ibid*.).

Que doit-on décider, lorsqu'un fermier ou un locataire fait, sans y être autorisé, des constructions sur le fonds? ⁓ La saisie formée par les créanciers du bailleur porte également sur ces constructions, sauf à indemniser le preneur à la fin de sa jouissance.—Quant aux créanciers du preneur, ils ne peuvent pratiquer qu'une saisie mobilière ; car ces constructions ne sont par rapport à lui que des choses mobilières (Dur., n. 6).

Quid, à l'égard des constructions faites par un usufruitier ? ⁓ Même décision (Dur., *ibid*.).

Les créanciers du grevé peuvent-ils exproprier les biens substitués ? ⁓ *A*. Mais l'expropriation aura lieu avec charge de restitution (Delv., *ibid*. ; Dur., n. 8).

2205 — Néanmoins la part indivise d'un cohéritier dans les immeubles d'une succession ne peut être mise en vente par ses créanciers personnels avant le partage ou la licitation, qu'ils peuvent provoquer s'ils le jugent convenable, ou dans lesquels ils ont le droit d'intervenir conformément à l'article 882, au titre des *Successions*.

= Les créanciers peuvent, en général, poursuivre l'expropriation des biens dont leur débiteur a la propriété ou l'usufruit. Cette voie d'exécution

---

(1) Observons ici, que le Code de procédure permet, au moyen de la saisie-brandon, de saisir dans les six semaines qui précèdent leur maturité les fruits pendants par branches et racines, bien que le Code civil les déclare immeubles.

(2) Il est bien entendu que ces accessoires ne peuvent être saisis qu'avec l'immeuble lui-même.

(3) Une loi du 6 brumaire an 5, défendait de poursuivre l'expropriation des immeubles appartenant à des militaires en activité, ou autres citoyens attachés au service de terre ou de mer pendant tout le temps qui devait s'écouler depuis leur départ de leur domicile jusqu'à l'expiration d'un mois après la publication de la paix générale, ou après la signature de leur congé absolu. — La paix générale ayant été conclue, cette loi n'a plus aujourd'hui d'application ; (Dur., n. 23).

sembleraît, au premier abord, devoir s'appliquer même à la part indivise d'un cohéritier dans les immeubles d'une succession; mais on a considéré, d'une part, que l'art. 841, C. c., en consacrant le principe du retrait successoral, met obstacle à la saisie de la part indivise; d'autre part, qu'il est impossible de connaître cette part indivise dans les immeubles possédés en commun par divers cohéritiers, puisque leurs droits ne seront définitivement réglés, puisque leurs portions contingentes ne seront connues, évaluées et assignées, que par le résultat du partage. Il pourra même arriver qu'ils n'aient aucun droit : or, s'il est impossible de connaître et d'apprécier la part indivise du cohéritier débiteur, comment en provoquer la vente contre lui ? Les créanciers peuvent seulement, du chef de leur débiteur (1166), demander le partage ou la licitation, ou intervenir à leurs frais (882).

De ce que l'art. 2205 déclare que la part indivise d'un cohéritier dans les immeubles de la succession ne peut, avant le partage ou la licitation, être *mise en vente* par ses créanciers personnels, ne concluons pas qu'ils puissent saisir cette part, sauf à surseoir aux poursuites et à les reprendre après le partage, si tout ou partie de l'immeuble échoit à leur débiteur (2215) : la loi entend aussi bien prohiber la saisie que les poursuites ; il y a mêmes raisons.

— *Quid*, si le débiteur est propriétaire indivis à tout autre titre que celui de cohéritier ou d'associé ? ⁓ Sa portion peut être vendue a la requête de ses créanciers, car il aura nécessairement une part dans l'immeuble ou au moins dans le prix. — L'article 841 est spécial pour les successions (Delv., p. 90, n. 6; Grenier, Hypothèques, n. 158 et 475 ; Dur., n. 13).

L'article parle uniquement des créanciers personnels d'un héritier ; que doit-on décider à l'égard des créanciers de la succession? ⁓ S'ils ont demandé la séparation des patrimoines, ils n'ont pas besoin, pour être en droit de poursuivre la vente des immeubles encore indivis, de provoquer au préalable le partage ; ils agiront contre tous les cohéritiers ; *secus*, s'ils n'ont pas demandé la séparation : comme ils sont alors devenus créanciers personnels des héritiers, on rentre dans le cas de l'art. 2205 (Delv.). ⁓ La demande en séparation n'empêche pas que les créanciers de la succession ne soient devenus les créanciers personnels des héritiers qui ont accepté purement et simplement ; il faut même décider , que l'on rentre nécessairement dans le cas de l'article 2205 si un ou plusieurs héritiers ont payé ou offert de payer leur part dans la dette, et que, dans le cas contraire, le créancier peut poursuivre la vente contre tous (Dur. 15).

2206 — Les immeubles d'un mineur, même émancipé, ou d'un interdit, ne peuvent être mis en vente avant la discussion du mobilier.

⚏ Tous les biens d'un débiteur sont le gage de ses créanciers (2092 et 2093); rien n'oblige, par conséquent, à discuter préalablement son mobilier : mais la loi fait exception à cette règle, en faveur du mineur et de l'interdit, à raison de l'importance des immeubles et des frais que la saisie immobilière entraîne.

On constate la discussion du mobilier, en représentant l'état de distribution du prix ; et s'il n'y a pas de mobilier, en produisant un procès-verbal de carence.

— L'expression *mobilier*, comprend-elle ici les créances, rentes, et autres biens qui sont meubles par la détermination de la loi ? ⁓ *N*. Il ne s'agit que des meubles qui se détériorent, qui ne rapportent rien. — Il y a d'ailleurs certains meubles qu'on ne peut évidemment être tenu de vendre au préalable ; telles sont les rentes sur l'état. ⁓ *A*. L'expression *mobilier* est générique. — Il faut toutefois faire exception pour les rentes sur l'État, lesquelles sont insaisissables (Dur., n. 18).

Peut-on saisir les immeubles, sauf à les mettre en vente après la discussion du mobilier ? ⁓ *N*. A moins que le créancier ne supporte les frais de saisie (Dur., n. 18). ⁓ *A*. L'article ne prohibe que la mise en vente (Pigeau. — *Gênes*, 28 juillet 1812 ; *Journal du palais*, année 1813, p. 197).

La discussion du mobilier doit-elle être demandée ? ⁓ Elle est de droit ; arg. des art. 2170 et 2022 (Grenier, n. 476). ⁓ *A*. Elle doit être proposée avant l'adjudication (Dur., n. 20. — *Cass.*, 13 avril 1812 ; S., 12, 1, 276).

Cette discussion ne doit-elle pas précéder la saisie ? ⁓ *N*. (Grenier, Hyp., n. 476).

L'exception de discussion du mobilier peut-elle être proposée en appel ? ⁓ *N*. Le mineur a seulement un recours contre celui qui était préposé à ses droits; ce recours lui serait accordé même contre le créancier, si celui-ci connaissait l'existence des objets mobiliers (Dur., n. 20. — *Cass.*, 13 avril 1812 ; S., 12, 1, 276).

2207 — La discussion du mobilier n'est pas requise avant l'expropriation des immeubles possédés par indivis entre un majeur et un mineur ou interdit, si la dette leur est commune, ni dans le cas où les poursuites ont été commencées contre un majeur, ou avant l'interdiction.

= Le créancier du mineur ou de l'interdit est dispensé dans deux cas de la discussion préalable du mobilier :

1° Lorsque les immeubles sont possédés par indivis entre un majeur, et un interdit ou un mineur également tenu de la dette : le créancier, en effet, n'est pas assujetti à cette discussion à l'égard du majeur.

Toutefois, si le partage pouvait avoir lieu commodément, nous pensons qu'on rentrerait dans le cas prévu par l'article 2206 : l'article 2207, suivant nous, n'est applicable que lorsque la licitation est nécessaire.

2° Lorsque les poursuites ont été commencées utilement contre un majeur capable, l'événement postérieur qui fait passer à un incapable la propriété du bien saisi, ou l'interdiction prononcée depuis contre la propriétaire, ne doivent pas arrêter ces poursuites. D'ailleurs, puisque la saisie immobilière frappe déjà le mineur, on ne doit pas lui faire supporter des frais de discussion de mobilier.

— Le simple commandement doit-il faire considérer les procédures comme commencées ? ∿ *N*. Le commandement ne fait point partie de la saisie, il la précède (Dur., n. 22).

2208 — L'expropriation des immeubles qui font partie de la communauté se poursuit contre le mari débiteur, seul, quoique la femme soit obligée à la dette.

Celle des immeubles de la femme qui ne sont point entrés en communauté se poursuit contre le mari et la femme, laquelle, au refus du mari de procéder avec elle, ou si le mari est mineur, peut être autorisée en justice.

En cas de minorité du mari et de la femme, ou de minorité de la femme seule, si son mari majeur refuse de procéder avec elle, il est nommé par le tribunal un tuteur (1) à la femme, contre lequel la poursuite est exercée.

— *Quid*, lorsque la femme est mariée sous le régime dotal ? ∿ S'il s'agit d'immeubles dotaux, ils ne peuvent être vendus que dans les cas prévus par la loi ; l'expropriation se poursuit contre le mari seul (1549). — S'il s'agit de paraphernaux, l'expropriation se poursuit contre la femme dûment autorisée (Delv., p. 90, n. 3 ; Grenier, n. 477). ∿ L'action se poursuit contre le mari et la femme. — Généralité des termes de l'article. — Le mari n'est pas, comme en droit romain, propriétaire de ces biens (Dur., n. 37).

Si la poursuite a été dirigée, dans le principe, contre la femme seule, et qu'on ait ensuite mis en cause le mari, les poursuites ultérieures se trouvent-elles validées ? ∿ *N*. Ce serait donner à la mise en cause du mari un effet rétroactif (Delv., p. 90, n. 3).

Quid, à l'égard du mineur émancipé assisté de son curateur ? ∿ Même décision (Dur., n. 34).

Quid, à l'égard de celui qui est placé sous l'assistance d'un conseil judiciaire ? ∿ Même décision.

Quid, à l'égard de la femme mariée ? ∿ Pour les créances devenues communes, le mari seul peut agir. — Si la femme est séparée de biens, c'est à elle dûment autorisée qu'appartient l'action (Dur., n. 35).

2209 — Le créancier ne peut poursuivre la vente des im-

(1) C'est un *curateur ad hoc* qu'il faut dire, car la femme est émancipée par le mariage : il ne s'agit ici que d'un pacte concernant les biens.

meubles qui ne lui sont pas hypothéqués que dans le cas
d'insuffisance des biens qui lui sont hypothéqués.

= L'art. 2204 autorise les créanciers à faire vendre tous les immeubles
de leur débiteur pour obtenir le payement de ce qui leur est dû; mais
cette règle, déjà modifiée par les art. 2205 et 2206, reçoit une nouvelle modification dans le cas prévu par l'art. 2209 : le législateur a considéré,
qu'en acceptant une hypothèque spéciale, le créancier a limité volontairement son droit de poursuite.

Toutefois, ne concluons pas de là que ce créancier ne puisse saisir les
biens non hypothéqués, qu'autant que la saisie des biens hypothéqués a
été mise à fin : il lui suffit d'établir, que les biens hypothéqués ne pourront le désintéresser; la loi n'a pu vouloir créer un bénéfice pour le débiteur, aux dépens du créancier. — Une expertise n'est pas nécessaire, le
juge peut faire l'évaluation d'après les bases déterminées par la loi du 14
nov. 1808 (*voy.* cette loi).

Remarquons en outre, que c'est au débiteur qui veut arrêter l'effet de
la saisie, à prouver que la valeur des biens hypothéqués suffira pour assurer
le payement de la créance (appliquez les règles déterminées par la loi du
14 nov. 1808 ; *voy.* l'art. suivant).

Notre article suppose l'existence d'une hypothèque spéciale : mais il faut
étendre son application au cas où l'immeuble est grevé d'un privilége; le
mot hypothèque est employé ici *lato sensu.*

2210 — La vente forcée des biens situés dans différents arrondissements ne peut être provoquée que successivement,
à moins qu'ils ne fassent partie d'une seule et même exploitation.

Elle est suivie dans le tribunal dans le ressort duquel se
trouve le chef-lieu de l'exploitation, ou, à défaut de chef-
lieu, la partie des biens qui présente le plus grand revenu,
d'après la matrice du rôle.

= Le tribunal de la situation étant seul compétent pour connaître de
l'expropriation, il est clair que, si les biens sont situés dans divers arrondissements, il faut saisir particulièrement chacun d'eux. Toutefois,
afin de ne pas ruiner le débiteur en frais, lorsque le prix d'un seul immeuble doit suffire pour acquitter la dette, la loi veut, dans l'intérêt du
débiteur, que la vente des biens situés *dans divers arrondissements* ne
se poursuive que successivement : elle ne fait exception à cette règle, que
pour le cas où les biens sont soumis à une même exploitation; il n'y a
plus lieu alors qu'à une seule saisie.

La loi du 24 nov. 1808, art. 1er, consacre une nouvelle exception pour
le cas où la valeur totale des biens est inférieure au montant réuni des
sommes dues tant au saisissant qu'aux autres créanciers inscrits (*voy.* aussi
les articles 2, 3 et 4 de cette même loi).

2211 — Si les biens hypothéqués au créancier, et les biens
non hypothéqués, ou les biens situés dans divers arrondissements, font partie d'une seule et même exploitation, la
vente des uns et des autres est poursuivie ensemble, si le

débiteur le requiert, et ventilation se fait du prix de l'adjudication, s'il y a lieu.

= Une ventilation est nécessaire : 1° lorsque des biens hypothéqués et d'autres qui ne le sont pas, se trouvent compris dans la même vente ; car le prix des uns doit se distribuer par ordre d'inscription et celui des autres par contribution ; 2° lorsqu'il existe des hypothèques sur chaque bien ; car il faudra en ce cas ouvrir des ordres différents.

—En disant que le débiteur *peut requérir*, dans le cas qu'il prévoit, la vente simultanée des biens compris dans une même exploitation, notre article veut-il interdire ce droit au créancier ? ⁓⁓N. Les créanciers, surtout les créanciers inscrits, n'ont pas moins d'intérêt que le débiteur à faire porter l'adjudication au plus haut prix possible : la loi veut seulement dire que cette demande peut être formée par le créancier, et s'il garde le silence, par le débiteur (Delv., p. 88, n. 9 ; Grenier, n. 480). ⁓⁓ Si les biens font partie d'une même exploitation, l'art. 2210 donne au créancier le droit de poursuivre la vente simultanée sans qu'il y ait besoin du consentement du débiteur ; au cas contraire, il faut que le débiteur requière cette vente simultanée ; sauf le cas prévu par la loi du 14 novembre 1808. — Si l'on admettait une autre interprétation, il faudrait reconnaître une antinomie entre l'art. 2210 et l'art. 2211 (Dur., n. 27).

2212 — Si le débiteur justifie par baux authentiques, que le revenu net et libre de ses immeubles pendant une année, suffit pour le payement de la dette en capital, intérêts et frais, et s'il en offre la délégation au créancier, la poursuite peut être suspendue par les juges, sauf à être reprise, s'il survient quelque opposition ou obstacle au payement.

= La modicité de la dette n'est point, en général, un obstacle à ce que le créancier fasse vendre les immeubles de son débiteur (1) ; cependant, *humanitatis causâ*, la loi permet au juge de suspendre les poursuites, lorsque ce dernier justifie, par baux authentiques ou par des procès-verbaux d'experts, que le revenu net et libre de *ses immeubles* (2) pendant une année, suffira pour payer la dette en capital, intérêts et frais, et lorsqu'il offre au créancier poursuivant, de lui en déléguer le montant. — Du reste, le créancier a la faculté de reprendre ses poursuites d'après les derniers errements, s'il survient quelque obstacle même fortuit ou quelque opposition au payement : l'obstacle résulterait suffisamment, par ex., de la perte de la moitié d'une récolte, de l'insolvabilité du fermier (3), ou bien encore, de la revendication de l'immeuble par un tiers qui s'en prétendrait propriétaire. — Quant à l'opposition, elle ne peut résulter que d'une cession de fruits *in futurum*, que le débiteur aurait faite : mais rappelons-nous à ce sujet, que le Code, ne tolère pas de semblables cessions quand elles sont excessives, car elles peuvent devenir un moyen de fraude : les autres créanciers ont dû compter sur les revenus de leur débiteur. L'antichrèse est le seul moyen légal de céder exclusivement des revenus à venir ; au surplus les juges sont appréciateurs des circonstances.

— *Quid*, si les revenus du débiteur consistent en rentes ? ⁓⁓ Cela est suffisant pour arrêter les poursuites ; car les débiteurs peuvent ne pas payer (Delv., p. 89, n. 8).
Quid, si le débiteur fait valoir par lui-même ? ⁓⁓ Il pourra justifier de la quotité de ses revenus au moyen de baux anciens et authentiques ou par des procès-verbaux d'experts ; du reste, c'est aux juges à apprécier les circonstances.

---

(1) Peut-être serait-il convenable de fixer une somme au-dessous de laquelle on ne pourrait exproprier ; par ex., 300 fr.
(2) *Saisis* ou *non saisis* : les termes de la loi sont généraux.
(3) Le juge pourrait même, dans ce cas, prendre en considération les malheurs du débiteur, et lui accorder un nouveau délai d'un an. — Si l'obstacle provient de voies de fait, c'est au débiteur à se défendre.

2213 — La vente forcée des immeubles ne peut être poursuivie qu'en vertu d'un titre authentique et exécutoire, pour une dette certaine (1) et liquide. Si la dette est en espèces non liquidées, la poursuite est valable; mais l'adjudication ne pourra être faite qu'après la liquidation.

= *Voyez* Pr., 551.

— Le tuteur du mineur ou de l'interdit peut-il, sans autorisation du conseil de famille, poursuivre l'expropriation forcée du débiteur? ⚬⚬⚬ *N. Neo obstat* l'art. 464 : dans l'espèce, l'action n'est immobilière que par rapport au débiteur ; quant au créancier, c'est une voie d'exécution (Dur., n. 33).

2214 — Le cessionnaire d'un titre exécutoire ne peut poursuivre l'expropriation qu'après que la signification du transport a été faite au débiteur.

= Le cessionnaire n'est saisi, à l'égard des tiers, que par la signification du transport faite au débiteur, ou lorsque ce dernier a accepté ce transport par acte authentique (1690).

— Faut-il que la cession soit faite par un acte authentique et en forme exécutoire? ⚬⚬⚬ Il suffit que le titre soit authentique (Grenier, Hyp., n. 483 ; Dur., n, 41 et suiv.).
Peut-on saisir lorsque la dette a été contractée sous une condition suspensive? ⚬⚬⚬ *N.* Elle n'est pas certaine (Dur., n. 43).
Quid, si elle est soumise à une condition résolutoire ? ⚬⚬⚬ *A.* Elle ne suspend point l'effet de l'obligation (Dur., *ibid.*).

2215 — La poursuite peut avoir lieu en vertu d'un jugement provisoire ou définitif, exécutoire par provision, nonobstant appel ; mais l'adjudication ne peut se faire qu'après un jugement définitif en dernier ressort, ou passé en force de chose jugée.

La poursuite ne peut s'exercer en vertu de jugements rendus par défaut durant le délai de l'opposition.

 Un titre exécutoire suffit pour fonder les poursuites ; mais l'expropriation ne peut se consommer qu'autant que le titre est irréfragable :

Ainsi, on est admis à poursuivre en vertu d'un jugement provisoire, exécutoire par provision, nonobstant appel ; mais, on ne peut faire procéder à l'adjudication, qu'en vertu d'un jugement définitif et non susceptible d'être réformé.

Il résulte du deuxième alinéa de l'article, que les poursuites ne peuvent s'exercer en vertu d'un jugement par défaut, durant les délais de l'opposition.

Mais comment conciliera-t-on cette dernière disposition avec celles des art. 158 et 159 du Code de proc. ? Suivant la première, si le jugement est rendu contre une partie n'ayant pas d'avoué, l'opposition est recevable jusqu'à l'exécution du jugement ; suivant la deuxième, le jugement est censé exécuté quand la saisie d'un ou de plusieurs immeubles a été notifiée au condamné : ne doit-on pas conclure de ces articles, que la saisie peut avoir lieu avant l'expiration des délais de l'opposition? Le Code de procédure distingue le jugement par défaut rendu contre avoué, de celui qui est rendu contre la partie : dans le premier cas (celui que suppose

(1) *Certaine*, c'est-à-dire, s'il est certain qu'il existe une dette ; *liquide*, si le montant de cette dette est fixé.

l'article 2215), le délai de l'opposition est seulement de huitaine (156, Pr.) Grenier, n° 484, Hyp.; Dur., n° 46).

— *Quid, s'il y a pourvoi en cassation ou requête civile?* ∿∿ Le pourvoi n'est pas suspensif en matière civile; dès lors il n'empêche pas l'adjudication (Delv., p. 90, n. 9).

2216 — La poursuite ne peut être annulée sous prétexte que le créancier l'aurait commencée pour une somme plus forte que celle qui lui est due.

⇒ Dans notre droit, la plus-pétition n'emporte pas déchéance comme en droit Romain; la poursuite n'est pas annulée lorsqu'on demande une somme plus forte que celle qui est due.

2217 — Toute poursuite en expropriation d'immeubles doit être précédée d'un commandement de payer, fait, à la diligence et requête du créancier, à la personne du débiteur ou à son domicile, par le ministère d'un huissier.

Les formes du commandement et celles de la poursuite sur l'expropriation sont réglées par les lois sur la procédure.

⇒ Le commandement est un préalable indispensable : le débiteur doit être légalement averti des poursuites que le créancier se propose d'exercer, afin de pouvoir ou les prévenir, ou les repousser. — Les formes à suivre, sont celles de la saisie immobilière (*voy.* Pr., 673 à 748).

CHAPITRE II.

De l'ordre et de la distribution du prix entre les créanciers.

Après l'adjudication, si le débiteur et les créanciers ne s'arrangent pas à l'amiable sur la distribution du prix, il y a lieu de procéder à un ordre.

L'*ordre* est une procédure, par laquelle le tribunal règle le rang des créanciers hypothécaires et privilégiés dans la distribution du prix d'un immeuble saisi et vendu (art. 749 et suiv., Pr.).

Ce règlement s'opère par un *procès-verbal* que dresse un juge commis à cet effet.

Entre créanciers chirographaires, il y a lieu à une répartition par *contribution* (*voy.* 656 et suiv., Pr.).

2218 — L'ordre et la distribution du prix des immeubles; et la manière d'y procéder, sont réglés par les lois sur la procédure.

⇒ *Voyez* Pr., 749 à 779.

TITRE XX.

DE LA PRESCRIPTION (1).

(Décrété le 15 mars 1804, promulgué le 25 de la même année.)

De toutes les institutions juridiques, la prescription est la plus nécessaire à l'ordre social, car une foule de circonstances peuvent placer dans
l'impossibilité de représenter la preuve, soit du droit que l'on a sur une
chose, soit de l'accomplissement de l'obligation que l'on a autrefois contractée : aussi, les jurisconsultes romains l'avaient-ils surnommée la pa-
tronne du genre humain.

On distingue deux sortes de prescriptions : l'une à l'effet d'*acquérir* la
propriété des biens et certains droits réels, l'autre à l'effet de se *libérer* et
d'écarter ainsi les actions qui dérivaient de l'obligation.

Occupons-nous d'abord de la première :

Pour prescrire, il faut posséder ; posséder une chose, c'est avoir cette
chose en notre pouvoir. — En règle générale, le possesseur est réputé propriétaire : toutefois, on ne peut tirer de la possession cette induction,
qu'autant qu'elle réunit certaines qualités (*voyez* les articles 2229, 2236
et suiv.).

Le seul fait de possession des meubles *corporels* pris *individuellement*
équivaut à une prescription acquise : la maxime de l'art. 2279, en fait de
meubles possession vaut titre, met le possesseur à l'abri de l'action en revendication ; la loi excepte seulement les cas de perte ou de vol, encore
restreint-elle à trois ans, à compter du jour de la perte ou du vol, la durée
de l'action ; bien plus, lorsque le possesseur a acheté la chose dans une
foire, dans un marché, dans une vente publique, ou d'un marchand faisant le commerce de pareilles choses, elle déclare que le propriétaire originaire ne peut se la faire rendre qu'en remboursant au possesseur le prix
qu'elle lui a coûté (2280).

Tous les immeubles corporels qui sont dans le commerce et la plupart
des immeubles incorporels (*voy.* art. 2265), peuvent être acquis par prescription : ainsi, la présomption de propriété qui résulte de la possession de ces sortes de biens n'est point immédiatement absolue comme
lorsqu'il s'agit de meubles ; elle n'acquiert ce degré de gravité qu'après
un certain temps : ce temps est plus ou moins long suivant que le possesseur a juste sujet de croire qu'on lui a transmis la propriété ou qu'il
est dépourvu de titre : au premier cas, la prescription s'opère par dix
ou vingt ans, suivant que le propriétaire habite ou non dans le ressort
de la Cour royale dans l'étendue de laquelle l'immeuble est situé ; au
deuxième cas, elle n'est acquise qu'après un laps de trente années (2262).

Passons à la prescription considérée comme moyen de se libérer.

---

(1) La prescription est-elle du droit des gens ou du droit civil ? ⟿ Elle dérive du droit des gens :
en effet, chez tous les peuples, nous voyons qu'on a cherché à mettre fin aux procès, en déterminant
un terme après l'expiration duquel les actions ne sont plus recevables ; il suit de cette décision que
les étrangers et même les morts civilement, peuvent prescrire. — En ce qui concerne les étrangers ; il
est même à remarquer, qu'on leur reconnaissait, avant la loi de 1819, le droit de prescrire, bien qu'ils
ne pussent recueillir que sous certaines restrictions des donations ou des successions (Vazeille, n. 5 et
suiv. ; Troplong, n. 225 ; Dur., n. 94 et 95) (*Val.*). ⟿ Elle est de droit civil ; en conséquence, les
étrangers ne peuvent s'en prévaloir (Pothier, Presc. a l'effet d'acquérir).

Quelle est la loi à suivre en matière de prescription ? ⟿ En matière civile, c'est la loi de la situation
de l'immeuble, sauf les modifications résultant de l'incapacité : en matière personnelle, on observe
la loi du lieu où le payement doit être fait ; car c'est en ce lieu que le créancier a été négligent ;
(Troplong, n. 39).

La plus longue prescription est celle de trente ans : après ce laps de temps, le débiteur est libéré de l'action personnelle ; on ne peut même lui déférer le serment sur le fait du payement.

La loi détermine, dans une section particulière, certaines prescriptions non mentionnées dans des titres spéciaux, qui s'accomplissent par un moindre temps.

Parmi ces prescriptions, les unes sont fondées uniquement sur la présomption de payement, les autres reposent non-seulement sur une présomption de libération, mais encore sur des considérations d'intérêt public : l'effet des premières peut être détruit par le serment ; les deuxièmes résistent même à ce genre de preuve.

Certaines causes suspendent ou interrompent le cours de la prescription : les unes sont communes à la prescription acquisitive et à la prescription libératoire ; les autres sont particulières à l'une ou à l'autre.

La prescription produit un effet rétroactif au jour où elle a commencé ; elle consolide la propriété entre les mains du possesseur, et confère au débiteur une exception pour repousser l'action personnelle dirigée contre lui.

La loi établit, dans un premier chapitre, les règles générales de la prescription.

Elle considère ensuite plus spécialement, dans le deuxième, la nature et l'effet de la possession.

Elle détermine, dans le troisième chapitre, les causes qui empêchent la prescription.

Dans le chapitre 4, elle s'occupe des cas d'interruption ou de suspension.

Enfin elle fixe, dans le chapitre 5, le temps nécessaire pour prescrire.

CHAPITRE PREMIER.

DISPOSITIONS GÉNÉRALES (1).

La prescription est fondée sur des considérations d'utilité générale : la loi décide, par suite, qu'on ne peut à l'avance renoncer au droit de s'en prévaloir (2220), et qu'elle peut être opposée en tout état de cause, même devant la cour royale (2224).

Toutefois, comme ce n'est là, en réalité, qu'un bénéfice accordé à la personne, qui se trouve dans le cas prévu, on a établi les règles suivantes :

1° La prescription n'a pas lieu de plein droit ; elle doit être opposée : le juge ne peut d'office suppléer ce moyen (2223).

2° La partie intéressée peut y renoncer (2221).

3° La renonciation ne donne pas naissance à une nouvelle dette ; c'est toujours l'ancienne dette qui subsiste. — Lorsqu'il s'agit de la prescription acquisitive, la chose ne retourne pas à l'ancien possesseur par l'effet d'une contre-aliénation, d'une transmission, de la part de celui qui avait prescrit, en faveur de celui contre lequel la prescription s'était accomplie, mais à raison de son droit primitif.

---

(1) La prescription acquisitive et la prescription libératoire se trouvent confondues dans un même titre. Comme un grand nombre de règles sont communes à l'une et à l'autre prescription, les rédacteurs du Code ont craint sans doute de tomber dans des répétitions en traitant séparément de chacune d'elles.

Comme la renonciation n'est au fond que l'abandon du droit d'être libéré, ou du droit de pouvoir garder la chose, il a paru juste, néanmoins, de refuser aux personnes qui ne peuvent aliéner, la faculté de renoncer à la prescription acquise (2222).

4° Quand le débiteur, ou le possesseur, n'a pas renoncé à la prescription, ses ayants cause ont la faculté d'exercer son droit en vertu de l'art. 1166. Lorsque cette renonciation a eu lieu, ils peuvent, suivant les cas, agir en leur propre nom (2225).

Toutes les choses susceptibles d'une propriété privée, sont prescriptibles (2226).

En principe, la prescription court contre toutes personnes; la loi n'admet pas de privilége pour l'État, les communes et les établissements publics.

Par exception, la prescription ne court pas au préjudice des mineurs et des interdits, si ce n'est dans les cas spécialement indiqués par la loi (1676-2278); au préjudice de l'héritier bénéficiaire, par rapport aux créances qu'il a contre la succession; réciproquement, au préjudice de la succession par rapport aux créances qu'elle a contre l'héritier bénéficiaire; entre époux, sous quelque régime qu'ils soient mariés (2253); enfin, contre la femme pendant la durée du mariage; savoir : quand elle est mariée sous le régime dotal, à l'égard des immeubles dotaux (1560, 1561, 2255); quand elle est commune en biens, à l'égard des actions qu'elle ne peut exercer qu'après une option à faire, entre l'acceptation et la répudiation de la communauté; sous quelque régime qu'elle soit mariée, à l'égard des actions qui réfléchiraient contre son mari (2256).

Lorsque la prescription ne court pas, on dit qu'elle est suspendue (*voy.* chap. 4, section 2).

2219 — La prescription est un moyen d'acquérir ou de se libérer par un certain laps de temps, et sous les conditions déterminées par la loi (1).

═ Ainsi, on distingue dans notre droit deux sortes de prescriptions : l'une qui fait acquérir le domaine de la chose, l'autre qui dégage la personne et opère sa libération (2).

---

(1) Cette définition, empruntée de Domat, est critiquée par Troplong, n. 24. Le temps, dit cet auteur, n'est pas un moyen d'acquérir ou de se libérer; c'est dans la possession du débiteur, c'est dans le silence et l'acquiescement du créancier ou du propriétaire, que se trouve le principe de la prescription : les définitions suivantes données par Pothier eussent été préférables : « La prescription, à l'effet d'acquérir, est l'acquisition de la propriété par la possession paisible et non interrompue, qu'on a eue pendant un temps réglé par la loi. » — « La prescription, afin de se libérer, est une fin de non-recevoir que le débiteur peut opposer contre l'action du créancier qui a négligé de l'exercer ou de faire connaître son droit pendant le temps réglé par la loi ». ⁓⁓ Dur., n. 104, combat cette critique et maintient la définition donnée par le Code : il fait observer que l'article contient les mots : *et sous les conditions déterminées par la loi.*

(2) Il faut distinguer, nonobstant l'opinion de Merlin (Rép., v° Prescript., p. 399), la prescription afin de se libérer, de la déchéance encourue par suite de l'expiration du délai à la durée duquel est restreint l'exercice d'une faculté : la prescription est toujours fondée sur une négligence, prolongée pendant un certain laps de temps; la déchéance peut provenir d'un fait punissable (*voy.* 1188, C. c.). — La prescription à l'effet de se libérer n'engendre qu'une exception; la déchéance peut servir de base à une action; elle a lieu ordinairement de plein droit (*voy.* art. 443 Pr.), à moins qu'une disposition légale ne la rende facultative (*voy.* 216, 219 Pr.). — On peut, dans toutes les hypothèses possibles, renoncer à la prescription acquise (2220, C. c.); on ne peut pas toujours recourir à une déchéance acquise. — La prescription est suspendue en faveur de certains incapables (2252); le délai à l'expiration duquel la déchéance est accomplie, court contre toutes personnes. — Du reste, la prescription et la déchéance ont beaucoup de principes communs; on doit même, en tenant compte des différences que nous venons de signaler, appliquer en général aux déchéances les regles relatives à la prescription (*Vaz.* n. 258, 266, 319 et suiv.; Troplong, n. 27, t. 1er; n. 1038, t. 2. — *Cass.*, 13 avril 1810; S., 11, 1, 63).

— Le payement involontaire d'une dette prescrite donne-t-il lieu à rép étition? ∿ A. Mais c'est au débiteur à établir son erreur par des preuves manifestes; car presque toujours on supposera qu'il a payé volontairement pour décharger sa conscience (Troplong, n. 33).

Une dette couverte par la prescription peut-elle se compenser avec une autre dette qui a été contractée après la prescription acquise? ∿ N. Quæcumque per exceptionem perimi possunt in compensationem non veniunt (Troplong. n. 34).—Voy. art. 2262, 3ᵉ quest., et 2250, 3ᵉ quest.

La prescription de l'action civile ou en indemnité, résultant d'un crime, d'un délit ou d'une contravention établie par les articles 2, 637, 638 et 640 du Code d'instruction criminelle, est-elle applicable au cas où l'action est exercée devant les tribunaux civils après l'extinction de l'action publique? ∿ Il est d'abord évident que la question ne peut s'élever lorsque le crime ou le délit a été commis à l'occasion d'un contrat; car l'action née de ce contrat est indépendante de l'action civile née directement du fait; elle ne s'éteint que d'après les principes du droit civil, c'est-à-dire, par la prescription de trente ans : ainsi, supposons qu'un dépositaire ait détourné le dépôt et qu'il soit assigné en restitution devant les tribunaux civils, quatre ans après le détournement : il ne sera pas recevable à opposer, par voie d'exception, qu'il a commis un délit prévu par l'art. 408 du Code pénal, et que l'action civile née de ce délit est prescrite après trois ans révolus, aussi bien devant le tribunal civil, que devant le tribunal correctionnel (Dur., n. 102).

Supposons qu'une chose m'ait été volée par une personne à qui je ne l'avais confiée par aucun acte : l'action civile en indemnité, intentée devant les tribunaux civils, sera-t-elle prescrite par le laps de temps fixé par le Code d'instruction criminelle? ∿ Non, elle sera soumise à la prescription du droit commun qui est généralement de trente ans. — Vainement objecterait-on, que si le Code d'instruction criminelle devait être ainsi entendu, ses dispositions, à l'égard de la prescription de l'action civile, ne signifieraient rien; car il va de soi, que la prescription de l'action publique entraîne celle de l'action civile : on répondrait que les auteurs du Code d'instruction criminelle n'ont parlé de l'action civile, qu'accessoirement à l'action publique, comme complément d'une pensée générale, quoique cela ne fût pas nécessaire; mais qu'il n'y a point à conclure de là, qu'ils aient entendu appliquer cette même prescription à l'action intentée devant les tribunaux civils. — Il est difficile de penser que le Code d'instruction criminelle ait voulu déroger à la règle de l'art. 1382; qu'un voleur soit à l'abri de toute action après trois ans, tandis que la personne qui s'est rendue coupable d'un simple abus de confiance peut être poursuivie pendant trente ans. ∿ Après le temps déterminé par le Code d'instruction criminelle, le fait n'est plus susceptible d'être établi avec certitude : il importe, d'ailleurs, de jeter un voile d'oubli sur des actes qui causent plus ou moins de perturbation dans l'ordre social. — Du reste, la revendication des choses volées peut avoir lieu contre le voleur ou le receleur après la prescription de l'action publique et de l'action civile en indemnité, à la charge par le propriétaire, de prouver qu'ils sont encore détenteurs des objets volés (Dur., n. 102).

Le fait seul que la prescription est acquise, détruit-il l'obligation naturelle? ∿ N. L'obligation naturelle et même l'obligation civile existent tant que la prescription acquise n'est pas invoquée (Delv.; Dur., n. 106 et suiv.). ∿ Dès que la prescription est acquise, tout est anéanti : obligation naturelle et obligation civile (Troplong, n. 29 et suiv.).

2220 — On ne peut, d'avance, renoncer à la prescription : on peut renoncer à la prescription acquise (1).

= La règle qu'on ne peut d'avance renoncer à la prescription, est fondée sur deux raisons également décisives : 1° la prescription tient à l'utilité générale : or, on ne peut déroger aux lois d'intérêt public; 2° elle est considérée comme une peine établie en haine de celui qui néglige ses droits : autoriser des conventions qui favoriseraient l'oubli des devoirs du père de famille diligent, ce serait aller contre les vues du législateur. Ajoutons que, si de semblables renonciations étaient permises, ceux envers lesquels on s'obligerait, ne manqueraient jamais de les stipuler, et qu'elles deviendraient même de style.

Mais interrompre par un pacte la prescription qui court, ce n'est pas renoncer à une prescription à venir; l'effet du temps écoulé avant le contrat interruptif se trouve seulement détruit, rien ne peut empêcher la prescription de recommencer sur de nouveaux errements.

Après l'expiration du temps nécessaire pour prescrire, l'intérêt général n'est plus en jeu; le droit devient propre et privé : chacun peut dès lors satisfaire au cri de sa conscience, en renonçant à ce droit.

— Les prescriptions qui demandent de la bonne foi, comme celles de dix ou vingt ans, peuvent-elles

(1) Au premier abord, cet article ne paraît pas devoir s'appliquer à la prescription acquisitive : comment, en effet, le possesseur pourrait-il être induit à renoncer d'avance à cette prescription? On peut dire que le Code a voulu refuser au possesseur à titre précaire, la faculté de s'interdire le droit d'intervertir son titre (Voy. Dur., n. 118 et suiv.).

être paralysées d'avancé par un contrat de renonciation ? ⁓ *A.* Ce n'est pas à la vérité la force du pacte qui produit directement cet effet : mais comme il détruit la bonne foi, qui est une des conditions requises pour prescrire par dix et vingt ans, il ne peut plus être question que de la prescription trentenaire. Le cours de cette prescription commencera du jour de la renonciation, en supposant encore que le renonçant ne se soit pas reconnu simple détenteur à titre précaire par rapport à celui envers lequel il a renoncé (Dur., n. 118; Troplong, n. 46).

Peut-on d'avance renoncer à se prévaloir d'une déchéance ? ⁓ *N.* Ce serait heurter de front les dispositions de la loi, qui n'a déterminé des délais de rigueur, que pour accélérer, dans la vue du bien public, la marche des affaires (Troplong, n. 48).

2221 — La renonciation à la prescription est expresse ou tacite : la renonciation tacite résulte d'un fait qui suppose l'abandon du droit acquis.

= La renonciation est *expresse*, lorsqu'elle est formellement consentie dans un acte.

Tacite, lorsqu'elle résulte *d'un fait* : par ex , si l'on demande termes et délais pour payer; si le possesseur prend à loyer un héritage prescrit.

La reconnaissance de la dette prescrite ne détruit la prescription que contre le débiteur dont elle émane et contre ses héritiers ou autres représentants; elle ne la couvre ni contre ses codébiteurs solidaires qui sont demeurés étrangers à la reconnaissance, ni contre ses cautions, ni contre les tiers détenteurs, qui, avant la reconnaissance, auraient acquis des héritages hypothéqués à la dette : en effet, le débiteur n'a pas le droit de renoncer au préjudice des droits acquis à des tiers.

La renonciation du débiteur ne constitue pas en général, pour le créancier, un titre nouveau; c'est l'obligation primitive qui reprend vigueur et se présente purgée d'une exception qui pouvait la paralyser.

— *Quid*, si le débiteur a payé des à-compte ? ⁓ Le payement est considéré comme une renonciation pour le tout, à moins que le débiteur n'ait déclaré, en payant, qu'il entendait user de la prescription pour une partie de la dette (Delv., p. 202 n. 1 ; Vazeille, n. 341 ; Troplong, n. 64). ⁓ S'il paye sans dire que ce payement doit s'imputer sur une partie de la dette, il n'est pas nécessairement censé reconnaître toute la dette et renoncer à la prescription pour le surplus (Dur., n. 123).

Le renonçant peut-il se faire restituer, en alléguant qu'il ignorait que le moyen tiré de la prescription lui fût acquis ? ⁓ Dans tous les cas, l'erreur est une cause de restitution; il n'y a point à distinguer entre l'erreur de fait et l'erreur de droit (1235 et 1356) (*Val.*).

2222 — Celui qui ne peut aliéner, ne peut renoncer à la prescription acquise.

= Bien que la renonciation ne puisse être considérée comme une contre-aliénation, comme une transmission, de la part de celui qui avait prescrit, en faveur de celui contre lequel la prescription s'était accomplie, elle ne constitue pas moins au fond une véritable abdication d'un droit : il est dès lors conforme aux principes, d'exiger, dans la personne du renonçant, la capacité de disposer (1).

Ainsi, les mineurs, les interdits, les prodigues, les femmes mariées non autorisées, les tuteurs, les administrateurs du bien d'autrui, les grevés de substitution, enfin, le mari en ce qui concerne les biens propres de la femme, ne peuvent en général renoncer à la prescription. Lorsqu'il s'agit d'un bien dotal non déclaré aliénable, la renonciation ne peut avoir lieu, même du consentement des deux époux.

Toutefois, la femme séparée de biens, qui a payé, sans autorisation une

_____

(1) Suivant Dunod, la prescription non opposée est une contre-aliénation.

Suivant Troplong, la prescription acquise, quoique non encore opposée, détruit même l'obligation naturelle ; en sorte qu'il ne reste plus au débiteur qu'un compte à régler avec sa conscience (*Voy.* Dur., n. 106 et suiv).

dette prescrite, n'est pas admise à répéter, attendu qu'elle peut librement user de son mobilier, et par conséquent l'aliéner (1449); le mineur commerçant qui acquitte un effet de commerce endossé par lui, au lieu d'opposer la prescription de cinq ans, établie pour ces sortes d'effets, n'est pas non plus restituable (1308); enfin toute réclamation est également interdite au mineur émancipé, qui paye avec ses revenus des arrérages ou des intérêts atteints par la prescription de cinq ans : ce sont là des charges qu'il doit supporter puisqu'il peut disposer librement de ses revenus.

2225 — Les juges ne peuvent pas suppléer d'office le moyen résultant de la prescription.

= Du principe que l'on peut renoncer *expressément* ou *tacitement* à la prescription acquise, il résulte nécessairement, que le juge ne doit pas, d'office, suppléer ce moyen, même au profit des mineurs et des incapables : la prescription n'a pas lieu de droit (1).

En matière criminelle, au contraire, elle doit être suppléée (*Cass.*, 26 février 1807; S., 13, 1, 464; 28 janvier 1808; S., 9, 1, 165; 12 août 1808; S., 13, 1, 464; 11 juin 1829; D., 29, 1, 268).

— Le juge peut-il, d'office, appliquer la prescription aux arrérages, lorsqu'elle a été opposée par le débiteur pour le capital ? ⁓ *A.* (Dur., n. 112. — *Cass.*, 26 février 1822 ; D., 22, 1, 311 ; S., 22, 1, 344).

La règle que le juge ne peut suppléer d'office le moyen de la prescription, s'applique-t-elle au cas d'action en nullité ou en rescision ? ⁓ *A.* Aucune raison plausible de différence n'existe, quant au point en question, entre les actions en nullité ou en rescision et les autres actions civiles (Dur., n. 111). ⁓ Dans les prescriptions ordinaires, l'action n'est pas éteinte de droit; mais il en est autrement dans les actions rescisoires : après l'expiration de dix ans il n'y a plus d'action.

Le ministère public a-t-il qualité, pour suppléer dans les conclusions qu'il donne sur les causes qui intéressent les mineurs, les communes et les hospices, le moyen de prescription que leur représentent, tuteur ou autre, ne fait pas valoir ? ⁓ *N.* Le ministère public ne procède point par voie d'action, mais par forme d'avis, par voie de conclusion ; dès lors, il doit prendre la cause dans l'état où les parties l'ont mise, sans pouvoir ajouter aux conclusions qu'elles ont déposées et qui ont fixé le litige. — Il faut, bien entendu, excepter le cas où le ministère public plaide pour le domaine, son rôle est alors différent : il n'est plus partie jointe, mais partie principale (Troplong, n. 90, *voy.* cep Vaz., n. 81 et 82, 334 et 335 ; Delv.).

2224 — La prescription peut être opposée en tout état de cause, même devant la cour royale, à moins que la partie qui n'aurait pas opposé le moyen de la prescription ne doive, par les circonstances, être présumée y avoir renoncé.

= Les renonciations ne se présument pas facilement : le silence gardé pendant une partie du procès, peut avoir été déterminé par l'opinion que les autres moyens suffiraient pour repousser l'action ; mais le droit acquis par la prescription ne conserve pas moins toute sa force, jusqu'à ce que l'autorité de la chose jugée ait définitivement fixé la position des parties.

La prescription est un moyen de droit, qu'on appelle, dans la doctrine, exception péremptoire : or il est de la nature de ces exceptions, de pouvoir être invoquées en tout état de cause (c'est-à-dire, bien qu'on ait défendu au fond, tant que l'affaire n'a pas été déclarée *entendue;* et dans les causes où le ministère public n'est point partie principale, tant qu'il n'a pas

---

(1) Mieux valait dire : *devant le tribunal d'appel;* car souvent, les tribunaux de première instance jugent sur appel.

donné ses conclusions) : ce moyen est recevable , même pour la première fois en appel, pourvu que la partie n'y ait pas renoncé.

— Au civil, la prescription peut-elle être proposée en cassation. ⸿ *N.* La cour de cassation prend le procès dans l'état où les parties l'ont mis (Troplong, n. 95 ; Vazeille, n. 347 ; Dur., n. 143).

L'art. 2224 est-il applicable aux déchéances? ⸿ *A.* Il y a même motif de décider que pour la prescription (Troplong, n. 98).

2225 — Les créanciers , ou toute autre personne ayant intérêt à ce que la prescription soit acquise, peuvent l'opposer, encore que le débiteur ou le propriétaire (1) y renonce (2).

— Toute personne intéressée à ce que la prescription soit acquise peut l'opposer : les créanciers jouissent de cette faculté, non-seulement lorsque le débiteur garde le silence, mais encore lorsqu'il a renoncé au droit dont il s'agit ; et cela , quand même sa renonciation ne serait pas entachée de fraude ; il suffit que cet acte leur préjudicie (Dur., n. 147 ; Troplong, n. 101) (3).

La même faculté est laissée aux autres personnes *intéressées ;* par ex. , à la caution, au cessionnaire de l'usufruit, au fermier, à celui qui a un droit de servitude, pourvu , bien entendu , si l'acte est sous seing privé, qu'il ait acquis date certaine antérieure à la renonciation : ainsi , le débiteur ne peut renoncer à la prescription, que pour les droits qu'il a conservés ; sa renonciation ne porte aucune atteinte à ceux qu'il a conférés.

Du reste, distinguons bien le cas prévu par notre article, de celui où le débiteur renoncerait, non à la prescription, mais au temps déjà écoulé pour arriver à la prescription. : assurément, le débiteur ou le possesseur qui reconnaît les droits d'un tiers nuit à tous ses créanciers ; mais cette renonciation n'est pas susceptible de critique.

La reconnaissance faite par l'un des débiteurs solidaires , ou la demande formée contre lui, interrompt la prescription à l'égard des autres débiteurs (1206 et 2249) ; mais la renonciation faite par l'un d'eux , à la prescription acquise , ne nuit point aux autres : ceux-ci peuvent encore , en vertu de l'art. 2225, opposer ce moyen de libération. Appliquez ces observations au cas où il s'agit d'une dette indivisible.

— Les héritiers présomptifs, les héritiers institués par acte entre-vifs, les donataires et les substitués sont-ils au nombre des tiers qui peuvent attaquer la renonciation à la prescription? ⸿ La négative est évidente en ce qui concerne les héritiers présomptifs ; il faut décider de même pour les héritiers institués, nonobstant les termes de l'art. 1083 : on ne doit pas enlever au donateur la faculté d'obéir au cri de sa conscience. Peut-être cependant en serait-il autrement , s'il s'agissait , au lieu d'une prescription trentenaire à l'effet de se libérer, d'une prescription à l'effet d'acquérir. — Quant au donataire , il n'a rien à redouter d'une renonciation faite par le donateur depuis la transcription de la donation ; — à l'égard du substitué , il n'est point lié par la renonciation du grevé , puisque ce dernier ne peut aliéner (Troplong, n. 104 et suiv.).

‡Les tiers peuvent-ils attaquer, par voie de tierce opposition , le jugement en force de chose jugée

_____

(1) Mieux vaudrait dire *le possesseur;* car la prescription ne rend le possesseur *propriétaire* qu'autant qu'il la fait valoir ; or on suppose ici qu'il y renonce.

(2) C'est-à-dire , *y a renoncé;* car tant que le débiteur n'a pas renoncé , les ayants droit ne sont pas fondés à se plaindre.

(3) La solution que nous donnons pour le cas où le débiteur a renoncé, est contestée : on objecte que la prescription est fondée principalement sur la présomption de payement ou de remise de la dette ; que nul ne peut savoir mieux que le débiteur, s'il a ou non payé ; que des tiers ne doivent pas pouvoir l'empêcher de satisfaire au cri de sa conscience ; que l'action du créancier ne doit être recevable qu'autant qu'il y a fraude : que ces mots *y renonce* , doivent être entendus ainsi : *n'use pas , ne se prépare pas à opposer la prescription* (Vaz., n. 352 et 353 ; D... Prescript., p. 243, n. 7). Mais pourquoi ajouter une idée à celle qui a dicté l'art. 2225? évidemment la renonciation doit être laissée à la conscience du renonçant. D'un autre côté , pourquoi donner au mot *renoncer* un sens autre que celui que lui attribue l'usage? Il est plus vrai de décider , que l'art. 2225 établit, au profit des créanciers du défendeur, un droit qui n'est une application ni de l'art. 1166, ni de l'art. 1167, mais qui est basé sur la nécessité de les soustraire aux suites de l'entraînement d'un débiteur peu disposé à invoquer la prescription (*Val.*).

rendu contre le débiteur, faute par celui-ci d'avoir opposé le [moyen de la prescription ? ⚹ *A.* Pourvu que le jugement n'ait pas encore été exécuté. — En principe, les créanciers sont bien représentés par leur débiteur dans les procès soutenus par lui ; mais cela n'est vrai, qu'autant qu'il agit de bonne foi : or le débiteur n'est pas de bonne foi, lorsqu'il renonce à la prescription, sachant qu'il se trouve au-dessous de ses affaires (Dur., n. 147, 148 et 150 ; Troplong), ⚹ Il faut que les choses soient encore entières (Vazeille).

Quid, si le débiteur a formellement renoncé, soit avant l'instance, soit pendant son cours, au moyen tiré de la prescription ? ⚹ Puisque les créanciers dont les droits sont antérieurs au jugement, ont le droit de former tierce opposition à ce jugement pour en empêcher l'exécution, il faut décider qu'ils peuvent, dans les délais de droit, interjeter appel quand même le débiteur aurait renoncé formellement à la prescription et opposer en appel la prescription (Dur., n. 149 et 150).

Quid, s'il s'agit de l'une de ces dettes à l'égard desquelles le serment peut être déféré au débiteur nonobstant la prescription opposée par lui ? ⚹ En ce cas, la renonciation faite par le débiteur au moyen tiré de la prescription, met obstacle à ce que les créanciers autres que celui en faveur duquel il a renoncé puissent opposer ce moyen avec succès, car la prescription était fondée sur la présomption de payement, et le débiteur a détruit cette présomption par sa renonciation (Dur., n. 151).

2226 — On ne peut prescrire le domaine des choses qui ne sont point dans le commerce.

= La prescription est un moyen d'acquérir ; or on ne peut acquérir que les choses qui sont dans le commerce (*voy.* art. 537 à 543 et 102 ; Dur., n. 157 et suiv., Troplong, n. 108 et suiv.).

— Les biens grevés de substitution permise, sont-ils prescriptibles à l'égard des appelés, durant la charge de conserver et de rendre ? ⚹ *A.* Mais les inscriptions qui ne courent pas contre les mineurs et les interdits, ne courent pas non plus contre les appelés, pendant leur minorité ou leur interdiction ; le bénéfice du droit commun ne leur est point enlevé (Dur., n. 480).

2227 — L'État, les établissements publics et les communes sont soumis aux mêmes prescriptions que les particuliers, et peuvent également les opposer.

= Les dépendances du domaine public peuvent être prescrites quand elles sont susceptibles d'une propriété privée ; en d'autres termes, quand elles ont cessé d'être employées à un usage public : l'art. 2227 fait allusion à cette distinction (1).

CHAPITRE II.

De la possession (2).

On peut envisager la possession sous trois principaux rapports :

1° Comme étrangère à l'acquisition ou à l'exercice d'un droit : elle prend alors plus particulièrement le nom de *détention*.

2° Comme se rattachant à un droit préexistant ; comme une conséquence de ce droit : par ex., en cas d'usufruit ou d'usage.

3° Comme un fait qui manifeste, de la part de celui qui l'exerce, l'intention d'acquérir un droit sur des objets extérieurs : alors, s'applique la maxime : *Tantùm possessum quantùm præscriptum.*

Sous ce dernier rapport, le seul que nous ayons à considérer, la possession est la base de la prescription à l'effet d'acquérir.

Pour acquérir la possession, il faut joindre au *fait* d'une appréhension réelle, l'*intention* de rendre la chose sienne ; il faut posséder *corpore et*

---

(1) *Voy.* sur cet article les développements donnés par Troplong.

(2) Elle consiste à avoir une chose en sa puissance, *sub manu.* — Le mot possession vient du verbe latin *posse.*

animo. — Mais la possession acquise se conserve par la seule intention, *animo tantùm.*

La possession doit réunir certaines qualités : il faut quelle soit paisible, publique, continue, non équivoque, à titre de propriétaire (2229).

Celui qui ne jouit que par la permission d'un autre, ou parce que celui-ci n'use pas d'une faculté que lui ouvre la loi, l'usage ou un statut local, ne possède pas à titre de propriétaire : les actes de tolérance et ceux de pure faculté, ne peuvent dès lors fonder ni prescription ni possession (2232).

La prescription ne s'accomplit qu'autant que la possession a continué pendant tout le temps fixé par la loi.

L'héritier, ainsi que les successeurs universels ou à titre universel, continuent la possession du défunt : les héritiers, parce qu'ils succèdent à sa personne ; les successeurs universels ou à titre universel, parce qu'ils succèdent à ses droits et sont tenus, dans certaines limites, de ses obligations.—Quant au successeur particulier, il peut joindre à sa propre possession celle de son auteur (1) ; mais il reste toujours maître de faire commencer la sienne, à partir de son acquisition (2237 et 2239).

Les choses susceptibles d'être acquises par prescription sont : 1° les immeubles corporels, pourvu qu'ils soient dans le commerce.

2° Les droits attachés à la qualité d'héritier, et par suite les universalités de biens qu'ils ont pour objet (1240).

3° Les servitudes personnelles, c'est-à-dire, les droits d'usufruit, d'usage, d'habitation.

4° Certaines servitudes réelles (690).

Quant aux meubles, considérés individuellement, le possesseur en est réputé propriétaire, pourvu, bien entendu, que sa possession réunisse les qualités déterminées par l'art. 2229 ; il ne peut en être dépouillé par l'effet d'une action en revendication, si ce n'est dans deux cas exceptionnels (*voy.* art. 2279).

La possession fait considérer le possesseur comme propriétaire, tant que le véritable maître ne se présente pas : à ce principe, viennent se rattacher les règles suivantes : — On est toujours présumé posséder pour soi jusqu'à preuve du contraire (2230).—Celui qui prouve avoir possédé anciennement, est présumé avoir possédé pendant le temps intermédiaire (2232).—Quand on a commencé à posséder pour autrui, on est toujours censé posséder au même titre (2231). — Le possesseur profite des fruits qu'il a perçus de bonne foi.

Elle attribue certains droits pour se faire maintenir en possession en cas de trouble ; à cet égard, on distingue :

La possession qui n'est pas annale, n'est qu'un fait auquel la loi n'attache aucun effet juridique : si elle se perd, aucun secours n'est accordé au possesseur pour obtenir sa réintégration ; la loi ne crée en sa faveur aucune présomption de propriété. Assurément, lorsqu'une demande en désistement est dirigée contre lui, on le maintient en possession durant le litige, mais c'est là un effet de ces maximes du droit commun : *in pari causâ, melior est causa possidentis ; actore non probante, reus absolvitur*, et non un effet juridique de la possession.

Après l'expiration d'une année, la possession est protégée par des actions possessoires (art. 23 et suiv., Pr.).

_____

(1) Dans la pratique, cette jonction de possession se nomme *accession.*

Après dix, vingt ou trente ans, suivant les cas, la présomption de propriété prend naissance ; la présomption se change alors en réalité ; le domaine de la chose est définitivement acquis au possesseur.

La possession, considérée dans ses caractères, est civile ou naturelle ; de bonne foi ; juste ; vicieuse.

La possession est *civile*, lorsque l'on détient en vertu d'une juste cause ; c'est-à-dire, d'un titre translatif de propriété.

Naturelle, lorsqu'on détient pour soi, *animo domini*, mais sans titre, comme le voleur, l'usurpateur d'un fonds. — Quant au fermier, au dépositaire, au commodataire, ils possèdent pour autrui.

De bonne foi, lorsqu'on possède en vertu d'un titre translatif de propriété dont ignore les vices.

Juste, lorsqu'on possède de bonne foi et en vertu d'un juste titre translatif de propriété ; ou, du moins, lorsque la possession est fondée sur l'occupation si la chose est susceptible de s'acquérir de cette manière.

Vicieuse, lorsqu'elle est ou violente, ou clandestine, ou précaire.

2228 — La possession est la détention ou la jouissance d'une chose ou d'un droit que nous tenons ou que nous exerçons par nous-mêmes, ou par un autre qui la tient ou qui l'exerce en notre nom.

= Dans cette définition, la possession est considérée à l'état de détention, c'est-à-dire, à ce premier degré qui a pour résultat de mettre l'individu en rapport avec la chose ; la loi ne s'occupe pas encore des variétés de ce rapport : nous verrons art. 2229, que, pour opérer la prescription, elle doit réunir certaines qualités.

On peut posséder une chose incorporelle, par ex. une servitude, un usufruit, un droit de superficie, comme une chose corporelle (meuble ou immeuble).

La possession des choses corporelles se manifeste par la détention ; celle des choses incorporelles par l'exercice du droit.

Les principes du Code ne répugnent point à la possession d'une hérédité (237, 2228, 2229, 2262, 1240) : après trente ans de possession, le droit héréditaire est prescrit (237, 2228, 2229, 2262, 1240).

Nous pouvons posséder une chose, soit par nous-mêmes, soit par un autre qui la détient comme dépositaire, fermier, emprunteur, ou qui en jouit en notre nom.

2229 — Pour pouvoir prescrire, il faut une possession continue et non interrompue, paisible, publique, non équivoque, et à titre de propriétaire.

= Pour opérer la prescription, la possession doit réunir certains caractères :

1° Il faut qu'elle soit *continue* (1) ; c'est-à-dire, continuée sans intervalle (688 et 691), ou du moins, que les actes de possession matérielle aient été assez rapprochés, eu égard à la nature de la chose, pour qu'on ne puisse

---

(1) En matière de *servitudes*, le mot *continue* a un sens particulier : on nomme servitude *continue*, celle qui s'exerce sans le fait actuel de l'homme (1688, 1691), par opposition aux servitudes discontinues, lesquelles ne s'exercent que par ce fait : celles-ci ne peuvent s'acquérir par prescription.

induire qu'il y a eu abandon. — Si le possesseur avait volontairement abandonné la chose pendant un certain temps, parce qu'il n'en voulait plus
(ce qui est difficile à prouver), il ne pourrait compter, pour prescrire, ni
le temps de la possession première, ni celui de l'abandon, bien qu'il fût
ensuite rentré en possession ; car la possession abdiquée est censée n'avoir
pas existé.

Au surplus, la possession une fois acquise, se conserve par la seule intention : *olim possessor, hodie possessor præsumitur ;* la question de
savoir, s'il y a eu discontinuation de possession, se réduit donc à celle de
savoir, s'il y a eu, de la part de l'ancien possesseur, volonté de ne plus
posséder : cette question, toute de fait, est abandonnée à l'arbitrage du
juge.

2° *Non interrompue* (1) : on distingue l'interruption naturelle de l'interruption civile (*voy.* section 1, chap. 3, 2242 à 2250) ; l'interruption
fait évanouir le laps de temps écoulé pour atteindre la prescription ; elle
s'entend d'une solution de continuité opérée par le fait d'autrui ou par la
reconnaissance même du possesseur.

3° *Paisible* : c'est-à-dire, acquise et conservée (2) sans violence ni arti-
fice (3), par rapport à celui à qui la prescription est opposée ; *ab adversario.* — En droit français, la violence employée pour acquérir ne rend pas
la possession perpétuellement vicieuse ; ce vice est purgé, par cela seul que
la jouissance a continué paisiblement ; il n'est pas nécessaire que la chose
retourne préalablement au pouvoir de celui qui en a été dépouillé (2233).

4° *Publique* : La clandestinité est un obstacle à la prescription. —
La possession est reputée clandestine, lorsqu'elle n'a pu être connue de
celui contre qui on prescrit (89, 691) ; par ex., voulant agrandir une
cave, j'ai creusé sous la maison voisine, à l'insu du propriétaire : depuis,
j'ai vendu cette cave ; quoique l'acquéreur soit de bonne foi, il ne pourra
prescrire ; car, la possession n'a pas été publique. — C'est aussi par suite
de cette règle, que les servitudes non apparentes ne peuvent s'acquérir par
prescription (4).

Quid, si la possession était connue de tout le monde, bien qu'elle fût
ignorée du propriétaire? Nous pensons que la prescription pourrait s'o-
pérer.

La possession clandestine dans le commencement, peut devenir publique, et alors elle est bonne pour prescrire (Arg. de l'art. 2233).

Vice versâ, il ne suffirait pas que la publicité eût existé dans le principe : en décidant que la possession doit être continue et publique, le Code
exige par cela même que la continuité soit accompagnée du caractère de
publicité (5).

La publicité se prouve par le fait même de l'exercice.

---

(1) Superflu : il suffisait de dire *continue ;* car la condition de continuité est exclusive *d'interruption :* les rédacteurs du Code songeaient à la prescription qui, en effet, peut être interrompue
civilement ou naturellement (2244) ; ils ont confondu l'effet, avec la cause ; la prescription, avec la possession.

(2) Gardons-nous de croire cependant qu'un acte de violence isolé puisse suffire pour mettre obstacle à la prescription : des actes réitérés sont nécessaires (*Voy.* Dur., n. 211).

(3) Dur., n. 210 et 223 ; *voy.* cep. Delvincourt. Suivant cet auteur, la violence ne peut fonder une possession capable d'opérer la prescription, qu'elle ait été exercé contre le propriétaire ou contre *tout
autre possesseur.*

(4) Quant aux servitudes discontinues, ce qui empêche de les prescrire, c'est moins le défaut de continuité, que cette circonstance, que la possession, dans ce cas, est généralement équivoque ; on ne
peut savoir si ces servitudes ont été exercées *jure servitutis* ou *jure familiaritatis.*

(5) Troplong, n. 347.

5° *Non équivoque :* la possession est équivoque, lorsqu'elle laisse dans le doute de savoir si on l'a exercée pour soi, comme maître; ou pour autrui, comme administrateur : par ex., en qualité de mari, de père, de tuteur, etc. — Pour fonder la prescription, il faut que le possesseur possède clairement, *animo domini.*

Mais on est toujours censé posséder pour soi et à titre de propriétaire, s'il n'est prouvé qu'on a commencé à posséder pour un autre.

La circonstance que celui qui invoque la prescription, aurait possédé en vertu de deux causes capables l'une et l'autre de lui conférer la propriété, ne rendrait pas la possession équivoque.

6° Enfin, il faut posséder à titre de propriétaire ; c'est-à-dire, avec la persuasion que l'on est propriétaire, ou du moins avec intention de le devenir, *animo domini* (1) : il faut que la possession soit exclusive de *précarité.*

On demande s'il suffit que cette qualité de la possession, nécessaire pour prescrire, existe relativement, c'est-à-dire, par rapport à celui à qui la prescription est opposée, *ab adversario?* Elle doit exister d'une manière absolue; le vice de précarité fait obstacle à la prescription vis-à-vis de tous : il n'en est pas de ce vice comme de ceux de violence et de clandestinité, lesquels ne produisent que des effets relatifs : le possesseur violent ou clandestin possède la chose *cum animo sibi habendi;* mais le possesseur précaire ne possède pas, il *détient* (2).

La possession est *précaire,* lorsqu'on ne détient une chose, qu'en vertu d'un titre ou d'une qualité qui oblige à la restituer, ou lorsqu'on n'exerce une servitude, qu'à la faveur d'une simple tolérance (2231, 2232, 2236, 2240, 2237).

La possession s'acquiert par le concours du *fait* et de l'*intention corpore et animo* : une fois acquise, elle se conserve *animo tantùm*, et cette volonté se présume toujours : néanmoins, il faut pour cela, que le possesseur ait encore la faculté de reprendre la jouissance: si un tiers s'était emparé de la chose pour la posséder pour lui-même ou pour un autre, il serait à l'abri des actions possessoires après un an de possession (23, Pr.).

Du principe qu'il faut avoir l'intention de posséder, il résulte :

1° Que l'erreur empêche les effets de la possession : par ex., si on me livre une chose autre que celle que j'ai prétendu acquérir.

2° Que les personnes privées de raison sont frappées d'incapacité ; mais elles possèdent par le ministère de leurs tuteurs.

Quant au mineur qui est parvenu à un âge assez avancé pour comprendre ce qu'il fait, il peut acquérir par prescription ; car il n'a pas besoin de l'autorité de son tuteur pour rendre sa condition meilleure.

A l'égard des femmes en puissance de mari, qui ne sont ni séparées, ni marchandes publiques, elles ne peuvent, à la vérité, rien acquérir sans être autorisées, mais elles sont capables de posséder ; car la possession n'est qu'un fait. Toutefois, lorsqu'il s'agira d'exercer les droits résultant de cette possession, l'autorisation du mari ou de justice sera nécessaire.

---

(1) Quand la possession réunit ces six caractères, on l'appelle possession *qualifiée;* possession *légitime* ou *parfaite.*

(2) En présence des articles 2229, 2236 et 2240, qui ne comportent aucune distinction, il est difficile de penser que le juge puisse considerer la possession comme précaire a l'égard des uns, et à titre de propriétaire, à l'égard des autres : en thèse générale, la possession doit être soumise à une règle uniforme : on a pu se relâcher de la sévérité de cette règle en ce qui concerne les deux caractères de violence et de clandestinite : car ces sortes de vices résultent de faits variables, qui, par leur nature, se prêtent a un coup d'œil relatif ; mais ici, l'absolu est inévitable; la possession *animo domini* exclut toute idée de precarité (Troplong, n. 570; Dur., n. 223) (*Val.*).

On peut aussi prescrire par le ministère d'un autre ; mais alors, il faut que cette personne ait eu la la volonté de posséder pour nous : par ex., si je vous ai chargé d'acheter une chose en mon nom, je posséderai cette chose par vos mains, aussitôt qu'elle vous aura été livrée, même avant que cet achat soit parvenu à ma connaissance.

Mais si vous avez acheté sans mandat, comme *negotiorum gestor*, je ne deviendrai possesseur qu'à partir du jour où j'aurai connu et approuvé l'acquisition.

Nonobstant le mandat, si le mandataire avait agi pour lui et non pour le mandant, ce dernier n'aurait jamais eu aucun droit sur la chose.

De même que nous acquérons la possession par nous-mêmes ou par le ministère d'un autre, de même aussi, nous retenons cette possession, soit par nous-mêmes, soit par d'autres qui la détiennent en notre nom. Bien plus, le détenteur ne peut, en manifestant une volonté contraire, cesser de posséder pour nous, car on n'est point admis à se changer à soi-même la cause de sa possession.

Nous perdons la possession par notre propre volonté ; c'est-à-dire, soit par une renonciation translative, soit par un abandon pur et simple ; ou malgré nous ; par ex., lorsqu'il s'agit d'un héritage, si l'usurpateur a possédé paisiblement pendant une année (23, Pr.), et lorsqu'il s'agit de choses mobilières, quand elles ont cessé d'être sous notre garde.

Mais la saisie faite à la requête des créanciers n'enlève pas la possession au débiteur ; il continue de détenir par le ministère du gardien établi, jusqu'au moment de la vente ou de l'adjudication.

Pour fonder une action possessoire, la possession doit réunir également les conditions prescrites par l'art. 2229, C. c. Cet article se combine avec l'art. 23, Pr.

La possession des choses corporelles, étant *res facti*, peut s'établir par témoins plus encore que par titres ; mais la possession des droits incorporels résiste davantage à la preuve testimoniale. Par ex., lorsqu'il s'agit de la possession d'une rente, comment prouver par témoins le payement des arrérages, quand la somme excède 150 fr., sans se mettre en contradiction avec les dispositions du Code qui repoussent ce genre de preuve dans tous les cas où il a été possible de se procurer un écrit ?

— Du principe que la propriété se transfère par le seul consentement, doit-on conclure que l'acheteur est censé posséder, à partir de la vente, par le ministère du vendeur ou du donateur ? ∿ *A.* (Dur., p. 197 et suiv.).

La possession annale est-elle un fait ou un droit spécial ? ∿ Elle n'est qu'un fait (Troplong, n. 233 et suiv.).

Peut-on être propriétaire en vertu de plusieurs titres ou causes distinctes ? ∿ *N. Quod meum est ampliùs meum fieri nequit* (Dur., n. 205).

Est-on censé posséder par violence, par cela seul qu'on a reçu un fonds de celui que l'on savait posséder de cette manière ? ∿ *N.* Mais la possession de ce dernier est de mauvaise foi (Dur., n. 212).

2230 — On est toujours présumé posséder pour soi, et à titre de propriétaire, s'il n'est prouvé qu'on a commencé à posséder pour un autre.

= En matière de prescription, il faut s'attacher au principe de la possession : ce fait établi, on est censé, jusqu'à preuve du contraire, avoir toujours détenu la chose au même titre.

Néanmoins, comme la possession accompagne ordinairement la propriété, la présomption est en faveur du possesseur ; la précarité ne se présume pas.

On peut combattre par des titres, par des actes de possession et même par témoins (1), la présomption qui résulte des articles 2230 et 2231.

2231 — Quand on a commencé à posséder pour autrui, on est toujours présumé posséder au même titre, s'il n'y a preuve du contraire.

= Nul ne peut se changer à soi-même la cause de sa possession : celui qui détient pour autrui perpétue et renouvelle à chaque instant les droits de celui au nom duquel il possède ; la présomption est dès lors contre lui (2236 et 2237); mais il peut établir qu'il a interverti son titre (*voy.* art. 2238) (2).

2232 — Les actes de pure faculté et ceux de pure tolérance ne peuvent fonder ni possession ni prescription.

= Pour prescrire, il faut posséder à titre de propriétaire ; les actes de pure faculté et ceux de simple tolérance (3) ne peuvent dès lors servir de base à la prescription. La partie qui, pendant trente ans, a souffert des actes réputés de pure tolérance, ou s'est abstenu de certains actes qu'elle avait la faculté de faire, n'est pas pour cela passible des effets de la prescription.

Appliqués aux servitudes, que signifient ces mots: actes de *pure faculté*, distingués des actes de *tolérance?* Les actes de pure faculté se réfèrent aux servitudes négatives, et ceux de simple tolérance aux servitudes affirmatives. Exemple : je me suis abstenu pendant cent ans de bâtir sur mon terrain : si le voisin pouvait m'empêcher de construire, en alléguant qu'il a prescrit contre moi le droit de prospect, ce serait une *servitude négative;* bâtir ou ne pas bâtir sont en effet, pour le propriétaire du terrain, des actes de *pure faculté.* — Pendant cent ans, j'ai laissé paître des bestiaux sur un terrain en friche : si le maître des bestiaux pouvait prétendre qu'il a acquis sur ce terrain un droit de pâture, ce serait une servitude affirmative : mais je lui opposerais avec succès, que l'acte était de ma part une *pure tolérance.*

Cependant, l'art. 690 admet, que certaines servitudes peuvent s'acquérir

(1) Quelques personnes pensent, que la preuve contraire aux présomptions admises par les articles 2230 et 2231 ne peut s'établir par témoins, lorsque la valeur du litige excède 150 fr., qu'autant qu'il existe un commencement de preuve par écrit; autrement, disent-elles, ces présomptions seraient insignifiantes, car il suffirait pour les détruire, de gagner quelques témoins ; mais elles conviennent que, dans les cas de l'article 2234, un commencement de preuve par écrit n'est pas nécessaire (Dur., n. 231).
(2) Suivant Dur., n. 228, la règle de l'art. 2231 ne doit être entendue que sous certaines modifications.
(3) *Actes de pure faculté* : actes que l'on est libre d'accomplir, mais aussi que l'on omet, sans que leur omission puisse faire présumer une renonciation. Par ex., pendant trente ans je me suis abstenu de couper les branches d'un arbre planté sur votre terrain qui s'étendent sur le mien : vous ne pourrez prétendre que j'ai perdu le droit de les abattre. — J'ai laissé passer trente ans sans bâtir sur mon terrain : mon voisin ne pourra cependant m'empêcher de construire : pourquoi? parce qu'en n'abattant pas les branches d'arbres ou en m'abstenant de construire, j'ai usé d'une pure faculté.
Il ne s'agit point ici de ces actes qui dérivent des contrats, des quasi-contrats, des délits ou des quasi-délits: pas de doute que le droit ne se perde dans ces cas s'il n'est exercé dans un certain délai : nous supposons des actes que la loi seule, la coutume ou un statut local permet de faire ou de ne pas faire : l'exercice ou le non-exercice de semblables actes ne peut fonder de prescription, pour autoriser à faire ou à empêcher ce que permet ou ce que défend le droit commun.
Remarquons en outre, que l'art. 2232 ne peut concerner que la prescription à l'effet d'acquérir : étendu à la prescription à l'effet de se libérer, il aurait pour résultat de rendre impossible ce mode de libération, car le créancier pourrait toujours alléguer qu'il a usé d'une pure tolérance ou d'une simple faculté en ne poursuivant pas le débiteur.
Actes de simple tolérance : actes que l'on est libre de défendre ; mais aussi que l'on permet, sans que cela présuppose une renonciation à empêcher : ils sont ordinairement le résultat de la familiarité, de l'amitié, du bon voisinage.

par prescription , et dès lors par l'effet d'un acte de tolérance ou de faculté de la part du propriétaire du fonds servant : comment concilier ce principe avec celui qui est consacré par l'art. 2232 ? Le législateur veut faire entendre , en ce qui concerne les actes de pure faculté, qu'on ne prescrit pas les servitudes non apparentes, et en ce qui concerne les actes de tolérance , qu'on ne prescrit pas les servitudes discontinues. (*Voy.* sect. 2 , *des Servitudes.*)

2233 — Les actes de violence ne peuvent fonder non plus une possession capable d'opérer la prescription.

La possession utile ne commence que lorsque la violence a cessé.

= En droit romain , la possession qui commençait par la violence ne pouvait jamais être utile ; il fallait que la chose retournât au pouvoir de celui qui en avait été dépouillé.

Le Code civil s'écarte de la rigueur des lois romaines , en déclarant, que la possession devient utile , c'est-à-dire , capable de fonder la prescription trentenaire, dès le moment où la violence a cessé.

Il n'exige même pas que le possesseur ait interverti son titre ; il suffit qu'il ait possédé paisiblement (1).

Supposons que la possession ait commencé paisiblement , et qu'ensuite elle ait été retenue par la violence, pourra-t-elle servir de base à la prescription ? Point de question , si la possession a été retenue ainsi contre un tiers qui ne tenait pas son droit du propriétaire : l'affirmative est évidente.

Mais *quid*, lorsque la violence a été exercé, contre le véritable propriétaire ? Nous pensons qu'il faut distinguer : si le propriétaire s'est présenté dans l'année , à compter du jour de l'usurpation , la violence met obstacle à la prescription ; *secùs*, s'il ne s'est présenté qu'après l'expiration de l'année : le possesseur aura acquis le droit de réclamer l'appui de la justice, pour se faire maintenir en possession, en cas de trouble (Dur. n. 211; Troplong , n. 419).

Du reste, quelques faits isolés ne vicieraient pas la possession ; il faut des actes géminés : on apprécie leur nombre, leur liaison , leur gravité ; les tribunaux se décident eu égard aux circonstances.

L'effet de la violence est le même, qu'elle s'exerce sur le propriétaire ou sur les personnes qui agissent pour lui.

La possession est valable , bien que l'on tienne ses droits d'une personne dont la possession était entachée de violence ; mais cette circonstance peut servir à établir que le possesseur est de mauvaise foi.

Au lieu d'user de violence pour usurper la possession , si on l'emploie pour arracher au maître un acte d'abandon, la possession qui en résulte n'est pas réputée violente ; elle est fondée en titre ; mais l'acte est rescindable.

2234 — Le possesseur actuel qui prouve avoir possédé an-

_____

(1) Dur., n. 209. ⟶ Il faut une nouvelle possession fondée sur un nouveau titre (Delv.).

ciennement, est présumé avoir possédé dans le temps intermédiaire, sauf la preuve contraire.

= Le possesseur actuel, qui est inquiété par le propriétaire de la chose, doit prouver qu'il a possédé pendant un espace de temps suffisant pour opérer la prescription : il peut établir le fait de sa possession ancienne, par exemple, en représentant des actes, tels que des baux, des extraits de rôles des contributions, ou même par témoins : cette preuve faite, s'il possède encore au moment où s'élève la contestation, on présume qu'il a possédé pendant le temps intermédiaire.

Si le propriétaire à qui l'on oppose la prescription soutient que la possession a souffert interruption, il est tenu d'en fournir la preuve ; — mais il ne lui suffirait pas d'établir, que l'adversaire n'a pas possédé corporellement pendant le temps intermédiaire : il doit prouver que la chose a été possédée de fait par une autre personne, pendant plus d'un an (2243) : la possession, en effet, se conserve *solo animo*, bien que le fait et l'intention soient nécessaires pour l'acquérir.—Toutefois, l'abandon volontaire constituerait une interruption, bien qu'il eût duré moins d'une année, lors même que le possesseur aurait, depuis, repris la chose.

Les faits de possession ou d'interruption de la possession, peuvent être établis par témoins, même sans commencement de preuve par écrit, encore que l'objet du litige s'élève à une valeur de plus de 150 fr. : cette décision est admise par les auteurs mêmes qui rejettent, dans le cas des art. 2230 et 2231, la preuve testimoniale en matière excédant 150 fr., lorsqu'il n'existe pas de commencement de preuve par écrit ; ils donnent pour raison de cette différence que, dans les deux cas prévus par ces derniers articles, la preuve porte sur un fait qui tient essentiellement à la qualité de la possession, à la cause en vertu de laquelle le possesseur détenait la chose ; tandis que, dans le cas de l'article 2234, la preuve ne porte que sur le simple fait d'interruption de la possession (Dur., n. 231).

2235 — Pour compléter la prescription, on peut joindre à sa possession celle de son auteur, de quelque manière qu'on lui ait succédé, soit à titre universel ou particulier, soit à titre lucratif ou onéreux.

= Des considérations d'intérêt général, fondées d'ailleurs sur les principes rigoureux du droit, ont fait admettre ce qu'on appelle, en matière de prescription, *accession*, c'est-à-dire, que la possession se continuerait non-seulement dans la même personne, mais encore dans des personnes différentes, comme l'auteur et son successeur : toutefois, pour bien entendre cette règle, quelques développements sont nécessaires.

On distingue deux sortes de successeurs : les uns viennent à titre universel, comme l'héritier et le légataire universel; les autres succèdent à titre singulier.

Les héritiers représentent la personne de leur auteur; ils succèdent à ous ses droits et à toutes ses obligations.

Les successeurs universels ou à titre universel (1), ne représentent

_____

(1) Sous la dénomination de successeurs universels, nous comprenons les héritiers irréguliers, les gataires universels ou à titre universel, ainsi que les donataires par contrat de mariage, de tout ou a tie des biens que le donateur laissera au jour de son décès.

pas la personne, mais ils succèdent *intra vires successionis* à toutes les obligations du défunt; or la revendication d'un immeuble déterminé, s'exerce évidemment dans cette limite : ces successeurs sont dès lors soumis, en ce qui concerne la prescription, aux mêmes règles que les héritiers.

Pour savoir si les héritiers ou les successeurs universels peuvent prescrire, c'est donc à l'origine de la possession de leur auteur (1) qu'il faut se reporter.

il suit de là : 1° que ces différents successeurs prescriront par dix et vingt ans, quand même ils auraient eu connaissance des vices de leur possession, si leur auteur a été de bonne foi ; *vice versâ*, que si l'origine de la possession a été entachée de mauvaise foi, ils ne prescriront, malgré leur bonne foi, que par trente ans; car ils n'ont pas, comme les successeurs à titre particulier, la faculté de commencer une possession nouvelle (Dur., n. 238).

2° Que si le titre de leur auteur était précaire, ils ne pourront jamais prescrire, quand même ils seraient de bonne foi, à moins qu'il n'y ait eu interversion ; *succedunt enim vitio defuncti.* — Mais ce que nous disons est restreint au cas de précarité : des héritiers ou successeurs universels pourraient, sans aucun doute, commencer en leur personne une possession paisible et partant utile, si la possession de leur auteur avait été entachée de violence.

A l'égard du successeur à titre singulier, soit à titre gratuit, soit à titre onéreux (comme un donataire, un légataire de tel ou tel immeuble, un acheteur, un coéchangiste), d'autres principes sont applicables : rappelons-nous, en effet, qu'il ne succède pas à la personne, mais à la chose ; qu'il n'acquiert pas en vertu du droit de son auteur, mais en son propre nom; qu'il a une cause de possession qui lui est propre : si ce successeur est de mauvaise foi, en d'autres termes, s'il se rend acquéreur, sachant que la chose n'appartient pas à son auteur, il ne peut, dès lors, prescrire par dix et vingt ans, quand même ce dernier aurait commencé à posséder avec juste titre et bonne foi (2) : mais aussi, lorsqu'il est de bonne foi, il prescrit par ce laps de temps, sans égard au vice de la possession originaire.

Toutefois, ne concluons pas de là, que le possesseur à titre singulier ne puisse profiter de la possession de son auteur : on ne saurait lui refuser cette faculté, car en livrant la chose, ce dernier a transféré tous les droits qu'il avait par rapport à cette chose : il est donc libre de prendre l'un ou l'autre parti : par ex., si le cédant a possédé pendant vingt-cinq ans, le cessionnaire aura plus d'intérêt à joindre à sa possession celle de son prédécesseur; car cinq années lui suffiront pour acquérir (il y aura, dans ce cas, *jonction de deux possessions*); tandis que dix ou vingt ans lui seraient nécessaires, s'il faisait dater sa possession du jour de son acquisition.

Pour qu'un successeur particulier puisse joindre à sa possession celle du précédent possesseur, il faut :

1° Que les deux possessions soient exemptes de vices;

---

* (1) On appelle *auteur*, en matière de prescription, celui dont on tient la chose à quelque titre que ce soit.

(2) Par conséquent il faut considérer l'*initium* de la bonne foi, non dans le vendeur, mais dans la personne de l'acheteur.

2° Qu'elles soient contiguës, c'est-à-dire, qu'il n'y ait pas eu interruption civile ou naturelle (1);

3° Qu'elles soient uniformes quant à l'objet possédé ;

4° Enfin, il faut qu'il y ait entre le possesseur actuel et le précédent possesseur une relation juridique.

— La possession de l'héritier putatif doit-elle être comptée à l'héritier véritable qui vient à l'évincer ? ∿ *A.* La succession possède par l'entremise de l'héritier putatif (Troplong, n. 467). Peut-on joindre à sa possession celle de la personne contre laquelle on a gagné un procès qui entraîne transmission de possession ? ∿ *A.* Un quasi-contrat judiciaire s'est formé : *nec obstat* l'art. 2243, cet article décide bien que l'interruption peut être naturelle, mais il ne suppose pas qu'un contrat judiciaire ait restitué la possession au premier possesseur. — L. 14, § 9, *de acquir. vel. amitt. hered. (Val.).*

CHAPITRE III.

Des causes qui empêchent la prescription.

La loi détermine, dans le chapitre qui va nous occuper, les causes qui mettent obstacle à la prescription à l'effet d'acquérir ; les dispositions qu'il renferme sont des applications de ces deux principes établis par les articles 2229 et 2231 : 1° que la possession ne peut servir à la prescription, si elle n'est à titre de propriétaire ; 2° que celui qui a commencé à posséder en une certaine qualité, est toujours censé posséder au même titre.

Le détenteur précaire peut prescrire en intervertissant le titre originaire de sa possession.

La possession est intervertie lorsque, commencée à un titre autre que celui de propriétaire, elle se change en une possession *animo domini*.

On peut trouver une foule de causes d'interversion ; mais la loi ne détermine comme susceptibles de servir de base à la prescription, que les trois suivantes : 1° un nouveau titre de possession conféré par un tiers ; 2° la contradiction opposée par le possesseur au droit du propriétaire ; 3° un titre translatif de propriété conféré par le possesseur précaire à un tiers (2339).

Ainsi, l'interversion doit résulter d'une cause extrinsèque ; le détenteur ne peut, sans l'intervention d'un tiers ou sans le concours du propriétaire, se changer à lui-même la cause et le principe de sa possession : c'est en ce sens que doit être entendue cette maxime consacrée par le Code : on ne peut prescrire contre son titre (2240).

Cette maxime, au surplus, n'a d'application que lorsqu'il s'agit de changer la substance du titre, de lui enlever sa qualité fondamentale, en un mot, de convertir la possession précaire en une possession *animo domini* : quand il s'agit seulement de modifier ce que le titre renferme d'accidentel, la prescription produit des effets plausibles et légitimes ; ainsi, on peut prescrire la libération des obligations que l'on a contractées même par ce titre (2241).

2256 — Ceux qui possèdent pour autrui, ne prescrivent jamais, par quelque laps de temps que ce soit.

Ainsi, le fermier, le dépositaire, l'usufruitier, et tous

---

(1) Vazeille, n. 71 et 72; Troplong. n. 428-467 ; Merlin, Rép. v° Prescript., sect. 1re, § 3, art. 3, n. 8.

autres qui détiennent précairement la chose du propriétaire,
ne peuvent la prescrire.

= En principe, les détenteurs à titre précaire ne peuvent acquérir
par prescription les choses mêmes qui sont susceptibles d'une propriété
privée; l'adage, *melius est non habere titulum quam habere vitiosum*,
reçoit ici son application.

Comment concilier notre article avec l'art. 2263, lequel déclare toute
action éteinte par trente ans? Cette conciliation est facile : les obligations
qui résultent de l'acte même sont prescriptibles (prescription à l'effet de se
libérer), mais la propriété de la chose possédée (prescription à l'effet d'acquérir) n'est pas acquise pour cela (1).

Les articles 2236 et 2237 s'appliquent aux meubles comme aux immeubles : pour s'en convaincre, il suffit de remarquer, que l'article 2236 parle
expressément du dépositaire; or il résulte de l'article 1918 que le dépôt
ne peut avoir que des meubles pour objet.

— Le gérant officieux peut-il prescrire? ⌁ *N.*On l'a toujours considéré comme détenteur précaire
(Vazeille, n. 145).

2237 —Les héritiers de ceux qui tenaient la chose à quelqu'un des titres désignés par l'article précédent, ne peuvent
non plus prescrire.

⌐ Les héritiers représentent leur auteur : ils ne peuvent, en conséquence, avoir des droits plus étendus que ceux qu'il avait. —Ce que nous
disons des héritiers, s'applique à tous les successeurs à titre universel;
leur position diffère, sous ce rapport, de celle du successeur à titre singulier (*voy.* art. 2235).

— Cette disposition frappe-t-elle également, et avec la même force, tous les détenteurs précaires et
leurs héritiers? ⌁ On doit admettre, dans toute son étendue, l'imprescriptibilité relative aux choses
détenues à titre précaire, par exemple, par les fermiers : quant à ceux qui ont commencé leur détention comme administrateurs, la perte de la qualité qui leur a donné cette administration produit, pour
eux, un changement de titre, et leur rend la capacité de posséder et de prescrire (Vazeille, n. 126 et 127).
Le vendeur qui ne livre pas la chose, peut-il prescrire contre l'acheteur? en d'autres termes peut-il,
après trente ans, se prétendre libéré de l'obligation de livrer cette chose à l'acheteur qui la revendique? ⌁ *N.* Arg. de l'art. 2236. ⌁ *A.* Aucun titre n'explique, en ce cas, la possession du vendeur. —
Gardons-nous de croire qu'une personne soit constituée par l'impossibilité de prescrire ; par cela seul
qu'elle doit livrer. — L'art. 2248 vient à l'appui de notre décision : en effet, cet article a rangé, parmi
les modes d'interruption, la reconnaissance faite par le possesseur, du droit de la personne contre laquelle il prescrit ; et bien! nonobstant cette circonstance, le possesseur recommence immédiatement
a prescrire. — Il faut, comme de raison, excepter le cas , où une clause du contrat de vente constituerait le vendeur, détenteur à titre précaire (*Val.*).
L'héritier de l'usufruitier peut-il prescrire? ⌁ *N.* La possession de l'héritier est la même que celle
de son auteur, les héritiers d'un usufruitier ne possèdent pas; ils sont tenus de l'obligation de restituer;
cela suffit pour qu'on doive les considérer comme détenteurs précaires (Dur., n. 243).
Quid, à l'égard de l'usufruitier lui-même, du preneur et autres détenteurs à titre précaire dans le
cas où le droit aurait été constitué seulement pour un certain temps? ⌁ On ne peut pas se changer à
soi-même la cause et le principe de sa possession : la possession précaire ne peut cesser, que par la restitution de la chose au propriétaire ; par une contradiction opposée au droit de celui-ci ; ou par une
cause procédant du fait d'un tiers (Dur., *ibid.*). ⌁ Celui qui jouit comme usufruitier, peut prescrire
l'usufruit. — L'usufruit est un démembrement de la propriété (Vazeille, n. 131. — *Cass.*, 27 juin 1813 ;
S., 13, 1, 38; D., 13, 1, 113 ; 17 juillet 1816 ; S., 17, 1, 152).
Le mari possède-t-il le bien dotal *pro suo*, ou comme détenteur à titre *précaire?* ⌁ Il possède
pro suo. Le Code civil ne renferme rien d'assez formel pour que l'on doive rejeter, sous ce rapport,
la théorie du droit romain, source de notre régime dotal. — L'art. 1549, il est vrai, porte que le mari
a seul l'administration des biens dotaux ; mais ce n'est pas une raison pour qu'il ne soit qu'administrateur (Troplong, n. 483 ; *voy.* cep. Proudhon, Usuf., t. 1er, p. 143 ; Toullier, t. 14, p. 143 ; Dur.).

2238 —Néanmoins les personnes énoncées dans les articles

_____

(1) Sous la dénomination de possesseurs précaires, la loi comprend tous ceux qui ne possèdent pas
animo domini.

2236 et 2237 peuvent prescrire, si le titre de leur possession se trouve interverti, soit par une cause venant d'un tiers,
soit par la contradiction qu'elles ont opposée au droit du
propriétaire.

= La règle qui refuse au détenteur précaire et à ses héritiers la faculté
de prescrire, est fondée sur la présomption que la possession a toujours
continué au même titre (2231) : on doit donc faire exception, lorsque la
possession se trouve *intervertie ;* c'est-à-dire, lorsque celui qui possédait
d'abord à titre précaire, vient ensuite à posséder à titre de propriétaire; ce
qui peut avoir lieu de deux manières :

1º *Par une cause venant d'un tiers :* nul ne peut, par sa volonté propre,
par une nouvelle direction d'intention, se changer à soi-même la cause de
sa possession; mais cette espèce de révolution peut provenir d'une cause
extrinsèque : elle a lieu, lorsque, par vente, donation, legs ou autre titre
translatif de propriété, un tiers (propriétaire ou autre) convertit la position précaire du débiteur, en une possession *animo domini* : alors, le possesseur prescrira par 10 ou 20 ans, s'il est de bonne foi; c'est-à-dire, s'il est
fondé à se considérer comme propriétaire : dans le cas contraire, il ne
prescrira que par trente ans. — Exemple : j'ai pris un fonds à bail : quelque
temps après, une personne me vend, me donne ou me lègue ce fonds : je
cesse immédiatement d'être locataire ; par conséquent, je pourrai prescrire par dix ou vingt ans (1). — Il paraît bizarre sans doute que le fait
d'un tiers autre que le propriétaire puisse opérer une interversion susceptible de conduire à la prescription ; mais en présence du texte de l'article
2238 qui ne distingue pas, il nous paraît difficile d'admettre une autre opinion (Troplong, n. 507) (*Val.*) (2). — Au surplus, les inconvénients sont
moins graves qu'on ne se l'imagine au premier abord : rappelons-nous,
en effet, que pour prescrire, il faut une possession non équivoque et non
clandestine (2228, 2229) ; or celle du détenteur qui laisse ignorer l'interversion, à celui dont il tient ses droits, réunit rarement ces deux qualités.

La loi n'exige pas que le titre soit signifié à celui au nom de qui
s'exerçait la possession; l'interversion s'opère *ipso facto* (Troplong, n. 507 ;
voy. cep. Vaz., n. 148, t. 1er).

Il faut toujours, bien entendu, excepter le cas de fraude.

2º *Par la contradiction qu'elles ont opposée au droit du propriétaire :*
mais il faut que cette contradiction soit formelle, bien constante : on ne
verrait pas une contradiction suffisante dans une abstention, dans un fait
négatif ; par ex., dans la cessation de payement des redevances : il faut que
le propriétaire se soit trouvé heurté.

La contradiction peut résulter d'actes judiciaires ou extrajudiciaires, et
même de faits dont on n'a pu se procurer une preuve écrite : ces faits peuvent être établis par témoins.

Par ex., je possède un fonds comme locataire : vous me demandez le
payement des loyers; je me défends, en vous signifiant que la maison

(1) Quelques auteurs, choqués par cette décision, décident que la prescription ne peut s'opérer même
par trente ans lorsque le possesseur est de mauvaise foi; ils se fondent sur la maxime : *nemo ex suo
delicto consequi debet actionem* (Delv., p. 211, n. 3 ; Vaz., n. 148).
(2) En ce qui concerne le fermier et le locataire, l'interversion de la possession par une cause venant
d'un tiers, se confondra presque toujours avec celle qui résulte d'une contradiction opposée au droit du
propriétaire ; autrement, il serait facile à un possesseur à titre précaire d'arriver à la prescription, en
se faisant passer un acte de vente ou de donation à l'insu des propriétaires, par un tiers avec lequel
il s'entendrait.

m'appartient : si vous ne faites aucune poursuite ultérieure pour obtenir
ces loyers, la possession sera intervertie ; en conséquence, je prescrirai
par dix ou vingt ans, lesquels commenceront à courir du jour de cette signification ; car, à partir de cette époque, j'ai possédé comme propriétaire :
Qui non prohibet cùm prohibere possit, consentire videtur.

Un fermier se proclame maître de la chose : il perçoit les fruits pour
son compte, et expulse le propriétaire qui vient pour s'installer sur le
fonds : évidemment, la réunion de ces circonstances constituera une contradiction suffisante.

Quant aux paroles vagues, effet de la jactance ou d'une mauvaise humeur passagère, elles ne peuvent opérer d'interversion.

2239 — Ceux à qui les fermiers, dépositaires et autres détenteurs précaires, ont transmis la chose par un titre translatif
de propriété, peuvent la prescrire.

— L'art. 2239 détermine une troisième cause d'interversion : elle a
lieu, lorsqu'un détenteur précaire constitue au profit d'un tiers, par un
titre translatif, par ex., par vente, donation ou legs, un droit de propriété
qu'il n'a pas lui-même : le vice de la vente de la chose d'autrui se couvre
en ce cas par la prescription. — C'est ici l'occasion de rappeler l'une des
principales différences qui existent entre la position des successeurs à titre
singulier, et celle des successeurs à titre universel : les premiers commencent une possession nouvelle ; leur titre se détache de celui du précédent possesseur ; il n'est plus entaché du vice de précarité : les seconds
subissent perpétuellement les conséquences des vices qui altéraient la
possession dans les mains de leur auteur.

Il faut, bien entendu, que le titre translatif soit sérieux et sincère, et
que la possession ait pu être connue du propriétaire (2229) : la loi n'entend
point protéger la fraude.

Aussi pense-t-on généralement, que le nouvel acquéreur doit posséder
par lui-même, et qu'il ne prescrirait point par l'intermédiaire de son vendeur qui conserverait le fonds, par ex., à titre de fermier ; à moins que le
détenteur ne s'annonçât publiquement comme possédant désormais pour le
nouvel acquéreur.

Quant à la simple connaissance de l'absence du droit dans la personne
du vendeur, elle ne suffirait point pour empêcher une possession à l'effet
de prescrire : assurément, cette circonstance constituerait le possesseur en mauvaise foi ; elle mettrait obstacle à la prescription par dix et
vingt ans ; mais, à la différence de la possession précaire, occulte, violente
ou équivoque, elle ne s'opposerait pas à la prescription trentenaire. —
L'article 2229 porte, en effet, que celui qui possède à titre de propriétaire, peut prescrire (Troplong, n. 518).

2240 — On ne peut pas prescrire contre son titre, en ce sens
que l'on ne peut point se changer à soi-même la cause et
le principe de sa possession.

= La possession ne peut avoir que deux causes : l'esprit de propriété
qui fait que l'on possède *pro suo*, et l'esprit de précarité. — Notre article fait
au possesseur à titre précaire, l'application de la maxime : *nemo sibi causam*

possessionis mutare potest : la possession précaire ne peut se changer en possession *animo domini*, que par l'effet d'une cause extrinsèque d'inter-version (*voy.* art. 2238).

Par exemple, le locataire prétendrait vainement qu'il s'est regardé comme propriétaire : peu importe même qu'il soit resté longtemps sans payer le prix de la location : il a pu prescrire les loyers, mais non la propriété.

Ainsi, lorsqu'il existe un titre, ce titre règle la cause et le principe de la possession tant qu'il n'est pas interverti ; c'est ce qu'exprimaient les anciens auteurs par ce brocard : *ad primordium tituli posterior semper formatur eventus.*

Mais on peut prescrire au delà de son titre, c'est-à-dire, prescrire un objet qui n'était pas compris dans le titre.

— *Quid*, si l'acquéreur d'un meuble connait le vice de la possession de son vendeur ? ⟋⟍ Lorsqu'il s'agit d'un meuble, l'acquéreur se rend complice du vol ; il est passible des mêmes peines que le voleur, et par conséquent il est frappé des mêmes incapacités (Delv., p. 210, n. 2).

2241 — On peut prescrire contre son titre (1), en ce sens que l'on prescrit la libération de l'obligation que l'on a con-tractée.

= On ne peut prescrire contre son titre à l'effet d'acquérir (2), mais on peut prescrire à l'effet de se libérer : par ex., l'acheteur peut prescrire l'obligation de payer le prix, l'exemption des servitudes que le vendeur s'est réservées dans le contrat de ventes, etc. ; l'héritier peut prescrire l'o-bligation d'acquitter un legs.

— Dans un contrat synallagmatique qui n'a reçu aucune exécution, celle des parties qui a prescrit et contre laquelle la prescription n'a pas couru, peut-elle demander l'exécution de l'obligation de l'autre partie, tout en refusant d'exécuter la sienne ? ⟋⟍ *N.* Les obligations sont réciproques ; la possession de l'un conserve celle de l'autre (Merlin, Quest., Supplém., v° Prescrip., p. 347 ; Dur., n. 252. — *Riom*, 28 mai 1810 ; S. 11, 2, 322). ⟋⟍ L'art. 2241 permet de prescrire contre son titre, en ce sens qu'il au-torise la libération de l'obligation qu'on a contractée : il n'établit pas de restriction. comme les anciens auteurs, pour le cas ou le titre est réciproque : il rejette donc cette règle des corrélatifs, désapprou-vee par la raison (Troplong, n. 534).

Peut-on prescrire contre son obligation. lorsqu'on a donné un gage au créancier? ⟋⟍ *N.* En ce cas, de même que le créancier ne peut prescrire la propriété du gage, de même le débiteur ne peut prescrire sa dette (Dur., n. 523. — *Cass.*, 27 mai 1812 ; S., 13, 1, 85 ; *voy.* cep. Troplong, n. 534).

CHAPITRE IV.

Des causes qui interrompent ou qui suspendent le cours de la prescription.

Interrompre une prescription, c'est lui apporter un obstacle qui rende inutile le temps écoulé, et la force à recommencer comme si elle n'avait jamais eu de principe d'existence (3).

On signale, entre la suspension et l'interruption, des différences essen-

---

(1) Ce n'est pas la prescrire *contre son titre* : c'est prescrire à l'encontre du titre que l'on a donné au créancier contre soi ; c'est prescrire contre le titre du créancier.

(2) Il vaut mieux dès lors n'avoir pas de titre : *melius est non habere titulum quàm habere vitiosum.*

(3) Troplong, n. 536.

tielles : la *suspension* empêche seulement la prescription pendant un certain temps ; elle arrête momentanément son cours ; elle fait dormir la prescription , mais elle ne l'éteint pas ; *dormit, sed non perit :* dès que la cause de suspension disparaît, le temps antérieur vient s'ajouter à celui qui commence à courir et compte pour la prescription ; l'interruption, au contraire, efface entièrement les effets de la possession antérieure. — Quand il y a *suspension*, la prescription ne peut courir tant que la cause qui l'a produite subsiste ; car la prescription ne peut tout à la fois *dormir et veiller* : l'*interruption* ne met point obstacle à ce qu'une prescription nouvelle commence, en vertu du même titre, et par conséquent par dix ans entre présents , et vingt ans entre absents , si le possesseur était de bonne foi au moment de l'acquisition , puisque le Code n'exige la bonne foi qu'à cette époque.

Il y a des causes d'interruption communes à la prescription à l'effet d'acquérir, et à celle à l'effet de se libérer ; il y en a qui sont spéciales à l'une ou à l'autre : on donne pour exemple des premières, la citation en justice ; la reconnaissance par celui qui prescrit, du droit de celui contre lequel il prescrit. — La privation de jouissance pendant plus d'un an , est une cause d'interruption de la prescription à l'effet d'acquérir. — Un commandement, une saisie signifiée à celui qu'on veut empêcher de prescrire , sont des causes d'interruption de la prescription à l'effet de se libérer.

Quoi qu'il en soit , les auteurs du Code ont réuni dans un même titre les causes d'interruption de ces deux sortes de prescriptions.

SECTION I.

Des causes qui interrompent la prescription.

L'interruption est naturelle ou civile.

Naturelle , lorsqu'elle résulte de faits purement matériels , lorsque le propriétaire a recouvré la possession ou lorsqu'elle a été prise par un tiers.

Civile , lorsqu'elle a lieu par des actes spéciaux que la loi prend soin de déterminer et auxquels elle attribue , par l'effet d'une disposition arbitraire , la force d'interrompre la prescription.

Ces actes privilégiés sont au nombre de cinq , 1° une citation en justice , donnée même devant un juge incompétent ; 2° un commandement ; 3° une saisie signifiée , 4° une citation en conciliation , pourvu qu'elle soit suivie d'une assignation en justice dans les délais de droit ; 5° enfin , la reconnaissance de la dette ou du droit rival par le débiteur ou le possesseur.

L'interruption naturelle est absolue ; elle produit son effet à l'égard de toutes personnes indistinctement : l'interruption civile n'a d'effet qu'entre les parties , leurs successeurs ou ayants cause (2).

L'interruption résultant d'une citation en justice est considérée comme non avenue dans quatre cas (*voyez* art. 2247).

---

(1) *Voy.* sur ce principe Vaz., n. 231 et suiv. ; Dur., n. 596, t. 2 ; n. 111, t. 4 ; Troplong, n. 626-677.

En principe, il faut autant de prescriptions particulières qu'il y a d'obligations principales; ce qui est prescrit contre l'un, ou au profit de l'un, ne s'étend pas aux autres.

Cette règle souffre exception :

1° lorsque les débiteurs sont liés par la solidarité : dans ce cas, l'interruption contre l'un empêche la prescription contre l'autre (2249); vice versâ, l'interpellation faite par l'un des créanciers solidaires profite à tous. —Ce que nous disons sur l'interpellation judiciaire, s'applique à la reconnaissance de la dette (2248).

2° En matière de cautionnement, l'interpellation faite au débiteur principal interrompt la prescription contre la caution : mais l'interpellation faite à la caution interrompt-elle la prescription à l'égard du débiteur principal? (Voy. art. 2249, Quest.) — La reconnaissance produit le même effet que l'interpellation judiciaire ;

3° Quand la matière est indivisible ;

4° Dans le cas de saisie immobilière : la saisie profite non-seulement au poursuivant, mais encore à tous les créanciers (1).

De même que l'interruption de la prescription ne s'étend pas d'une personne à une autre, de même elle ne s'étend pas d'une action à une autre action : ainsi, les actes d'interruption de l'action personnelle, faits contre le débiteur, n'interrompent pas la prescription à l'égard du tiers détenteur, et vice versâ (2).—Si le débiteur possède encore l'immeuble, l'action hypothécaire se trouvant alors unie à l'action personnelle, l'interruption profite de l'une à l'autre.

Il nous reste à parler de l'influence de l'interruption de la prescription, par rapport au temps voulu pour prescrire.

Lorsque l'interruption a été naturelle, l'ancien possesseur recommence à prescrire s'il recouvre la possession : cette nouvelle prescription est soumise à la même durée que la première.

Lorsque l'interruption a été civile, il faut avoir égard à la nature des différents actes : ainsi, l'assignation interrompt la prescription, mais seulement pour le temps de la durée de l'instance; si l'instance tombe en péremption, l'interruption est effacée.—Le commandement perpétue l'action du créancier : la prescription qui recommence est de la même durée que la précédente —En ce qui concerne la saisie : pendant le cours de la procédure, la créance dont on poursuit l'exécution n'est exposée à aucun danger; si la saisie tombe en péremption, le commandement qui l'a précédée subsiste et produit son effet interruptif.

La reconnaissance de la dette constitue un titre nouveau et ouvre une prescription trentenaire, lorsqu'elle résulte d'un acte formel et spécial, encore que la créance originaire ait été prescriptible par un moindre temps : mais la reconnaissance tacite n'opère pas cette métamorphose, cette novation; c'est toujours la même créance qui subsiste; seulement il y a interruption.

2242 — La prescription peut être interrompue ou naturellement ou civilement (3).

= L'interruption naturelle est particulière à la prescription à l'effet

---

(1) Voyez encore d'autres exceptions signalées par Troplong, n. 642 et suiv.
(2) Troplong, n. 658 et suiv.
(3) Troplong, n. 658 et suiv.

d'acquérir : elle a lieu, lorsque la chose passe de fait d'une personne à une autre ; non-seulement lorsque le possesseur l'a perdue par négligence et par sa faute ; mais encore, lorsqu'il a été dépossédé par violence (2243).

L'interruption civile, ainsi appelée par opposition à l'interruption naturelle (qui résulte de faits purement matériels et d'une occupation physique), a lieu par des actes spéciaux (*voy.* art. 2244).

Il y a cette différence essentielle entre l'interruption naturelle et l'interruption civile, que la première, ayant pour effet d'enlever au détenteur la possession, profite à tous ceux qui ont intérêt à ce que la prescription soit interrompue ; tandis que l'interruption civile, laissant le détenteur en possession, ne sert qu'à celui qui a signifié l'acte.

2245 — Il y a interruption naturelle, lorsque le possesseur est privé, pendant plus d'un an, de la jouissance de la chose, soit par l'ancien propriétaire (1), soit même par un tiers.

= Pour acquérir la possession d'une chose, il faut, comme nous l'avons déjà vu, que la volonté soit jointe au fait : *adipiscimur possessionem corpore et animo;* mais pour la conserver, il suffit d'en avoir l'intention : or, lorsqu'il s'agit d'un fonds, pour que l'on puisse supposer la perte de cette volonté, il faut qu'un tiers ait possédé paisiblement pendant un an et un jour (23, Pr.) : ce nouveau possesseur remplace alors la personne qui possédait avant lui.

Si l'ancien possesseur a intenté l'action possessoire dans l'année, à compter de son expulsion, la prescription n'aura pas été interrompue ; s'il a laissé passer ce délai, l'interruption naturelle aura eu lieu : il lui restera pour ressource l'action pétitoire ; mais alors l'interruption sera civile ; la prescription ne courra que du jour de la demande.

Si personne ne s'était emparé de la chose, bien que l'ancien possesseur eût cessé de jouir, il n'y aurait pas eu d'interruption.

La loi ne s'inquiète pas de savoir d'où vient l'obstacle à la jouissance : qu'il soit l'effet de la violence ou d'un événement de la nature, qui place le possesseur dans l'impossibilité absolue de jouir de l'immeuble ou de la servitude, cela importe peu.

Elle ne distingue même point si le possesseur a été privé de la jouissance par le fait d'un tiers ou par le fait du propriétaire : dans l'un et l'autre cas, il n'a pas moins cessé de posséder ; la continuité de possession doit subsister d'une manière absolue : interrompue à l'égard des uns, la possession est interrompue à l'égard de tous : l'interruption naturelle diffère en cela de l'interruption civile, laquelle ne profite ordinairement qu'à celui qui l'a faite.

Enfin, il y aurait interruption naturelle, si le possesseur avait abdiqué volontairement sa possession, lors même qu'il l'aurait reprise ensuite, encore bien qu'aucune autre personne ne se fût emparée de la chose ; car il n'aurait pas moins cessé de posséder *corpore et animo.* Mais cette répudiation ne se présume pas facilement. — En cas d'abandon volon-

---

(1) L'ancien propriétaire est ici le propriétaire actuel, le maître de la chose au moment où l'interruption a lieu ; il n'a point perdu la propriété, puisque la prescription a été interrompue ; la qualification d'*ancien possesseur* lui eût mieux convenue.

taire, il n'est pas nécessaire, pour qu'il y ait interruption que la privation de jouissance ait duré plus d'une année.

— Un événement de la nature, dont l'effet n'est que temporaire, par ex., l'inondation qui couvre la surface d'un fonds pendant plus d'une année, interrompt-elle naturellement la prescription? ∿ N. L'art. 2243 ne fait résulter l'interruption naturelle que de la dépossession causée par l'ancien propriétaire ou par une tierce personne (Vazeille, n. 179 ; Troplong, n. 549).

Par ces mots de l'art. 2243 : pendant plus d'une année, faut-il entendre une privation de jouissance pendant un an et un jour complet? ∿ N. Il suffit d'une année et quelques heures, même une seule. Sans doute la prescription ne se compte point par heures ; mais cela ne veut pas dire qu'il faut un plus grand nombre de jours que n'en comporte l'année (Dur., n. 251 ; voy. cep. Troplong, n. 543).

2244 — Une citation (1) en justice, un commandement ou une saisie, signifiés à celui qu'on veut empêcher de prescrire, forment l'interruption civile (2).

= De cette disposition, il résulte, que pour interrompre civilement la prescription, il faut des actes émanés de l'autorité de la justice, ou qui aient pour but de mener en justice; mais qu'un acte extrajudiciaire, tel qu'une simple sommation ne suffirait pas.

La citation en justice, interrompt la prescription à partir du jour de la remise de l'exploit à personne ou à domicile (Arg. de l'art. 2245): elle produit cet effet, lors même qu'elle est donnée devant un juge qui est incompétent, soit *ratione personæ* soit *ratione materiæ* (3).

Toutefois l'interruption est subordonnée à la condition qu'on ne laissera pas périmer d'instance (4).

La demande des intérêts d'une dette, interrompt la prescription, tant pour les intérêts que pour le capital.

Un commandement fait à des personnes qu'on veut empêcher de prescrire forme aussi interruption; mais une sommation ou une simple dénonciation est insuffisante. — Le commandement ne tombe pas en péremption, comme la demande judiciaire: il prolonge l'action du créancier; la prescription recommence; elle sera de la même durée que celle qui avait commencé auparavant: ainsi, dans le cas de l'art. 2277, la prescription des intérêts ou arrérages, interrompue par un commandement, pourra s'opérer de nouveau par cinq ans (5).

(1) C'est-à-dire, une demande ; en effet, une demande reconventionnelle faite par simple requête, une production à un ordre, une intervention dans une instance, interrompt fort bien la prescription : les expressions de notre article : *citation en justice,* doivent s'entendre d'une manière large.

(2) On entend ici par *citation* en justice, toute demande formée en justice.

Le *commandement,* est un acte par lequel un huissier enjoint à quelqu'un d'exécuter un jugement ou un titre exécutoire.

La *saisie,* est un mode d'exécution par lequel un créancier met les biens de son débiteur sous la main de la justice, afin de les faire vendre pour être payé sur le prix.

(3) Peu importe même que l'exception d'incompétence ait été proposée et admise ; que le demandeur ait ensuite négligé, pendant un certain temps, d'assigner l'autre partie devant un tribunal compétent : le Code ne fixe pas de délai, passé lequel, l'interruption résultant d'une citation, doit être réputée non avenue: c'est là sans doute une anomalie ; mais elle s'explique par cette considération, qu'on a voulu, à cet égard, faire produire à la citation, l'effet d'un commandement ou d'une saisie.— Argument d'un arrêt de la cour de cassation, en date du 9 novembre 1809 ; S., 10, 1, 77, qui déclare que la citation en conciliation interrompt la prescription, encore que l'affaire soit exceptée de ce préliminaire (Dur., n. 265).

(4) Ainsi l'assignation interrompt seulement la prescription pendant le temps que dure l'instance : trois ans (Troplong, n. 683). ∿ La prescription quinquennale interrompue par une assignation se convertit en prescription trentenaire ? — Argument des termes généraux de l'art. 2244 ; — la demande transforme les intérêts en capitaux. — Les actes énoncés dans cet article, constituent un droit qui ne peut cesser que par le laps de temps qui éteint tous les droits en général (*Toulouse,* 20 mars 1835; S., 35, 2, 418).

(5) Le commandement n'est qu'un acte extrajudiciaire. — Pourquoi un commandement aurait-il plus d'effet que la convention qui fixe le caractère de la créance, et que la loi qui soumet cette créance à une prescription plus abrégée ?—La prescription qui commence de nouveau après le commandement ne peut être qu'une prescription de même nature que celle qui courait avant l'interruption (Arg. de ces mots de l'art. 189 du Code de commerce : *à compter du jour du protêt ou de la dernière poursuite juri-*

La saisie est mise également au nombre des causes d'interruption : mais de quelle saisie la loi entend-elle parler ? Il est évident qu'elle ne peut avoir avoir en vue ni la saisie immobilière, ni la saisie-exécution, ni la saisie-brandon, car ces sortes de saisies devant être précédées d'un commandement, l'interruption est résultée de ce commandement (1) : il s'agit d'une saisie-arrêt, encore est-ce la dénonciation de cette saisie au débiteur, plutôt que la saisie elle-même, qui forme l'interruption (Arg. de ces mots de l'art. 2244 : *une saisie signifiée. — Voy.* art. 563, 565, Pr., Dur., Troplong, n. 570).

Le commandement et la saisie sont des causes d'interruption particulière à la prescription à l'effet de se libérer; la citation en justice s'applique en outre à la prescription acquisitive.

L'acte d'interruption ne profite qu'à celui à la requête duquel il a été signifié, sans qu'il y ait lieu de distinguer si la prescription est à l'effet d'acquérir, ou à l'effet de se libérer : *res inter alios acta*, etc. — L'interruption civile diffère sous ce rapport de l'interruption naturelle.

— S'il a été donné une citation en conciliation dans une affaire qui en est dispensée, la prescription est-elle interrompue du jour de la citation ? ⁓ *Oui,* s'il s'agit d'une affaire qui soit en elle-même susceptible de conciliation : *secùs,* dans le cas contraire (Delv., p. 205, n. 9 ; Troplong, n. 592). ⁓ *A.* La prescription est interrompue, encore qu'il n'y ait pas eu lieu au préliminaire de conciliation, parce que l'on se trouvait, par ex., dans un des cas exceptés par la loi. Notamment, la citation en conciliation proroge d'un mois le délai accordé pour intenter l'action en désaveu (318) (Dur., n. 265 ; Vazeille, n. 195. — *Cass.,* 9 novembre 1809 ; S., 10, 1, 77) (*Val.*).

En cas de transport d'une créance, la notification de cet acte au tiers débiteur interrompt la prescription, lorsqu'elle est accompagnée d'une sommation de payer ; cela ne fait l'objet d'aucun doute : mais en est-il de même d'une simple notification sans commandement ? ⁓ *N.* L'art. 2244 ne met pas cet acte au nombre des causes d'interruption. — D'ailleurs, ce n'est pas là un acte d'exécution (Merlin, Rép., n. 9. *Paris,* 16 avril 1831 ; S., 32, 2, 6. — *Nîmes,* 6 mars 1832 ; S., 32, 2, 325). ⁓ Il est de principe, que la signification d'un transport vaut saisie-arrêt. (Vaz., n. 205, t. 1). ⁓ Il faut distinguer : si la créance cédée, est frappée de saisie-arrêt au moment du transport, la signification du transport vaut saisie ; *secùs,* lorsqu'il n'y a pas de saisie : la signification n'a aucun caractère d'exécution (Troplong, n. 572).

La saisie-arrêt interrompt-elle la prescription non-seulement contre le saisi, mais encore contre le tiers saisi ? ⁓ *A.* Le saisissant, aux termes de l'art. 1166, a exercé les droits de son débiteur. ⁓ *N.* La notification qui est faite au tiers saisi n'est, en réalité, ni un commandement, ni une citation en justice, ni une saisie : en effet, on n'a pas saisi véritablement à l'égard du tiers saisi, puisqu'on lui a seulement défendu de payer entre les mains de son créancier ; mais la prescription sera interrompue contre le tiers saisi, du moment où le saisissant l'aura assigné en déclaration (*Val.*).

La sommation faite au tiers détenteur, aux termes de l'art. 2169, suffit-elle pour interrompre la prescription de l'hypothèque ? ⁓ *A.* Ce n'est plus là une simple sommation ordinaire ; elle équivaut, quant à ses effets, au commandement : mais elle est comme non avenue, si elle n'est suivie de la saisie (Troplong, n. 579 et 580 ; Merlin, Rép., v° Interruption, n. 9 ; *voy.* cep. Vazeille, n. 205 ; Dur., n. 267).

2245 — La citation en conciliation devant le bureau de paix, interrompt la prescription, du jour de sa date, lorsqu'elle est suivie d'une assignation en justice donnée dans les délais de droit (2).

= Le délai de droit est d'un mois, à dater du jour où la partie assignée a dû comparaître devant le juge de paix ; si elle a comparu, le délai

dique).— L'art. 2274 ne met pas le commandement sur la même ligne que la reconnaissance ou la citation en justice. — Toutefois, si la prescription est du nombre de celles qui exigent de la bonne foi, comme le commandement en est exclusif, il n'y a plus lieu pour l'avenir qu'à la prescription trentenaire (Troplong, n. 687 et 688 ; Dur., n. 267) (*Val.*).

(1) *Quid,* si la saisie tombe en péremption ? elle disparaît alors : derrière elle, reste le commandement qui l'avait précédé ; on se règle alors, selon ce que nous avons dit, sur le cas de commandement. — Si la saisie se poursuit, l'interruption dure autant que l'instance (*Voy.* Troplong, n. 689 et suiv.; Dur., n. 268) (*Val.*).

(2) La citation en conciliation est l'acte par lequel, avant de poursuivre une personne devant les tribunaux de première instance, on appelle cette personne devant le juge de paix, pour tenter un arrangement amiable.

court du jour où le procès-verbal de non-conciliation a été rédigé (57, C. pr.) (1).

— La loi de 1838, art. 17, permet au juge de paix d'inviter par une simple lettre le défendeur à comparaître devant lui en conciliation : cette lettre vaut-elle interruption ? ⁓⁓ *N.* La remise de la lettre n'est pas authentiquement constatée comme une citation (*Val.*).

La comparution volontaire des parties devant le bureau de paix, suivie d'ajournement, interrompt-elle la prescription ? ⁓⁓ *A.* La comparution volontaire annonce plus énergiquement encore que la citation, l'intention de ne pas laisser prescrire le droit : à la vérité l'article 57 Pr. ne parle pas de la comparution volontaire ; mais l'esprit du législateur doit suppléer à la lettre (Troplong, n. 590). ⁓⁓ *N.* Cette comparution n'équipolle pas à une citation en conciliation (Dur., n. 266. — *Colmar,* 15 juillet 1809 ; S., 14, 2, 89).

Quelle est la durée de l'interruption résultant d'une reconnaissance de la dette faite par le débiteur ? ⁓⁓ Lorsqu'elle résulte d'un contrat exprès, explicite, elle opère novation, et par conséquent change pour l'avenir les conditions de la prescription (Arg. de l'art. 180, C. de c.). Mais la reconnaissance tacite n'apporte d'innovation ni au titre, ni à la quotité de la créance ; elle n'est qu'une continuation pure et simple de ce qui existe ; elle ne perpétue pas jusqu'à trente ans l'action qui, de sa nature, a une durée plus courte (Troplong, n. 698 ; Vazeille, n. 628).

Lorsque, par suite de la comparution au bureau de paix, un compromis portant nomination d'arbitres est intervenu, ce compromis interrompt-il la prescription ? ⁓⁓ *A.* Le compromis a en droit l'effet d'un jugement (*Paris*, 9 juin 1826 ; D., 31, 2, 10). ⁓⁓ Le compromis ne conduit à l'interruption de la prescription que lorsqu'il a eu pour conséquence une assignation à comparaître devant les arbitres, ou une comparution personnelle volontaire engageant la litis-contestation (Troplong, n. 594 ; *voy.* n. 191).

L'assignation interrompt-elle la prescription si elle n'a pas été précédée du préliminaire de conciliation (48, Pr.) ? ⁓⁓ *A.* Il n'est pas toujours facile de reconnaître si le préliminaire de conciliation est nécessaire ; comment admettre qu'une demande formée devant un juge incompétent *ratione materiæ* interrompe la prescription, et que celle qui serait donnée devant un juge compétent, mais qui n'aurait pas été précédée du préliminaire de conciliation, ne puisse produire cet effet (*Val.*) ? ⁓⁓ *N.* Si la demande n'a pas été reçue, l'interruption est réputée non avenue. Arg. des art. 48 et 65, Pr. (Dur., n. 266. — *Cass.*, 30 mai 1814 ; S., 14, 1, 201).

2246 — La citation en justice, donnée même devant un juge incompétent, interrompt la prescription.

= Le demandeur a pu se méprendre sur la compétence du juge ; mais l'assignation, valable dans la forme et dûment signifiée, en avertissant le possesseur qu'il est sans aucun droit, n'a pas moins suffi pour interrompre la prescription.

Il n'y a pas lieu de distinguer si l'incompétence était *ratione materiæ*, ou si elle était *ratione personæ* (2).

2247 — Si l'assignation est nulle, par défaut de forme,
   Si le demandeur se désiste de sa demande,
   S'il laisse périmer l'instance,
   Ou si sa demande est rejetée (3),
   L'interruption est regardée comme non avenue (4).

= Une citation en justice n'interrompt pas la prescription lorsqu'elle est entachée d'un vice de forme ; ajoutons, ou lorsqu'elle est donnée à une personne qui n'a pas qualité pour la recevoir.

Lors même qu'elle réunit les conditions requises pour sa validité, elle n'opère pas cette interruption d'une manière absolue ; mais conditionnellement, c'est-à-dire, pour le cas où la demande sera adjugée : il suit, de là,

---

(1) L'interruption civile est dès lors définie en termes trop généraux ; car ces termes semblent exclure toute distinction.

(2) L'assignation reste comme une preuve de la diligence de celui qui se pourvoit en justice et des efforts qu'il a faits pour ouvrir les yeux du débiteur ; quoi qu'il en soit, on ne peut disconvenir que cette disposition ne soit bizarre.

(3) Si la demande est rejetée, ce n'est pas assez de dire, comme le fait l'art. 2247, que l'interruption est réputée non avenue : il y a entre les parties et leurs héritiers autorité de la chose jugée.

(4) Cette disposition paraîtra d'une extrême rigueur, si on la compare à celle de l'art. 2246.

qu'elle est comme non avenue, lorsque le demandeur se désiste (1), lorsqu'il laisse périmer l'instance ou lorsque son action est rejetée.

Remarquons surtout, que l'article ne dépouille l'assignation de sa force interruptive, que lorsqu'elle est nulle pour vice de forme : il n'a point égard à la nullité provenant d'un vice d'incompétence ou d'un défaut de capacité : ainsi, l'incapable non autorisé, qui donnerait une assignation au détenteur de l'immeuble, interromprait la prescription ; la nullité serait purement relative.

— Est-il nécessaire que le rejet de la demande soit définitif ? ∾ N. (Delv., p. 206, n, 4). ∾ A. Ce rejet doit mettre obstacle à ce que la même demande se reproduise entre les mêmes parties (Troplong, n. 610).

J'ai commencé de bonne foi à posséder un fonds ; un usurpateur s'est emparé de ce fonds, mais je l'ai repris en vertu d'un jugement ; le temps pendant lequel cet usurpateur a possédé comptera-t-il pour moi ? — A. Effet de la chose jugée (Vazeille, n. 175 ; voy. cep. Merlin).

L'inscription prise par l'usurpateur s'efface-t-elle aussi bien par l'effet d'un traité qui accorde la restitution de la chose que par l'effet d'un jugement ? ∾ A. (Vazeille, n. 177 ; voy. cep. Merlin).

Quel est l'effet de la citation régulière suivie d'un jugement irrégulier ? ∾ Elle interrompt néanmoins la prescription ; les nullités ne sont pas de droit ; si le jugement n'est pas attaqué dans le délai prescrit, il acquiert l'autorité de la chose jugée (Troplong, n. 608. — Cass., 6 avril 1826 ; D., 26, 1, 245).

2248 — La prescription est interrompue par la reconnaissance que le débiteur ou le possesseur fait du droit de celui contre lequel il préscrivait.

= Dès le moment où le possesseur reconnaît expressément ou tacitement qu'un autre est propriétaire, il cesse de prescrire, puisqu'il ne possède plus *animo domini*.

On donne pour exemple de reconnaissance expresse, les aveux faits par le débiteur devant le juge de paix, les offres réelles, la vérification d'une créance, l'admission au passif d'une faillite, etc.

La reconnaissance tacite résulte, par ex., du payement des intérêts et arrérages, de la prestation d'une caution, de la dation d'un gage, de la demande d'un délai pour payer, du payement d'une partie de la dette.

Quel est l'effet de la reconnaissance faite par un acte postérieur à l'accomplissement de la prescription ? Elle est valable contre le débiteur, mais non contre les cautions ou autres qui ont intérêt à se prévaloir de la prescription ; car il y a eu droit acquis pour eux. Peu importe que la créance subsiste encore par suite de la renonciation du débiteur à la prescription : le principal peut exister sans l'accessoire ; le débiteur n'a pu renoncer que pour lui et ses héritiers (Delv., p. 205, n. 5).

Que faut-il décider lorsque la reconnaissance est verbale ? Elle ne produit aucun effet quand elle est déniée, à moins qu'il n'y ait lieu d'admettre la preuve testimoniale (Delv., *ibid.* Vazeille).

La reconnaissance d'une dette par les cautions a-t-elle pour effet d'interrompre la prescription à l'égard du débiteur ? *Oui*, si le cautionnement a eu lieu au vu et su du débiteur principal ou dans l'acte même : *secùs*, si la caution s'est obligée après coup et à l'insu du débiteur : le sort de ce dernier ne peut dépendre de celui de la caution. Il y a plus, la

_____

(1) Le *désistement* est un acte par lequel le demandeur déclare qu'il considère comme nuls et non avenus la demande et les actes de procédure qui en ont été la suite (403. Pr).

Une instance est périmée, quand il y a eu, pendant trois années, discontinuation des poursuites 397, Pr.). La *péremption* emporte extinction de la procédure, sans qu'on puisse, dans aucun cas, se prévaloir des actes qui ont été signifiés de part et d'autre (401, Pr.).

prescription n'est même pas interrompue vis-à-vis de la caution , car l'accessoire ne peut subsister sans le principal (1).

Si la caution avait reconnu la dette après la prescription acquise, on pourrait voir dans ce fait une nouvelle obligation de sa part, une obligation principale , dont la cause serait son ancien engagement.

L'interruption de l'action personnelle contre le débiteur , n'interrompt pas la prescription à l'égard du tiers détenteur d'un bien hypothéqué , car ces deux actions sont indépendantes ; réciproquement, l'interruption de l'action hypothécaire ne doit pas interrompre la prescription de l'action principale. — Toutefois, si la prescription a éteint l'action personnelle, l'action hypothécaire se trouve éteinte par contre-coup ; car , nous le répétons, l'accessoire ne peut survivre au principal.

La reconnaissance faite par un acte spécial, et constituant un nouveau titre , change pour l'avenir les conditions de la prescription, et étend jusqu'à trente ans la prescription qui pouvait s'opérer par un moindre temps ; mais une reconnaissance tacite ne produit pas cette métamorphose, cette novation : sans doute , elle vaut comme interruption de la prescription, mais les parties restent toujours dans leur position respective ; l'action n'est pas perpétuée pendant trente années.

Les articles 1341 et 1347 reçoivent leur application dans la matière qui nous occupe : ainsi, la preuve de la reconnaissance doit consister dans un écrit, quand il s'agit d'une valeur excédant 150 fr. En ce cas, la preuve testimoniale n'est admise qu'autant qu'il existe un commencement de preuve.

Dans tous les cas , on peut déférer le serment sur le fait de savoir si la dette a été reconnue (2).

La reconnaissance faite par l'un des codébiteurs solidaires est opposable à tous ; mais il faut, bien entendu, qu'elle remonte à une époque antérieure à la prescription acquise, autrement l'extinction de la dette aurait eu lieu.

La reconnaissance de la dette peut s'opérer sans le concours du créancier ; par exemple , dans un inventaire.

2249 — L'interpellation faite , conformément aux articles ci-dessus , à l'un des débiteurs solidaires , ou sa reconnaissance , interrompt la prescription contre tous les autres , même contre leurs héritiers.

L'interpellation faite à l'un des héritiers d'un débiteur solidaire , ou la reconnaissance de cet héritier , n'interrompt pas la prescription à l'égard des autres cohéritiers , quand même la créance serait hypothécaire , si l'obligation n'est indivisible.

Cette interpellation ou cette reconnaissance n'interrompt

(1) Dur., n. 283. — Le droit du créancier est un et identique tant contre la caution que contre l'obligé principal : en usant de ses droits contre la caution , le créancier en use nécessairement aussi contre le débiteur principal (Troplong, n. 635) (Val.).

(2) En règle générale , le serment décisoire peut être déféré sur quelque cause que ce soit : il n'y a d'exception que pour les questions d'état , et celles sur lesquelles on ne peut transiger (1353). Observons, que le serment ne porte pas sur le fait de payement, mais sur le point de savoir si le débiteur a reconnu les droits du créancier (Val.).

la prescription, à l'égard des autres codébiteurs, que pour la part dont cet héritier est tenu.

Pour interrompre la prescription pour le tout, à l'égard des autres codébiteurs, il faut l'interpellation faite à tous les héritiers du débiteur décédé, ou la reconnaissance de tous ces héritiers.

= Les effets de l'interruption de la prescription, à l'égard des débiteurs ou de leurs héritiers, ne sont que la conséquence des principes déjà exposés au titre des obligations (*voy.* art. 1206 à 1219).

— Par l'effet de la solidarité de l'obligation, le jugement par défaut qui condamne deux codébiteurs, exécuté contre l'un dans le délai de six mois, et resté sans exécution contre l'autre, est-il exempt de péremption vis-à-vis de ce dernier, aussi bien qu'à l'égard du premier? ⁓ *A.* Arg. de l'art. 2106. — (Merlin, Péremption, sect. 2, § 1, n. 12. — *Cass.*, 7 décembre 1825; D., 26, 1, 20). ⁓ *N.* L'art. 1206 n'a eu en vue que les obligations conventionnelles : dans ce cas, le titre existe définitivement et enveloppe tous les débiteurs dans un même lien; mais un jugement par défaut ne produit pas le même résultat; il n'existe comme titre sérieux et définitif qu'autant qu'il a été exécuté dans les six mois; il forme une nouvelle obligation. Dès lors, s'il n'a été exécuté que contre l'un des condamnés, il n'a d'effet que contre lui (Troplong, n. 630; Vazeille, n. 238).

2250 — L'interpellation faite au débiteur principal, ou sa reconnaissance, interrompt la prescription contre la caution.

= L'accessoire suit toujours le sort du principal.

Gardons-nous surtout de confondre, en ce qui touche la caution, la renonciation du débiteur à la prescription acquise, avec la reconnaissance de celui-ci, faite avant l'expiration du terme requis pour prescrire : dans le premier cas, la renonciation ne peut être opposée à la caution; il en est autrement dans le deuxième, car la caution n'avait encore aucun droit acquis à sa libération.

L'interpellation faite à la caution opère-t-elle interruption à l'égard du débiteur principal? Appliquez ce que nous avons dit sur l'art. 2248.

— Lorsque l'obligation a pour objet un corps certain, non susceptible d'être divisé sans détérioration, ou lorsqu'elle est indivisible sous quelque autre rapport, encore qu'elle ne le soit pas, selon l'article 1217, l'interruption de la prescription à l'égard de l'un des héritiers du débiteur, produit-elle son effet contre les autres? ⁓ *N.* Le détenteur peut bien être poursuivi pour le tout, à raison de sa double qualité de débiteur et de détenteur; mais les autres, ne peuvent l'être que pour leur part seulement (1221); donc la prescription s'est opérée à leur profit si cette même part n'a point été utilement conservée par rapport à eux. — Quand il s'agit d'un droit vraiment indivisible, on doit décider que la prescription interrompue par l'un ou plusieurs de ceux qui ont stipulé ce droit, ou par l'un des héritiers de l'un des stipulants, est interrompue au profit de tous (Dur., n. 275).

SECTION II.

Des causes qui suspendent le cours de la prescription (1).

Après avoir parlé des causes qui empêchent la prescription, et de celles qui l'interrompent, voyons quels sont les obstacles, les accidents qui suspendent momentanément son cours.

Lorsque la prescription ne court pas, on dit qu'elle est suspendue, qu'elle sommeille, *præscriptio quiescit, dormit.*

(1) Parmi les dispositions contenues dans cette section, les unes sont communes à la prescription à l'effet d'acquérir, et à la prescription à l'effet de se libérer. Les autres sont particulières à l'une ou à l'autre prescription.

En principe, la prescription court contre toutes personnes (2251) : cette règle souffre exception , lorsque le créancier se trouve, à raison de quelque empêchement, soit légal, soit conventionnel, dans l'impossibilité absolue d'user de son droit ; c'est en ce sens que doit être entendue la maxime : *contrà non valentem agere non currit præscriptio.*

Ainsi, la prescription ne court pas entre époux, sous quelque régime qu'ils soient mariés (2253) ; contre les mineurs (émancipés ou non émancipés) et les interdits, sauf les cas spécialement indiqués par la loi ; contre l'héritier bénéficiaire, par rapport aux créances qu'il a contre la succession : quoiqu'il ne soit pas dans l'impossibilité d'agir, sa qualité est un motif légitime de s'abstenir : réciproquement elle ne court pas contre la succession, à l'égard des actions qu'elle a contre l'héritier bénéficiaire ; mais elle court contre une succession vacante (2258).

Elle court en général contre la femme mariée, soit à l'égard des biens qu'elle administre elle-même, soit à l'égard de ceux dont le mari a l'administration , excepté 1° lorsqu'il s'agit d'immeubles que la femme, mariée sous le régime dotal , s'est constitués en dot, et qui sont frappés d'inaliénabilité (2255, 1560 et 1561) ; 2° lorsque l'action de la femme ne peut s'exercer qu'après une option à faire entre l'acceptation et la répudiation de la communauté ; 3° Sous quelque régime que ce soit, à l'égard des actions qui réfléchiraient contre le mari (2256).—Dans ces cas exceptionnels, la femme a seulement un recours contre son mari s'il a eu l'administration des biens.

Lorsqu'il s'agit d'actions qui ne sont pas encore nées, la prescription ne commencera à courir que du jour où elles l'ouvriront (2257).

2251 —La prescription court contre toutes personnes, à moins qu'elles ne soient dans quelque exception établie par une loi.

= Il résulte des termes généraux de l'art. 2251 que l'on peut prescrire contre l'État et contre les communes de la même manière que contre les particuliers , contre les personnes qui n'ont point connaissance du cours de la prescription, et même contre les absents.

La loi fait toutefois pressentir quelques exceptions : sans entrer quant à présent dans leur examen, nous ferons observer qu'il ne faut point considérer comme telle, celle que la loi du 6 brumaire an 5 avait créée en faveur des défenseurs de la patrie : l'effet de cette loi était restreint au temps de la durée de la guerre générale ; elle a par conséquent cessé d'être en vigueur depuis la conclusion de la paix, en 1814.

2252 —La prescription ne court pas contre les mineurs et les interdits, sauf ce qui est dit à l'article 2278, et à l'exception des autres cas déterminés par la loi (1).

= La prescription ne court pas contre les mineurs même émancipés : Les mineurs non émancipés (et sur la même ligne, la loi place les interdits) ne peuvent agir par eux-mêmes ; les émancipés sont excusables de ne pas l'avoir fait.

---

(1) L'adage du palais : *Contrà non valentem agere non currit præscriptio*, n'est donc pas une règle générale, puisque la suspension n'a lieu que dans les cas déterminés.

Cette exception est fondée sur la faveur attachée à la qualité de ces personnes, et sur la nature des prescriptions.

En effet, si l'on considère la prescription *comme moyen d'acquérir*, on reconnaît que celui qui laisse prescrire est censé consentir à l'aliénation ; *alienare videtur, qui patitur usucapi :* or les mineurs et les interdits sont incapables d'aliéner. — Si on la considère *comme moyen de libération*, elle ne doit pas courir contre les mineurs et les interdits ; car d'une part, ils ne peuvent exercer par eux-mêmes les droits que l'on veut prescrire ; d'autre part, ces droits peuvent être ignorés de leur tuteur. Vainement alléguerait-on qu'ils ont un recours contre ce dernier : ce recours ne présenterait qu'une garantie insuffisante : en effet, un tuteur n'est responsable ni de son ignorance ni de son erreur ; il ne répond que de sa faute.

Observons, que la disposition de notre article n'est applicable qu'à la prescription trentenaire et à celle de dix et vingt ans : toutes les prescriptions qui s'opèrent par un laps de temps moins prolongé peuvent être opposées aux mineurs et aux interdits, encore *que la loi ne l'ait pas dit expressément* (2278) (Dur., n. 290). Ainsi, dans les cas prévus aux articles 316, 317, 559, 809, 880, 886, 957, 1047, 1622, 1648, 1663, 1679, 1854, 2183 et 2185, C. c. ; 2,637-639, Inst. crim. ; 398, 444, Pr., on tombe généralement d'accord, que la prescription court contre les créanciers et les interdits, bien qu'aucun de ces articles ne s'explique formellement à cet égard.

Que doit-on penser de la maxime : en matière de prescription le mineur relève le majeur, et l'incapable le capable ? Elle est vraie dans les matières indivisibles ; mais elle ne peut s'appliquer quand il s'agit de matières susceptibles de division (Troplong, n. 739).

— Aux termes de l'art. 475, l'exercice de l'action du mineur contre son tuteur, relativement aux faits de tutelle, se prescrit par dix ans ; mais le délai est-il suspendu si le mineur vient à mourir dans les dix ans, laissant pour héritiers des mineurs ? ⁓ *N.* (Dur., n. 291) (*Val.*).

Quid, à l'égard du délai établi par l'art. 1304 ? ⁓ Même décision (Dur., n. 292) (*Val.*).

Les courtes prescriptions courent-elles au profit du tuteur contre le mineur ou l'interdit, pendant la tutelle ? ⁓ *N.* (Dur., n. 293).

Quid, dans le cas inverse : courent-elles au profit du mineur ? ⁓ *N.* (Dur., n. 294).

La prescription court-elle entre l'absent et l'envoyé en possession des biens ? ⁓ *N.* (Dur., n. 295 ; Vazeille, n. 312 ; Troplong, n. 709).

Court-elle contre ceux qui sont frappés d'interdiction légale ? ⁓ *N.* (Dur., n. 296).

Quid, à l'égard de ceux qui sont placés sous l'assistance d'un conseil judiciaire ? ⁓ La prescription court ; ce n'est point là un état d'interdiction (Dur., n. 298 ; Troplong, n. 741).

Peut-on prescrire contre les personnes dont la démence est notoire, bien qu'elles ne soient pas interdites ? ⁓ Elles sont encore plus dans l'impossibilité d'agir que celles dont l'interdiction a été prononcée (Arg. des art. 503 et 502). — L'interdiction de l'insensé n'est que déclarative de la démence sans détermination d'époque.

2253 — Elle ne court point entre époux (1).

= La prescription serait dans le ménage une occasion de trouble, si elle pouvait s'opérer entre époux, quand même ils seraient séparés. — D'ailleurs, dans beaucoup de cas, la femme soumise à la puissance maritale est incapable de faire des actes conservatoires.

La prescription serait suspendue, lors même que les époux seraient séparés de corps, car la loi ne distingue pas (Malleville, sur l'art. 2253).

2254 — La prescription court contre la femme mariée, en-

(1) En certains cas, le mariage fait même plus que suspendre le cours de la prescription ; car il opère une novation de la créance, ce qui donne lieu a une prescription nouvelle, laquelle court de la dissolution du mariage : tel est le cas où le mari était, lors du mariage, débiteur envers la femme, d'une somme qui est entrée dans la dot de celle-ci (Dur., n. 299).

core qu'elle ne soit point séparée par contrat de mariage ou en justice, à l'égard des biens dont le mari a l'administration, sauf son recours contre le mari (1).

= Il n'en est pas de la femme mariée et majeure, comme du mineur et de l'interdit : pendant le mariage toute espèce de prescription court contre elle au profit des tiers, non-seulement à l'égard des biens qu'elle administre, mais encore à l'égard de ceux dont le mari a l'administration ; la loi ne distingue pas : on a considéré, que la femme peut, si le mari est empêché ou refuse d'agir, obtenir de la justice l'autorisation de faire elle-même les actes conservatoires de son droit, et qu'elle trouve au surplus une garantie suffisante dans le recours qui lui est accordé contre son mari (2). Observons toutefois, que ce recours n'est pas accordé à la femme dans tous les cas ; il s'agit ici d'une question de responsabilité relative aux fautes ; or, les circonstances ont pu être telles, qu'il n'y ait eu aucune faute à reprocher au mari : l'art. 2254 n'entend consacrer qu'un principe général ; c'est aux tribunaux à l'appliquer.

La loi suppose, dans cet article, que la prescription est invoquée ou par des débiteurs de la femme, ou par des détenteurs de ses biens, qui les ont reçus d'un tiers, ou qui s'en sont emparés : si c'était la femme qui eût vendu ou donné, l'article ne serait donc point applicable : en effet, ou la femme aurait agi sans autorisation, et alors, l'action en nullité lui serait ouverte (1304) ; ou ce serait le mari, qui aurait vendu sans le concours de la femme le bien de celle-ci, et dans ce cas, ainsi que nous le verrons art. 2256, la prescription serait suspendue pendant le mariage.

— Le mari est garant de la prescription des biens qui ont été confiés à ses soins ; mais *quid* si son insolvabilité rend la garantie illusoire ? ⁓⁓ La femme doit être relevée de la prescription ? ⁓⁓ *N.* (Vazeille, n. 281).

Les dix ans accordés pour intenter l'action en rescision courent-ils pendant le mariage ? ⁓⁓ *Oui*, si le mari s'est contenté d'autoriser : *Secùs*, s'il s'est porté fort ou s'il a promis de faire ratifier (Delv., p. 204, n. 3).

2255 — Néanmoins, elle ne court point, pendant le mariage, à l'égard de l'aliénation d'un fonds constitué selon le régime dotal, conformément à l'article 1561, au titre *du Contrat de mariage, et des Droits respectifs des Époux.*

= Nous avons vu, que la prescription court contre la femme en puissance de mari : mais cette règle souffre plusieurs exceptions : l'article 2255 en consacre une première : cette exception est relative au fonds dotal : si ce fonds pouvait être prescrit, le principe de l'inaliénabilité deviendrait illusoire.

Au premier abord, cette disposition, bornée au cas d'aliénation, ne semble relative qu'à la prescription de l'action révocatoire, autorisée par l'art. 1560 ; mais il faut remarquer ces termes de la loi, *conformément à l'art. 1561* : or cet article déclare que le cours de la prescription n'est pas

(1) Article mal rédigé : on pourrait en effet conclure de son texte, que la prescription ne court contre la femme que pour les biens dont le mari a l'administration ; évidemment cette interprétation ne serait pas exacte : si la prescription court contre la femme dépouillée de l'administration de sa fortune, elle doit *à fortiori* courir contre elle, lorsque rien ne gêne sa capacité.

(2) Si le mari néglige d'intenter les actions mobilières et possessoires de la femme, celle-ci peut obtenir de la justice l'autorisation d'agir, la raison le veut ainsi. D'ailleurs l'article 1428 porte que le mari peut exercer seul les actions dont il s'agit, et non qu'il peut *seul* les exercer. — Appliquez cette décision au cas où la femme est mariée sous le régime dotal (1549) (Troplong. n. 745).

suspendu pendant le mariage lorsqu'elle a commencé auparavant et que l'immeuble est prescriptible après la séparation de biens (1).

Observons surtout, que l'exception mentionnée dans l'art. 2255 est restreinte aux immeubles proprement dits, et à ce qui s'y rattache, comme servitude droit d'usufruit, d'usage, d'habitation; mais qu'elle ne concerne point les créances comprises dans la dot et dont le mari a négligé de faire le recouvrement : les débiteurs ont donc pu commencer à prescrire ces créances, pendant le mariage, avant ou depuis la séparation de biens (Dur., n. 304).

— Lorsque la femme mariée sous le régime dotal aliène l'immeuble constitué en dot, l'action en nullité, fondée uniquement sur l'inaliénabilité de l'immeuble, se prescrit-elle à partir de la séparation de biens, en supposant, bien entendu, que l'action ne soit pas de nature à réfléchir contre le mari? ᪰ La prescriptibilité de l'immeuble dotal, après la séparation de biens, n'a pas trait à l'action en nullité de l'aliénation faite par la femme durant le mariage; cette action ne se prescrit qu'à partir de la dissolution du mariage. — La femme séparée peut exercer ses actions : l'art. 1561 est relatif à des hypothèses qui ne sont pas celles de l'art. 1560, c'est-à-dire, aux hypothèses dans lesquelles celui qui prescrit ne tient pas l'immeuble dotal de l'un des époux, mais l'a reçu d'une tierce personne, ou bien s'en est emparé sans titre : c'est ainsi qu'il faut concilier l'antinomie apparente des articles 1560 et 1561. — La femme, en laissant prescrire son action en nullité, ne fait réellement qu'approuver ou ratifier l'aliénation : or, elle ne peut, avant la dissolution du mariage, recourir à l'action en nullité de la vente de son immeuble dotal (Dur., t. 15, n. 525 et 526). ᪰ La prescription court à partir de la séparation de biens. — La femme recouvre alors l'exercice de ses actions. — L'art. 1561 décide que les immeubles dotaux deviennent prescriptibles après la séparation de biens, quelle que soit l'époque à laquelle la prescription (c'est-à-dire, le fait sur lequel on se fonde pour prescrire) a commencé. — Justinien (Code *jure dotium*, L. 5, t. 12, loi 30), décide que toute prescription ou usucapion court contre la femme du jour où elle a pu exercer ses actions. — Les rédacteurs du Code, dans leur travail fait à la hâte, avaient oublié de rappeler les anciens principes sur la prescriptibilité de l'immeuble dotal après la séparation de biens (169 et 170 du projet); mais cet oubli a été réparé sur les observations du tribunat : d'après ces notions historiques, il est donc inexact de dire, que la prescriptibilité de l'immeuble dotal, après la séparation de biens, n'a pas trait à l'action en nullité de l'aliénation faite par la femme durant le mariage, et que cette action ne se prescrit qu'à partir de la dissolution du mariage. — Si l'on réfléchit que le régime dotal n'a été admis qu'à regret dans le Code, comment imaginer que le tribunat ait voulu introduire en cette matière une exception inconnue jusqu'alors, et donner à ce régime plus de puissance qu'il n'en avait ? (Troplong, n. 756 et 779 ; *voy.* la dissertation de M. Valette, *Revue étrangère et française de législation*, t. 7, p. 241.)

2256 — La prescription est pareillement suspendue pendant le mariage,

1° Dans le cas où l'action de la femme ne pourrait être exercée qu'après une option à faire sur l'acceptation ou la renonciation à la communauté;

2° Dans le cas où le mari, ayant vendu le bien propre de la femme sans son consentement, est garant de la vente, et dans tous les autres cas où l'action de la femme réfléchirait contre le mari.

= Cet article fait, dans deux cas, exception au principe consacré par l'art. 2254 :— 1° Lorsque l'action de la femme ne peut être exercée qu'après une option à faire sur l'acceptation ou la renonciation à la communauté : —Ainsi, la femme, en cas de renonciation à la communauté, a une hypothèque sur les conquets ; mais comme elle ne pourra prendre ce parti que lorsque la communauté se dissoudra, la prescription de cette hypothèque, ne courra pas contre elle avant cette époque. — Autre exemple : une femme stipule l'ameublissement d'un de ses immeubles (1505); mais elle se réserve la faculté de le reprendre en renonçant à la communauté : le détenteur ne pourra posséder à l'effet de prescrire, avant que la femme ait pris un parti (2).

_____

(1) Voyez sur ce point nos explications sur l'art. 1560 et les notes.

(2) Ici la prescription n'a pu courir durant le mariage, encore qu'elle ait commencé auparavant ; à plus forte raison n'a-t-elle pu commencer après la séparation de biens. — Il en est autrement dans le cas de l'art. 1561.

2° Lorsque l'action de la femme doit réfléchir indirectement contre son mari ; c'est-à-dire, déterminer sa mise en cause ; et la loi nous donne pour exemple, le cas où le mari se trouverait engagé, en qualité de covendeur ou de garant (1). — On a considéré : 1° que la femme soumise à la puissance maritale ne jouit pas de son indépendance ; 2° qu'en la mettant dans la nécessité d'agir, pour interrompre la prescription, on troublerait l'harmonie du ménage, à raison du recours en garantie que l'acquéreur ne manquerait pas d'exercer contre le mari (2).

Il résulte des termes généraux de l'article, que la prescription ne court point pendant le mariage, encore qu'elle ait commencé auparavant, si, par l'effet d'un acte quelconque, le mari doit se trouver soumis aux conséquences de l'éviction : bien plus, dans cette même hypothèse, elle ne courra point à partir de la séparation de biens, car la loi ne distingue pas ; il y a même raison dans l'un et l'autre cas (3).

— Un mari, commun en biens, a vendu un immeuble appartenant à sa femme : il meurt le premier : la femme accepte la communauté : peut-elle revendiquer tout l'immeuble, en tenant compte à l'acquéreur de la moitié du prix et des dommages-intérêts, ou ne peut-elle revendiquer que la moitié de l'immeuble? ⟶ Elle peut revendiquer le tout (Delv., p. 204, n. 2).

La prescription à l'effet d'acquérir court-elle au profit des tiers, contre le propriétaire conditionnel ? ⟶ L'art. 2257 ne règle pas ce cas ; il ne statue que sur la prescription à l'effet de se libérer, laquelle est basée sur la prescription de remise de la dette : *nec obstat* la maxime *contrà non valentem agere non currit præscriptio* : l'art. 1180 permet de faire des actes conservatoires, même avant l'événement de la condition (Troplong, n. 787).

2257 — La prescription ne court point,

À l'égard d'une créance qui dépend d'une condition, jusqu'à ce que la condition arrive ;

À l'égard d'une action en garantie, jusqu'à ce que l'éviction ait lieu ;

À l'égard d'une créance à jour fixe, jusqu'à ce que ce jour soit arrivé.

= Cet article est relatif à la prescription libératoire : la suspension qu'il consacre, est fondée sur l'impossibilité où le créancier se trouve d'agir, soit à raison de ce que l'obligation n'existe pas encore, soit à raison de ce qu'elle n'est pas encore exigible. — Quant aux simples empêchements de fait, par exemple, si les titres sont égarés ou perdus, si le créancier se trouve en pays étranger, ou si l'existence de la créance lui est inconnue (4), ils ne suspendent point le cours de la prescription.

En parlant d'une créance qui dépend d'une condition, la loi n'envisage que les rapports du créancier avec le débiteur : vis-à-vis des tiers, la prescription n'a pas été suspendue : par ex., un débiteur conditionnel ne peut prescrire même contre l'hypothèque ; mais la prescription court sans aucun doute au profit du tiers détenteur de l'immeuble hypothéqué, à compter du jour de son acquisition, bien que la condition soit encore en suspens (2180) : le créancier doit s'imputer de ne pas avoir fait d'actes con-

---

(1) L'action ne réfléchirait pas contre le mari, si l'autorisation avait été donnée mal à propos par le juge.

(2) Il est fort difficile de trouver un exemple du cas où la femme ne verra pas courir contre elle une prescription libératoire, à raison de ce que la prescription qu'elle intenterait, réfléchirait contre son mari.

(3) Dur., n. 313 ; Troplong, n. 778 et suiv. ⟶ La séparation de biens rend la femme maîtresse d'agir.

(4) On pense néanmoins, que les tribunaux pourraient, eu égard aux circonstances, considérer la guerre, la peste, et autres désastres, comme des causes de suspension de la prescription (Troplong, n. 727 et suiv. ; Merlin, Rép., Prescrip., t. 17, p. 427).

servatoires (2180) : Ainsi, la règle exceptionnelle de notre article, est restreinte au créancier placé en regard de son débiteur (Troplong, n. 791
et suiv.) (1).

La condition résolutoire, à la différence de la condition suspensive, ne
met point obstacle à la prescription, car cette condition ne suspend ni
l'obligation, ni l'exécution.

La prescription de l'action en garantie ne court que du jour de l'éviction, lorsqu'il s'agit d'un immeuble : elle court à compter de la cession,
quand il s'agit simplement d'une créance exigible ou d'un droit cédé.

En ce qui concerne les créances à jour fixe, rappelons-nous que le jour
du terme appartient en entier au débiteur.

Si la dette est payable en plusieurs termes, la prescription commence
pour chaque terme du jour où il est échu.

Les arrérages des rentes se prescrivent par cinq ans; la prescription court
à partir de l'échéance de chaque terme (2277). — le droit de rente se
prescrit par trente ans à partir du dernier payement d'arrérages (2). — Si
le terme est incertain, on rentre dans le cas de condition suspensive (*dies
incertus pro conditione habetur*). — Pendant la durée du terme même
incertain, la prescription n'est pas suspendue à l'égard du tiers détenteur ;
elle court du jour de son contrat d'acquisition (Troplong, n. 803).

— Nous avons décidé que le tiers détenteur prescrit l'hypothèque *pendente conditione :* cette exception s'applique-t-elle à tous les cas où un droit autre qu'une hypothèque affecte une propriété achetée
par un tiers? ⁓ *A.* L'article 2257 ne s'applique qu'entre le créancier et le débiteur liés par un contrat
qui proteste sans cesse contre la prescription ; mais il est sans valeur à l'égard des tiers détenteurs placés
dans des conditions toutes différentes et étrangers à des stipulations de nature à engager leur foi (Dur.,
n. 610, t. 9 ; Troplong, n. 795). ⁓ La prescription ne commence à courir qu'après l'ouverture du droit
de celui à qui les biens doivent être restitués (Grenier ; Donations, t. 1ᵉʳ, p. 641, n. 383 ; Delv., t. 2,
p. 103, note ; Vaz., t, 1ᵉʳ, p. 343).

2258 — La prescription ne court pas contre l'héritier bé-
néficiaire, à l'égard des créances qu'il a contre la succession (3).

Elle court contre une succession vacante, quoique non
pourvue de curateur.

⟸ L'héritier bénéficiaire, représentant la succession, chargé de la
détenir, de l'administrer et de la défendre, ne peut remplir le double
rôle de demandeur et de défendeur ; il ne peut s'actionner lui-même.

Quid, s'il y a d'autres héritiers bénéficiaires ou purs et simples, et que
le droit ne soit point indivisible? La prescription aura couru pour la part
héréditaire de chacun d'eux, si le créancier ne l'a point interrompue
(1220).

(1) Pourquoi cette différence entre le possesseur et le débiteur? entre la prescription acquisitive et la
prescription libératoire? On a voulu, autant que possible, mettre des bornes à l'incertitude des propriétés.
(2) Arg. de l'art. 2257, qui suspend le cours de la prescription, lorsque le créancier s'est trouvé dans
l'impossibilité d'agir : or, il résulte des termes de l'article 1912 que le créancier ne peut exiger le remboursement de la rente, qu'autant que le débiteur a laissé passer deux années consécutives sans payer les
arrérages : le payement du dernier terme doit dès lors être pris pour point de départ de la prescription
du droit. — Dans l'opinion contraire, il faudrait aller jusqu'à dire, que la prescription du droit ne
peut jamais s'opérer, puisque le remboursement de la rente n'est point exigible (Vazeille)? ⁓ En ce
qui concerne le fond de la rente, le droit en lui-même, on ne peut prendre pour base la date d'exigibilité, puisque le capital de la rente n'est point exigible ; la prescription ne peut courir que du jour de
la constitution. — Discussion au conseil d'État. — Arg. de l'art. 2263 : cet article fait courir les vingt-huit
ans de la date du titre (Troplong, n. 840 (*Val.*).
(3) La suspension de la prescription n'est pas fondée ici sur l'impossibilité d'agir ; car, aux termes de
l'art. 995, Pr., l'héritier bénéficiaire peut diriger son action contre un curateur au bénéfice d'inventaire.

En sens inverse, la prescription ne court pas au profit de l'héritier bénéficiaire contre la succession ; *debuit à semetipso exigere.*

Mais la prescription court contre la succession vacante, quoique non encore pourvue d'un curateur : — par la raison inverse, on décide que la prescription court au profit de cette succession.

— *Quid*, si l'héritier bénéficiaire, créancier du défunt, n'accepte qu'après le délai de trois mois et quarante jours : Son acceptation produit-elle un effet rétroactif au préjudice des créanciers et des légataires qui avaient un droit acquis à la prescription lorsque le créancier a commencé à être nanti de fait du gage commun ? ⁓ *N.* Le bénéfice d'inventaire ne doit produire la suspension du cours de la prescription, qu'autant que l'héritier remplit les conditions de droit, pour en jouir d'une manière régulière : or, ces conditions sont de faire inventaire dans les trois mois de l'ouverture de la succession et de prendre parti dans les quarante jours. — La négligence de l'héritier ne doit pas nuire aux autres créanciers de la succession, et c'est cependant ce qui arriverait, s'ils ne pouvaient opposer à cet héritier une prescription qui était acquise à la succession bénéficiaire (Dur., n. 316).

En sens inverse, s'il est débiteur envers la succession et qu'il n'ait accepté qu'après les délais, peut-il opposer la prescription aux créanciers et aux légataires ? ⁓ *N.* Il ne peut l'opposer qu'à ses cohéritiers (Dur., n. 320).

Quid, si l'héritier bénéficiaire ou pur et simple, a commencé à prescrire un fonds contre le défunt : la prescription a-t-elle cessé de courir lors du décès de l'auteur commun ? ⁓ *A.* Ce cas rentre dans la règle que l'action en partage est imprescriptible (Delv.). ⁓ *N.* L'action en partage n'est point applicable ici, puisque l'héritier jouit séparément de certains biens de l'hérédité (Dur., n. 319).

Une succession a été régulièrement répudiée au nom d'un mineur ; si elle est ensuite reprise par lui, la prescription aura-t-elle couru durant la vacance ? ⁓ *A.* C'est contre la succession vacante et non contre le mineur qu'elle a couru (Dur., n. 322).

2259 — Elle court encore pendant les trois mois pour faire inventaire, et les quarante jours pour délibérer.

⟜ Rien n'empêche, en effet, de faire des actes conservatoires pendant ces délais.

CHAPITRE V.

Du temps requis pour prescrire.

Ce chapitre est divisé en quatre sections : la première renferme des dispositions générales. — La deuxième est relative à la prescription trentenaire, sorte de prescription qui peut être invoquée lorsqu'il s'agit, soit d'acquérir, soit de se libérer. — La troisième est particulière à la prescription à l'effet d'acquérir. — La quatrième concerne spécialement la prescription à l'effet de se libérer.

SECTION Ire.

Dispositions générales.

Le temps requis pour opérer la prescription est plus ou moins long, suivant la nature des droits qu'il s'agit d'éteindre ou d'acquérir : nous ne parlerons ici que de la manière de le calculer.

La prescription se compte par jour et non par heures : ce principe une fois posé, il est évident que le délai ne peut être entier, qu'autant que le dernier jour du terme se trouve accompli.

Les délais se calculent de quantième à quantième.

C'est au temps requis pour prescrire, et non à la faculté même de prescrire, que s'applique l'art. 2281, lequel règle les prescriptions commencées lors de la publication du Code.

2260 — La prescription se compte par jours, et non par heures.

= C'est-à-dire, qu'elle ne se compte point, par exemple, depuis une heure de tel jour jusqu'à une heure de tel autre jour : *de momento ad momentum ;* par tel nombre de délais de vingt-quatre heures : mais depuis tel jour jusqu'à tel autre jour , commençant *civiliter* à minuit, pour finir à minuit; par exemple : du quinze au quinze. On peut interrompre la prescription, jusqu'à la dernière heure du dernier jour.

Dans les prescriptions qui s'accomplissent par mois , les délais se comptent par l'échéance des mois, date pour date , eu égard au calendrier grégorien : ainsi, février est compté pour un mois , soit qu'il ait vingt-huit ou vingt-neuf jours. On ne compte par jour ou par heure, que dans les cas où la loi le prescrit (*Voy.* art. 2185 C. c. 674 et 711, Pr., 436 , Code comm. 6 et 10 de la loi du 9 floréal an 7).

2261 — Elle est acquise lorsque le dernier jour du terme est accompli (1).

↞ En droit romain , la prescription , considérée comme moyen d'acquérir, n'était pas soumise aux mêmes règles que celle qui avait pour objet la libération :

Dans le premier cas, la loi était censée venir au secours du possesseur : pour que la prescription eût lieu, il suffisait que le dernier jour du terme fût commencé. — Il en était autrement lorsqu'il s'agissait de prescriptions à l'effet d'éteindre les actions temporaires (c'est-à-dire, les prescriptions à l'effet de se libérer) : on considérait la prescription comme une peine; elle ne s'opérait qu'après l'expiration du dernier jour (2).

Cette distinction était plus subtile que fondée en raison : en effet , l'ancien propriétaire contre lequel on prescrit un fonds , n'est pas moins favorable que le créancier contre lequel on prescrit une dette : aussi, a-t-il paru plus simple et plus juste , de décider que la prescription ne serait acquise , dans aucun cas , avant que le dernier jour du terme fût écoulé.

Ainsi , le jour de l'échéance (*dies ad quem*), est compris dans le terme; et cela, sans qu'il y ait lieu de distinguer entre la prescription à l'effet d'acquérir et la prescription à l'effet de se libérer : la personne contre laquelle on prescrit, a ce jour entier, jusqu'à la dernière heure, pour interrompre la prescription.

Que faut-il décider quant au point de départ (*dies a quo*)? On distingue : dans les prescriptions à l'effet d'acquérir, le jour de l'acquisition est compté, quelle que soit l'heure de la prise de possession : ainsi, la prescription trentenaire, commencée le 1er janvier 1800 (à six heures du matin ou à six heures du soir peu importe), s'est accomplie le 31 décembre 1830 à minuit : — il en est autrement, quand il s'agit de la prescription à l'effet de se libérer : on décide que le jour *à quo* n'est pas compris dans le terme :

---

(1) On aurait pu réunir en un seul article, les deux articles 2260 et 2261 : c'est même ce qui existait autrefois. — Lorsque la prescription se calculait par jour, on comptait à part les jours complémentaires. — Quand elle se calculait par mois ou par année , les jours complémentaires étaient compris dans le mois de fructidor ; — l'an 14 fut le dernier de l'ère républicaine. — Le calendrier Grégorien fut remis en vigueur le 1er janvier 1806.

(2) ff. L. 44, titre 3 , Lol. 15. D., Oblig. et act., L. 6 , liv. 44.

par exemple, si je me suis reconnu débiteur le 1er janvier 1800, la prescription n'aura été acquise que le 1er janvier 1830 à minuit (1).

La loi ne distingue pas, sous le rapport de la prescription, entre les jours ouvrables et les jours de fête légale : toute prescription, quelque courte quelle soit, peut arriver à son terme un jour férié : il n'est dit nulle part, que les jours fériés seront des jours de grâce. — Les règles sont différentes en matière de commerce, *voy.* art. 134.

SECTION II.

De la prescription trentenaire.

La prescription est de 30 ans (2) quand la loi n'a pas fixé un temps plus court; c'est là le droit commun. — Celui à qui cette longue prescription est opposée, ne peut alléguer l'exception déduite de la mauvaise foi, ni par conséquent déférer le serment à son adversaire, soit sur le fait du payement de la dette, s'il s'agit de la prescription à l'effet de se libérer, soit sur l'acquisition du droit de propriété par un titre quelconque, s'il s'agit de la prescription à l'effet d'acquérir (3).

La prescription accomplie, produit un effet rétroactif au jour où elle a commencé.

2262 — Toutes les actions, tant réelles que personnelles, sont prescrites par trente ans, sans que celui qui allègue cette prescription soit obligé d'en rapporter un titre, ou qu'on puisse lui opposer l'exception déduite de la mauvaise foi.

= L'ordre public exige que l'on mette un terme aux actions; car, lorsqu'elles sont anciennes, elles deviennent difficiles à juger, multiplient les contestations et favorisent plus la mauvaise foi, que la disposition qui limite leur durée.

Le Code rejette la distinction que l'on faisait anciennement, quant au temps requis pour prescrire, entre les droits personnels et les droits réels, pour établir une règle uniforme : aujourd'hui, toutes les actions se prescrivent par trente ans : après ce laps de temps, le débiteur se trouve libéré, et l'immeuble, lorsqu'il s'agit d'une action réelle, est irrévocablement acquis au détenteur, sans qu'on puisse opposer qu'il avait un titre

---

(1) La dette peut avoir été contractée à une heure fort avancée de la journée. — Il serait trop rigoureux de faire partir la prescription, d'un jour ou la dette n'existait pas encore. — L'art. 23 Pr., prouve que les rédacteurs du Code n'ont pas entendu compter le *dies à quo*, sans cela ils auraient exigé l'an et jour. — Dans certains cas particuliers, déterminés par le Code de procédure, on ne compte même ni le jour *à quo*, ni le jour *ad quem* (*Voy.* art. 1033 . Pr. ; Dur.. n. 336 et suiv. ; Delv., sur l'art. 2261 ; Vaz. n. 320 et suiv ; Toullier, t. 13, n. 54 ; Troplong, n. 812. — *Cass.*, 27 décembre 1811). ⁓ Dans les cas prévus par l'art. 2257, le jour *à quo* n'est pas excepté ; car le créancier n'a pu agir que le lendemain de l'exigibilité ; mais dans tous autres cas, ce jour est compris dans le terme : ainsi, l'obligation reconnue le 1er janvier 1800 a été prescrite le 31 décembre 1830 à minuit (Merlin, Prescript.,t. 17, p. 144).

(2) L'ancien droit reconnaissait des prescriptions de quarante ans, et même des prescriptions immémoriales que l'on estimait communément à cent années.

(3) Mais le serment décisoire peut être opposé à la partie qui oppose la prescription , soit sur le fait de savoir si elle n'a pas reconnu la dette ou renoncé depuis à la prescription acquise ; soit sur l'époque à laquelle elle prétend avoir commencé à posséder , et sur la condition de bonne foi , lorsqu'il s'agit de la prescription à l'effet d'acquérir (Dur., n. 345).

vicieux, qu'il a possédé sans titre, ou même qu'il a acquis, sachant que le vendeur n'était pas propriétaire.

Au reste, la règle qui nous occupe, ne détruit pas celle qui résulte des termes de l'art. 2229 : s'il est prouvé, par exemple, que la possession a été précaire dans le principe, elle demeure sans effet, à moins que cette cause n'ait été intervertie : on peut dire, en ce sens, *melius est non habere titulum quàm habere vitiosum* (1).

Nous supposons qu'un tiers a joui paisiblement de l'immeuble à titre de propriétaire, pendant le temps voulu pour prescrire : si personne ne s'en était emparé, la propriété ne serait pas perdue : l'un n'est dépouillé de son droit, qu'en raison de ce qu'un autre l'acquiert : la loi n'entend pas punir le propriétaire négligent, mais consolider la propriété dans la main de celui qui possède depuis tel ou tel temps.

L'art. 2262 prononce l'extinction de toutes les actions, tant réelles que personnelles, non exercées dans le délai de trente années; mais il ne parle pas des exceptions : on demande si la prescription de trente ans enveloppe aussi ces moyens de défense, en d'autres termes, si la fameuse règle : *quæ temporalia sunt ad agendum, perpetua sunt ad excipiendum*, est compatible avec le Code civil? on pense généralement que cette règle ne doit recevoir d'application, qu'autant que le défendeur qui propose l'exception, possède la chose, ou jouit de l'état, de la position, de la liberté, qu'on prétend modifier en lui. Ainsi, des institués ont possédé l'hérédité pendant vingt-cinq ans : l'héritier prend ensuite possession des biens, et il en jouit pendant un temps plus ou moins long : si on l'actionne en délaissement, il pourra, s'il y a lieu, opposer la règle *quæ temporalia*, etc. — Ainsi encore, le débiteur peut toujours, lors même que plus de trente ans se sont écoulés, opposer au créancier qui le poursuit, toutes les exceptions qui sont de nature à anéantir le contrat (Troplong, n° 827 et suiv.) (2). |

— Une rente viagère est-elle prescriptible ? ⟶ *A.* (Delv., p. 203, n. 3; Vazeille, n. 357. — *Toulouse*, 23 janvier 1828 ; S., 29, 2, 260. ⟶ *N.* (*Metz*, 28 août 1819 ; S., 20, 2, 12 ; D., 28, 2, 3.—*Cass.*, 5 août 1829 ; D., 29, 1, 319, 220 ; S., 29, 1, 387. — *Pau*, 26 juin 1827 ; S., 28, 1, 111).

De quelle époque commence la prescription du capital d'une rente ? ⟶ Du jour du titre ou de l'acte récognitif (Vazeille, n. 358 ; Troplong, n. 840).

Peut-on acquérir une rente par la prescription trentenaire? ⟶ La prescription fait acquérir des droits de propriété ; elle éteint des obligations ; mais elle ne fait point acquérir de créances. Nous n'avons point de prescriptions acquisitives de simples créances ou de droits personnels (Dur., n. 90).

La prescription établie par les articles 2, 3, 637, 638 et 640, Instr. crim., a-t-elle lieu quant à l'action civile, soit que l'on porte cette action devant les tribunaux criminels, soit qu'on la porte devant les tribunaux civils? ⟶ Point de question, lorsque le crime ou le délit a été commis à l'occasion d'un contrat ; l'action civile est alors indépendante de l'action publique : tel serait le cas où un fermier mettrait vo-

(1) Le législateur n'a point parlé de la possession, dans l'art. 2262, parce qu'il a voulu comprendre dans la même formule, la prescription acquisitive et la prescription libératoire.— La même inexactitude se retrouve dans l'art. 2265.

(2) A cette décision, se rattache la question suivante :

L'exception tirée de la nullité peut-elle se prescrire par le même laps de temps que l'action en nullité ? Par ex., Paul m'amène par dol ou par violence, à lui vendre une maison : il me laisse en possession : je cesse d'être violenté ; dix années s'écoulent : après l'expiration de ce délai, Paul demande la délivrance de la maison : pourrai-je lui opposer encore l'exception tirée de la violence ? ⟶ *A.* Celui qui a l'action en nullité n'a pas le pouvoir de faire qu'on agisse contre lui avant une certaine époque ; ff., L. 5. § 5, titre de *doli mali et metûs exceptione*; L. 9, § 4 *de jurejurando*. — La personne violentée ne doit pas supposer que l'auteur de la violence aura l'audace d'agir en délivrance. — L'art. 1304 ne dit pas comme l'ancien droit, que la nullité tirée de la violence, etc., ne pourra être invoquée que pendant dix ans, tant en demandant qu'en défendant (Troplong) ⟶ *N.* Sous le Code civil, on peut agir en nullité, bien qu'on n'ait pas exécuté ; ce qui n'était pas admis en droit romain, ou l'on n'avait en pareil cas que la voie d'exception. — Comment comprendre, que dans une législation où l'on pourrait, après vingt ans, par ex., opposer une exception, on ne puisse pas faire juger de suite la question par voie d'action ? — Le système contraire a l'inconvénient de perpétuer une exception et de permettre de l'opposer à une époque où il sera fort difficile de reconnaître sa valeur. — La maxime *quæ temporalia* doit être limitée au cas où le défendeur n'a pu intenter l'action contraire à celle qu'on exerce contre lui (Dur., t. 12, p. 667 et 668 (*Val.*).

lontairement le feu à l'un des bâtiments de la ferme, et celui où un dépositaire détournerait l'objet déposé; mais *quid* dans les autres cas? ⁓ Le Code d'instruction criminelle n'envisage l'action civile que dans ses rapports avec l'action publique, qu'accessoirement à cette action : il n'y avait point à établir de règles pour les actions portées devant les tribunaux civils : le Code d'instruction criminelle ne déroge pas à l'art. 1382. ⁓ Le code d'instruction criminelle n'éteint pas l'action civile, quelle que soit la juridiction qui en connaisse : on est parti de cette idée, qu'après l'expiration des délais fixés, le fait ne pouvait plus être établi avec certitude ; ce qui, du reste, ne prive pas le propriétaire du droit de revendiquer la chose volée ou perdue pendant les délais fixés par le Code civil; car cette action naît du droit de propriété (Dur., n. 104; *voy*. art. 2219, 3° et 4° Quest., et 2280, 3° Quest.).

2263 — Après vingt-huit ans de la date du dernier titre (1), le débiteur d'une rente peut être contraint à fournir à ses frais un titre nouvel à son créancier ou à ses ayants cause.

= Au premier abord, on n'entrevoit pas l'utilité de cette disposition : le créancier n'est-il pas suffisamment protégé, par cette seule circonstance, que les arrérages lui ont été payés dans l'intervalle des trente années? le service des arrérages n'est-il pas une reconnaissance suffisante de la dette? le but que s'est proposé le législateur apparaît, si l'on réfléchit que les quittances, ordinairement sous seing-privé, se trouvent entre les mains du débiteur; qu'il peut les supprimer, et prétendre ensuite, que depuis plus de trente ans, il a cessé de servir la rente : dans de telles circonstances la loi vient au secours du créancier, en lui permettant d'exiger, après vingt huit ans de la date du dernier titre (et non de l'échéance de la première annuité), un acte recognitif (que l'art. 2263 appelle un titre nouvel). Cet acte est fourni aux frais du débiteur.

La règle de l'art. 2263, s'applique indistinctement (2) à la rente perpétuelle et à la rente viagère; les mêmes raisons s'appliquent à l'un et à l'autre droit.

2264 — Les règles de la prescription sur d'autres objets que ceux mentionnés dans le présent titre, sont expliquées dans les titres qui leur sont propres.

= La prescription de trente ans forme le droit commun : mais il existe, indépendamment de la prescription de dix et vingt ans, plusieurs autres prescriptions, dont les règles sont expliquées sous les divers titres auxquels elles se rapportent (*voy*. art. 475, 417, 690, 691, 706, 707, 789, 957, 1304, 1660, 1663, 1676, 2180, 4° 180, 185, 559, 809, 886, 1622, 1648, 1662, 1854, C. c.; 64, 108, 189, 243, 244, Code de comm.).

Hors les cas où la loi s'est prononcée, on doit appliquer les règles générales, aux divers cas de prescriptions particulières.

— Peut-on conclure de l'art. 2264, que les règles de la suspension établie au profit des mineurs, ne doivent pas s'appliquer à la prescription de l'art. 1304 ? ⁓ N. L'art. 2264 a uniquement pour but de décider que les règles spéciales, que l'on trouve dans le Code sur certaines prescriptions, ne sont point abolies par le titre consacré particulièrement à la prescription. — Nos actions en nullité peuvent être assimilées aux actions en restitution que le droit romain accordait aux mineurs, lorsqu'ils étaient lésés. — Comment imaginer que le mineur, qui peut toujours se faire restituer contre la lésion, soit privé du droit de se faire restituer contre la perte qui résultera pour lui d'une prescription acquise à un tiers (*Val*.)?

---

(1) Dans cet article, le mot *titre* exprime l'écrit, l'acte qui constate le droit.
(2) Le créancier n'aurait pas besoin d'un titre nouvel, s'il avait eu la précaution de se faire délivrer, dans l'intervalle des trente années, une contre-quittance ; mais dans la pratique, les contre-quittances ne sont guère en usage.

SECTION III.

De la prescription par dix et vingt ans (1).

La prescription par dix et vingt ans n'a pas pour objet l'extinction des obligations (2) ; elle est uniquement relative à la prescription à l'effet d'acquérir les immeubles. Observons, que cette prescription n'a point de rapport avec celle de l'action en nullité ou en rescision du contrat d'aliénation pour vice de violence, dol, erreur ou incapacité que peut intenter le vendeur de l'immeuble (3).

A l'imitation de la plupart de nos anciennes coutumes, le Code admet la prescription acquisitive des immeubles par dix ans entre présents, et vingt ans entre absents. Toutefois, par une heureuse innovation, il ne s'attache plus, pour apprécier s'il y a ou non présence, aux domiciles respectifs du possesseur et du propriétaire ; mais au lieu de l'habitation de ce dernier, comparé au lieu de la situation de l'immeuble.

Pour prescrire par dix et vingt ans, il faut être de *bonne foi*, et avoir un *juste titre*.

La bonne foi se présume, jusqu'à preuve du contraire ; elle doit exister lors de l'acquisition, c'est-à-dire, à la date de l'acte.

Le juste titre consiste dans une cause qui, par sa nature, est translative de propriété.

2265 — Celui qui acquiert (4) de bonne foi et par juste titre un immeuble, en prescrit la propriété par dix ans, si le véritable propriétaire habite dans le ressort de la cour royale dans l'étendue de laquelle l'immeuble est situé ; et par vingt ans, s'il est domicilié hors dudit ressort (5).

= Celui qui acquiert de bonne foi et par juste titre, ne doit pas rester aussi longtemps qu'un usurpateur, dans l'incertitude sur la consolidation définitive de sa qualité de propriétaire ; car il a dû se livrer à tous les actes utiles de la propriété, avec une confiance que ne peut avoir le possesseur de mauvaise foi (6).

Qu'entend on ici par cette expression : *juste titre* (7) ? Le titre est l'évé-

---

(1) L'art. 956 contient une règle exceptionnelle pour le cas de donation révoquée par survenance d'enfants.

(2) Le laps de dix ou vingt ans ne suffit point en effet pour affranchir un acheteur ou un donataire des obligations qu'il a contractées par l'acte de vente ou de donation ; pendant trente ans, cet acheteur ou ce donataire reste soumis à l'action en résolution de la vente, ou de celle en révocation de la donation, et de toutes les autres conséquences du contrat inexécuté, et les trente ans ne courent que du jour où il devait payer son prix ou accomplir les conditions mises à la donation. Nous le répétons, il ne s'agit point ici de la prescription à l'effet de se libérer, mais de la prescription à l'effet d'acquérir.

(3) Dans ces divers cas, l'acheteur devient de suite propriétaire ; seulement, son contrat peut être annulé ou rescindé dans le délai fixé par l'art. 1304.

(4) C'est-à-dire, qui achète ou reçoit par donation, etc,

(5) L'art. 2265 contient un vice de rédaction : cet article, en effet, ne parle que de la prescription de la propriété de l'immeuble ; nous verrons qu'elle libère en outre cet immeuble des charges qui le grèvent.

(6) La bonne foi consiste dans la ferme croyance que l'on est propriétaire : plusieurs conditions sont requises pour qu'elle ait lieu. Il faut : 1° que la bonne foi soit positive, c'est-à-dire, que l'on soit convaincu que celui dont on acquiert avait droit et capacité d'aliéner la chose ; 2° recevoir la chose par un contrat pur de toute nullité absolue.

(7) Ce n'est point un acte émanant du vrai propriétaire que la loi exige, puisque c'est contre lui qu'on prescrit : elle suppose un titre émané d'une autre personne.

nement qui explique notre mise en possession (1) : le mot *juste*, a pour objet d'indiquer, que cet événement doit être de la nature de ceux qui transfèrent la propriété lorsqu'ils émanent du véritable propriétaire : il s'entend de la réunion des conditions légales, des solennités requises pour que la propriété soit transférée, et non de l'existence d'un droit de propriété dans l'auteur de la transmission : c'est précisément le vice résultant de la non-existence de ce droit, que la prescription a pour objet de couvrir ; la loi exige seulement que le possesseur ait pu raisonnablement croire à une translation de propriété : ainsi, une vente consentie *à non domino*, forme un juste titre, pourvu que le vendeur ait disposé de l'immeuble comme d'une chose sienne.

Celui qui prend possession d'une hérédité, croyant à tort qu'elle lui appartient, ou qui est admis par erreur au partage de cette succession, ne peut prescrire par dix et vingt ans, soit vis-à-vis des héritiers, soit vis-à-vis des tiers, la propriété des objets qui lui ont été attribués mal à propos et dont le défunt n'était que simple possesseur ; car, en réalité, il n'a pas de titre : l'opinion d'un juste titre n'équivaut pas à un titre. — Même raison à l'égard de celui qui prend possession des biens d'une succession, en vertu d'un testament nul, encore qu'il ignore l'existence de ce vice ; car un titre nul n'est pas un juste titre. — L'erreur occasionnée par l'identité de nom (2) est également un obstacle à la prescription par dix et vingt ans ; mais nous pensons qu'un testament révoqué pourrait servir de base à la prescription dont il s'agit (3).

Ainsi, le titre doit réunir plusieurs conditions ; il faut :

1° Qu'il soit translatif de propriété ; par ex., la vente, l'échange, les donations, les legs, etc., sont de justes titres ; mais le dépôt, le nantissement, les baux à loyers ou à ferme, etc., n'ont pas ce caractère.

La loi suppose évidemment l'existence d'un titre particulier, les héritiers, les donataires ou les légataires universels ou à titre universel, ne prescrivent par dix ou vingt ans, qu'autant que leur auteur aurait prescrit de cette manière ; car ils continuent sa possession ni plus ni moins.

2° Que le titre soit valable : un titre nul n'est pas un titre. Ainsi, la vente faite entre époux, hors des cas prévus par la loi, ou le legs fait à une personne incapable, etc., ne sont pas de justes titres.

3° Que le titre ne soit pas suspendu par une condition : tant que la condition n'est point accomplie, on ignore si le titre produira son effet : celui

---

(1) *Voy.* t. 2, p. 664, les différentes acceptions du mot titre, art. 1317 et 1334.

(2) *Voy.* Troplong, n. 893 et suiv.

(3) Ainsi, la prescription peut s'opérer, non-seulement lorsque l'immeuble a été vendu, donné ou légué par une personne qui n'était pas propriétaire, mais encore, en certains cas, lorsqu'elle n'a pas eu la volonté de transférer cette propriété. — A ce sujet, on soulève la question suivante : je donne, à une personne mandat d'acheter pour moi un immeuble : cette personne fabrique un faux acte de vente pour me faire croire qu'elle a rempli son mandat ; je prends possession de l'immeuble : prescrirai-je cet immeuble par dix ou vingt ans ? ∼∼ *N.* Arg. de l'art. 550 : cet article parle d'un titre translatif, c'est-à-dire, d'un titre susceptible de transférer la propriété. — L'opinion d'un juste titre, n'équivaut pas à un juste titre. — Arg. de l'art. 2268 : cet article porte, que la bonne foi est toujours présumée : le possesseur n'a donc à prouver que son titre ; or, si l'on entend par *titre* toute espèce d'événement qui a pu induire en erreur, il arrivera souvent que le possesseur devra établir sa bonne foi ; ce qui sera contraire à l'art. 2268 (Troplong, n. 893 et suiv.). ∼∼ *A.* Le Code s'exprime en termes généraux ; — on doit, autant que possible, faciliter les prescriptions. — Arg. du mot *vices* (au pluriel), qui se trouve dans l'art. 550. — Vainement dit-on, que cet article parle d'un titre translatif ; c'est là jouer sur les mots : il ne s'agit ici que d'un titre qui a cette apparence : les art. 550 et 2265, ne nous disent point par suite de quel événement l'acte devra paraître translatif. — A l'argument tiré de l'art. 2268, on répond, que le possesseur ne prouve pas sa bonne foi, par cela seul qu'il prouve que sa possession se fonde sur un événement qui eût induit en erreur tout homme raisonnable : — au résumé, je représente le faux titre que mon mandataire a fabriqué : on doit prouver contre moi que j'ai eu connaissance du mensonge de mon mandataire ; car la bonne foi se présume toujours (Dur., n. 388) (*Val.*).

qui possède sous condition ne détient pas la chose comme propriétaire, mais comme pouvant le devenir un jour (1).

Observons, que les conditions suspensives seules, empêchent la prescription de courir; il n'en est pas de même des conditions résolutoires : elles ne suspendent pas l'effet du contrat, mais détruisent cet effet lorsqu'elles s'accomplissent (1183).

4° Enfin, il faut que le juste titre d'où procède la possession, continue d'être le titre de cette possession, pendant tout le temps requis pour l'accomplissement de la prescription : s'il survient au possesseur un nouveau titre, et que ce titre soit précaire, la prescription est tellement interrompue, qu'elle ne peut plus s'opérer.

La bonne foi consiste dans la persuasion que l'on a reçu la chose du véritable propriétaire ou de quelqu'un qui a mission de lui ou de la loi pour l'aliéner : il faut, ce que les Romains appelaient : *justa opinio dominii quæsiti*. Mais une simple supposition ou conjecture ne suffirait pas.

Cette opinion, quoique fondée sur une *erreur de fait*, ne laisse pas de conférer à la possession le caractère de bonne foi nécessaire pour prescrire : on peut donner pour exemple, le cas où l'on acquiert d'une personne qui passe pour être propriétaire, ou d'un mineur qui se dit majeur, et que l'on considère généralement comme tel. — Mais il en est autrement de *l'erreur de droit;* elle ne peut servir de base à la prescription de dix et vingt ans. Exemple : j'ai donné à quelqu'un pouvoir d'administrer; croyant que son titre lui donne le droit d'aliéner, ce mandataire vend un de mes héritages à une personne qui est dans la même erreur : il est certain que cette personne ne pourra prescrire.

La prescription par dix et vingt ans transfère la propriété libre de toutes les charges réelles qui la grevaient, lorsque l'existence de ces charges a été dissimulée (2).

Toutefois, le possesseur ne prescrit contre les personnes qui ont des droits réels sur l'immeuble, qu'autant que ces personnes n'ont pas fait d'actes de possession et qu'il s'est conformé à ce que prescrit la loi à l'égard de ceux à qui ces charges étaient dues : par exemple, pour les servitudes, elle exige qu'un acte contraire à la servitude ait été fait (art. 707); pour les hypothèques, que la transcription du titre ait eu lieu (2280, 4°) (*Voyez* Troplong, n. 852).

_____

(1) Toutefois, la condition accomplie produit un effet rétroactif au jour du contrat (1179) : dès lors, la prescription de dix ou vingt ans peut commencer à courir avant l'accomplissement de la condition suspensive, si la chose a été livrée auparavant? — Si l'acheteur sous condition suspensive, auquel la chose a été livrée, ne possède pas avec l'opinion *quæsiti dominii*, tant que la condition n'est pas accomplie, il a du moins cette opinion d'une manière conditionnelle; — la seule différence qu'il y ait entre celui qui achète purement et simplement la chose d'autrui, et celui qui achète sous condition, est que l'un croit avoir acquis de suite la propriété, tandis que l'autre sait qu'il ne l'acquerra qu'au moment de l'événement de la condition. — Ainsi, tant que la condition n'est pas accomplie, l'acheteur ou le donataire possède pour le vendeur ou le donataire; mais après la condition accomplie, il peut faire valoir, pour la prescription invoquée de son chef, sa possession même antérieure à l'événement de la condition (Dur., n. 576) (*Val.*). ⁓ ff., L. 2, § 21, *pro emptore* : l'opinion *quæsiti dominii* n'existe pas, tant que la condition est en suspens, puisque le possesseur ne possède pas comme propriétaire; d'ailleurs, la condition suspend l'effet du contrat (Pothier).

(2) L'art. 2265 déclare en effet que celui qui a juste titre et bonne foi prescrit la propriété par dix ou vingt ans ; or, qui dit la propriété, dit la pleine propriété, avec tous ses accessoires : on oppose, il est vrai, l'art. 2264, combiné avec les articles 617 et 706 : mais de ce que l'usufruit, de ce que les servitudes s'éteignent par le non-usage pendant trente ans, il s'ensuit pas que le possesseur ne puisse opposer la prescription par dix ou vingt ans : par trente ans de non-usage, l'usufruitier ou le propriétaire du fonds dominant perdra sa créance contre le constituant; mais il pourra perdre le droit réel par dix ou vingt ans. N'oublions pas en effet qu'il s'agit ici d'une prescription acquisitive et non d'une prescription libératoire — Si l'on admettait que le propriétaire de bonne foi ne pût prescrire par dix ou vingt ans les servitudes personnelles ou réelles, on tomberait dans une contradiction bizarre avec la règle qui déclare la pleine propriété prescriptible par ce délai.

Il peut arriver que le possesseur prescrive seulement certains droits réels et que les autres continuent de subsister ; tout dépend de la connaissance qu'il a eue de l'existence de ces charges.

La prescription, par dix et vingt ans, court contre toutes personnes, même contre celles qui ont sur l'immeuble des droits conditionnels ou à terme ; sauf à elles à interrompre la prescription : le possesseur prescrit la propriété, dit le Code ; c'est-à-dire, le droit le plus absolu sur la chose : ne perdons pas de vue, en effet, qu'il s'agit ici de la prescription à l'effet d'acquérir : on ne doit donc pas se préoccuper de l'art. 2257, car cet article n'est relatif qu'à la prescription libératoire.

La prescription de dix ans, peut être invoquée par le tiers acquéreur de bonne foi, même contre un vendeur originaire qui demande, en vertu de l'art. 1183, la résolution de la vente qu'il a consentie, faute par l'acquéreur primitif d'avoir payé le prix (Troplong, n. 852).

La prescription court du jour de l'événement qui a donné lieu de croire au possesseur que la propriété lui était transférée : la tradition n'est dans notre droit qu'une affaire d'exécution (1).

Le laps de temps requis pour prescrire, lorsque le possesseur a juste titre et bonne foi, varie, suivant que le véritable propriétaire habite dans le ressort de la Cour royale dans l'étendue de laquelle l'immeuble est situé, ou qu'il est domicilié hors de ce ressort.

Remarquez ces mots : *si le véritable propriétaire habite*, etc. Ce n'est donc point le domicile, mais la résidence que l'on considère : il faut que le propriétaire ait pu voir que son immeuble était possédé par un autre (2).

L'usufruit et les servitudes (continues et apparentes bien entendu), peuvent s'acquérir par prescription, indépendamment de la propriété ; il est même généralement admis, pour l'usufruit, que la prescription peut être de dix ou vingt ans (3). — En ce qui concerne les servitudes, de graves autorités pensent, que l'art. 690 ne permet de les acquérir que par la prescription de trente ans (Toullier, t. 3, n. 688) : mais quand on songe, que sous la coutume de Paris, lorsque prévalait la maxime : nulle servitude sans titre, on admettait cependant pour les servitudes, la prescription décennale, il est difficile de croire que le Code civil, en permettant de les acquérir par une possession de trente ans, ait entendu exclure la première prescription bien autrement favorable (4) : ainsi, suivant nous, la prescription décennale comme la prescription trentenaire, peut faire acquérir des charges réelles sur un héritage.

(1) Dur., n. 394. Du jour de la tradition, bien que le titre remonte à une époque antérieure, car c'est une possession de dix ou vingt ans qui est requise pour opérer la prescription. — Le jour où la possession a commencé peut ne pas être celui où l'on considère la bonne foi : en effet, la bonne foi doit exister au moment de l'acquisition ; or, l'acquéreur n'est pas toujours mis immédiatement en possession (Delv) (*Val.*).

(2) Les faits de résidence peuvent être facilement vérifiés ; les questions de domicile sont souvent aussi ardues que les questions de résidence. — Arg. de l'art. 68, Pr. — Ordonnance de 1665 (Pothier, n. 107 ; Delv. ; Vazeille, n. 504 (*Val.*). C'est au véritable domicile qu'il faut s'attacher de préférence : les difficultés seraient grandes, si l'on s'attachait à la résidence ; car une personne peut habiter successivement différents lieux ; le domicile au contraire varie peu. Le Code emploie deux fois le mot *domicile* ou *domicilié*; ce qui manifeste suffisamment le sens qu'il prétend attribuer au mot habite (Proudhon, t. 1er, p. 490 ; Dur., n. 377 ; Troplong, n. 865. — Nîmes, 12 mars 1834, S., 34, 2, 360).

(3) On pourrait dire, cependant, que l'art. 2265 parle de la possession d'un immeuble et non de la possession d'un droit, et qu'un droit n'a pas de situation fixe : mais on répondrait que l'immeuble détermine la situation du droit ; que la propriété non plus n'a pas de situation fixe ; que l'immeuble seul en a une ; que l'art. 526 déclare immeubles les servitudes et l'usufruit ; enfin, que si la propriété est prescriptible, on doit *à fortiori* pouvoir prescrire ses démembrements.

(4) Dur., n. 353 et 354 ; Troplong, n. 853 et suiv. Vaz., n. 323. — *Cass.*, 17 juillet 1816 ; S., 17, 1, 152 (*Val.*).

— Nous avons décidé, que celui qui a été admis à tort au partage d'une hérédité ne peut prescrire par dix ou vingt ans la propriété des objets qui lui ont été attribués mal à propos; mais *quid*, s'il a transmis ces prétendus droits héréditaires à un tiers: ce tiers pourra-t-il invoquer la prescription par dix ou vingt ans? ⟶ *N*. Cette prescription n'a lieu que pour les immeubles déterminés ; la pétition d'hérédité *utilis*, a lieu contre l'acquéreur, comme la pétition d'hérédité *directa* a lieu contre le possesseur lui-même : or, cette action ne se prescrit que par trente ans (Dur., n. 369, t. 21, n. 596, t. 1er, et n. 558, t. 7; Delv., n. 4, p. 212. — *Douai*, 17 avril 1822).

La Le partage entre héritiers, est-il un juste titre qui puisse servir de base à la prescription de dix ou vingt ans, contre les tiers, propriétaires des biens dont le défunt n'était que simple détenteur. ⟶ *N*. Le partage n'est pas translatif, mais simplement déclaratif de propriété; chacun des héritiers ne prescrit donc que comme prescrivait son auteur; la possession du défunt s'est continuée sans interruption dans la personne de son héritier (Dur., n. 370; Troplong, n. 932 et 933).

Le défunt possédait au temps de sa mort un fonds qui appartenait à l'un de ses héritiers, ce fond est échu par le partage à un autre héritier : celui-ci continuera-t-il la prescription du défunt. ⟶ *A*. Il peut, pour compléter la prescription, faire usage du temps écoulé depuis le décès jusqu'au partage (Dur., n. 371; Troplong, n. 886). ⟶ Sans doute ce copartageant pourra prescrire; mais la prescription ne commencera à courir que du jour du partage (Pothier, Proscript., n. 49; Delv., n. 2, p. 654).

Un associé apporte dans la société un immeuble dont il n'est pas propriétaire: cet apport est-il un juste titre capable de fonder la prescription par dix ou vingt ans, soit en faveur de la société pendant sa durée, soit au profit de l'associé (autre toutefois que celui qui a fait l'apport) auquel l'immeuble est échu par le partage? ⟶ *A*. La société est un être moral, une tierce personne; elle acquiert comme un simple particulier : dans l'espèce, l'associé copartageant ne tient pas ses droits de son coassocié : il continue, pour sa part, la personne morale appelée société (*voy*. toutefois les distinctions faites par Dur., n. 372 et 373 ; Troplong, n. 884 et 934).

Un jugement rendu avec l'un des copropriétaires d'un immeuble, ordonne le délaissement de cet immeuble : ce jugement peut-il servir de base à la prescription par dix ou vingt ans contre son copropriétaire qui n'y a pas été partie, et ce, nonobstant la tierce-opposition qu'il a formée? ⟶ *N*. Les jugements ne sont point attributifs, mais seulement déclaratifs de propriété. — Pour prescrire par dix et vingt ans, il faut, aux termes de l'art. 2265, un juste titre; c'est-à-dire un titre qui ferait acquérir, si celui qui le confère avait la propriété de l'immeuble (Dur., n. 374; |Troplong, n. 883; *voy*. cep. *Cass.*, 14 juillet 1835 ; Devilleneuve, 35, 1, 754).

Un titre coloré, accompagné de la bonne foi et de la possession, rend-il prescriptibles les servitudes non apparentes et les servitudes discontinues ? ⟶ *A*. Mais il faut une possession de trente ans (Toullier, t. 3, n. 629 et suiv.; Favard, Rép., Servit., section 3, § 5, n. 2). ⟶ La possession de dix et vingt ans est suffisante (Dur., t. 5, n. 593; Delv., t. 1, p. 413, notes). ⟶ La prescription ne peut avoir lieu (Vaz., t. 1er, n. 416, Troplong, n. 852).

La transaction est-elle un *juste titre?* ⟶ *N*. D'ordinaire la transaction n'a d'autre but que de reconnaître ou de confirmer un titre antérieur dont la validité était contestée; elle se confond dès lors avec ce titre. Toutefois, si l'une des parties abandonnait à l'autre un immeuble, à la propriété duquel celle-ci ne pouvait prétendre, cet abandon devrait être considéré comme un titre nouveau, susceptible de conduire à la prescription (Troplong, n. 882. — *Cass.*, 15 mars 1809 ; S., 10, 1, 94).

Le domicile de droit, dans le ressort, suffit-il pour que la prescription puisse être opposée ? ⟶ *N*. C'est par le fait de l'habitation réelle, et non par celui du domicile légal, qu'il faut calculer le temps nécessaire pour prescrire (Delv., t. 2. p. 656, note. — *Rouen*, 12 mars 1834 ; S., 34, 2, 360 ; *voy*. cep. Troplong, n. 866).

Les personnes que la loi prive des droits civils ou de quelques-uns de ces droits, peuvent-elles recevoir des titres valables pour opérer la prescription de dix ans? ⟶ *A*. (Vazeille, n. 479).

2266 — Si le véritable propriétaire a eu son domicile en différents temps, dans le ressort et hors du ressort, il faut, pour compléter la prescription, *ajouter à ce qui manque* (1) aux dix ans de présence, un nombre d'années d'absence double de celui qui manque, pour compléter les dix ans de présence.

⟸ Par exemple, si le propriétaire a demeuré six ans seulement dans le ressort, il faut doubler le temps qui reste à courir pour compléter les dix années ; deux années d'absence comptent pour une de présence : ainsi, la prescription ne s'opérera, dans l'espèce, qu'après quatorze années.

Quid, lorsqu'un héritage appartient par indivis à deux propriétaires, si l'un demeure dans le ressort de la cour et l'autre hors du ressort? Vingt années seront nécessaires pour acquérir par prescription la part de ce

---

(1) Mauvaise rédaction, lisez : ajouter aux années de présence.

dernier ; mais dix ans suffiront pour prescrire l'autre part (*Cass.*, 12 novembre 1833 ; S., 33, 1, 82).

Observons, que la prescription par dix et vingt ans a lieu en faveur du tiers acquéreur, sans préjudice du droit que conserve le propriétaire, de poursuivre le vendeur, personnellement, en payement d'une indemnité : cette action ne se prescrit que par trente ans ; seulement, les trente ans courent non du jour où le vendeur a disposé, mais du jour où il s'est emparé de l'immeuble (Dur., n. 399).

2267 — Le titre nul par défaut de forme, ne peut servir de base à la prescription de dix et vingt ans.

= Nous avons établi, qu'il faut entendre par *titre*, l'événement qui transfère en apparence la propriété : comment comprendre alors qu'un vice de forme puisse mettre obstacle à la prescription? La loi suppose qu'on se trouve dans un cas exceptionnel où l'écrit est requis *ad solennitatem*, pour que la propriété soit transmise : par ex., qu'il s'agit d'un legs, d'une donation : dans ce cas, le titre et l'acte se confondent ; il n'y a point de titre, et par conséquent il n'y a point lieu à la prescription par dix ou vingt ans, si l'acte est nul pour défaut de forme :—Mais quand le titre consiste dans la convention, ce qui a lieu en matière de vente ou d'échange, comme l'écrit n'est alors exigé que pour la preuve : s'il a plu aux parties de passer un acte notarié, la prescription ne s'opérera pas moins par dix ou vingt ans, nonobstant les nullités de forme que renfermera cet acte, pourvu qu'il ait eu date certaine à l'époque où le possesseur veut faire remonter le cours de la prescription.

Il ne faut pas confondre le titre *nul* avec le titre *vicieux :* le titre nul ne peut, suivant notre article, servir de base à la prescription de dix et vingt ans ; mais il n'empêche pas la prescription trentenaire.—Le *titre vicieux* empêche même cette dernière prescription : tel est celui qui ne donne qu'une possession précaire, comme un bail, une concession d'usufruit, un acte de dépôt, etc. *Melius est non habere titulum quàm habere vitiosum.*

On suppose évidemment dans notre article, que le titre nul émane d'une personne qui n'était pas propriétaire ; car, si l'on avait acquis du véritable propriétaire, la prescription à l'effet d'acquérir ne serait pas nécessaire ; il suffirait que la nullité fondée, par ex., sur l'incapacité, n'eût pas été demandée dans le délai de dix ans.

— *Quid*, si la nullité du titre ne procède pas d'un vice de forme ? ᴧᴧSi elle est fondée sur des considérations d'ordre public, *putà* si la cause est illicite, la prescription de dix ans ne peut avoir lieu : mais si la nullité n'est que relative, ceux dans l'intérêt desquels elle est prononcée peuvent seuls l'opposer : à l'égard de tous autres, la propriété est censée avoir été transférée dès l'instant du contrat (Delv., p. 212, n. 2 ; Vazeille, n. 491 et 492 ; Troplong, n. 905 et suiv. ; Dur., n. 384).

Il est des cas où le titre consiste dans l'opération intervenue entre les parties : la prescription par dix ou vingt ans pourra-t-elle s'opérer, si l'acte sous seing-privé, rédigé pour constater cette opération, est nul pour inobservation des conditions prescrites par l'art. 1325 ? ᴧᴧ Assurément, il faut distinguer le titre, de l'acte ; la vente, de l'écrit rédigé pour le prouver : l'exécution de la convention couvre, par rapport aux parties et à leurs héritiers, la nullité qui résulte du vice de forme : mais à l'égard du tiers propriétaire à qui l'acheteur oppose la prescription, la nullité ne saurait être couverte quand même l'acte aurait acquis date certaine depuis dix ou vingt ans, puisque cet acte est nul. L'acheteur déférera-t-il le serment au propriétaire? ce dernier répondra qu'il ignore si la vente a eu lieu ; que ce n'est point là un fait qui lui soit personnel (Dur., n. 280 ; Vaz., n. 494).

La vente ou la donation de l'immeuble d'autrui, faite par un incapable, est-elle valable, lorsque l'acheteur ou le donataire ignorait ces deux circonstances ? ᴧᴧ *A.* Quoique cet acte soit susceptible d'être rescindé, il ne constitue pas moins un juste titre susceptible de servir de base à la prescription (Dur., n. 383 ; Troplong, n. 902 et 906).

Quid, si l'acheteur connaissait l'incapacité de la personne qui lui vendait l'immeuble? ᴧᴧ La nullité n'est alors que relative ; elle n'existe réellement qu'à l'égard de ceux dans l'intérêt desquels elle est établie ; à l'égard de tous autres, le titre est présumé valable, et peut servir de base à la prescription par dix et vingt ans (Dur., n. 384). ⁓ L'acquéreur est alors de mauvaise foi ; il ne peut prescrire que par trente ans (Troplong, n. 902).

2268 — La bonne foi est toujours présumée, et c'est à celui qui allègue la mauvaise foi à la prouver.

= Toute possession fondée sur un *juste titre*, est présumée de bonne foi jusqu'à preuve contraire.

La mauvaise foi peut être prouvée par témoins, même sans commencement de preuve, attendu qu'il n'a pas dépendu de la partie, de s'en procurer une preuve écrite ; ce qui rend applicable l'art. 1348 (*voy.* Dur., n. 390 et 495).

2269 — Il suffit que la bonne foi ait existé au moment de l'acquisition.

= Le droit canonique exigeait que la bonne foi eût continué pendant tout le temps requis pour prescrire : ce système avait passé dans notre ancienne jurisprudence, mais le Code l'a rejeté, pour se rapprocher du droit romain, qui n'exigeait la bonne foi qu'à l'origine de la possession : *mala fides superveniens non interrumpit usucapionem.* Le moment initial de l'acquisition est donc le seul point à examiner : on a considéré, que la prescription de dix ou vingt ans est, comme celle de trente ans, mise au nombre des longues prescriptions ; que la prospérité et la paix publique les rendent également nécessaires.

Que doit-on entendre par ces mots : *au moment de l'acquisition?* Sous l'empire des lois romaines, aucune difficulté ne s'élevait, car la propriété ne s'acquérait que par la tradition : mais *quid* dans notre droit? Dès le moment du contrat, la propriété est transférée ; le vendeur possède pour l'acheteur ; il n'est plus que simple détenteur (711, 938, 1138, 1583).

Par suite des mêmes principes, nous déciderons, que la prescription de dix à vingt ans ne commence pas, comme anciennement, du jour de la délivrance, mais du jour du contrat : vainement, dit-on, que si la propriété peut s'acquérir, *animo solo*, la possession ne peut s'acquérir que *corpore et animo :* il résulte de l'article 2228, que nous pouvons posséder par un autre qui tient en notre nom : or, à partir du contrat, le vendeur possède pour l'acheteur ; la tradition n'est aujourd'hui qu'une simple affaire d'exécution (Dur., n. 394, *voyez* cep. Delv.).

Si la bonne foi n'est exigée, quant à la prescription, qu'au moment de l'acquisition, elle est requise quant aux fruits au moment de chaque perception : le possesseur cesse de faire les fruits siens, du moment où les vices de son titre lui sont connus (550).

— La connaissance qu'a un acquéreur, au temps du contrat, de l'existence des hypothèques qui grèvent l'immeuble, est-elle un obstacle à ce qu'il prescrive contre ces mêmes hypothèques par dix ou vingt ans ? ⁓ N. (Dur. n. 393, t. 21 et t. 20, n. 315, t. 16, n. 364).

En cas de donation, de quel moment court la prescription : est-ce à partir de l'acte de donation ou à partir de la transcription ? ⁓ A partir de l'acte de donation : aux termes de l'art. 938, la donation est parfaite entre les parties à partir de l'acceptation ; c'est donc à ce moment qu'il faut considérer la bonne foi du donataire. — Art. 26 de la loi de brumaire an VII. — Toutefois, le défaut de transcription pourra être opposé par le tiers qui aura traité avec le disposant, relativement à l'immeuble donné (Val.).

2270 — Après dix ans, l'architecte et les entrepreneurs sont

déchargés de la garantie des gros ouvrages qu'ils ont faits ou dirigés (1).

= Il s'agit ici d'une prescription libératoire :

Nous avons déjà vu, au titre de louage, que les architectes et les entrepreneurs, répondent pendant dix ans, en cas de constructions à prix fait, de la perte totale ou partielle de l'édifice, si cette perte provient du vice de la construction ou même du vice du sol.

Notre article étend cette responsabilité au cas où ils se sont bornés à diriger les travaux.

Le propriétaire n'est pas tenu d'attendre la chute de l'édifice pour exercer l'action en garantie; il peut agir, par cela seul que cet édifice menace ruine ou se détériore : mais il doit former sa demande dans les dix ans de la réception des travaux; autrement, l'entrepreneur serait libéré (1792).

Si l'édifice périt en tout ou en partie dans les dix ans, l'action en garantie dure trente ans, lesquels ne commencent à courir, que du jour où l'accident s'est manifesté : en effet, la garantie dont il s'agit est soumise à la condition : si dans les dix ans quelque vice survient au bâtiment : or, la prescription des créances conditionnelles ne commence qu'à partir de l'événement de la condition (2).

Remarquons en terminant, que notre article n'a trait qu'aux constructions et autres gros ouvrages, tels que les digues, les gros murs, etc. Il est généralement admis, que par rapport aux menus ouvrages, tels que les lambris, les cloisons, etc., la responsabilité des entrepreneurs et des architectes cesse, à partir de la réception des travaux.

Au surplus, une convention peut certainement restreindre ou augmenter la responsabilité dont il s'agit.

SECTION IV.

De quelques prescriptions particulières (3).

La loi réunit dans cette section, diverses prescriptions non mentionnées dans des titres spéciaux, et qui s'accomplissent par un laps de temps moindre que celui de dix années : ces prescriptions s'opèrent par six mois, un an, deux ans et cinq ans. — Elles ont cela de particulier, qu'elles courent contre toutes personnes, sauf le recours des mineurs et des interdits contre leurs tuteurs, et celui des femmes mariées contre leur mari (2278).

Parmi ces prescriptions, les unes (2271, 2272, 2273 et 2274) sont fondées uniquement sur la présomption de payement, à raison des besoins journaliers des créanciers, et sur l'habitude où l'on est, d'acquitter ces dettes sans retard et même sans exiger de quittances : plus ces présomp-

---

(1) Cet article est placé à tort dans cette section ; car il n'a point de rapport avec la prescription des immeubles.

(2) Dans l'art 2270, il ne s'agit pas d'une prescription proprement dite ; mais de la détermination d'un délai pendant lequel les gros ouvrages doivent demeurer intacts (Dur., n. 400). ⁓ Ce système est bien rigoureux ; quoi! si le vice s'est découvert dans les derniers jours des dix années, le propriétaire aura trente ans pour agir, indépendamment de toutes les causes de suspension qui pourront éterniser l'action! Quand un horloger répond d'une montre pendant deux ans, sa responsabilité ne s'entend pas en ce sens que si l'action naît dans ce délai, elle ne se prescrira que par trente ans : après l'expiration de deux années, il est affranchi d'une manière absolue. — Décision du conseil d'État (*Val.*).

(3) On donnait autrefois à ces sortes de prescriptions, le nom de prescriptions statutaires, parce qu'elles étaient établies par des statuts locaux ou par quelque ordonnance particulière.

tions acquièrent de force, plus le lien de la prescription se trouve restreint.

Les autres n'ont pas pour base unique la présomption de libération ; elles sont établies principalement, soit en considération des inconvénients qu'il y aurait pour certains fonctionnaires à conserver indéfiniment les papiers qui leur ont été confiés (2276), soit en vue de secourir le débiteur, dont la fortune pourrait se trouver compromise par des remboursements d'intérêts cumulés : ces sortes de prescriptions sont dès lors fondées sur des raisons d'intérêt public.

Lorsque les prescriptions reposent sur la présomption de payement (2277), le créancier peut déférer le serment au débiteur, sur le fait même du payement; et même aux tuteurs des héritiers mineurs, sur le fait de la connaissance qu'ils peuvent avoir de l'existence de la dette (2275). Il ne jouit pas de cette faculté, dans les autres cas.

La maxime de l'ancien droit : *en fait de meubles possession vaut titre;* est consacrée par le Code; en conséquence, la revendication des meubles n'est pas admise contre le tiers possesseur de bonne foi ; la présomption de propriété, qui résulte du seul fait de la possession actuelle, a autant de force qu'une prescription acquise (2279).

Cette règle souffre exception en cas de perte ou de vol; sauf, s'il y a lieu, le recours du possesseur évincé, contre son auteur.—Toutefois, dans l'intérêt du commerce, la loi établit, que l'acheteur n'est tenu de rendre la chose, lorsque l'achat a eu lieu dans une foire, dans un marché, ou dans une vente publique, ou si le vendeur fait le commerce de choses pareilles, qu'autant qu'on lui rembourse le prix qu'il a payé (2283).

La disposition de l'art. 2181, toute transitoire, est dictée par le respect des droits acquis.

———

2271 — L'action des maîtres et instituteurs des sciences et arts, pour les leçons qu'ils donnent au mois ;

Celle des hôteliers et traiteurs, à raison du logement et de la nourriture qu'ils fournissent ;

Celle des ouvriers et gens de travail, pour le payement de leurs journées ; fournitures et salaires ;

Se prescrivent par six mois.

= Bien que la loi ne parle que des leçons données au mois par les maîtres et les instituteurs : il faut appliquer, *à fortiori*, la prescription de six mois, à celles qui se donnent au cachet, ou à un terme moindre d'un mois (Troplong, n. 947).

Les précepteurs qui vivent chez les parents de leurs élèves, doivent être assimilés aux maîtres et aux instituteurs : le délai court de la fin de chaque mois.

Quid, si les leçons se donnent à l'année ou même à un terme plus long ou plus court que l'année, moyennant une somme fixe pour tout ce temps? Nous pensons qu'il faut se référer à l'art. 2277, et admettre la prescription de cinq ans, nonobstant l'analogie qui existe alors entre la position des maîtres et des instituteurs dont nous parlons, et celle des maîtres de pension (1).

———

(1) Troplong, n. 945. ⁓⁓ On appliquerait la prescription relative aux apprentissages qui est d'une année (2272) ; et ce délai courrait de l'expiration du temps convenu ou du jour ou les leçons auraient cessé (Dur., n. 404).

On comprend sous le nom d'hôteliers, les maîtres d'hôtel garni, et les particuliers qui louent des appartements meublés ; car ces locations se font ordinairement au mois. *Nec obstat* l'art. 2277 : cet article ne parle que du loyer *des maisons* (1).

Les hôteliers et les traiteurs n'ont que six mois pour se faire payer, lors même qu'ils fournissent à l'année le logement ou la nourriture (Troplong, n. 950).

La prescription court contre les hôteliers et traiteurs, à partir du temps convenu expressément ou tacitement pour le payement : savoir, de chaque jour, si le débiteur doit payer chaque jour, et de l'expiration de chaque mois, s'il s'est engagé à payer au mois.

En ce qui concerne l'action des ouvriers et des gens de travail, il faut prendre pour point de départ de la prescription, le terme d'usage ou celui qui a été convenu expressément ou tacitement pour le payement.

La disposition relative aux ouvriers, est étrangère aux entrepreneurs, soit qu'il y ait ou non prix fait, soit qu'il s'agisse de gros ou de menus travaux : dans ces divers cas, en effet, le payement ne se fait pas au fur et à mesure des journées employées, mais en proportion des travaux confectionnés ; il y a obligation de terminer l'ouvrage. — Vu le silence de la loi, l'action des entrepreneurs ne se prescrit que par trente ans (2262 et 2264) (Troplong, n. 654). — On doit considérer comme entrepreneurs, les ouvriers qui travaillent à la tâche (1799) : ainsi, les maçons, charpentiers et autres ouvriers qui prennent un marché à forfait, sont affranchis de la disposition de l'art. 2271.

La dénomination de gens de travail, convient à tous les serviteurs qui se louent à un terme moindre d'une année (Arg. de ces mots : et *salaire* opposé à ceux-ci : *payement de leurs journées* (Arg. de l'art. 2272, cinquième alinéa ; *qui dicit de uno, negat de altero*) (Troplong, n. 957).

2272 — L'action des médecins, chirurgiens et apothicaires, pour leurs visites, opérations et médicaments ;

Celle des huissiers, pour le salaire des actes qu'ils signifient, et des commissions qu'ils exécutent (2) ;

Celle des marchands, pour les marchandises qu'ils vendent aux particuliers non marchands ;

Celle des maîtres de pension, pour le prix de la pension de leurs élèves ; et des autres maîtres, pour le prix de l'apprentissage ;

---

(1) Ainsi, les hôteliers et les traiteurs sont les seuls marchands auxquels s'applique la prescription de six mois : cette exception est arbitraire ; elle ne se justifie pas : on donne pour raison, que ces fournisseurs sont dans l'usage de se faire payer promptement : mais les bouchers et les boulangers aussi, se trouvent dans ce cas ; et cependant, leur action ne se prescrit que par un an (Troplong, n. 949 et 951).

Les mécaniciens et les orfèvres doivent-ils être assimilés aux ouvriers pour le temps de la prescription ? ᴧᴧ *Oui*, s'ils se bornent à fournir leur travail : mais lorsqu'ils vendent ce qu'ils ont fabriqué, leur position est la même que celle des marchands ; leur action est en conséquence soumise à la prescription d'un an (Troplong, n. 956).

Un commis, ou un employé aux écritures, est-il un homme de travail, dans le sens de l'article 2271 ? ᴧᴧ *N.* Si l'on remonte à l'origine de l'art. 2271, il est facile de voir que cet article n'a en vue que les individus qui se livrent à des travaux rudes et grossiers (Troplong, n. 958).

(2) Pourquoi cette différence entre la position des huissiers et celle des avoués (2273) ? On a considéré, que les huissiers font des actes plus fréquents que les avoués ,et qu'ils sont dans l'habitude de se faire payer plus tôt.

Celle des domestiques qui se louent à l'année, pour le payement de leur salaire;

Se prescrivent par un an.

— Nous nous bornerons sur cet article à quelques observations.

La prescription établie à l'égard des médecins et chirurgiens court pour chaque maladie de la fin de cette maladie; car il n'est pas d'usage que les médecins se fassent payer au fur et à mesure leurs visites. — Si la maladie est chronique, les visites qui remontent à plus d'une année, à partir du jour où la demande a été formée, sont prescrites : chaque visite forme une créance à part, et se prescrit par un an. — Il faut toutefois excepter le cas où le médecin aurait traité le malade moyennant un prix unique, ce qui arrive souvent pour certaines maladies graves (Dur., n. 413. Delv.) (*Val.*).

Quant aux pharmaciens, ils sont censés avoir autant de créances qu'ils ont fait de fournitures; car ces fournitures ne se trouvent pas liées entre elles.

Les huissiers ont une créance spéciale pour chaque acte qu'ils signifient, ou pour chaque commission qu'ils exécutent : la prescription court contre eux, du jour de la signification de l'acte, du jour de la conclusion de l'affaire, ou du jour de la révocation de leurs pouvoirs.

En ce qui concerne les marchands (et sous ce nom, il faut comprendre tous les individus qui se livrent au commerce) (1), il résulte suffisamment des termes de l'article :

1° Que la prescription d'un an est uniquement applicable aux ventes d'objets de leur commerce : le marchand qui vend des choses étrangères à son commerce, se place dans la même position que tout autre particulier.

2° Qu'elle est restreinte aux ventes faites à des particuliers ou à des marchands, mais pour leur usage particulier.

3° Qu'elle n'est point applicable, lorsque les fournitures sont faites à un marchand qui, en les recevant, fait lui-même un acte de commerce : le Code de commerce n'ayant soumis en ce cas la prescription à aucune règle particulière, il faut appliquer la prescription de trente ans, celle de droit commun (Dur., n. 409).

Du reste, on ne distingue pas, comme en matière de privilége (2101) entre les marchands en gros et les marchands en détail (Dur. n. 408).

La prescription court contre les marchands, du jour de chaque fourniture.

L'action des maîtres de pension pour le prix de la pension de leurs élèves, et des autres maîtres pour le prix de l'apprentissage, est également soumise à la prescription d'un an. — La prescription court, à partir de chaque terme d'exigibilité.

La loi ne parlant pas de l'action des maîtres pour les fournitures qu'ils ont faites à leurs élèves et apprentis, il nous semble, qu'on ne peut leur appliquer, à raison de ces fournitures, la prescription annale, car ils ne sont point marchands : d'ailleurs, la disposition qui nous occupe, est ex-

---

(1) Les imprimeurs sont des marchands, lorsqu'ils vendent les produits de leurs presses; ils sont ouvriers, lorsqu'ils se bornent à mettre leurs presses au service des auteurs (Troplong, n. 963).

ceptionnelle ; or les exceptions ne peuvent recevoir d'extension (1).

Les maîtres de pensions bourgeoises ne sont pas compris dans la catégorie des maîtres de pension ; car ce sont de véritables traiteurs : leur action ne dure que six mois (2271).

A l'égard des maîtres d'externat, comme ils ne donnent en réalité que des leçons, leur action se prescrit par six mois ou cinq ans, selon qu'ils donnent leurs leçons au mois ou à l'année (Arg. de ces termes de l'art. 2271 : *les maîtres et les instituteurs*, etc.).

Pour les domestiques qui se louent à l'année, chaque année de gage donne lieu à une prescription particulière (2). — La prescription date de la fin de l'année pour laquelle ils se sont engagés, ou du jour où ils ont cessé leurs services.

Ceux qui se louent au mois, sont considérés comme ouvriers ou gens de travail ; leur action se prescrit par six mois (2271) : — la prescription court contre eux de la fin de chaque mois.

— Les gardes du commerce sont-ils soumis pour leurs salaires à la prescription d'un an ? ᴧᴧ *N*. N'oublions pas que nous sommes ici dans une matière exceptionnelle (Troplong, n. 960 et 984. — *Cass.*, 18 mai 1818 ; D., 18, 1, 1, 239 ; S., 18, 1, 234).

2273 — L'action des avoués, pour le payement de leurs frais et salaires, se prescrit par deux ans, à compter du jugement des procès, ou de la conciliation des parties, ou depuis la révocation desdits avoués. A l'égard des affaires non terminées, ils ne peuvent former de demandes pour leurs frais et salaires qui remonteraient à plus de cinq ans.

＝ Le payement étant plus ou moins probable, suivant que l'affaire est ou non terminée, la loi fixe, dans le premier cas, la prescription à deux ans, à compter de la conciliation, du jugement, ou de la révocation de l'avoué ; et dans le deuxième, à cinq ans, à partir de l'acte qui donne lieu aux frais et aux salaires.

Les expressions : *frais et salaires*, employées dans notre article, comprennent sans distinction tous les déboursés faits par les avoués pour activer la marche de la procédure ; il ne faut pas même excepter les honoraires que l'avoué aurait payés à l'avocat (Troplong, n. 979).

— L'avoué peut-il former dans les deux ans, après la décision de la cause, la conciliation ou sa révocation, des demandes pour frais ou salaires qui remonteraient à plus de cinq ans *à partir de la demande ?* ᴧᴧ *N*. Il se trouverait dans une position plus favorable qu'à l'égard des affaires terminées : or il est entré dans les vues du législateur, de favoriser davantage les avoués dans ce dernier cas (Dur., n. 410).

Quid, à l'égard des avocats pour leurs honoraires ? ᴧᴧ Ils ne sont pas soumis à cette prescription (Troplong, n. 982 ; Delv , p, 207, n. 3. — *Pau*, 7 juin 1828 ; S., 29, 2, 85 ; D., 29, 2, 132).

Quid, à l'égard des agréés ? ᴧᴧ Même décision (Troplong, n. 983).

Quid, à l'égard des avoués qui agissent pour des affaires étrangères à leur ministère ? ᴧᴧ Même décision (Troplong, n, 985).

Les greffiers, les agents d'affaires, les notaires, sont-ils soumis, pour leurs frais et salaires, à cette prescription ? ᴧᴧ *N*. Leur action dure trente ans, puisqu'elle n'est pas limitée à un temps plus court (Merlin, Rép., Prescript., sect. 2, § 5 et 9 ; Troplong, n. 984 ; Dur., n. 411).

2274 — La prescription, dans les cas ci-dessus, a lieu, quoi-

_____

(1) Toutefois, cette opinion est contestée : on observe que ces fournitures se payent ordinairement avec le prix de la pension.

(2) On nomme *domestiques* les serviteurs à gage qui se louent pour les services réputés humbles, et entraînant un assujettissement personnel.

qu'il y ait eu continuation de fournitures, livraisons, services et travaux.

Elle ne cesse de courir que lorsqu'il y a eu compte arrêté, cédule (1) ou obligation, ou citation en justice non périmée.

= Cet article fait allusion à toutes les prescriptions établies par les articles 2271, 2272 et 2273 : la continuation de travaux ou de fournitures, fortifie la présomption de payement sur laquelle reposent les prescriptions de six mois, un an et deux ans, loin de l'ébranler.

Chaque fourniture, livraison, etc., faite par des marchands, est regardée comme une créance distincte, qui se prescrit séparément par un an ou par six mois, à compter du jour où elle a eu lieu.

Néanmoins, quand il s'agit d'un même travail, d'une seule et même maladie, d'un certain nombre de fournitures liées entre elles, tous les articles, ainsi que nous l'avons déjà dit, doivent être pris en bloc; ce serait fausser la pensée de la loi, que de donner une action distincte pour chaque article.

Au surplus, ne perdons pas de vue, que la prescription dont nous parlons est fondée sur la présomption de payement : dès le moment où il y a *compte arrêté* (2), *cédule, obligation* ou *citation en justice* non périmée, cette présomption ne pouvant exister, la durée de la prescription dépend de la solution des questions que nous avons exposées sous l'art. 2244 (Troplong, n. 991 et suiv.).

2275 — Néanmoins, ceux auxquels ces prescriptions seront opposées, peuvent déférer le serment à ceux qui les opposent, sur la question de savoir si la chose a été réellement payée.

Le serment pourra être déféré aux veuves et héritiers, ou aux tuteurs de ces derniers, s'ils sont mineurs, pour qu'ils aient à déclarer s'ils ne savent pas que la chose soit due.

=. Les prescriptions dont il est parlé dans les art. 2271 et 2273, ne reposant que sur une présomption de payement, on a dû laisser au créancier, comme ressource dernière, la faculté de déférer le serment à ceux qui les opposent.

Il s'agit ici du serment décisoire et non du serment déféré d'office : les termes de l'art. 2275 ne laissent aucun doute à cet égard. — Toutefois, si le temps de la prescription n'était pas écoulé, et que la demande ne fût pas totalement dénuée de preuve, le juge pourrait, sans aucun doute, déférer d'office le serment (1366 et 1367).

Il est bien entendu que le serment ne fait preuve qu'en faveur de celui qui l'a prêté, et de celui qui l'a déféré.

Le serment ne peut être déféré à la partie, que sur un fait qui lui est

---

(1) C'est-à-dire, écrit sous seing privé : le mot *cédule*, est employé ici, par opposition au mot *obligation*, lequel signifie acte de reconnaissance de la dette passée par-devant notaires.

(2) On nomme *arrêté de compte*, la reconnaissance d'une dette, énoncée au bas d'un mémoire; — *cédule*, un acte sous seing privé; — *obligation*, ce mot indique ici un acte notarié. — *Une citation en justice* interrompt également la prescription, tant que l'instance n'est pas périmée; si la péremption a eu lieu, la prescription est censée n'avoir jamais été interrompue; s'il y a jugement, il naît une nouvelle action qui dure trente ans.

personnel ; par conséquent, la veuve, les héritiers ou les tuteurs de ces derniers, sont seulement tenus de déclarer s'ils savent que la chose soit due (1359 et 1362).

Le Code de commerce art. 189, contient une disposition analogue à celle de l'art. 2175.

Nous verrons que le serment ne peut-être déféré, lorsque la prescription est fondée sur des considérations d'intérêt public.

— *Quid*, si les héritiers offrent d'affirmer, et que la veuve refuse, *aut vice versâ?* ⁓ L'action sera prescrite à l'égard de ceux qui offrent d'affirmer, et pour leur part seulement (Delv., p. 308, n. 5; Dur., n. 422 et 424).

2276 — Les juges et avoués sont déchargés des pièces cinq ans après le jugement des procès.

Les huissiers, après deux ans, depuis l'exécution de la commission, ou la signification des actes dont ils étaient chargés, en sont pareillement déchargés (1).

= La négligence des plaideurs ne peut laisser ces fonctionnaires indéfiniment chargés de conserver des pièces de procédure entre leurs mains.

2277 — Les arrérages de rentes perpétuelles et viagères ;
Ceux des pensions alimentaires ;
Les loyers des maisons, et le prix de ferme des biens ruraux ;
Les intérêts des sommes prêtées (2), et généralement tout ce qui est payable par année, ou à des termes périodiques plus courts (3) ;
Se prescrivent par cinq ans.

⮌ Tous les revenus qui se calculent par année, ou à des termes périodiques, sont en général soumis à la prescription de 5 ans; la loi ne distingue pas : ce délai court à partir de l'échéance de chaque terme.

Cette disposition est fondée à la fois sur la présomption de payement, et sur des considérations d'ordre public : on a voulu empêcher, que les débiteurs ne fussent accablés par des intérêts ou des arrérages accumulés. D'ailleurs, les quittances ne sont pas gardées aussi soigneusement, quand il s'agit de dettes de cette nature, que lorsqu'il s'agit d'un capital.

Puisqu'il n'y a pas simple présomption de payement, dans les cas prévus par notre article, le serment ne peut être déféré.

Il faut observer, que la prescription ne court pas *de die ad diem*, bien

(1) Il n'est pas question des avocats dans l'art. 2276 ; mais comme l'ancienne jurisprudence les plaçait sur la même ligne que les juges et les procureurs, on doit , suivant nous , leur appliquer, sous l'empire du Code , la prescription de cinq ans. — Même observation à l'égard des greffiers.
  Quant aux notaires, il entre dans la nature de leurs fonctions de conserver les minutes des actes passés devant eux; mais nous pensons qu'on leur appliquerait pour les actes non minutés la prescription de cinq ans.
(2) Par sommes prêtées, on entend ici toutes celles qui sont laissées en crédit entre les mains du débiteur , avec obligation d'en servir les intérêts.
(3) Ces expressions sont trop générales : évidemment , l'art. 2277 ne peut s'appliquer , lorsqu'un capital a été stipulé payable en différents termes : il faut restreindre l'art. 2277, à ce qui doit être considéré comme revenu ; — il s'applique, suivant nous, aux appointements des commis ainsi qu'aux maîtres instituteurs qui donnent des leçons à l'année ou à des termes plus courts, aux salaires (2271) ; car ce sont la des loyers du travail.

qu'il s'agisse de fruits civils, et que ces fruits, aux termes de l'article 586, soient réputés s'acquérir jour par jour; mais du jour de l'exigibilité, conformément à l'article 2257 ; c'est-à-dire de chaque annuité, semestre ou trimestre.

Les rentes dues par l'État et les intérêts dus par la caisse d'amortissement sont assujettis à la même prescription (loi du 24 août 1793; avis du conseil d'État, approuvé le 13 avril 1809).

On décide généralement, que l'art. 2277 n'est point applicable lorsque l'accumulation des intérêts ou autres prestations, peut être imputée au débiteur : la loi suppose, en effet, que le créancier est en faute; que muni d'un titre il a pu en poursuivre l'exécution.

Ainsi, la prescription de cinq ans ne peut être opposée par celui qui a reçu pour le compte d'un autre, soit en vertu d'un mandat, soit par pure gestion d'affaires, des arrérages ou intérêts, des loyers ou des fermages (1); par le possesseur de l'immeuble d'autrui qui a perçu de mauvaise foi des fruits; par le cohéritier ou le copropriétaire qui a joui seul de l'hérédité ou des biens communs; par celui pour le compte duquel une caution ou même un tiers a payé des intérêts ou arrérages; par les négociants qui sont en compte courant; enfin, par les héritiers qui doivent des sommes sujettes au rapport : dans ces diverses hypothèses, la libération n'aura lieu qu'après un laps de trente années; on donne encore, par exemple, le cas où l'acquéreur, ayant notifié son contrat aux créanciers inscrits, ceux-ci se trouvent obligés d'attendre la clôture de l'ordre pour obtenir le payement du prix capital, et des intérêts de ce prix.

Celui qui paye pour autrui des intérêts susceptibles de se prescrire par cinq ans, est-il soumis à la prescription quinquennale? ᨳ N. La prescription de cinq ans n'est applicable que du débiteur au créancier : quand un tiers paye des intérêts à la décharge du débiteur, il est censé faire l'avance d'un capital (Troplong, n. 1034. — *Cass.*, 22 janvier 1828; D., 28, 1, 367 ; *voyez* cep. Vaz., t. 1er, n. 370; t. 2, n. 616).

— Les intérêts du prix de la vente d'un immeuble se prescrivent-ils par cinq ans (nous supposons que le prix est actuellement et immédiatement exigible, autrement les intérêts seraient dûs conformément à l'art. 1652). ᨳ Il ne faut pas donner une interprétation trop judaïque à cette expression ; *payable par année*, contenue dans l'art. 2277, quatrième alinéa : le législateur ne suppose pas le cas où le débiteur aurait le droit de payer par année, mais celui où le débiteur est tenu de payer à raison de l'expiration de l'année : ces mots : *payables par année*, n'indiquent que seulement une question d'échéance, mais une question de services, de prestations : le législateur a voulu empêcher un cumul qui pourrait produire un capital énorme. — Dans l'opinion contraire, il faudrait, pour être logique, aller jusqu'à dire, que les intérêts des sommes prêtées ne peuvent se prescrire par cinq ans, lorsque le capital est exigible, puisque le créancier peut refuser en ce cas son payement, si on ne lui solde en même temps le capital et les intérêts ; mais ce serait violer la deuxième partie de notre article 2277, lequel ne distingue pas si le capital prêté est ou non exigible. — Par toutes ces considérations, nous déciderons, qu'en matière de vente comme en matière de prêt les intérêts se prescrivent par cinq ans (Vazeille n. 612; Troplong, n. 1023. — *Cass.*, 7 février 1826 ; D., 27, 1, 162 ; 14 juillet 1830; S., 30, 1, 246 ; D., 30, 1, 315) (*Val.*). ᨳ La prescription de cinq ans n'est point applicable; car on regarde plutôt les intérêts comme la compensation des fruits de l'immeuble dont a joui l'acheteur, que comme une prestation annuelle : le vendeur ne peut être contraint de recevoir les intérêts à part; l'acheteur doit payer capital et intérêts tout à la fois. — L'art. 2277 n'est applicable qu'au cas où le débiteur est tenu de prestations d'arrérages ou d'intérêts distincts du principal, ce qui n'a pas lieu dans l'espèce : en effet, le créancier. c'est-à-dire, le vendeur, peut refuser les intérêts si on ne lui paye en même temps le prix de la vente (Dur., n. 433, t. 21, n. 342 et suiv., t. 16).

Quid, à l'égard des intérêts judiciaires et des intérêts moratoires? ᨳ Ce sont là des dommages-intérêts ; l'art. 2277 ne leur est point applicable : d'ailleurs, les intérêts moratoires ne sont pas payables par année, puisque le créancier peut les refuser si on ne lui offre en même temps le capital; ces intérêts ne se prescrivent que par trente ans (Vazeille, n. 612 ; Dur., n. 434). ᨳ Ils se prescrivent par cinq ans : — la prescription quinquennale est d'ordre public, — la loi étend cette prescription à tout ce qui est payable par année (Troplong, n. 1011, 1013 et suiv. ; *Cass.*, 12 mars 1833 ; S., 33, 1, 299) (*Val.*).

(1) Troplong, n. 1310; Dur., n. 430 et suiv. — *Cass.*, 21 mai 1822; D., 22, 1, 390; 13 décembre 1830; S., 31, 1, 24.

Quid, à l'égard des intérêts d'un compte qui n'est ni rendu ni apuré ? ∿ Il n'y a pas lieu à la prescription quinquennale, — Mêmes raisons (*Cass.*, 30 août 1835 ; S., 35, 1, 555).

Si le codébiteur solidaire d'une rente a servi cette rente pendant longtemps, ses codébiteurs peuvent-ils lui opposer, lorsqu'il exerce son recours, la prescription de cinq ans? ∿ *A.* (Delv., p. 206, n. 8 ; Vazeille, n. 617. — *Lyon*, 15 mars 1823 ; S., 23, 2, 243 ; D., 23, 2, 159). ∿ La subrogation ne saurait tourner contre celui qui a payé ; le payement a interrompu la prescription ; elle ne peut plus s'opérer que par trente ans (Troplong, n. 1034).

2278 — Les prescriptions dont il s'agit dans les articles de la présente section, courent contre les mineurs et les interdits ; sauf leurs recours contre leurs tuteurs.

= Les prescriptions mentionnées dans notre section, ne sont pas les seules qui courent contre les mineurs et les interdits : la même règle s'applique à toutes celles dont il est parlé dans le Code de procédure ou dans le Code de commerce (*voy.* entre autres, les art. 64, 443, 444).

2279 — En fait de meubles, la possession vaut titre.

Néanmoins celui qui a perdu ou auquel il a été volé une chose, peut la revendiquer pendant trois ans, à compter du jour de la perte ou du vol, contre celui dans les mains duquel il la trouve ; sauf à celui-ci son recours contre celui duquel il la tient.

= *En fait de meubles la possession vaut titre;* c'est-à-dire, titre de propriété : le tiers possesseur qui a reçu la chose de bonne foi, n'a donc pas besoin de prescription, pour consolider l'achat qu'il a fait *à non domino;* il est à l'abri de l'action en revendication (1) : fort de la règle *possideo quia possideo,* il n'a rien à prouver; c'est à son adversaire à établir la mauvaise foi ; car la bonne foi se présume toujours. — On a considéré, que les meubles se transmettent ordinairement par la seule tradition ; qu'il est souvent impossible d'en constater l'identité, de les suivre dans leur circulation rapide, et qu'il fallait, d'ailleurs, éviter des procédures sans nombre, qui excéderaient souvent la valeur de la chose.

Ainsi la revendication est en général non recevable en matière mobilière.

Cette règle souffre exception dans les cas de perte ou de vol (2) : celui qui a trouvé ou acheté une chose perdue ou volée ne peut, avant l'expiration de trois années, voir dans sa possession un titre suffisant pour repousser l'action du propriétaire. — Le délai de trois ans court, non de l'entrée en possession, mais du jour de la perte ou du vol (3).

Quels sont les cas autres que ceux de perte ou de vol, auxquels s'ap-

(1) Quelques auteurs vont au delà des bornes en enseignant d'une manière absolue que, hors le cas de perte ou de vol, on ne peut jamais agir en revendication contre le possesseur d'un meuble : leur doctrine est évidemment fausse, toutes les fois qu'il s'agit de régler la position des parties liées entre elles par un contrat ou un quasi-contrat, un délit ou un quasi-délit (*voy.*, sur ce point, Troplong, n. 1043 et suiv.).

(2) Les Romains donnaient au mot *vol*, *furtum*, une très-grande extension ; chez nous, il s'entend uniquement d'une soustraction frauduleuse.

(3) Ce délai constitue donc moins une prescription à l'effet d'acquérir la propriété du meuble, qu'une simple *fin de non-recevoir* contre l'action en revendication tardivement exercée. Si le voleur a conservé la chose entre ses mains pendant trois ans, le tiers acquéreur de bonne foi deviendra immédiatement propriétaire incommutable.

plique la règle *en fait de meubles* , etc. ? On donne pour exemple, celui où l'on aurait acheté, de bonne foi, d'un dépositaire, d'un commodataire, une chose déposée cu prêtée ; ou d'un héritier, une chose trouvée dans la succession de son auteur. En disposant de cette chose, l'emprunteur ou le dépositaire, n'ont pas commis un vol ; il y a eu sans doute abus de confiance (408, Code procédure), mais non soustraction frauduleuse (379 et suiv., C. pr.) : l'acheteur de bonne foi est donc inattaquable. — Mais l'action du propriétaire contre le vendeur dure trente ans; car elle est née à l'occasion d'un contrat.

Nous supposons que le possesseur est de bonne foi : s'il était de mauvaise foi, c'est-à-dire, s'il avait reçu la chose sachant que celui qui en disposait n'en était pas propriétaire, ou ne la livrait pas de l'aveu exprès ou tacite du propriétaire, il ne pourrait se prévaloir du bénéfice de l'article, encore que la chose n'eût été ni perdue ni volée (Arg. des articles 1141 et 2180) ; car il se serait associé à la mauvaise action du vendeur (1) : trente ans de possession lui seraient nécessaires pour prescrire, encore faudrait-il que cette possession eût réuni les caractères déterminés par l'art. 2279 ; c'est à-dire, qu'elle eût été exempte de précarité, de clandestinité ou de violence. — D'ailleurs, tout fait quelconque de l'homme qui cause du dommage à autrui, oblige celui par la faute duquel ce dommage est arrivé, à le réparer ; or la réparation, dans l'espèce, ne peut consister que dans la restitution de la chose : *nec obstat* l'art. 406 du Code d'instruction criminelle, qui déclare que l'action civile, résultant d'un délit, se prescrit par le même temps que l'action publique : cet article suppose que l'action en réparation est portée devant les tribunaux correctionnels.

A plus forte raison, celui qui se trouve soumis, par l'effet d'un contrat, d'un quasi-contrat, d'un délit ou d'un quasi-délit, à l'obligation de restituer la chose au propriétaire, n'est-il pas recevable à invoquer le bénéfice de l'art. 2279 : cet article ne suppose pas, nous le répétons, que celui qui réclame un meuble, se fonde sur un titre passé avec le possesseur, mais que l'action est purement réelle (Troplong, n. 1044 et suiv.).

Observons en terminant, qu'il faut restreindre l'application de la maxime : *en fait de meubles*, etc., aux meubles corporels, considérés d'une manière individuelle : cette maxime ne peut être opposée lorsqu'il s'agit de meubles incorporels ; car celui qui détient un acte instrumentaire n'est pas censé pour cela posséder la créance ou la rente que cet acte a pour objet de constater, sauf les règles particulières au commerce. — Elle est également inapplicable, lorsqu'il s'agit d'universalités de meubles ; par ex., lorsqu'une succession mobilière a été vendue par l'héritier apparent à un tiers de bonne foi : rappelons-nous en effet, que la pétition d'hérédité est recevable pendant trente ans (Troplong, n. 1066 ; Delv., 1209, n. 1) (*Val*) (2).

— L'escroquerie doit-elle être assimilée au vol ? ∿ *A*. Le mot vol est ici générique : à la vérité, l'escroquerie n'est pas un vol qualifié ; mais cette action est plus répréhensible que l'abus de confiance, puisqu'elle suppose des manœuvres frauduleuses. — Ajoutons, que le propriétaire escroqué mérite plus de faveur que le possesseur de la chose (Troplong, n. 1069. — *Trib. de la Seine*, 13 janvier 1834. — *Gaz. des Trib.* 12 septembre 1834. — *Lyon*, 15 décembre 1830 ; S., 32, 2, 318) (*Val.*).

2280 — Si le possesseur actuel de la chose volée ou perdue

(1) *Paris*, 5 Avril 1813 ; S., 14, 2, 306. — *Cass.*, 20 mai 1835 ; S., 35, 1, 321.
(2) Mais on ne peut considérer comme universalités de meubles, les troupeaux, les haras ; car on ne possède chacune des parties individuelles de ce choses que par l'universalité elle-même (Troplong, n. 1066 ; Delv., p. 299, n. 1),

l'a achetée dans une foire ou dans un marché, ou dans une vente publique, ou d'un marchand vendant des choses pareilles, le propriétaire originaire ne peut se la faire rendre qu'en remboursant au possesseur le prix qu'elle lui a coûté.

= La faveur accordée au commerce, a dû faire écarter l'action en revendication que le véritable propriétaire voudrait exercer, lorsque le meuble a été acheté dans un lieu où le public est en quelque sorte invité à faire des achats.

Celui qui a trouvé une chose perdue et qui n'en a pas fait la déclaration et le dépôt au greffe du tribunal civil, peut être poursuivi en restitution pendant trente ans (*voy*. Dur., t. 4, n. 318 et suiv.).

Lorsque la déclaration et le dépôt ont eu lieu, la chose est rendue à l'inventeur, si elle n'est pas réclamée dans l'espace de trois années ; mais pendant trente ans, à compter du jour ou il a trouvé la chose, il est encore obligé de restituer cette chose au propriétaire qui la revendique, ou à faire raison du prix qu'il en a retiré en la vendant.

— En rendant le prix, le demandeur aura-t-il un recours contre le voleur pour se faire indemniser ? ᴡ *A*. (Troplong, n. 1072 , Vente, t. 1ᵉʳ, n. 243).

Si le meuble a passé de main en main par plusieurs reventes , le vendeur de bonne foi est-il tenu à l'égard du propriétaire ? ᴡ *A*. (Troplong, n. 1073 ; Vente, *ibid*.).

L'action civile dont parle l'art. 638 du Code d'instruction criminelle , est-elle restreinte aux dommages-intérêts , ou s'étend-elle à l'action en restitution ? En d'autres termes, le voleur n'est-il affranchi de l'action en restitution qu'après l'expiration de trente années ? ᴡ Il ne s'agit, dans l'art. 638 du Code d'instruction criminelle, que de l'action en dommages-intérêts ; on ne peut admettre que le voleur prescrive par un temps moins long que celui qui a trouvé la chose. ᴡ L'action civile embrasse même l'action en restitution. — Les dispositions des articles 637 et 638 du Code d'instruction criminelle , ont principalement pour but d'éviter un scandale ; mais si le propriétaire n'a pas la prétention de prouver qu'on a commis un délit à son préjudice , s'il se borne à dire qu'il a perdu la chose , le voleur ne pourra argumenter de son délit pour repousser la revendication (*voy*. art. 2219, 3ᵉ et 4ᵉ quest., et 2262, 3ᵉ quest.) (*Val*.).

2281 — Les prescriptions commencées à l'époque de la publication du présent titre seront réglées conformément aux lois anciennes.

Néanmoins les prescriptions alors commencées, et pour lesquelles il faudrait encore, suivant les anciennes lois, plus de trente ans à compter de la même époque, seront accomplies par ce laps de trente ans.

= L'art. 2281 se rattache à l'art. 2 du Code civil.

C'est surtout en matière de propriété, que l'on doit prévenir toute rétroactivité : le droit éventuel résultant d'une prescription commencée, ne peut dépendre à la fois de deux lois : de la loi ancienne et du nouveau Code ; il suffit que ce droit soit attaché à la prescription commencée, pour qu'il soit soumis à l'ancienne loi.

Une seule exception a été jugée nécessaire, pour qu'il y eût un terme après lequel il pût être certain que la loi nouvelle recevrait son exécution : certaines coutumes exigeaient, pour la prescription, quarante ans ou un temps plus long : notre article, dans sa disposition finale, déclare que les prescriptions commencées à l'époque de la publication du titre qui nous occupe, et pour lesquelles il fallait encore, suivant les anciennes lois, plus de trente ans, à compter de la même époque, ont pu s'accomplir par ce laps de trente années.

— On pensait anciennement, que les arrérages des rentes n'étaient sujets à la prescription de cinq ans que lorsque ces rentes avaient été constituées à prix d'argent : le Code n'admettant pas aujourd'hui ces distinctions, on demande si les arrérages d'une rente constituée pour prix d'un immeuble, qui auraient commencé à être dus avant le Code, ne pourraient encore maintenant être prescrits que par trente ans ? ⁓ Les termes dans lesquels notre article est conçu sont formels ; la loi déclare que les prescriptions, commencées à l'époque de la publication du Code (24 ventôse an 12), sont réglées conformément aux lois anciennes (*Cass.*, 18 décembre 1813 ; S., 14, 90 ; 21 décembre 1812 ; S., 13, 1, 182). ⁓ Le titre d'une créance produisant intérêts ne reçoit d'application et ne produit effet relativement aux intérêts, que chaque année, au fur et à mesure des échéances (Delv., p. 203, n. 12. — *Cass.*, 9 juin 1829 ; S., 30, 1, 366. — *Paris*, 10 février 1826 ; S., 26, 2, 285 ; D., 26, 2, 214. — *Limoges*, 30 juin 1825 S., 26, , 170 ; D., 26, 2, 171. — *Amiens*, 21 décembre 1824 ; S., 25, 2, 340).

BIBLIOTHÈQUE ROYALE

FIN DU TROISIÈME VOLUME.

TABLE DES MATIÈRES

CONTENUES

DANS CE VOLUME.

FIN DE LA TABLE DU TROISIÈME VOLUME.

Imprimé en France
FROC031537200120
23227FR00007B/41/P

9 782329 360935